마플 시너지 내신문제집

MAPL SYNERGY SERIES

확률과 통계

1558Q

최다 빈출 문제로 이루어진 내신연계기출

+ 0659Q

도움을 주신 분들
정영필 김민석 강승혁 이승효 김성진 서혜원

내신 일등급을 위한 최고의 교재

마플시너지

확률과 통계

마플시너지 내신문제집 확률과 통계

ISBN : 978-89-94845-71-5 (53410)

발행일 : 2020년 7월 29일(1판 1쇄)

인쇄일 : 2025년 1월 14일

판/쇄 : 1판 10쇄

펴낸곳
희망에듀출판부 *(Heemang Institute, inc. Publishing dept.)*

펴낸이
임정선

주소 경기도 부천시 석천로 174 하성빌딩
(174, Seokcheon-ro, Bucheon-si, Gyeonggi-do, Republic of Korea)

교재 오류 및 문의
mapl@heemangedu.co.kr

희망에듀 홈페이지
http://www.heemangedu.co.kr

마플교재 인터넷 구입처
http://www.mapl.co.kr

교재 구입 문의
오성서적
Tel 032) 653-6653
Fax 032) 655-4761

YOUR
MASTER
PLAN

YOUR
MASTER
PLAN

PHILOSOPHY OF MAPL SYNERGY

예술작품, 건축물, 자동차...
하다 못해 우리가 매일 쓰는 밥숟가락까지
인간이 만드는 모든 물건에는
그것을 만든 이의 '철학'이 깃들어야합니다

당 신 의

일 등 급 이

이 교 재 의

철 학

입 니 다

목차

CONTENTS

I 경우의 수

II 확률

mapl YOUR MASTER PLAN
SYNERGY
마플시너지 **확률과 통계**

Ⅲ 통계

내신 1등급
단원별 모의평가

내신대비 복습용 문항 다운로드 안내

내신연계 출제문항 다운로드
마플 시너지를 다시 한 번 정리할 수 있도록 해설에 수록된 '내신연계 출제문항'을 별도의 시험지 형태로 정리한 파일을 다운로드 해서 사용할 수 있습니다.

복습용 자료는 언제든 다운로드 가능합니다
마플북스 www.mapl.co.kr
자료실 또는 학습자료실

GUIDE

About Mapl Synergy

마플시너지의 구성과 특징

마플 시너지 시리즈는 모든 교과서의 내신문제를 총 망라하여
출제될 수 있는 문제를 유형별로 정리한 교재입니다.

내 신 일 등 급 을
반 드 시 만 드 는
신 개 념 내 신 문 제 집
마 플 시 너 지

FLOW 시너지의 흐름

꼭 풀어야하는 핵심 기출유형과 서술형, 일등급 완성에 빠져서는 안될 최고난도 문제, 그리고 실전 모의평가로 이어지는 마플시너지 내신문제집의 흐름을 충실히 따라가다 보면 어느새 1등급!

최다빈출 왕중요

1558Q

- 내신정복 기출유형
- 서술형 기출유형
- 행복한 일등급 문제

출제율 100%우수 대표문제

내신연계 출제문항

0659Q

한 단계 UP된
실제 반복 출제되는
우수문항

실전! 단원별 모의평가

새로운
교과과정에 맞춘
실전 모의고사

단원별 각 2회
중간기말 4회
총10회

내신 1등급 완성

해설에 있는 내신연계 출제문항은 별도의 PDF문서를 마플북스(www.mapl.co.kr)의 자료실에서 다운로드 하실 수 있습니다.

구성과 특징 ❶

단계별 구성

학교내신일등급만들기
마플시너지
단계별학습프로젝트

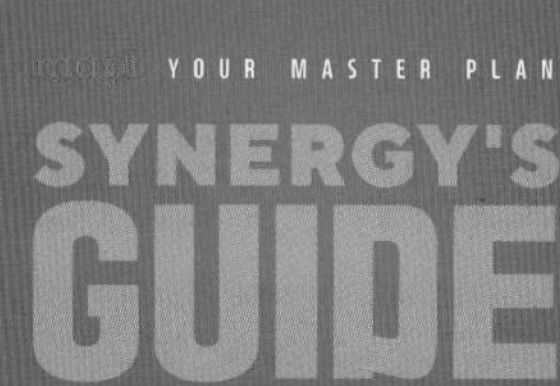

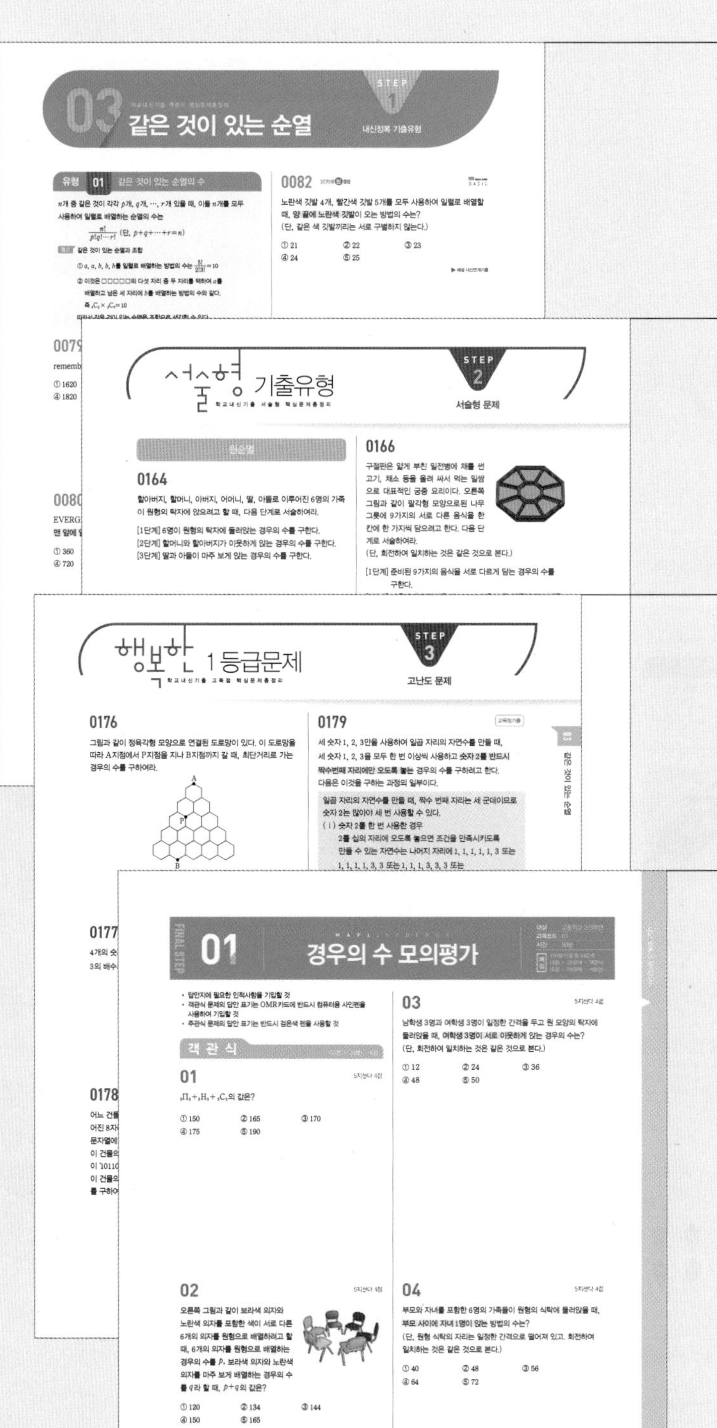

STEP1 내신정복 기출유형

학교 교과서에서 자주 출제되는 핵심 객관식 기출 유형
학교 내신을 준비하는 학생들을 위해 각 개념별로 엄선한 출제율이 높은 우수 기출 유형으로 변별력 있는 신경향 문제로 구성하였습니다.

STEP2 서술형 기출유형

단계별로 출제되는 서술형 기출 유형
서술형은 풀이 과정이 하나라도 누락이 되면 감점되기 때문에 출제의도를 파악하고 답안을 작성해보는 연습을 위해 단계별로 서술하여 서술형 대비에 완벽을 기했습니다.

STEP3 행복한 일등급 문제

1등급을 위한 최고의 변별력 기출 유형
1등급 발목을 잡는 두 가지 이상의 복잡한 개념과 문제 해결과정이 복잡한 문제를 대비해 내신 고득점 달성 및 수능 실력 쌓기 알맞는 교과서 고난도 문제 등 다양한 HOT한 유형을 수록하여 구성했습니다.

FINAL STEP 단원별 모의평가

학교 교과서 내용을 바탕으로 실전적 연습을 통하여 제한시간(50분)에 중간고사 및 기말고사를 미리 연습하는 문제로 구성했습니다.

구성과 특징 ❷

입체적 구성

학 교 내 신 일 등 급 을
完 成
완 성 하 는
마 플 시 너 지
입 체 적 인 구 성

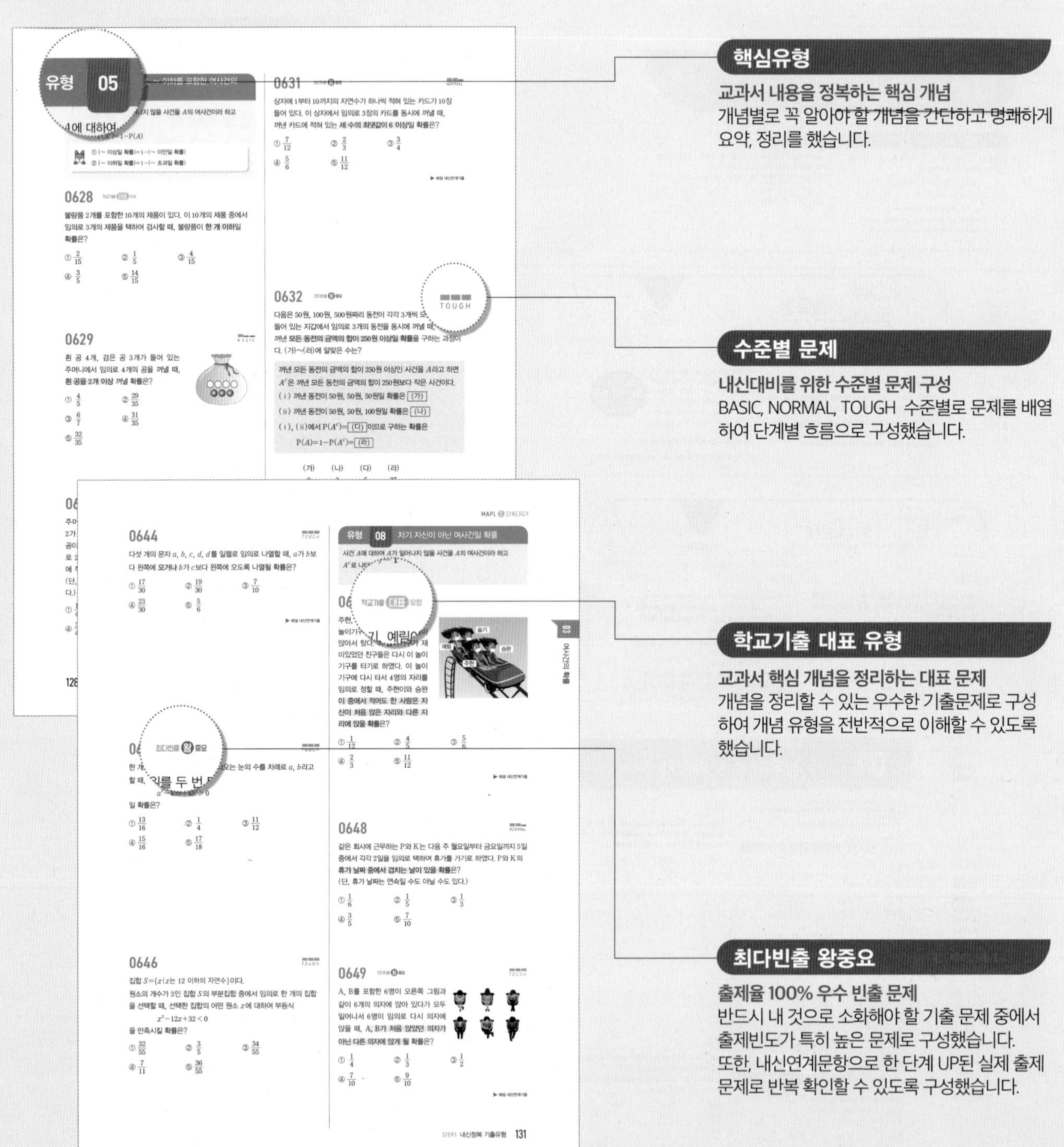

핵심유형

교과서 내용을 정복하는 핵심 개념
개념별로 꼭 알아야 할 개념을 간단하고 명쾌하게 요약, 정리를 했습니다.

수준별 문제

내신대비를 위한 수준별 문제 구성
BASIC, NORMAL, TOUGH 수준별로 문제를 배열하여 단계별 흐름으로 구성했습니다.

학교기출 대표 유형

교과서 핵심 개념을 정리하는 대표 문제
개념을 정리할 수 있는 우수한 기출문제로 구성하여 개념 유형을 전반적으로 이해할 수 있도록 했습니다.

최다빈출 왕중요

출제율 100% 우수 빈출 문제
반드시 내 것으로 소화해야 할 기출 문제 중에서 출제빈도가 특히 높은 문제로 구성했습니다.
또한, 내신연계문항으로 한 단계 UP된 실제 출제 문제로 반복 확인할 수 있도록 구성했습니다.

구성과 특징 ❸

정답과 해설

학교내신일등급을
견인(牽引)하는
마플시너지
입체적인해설

mapl YOUR MASTER PLAN
SYNERGY'S GUIDE

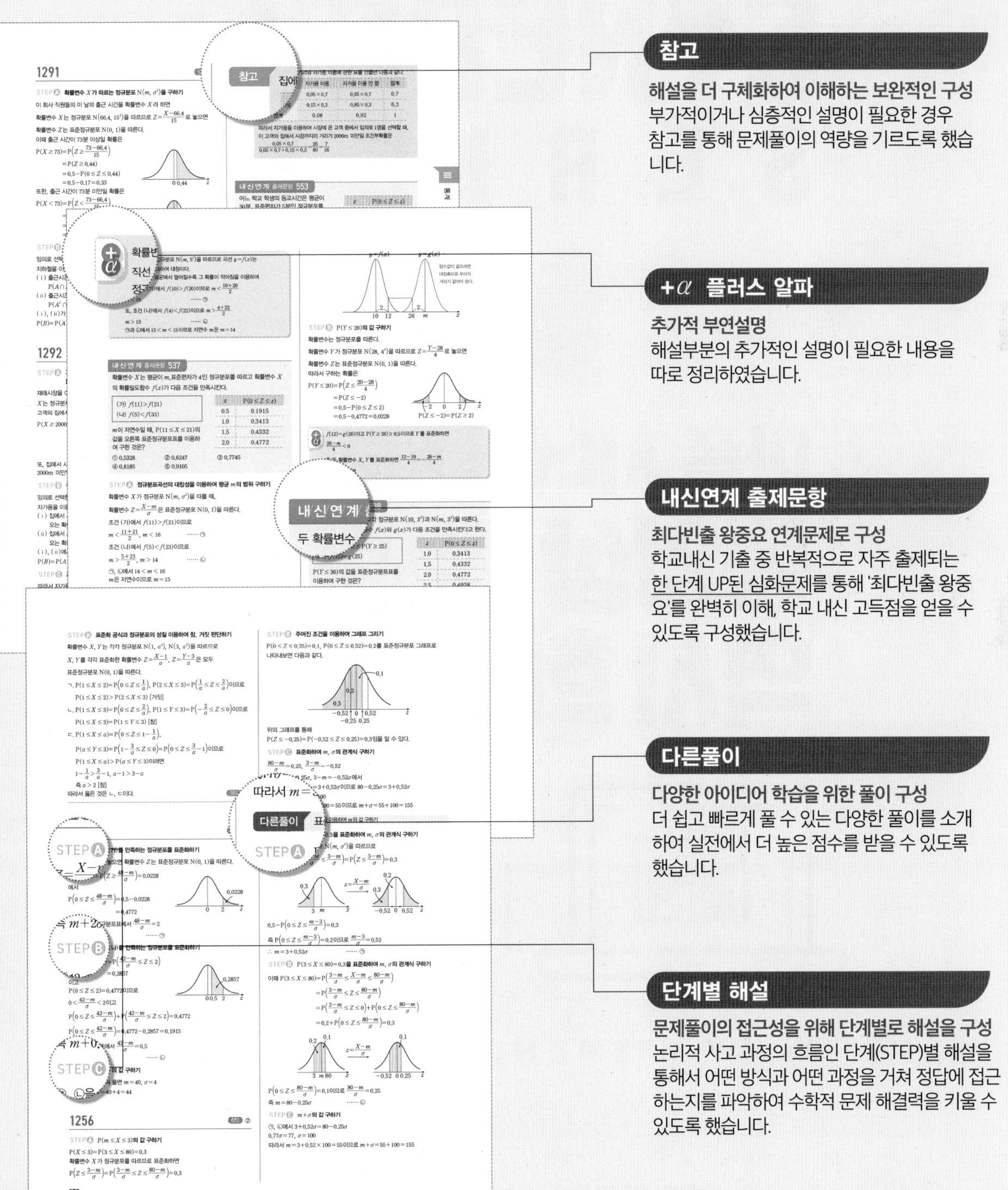

참고
해설을 더 구체화하여 이해하는 보완적인 구성
부가적이거나 심층적인 설명이 필요한 경우
참고를 통해 문제풀이의 역량을 기르도록 했습니다.

+α 플러스 알파
추가적 부연설명
해설부분의 추가적인 설명이 필요한 내용을
따로 정리하였습니다.

내신연계 출제문항
최다빈출 왕중요 연계문제로 구성
학교내신 기출 중 반복적으로 자주 출제되는
한 단계 UP된 심화문제를 통해 '최다빈출 왕중요'를 완벽히 이해, 학교 내신 고득점을 얻을 수 있도록 구성했습니다.

다른풀이
다양한 아이디어 학습을 위한 풀이 구성
더 쉽고 빠르게 풀 수 있는 다양한 풀이를 소개하여 실전에서 더 높은 점수를 받을 수 있도록 했습니다.

단계별 해설
문제풀이의 접근성을 위해 단계별로 해설을 구성
논리적 사고 과정의 흐름인 단계(STEP)별 해설을 통해서 어떤 방식과 어떤 과정을 거쳐 정답에 접근하는지를 파악하여 수학적 문제 해결력을 키울 수 있도록 했습니다.

I
경우의 수

01 원순열

학교내신기출 객관식 핵심문제총정리

STEP 1 내신정복 기출유형

유형 01 원탁에 둘러앉는 경우

① 서로 다른 n개를 원형으로 배열하는 방법의 수는

$$\Rightarrow \frac{{}_{n}\mathrm{P}_{n}}{n}=\frac{n!}{n}=(n-1)!$$

② 서로 다른 n개에서 r개를 택하여 원형으로 배열하는 방법의 수는

$$\Rightarrow \frac{{}_{n}\mathrm{P}_{r}}{r}=\frac{n!}{r\times(n-r)!}$$

③ 원탁에 둘러앉는 경우의 수

[1단계] 주어진 조건에 맞도록 일부를 고정하거나 묶어서 원형 배열한다.
[2단계] 나머지 조건에 맞도록 곱의 법칙을 이용한다.

참고 두 그룹을 원형으로 배열할 때는 한 그룹에만 원순열의 공식을 적용한다.

0001 학교기출 대표 유형

3 이상의 자연수 n에 대하여 서로 다른 n개를 원형으로 배열하는 원순열의 수를 $f(n)$이라고 할 때,

$\frac{f(10)}{f(7)\times f(m)}=21$을 만족시키는 자연수 m의 값은?

① 4 ② 5 ③ 6
④ 7 ⑤ 8

0002 BASIC

A, B를 포함한 6명이 원 모양의 탁자에 둘러앉을 때, 6명이 앉는 방법의 수를 p, A, B가 서로 마주 보고 앉는 방법의 수를 q라 할 때, $p+q$의 값은?

① 120 ② 134 ③ 144
④ 150 ⑤ 165

0003 최다빈출 왕중요 BASIC

남학생 5명, 여학생 5명을 원탁에 앉힐 때, 남학생과 여학생을 교대로 앉게 하는 방법의 수는?

① 120 ② 720 ③ 1440
④ 2880 ⑤ 3256

▶ 해설 내신연계기출

0004 최다빈출 왕중요 NORMAL

부모와 자녀 3명으로 이루어진 5명의 가족이 원형의 식탁에 둘러앉을 때, 부모 사이에 자녀 1명이 앉는 경우의 수는?

① 12 ② 14 ③ 16
④ 24 ⑤ 36

▶ 해설 내신연계기출

0005 TOUGH

오른쪽 그림과 같이 원형의 탁자 둘레에 놓인 5개의 의자가 있다. 6명의 학생 중 5명을 뽑아 원형의 탁자에 앉는 경우의 수는? (단, 회전하여 일치하는 것은 같은 것으로 본다.)

① 144 ② 146 ③ 148
④ 150 ⑤ 152

유형 02 이웃하는 원순열의 수

두 집단 중 한 집단을 이웃하게 하는 원순열의 수

[1단계] 이웃하게 하는 집단을 묶어서 하나로 보고 원순열의 수를 구한다.
[2단계] 1단계에서 구한 임의의 한 원순열에 대하여 이웃하게 하는 집단의 구성원끼리의 자리를 바꿀 수 있는 순열의 수를 구한다.
[3단계] 1단계에서 구한 원순열과 2단계에서 구한 순열의 수를 곱한다.

0006 학교기출 대표 유형

남학생 4명과 여학생 2명이 원탁에 둘러앉을 때, 여학생끼리 이웃하는 경우의 수는?

① 24 ② 36 ③ 48
④ 56 ⑤ 72

0007 최다빈출 왕 중요 BASIC

1학년 학생 2명, 2학년 학생 2명, 3학년 학생 3명이 있다. 이 7명의 학생이 일정한 간격을 두고 원 모양의 탁자에 모두 둘러앉을 때, 1학년 학생끼리 이웃하고 2학년 학생끼리 이웃하게 되는 경우의 수는? (단, 회전하여 일치하는 것은 같은 것으로 본다.)

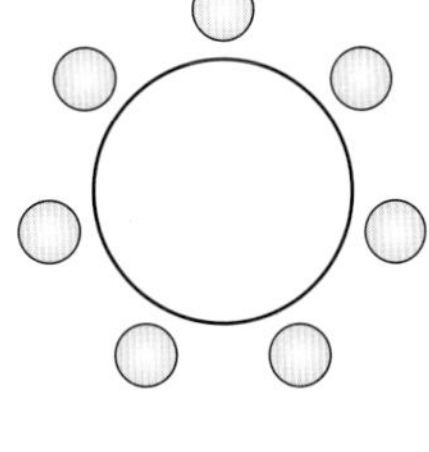

① 96 ② 100 ③ 104
④ 108 ⑤ 112

▶ 해설 내신연계기출

0008 NORMAL

세 쌍의 부부가 6개의 좌석이 있는 원탁에 둘러앉을 때, 부부끼리 서로 이웃하여 앉는 방법의 수는?

① 16 ② 24 ③ 48
④ 96 ⑤ 192

0009 최다빈출 왕 중요 NORMAL

A, B를 포함한 n명의 학생이 원형의 탁자에 앉을 때, A, B가 이웃하여 앉는 경우의 수가 48이 되도록 하는 n의 값은?

① 3 ② 4 ③ 5
④ 6 ⑤ 7

▶ 해설 내신연계기출

0010 최다빈출 왕 중요 NORMAL

오른쪽 그림과 같은 구절판찬합에 밀전병, 고기, 무채를 포함한 9가지의 서로 다른 음식을 한 칸에 한 가지씩 담으려고 한다. 가운데 밀전병을 놓고, 고기와 무채를 이웃하게 담는 경우의 수는? (단, 회전하여 일치하는 것은 같은 것으로 본다.)

① 720 ② 1220 ③ 1440
④ 1690 ⑤ 1720

▶ 해설 내신연계기출

0011 TOUGH

A, B를 포함한 5명의 학생이 오른쪽 그림과 같이 정육각형 모양의 탁자에 배열된 6개의 의자에서 한 개의 의자는 비워 두고 앉으려고 한다. A, B가 서로 이웃하도록 5명의 학생이 모두 의자에 앉는 경우의 수는? (단, 회전하여 일치하는 것은 같은 것으로 본다.)

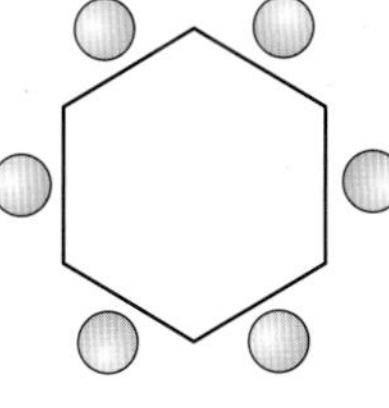

① 24 ② 32 ③ 36
④ 42 ⑤ 48

유형 03 이웃하지 않는 원순열의 수

두 집단 중 한 집단을 이웃하지 않게 하는 원순열의 수

[1단계] 이웃해도 좋은 집단으로 만들어지는 원순열의 수를 구한다.
[2단계] 1단계에서 구한 임의의 한 경우의 대상들 사이에 이웃하지 않게 하는 대상을 나열하는 순열의 수를 구한다.
[3단계] 1단계에서 구한 원순열의 수와 2단계에서 구한 순열의 수를 곱한다.

0012 학교기출 대표유형

어른 2명과 어린이 4명이 원형의 탁자에 둘러앉을 때, 어른 2명이 이웃하지 않도록 앉는 방법의 수는?

① 36 ② 72 ③ 120
④ 144 ⑤ 178

▶ 해설 내신연계기출

0013 최다빈출 왕중요 BASIC

남자 4명과 여자 3명이 원형의 탁자에 둘러앉을 때, 여자끼리는 이웃하지 않도록 앉는 경우의 수는?

① 24 ② 48 ③ 64
④ 121 ⑤ 144

▶ 해설 내신연계기출

같은 문제 다른 표현

남자 4명과 여자 3명이 원형의 탁자에 둘러앉을 때, 여학생 사이에 적어도 한 명의 남학생이 앉는 경우의 수를 구하여라.

0014 NORMAL

남자 3명과 A, B를 포함한 여자 4명이 원형의 탁자에 둘러앉을 때, 여자 4명은 이웃하여 앉게 한다. 이때 A와 B는 서로 이웃하지 않도록 앉는 경우의 수는? (단, 회전하여 일치하는 것은 같은 것으로 본다.)

① 72 ② 84 ③ 96
④ 108 ⑤ 120

0015 NORMAL

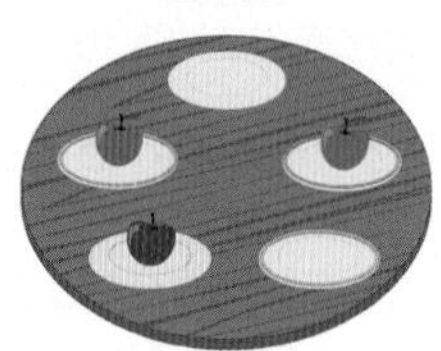

서로 다른 5개의 접시를 원 모양의 식탁에 일정한 간격을 두고 원형으로 놓은 후 5개의 접시 중에서 3개의 접시 위에 서로 다른 3개의 사과를 각각 한 개씩 올려놓을 때, 사과를 올려놓지 않은 접시 2개가 서로 이웃하지 않는 경우의 수는? (단, 회전하여 일치하는 것은 같은 것으로 본다.)

① 600 ② 640 ③ 680
④ 720 ⑤ 760

0016 최다빈출 왕중요 TOUGH

1학년 3명, 2학년 2명, 3학년 3명이 모두 원형의 탁자에 둘러앉으려고 한다. 1학년 3명은 이웃하고, 2학년 2명은 이웃하지 않도록 의자에 앉는 경우의 수는? (단, 회전하여 일치하는 것은 같은 것으로 본다.)

① 72 ② 108 ③ 216
④ 288 ⑤ 432

▶ 해설 내신연계기출

0017 TOUGH

S대학 학생 3명, Y대학 학생 2명, E대학 학생 1명이 일정한 간격을 두고 원 모양의 탁자에 둘러앉을 때, E대학 학생의 옆에 적어도 한 명의 Y대학 학생이 앉는 경우의 수는? (단, 회전하여 일치하는 것은 같은 것으로 본다.)

① 68 ② 72 ③ 76
④ 80 ⑤ 84

유형 04 다각형 탁자에 둘러앉는 방법의 수

(원순열의 수)×(회전시켰을 때 겹치지 않는 경우의 수)

① 정사각형의 식탁에 n명을 앉히는 방법의 수 ⇨ $(n-1)! \times \frac{n}{4}$

② 직사각형의 식탁에 n명을 앉히는 방법의 수 ⇨ $(n-1)! \times \frac{n}{2}$

③ 정삼각형의 식탁에 n명을 앉히는 방법의 수 ⇨ $(n-1)! \times \frac{n}{3}$

0018 학교기출 대표 유형

다음은 6명이 오른쪽 그림과 같은 정삼각형 모양의 탁자에 둘러앉는 방법의 수를 구하는 과정이다. (단, 회전하여 일치하는 것은 같은 것으로 본다.)

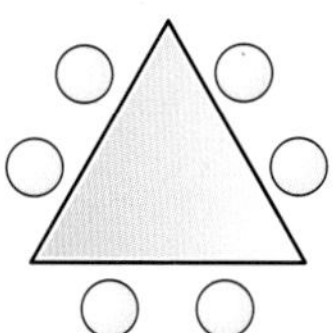

6명이 원 모양의 탁자에 둘러앉는 방법의 수는

((가) −1)!

이때 정삼각형 모양의 탁자에서는 각 경우에 대하여 서로 다른 경우가 (나) 가지씩 존재한다.

따라서 구하는 방법의 수는 (다) 이다.

(가), (나), (다)에 알맞은 수를 a, b, c라 할 때, $a+b+c$의 값은?

① 210 ② 240 ③ 245
④ 248 ⑤ 260

0019 BASIC

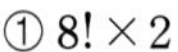

오른쪽 그림과 같은 정사각형 모양의 식탁에 8명이 둘러앉는 경우의 수는? (단, 회전하여 일치하는 것은 같은 것으로 본다.)

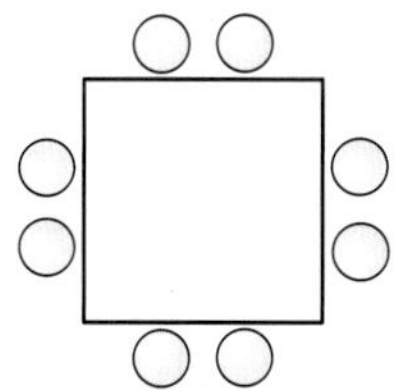

① $8! \times 2$ ② $7!$
③ $7! \times 2$ ④ $8!$
⑤ $\frac{8!}{2}$

0020 최다빈출 왕중요 NORMAL

6명의 학생이 다음 그림과 같은 정삼각형, 직사각형, 정육각형 모양의 탁자에 둘러앉을 때, 각각의 경우의 수의 합은? (단, 회전하여 일치하는 것은 같은 것으로 본다.)

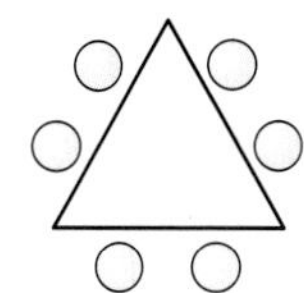
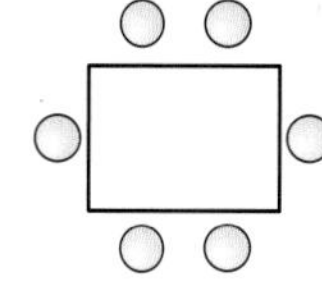
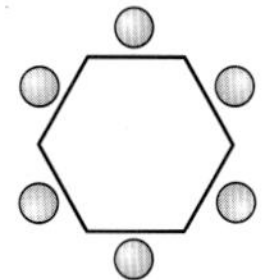

① 240 ② 360 ③ 480
④ 540 ⑤ 720

▶ 해설 내신연계기출

0021 TOUGH

다음 그림과 같은 직사각형 모양의 탁자에 남자 4명, 여자 4명이 둘러앉으려고 한다. 남녀가 교대로 앉는 경우의 수는? (단, 회전하여 일치하는 것은 같은 것으로 본다.)

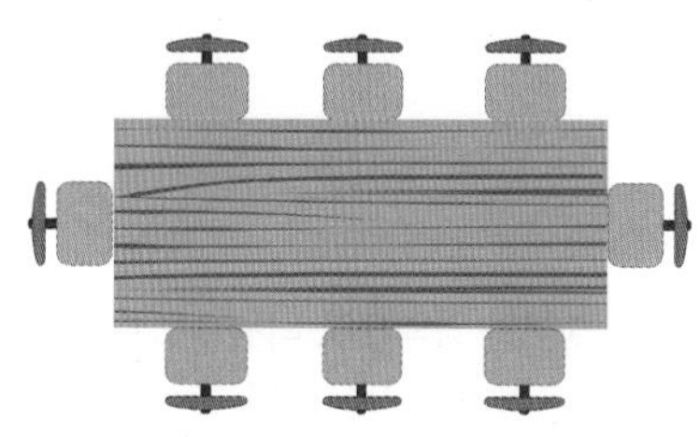

① 420 ② 526 ③ 576
④ 625 ⑤ 665

0022 TOUGH

오른쪽 그림과 같이 1학년 학생 2명, 2학년 학생 2명, 3학년 학생 2명이 정사각형 모양의 탁자에 배열된 8개의 의자에서 두 개의 의자는 비워 두고 앉으려고 한다. 같은 학년의 학생끼리 정사각형의 같은 변 쪽에 서로 이웃하도록 6명의 학생이 모두 의자에 앉는 경우의 수는? (단, 회전하여 일치하는 것은 같은 것으로 본다.)

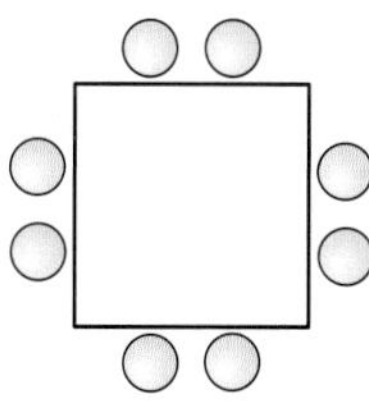

① 36 ② 48 ③ 52
④ 58 ⑤ 62

유형 05 평면도형에 색칠하는 방법의 수

회전시켰을 때 모양이 겹치는 도형을 색칠하는 방법의 수는 다음과 같은 단계로 구한다.

[1단계] 기준이 될 수 있는 영역(가장 많은 영역에 인접하는 영역)에 색을 칠하는 경우의 수를 구한다.
← 원순열로 해결할 수 없는 부분을 먼저 색칠한다.

[2단계] 나머지 부분을 원순열로 경우의 수를 구한 후 1단계의 경우의 수와 곱한다.

참고 가운데에 도형이 있는 경우에는 가운데 도형에 먼저 색칠하고 나머지는 원순열을 이용한다.

0023 학교기출 대표 유형

오른쪽 그림은 정사각형에 두 대각선을 그어 4개의 영역으로 구분한 것이다. 서로 다른 7가지의 색에서 4가지 색을 골라 4개의 영역에 칠하려고 할 때, 칠하는 방법의 수는?

① 64 ② 120 ③ 210
④ 320 ⑤ 350

0024 BASIC

오른쪽 그림과 같이 5개의 영역으로 나눠진 도형에 서로 다른 5가지의 색을 모두 사용하여 칠하려고 한다. 한 영역에는 한 가지 색만 칠할 때, 도형의 각 영역을 칠하는 방법의 수는? (단, 회전하여 일치하는 경우는 같은 것으로 본다.)

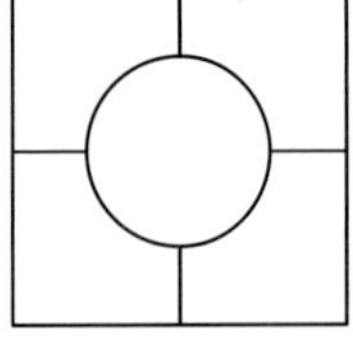

① 24 ② 30 ③ 36
④ 42 ⑤ 48

0025 최다빈출 왕 중요 BASIC

오른쪽 그림과 같이 반지름의 길이가 같은 7개의 원이 있다. 7개의 원에 서로 다른 7개의 색을 모두 사용하여 색칠하는 경우의 수는? (단, 한 원에는 한 가지 색만 칠하고, 회전하여 일치하는 것은 같은 것으로 본다.)

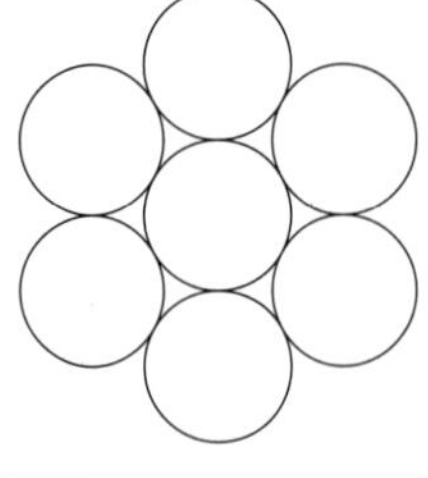

① 360 ② 520 ③ 720
④ 840 ⑤ 960

▶ 해설 내신연계기출

0026 최다빈출 왕 중요 NORMAL

오른쪽 그림과 같이 7등분한 원판의 영역을 구분하여 색칠하려고 한다. 7가지 무지개 색을 모두 사용하여 색칠할 때, 파란색과 주황색이 이웃하도록 색칠하는 방법의 수는? (단, 각 영역에는 한 가지 색만 칠하고, 회전하여 일치하는 것은 같은 것으로 본다.)

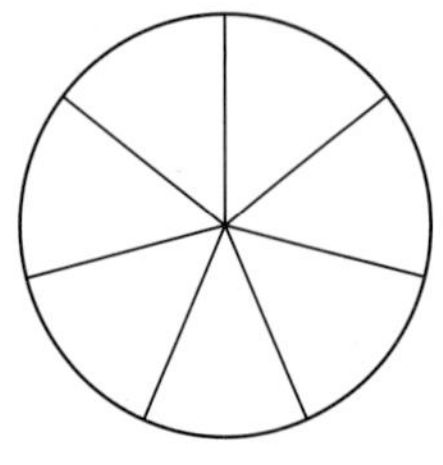

① 120 ② 240 ③ 420
④ 840 ⑤ 1680

▶ 해설 내신연계기출

0027 NORMAL

오른쪽 그림과 같은 광고 디자인에 있는 8개의 화살표를 서로 다른 8가지의 색을 한 번씩 사용하여 칠하려고 한다. 특정한 3가지색이 이웃하도록 칠하는 경우의 수는? (단, 회전하여 일치하는 것은 같은 것으로 본다.)

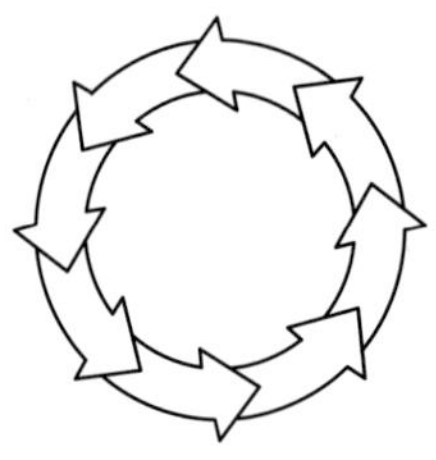

① 520 ② 620 ③ 720
④ 740 ⑤ 810

0028 최다빈출 왕 중요 NORMAL

오른쪽 그림과 같이 정육각형을 6등분한 도형의 내부에 빨강, 주황, 노랑, 초록, 파랑, 보라의 6가지 색을 모두 사용하여 칠하려고 한다. 이때 빨간색과 보라색이 서로 이웃하지 않도록 칠하는 경우의 수는? (단, 한 영역에는 한 가지 색만 칠하고, 회전하여 일치하는 것은 같은 것으로 본다.)

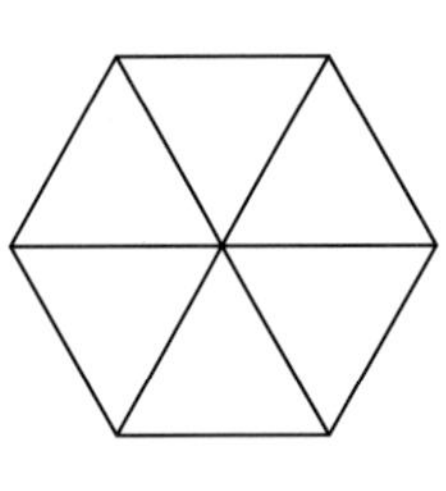

① 24 ② 64 ③ 72
④ 120 ⑤ 144

▶ 해설 내신연계기출

0029 최다빈출 왕중요 NORMAL

오른쪽 그림과 같이 중심이 같은 두 원의 내부를 삼등분한 6개의 영역에 서로 다른 6가지 색을 모두 사용하여 칠하는 경우의 수는? (단, 한 영역에는 한 가지 색만 칠하고, 회전하여 일치하는 것은 같은 것으로 본다.)

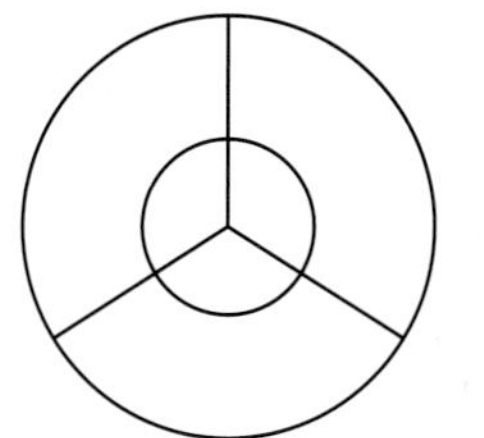

① 120 ② 240 ③ 360
④ 520 ⑤ 720

▶ 해설 내신연계기출

0030 NORMAL

오른쪽 그림과 같이 두 동심원을 각각 4등분하여 만든 8개의 영역을 서로 다른 8가지 색을 모두 사용하여 칠하려고 한다. 칠할 수 있는 모든 경우의 수가 $k\times4!$일 때, 상수 k의 값은? (단, 1개의 영역에는 1가지 색을 칠할 수 있고, 회전하여 일치하는 경우는 모두 같은 것으로 본다.)

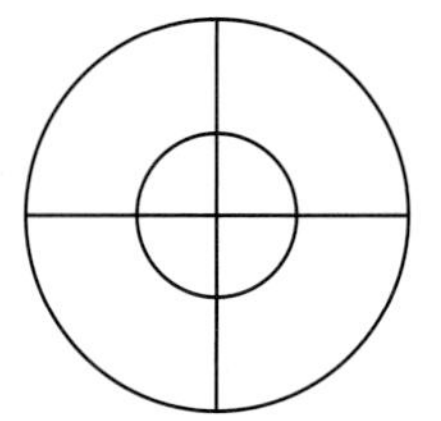

① 96 ② 120 ③ 240
④ 360 ⑤ 420

0031 최다빈출 왕중요 NORMAL

오른쪽 그림은 정삼각형의 세 변의 중점을 연결하여 정삼각형을 만들고, 그 내접원을 그린 것이다. 정삼각형 내부의 7개의 각 영역에 한 가지 색을 칠할 때, 서로 다른 7가지 색을 모두 사용하여 칠하는 방법의 수는?
(단, 회전하여 일치하는 경우는 같은 것으로 본다.)

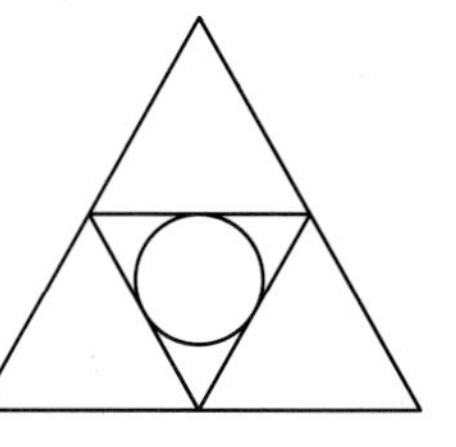

① 40 ② 240 ③ 280
④ 420 ⑤ 1680

▶ 해설 내신연계기출

0032 TOUGH

그림과 같이 크기가 같은 9개의 정사각형으로 이루어진 도형이 있다. 9개의 정사각형의 내부를 서로 다른 9가지 색을 모두 사용하여 하나씩 칠하는 경우의 수가 $k\times7!$일 때, 상수 k의 값은?
(단, 회전하여 일치하는 경우는 같은 것으로 본다)

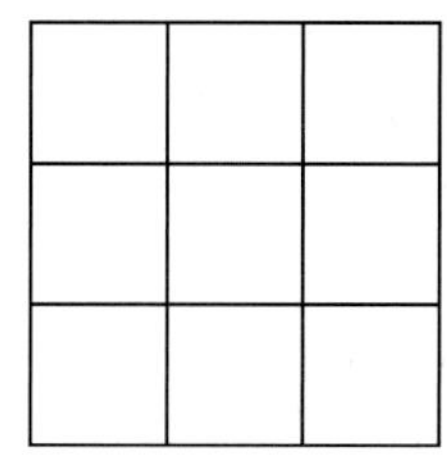

① 12 ② 16 ③ 18
④ 20 ⑤ 24

0033 최다빈출 왕중요 TOUGH

다음 그림은 정삼각형의 각 변의 중점을 연결하여 4개의 합동인 정삼각형을 만든 것이다. 서로 다른 5가지의 색 중에서 몇 개를 골라 4개의 영역이 구별되도록 각각 다른 색으로 칠하는 경우의 수는?
(단, 회전하여 일치하는 것은 같은 것으로 본다.)

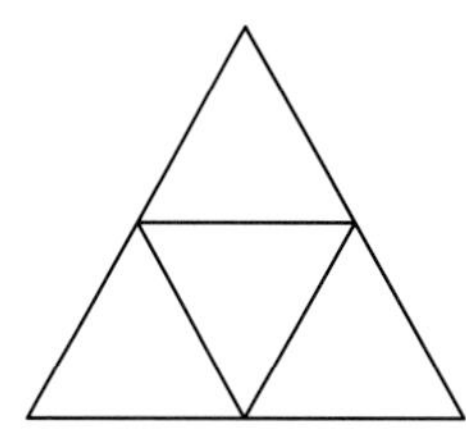

① 60 ② 80 ③ 100
④ 120 ⑤ 160

▶ 해설 내신연계기출

01 원순열

유형 06 정다각뿔 색칠하기

입체도형에 색칠하는 방법의 수는 다음과 같은 단계로 구한다.

[1단계] 밑면이나 마주 보는 면, 평행한 면 등을 칠하는 경우의 수를 먼저 구한다.
[2단계] 나머지 부분을 원순열로 경우의 수를 구한 후 1단계의 경우의 수와 곱한다.

0034 학교기출 대표 유형

서로 다른 5가지 색을 모두 사용하여 오른쪽 그림과 같은 정사각뿔의 각 면을 칠하는 방법의 수는? (단, 한 면에 한 가지의 색을 칠하고, 회전하여 일치하는 것은 같은 것으로 본다.)

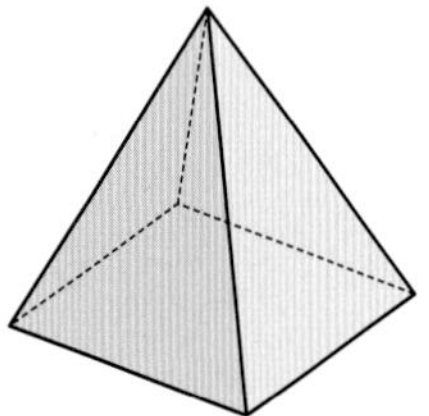

① 18 ② 30
③ 54 ④ 84
⑤ 96

0035 최다빈출 왕 중요 BASIC

오른쪽 그림과 같이 밑면이 정오각형이고 옆면이 모두 합동인 정오각뿔에서 6개의 면을 서로 다른 6가지 색을 한 번씩 사용하여 칠하는 경우의 수는? (단, 회전하여 일치하는 것은 같은 것으로 본다.)

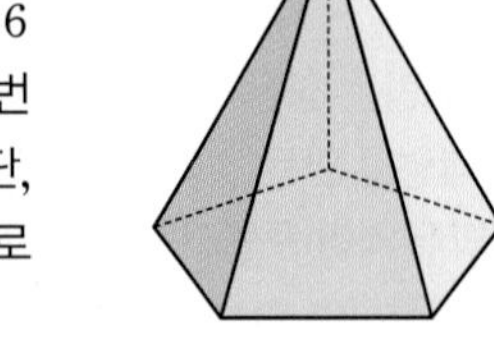

① 24 ② 64 ③ 128
④ 144 ⑤ 288

▶ 해설 내신연계기출

0036 NORMAL

오른쪽 그림과 같은 정사면체의 각 면에 서로 다른 네 가지 색을 모두 사용하여 칠하는 경우의 수는? (단, 회전하여 일치하는 것은 같은 것으로 본다.)

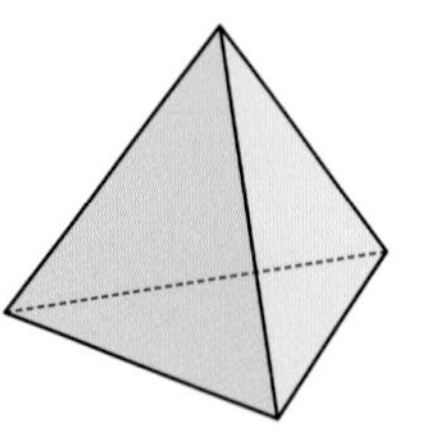

① 2 ② 4
③ 6 ④ 8
⑤ 10

0037 NORMAL

서로 다른 6가지의 색으로 정육면체의 각 면을 색칠하는 방법의 수는? (단, 한 면에는 한 가지 색만 칠한다.)

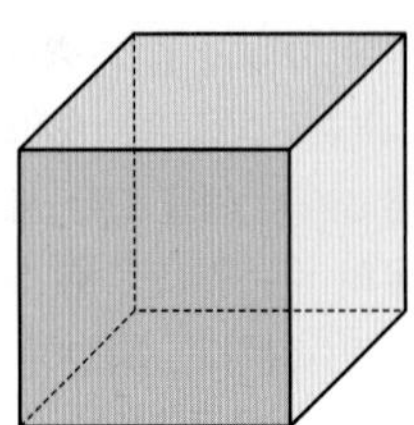

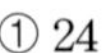① 24 ② 30
③ 48 ④ 72
⑤ 120

0038 TOUGH

오른쪽 그림과 같이 합동인 정삼각형 2개와 합동인 등변사다리꼴 6개로 이루어진 팔면체가 있다. 팔면체의 각 면에는 한 가지의 색을 칠한다고 할 때, 서로 다른 8개의 색을 모두 사용하여 팔면체의 각 면을 칠하는 경우의 수는?
(단, 팔면체를 회전 시켰을 때 색의 배열이 일치하면 같은 경우로 생각한다.)

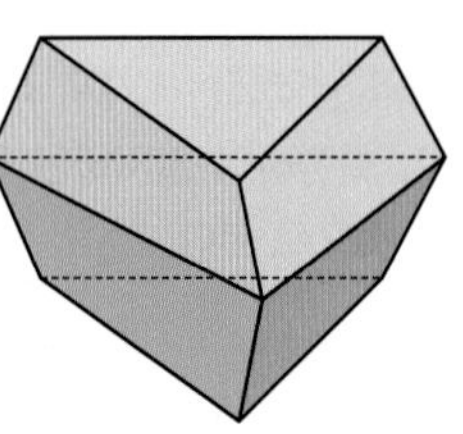

① 6520 ② 6620 ③ 6720
④ 6820 ⑤ 6920

02 중복순열

학교내신기출 객관식 핵심문제총정리

유형 01 중복순열

(1) 중복 순열

서로 다른 n개에서 중복을 허락하여 r개를 택하여 일렬로 나열하는 순열을 n개에서 r개를 택하는 중복순열이라 하고, 이 중복순열의 수를 기호로 ${}_n\Pi_r$과 같이 나타낸다.

고정된 것의 개수 (받는 쪽)→ ${}_n\Pi_r$ ← 선택하는 것의 개수 (주는 쪽)

참고 ${}_n\Pi_r = n^r = \underbrace{n\times n\times n\times\cdots\times n}_{r\text{개}}$

(2) 다음 경우의 수를 구하고, 서로 비교하여 설명하여라.

① 3개의 문자 a, b, c에서 중복을 허용하여 5개를 택하여 일렬로 나열하는 방법의 수

② A, B, C, D, E의 5명의 학생을 세 학급에 배정하는 방법의 수

③ 서로 다른 5통의 편지를 X, Y, Z의 세 우체통에 넣는 방법의 수

해설 ① 3개의 문자 중에서 중복을 허용하여 5개를 선택하여 나열하므로 그 방법의 수는 ${}_3\Pi_5 = 3^5 = 243$(가지)

② A, B, C, D, E의 5명이 각각 들어갈 수 있는 학급이 3가지씩이므로 ${}_3\Pi_5 = 3^5 = 243$(가지)

③ 5통의 편지가 들어갈 수 있는 우체통의 수가 각각 3개씩이므로 ${}_3\Pi_5 = 3^5 = 243$(가지)

①, ②, ③의 경우 모두 중복순열을 이용하여 경우의 수를 구할 수 있다. 선택받는 대상은 ①의 세 문자, ②의 세 학급, ③의 우체통 X, Y, Z

0039 학교기출 대표 유형

${}_nP_2 + {}_n\Pi_2 = 120$을 만족시키는 자연수 n의 값은?

① 6 ② 7 ③ 8
④ 9 ⑤ 10

0040 BASIC

다음 조건을 만족시키는 자연수 n, r에 대하여 $n+r$의 값은?

(가) ${}_n\Pi_4 = 256$
(나) ${}_3\Pi_r = 729$

① 6 ② 7 ③ 8
④ 9 ⑤ 10

0041 최다빈출 왕중요 BASIC

4명의 회원이 각자 비행기, 기차, 고속버스 중에서 한 가지 교통수단을 이용하여 회의 장소에 모일 때, 교통수단을 택하는 경우의 수는?

① ${}_3\Pi_4$ ② ${}_4\Pi_3$ ③ ${}_4P_3$
④ ${}_4H_3$ ⑤ ${}_4C_3$

▶ 해설 내신연계기출

0042 BASIC

어느 회사에 4개의 부서가 있다. 5명의 신입사원을 4개의 부서에 배치하는 방법의 수는? (단, 신입사원이 배치되지 않는 부서가 있을 수도 있다.)

① 4^4 ② 4^5 ③ 5^4
④ 5^5 ⑤ 6^4

0043 NORMAL

송이는 어느 사이트에 회원가입을 하려고 하는데 "비밀번호는 숫자, 영문자, 특수 문자를 모두 사용한 7자리로 입력해야 합니다." 라는 메시지가 나타났다. 이때 송이는 기억하기 쉽도록 다음 규칙을 만족시키는 7자리의 비밀번호를 만들 때, 만들 수 있는 비밀번호의 개수는?

[규칙1] 앞의 두 자리는 특수문자 '&, $, #, ※' 중에서 중복을 허용하여 만든다.
[규칙2] 뒤의 두 자리는 영문자 's, e' 중에서 중복을 허용하여 만든다.
[규칙3] 중간의 세 자리는 세 자리의 수 '389'를 넣는다.

① 36 ② 52 ③ 60
④ 64 ⑤ 72

0044 최다빈출 왕중요

NORMAL

서로 다른 7개의 공을 서로 다른 2개의 주머니에 남김없이 나누어 넣을 때, 빈 주머니가 없도록 넣는 경우의 수는?

① 14 ② 49 ③ 124
④ 126 ⑤ 128

▶ 해설 내신연계기출

0045

NORMAL

서로 다른 6개의 스티커를 3명에게 남김없이 나누어 주는 경우의 수와 서로 다른 3개의 사과를 n명에게 남김없이 나누어 주는 경우의 수가 같을 때, n의 값은? (단, 스티커나 사과를 받지 못한 사람이 있을 수 있다.)

① 5 ② 6 ③ 7
④ 8 ⑤ 9

0046 최다빈출 왕중요

NORMAL

6명의 학생이 떡볶이, 김밥, 라면 중에서 각자 한 가지씩 주문할 때, 적어도 한 명은 김밥을 주문하는 경우의 수는?

① 661 ② 663 ③ 665
④ 667 ⑤ 669

▶ 해설 내신연계기출

0047

NORMAL

다음 중 그 경우의 수가 다른 하나는?

① 2개의 방에 5명의 학생을 배정하는 경우의 수
(단, 학생이 배정되지 않는 방이 있을 수도 있다.)
② 5명의 학생이 두 영화 A, B 중에서 각각 관람할 영화를 1편씩 택하는 모든 경우의 수 (단, 선택되지 않는 영화가 있을 수 있다.)
③ 다음 5개의 칸에 기호 ◆ 또는 ◇를 사용하여 만들 수 있는 신호의 개수 (단, 한 개의 칸에는 한 개의 기호만 사용한다.)

④ 진로 체험의 날에 두 명의 학생이 각각 다섯 개의 체험활동 기관 A, B, C, D, E 중에서 한 곳을 택하는 방법의 수
⑤ 5명의 학생이 두 종류의 음료수 A, B 중 하나씩 선택하는 경우의 수

0048 최다빈출 왕중요

TOUGH

다음 중 그 경우의 수가 다른 하나는?

① 4명의 학생이 연극반, 합창반, 방송반의 3가지 동아리 중에서 각각 하나를 선택하여 가입하는 경우의 수
② 네 사람이 가위 바위 보를 한 번 할 때, 나올 수 있는 모든 경우의 수 (단, 네 사람 모두 가위 바위 보 중 하나는 반드시 내는 것으로 한다.)
③ 서로 다른 4개의 인형을 학생 A, B, C에게 남김없이 나누어 주는 경우의 수 (단, 인형을 받지 못하는 학생이 있을 수 있다.)
④ 어느 여행지에는 3개월, 6개월, 12개월 뒤에 각각 발송되는 세 종류의 느린 우체통이 있다. 4명의 여행객이 각각 1통씩 쓴 편지를 세 종류의 우체통에 넣는 방법의 수
⑤ 3명의 학생이 각각 딸기 주스, 사과 주스, 포도 주스, 수박 주스 중에서 1개의 주스를 택하는 모든 경우의 수
(단, 각 주스는 3개 이상 있다.)

▶ 해설 내신연계기출

0049

TOUGH

다음 중 그 경우의 수가 다른 하나는?

① 서로 다른 6개의 스티커를 3명의 학생에게 남김없이 나누어 주는 경우의 수 (단, 스티커를 한 개도 받지 못하는 학생이 있을 수 있다.)
② 서로 다른 3개의 사과를 9명에게 남김없이 나누어 주는 경우의 수 (단, 사과를 받지 못한 사람이 있을 수 있다.)
③ 9명의 자원봉사자가 집 고치기 활동에 참여하였다. 9명을 도배, 청소, 보일러 공사의 3가지 활동에 배정하는 경우의 수
(단, 자원봉사자가 배정되지 않은 활동이 있을 수 있다.)
④ 6명의 학생이 가위 바위 보를 할 때, 나올 수 있는 경우의 수
⑤ 어느 회사에 3개의 부서가 있다. 6명의 신입사원을 3개의 부서에 배치하는 경우의 수 (단, 신입사원이 배치되지 않는 부서가 있을 수도 있다.)

유형 02 집합의 연산의 중복순열의 수

집합의 연산을 만족하는 두 집합 A, B의 순서쌍 (A, B)를 중복순열을 이용하여 구한다.

0050 학교기출 대표 유형

전체집합 $U=\{1, 2, 3, 4, 5, 6, 7\}$의 두 부분집합 A, B에 대하여

$$A\cap B=\{3, 5, 7\}$$

을 만족시키는 두 집합 A, B를 정하는 경우의 수는?

① 27 ② 32 ③ 64
④ 81 ⑤ 128

▶ 해설 내신연계기출

0051 최다빈출 왕 중요 NORMAL

전체집합 $U=\{1, 2, 3, 4, 5, 6\}$의 두 부분집합 A, B에 대하여

$$A\cup B=U,\ n(A\cap B)=2$$

를 만족시키는 두 집합 A, B의 모든 순서쌍 (A, B)의 개수는?

① 120 ② 160 ③ 200
④ 240 ⑤ 280

▶ 해설 내신연계기출

0052 TOUGH

집합 $U=\{1, 2, 3, 4, 5\}$의 공집합이 아닌 두 부분집합 A, B에 대하여 $A\subset B$를 만족하는 순서쌍 (A, B)의 개수는?

① 118 ② 128 ③ 211
④ 259 ⑤ 321

유형 03 문자를 나열하는 중복순열의 수

특정 자리에 대한 조건이 있는 경우 ⇨ 특정 자리를 제외한 나머지를 나열

0053 학교기출 대표 유형

세 개의 영문자 M, P, L 중에서 중복을 허용하여 5개를 택한 후 일렬로 배열할 때, 양 끝에 같은 영문자가 오는 경우의 수는?

① 27 ② 64 ③ 81
④ 128 ⑤ 162

▶ 해설 내신연계기출

0054

NORMAL

세 문자 a, b, c 중에서 중복을 허락하여 3개를 택하고 일렬로 나열할 때, a끼리는 서로 이웃하지 않도록 배열하는 경우의 수는?

① 16 ② 22 ③ 32
④ 40 ⑤ 48

0055 최다빈출 왕 중요 TOUGH

세 문자 a, b, c 중에서 중복을 허락하여 4개를 택하고 일렬로 나열할 때, a를 2개 이상 나열하는 경우의 수는?

① 15 ② 33 ③ 39
④ 49 ⑤ 71

▶ 해설 내신연계기출

유형 04 숫자를 나열하는 중복순열의 수

자연수 m, n에 대하여

① $1, 2, 3, \cdots, n$의 n개의 숫자로 중복을 허락하여 만들 수 있는 m자리의 정수의 개수 ⇨ ${}_n\Pi_m = n^m$

② $0, 1, 2, 3, \cdots, n$의 $(n+1)$개의 숫자로 중복을 허락하여 만들 수 있는 m자리의 정수의 개수 ⇨ $n \times {}_{n+1}\Pi_{m-1}$ (단, $m \ge 2$)

참고 서로 다른 n개에서 중복을 허락하여 만들 수 있는 m자리 자연수의 개수를 구할 때는 0이 최고 자리에 올 수 없음에 유의한다.

0056 학교기출 대표 유형

중복을 허용하여 5개의 숫자

$0, 1, 2, 3, 4$

로 만들 수 있는 세 자리 자연수의 개수는?

① 64 ② 72 ③ 80 ④ 92 ⑤ 100

0057 BASIC

다섯 개의 숫자

$1, 2, 3, 4, 5$

중에서 중복을 허용하여 3개의 숫자를 뽑아 세 자리의 자연수를 만들 때, 홀수의 개수는?

① 45 ② 55 ③ 65 ④ 75 ⑤ 85

0058 최다빈출 왕중요 BASIC

네 개의 숫자

$0, 1, 2, 3$

중에서 중복을 허용하여 네 개를 택해 네 자리 자연수를 만들 때, 짝수의 개수는?

① 36 ② 54 ③ 72 ④ 82 ⑤ 96

▶ 해설 내신연계기출

0059 BASIC

중복을 허용하여 6개의 숫자

$0, 1, 2, 3, 5, 7$

로 만들 수 있는 네 자리 자연수 중에서 홀수의 개수는?

① 240 ② 360 ③ 540 ④ 720 ⑤ 840

0060 최다빈출 왕중요 NORMAL

다섯 개의 수

$1, 2, 3, 4, 5$

에서 중복을 허용하여 세 자리의 자연수를 만들 때, 1을 반드시 포함하는 세 자리의 자연수의 개수는?

① 53 ② 57 ③ 61 ④ 65 ⑤ 69

▶ 해설 내신연계기출

0061 NORMAL

중복을 허용하여 4개의 숫자

$0, 1, 2, 3$

중 3개를 택하여 만들 수 있는 세 자리의 정수 중에서 1이 포함되어 있는 것의 개수는?

① 12 ② 24 ③ 30 ④ 36 ⑤ 46

0062

NORMAL

세 숫자

1, 2, 3

을 중복 사용하여 네 자리의 자연수를 만들 때,
1과 2가 모두 포함되어 있는 자연수의 개수는?

① 58 ② 56 ③ 54
④ 52 ⑤ 50

0063 최다빈출 왕중요

NORMAL

5개의 숫자

0, 1, 2, 3, 4

에서 중복을 허락하여 5개를 택해 일렬로 나열하여 만들 수 있는 다섯 자리의 자연수 중 숫자 1을 2개 포함하는 자연수의 개수는?

① 256 ② 288 ③ 512
④ 544 ⑤ 576

▶ 해설 내신연계기출

0064 최다빈출 왕중요

TOUGH

다섯 개의 숫자

1, 2, 3, 4, 5

중에서 중복을 허용하여 3개의 숫자를 뽑아 세 자리의 자연수를 만들 때, 각 자리의 수의 합이 홀수인 자연수의 개수는?

① 20 ② 27 ③ 33
④ 45 ⑤ 63

▶ 해설 내신연계기출

유형 05 신호 만들기

① 서로 다른 n개에서 중복을 허락하여 r개를 택하는 중복순열의 수

⇨ ${}_n\Pi_r = n^r = \underbrace{n \times n \times n \times \cdots \times n}_{r\text{개}}$

② 서로 다른 n개에서 최대 r개까지 택할 수 있는 중복순열의 수

⇨ ${}_n\Pi_1 + {}_n\Pi_2 + {}_n\Pi_3 + \cdots + {}_n\Pi_r$

0065 학교기출 대표유형

빨간색 깃발, 초록색 깃발, 파란색 깃발이 각각 1개씩 있다. 깃발을 1번에 1개씩 들어 올릴 때, 이 깃발들을 모두 합쳐서 3번 이하로 들어 올려서 만들 수 있는 서로 다른 모든 신호의 개수는? (단, 깃발을 1개도 들어 올리지 않는 경우는 생각하지 않는다.)

① 29 ② 39 ③ 49
④ 58 ⑤ 69

▶ 해설 내신연계기출

0066

NORMAL

모스 부호는 짧은 발신 전류(•)와 긴 발신 전류(−)를 사용하여 문자나 숫자 등을 나타내는 전신부호이다. 예를 들어 두 종류의 모스 부호 •, −를 2개 사용하여 만들 수 있는 신호는

• •   • −   − •   − −

의 4가지이다. 모스 부호 •, −를 2개 이상 5개 이하로 사용하여 만들 수 있는 신호의 개수는?

① 30 ② 40 ③ 60
④ 70 ⑤ 80

0067 최다빈출 왕중요

TOUGH

모스 부호 •, −를 사용하여 50가지의 신호를 만들려고 할 때, 최소 몇 개의 부호를 사용해야 하는가?

① 4 ② 5 ③ 6
④ 7 ⑤ 8

▶ 해설 내신연계기출

유형 06 중복순열을 이용한 숫자의 위치

자연수 m, n에 대하여

① $1, 2, 3, \cdots, n$의 n개의 숫자로 중복을 허락하여 만들 수 있는 m자리의 정수의 개수 ⇨ ${}_n\Pi_m = n^m$

② $0, 1, 2, 3, \cdots, n$의 $(n+1)$개의 숫자로 중복을 허락하여 만들 수 있는 m자리의 정수의 개수 ⇨ $n \times {}_{n+1}\Pi_{m-1}$ (단, $m \geq 2$)

0068 학교기출 대표 유형

여섯 개의 숫자

$$1, 2, 3, 4, 5, 6$$

에서 중복을 허락하여 네 자리 자연수를 만들 때, 2500보다 큰 자연수를 만드는 경우의 수는?

① 648 ② 720 ③ 864
④ 936 ⑤ 996

0069 BASIC

숫자

$$0, 1, 2, 3$$

중에서 중복을 허락하여 네 개를 선택한 후, 일렬로 나열하여 만든 네 자리 자연수가 2100보다 작은 경우의 수는?

① 80 ② 85 ③ 90
④ 95 ⑤ 100

0070 최다빈출 왕 중요 NORMAL

다섯 개의 숫자

$$0, 1, 2, 3, 4$$

에서 중복을 허락하여 만든 모든 자연수를 크기가 작은 수부터 차례로 나열할 때, 2000은 몇 번째 수인가?

① 125 ② 230 ③ 240
④ 250 ⑤ 280

▶ 해설 내신연계기출

유형 07 중복순열을 이용한 함수의 개수

두 집합 $X=\{x_1, x_2, \cdots, x_m\}$, $Y=\{y_1, y_2, \cdots, y_n\}$일 때,

(1) X에서 Y로의 함수의 개수 ⇨ ${}_n\Pi_m = n^m$

(2) $m \leq n$일 때,

① $x_i \neq x_j$이면 $f(x_i) \neq f(x_j)$인 함수의 개수 ⇨ ${}_nP_m$

② $x_i < x_j$이면 $f(x_i) < f(x_j)$인 함수의 개수 ⇨ ${}_nC_m$

(3) $m=n$일 때, 일대일대응(역함수가 존재)인 함수 f의 개수 ⇨ $m!$

0071 학교기출 대표 유형

두 집합

$$X=\{1, 2, 3, 4\},\ Y=\{a, b, c, d, e\}$$

에 대하여 X에서 Y로의 함수의 개수를 m, 일대일함수의 개수를 n이라 할 때, $m-n$의 값은?

① 86 ② 120 ③ 225
④ 505 ⑤ 625

0072 최다빈출 왕 중요 NORMAL

집합 $X=\{1, 2, 3, 4\}$에 대하여 함수 $f: X \longrightarrow X$로 정의할 때, X에서 X로의 함수의 개수를 m, 역함수가 존재하는 함수의 개수를 n이라 할 때, $m-n$의 값은?

① 24 ② 120 ③ 232
④ 256 ⑤ 346

▶ 해설 내신연계기출

0073 최다빈출 왕중요

NORMAL

두 집합

$A=\{a, b, c\}$, $B=\{1, 2, 3, 4, 5\}$

에 대하여 함수 $f: A \longrightarrow B$라고 할 때, $f(a) \neq 1$을 만족시키는 함수 f의 개수는?

① 80 ② 90 ③ 100
④ 110 ⑤ 120

▶ 해설 내신연계기출

0074 최다빈출 왕중요

NORMAL

두 집합

$X=\{1, 2, 3\}$, $Y=\{1, 2\}$

에 대하여 X에서 Y로의 함수 f의 개수를 m, 이 함수들 중에서

$f(1)+f(2)+f(3)=5$

를 만족시키는 함수의 개수를 n이라고 할 때, $m+n$의 값은?

① 6 ② 11 ③ 16
④ 20 ⑤ 36

▶ 해설 내신연계기출

0075

NORMAL

집합 $X=\{1, 2, 3, 4\}$에서 집합 $Y=\{a, b\}$로의 함수 중에서 치역과 공역이 서로 같은 것의 개수는?

① 12 ② 13 ③ 14
④ 15 ⑤ 16

0076 최다빈출 왕중요

TOUGH

집합 $X=\{1, 2, 3, 4, 5\}$에 대하여 다음 조건을 만족시키는 함수 $f: X \longrightarrow X$의 개수는?

(가) 치역의 원소의 개수는 3이다.
(나) 치역의 모든 원소의 곱은 홀수이다.

① 120 ② 130 ③ 140
④ 150 ⑤ 160

▶ 해설 내신연계기출

0077

TOUGH

집합 $A=\{1, 2, 3, 4\}$에 대하여 A에서 A로의 함수 중에서 치역의 모든 원소의 합이 6인 함수의 개수는?

① 45 ② 50 ③ 55
④ 60 ⑤ 65

0078

TOUGH

집합 $X=\{1, 2, 3, 4\}$에 대하여 다음 조건을 만족시키는 모든 함수 $f: X \longrightarrow X$의 개수는?

(가) $f(1)+f(2)+f(3) \geq 3f(4)$
(나) $k=1, 2, 3$일 때, $f(k) \neq f(4)$이다.

① 41 ② 45 ③ 49
④ 53 ⑤ 57

03 같은 것이 있는 순열

학교내신기출 객관식 핵심문제총정리

STEP 1 내신정복 기출유형

유형 01 같은 것이 있는 순열의 수

n개 중 같은 것이 각각 p개, q개, $\cdots$, r개 있을 때, 이들 n개를 모두 사용하여 일렬로 배열하는 순열의 수는

$$\frac{n!}{p!q!\cdots r!} \text{ (단, } p+q+\cdots+r=n\text{)}$$

참고 같은 것이 있는 순열과 조합

① a, a, b, b, b를 일렬로 배열하는 방법의 수는 $\frac{5!}{2!3!}=10$

② 이것은 □□□□□의 다섯 자리 중 두 자리를 택하여 a를 배열하고 남은 세 자리에 b를 배열하는 방법의 수와 같다.

즉 ${}_5C_2 \times {}_3C_3=10$

따라서 같은 것이 있는 순열을 조합으로 생각할 수 있다.

0079 학교기출 대표 유형

remember에 포함된 문자 전부를 일렬로 나열하는 방법의 수는?

① 1620 ② 1640 ③ 1680
④ 1820 ⑤ 1960

▶ 해설 내신연계기출

0080 BASIC

EVERGREEN에 있는 9개의 문자를 모두 일렬로 배열할 때, 맨 앞에 알파벳 V가 오도록 배열하는 방법의 수는?

① 360 ② 460 ③ 540
④ 720 ⑤ 840

0081 최다빈출 왕중요 BASIC

햄버거를 만들려고 한다. 치즈 3장, 고기 패티 2장, 토마토 슬라이스 1장을 모두 넣어 만들 때, 만들 수 있는 방법의 수는?

① 45 ② 50 ③ 55
④ 60 ⑤ 65

▶ 해설 내신연계기출

0082 최다빈출 왕중요 BASIC

노란색 깃발 4개, 빨간색 깃발 5개를 모두 사용하여 일렬로 배열할 때, 양 끝에 노란색 깃발이 오는 방법의 수는?
(단, 같은 색 깃발끼리는 서로 구별하지 않는다.)

① 21 ② 22 ③ 23
④ 24 ⑤ 25

▶ 해설 내신연계기출

0083 최다빈출 왕중요 NORMAL

영어단어 internet을 구성하고 있는 8개의 문자를 모두 사용하여 일렬로 배열할 때, 양 끝에 t가 오는 방법의 수는?

① 180 ② 210 ③ 240
④ 280 ⑤ 320

▶ 해설 내신연계기출

0084 NORMAL

EXCELLENT에 있는 9개의 문자를 모두 일렬로 배열할 때, L이 양 끝에 오도록 배열하는 방법의 수는?

① 340 ② 380 ③ 500
④ 640 ⑤ 840

0085 최다빈출 왕중요 NORMAL

영어단어

h, a, p, p, i, n, e, s, s

에 있는 9개의 문자를 일렬로 나열할 때, a와 i가 양 끝에 오도록 나열하는 경우의 수는?

① 720 ② 1260 ③ 2520
④ 4880 ⑤ 5660

▶ 해설 내신연계기출

0086 NORMAL

9개의 문자

a, l, l, i, s, w, e, l, l

을 모두 일렬로 나열할 때, 모음이 양 끝에 오도록 나열하는 방법의 수는?

① 620 ② 840 ③ 1200
④ 1260 ⑤ 1470

0087 최다빈출 왕중요 NORMAL

7개의 문자

N, A, M, I, D, I, A

를 일렬로 나열할 때, 홀수 번째 자리에 모음이 오게 나열하는 방법의 수는?

① 36 ② 48 ③ 60
④ 72 ⑤ 84

▶ 해설 내신연계기출

0088 최다빈출 왕중요 NORMAL

7개의 알파벳

a, b, b, c, c, c, d

를 일렬로 나열할 때, 양쪽 끝에 서로 같은 알파벳이 오는 경우의 수는?

① 48 ② 72 ③ 80
④ 96 ⑤ 112

▶ 해설 내신연계기출

0089 NORMAL

흰 공 5개와 파란 공 4개를 일렬로 배열할 때, 양 끝에 같은 색의 공이 놓이는 경우의 수는?
(단, 같은 색의 공끼리는 서로 구별하지 않는다.)

① 21 ② 35 ③ 56
④ 60 ⑤ 72

0090 TOUGH

흰 공 5개와 빨간 공 2개, 검은 공 1개가 있다. 8개의 공을 일렬로 나열할 때, 양 끝에 있는 공의 색깔이 서로 다른 경우의 수는?
(단, 같은 색의 공은 서로 구별하지 않는다.)

① 60 ② 72 ③ 102
④ 150 ⑤ 168

유형 02 이웃하는 (이웃하지 않는) 같은 것이 있는 순열의 수

① 이웃하는 경우의 수
⇨ 이웃하는 것을 한 묶음으로 보고 같은 것이 있는 순열의 수 구하기

② 이웃하지 않은 경우의 수
⇨ 이웃해도 좋은 것을 먼저 나열하고 그 사이사이에 이웃하지 않는 것을 나열한다.
⇨ 전체 경우의 수에서 이웃하도록 하는 경우의 수를 뺀다.

0091 학교기출 대표 유형

7개의 문자

s, u, c, c, e, s, s

를 일렬로 나열할 때, 모음이 서로 이웃하게 오도록 나열하는 경우의 수는?

① 60　② 80　③ 100
④ 120　⑤ 140

0092 BASIC

8개의 문자

M, A, L, A, Y, S, I, A

를 일렬로 나열할 때, 모든 모음이 서로 이웃하게 오도록 나열하는 경우의 수는?

① 120　② 240　③ 360
④ 480　⑤ 600

0093 최다빈출 왕 중요 NORMAL

6개의 영문자

M, I, D, D, L, E

를 한 줄로 나열할 때, D가 서로 이웃하지 않도록 나열하는 경우의 수는?

① 120　② 240　③ 360
④ 400　⑤ 420

▶ 해설 내신연계기출

0094 NORMAL

빨간 공 3개, 파란 공 2개, 노란 공 2개가 있다. 이 7개의 공을 모두 일렬로 나열할 때, 빨간 공끼리는 어느 것도 서로 이웃하지 않도록 나열하는 경우의 수는? (단, 같은 색의 공은 서로 구별하지 않는다.)

    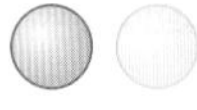

① 45　② 50　③ 55
④ 60　⑤ 65

0095 최다빈출 왕 중요 NORMAL

흰 공 2개, 빨간 공 2개, 검은 공 4개를 일렬로 나열할 때, 흰 공은 서로 이웃하지 않게 나열하는 경우의 수는?
(단, 같은 색의 공끼리는 서로 구별하지 않는다.)

① 295　② 300　③ 305
④ 310　⑤ 315

▶ 해설 내신연계기출

0096 NORMAL

7개의 문자

A, B, C, C, D, D, D

를 일렬로 나열할 때, A와 B가 서로 이웃하지 않는 경우의 수는?

① 200　② 250　③ 300
④ 350　⑤ 400

0097

NORMAL

7개의 문자

a, a, b, b, c, d, e

를 일렬로 나열할 때, 세 문자 c, d, e 중 어느 2개의 문자도 서로 이웃하지 않도록 나열하는 경우의 수는?

① 360 ② 365 ③ 370
④ 375 ⑤ 380

0098

최다빈출 왕중요

TOUGH

7개의 문자

a, a, b, b, c, d, e

를 일렬로 나열할 때, 같은 문자는 이웃하지 않도록 하는 경우의 수는?

① 148 ② 640 ③ 660
④ 720 ⑤ 840

▶ 해설 내신연계기출

0099

TOUGH

다음 그림에서 제 1행의 각 칸에 영문자 A, A, A, B, B, C를 하나씩 나열하고, 제 2행의 각 칸에도 영문자 A, A, A, B, B, C를 하나씩 나열한다. 이때 같은 열에는 서로 다른 영문자를 나열하는 경우의 수는?

제 1행 ⇨	A	A	A	B	B	C
제 2행 ⇨	B	B	C	A	A	A

① 120 ② 160 ③ 180
④ 210 ⑤ 240

유형 03 중복을 허락하는 같은 것이 있는 순열

n개 중 같은 것이 각각 p개, q개, $\cdots$, r개 있을 때,
이들 n개를 모두 사용하여 일렬로 배열하는 순열의 수는

$$\frac{n!}{p!q!\cdots r!} \text{ (단, } p+q+\cdots+r=n)$$

0100

학교기출 대표유형

세 개의 문자 a, b, c에서 중복을 허용하여 4개를 택한 후 일렬로 나열할 때, a, b가 모두 포함되어 있는 경우의 수는?

① 36 ② 42 ③ 50
④ 58 ⑤ 64

0101

최다빈출 왕중요

NORMAL

세 문자 a, b, c 중에서 중복을 허락하여 4개를 택해 일렬로 나열할 때, 문자 a가 두 번 이상 나오는 경우의 수는?

① 24 ② 27 ③ 30
④ 33 ⑤ 36

▶ 해설 내신연계기출

0102

TOUGH

세 문자 A, B, C에서 중복을 허락하여 각각 홀수 개씩 모두 7개를 선택하여 일렬로 나열하는 경우의 수는?
(단, 모든 문자는 한 개 이상씩 선택한다.)

① 482 ② 504 ③ 520
④ 546 ⑤ 580

유형 04 같은 숫자가 있는 순열

n개의 숫자 중에서 서로 같은 것이 각각 p개, q개, $\cdots$, r개인 경우

A자리 자연수의 개수를 구할 때, 주어진 조건에 따라 기본이 되는 자리부터 먼저 나열하고 나머지 자리에는 남은 숫자들을 나열하여 구한다. 0이 최고 자리에 올 수 없음에 유의한다.

0103 학교기출 대표 유형

6개의 숫자

1, 2, 2, 3, 3, 3

을 일렬로 나열하여 여섯 자리의 자연수를 만들 때, 숫자 2가 서로 이웃하지 않는 자연수의 개수는?

① 34 ② 36 ③ 38
④ 40 ⑤ 42

0104 최다빈출 왕 중요 BASIC

5개의 숫자

0, 1, 1, 2, 2

를 일렬로 나열하여 만들 수 있는 다섯 자리의 자연수 중에서 홀수의 개수는?

① 6 ② 7 ③ 8
④ 9 ⑤ 10

▶ 해설 내신연계기출

0105 최다빈출 왕 중요 NORMAL

6장의 카드에 숫자가

0, 1, 1, 1, 2, 2

를 모두 사용하여 여섯 자리 정수를 만들 때, 짝수의 개수는?

① 24 ② 26 ③ 32
④ 36 ⑤ 45

▶ 해설 내신연계기출

0106 NORMAL

여섯 개의 숫자

0, 0, 2, 3, 3, 3

을 모두 사용하여 만들 수 있는 여섯 자리 자연수 중 짝수의 개수는?

① 12 ② 14 ③ 16
④ 20 ⑤ 22

0107 최다빈출 왕 중요 NORMAL

10개의 숫자

1, 1, 2, 2, 2, 3, 3, 4, 4, 5

를 일렬로 나열할 때, 홀수 번째에 홀수를 나열하는 경우의 수는?

① 30 ② 48 ③ 120
④ 240 ⑤ 300

▶ 해설 내신연계기출

0108 최다빈출 왕 중요 NORMAL

여섯 개의 숫자

1, 1, 2, 2, 3, 3

을 모두 일렬로 나열하여 여섯 자리의 수를 만들 때, 6의 배수의 개수는?

① 20 ② 30 ③ 40
④ 50 ⑤ 60

▶ 해설 내신연계기출

0109 최다빈출 왕중요 NORMAL

6개의 문자

$a,\ a,\ a,\ b,\ b,\ c$

중에서 4개를 선택하여 일렬로 나열할 때, 만들 수 있는 서로 다른 문자열의 개수는?

① 36 ② 38 ③ 40
④ 42 ⑤ 44

▶ 해설 내신연계기출

0110 NORMAL

빨간색 구슬이 3개, 파란색 구슬이 2개, 노란색 구슬이 1개 있다. 이 중에서 4개를 골라 일렬로 배열하는 경우의 수는?

① 36 ② 38 ③ 40
④ 42 ⑤ 44

0111 NORMAL

7개의 숫자 2, 2, 3, 3, 4, 4, 4가 하나씩 적혀 있는 7장의 카드에서 5장의 카드를 택해 일렬로 나열하여 다섯 자리의 자연수를 만들 때, 홀수의 개수는?

① 32 ② 34 ③ 36
④ 38 ⑤ 40

0112 TOUGH

여섯 개의 숫자 1, 1, 1, 2, 3, 4를 일렬로 나열하여 만든 여섯 자리 자연수들의 집합을 A라 할 때, 집합

$$X=\left\{\left[\frac{x}{100}\right] \,\middle|\, x\in A\right\}$$

의 원소의 개수는? (단, $[x]$는 x를 넘지 않는 최대의 정수이다.)

① 40 ② 45 ③ 72
④ 82 ⑤ 96

0113 최다빈출 왕중요 TOUGH

세 개의 숫자 1, 2, 3 중에서 중복을 허용하여 5개를 택해 다섯 자리 자연수를 만들 때, 다음을 모두 만족시키는 자연수의 개수는?

(가) 한 숫자는 최대 2회 사용한다.
(나) 같은 숫자는 서로 이웃하지 않는다.

① 32 ② 34 ③ 36
④ 38 ⑤ 40

▶ 해설 내신연계기출

0114 최다빈출 왕중요 TOUGH

6단으로 된 계단을 한 걸음에 1단 또는 2단씩 올라 맨 위의 단까지 가는 경우의 수는?

① 13 ② 15 ③ 17
④ 19 ⑤ 21

▶ 해설 내신연계기출

유형 05 같은 것이 있는 순열의 활용

n개 중에 서로 같은 것이 각각 p개, q개, $\cdots$, r개씩 있을 때, n개를 모두 택하여 일렬로 나열하는 순열의 수는

$$\frac{n!}{p!q!\cdots r!} \text{ (단, } p+q+\cdots+r=n\text{)}$$

0115
학교기출 대표 유형

올림픽 탁구의 단식 경기는 7세트 중 먼저 4세트를 이기는 사람이 승리한다. 두 선수 A, B가 7세트까지 경기한 후, 승리하는 선수가 A로 확정되는 경우의 수는? (단, 매 세트에 무승부는 없다.)

① 35 ② 30 ③ 25
④ 20 ⑤ 15

0116
BASIC

오른쪽 그림과 같이 8대의 승용차를 주차할 수 있는 주차장이 있다. 트럭 1대를 주차하려면 2대의 승용차를 주차할 수 있는 공간이 필요하다고 할 때, 빈 공간이 없이 트럭과 승용차를 주차시키는 방법의 수는? (단, 트럭과 승용차를 각각 1대 이상씩 주차해야 하고, 트럭의 수는 승용차의 수보다 많다.)

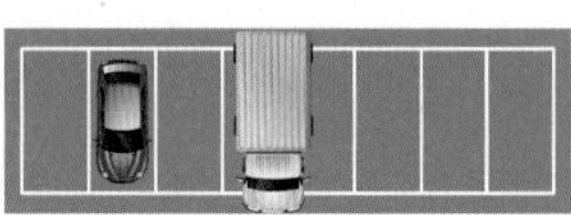

① 8 ② 9 ③ 10
④ 12 ⑤ 14

0117
BASIC

빨간 공 4개, 흰 공 5개를 일렬로 나열할 때, 다음 그림과 같이 좌우가 대칭이 되도록 나열하는 경우의 수는? (단, 같은 색의 공은 서로 구별하지 않는다.)

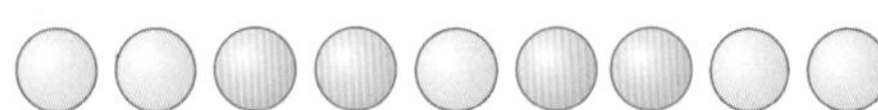

① 4 ② 6 ③ 8
④ 10 ⑤ 12

0118
최다빈출 왕중요 NORMAL

다음 그림과 같이 컴퓨터의 로그인 화면을 실행하기 위하여 1부터 9까지의 자연수 중에서 서로 다른 두 개의 숫자를 선택한 후, 이 두 숫자를 사용하여 네 자리 수의 암호(PW)를 만들려고 한다. 네 자리 모두 같은 숫자의 배열은 제외하고 암호를 만들려고 할 때, 만들 수 있는 모든 경우의 수는?

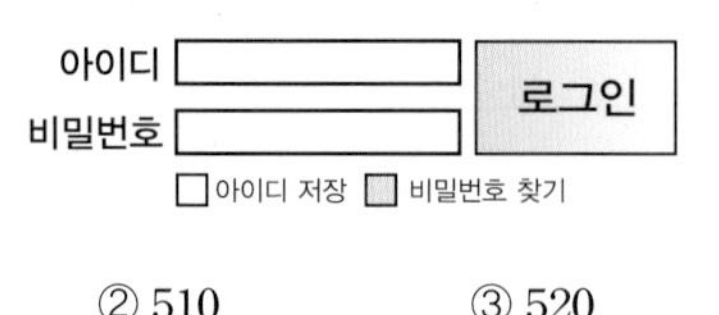

① 504 ② 510 ③ 520
④ 540 ⑤ 560

▶ 해설 내신연계기출

0119
NORMAL

0을 한 개 이하 사용하여 만든 세 자리 자연수 중에서 각 자리의 수의 합이 3인 자연수는 111, 120, 210, 102, 201이다.
0을 한 개 이하 사용하여 만든 다섯 자리 자연수 중에서 각 자리의 수의 합이 5인 자연수의 개수는?

① 10 ② 14 ③ 17
④ 20 ⑤ 24

0120
NORMAL

집합 $X=\{1, 2, 3, 4\}$에 대하여 X에서 X로의 함수 f 중에서

$$f(1)+f(2)+f(3)+f(4)=7$$

을 만족하는 함수 f의 개수는?

① 20 ② 22 ③ 24
④ 26 ⑤ 28

0121

최다빈출 왕중요 NORMAL

다음 조건을 모두 만족시키는 네 자리의 자연수의 개수는?

(가) 각 자리의 숫자의 합은 10이다.
(나) 각 자리의 숫자는 모두 홀수이다.

① 16 ② 20 ③ 24
④ 30 ⑤ 36

▶ 해설 내신연계기출

0122

NORMAL

어느 행사장에는 현수막을 1개씩 설치할 수 있는 장소가 5곳이 있다. 현수막은 A, B, C 세 종류가 있고, A는 1개, B는 4개, C는 2개가 있다. 다음 조건을 만족시키도록 현수막 5개를 택하여 5곳에 설치할 때, 그 결과로 나타날 수 있는 경우의 수는? (단, 같은 종류의 현수막끼리는 구분하지 않는다.)

(가) A는 반드시 설치한다.
(나) B는 2곳 이상 설치한다.

① 55 ② 65 ③ 75
④ 85 ⑤ 95

0123

TOUGH

네 정수 a, b, c, d에 대하여

$$a^2+b^2+c^2+d^2=17$$

을 만족하는 a, b, c, d의 모든 순서쌍 (a, b, c, d)의 개수는?

① 124 ② 144 ③ 164
④ 184 ⑤ 204

0124

TOUGH

한 개의 주사위를 세 번 던져 나오는 눈의 수를 차례로 a, b, c라 하자.

$$a+b+c=14$$

를 만족시키는 모든 순서쌍 (a, b, c)의 개수는?

① 11 ② 12 ③ 13
④ 14 ⑤ 15

유형 06 순서가 정해진 순열

서로 다른 n개의 문자를 일렬로 나열할 때, 특정한 $r(0<r\le n)$개를 미리 정해진 순서대로 나열하는 방법의 수

⇨ 같은 것이 r개 포함된 n개를 일렬로 나열하는 방법의 수 $\frac{n!}{r!}$

설명 5개의 문자 a, b, c, d, e를 일렬로 나열할 때, a는 b의 오른쪽에 배열하는 경우의 수는 순서가 정해진 문자 a, b (또는 숫자)는 같은 문자로 놓고 일렬로 나열한 후 순서에 맞게 넣어주면 된다.

c Ⓧ de Ⓧ
↑ ↑
ⓑ ⓐ

0125 학교기출 대표 유형

5개의 문자

K, O, R, E, A

를 순서대로 나열할 때, K가 R보다 앞에 오게 되는 경우의 수는?

① 6 ② 12 ③ 16
④ 20 ⑤ 60

0126 BASIC

6개의 문자 a, b, c, d, e, f를 일렬로 나열할 때, a가 f보다 왼쪽에 오도록 나열하는 모든 방법의 수는?

① 120 ② 240 ③ 360
④ 480 ⑤ 600

0127 최다빈출 왕 중요 NORMAL

여섯 개의 문자

a, b, c, d, e, f

를 모두 일렬로 나열할 때, b는 d의 앞에 오고, d는 f의 앞에 오도록 배열하는 방법의 수는?

① 120 ② 240 ③ 360
④ 480 ⑤ 600

▶ 해설 내신연계기출

0128 NORMAL

A, B를 포함한 n명이 일렬로 줄을 서서 영화관에 들어갈 때, A보다 B가 먼저 영화관에 들어가는 경우의 수가 360가지라고 한다. 이때 n의 값은?

① 5 ② 6 ③ 7
④ 8 ⑤ 9

0129 NORMAL

7개의 문자 SYSTEMS를 일렬로 나열할 때, T가 항상 E보다 앞에 나열되고, 3개의 S는 연속적으로 나오는 경우의 수는? (단, T, E는 이웃하지 않아도 된다.)

① 55 ② 60 ③ 65
④ 70 ⑤ 75

0130

NORMAL

6개의 숫자 1, 2, 3, 4, 5, 6을 일렬로 나열할 때, 홀수끼리는 크기가 작은 수가 앞에 오도록 나열하는 경우의 수는?

① 120 ② 122 ③ 124
④ 126 ⑤ 128

0131

최다빈출 왕중요 NORMAL

네 개의 숫자 1, 2, 3, 4와 세 개의 문자 a, b, c를 모두 일렬로 나열할 때, $1c23ab4$, $a1cb234$와 같이 숫자가 작은 수부터 차례로 나열되는 경우의 수는?

① 180 ② 210 ③ 240
④ 300 ⑤ 360

▶ 해설 내신연계기출

0132

최다빈출 왕중요 NORMAL

다음 표와 같이 3개 과목에 각각 2개의 수준으로 구성된 6개의 과제가 있다. 각 과목의 과제는 수준 I의 과제를 제출한 후에만 수준 II의 과제를 제출할 수 있다. 예를 들어
'국어 A → 수학 A → 국어 B → 영어 A → 영어 B → 수학 B'
순서로 과제를 제출할 수 있다.

과목 / 수준	국어	수학	영어
I	국어A	수학A	영어A
II	국어B	수학B	영어B

6개의 과제를 모두 제출할 때, 제출 순서를 정하는 경우의 수는?

① 84 ② 86 ③ 88
④ 90 ⑤ 92

▶ 해설 내신연계기출

0133

최다빈출 왕중요 NORMAL

서로 다른 4대의 컴퓨터와 똑같은 4개의 키보드, 똑같은 4개의 마우스가 있다. 각 컴퓨터에 1개의 키보드와 1개의 마우스를 연결하려고 한다. 각 컴퓨터에서 키보드를 마우스보다 먼저 연결한다고 할 때, 4대의 컴퓨터에 키보드와 마우스를 연결하는 순서를 정하는 모든 경우의 수는? (단, 각 컴퓨터에서 키보드와 마우스를 연속하여 연결하지 않아도 된다.)

① 2480 ② 2500 ③ 2520
④ 2540 ⑤ 2640

▶ 해설 내신연계기출

0134

최다빈출 왕중요 NORMAL

1부터 6까지의 자연수가 하나씩 적혀 있는 6장의 카드가 있다. 이 카드를 모두 한 번씩 사용하여 일렬로 나열할 때, 2가 적혀 있는 카드는 4가 적혀 있는 카드보다 왼쪽에 나열하고 홀수가 적혀 있는 카드는 작은 수부터 크기 순서로 왼쪽부터 나열하는 경우의 수는?

① 56 ② 60 ③ 64
④ 68 ⑤ 72

▶ 해설 내신연계기출

0135

최다빈출 왕중요 NORMAL

어느 회사원이 처리해야 할 업무는 A, B를 포함하여 모두 6가지이다. 이중에서 A, B를 포함한 4가지 업무를 오늘 처리하려고 하는데, A를 B보다 먼저 처리해야 한다. 오늘 처리할 업무를 택하고, 택한 업무의 처리 순서를 정하는 경우의 수는?

① 60 ② 66 ③ 72
④ 78 ⑤ 84

▶ 해설 내신연계기출

0136

NORMAL

1부터 7까지의 자연수가 각각 하나씩 적혀 있는 7장의 카드가 있다. 이 카드를 모두 한 번씩 사용하여 일렬로 배열할 때, 다음 조건을 모두 만족시키는 경우의 수는?

(가) 6은 2보다 왼쪽에 배열한다.
(나) 홀수는 왼쪽에서 큰 수부터 순서대로 배열한다.

① 95　② 100　③ 105
④ 110　⑤ 115

0137

최다빈출 왕중요

NORMAL

A, B, C, D, E를 포함한 7명의 학생을 다음 조건을 만족시키도록 일렬로 세우는 경우의 수는?

(가) A는 B보다 왼쪽에 세우고 C는 B보다 오른쪽에 세운다.
(나) D, E는 서로 이웃하지 않게 세운다.

① 240　② 360　③ 480
④ 600　⑤ 820

▶ 해설 내신연계기출

0138

TOUGH

1개의 본사와 5개의 지사로 이루어진 어느 회사의 본사로부터 각 지사까지의 거리가 표와 같다.

지사	가	나	다	라	마
거리 (km)	50	50	100	150	200

본사에서 각 지사에 A, B, C, D, E를 지사장으로 각각 발령할 때, A보다 B가 본사로부터 먼 지사의 지사장이 되도록 5명을 발령하는 경우의 수는?

① 50　② 52　③ 54
④ 56　⑤ 58

0139

TOUGH

그림과 같이 크기가 서로 다른 3개의 펭귄 인형과 4개의 곰 인형이 두 상자 A, B에 왼쪽부터 크기가 작은 것에서 큰 것 순으로 담겨져 있다.

[상자A]

[상자B]

다음 조건을 만족시키도록 상자 A, B의 모든 인형을 일렬로 진열하는 경우의 수는?

(가) 같은 상자에 담겨있는 인형은 왼쪽부터 크기가 작은 것에서 큰 것 순으로 진열한다.
(나) 상자 A의 왼쪽에서 두 번째 펭귄 인형은 상자 B의 왼쪽에서 두 번째 곰 인형보다 왼쪽에 진열한다.

① 11　② 13　③ 15
④ 17　⑤ 19

유형 07 최단거리로 가는 경우의 수

[방법1] 같은 것이 있는 순열의 수를 이용하는 방법

다음 그림과 같은 격자 모양의 길에서 가로로 한 구간 가는 것을 a, 세로로 한 구간 가는 것을 b라 하면 A지점에서 B지점까지 최단 거리로 가는 방법은 A가 세 번, B가 두 번 나타난다.
예를 들어 다음 그림의 굵은 선으로 나타나는 최단 경로는 $abaab$이다.

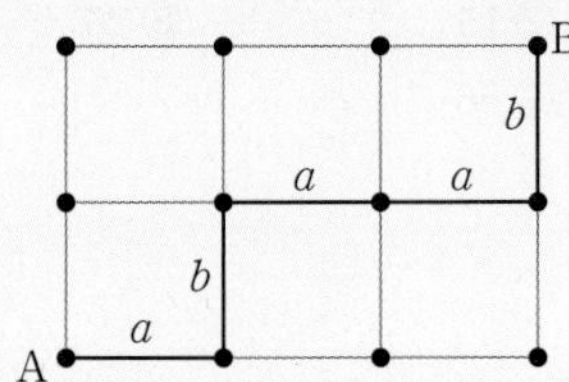

따라서 최단거리로 가는 방법의 수는 a, a, a, b, b를 일렬로 나열한 순열의 수 $\frac{5!}{3!2!}=10$과 같다.

[방법2] 각 교차점에 이르는 경우 합의 법칙을 이용하는 방법

다음 그림과 같이 격자 모양의 길에서 A지점부터 C지점까지 최단 거리로 가는 방법의 수가 m이고 D지점까지 최단 거리로 가는 방법의 수를 n이라고 하자.

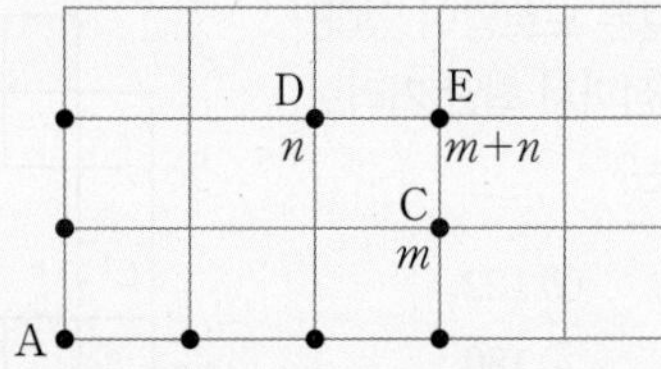

이때 A지점부터 E지점까지 최단경로는 C지점을 통과하는 경우와 D지점을 통과하는 경로로 나눌 수 있고, 이 두 경우는 동시에 일어날 수 없으므로 합의 법칙에 의하여 A지점부터 E지점까지 최단거리로 가는 방법의 수는 $m+n$이다.

장애물이 있는 최단거리로 가는 경우의 수
⇨ A지점에서 출발하여 B지점까지 갈 때, 반드시 거쳐야 하는 지점을 잡아 최단 거리로 가는 경우의 수를 구한다.

0140 학교기출 대표 유형

오른쪽 그림과 같은 도로망의 A지점에서 B지점으로 도로를 따라 최단 거리로 가는 경로의 수는?

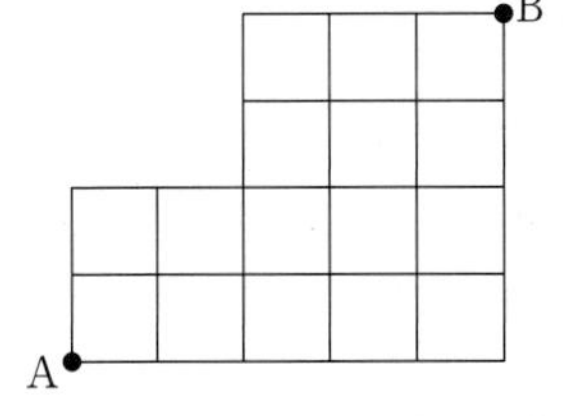

① 64 ② 52
③ 36 ④ 72
⑤ 105

▶ 해설 내신연계기출

0141 최다빈출 왕중요 BASIC

오른쪽 그림과 같은 직사각형 모양으로 연결된 도로망이 있다.
이 도로망을 따라 A지점에서 출발하여 B지점까지 최단거리로 가는 경우의 수는?

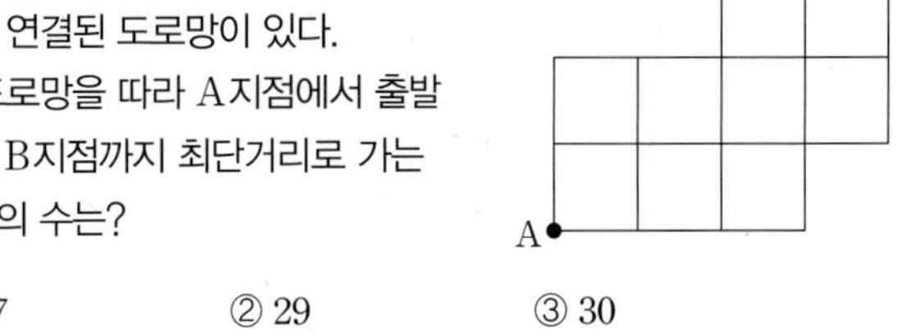

① 27 ② 29 ③ 30
④ 33 ⑤ 35

▶ 해설 내신연계기출

0142 최다빈출 왕중요 BASIC

오른쪽 그림과 같은 직사각형 모양으로 연결된 도로망이 있다.
이 도로망을 따라 A지점에서 출발하여 B지점까지 최단거리로 가는 경우의 수는?

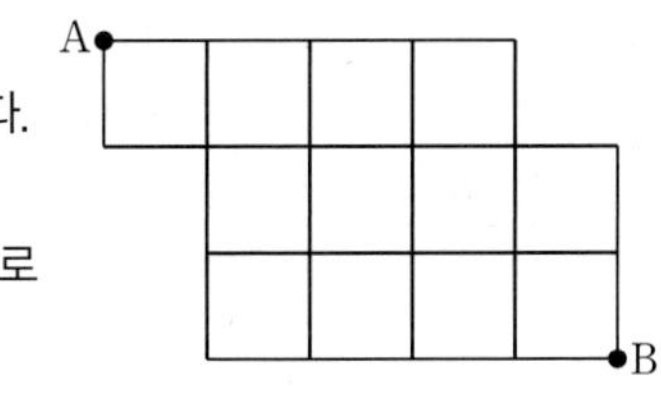

① 48 ② 49 ③ 50
④ 51 ⑤ 52

▶ 해설 내신연계기출

0143 NORMAL

오른쪽 그림과 같이 정사각형 모양으로 연결된 도로망이 있다.
이 도로망을 따라 A지점에서 출발하여 B지점까지 최단거리로 가는 경우의 수는?

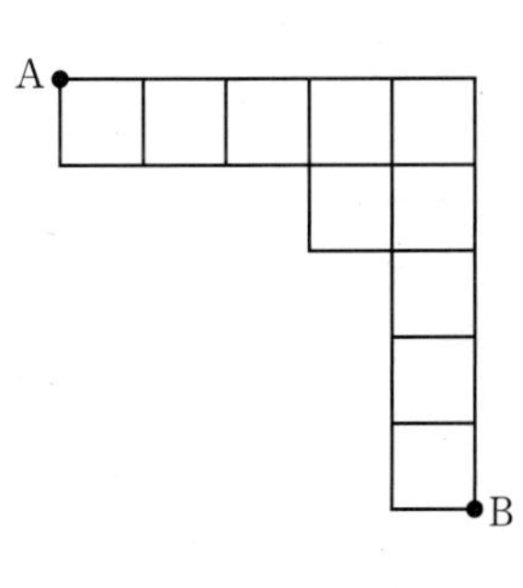

① 40 ② 42
③ 44 ④ 46
⑤ 48

0144 최다빈출 왕중요

NORMAL

그림과 같이 마름모 모양으로 연결된 도로망이 있다. A지점에서 B지점까지 최단거리로 가는 경우의 수는?

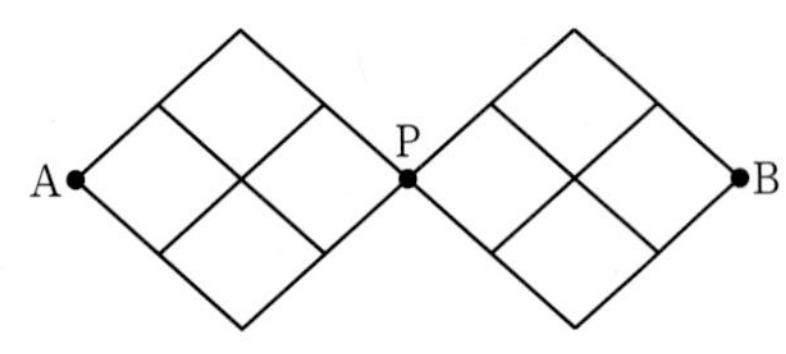

① 6 ② 12 ③ 24
④ 36 ⑤ 48

▶ 해설 내신연계기출

0145 최다빈출 왕중요

NORMAL

오른쪽 그림과 같은 도로망이 있다. 이 도로망을 따라 A지점에서 B지점까지 최단 거리로 가는 경우의 수는?

① 8 ② 16
③ 24 ④ 27
⑤ 35

▶ 해설 내신연계기출

0146 최다빈출 왕중요

NORMAL

오른쪽 그림과 같은 도로망이 있다. A지점에서 출발하여 B지점까지 최단 거리로 가는 경우의 수는?

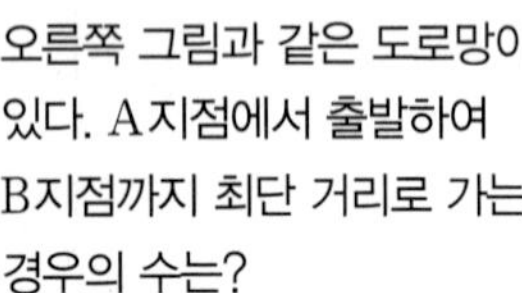

① 40 ② 48
③ 52 ④ 64
⑤ 84

▶ 해설 내신연계기출

0147 최다빈출 왕중요

NORMAL

오른쪽 그림과 같이 직사각형 모양으로 연결된 도로망이 있다. 이 도로망을 따라 A지점에서 출발하여 B지점까지 최단 거리로 가는 경우의 수는?

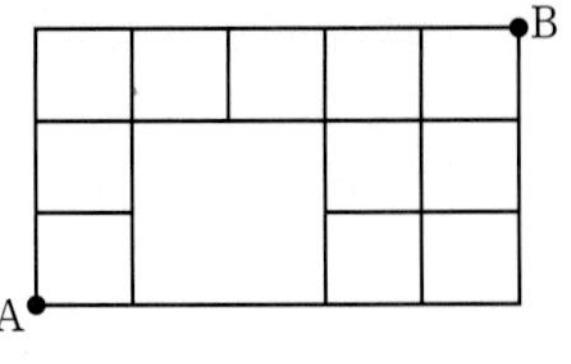

① 10 ② 15 ③ 26
④ 30 ⑤ 56

▶ 해설 내신연계기출

0148 최다빈출 왕중요

NORMAL

오른쪽 그림과 같은 도로망이 있다. A지점에서 B지점까지 최단 거리로 가는 방법의 수는?

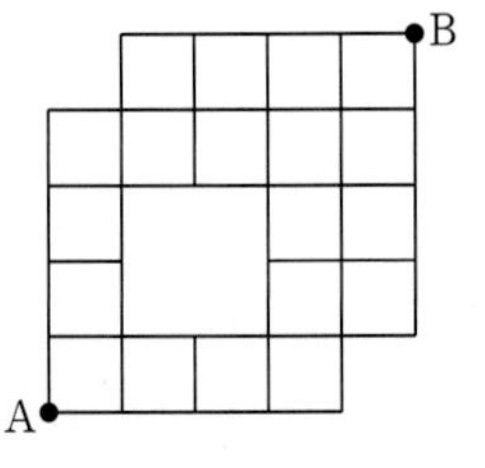

① 60 ② 122
③ 130 ④ 180
⑤ 252

▶ 해설 내신연계기출

0149

NORMAL

오른쪽 그림과 같은 도로망이 있다. A지점에서 B지점까지 최단 거리로 가는 방법의 수는?

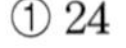

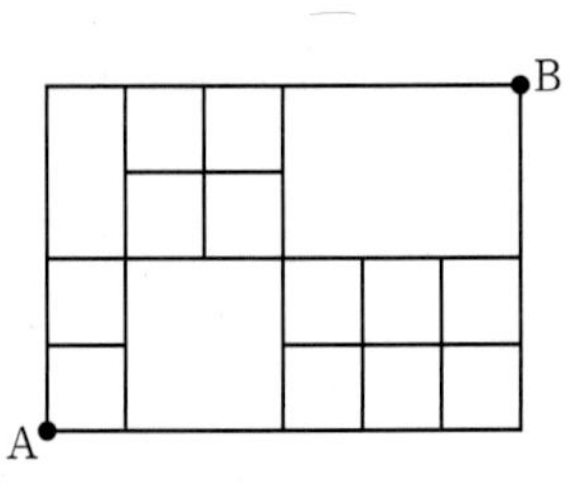

① 24 ② 33
③ 54 ④ 66
⑤ 81

0150

NORMAL

그림과 같이 정사각형 모양으로 연결된 도로망이 있다.
이 도로망을 따라 A지점에서 출발하여 P지점을 지나서 B지점까지 최단거리로 가는 경우의 수는?

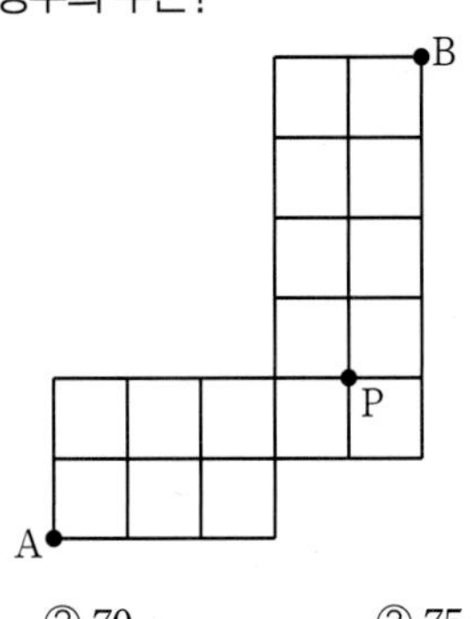

① 65 ② 70 ③ 75
④ 80 ⑤ 85

0151

NORMAL

오른쪽 그림과 같이 직사각형 모양으로 연결된 도로망이 있다.
이 도로망을 따라 A지점에서 출발하여 B지점까지 갈 때, P지점과 Q지점 중 한 지점만 지나고 최단거리로 가는 경우의 수는?

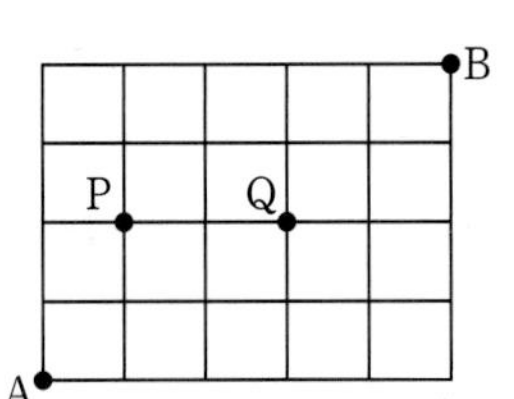

① 27 ② 42 ③ 45
④ 60 ⑤ 69

0152

TOUGH

직사각형 모양의 잔디밭에 산책로가 만들어져 있다. 이 산책로는 그림과 같이 반지름의 길이가 같은 원 8개가 서로 외접하고 있는 형태이다.

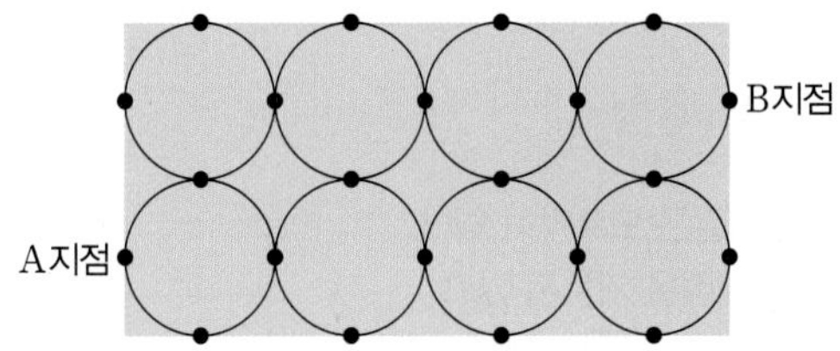

A지점에서 출발하여 산책로를 따라 최단 거리로 B지점에 도착하는 경우의 수는? (단, 원 위에 표시된 점은 원과 직사각형 또는 원과 원의 접점을 나타낸다.)

① 20 ② 25 ③ 30
④ 35 ⑤ 40

0153

최다빈출 왕중요

TOUGH

오른쪽 그림과 같이 정사각형 모양으로 이루어진 도로망이 있다. 수지는 A지점에서 B지점까지, 슬기는 B지점에서 A지점까지 최단거리로 간다고 할 때, 두 사람이 서로 만나지 않는 모든 경우의 수는? (단, 두 사람은 동시에 출발하여 같은 속력으로 간다.)

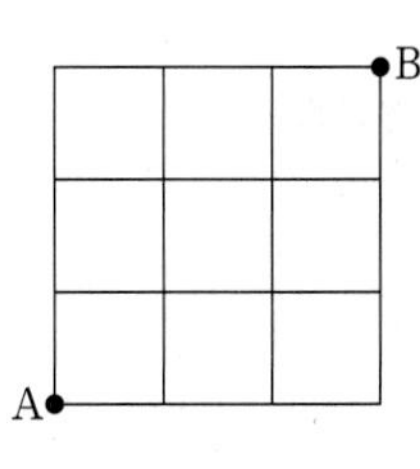

① 121 ② 236 ③ 326
④ 400 ⑤ 440

▶ 해설 내신연계기출

03 같은 것이 있는 순열

유형 08 장애물이 있는 최단 경로의 수(1)

A에서 C를 거치지 않고 B로 가는 최단 경로의 수
⇨ (A에서 B까지 최단 거리로 가는 경우의 수)
−(A에서 C를 거쳐 B까지 최단 거리로 가는 경우의 수)

0154 학교기출 대표 유형

오른쪽 그림과 같은 도로망이 있다. A지점에서 P지점을 거치지 않고 B지점까지 가는 최단 거리의 수는?

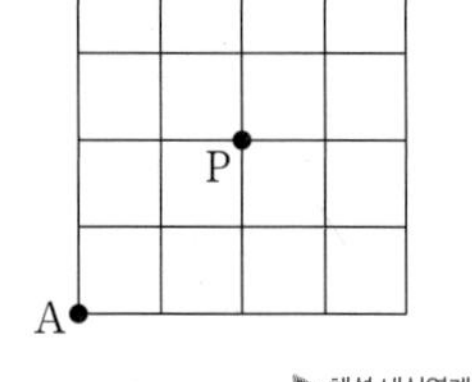

① 24 ② 34
③ 54 ④ 66
⑤ 81

▶ 해설 내신연계기출

0155 NORMAL

오른쪽 그림과 같이 직사각형 모양의 도로망이 있다. A를 출발하여 P를 지나지 않고 B까지 가는 최단 경로의 수는?

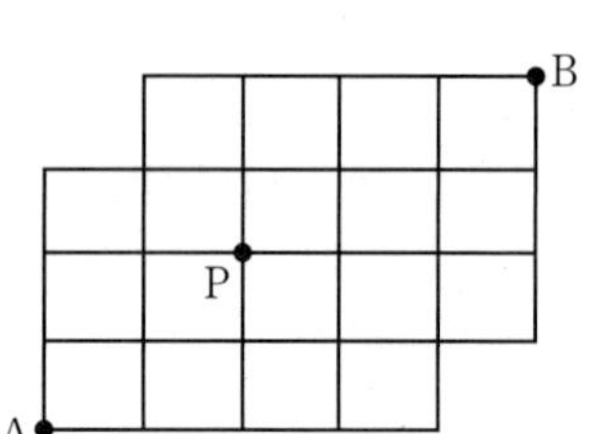

① 24 ② 34
③ 44 ④ 64
⑤ 72

0156 최다빈출 왕중요 NORMAL

오른쪽 그림과 같은 도로망이 있다. A지점에서 출발하여 B지점까지 최단거리로 갈 때, P지점은 지나고 Q지점은 지나지 않는 방법의 수는?

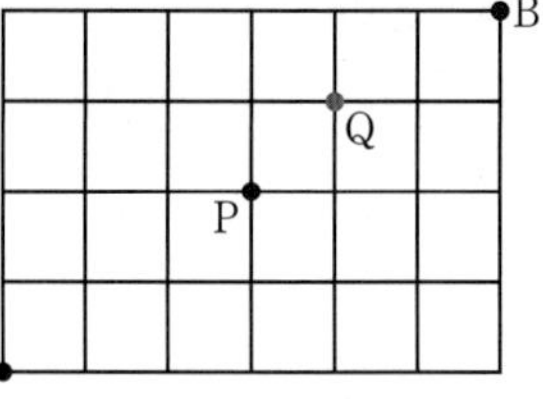

① 40 ② 60
③ 80 ④ 100
⑤ 120

▶ 해설 내신연계기출

0157 NORMAL

그림과 같이 마름모 모양으로 연결된 도로망이 있다. 이 도로망을 따라 A지점에서 출발하여 C지점을 지나지 않고, D지점도 지나지 않으면서 B지점까지 최단거리로 가는 경우의 수는?

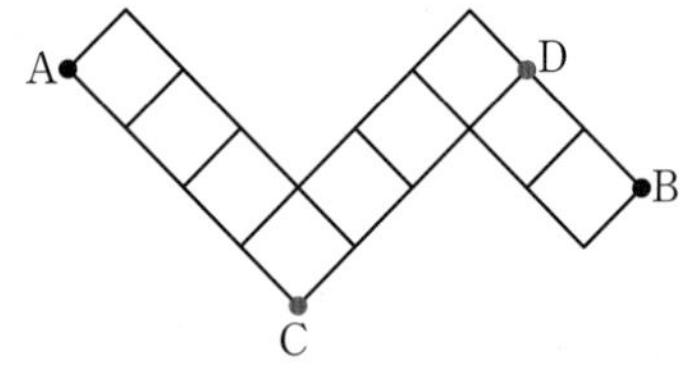

① 26 ② 24 ③ 22
④ 20 ⑤ 18

0158 최다빈출 왕중요 NORMAL

오른쪽 그림은 어느 도시의 도로망이다. 네 개의 도시에서 코로나 바이러스가 시작되었다. A지점에서 출발하여 코로나 바이러스의 근원지인 네 지점을 지나지 않고 B지점까지 도로를 따라 최단거리로 가는 경우의 수는?

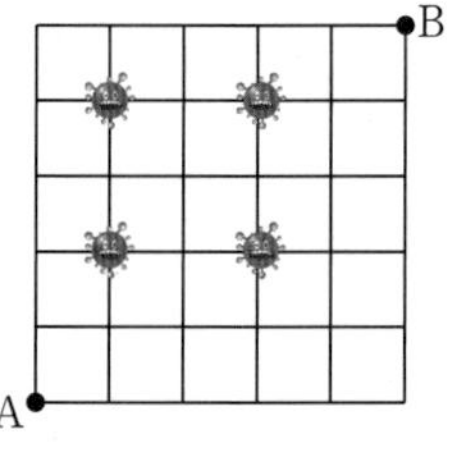

① 40 ② 43 ③ 45
④ 47 ⑤ 49

▶ 해설 내신연계기출

0159

최다빈출 왕중요 TOUGH

오른쪽 그림과 같은 도로망에서 호수를 지나지 않고 A지점에서 B지점까지 최단 거리로 가는 방법의 수는?

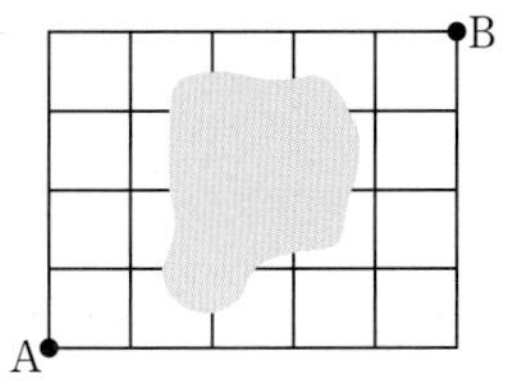

① 5 ② 8
③ 14 ④ 19
⑤ 23

▶ 해설 내신연계기출

0160

TOUGH

오른쪽 그림과 같은 도로망이 있다. A지점에서 B지점까지 최단 거리로 가는 방법의 수는?

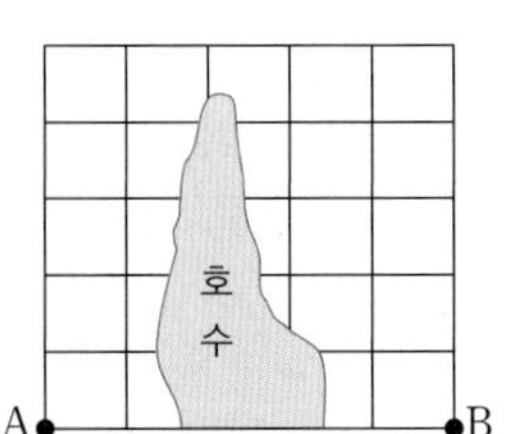

① 36 ② 72
③ 82 ④ 108
⑤ 144

유형 09 장애물이 있는 최단 경로의 수(2)

좌회전(우회전) 또는 직진을 할 수 없는 경우의 수

A에서 C에서 좌회전(우회전)되지 않고 B로 가는 최단 경로의 수

⇨ (A에서 B로 가는 최단 경로의 수)

−(A에서 C에서 좌회전(우회전)하여 B로 가는 최단 경로의 수)

0161

학교기출 대표유형

오른쪽 그림과 같은 도로망이 있다. P지점에서는 좌회전이 되지 않는다고 할 때, 자동차를 타고 A지점에서 B지점까지 최단거리로 가는 방법의 수는?

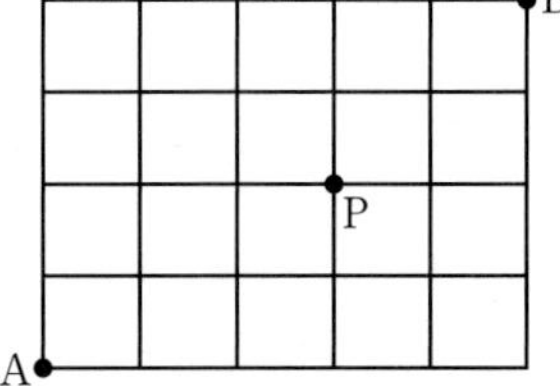

① 34 ② 46
③ 54 ④ 84
⑤ 108

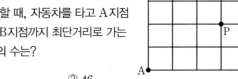

0162

NORMAL

오른쪽 그림과 같은 바둑판 모양의 도로망이 있다. 교차로 P와 교차로 Q를 지날 때에는 직진할 수 없다고 한다. 이때 A지점에서 P 또는 Q를 지나서 B지점까지 최단 거리로 가는 방법의 수는?

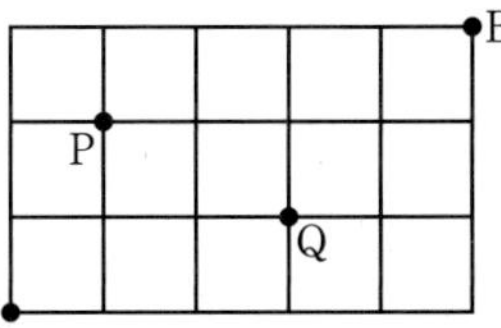

① 21 ② 32 ③ 54
④ 84 ⑤ 108

0163

최다빈출 왕중요 TOUGH

그림과 같이 바둑판 모양의 도로망이 있다. 교차로 P와 교차로 Q를 지날 때에는 직진 또는 우회전은 할 수 있으나 좌회전은 할 수 없다고 한다. 이때 A지점에서 B지점까지 최단거리로 가는 방법의 수는?

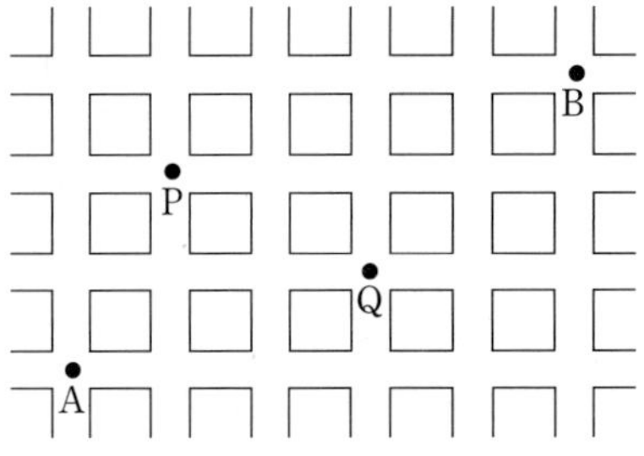

① 34 ② 46 ③ 54
④ 84 ⑤ 108

▶ 해설 내신연계기출

원순열

0164

할아버지, 할머니, 아버지, 어머니, 딸, 아들로 이루어진 6명의 가족이 원형의 탁자에 앉으려고 할 때, 다음 단계로 서술하여라.

[1단계] 6명이 원형의 탁자에 둘러앉는 경우의 수를 구한다.
[2단계] 할머니와 할아버지가 이웃하게 앉는 경우의 수를 구한다.
[3단계] 딸과 아들이 마주 보게 앉는 경우의 수를 구한다.

0165

수지를 포함한 여학생 3명과 준기를 포함한 남학생 3명으로 구성된 동아리에서 원형의 책상에 동아리 학생 6명의 학생증을 올려놓으려고 할 때, 다음 단계로 서술하여라.

[1단계] 여학생 3명의 학생증을 모두 이웃하게 놓는 경우의 수를 구한다.
[2단계] 여학생과 남학생의 학생증을 교대로 놓는 경우의 수를 구한다.
[3단계] 수지와 준기의 학생증을 이웃하지 않게 놓는 경우의 수를 구한다.

0166

구절판은 얇게 부친 밀전병에 채를 썬 고기, 채소 등을 올려 싸서 먹는 밀쌈으로 대표적인 궁중 요리이다. 오른쪽 그림과 같이 팔각형 모양으로된 나무 그릇에 9가지의 서로 다른 음식을 한 칸에 한 가지씩 담으려고 한다. 다음 단계로 서술하여라.
(단, 회전하여 일치하는 것은 같은 것으로 본다.)

[1단계] 준비된 9가지의 음식을 서로 다르게 담는 경우의 수를 구한다.
[2단계] 가운데에 밀전병을 담고 8가지 음식 중 당근과 소고기를 이웃하여 담는 경우의 수를 구한다.
[3단계] 가운데 밀전병을 담고 8가지 음식 중 고기와 무채를 이웃하지 않게 담는 경우의 수를 구한다.

0167

오른쪽 그림과 같이 정삼각형 모양의 탁자에 6명의 학생이 둘러앉는 방법의 수를 다음 단계로 서술하여라.

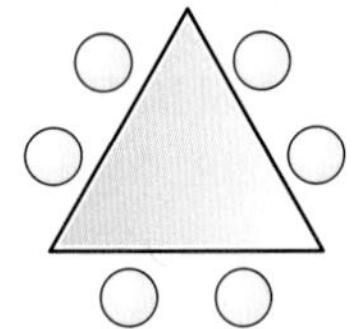

[1단계] 다음 그림과 같이 앉아 있는 6명의 학생 A, B, C, D, E, F가 반시계 방향으로 한 칸씩 이동하여 앉기를 반복할 때, 주어진 경우와 회전하여 일치하는 경우를 모두 그려라.

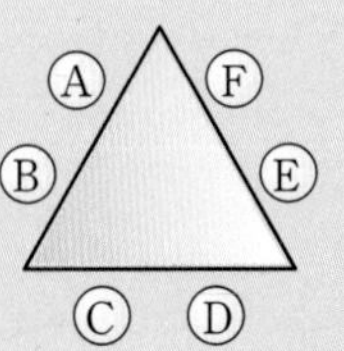

[2단계] 1단계를 이용하여 (가), (나), (다)에 알맞은 수를 구한다.

> 서로 다른 6개를 일렬로 나열하는 순열의 수는 [(가)]이고, 정삼각형 둘레에 위 그림과 같이 배열하면 회전하여 일치하는 경우가 [(나)]가지씩 있으므로 구하는 방법의 수는 [(다)]이다.

0168

오른쪽 그림과 같이 직사각형 모양의 탁자에 6명의 학생이 둘러앉는 방법의 수를 다음 단계로 서술하여라.

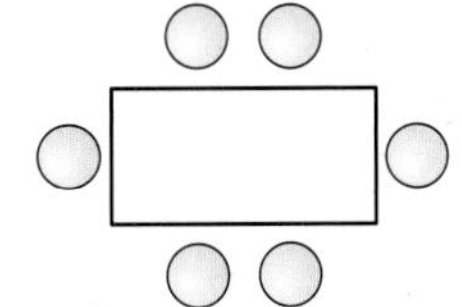

[1단계] 다음 그림과 같이 앉아 있는 6명의 학생 A, B, C, D, E, F가 반시계 방향으로 한 칸씩 이동하여 앉기를 반복할 때, 주어진 경우와 회전하여 일치하는 경우를 모두 그려라.

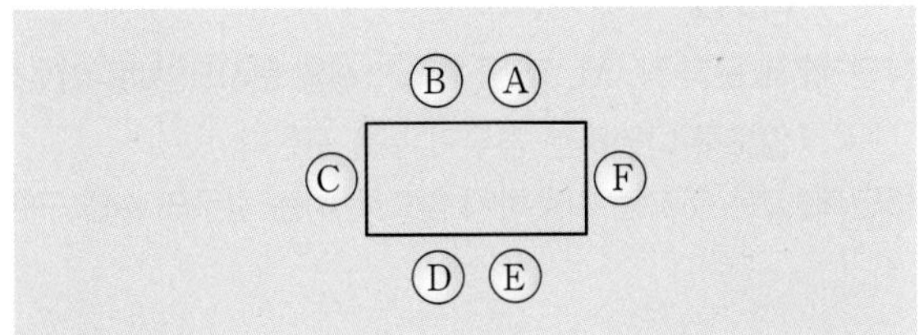

[2단계] 1단계를 이용하여 (가), (나), (다)에 알맞은 수를 구한다.

> 서로 다른 6개를 일렬로 나열하는 순열의 수는 (가) 이고, 직사각형 둘레에 위 그림과 같이 배열하면 회전하여 일치하는 경우가 (나) 가지씩 있으므로 구하는 방법의 수는 (다) 이다.

중복순열

0169

서로 다른 종류의 빵 10개와 서로 다른 모양의 바구니 3개가 있다. 이 10개의 빵 중에서 5개를 택하여 바구니에 나누어 담는 경우의 수를 구하는 과정을 다음 단계로 서술하여라.
(단, 바구니를 모두 사용하지 않아도 된다.)

[1단계] 10개의 빵 중에서 5개를 택하는 경우의 수를 구한다.
[2단계] 1단계에서 택한 5개의 빵을 바구니에 나누어 담는 경우의 수를 구한다.
[3단계] 1단계, 2단계의 결과를 이용하여 10개의 빵 중에 5개를 택하여 바구니에 나누어 담는 경우의 수를 구한다.

0170

다섯 개의 숫자 1, 2, 3, 4, 5 중에서 네 개의 숫자를 택하여 네 자리 자연수를 만들 때, 다음 단계로 서술하여라.
(단, 각 자리의 숫자는 서로 같아도 된다.)

[1단계] 3000보다 큰 자연수의 개수를 구한다.
[2단계] 큰 수부터 차례로 나열할 때, 2543은 몇 번째로 나열된 수인지 구한다.

0171

두 집합 $X=\{1, 2, 3\}$, $Y=\{5, 6, 7, 8\}$에 대하여 X에서 Y로의 함수 f에 대하여 다음 단계로 서술하여라.

[1단계] X에서 Y로의 함수 f 중 $f(1)=7$을 만족시키는 함수의 개수를 구한다.
[2단계] X에서 Y로의 함수 f 중 $f(2)\neq 6$을 만족시키는 함수의 개수를 구한다.

같은 것이 있는 순열

0172

영어 단어 BANANA에 있는 6개의 문자를 일렬로 나열할 때, 다음 단계로 그 과정을 서술하여라.

[1단계] 모든 문자를 나열하는 경우의 수를 구한다.
[2단계] N이 양 끝에 오도록 나열하는 경우의 수를 구한다.
[3단계] 같은 문자끼리 모두 이웃하는 경우의 수를 구한다.

0173

파란색 전구 4개와 빨간색 전구 2개, 노란색 전구 2개가 각각 들어 있는 주머니 A, B가 있다.

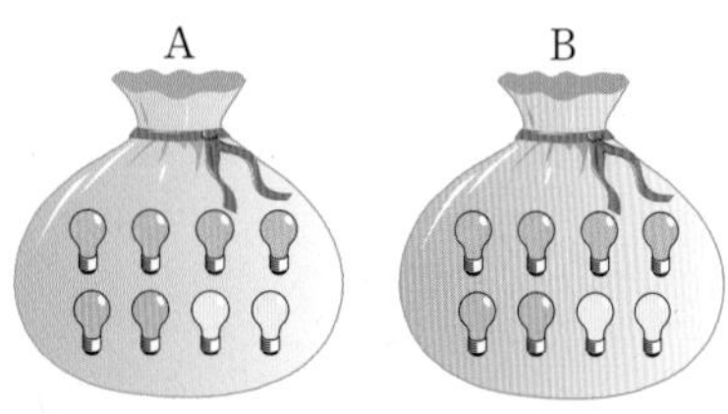

주머니 A에 들어 있는 8개의 전구를 다음 그림과 같은 구조물의 1층에 배열하고, 주머니 B에 들어 있는 8개의 전구를 2층에 배열하려고 한다. 이때 같은 칸에는 서로 다른 색의 전구를 배열하는 경우의 수를 다음 단계로 서술하여라.

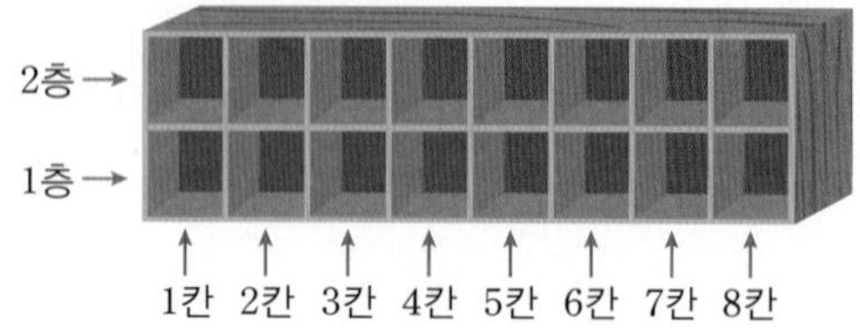

[1단계] 1층에 8개의 전구를 배열하는 경우의 수를 구한다.
[2단계] 2층에 전구를 배열할 때, 파란색 전구 위에는 빨간색 전구와 노란색 전구만 배열하는 경우의 수를 구한다.
[3단계] 빨간색 전구와 노란색 전구 위에는 파란색 전구만 배열하는 경우의 수를 구한다.
[4단계] 같은 칸에는 서로 다른 색의 전구를 배열하는 경우의 수를 구한다.

0174

7개의 문자

N, A, M, I, D, I, A

를 일렬로 나열할 때, 다음 단계로 구하는 과정을 서술하여라.

[1단계] 홀수 번째 자리에 모음이 오게 나열하는 경우의 수를 구한다.
[2단계] A, A가 이웃하게 배열되는 경우의 수를 구한다.
[3단계] 두 문자 I, I가 서로 이웃하지 않도록 나열하는 경우의 수를 구한다.
[4단계] 세 문자 N, M, D 중 어느 2개의 문자도 서로 이웃하지 않도록 나열하는 경우의 수를 구한다.
[5단계] 같은 문자는 이웃하지 않도록 하는 경우의 수를 구한다.

0175

A지점에서 B지점까지 도로를 따라 최단거리로 갈 때, 점 P를 거치지 않는 경우의 수를 구하는 과정을 다음 단계로 서술하여라.

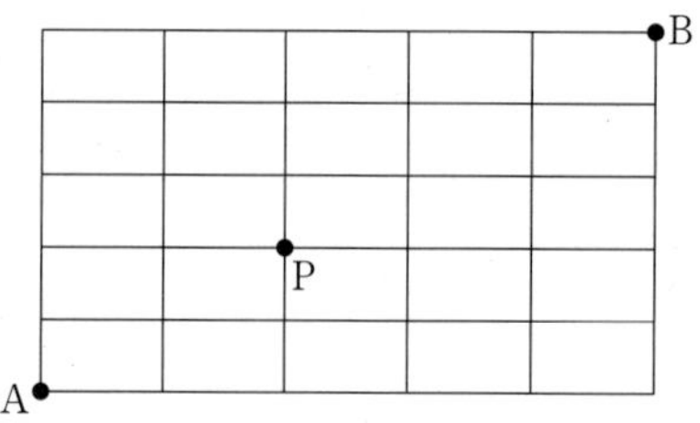

[1단계] A지점에서 B지점까지 도로를 따라 최단거리로 가는 경우의 수를 구한다.
[2단계] A지점에서 P지점을 거쳐 B지점까지 도로를 따라 최단거리로 가는 경우의 수를 구한다.
[3단계] A지점에서 B지점까지 도로를 따라 최단거리로 갈 때, 점 P를 거치지 않는 경우의 수를 구한다.

0176

그림과 같이 정육각형 모양으로 연결된 도로망이 있다. 이 도로망을 따라 A지점에서 P지점을 지나 B지점까지 갈 때, 최단거리로 가는 경우의 수를 구하여라.

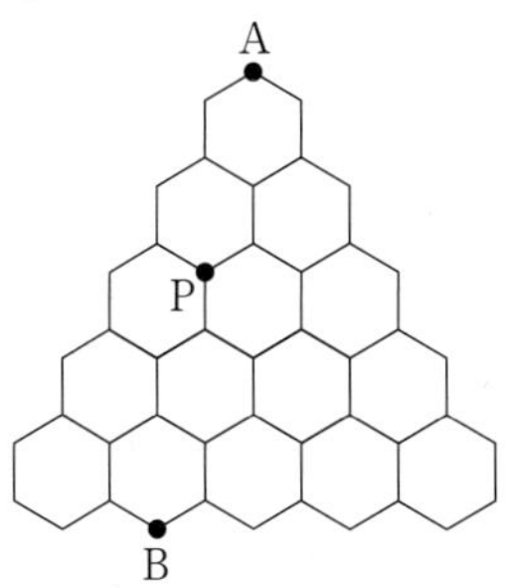

0177

교육청기출

4개의 숫자 1, 2, 3, 4에서 중복을 허락하여 만든 네 자리 자연수 중 3의 배수의 개수를 구하여라.

▶ 해설 내신연계기출

0178

평가원기출

어느 건물에서는 출입을 통제하기 위하여 각 자리가 '0'과 '1'로 이루어진 8자리 문자열의 보안카드를 이용하고 있다. 보안카드의 8자리 문자열에 '1'의 개수가 5개이거나 문자열의 처음 4자리가 '0110'이면 이 건물의 출입문을 통과할 수 있다. 예를 들어, 보안카드의 문자열이 '10110011'이거나 '01100101'이면 이 건물에 출입할 수 있다.
이 건물의 출입문을 통과할 수 있는 서로 다른 보안카드의 총 개수를 구하여라.

0179

교육청기출

세 숫자 1, 2, 3만을 사용하여 일곱 자리의 자연수를 만들 때, 세 숫자 1, 2, 3을 모두 한 번 이상씩 사용하고 숫자 2를 반드시 짝수 번째 자리에만 오도록 놓는 경우의 수를 구하려고 한다.
다음은 이것을 구하는 과정의 일부이다.

> 일곱 자리의 자연수를 만들 때, 짝수 번째 자리는 세 군데이므로 숫자 2는 많아야 세 번 사용할 수 있다.
> (ⅰ) 숫자 2를 한 번 사용한 경우
> 2를 십의 자리에 오도록 놓으면 조건을 만족시키도록 만들 수 있는 자연수는 나머지 자리에 1, 1, 1, 1, 1, 3 또는 1, 1, 1, 1, 3, 3 또는 1, 1, 1, 3, 3, 3 또는 1, 1, 3, 3, 3, 3 또는 1, 3, 3, 3, 3, 3을 나열한 것이므로 그 경우의 수는 [(가)]이다.
> 2를 짝수 번째 자리에 한 번 오도록 놓는 경우의 수는 세 군데 중 한 군데를 선택하는 경우의 수와 같으므로 ${}_3C_1$ 이다.
> 그러므로 숫자 2를 한 번 사용했을 때 일곱 자리의 자연수를 만들 수 있는 경우의 수는 [(나)]이다.
> (ⅱ) 숫자 2를 두 번 사용한 경우
> ⋮ (중략)
> (ⅲ) 숫자 2를 세 번 사용한 경우
> 2를 모든 짝수 번째 자리에 오도록 놓으면 조건을 만족시키도록 만들 수 있는 자연수는 홀수 번째 자리에 1, 3을 모두 한 번 이상씩 사용하여 나열한 것이므로 그 경우의 수는 [(다)]이다.
> 따라서 (ⅰ)~(ⅲ)에 의하여 구하는 경우의 수는 290이다.

위의 (가), (나), (다)에 알맞은 수를 각각 p, q, r이라 할 때, $p+q+r$의 값은?

① 262 ② 267 ③ 272
④ 277 ⑤ 282

0180

교육청기출

다음은 한 개의 주사위를 3번 던져서 나오는 눈의 수의 곱이 8 이상의 짝수인 경우의 수를 구하는 과정이다.

(ⅰ) 한 개의 주사위를 3번 던져서 나오는 모든 경우의 수는 216이다.

(ⅱ) 한 개의 주사위를 3번 던져서 나오는 눈의 수의 곱이 홀수인 경우는 1, 3, 5 중에서 중복을 허락하여 3개를 선택한 후 일렬로 배열하는 중복순열과 같으므로 이 경우의 수는 (가) 이다.

(ⅲ) 6 이하의 짝수는 2, 4, 6이므로 세 수의 곱이 2인 경우는 2, 1, 1을 일렬로 배열하는 순열,
세 수의 곱이 4인 경우는 4, 1, 1 또는 2, 2, 1을 일렬로 배열하는 순열,
세 수의 곱이 6인 경우는 6, 1, 1 또는 3, 2, 1을 일렬로 배열하는 순열이다.
그러므로 한 개의 주사위를 3번 던져서 나오는 눈의 수의 곱이 6 이하의 짝수인 경우의 수는 (나) 이다.

(ⅰ)~(ⅲ)에서 한 개의 주사위를 3번 던져서 나오는 눈의 수의 곱이 8 이상의 짝수인 경우의 수는 (다) 이다.

위의 (가), (나), (다)에 알맞은 수를 각각 a, b, c라 할 때, $3a+2b+c$의 값은?

① 282 ② 284 ③ 286
④ 288 ⑤ 290

0181

수능기출

1, 2, 3, 4, 5의 숫자가 하나씩 적힌 5개의 공을 3개의 상자 A, B, C에 넣으려고 한다.
어느 상자에도 넣어진 공에 적힌 수의 합이 13 이상이 되는 경우가 없도록 공을 상자에 넣는 방법의 수를 구하여라.
(단, 빈 상자의 경우에는 넣어진 공에 적힌 수의 합을 0으로 한다.)

▶ 해설 내신연계기출

0182

수능기출

숫자 1, 2, 3, 4, 5, 6 중에서 중복을 허락하여 다섯 개를 다음 조건을 만족시키도록 선택한 후, 일렬로 나열하여 만들 수 있는 모든 다섯 자리의 자연수의 개수를 구하시오.

(가) 각각의 홀수는 선택하지 않거나 한 번만 선택한다.
(나) 각각의 짝수는 선택하지 않거나 두 번만 선택한다.

0183

사관기출

그림과 같이 같은 종류의 검은 공이 각각 1개, 2개, 3개가 들어 있는 상자 3개가 있다. 1부터 6까지의 자연수가 각각 하나씩 적힌 6개의 흰 공을 3개의 상자에 남김없이 나눠 넣으려고 한다. 각각의 상자에 들어 있는 공의 개수가 모두 3의 배수가 되도록 6개의 흰 공을 나눠 넣는 경우의 수를 구하여라. (단, 흰 공이 하나도 들어 있지 않은 상자가 있을 수 있고, 공을 넣는 순서는 고려하지 않는다.)

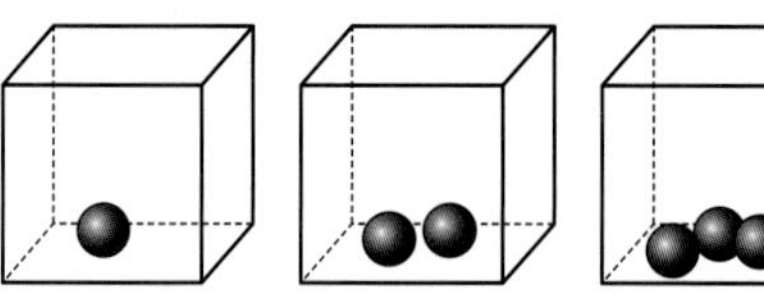

① ② ③ ④ ⑤ ⑥

04 중복조합

학교내신기출 객관식 핵심문제총정리

STEP 1 내신정복 기출유형

유형 01 중복조합의 계산

중복조합의 수 계산방법

서로 다른 n개 중에서 중복을 허락하여 r개를 택하는 조합을 중복조합이라 하고, 이 중복조합의 수를 기호 ${}_{n}H_{r}$로 나타낸다.

$${}_{n}H_{r}={}_{n+r-1}C_{r}$$

0184 학교기출 대표 유형

다음 중 가장 큰 수는?

① ${}_{4}\Pi_{2}$ ② ${}_{4}C_{3}$ ③ ${}_{3}H_{5}$
④ ${}_{7}C_{5}$ ⑤ ${}_{5}H_{3}$

0185 BASIC

${}_{2}\Pi_{3}+{}_{2}H_{3}$의 값은?

① 10 ② 12 ③ 14
④ 16 ⑤ 18

0186 BASIC

등식 ${}_{3}H_{r}={}_{8}C_{6}$를 만족하는 r의 값은?

① 5 ② 6 ③ 7
④ 8 ⑤ 9

0187 최다빈출 왕중요 BASIC

자연수 r에 대하여 ${}_{3}H_{r}={}_{7}C_{2}$일 때, ${}_{4}H_{r}$의 값은?

① 21 ② 36 ③ 47
④ 56 ⑤ 63

▶ 해설 내신연계기출

0188 BASIC

자연수 r에 대하여 ${}_{4}H_{r}={}_{9}C_{3}$이 성립할 때, ${}_{r}H_{4}$의 값은?

① 64 ② 81 ③ 126
④ 216 ⑤ 512

0189 최다빈출 왕중요 NORMAL

다음 조건을 만족시키는 자연수 n, r에 대하여 $n+r$의 값은?

(가) ${}_{n}\Pi_{3}=8$
(나) ${}_{3}H_{r}=15$

① 4 ② 6 ③ 8
④ 10 ⑤ 12

▶ 해설 내신연계기출

유형 02 중복조합의 수

서로 다른 n개에서 순서를 고려하지 않고 중복을 허락하여 r개를 택하는 중복조합의 수는 다음과 같다.

서로 다른 것의 개수 → ${}_nH_r$ ← 택하는 것의 개수(구분할 수 없는 것)

$${}_nH_r={}_{n+r-1}C_r$$

0190 학교기출 대표 유형

3종류의 과일 사과, 오렌지, 포도 중에서 중복을 허용하여 4개를 택하는 모든 경우의 수를 구하는 과정이다.

이 경우의 수는 중복조합의 수와 같으므로 ${}_3H_4=15$이다.
이 15가지의 경우를 나열하면 다음 왼쪽 표와 같고,
이때 '/' 를 사용하여 과일을 구분하면 각 경우는
다음 오른쪽 표와 같이 나타낼 수 있다.
(단, '사과 111' 은 사과를 3개 택하였음을 나타낸다.)

사과	오렌지	포도	개수
1111	0	0	4
111	1	0	4
111	0	1	4
⋮	⋮	⋮	⋮
0	0	1111	4

➡

과일 구분을 '/' 로 표시	
1111//	15가지
111/1/	
111//1	
⋮	
//1111	

그런데 위의 모든 경우는 4개의 '1' 과 2개의 '/' 를 일렬로 배열한 것과 같다.
따라서 모든 경우의 수는 같은 것이 있는 순열의 수
(가) $=15$ 또는 조합의 수 (나) $=15$와 같고,
이로부터 ${}_3H_4={}_6C_4$임을 알 수 있다.
일반적으로 서로 다른 n개에서 r개를 택하는 중복조합의 수 ${}_nH_r$는 r개의 '1' 과 $(n-1)$개의 '/' 를 일렬로 배열하는 경우의 수와 같으므로 (다) $={}_{n+r-1}C_r$와 같다.
즉 ${}_nH_r={}_{n+r-1}C_r$이다.

위의 (가), (나), (다)에 알맞은 것은?

	(가)	(나)	(다)
①	$\frac{6!}{4!2!}$	${}_5C_4$	$\frac{(n+r)!}{r!(n-1)!}$
②	$\frac{6!}{4!2!}$	${}_6C_4$	$\frac{(n+r-1)!}{(r+1)!n!}$
③	$\frac{6!}{4!2!}$	${}_6C_4$	$\frac{(n+r-1)!}{r!(n-1)!}$
④	$\frac{5!}{3!2!}$	${}_5C_4$	$\frac{(n+r-1)!}{r!(n-1)!}$
⑤	$\frac{5!}{3!2!}$	${}_6C_3$	$\frac{(n+r)!}{r!(n-1)!}$

0191 BASIC

5가지 종류의 노트 중에서 중복을 허용하여 9개의 노트를 선택하는 방법의 수는? (단, 같은 종류의 노트는 9개 이상 있다.)

① 685 ② 700 ③ 715
④ 730 ⑤ 745

0192 최다빈출 왕 중요 BASIC

가인이는 가게에서 5개의 음료수를 사려고 한다. 가게에는 3종류의 음료수가 있을 때, 음료수를 살 수 있는 방법의 수는?
(한 종류나 두 종류의 음료수만 선택해도 된다.)

① 21 ② 32 ③ 37
④ 45 ⑤ 56

▶ 해설 내신연계기출

0193 BASIC

서로 다른 네 종류의 연필을 판매하는 문구점에서 8개의 연필을 사는 경우의 수는?

① 120 ② 135 ③ 150
④ 165 ⑤ 180

0194 최다빈출 왕중요 BASIC

크기와 모양이 같은 빨간 공, 노란 공, 파란 공이 각각 10개씩 들어 있는 주머니에서 6개의 공을 동시에 꺼낼 때, 나올 수 있는 방법의 수는?

① 12 ② 24 ③ 28
④ 36 ⑤ 38

▶ 해설 내신연계기출

0195 최다빈출 왕중요 NORMAL

서로 다른 4개의 문자 a, b, c, d에서 중복을 허락하여 n개를 택하는 경우의 수가 120일 때, 자연수 n의 값은?

① 6 ② 7 ③ 8
④ 9 ⑤ 10

▶ 해설 내신연계기출

0196 최다빈출 왕중요 NORMAL

오렌지 맛 사탕 5개와 딸기 맛 사탕 4개를 4명의 학생에게 남김없이 나눠주는 경우의 수는? (단, 사탕을 받지 못한 학생이 있을 수도 있고, 같은 종류의 사탕끼리는 구별하지 않는다.)

① 1690 ② 1760 ③ 1850
④ 1920 ⑤ 1960

▶ 해설 내신연계기출

0197 NORMAL

모양과 크기가 각각 같은 사탕 5개와 초콜릿 7개를 서로 다른 3개의 바구니에 나눠 담는 방법의 수는?
(단, 사탕과 초콜릿이 한 개도 없는 바구니가 있을 수 있다.)

① 625 ② 656 ③ 686
④ 756 ⑤ 782

0198 NORMAL

같은 종류의 주스 4병, 같은 종류의 생수 2병, 우유 1병을 3명에게 남김없이 나누어 주는 경우의 수는?
(단, 1병도 받지 못하는 사람이 있을 수 있다.)

① 330 ② 315 ③ 300
④ 285 ⑤ 270

0199 NORMAL

숫자 1, 2, 3, 4, 5에서 중복을 허락하여 7개를 선택할 때, 짝수가 두 개가 되는 경우의 수는?

① 21 ② 35 ③ 45
④ 56 ⑤ 63

유형 03 다항식의 항의 개수

다항식의 서로 다른 항의 개수

① $(a+b)^n$의 전개식에서 항의 개수

⇨ 서로 다른 2개의 문자 a, b에서 중복을 허용하여 n개를 택하는 중복조합의 수와 같으므로
${}_2H_n = {}_{n+1}C_n = {}_{n+1}C_1 = n+1$

② $(a+b+c)^n$의 전개식에서 항의 개수

⇨ 서로 다른 3개의 문자 a, b, c에서 중복을 허용하여 n개를 택하는 중복조합의 수와 같으므로
${}_3H_n = {}_{n+2}C_n = {}_{n+2}C_2 = \frac{(n+1)(n+2)}{2}$

0200 학교기출 대표 유형

다항식 $(x+y+z)^4$을 전개할 때, 생기는 서로 다른 항은 모두 몇 개인가?

① 15 ② 20 ③ 24
④ 36 ⑤ 48

0201 최다빈출 왕 중요 NORMAL

자연수 n에 대하여 다항식 $(x+y+z+w)^n$의 전개식에서 서로 다른 항의 개수가 35일 때, n의 값은?

① 3 ② 4 ③ 5
④ 6 ⑤ 7

▶ 해설 내신연계기출

0202 최다빈출 왕 중요 NORMAL

다항식 $(w+x+y+z)^6$의 전개식에서 w를 포함하는 서로 다른 항의 개수는?

① 50 ② 52 ③ 54
④ 56 ⑤ 58

▶ 해설 내신연계기출

0203 최다빈출 왕 중요 NORMAL

다항식 $(a+b+c+d)^6$의 전개식에서 a는 포함하고 b는 포함하지 않는 서로 다른 항의 개수는?

① 19 ② 21 ③ 23
④ 25 ⑤ 27

▶ 해설 내신연계기출

0204 최다빈출 왕 중요 NORMAL

다항식 $(a+b+c)^4(x+y)^3$의 전개식에서 서로 다른 항의 개수는?

① 20 ② 25 ③ 30
④ 45 ⑤ 60

▶ 해설 내신연계기출

0205 최다빈출 왕 중요 NORMAL

3개의 문자 a, b, c를 이용하여 만들 수 있는 서로 다른 사차 단항식의 개수는?

① 15 ② 20 ③ 35
④ 46 ⑤ 58

▶ 해설 내신연계기출

0206 TOUGH

4개의 정수 2, 3, 5, 7이 있다. 중복을 허락하여 5개를 택한 후 모두 곱하였을 때, 나올 수 있는 서로 다른 정수의 개수는?

① 24 ② 30 ③ 42
④ 56 ⑤ 72

유형 04 무기명 투표

① **무기명 투표**
r명의 유권자가 n명의 후보자에게 무기명 투표를 할 때,
득표수의 경우의 수 ⇨ ${}_{n}\mathrm{H}_{r}={}_{n+r-1}\mathrm{C}_{r}$

② **기명 투표**
r명의 유권자가 n명의 후보자에게 기명 투표를 할 때,
득표수의 경우의 수 ⇨ ${}_{n}\Pi_{r}=n^{r}$

참고 유권자가 30명인 어느 선거에 3명의 후보가 출마하였다.
후보자 한 명에게 다음과 같이 투표를 할 때, 가능한 투표 결과의 경우의 수를 구해보자. (단, 무효표나 기권은 없다.)

(i) 무기명으로 투표할 때
유권자 30명이 3명의 후보 중에서 어느 한 명에게 무기명으로 투표할 때, 가능한 투표 결과의 모든 경우의 수는
3개 중에서 30개를 택하는 중복조합의 수와 같으므로
${}_{3}\mathrm{H}_{30}={}_{3+30-1}\mathrm{C}_{30}={}_{32}\mathrm{C}_{30}={}_{32}\mathrm{C}_{2}=496$

(ii) 기명으로 투표할 때
'기명' 투표일 경우 어떤 학생이 어떤 후보를 선택했는지에 따라 모두 다른 경우가 되므로 중복순열의 수로 계산해야 한다.
30명의 학생이 3명의 회장 후보 A, B, C에게
'기명' 투표를 하는 경우의 수는 구분이 되는 30장의 투표용지에 회장 후보 A, B, C를 적는 방법의 수와 같다.
따라서 A, B, C 3개에서 중복을 허락하여 30개를 택하여 나열하는 경우의 수와 같으므로 ${}_{3}\Pi_{30}=3^{30}$

0207 학교기출 대표 유형

9명의 학생이 어떤 안건에 대한 찬반 투표를 하려고 할 때, 다음 조건을 만족하는 경우의 수를 a, b라 할 때, $a+b$의 값은? (단, 기권과 무효표는 없다.)

(가) 기명 투표를 하였을 때, 나올 수 있는 경우의 수를 a
(나) 무기명 투표를 하였을 때, 나올 수 있는 경우의 수를 b

① 512 ② 522 ③ 532
④ 542 ⑤ 552

0208 BASIC

5명의 학생이 학생회장 후보로 나온 A, B, C 중 한 명에게 무기명으로 투표를 할 때, 표가 나올 수 있는 가능한 경우의 수는? (단, 기권이나 무효표는 없다.)

① 15 ② 21 ③ 35
④ 45 ⑤ 56

0209 최다빈출 왕중요 BASIC

회원이 15명인 어느 동아리 회장 선거에 3명이 출마하였다. 회원들이 무기명으로 후보자 한 명에게 투표할 때, 투표 결과로 가능한 경우의 수는? (단, 기권이나 무효표는 없다.)

① 24 ② 124 ③ 136
④ 182 ⑤ 193

▶ 해설 내신연계기출

0210 NORMAL

흥민이를 포함한 학생 세 명이 같은 반 학생 10명을 대상으로 인기투표를 했다. 인기투표는 같은 반 학생 10명에게 똑같이 생긴 스티커를 한 장씩 나눠 주고 각 이름이 적힌 네모 칸 안에 붙이도록 진행되었다. 흥민이가 적어도 3장 이상 스티커를 획득하는 경우의 수는? (단, 기권이나 무효표는 없다.)

① 32 ② 34 ③ 36
④ 38 ⑤ 40

0211 최다빈출 왕중요 TOUGH

찬우네 학교에서는 '체험학습 시 복장 착용'에 대한 안건으로 학생회 회의가 열렸다. 각 반의 반장 1명씩 총 10명이 모여 다음 세 가지 안 중 하나에 무기명으로 투표할 때, 가능한 투표결과는 모두 몇 가지인가? (단, 기권이나 무효표는 없는 것으로 한다.)

[학생회 회의]

안건	1안	2안	3안
체험학습 시 복장	교복	체육복	사복

① 35 ② 56 ③ 66
④ 86 ⑤ 120

▶ 해설 내신연계기출

04 중복조합

유형 05 중복순열과 중복조합의 비교

① 중복순열
서로 다른 n개에서 중복을 허락하여 r개를 택하여 일렬로 나열하는 중복순열의 수는 ⇨ ${}_n\Pi_r=n^r$

② 중복조합
서로 다른 n개에서 r개를 택하는 중복조합의 수 ⇨ ${}_nH_r={}_{n+r-1}C_r$

참고

공	상자	경우의 수
같은	다른	중복조합
다른	다른	중복순열

0212 학교기출 대표 유형

다음 조건을 만족하는 a, b에 대하여 $a+b$의 값은?
(단, 빈 상자가 있을 수 있다.)

(가) 서로 다른 4개의 상자에 서로 다른 3개의 사탕을 넣는 모든 경우의 수는 a이다.
(나) 서로 다른 4개의 상자에 똑같은 3개의 공을 넣는 모든 경우의 수는 b이다.

① 80　② 82　③ 84　④ 86　⑤ 88

0213 BASIC

다음 중 경우의 수가 다른 하나를 구하면?

① 1, 2, 3을 사용하여 만들 수 있는 네 자리 정수의 개수
② 똑같은 사과 4개를 세 아이에게 나누어 주는 방법의 수
③ $(a+b+c)^4$의 전개식에서 서로 다른 항의 개수
④ 4명의 선거인이 3명의 후보자에게 무기명으로 투표하는 경우의 수
⑤ 방정식 $x+y+z=4$의 음이 아닌 정수해의 개수

0214 NORMAL

다음 중 경우의 수가 다른 하나를 구하면?

① 모양과 크기가 같은 흰 공, 노란 공, 빨간 공 중에서 중복을 허용하여 7개를 택하는 경우의 수
② 체육관에서 보관하고 있는 야구공, 테니스공, 탁구공 중에서 7개의 공을 택하는 경우의 수
③ 같은 종류의 연필 10자루를 서로 다른 3개의 필통에 넣으려고 한다. 빈 필통이 없도록 연필을 넣는 경우의 수
④ $(x+y+z)^7$을 전개하여 생기는 서로 다른 항의 개수
⑤ 7 이하의 자연수 a, b, c에 대하여 세 자리 자연수의 백의 자리수를 a, 십의 자리의 수를 b, 일의 자리수를 c라 할 때, $a\le b\le c$인 세 자리 자연수의 개수

0215 NORMAL

다음 조건을 만족하는 p, q, r에 대하여 $p+q+r$의 값은?

(가) 5명의 학생이 분식집에 가서 각자 떡볶이, 튀김, 순대 중 1개를 주문하는 경우의 수는 p이다.
(나) 3종류의 주스 중에서 중복을 허용하여 5병을 택하는 경우의 수는 q이다. (단, 각 주스는 5병 이상 있다.)
(다) 다항식 $(a+b+c)^5$의 전개식에서 서로 다른 항의 개수는 r이다.

① 174　② 196　③ 266　④ 285　⑤ 304

0216 최다빈출 왕 중요 NORMAL

다음 조건을 만족하는 p, q, r에 대하여 $p+q+r$의 값은?

(가) 3명의 학생이 각각 딸기, 사과, 포도, 수박 중에서 1개의 과일을 사는 모든 경우의 수는 p이다.
(단, 각 과일은 3개 이상 있다.)
(나) 5개의 문자 a, b, c, d, e를 일렬로 나열할 때 a가 b보다 앞에 오도록 나열하는 경우의 수는 q이다.
(다) 20명이 소속된 동아리에서 3명의 회장 후보 A, B, C에 무기명으로 투표를 하려고 한다. 득표 결과로 나타날 수 있는 경우의 수는 r이다. (단, 기권이나 무효표는 없다.)

① 306　② 326　③ 355　④ 385　⑤ 416

▶ 해설 내신연계기출

0217 최다빈출 왕 중요 TOUGH

다음 중 옳지 않은 것은?

① 어른 4명과 어린이 4명이 원탁에 둘러앉을 때, 어른끼리 서로 이웃하지 않게 앉는 경우의 수는 $(4-1)!\times 4!$이다.
② 축구공이 3개, 농구공이 4개 있을 때, 이 7개의 공을 모두 사용하여 일렬로 나열하는 경우의 수는 $\frac{7!}{3!4!}$이다.
(단, 같은 종류의 공은 구별하지 않는다.)
③ 9개의 문자 c, h, a, l, l, e, n, g, e를 일렬로 나열할 때, h가 a보다 앞에 오고, g는 a보다 뒤에 오도록 배열하는 경우의 수는 $\frac{9!}{3!2!2!}$이다.
④ 흰색, 주황색, 연두색 세 종류의 골프공 중에서 중복을 허용하여 7개를 택하는 경우의 수는 ${}_3H_7$이다. (단, 세 종류의 공은 7개 이상이다.)
⑤ O, X로만 답할 수 있는 5개의 문제에 임의로 답하는 경우의 수는 ${}_5\Pi_2$이다.

▶ 해설 내신연계기출

유형 06 방정식, 부등식의 해의 개수

방정식 $x_1+x_2+x_3+\cdots+x_n=r$ (n, r은 자연수)에 대하여

① 음이 아닌 정수인 해의 개수

⇨ 서로 다른 n개에서 r개를 택하는 중복조합의 수

⇨ ${}_n\mathrm{H}_r={}_{n+r-1}\mathrm{C}_r$

② 양의 정수인 해의 개수 (단, $r \ge n$)

⇨ 서로 다른 n개에서 $(r-n)$개를 택하는 중복조합의 수

⇨ ${}_n\mathrm{H}_{r-n}={}_{n+(r-n)-1}\mathrm{C}_{r-n}={}_{r-1}\mathrm{C}_{n-1}$

0218 학교기출 대표 유형

방정식 $x+y+z=6$에 대하여 음이 아닌 정수해의 개수를 α, 양의 정수해의 개수를 β라 할 때, $\alpha-\beta$의 값은?

① 12 ② 14 ③ 16
④ 18 ⑤ 20

0219 최다빈출 왕중요 BASIC

방정식 $x+y+z=n$을 만족하는 음이 아닌 정수해의 개수가 105일 때, 자연수 n의 값은?

① 12 ② 13 ③ 18
④ 21 ⑤ 32

▶ 해설 내신연계기출

0220 NORMAL

방정식

$$x+y+z-\frac{1}{w}=\frac{59}{5}$$

를 만족시키는 네 자연수 x, y, z, w의 모든 순서쌍 (x, y, z, w)의 개수는?

① 35 ② 40 ③ 45
④ 50 ⑤ 55

0221 NORMAL

방정식 $x+y+z=6$을 만족시키는 음이 아닌 정수 x, y, z의 순서쌍 (x, y, z) 중에서 x가 홀수인 순서쌍의 개수는?

① 12 ② 14 ③ 16
④ 18 ⑤ 20

0222 최다빈출 왕중요 NORMAL

각 자리의 수가 0이 아닌 네 자리의 자연수 중 각 자리의 수의 합이 7인 모든 자연수의 개수는?

① 11 ② 14 ③ 17
④ 20 ⑤ 23

▶ 해설 내신연계기출

0223 최다빈출 왕중요 TOUGH

원형의 탁자 주위에 똑같은 의자가 12개 놓여 있다. 4명의 학생이 탁자에 둘러앉을 때, 빈 의자를 사이에 두고 어느 누구도 이웃하지 않게 앉는 경우의 수는?

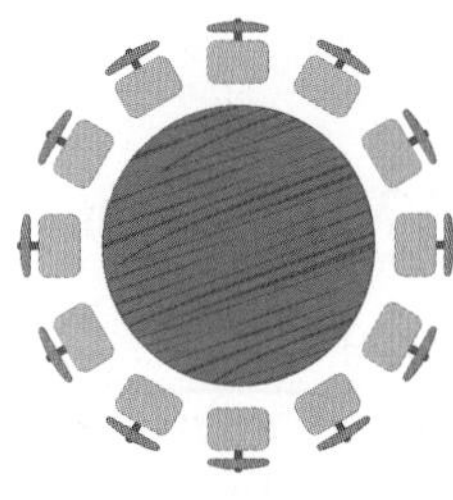

① 120 ② 160
③ 180 ④ 210
⑤ 240

▶ 해설 내신연계기출

04 중복조합

짝수/홀수인 정수해의 개수

0224

NORMAL

방정식

$$x+y+z=10$$

을 만족하는 음이 아닌 짝수 x, y, z의 순서쌍 (x, y, z)의 개수는? (단, 0은 짝수로 본다.)

① 18 ② 19 ③ 20 ④ 21 ⑤ 22

0225

최다빈출 왕중요

NORMAL

방정식

$$x+y+z=20$$

을 만족시키는 양의 정수 중 짝수인 x, y, z에 대하여 순서쌍 (x, y, z)의 개수는?

① 28 ② 32 ③ 36 ④ 40 ⑤ 44

▶ 해설 내신연계기출

0226

최다빈출 왕중요

NORMAL

방정식

$$x+y+z=11$$

을 만족시키는 양의 정수 중에서 x, y, z가 모두 홀수인 것의 개수는?

① 12 ② 15 ③ 21 ④ 28 ⑤ 35

▶ 해설 내신연계기출

0227

최다빈출 왕중요

NORMAL

방정식

$$x+y+z+w=12$$

를 만족시키는 음이 아닌 정수해 중에서

x, y는 모두 짝수, z, w는 모두 홀수

인 모든 순서쌍 (x, y, z, w)의 개수는? (단, 0은 짝수로 본다.)

① 35 ② 56 ③ 70 ④ 126 ⑤ 210

▶ 해설 내신연계기출

0228

NORMAL

방정식

$$x+y+z=19$$

를 만족시키는 양의 정수 x, y, z의 순서쌍 (x, y, z) 중에서 x, y, z에 대하여 곱 xyz의 값이 홀수인 것의 개수는?

① 39 ② 41 ③ 43 ④ 45 ⑤ 47

0229

최다빈출 왕중요

TOUGH

방정식

$$x+y+z=9$$

를 만족시키는 양의 정수 x, y, z의 순서쌍 (x, y, z) 중에서 x, y, z에 대하여 곱 xyz의 값이 짝수인 것의 개수는?

① 14 ② 16 ③ 18 ④ 20 ⑤ 22

▶ 해설 내신연계기출

계수가 있는 정수해의 개수

0230

NORMAL

방정식

$a+b+c+3d=6$

을 만족시키는 음이 아닌 정수 a, b, c, d의 모든 순서쌍 (a, b, c, d)의 개수는?

① 31 ② 33 ③ 35
④ 37 ⑤ 39

0231

최다빈출 왕 중요

NORMAL

방정식

$x+y+z+5w=14$

를 만족시키는 양의 정수 x, y, z, w의 모든 순서쌍 (x, y, z, w)의 개수는?

① 27 ② 29 ③ 31
④ 33 ⑤ 35

▶ 해설 내신연계기출

0232

최다빈출 왕 중요

NORMAL

다음 조건을 만족시키는 음이 아닌 정수 x, y, z, u의 모든 순서쌍 (x, y, z, u)의 개수는?

(가) $x+y+z+u=6$
(나) $x \neq u$

① 42 ② 46 ③ 50
④ 64 ⑤ 68

▶ 해설 내신연계기출

0233

NORMAL

다음 조건을 만족시키는 음이 아닌 정수 a, b, c, d의 모든 순서쌍 (a, b, c, d)의 개수는?

(가) $a+b+c+d=6$
(나) a, b, c, d중에서 적어도 하나는 0이다.

① 16 ② 34 ③ 64
④ 74 ⑤ 84

0234

최다빈출 왕 중요

TOUGH

다음 조건을 만족시키는 음이 아닌 정수 a, b, c, d의 모든 순서쌍 (a, b, c, d)의 개수는?

(가) $a+b+c+d=12$
(나) $a \neq 2$이고 $a+b+c \neq 10$이다.

① 123 ② 332 ③ 368
④ 425 ⑤ 455

▶ 해설 내신연계기출

0235

TOUGH

네 자리의 자연수 중에서 각 자리의 수의 합이 9인 홀수의 개수는?

① 36 ② 48 ③ 54
④ 62 ⑤ 70

x, y, z의 범위가 주어진 방정식의 정수해의 개수

0236 최다빈출 왕중요 NORMAL

방정식

$$x+y+z=15$$

에 대하여 $x \geq 2$, $y \geq 3$, $z \geq 4$를 만족시키는 정수해의 개수는?

① 28 ② 30 ③ 32
④ 34 ⑤ 36

▶ 해설 내신연계기출

0237 최다빈출 왕중요 NORMAL

방정식

$$x+y+z=4$$

를 만족시키는 -1 이상의 정수 x, y, z의 모든 순서쌍 (x, y, z)의 개수는?

① 21 ② 28 ③ 36
④ 45 ⑤ 56

▶ 해설 내신연계기출

0238 NORMAL

다음 조건을 만족시키는 세 자연수 x, y, z의 모든 순서쌍 (x, y, z)의 개수는?

(가) $x+y+z=10$
(나) $x \leq 5$

① 16 ② 20 ③ 24
④ 30 ⑤ 36

0239 NORMAL

12 이하의 네 자연수 a, b, c, d에 대하여

$$a+3 \leq b+2 \leq c+1 \leq d$$

를 만족시키는 a, b, c, d의 모든 순서쌍 (a, b, c, d)의 개수는?

① 480 ② 485 ③ 490
④ 495 ⑤ 500

0240 최다빈출 왕중요 TOUGH

다음 조건을 만족시키는 음이 아닌 정수 a, b, c, d의 모든 순서쌍 (a, b, c, d)의 개수는?

(가) $a+b+c+3d=10$
(나) $a+b+c \leq 5$

① 18 ② 20 ③ 22
④ 24 ⑤ 26

▶ 해설 내신연계기출

방정식의 정수해의 개수

0241
NORMAL

연립방정식

$$\begin{cases} x+y+z+3w=14 \\ x+y+z+w=10 \end{cases}$$

을 만족시키는 음이 아닌 정수 x, y, z, w의 모든 순서쌍 $(x,\ y,\ z,\ w)$의 개수는?

① 40 ② 45 ③ 50
④ 55 ⑤ 60

0242
최다빈출 왕 중요 NORMAL

다음 조건을 만족시키는 음이 아닌 정수 a, b, c, d, e의 모든 순서쌍 $(a,\ b,\ c,\ d,\ e)$의 개수는?

(가) a, b, c, d, e 중에서 0의 개수는 2이다.
(나) $a+b+c+d+e=10$

① 240 ② 280 ③ 320
④ 360 ⑤ 400

▶ 해설 내신연계기출

0243
NORMAL

다음 조건을 만족시키는 자연수 a, b, c, d의 모든 순서쌍 $(a,\ b,\ c,\ d)$의 개수는?

(가) a, b, c, d 중에서 홀수의 개수는 2이다.
(나) $a+b+c+d=12$

① 108 ② 120 ③ 132
④ 144 ⑤ 156

0244
최다빈출 왕 중요 TOUGH

다음 조건을 만족시키는 음이 아닌 정수 a, b, c, d의 모든 순서쌍 $(a,\ b,\ c,\ d)$의 개수는?

(가) $a+b+c-d=9$
(나) $d \le 4$이고 $c \ge d$이다.

① 265 ② 270 ③ 275
④ 280 ⑤ 285

▶ 해설 내신연계기출

0245
TOUGH

다음 조건을 만족시키는 음이 아닌 정수 a, b, c의 모든 순서쌍 $(a,\ b,\ c)$의 개수는?

(가) $a+b+c=6$
(나) 좌표평면에서 세 점 $(1,\ a)$, $(2,\ b)$, $(3,\ c)$가 한 직선 위에 있지 않다.

① 19 ② 20 ③ 21
④ 22 ⑤ 23

04 중복조합

부등식의 정수해의 개수

0246 최다빈출 왕 중요 NORMAL

부등식

$$x+y+z\le 4$$

를 만족하는 음이 아닌 정수해의 개수는?

① 16 ② 20 ③ 25
④ 30 ⑤ 35

▶ 해설 내신연계기출

0247 NORMAL

부등식

$$x+y+z+w\le 4$$

에 대하여 x, y, z, w가 모두 음이 아닌 정수인 해의 개수는?

① 70 ② 72 ③ 74
④ 76 ⑤ 78

0248 NORMAL

부등식

$$x+y+z<5$$

를 만족시키는 양의 정수인 해의 개수는?

① 3 ② 4 ③ 5
④ 6 ⑤ 7

지수꼴의 정수해의 개수

0249 NORMAL

등식

$$abc=1024$$

를 만족시키는 세 자연수 a, b, c의 순서쌍 (a, b, c)의 개수는?

① 42 ② 48 ③ 54
④ 60 ⑤ 66

0250 NORMAL

자연수 n에 대하여

$$abc=2^n$$

을 만족시키는 1보다 큰 자연수 a, b, c의 순서쌍 (a, b, c)의 개수가 28일 때, n의 값은?

① 5 ② 6 ③ 7
④ 8 ⑤ 9

0251 최다빈출 왕 중요 TOUGH

등식

$$abc=2^7\times 3^4$$

을 만족시키는 자연수 a, b, c의 모든 자연수 (a, b, c)의 개수는?

① 525 ② 530 ③ 535
④ 540 ⑤ 545

▶ 해설 내신연계기출

유형 07 '적어도'의 조건이 있는 중복조합의 수

① 서로 같은 r개를 서로 다른 n명에게 나누어 주는 방법의 수
⇨ 서로 다른 n개에서 중복을 허용하여 r개를 택하는 중복조합의 수와 같다.
$_{n}\mathrm{H}_{r}={}_{n+r-1}\mathrm{C}_{r}$

② 서로 같은 r개를 서로 다른 n명에게 적어도 하나씩 나누어 주는 방법의 수
⇨ 서로 다른 n명에게 먼저 하나씩 나누어 주고 남은 $(r-n)$개를 n명에게 나누어 주는 방법의 수와 같다.
$_{n}\mathrm{H}_{r-n}={}_{r-1}\mathrm{C}_{r-n}$ (단, $n\geq r$)

0252 학교기출 대표 유형

똑같은 사과 7개를 세 명의 학생에게 다음 조건에 따라 남김없이 나눠 줄 때, 상수 a, b에 대하여 $a+b$의 값은?

(가) 세 학생 중 사과를 받지 못한 학생이 있을 수 있는 경우의 수는 a이다.
(나) 세 학생이 모두 적어도 한 개의 사과를 받는 경우의 수는 b이다.

① 45 ② 51 ③ 56
④ 64 ⑤ 68

0253 NORMAL

5개의 학급에서 임의로 8명의 임원을 뽑는 방법의 수를 m, 8명의 임원 중 한 학급에서 적어도 한 명을 뽑는 방법의 수를 n이라고 할 때, $m+n$의 값은?

① 500 ② 510 ③ 520
④ 530 ⑤ 540

0254 최다빈출 왕 중요 NORMAL

어느 꽃집에서는 장미, 카네이션, 백합, 국화를 판매하고 있다. 네 종류의 꽃 중에서 적어도 한 송이씩을 포함하여 10송이를 사는 경우의 수는? (단, 같은 꽃은 서로 구별되지 않는다.)

① 72 ② 84 ③ 88
④ 92 ⑤ 98

▶ 해설 내신연계기출

0255 최다빈출 왕 중요 NORMAL

같은 종류의 탁구공 9개를 서로 다른 3개의 주머니에 넣으려고 한다. 빈 주머니가 없도록 탁구공을 넣는 경우의 수는?

① 24 ② 28 ③ 32
④ 36 ⑤ 40

▶ 해설 내신연계기출

0256 최다빈출 왕 중요 NORMAL

4명의 학생에게 8자루의 연필 모두를 나누어 주는 방법 중에서 연필을 한 자루도 받지 못하는 학생이 생기는 경우의 수는? (단, 연필은 서로 구별하지 않는다.)

① 110 ② 120 ③ 130
④ 140 ⑤ 150

▶ 해설 내신연계기출

0257 NORMAL

어느 패스트푸드점에서 치킨버거, 한우불고기버거, 치즈버거를 적어도 하나씩 포함하여 n개를 주문하는 경우의 수가 15일 때, n의 값은?

① 4 ② 5 ③ 6
④ 7 ⑤ 8

0258 최다빈출 왕중요 NORMAL

고구마피자, 새우피자, 불고기피자 중에서 m개를 주문하는 경우의 수가 36일 때, 고구마피자, 새우피자, 불고기피자를 적어도 하나씩 포함하여 m개를 주문하는 경우의 수는?

① 12 ② 15 ③ 18
④ 21 ⑤ 24

▶ 해설 내신연계기출

0259 최다빈출 왕중요 NORMAL

같은 종류의 공 15개를 3개의 상자 A, B, C에 넣으려고 한다. 각 상자에 적어도 3개의 공이 들어가게 공을 상자에 넣는 경우의 수는?

① 24 ② 26 ③ 28
④ 30 ⑤ 32

▶ 해설 내신연계기출

0260 최다빈출 왕중요 NORMAL

사과, 감, 배, 귤 네 종류의 과일 중에서 8개를 선택하려고 한다. 사과는 1개 이하를 선택하고, 감, 배, 귤은 각각 1개 이상을 선택하는 경우의 수는? (단, 각 종류의 과일은 8개 이상씩 있다.)

① 32 ② 34 ③ 36
④ 38 ⑤ 40

▶ 해설 내신연계기출

0261 NORMAL

어느 상담 교사는 월요일, 화요일, 수요일 3일 동안 학생 9명과 상담하기 위하여 상담 계획표를 작성하려고 한다.

[상담 계획표]

요일	월요일	화요일	수요일
학생 수(명)	a	b	c

상담 교사는 각 학생과 한 번만 상담하고, 요일별로 적어도 한 명의 학생과 상담한다. 상담 계획표에 학생 수만을 기록할 때, 작성할 수 있는 상담 계획표의 가짓수는? (단, a, b, c는 자연수이다.)

① 20 ② 22 ③ 24
④ 26 ⑤ 28

0262 TOUGH

네 명의 학생 A, B, C, D에게 같은 종류의 초콜릿 8개를 다음 규칙에 따라 남김없이 나누어 주는 경우의 수는?

(가) 각 학생은 적어도 1개의 초콜릿을 받는다.
(나) 학생 A는 학생 B보다 더 많은 초콜릿을 받는다.

① 11 ② 13 ③ 15
④ 17 ⑤ 19

0263 최다빈출 왕중요 TOUGH

다음 조건을 만족하는 상수 p, q, r에 대하여 $p+q+r$의 값은?

(가) 방정식 $x+y+z=23$를 만족하는 양의 홀수의 순서쌍 (x, y, z)의 개수는 p이다.
(나) 같은 종류의 연필 9개를 3명의 학생에게 남김없이 나누어 줄 때, 모든 학생이 적어도 한 자루의 연필을 받도록 나누어 주는 경우의 수는 q이다.
(다) 같은 종류의 공 6개를 남김없이 서로 다른 3개의 상자에 나누어 넣으려고 한다. 각 상자에 공이 1개 이상씩 들어가도록 나누어 넣는 경우의 수는 r이다.

① 68 ② 82 ③ 96
④ 104 ⑤ 124

▶ 해설 내신연계기출

유형 08 두 종류를 나누어 주는 방법

① 서로 같은 r개를 서로 다른 n명에게 나누어 주는 방법의 수
⇨ 서로 다른 n개에서 중복을 허용하여 r개를 택하는 중복조합의 수와 같다.
$_{n}H_{r}={}_{n+r-1}C_{r}$

② 서로 같은 r개를 서로 다른 n명에게 적어도 하나씩 나누어 주는 방법의 수
⇨ 서로 다른 n명에게 먼저 하나씩 나누어 주고 남은 $(r-n)$개를 n명에게 나누어 주는 방법의 수와 같다.
$_{n}H_{r-n}={}_{r-1}C_{r-n}$ (단, $n \geq r$)

0264 학교기출 대표 유형

흰 색 탁구공 8개와 주황색 탁구공 7개를 3명의 학생에게 남김없이 나누어 주려고 한다. 각 학생이 흰색 탁구공과 주황색 탁구공을 각각 한 개 이상 갖도록 나누어 주는 경우의 수는?

① 295 ② 300 ③ 305
④ 310 ⑤ 315

0265 최다빈출 왕중요 NORMAL

서로 다른 종류의 사탕 3개와 같은 종류의 구슬 7개를 같은 종류의 주머니 3개에 남김없이 나누어 넣으려고 한다. 각 주머니에 사탕과 구슬이 각각 1개 이상씩 들어가도록 나누어 넣는 경우의 수는?

① 11 ② 12 ③ 13
④ 14 ⑤ 15

▶ 해설 내신연계기출

0266 최다빈출 왕중요 NORMAL

같은 종류의 탁구공 4개와 같은 종류의 야구공 5개를 세 상자 A, B, C에 남김없이 넣을 때, 상자 A에는 탁구공을 적어도 1개 넣고 상자 B에는 야구공을 적어도 1개를 넣은 경우의 수는?
(단, 빈 상자가 있을 수 있다.)

① 120 ② 130 ③ 140
④ 150 ⑤ 160

▶ 해설 내신연계기출

0267 NORMAL

같은 종류의 사탕 5개, 같은 종류의 초콜릿 10개를 세 사람에게 남김없이 나눠 줄 때, 각 사람이 적어도 사탕 1개, 초콜릿 2개는 받도록 나눠 주는 경우의 수는?

① 86 ② 90 ③ 94
④ 98 ⑤ 100

0268 TOUGH

같은 종류의 빵 7개와 같은 종류의 음료수 3개를 세 사람에게 남김없이 나눠줄 때, 아무것도 받지 못하는 사람이 생기지 않도록 나누어 주는 경우의 수는?

① 168 ② 231 ③ 267
④ 290 ⑤ 326

0269 TOUGH

연필 7자루와 볼펜 4자루를 다음 조건을 만족시키도록 여학생 3명과 남학생 2명에게 남김없이 나눠 주는 경우의 수는? (단, 연필끼리는 서로 구별하지 않고, 볼펜끼리도 서로 구별하지 않는다.)

(가) 여학생이 각각 받는 연필의 개수는 서로 같고, 남학생이 각각 받는 볼펜의 개수도 서로 같다.
(나) 여학생은 연필을 1자루 이상 받고, 볼펜을 받지 못하는 여학생이 있을 수 있다.
(다) 남학생은 볼펜을 1자루 이상 받고, 연필을 받지 못하는 남학생이 있을 수 있다.

① 49 ② 51 ③ 53
④ 55 ⑤ 57

유형 09 중복조합을 이용한 함수의 개수

실수전체의 집합의 공집합이 아닌 두 부분집합 X, Y의 원소의 개수가 각각 m, n일 때, 집합 X에서 집합 Y로의 함수 중에서 다음과 같은 함수의 개수를 구한다.

(1) X에서 Y로의 함수의 개수 ⇨ ${}_n\Pi_m = n^m$

(2) $m \le n$일 때,

① $x_i \ne x_j$이면 $f(x_i) \ne f(x_j)$인 함수의 개수 ⇨ ${}_n\mathrm{P}_m$

② $x_i < x_j$이면 $f(x_i) < f(x_j)$인 함수의 개수 ⇨ ${}_n\mathrm{C}_m$

③ $x_i < x_j$이면 $f(x_i) \le f(x_j)$인 함수의 개수 ⇨ ${}_n\mathrm{H}_m$

⇨ 서로 다른 n개에서 중복을 허락하여 m개를 택하는 중복조합의 수와 같다.

(3) $m \ge n$일 때,
치역이 Y인 함수 f의 개수는 서로 다른 m개의 물건을 n명에게 적어도 한 개씩 분배하는 방법의 수와 같다.

(4) $m = n$일 때, 일대일 대응인 함수 f의 개수는 $m!$이다.

0270 학교기출 대표 유형

집합 $X=\{1, 2, 3\}$에 대하여 X에서 X로의 함수 f가 있다. 다음 조건을 만족하는 함수 f의 개수를 a, b, c, d, e라 할 때, $a+b+c+d+e$의 값은?

(가) X에서 X로의 함수의 개수는 $\boxed{a}$개이다.
(나) X에서 X로의 일대일 대응의 개수는 $\boxed{b}$개이다.
(다) X에서 X로의 일대일 대응이고, 임의의 원소 $x \in X$에 대하여 $f(x) \ne x$가 되는 함수의 개수는 $\boxed{c}$개이다.
(라) 집합 X의 두 원소 x_1, x_2에 대하여 $x_1 < x_2$일 때, $f(x_1) < f(x_2)$를 만족하는 함수의 개수는 $\boxed{d}$개이다.
(마) 집합 X의 두 원소 x_1, x_2에 대하여 $x_1 < x_2$일 때, $f(x_1) \le f(x_2)$를 만족하는 함수의 개수는 $\boxed{e}$개이다.

① 35 ② 36 ③ 46
④ 52 ⑤ 58

0271 NORMAL

두 집합 $X=\{1, 2, 3\}$, $Y=\{1, 2, 3, 4, 5, 6\}$에 대하여 X에서 Y로의 함수 f, g가 다음 조건을 만족시킨다. 이때 함수 f, g의 개수를 각각 a, b라 할 때, $b-a$의 값은?

(가) $f(1) < f(2) < f(3)$
(나) $g(1) \le g(2) \le g(3)$

① 30 ② 32 ③ 34
④ 36 ⑤ 38

0272 최다빈출 왕 중요 NORMAL

두 집합 $A=\{1, 2, 3, 4, 5\}$, $B=\{6, 7, 8\}$에 대하여 함수 $f: A \longrightarrow B$가 다음 조건을 만족할 때, 함수 f의 개수는?

집합 A의 임의의 두 원소 x_1, x_2에 대하여
$x_1 < x_2$이면 $f(x_1) \le f(x_2)$

① 12 ② 16 ③ 21
④ 27 ⑤ 36

▶ 해설 내신연계기출

0273 NORMAL

집합 $X=\{1, 2, 3\}$, $Y=\{3, 4, 5, 6, 7\}$에 대하여 X에서 Y로의 함수 f 중에서 $f(1) \le f(2)$를 만족시키는 함수 f의 개수는?

① 35 ② 45 ③ 55
④ 65 ⑤ 75

0274 최다빈출 왕 중요 NORMAL

두 집합 $X=\{1, 2, 3, 4\}$, $Y=\{1, 2, 3, 4, 5, 6, 7\}$에 대하여 다음 두 조건을 만족하는 함수 $f: X \longrightarrow Y$의 개수는?

(가) $f(2)=4$
(나) 집합 X의 임의의 두 원소 a, b에 대하여
$a < b$이면 $f(a) \le f(b)$

① 20 ② 23 ③ 40
④ 42 ⑤ 56

▶ 해설 내신연계기출

0275 최다빈출 왕중요 NORMAL

집합 $X=\{1, 2, 3, 4, 5, 6\}$에 대하여 X에서 X로의 함수 f 중 다음 조건을 만족시키는 함수의 개수는?

(가) $f(3)$은 3의 배수이다.
(나) 집합 X의 임의의 두 원소 x_1, x_2에 대하여 $x_1 < x_2$이면 $f(x_1) \le f(x_2)$이다.

① 126 ② 134 ③ 141
④ 149 ⑤ 156

▶ 해설 내신연계기출

0276 NORMAL

두 집합 $X=\{1, 2, 3, 4\}$, $Y=\{5, 6, 7, 8, 9, 10\}$에 대하여 다음 두 조건을 만족하는 함수 $f: X \longrightarrow Y$의 개수는?

(가) $f(2) \le 7$
(나) 집합 X의 임의의 두 원소 a, b에 대하여 $a < b$이면 $f(a) \le f(b)$

① 36 ② 52 ③ 64
④ 81 ⑤ 92

0277 최다빈출 왕중요 NORMAL

두 집합 $X=\{1, 2, 3, 4, 5\}$, $Y=\{x|x$는 10 이하의 자연수$\}$에 대하여 함수 $f: X \longrightarrow Y$ 중에서 다음 조건을 만족시키는 함수 f의 개수는?

(가) $f(2)f(3)=6$
(나) $f(n) \le f(n+1)$ (단, n은 4 이하의 자연수)

① 72 ② 87 ③ 91
④ 97 ⑤ 107

▶ 해설 내신연계기출

0278 NORMAL

두 집합 $X=\{1, 2, 3, 4, 5\}$에 대하여 다음 두 조건을 만족하는 함수 $f: X \longrightarrow X$의 개수는?

(가) $f(1)f(5)=6$
(나) $f(2) \ge f(3) \ge f(4) \ge f(5)$

① 20 ② 25 ③ 30
④ 35 ⑤ 40

0279 최다빈출 왕중요 TOUGH

두 집합 $X=\{1, 2, 3, 4, 5\}$, $Y=\{3, 4, 5, 6, 7\}$에 대하여 함수 $f: X \longrightarrow Y$가 다음 세 조건을 만족시킨다.

(가) $f(2)=4$
(나) $f(3) < f(4)$
(다) 집합 X의 임의의 두 원소 x_1, x_2에 대하여 $x_1 < x_2$이면 $f(x_1) \le f(x_2)$이다.

이때 함수 f의 개수는?

① 10 ② 15 ③ 20
④ 25 ⑤ 30

▶ 해설 내신연계기출

0280 최다빈출 왕중요 TOUGH

집합 $X=\{1, 2, 3, 4, 5, 6, 7\}$에 대하여 다음 조건을 만족시키는 함수 $f: X \longrightarrow X$의 개수는?

(가) 함수 f의 치역의 원소의 개수는 3이다.
(나) 집합 X의 임의의 두 원소 x_1, x_2에 대하여 $x_1 < x_2$이면 $f(x_1) \le f(x_2)$이다.

① 141 ② 225 ③ 425
④ 525 ⑤ 625

▶ 해설 내신연계기출

유형 10 대소비교를 이용한 중복조합

두 정수 m, $n(m<n)$에 대하여

① $m<a<b<c<d<n$을 만족하는 정수 a, b, c, d의 모든 순서쌍 (a, b, c, d)의 개수 ⇨ ${}_{n-m-1}C_4$

② $m\le a\le b\le c\le d\le n$을 만족하는 정수 a, b, c, d의 모든 순서쌍 (a, b, c, d)의 개수 ⇨ ${}_{n-m+1}H_4$

0281 학교기출 대표 유형

주사위를 4번 던져 k번째에 나오는 눈을

$$a_k(k=1,\ 2,\ 3,\ 4)$$

라고 하자. $a_1<a_2<a_3<a_4$인 눈이 나오는 개수를 m, $a_1\le a_2\le a_3\le a_4$인 눈이 나오는 개수를 n이라고 할 때, $m+n$의 값은?

① 114 ② 121 ③ 141
④ 169 ⑤ 219

0282 BASIC

세 자연수 a, b, c에 대하여

$$0<a\le b\le c<10$$

을 만족시키는 모든 순서쌍 (a, b, c)의 개수는?

① 120 ② 135 ③ 165
④ 180 ⑤ 210

0283 최다빈출 왕 중요 NORMAL

자연수 a, b, c, d, e에 대하여

$$4\le a\le b\le 6\le c\le d\le e\le 10$$

을 만족시키는 순서쌍 (a, b, c, d, e)의 개수는?

① 210 ② 215 ③ 220
④ 225 ⑤ 230

▶ 해설 내신연계기출

0284 최다빈출 왕 중요 NORMAL

다섯 개의 자연수 a_1, a_2, a_3, a_4, a_5에 대하여

$$1\le a_1\le a_2<a_3\le a_4\le a_5\le 6$$

을 만족시키는 모든 순서쌍 $(a_1, a_2, a_3, a_4, a_5)$의 개수는?

① 96 ② 114 ③ 126
④ 169 ⑤ 252

▶ 해설 내신연계기출

0285 최다빈출 왕 중요 NORMAL

세 정수 a, b, c에 대하여

$$1\le|a|\le|b|\le|c|\le 5$$

를 만족시키는 모든 순서쌍 (a, b, c)의 개수는?

① 360 ② 320 ③ 280
④ 240 ⑤ 200

▶ 해설 내신연계기출

0286 최다빈출 왕 중요 TOUGH

다음 조건을 만족시키는 자연수 a, b, c의 모든 순서쌍 (a, b, c)의 개수는?

(가) $a\times b\times c$는 홀수이다.
(나) $a\le b\le c\le 20$

① 200 ② 210 ③ 220
④ 230 ⑤ 240

▶ 해설 내신연계기출

05 이항정리

학교내신기출 객관식 핵심문제총정리

STEP 1 내신정복 기출유형

유형 01 $(a+b)^n$의 전개식

① $(a+b)^n$의 전개식에서 일반항은 ⇨ ${}_nC_r a^{n-r}b^r$
② $(a+x)^n$의 전개식에서 x^r의 계수는 ⇨ ${}_nC_r a^{n-r}$
③ $(ax+by)^n$의 전개식에서 $x^{n-r}y^r$의 계수는 ⇨ ${}_nC_r a^{n-r}b^r$

0287 학교기출 대표 유형

$(x+2y)^4$의 전개식에서 x^2y^2의 계수는?

① 16　② 18　③ 20
④ 22　⑤ 24

0288 BASIC

$(3x+1)^5$의 전개식에서 x^2의 계수는?

① 50　② 60　③ 70
④ 80　⑤ 90

0289 NORMAL

$(2x-3y)^4$의 전개식에서 x^3y의 계수는?

① -96　② -36　③ -21
④ 21　⑤ 36

유형 02 $(a+b)^n$의 전개식에서 미지수 구하기

① $(a+b)^n$의 전개식에서 일반항은 ⇨ ${}_nC_r a^{n-r}b^r$
② $(a+x)^n$의 전개식에서 x^r의 계수는 ⇨ ${}_nC_r a^{n-r}$
③ $(ax+by)^n$의 전개식에서 $x^{n-r}y^r$의 계수는 ⇨ ${}_nC_r a^{n-r}b^r$

0290 학교기출 대표 유형

$(3-ax)^5$의 전개식에서 x^3의 계수가 -720일 때, 실수 a의 값은?

① 2　② 3　③ 4
④ 5　⑤ 6

▶ 해설 내신연계기출

0291 최다빈출 왕 중요 NORMAL

다항식 $(x-a)^4$의 전개식에서 x의 계수와 상수항의 합이 0일 때, 양수 a의 값은?

① 1　② 2　③ 3
④ 4　⑤ 5

▶ 해설 내신연계기출

0292 최다빈출 왕 중요 NORMAL

다항식 $(ax+1)^6$의 전개식에서 x의 계수와 x^3의 계수가 같을 때, 양수 a에 대하여 $20a^2$의 값은?

① 2　② 4　③ 5
④ 6　⑤ 8

▶ 해설 내신연계기출

0293 최다빈출 왕중요 NORMAL

다항식 $(1+x)^n$의 전개식에서 x^2의 계수가 45일 때, 자연수 n의 값은?

① 8 ② 10 ③ 12
④ 14 ⑤ 16

▶ 해설 내신연계기출

0294 최다빈출 왕중요 NORMAL

다항식 $(x+a)^5$의 전개식에서 x^3의 계수가 40일 때, x의 계수는?
(단, a는 상수이다.)

① 60 ② 65 ③ 70
④ 75 ⑤ 80

▶ 해설 내신연계기출

0295 최다빈출 왕중요 NORMAL

$(1+ax)^7$의 전개식에서 x의 계수가 14일 때, x^2의 계수는?
(단, a는 상수)

① 13 ② 24 ③ 36
④ 52 ⑤ 84

▶ 해설 내신연계기출

0296 TOUGH

다항식 $(x+2)^{19}$의 전개식에서 x^k의 계수가 x^{k+1}의 계수보다 크게 되는 자연수 k의 최솟값은?

① 4 ② 5 ③ 6
④ 7 ⑤ 8

0297 최다빈출 왕중요 TOUGH

다항식 $2(x+a)^n$의 전개식에서 x^{n-1}의 계수와
다항식 $(x-1)(x+a)^n$의 전개식에서 x^{n-1}의 계수가 같게 되는 모든 순서쌍 (a, n)에 대하여 an의 최댓값은?
(단, a는 자연수이고 n은 $n \geq 2$인 자연수이다.)

① 10 ② 12 ③ 14
④ 16 ⑤ 18

▶ 해설 내신연계기출

0298 TOUGH

다음은 x에 대한 다항식 $(x+a^2)^n$과 $(x^2-2a)(x+a)^n$의 전개식에서 x^{n-1}의 계수가 같게 되는 두 자연수 a와 $n(n \geq 4)$의 값을 구하는 과정의 일부이다.

> $(x+a^2)^n$의 전개식에서 x^{n-1}의 계수는 a^2n이다.
> $(x^2-2a)(x+a)^n=x^2(x+a)^n-2a(x+a)^n$에서
> $x^2(x+a)^n$을 전개하면 x^{n-1}의 계수는 (가) $\times a^3$이고,
> $2a(x+a)^n$을 전개하면 x^{n-1}의 계수는 $2a^2n$이다.
> 따라서 $(x^2-2a)(x+a)^n$의 전개식에서 x^{n-1}의 계수는
> (가) $\times a^3-2a^2n$
> 이다. 그러므로
> $a^2n=$ (가) $\times a^3-2a^2n$
> 이고, 이 식을 정리하여 a를 n에 관한 식으로 나타내면
> $a=\dfrac{18}{\text{(나)}}$
> 이다. 여기서 a는 자연수이고 n은 4 이상의 자연수이므로
> $n=$ (다)
> 이다.

위의 (가), (나)에 알맞은 식을 각각 $f(n)$, $g(n)$이라 하고
(다)에 알맞은 수를 k라 할 때, $f(k)+g(k)$의 값은?

① 10 ② 16 ③ 22
④ 28 ⑤ 34

유형 03 $(a+b)^n$의 전개식의 활용

$(ax+by)^n$의 전개식에서 일반항은

⇨ ${}_nC_r(ax)^{n-r}(by)^r={}_nC_r a^{n-r}b^r x^{n-r}y^r$

0299 학교기출 대표 유형

다항식 $(x+a)^{10}$의 전개식에서 세 항 x, x^2, x^4의 계수가 이 순서로 등비수열을 이룰 때, 상수 a의 값은? (단, $a \neq 0$)

① $\frac{28}{27}$　② $\frac{27}{26}$　③ $\frac{26}{25}$
④ $\frac{25}{24}$　⑤ $\frac{24}{23}$

0300 최다빈출 왕 중요 TOUGH

$(2x+1)^n$의 전개식에서 x^3, x^4, x^5의 계수가 이 순서로 등차수열을 이룰 때, n의 값은? (단, n은 5 이상의 자연수이다.)

① 6　② 7　③ 8
④ 9　⑤ 10

▶ 해설 내신연계기출

0301 최다빈출 왕 중요 TOUGH

$(\sqrt{3}+x)^5$의 전개식에서 계수가 정수인 항들의 계수를 모두 더하면?

① 58　② 64　③ 70
④ 76　⑤ 82

▶ 해설 내신연계기출

유형 04 $\left(ax+\frac{b}{x}\right)^n$의 전개식

$\left(ax+\frac{b}{x}\right)^n$의 전개식에서 일반항은 ⇨ ${}_nC_r(ax)^{n-r}\left(\frac{b}{x}\right)^r$

0302 학교기출 대표 유형

$\left(2x+\frac{1}{x^2}\right)^4$의 전개식에서 x의 계수는?

① 16　② 20　③ 24
④ 28　⑤ 32

0303 BASIC

$\left(3x^2+\frac{1}{x}\right)^6$의 전개식에서 상수항은?

① 135　② 145　③ 156
④ 165　⑤ 172

0304 최다빈출 왕 중요 BASIC

$\left(x^2-\frac{3}{x}\right)^6$의 전개식에서 x^6의 계수는?

① 120　② 135　③ 145
④ 156　⑤ 162

▶ 해설 내신연계기출

05 이항정리

0305 최다빈출 왕중요

NORMAL

$\dfrac{d}{dx}\left(x^3+\dfrac{1}{x}\right)^3$의 전개식에서 상수항은?

① 1 ② 3 ③ 5
④ 7 ⑤ 9

▶ 해설 내신연계기출

0306

NORMAL

$\int\left(x^2-\dfrac{k}{x}\right)^5dx$의 전개식에서 x^5의 계수가 18일 때, 양수 k의 값은?

① 1 ② 2 ③ 3
④ 4 ⑤ 5

0307 최다빈출 왕중요

NORMAL

$\left(2x+\dfrac{3}{x}\right)^4$의 전개식에 대한 설명으로 [보기]에서 옳은 것만을 있는 대로 고른 것은?

> ㄱ. x^2의 계수는 96이다.
> ㄴ. 서로 다른 항의 개수는 5이다.
> ㄷ. 상수항은 216이다.

① ㄱ ② ㄴ ③ ㄱ, ㄴ
④ ㄱ, ㄷ ⑤ ㄱ, ㄴ, ㄷ

▶ 해설 내신연계기출

0308 최다빈출 왕중요

NORMAL

$\left(2x^2-\dfrac{1}{x}\right)^4$의 전개식에 대한 설명으로 [보기]에서 옳은 것만을 있는 대로 고른 것은?

> ㄱ. x^5의 계수는 -32이다.
> ㄴ. x^2의 계수는 24이다.
> ㄷ. 서로 다른 항의 개수는 5이다.
> ㄹ. 상수항은 0이다.

① ㄱ, ㄴ ② ㄴ, ㄷ ③ ㄱ, ㄴ, ㄹ
④ ㄴ, ㄷ, ㄹ ⑤ ㄱ, ㄴ, ㄷ, ㄹ

▶ 해설 내신연계기출

0309 최다빈출 왕중요

NORMAL

$\left(x^2-\dfrac{2}{x}\right)^4$의 전개식에서 x^2의 계수를 a, $\dfrac{1}{x}$의 계수를 b라고 할 때, $a+b$의 값은?

① -9 ② -8 ③ -7
④ -6 ⑤ -5

▶ 해설 내신연계기출

0310 최다빈출 왕중요

TOUGH

다항식

$$\left(x+\frac{1}{x}\right)^2+\left(x+\frac{1}{x}\right)^3+\left(x+\frac{1}{x}\right)^4+\left(x+\frac{1}{x}\right)^5+\left(x+\frac{1}{x}\right)^6$$

을 전개한 식에서 x^2항의 계수는?

① 12 ② 14 ③ 16
④ 18 ⑤ 20

▶ 해설 내신연계기출

유형 05 $\left(ax+\frac{b}{x}\right)^n$의 상수항 구하기

$\left(ax+\frac{b}{x}\right)^n$의 전개식에서 일반항은 ⇨ ${}_n\mathrm{C}_r(ax)^{n-r}\left(\frac{b}{x}\right)^r$

0311 학교기출 대표 유형

$\left(x^8-\frac{1}{x^7}\right)^n$의 전개식에서 0이 아닌 상수항이 존재하도록 하는 자연수 n의 최솟값은?

① 7 ② 8 ③ 10
④ 15 ⑤ 30

0312 최다빈출 왕중요 NORMAL

$\left(x^3-\frac{2}{x^2}\right)^n$의 전개식에서 0이 아닌 상수항이 존재하도록 하는 자연수 n의 최솟값을 m이라 하고, 그때의 상수항을 k라 할 때, $m+k$의 값은?

① -85 ② -75 ③ -65
④ -55 ⑤ -45

▶ 해설 내신연계기출

0313 최다빈출 왕중요 TOUGH

7 이하의 자연수 n에 대하여 $\left(x^2+\frac{2}{x}\right)^n$의 전개식에서 상수항들의 합은?

① 242 ② 252 ③ 262
④ 272 ⑤ 280

▶ 해설 내신연계기출

유형 06 $\left(ax+\frac{b}{x}\right)^n$의 전개식을 이용한 미지수

$\left(ax+\frac{b}{x}\right)^n$의 전개식에서 일반항은 ⇨ ${}_n\mathrm{C}_r(ax)^{n-r}\left(\frac{b}{x}\right)^r$

0314 학교기출 대표 유형

$\left(ax^2+\frac{2}{x}\right)^4$의 전개식에서 x^2의 계수가 6일 때, 양수 a의 값은?

① $\frac{1}{4}$ ② $\frac{1}{3}$ ③ $\frac{1}{2}$
④ 7 ⑤ 9

0315 최다빈출 왕중요 NORMAL

$\left(ax-\frac{4}{3x^2}\right)^6$의 전개식에서 상수항이 135일 때, 양수 a의 값은?

① $\frac{1}{2}$ ② 1 ③ $\frac{3}{2}$
④ 2 ⑤ $\frac{5}{2}$

▶ 해설 내신연계기출

0316 NORMAL

$\left(x-\frac{a}{y}\right)^5$의 전개식에서 $\frac{x^3}{y^2}$의 계수가 250일 때, 양수 a의 값은?

① 2 ② 3 ③ 4
④ 5 ⑤ 6

05 이항정리

0317 최다빈출 왕중요 NORMAL

$\left(x^2+\frac{k}{x}\right)^5$의 전개식에서 x^4의 계수가 90일 때, $\frac{1}{x^2}$의 계수는?
(단, k는 양의 실수이다.)

① 201 ② 321 ③ 405
④ 560 ⑤ 720

▶ 해설 내신연계기출

0318 최다빈출 왕중요 TOUGH

유리함수 $y=\frac{3-2x}{2x-4}$의 그래프의 점근선의 방정식이 $x=a$, $y=b$일 때, 다항식 $\left(ax^3+\frac{b}{x}\right)^7$의 전개식에서 x^5의 계수는?

① -320 ② -280 ③ -120
④ 280 ⑤ 320

▶ 해설 내신연계기출

0319 TOUGH

$\left(x^3+\frac{1}{x}\right)^{n+1}$의 전개식에서 $\frac{1}{x^{n-7}}$의 계수를 a_n이라 할 때, $\sum_{n=1}^{15}\frac{1}{a_n}$의 값은?

① $\frac{15}{4}$ ② $\frac{15}{8}$ ③ $\frac{15}{16}$
④ $\frac{30}{7}$ ⑤ $\frac{30}{13}$

유형 07 $(a+x)^n(b+x)^m$의 전개식에서 x^k의 계수 구하기

① $(a+x)(b+x)^n$ 꼴의 전개식에서
⇨ $a(b+x)^n+x(b+x)^n$으로 바꾸어 정리한다.

② $(a+x)^n(b+x)^m$ 꼴의 전개식에서
[1단계] $(a+x)^n$, $(b+x)^m$의 전개식에서 일반항을 각각 구한다.
⇨ ${}_n\mathrm{C}_r a^{n-r}x^r$, ${}_m\mathrm{C}_s b^{m-s}x^s$
[2단계] $(a+x)^n(b+x)^m$의 전개식에서 일반항을 구한다.
⇨ ${}_n\mathrm{C}_r a^{n-r}x^r \times {}_m\mathrm{C}_s b^{m-s}x^s = {}_n\mathrm{C}_r {}_m\mathrm{C}_s a^{n-r}b^{m-s}x^{r+s}$
[3단계] $r+s=k(r=0, 1, 2, \cdots, n, s=0, 1, 2, \cdots, m)$를 만족하는 r, s의 값을 구한다.
[4단계] [3단계]의 식을 대입하여 x^k의 계수를 구한다.

0320 학교기출 대표 유형

다항식

$$(1+2x)^6(1-x)$$

의 전개식에서 x^4의 계수는?

① 40 ② 50 ③ 60
④ 70 ⑤ 80

0321 NORMAL

다항식

$$(1+2x)(1+x)^5$$

의 전개식에서 x^4의 계수는?

① 20 ② 25 ③ 28
④ 32 ⑤ 36

0322 최다빈출 왕중요 NORMAL

다항식

$$(1+x)^6(1+x^2+x^4)$$

의 전개식에서 x^6의 계수는?

① 16 ② 26 ③ 31
④ 41 ⑤ 45

▶ 해설 내신연계기출

0323 최다빈출 왕중요

NORMAL

다항식

$$(2+x)^4(1+3x)^3$$

의 전개식에서 x의 계수는?

① 174 ② 176 ③ 178
④ 180 ⑤ 182

▶ 해설 내신연계기출

0324

NORMAL

다항식

$$(x+a)^3(x-1)^4$$

의 전개식에서 x의 계수가 -1일 때, 실수 a의 값은?

① -2 ② -1 ③ 0
④ 1 ⑤ 2

0325 최다빈출 왕중요

NORMAL

다항식

$$(1+x)^4(1+x^2)^n$$

의 전개식에서 x^2의 계수가 12일 때, 자연수 n의 값은?

① 5 ② 6 ③ 7
④ 8 ⑤ 9

▶ 해설 내신연계기출

0326

NORMAL

$(x+y)^6\left(1+\frac{1}{xy}\right)^6$을 전개하였을 때, xy의 계수는?

① 300 ② 310 ③ 320
④ 330 ⑤ 340

0327 최다빈출 왕중요

NORMAL

$(x+1)^4\left(x-\frac{1}{x}\right)^5$의 전개식에서 x^4의 계수는?

① 18 ② 20 ③ 45
④ 120 ⑤ 288

▶ 해설 내신연계기출

0328 최다빈출 왕중요

TOUGH

$\left(x^2-\frac{1}{x}\right)\left(x+\frac{a}{x^2}\right)^4$의 전개식에서 x^3의 계수가 7일 때, 상수 a의 값은?

① 1 ② 2 ③ 3
④ 4 ⑤ 5

▶ 해설 내신연계기출

유형 08 하키스틱을 품은 파스칼의 삼각형

(1) 파스칼의 삼각형에서 대각선으로 나열한 조합의 수

① ${}_{1}C_0+{}_{2}C_1+{}_{3}C_2+\cdots+{}_{n}C_{n-1}={}_{n+1}C_{n-1}$

② ${}_{1}C_1+{}_{2}C_1+{}_{3}C_1+\cdots+{}_{n}C_1={}_{n+1}C_2$

③ ${}_{n}C_n+{}_{n+1}C_n+{}_{n+2}C_n+\cdots+{}_{n+m}C_n={}_{n+m+1}C_{n+1}$

예 (ⅰ) ${}_{2}C_0+{}_{3}C_1+{}_{4}C_2+\cdots+{}_{10}C_8={}_{11}C_8$

(ⅱ) ${}_{2}C_2+{}_{3}C_2+{}_{4}C_2+\cdots+{}_{10}C_2={}_{11}C_3$

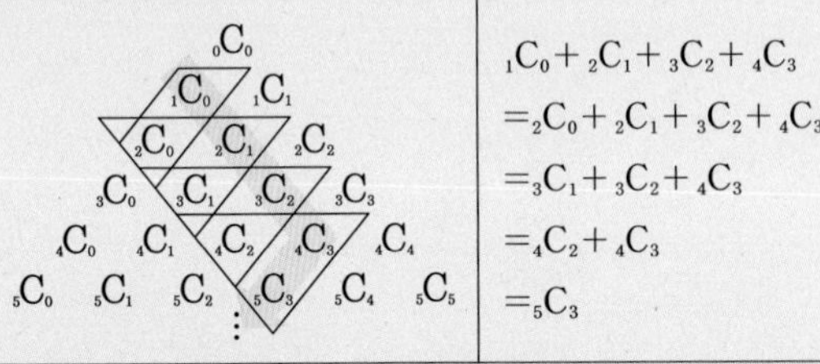

$${}_{1}C_0+{}_{2}C_1+{}_{3}C_2+{}_{4}C_3$$
$$={}_{2}C_0+{}_{2}C_1+{}_{3}C_2+{}_{4}C_3$$
$$={}_{3}C_1+{}_{3}C_2+{}_{4}C_3$$
$$={}_{4}C_2+{}_{4}C_3$$
$$={}_{5}C_3$$

$${}_{1}C_0+{}_{2}C_1+\cdots+{}_{n}C_{n-1}={}_{n+1}C_{n-1}$$

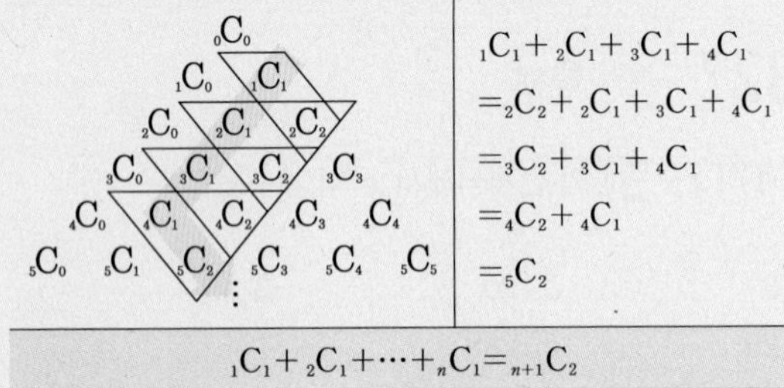

$${}_{1}C_1+{}_{2}C_1+{}_{3}C_1+{}_{4}C_1$$
$$={}_{2}C_2+{}_{2}C_1+{}_{3}C_1+{}_{4}C_1$$
$$={}_{3}C_2+{}_{3}C_1+{}_{4}C_1$$
$$={}_{4}C_2+{}_{4}C_1$$
$$={}_{5}C_2$$

$${}_{1}C_1+{}_{2}C_1+\cdots+{}_{n}C_1={}_{n+1}C_2$$

(2) 이웃하는 두 수의 합은 그 두 수의 아래쪽 중앙에 있는 수와 같고, 각 행의 수는 좌우 대칭이다.

즉 ${}_{n}C_r={}_{n-1}C_r+{}_{n-1}C_{r-1}$이고 ${}_{n}C_r={}_{n}C_{n-r}$이다.

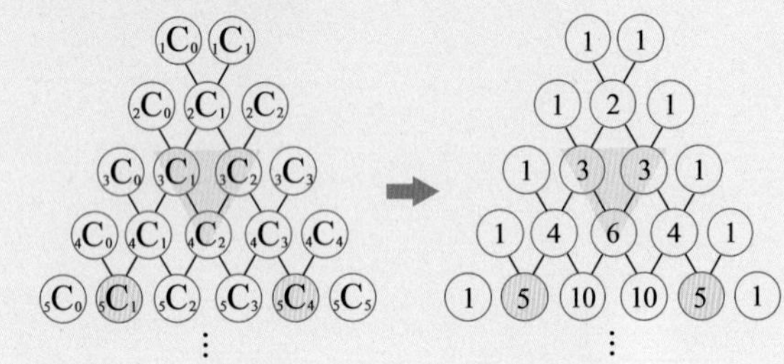

0329 학교기출 대표 유형

파스칼 삼각형을 이용하여

$${}_{n}C_r+{}_{n}C_{r+1}={}_{8}C_4$$

를 만족시키는 자연수 n, r에 대하여 nr의 값은?

① 15 ② 21 ③ 28
④ 36 ⑤ 42

0330 BASIC

다음 그림의 색칠한 부분에 있는 수의 합은?

${}_{1}C_0$ ${}_{1}C_1$
${}_{2}C_0$ ${}_{2}C_1$ ${}_{2}C_2$
${}_{3}C_0$ ${}_{3}C_1$ ${}_{3}C_2$ ${}_{3}C_3$
${}_{4}C_0$ ${}_{4}C_1$ ${}_{4}C_2$ ${}_{4}C_3$ ${}_{4}C_4$
${}_{5}C_0$ ${}_{5}C_1$ ${}_{5}C_2$ ${}_{5}C_3$ ${}_{5}C_4$ ${}_{5}C_5$

① 12 ② 13 ③ 14
④ 15 ⑤ 16

0331 최다빈출 왕중요 BASIC

다음 그림의 파스칼의 삼각형을 이용하여
${}_{3}C_1+{}_{4}C_2+{}_{5}C_3+{}_{6}C_4+{}_{7}C_5+{}_{8}C_6+{}_{9}C_7$의 값을 구하면?

${}_{2}C_0$ ${}_{2}C_1$ ${}_{2}C_2$
${}_{3}C_0$ ${}_{3}C_1$ ${}_{3}C_2$ ${}_{3}C_3$
${}_{4}C_0$ ${}_{4}C_1$ ${}_{4}C_2$ ${}_{4}C_3$ ${}_{4}C_4$
${}_{5}C_0$ ${}_{5}C_1$ ${}_{5}C_2$ ${}_{5}C_3$ ${}_{5}C_4$ ${}_{5}C_5$
${}_{6}C_0$ ${}_{6}C_1$ ${}_{6}C_2$ ${}_{6}C_3$ ${}_{6}C_4$ ${}_{6}C_5$ ${}_{6}C_6$
⋮
${}_{9}C_0$ ${}_{9}C_1$ ⋯ ${}_{9}C_5$ ${}_{9}C_6$ ${}_{9}C_7$ ${}_{9}C_8$ ${}_{9}C_9$

① 71 ② 83 ③ 101
④ 113 ⑤ 119

▶ 해설 내신연계기출

0332 최다빈출 왕중요 BASIC

다음 등식을 만족시키는 상수 k, n에 대하여 $n+k$의 값은?

$${}_{2}C_0+{}_{3}C_1+{}_{4}C_2+{}_{5}C_3+{}_{6}C_4+{}_{7}C_5={}_{n}C_5=k$$

① 25 ② 36 ③ 45
④ 56 ⑤ 64

▶ 해설 내신연계기출

0333
BASIC

다음 등식을 만족시키는 상수 n의 값은?

$$_{3}C_{0}+{}_{4}C_{1}+{}_{5}C_{2}+\cdots+{}_{15}C_{12}={}_{n}C_{4}$$

① 14 ② 16 ③ 18
④ 20 ⑤ 22

0334 최다빈출 왕중요
NORMAL

다음 등식을 만족시키는 상수 n, r, k에 대하여 $n+r+k$의 값은? (단, $0\le r\le 5$)

$$_{2}C_{2}+{}_{3}C_{2}+{}_{4}C_{2}+\cdots+{}_{15}C_{2}={}_{n}C_{r}=k$$

① 488 ② 497 ③ 567
④ 579 ⑤ 679

▶ 해설 내신연계기출

0335 최다빈출 왕중요
NORMAL

$_{n-1}C_{r-1}+{}_{n-1}C_{r}={}_{n}C_{r}$임을 이용하여 다음 중

$$_{4}H_{0}+{}_{4}H_{1}+{}_{4}H_{2}+{}_{4}H_{3}+\cdots+{}_{4}H_{9}$$

의 값과 같은 것을 고르면?

① $_{13}C_{2}$ ② $_{13}C_{3}$ ③ $_{13}C_{4}$
④ $_{13}C_{5}$ ⑤ $_{13}C_{6}$

▶ 해설 내신연계기출

0336
NORMAL

그림은 파스칼의 삼각형의 일부분을 나타낸 것이다. 이를 이용할 때

$$\sum_{k=0}^{6}({}_{6+k}C_{k}+{}_{6+k}C_{6})$$

의 값과 같은 값을 갖는 것은?

$_{1}C_{0}$ $_{1}C_{1}$
$_{2}C_{0}$ $_{2}C_{1}$ $_{2}C_{2}$
$_{3}C_{0}$ $_{3}C_{1}$ $_{3}C_{2}$ $_{3}C_{3}$
$_{4}C_{0}$ $_{4}C_{1}$ $_{4}C_{2}$ $_{4}C_{3}$ $_{4}C_{4}$
$_{5}C_{0}$ $_{5}C_{1}$ $_{5}C_{2}$ $_{5}C_{3}$ $_{5}C_{4}$ $_{5}C_{5}$
$_{6}C_{0}$ $_{6}C_{1}$ $_{6}C_{2}$ $_{6}C_{3}$ $_{6}C_{4}$ $_{6}C_{5}$ $_{6}C_{6}$
⋮

① $_{13}C_{5}$ ② $_{13}C_{6}$ ③ $_{14}C_{5}$
④ $_{14}C_{6}$ ⑤ $_{14}C_{7}$

0337 최다빈출 왕중요
NORMAL

다음 그림과 같은 파스칼의 삼각형에서 색칠한 부분의 모든 수의 합은?

1
$_{1}C_{0}$ $_{1}C_{1}$
$_{2}C_{0}$ $_{2}C_{1}$ $_{2}C_{2}$
$_{3}C_{0}$ $_{3}C_{1}$ $_{3}C_{2}$ $_{3}C_{3}$
$_{4}C_{0}$ $_{4}C_{1}$ $_{4}C_{2}$ $_{4}C_{3}$ $_{4}C_{4}$
⋮
$_{10}C_{0}$ $_{10}C_{1}$ $_{10}C_{2}$ ⋯ $_{10}C_{9}$ $_{10}C_{10}$

① 50 ② 55 ③ 60
④ 65 ⑤ 70

▶ 해설 내신연계기출

0338 최다빈출 왕중요
TOUGH

그림과 같은 파스칼의 삼각형에서 색칠된 모든 수들의 합은?

1
$_{1}C_{0}$ $_{1}C_{1}$
$_{2}C_{0}$ $_{2}C_{1}$ $_{2}C_{2}$
$_{3}C_{0}$ $_{3}C_{1}$ $_{3}C_{2}$ $_{3}C_{3}$
$_{4}C_{0}$ $_{4}C_{1}$ $_{4}C_{2}$ $_{4}C_{3}$ $_{4}C_{4}$
$_{5}C_{0}$ $_{5}C_{1}$ $_{5}C_{2}$ $_{5}C_{3}$ $_{5}C_{4}$ $_{5}C_{5}$
$_{6}C_{0}$ $_{6}C_{1}$ $_{6}C_{2}$ $_{6}C_{3}$ $_{6}C_{4}$ $_{6}C_{5}$ $_{6}C_{6}$

① 106 ② 108 ③ 110
④ 112 ⑤ 114

▶ 해설 내신연계기출

유형 09 등비수열의 합을 이용한 이항계수

[1단계] 다음과 같이 등비수열의 합의 공식을 이용하여 주어진 전개식을 정리한다.

$(1+x)+(1+x)^2+(1+x)^3+\cdots+(1+x)^n$

$=\dfrac{(1+x)\{(1+x)^n-1\}}{(1+x)-1}=\dfrac{(1+x)^{n+1}-(1+x)}{x}$

[2단계] $(1+x)+(1+x)^2+(1+x)^3+\cdots+(1+x)^n$의 전개식에서 x^k(k는 자연수)의 계수는 $(1+x)^{n+1}$의 이항정리를 이용하여 x^{k+1}의 계수와 같다.

0339 학교기출 대표 유형

다음은 두 자연수 m, $n(m<n)$에 대하여

$${}_m\mathrm{C}_m+{}_{m+1}\mathrm{C}_m+{}_{m+2}\mathrm{C}_m+\cdots+{}_n\mathrm{C}_m$$

의 값을 이항정리를 이용하여 구하는 과정이다.

> x가 0이 아닌 실수라고 하면 ${}_m\mathrm{C}_m$은 다항식 $(1+x)^m$의 전개식에서 x^m의 계수이다.
>
> ⋮
>
> ${}_n\mathrm{C}_m$은 다항식 $(1+x)^n$의 전개식에서 x^m의 계수이다.
> 따라서 ${}_m\mathrm{C}_m+{}_{m+1}\mathrm{C}_m+{}_{m+2}\mathrm{C}_m+\cdots+{}_n\mathrm{C}_m$은
> 다항식 [(가)]의 전개식에서 x^m의 계수이므로
> ${}_m\mathrm{C}_m+{}_{m+1}\mathrm{C}_m+{}_{m+2}\mathrm{C}_m+\cdots+{}_n\mathrm{C}_m=$ [(나)]이다.

위의 과정에서 (가), (나)에 알맞은 것을 순서대로 적은 것은?

① $\dfrac{(1+x)^{n+1}-(1+x)^m}{x}$, ${}_{n+1}\mathrm{C}_{m+1}$

② $\dfrac{(1+x)^{n+1}-(1+x)^m}{x}$, ${}_{n+1}\mathrm{C}_m$

③ $(1+x)^{n+1}-(1+x)^m$, ${}_{n+1}\mathrm{C}_m$

④ $\dfrac{(1+x)^{n+1}-1}{x}$, ${}_{n+1}\mathrm{C}_{m+1}$

⑤ $\dfrac{(1+x)^{n+1}-1}{x}$, ${}_{n+1}\mathrm{C}_m$

0340 최다빈출 왕중요 NORMAL

다음 식의 전개식에서 x^2의 계수는? (단, $x\neq0$)

$$(1+x)+(1+x)^2+(1+x)^3+\cdots+(1+x)^{10}$$

① 120 ② 140 ③ 165
④ 210 ⑤ 240

▶ 해설 내신연계기출

같은 문제 다른 표현

$\sum_{k=1}^{10}(1+x)^k$의 전개식에서 x^2의 계수를 구하여라.

0341 NORMAL

x에 대한 항등식

$$(1+x)^2+(1+x)^3+(1+x)^4+\cdots+(1+x)^{10}$$
$$=a_0+a_1x+a_2x^2+\cdots+a_{10}x^{10}$$

에서 a_2의 값은? (단, a_0, a_1, a_2, $\cdots$, a_{10}은 상수)

① 120 ② 140 ③ 165
④ 210 ⑤ 240

0342 NORMAL

$\sum_{n=1}^{6}(2x+1)^n$의 전개식에서 x^3의 계수는?

① 140 ② 210 ③ 250
④ 280 ⑤ 320

0343 최다빈출 왕중요 NORMAL

다항식

$$(x^2+1)+(x^2+1)^2+\cdots+(x^2+1)^9$$

의 전개식에서 x^4의 계수는?

① 40 ② 60 ③ 80
④ 100 ⑤ 120

▶ 해설 내신연계기출

0344 최다빈출 왕중요

TOUGH

다항식

$$x^2(1+2x)+x^2(1+2x)^2+\cdots+x^2(1+2x)^{10}$$

의 전개식에서 x^5의 계수는?

① $8{}_{10}C_4$　② $8{}_{11}C_4$　③ $8{}_{12}C_4$
④ $16{}_{10}C_4$　⑤ $16{}_{12}C_4$

▶ 해설 내신연계기출

0345

TOUGH

$x>0$인 실수 x에 대하여

$$1+(1+x)+(1+x)^2+\cdots+(1+x)^{100}$$

의 전개식에서 x^9의 계수와 같은 것만을 있는 대로 고른 것은?

ㄱ. ${}_{101}C_{10}$
ㄴ. ${}_{100}C_{10}+{}_{100}C_9$
ㄷ. ${}_{101}C_{91}$
ㄹ. ${}_9C_9+{}_{10}C_9+{}_{11}C_9+\cdots+{}_{100}C_9$

① ㄱ, ㄴ　② ㄱ, ㄹ　③ ㄷ, ㄹ
④ ㄱ, ㄴ, ㄷ　⑤ ㄱ, ㄴ, ㄷ, ㄹ

0346

TOUGH

$f(x-1)=x+x^2+x^3+\cdots+x^{12}$에 대하여

$$f(x)=a_0+a_1x+a_2x^2+\cdots+a_{12}x^{12}$$

를 만족시킬 때, a_{10}의 값은?

① 13　② 78　③ 286
④ 572　⑤ 715

유형 10 $\sum_{k=0}^{n}({}_nC_k)^2={}_{2n}C_n$의 활용

$(1+x)^{2n}$의 전개식에서 x^n의 계수를 구하는 단계

[1단계] $(1+x)^n(1+x)^n=(1+x)^{2n}$이므로 x^n의 계수는

$${}_nC_0\times{}_nC_n+{}_nC_1\times{}_nC_{n-1}+{}_nC_2\times{}_nC_{n-2}+\cdots+{}_nC_n\times{}_nC_0$$
$$={}_nC_0\times{}_nC_0+{}_nC_1\times{}_nC_1+{}_nC_2\times{}_nC_2+\cdots+{}_nC_n\times{}_nC_n$$
$$=({}_nC_0)^2+({}_nC_1)^2+({}_nC_2)^2+\cdots+({}_nC_n)^2$$

[2단계] $(1+x)^{2n}$의 전개식에서 x^n의 계수는 ${}_{2n}C_n$

이때 $(1+x)^n(1+x)^n=(1+x)^{2n}$이므로

$({}_nC_0)^2+({}_nC_1)^2+({}_nC_2)^2+\cdots+({}_nC_n)^2={}_{2n}C_n$이다.

0347 학교기출 대표 유형

다음은 자연수 n에 대하여

$$({}_nC_0)^2+({}_nC_1)^2+({}_nC_2)^2+\cdots+({}_nC_n)^2$$

을 간단히 나타내는 과정이다.

$(1+x)^n={}_nC_0+{}_nC_1x+{}_nC_2x^2+\cdots+{}_nC_nx^n$이고
$(1+x)^{2n}=(1+x)^n(1+x)^n$이므로 $(1+x)^{2n}$의 전개식에서
x^n의 계수는
${}_nC_0\times{}_nC_n+{}_nC_1\times{}_nC_{n-1}+{}_nC_2\times{}_nC_{n-2}+\cdots+{}_nC_n\times{}_nC_0$
이때 ${}_nC_{n-r}=$ (가) 이므로 위의 식은
$({}_nC_0)^2+({}_nC_1)^2+({}_nC_2)^2+\cdots+({}_nC_n)^2$으로 쓸 수 있다.
그런데 $(1+x)^{2n}$의 전개식에서 x^n의 계수는 (나) 이므로
$({}_nC_0)^2+({}_nC_1)^2+({}_nC_2)^2+\cdots+({}_nC_n)^2=$ (나)

위의 과정에서 (가), (나)에 알맞은 것은?

	(가)	(나)
①	${}_nC_r$	${}_{2n}C_n$
②	${}_nC_r$	${}_nC_n$
③	${}_nC_r$	${}_nC_{n-1}$
④	${}_{2n}C_r$	${}_nC_{n-1}$
⑤	${}_{2n}C_r$	${}_nC_n$

05 이항정리

0348

NORMAL

다음은 파스칼의 삼각형에서 7번째 행에 있는 모든 수의 제곱의 합은 몇 번째 행의 가운데 있는 수와 같은지를 확인하는 내용이다. 빈칸에 알맞은 수를 써넣어 보자.

$$({}_6C_0)^2+({}_6C_1)^2+({}_6C_2)^2+\cdots+({}_6C_6)^2={}_{\square}C_{\square}$$

을 간단히 나타내는 과정이다.

$1^2=1$

$1^2+1^2=2={}_2C_1$

$1^2+2^2+1^2=6={}_4C_2$

$1^2+3^2+3^2+1^2=20={}_6C_3$

$1^2+4^2+6^2+4^2+1^2=$ (가)

								①								
							1		1							
						1		②		1						
					1		3		3		1					
				1		4		⑥		4		1				
			1		5		10		10		5		1			
		1		6		15		20		15		6		1		
	1		7		21		35		35		21		7		1	
1		8		28		56		70		56		28		8		1

1번째, 2번째, 3번째, 4번째, 5번째 행에 있는 모든 수의 제곱의 합은 각각 1번째, 3번째, 5번째, 7번째, 9번째 행의 가운데 있는 수와 같다.

따라서 7번째 행에 있는 모든 수의 제곱의 합은 13번째 행의 가운데 있는 수 ${}_{12}C_6$으로 추측할 수 있다.

즉 $({}_6C_0)^2+({}_6C_1)^2+({}_6C_2)^2+\cdots+({}_6C_6)^2={}_{\text{(나)}}C_{\text{(다)}}$

위의 과정에서 (가), (나), (다)에 알맞은 수를 각각 a, b, c라 할 때, $a+b+c$의 값은?

① 74 ② 82 ③ 88
④ 92 ⑤ 96

0349

최다빈출 왕중요

NORMAL

$({}_{10}C_0)^2+({}_{10}C_1)^2+({}_{10}C_2)^2+\cdots+({}_{10}C_{10})^2={}_nC_k$이라 할 때, 자연수 n, k에 대하여 $n+k$의 값은?

① 24 ② 27 ③ 30
④ 36 ⑤ 47

▶ 해설 내신연계기출

같은 문제 다른 표현

$\sum_{n=0}^{10}({}_{10}C_n)^2={}_nC_k$일 때, $n+k$의 값을 구하여라.

0350

NORMAL

다음 성질을 이용하여

$$({}_{12}C_0)^2+({}_{12}C_1)^2+({}_{12}C_2)^2+\cdots+({}_{12}C_{12})^2$$

을 간단히 하면?

(가) $(1+x)^{12}(1+x)^{12}=(1+x)^{24}$

(나) ${}_nC_r={}_nC_{n-r}$ (단, n은 자연수, r은 정수, $0\le r\le n$)

① 2^{12} ② ${}_{24}P_{12}$ ③ ${}_{24}C_{12}$
④ $({}_{24}P_{12})^2$ ⑤ $({}_{24}C_{12})^2$

0351

TOUGH

다음 성질을 이용하여

$$({}_{12}C_0)^2-({}_{12}C_1)^2+({}_{12}C_2)^2-\cdots+({}_{12}C_{12})^2$$

을 간단히 하면?

(가) $(1-x)^{12}(1+x)^{12}=(1-x^2)^{12}$

(나) ${}_nC_r={}_nC_{n-r}$ (단, n은 자연수, r은 정수, $0\le r\le n$)

① 2^6 ② ${}_{12}P_6$ ③ ${}_{12}C_6$
④ $({}_{12}P_6)^2$ ⑤ $({}_{12}C_6)^2$

0352

최다빈출 왕중요

TOUGH

$\sum_{r=0}^{10}{}_{15}C_r\cdot{}_{20}C_{10-r}={}_nC_{10}$일 때, n의 값은?

① 30 ② 35 ③ 45
④ 49 ⑤ 81

▶ 해설 내신연계기출

유형 11 이항계수의 성질

자연수 n에 대하여 다음이 성립한다.
$(1+x)^n={}_nC_0+{}_nC_1x+{}_nC_2x^2+\cdots+{}_nC_rx^r+\cdots+{}_nC_nx^n$

① ${}_nC_0+{}_nC_1+{}_nC_2+\cdots+{}_nC_n=2^n$
② ${}_nC_0-{}_nC_1+{}_nC_2-{}_nC_3+{}_nC_4-\cdots+(-1)^n{}_nC_n=0$
③ ${}_nC_0+{}_nC_2+{}_nC_4+\cdots+{}_nC_{n-1}={}_nC_1+{}_nC_3+{}_nC_5+\cdots+{}_nC_n$
$=2^{n-1}$ ⬅ n이 1보다 큰 홀수
④ ${}_nC_0+{}_nC_2+{}_nC_4+\cdots+{}_nC_n={}_nC_1+{}_nC_3+{}_nC_5+\cdots+{}_nC_{n-1}$
$=2^{n-1}$ ⬅ n이 짝수
⑤ ${}_{2n}C_0+{}_{2n}C_2+{}_{2n}C_4+\cdots+{}_{2n}C_{2n-2}+{}_{2n}C_{2n}=2^{2n-1}$
${}_{2n}C_1+{}_{2n}C_3+{}_{2n}C_5+\cdots+{}_{2n}C_{2n-3}+{}_{2n}C_{2n-1}=2^{2n-1}$

0353 학교기출 대표 유형

부등식

$$1000<{}_nC_1+{}_nC_2+{}_nC_3+\cdots+{}_nC_n<2000$$

을 만족하는 n의 값은?

① 2 ② 5 ③ 10
④ 15 ⑤ 20

▶ 해설 내신연계기출

0354 BASIC

${}_{99}C_0+{}_{99}C_1+{}_{99}C_2+\cdots+{}_{99}C_{48}+{}_{99}C_{49}$의 값은?

① 2^{48} ② 2^{49} ③ 2^{96}
④ 2^{98} ⑤ 2^{99}

0355 BASIC

$N={}_{11}C_2+{}_{11}C_4+{}_{11}C_6+{}_{11}C_8+{}_{11}C_{10}$일 때,
N의 양의 약수의 개수는?

① 4 ② 6 ③ 8
④ 10 ⑤ 12

0356 최다빈출 왕 중요 NORMAL

${}_{2n}C_1+{}_{2n}C_3+{}_{2n}C_5+\cdots+{}_{2n}C_{2n-1}=512$일 때, 자연수 n의 값은?

① 5 ② 6 ③ 7
④ 8 ⑤ 9

▶ 해설 내신연계기출

0357 최다빈출 왕 중요 NORMAL

$\log_2({}_{19}C_{10}+{}_{19}C_{11}+{}_{19}C_{12}+\cdots+{}_{19}C_{19})$의 값은?

① 19 ② 18 ③ 17
④ 16 ⑤ 15

▶ 해설 내신연계기출

0358

NORMAL

다음 식의 값은?

$$\log_2({}_{21}C_0+{}_{21}C_1+{}_{21}C_2+\cdots+{}_{21}C_{10})$$
$$+\log_8({}_{97}C_1+{}_{97}C_3+{}_{97}C_5+\cdots+{}_{97}C_{97})$$

① 52 ② 64 ③ 512
④ 1024 ⑤ 2048

0359

최다빈출 왕중요 NORMAL

자연수 n에 대하여

$$f(n)=\sum_{k=1}^{n}({}_{2k}C_1+{}_{2k}C_3+{}_{2k}C_5+\cdots+{}_{2k}C_{2k-1})$$

일 때, $f(5)$의 값은?

① 127 ② 136 ③ 228
④ 652 ⑤ 682

▶ 해설 내신연계기출

0360

최다빈출 왕중요 NORMAL

50 이하의 자연수 n 중에서

$${}_nC_1+{}_nC_2+\cdots+{}_nC_n$$

의 값이 3의 배수가 되도록 하는 n의 개수는?

① 23 ② 25 ③ 36
④ 47 ⑤ 56

▶ 해설 내신연계기출

0361

최다빈출 왕중요 NORMAL

이항계수의 성질 중 다음 [보기]에서 옳은 것만을 있는 대로 고른 것은?

ㄱ. ${}_8C_1+{}_8C_2+{}_8C_3+\cdots+{}_8C_8=2^8$
ㄴ. ${}_{15}C_0+{}_{15}C_1+{}_{15}C_2+\cdots+{}_{15}C_7=2^{14}$
ㄷ. ${}_9C_5+{}_9C_6={}_{10}C_4$

① ㄱ ② ㄴ ③ ㄱ, ㄴ
④ ㄴ, ㄷ ⑤ ㄱ, ㄴ, ㄷ

▶ 해설 내신연계기출

0362

최다빈출 왕중요 TOUGH

이항계수의 성질 중 다음 [보기]에서 옳은 것만을 있는 대로 고른 것은?

ㄱ. ${}_{12}C_1+{}_{12}C_2+{}_{12}C_3+\cdots+{}_{12}C_{12}=2^{12}$
ㄴ. ${}_6C_0-{}_6C_1+{}_6C_2-{}_6C_3+{}_6C_4-{}_6C_5+{}_6C_6=0$
ㄷ. ${}_{11}C_0+{}_{11}C_1+{}_{11}C_2+{}_{11}C_3+{}_{11}C_4+{}_{11}C_5$
$={}_{11}C_1+{}_{11}C_3+{}_{11}C_5+{}_{11}C_7+{}_{11}C_9+{}_{11}C_{11}$
ㄹ. ${}_5C_0+{}_5C_1\times4+{}_5C_2\times4^2+\cdots+{}_5C_5\times4^5=5^5$

① ㄴ ② ㄱ, ㄷ ③ ㄱ, ㄹ
④ ㄴ, ㄷ, ㄹ ⑤ ㄱ, ㄴ, ㄷ, ㄹ

▶ 해설 내신연계기출

0363

TOUGH

다음 조건 (가), (나), (다)를 만족하는 값을 각각 α, β, γ라 할 때, $\alpha+\beta+\gamma$의 값은?

(가) ${}_{10}C_1+{}_{10}C_2+{}_{10}C_3+\cdots+{}_{10}C_8+{}_{10}C_9$
(나) ${}_5H_0+{}_5H_1+{}_5H_2+{}_5H_3+{}_5H_4+{}_5H_5$
(다) ${}_{10}C_1+2\times{}_{10}C_2+3\times{}_{10}C_3+\cdots+10\times{}_{10}C_{10}$

① 252 ② 1022 ③ 5120
④ 6142 ⑤ 6394

유형 12 이항계수의 활용

① ${}_{n}C_{0}+{}_{n}C_{1}+{}_{n}C_{2}+\cdots+{}_{n}C_{n}=2^{n}$

② ${}_{n}C_{0}-{}_{n}C_{1}+{}_{n}C_{2}-{}_{n}C_{3}+{}_{n}C_{4}-\cdots+{}_{n}C_{n}(-1)^{n}=0$

③ ${}_{n}C_{0}+{}_{n}C_{2}+{}_{n}C_{4}+\cdots=2^{n-1}$ (홀수 번째 계수의 합)

④ ${}_{n}C_{1}+{}_{n}C_{3}+{}_{n}C_{5}+\cdots=2^{n-1}$ (짝수 번째 계수의 합)

0364 학교기출 대표 유형

수학여행에서 6명의 학생이 매번 구성원을 다르게 하여 기념사진을 찍으려고 할 때, 사진을 찍어야 하는 횟수는?

① 16 ② 32 ③ 55
④ 63 ⑤ 127

0365 최다빈출 왕 중요 NORMAL

전체 회원이 11명인 어떤 동아리에서 전국 대회에 출전할 대표 팀을 만들려고 한다. 팀에 필요한 인원이 6명 이상이라고 할 때, 팀을 만들 수 있는 방법의 수는?

① 1024 ② 1012 ③ 1000
④ 988 ⑤ 976

▶ 해설 내신연계기출

0366 최다빈출 왕 중요 NORMAL

15명의 학생 중 봉사활동에 참여할 학생을 8명 이상 뽑는 경우의 수는? (단, 학생을 뽑는 순서는 고려하지 않는다.)

① 2^{8} ② 2^{12} ③ 2^{14}
④ 2^{16} ⑤ 2^{18}

▶ 해설 내신연계기출

0367 NORMAL

같은 종류의 사탕 10개와 서로 다른 종류의 초콜릿 10개 중에서 12개를 택할 때, 택한 초콜릿의 개수가 짝수인 경우의 수는?

① 123 ② 255 ③ 511
④ 1023 ⑤ 2047

0368 최다빈출 왕 중요 TOUGH

자연수 n에 대하여 서로 다른 6종류의 초콜릿 중에서 중복을 허락하여 n개의 초콜릿을 택하는 경우의 수를 $f(n)$이라 할 때, $f(1)+f(2)+f(3)+f(4)+f(5)+f(6)$의 값은?
(단, 모든 종류의 초콜릿은 충분히 많이 있다.)

① 917 ② 923 ③ 929
④ 935 ⑤ 941

▶ 해설 내신연계기출

05 이항정리

유형 13 부분집합의 개수

원소가 n인 집합 A에 대하여

① 원소의 개수가 k인 부분집합의 개수는

⇨ ${}_nC_k(k=0, 1, 2, \cdots, n)$

② 모든 부분집합의 개수

⇨ ${}_nC_0+{}_nC_1+{}_nC_2+\cdots+{}_nC_n=2^n$

설명 서로 다른 n개의 원소를 갖는 집합 A의 부분집합 중 원소가 r개인 부분집합의 개수는 ${}_nC_r(0\le r\le n)$이다.

원소가 0개인 부분집합의 개수는 ${}_nC_0$

원소가 1개인 부분집합의 개수는 ${}_nC_1$

원소가 2개인 부분집합의 개수는 ${}_nC_2$

⋮

원소가 n개인 부분집합의 개수는 ${}_nC_n$

따라서 ${}_nC_0+{}_nC_1+{}_nC_2+\cdots+{}_nC_n$의 값은 집합 A의 모든 부분집합의 개수의 합인 2^n과 같다.

0369 학교기출 대표 유형

집합 $A=\{1, 2, 3, \cdots, 10\}$에 대하여 집합 A의 부분집합 중에서 원소의 개수가 짝수인 것의 개수는?
(단, 부분집합 중 공집합은 제외시킨다.)

① 124 ② 256 ③ 511
④ 1023 ⑤ 2047

▶ 해설 내신연계기출

0370 NORMAL

10개의 원소로 이루어진 집합 $A=\{a_1, a_2, a_3, \cdots, a_{10}\}$에 대하여 A의 부분집합 중 a_1을 포함하고 원소의 개수가 n인 부분집합의 개수를 $f(n)(n=1, 2, 3, \cdots, 10)$이라 할 때,
$f(2)+f(4)+f(6)+f(8)+f(10)$의 값은?

① 124 ② 256 ③ 512
④ 1024 ⑤ 2048

0371 최다빈출 왕중요 NORMAL

집합 $A=\{x|x$는 25 이하의 자연수$\}$의 부분집합 중 두 원소 1, 2를 모두 포함하고 원소의 개수가 홀수인 부분집합의 개수는?

① 2^{18} ② 2^{19} ③ 2^{20}
④ 2^{21} ⑤ 2^{22}

▶ 해설 내신연계기출

0372 최다빈출 왕중요 NORMAL

전체집합 $U=\{1, 2, 3, \cdots, 10\}$의 두 부분 집합 A, B가

$A\subset B$

를 만족시키도록 두 집합 A, B를 정하는 모든 경우의 수는?

① 2^{10} ② 2^{12} ③ 3^9
④ 3^{10} ⑤ 3^{11}

▶ 해설 내신연계기출

0373 TOUGH

전체집합 $U=\{1, 2, 3, 4, 5\}$의 공집합이 아닌 두 부분집합 A, B에 대하여 $A\subset B$를 만족시키는 경우의 수는?

① 191 ② 211 ③ 225
④ 236 ⑤ 256

유형 14 $(1+x)^n$의 전개식

이항정리를 이용하여 $(1+x)^n$의 전개식을 구하면

$$(1+x)^n={}_nC_0+{}_nC_1x+{}_nC_2x^2+\cdots+{}_nC_rx^r+\cdots+{}_nC_nx^n$$

이 식의 x, n에 적당한 한 수를 대입하여 구하고자 하는 이항계수의 관계식을 만들어 낸다.

참고 ${}_nC_1+2{}_nC_2+3{}_nC_3+\cdots+n{}_nC_n=n\cdot 2^{n-1}$

0374 학교기출 대표 유형

${}_6C_0+3{}_6C_1+3^2{}_6C_2+3^3{}_6C_3+3^4{}_6C_4+3^5{}_6C_5+3^6{}_6C_6$의 값은?

① 2^{10} ② 2^{11} ③ 2^{12}
④ 2^{13} ⑤ 2^{14}

0375 최다빈출 왕 중요 NORMAL

$a=\sum_{r=0}^{20}2^r{}_{20}C_r$일 때, $\log_{\frac{1}{3}}a$의 값은?

① -40 ② -20 ③ $-\frac{1}{20}$
④ $\frac{1}{20}$ ⑤ 20

▶ 해설 내신연계기출

0376 NORMAL

자연수 N에 대하여

$$N={}_{10}C_0+3\times{}_{10}C_1+3^2\times{}_{10}C_2+\cdots+3^{10}\times{}_{10}C_{10}$$

일 때, N의 양의 약수의 개수는?

① 15 ② 17 ③ 19
④ 21 ⑤ 23

0377 TOUGH

$f(r)={}_{20}C_r\left(\frac{1}{5}\right)^r\left(\frac{4}{5}\right)^{20-r}$ $(r=1, 2, \cdots, 19)$일 때,

$$f(1)+f(3)+f(5)+\cdots+f(19)$$

의 값이 $a\times\left\{1-\left(\frac{3}{5}\right)^b\right\}$일 때, 상수 a, b에 대하여 ab의 값은?

① 8 ② 10 ③ 12
④ 14 ⑤ 16

0378 TOUGH

다음은 ${}_nC_1+2\times{}_nC_2+3\times{}_nC_3+\cdots+n\times{}_nC_n$을 간단히 하는 과정이다.

> $r{}_nC_r=$ (가) $\times{}_{n-1}C_{r-1}$이므로
> ${}_nC_1+2{}_nC_2+3{}_nC_3+\cdots+n{}_nC_n$
> $=$ (가) $\times({}_{n-1}C_0+{}_{n-1}C_1+{}_{n-1}C_2+\cdots+{}_{n-1}C_{n-1})$
> $=$ (나)

위의 과정에서 (가), (나)에 알맞은 것을 순서대로 적은 것은?

	(가)	(나)
①	$n-1$	$(n-1)\times2^n$
②	$n-1$	$(n-1)\times2^{n-1}$
③	n	$n\times2^n$
④	n	$n\times2^{n-1}$
⑤	n	$n\times2^n-1$

0379 최다빈출 왕 중요 TOUGH

다항식 $(1+x)^{20}$의 전개식을 이용하여

$${}_{20}C_1+2\times{}_{20}C_2+3\times{}_{20}C_3+\cdots+20\times{}_{20}C_{20}$$

의 값은?

① 19×2^{17} ② 19×2^{18} ③ 20×2^{19}
④ 20×2^{20} ⑤ 21×2^{21}

▶ 해설 내신연계기출

05 이항정리

유형 15 $(N\pm1)^n$꼴의 식과 나머지

$(N\pm1)^n$꼴의 식을 N^p으로 나눈 나머지를 구할 때,
⇨ $(1+x)^n={}_nC_0+{}_nC_1x+{}_nC_2x^2+\cdots+{}_nC_nx^n$인 이항정리를 이용한다.

0380 학교기출 대표 유형

다음은 31^{31}을 900으로 나눈 나머지를 이항정리를 이용하여 구하는 과정이다.

> 이항정리를 이용하여 $(1+x)^{31}$을 전개하면
> $(1+x)^{31}={}_{31}C_0+{}_{31}C_1x+{}_{31}C_2x^2+\cdots+{}_{31}C_{31}x^{31}$
> 이 식에 $x=$ (가) 를 대입하면
> $31^{31}={}_{31}C_0+{}_{31}C_1\times30+{}_{31}C_2\times30^2+\cdots+{}_{31}C_{31}\times30^{31}$
> 이때 (나) 째 항부터는 모두 900으로 나누어떨어지므로 31^{31}을 900으로 나눈 나머지는 (다) 를 900으로 나눈 나머지와 같다.
> 따라서 구하는 나머지는 (라) 이다.

(가), (나), (다), (라)에 알맞은 수를 각각 a, b, c, d라 할 때, $a+b+c+d$의 값은 ?

① 890　② 931　③ 961
④ 995　⑤ 1005

0381 최다빈출 왕 중요 NORMAL

21^{11}을 40으로 나누었을 때의 나머지는?

① 15　② 16　③ 18
④ 20　⑤ 21

▶ 해설 내신연계기출

0382 최다빈출 왕 중요 NORMAL

11^{11}의 백의 자리, 십의 자리, 일의 자리의 숫자를 각각 l, m, n이라고 할 때, lmn의 값은?

① 4　② 6　③ 8
④ 12　⑤ 16

▶ 해설 내신연계기출

0383 최다빈출 왕 중요 TOUGH

다음 조건을 만족하는 상수 p, q에 대하여 $p+q$의 값은?

> (가) 11^{15}을 100으로 나눈 나머지 p를 구한다.
> (나) 11^{13}의 백의 자리의 숫자, 십의 자리의 숫자, 일의 자리의 숫자를 각각 a, b, c라 할 때, $a+b+c$의 값은 q이다.

① 52　② 64　③ 68
④ 72　⑤ 76

▶ 해설 내신연계기출

0384 TOUGH

어느 월요일로부터 8^{11}일이 지난 날은 무슨 요일인가?

① 월요일　② 화요일　③ 수요일
④ 목요일　⑤ 금요일

중복조합

0385

회원이 10명인 어느 등산 동아리에서 설악산, 지리산, 한라산 세 곳 중 한 곳으로 등산을 가기로 하고, 오른쪽 그림과 같이 같은 투표용지에 각자 가고 싶은 곳을 무기명으로 기표하기로 할 때, 다음 단계로 경우의 수를 서술하여라. (단, 기권 또는 무효표는 없다.)

산	기표
설악산	
지리산	
한라산	

[1단계] 각 회원이 1곳에만 기표할 때, 나올 수 있는 경우의 수를 구한다.
[2단계] 각 회원이 2곳에 기표할 때, 나올 수 있는 경우의 수를 구한다.
[3단계] 1단계와 2단계의 결과를 비교하여라.

0386

방정식 $x+y+z=9$에 대하여 다음 단계로 서술하여라.

[1단계] 음이 아닌 정수해의 개수를 구한다.
[2단계] 양의 정수해의 개수를 구한다.
[3단계] x, y, z가 모두 홀수인 정수해의 개수를 구한다.
[4단계] $x \geq 1$, $y \geq 2$, $z \geq 3$인 정수해의 개수를 구한다.

0387

방정식 $a+b+c=8$을 만족시키는 음이 아닌 정수 a, b, c의 순서쌍 (a, b, c)에서 a, b, c 중 적어도 하나가 홀수인 순서쌍의 개수를 구하는 과정을 다음 단계로 서술하여라.

[1단계] 방정식 $a+b+c=8$을 만족시키는 음이 아닌 정수 a, b, c의 순서쌍 (a, b, c)의 개수를 구한다.
[2단계] 방정식 $a+b+c=8$을 만족시키는 짝수인 정수 a, b, c의 순서쌍 (a, b, c)의 개수를 구한다. (단, 0은 짝수로 본다.)
[3단계] 적어도 하나가 홀수인 순서쌍의 개수를 구한다.

0388

방정식 $x+y+z=13$을 만족시키는 양의 정수 x, y, z의 순서쌍 (x, y, z) 중에서 xyz의 값이 짝수인 것의 개수를 구하는 과정을 다음 단계로 서술하여라.

[1단계] 방정식 $x+y+z=13$의 양의 정수 x, y, z의 순서쌍 (x, y, z)의 개수를 구한다.
[2단계] 방정식 $x+y+z=13$의 양의 정수 중에서 x, y, z가 모두 홀수인 순서쌍 (x, y, z)의 개수를 구한다.
[3단계] xyz의 값이 짝수인 순서쌍 (x, y, z)의 개수를 구한다.

0389

두 집합 $X=\{1, 2, 3\}$, $Y=\{4, 5, 6, 7\}$에 대하여 X에서 Y로의 함수 f의 개수를 순열과 조합의 수를 이용하여 다음 단계로 서술하여라.

[1단계] X에서 Y로의 함수는 모두 몇 개인지 구한다.
[2단계] 집합 X의 두 원소 x_1, x_2에 대하여 $x_1 \neq x_2$이면 $f(x_1) \neq f(x_2)$인 함수의 개수를 구한다.
[3단계] 집합 X의 두 원소 x_1, x_2에 대하여 $x_1 < x_2$이면 $f(x_1) < f(x_2)$인 함수의 개수를 구한다.
[4단계] 집합 X의 두 원소 x_1, x_2에 대하여 $x_1 < x_2$이면 $f(x_1) \leq f(x_2)$인 함수의 개수를 구한다.

0390

똑같은 12개의 펜을 4명의 학생 A, B, C, D에게 모두 나누어 주는 모든 방법의 수를 다음 단계로 서술하여라.
(단, 펜을 갖지 못하는 학생이 있을 수 있다.)

[1단계] 4명의 학생 A, B, C, D가 받는 펜의 수를 각각 a, b, c, d 라고 할 때, 조건에 맞는 방정식을 세운다.
[2단계] 나누어 주는 모든 방법의 수를 구한다.
[3단계] 각 학생에게 적어도 2개씩 펜을 나누어 주는 모든 방법의 수를 구한다.

0391

똑같은 공 5개를 상자 3개에 나누어 담는 경우의 수를 구할 때, 다음과 같이 상황에 따라 다른 방법을 적용해서 구한다.
다음 단계로 그 과정을 서술하여라.

1. 똑같은 상자 3개를 모두 사용하는 경우
   모든 상자에 각각 공을 하나씩 넣은 후에 남은 공 2개를 똑같은 상자 3개에 모두 나누어 담는 경우의 수와 같으므로 가능한 방법의 수는 (가) 가지이다.
2. 똑같은 상자 3개 중에서 일부만 사용해도 되는 경우
   사용하는 상자가 1개, 2개, 3개인 경우에 따라 나누어 담는 방법을 구하면, 가능한 방법의 수는 (나) 가지이다.
3. 서로 다른 상자 3개를 모두 사용하는 경우
   모든 상자에 각각 공을 하나씩 넣은 후에 남은 공 2개를 서로 다른 상자 3개에 모두 나누어 담는 경우의 수와 같으므로 가능한 방법의 수는 (다) 가지이다.
4. 서로 다른 상자 3개 중에서 일부만 사용해도 되는 경우
   공 5개를 서로 다른 3개의 상자에 모두 나눠 담는 경우의 수와 같으므로 가능한 방법의 수는 (라) 가지이다.

[1단계] 위의 (가), (나), (다), (라)에 알맞은 수를 구한다.
[2단계] 다음 각 경우에 똑같은 공 5개를 똑같은 상자 2개와 다른 상자 1개에 모두 나눠 담는 방법이 몇 가지인지 구한다.
(1) 상자 3개를 모두 사용하는 경우
(2) 상자를 일부만 사용해도 되는 경우

이항정리

0392

$\left(\frac{x}{a}+\frac{a}{x}\right)^{10}$의 전개식에서 x^2의 계수가 420일 때, 다음 단계로 서술하여라.

[1단계] 양수 a의 값을 구한다.
[2단계] $\frac{1}{x^4}$의 계수를 구한다.

0393

$\left(x^5-\frac{2}{x^2}\right)^n$의 전개식에서 0이 아닌 상수항이 존재하도록 하는 자연수 n의 최솟값을 m이라 하고 그때의 상수항을 k라 할 때, $m+k$의 값을 구하는 과정을 다음 단계로 서술하여라.

[1단계] $\left(x^5-\frac{2}{x^2}\right)^n$의 전개식의 일반항을 구한다.
[2단계] 상수항이 존재하도록 자연수 n을 r에 대한 식으로 나타낸다.
[3단계] 최솟값 m의 값을 구한다.
[4단계] 상수항 k의 값을 구한다.
[5단계] $m+k$의 값을 구한다.

0394

$(2x+1)^3\left(x+\dfrac{3}{x}\right)^6$의 전개식에서 x^5의 계수를 구하는 과정을 다음 단계로 서술하여라.

[1단계] $(2x+1)^3$의 전개식과 $\left(x+\dfrac{3}{x}\right)^6$의 전개식에서 일반항을 구한다.

[2단계] $(2x+1)^3\left(x+\dfrac{3}{x}\right)^6$의 전개식에서 x^5이 되는 경우를 구한다.

[3단계] x^5의 계수를 구한다.

0395

다음 단계로 서술하여라.

[1단계] $(1+x)^{10}(1+x)^{10}$에서 x^{10}의 계수가 $({}_{10}\mathrm{C}_0)^2+({}_{10}\mathrm{C}_1)^2+({}_{10}\mathrm{C}_2)^2+\cdots+({}_{10}\mathrm{C}_{10})^2$임을 서술한다.

[2단계] $({}_{10}\mathrm{C}_0)^2+({}_{10}\mathrm{C}_1)^2+({}_{10}\mathrm{C}_2)^2+\cdots+({}_{10}\mathrm{C}_{10})^2$의 값을 ${}_n\mathrm{C}_r$ 꼴로 구한다.

파스칼의 삼각형

0396

$(1+x)+(1+x)^2+(1+x)^3+\cdots+(1+x)^{10}$의 전개식에서 x^2의 계수를 다음 단계로 서술하여라.

[1단계] $(1+x)+(1+x)^2+(1+x)^3+\cdots+(1+x)^{10}$의 전개식에서 x^2의 계수를 조합의 수로 나타낸다.

[2단계] 이항계수를 정리한 아래 파스칼의 삼각형에 1단계에서 구한 수들을 표시한다.

1 1
1 2 1
1 3 3 1
1 4 6 4 1
1 5 10 10 5 1
1 6 15 20 15 6 1
1 7 21 35 35 21 7 1
1 8 28 56 70 56 28 8 1
1 9 36 84 126 126 84 36 9 1
1 10 45 120 210 252 210 120 45 10 1

[3단계] 2단계의 결과를 이용하여 x^2의 계수를 구한다.

0397

다음은 어느 가게에서 피자를 주문할 때, 추가할 수 있는 9가지 재료를 나타낸 것이다.

      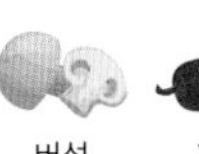 

소고기 새우 베이컨 감자 닭고기 토마토 버섯 피망 치즈

메뉴판의 재료를 보고 다음 단계로 서술하여라.

[1단계] 서로 다른 홀수개의 재료를 피자 한 판에 추가하는 경우의 수를 구한다.

[2단계] 서로 다른 네 개 이하의 재료를 피자 한 판에 추가하는 경우의 수를 구한다. (단, 재료를 추가하지 않을 수 있다.)

0398

집합

$$A=\{1, 2, 3, 4, \cdots, 10\}$$

에 대하여 다음 단계로 구하는 과정을 서술하여라.

[1단계] 집합 A의 부분집합의 개수를 구한다.

[2단계] 집합 A의 부분집합 원소의 개수가 홀수인 집합의 개수를 구한다.

[3단계] 집합 A의 부분집합 중에서 원소의 개수가 짝수인 집합의 개수를 구한다. (단, 부분집합 중 공집합은 제외시킨다.)

0399

다음 단계로 구하는 과정을 서술하여라.

[1단계] $\sum_{n=1}^{10}\left(\sum_{m=1}^{n}{}_{n}\mathrm{C}_{m}\right)$의 값을 구한다.

[2단계] $\sum_{i=0}^{n}\left(\sum_{j=0}^{i}{}_{i}\mathrm{C}_{j}\right)=63$을 만족하는 자연수 n의 값을 구한다.

0400

31^8을 60으로 나누었을 때의 나머지를 다음 단계로 서술하여라.

[1단계] 31^8을 $(30+1)^8$으로 변형한 후 이항정리를 이용하여 전개한다.

[2단계] 1단계에서 전개한 각 항이 60의 배수인지 알아본다.

[3단계] 2단계의 결과를 이용하여 31^8을 60으로 나누었을 때의 나머지를 구한다.

0401

어느 월요일로부터 13^{20}일 후는 무슨 요일인지 구하는 과정을 다음 단계로 서술하여라.

[1단계] 이항정리를 이용하여 식 $(14-1)^{20}$을 전개한다.

[2단계] $13^{20}=(14-1)^{20}$임을 이용하여 13^{20}을 7로 나누었을 때의 나머지를 구한다.

[3단계] 어느 월요일로 부터 13^{20}일 후의 요일을 구한다.

0402

수능기출

다음 조건을 만족시키는 음이 아닌 정수 a, b, c의 모든 순서쌍 (a, b, c)의 개수를 구하여라.

(가) $a+b+c=7$
(나) $2^a \times 4^b$은 8의 배수이다.

0403

교육청기출

다음 조건을 만족시키는 자연수 a, b, c의 모든 순서쌍 (a, b, c)의 개수를 구하여라.

(가) a, b, c는 모두 짝수이다.
(나) $a \times b \times c = 10^5$

0404

빨간 공 2개, 노란 공 4개, 파란 공 4개, 검은 공 4개 중에서 5개의 공을 택하는 경우의 수를 구하여라.
(단, 같은 색의 공은 구분하지 않는다.)

0405

평가원기출

검은색 볼펜 1자루, 파란색 볼펜 4자루, 빨간색 볼펜 4자루가 있다. 이 9자루의 볼펜 중에서 5자루를 선택하여 2명의 학생에게 남김없이 나눠주는 경우의 수를 구하여라. (단, 같은 색 볼펜끼리는 서로 구별하지 않고, 볼펜을 1자루도 받지 못하는 학생이 있을 수 있다.)

0406

한 개의 주사위를 다섯 번 던질 때, k번째에 나타나는 눈의 수를 $a_k(k=1, 2, 3, 4, 5)$라 할 때,

$$a_1 \leq a_2 < a_3 \leq a_4 < a_5$$

를 만족시키는 경우의 수를 구하여라.

0407

평가원기출

다음 조건을 만족시키는 음이 아닌 정수 x_1, x_2, x_3의 모든 순서쌍 (x_1, x_2, x_3)의 개수를 구하여라.

(가) $n=1$, 2일 때, $x_{n+1}-x_n \geq 2$이다.
(나) $x_3 \leq 10$

0408

수능기출

세 명의 학생 A, B, C에게 같은 종류의 사탕 6개와 같은 종류의 초콜릿 5개를 다음 규칙에 따라 남김없이 나눠 주는 경우의 수를 구하여라.

> (가) 학생 A가 받는 사탕의 개수는 1 이상이다.
> (나) 학생 B가 받는 초콜릿의 개수는 1 이상이다.
> (다) 학생 C가 받는 사탕의 개수와 초콜릿의 개수의 합은 1 이상이다.

0409

평가원기출

다음은 n이 2 이상의 자연수일 때,

$$\sum_{k=1}^{n} k({}_{n}C_{k})^2$$

의 값을 구하는 과정이다.

> 두 다항식의 곱
> $(a_0+a_1x+\cdots+a_{n-1}x^{n-1})(b_0+b_1x+\cdots+b_nx^n)$
> 에서 x^{n-1}의 계수는
> $a_0b_{n-1}+a_1b_{n-2}+\cdots+a_{n-1}b_0$ $\quad\cdots\cdots(*)$
> 이다. 등식 $(1+x)^{2n-1}=(1+x)^{n-1}(1+x)^n$의 좌변에서
> x^{n-1}의 계수는 $\boxed{(가)}$이고,
> $(*)$을 이용하여 우변에서 x^{n-1}의 계수를 구하면
> $\sum_{k=1}^{n}\left({}_{n-1}C_{k-1}\times\boxed{(나)}\right)$이다.
> 따라서 $\boxed{(가)}=\sum_{k=1}^{n}\left({}_{n-1}C_{k-1}\times\boxed{(나)}\right)$이다.
> 한편 $1\le k\le n$일 때, $k\times{}_{n}C_{k}=n\times{}_{n-1}C_{k-1}$이므로
> $\sum_{k=1}^{n}k({}_{n}C_{k})^2=\sum_{k=1}^{n}\left(n\times{}_{n-1}C_{k-1}\times\boxed{(나)}\right)$
> $=n\times\sum_{k=1}^{n}\left({}_{n-1}C_{k-1}\times\boxed{(나)}\right)$
> $=\boxed{(다)}$
> 이다.

위의 과정에서 (가), (나), (다)에 알맞은 것은?

	(가)	(나)	(다)
①	${}_{2n}C_{n}$	${}_{n}C_{n-k+1}$	$\frac{n}{2}\times{}_{2n}C_{n+1}$
②	${}_{2n-1}C_{n-1}$	${}_{n}C_{n-k+1}$	$\frac{n}{2}\times{}_{2n}C_{n}$
③	${}_{2n-1}C_{n-1}$	${}_{n}C_{n-k}$	$\frac{n}{2}\times{}_{2n}C_{n}$
④	${}_{2n}C_{n}$	${}_{n}C_{n-k+1}$	$n\times{}_{2n}C_{n+1}$
⑤	${}_{2n-1}C_{n-1}$	${}_{n}C_{n-k}$	$n\times{}_{2n}C_{n}$

0410

평가원기출

자연수 n에 대하여 $2a+2b+c+d=2n$을 만족시키는 음이 아닌 정수 a, b, c, d의 모든 순서쌍 (a, b, c, d)의 개수를 a_n이라 하자.

다음은 $\sum_{n=1}^{8}a_n$의 값을 구하는 과정이다.

> 음이 아닌 정수 a, b, c, d가 $2a+2b+c+d=2n$을 만족시키려면 음이 아닌 정수 k에 대하여 $c+d=2k$이어야 한다.
> $c+d=2k$인 경우는 (1) 음이 아닌 정수 k_1, k_2에 대하여 $c=2k_1$, $d=2k_2$인 경우이거나 (2) 음이 아닌 정수 k_3, k_4에 대하여 $c=2k_3+1$, $d=2k_4+1$인 경우이다.
>
> (1) $c=2k_1$, $d=2k_2$인 경우 :
> $2a+2b+c+d=2n$을 만족시키는 음이 아닌 정수 a, b, c, d의 모든 순서쌍 (a, b, c, d)의 개수는 $\boxed{(가)}$이다.
>
> (2) $c=2k_3+1$, $d=2k_4+1$인 경우 :
> $2a+2b+c+d=2n$을 만족시키는 음이 아닌 정수 a, b, c, d의 모든 순서쌍 (a, b, c, d)의 개수는 $\boxed{(나)}$이다.
>
> (1), (2)에 의하여 $2a+2b+c+d=2n$을 만족시키는 음이 아닌 정수 a, b, c, d의 모든 순서쌍 (a, b, c, d)의 개수 a_n은
> $a_n=\boxed{(가)}+\boxed{(나)}$
> 이다. 자연수 m에 대하여
> $\sum_{n=1}^{m}\boxed{(나)}={}_{m+3}C_4$
> 이므로
> $\sum_{n=1}^{8}a_n=\boxed{(다)}$
> 이다.

위의 (가), (나)에 알맞은 식을 각각 $f(n)$, $g(n)$이라 하고, (다)에 알맞은 수를 r이라 할 때, $f(6)+g(5)+r$의 값은?

① 893 ② 918 ③ 943 ④ 968 ⑤ 993

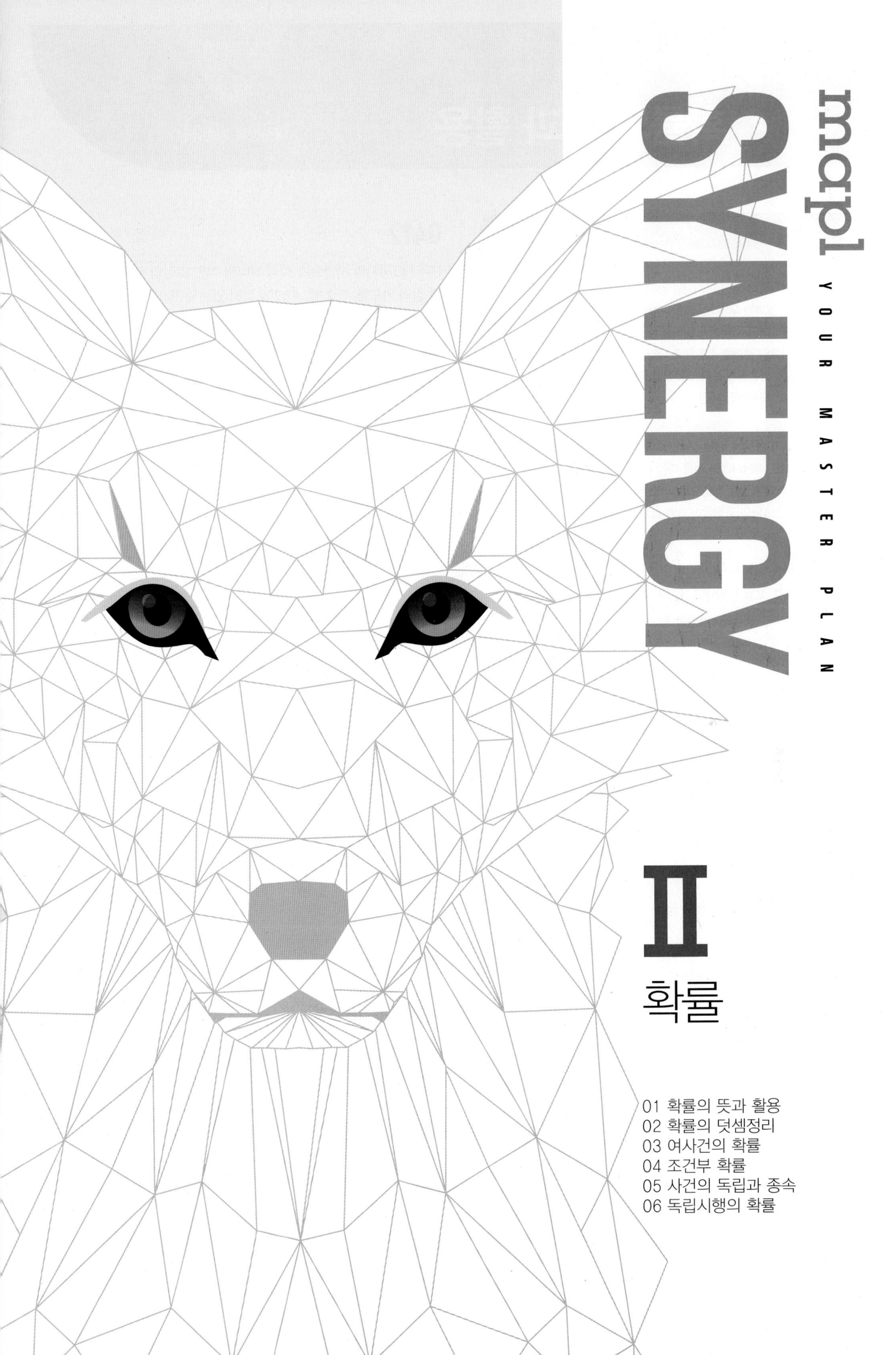

Ⅱ 확률

01

학교내신기출 객관식 핵심문제총정리

확률의 뜻과 활용

STEP 1 내신정복 기출유형

유형 01 시행과 사건

1. 시행과 사건
   ① 시행 : 주사위나 동전 던지기와 같이 조건에서 반복할 수 있고, 그 결과가 우연에 의하여 정해진 실험이나 관찰
   ② 표본공간 : 어떤 시행에서 일어날 수 있는 모든 결과의 집합
   ③ 사건 : 시행의 결과를 집합으로 나타낸 것, 즉 표본공간의 부분집합
   ④ 근원사건 : 표본공간 S의 부분집합 중에서 한 개의 원소로 이루어진 사건
2. 배반사건
   사건 A와 B가 동시에 일어나지 않을 때, $A\cap B=\varnothing$
   사건 A와 서로 배반사건인 것은 다음 순서로 찾는다.
   [순서 1] 각각의 사건을 집합으로 나타낸다.
   [순서 2] 집합 A와의 교집합이 $\varnothing$인 집합을 찾는다.
3. 여사건
   표본공간 S의 사건 A가 일어나지 않는 사건을 A의 여사건이라 하고 이것을 기호로 A^c로 나타내고 $A\cap A^c=\varnothing$, $A\cup A^c=S$이다.

참고 ① 합사건 : A 또는 B가 일어나는 사건
② 곱사건 : A와 B가 동시에 일어나는 사건
③ 여사건 : A가 일어나지 않는 사건을 A의 여사건 A^c

0411 학교기출 대표 유형

다음은 확률에서 사용하는 용어에 대한 설명이다.

> 주사위나 동전 던지기와 같이 같은 조건에서 반복할 수 있고, 그 결과가 우연에 의하여 정해진 실험이나 관찰을 (가) 이라 한다. 그리고 어떤 (가) 에서 일어날 수 있는 모든 경우의 집합을 (나) 이라 하고, 그 부분집합을 (다) 이라 한다. 이때 (나) 의 부분집합 중에서 한 개의 원소로 이루어진 집합을 (라) 이라 한다.

(가)~(라)에 들어갈 것으로 올바른 것은?

	(가)	(나)	(다)	(라)
①	사건	근원사건	공사건	표본공간
②	사건	근원사건	배반사건	표본공간
③	시행	근원사건	사건	표본공간
④	시행	표본공간	사건	근원사건
⑤	시행	사건	표본공간	근원사건

0412 NORMAL

1부터 12까지의 자연수가 각각 하나씩 적힌 12장의 카드에서 임의로 한 장의 카드를 꺼낼 때, 카드에 적혀 있는 수가 3의 배수인 사건을 A, 소수인 사건을 B, 8의 약수인 사건을 C라 하자. 다음 [보기]에서 서로 배반사건인 것을 있는 대로 고른 것은?

ㄱ. A와 C
ㄴ. $A\cap B$와 $B\cap C$
ㄷ. $A\cup B$와 B^C

① ㄱ ② ㄴ ③ ㄱ, ㄴ
④ ㄴ, ㄷ ⑤ ㄱ, ㄴ, ㄷ

0413 최다빈출 왕중요 NORMAL

표본공간 $S=\{1, 2, 3, 4 ,5, 6, 7, 8\}$의 세 사건 A, B, C에 대하여

$$A=\{x\,|\,x\text{는 6의 약수}\},\ B=\{2, 3, 7\}$$

이다. 사건 C가 두 사건 A, B와 모두 배반일 때, 사건 C의 모든 원소의 합의 최댓값은?

① 11 ② 13 ③ 15
④ 17 ⑤ 19

▶ 해설 내신연계기출

0414 최다빈출 왕중요 TOUGH

표본공간 S는 $S=\{1, 2, 3, 4, 5\}$이고 모든 근원사건의 확률은 같다. 표본공간 S의

두 사건 A, B가 서로 배반사건이고 $0<\mathrm{P}(B)<\mathrm{P}(A)$

가 되도록 두 사건 A, B를 선택하는 경우의 수는?

① 45 ② 50 ③ 55
④ 60 ⑤ 65

▶ 해설 내신연계기출

유형 02 수학적 확률 (1)

표본공간이 S인 어떤 시행에서 근원사건이 일어날 가능성이 모두 같은 정도로 기대될 때, 일어날 수 있는 모든 경우의 수가 n개이고 사건 A가 일어나는 경우의 수는 r이면 사건 A가 일어날 수학적 확률은

$$\mathrm{P}(A)=\frac{n(A)}{n(S)}=\frac{(\text{사건 }A\text{가 일어나는 경우의 수})}{(\text{일어날 수 있는 모든 경우의 수})}$$

0415 학교기출 대표 유형

서로 다른 2개의 주사위를 동시에 던질 때, 나오는 눈의 수의 합이 4 이하일 확률은?

① $\frac{1}{6}$ ② $\frac{1}{4}$ ③ $\frac{1}{3}$
④ $\frac{1}{2}$ ⑤ $\frac{2}{3}$

0416 BASIC

오른쪽 그림과 같이 정사면체의 4개의 면에 1, 2, 3, 4의 숫자가 각각 적혀 있다. 이 정사면체를 연속으로 2번 던지는 시행에서 밑면에 적혀 있는 수의 합이 5 이상일 확률은?

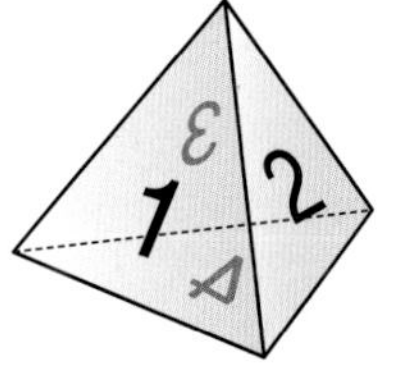

① $\frac{1}{8}$ ② $\frac{1}{4}$ ③ $\frac{7}{16}$
④ $\frac{1}{2}$ ⑤ $\frac{5}{8}$

0417 최다빈출 왕 중요 BASIC

한 개의 주사위를 두 번 던질 때, 나오는 두 눈의 수의 곱이 홀수일 확률은?

① $\frac{7}{36}$ ② $\frac{1}{4}$ ③ $\frac{5}{18}$
④ $\frac{1}{3}$ ⑤ $\frac{2}{3}$

▶ 해설 내신연계기출

0418 NORMAL

서로 다른 두 개의 주사위를 동시에 던질 때, 한 개의 주사위에서 나온 눈의 수가 다른 주사위에서 나온 눈의 수의 약수일 확률은?

① $\frac{7}{18}$ ② $\frac{4}{9}$ ③ $\frac{1}{2}$
④ $\frac{5}{9}$ ⑤ $\frac{11}{18}$

0419 최다빈출 왕 중요 NORMAL

한 개의 주사위를 2번 던져서 나오는 눈의 수를 차례로 a, b라 할 때, $i^a+i^b=0$일 확률은? (단, $i=\sqrt{-1}$)

① $\frac{1}{10}$ ② $\frac{1}{9}$ ③ $\frac{2}{9}$
④ $\frac{3}{10}$ ⑤ $\frac{1}{3}$

▶ 해설 내신연계기출

0420 TOUGH

주사위를 두 번 던질 때, 나오는 눈의 수를 차례로 m, n이라 하자. $i^m\cdot(-i)^n$의 값이 1이 될 확률은? (단, $i=\sqrt{-1}$)

① $\frac{1}{9}$ ② $\frac{1}{4}$ ③ $\frac{2}{9}$
④ $\frac{5}{18}$ ⑤ $\frac{1}{3}$

유형 03 수학적 확률 (2)

표본공간이 S인 어떤 시행에서 근원사건이 일어날 가능성이 모두 같은 정도로 기대될 때, 일어날 수 있는 모든 경우의 수가 n개이고 사건 A가 일어나는 경우의 수는 r이면 사건 A가 일어날 수학적 확률은

$$\mathrm{P}(A)=\frac{n(A)}{n(S)}=\frac{(\text{사건 } A\text{가 일어나는 경우의 수})}{(\text{일어날 수 있는 모든 경우의 수})}$$

0421 학교기출 대표 유형

한 개의 주사위를 두 번 던져서 나오는 눈의 수를 차례로 a, b라고 하자. 이때 x에 대한 일차방정식 $ax+b=0$이 -2보다 큰 실근을 가질 확률은?

① $\frac{1}{6}$ ② $\frac{2}{9}$ ③ $\frac{5}{18}$
④ $\frac{1}{3}$ ⑤ $\frac{3}{4}$

0422 최다빈출 왕중요 BASIC

한 개의 주사위를 두 번 던져 첫 번째 나온 눈의 수를 a, 두 번째 나온 눈의 수를 b라고 할 때, x에 대한 이차방정식 $3x^2+ax+b=0$이 서로 다른 두 실근을 가질 확률은?

① $\frac{1}{9}$ ② $\frac{5}{36}$ ③ $\frac{1}{6}$
④ $\frac{7}{36}$ ⑤ $\frac{2}{9}$

▶ 해설 내신연계기출

0423 최다빈출 왕중요 BASIC

2개의 주사위 A, B를 던져서 나온 눈의 수를 각각 a, b라고 할 때, 이차방정식 $x^2+2ax+b=0$이 허근을 가질 확률은?

① $\frac{1}{6}$ ② $\frac{1}{12}$ ③ $\frac{1}{24}$
④ $\frac{5}{36}$ ⑤ $\frac{7}{36}$

▶ 해설 내신연계기출

0424 NORMAL

1부터 10까지의 자연수가 하나씩 적힌 10개의 구슬이 들어 있는 주머니가 있다. 이 주머니에서 임의로 한 개의 구슬을 꺼내어 그 구슬에 적힌 수를 m이라 할 때,

직선 $y=m$과 이차함수 $y=-x^2+5x-\frac{3}{4}$

이 만나도록 하는 수가 적힌 구슬을 꺼낼 확률은?

① $\frac{1}{5}$ ② $\frac{3}{10}$ ③ $\frac{2}{5}$
④ $\frac{1}{2}$ ⑤ $\frac{3}{5}$

0425 최다빈출 왕중요 NORMAL

서로 다른 두 주사위를 던져 나온 눈의 수를 각각 a, b라 할 때,

곡선 $y=x^2+ax+b$와 직선 $y=x-1$

이 서로 다른 두 점에서 만날 확률은?

① $\frac{7}{36}$ ② $\frac{2}{9}$ ③ $\frac{1}{4}$
④ $\frac{5}{18}$ ⑤ $\frac{11}{36}$

▶ 해설 내신연계기출

0426 최다빈출 왕중요 NORMAL

서로 다른 두 개의 주사위를 던져서 나오는 눈의 수를 각각 a, b라고 하자. 두 함수 f, g가

$$f(x)=x^2+2ax+b,\ g(x)=2x-1$$

일 때, 모든 x에 대하여 부등식 $f(x)\geq g(x)$가 성립할 확률은?

① $\frac{1}{4}$ ② $\frac{1}{3}$ ③ $\frac{2}{3}$
④ $\frac{4}{9}$ ⑤ $\frac{5}{9}$

▶ 해설 내신연계기출

0427 TOUGH

한 개의 주사위를 세 번 던질 때, 나오는 눈의 수를 차례로 a, b, c라 하자. 이차함수 $f(x)=ax^2+2bx+c$에 대하여 함수 $y=f(x)$의 그래프가 x축에 접할 확률은?

① $\frac{1}{81}$ ② $\frac{1}{27}$ ③ $\frac{5}{81}$
④ $\frac{7}{81}$ ⑤ $\frac{1}{9}$

0428 TOUGH

서로 다른 주사위 3개를 동시에 던져 나오는 눈의 수를 각각 a, b, c라 할 때, 삼차함수

$$f(x)=x^3+ax^2+bx+c$$

가 극값을 가질 확률은?

① $\frac{1}{9}$ ② $\frac{2}{9}$ ③ $\frac{1}{3}$
④ $\frac{4}{9}$ ⑤ $\frac{5}{9}$

0429 최다빈출 왕중요 TOUGH

한 개의 주사위를 두 번 던질 때, 나오는 눈의 수를 차례로 a, b라 하자. 이차함수 $f(x)=x^2-7x+10$에 대하여

$$f(a)f(b)<0$$

이 성립할 확률은?

① $\frac{1}{18}$ ② $\frac{1}{9}$ ③ $\frac{1}{6}$
④ $\frac{2}{9}$ ⑤ $\frac{5}{18}$

▶ 해설 내신연계기출

0430 TOUGH

한 개의 주사위를 세 번 던질 때, 나오는 눈의 수를 차례로 a, b, c라 하자. 세 수 a, b, c가

$$a<b-2\leq c$$

를 만족시킬 확률은?

① $\frac{2}{27}$ ② $\frac{1}{12}$ ③ $\frac{5}{54}$
④ $\frac{11}{108}$ ⑤ $\frac{1}{9}$

0431 최다빈출 왕중요 TOUGH

한 개의 주사위를 세 번 던져서 나오는 눈의 수를 차례로 a, b, c라 할 때,

$$a>b\text{이고 } a>c$$

일 확률은?

① $\frac{13}{54}$ ② $\frac{55}{216}$ ③ $\frac{29}{108}$
④ $\frac{61}{216}$ ⑤ $\frac{8}{27}$

▶ 해설 내신연계기출

유형 04 순열을 이용하는 확률

일렬로 배열하는 경우의 확률을 구할 때,
먼저 다음 순열 공식을 이용하여 경우의 수를 구한다.
서로 다른 n개에서 r개를 택하여 일렬로 나열하는 순열의 수
① ${}_{n}\mathrm{P}_{r}=n(n-1)(n-2)\cdots(n-r+1)\,(0<r\le n)$
② ${}_{n}\mathrm{P}_{r}=\dfrac{n!}{(n-r)!}$ (단, $0\le r\le n$)
③ ${}_{n}\mathrm{P}_{n}=n!$, ${}_{n}\mathrm{P}_{0}=1$

0432 학교기출 대표 유형

A와 B를 포함한 5명의 학생을 일렬로 세울 때, 다음 조건을 만족하는 확률을 각각 p_1, p_2, p_3라 하자. $p_1+p_2+p_3$의 값은?

(가) A, B가 이웃하여 서게 될 확률
(나) A와 B를 양 끝에 세울 확률
(다) A와 B 사이에 한 사람이 있을 확률

① $\frac{1}{3}$ ② $\frac{1}{2}$ ③ $\frac{3}{10}$
④ $\frac{11}{12}$ ⑤ $\frac{4}{5}$

▶ 해설 내신연계기출

0433 BASIC

여학생 4명, 남학생 4명이 한 줄로 설 때, 여학생과 남학생이 번갈아 가며 서게 될 확률은?

① $\frac{1}{8}$ ② $\frac{1}{10}$ ③ $\frac{1}{16}$
④ $\frac{1}{24}$ ⑤ $\frac{1}{35}$

0434 최다빈출 왕중요 NORMAL

1부터 7까지의 자연수가 각각 하나씩 적혀 있는 7개의 공을 모두 한 번씩 사용하여 일렬로 임의로 나열할 때, 짝수가 적힌 공과 홀수가 적힌 공이 번갈아 나오게 나열될 확률은?

① $\frac{1}{35}$ ② $\frac{2}{35}$ ③ $\frac{3}{35}$
④ $\frac{4}{35}$ ⑤ $\frac{1}{7}$

▶ 해설 내신연계기출

0435 최다빈출 왕중요 NORMAL

6명의 학생 A, B, C, D, E, F를 일렬로 세울 때, A와 E 사이에 2명의 학생이 올 확률은?

① $\frac{1}{12}$ ② $\frac{1}{10}$ ③ $\frac{1}{8}$
④ $\frac{1}{5}$ ⑤ $\frac{1}{4}$

▶ 해설 내신연계기출

0436 최다빈출 왕중요 NORMAL

키가 서로 다른 네 사람이 있다. 이들을 일렬로 세울 때, 앞에서 세 번째 사람이 자신과 이웃한 두 사람보다 키가 작을 확률은?

① $\frac{1}{3}$ ② $\frac{1}{2}$ ③ $\frac{3}{5}$
④ $\frac{2}{3}$ ⑤ $\frac{3}{4}$

▶ 해설 내신연계기출

유형 05 이웃하게 (이웃하지 않게) 나열하는 확률

두 집단 중 한 집단을 이웃하게 하는 순열의 수

[1단계] 이웃하게 하는 집단을 묶어서 하나로 보고 순열의 수를 구한다.
[2단계] 1단계에서 구한 임의의 한 순열에 대하여 이웃하게 하는 집단의 구성원끼리의 자리를 바꿀 수 있는 순열의 수를 구한다.
[3단계] 1단계에서 구한 순열과 2단계에서 구한 순열의 수를 곱한다.

0437 학교기출 대표 유형

1, 2, 3, 4, 5가 하나씩 적힌 5장의 카드를 임의로 일렬로 나열할 때, 짝수가 적힌 카드끼리는 서로 이웃하지 않게 나열될 확률은?

① $\frac{3}{10}$ ② $\frac{2}{5}$ ③ $\frac{1}{2}$
④ $\frac{3}{5}$ ⑤ $\frac{7}{10}$

▶ 해설 내신연계기출

0438 최다빈출 왕 중요 BASIC

어느 고속버스의 좌석 배치도가 다음과 같다.

A_1	A_2		A_3
B_1	B_2		B_3

A, B를 포함한 여섯 사람이 이 두 줄에 있는 좌석에 임의로 앉을 때, A와 B가 서로 이웃하여 앉을 확률은? (단, 통로에 의해 인접하는 경우는 이웃하지 않은 것으로 본다.)

① $\frac{2}{15}$ ② $\frac{4}{15}$ ③ $\frac{7}{15}$
④ $\frac{11}{15}$ ⑤ $\frac{13}{15}$

▶ 해설 내신연계기출

0439 NORMAL

A, B를 포함한 7명의 사람이 그림과 같은 모터보트에 임의로 자리를 정하여 앉을 때, A, B가 서로 이웃하여 앉을 확률은?
(단, 7명 모두 모터보트 운전을 할 수 있다.)

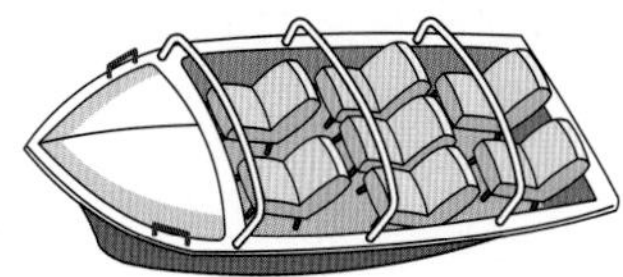

① $\frac{3}{20}$ ② $\frac{3}{10}$ ③ $\frac{4}{21}$
④ $\frac{1}{3}$ ⑤ $\frac{1}{2}$

0440 NORMAL

남학생 n명과 여학생 4명이 산행을 하기 위하여 일렬로 서는 경우의 수가 8!일 때, 양 끝에 남학생이 오고 여학생끼리는 서로 이웃하도록 서는 확률은?

① $\frac{1}{60}$ ② $\frac{3}{70}$ ③ $\frac{2}{35}$
④ $\frac{8}{35}$ ⑤ $\frac{5}{7}$

0441 최다빈출 왕 중요 NORMAL

8개의 문자

M, A, L, D, I, V, E, S

를 임의로 일렬로 나열할 때, M, A는 이웃하고 E, S는 서로 이웃하지 않을 확률은?

① $\frac{1}{28}$ ② $\frac{1}{14}$ ③ $\frac{3}{28}$
④ $\frac{1}{7}$ ⑤ $\frac{5}{28}$

▶ 해설 내신연계기출

01 확률의 뜻과 활용

0442

NORMAL

7개의 문자

U, K, R, A, I, N, E

을 임의로 일렬로 나열할 때, U, K, R 중 2개의 문자만 서로 이웃하여 서게 될 확률은?

① $\frac{1}{7}$　② $\frac{2}{7}$　③ $\frac{3}{7}$

④ $\frac{4}{7}$　⑤ $\frac{5}{7}$

0443 최다빈출 왕중요

NORMAL

다음과 같이 1번부터 8번까지 8개의 의자가 있다. 이 의자에서 3개를 택하여 세 학생 A, B, C가 앉으려고 할 때, 어떤 두 명의 학생도 이웃하지 않게 앉을 확률은?

① $\frac{1}{14}$　② $\frac{1}{7}$　③ $\frac{3}{14}$

④ $\frac{2}{7}$　⑤ $\frac{5}{14}$

▶ 해설 내신연계기출

0444

TOUGH

세 쌍의 부부가 영화를 보러 영화관에 갔다. 이 6명이 그림과 같은 8개의 좌석 중 임의로 1개씩 선택하여 앉을 때, 부부끼리는 같은 열에 이웃하여 앉을 확률은?

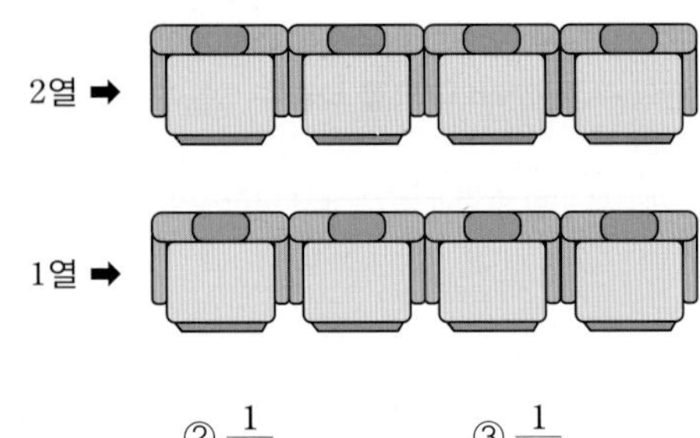

① $\frac{1}{72}$　② $\frac{1}{70}$　③ $\frac{1}{68}$

④ $\frac{1}{66}$　⑤ $\frac{1}{64}$

0445 최다빈출 왕중요

TOUGH

숫자 1, 2, 3, 4, 5, 6, 7이 하나씩 적혀 있는 7장의 카드가 있다. 이 7장의 카드를 모두 한 번씩 사용하여 일렬로 임의로 나열할 때, 다음 조건을 만족시킬 확률은?

(가) 4가 적혀 있는 카드의 바로 양옆에는 각각 4보다 큰 수가 적혀 있는 카드가 있다.
(나) 5가 적혀 있는 카드의 바로 양옆에는 각각 5보다 작은 수가 적혀 있는 카드가 있다.

① $\frac{1}{28}$　② $\frac{1}{14}$　③ $\frac{3}{28}$

④ $\frac{1}{7}$　⑤ $\frac{5}{28}$

▶ 해설 내신연계기출

유형 06 순열 (자릿수 배열)을 이용하는 확률

[1단계] 조건을 만족하는 n자리 정수의 개수를 구한다.
[2단계] 수학적 확률의 정의를 이용하여 확률을 구한다.

0446 학교기출 대표 유형

1, 2, 3, 4, 5 중에서 임의로 서로 다른 3개의 수를 선택하여 세 자리의 자연수를 만들 때, 이 자연수가 홀수일 확률은?

① $\frac{2}{5}$ ② $\frac{1}{2}$ ③ $\frac{3}{5}$
④ $\frac{7}{10}$ ⑤ $\frac{4}{5}$

▶ 해설 내신연계기출

0447 BASIC

5개의 숫자 2, 3, 4, 5, 6에서 임의로 서로 다른 두 개를 뽑아 오른쪽의 ㉠, ㉡ 칸에 배열하여 분수를 만들 때, 만들어진 수가 자연수일 확률은?

$$\frac{㉡}{㉠}$$

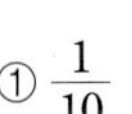

① $\frac{1}{10}$ ② $\frac{3}{20}$ ③ $\frac{1}{5}$
④ $\frac{3}{10}$ ⑤ $\frac{7}{20}$

0448 최다빈출 왕중요 NORMAL

숫자 0, 1, 2, 3, 4, 5 중에서 서로 다른 3개의 숫자를 일렬로 나열하여 임의로 세 자리 자연수를 만들 때, 340보다 큰 짝수가 될 확률을 p라 할 때, $25p$의 값은?

① 5 ② 6 ③ 8
④ 11 ⑤ 15

▶ 해설 내신연계기출

0449 NORMAL

숫자 0, 1, 2, 3, 4 중 서로 다른 4개의 숫자를 사용하여 네 자리의 자연수를 만들 때, 천의 자리의 수가 백의 자리의 수보다 클 확률은?

① $\frac{1}{2}$ ② $\frac{9}{16}$ ③ $\frac{5}{8}$
④ $\frac{11}{16}$ ⑤ $\frac{3}{4}$

0450 NORMAL

네 개의 숫자 1, 2, 3, 4 중에서 서로 다른 세 개를 이용하여 세 자리 자연수를 만들 때, 세 자리 자연수가 3의 배수가 될 확률은?

① $\frac{1}{6}$ ② $\frac{1}{5}$ ③ $\frac{2}{7}$
④ $\frac{1}{4}$ ⑤ $\frac{1}{2}$

0451 최다빈출 왕중요 TOUGH

1부터 9까지의 자연수 중에서 임의로 서로 다른 4개의 수를 선택하여 네 자리의 자연수를 만들 때, 백의 자리의 수와 십의 자리의 수의 합이 짝수가 될 확률은?

① $\frac{4}{9}$ ② $\frac{1}{2}$ ③ $\frac{5}{9}$
④ $\frac{11}{18}$ ⑤ $\frac{13}{18}$

▶ 해설 내신연계기출

유형 07 수형도를 이용한 확률

일정한 규칙에 의해 나열할 수 없는, 즉 하나하나씩 직접 조사해야 하는 문제는 수형도를 그려서 해결한다. 특히 수형도에서 경우의 수를 셀 때, 중복하지 않고, 빠짐없이 모든 경우를 세야 한다.

① 세 수 1, 2, 3을 일렬로 늘어놓은 세 자리 수 $a_1a_2a_3$ 중에서 $a_i \neq i(i=1, 2, 3)$를 만족하는 정수의 개수는 ⇨ **2개**

② 네 수 1, 2, 3, 4를 일렬로 늘어놓은 네 자리 수 $a_1a_2a_3a_4$ 중에서 $a_i \neq i(i=1, 2, 3, 4)$를 만족하는 정수의 개수는 ⇨ **9개**

③ 1, 2, 3, 4를 일렬로 나열하여 i번째 수를 $a_i(1 \le i \le 4)$라 할 때, $(a_1-1)(a_2-2)(a_3-3)(a_4-4) \neq 0$을 만족시키는 순서쌍 (a_1, a_2, a_3, a_4)의 개수는 ⇨ **9개**

④ 집합 $A=\{1, 2, 3, 4\}$에서 A로의 함수 f가 다음의 두 조건을 모두 만족할 때, 함수 f의 개수는 ⇨ **9개**

(가) $x_1 \in A$, $x_2 \in A$일 때, $x_1 \neq x_2$이면 $f(x_1) \neq f(x_2)$
(나) $x \in A$일 때, $f(x) \neq x$

⑤ 5개의 숫자 1, 2, 3, 4, 5를 일렬로 배열한 것을 $a_1a_2a_3a_4a_5$라 할 때, $a_i \neq i(i=1, 2, 3, 4, 5)$를 만족하는 정수의 개수는 ⇨ **44개**

0452 학교기출 대표 유형

1, 2, 3, 4의 번호가 각각 하나씩 적힌 4개의 상자와 4개의 공이 있다. 각 상자마다 공을 임의로 하나씩 넣을 때, 상자에 적힌 번호와 상자 안에 넣은 공에 적힌 번호가 어느 하나도 일치하지 않을 확률은?

① $\frac{3}{8}$ ② $\frac{2}{3}$ ③ $\frac{3}{4}$
④ $\frac{5}{6}$ ⑤ $\frac{7}{30}$

▶ 해설 내신연계기출

0453 최다빈출 왕 중요 NORMAL

강인이를 포함한 5명의 학생이 쪽지시험을 본 후, 5장의 답안지를 섞은 다음에 임의로 하나씩 뽑는다. 강인이만 자신의 답안지를 뽑고 나머지 4명은 다른 학생의 답안지를 뽑을 확률을 기약분수 $\frac{q}{p}$로 나타낼 때, $p+q$의 값은?

① 27 ② 30 ③ 32
④ 40 ⑤ 43

▶ 해설 내신연계기출

0454 NORMAL

어느 모임에 4명의 친구가 같은 모자를 쓰고 모였다. 모임이 끝난 후 모자를 임의로 쓰고 간다고 할 때, 자신의 모자를 쓰고 간 사람이 1명 이하일 확률을 기약분수 $\frac{q}{p}$로 나타낼 때, $p+q$의 값은?

① 34 ② 35 ③ 37
④ 41 ⑤ 43

0455 TOUGH

수시 면접 준비를 위하여 6명의 학생이 6자리에 한 줄로 앉아 있다가 면접을 마치고 다같이 돌아와 그 6자리 중 임의로 한 자리씩 택하여 다시 앉을 때, 처음 자리와 같은 자리에 앉은 학생이 3명만 있을 확률은?

① $\frac{1}{36}$ ② $\frac{1}{30}$ ③ $\frac{1}{24}$
④ $\frac{1}{18}$ ⑤ $\frac{1}{12}$

0456 TOUGH

수험생 5명의 수험표를 섞어서 임의로 줄 때, 5명 모두가 다른 사람의 수험표를 받을 확률은?

① $\frac{7}{30}$ ② $\frac{11}{30}$ ③ $\frac{19}{30}$
④ $\frac{9}{35}$ ⑤ $\frac{16}{35}$

유형 08 원순열을 이용하는 확률

원형으로 배열하는 경우의 확률을 구할 때는 먼저 원순열을 이용하여 경우의 수를 구한다.
서로 다른 n개를 원형으로 배열하는 원순열의 수는
⇨ $\frac{{}_n\mathrm{P}_n}{n}=\frac{n!}{n}=(n-1)!$

0457 학교기출 대표 유형

A, B를 포함한 6명이 원형의 탁자에 일정한 간격을 두고 앉을 때, A, B가 이웃하여 앉을 확률은?
(단, 회전하여 일치하는 것은 같은 것으로 본다.)

① $\frac{1}{5}$ ② $\frac{3}{10}$ ③ $\frac{2}{5}$
④ $\frac{1}{2}$ ⑤ $\frac{3}{5}$

0458 최다빈출 왕 중요 BASIC

부모와 자녀를 포함한 5명의 가족이 원탁에 둘러앉을 때, 부모가 서로 이웃하지 않게 앉을 확률은?

① $\frac{1}{5}$ ② $\frac{1}{4}$ ③ $\frac{1}{3}$
④ $\frac{2}{5}$ ⑤ $\frac{1}{2}$

▶ 해설 내신연계기출

0459 최다빈출 왕 중요 NORMAL

남학생 5명과 여학생 3명이 원탁에 앉을 때, 여학생끼리 이웃하여 앉지 않을 확률은?

① $\frac{1}{5}$ ② $\frac{1}{4}$ ③ $\frac{1}{3}$
④ $\frac{2}{7}$ ⑤ $\frac{1}{2}$

▶ 해설 내신연계기출

0460 NORMAL

A, B, C, D, E, F, G, H의 8명이 원탁에 둘러앉을 때, A, G는 서로 마주 보고 앉고, B, C는 이웃하여 앉게 될 확률은?

① $\frac{1}{15}$ ② $\frac{1}{23}$ ③ $\frac{4}{121}$
④ $\frac{4}{105}$ ⑤ $\frac{3}{235}$

0461 최다빈출 왕 중요 NORMAL

6개의 숫자 1, 2, 3, 4, 5, 6을 원형으로 나열할 때, 홀수와 짝수를 번갈아 가며 원형으로 나열할 확률은?

① $\frac{1}{10}$ ② $\frac{1}{5}$ ③ $\frac{1}{2}$
④ $\frac{2}{3}$ ⑤ $\frac{4}{5}$

▶ 해설 내신연계기출

0462 최다빈출 왕 중요 NORMAL

오른쪽 그림과 같이 회전판을 8등분한 각 영역을 파란색과 노란색을 포함한 서로 다른 8가지 색을 모두 이용하여 임의로 한 영역을 칠하려고 할 때, 파란색의 맞은편에 노란색을 칠하게 될 확률은? (단, 하나의 영역은 한 가지 색으로만 칠한다.)

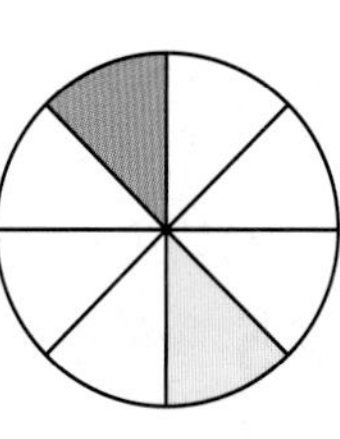

① $\frac{1}{10}$ ② $\frac{1}{6}$ ③ $\frac{1}{7}$
④ $\frac{2}{7}$ ⑤ $\frac{1}{5}$

▶ 해설 내신연계기출

01 확률의 뜻과 활용

유형 09 중복순열을 이용하는 확률

중복을 허용하여 배열하는 경우의 확률을 구할 때는 먼저 중복순열을 이용하여 경우의 수를 구한다.
서로 다른 n개에서 중복을 허락하여 r개를 택하여 일렬로 배열하는 중복순열의 수는 ${}_n\Pi_r=n^r=n\times n\times n\times\cdots\times n$

0463 학교기출 대표 유형

편지 3통을 우체통 4개 중에서 임의로 각각 하나를 택하여 넣을 때, 이 편지 3통을 서로 다른 우체통에 넣을 확률은?

① $\frac{1}{3}$ ② $\frac{3}{8}$ ③ $\frac{5}{9}$
④ $\frac{2}{3}$ ⑤ $\frac{7}{9}$

0464 BASIC

태희와 지현이에게 네 종류의 사탕 A, B, C, D 중에서 임의로 하나씩 나누어 줄 때, 태희와 지현이가 서로 다른 사탕을 받을 확률은?

① $\frac{3}{8}$ ② $\frac{1}{2}$ ③ $\frac{5}{8}$
④ $\frac{3}{4}$ ⑤ $\frac{4}{5}$

0465 최다빈출 왕중요 NORMAL

다섯 개의 숫자 0, 1, 2, 3, 4에서 중복을 허락하여 네 개의 숫자를 택하여 네 자리 자연수를 만들 때, 짝수일 확률을 구하여라.

① $\frac{1}{2}$ ② $\frac{1}{3}$ ③ $\frac{1}{4}$
④ $\frac{3}{5}$ ⑤ $\frac{3}{4}$

▶ 해설 내신연계기출

0466 최다빈출 왕중요 NORMAL

세 학생이 이번 주의 월, 화, 수, 목, 금 중에서 각자 임의로 하루를 선택하여 수영장에 가려고 한다. 이 세 학생이 같은 날에 수영장에 가는 사람이 없을 확률은?

① $\frac{1}{8}$ ② $\frac{1}{4}$ ③ $\frac{3}{8}$
④ $\frac{1}{2}$ ⑤ $\frac{12}{25}$

▶ 해설 내신연계기출

0467 TOUGH

1, 2, 3, 4, 5에서 중복을 허용하여 임의로 택한 세 수를 각각 a, b, c라 하자. $a+bc$의 값이 짝수일 확률은?

① $\frac{11}{25}$ ② $\frac{59}{125}$ ③ $\frac{12}{25}$
④ $\frac{61}{125}$ ⑤ $\frac{13}{25}$

0468 TOUGH

숫자 1, 2, 3이 적힌 카드가 각각 세 장씩 있다. 이 중에서 세 장의 카드를 뽑아 일렬로 배열하여 만들 수 있는 세 자리의 자연수 중 하나를 임의로 택할 때, 그 수가 3의 배수일 확률은?

① $\frac{5}{6}$ ② $\frac{3}{4}$ ③ $\frac{2}{3}$
④ $\frac{1}{2}$ ⑤ $\frac{1}{3}$

유형 10 같은 것이 있는 순열을 이용하는 확률

n개 중 같은 것이 각각 p개, q개, … r개 있을 때,
이들 n개를 모두 사용하여 일렬로 배열하는 순열의 수는

$$\frac{n!}{p!q!\cdots r!} \text{ (단, } p+q+r+\cdots=n)$$

임을 이용하여 경우의 수를 구한 다음 확률을 구한다.

0469 학교기출 대표 유형

여섯 개의 문자 C, H, A, N, C, E를 모두 일렬로 나열할 때, 양 끝에 모음이 올 확률은?

① $\frac{1}{24}$ ② $\frac{1}{25}$ ③ $\frac{1}{15}$
④ $\frac{1}{10}$ ⑤ $\frac{2}{5}$

▶ 해설 내신연계기출

0470 BASIC

A, A, A, B, B, C의 문자가 하나씩 적혀 있는 6장의 카드가 있다. 이 카드를 모두 한 번씩 사용하여 일렬로 임의로 나열할 때, 양 끝 모두에 A가 적힌 카드가 나오게 나열될 확률은?

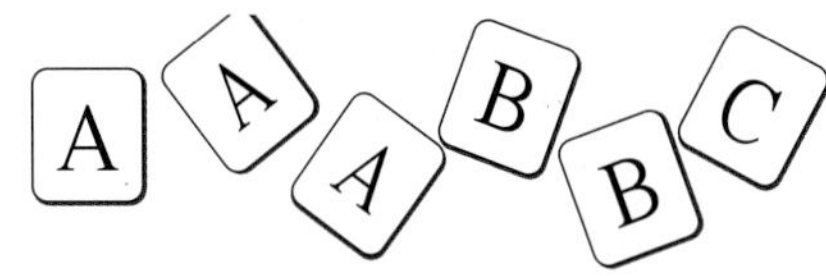

① $\frac{3}{20}$ ② $\frac{1}{5}$ ③ $\frac{1}{4}$
④ $\frac{3}{10}$ ⑤ $\frac{7}{20}$

0471 BASIC

6개의 문자 O, T, T, A, W, A를 일렬로 나열할 때, 모음끼리 이웃할 확률은?

① $\frac{1}{6}$ ② $\frac{1}{5}$ ③ $\frac{1}{4}$
④ $\frac{1}{3}$ ⑤ $\frac{1}{2}$

0472 NORMAL

7개의 문자 F, I, N, L, A, N, D를 일렬로 나열할 때, F, L, D를 이 순서대로 나열하는 확률은 ?

① $\frac{1}{6}$ ② $\frac{1}{5}$ ③ $\frac{1}{4}$
④ $\frac{1}{3}$ ⑤ $\frac{1}{2}$

0473 최다빈출 왕 중요 NORMAL

6명의 학생 A, B, C, D, E, F가 발표수업을 하기 위해 발표 순서를 정할 때, F가 A와 B보다 먼저 발표할 확률은?

① $\frac{1}{3}$ ② $\frac{4}{9}$ ③ $\frac{5}{9}$
④ $\frac{2}{3}$ ⑤ $\frac{7}{9}$

▶ 해설 내신연계기출

0474 NORMAL

5개의 문자 A, B, C, D, E를 임의로 일렬로 나열할 때, 다음 조건을 만족시키도록 문자가 나열될 확률은?

(가) 문자 A는 문자 B의 왼쪽에 놓여 있다.
(나) 문자 C는 문자 A의 오른쪽에 놓여 있다.

① $\frac{1}{2}$ ② $\frac{1}{3}$ ③ $\frac{1}{4}$
④ $\frac{1}{5}$ ⑤ $\frac{1}{6}$

0475

NORMAL

자동차 경주대회에 H와 B를 포함한 7대의 자동차 중 임의로 4대의 자동차를 뽑아 순서를 정해 이어달리기를 하려고 한다.
4대의 자동차에 H, B가 포함되고, H가 B보다 먼저 달릴 확률은?

① $\frac{1}{10}$ ② $\frac{1}{7}$ ③ $\frac{1}{5}$
④ $\frac{3}{10}$ ⑤ $\frac{2}{5}$

0476

NORMAL

오른쪽 그림과 같이 도로망이 있다. A지점에서 B지점까지 최단거리로 갈 때, P지점을 거쳐서 갈 확률은? (단, 최단경로로 선택할 확률은 같다.)

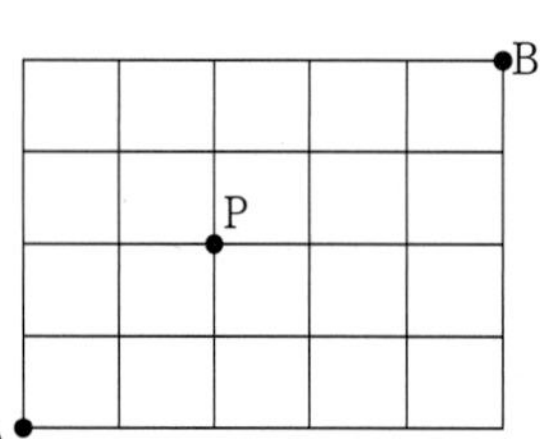

① $\frac{1}{3}$ ② $\frac{1}{5}$
③ $\frac{1}{4}$ ④ $\frac{2}{7}$
⑤ $\frac{10}{21}$

0477

NORMAL

오른쪽 그림과 같이 원을 5등분한 돌림판을 돌려 돌림판이 멈추었을 때, 고정핀이 가리키는 칸에 적힌 점수를 얻는 게임이 있다. 이 게임을 3번 시행하여 얻은 점수의 곱이 5일 확률이 $\frac{q}{p}$일 때, $p+q$의 값은? (단, p와 q는 서로소인 자연수)

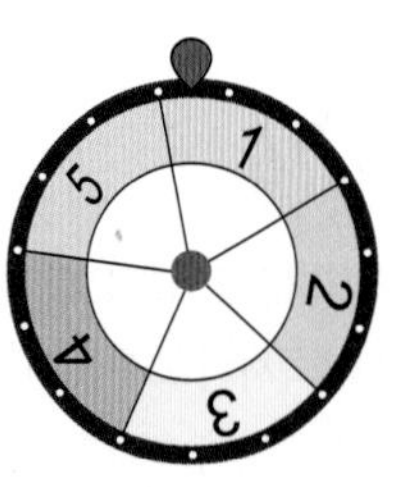

① 126 ② 128 ③ 132
④ 134 ⑤ 136

0478

TOUGH

한 개의 주사위를 네 번 던질 때, 나오는 눈의 수를 a, b, c, d라 할 때,

$$a\times b\times c\times d=12$$

일 확률은?

① $\frac{1}{64}$ ② $\frac{1}{32}$ ③ $\frac{1}{36}$
④ $\frac{1}{16}$ ⑤ $\frac{5}{64}$

0479

TOUGH

100부터 999까지의 자연수가 각각 하나씩 적힌 900장의 카드에서 임의로 한 장의 카드를 뽑을 때, 뽑힌 카드에 적혀 있는 수의 각 자리의 숫자들의 합이 7일 확률은?

① $\frac{7}{225}$ ② $\frac{8}{225}$ ③ $\frac{1}{25}$
④ $\frac{10}{225}$ ⑤ $\frac{11}{225}$

유형 11 가위 바위 보와 확률

세 명이 가위 바위 보를 한 번 할 때, 결과는 다음과 같다.

(1) 승부가 나는 경우

① 한 명만 이기는 경우
'가위, 보, 보', '바위, 가위, 가위', '보, 바위, 바위' 를
각각 일렬로 나열하는 경우와 같으므로 $\frac{3!}{2!}\times 3=9$가지

② 두 명만 이기는 경우
'가위, 가위, 보', '바위, 바위, 가위', '보, 보, 바위' 를
각각 일렬로 나열하는 경우와 같으므로 $\frac{3!}{2!}\times 3=9$가지

(2) 승부가 나지 않는 경우

① 세 명 모두 같은 것을 내는 경우
'가위, 가위, 가위', '바위, 바위, 바위', '보, 보, 보' 의 3가지

② 세 명 모두 다른 것을 내는 경우
'가위, 바위, 보' 를 일렬로 나열하는 경우와 같으므로 $3!=6$가지

0480 학교기출 대표 유형

세 학생 A, B, C가 가위 바위 보를 한 번 할 때, 다음 조건을 만족하는 확률이 p, q일 때, $p+q$의 값은?

(가) A만 이길 확률은 p이다.
(나) 어느 한 명도 이기지 못할 확률은 q이다.

① $\frac{1}{5}$ ② $\frac{1}{4}$ ③ $\frac{2}{7}$
④ $\frac{4}{9}$ ⑤ $\frac{5}{9}$

0481 최다빈출 왕 중요 BASIC

세 학생 A, B, C가 가위 바위 보를 한 번 할 때, 첫 번째 시행에서 한 명의 승자가 결정될 확률은?

① $\frac{1}{3}$ ② $\frac{1}{5}$ ③ $\frac{1}{4}$
④ $\frac{2}{7}$ ⑤ $\frac{5}{6}$

▶ 해설 내신연계기출

0482 NORMAL

네 학생 A, B, C, D가 가위 바위 보를 한 번 할 때, 다음 조건을 만족하는 확률이 p, q일 때, $p+q$의 값은?

(가) A만 이길 확률은 p이다.
(나) 어느 한 명도 이기지 못할 확률은 q이다.

① $\frac{1}{3}$ ② $\frac{1}{4}$ ③ $\frac{10}{27}$
④ $\frac{14}{27}$ ⑤ $\frac{16}{27}$

0483 NORMAL

네 명의 학생 A, B, C, D가 임의로 가위, 바위, 보 중 하나를 낼 때, 한 번의 가위, 바위, 보에서 이기는 사람이 한 명일 확률은?

① $\frac{2}{27}$ ② $\frac{1}{9}$ ③ $\frac{4}{27}$
④ $\frac{5}{27}$ ⑤ $\frac{2}{9}$

0484 NORMAL

A, B, C, D 네 명이 가위 바위 보를 단 한 번 할 때, 두 명이 이기고 두 명이 지는 결과가 나올 확률은?

① $\frac{1}{9}$ ② $\frac{1}{3}$ ③ $\frac{4}{27}$
④ $\frac{5}{27}$ ⑤ $\frac{2}{9}$

0485 TOUGH

세 명이 가위 바위 보 게임을 하여 우승자를 1명만 결정하려고 한다. 우승자 1명이 결정되지 않았을 때에는 이긴 사람들 또는 비긴 사람들끼리 가위 바위 보를 다시 실시한다. 두 번째의 가위 바위 보에서 1명의 우승자가 결정될 확률은?

① $\frac{5}{27}$ ② $\frac{2}{9}$ ③ $\frac{7}{27}$
④ $\frac{8}{27}$ ⑤ $\frac{1}{3}$

유형 12 조합의 수를 이용한 확률

(1) 서로 다른 n개에서 순서를 생각하지 않고 r개를 뽑을 확률을 구할 때에는 먼저 조합을 이용하여 경우의 수를 구한다.

(2) 조합의 계산 공식

① ${}_{n}C_{r}=\frac{{}_{n}P_{r}}{r!}=\frac{n!}{r!(n-r)!}$ (단, $0\le r\le n$)

② ${}_{n}C_{r}={}_{n}C_{n-r}$

③ ${}_{n}C_{0}=1,\ {}_{n}C_{n}=1$

④ ${}_{n-1}C_{r-1}+{}_{n-1}C_{r}={}_{n}C_{r}$

(3) 서로 다른 $(a+b)$개에서 $(m+n)$개를 택할 때, a개에서 m개, b개에서 n개를 택할 확률

⇨ $\frac{{}_{a}C_{m}\times{}_{b}C_{n}}{{}_{a+b}C_{m+n}}$ (단, $a\ge m,\ b\ge n$)

0486 학교기출 대표 유형

서랍 안에 같은 모양의 빨간 색 볼펜 세 개와 검은 색 볼펜 네 개가 있다. 불이 꺼진 어두운 상태에서 임의로 볼펜 두 개를 꺼낼 때, 꺼낸 볼펜의 색이 다를 확률은?

① $\frac{3}{7}$ ② $\frac{11}{21}$ ③ $\frac{4}{7}$
④ $\frac{13}{21}$ ⑤ $\frac{5}{7}$

▶ 해설 내신연계기출

0487 BASIC

흰 공 3개, 검은 공 4개가 들어 있는 주머니가 있다. 이 주머니에서 임의로 네 개의 공을 동시에 꺼낼 때, 흰 공 2개와 검은 공 2개가 나올 확률은?

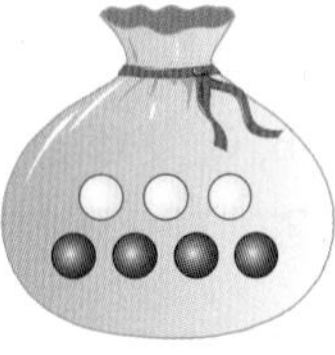

① $\frac{2}{5}$ ② $\frac{16}{35}$ ③ $\frac{18}{35}$
④ $\frac{4}{7}$ ⑤ $\frac{22}{35}$

▶ 해설 내신연계기출

0488 최다빈출 왕 중요 NORMAL

탁자 위에 8개의 동전이 있고, 그 중 5개는 앞면, 3개는 뒷면이 보이도록 놓여 있다. 임의로 2개의 동전을 택하여 뒤집었을 때, 앞면과 뒷면의 개수가 처음과 같을 확률은?

① $\frac{3}{8}$ ② $\frac{2}{3}$ ③ $\frac{3}{4}$
④ $\frac{5}{6}$ ⑤ $\frac{15}{28}$

▶ 해설 내신연계기출

0489 최다빈출 왕 중요 NORMAL

빨간 공 6개와 파란 공 4개가 들어 있는 상자가 있다. 이 상자에서 임의로 3개의 공을 꺼내어 빨간 공은 파란 공으로, 파란 공은 빨간 공으로 바꿔 다시 상자에 넣을 때, 상자에 있는 빨간 공의 개수가 파란 공의 개수 보다 많지 않을 확률은?

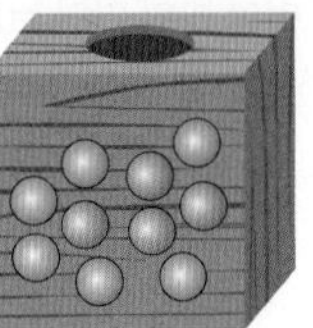

① $\frac{1}{4}$ ② $\frac{1}{3}$ ③ $\frac{1}{2}$
④ $\frac{2}{3}$ ⑤ $\frac{3}{4}$

▶ 해설 내신연계기출

0490 NORMAL

검은 공 6개, 흰 공 4개가 들어 있는 주머니에서 공을 한 번에 한 개씩 임의로 꺼내어 검은 공이 모두 나오면 꺼내는 것을 멈춘다. 임의로 1개씩 8개의 공을 꺼냈을 때 시행이 종료될 확률은? (단, 한 번 꺼낸 공은 다시 주머니 안에 넣지 않는다.)

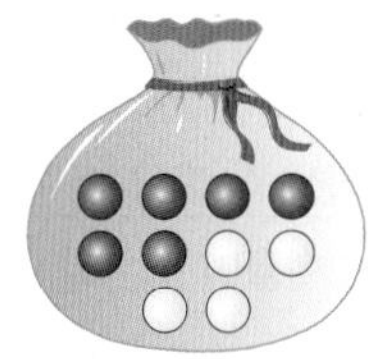

① $\frac{1}{10}$ ② $\frac{1}{5}$ ③ $\frac{3}{10}$
④ $\frac{2}{5}$ ⑤ $\frac{1}{2}$

0491 최다빈출 왕 중요 NORMAL

주머니 속에 1부터 10까지의 번호가 각각 적힌 10개의 공이 들어있다. 이 중에서 4개의 공을 꺼낼 때, 나온 공에 적힌 번호의 최댓값이 8이 될 확률은?

① $\frac{1}{6}$ ② $\frac{1}{5}$ ③ $\frac{1}{4}$
④ $\frac{1}{3}$ ⑤ $\frac{1}{2}$

▶ 해설 내신연계기출

0492 최다빈출 왕 중요 NORMAL

1부터 10까지의 자연수가 하나씩 적혀 있는 10개의 공이 들어있는 주머니가 있다. 이 주머니에서 임의로 3개의 공을 꺼낼 때, 꺼낸 공에 적힌 숫자 중 두 번째로 큰 수가 6일 확률은?

① $\frac{1}{10}$ ② $\frac{3}{20}$ ③ $\frac{1}{6}$
④ $\frac{1}{5}$ ⑤ $\frac{1}{4}$

▶ 해설 내신연계기출

0493

NORMAL

세 명의 학생 A, B, C가 차례로 한 개의 주사위를 한 번씩 던져서 각자 나온 눈의 수만큼 말판에서 말을 옮기는 게임을 하려고 한다. 세 명이 한 개의 주사위를 한 번씩 던졌을 때, B가 놓은 말이 A와 C가 놓은 말 사이에 있을 확률은? (단, 세 명의 말의 시작 위치는 모두 같다.)

① $\frac{1}{27}$　② $\frac{1}{9}$　③ $\frac{5}{27}$
④ $\frac{1}{3}$　⑤ $\frac{10}{27}$

0494

최다빈출 왕중요　NORMAL

상자 속에 흰 공 n개와 파란 공 2개가 들어 있다. 이 상자에서 임의로 2개의 공을 동시에 꺼낼 때, 2개 모두 흰 공일 확률이 $\frac{3}{10}$이다. n의 값은?

① 1　② 2　③ 3
④ 4　⑤ 5

▶ 해설 내신연계기출

0495

최다빈출 왕중요　NORMAL

주머니에 흰 공과 검은 공 16개가 들어 있다. 이 상자에서 임의로 2개의 공을 동시에 꺼낼 때, 서로 다른 공이 뽑힐 확률이 $\frac{2}{5}$일 때, 검은 공의 개수는? (단, 주머니에서 검은 공의 수가 흰 공보다 크다.)

① 5　② 7　③ 9
④ 10　⑤ 12

▶ 해설 내신연계기출

0496

NORMAL

주머니에 흰 공 n개와 파란 공 4개가 들어있다. 이 주머니에서 임의로 두 개의 공을 동시에 꺼낼 때, 공이 모두 흰 공일 확률은 공이 모두 파란 공일 확률의 6배였다. n의 값은?

① 6　② 7　③ 8
④ 9　⑤ 10

0497

최다빈출 왕중요　TOUGH

1부터 9까지의 자연수가 하나씩 적혀 있는 9개의 공이 들어 있는 주머니가 있다. 이 주머니에서 임의로 3개의 공을 동시에 꺼낼 때, 꺼낸 공에 적혀 있는 세 수의 합이 짝수일 확률은?

① $\frac{5}{14}$　② $\frac{8}{21}$　③ $\frac{3}{7}$
④ $\frac{10}{21}$　⑤ $\frac{11}{21}$

▶ 해설 내신연계기출

0498

TOUGH

주머니 속에 2부터 8까지의 자연수가 각각 하나씩 적힌 구슬 7개가 들어 있다. 이 주머니에서 임의로 2개의 구슬을 동시에 꺼낼 때, 꺼낸 구슬에 적힌 두 자연수가 서로소일 확률은?

① $\frac{8}{21}$　② $\frac{10}{21}$　③ $\frac{4}{7}$
④ $\frac{2}{3}$　⑤ $\frac{16}{21}$

유형 13 분할을 이용한 확률

서로 다른 n개의 물건을 p개, q개, r개 $(p+q+r=n)$의
세 묶음으로 분할하는 방법의 수는

① p, q, r이 모두 다른 수이면 ⇨ ${}_nC_p \times {}_{n-p}C_q \times {}_rC_r$

② p, q, r 중 어느 두 수가 같으면 ⇨ ${}_nC_p \times {}_{n-p}C_q \times {}_rC_r \times \frac{1}{2!}$

③ p, q, r이 모두 같은 수이면 ⇨ ${}_nC_p \times {}_{n-p}C_q \times {}_rC_r \times \frac{1}{3!}$

0499 학교기출 대표 유형

남학생 3명과 여학생 3명으로 구성된 과학 동아리가 있다.
이 동아리에서 회원을 임의로 2명씩 3팀으로 나누어 실험을 할 때, 남학생으로만 구성된 팀이 생기게 될 확률은?

① $\frac{1}{5}$ ② $\frac{1}{3}$ ③ $\frac{2}{5}$
④ $\frac{3}{5}$ ⑤ $\frac{2}{3}$

▶ 해설 내신연계기출

0500 NORMAL

6명의 학생 A, B, C, D, E, F가 3명씩 두 팀으로 나누어 농구시합을 하려고 한다. 이때 A와 C는 같은 팀에 속하고, B와 D는 다른 팀에 속하게 될 확률은?

① $\frac{1}{5}$ ② $\frac{1}{3}$ ③ $\frac{2}{5}$
④ $\frac{3}{5}$ ⑤ $\frac{2}{3}$

0501 NORMAL

어느 학교 체육대회의 2인 3각 이어달리기에 반대표로 남학생 3명과 여학생 3명이 참가하였다. 임의로 2명씩 3개의 조를 만들 때, 3개의 조가 모두 남자 1명과 여자 1명으로 이루어진 조일 확률은?

① $\frac{4}{15}$ ② $\frac{1}{3}$ ③ $\frac{2}{5}$
④ $\frac{7}{15}$ ⑤ $\frac{8}{15}$

0502 TOUGH

축구공을 가진 4명의 학생을 포함한 9명의 학생이 축구 동아리에 가입하려고 한다. 이 9명의 학생을 임의로 3명씩 3개의 조로 나눌 때, 축구공를 가진 4명의 학생이 각 조에 적어도 1명씩 포함되도록 조가 나누어질 확률은?

① $\frac{5}{14}$ ② $\frac{3}{7}$ ③ $\frac{1}{2}$
④ $\frac{4}{7}$ ⑤ $\frac{9}{14}$

0503 최다빈출 왕중요 TOUGH

남자 탁구 선수 4명과 여자 탁구 선수 4명이 참가한 탁구 시합에서 임의로 2명씩 4개의 조로 만들 때, 남자 1명과 여자 1명으로 이뤄진 조가 2개일 확률은?

① $\frac{3}{7}$ ② $\frac{18}{35}$ ③ $\frac{3}{5}$
④ $\frac{24}{35}$ ⑤ $\frac{27}{35}$

▶ 해설 내신연계기출

유형 14 부분집합의 확률

집합 $A=\{a_1, a_2, a_3, \cdots, a_n\}$에 대하여
① 집합 A의 부분집합의 개수 : 2^n
② 집합 A의 진부분집합의 개수 : 2^n-1
③ 집합 A의 부분집합 중 특정한 r개의 원소를 반드시 포함하는 (또는 포함하지 않는) 부분집합의 개수 : 2^{n-r}

0504 학교기출 대표 유형

집합 $A=\{1, 2, 3, 4, 5\}$의 부분집합 중에서 임의로 하나의 부분집합을 택할 때, 그 부분집합의 원소가 3개이고 원소 1이 포함되어 있을 확률은?

① $\frac{1}{16}$ ② $\frac{1}{3}$ ③ $\frac{1}{2}$
④ $\frac{3}{16}$ ⑤ $\frac{5}{16}$

▶ 해설 내신연계기출

0505 BASIC

집합 $A=\{1, 2, 3, 4, 5, 6\}$의 부분집합 중에서 원소의 개수가 4인 집합을 뽑을 때, 짝수의 원소가 2개인 부분집합을 뽑을 확률은?

① $\frac{1}{8}$ ② $\frac{1}{6}$ ③ $\frac{2}{9}$
④ $\frac{1}{3}$ ⑤ $\frac{3}{5}$

0506 NORMAL

집합 $A=\{1, 2, 3\}$의 부분집합 중에서 임의로 서로 다른 두 집합을 동시에 택할 때, 택한 두 집합이 서로소일 확률은?

① $\frac{5}{14}$ ② $\frac{11}{28}$ ③ $\frac{3}{7}$
④ $\frac{13}{28}$ ⑤ $\frac{1}{2}$

0507 최다빈출 왕중요 NORMAL

집합 $A=\{a, b, c\}$의 공집합이 아닌 부분집합 중에서 임의로 2개를 택할 때, 하나가 다른 하나의 진부분집합이 될 확률은?

① $\frac{1}{16}$ ② $\frac{11}{21}$ ③ $\frac{3}{7}$
④ $\frac{4}{7}$ ⑤ $\frac{5}{7}$

▶ 해설 내신연계기출

0508 TOUGH

집합 $\{a, b, c\}$의 부분집합 중에서 임의로 두 집합을 택하여 각각 A, B라고 할 때, $A \subset B$일 확률은? (단, $A \neq B$)

① $\frac{9}{28}$ ② $\frac{17}{56}$ ③ $\frac{19}{56}$
④ $\frac{5}{18}$ ⑤ $\frac{21}{56}$

0509 최다빈출 왕중요 TOUGH

집합 $A=\{1, 2, 3, 4\}$가 있다. A의 부분집합 중에서 임의로 서로 다른 두 집합을 택하였을 때, 한 집합이 다른 집합의 부분집합이 될 확률은?

① $\frac{7}{12}$ ② $\frac{8}{15}$ ③ $\frac{11}{20}$
④ $\frac{13}{24}$ ⑤ $\frac{15}{28}$

▶ 해설 내신연계기출

유형 15 순서대로 나열하는 조합의 확률

순서대로 나열하는 경우라도 배열방법이 이미 정해져서 순서를 생각하지 않아도 되면 조합이다.

참고 1부터 n까지 자연수 중에서 세 개의 자연수 a, b, c를 꺼낼 때,

① $a<b<c$인 순서쌍 (a, b, c)의 개수는 ⇨ ${}_nC_3$

② $a\le b\le c$인 순서쌍 (a, b, c)의 개수는 ⇨ ${}_nH_3$

0510 학교기출 대표 유형

한 개의 주사위를 2번 던질 때, 처음에 나온 눈의 수가 두 번째 나온 눈의 수보다 클 확률은?

① $\frac{2}{7}$ ② $\frac{3}{12}$ ③ $\frac{5}{12}$
④ $\frac{1}{18}$ ⑤ $\frac{1}{2}$

0511 NORMAL

갑과 을 두 사람이 다음과 같은 방법으로 주사위 던지기 놀이를 하려고 한다. 이 놀이에서 을이 이길 확률은?

(가) 먼저 갑이 서로 다른 2개의 주사위를 던지고 나중에 을이 1개의 주사위를 던진다.
(나) 을이 던진 주사위에서 나온 눈의 수가 갑이 던진 2개의 주사위에서 나온 눈의 수 사이에 있으면 을이 이기고, 그렇지 않으면 갑이 이긴다.

① $\frac{2}{5}$ ② $\frac{2}{7}$ ③ $\frac{5}{21}$
④ $\frac{8}{21}$ ⑤ $\frac{5}{27}$

0512 NORMAL

한 개의 주사위를 3번 던져서 나온 눈의 수를 차례로 a, b, c라 할 때, $ab<bc$가 성립할 확률은?

① $\frac{5}{24}$ ② $\frac{5}{18}$ ③ $\frac{25}{72}$
④ $\frac{5}{12}$ ⑤ $\frac{35}{72}$

0513 최다빈출 왕중요 NORMAL

5장의 카드가 들어있는 상자가 있다. 5장의 카드 각각에는 1부터 5까지 서로 다른 자연수가 하나씩 적혀 있다. 이 상자에서 임의로 1장의 카드를 꺼내어 숫자를 확인한 후, 다시 넣는 시행을 4번 반복하여 제 i번째에 꺼낸 카드에 적힌 숫자를 $a_i(i=1, 2, 3, 4)$라 하자. $a_1<a_2<a_3<a_4$가 될 확률이 $\frac{q}{p}$일 때, $p+q$의 값은? (단, p, q는 서로소인 자연수)

① 25 ② 125 ③ 126
④ 256 ⑤ 265

▶ 해설 내신연계기출

0514 NORMAL

다섯 개의 숫자 0, 1, 2, 3, 4를 중복 사용하여 만들 수 있는 네 자리의 자연수를 $a_1a_2a_3a_4$라 한다.
예를 들면, 1230인 경우 $a_1=1$, $a_2=2$, $a_3=3$, $a_4=0$이다.
이와 같이 네 자리 자연수 $a_1a_2a_3a_4$가 $a_1<a_2<a_3$, $a_3>a_4$를 만족할 확률은 $\frac{q}{p}$이다. $p+q$의 값은? (단, p, q는 서로소인 자연수)

① 101 ② 102 ③ 103
④ 104 ⑤ 105

0515 최다빈출 왕중요 TOUGH

주머니에 1, 1, 2, 3, 4의 숫자가 하나씩 적혀 있는 5개의 공이 들어 있다. 이 주머니에서 임의로 4개의 공을 동시에 꺼내어 임의로 일렬로 나열하고 나열된 순서대로 공에 적혀있는 수를 a, b, c, d라 할 때, $a\le b\le c\le d$일 확률은?

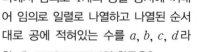

① $\frac{1}{15}$ ② $\frac{1}{12}$ ③ $\frac{1}{9}$
④ $\frac{1}{6}$ ⑤ $\frac{1}{3}$

▶ 해설 내신연계기출

유형 16 조합을 이용한 도형의 확률

① 직선의 개수
서로 다른 n개의 점에서 두 점을 이으면 직선이 되므로 직선의 개수는 ⇨ ${}_nC_2$

참고 일직선(동일 직선) 위에 있는 점들을 이으면 직선은 한 개 생긴다.

② 삼각형의 개수
일직선 위에 있지 않은 서로 다른 n개의 점에서 세 점을 이으면 삼각형이 되므로 삼각형의 개수는 ⇨ ${}_nC_3$

참고 일직선 위에 있는 모든 점들은 삼각형을 만들 수 없다.

③ 평행사변형의 개수
각 평행선에서 2개를 택하면 평행사변형이 된다.
m개의 평행선과 n개의 평행선이 만날 때, 평행사변형의 개수는
⇨ ${}_nC_2 \times {}_mC_2$

여사건의 확률
사건 A와 그 여사건 A^c에 대하여 $P(A^c)=1-P(A)$
~가 아닌 사건은 ~인 사건의 여사건이므로
(~가 아닐 확률)$=1-$(모두 ~일 확률)

0516 학교기출 대표 유형

오른쪽 그림과 같이 원 위에 같은 간격으로 놓여 있는 6개의 점에서 임의로 3개의 점을 택하여 택한 점을 꼭짓점으로 하는 삼각형을 만들 때, 이 삼각형이 직각삼각형이 될 확률은?

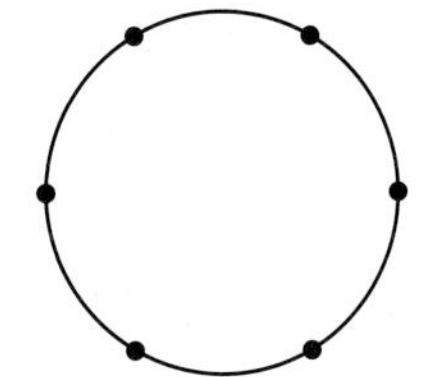
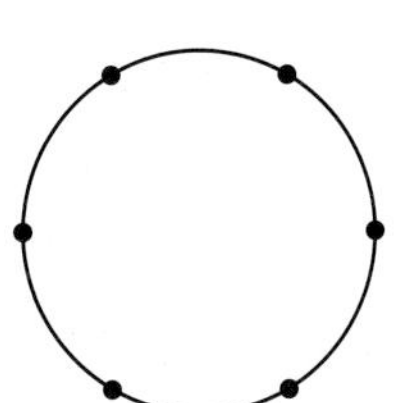

① $\frac{2}{5}$ ② $\frac{9}{20}$ ③ $\frac{1}{2}$
④ $\frac{11}{20}$ ⑤ $\frac{3}{5}$

0517 BASIC

정팔각형의 8개의 꼭짓점 중 3개의 점을 택하여 택한 점을 꼭짓점으로 하는 삼각형을 만들 때, 이 삼각형이 직각삼각형이 될 확률은?

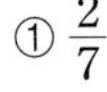

① $\frac{2}{7}$ ② $\frac{3}{7}$ ③ $\frac{4}{7}$
④ $\frac{5}{7}$ ⑤ $\frac{6}{7}$

0518 NORMAL

오른쪽 그림과 같이 반원의 호를 6등분하는 점 7개와 지름 AB의 중심 O가 있다. 이 8개의 점 중에서 3개의 점을 꼭짓점으로 하는 삼각형 중 임의로 하나를 택할 때, 이 삼각형이 직각삼각형일 확률은 $\frac{q}{p}$이다. $p+q$의 값은?
(단, p, q는 서로소인 자연수)

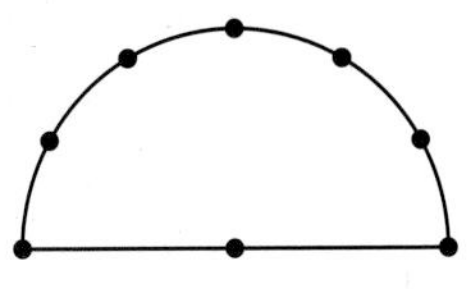

① 55 ② 59 ③ 61
④ 64 ⑤ 65

0519 NORMAL

오른쪽 그림과 같이 반원의 둘레에 7개의 점이 있다. 이 7개의 점 중에서 3개의 점을 임의로 택할 때, 그 세 점을 꼭짓점으로 하는 삼각형이 만들어질 확률은?

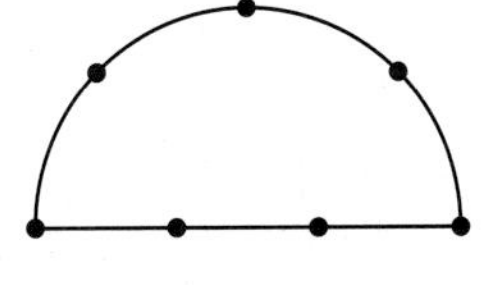

① $\frac{5}{7}$ ② $\frac{27}{35}$ ③ $\frac{4}{5}$
④ $\frac{6}{7}$ ⑤ $\frac{31}{35}$

← 여사건의 확률

0520 최다빈출 왕 중요 NORMAL

오른쪽 그림과 같이 원의 둘레를 10등분하는 10개의 점이 있다. 이 중에서 3개의 점을 임의로 택하여 그 3개의 점을 꼭짓점으로 하는 삼각형을 만들 때, 만들어진 삼각형이 이등변삼각형일 확률은?

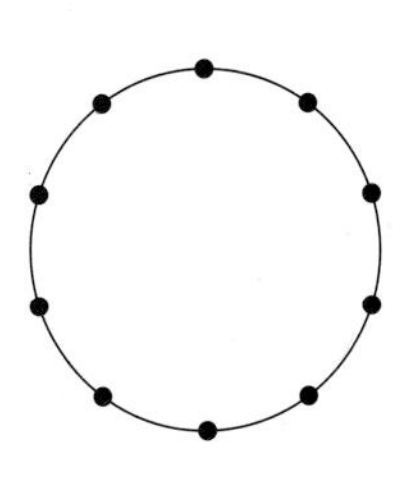

① $\frac{3}{10}$ ② $\frac{1}{3}$ ③ $\frac{11}{30}$
④ $\frac{2}{5}$ ⑤ $\frac{13}{30}$

▶ 해설 내신연계기출

0521

NORMAL

1부터 5까지의 자연수가 각각 하나씩 적힌 5장의 카드 중에서 임의로 두 장의 카드를 차례대로 뽑아 첫 번째 뽑은 카드에 적힌 수를 a, 두 번째 뽑은 카드에 적힌 수를 b라 하자. 이때 두 변의 길이가 각각 a이고, 나머지 한 변의 길이가 b인 이등변삼각형이 둔각삼각형일 확률은? (단, 꺼낸 카드는 다시 넣지 않는다.)

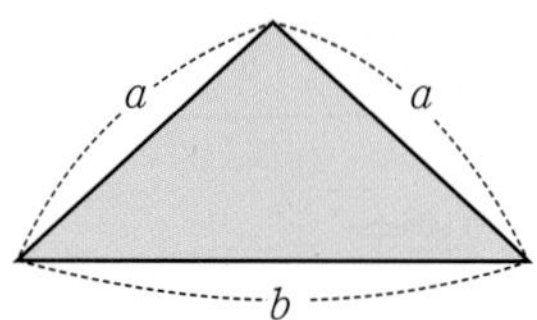

① $\frac{1}{10}$ ② $\frac{1}{8}$ ③ $\frac{1}{4}$
④ $\frac{2}{5}$ ⑤ $\frac{3}{5}$

0522

최다빈출 왕 중요

NORMAL

오른쪽 그림과 같이 평행한 두 직선 l, m 위에 각각 3개, 4개의 점이 있다. 이 중에서 임의로 3개의 점을 택하여 모두 선분으로 이을 때, 그것이 삼각형이 될 확률은?

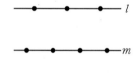

l
m

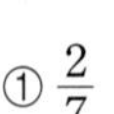

① $\frac{2}{7}$ ② $\frac{3}{7}$ ③ $\frac{4}{7}$
④ $\frac{5}{7}$ ⑤ $\frac{6}{7}$

0523

최다빈출 왕 중요

NORMAL

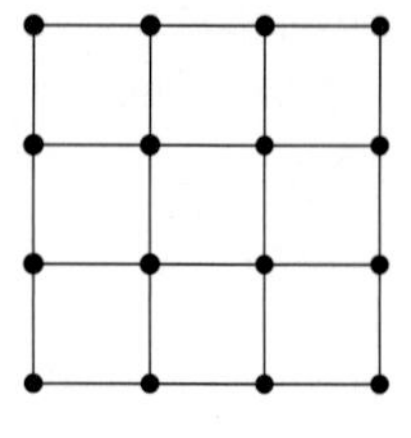

오른쪽 그림과 같이 한 변의 길이가 1인 정사각형 9개를 연결하여 16개의 교점을 만들었다. 이들 교점에서 임의의 두 점을 택할 때, 그 거리가 $\sqrt{2}$일 확률을 a, $2\sqrt{2}$일 확률을 b라고 하자. 상수 a, b에 대하여 $\frac{a}{b}$의 값은?

① $\frac{2}{3}$ ② $\frac{4}{5}$ ③ $\frac{2}{15}$
④ $\frac{9}{40}$ ⑤ $\frac{9}{4}$

▶ 해설 내신연계기출

0524

NORMAL

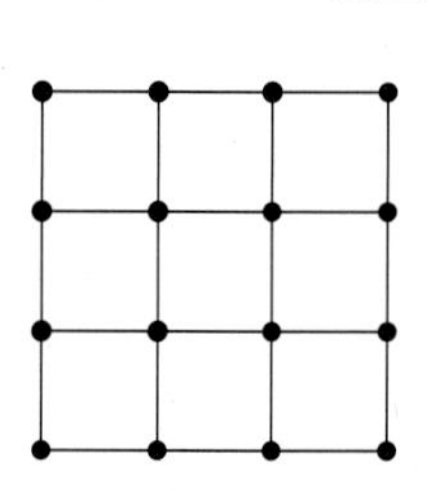

오른쪽 그림은 합동인 정사각형 9개를 연결하여 만든 것이다. 그림의 16개의 점 중에서 임의로 서로 다른 3개의 점을 택하여 서로 연결할 때, 만들어진 도형이 삼각형일 확률은 $\frac{q}{p}$이다. $p+q$의 값은? (단, p, q는 서로소인 자연수)

① 250 ② 269 ③ 271
④ 283 ⑤ 291

⬅ 여사건의 확률

0525 최다빈출 왕중요 NORMAL

오른쪽 그림과 같이 한 변의 길이가 1인 정육각형이 있다. 이 정육각형의 6개의 꼭짓점 중에서 임의로 서로 다른 두 점을 선택했을 때, 이 두 점 사이의 거리가 유리수가 될 확률은?

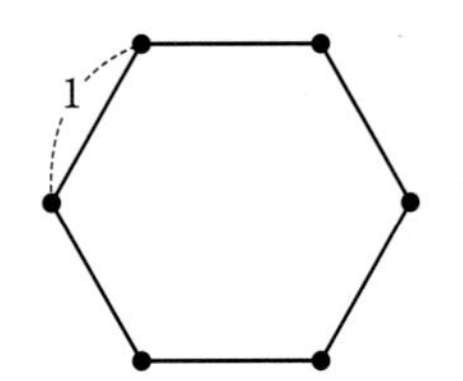

① $\frac{3}{7}$　② $\frac{2}{5}$　③ $\frac{3}{5}$
④ $\frac{5}{7}$　⑤ $\frac{2}{3}$

← 여사건의 확률

▶ 해설 내신연계기출

0526 최다빈출 왕중요 TOUGH

그림과 같이 한 변의 길이가 1인 정사각형 6개를 붙여놓은 도형이 있다. 12개의 꼭짓점 중에서 임의로 두 점을 연결한 선분의 길이가 무리수일 확률이 $\frac{a}{b}$일 때, $a+b$의 값은?
(단, a, b는 서로소인 자연수)

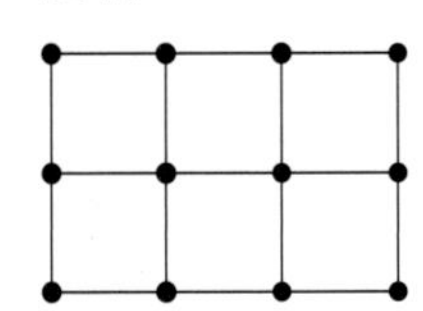

① 13　② 15　③ 17
④ 19　⑤ 21

← 여사건의 확률

▶ 해설 내신연계기출

0527 TOUGH

다음 조건을 만족시키는 좌표평면 위의 점 (a, b) 중에서 임의로 서로 다른 두 점을 선택할 때, 선택된 두 점 사이의 거리가 1보다 클 확률은?

(가) a, b는 자연수이다.
(나) $1 \le a \le 4$, $1 \le b \le 3$

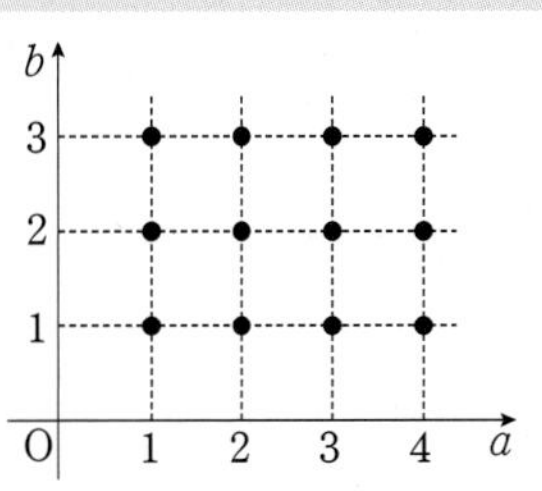

① $\frac{41}{66}$　② $\frac{43}{66}$　③ $\frac{15}{22}$
④ $\frac{47}{66}$　⑤ $\frac{49}{66}$

← 여사건의 확률

0528 TOUGH

그림과 같은 정육면체 ABCD−EFGH에서 세 꼭짓점을 연결하여 만들 수 있는 서로 다른 삼각형 중 임의로 한 삼각형을 선택할 때, 선택한 삼각형이 직각삼각형일 확률은?

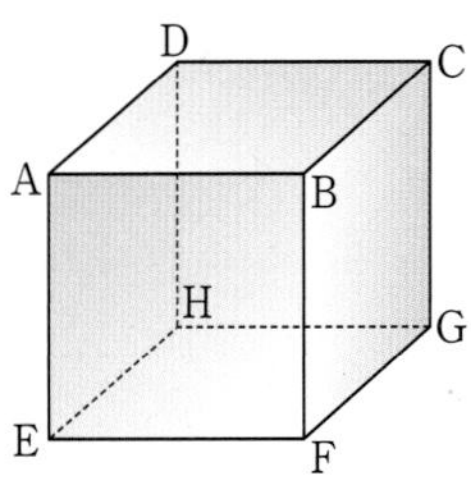

① $\frac{9}{14}$　② $\frac{5}{7}$　③ $\frac{11}{14}$
④ $\frac{6}{7}$　⑤ $\frac{13}{14}$

← 여사건의 확률

01 확률의 뜻과 활용

유형 17 중복조합의 수를 이용하는 확률

서로 다른 n개 중에서 중복을 허락하여 r개를 택하는 조합을 중복조합이라 하고, 이 중복조합의 수

$${}_{n}H_{r} = {}_{n+r-1}C_{r}$$

임을 이용하여 경우의 수를 구한 다음 확률을 구한다.

서로 다른 세 개의 주사위를 동시에 던질 때, 나오는 눈의 수를 각각 a, b, c라 할 때,

① $a<b<c$일 확률

해설 서로 다른 세 개의 주사위를 던질 때, 전체 경우의 수는 $6^3=216$
$a<b<c$를 만족시키는 순서쌍 (a, b, c)의 개수는
서로 다른 6개에서 3개를 택하는 경우의 수와 같으므로 ${}_{6}C_{3}=20$
따라서 구하는 확률은 $\frac{20}{216}=\frac{5}{54}$

② $a \le b \le c$일 확률

해설 $a \le b \le c$를 만족시키는 순서쌍 (a, b, c)의 개수는
서로 다른 6개에서 중복을 허락하여 3개를 택하는
경우의 수와 같으므로 ${}_{6}H_{3}={}_{6+3-1}C_{3}={}_{8}C_{3}=56$
따라서 구하는 확률은 $\frac{56}{216}=\frac{7}{27}$

0529 학교기출 대표 유형

방정식 $x+y+z=8$의 음이 아닌 정수인 해 중에서 임의로 하나를 택할 때, y의 값이 2일 확률은?

① $\frac{1}{5}$ ② $\frac{7}{45}$ ③ $\frac{7}{15}$
④ $\frac{1}{3}$ ⑤ $\frac{28}{45}$

0530 BASIC

한 개의 주사위를 3번 던져서 나오는 눈의 수를 순서대로 a, b, c라 할 때, $a+b+c=7$일 확률은?

① $\frac{1}{18}$ ② $\frac{5}{72}$ ③ $\frac{1}{12}$
④ $\frac{7}{72}$ ⑤ $\frac{1}{9}$

0531 최다빈출 왕중요 NORMAL

빨간색, 파란색, 노란색 풍선을 파는 가게에서 임의로 10개의 풍선을 고를 때, 빨간색, 파란색, 노란색 풍선이 적어도 1개씩 포함될 확률은?

① $\frac{3}{5}$ ② $\frac{6}{11}$ ③ $\frac{1}{2}$
④ $\frac{2}{5}$ ⑤ $\frac{4}{11}$

▶ 해설 내신연계기출

0532 NORMAL

한 개의 주사위를 4번 던져서 나오는 눈의 수를 순서대로 a, b, c, d라 할 때, $a \le b < c \le d$가 성립할 확률은?

① $\frac{11}{216}$ ② $\frac{17}{324}$ ③ $\frac{35}{648}$
④ $\frac{1}{18}$ ⑤ $\frac{37}{648}$

0533 최다빈출 왕중요 TOUGH

모든 세 자리의 자연수 중에서 임의로 한 개를 택할 때, 각 자리에 있는 세 수의 합이 10일 확률은?

① $\frac{1}{25}$ ② $\frac{3}{50}$ ③ $\frac{2}{25}$
④ $\frac{1}{10}$ ⑤ $\frac{3}{25}$

▶ 해설 내신연계기출

유형 18 함수의 개수를 이용하는 확률

두 집합 $X=\{x_1, x_2, \cdots, x_m\}$, $Y=\{y_1, y_2, \cdots, y_n\}$일 때,
여러 가지 함수의 개수를 구하여 보자.
(1) X에서 Y로의 함수의 개수 ⇨ ${}_n\Pi_m=n^m$
(2) $m\le n$일 때,
① $x_i\ne x_j$이면 $f(x_i)\ne f(x_j)$인 함수의 개수 ⇨ ${}_n\mathrm{P}_m$
② $x_i<x_j$이면 $f(x_i)<f(x_j)$인 함수의 개수 ⇨ ${}_n\mathrm{C}_m$
③ $x_i<x_j$이면 $f(x_i)\le f(x_j)$인 함수의 개수 ⇨ ${}_n\mathrm{H}_m$
⇨ 서로 다른 n개에서 중복을 허락하여 m개를 택하는 중복조합의 수와 같다.
(3) $m\ge n$일 때, 치역과 공역이 같은 함수의 개수 ⇨ 분할 및 분배

0534 학교기출 대표 유형

두 집합

$X=\{a, b, c\}$, $Y=\{1, 3, 5, 7\}$

에 대하여 X에서 Y로의 함수 중에서 임의로 하나를 택할 때, 그 함수가 일대일함수일 확률은?

① $\frac{1}{8}$　② $\frac{1}{4}$　③ $\frac{3}{8}$
④ $\frac{1}{2}$　⑤ $\frac{2}{3}$

0535 최다빈출 왕중요 BASIC

두 집합 $A=\{a, b, c\}$, $B=\{2, 3\}$에 대하여 A에서 B로의 함수 f에 대하여 이 함수가

$f(a)+f(b)+f(c)=7$

을 만족할 확률은?

① $\frac{1}{7}$　② $\frac{3}{8}$　③ $\frac{5}{8}$
④ $\frac{7}{12}$　⑤ $\frac{9}{17}$

▶ 해설 내신연계기출

0536 최다빈출 왕중요 NORMAL

두 집합 $X=\{1, 2, 3, 4\}$, $Y=\{1, 2, 4, 8\}$에 대하여 집합 X에서 Y로의 함수 f 중에서 임의로 선택한 한 함수가

$f(1)\times f(2)\times f(3)=f(4)$

를 만족시킬 확률은?

① $\frac{1}{64}$　② $\frac{1}{32}$　③ $\frac{3}{64}$
④ $\frac{1}{16}$　⑤ $\frac{5}{64}$

▶ 해설 내신연계기출

0537 NORMAL

두 집합

$X=\{1, 2, 3, 4\}$, $Y=\{1, 2, 3, 4, 5\}$

에 대하여 X에서 Y로의 함수 f 중에서 다음 두 조건을 모두 만족시킬 확률은?

(가) $f(3)=3$
(나) X의 임의의 두 원소 a, b에 대하여
$a<b$이면 $f(a)\le f(b)$

① $\frac{9}{512}$　② $\frac{6}{175}$　③ $\frac{16}{525}$
④ $\frac{4}{175}$　⑤ $\frac{18}{625}$

0538 NORMAL

두 집합

$X=\{a, b, c, d\}$, $Y=\{1, 2, 3\}$

에 대하여 X에서 Y로의 함수 중에서 임의로 하나를 택할 때, 이 함수의 치역이 $\{1, 2\}$가 될 확률은?

① $\frac{10}{81}$　② $\frac{14}{81}$　③ $\frac{5}{27}$
④ $\frac{2}{5}$　⑤ $\frac{3}{4}$

0539 NORMAL

두 집합

$X=\{a, b, c\}$, $Y=\{1, 2, 3, 4, 5\}$

에 대하여 X에서 Y로의 함수 f 중에서 임의로 하나를 택할 때, $f(a)<f(b)<f(c)$를 만족시키는 함수일 확률은?

① $\frac{1}{25}$　② $\frac{2}{25}$　③ $\frac{3}{25}$
④ $\frac{4}{25}$　⑤ $\frac{1}{5}$

01 확률의 뜻과 활용

0540 최다빈출 왕중요 TOUGH

집합 $X=\{1, 2, 3, 4\}$에 대하여 X에서 X로의 함수 중에서 임의로 택한 한 개의 함수 f가

$$f(1) \le f(2) < f(3) \le f(4)$$

를 만족시킬 확률은?

① $\frac{15}{256}$ ② $\frac{1}{16}$ ③ $\frac{17}{256}$
④ $\frac{9}{128}$ ⑤ $\frac{19}{256}$

▶ 해설 내신연계기출

0541 TOUGH

두 집합

$$X=\{1, 2, 3, 4, 5\}, Y=\{1, 2, 3\}$$

에 대하여 X에서 Y로의 함수 중에서 임의로 택한 한 개의 함수 f가 다음 조건을 만족시킬 확률은?

> $a \in X$이고 a가 소수이면 $f(a)$는 소수이다.

① $\frac{5}{27}$ ② $\frac{2}{9}$ ③ $\frac{7}{27}$
④ $\frac{8}{27}$ ⑤ $\frac{1}{3}$

0542 최다빈출 왕중요 TOUGH

집합 $X=\{1, 2, 3, 4, 5\}$에 대하여 다음 조건을 만족시키는 함수 $f: X \longrightarrow X$ 중에서 임의로 하나를 선택할 때, 선택한 함수 f가 다음 조건을 만족시킬 확률은 $\frac{q}{p}$이다. $p+q$의 값은? (단, p, q는 서로소인 자연수)

> (가) 함수 f의 치역의 원소의 개수는 4이다.
> (나) $f(a)=a$인 X의 원소 a의 개수는 3이다.

① 608 ② 612 ③ 622
④ 628 ⑤ 637

▶ 해설 내신연계기출

유형 19 통계적 확률

동일한 조건에서 같은 시행을 n회 반복하였을 때, 사건 A가 일어난 횟수를 r_n이라 하면 n의 값을 한없이 크게 함에 따라 상대도수 $\frac{r_n}{n}$이 일정한 값에 가까워진다. $\mathrm{P}(A)=\lim_{n \to \infty}\frac{r_n}{n}$

0543 학교기출 대표 유형

다음 [보기] 중에서 옳은 것만을 있는 대로 고른 것은?

> ㄱ. 표본공간 S가 일어날 가능성이 모두 같은 정도로 기대되는 n개의 근원사건으로 이루어져 있고, 사건 A가 r개의 근원사건으로 이루어져 있으면 사건 A가 일어날 수학적 확률은 $\mathrm{P}(A)=\frac{r}{n}$이다.
> ㄴ. 어떤 시행을 n번 반복할 때, 사건 A가 r_n번 일어난다고 하면 이때 상대도수 $\frac{r_n}{n}$을 사건 A의 통계적 확률이라고 한다.
> ㄷ. 표본공간 S의 임의의 사건 A에 대하여 $0 \le \mathrm{P}(A) \le 1$, $\mathrm{P}(S)=1$, $\mathrm{P}(\varnothing)=0$이다.

① ㄱ ② ㄴ ③ ㄱ, ㄴ
④ ㄱ, ㄷ ⑤ ㄴ, ㄷ

0544 최다빈출 왕중요 BASIC

야구 선수가 타석에 n번 들어가서 r번 출루하였을 때, $\frac{r}{n}$을 출루율이라고 한다. 지난 시즌의 통산 출루율이 0.285인 어떤 야구 선수가 이번 시즌에 타석에 400번 들어갈 때, 몇 번 출루할 수 있는가?

① 102 ② 107 ③ 114
④ 118 ⑤ 201

▶ 해설 내신연계기출

0545 최다빈출 왕중요 NORMAL

주머니 속에 흰 공과 검은 공을 합하여 모두 6개의 공이 들어 있다. 이 중에서 2개의 공을 꺼내어 색을 확인하고 다시 넣는 시행을 여러 번 반복했더니 5번에 한 번 꼴로 2개가 모두 흰 공이었다. 주머니 속에는 몇 개의 흰 공이 들어 있는가?

① 2 ② 3 ③ 4
④ 5 ⑤ 6

▶ 해설 내신연계기출

02 확률의 덧셈정리

학교내신기출 객관식 핵심문제총정리

STEP 1 내신정복 기출유형

유형 01 확률의 기본 성질

① 임의의 사건 A에 대하여 $0 \le \mathrm{P}(A) \le 1$

② 임의의 사건 A에 대하여 $\mathrm{P}(A)=1 \Longleftrightarrow A$가 반드시 일어난다.

③ 임의의 사건 A에 대하여 $\mathrm{P}(A)=0 \Longleftrightarrow A$가 반드시 일어나지 않는 사건

④ $\mathrm{P}(A \cup B)=\mathrm{P}(A)+\mathrm{P}(B)-\mathrm{P}(A \cap B)$

⑤ 두 사건 A와 B가 서로 배반사건이면 $0 \le \mathrm{P}(A)+\mathrm{P}(B) \le 1$이다. [참]

해설 A와 B가 서로 배반사건이면 $\mathrm{P}(A \cup B)=\mathrm{P}(A)+\mathrm{P}(B)$이므로 $0 \le \mathrm{P}(A)+\mathrm{P}(B) \le 1$이다. [참]

⑥ $\mathrm{P}(A)+\mathrm{P}(B)=1$이면 두 사건 A와 B는 배반사건이다. [거짓]

반례 $S=\{1, 2, 3\}$, $A=\{1, 2\}$, $B=\{1\}$이면 $\mathrm{P}(A)+\mathrm{P}(B)=1$이지만 $A \cap B=\{1\}$이므로 A와 B는 서로 배반사건이 아니다. [거짓]

0546 학교기출 대표 유형

표본공간 S의 임의의 두 사건 A, B에 대하여 다음 중 옳지 않은 것은?

① 반드시 일어나는 전사건 S에 대하여 $\mathrm{P}(S)=1$이다.

② 절대로 일어나지 않는 공사건 $\varnothing$에 대하여 $\mathrm{P}(\varnothing)=0$이다.

③ 임의의 사건 A에 대하여 $0 \le \mathrm{P}(A) \le 1$이다.

④ $A \cup B=S$이면 $\mathrm{P}(A)+\mathrm{P}(B)=1$이다.

⑤ $0 \le \mathrm{P}(A)+\mathrm{P}(B) \le 2$

0547 BASIC

표본공간을 S, 절대로 일어나지 않는 사건을 $\varnothing$이라고 할 때, 임의의 두 사건 A, B에 대하여 [보기]에서 옳은 것을 모두 고르면?

ㄱ. $\mathrm{P}(S)+\mathrm{P}(\varnothing)=1$
ㄴ. $\mathrm{P}(A) \le \mathrm{P}(S)$
ㄷ. $0 \le \mathrm{P}(A)+\mathrm{P}(B) \le 1$

① ㄱ ② ㄴ ③ ㄱ, ㄴ
④ ㄴ, ㄷ ⑤ ㄱ, ㄴ, ㄷ

0548 NORMAL

표본공간 S의 사건 A, B, C에서

$$A \cap B=\varnothing, C \subset A$$

일 때, [보기]에서 옳은 것만을 있는 대로 고른 것은?

ㄱ. 사건 B, C는 서로 배반사건이다.
ㄴ. $B \cup C=S$
ㄷ. 사건 A의 여사건은 사건 B이다.

① ㄱ ② ㄴ ③ ㄱ, ㄴ
④ ㄴ, ㄷ ⑤ ㄱ, ㄴ, ㄷ

0549 최다빈출 왕중요 NORMAL

어떤 시행에서 표본공간 S의 서로 다른 두 사건 A, B에 대하여 다음 [보기] 중 항상 옳은 것을 있는 대로 고른 것은? (단, A^C은 A의 여사건이다.)

ㄱ. $0 \le \mathrm{P}(A \cup B) \le 1$
ㄴ. $\mathrm{P}(A)+\mathrm{P}(A^C)=1$
ㄷ. $\mathrm{P}(A)+\mathrm{P}(B)=1$이면 두 사건 A, B는 서로 배반사건이다.
ㄹ. $A \cup B=S$이면 $\mathrm{P}(A)+\mathrm{P}(B)=1$이다.

① ㄴ ② ㄱ, ㄴ ③ ㄴ, ㄷ
④ ㄴ, ㄷ, ㄹ ⑤ ㄱ, ㄴ, ㄷ, ㄹ

▶ 해설 내신연계기출

0550 최다빈출 왕중요 NORMAL

어떤 시행의 결과로 일어나는 서로 다른 두 사건 A, B에 대하여 다음 [보기] 중 옳은 것을 모두 고른 것은?

ㄱ. $A \subset B$이면 $\mathrm{P}(A) \le \mathrm{P}(B)$
ㄴ. $\mathrm{P}(A \cup B) \le \mathrm{P}(A)+\mathrm{P}(B)$
ㄷ. $0 \le \mathrm{P}(A)+\mathrm{P}(B) \le 1$
ㄹ. $\mathrm{P}(A \cup B)=1$이면 A는 B의 여사건이다.

① ㄷ ② ㄱ, ㄴ ③ ㄴ, ㄷ
④ ㄴ, ㄷ, ㄹ ⑤ ㄱ, ㄴ, ㄷ, ㄹ

▶ 해설 내신연계기출

0551

NORMAL

빨간 공이 10개가 들어있는 상자가 있다. 이 상자에서 임의로 한 개의 공을 꺼낼 때, 파란 공이 나올 확률을 p, 빨간 공이 나올 확률을 q라 하자. $p+q$의 값은?

① 0　② $\frac{1}{4}$　③ $\frac{1}{2}$　④ 1　⑤ 2

0552

NORMAL

각 면에 여섯 개의 숫자 1, 3, 5, 7, 9, 11이 각각 적힌 정육면체 모양의 주사위를 던지는 시행에 대하여 [보기]에서 반드시 일어나지 않는 사건은?

ㄱ. 10의 약수가 나오는 사건 A
ㄴ. 짝수가 나오는 사건 B
ㄷ. 6의 배수가 나오는 사건 C
ㄹ. 24의 약수가 나오는 사건 D

① ㄱ, ㄴ　② ㄱ, ㄹ　③ ㄴ, ㄷ　④ ㄱ, ㄴ, ㄹ　⑤ ㄴ, ㄷ, ㄹ

0553

TOUGH

다섯 개의 수 2, 4, 5, 6, 8 중에서 임의로 서로 다른 세 수를 동시에 택할 때, 세 수의 곱이 n의 배수일 확률을 $f(n)$이라고 하자.
다음은 $f(4)+f(5)+f(7)$의 값을 구하는 과정이다.

서로 다른 세 수를 동시에 택할 때, 항상 짝수가 2개 이상 포함되므로　$f(4)=$ (가)
세 수의 곱이 5의 배수이려면 5를 반드시 택해야 하므로

$$f(5)=\frac{{}_4C_{(나)}}{{}_5C_3}=\frac{(다)}{5}$$

세 수의 곱이 7의 배수이려면 7이 포함되어야 하므로
$f(7)=$ (라)
따라서 $f(4)+f(5)+f(7)=$ (마)

(가), (나), (다), (라), (마) 안에 알맞은 수를 각각 a, b, c, d, e라 할 때, $a+b+c+d+e$의 값은?

① $\frac{8}{5}$　② $\frac{12}{5}$　③ $\frac{22}{5}$　④ $\frac{32}{5}$　⑤ $\frac{38}{5}$

유형 02 확률의 덧셈정리의 계산

임의의 두 사건 A, B에 대하여 사건 A 또는 B가 일어날 확률
① $P(A\cup B)=P(A)+P(B)-P(A\cap B)$
② $P(A\cap B)=P(A)+P(B)-P(A\cup B)$
③ 두 사건 A, B가 서로 배반사건이면 $P(A\cup B)=P(A)+P(B)$

0554

학교기출 대표 유형

두 사건 A, B에 대하여

$$P(A)+P(B)=\frac{7}{9},\ P(A\cap B)=\frac{2}{9}$$

일 때, $P(A\cup B)$의 값은?

① $\frac{1}{3}$　② $\frac{7}{18}$　③ $\frac{4}{9}$　④ $\frac{1}{2}$　⑤ $\frac{5}{9}$

0555

BASIC

두 사건 A, B에 대하여

$$P(A)=0.4,\ P(B)=0.3,\ P(A\cup B)=0.65$$

일 때, $P(A-B)$은?

① 0.05　② 0.35　③ 0.45　④ 0.49　⑤ 0.56

0556

NORMAL

두 사건 A, B에 대하여

$$P(A\cap B)=\frac{2}{3}P(A)=\frac{2}{5}P(B)$$

일 때, $\frac{P(A\cup B)}{P(A\cap B)}$의 값은? (단, $P(A\cap B)\neq 0$이다.)

① 3　② $\frac{7}{2}$　③ 4　④ $\frac{9}{2}$　⑤ 5

유형 03 배반사건을 이용한 확률의 계산

두 사건 A, B가 배반사건이면
$A\cap B=\varnothing$이므로
① $\mathrm{P}(A\cap B^c)=\mathrm{P}(A)$
② $\mathrm{P}(A^c\cap B)=\mathrm{P}(B)$
③ $\mathrm{P}(A\cup B)=\mathrm{P}(A)+\mathrm{P}(B)$
④ $\mathrm{P}(A^c)=1-\mathrm{P}(A)$
⑤ $\mathrm{P}(A^c\cap B^c)=\mathrm{P}\{(A\cup B)^c\}=1-\mathrm{P}(A\cup B)$
⑥ $\mathrm{P}(A^c\cup B^c)=\mathrm{P}\{(A\cap B)^c\}=1-\mathrm{P}(A\cap B)$

S A B

0557 학교기출 대표 유형

두 사건 A, B는 서로 배반사건이고

$$\mathrm{P}(A\cap B^c)=\frac{1}{5},\ \mathrm{P}(A^c\cap B)=\frac{1}{4}$$

일 때, $\mathrm{P}(A\cup B)$의 값은? (단, A^c은 A의 여사건이다.)

① $\frac{9}{20}$ ② $\frac{11}{20}$ ③ $\frac{13}{20}$
④ $\frac{17}{20}$ ⑤ $\frac{19}{20}$

▶ 해설 내신연계기출

0558 BASIC

두 사건 A, B는 서로 배반이고

$$\mathrm{P}(A)=\frac{1}{6},\ \mathrm{P}(B)=\frac{2}{3}$$

일 때, $\mathrm{P}(A^c\cap B)$의 값은? (단, A^c은 A의 여사건이다.)

① $\frac{1}{6}$ ② $\frac{1}{4}$ ③ $\frac{1}{3}$
④ $\frac{1}{2}$ ⑤ $\frac{2}{3}$

0559 최다빈출 왕 중요 BASIC

두 사건 A, B는 서로 배반사건이고

$$\mathrm{P}(A\cup B)=3\mathrm{P}(B)=1$$

일 때, $\mathrm{P}(A)$의 값은?

① $\frac{1}{3}$ ② $\frac{2}{3}$ ③ $\frac{3}{4}$
④ $\frac{4}{5}$ ⑤ $\frac{1}{2}$

▶ 해설 내신연계기출

0560 최다빈출 왕 중요 BASIC

$A\cap B=\varnothing$인 두 사건 A, B에 대하여

$$\mathrm{P}(A\cup B)=\frac{4}{5},\ \frac{1}{2}\le \mathrm{P}(B)\le\frac{2}{3}$$

일 때, 확률 $\mathrm{P}(A)$의 최댓값은?

① $\frac{1}{15}$ ② $\frac{2}{15}$ ③ $\frac{1}{10}$
④ $\frac{4}{15}$ ⑤ $\frac{3}{10}$

▶ 해설 내신연계기출

0561 최다빈출 왕 중요 NORMAL

두 사건 A, B가 서로 배반사건이고

$$\mathrm{P}(A)=\mathrm{P}(A^c),\ \mathrm{P}(B)=\frac{1}{3}$$

일 때, $\mathrm{P}(A\cup B)$의 값은?

① $\frac{1}{5}$ ② $\frac{1}{3}$ ③ $\frac{7}{12}$
④ $\frac{2}{3}$ ⑤ $\frac{5}{6}$

▶ 해설 내신연계기출

0562 최다빈출 왕중요

NORMAL

서로 배반인 두 사건 A, B에 대하여

$$P(A)=\frac{1}{5},\ P(A^c\cap B^c)=\frac{1}{10}$$

일 때, $P(B)$의 값은? (단, A^c은 A의 여사건이다.)

① $\frac{7}{10}$ ② $\frac{9}{20}$ ③ $\frac{11}{20}$

④ $\frac{9}{10}$ ⑤ $\frac{19}{20}$

▶ 해설 내신연계기출

0563

NORMAL

두 사건 A와 B는 서로 배반사건이고

$$P(A^c)=\frac{1}{3},\ P(A^c\cap B)=\frac{1}{4}$$

일 때, $P(A\cup B)$의 값은? (단, A^c은 A의 여사건이다.)

① $\frac{7}{12}$ ② $\frac{2}{3}$ ③ $\frac{3}{4}$

④ $\frac{5}{6}$ ⑤ $\frac{11}{12}$

0564 최다빈출 왕중요

NORMAL

두 사건 A, B에 대하여 A와 B^c은 서로 배반사건이고

$$P(A)=\frac{1}{3},\ P(A^c\cap B)=\frac{1}{6}$$

일 때, $P(B)$의 값은? (단, A^c은 A의 여사건이다.)

① $\frac{5}{12}$ ② $\frac{1}{2}$ ③ $\frac{7}{12}$

④ $\frac{2}{3}$ ⑤ $\frac{3}{4}$

▶ 해설 내신연계기출

0565

NORMAL

두 사건 A, B에 대하여 A^c과 B는 서로 배반사건이고

$$P(A)=2P(B)=\frac{3}{5}$$

일 때, $P(A\cap B^c)$의 값은? (단, A^c은 A의 여사건이다.)

① $\frac{7}{20}$ ② $\frac{3}{10}$ ③ $\frac{1}{4}$

④ $\frac{1}{5}$ ⑤ $\frac{3}{20}$

0566

NORMAL

두 사건 A, B에 대하여 A^c과 B는 서로 배반사건이고

$$P(A)=\frac{1}{2},\ P(A\cap B^c)=\frac{2}{7}$$

일 때, $P(B)$의 값은? (단, A^c은 A의 여사건이다.)

① $\frac{5}{28}$ ② $\frac{3}{14}$ ③ $\frac{1}{4}$

④ $\frac{2}{7}$ ⑤ $\frac{9}{28}$

유형 04 배반사건이 아닌 경우 확률의 덧셈정리

~이거나, ~또는, 의 표현이 있는 경우의 확률은 다음의 확률의 덧셈정리를 이용한다.
임의의 두 사건 A, B에 대하여 사건 A 또는 B가 일어날 확률
① $\mathrm{P}(A\cup B)=\mathrm{P}(A)+\mathrm{P}(B)-\mathrm{P}(A\cap B)$
② $\mathrm{P}(A\cap B)=\mathrm{P}(A)+\mathrm{P}(B)-\mathrm{P}(A\cup B)$

0567 학교기출 대표 유형

어느 고등학교의 전교생을 대상으로 좋아하는 영화를 조사한 결과, 코미디 영화를 좋아하는 학생은 전체의 $\frac{2}{5}$, 공상과학 영화를 좋아하는 학생은 전체의 $\frac{3}{10}$, 코미디 영화 또는 공상과학 영화를 좋아하는 학생은 전체의 $\frac{3}{5}$이었다. 이 학교 학생 중 임의로 한 명을 택했을 때, 이 학생이 코미디 영화와 공상과학 영화를 모두 좋아하는 학생일 확률은?

① $\frac{1}{10}$　② $\frac{1}{9}$　③ $\frac{10}{12}$
④ $\frac{11}{12}$　⑤ $\frac{13}{14}$

▶ 해설 내신연계기출

0568 최다빈출 왕 중요 BASIC

어느 학급의 학생 36명 중에서 야구 경기를 관람한 경험이 있는 학생은 12명이고 축구 경기를 관람한 경험이 있는 학생은 19명이다. 또한 야구 경기 또는 축구 경기를 관람한 경험이 있는 학생은 20명이다. 이 학급의 학생 중에서 임의로 한 명을 택할 때, 그 학생이 야구 경기와 축구 경기를 모두 관람한 경험이 있는 학생일 확률은?

① $\frac{5}{18}$　② $\frac{11}{36}$　③ $\frac{1}{3}$
④ $\frac{13}{36}$　⑤ $\frac{7}{18}$

▶ 해설 내신연계기출

0569 BASIC

어느 마을에 살고 있는 120가구 중에서 개를 기르는 집은 전체의 60%이고 고양이를 기르는 집은 전체의 45%이다.
또, 개와 고양이를 모두 기르는 집은 24가구이다. 이 마을에서 임의로 한 집을 택할 때, 그 집에서 개 또는 고양이를 기를 확률은?

① $\frac{1}{5}$　② $\frac{1}{4}$　③ $\frac{1}{3}$
④ $\frac{17}{20}$　⑤ $\frac{7}{8}$

0570 NORMAL

1부터 10까지의 자연수가 하나씩 적힌 10장의 카드 중에서 임의로 한 장을 뽑을 때, 소수 또는 6의 약수가 적힌 카드를 뽑을 확률은?

① $\frac{1}{5}$　② $\frac{3}{10}$　③ $\frac{3}{5}$
④ $\frac{9}{10}$　⑤ $\frac{11}{12}$

0571 최다빈출 왕 중요 NORMAL

1부터 52까지의 자연수가 하나씩 적힌 52장의 카드 중에서 임의로 한 장을 뽑을 때, 카드에 적힌 수가 6의 배수이거나 8의 배수일 확률은?

① $\frac{3}{26}$　② $\frac{2}{13}$　③ $\frac{3}{13}$
④ $\frac{3}{5}$　⑤ $\frac{13}{20}$

▶ 해설 내신연계기출

0572

NORMAL

민호, 동원, 희재, 찬원이가 한 사람씩 수행 평가 발표를 할 순서를 임의로 정할 때, 민호가 가장 먼저 발표하거나 민호와 동원이가 연속하여 발표할 확률은?

① $\frac{1}{4}$ ② $\frac{1}{3}$ ③ $\frac{1}{2}$
④ $\frac{2}{3}$ ⑤ $\frac{3}{4}$

0573

최다빈출 왕중요

NORMAL

한 개의 주사위를 두 번 던져서 나오는 눈의 수를 차례로 a, b라 할 때, $a>b$ 또는 $a+b=7$일 확률은?

① $\frac{1}{6}$ ② $\frac{1}{5}$ ③ $\frac{1}{4}$
④ $\frac{1}{2}$ ⑤ $\frac{3}{4}$

▶ 해설 내신연계기출

0574

NORMAL

한 개의 주사위를 두 번 던져서 나오는 눈의 수를 차례로 a, b라 할 때, $|a-3|+|b-3|=2$이거나 $a=b$일 확률은?

① $\frac{1}{4}$ ② $\frac{1}{3}$ ③ $\frac{5}{12}$
④ $\frac{1}{2}$ ⑤ $\frac{7}{12}$

0575

최다빈출 왕중요

TOUGH

n이 20 이하의 자연수일 때, x에 대한 이차방정식

$$10x^2-7nx+n^2=0$$

의 정수해가 존재할 확률은?

① $\frac{3}{5}$ ② $\frac{4}{5}$ ③ $\frac{5}{7}$
④ $\frac{2}{3}$ ⑤ $\frac{5}{6}$

▶ 해설 내신연계기출

0576

최다빈출 왕중요

TOUGH

두 집합 $A=\{1, 2, 3, 4\}$, $B=\{1, 2, 3\}$에 대하여 A에서 B로의 모든 함수 f 중에서 임의로 하나를 선택할 때, 이 함수가 다음 조건을 만족시킬 확률은?

> $f(1)\geq 2$이거나 함수 f의 치역은 B이다.

① $\frac{16}{27}$ ② $\frac{2}{3}$ ③ $\frac{20}{27}$
④ $\frac{22}{27}$ ⑤ $\frac{8}{9}$

▶ 해설 내신연계기출

유형 05 배반사건인 경우 확률의 덧셈정리 (1)

임의의 두 사건 A, B에 대하여 $A\cap B=\varnothing$일 때,
즉 동시에 일어날 수 없을 때, A, B를 배반사건이라 한다.
두 사건 A, B가 배반사건이면
사건 A 또는 B가 일어날 확률은 $\mathrm{P}(A\cup B)=\mathrm{P}(A)+\mathrm{P}(B)$

0577

학교기출 대표 유형

파란 공 2개와 빨간 공 4개가 들어 있는 주머니에서 임의로 2개의 공을 꺼낼 때, 꺼낸 공의 색깔이 같을 확률은?

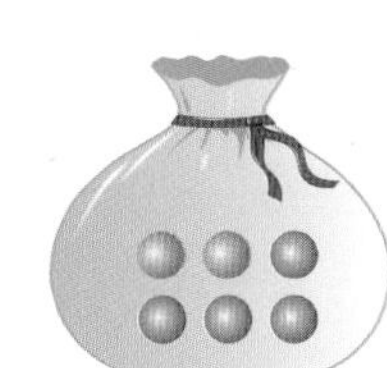

① $\frac{5}{27}$　② $\frac{2}{9}$　③ $\frac{7}{15}$　④ $\frac{8}{27}$　⑤ $\frac{1}{3}$

0578

최다빈출 왕중요 BASIC

의류 건조기에 검은 색 양말이 1짝, 파란색 양말이 7짝, 노란색 양말이 4짝 들어있다. 이 의류 건조기에서 임의로 2짝의 양말을 동시에 꺼낼 때, 같은 색의 양말이 나올 확률은?
(단, 양말 한 짝이란 한 쌍의 양말 중 한 개를 말한다.)

① $\frac{1}{11}$　② $\frac{1}{5}$　③ $\frac{8}{27}$　④ $\frac{9}{22}$　⑤ $\frac{7}{12}$

▶ 해설 내신연계기출

0579

NORMAL

흰 공 4개, 빨간 공 5개가 들어 있는 주머니에서 임의로 3개의 공을 동시에 꺼낼 때, 3개의 공이 모두 같은 색일 확률은?

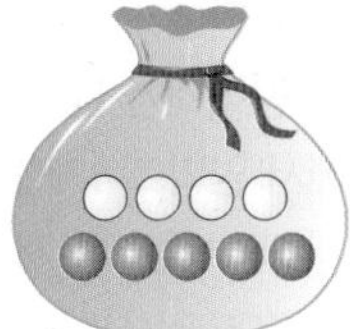

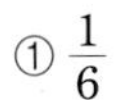

① $\frac{1}{6}$　② $\frac{1}{4}$　③ $\frac{1}{3}$　④ $\frac{5}{12}$　⑤ $\frac{1}{2}$

0580

최다빈출 왕중요 NORMAL

검은 바둑돌과 흰 바둑돌을 합하여 7개의 바둑돌이 동시에 들어 있는 주머니에서 임의로 2개의 바둑돌을 동시에 꺼낼 때, 같은 색의 바둑돌을 꺼낼 확률은 $\frac{11}{21}$이다. 이 주머니에 들어있는 검은 바둑돌의 개수는? (단, 검은 바둑돌이 흰 바둑돌보다 많다.)

① 2　② 3　③ 4　④ 5　⑤ 6

▶ 해설 내신연계기출

0581

최다빈출 왕중요 NORMAL

흰 공 6개와 빨간 공 4개가 들어 있는 주머니가 있다. 이 주머니에서 임의로 4개의 공을 동시에 꺼낼 때, 꺼낸 4개의 공 중 흰 공의 개수가 3 이상일 확률은?

① $\frac{17}{42}$　② $\frac{19}{42}$　③ $\frac{1}{2}$　④ $\frac{23}{42}$　⑤ $\frac{25}{42}$

▶ 해설 내신연계기출

0582

NORMAL

주머니 안에 오렌지 맛 사탕 4개와 딸기 맛 사탕 4개가 들어 있다. 이 8개의 사탕 중에서 임의로 4개를 동시에 꺼낼 때, 오렌지 맛 사탕이 3개 이상 나오거나 4개 모두 딸기 맛 사탕이 나올 확률은?

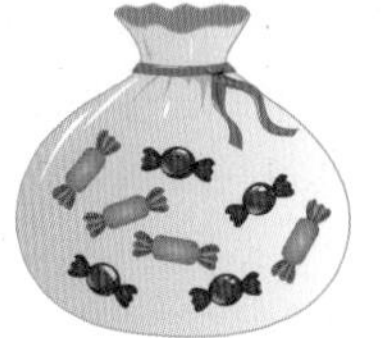

① $\frac{17}{70}$ ② $\frac{9}{35}$ ③ $\frac{19}{70}$
④ $\frac{2}{7}$ ⑤ $\frac{11}{35}$

0583

NORMAL

4개의 당첨제비가 포함되어 있는 8개의 제비 중에서 임의로 4개를 동시에 뽑을 때, 당첨제비가 3개 이상 나오거나 당첨제비가 아닌 것이 2개 나올 확률은?

① $\frac{51}{70}$ ② $\frac{26}{35}$ ③ $\frac{53}{70}$
④ $\frac{27}{35}$ ⑤ $\frac{11}{14}$

0584

최다빈출 왕중요

NORMAL

주머니에 흰 콩 5개와 검은 콩 6개가 들어 있다. 이 주머니에서 임의로 6개의 콩을 동시에 꺼낼 때, 꺼낸 콩 중에서 흰 공이 검은 콩보다 많을 확률은?

① $\frac{3}{154}$ ② $\frac{9}{154}$ ③ $\frac{27}{154}$
④ $\frac{81}{154}$ ⑤ $\frac{27}{77}$

▶ 해설 내신연계기출

0585

최다빈출 왕중요

TOUGH

주머니 속에 1부터 6까지의 수가 각각 적혀 있는 구슬이 2개씩 모두 12개가 들어 있다. 이 중에서 임의로 2개의 구슬을 동시에 꺼낼 때, 구슬에 적혀 있는 가장 큰 수가 4 또는 5일 확률은?

① $\frac{5}{12}$ ② $\frac{5}{11}$ ③ $\frac{2}{3}$
④ $\frac{8}{33}$ ⑤ $\frac{13}{33}$

▶ 해설 내신연계기출

0586

최다빈출 왕중요

TOUGH

주머니에 1, 1, 1, 2, 2, 3, 3, 4의 숫자가 하나씩 적혀 있는 8개의 공이 들어 있다. 이 주머니에서 임의로 4개의 공을 동시에 꺼낼 때, 꺼낸 4개의 공에 적혀 있는 수의 최댓값이 3일 확률은?

① $\frac{11}{35}$ ② $\frac{12}{35}$ ③ $\frac{13}{35}$
④ $\frac{2}{5}$ ⑤ $\frac{3}{7}$

▶ 해설 내신연계기출

0587

TOUGH

주머니에 1부터 12까지의 자연수가 각각 하나씩 적힌 12개의 공이 들어있다. 이 주머니에서 임의로 2개의 공을 동시에 꺼내어 공에 적힌 수를 확인하고 꺼낸 공을 주머니에 다시 넣는다. 이 시행을 2번 했을 때, 확인한 4개의 수의 최댓값이 12일 확률은?

① $\frac{11}{36}$ ② $\frac{1}{3}$ ③ $\frac{13}{36}$
④ $\frac{7}{18}$ ⑤ $\frac{5}{12}$

유형 06 배반사건인 경우 확률의 덧셈정리 (2)

임의의 두 사건 A, B에 대하여 $A\cap B=\varnothing$일 때,
즉 동시에 일어날 수 없을 때, A, B를 배반사건이라 한다.
두 사건 A, B가 배반사건이면
사건 A 또는 B가 일어날 확률은 $\mathrm{P}(A\cup B)=\mathrm{P}(A)+\mathrm{P}(B)$

0588 학교기출 대표 유형

서로 다른 2개의 주사위를 동시에 던질 때, 나오는 눈의 수의 합이 5이거나 차가 5일 확률은?

① $\frac{1}{6}$ ② $\frac{1}{3}$ ③ $\frac{1}{2}$
④ $\frac{2}{3}$ ⑤ $\frac{5}{6}$

0589 NORMAL

오른쪽 그림은 서로 다른 두 개의 주사위를 동시에 던져 나오는 두 눈의 수의 합만큼 시계 방향으로 말을 이동하는 게임의 말판이다. 예를 들어, 나오는 두 눈의 수의 합이 11이면 출발점에 있는 말은 시계 방향으로 11칸 이동하여 리우에 도착한다. 두 개의 주사위를 동시에 한 번 던질 때, 현재 출발점에 있는 말이 우리나라의 도시에 도착할 확률은?

① $\frac{1}{18}$ ② $\frac{5}{36}$ ③ $\frac{7}{36}$
④ $\frac{1}{4}$ ⑤ $\frac{1}{3}$

0590 최다빈출 왕중요 NORMAL

한 개의 주사위를 세 번 던져 나온 눈의 수를 차례로 a, b, c라 할 때, $100a+10b+c$가 2의 배수이거나 5의 배수가 될 확률은?

① $\frac{1}{6}$ ② $\frac{1}{3}$ ③ $\frac{1}{2}$
④ $\frac{2}{3}$ ⑤ $\frac{5}{6}$

▶ 해설 내신연계기출

0591 최다빈출 왕중요 NORMAL

수진, 승환을 포함한 친구 6명이 오른쪽 그림과 같이 좌석이 배열된 영화관에서 좌석번호가 F열 5번, F열 6번, F열 7번, G열 4번, G열 5번, H열 4번인 6개의 표를 구매하였다. 6개의 표를 임의로 나누어 가져 자리를 정할 때, 수진, 승환 두 사람이 같은 열의 이웃한 자리에 앉을 확률은?

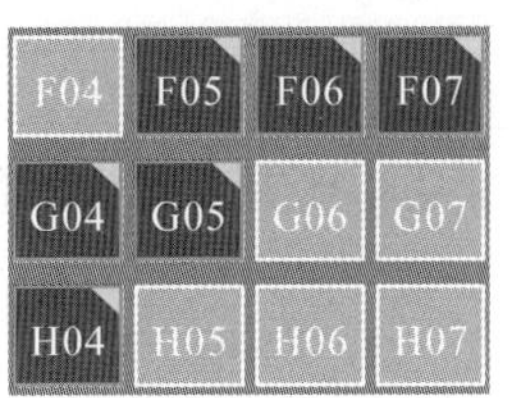

① $\frac{2}{15}$ ② $\frac{4}{15}$ ③ $\frac{1}{3}$
④ $\frac{1}{5}$ ⑤ $\frac{2}{5}$

▶ 해설 내신연계기출

0592 NORMAL

4명의 학생 승기, 종서, 우빈, 민호가 체육대회 400m 이어달리기 경기의 반대표로 출전하였다. 제비뽑기로 순서를 정할 때, 승기가 가장 먼저 달리거나 승기가 민호보다 나중에 달리게 될 확률은?

① $\frac{2}{5}$ ② $\frac{1}{4}$ ③ $\frac{1}{2}$
④ $\frac{3}{4}$ ⑤ $\frac{5}{6}$

0593 최다빈출 왕중요 NORMAL

5개의 숫자

$$0,\ 1,\ 1,\ 2,\ 2$$

를 모두 임의로 일렬로 나열하여 다섯 자리의 자연수를 만들 때, 이 수가 짝수인 자연수일 확률은?

① $\frac{2}{5}$ ② $\frac{3}{5}$ ③ $\frac{1}{2}$
④ $\frac{5}{8}$ ⑤ $\frac{3}{4}$

▶ 해설 내신연계기출

0594 최다빈출 왕중요 NORMAL

6개의 숫자

$$1,\ 2,\ 2,\ 3,\ 3,\ 3$$

을 모두 임의로 일렬로 나열하여 여섯 자리의 자연수를 만들 때, 이 수가 4의 배수인 자연수일 확률은?

① $\frac{2}{15}$ ② $\frac{1}{5}$ ③ $\frac{4}{15}$
④ $\frac{1}{3}$ ⑤ $\frac{3}{5}$

▶ 해설 내신연계기출

02 확률의 덧셈정리

0595 최다빈출 왕 중요

TOUGH

오른쪽 그림과 같이 한 모서리의 길이가 1인 정육면체의 꼭짓점 중에서 임의로 두 점을 택할 때, 두 점을 잇는 선분의 길이가 $\sqrt{2}$ 이하일 확률은?

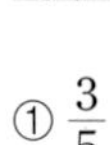

① $\frac{3}{5}$　　② $\frac{3}{7}$　　③ $\frac{4}{7}$

④ $\frac{1}{2}$　　⑤ $\frac{6}{7}$

▶ 해설 내신연계기출

0596 최다빈출 왕 중요

TOUGH

주머니 안에 1, 2, 3, 4의 숫자가 하나씩 적혀 있는 4장의 카드가 있다. 주머니에서 갑이 2장의 카드를 임의로 뽑고 을이 남은 2장의 카드 중에서 1장의 카드를 임의로 뽑을 때, 갑이 뽑은 2장의 카드에 적힌 수의 곱이 을이 뽑은 카드에 적힌 수보다 작을 확률은?

① $\frac{1}{12}$　　② $\frac{1}{6}$　　③ $\frac{1}{4}$

④ $\frac{1}{3}$　　⑤ $\frac{5}{12}$

▶ 해설 내신연계기출

0597

TOUGH

두 주머니 A와 B에는 숫자 1, 2, 3, 4가 하나씩 적혀 있는 4장의 카드가 각각 들어 있다. 갑은 주머니 A에서, 을은 주머니 B에서 각자 임의로 두 장의 카드를 꺼내어 가진다. 갑이 가진 두 장의 카드에 적힌 수의 합과 을이 가진 두 장의 카드에 적힌 수의 합이 같을 확률은 $\frac{q}{p}$이다. $p+q$의 값은? (단, p, q는 서로소인 자연수)

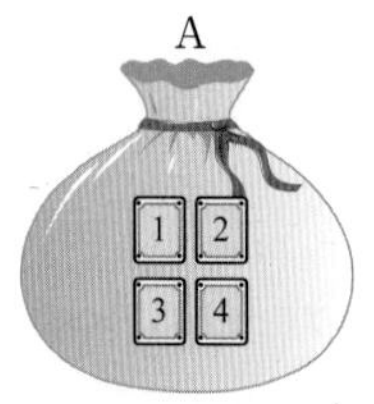

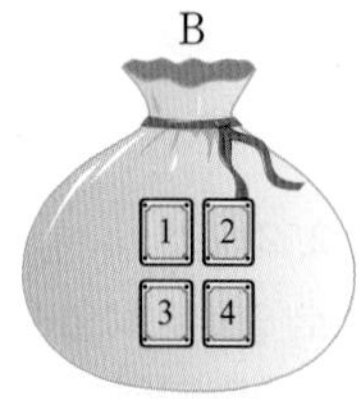

① 9　　② 11　　③ 13

④ 15　　⑤ 17

유형 07 합이 짝수와 홀수인 배반사건의 확률의 덧셈정리

두 자연수의 합이 짝수, 홀수인 경우는 다음과 같다.

① 두 자연수의 합이 짝수인 경우
(홀수)+(홀수)=(짝수)
(짝수)+(짝수)=(짝수)

② 두 자연수의 합이 홀수인 경우
(짝수)+(홀수)=(홀수)
(홀수)+(짝수)=(홀수)

0598 학교기출 대표 유형

다섯 개의 자연수 1, 2, 3, 4, 5 중에서 서로 다른 두 수 a, b를 택할 때, $a+b$가 짝수일 확률은?

① 0.2　　② 0.3　　③ 0.4

④ 0.5　　⑤ 0.6

0599 최다빈출 왕 중요

NORMAL

1부터 9까지의 자연수가 하나씩 적혀 있는 9개의 공이 들어 있는 주머니가 있다. 이 주머니에서 임의로 3개의 공을 동시에 꺼낼 때, 꺼낸 공에 적혀 있는 세 수의 합이 짝수일 확률은?

① $\frac{5}{14}$　　② $\frac{8}{21}$　　③ $\frac{3}{7}$

④ $\frac{10}{21}$　　⑤ $\frac{11}{21}$

▶ 해설 내신연계기출

0600 최다빈출 왕 중요

TOUGH

1부터 7까지의 자연수 중에서 임의로 서로 다른 3개의 수를 선택한다. 선택된 3개의 수의 곱을 a, 선택되지 않은 4개의 수의 곱을 b라 할 때, a와 b가 모두 짝수일 확률은?

① $\frac{4}{7}$　　② $\frac{9}{14}$　　③ $\frac{5}{7}$

④ $\frac{11}{14}$　　⑤ $\frac{6}{7}$

▶ 해설 내신연계기출

유형 08 세 사건이 배반사건인 경우 확률의 덧셈정리

임의의 세사건 A, B, C가 배반사건이라 하면
사건 A 또는 B 또는 C가 일어날 확률은
$\mathrm{P}(A\cup B\cup C)=\mathrm{P}(A)+\mathrm{P}(B)+\mathrm{P}(C)$

0601 학교기출 대표 유형

어느 미술 동아리 회원은 1학년 학생 4명, 2학년 학생 3명, 3학년 학생 3명으로 구성되어 있다. 이 미술 동아리 회원 중에서 임의로 학교 축제에서 공연할 학생 2명을 선택할 때, 같은 학년의 학생이 선택될 확률은? (단, 공연 순서는 고려하지 않는다.)

① $\frac{2}{15}$ ② $\frac{1}{5}$ ③ $\frac{4}{15}$
④ $\frac{1}{3}$ ⑤ $\frac{2}{5}$

▶ 해설 내신연계기출

0602 최다빈출 왕 중요 NORMAL

오른쪽 그림과 같이 빨간 공 3개, 노란 공 3개, 파란 공 2개가 들어 있는 주머니에서 4개의 공을 동시에 꺼낼 때, 세 가지 색의 공이 모두 나올 확률은?

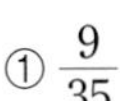

① $\frac{9}{35}$ ② $\frac{9}{70}$
③ $\frac{5}{14}$ ④ $\frac{7}{14}$
⑤ $\frac{9}{14}$

▶ 해설 내신연계기출

0603 NORMAL

1부터 9까지 자연수가 각각 적힌 9개의 공이 들어 있는 상자가 있다. 이 상자에서 임의로 3개의 공을 동시에 꺼낼 때, 공에 적힌 수를 작은 것부터 차례로 a, b, c라고 하자. $b\le 4$일 확률은?

① $\frac{13}{42}$ ② $\frac{17}{42}$ ③ $\frac{19}{42}$
④ $\frac{35}{84}$ ⑤ $\frac{37}{84}$

0604 TOUGH

1부터 12까지의 자연수가 하나씩 적힌 12개의 공 중에서 임의로 6개를 동시에 뽑을 때, 공에 적힌 수의 합이 홀수일 확률을 $\frac{p}{q}$라 할 때, $p+q$의 값은 (단, p, q는 서로소인 자연수)

① 231 ② 292 ③ 349
④ 369 ⑤ 382

0605 TOUGH

각 면에 1, 1, 1, 2, 2, 3의 숫자가 하나씩 적혀있는 정육면체 모양의 상자를 던져 윗면에 적힌 수를 읽기로 한다. 이 상자를 3번 던질 때, 첫 번째와 두 번째 나온 수의 합이 4이고 세 번째 나온 수가 홀수일 확률은?

① $\frac{5}{27}$ ② $\frac{11}{54}$ ③ $\frac{2}{9}$
④ $\frac{13}{54}$ ⑤ $\frac{7}{27}$

여사건의 확률

유형 01 확률의 덧셈정리와 여사건의 확률 (1)

사건 A의 여사건의 확률 $\mathrm{P}(A^c)=1-\mathrm{P}(A)$를 이용한 확률의 덧셈정리는 다음과 같다.

① $\mathrm{P}(A^c\cap B^c)=1-\mathrm{P}(A\cup B)$ ← A, B가 모두 일어나지 않을 확률

② $\mathrm{P}(A^c\cup B^c)=1-\mathrm{P}(A\cap B)$ ← A, B가 동시에 일어나지 않을 확률

0606 학교기출 대표 유형

표본공간이 S인 사건 A에 대하여 여사건 A^c의 확률을 구하는 과정이다.

사건 A와 그 여사건 A^c는
서로 (가) 사건이므로
확률의 덧셈정리에 의하여
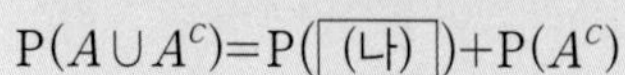
$\mathrm{P}(A\cup A^c)=\mathrm{P}($(나)$)+\mathrm{P}(A^c)$
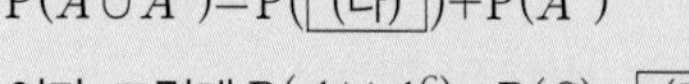
이다. 그런데 $\mathrm{P}(A\cup A^c)=\mathrm{P}(S)=$ (다) 이므로
$\mathrm{P}($(나)$)+\mathrm{P}(A^c)=$ (다)
즉 $\mathrm{P}(A^c)=1-\mathrm{P}$ (나) 가 성립한다.

위의 (가), (나), (다)에 알맞은 것을 차례로 나열한 것은?

	(가)	(나)	(다)
①	종속	A	0
②	종속	A^c	1
③	배반	A	1
④	배반	A^c	0
⑤	독립	A^c	1

0607 최다빈출 왕 중요 BASIC

두 사건 A, B에 대하여

$$\mathrm{P}(A)=\frac{1}{3},\ \mathrm{P}(B)=\frac{2}{5},\ \mathrm{P}(A\cup B)=\frac{7}{12}$$

일 때, $\mathrm{P}(A^c\cup B^c)$의 값은?

① $\frac{2}{5}$ ② $\frac{3}{4}$ ③ $\frac{4}{5}$
④ $\frac{17}{20}$ ⑤ $\frac{9}{10}$

0608 최다빈출 왕 중요 BASIC

두 사건 A, B에 대하여

$$\mathrm{P}(A\cup B)=\frac{1}{2},\ \mathrm{P}(A)=\frac{1}{4},\ \mathrm{P}(A\cap B)=\frac{1}{6}$$

일 때, $\mathrm{P}(B^c)$의 값은?

① $\frac{5}{12}$ ② $\frac{7}{12}$ ③ $\frac{7}{24}$
④ $\frac{2}{5}$ ⑤ $\frac{5}{7}$

▶ 해설 내신연계기출

0609 최다빈출 왕 중요 NORMAL

두 사건 A, B에 대하여

$$\mathrm{P}(A^c\cup B^c)=\frac{4}{5},\ \mathrm{P}(A\cap B^c)=\frac{1}{4}$$

일 때, $\mathrm{P}(A^c)$의 값은? (단, A^c는 A의 여사건이다.)

① $\frac{1}{2}$ ② $\frac{11}{20}$ ③ $\frac{3}{5}$
④ $\frac{13}{20}$ ⑤ $\frac{7}{10}$

▶ 해설 내신연계기출

0610 NORMAL

두 사건 A, B에 대하여

$$\mathrm{P}(A^c\cup B^c)=\frac{3}{4},\ \mathrm{P}(B\cap A^c)=\frac{1}{5}$$

일 때, $\mathrm{P}(B^c)$의 값은? (단, B^c는 B의 여사건이다.)

① $\frac{1}{2}$ ② $\frac{11}{20}$ ③ $\frac{3}{5}$
④ $\frac{13}{20}$ ⑤ $\frac{7}{10}$

유형 02 확률의 덧셈정리와 여사건의 확률 (2)

① $\mathrm{P}(A\cap B^c)=\mathrm{P}(A)-\mathrm{P}(A\cap B)$

⬅ $A\cap B^c=A-B=A-(A\cap B)$

② $\mathrm{P}(A)=\mathrm{P}(A\cap B)+\mathrm{P}(A\cap B^c)$

③ $\mathrm{P}(A\cup B)=\mathrm{P}(A)+\mathrm{P}(A^c\cap B)$

④ $\mathrm{P}(A)=\mathrm{P}(A\cup B)-\mathrm{P}(A^c\cap B)$

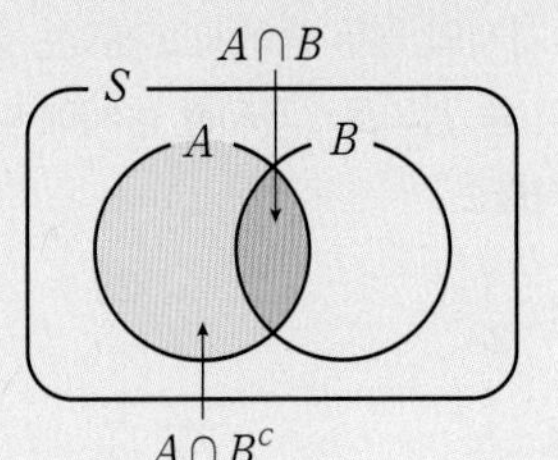

0611 학교기출 대표 유형

두 사건 A, B에 대하여

$$\mathrm{P}(A)=\frac{2}{3},\ \mathrm{P}(A\cap B)=\frac{1}{4}$$

일 때, $\mathrm{P}(A\cap B^c)$의 값은? (단, B^c은 B의 여사건이다.)

① $\frac{1}{3}$　② $\frac{5}{12}$　③ $\frac{1}{2}$　④ $\frac{7}{12}$　⑤ $\frac{2}{3}$

0612 최다빈출 왕 중요 NORMAL

두 사건 A, B에 대하여

$$\mathrm{P}(A)=\frac{1}{2},\ \mathrm{P}(A\cap B^c)=\frac{1}{5}$$

일 때, $\mathrm{P}(A^c\cup B^c)$의 값은? (단, A^c은 A의 여사건이다.)

① $\frac{2}{5}$　② $\frac{1}{2}$　③ $\frac{3}{5}$　④ $\frac{7}{10}$　⑤ $\frac{4}{5}$

▶ 해설 내신연계기출

0613 NORMAL

두 사건 A, B에 대하여

$$\mathrm{P}(A\cap B)=\frac{1}{6},\ \mathrm{P}(A^c\cup B)=\frac{2}{3}$$

일 때, $\mathrm{P}(A)$의 값은? (단, A^c은 A의 여사건이다.)

① $\frac{1}{6}$　② $\frac{1}{3}$　③ $\frac{1}{2}$　④ $\frac{2}{3}$　⑤ $\frac{5}{6}$

0614 최다빈출 왕 중요 NORMAL

두 사건 A, B에 대하여

$$\mathrm{P}(A^c)=\frac{2}{3},\ \mathrm{P}(A^c\cap B)=\frac{1}{4}$$

일 때, $\mathrm{P}(A\cup B)$의 값은? (단, A^c은 A의 여사건이다.)

① $\frac{1}{2}$　② $\frac{7}{12}$　③ $\frac{2}{3}$　④ $\frac{3}{4}$　⑤ $\frac{5}{6}$

▶ 해설 내신연계기출

0615 NORMAL

두 사건 A, B에 대하여

$$\mathrm{P}(A\cup B)=\frac{3}{4},\ \mathrm{P}(A^c\cap B)=\frac{2}{3}$$

일 때, $\mathrm{P}(A)$의 값은? (단, A^c은 A의 여사건이다.)

① $\frac{1}{12}$　② $\frac{1}{8}$　③ $\frac{1}{6}$　④ $\frac{5}{24}$　⑤ $\frac{1}{4}$

0616 최다빈출 왕 중요 TOUGH

두 사건 A, B에 대하여

$$\mathrm{P}(A)=\frac{2}{3},\ \mathrm{P}(A\cap B)=\frac{1}{4}$$

일 때, $\mathrm{P}(A^c\cup B)$의 값은? (단, A^c은 A의 여사건이다.)

① $\frac{1}{2}$　② $\frac{7}{12}$　③ $\frac{2}{3}$　④ $\frac{3}{4}$　⑤ $\frac{5}{6}$

▶ 해설 내신연계기출

유형 03 적어도를 포함한 여사건의 확률

일반적으로 '적어도 ~일 확률', '~ 이상일 확률', '~ 이하일 확률', '~가 아닐 확률' 등을 구할 때, 여사건의 확률을 이용한다.

사건 A와 그 여사건 A^C에 대하여

$$P(A^C)=1-P(A)$$

⬅ (적어도 한 개가 A일 확률)$=1-$(모두 A가 아닐 확률)

예를 들면 적어도 한 개가 빨간 공인 사건은 모두 빨간 공이 아닌 사건의 여사건

(적어도 한 개가 빨간 공일 확률)$=1-$(모두 빨간 공이 아닐 확률)

0617 학교기출 대표 유형

검은 공 3개, 흰 공 4개가 들어 있는 주머니가 있다. 이 주머니에서 임의로 3개의 공을 동시에 꺼낼 때, 꺼낸 3개의 공 중에서 적어도 한 개가 검은 공일 확률은?

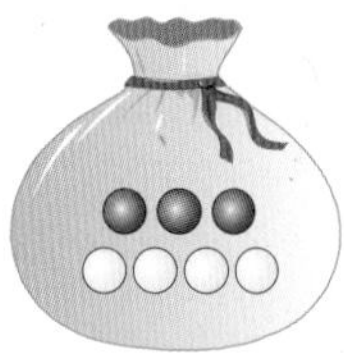

① $\frac{19}{35}$ ② $\frac{22}{35}$ ③ $\frac{5}{7}$
④ $\frac{4}{5}$ ⑤ $\frac{31}{35}$

0618 최다빈출 왕 중요 BASIC

흥민과 강인을 포함한 8명의 학생이 있다. 이 중에서 2명을 임의로 뽑을 때, 흥민과 강인 중에서 적어도 한 명이 뽑힐 확률은?

① $\frac{3}{7}$ ② $\frac{7}{14}$ ③ $\frac{13}{28}$
④ $\frac{11}{60}$ ⑤ $\frac{27}{35}$

▶ 해설 내신연계기출

0619 BASIC

8가지의 원두 중에서 2가지는 콜롬비아산이고 6가지는 케냐산이다. 이 중 임의로 2가지를 동시에 택할 때, 적어도 1가지는 케냐산일 확률은?

① $\frac{1}{28}$ ② $\frac{28}{45}$ ③ $\frac{3}{28}$
④ $\frac{7}{25}$ ⑤ $\frac{27}{28}$

0620 NORMAL

A, B, C를 포함한 10명의 탁구선수 중에서 대회에 출전할 3명의 선수를 임의로 뽑을 때, A, B, C 중 적어도 2명이 뽑힐 확률은?

① $\frac{11}{60}$ ② $\frac{23}{120}$ ③ $\frac{1}{5}$
④ $\frac{5}{24}$ ⑤ $\frac{13}{60}$

0621 최다빈출 왕 중요 NORMAL

어느 지구대에서는 학생들의 안전한 통학을 위한 귀가도우미 프로그램에 참여하기로 하였다. 이 지구대의 경찰관은 모두 9명이고, 각 경찰관은 두 개의 근무 조 A, B 중 한 조에 속해 있다. 이 지구대의 근무 조 A는 5명, 근무 조 B는 4명의 경찰관으로 구성되어 있다. 이 지구대의 경찰관 9명 중에서 임의로 3명을 동시에 귀가도우미로 선택할 때, 근무 조 A와 근무 조 B에서 적어도 1명씩 선택될 확률은?

① $\frac{1}{2}$ ② $\frac{7}{12}$ ③ $\frac{2}{3}$
④ $\frac{3}{4}$ ⑤ $\frac{5}{6}$

▶ 해설 내신연계기출

0622

NORMAL

어느 동네 골목 식당에서는 칼국수, 비빔밥, 라면을 판매한다. 각 음식에 대한 선호도가 동일한 4명의 손님이 음식을 주문할 때, 적어도 한 명은 라면을 택할 확률은?

① $\frac{8}{27}$ ② $\frac{5}{27}$ ③ $\frac{16}{81}$
④ $\frac{19}{81}$ ⑤ $\frac{65}{81}$

0623

최다빈출 왕중요 TOUGH

세 학생 A, B, C를 포함한 6명의 학생을 임의로 일렬로 세울 때, A, B, C 세 학생 중 적어도 두 학생이 이웃하게 설 확률은?

① $\frac{1}{4}$ ② $\frac{2}{5}$ ③ $\frac{3}{5}$
④ $\frac{3}{4}$ ⑤ $\frac{4}{5}$

▶ 해설 내신연계기출

0624

최다빈출 왕중요 TOUGH

4월에 태어난 네 사람 A, B, C, D 중에서 적어도 두 사람의 생일이 같을 확률은?

① $\frac{47}{250}$ ② $\frac{43}{125}$ ③ $\frac{1}{2}$
④ $\frac{82}{125}$ ⑤ $\frac{203}{250}$

▶ 해설 내신연계기출

유형 04 적어도를 포함한 여사건의 확률에서 미지수 구하기

사건 A와 그 여사건 A^C에 대하여

$$P(A^C)=1-P(A)$$

← (적어도 한 개가 A일 확률)$=1-$(모두 A가 아닐 확률)

0625

학교기출 대표 유형

10개의 제비 중에 당첨 제비가 k개 들어 있다. 이 중에서 임의로 2개의 제비를 동시에 뽑을 때, 적어도 한 개가 당첨 제비일 확률이 $\frac{8}{15}$이다. k의 값은?

① 2 ② 3 ③ 4
④ 5 ⑤ 6

▶ 해설 내신연계기출

0626

최다빈출 왕중요 NORMAL

빨간 볼펜이 3개, 파란 볼펜이 n개 들어 있는 필통에서 임의로 두 개의 볼펜을 동시에 꺼낼 때, 적어도 한 개는 파란 볼펜이 나올 확률이 $\frac{7}{10}$이다. 이때 n의 값은?

① 2 ② 3 ③ 4
④ 5 ⑤ 6

▶ 해설 내신연계기출

0627

TOUGH

빨간 공과 파란 공을 합하여 모두 10개의 공이 들어 있는 주머니에서 임의로 3개의 공을 동시에 꺼낼 때, 빨간 공을 적어도 한 개 꺼낼 확률이 $\frac{5}{6}$이다. 이 주머니 속에 들어 있는 파란 공의 개수는?

① 3 ② 4 ③ 5
④ 6 ⑤ 7

03 여사건의 확률

유형 05 ~ 이상, ~ 이하를 포함한 여사건의 확률

사건 A에 대하여 A가 일어나지 않을 사건을 A의 여사건이라 하고 A^c로 나타낸다.

$$P(A^c)=1-P(A)$$

① (~ 이상일 확률)$=1-$(~ 미만일 확률)
② (~ 이하일 확률)$=1-$(~ 초과일 확률)

0628 학교기출 대표 유형

불량품 2개를 포함한 10개의 제품이 있다. 이 10개의 제품 중에서 임의로 3개의 제품을 택하여 검사할 때, 불량품이 한 개 이하일 확률은?

① $\frac{2}{15}$　② $\frac{1}{5}$　③ $\frac{4}{15}$　④ $\frac{3}{5}$　⑤ $\frac{14}{15}$

0629 BASIC

흰 공 4개, 검은 공 3개가 들어 있는 주머니에서 임의로 4개의 공을 꺼낼 때, 흰 공을 2개 이상 꺼낼 확률은?

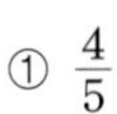

① $\frac{4}{5}$　② $\frac{29}{35}$　③ $\frac{6}{7}$　④ $\frac{31}{35}$　⑤ $\frac{32}{35}$

0630 NORMAL

주머니 속에 1이 적혀 있는 공이 4개, 2가 적혀 있는 공이 2개, 3이 적혀 있는 공이 3개 들어 있다. 이 주머니에서 임의로 2개의 공을 동시에 꺼낼 때, 꺼낸 공에 적힌 두 수의 합이 4 이하일 확률은? (단, 각 공에는 한 개의 숫자만 적혀 있다.)

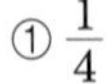

① $\frac{1}{4}$　② $\frac{5}{12}$　③ $\frac{7}{12}$　④ $\frac{3}{4}$　⑤ $\frac{5}{6}$

0631 최다빈출 왕 중요 NORMAL

상자에 1부터 10까지의 자연수가 하나씩 적혀 있는 카드가 10장 들어 있다. 이 상자에서 임의로 3장의 카드를 동시에 꺼낼 때, 꺼낸 카드에 적혀 있는 세 수의 최댓값이 6 이상일 확률은?

① $\frac{7}{12}$　② $\frac{2}{3}$　③ $\frac{3}{4}$　④ $\frac{5}{6}$　⑤ $\frac{11}{12}$

▶ 해설 내신연계기출

0632 최다빈출 왕 중요 TOUGH

다음은 50원, 100원, 500원짜리 동전이 각각 3개씩 모두 9개가 들어 있는 지갑에서 임의로 3개의 동전을 동시에 꺼낼 때, 꺼낸 모든 동전의 금액의 합이 250원 이상일 확률을 구하는 과정이다. (가)~(라)에 알맞은 수는?

> 꺼낸 모든 동전의 금액의 합이 250원 이상인 사건을 A라고 하면 A^c은 꺼낸 모든 동전의 금액의 합이 250원보다 작은 사건이다.
> (ⅰ) 꺼낸 동전이 50원, 50원, 50원일 확률은 (가)
> (ⅱ) 꺼낸 동전이 50원, 50원, 100원일 확률은 (나)
> (ⅰ), (ⅱ)에서 $P(A^c)=$ (다) 이므로 구하는 확률은
> $P(A)=1-P(A^c)=$ (라)

	(가)	(나)	(다)	(라)
①	$\frac{9}{84}$	$\frac{3}{84}$	$\frac{5}{42}$	$\frac{37}{42}$
②	$\frac{9}{84}$	$\frac{3}{28}$	$\frac{5}{42}$	$\frac{37}{42}$
③	$\frac{1}{84}$	$\frac{3}{28}$	$\frac{5}{42}$	$\frac{37}{42}$
④	$\frac{1}{84}$	$\frac{3}{84}$	$\frac{7}{21}$	$\frac{14}{21}$
⑤	$\frac{1}{84}$	$\frac{3}{84}$	$\frac{5}{21}$	$\frac{16}{21}$

▶ 해설 내신연계기출

유형 06 짝수, 홀수의 여사건일 확률

두 자연수의 곱이 짝수, 홀수인 경우는 다음과 같다.
① 두 자연수의 곱이 짝수인 경우
(홀수)×(짝수)=(짝수)
(짝수)×(홀수)=(짝수)
(짝수)×(짝수)=(짝수)
② 두 자연수의 곱이 홀수인 경우
(홀수)×(홀수)=(홀수)
따라서 두 자연수의 곱이 짝수인 사건의 확률을 직접 구하는 것보다 여사건인 두 자연수의 곱이 홀수인 사건의 확률을 이용하는 것이 더 간단하다.

0633 학교기출 대표 유형

1부터 15까지의 자연수가 각각 하나씩 적혀 있는 15장의 카드 중에서 임의로 두 장의 카드를 뽑을 때, 카드에 적힌 두 수의 곱이 짝수일 확률은?

① $\frac{3}{11}$ ② $\frac{1}{12}$ ③ $\frac{4}{15}$
④ $\frac{11}{15}$ ⑤ $\frac{13}{15}$

▶ 해설 내신연계기출

0634 최다빈출 왕중요 NORMAL

1부터 10까지의 자연수가 하나씩 적혀 있는 10개의 공이 들어있는 주머니에서 임의로 3개의 공을 동시에 꺼낼 때, 꺼낸 3개의 공에 적혀 있는 세 수의 곱이 짝수일 확률은?

① $\frac{1}{12}$ ② $\frac{1}{6}$ ③ $\frac{7}{12}$
④ $\frac{1}{2}$ ⑤ $\frac{11}{12}$

▶ 해설 내신연계기출

0635 최다빈출 왕중요 NORMAL

두 집합

$$X=\{1, 2, 3\},\ Y=\{1, 2, 3, 4, 5\}$$

에 대하여 X에서 Y로의 일대일함수 f 중에서 임의로 택한 한 함수를 f라 할 때, $f(1)\times f(2)\times f(3)$이 짝수일 확률은?

① $\frac{1}{2}$ ② $\frac{3}{5}$ ③ $\frac{7}{10}$
④ $\frac{4}{5}$ ⑤ $\frac{9}{10}$

▶ 해설 내신연계기출

0636 NORMAL

1, 2, 3, 4, 5, 6의 좌석 번호가 하나씩 적힌 6개의 의자가 있다. 여학생 2명과 남학생 4명이 임의로 이 의자에 각각 한 명씩 앉을 때, 적어도 한 여학생이 좌석 번호가 짝수인 의자에 앉을 확률은?

① $\frac{4}{5}$ ② $\frac{29}{35}$ ③ $\frac{6}{7}$
④ $\frac{31}{35}$ ⑤ $\frac{32}{35}$

0637 최다빈출 왕중요 TOUGH

0, 1, 2, 3, 4, 5의 6개의 숫자에서 중복을 허락하여 3개를 뽑아 일렬로 나열하여 만들 수 있는 모든 세 자리의 자연수 중에서 임의로 한 개의 수를 택했을 때, 각 자리에 있는 3개의 수 중 적어도 하나가 홀수일 확률은?

① $\frac{1}{10}$ ② $\frac{2}{5}$ ③ $\frac{1}{2}$
④ $\frac{4}{5}$ ⑤ $\frac{9}{10}$

▶ 해설 내신연계기출

유형 07 '~가 아닌'의 표현이 있는 여사건일 확률

사건 A에 대하여 A가 일어나지 않을 사건을 A의 여사건이라 하고 A^C로 나타낸다.

$$\mathrm{P}(A^C)=1-\mathrm{P}(A)$$

~가 아닌 사건은 ~인 사건의 여사건이므로
(~가 아닐 확률)=1−(모두 ~일 확률)

0638 학교기출 대표 유형

서로 다른 두 개의 주사위를 동시에 던질 때, 두 눈의 수가 서로 다를 확률은?

① $\frac{7}{12}$ ② $\frac{2}{3}$ ③ $\frac{3}{4}$
④ $\frac{7}{9}$ ⑤ $\frac{5}{6}$

0639 최다빈출 왕 중요 BASIC

여섯 개의 문자

A, B, C, D, E, F

를 일렬로 세울 때, A와 B가 이웃하지 않을 확률은?

① $\frac{1}{4}$ ② $\frac{3}{4}$ ③ $\frac{1}{3}$
④ $\frac{2}{3}$ ⑤ $\frac{1}{2}$

▶ 해설 내신연계기출

0640 BASIC

민호와 수영이를 포함한 5명이 한 명씩 차례로 발표를 할 때, 민호와 수영이의 순서가 연달아 있지 않을 확률은?

① $\frac{2}{5}$ ② $\frac{3}{5}$ ③ $\frac{5}{6}$
④ $\frac{2}{3}$ ⑤ $\frac{1}{2}$

0641  NORMAL

무용 시간에 나연이와 지효를 포함한 7명이 원 모양으로 설 때, 나연이와 지효가 서로 이웃하지 않을 확률은?
(단, 회전하여 일치하는 것은 같은 것으로 본다.)

① $\frac{1}{4}$ ② $\frac{3}{4}$ ③ $\frac{1}{3}$
④ $\frac{2}{3}$ ⑤ $\frac{1}{2}$

▶ 해설 내신연계기출

0642 최다빈출 왕 중요 NORMAL

여섯 개의 문자

L, O, V, E, L, Y

를 일렬로 나열할 때, 같은 문자가 이웃하지 않을 확률은?

① $\frac{17}{30}$ ② $\frac{3}{5}$ ③ $\frac{19}{30}$
④ $\frac{2}{3}$ ⑤ $\frac{7}{10}$

▶ 해설 내신연계기출

0643 NORMAL

6개의 문자 또는 기호

I, ♡, M, A, P, L

를 임의로 일렬로 배열할 때, 기호 ♡가 맨 앞에 오지 않을 확률은?

① $\frac{1}{6}$ ② $\frac{2}{5}$ ③ $\frac{3}{5}$
④ $\frac{2}{3}$ ⑤ $\frac{5}{6}$

0644 최다빈출 왕 중요 NORMAL

다섯 개의 문자 a, b, c, d, d를 일렬로 임의로 나열할 때, a가 b보다 왼쪽에 오거나 b가 c보다 왼쪽에 오도록 나열될 확률은?

① $\frac{17}{30}$ ② $\frac{19}{30}$ ③ $\frac{7}{10}$
④ $\frac{23}{30}$ ⑤ $\frac{5}{6}$

▶ 해설 내신연계기출

0645 NORMAL

한 개의 주사위를 두 번 던져서 나오는 눈의 수를 차례로 a, b라고 할 때,

$$a^2-4ab+4b^2>0$$

일 확률은?

① $\frac{13}{16}$ ② $\frac{1}{4}$ ③ $\frac{11}{12}$
④ $\frac{15}{16}$ ⑤ $\frac{17}{18}$

0646 TOUGH

집합 $S=\{x|x$는 12 이하의 자연수$\}$이다.
원소의 개수가 3인 집합 S의 부분집합 중에서 임의로 한 개의 집합을 선택할 때, 선택한 집합의 어떤 원소 x에 대하여 부등식

$$x^2-12x+32<0$$

을 만족시킬 확률은?

① $\frac{32}{55}$ ② $\frac{3}{5}$ ③ $\frac{34}{55}$
④ $\frac{7}{11}$ ⑤ $\frac{36}{55}$

유형 08 자기 자신이 아닌 여사건일 확률

사건 A에 대하여 A가 일어나지 않을 사건을 A의 여사건이라 하고 A^C로 나타낸다.

$$\mathrm{P}(A^C)=1-\mathrm{P}(A)$$

0647 학교기출 대표 유형

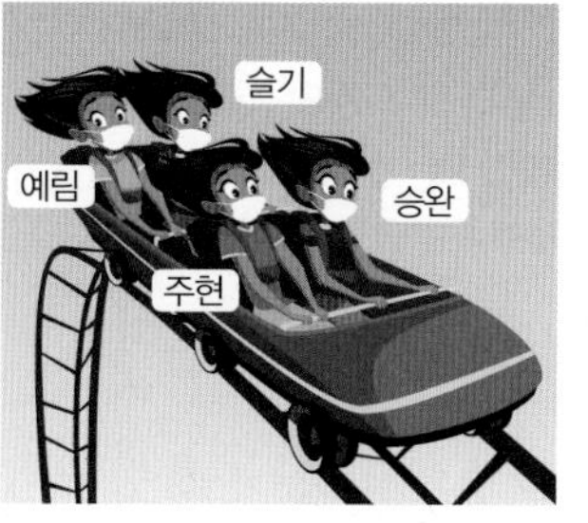

주현, 승완, 슬기, 예림이가 4인 놀이기구에 오른쪽 그림과 같이 앉아서 탔다. 이 놀이기구가 재미있었던 친구들은 다시 이 놀이기구를 타기로 하였다. 이 놀이기구에 다시 타서 4명의 자리를 임의로 정할 때, 주현이와 승완이 중에서 적어도 한 사람은 자신이 처음 앉은 자리와 다른 자리에 앉을 확률은?

① $\frac{1}{12}$ ② $\frac{4}{5}$ ③ $\frac{5}{6}$
④ $\frac{2}{3}$ ⑤ $\frac{11}{12}$

▶ 해설 내신연계기출

0648 NORMAL

같은 회사에 근무하는 P와 K는 다음 주 월요일부터 금요일까지 5일 중에서 각각 2일을 임의로 택하여 휴가를 가기로 하였다. P와 K의 휴가 날짜 중에서 겹치는 날이 있을 확률은?
(단, 휴가 날짜는 연속일 수도 아닐 수도 있다.)

① $\frac{1}{6}$ ② $\frac{1}{5}$ ③ $\frac{1}{3}$
④ $\frac{3}{5}$ ⑤ $\frac{7}{10}$

0649 최다빈출 왕 중요 TOUGH

A, B를 포함한 6명이 오른쪽 그림과 같이 6개의 의자에 앉아 있다가 모두 일어나서 6명이 임의로 다시 의자에 앉을 때, A, B가 처음 앉았던 의자가 아닌 다른 의자에 앉게 될 확률은?

① $\frac{1}{4}$ ② $\frac{1}{3}$ ③ $\frac{1}{2}$
④ $\frac{7}{10}$ ⑤ $\frac{9}{10}$

▶ 해설 내신연계기출

03 여사건의 확률

유형 09 $A\cup B$의 여사건일 확률

사건 $A\cup B$에 대하여 $A\cup B$가 일어나지 않을 사건을 $A\cup B$의 여사건이라 하고 $A^c\cap B^c$로 나타낸다.

$$P(A^c\cap B^c)=1-P(A\cup B)$$

0650 학교기출 대표 유형

1부터 30까지의 서로 다른 번호가 적힌 30장의 카드 중에서 한 장을 택할 때, 그 카드에 적힌 번호가 2의 배수도 3의 배수도 아닐 확률은?

① $\frac{1}{15}$ ② $\frac{1}{5}$ ③ $\frac{1}{3}$
④ $\frac{1}{2}$ ⑤ $\frac{8}{15}$

▶ 해설 내신연계기출

0651 최다빈출 왕 중요 NORMAL

1부터 100까지의 자연수가 하나씩 적혀 있는 100개의 구슬이 들어 있는 상자에서 임의로 1개의 구슬을 꺼낼 때, 꺼낸 구슬에 적혀 있는 수가 6과 서로소일 확률은?

① $\frac{33}{100}$ ② $\frac{17}{50}$ ③ $\frac{7}{20}$
④ $\frac{9}{25}$ ⑤ $\frac{37}{100}$

▶ 해설 내신연계기출

0652 NORMAL

1부터 100까지의 자연수가 하나씩 적혀 있는 100개의 공이 들어 있는 주머니에서 임의로 1개의 공을 꺼낼 때, 꺼낸 공에 적혀 있는 수가 72와 서로소일 확률은?

① $\frac{33}{100}$ ② $\frac{17}{50}$ ③ $\frac{7}{20}$
④ $\frac{9}{25}$ ⑤ $\frac{37}{100}$

0653 NORMAL

서로 다른 3개의 주사위를 동시에 던질 때, 나오는 눈의 수의 곱이 10의 배수일 확률은?

① $\frac{1}{4}$ ② $\frac{3}{4}$ ③ $\frac{1}{3}$
④ $\frac{2}{3}$ ⑤ $\frac{1}{2}$

0654 TOUGH

민정이는 친구 A, B, C, D, E에게 각각 생일 초대 카드를 썼다. 그리고 5개의 봉투에 적힌 친구의 이름을 보지 않고 무심코 카드 1장씩을 각 봉투에 넣었다. 이때 A와 B의 이름이 적혀 있는 두 봉투에 모두 다른 사람에게 쓴 카드가 들어갈 확률은?

① $\frac{4}{7}$ ② $\frac{3}{5}$ ③ $\frac{11}{20}$
④ $\frac{13}{20}$ ⑤ $\frac{17}{20}$

0655 TOUGH

노란색 시계 3개, 하늘색 시계 2개, 노란색 팔찌 3개, 하늘색 팔찌 2개가 들어있는 상자에서 임의로 3개를 동시에 고를 때, 적어도 1개는 시계이고 적어도 1개는 하늘색일 확률을 $\frac{p}{q}$라 하면 $p+q$의 값은? (단, p, q는 서로소인 자연수)

① 121 ② 156 ③ 189
④ 211 ⑤ 234

유형 10 '또는'의 표현이 있을 때 여사건의 이용

사건 A에 대하여 A가 일어나지 않을 사건을 A의 여사건이라 하고 A^c로 나타낸다.

$$P(A^c)=1-P(A)$$

'또는' 사건은 '이고' 사건의 여사건이므로

($a<b$ 또는 $b<c$ 확률)$=1-$($c\le b\le a$ 확률)

0656 학교기출 대표 유형

1부터 5까지의 자연수가 각각 적혀 있는 5장의 카드를 그 수가 보이지 않도록 뒤집어 일렬로 나열할 때, 첫째 또는 다섯째 카드에 홀수가 적혀 있을 확률은?

① $\frac{1}{10}$ ② $\frac{3}{10}$ ③ $\frac{7}{10}$
④ $\frac{9}{10}$ ⑤ $\frac{5}{7}$

0657 NORMAL

여학생 4명과 남학생 2명이 어느 요양 시설에서 6명 모두가 하루에 한 명씩 6일 동안 봉사 활동을 하려고 한다. 이 6명의 학생이 봉사 활동 순번을 임의로 정할 때, 첫째 날 또는 여섯째 날에 남학생이 봉사 활동을 하게 될 확률은?

① $\frac{17}{30}$ ② $\frac{3}{5}$ ③ $\frac{19}{30}$
④ $\frac{2}{3}$ ⑤ $\frac{7}{10}$

0658 NORMAL

서로 다른 세 주사위를 동시에 던져서 나오는 눈의 수를 각각 a, b, c라 할 때,

$a<b$ 또는 $b<c$

일 확률은?

① $\frac{11}{27}$ ② $\frac{4}{9}$ ③ $\frac{5}{9}$
④ $\frac{19}{27}$ ⑤ $\frac{20}{27}$

0659 TOUGH

방정식 $a+b+c=9$를 만족시키는 음이 아닌 정수 a, b, c의 모든 순서쌍 (a, b, c) 중에서 임의로 한 개를 선택할 때, 선택한 순서쌍 (a, b, c)가

$a<2$ 또는 $b<2$

를 만족시킬 확률은 $\frac{q}{p}$이다. $p+q$의 값은?
(단, p, q는 서로소인 자연수)

① 76 ② 82 ③ 85
④ 87 ⑤ 89

0660 최다빈출 왕중요 TOUGH

방정식 $x+y+z=10$을 만족시키는 음이 아닌 정수 x, y, z의 모든 순서쌍 (x, y, z) 중에서 임의로 한 개를 선택한다.
선택한 순서쌍 (x, y, z)가

$(x-y)(y-z)(z-x)\neq 0$

을 만족시킬 확률은 $\frac{q}{p}$이다. $p+q$의 값은?
(단, p, q는 서로소인 자연수)

① 16 ② 17 ③ 18
④ 19 ⑤ 20

▶ 해설 내신연계기출

유형 11 복잡한 사건의 여사건일 확률

상황으로 판단하여 여사건을 이용하여 확률 구하기

사건 A에 대하여 A가 일어나지 않을 사건을 A의 여사건이라 하고 A^c로 나타낸다.

$$P(A^c)=1-P(A)$$

0661 학교기출 대표 유형

세 사람이 5개의 상영관의 영화표를 판매하는 매표소에서 영화표를 임의로 구매할 때, 이들 중 두 사람만 같은 상영관의 영화표를 구매할 확률을 구하는 과정이다. (가)~(라)에 알맞은 수는?

세 사람 중 두 사람만 같은 상영관의 영화표를 구매하는 사건을 A라 하면

그 여사건 A^c은 세 사람이 모두 다른 상영관의 영화표를 구매하는 경우 또는 세 사람이 모두 같은 상영관의 영화표를 구매하는 사건이다.

(i) 세 사람이 모두 다른 상영관의 영화표를 구매하는 확률은 (가)

(ii) 세 사람이 모두 같은 상영관의 영화표를 구매하는 경우 확률은 (나)

(i), (ii)에서 $P(A^c)=$ (다) 이므로 구하는 확률은

$P(A)=1-P(A^c)=$ (라)

	(가)	(나)	(다)	(라)
①	$\frac{9}{25}$	$\frac{3}{25}$	$\frac{12}{25}$	$\frac{13}{25}$
②	$\frac{9}{25}$	$\frac{1}{25}$	$\frac{2}{5}$	$\frac{3}{5}$
③	$\frac{12}{25}$	$\frac{2}{25}$	$\frac{14}{25}$	$\frac{11}{25}$
④	$\frac{12}{25}$	$\frac{1}{25}$	$\frac{13}{25}$	$\frac{12}{25}$
⑤	$\frac{12}{25}$	$\frac{3}{25}$	$\frac{3}{5}$	$\frac{2}{5}$

0662 최다빈출 왕 중요 NORMAL

남학생 3명과 여학생 4명으로 구성된 영화 동아리에서 회원 3명을 임의로 택하여 영화 시사회 초대권을 각각 한 장씩 나누어 주기로 하였다. 초대권을 받은 회원 중에서 남학생과 여학생이 모두 있을 확률은?

① $\frac{1}{10}$　② $\frac{3}{10}$　③ $\frac{7}{10}$　④ $\frac{9}{10}$　⑤ $\frac{6}{7}$

▶ 해설 내신연계기출

0663 NORMAL

세 장의 카드의 앞면과 뒷면에 각각 a와 b, b와 c, c와 a의 문자가 하나씩 적혀 있다. 세 장의 카드를 던져 펼쳐진 면의 문자를 비교하여 두 장의 카드의 문자가 같으면 갑이 이기고, 세 장의 카드의 문자가 모두 다르면 을이 이기는 게임을 한다. 이때 갑이 이길 확률은?

① $\frac{1}{4}$　② $\frac{3}{4}$　③ $\frac{1}{3}$　④ $\frac{2}{3}$　⑤ $\frac{1}{2}$

0664 NORMAL

한 개의 주사위를 세 번 던져 나온 눈의 수를 차례로 a, b, c라고 할 때,

$$(a-b)(b-c)=0$$

일 확률은?

① $\frac{1}{36}$　② $\frac{1}{6}$　③ $\frac{11}{36}$　④ $\frac{2}{3}$　⑤ $\frac{5}{6}$

0665 최다빈출 왕 중요 NORMAL

한 개의 주사위를 세 번 던져서 나온 눈의 수를 차례로 x, y, z라고 할 때,

$$(x-y)(y-z)(z-x)=0$$

일 확률은?

① $\frac{2}{9}$　② $\frac{4}{9}$　③ $\frac{5}{9}$　④ $\frac{2}{3}$　⑤ $\frac{7}{9}$

▶ 해설 내신연계기출

0666 NORMAL

서로 다른 세 개의 주사위를 동시에 던졌을 때, 나온 눈을 차례로 a, b, c라 하자. 이때 부등식

$$(a-b)^2+(b-c)^2+(c-a)^2>0$$

일 확률은?

① $\frac{17}{36}$　② $\frac{19}{36}$　③ $\frac{31}{34}$　④ $\frac{35}{36}$　⑤ $\frac{35}{56}$

0667

NORMAL

오른쪽 그림과 같은 직육면체의 8개의 꼭짓점 중에서 임의로 서로 다른 3개의 점을 택할 때, 그 중에서 2개의 점이 서로 같은 모서리의 꼭짓점일 확률은?

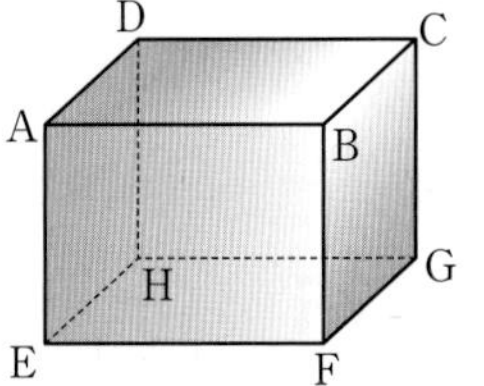

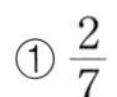

① $\frac{2}{7}$　② $\frac{17}{28}$

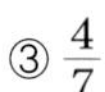

③ $\frac{4}{7}$　④ $\frac{6}{7}$

⑤ $\frac{19}{28}$

0668

NORMAL

다음 과정을 차례로 시행한다.

[과정1] 한 모서리의 길이가 1인 정육면체 125개를 그림과 같이 빈틈없이 쌓아 한 변의 길이가 5인 정육면체 한 개를 만든다.
[과정2] 한 모서리의 길이가 5인 정육면체의 한 밑면을 제외한 다섯 개의 면 전체에 색칠을 한다.
[과정3] 모두 흩뜨린 후, 한 모서리의 길이가 1인 125개의 정육면체 중에서 한 개를 임의로 선택한다.

위의 [과정3]에서 적어도 한 면이 색칠 되어져 있는 정육면체를 선택할 확률은 $\frac{q}{p}$이다. 이때 $p+q$의 값은?
(단, p와 q는 서로소인 자연수이다.)

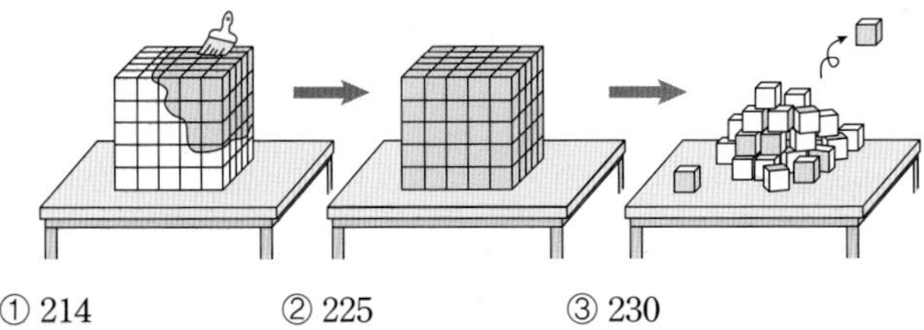

① 214　② 225　③ 230
④ 235　⑤ 240

▶ 해설 내신연계기출

0669

TOUGH

주머니에 1부터 4까지의 자연수가 하나씩 적힌 4개의 공이 들어 있다. 이 주머니에서 임의로 한 개의 공을 꺼내어 공에 적힌 숫자를 확인하고 주머니에 다시 넣는 시행을 3번 반복할 때, 꺼낸 공에 적힌 수를 차례로 a, b, c라 하자.
두 직선 $ax+by+1=0$, $cx+ay+1=0$이 오직 한 점에서 만날 확률은?

① $\frac{25}{27}$　② $\frac{15}{26}$　③ $\frac{19}{30}$
④ $\frac{27}{32}$　⑤ $\frac{29}{32}$

0670

TOUGH

숫자 1, 2, 3, 4가 하나씩 적혀 있는 흰 공 4개와 숫자 4, 5, 6이 하나씩 적혀 있는 검은 공 3개가 있다. 이 7개의 공을 임의로 일렬로 나열할 때, 같은 숫자가 적혀 있는 공이 서로 이웃하지 않게 나열될 확률은 $\frac{q}{p}$이다. $p+q$의 값은? (단, p, q는 서로소인 자연수)

① 10　② 12　③ 14
④ 16　⑤ 18

0671

최다빈출 왕중요

TOUGH

그림과 같이 1, 2, 3, 4의 숫자가 하나씩 적혀있는 카드가 각각 3장씩 12장이 있다. 이 12장의 카드 중에서 임의로 3장의 카드를 선택할 때, 선택한 카드 중에 같은 숫자가 적혀 있는 카드가 2장 이상일 확률은?

① $\frac{12}{55}$　② $\frac{16}{55}$　③ $\frac{4}{11}$
④ $\frac{24}{55}$　⑤ $\frac{28}{55}$

▶ 해설 내신연계기출

0672

남학생 2명과 여학생 3명을 일렬로 세울 때, 다음 단계로 구하는 과정을 서술하여라.

[1단계] 남학생 2명이 서로 이웃할 확률을 구한다.
[2단계] 남학생 2명이 서로 이웃하지 않을 확률을 구한다.
[3단계] 여학생 3명이 연속으로 이웃할 확률을 구한다.
[4단계] 여학생과 남학생이 교대로 서게 될 확률을 구한다.

0673

부모와 세 명의 자녀가 함께 영화를 보려고 다섯 개의 좌석이 일렬로 붙어 있는 영화표를 예매했다. 이 다섯 개의 좌석에 다섯 명의 가족이 임의로 앉을 때, 부모가 서로 이웃하지 않을 확률을 다음 2가지 방법으로 서술하여라.

[방법1] 여사건을 이용하지 않고 서술하여라.
[방법2] 여사건을 이용하여 서술하여라.

0674

1, 2, 3, 4, 5의 수가 각각 적힌 5장의 카드가 있다. 이 중에서 임의로 한 장씩 뽑아서 순서대로 늘어놓아 네 자리의 자연수를 만들 때, 다음 단계로 구하는 과정을 서술하여라.

[1단계] 짝수가 될 확률을 구한다.
[2단계] 4200보다 클 확률을 구한다.

0675

주머니 안에 흰 공이 5개, 검은 공이 6개 들어 있다. 이 주머니에서 임의로 2개의 공을 동시에 꺼낼 때, 다음 단계로 구하는 과정을 서술하여라.

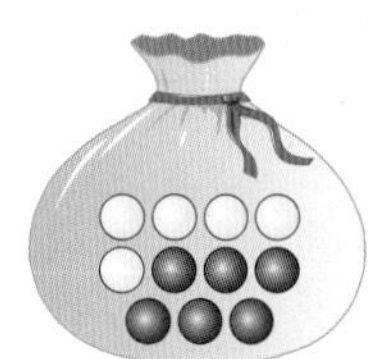

[1단계] 적어도 1개가 흰 공일 확률을 구한다.
[2단계] 검은 공이 1개 이상일 확률을 구한다.

0676

서로 다른 세 개의 주사위를 동시에 던질 때, 다음 단계로 구하는 과정을 서술하여라.

[1단계] 나온 눈의 수의 최솟값이 5일 확률을 구한다.
[2단계] 나온 눈의 수의 최댓값이 5일 확률을 구한다.

0677

주황색 탁구공 n개와 흰색 탁구공을 합하여 모두 20개가 들어있는 상자가 있다. 이 상자에서 임의로 탁구공 2개를 동시에 꺼낼 때, 2개 모두 주황색 탁구공일 확률은 $\frac{1}{19}$이다. 이때 n의 값을 구하는 과정을 다음 단계로 서술하여라.

[1단계] 20개의 탁구공에서 2개를 뽑는 전체 경우의 수를 구한다.
[2단계] 2개 모두 주황색 탁구공일 확률을 이용하여 n에 관한 식으로 나타낸다.
[3단계] n의 값을 구한다.

0678

A반과 B반의 학생으로만 구성된 어느 동아리 회원 10명 중에서 대표 2명을 뽑을 때, 같은 반 학생이 뽑힐 확률은 $\frac{8}{15}$이다.
이 동아리 회원 중에서 A반과 B반의 학생 수의 차를 구하는 과정을 다음 단계로 서술하여라.

[1단계] 동아리 회원 10명 중에서 대표 2명을 뽑는 경우의 수를 구한다.
[2단계] 배반사건의 확률을 이용하여 A반의 학생을 구한다.
[3단계] 여사건의 확률을 이용하여 A반의 학생을 구한다.
[4단계] A반과 B반의 학생 수의 차를 구한다.

0679

상자에 빨간 공과 파란 공이 합쳐서 6개 들어있다.
이 상자에서 임의로 2개의 공을 동시에 꺼내어 색을 확인하고 다시 넣는 시행을 여러 번 반복하였더니 10번에 4번꼴로 꺼낸 2개의 공이 모두 빨간 공이 나왔다. 이 주머니에 들어있는 빨간 공의 개수를 다음 순서에 따라 구하여라.

[1단계] 빨간 공의 개수를 n이라고 할 때, 이 상자에서 꺼낸 2개의 공이 모두 빨간 공일 수학적 확률을 구한다.
[2단계] 시행횟수가 충분히 많아 수학적 확률과 통계적 확률이 같다고 가정하였을 때, n의 값을 구한다.

0680

빨간 볼펜이 3개, 파란 볼펜이 n개 들어 있는 필통에서 임의로 두 개의 볼펜을 동시에 꺼낼 때, 적어도 한 개는 파란 볼펜이 나올 확률이 $\frac{7}{10}$이다. 이때 n의 값을 구하는 과정을 다음 단계로 서술하여라.

[1단계] 두 개의 볼펜을 동시에 꺼내는 모든 경우의 수를 구한다.
[2단계] 적어도 한 개는 파란 볼펜이 나오는 사건을 A라 할 때, 사건 A의 여사건 A^c의 확률 $\mathrm{P}(A^c)$을 구한다.
[3단계] $\mathrm{P}(A)=1-\mathrm{P}(A^c)$을 이용하여 n의 값을 구한다.

0681

흰 공 6개와 검은 공 4개가 들어 있는 주머니에서 임의로 4개의 공을 꺼낼 때, 흰 공을 2개 이상 꺼내는 확률을 구하는 과정을 다음 단계로 서술하여라.

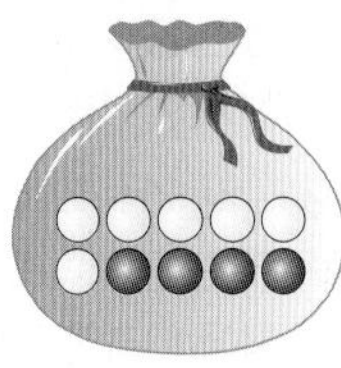

[1단계] 흰 공을 2개 이상 꺼내는 사건을 A라 할 때, A^C의 의미를 서술한다.

[2단계] $\mathrm{P}(A^C)$을 구한다.

[3단계] 흰 공을 2개 이상 꺼내는 확률을 구한다.

0682

한 개의 주사위를 세 번 던져 나온 눈의 수를 차례로 a, b, c라고 할 때,

$$(a-b)(b-c)=0$$

일 확률을 다음 방법으로 구하는 과정의 빈칸을 추론하여라.

[방법1] 여사건의 확률을 이용하여 구한다.

> $(a-b)(b-c)=0$인 사건을 A라 하면
> 그 여사건 A^C은 $(a-b)(b-c)\neq 0$인 사건이다.
> $\mathrm{P}(A^C)=$ (가) 이므로 구하는 확률은
> $\mathrm{P}(A)=1-\mathrm{P}(A^C)=$ (나)

[방법2] 확률의 덧셈정리를 이용하여 구한다.

> $a=b$일 사건을 A, $b=c$일 사건을 B라고 하면
> $\mathrm{P}(A)=$ (다), $\mathrm{P}(B)=$ (라)
> $\mathrm{P}(A\cap B)=$ (마)
> 따라서 $(a-b)(b-c)=0$일 확률은
> $\mathrm{P}(A\cup B)$이므로 $\mathrm{P}(A\cup B)=$ (바)

0683

한 개의 주사위를 두 번 던질 때, 나오는 눈의 수를 차례로 m, n이라고 하자. 다음 등식이 성립하는 확률을 다음 단계로 서술하여라. (단, $i=\sqrt{-1}$)

[1단계] $i^{m+n}=1$이 성립할 확률을 구한다.

[2단계] $i^m\times(-i)^n=1$이 성립할 확률을 구한다.

0684

오른쪽 그림과 같이 원 위에 같은 간격으로 놓여 있는 8개의 점에서 3개의 점을 택하여 삼각형을 만들 때, 다음 단계로 그 과정을 서술하여라.

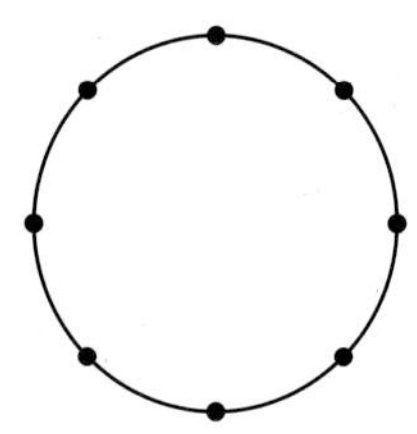

[1단계] 이 삼각형이 직각삼각형이 될 확률을 구한다.

[2단계] 이 삼각형이 이등변삼각형이 될 확률을 구한다.

[3단계] 이 삼각형이 둔각삼각형이 될 확률을 구한다.

0685

그림과 같이 평행한 두 직선 l, m 위에 각각 3개, 4개의 점이 있다. 한 직선 위에 이웃하는 두 점 사이의 거리가 1이고 두 직선 l, m 사이의 거리가 1일 때, 다음 단계로 구하는 과정을 서술하여라.

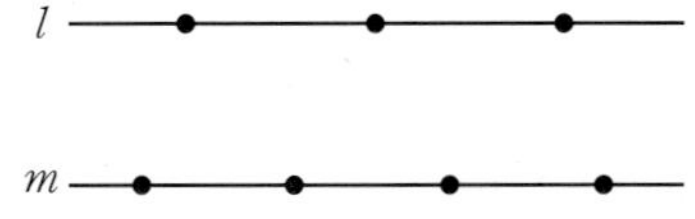

[1단계] 두 직선 l, m 위의 7개의 점 중에서 임의로 3개의 점을 택하여 모두 선분으로 이을 때, 삼각형이 될 확률을 구한다.

[2단계] 두 직선 l, m 위의 7개의 점 중에서 3개의 점을 꼭짓점으로 하는 삼각형 중 임의로 하나를 택할 때, 택한 삼각형의 넓이가 1일 확률을 구한다.

0686

그림과 같이 0부터 9까지의 10개의 숫자 중 4개의 숫자를 이용하여 비밀번호를 만들 수 있는 자물쇠가 있다. 자물쇠의 비밀번호를 임의로 만들 때, 2021, 3400과 같이 서로 다른 3개의 숫자로 이루어진 비밀번호일 확률을 다음 단계로 서술하여라.

[1단계] 0부터 9까지 10개의 숫자를 이용하여 만들 수 있는 서로 다른 비밀번호의 개수를 구한다.

[2단계] 서로 다른 3개의 숫자로 이루어진 비밀번호의 경우의 수를 구한다.

[3단계] 서로 다른 3개의 숫자로 이루어진 비밀번호일 확률을 구한다.

0687

학교 담장을 다음과 같이 8개의 구역으로 나눠 페인트를 칠하려고 한다. 각 구역에 파란색 4번, 보라색 3번, 초록색 1번을 임의로 칠할 때, 어떤 색도 연속하여 칠하지 않을 확률을 구하는 과정을 다음 단계로 서술하여라. (단, 한 개의 구역에는 한 가지 색만 칠한다.)

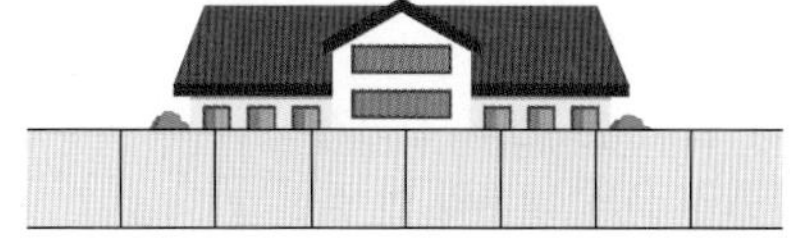

[1단계] 파란색 4번, 보라색 3번, 초록색 1번을 임의로 칠하는 경우의 수를 구한다.

[2단계] 어떤 색도 연속하지 않기 위해서는 다음 그림과 같이 파란색으로 칠한 4개의 구역 사이사이와 맨 앞, 맨 뒤인 a, b, c, d, e 구역에 보라색 3번, 초록색 1번을 칠하는 경우로 생각할 수 있다. 이때 a, b, c, d, e 구역에 보라색 3번, 초록색 1번을 칠하는 방법의 수를 구한다.

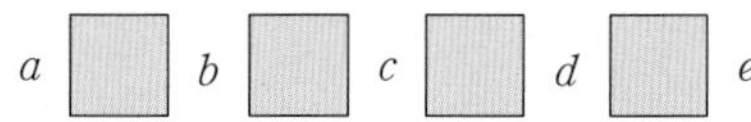

[3단계] 어떤 색도 연속하여 칠하지 않을 확률을 구한다.

0688

오른쪽 그림과 같이 좌표평면 위의 9개의 점이 있다. 이 9개의 점 중에서 임의로 서로 다른 두 점을 동시에 택할 때, 택한 두 점 사이의 거리를 d라고 하자. $d>2$일 확률을 다음 단계에 따라 구하는 과정을 서술하여라.

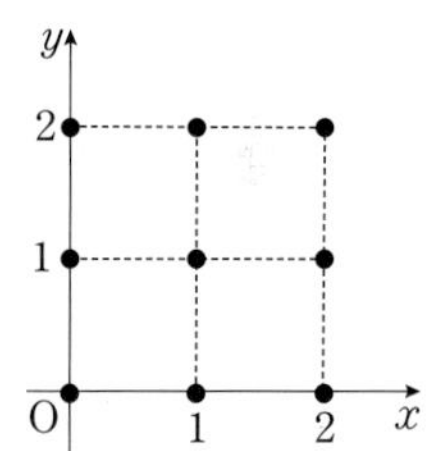

[1단계] $d>2$일 때, d가 될 수 있는 값을 모두 찾는다.

[2단계] 1단계에서 찾은 d의 값이 될 확률을 각각 구한다.

[3단계] 확률의 덧셈정리를 이용하여 조건을 만족시키는 확률을 구한다.

0689

오른쪽 그림과 같이 한 변의 길이가 1인 정사각형 ABCD의 내부의 한 점 P를 선택할 때, 삼각형 ABP가 **예각삼각형**이 될 확률은?

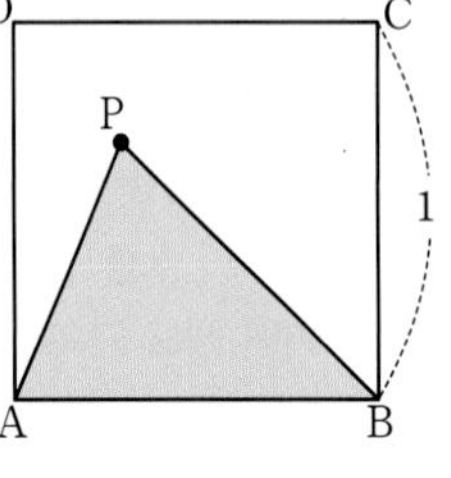

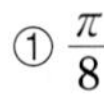

① $\frac{\pi}{8}$　　② $\frac{\pi}{6}$

③ $\frac{\pi}{4}$　　④ $1-\frac{\pi}{8}$

⑤ $1-\frac{\pi}{4}$

▶ 해설 내신연계기출

0690

평가원기출

어느 동호회 회원 21명이 5인승, 7인승, 9인승의 차 3대에 나누어 타고 여행을 떠나려고 한다. 현재 5인승, 7인승, 9인승의 차에 각각 4명, 5명, 6명이 타고 있고, A와 B를 포함한 6명이 아직 도착하지 않았다. 이 6명을 차 3대에 임의로 배정할 때, **A와 B가 같은 차에 배정될** 확률은 $\frac{q}{p}$이다. $10p+q$의 값을 구하여라.

(단, p, q는 서로소인 자연수)

0691

사관기출

그림과 같이 1열, 2열, 3열에 각각 2개씩 모두 6개의 좌석이 있는 놀이기구가 있다.

이 놀이기구의 6개의 좌석에 6명의 학생 A, B, C, D, E, F가 각각 한 명씩 임의로 앉을 때, 다음 조건을 만족시키도록 앉을 확률은 $\frac{q}{p}$이다. $p+q$의 값을 구하여라. (단, p, q는 서로소인 자연수)

(가) 두 학생 A, B는 같은 열에 앉는다.
(나) 두 학생 C, D는 서로 다른 열에 앉는다.
(다) 학생 E는 1열에 앉지 않는다.

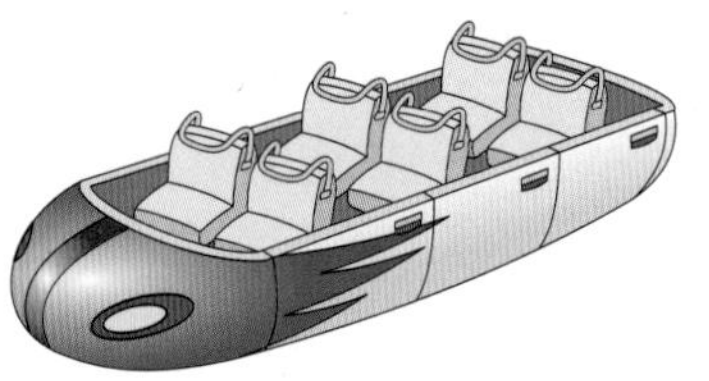

0692

수능기출

다음 좌석표에서 2행 2열 좌석을 제외한 8개의 좌석에 여학생 4명과 남학생 4명을 1명씩 임의로 배정할 때, **적어도 2명의 남학생이 서로 이웃하게 배정될** 확률은 p이다. $70p$의 값을 구하여라.

(단, 2명이 같은 행의 바로 옆이나 같은 열의 바로 앞뒤에 있을 때 이웃한 것으로 본다.)

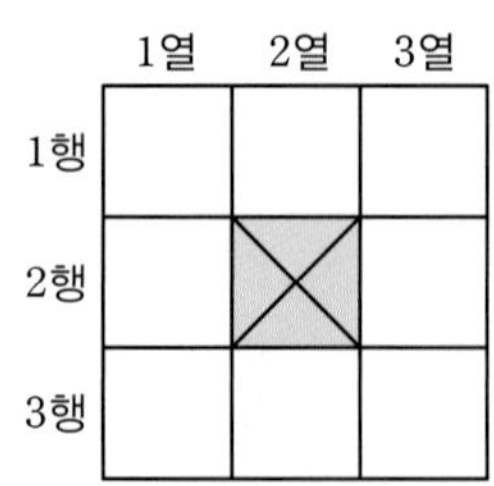

0693

평가원기출

1부터 9까지 자연수가 하나씩 적혀 있는 9개의 공이 주머니에 들어 있다. 이 주머니에서 임의로 3개의 공을 동시에 꺼낼 때, 꺼낸 공에 적혀 있는 수 a, b, $c(a<b<c)$가 다음 조건을 만족시킬 확률은?

(가) $a+b+c$는 홀수이다.
(나) $a\times b\times c$는 3의 배수이다.

① $\frac{5}{14}$　② $\frac{8}{21}$　③ $\frac{17}{42}$
④ $\frac{3}{7}$　⑤ $\frac{19}{42}$

0694

경찰대기출

1부터 9까지의 자연수가 각각 하나씩 적힌 9개의 공이 들어 있는 주머니가 있다. 이 주머니에서 임의로 4개의 공을 동시에 꺼낼 때, 꺼낸 공에 적혀 있는 수 a, b, c, d가 다음 조건을 만족시킬 확률은?

(가) $a+b+c+d$는 홀수이다.
(나) $a\times b\times c\times d$는 15의 배수이다.

① $\frac{4}{21}$　② $\frac{3}{14}$　③ $\frac{5}{21}$
④ $\frac{11}{42}$　⑤ $\frac{2}{7}$

0695

그림과 같이 일정한 간격으로 6개의 의자가 배치되어 있는 원형의 탁자가 있다. 6개의 의자 중 5개의 의자에 아버지, 어머니와 세 자녀가 임의로 앉을 때, 아버지 또는 어머니와 이웃한 옆 자리에 빈 의자가 있도록 앉을 확률은? (단, 회전하여 일치하는 것은 같은 것으로 본다.)

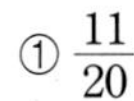

① $\frac{11}{20}$　② $\frac{3}{5}$　③ $\frac{13}{20}$
④ $\frac{7}{10}$　⑤ $\frac{3}{4}$

0696

교육청기출

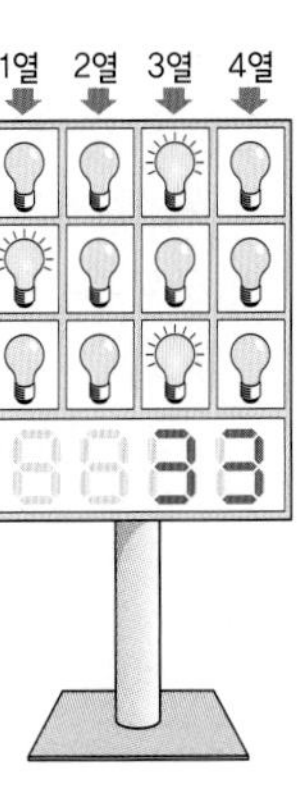

오른쪽 그림과 같이 12개의 전구와 전광판으로 이루어진 신호기가 있다. m열의 전구가 n개 켜져 있는 경우 $n\cdot 4^{m-1}$으로 계산되고, 네 개의 열이 계산된 수의 합이 전광판에 나타난다. 예를 들어 1열에서 1개, 3열에서 2개의 전구가 켜진 경우, 전광판에 33이 나타난다. 12개의 전구 중 임의로 2개를 켤 때, 전광판에 짝수가 나타날 확률을 $\frac{q}{p}$라 하자. $p+q$의 값을 구하여라. (단, p, q는 서로소인 자연수)

0697

평가원기출

집합 $A=\{1, 2, 3, 4\}$에 대하여 A에서 A로의 모든 함수 f 중에서 임의로 하나를 선택할 때, 이 함수가 다음 조건을 만족시킬 확률은 p이다. $120p$의 값을 구하여라.

(가) $f(1)\times f(2)\geq 9$
(나) 함수 f의 치역의 원소의 개수는 3이다.

▶ 해설 내신연계기출

0698

평가원기출

숫자 1, 1, 2, 2, 3, 3이 하나씩 적혀 있는 6개의 공이 들어 있는 주머니가 있다. 이 주머니에서 한 개의 공을 임의로 꺼내어 공에 적힌 수를 확인한 후 다시 넣지 않는다.
이와 같은 시행을 6번 반복할 때, $k(1\leq k\leq 6)$번째 꺼낸 공에 적힌 수를 a_k라 하자. 두 자연수 m, n을

$$m=a_1\times 100+a_2\times 10+a_3,$$
$$n=a_4\times 100+a_5\times 10+a_6$$

이라 할 때, $m>n$일 확률은 $\frac{q}{p}$이다. $p+q$의 값을 구하여라.
(단, p, q는 서로소인 자연수)

0699

평가원기출

빨간색 공 6개, 파란색 공 3개, 노란색 공 3개가 들어 있는 주머니가 있다. 이 주머니에서 임의로 한 개의 공을 꺼내는 시행을 하여, 다음 규칙에 따라 세 사람 A, B, C가 점수를 얻는다. (단, 한 번 꺼낸 공은 다시 주머니에 넣지 않는다.)

- 빨간색 공이 나오면 A는 3점, B는 1점, C는 1점을 얻는다.
- 파란색 공이 나오면 A는 2점, B는 6점, C는 2점을 얻는다.
- 노란색 공이 나오면 A는 2점, B는 2점, C는 6점을 얻는다.

이 시행을 계속하여 얻은 점수의 합이 처음으로 24점 이상인 사람이 나오면 시행을 멈춘다. 다음은 얻은 점수의 합이 24점 이상인 사람이 A뿐일 확률을 구하는 과정이다.

꺼낸 빨간색 공의 개수를 x, 파란색 공의 개수를 y, 노란색 공의 개수를 z라 할 때, 얻은 점수의 합이 24점 이상인 사람이 A뿐이기 위해서는 x, y, z가 다음 조건을 만족시켜야 한다.

$$x=6,\ 0<y<3,\ 0<z<3,\ y+z\geq 3$$

이 조건을 만족시키는 순서쌍 (x, y, z)는

$$(6, 1, 2), (6, 2, 1), (6, 2, 2)$$

이다.
(ⅰ) $(x, y, z)=(6, 1, 2)$인 경우의 확률은 (가) 이다.
(ⅱ) $(x, y, z)=(6, 2, 1)$인 경우의 확률은 (가) 이다.
(ⅲ) $(x, y, z)=(6, 2, 2)$인 경우는 10번째 시행에서 빨간색 공이 나와야 하므로 그 확률은 (나) 이다.
(ⅰ), (ⅱ), (ⅲ)에 의하여 구하는 확률은
$2\times$ (가) $+$ (나) 이다.

위의 (가), (나)에 알맞은 수를 각각 p, q라 할 때, $p+q$의 값은?

① $\frac{13}{110}$ ② $\frac{27}{220}$ ③ $\frac{7}{55}$
④ $\frac{29}{220}$ ⑤ $\frac{3}{22}$

04 조건부 확률

학교내신기출 객관식 핵심문제총정리

STEP 1 내신정복 기출유형

유형 01 경우의 수를 이용한 조건부 확률

사건 A가 일어났을 때, 사건 B가 일어날 확률은
사건 A가 일어났을 때의 사건 B의 **조건부 확률**이라 한다.

$$\mathrm{P}(B|A)=\frac{n(A\cap B)}{n(A)}=\frac{\mathrm{P}(A\cap B)}{\mathrm{P}(A)}\ (\text{단, } \mathrm{P}(A)>0)$$

⬅ 사건 A에 속하는 것들 중 사건 B에도 속하는 것들의 비율

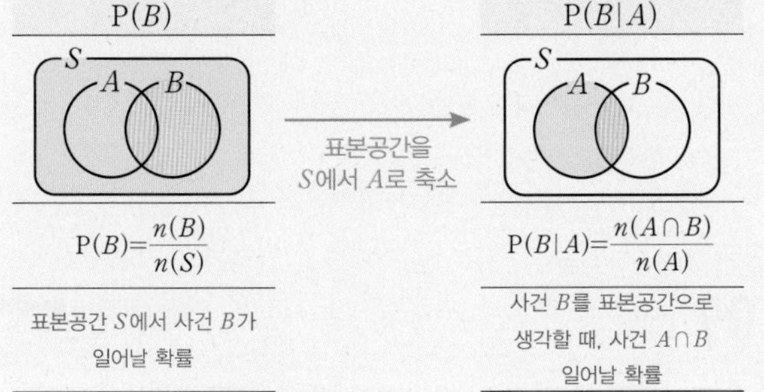

$\mathrm{P}(B)=\frac{n(B)}{n(S)}$	$\mathrm{P}(B\|A)=\frac{n(A\cap B)}{n(A)}$
표본공간 S에서 사건 B가 일어날 확률	사건 B를 표본공간으로 생각할 때, 사건 $A\cap B$ 일어날 확률

참고 경우의 수를 이용한 조건부 확률 구하기
대부분 '~일 때, ~일 확률'을 묻고 있어서 앞의 상황의 경우의 수와 그 안에서의 뒤의 상황의 경우의 수의 변화를 잘 관찰하여 확률을 구해야 한다.

0700 학교기출 대표 유형

표본공간이 $S=\{1, 2, 3, 4, 5\}$일 때, 두 사건

$A=\{1, 3, 5\}$, $B=\{4, 5\}$

에 대하여 $\mathrm{P}(A|B)+\mathrm{P}(B|A)$의 값은?

① $\frac{1}{6}$ ② $\frac{1}{3}$ ③ $\frac{1}{2}$
④ $\frac{2}{3}$ ⑤ $\frac{5}{6}$

0701 BASIC

원소의 개수가 15인 표본공간 S의 두 사건 A와 B에 대하여

$\mathrm{P}(A)=\frac{3}{5}$이고 $\mathrm{P}(B|A)=\frac{1}{3}$

일 때, $n(A\cap B)$의 값은?

① 2 ② 3 ③ 4
④ 5 ⑤ 6

0702 BASIC

한 개의 주사위를 던져 짝수의 눈이 나왔을 때, 그 수가 소수일 확률은?

① $\frac{1}{3}$ ② $\frac{1}{2}$ ③ $\frac{2}{3}$
④ $\frac{3}{4}$ ⑤ $\frac{3}{5}$

0703 BASIC

한 개의 주사위를 던져서 6의 약수의 눈이 나왔을 때, 그 눈이 홀수일 확률은?

① $\frac{1}{3}$ ② $\frac{1}{2}$ ③ $\frac{2}{3}$
④ $\frac{3}{4}$ ⑤ $\frac{9}{10}$

0704 최다빈출 왕 중요 BASIC

1부터 10까지의 서로 다른 수가 적힌 10장의 카드 중에서 임의로 뽑은 1장의 카드가 홀수일 때, 그것이 소수일 확률은?

① $\frac{3}{4}$ ② $\frac{2}{7}$ ③ $\frac{3}{5}$
④ $\frac{7}{10}$ ⑤ $\frac{9}{10}$

▶ 해설 내신연계기출

0705

NORMAL

1부터 8까지의 자연수가 하나씩 적힌 파란 공 8개와 9부터 15까지의 자연수가 하나씩 적힌 빨간 공 7개가 들어 있는 주머니에서 임의로 공 한 개를 꺼내려고 한다. 꺼낸 공에 적힌 수가 3의 배수일 때, 그것이 빨간 공 일 확률은?

① $\frac{1}{3}$ ② $\frac{2}{5}$ ③ $\frac{7}{15}$
④ $\frac{8}{15}$ ⑤ $\frac{3}{5}$

0706 최다빈출 왕중요

NORMAL

한 개의 주사위를 두 번 던진다. 6의 눈이 한 번도 나오지 않을 때, 나온 두 눈의 수의 합이 4의 배수일 확률은?

① $\frac{4}{25}$ ② $\frac{1}{5}$ ③ $\frac{6}{25}$
④ $\frac{7}{25}$ ⑤ $\frac{8}{25}$

▶ 해설 내신연계기출

0707 최다빈출 왕중요

NORMAL

한 개의 주사위를 2번 던져서 나오는 주사위의 눈의 수를 차례로 a, b라 하자. $a+b$가 4의 배수일 때, ab도 4의 배수일 확률은?

① $\frac{4}{9}$ ② $\frac{1}{2}$ ③ $\frac{5}{9}$
④ $\frac{11}{18}$ ⑤ $\frac{2}{3}$

▶ 해설 내신연계기출

0708

TOUGH

주머니 A에는 1부터 5까지의 자연수가 각각 하나씩 적힌 5장의 카드가 들어 있고, 주머니 B에는 6부터 8까지의 자연수가 각각 하나씩 적힌 3장의 카드가 들어 있다. 주머니 A에서 임의로 한 장의 카드를 꺼내고, 주머니 B에서 임의로 한 장의 카드를 꺼낸다. 꺼낸 2장의 카드에 적힌 두 수의 합이 홀수일 때, 주머니 A에서 꺼낸 카드에 적힌 수가 홀수일 확률은?

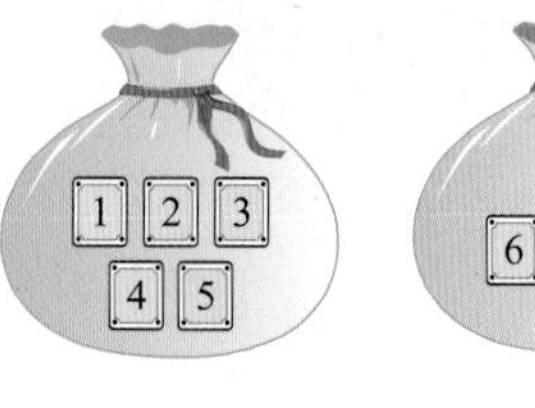

① $\frac{1}{4}$ ② $\frac{3}{8}$ ③ $\frac{1}{2}$
④ $\frac{5}{8}$ ⑤ $\frac{3}{4}$

0709

TOUGH

한 개의 주사위를 두 번 던질 때, 나오는 눈의 수를 각각 a, b라 하자. 이차방정식 $x^2+ax+b=0$이 허근을 가질 때, a가 홀수일 확률은?

① $\frac{5}{17}$ ② $\frac{9}{17}$ ③ $\frac{10}{17}$
④ $\frac{5}{18}$ ⑤ $\frac{17}{36}$

0710 최다빈출 왕중요

TOUGH

1부터 10까지의 자연수 중에서 임의로 서로 다른 3개의 수를 선택한다. 선택한 세 개의 수의 곱이 짝수일 때, 그 세 개의 수의 합이 3의 배수일 확률은?

① $\frac{14}{55}$ ② $\frac{3}{10}$ ③ $\frac{19}{55}$
④ $\frac{43}{110}$ ⑤ $\frac{24}{55}$

▶ 해설 내신연계기출

유형 02 순열 조합을 이용한 조건부 확률

① 서로 다른 n개에서 r개를 택하여 일렬로 나열하는 순열의 수

⇨ ${}_{n}\mathrm{P}_{r}=n(n-1)(n-2)\cdots(n-r+1)\,(0\le r\le n)$

② 서로 다른 n개에서 순서를 생각하지 않고 r개를 뽑는 조합의 수

⇨ ${}_{n}\mathrm{C}_{r}=\dfrac{{}_{n}\mathrm{P}_{r}}{r!}=\dfrac{n!}{r!(n-r)!}$ (단, $0\le r\le n$)

③ 어떤 특정한 사건 A가 일어날 조건에서 사건 B가 일어날 확률은

⇨ $\mathrm{P}(B|A)=\dfrac{\mathrm{P}(A\cap B)}{\mathrm{P}(A)}$

0711 학교기출 대표 유형

주머니에 HB연필 2개와 4B연필 3개가 들어있다. 이 주머니에서 동시에 꺼낸 두 연필이 같은 종류의 연필이었을 때, 이 연필이 4B연필일 확률은?

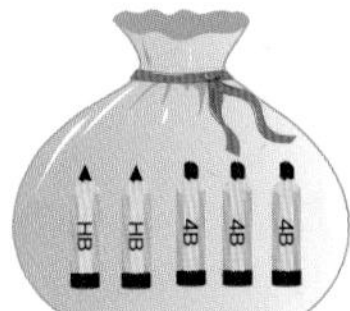

① $\frac{3}{4}$ ② $\frac{4}{5}$ ③ $\frac{1}{3}$
④ $\frac{1}{4}$ ⑤ $\frac{1}{5}$

0712 최다빈출 왕 중요 NORMAL

1등 당첨 제비 1개와 2등 당첨 제비 2개를 포함한 10개의 제비가 들어있는 추첨함에서 임의로 뽑은 2개의 제비 중 한 개가 당첨 제비일 때, 그 제비가 1등 당첨 제비일 확률은?

① $\frac{1}{4}$ ② $\frac{1}{3}$ ③ $\frac{2}{3}$
④ $\frac{3}{5}$ ⑤ $\frac{3}{4}$

▶ 해설 내신연계기출

0713 NORMAL

1부터 5까지의 자연수가 하나씩 적힌 5장의 카드가 있다. 이 중에서 임의로 두 장의 카드를 동시에 뽑았더니 두 장의 카드에 적힌 수의 합이 짝수일 때, 두 카드에 적힌 수가 모두 홀수일 확률은?

① $\frac{1}{4}$ ② $\frac{1}{3}$ ③ $\frac{2}{3}$
④ $\frac{3}{4}$ ⑤ $\frac{3}{5}$

0714 NORMAL

주머니 속에 1, 1, 3, 3, 3이 하나씩 적힌 노란 공 5개와 2, 2, 3, 3, 3이 하나씩 적힌 파란 공 5개가 들어 있다. 이 주머니 속에서 임의로 두 개의 공을 동시에 꺼냈더니 모두 3이 적혀 있었을 때, 두 공이 서로 다른 색일 확률은?

① $\frac{3}{10}$ ② $\frac{2}{5}$ ③ $\frac{1}{2}$
④ $\frac{3}{5}$ ⑤ $\frac{7}{10}$

0715 최다빈출 왕 중요 NORMAL

주머니에 1, 2, 3, 4의 숫자가 하나씩 적혀 있는 빨간 구슬 4개와 5, 6, 7의 숫자가 하나씩 적혀 있는 파란 구슬 3개가 들어 있다. 이 주머니에서 임의로 2개의 구슬을 동시에 꺼내었더니 구슬에 적힌 두 수의 곱이 홀수일 때, 이 두 구슬의 색이 서로 다를 확률은?

① $\frac{1}{6}$ ② $\frac{1}{3}$ ③ $\frac{1}{2}$
④ $\frac{2}{3}$ ⑤ $\frac{5}{6}$

▶ 해설 내신연계기출

0716 최다빈출 왕 중요 NORMAL

주머니에 1부터 8까지의 자연수가 하나씩 적힌 8개의 공이 들어 있다. 이 주머니에서 임의로 3개의 공을 동시에 꺼낼 때, 꺼낸 3개의 공에 적힌 수를 $a, b, c\,(a<b<c)$라 하자. $a+b+c$가 짝수일 때, a가 홀수일 확률은?

① $\frac{3}{7}$ ② $\frac{1}{2}$ ③ $\frac{4}{7}$
④ $\frac{9}{14}$ ⑤ $\frac{5}{7}$

▶ 해설 내신연계기출

0717

NORMAL

1부터 9까지의 자연수가 하나씩 적혀 있는 9개의 공이 들어있는 주머니에서 임의로 4개의 공을 동시에 꺼낸다. 꺼낸 4개의 공에 적혀 있는 자연수 중 두 번째로 큰 수가 7일 때, 세 번째로 큰 수가 5일 확률은?

① $\frac{1}{5}$　② $\frac{4}{15}$　③ $\frac{1}{3}$
④ $\frac{2}{5}$　⑤ $\frac{7}{15}$

0718

최다빈출 왕중요　NORMAL

한 개의 주사위를 사용하여 다음 규칙에 따라 점수를 얻는 시행을 한다.

(가) 한 번 던져 나온 눈의 수가 5이상이면 나온 눈의 수를 점수로 한다.
(나) 한 번 던져 나온 눈의 수가 5보다 작으면 한 번 더 던져 나온 눈의 수를 점수로 한다.

시행의 결과로 얻은 점수가 5점 이상일 때, 주사위를 한 번만 던졌을 확률은?

① $\frac{1}{5}$　② $\frac{1}{3}$　③ $\frac{2}{3}$
④ $\frac{3}{5}$　⑤ $\frac{4}{5}$

▶ 해설 내신연계기출

0719

NORMAL

그림과 같이 어느 카페의 메뉴에는 서로 다른 3가지의 주스와 서로 다른 2가지의 아이스크림이 있다. 두 학생 A, B가 이 5가지 중 1가지씩을 임의로 주문했다고 한다. A, B가 주문한 것이 서로 다를 때, A, B가 주문한 것이 모두 아이스크림일 확률은?

① $\frac{1}{6}$　② $\frac{1}{7}$　③ $\frac{1}{8}$
④ $\frac{1}{9}$　⑤ $\frac{1}{10}$

0720

최다빈출 왕중요　NORMAL

어느 반에서 후보로 추천된 A, B, C, D 네 학생 중에서 반장과 부반장을 각각 한 명씩 임의로 뽑으려고 한다.
A 또는 B가 반장으로 뽑혔을 때, C가 부반장이 될 확률은?

① $\frac{1}{2}$　② $\frac{1}{3}$　③ $\frac{1}{4}$
④ $\frac{1}{5}$　⑤ $\frac{1}{6}$

▶ 해설 내신연계기출

0721

최다빈출 왕중요　TOUGH

다음 조건을 모두 만족시키는 좌표평면 위의 점 (a, b)중에서 임의로 서로 다른 두 점을 택하는 시행이 있다. 이 시행에서 택한 두 점이 모두 직선 $y=x$위에 있을 때, 이 두 점의 x좌표가 모두 양수일 확률은 $\frac{q}{p}$이다. $p+q$의 값은? (단, p와 q는 서로소인 자연수)

(가) a, b는 모두 정수이다.
(나) $a^2+b^2<10$

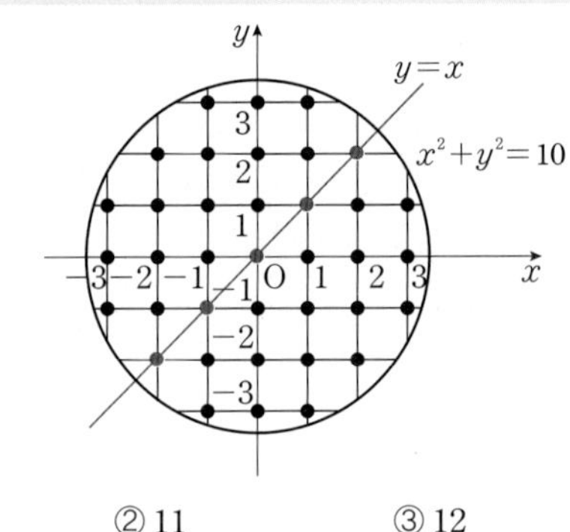

① 10　② 11　③ 12
④ 13　⑤ 14

▶ 해설 내신연계기출

0722

최다빈출 왕중요　TOUGH

여학생 4명, 남학생 4명이 공연을 보기위해 연속된 8개의 좌석을 예매하여 임의로 좌석에 앉기로 하였다.
여학생끼리는 어느 두 명도 이웃한 좌석에 앉지 않을 때, 남학생 두 명이 이웃한 좌석에 앉을 확률은?

① $\frac{1}{4}$　② $\frac{1}{3}$　③ $\frac{2}{3}$
④ $\frac{3}{5}$　⑤ $\frac{3}{4}$

▶ 해설 내신연계기출

유형 03 표를 이용한 조건부 확률 구하기

(1) 사건 A가 일어났을 때, 사건 B의 조건부 확률은 (단, $\mathrm{P}(A)>0$)

$$\mathrm{P}(B|A)=\frac{n(A\cap B)}{n(A)}=\frac{\mathrm{P}(A\cap B)}{\mathrm{P}(A)}$$

← 사건 A에 속하는 것 중 사건 B에도 속하는 것의 비율

← 사건 A안에서 사건 $A\cap B$가 일어날 확률

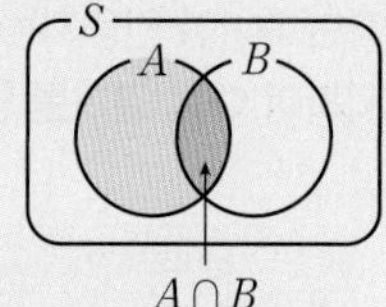

(2) 사건 B가 일어났을 때, 사건 A의 조건부 확률은

$$\mathrm{P}(A|B)=\frac{n(A\cap B)}{n(B)}=\frac{\mathrm{P}(A\cap B)}{\mathrm{P}(B)}$$

← 사건 B에 속하는 것 중 사건 A에도 속하는 것의 비율

← 사건 B안에서 사건 $A\cap B$가 일어날 확률

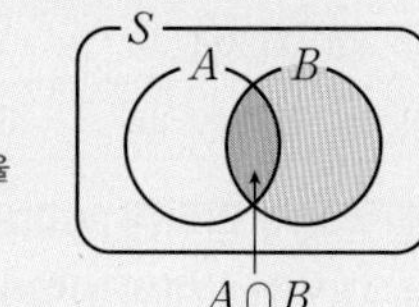

0723 학교기출 대표 유형

다음 표는 어느 학교 동아리 A, B에 신규 등록한 1학년 학생 50명에 대하여 남녀의 수를 조사한 것이다.

동아리 \ 성별	남학생	여학생	합계
A	12	8	20
B	18	12	30
합계	30	20	50

이 중에서 임의로 한 명을 뽑았더니 여학생이었을 때, 그 학생이 A동아리 소속일 확률은?

① $\frac{2}{5}$ ② $\frac{3}{5}$ ③ $\frac{4}{5}$
④ $\frac{2}{3}$ ⑤ $\frac{3}{4}$

0724 최다빈출 왕 중요 BASIC

다음 표는 어느 고등학교 학생 100명을 대상으로 정기적인 봉사활동을 하는지 조사하여 나타낸 것이다.

구분	하고 있음	하고 있지 않음	합계
남학생	12	38	50
여학생	28	22	50
합계	40	60	100

대답한 사람이 여학생이었을 때, 그 사람이 정기적인 봉사활동을 하고 있을 확률은?

① $\frac{6}{25}$ ② $\frac{3}{10}$ ③ $\frac{11}{25}$
④ $\frac{14}{25}$ ⑤ $\frac{19}{25}$

▶ 해설 내신연계기출

0725 BASIC

어느 학교 학생 200명을 대상으로 체험활동에 대한 선호도를 조사하였다. 이 조사에 참여한 학생은 문화체험과 생태연구 중 하나를 선택하였고, 각각의 체험활동을 선택한 학생의 수는 다음과 같다.

(단위 : 명)

구분	문화체험	생태연구	합계
남학생	40	60	100
여학생	50	50	100
합계	90	110	200

이 조사에 참여한 학생 200명 중에서 임의로 선택한 1명이 생태연구를 선택한 학생일 때, 이 학생이 여학생일 확률은?

① $\frac{5}{11}$ ② $\frac{1}{2}$ ③ $\frac{6}{11}$
④ $\frac{5}{9}$ ⑤ $\frac{3}{5}$

0726 BASIC

14개의 공에 각각 검은색과 흰색 중 한 가지 색이 칠해져 있고, 자연수가 하나씩 적혀 있다. 각각의 공에 칠해져 있는 색과 적혀 있는 수에 따라 분류한 공의 개수는 다음과 같다.

(단위 : 개)

구분	검정색	흰색	합계
홀수	5	3	8
짝수	4	2	6
합계	9	5	14

14개의 공 중에서 임의로 선택한 한 개의 공이 검은색일 때, 이 공에 적혀 있는 수가 짝수일 확률은?

① $\frac{2}{9}$ ② $\frac{5}{18}$ ③ $\frac{1}{3}$
④ $\frac{7}{18}$ ⑤ $\frac{4}{9}$

0727

BASIC

다음은 대학생 500명을 대상으로 '자신의 전공이 적성에 맞는가?'에 대한 설문 조사 결과이다.

(단위 : 명)

구분	적성에 맞는다.	적성에 맞지 않는다.	합계
남학생	200	60	260
여학생	160	80	240
합계	360	140	500

이 설문 조사에 응한 대학생 중에서 임의로 택한 1명이 '적성에 맞는다.' 라고 대답하였을 때, 그 대학생이 여자일 확률은?

① $\frac{2}{5}$ ② $\frac{3}{7}$ ③ $\frac{4}{9}$
④ $\frac{2}{3}$ ⑤ $\frac{6}{7}$

0728

BASIC

다음 표는 1부와 2부로 나눠서 진행된 어느 대학 입학 설명회에 참석한 128명의 학생 중 남학생과 여학생의 수를 나타낸 것이다.

구분	남학생	여학생	합계
1부	38	28	66
2부	32	30	62
합계	70	58	128

이 설명회에 참석한 학생은 1부와 2부 중 어느 하나만 참석했다. 이 설명회에 참석한 학생 중 임의로 선택한 한 명이 남학생일 때, 이 학생이 2부에 참석한 학생일 확률은?

① $\frac{12}{35}$ ② $\frac{13}{35}$ ③ $\frac{2}{5}$
④ $\frac{3}{7}$ ⑤ $\frac{16}{35}$

0729

최다빈출 왕중요

NORMAL

어느 인공지능 시스템에 고양이 사진 40장과 강아지 사진 40장을 입력한 후, 이 인공지능 시스템이 각각의 사진을 인식하는 실험을 실시하여 다음 결과를 얻었다.

(단위 : 장)

입력 \ 인식	고양이 사진	강아지 사진	합계
고양이 사진	32	8	40
강아지 사진	4	36	40
합계	36	44	80

이 실험에서 입력된 80장의 사진 중에서 임의로 선택한 1장이 인공지능 시스템에 의해 고양이 사진으로 인식된 사진일 때, 이 사진이 고양이 사진일 확률은?

① $\frac{4}{9}$ ② $\frac{5}{9}$ ③ $\frac{2}{3}$
④ $\frac{7}{9}$ ⑤ $\frac{8}{9}$

▶ 해설 내신연계기출

0730

NORMAL

메이저리그(MLB)의 토론토 블루제이스팀은 정규시즌에 162경기를 했고 이 중 100경기를 이겼다고 한다. 현진이는 2021년의 모든 경기에 대한 승부를 예상하고 그 결과를 기록해 두었다. 다음 표는 현진이가 작성한 표의 일부이다. 현진의 기록에 따르면 토론토 블루제이스가 이길 것이라고 예상한 경기는 98경기이고, 그 중 실제로 토론토 블루제이스가 이긴 경기는 70경기라고 한다. 이 해에 토론토 블루제이스가 진 경기 중 임의로 한 경기를 선택할 때, 그 경기에서 토론토 블루제이스가 질 것으로 예상했을 확률은?
(단, 무승부는 없다.)

예상 \ 결과	이겼다	졌다	계
이길 것이다.			98
질 것이다.			
계	100		162

① $\frac{3}{8}$ ② $\frac{11}{24}$ ③ $\frac{5}{27}$
④ $\frac{15}{29}$ ⑤ $\frac{17}{31}$

0731

최다빈출 왕중요 NORMAL

5명의 학생 A, B, C, D, E가 김밥, 만두, 쫄면 중에서 서로 다른 2종류의 음식을 표와 같이 선택하였다.

구분	A	B	C	D	E
김밥	○	○		○	
만두	○	○	○		○
쫄면			○	○	○

이 5명 중에서 임의로 뽑힌 한 학생이 만두를 선택한 학생일 때, 이 학생이 쫄면도 선택하였을 확률은?

① $\frac{1}{4}$ ② $\frac{1}{3}$ ③ $\frac{1}{2}$
④ $\frac{2}{3}$ ⑤ $\frac{3}{4}$

▶ 해설 내신연계기출

0732

NORMAL

어느 마라톤 대회에 참가한 50명의 동호회 회원 중 마라톤에서 완주한 회원수와 기권한 회원수가 다음과 같다. 참가한 회원 중에서 임의로 선택된 한 명의 회원이 여성이었을 때, 이 회원이 마라톤에서 완주하였을 확률이 p이다. $100p$의 값은?

(단위 : 명)

구분	남성	여성
완주한 회원 수	27	9
기권한 회원 수	8	6

① 20 ② 30 ③ 40
④ 50 ⑤ 60

0733

최다빈출 왕중요 NORMAL

어느 지역에서 발생한 식중독과 음식 A의 연관성을 알아보기 위해 300명을 조사하여 다음 결과를 얻었다.

(단위 : 명)

구분	식중독에 걸린 사람	식중독에 걸리지 않은 사람	합계
A를 먹은 사람	22	28	50
A를 먹지 않은 사람	24	226	250
합계	46	254	300

조사 대상 300명 중에서 임의로 선택된 사람이 A를 먹은 사람일 때 이 사람이 식중독에 걸렸을 확률을 p_1, A를 먹지 않은 사람일 때 이 사람이 식중독에 걸렸을 확률을 p_2라고 하자. $\frac{p_1}{p_2}$의 값은?

① $\frac{11}{3}$ ② $\frac{25}{6}$ ③ $\frac{55}{12}$
④ $\frac{21}{4}$ ⑤ $\frac{35}{6}$

▶ 해설 내신연계기출

0734

TOUGH

남학생 150명과 여학생 120명을 대상으로 영화 A와 영화 B의 관람 여부를 조사하였더니 모든 학생이 적어도 한 영화를 관람하였는데 그 결과가 다음 표와 같았다.

구분	남학생	여학생
영화 A	120	100
영화 B	90	60

두 영화 A, B를 모두 관람한 학생들 중에서 1명을 임의로 뽑을 때, 이 학생이 여학생일 확률은?

① $\frac{3}{8}$ ② $\frac{3}{7}$ ③ $\frac{2}{5}$
④ $\frac{3}{5}$ ⑤ $\frac{5}{7}$

유형 04 표가 주어지지 않은 조건부 확률

① 사건 A가 일어났을 때, 사건 B의 조건부확률은

$$P(B|A)=\frac{n(A\cap B)}{n(A)}=\frac{P(A\cap B)}{P(A)} \text{ (단, } P(A)>0)$$

② 사건 B가 일어났을 때, 사건 A의 조건부확률은

$$P(A|B)=\frac{n(A\cap B)}{n(B)}=\frac{P(A\cap B)}{P(B)} \text{ (단, } P(B)>0)$$

0735 학교기출 대표 유형

스노보드 캠프에 참가한 학생 중에서 스노보드를 타 본 적이 있는 학생은 전체 참가 학생의 30%이고, 스노보드를 타 본 적이 있는 남학생은 전체 참가 학생의 12%라고 한다. 이 캠프 참가자 중에서 임의로 택한 한 명이 스노보드를 타 본 적이 있을 때, 그 학생이 남학생일 확률은?

① 0.2 ② 0.3 ③ 0.4
④ 0.5 ⑤ 0.6

▶ 해설 내신연계기출

0736 NORMAL

어느 고등학교의 전체 학생은 남학생 230명, 여학생 170명이다. 이 학교의 모든 학생은 체험 활동으로 전통문화 체험과 수학 체험 중 반드시 하나만을 희망한다고 한다. 남학생 중 수학 체험을 희망한 학생은 100명이고, 여학생 중 전통문화 체험을 희망한 학생은 90명이다. 이 학교 학생 400명 중에서 임의로 선택한 한 학생이 수학 체험을 희망하였을 때, 이 학생이 여학생일 확률은?

① $\frac{2}{9}$ ② $\frac{5}{18}$ ③ $\frac{1}{3}$
④ $\frac{7}{18}$ ⑤ $\frac{4}{9}$

0737 최다빈출 왕 중요 NORMAL

남학생 12명과 여학생 8명으로 이뤄진 어느 카 레이싱 동아리에 제네시스팀, 벤틀리팀 중 어느 한 팀에만 반드시 속하여 카 레이싱 준비를 한다. 이 레이싱 동아리의 학생들 중 제네시스팀에 속한 남학생은 8명이고, 벤틀리팀에 속한 여학생은 5명이다. 이 동아리 학생 20명 중에서 임의로 뽑은 한 학생이 벤틀리팀에 속한 학생일 때, 이 학생이 남학생일 확률은?

① $\frac{1}{9}$ ② $\frac{2}{9}$ ③ $\frac{1}{3}$
④ $\frac{4}{9}$ ⑤ $\frac{5}{9}$

▶ 해설 내신연계기출

0738 NORMAL

남학생과 여학생의 비율이 3 : 2인 어느 학교에서 안경 착용 여부를 조사하였더니 결과가 다음과 같았다.

(가) 남학생의 $\frac{3}{4}$은 안경을 착용했다.
(나) 안경을 착용하지 않은 학생의 $\frac{1}{2}$은 여학생이다.

이 학교에서 안경을 착용한 학생 한 명을 임의로 택할 때, 그 학생이 남학생일 확률은?

① $\frac{1}{2}$ ② $\frac{2}{3}$ ③ $\frac{3}{4}$
④ $\frac{5}{14}$ ⑤ $\frac{9}{14}$

0739 최다빈출 왕 중요 TOUGH

어느 산악회 회원 수는 모두 60명이고, 각 회원은 두 개의 등산학교 A, B 중 한 등산학교에 속해 있다.
이 산악회의 등산학교 A는 20명, 등산학교 B는 40명의 회원으로 구성되어 있다. 이 산악회의 등산학교 A에 속해 있는 회원 50%가 여자이고, 이 산악회의 여자회원 60%가 등산학교 B에 속해 있다. 이 산악회의 회원 60명 중에서 임의로 선택한 한 명이 등산학교 B에 속해 있을 때, 이 회원이 남자일 확률은?

① $\frac{5}{12}$ ② $\frac{3}{8}$ ③ $\frac{5}{8}$
④ $\frac{2}{3}$ ⑤ $\frac{7}{8}$

▶ 해설 내신연계기출

유형 05 조건부 확률을 이용한 미지수 구하기

(1) 사건 A가 일어났을 때, 사건 B의 조건부 확률은

$$P(B|A)=\frac{n(A\cap B)}{n(A)}=\frac{P(A\cap B)}{P(A)}$$

⬅ 사건 A에 속하는 것들 중 사건 B에도 속하는 것들의 비율

(2) 사건 B가 일어났을 때, 사건 A의 조건부 확률은

$$P(A|B)=\frac{n(A\cap B)}{n(B)}=\frac{P(A\cap B)}{P(B)}$$

⬅ 사건 B에 속하는 것들 중 사건 A에도 속하는 것들의 비율

0740 학교기출 대표 유형

오른쪽 표는 어느 테니스 동아리에서 두 테니스 라켓 F, H의 선호도를 조사한 것이다. 전체 회원 중에서 임의로 뽑은 한 명이 여자이었을 때, 이 회원이 F라켓을 선호할 확률은 $\frac{1}{6}$이다. 이때 x의 값은? (단, 각 회원은 한 종목에만 선호도를 나타낼 수 있다.)

구분	남	여
F	3	x
H	15	25

① 4　② 5　③ 6　④ 7　⑤ 8

▶ 해설 내신연계기출

0741 최다빈출 왕중요 NORMAL

어느 회사 직원 200명을 대상으로 신제품에 대한 만족도를 조사한 결과의 일부가 다음 표와 같다.

(단위 : 명)

구분	만족	불만족	합계
남자		12	
여자	$3a$	$2a$	
합계	160		200

조사에 참여한 직원 중에서 임의로 선택한 한 직원이 남자일 때, 이 직원이 신제품에 대하여 '만족' 이라고 평가한 직원일 확률은? (단, a는 자연수이다.)

① $\frac{4}{15}$　② $\frac{7}{15}$　③ $\frac{13}{20}$　④ $\frac{57}{65}$　⑤ $\frac{59}{65}$

▶ 해설 내신연계기출

0742 최다빈출 왕중요 NORMAL

코로나19의 영향으로 어느 고등학교에서 1학년, 2학년 학생들을 대상으로 온라인수업과 대면수업에 대한 신청을 받은 결과 신청한 전체 학생 수가 400명이고 각 수업의 학년별 신청 학생 수는 다음과 같다.

구분	온라인수업	대면수업
1학년	a	80
2학년	150	b

수업을 신청한 학생 중 임의로 뽑은 한 명의 학생이 온라인 수업을 신청한 학생이었을 때, 이 학생이 1학년일 확률이 $\frac{4}{9}$이다. $a-b$의 값은? (단, 한 학생은 한 수업만 신청할 수 있다.)

① 70　② 72　③ 74　④ 76　⑤ 78

▶ 해설 내신연계기출

0743 최다빈출 왕중요 NORMAL

어느 고등학교의 전체 학생은 400명이고, 이 중 남학생은 180명이다. 이 학교의 각 학생은 확률과 통계와 미적분 중 한 과목만 선택하여 수업을 받는데 미적분 수업을 받는 학생 중 남학생이 120명이다. 이 학교 학생 중에서 임의로 선택한 한 학생이 확률과 통계 수업을 받는 학생일 때, 이 학생이 여학생일 확률은 $\frac{4}{7}$이다. 미적분 수업을 받는 여학생의 수는?

① 80　② 100　③ 120　④ 140　⑤ 160

▶ 해설 내신연계기출

0744 NORMAL

어느 고등학교의 상담실에서 지난 한 달 동안 1학년, 2학년 학생 총 30명이 전문 상담교사에게 상담을 받았고, 이 중에서 1학년은 남학생의 비율이 40%, 2학년은 남학생의 비율이 30%이었다.
상담을 받은 학생 중에서 임의로 뽑은 1명이 남학생일 때, 그 학생이 1학년일 확률이 $\frac{2}{5}$이다. 상담을 받은 1학년 학생의 수는?

① 6　② 7　③ 8　④ 9　⑤ 10

04 조건부 확률

0745 최다빈출 왕 중요 NORMAL

여학생이 40명이고 남학생이 60명인 어느 학교 전체 학생을 대상으로 축구와 야구에 대한 선호도를 조사하였다. 이 학교 학생의 70%가 축구를 선택하였으며, 나머지 30%는 야구를 선택하였다.
이 학교의 학생 중 임의로 뽑은 1명이 축구를 선택한 남학생일 확률은 $\frac{2}{5}$이다. 이 학교의 학생 중 임의로 뽑은 1명이 야구를 선택한 학생일 때, 이 학생이 여학생일 확률은? (단, 조사에서 모든 학생들은 축구와 야구 중 한 가지만 선택하였다.)

① $\frac{1}{4}$ ② $\frac{1}{3}$ ③ $\frac{5}{12}$
④ $\frac{1}{2}$ ⑤ $\frac{7}{12}$

▶ 해설 내신연계기출

0746 TOUGH

어느 회사의 직원은 모두 60명이고, 각 직원은 두 개의 부서 A, B 중 한 부서에 속해 있다. 이 회사의 A부서는 20명, B부서는 40명의 직원으로 구성되어 있다. 이 회사의 A부서에 속해 있는 직원의 50%가 여성이다. 이 회사 여성 직원의 60%가 B부서에 속해 있다. 이 회사의 직원 60명 중에서 임의로 선택한 한 명이 B부서에 속해 있을 때, 이 직원이 여성일 확률은 p이다. $80p$의 값은?

① 20 ② 30 ③ 40
④ 50 ⑤ 60

0747 TOUGH

고3 어느 반 학생 30명을 대상으로 수학 선택과목을 조사한 결과 미적분을 선택한 학생은 18명이었다. 이 반 학생 중 확률과 통계를 선택한 여학생의 비율은 $\frac{1}{6}$이고, 이 반 학생 중 임의로 택한 한 명이 미적분을 선택할 때, 이 학생이 남학생일 확률은 $\frac{2}{3}$이다. 이 반 학생 중 임의로 택한 한 명이 남학생이었을 때, 확률과 통계를 선택할 확률은 $\frac{q}{p}$이다. $p+q$의 값은? (단, p와 q는 서로소인 자연수)

① 19 ② 21 ③ 23
④ 24 ⑤ 26

0748 TOUGH

어느 공항에는 A, B 두 대의 검색대만 있으며, 비행기 탑승 전에는 반드시 공항 검색대를 통과하여야 한다. 남학생 7명, 여학생 7명이 모두 A, B검색대를 통과하였는데, A검색대를 통과한 남학생은 4명, B검색대를 통과한 남학생은 3명이다. 여학생 중에서 한 학생을 임의로 선택할 때, 이 학생이 A검색대를 통과한 여학생일 확률을 p라 하자. B검색대를 통과한 학생 중에서 한 학생을 임의로 선택할 때, 이 학생이 남학생일 확률을 q라 하자. $p=q$일 때, A검색대를 통과한 여학생은 모두 몇 명인가? (단, 두 검색대를 모두 통과한 학생은 없으며, 각 검색대로 적어도 1명의 여학생이 통과하였다.)

① 1 ② 2 ③ 3
④ 4 ⑤ 5

0749 최다빈출 왕 중요 TOUGH

어느 도서관 이용자 300명을 대상으로 각 연령대별, 성별 이용 현황을 조사한 결과는 다음과 같다.

구분	19세 이하	20대	30대	40세 이상	계
남성	40	a	$60-a$	100	200
여성	35	$45-b$	b	20	100

이 도서관 이용자 300명 중에서 30대가 차지하는 비율은 12%이다.
이 도서관 이용자 300명 중에서 임의로 선택한 1명이 남성일 때, 이 이용자가 20대일 확률과, 이 도서관 이용자 300명 중에서 임의로 선택한 1명이 여성일 때, 이 이용자가 30대일 확률이 서로 같다.
$a+b$의 값은?

① 56 ② 68 ③ 70
④ 72 ⑤ 76

▶ 해설 내신연계기출

유형 06 주머니에서 공을 꺼내는 확률의 곱셈정리 $\mathrm{P}(A\cap B)=\mathrm{P}(A)\mathrm{P}(B|A)$

두 사건 A, B가 동시에 일어날 확률은

$\mathrm{P}(A\cap B)=\mathrm{P}(A)\mathrm{P}(B|A)=\mathrm{P}(B)\mathrm{P}(A|B)$

(단, $\mathrm{P}(A)>0$, $\mathrm{P}(B)>0$)

0750 학교기출 대표 유형

주머니 안에 흰 구슬 5개와 검은 구슬 3개가 들어 있다. 이 주머니에서 임의로 구슬을 한 개씩 두 번 꺼낼 때, 2개가 모두 흰 구슬일 확률은? (단, 꺼낸 구슬은 다시 넣지 않는다.)

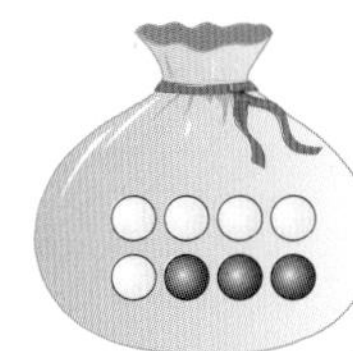

① $\frac{2}{7}$ ② $\frac{5}{14}$ ③ $\frac{3}{7}$
④ $\frac{4}{7}$ ⑤ $\frac{9}{14}$

0751 BASIC

10개 중 4개의 당첨제비가 들어있는 제비뽑기에서 유찬, 연서의 순서로 제비를 뽑을 때, 두 명 모두 당첨 제비를 뽑을 확률은? (단, 뽑은 제비는 다시 넣지 않는다.)

① $\frac{4}{45}$ ② $\frac{2}{15}$ ③ $\frac{3}{5}$
④ $\frac{4}{15}$ ⑤ $\frac{8}{15}$

0752 최다빈출 왕 중요 NORMAL

주머니에 파란 공 n개와 노란 공 5개가 들어있다. 이 주머니에서 임의로 2개의 공을 차례로 꺼낼 때, 첫 번째는 파란 공, 두 번째는 노란 공이 나올 확률이 $\frac{1}{6}$이다. 모든 n의 값의 합은? (단, 꺼낸 공은 다시 넣지 않는다.)

① 11 ② 17 ③ 21
④ 25 ⑤ 29

▶ 해설 내신연계기출

0753 최다빈출 왕 중요 NORMAL

어느 회사에서 일주일에 3회 이상 운동을 하는 사원은 전체 사원의 50%이며, 이 중에서 여자의 비율은 60%이다. 이 회사의 사원 중에서 임의로 한 명을 뽑을 때, 그 사람이 일주일에 3회 이상 운동을 하는 남자일 확률은?

① $\frac{1}{5}$ ② $\frac{3}{10}$ ③ $\frac{2}{5}$
④ $\frac{3}{5}$ ⑤ $\frac{4}{5}$

▶ 해설 내신연계기출

0754 NORMAL

10개의 제비 중 당첨제비가 2개가 들어 있는 주머니가 있다.
이 주머니에서 제비를 하나씩 차례로 확인하여 이 당첨제비 2개를 모두 꺼내면 꺼내는 일을 중단한다. 다섯 번째에서 꺼내는 것을 중단할 확률은? (단, 뽑은 제비는 다시 넣지 않는다.)

① $\frac{1}{45}$ ② $\frac{2}{45}$ ③ $\frac{4}{45}$
④ $\frac{4}{15}$ ⑤ $\frac{8}{15}$

유형 07 주머니에서 공을 꺼내는 확률의 곱셈정리 $P(A)=P(A\cap B^C)+P(A\cap B)$

주머니에서 공을 꺼내고 다시 넣지 않는 경우 확률의 곱셈정리
덧셈정리와 곱셈정리를 동시에 이용하는 확률

$P(A)=P(A\cap B^c)+P(A\cap B)$
$=P(B^c)P(A|B^c)+P(B)P(A|B)$

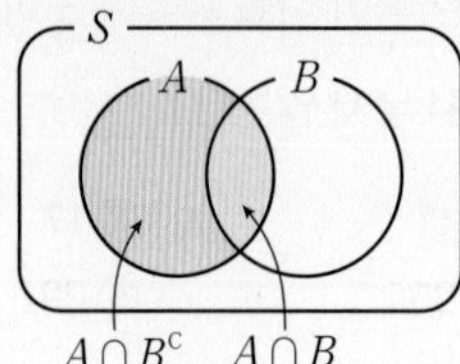

0755 학교기출 대표 유형

10개의 제비 중 당첨 제비가 3개 있다. 수지와 민호가 순서대로 한 번씩 제비를 뽑을 때, 민호가 당첨 제비를 뽑을 확률은? (단, 뽑은 제비는 다시 넣지 않는다.)

① $\frac{2}{9}$ ② $\frac{3}{10}$ ③ $\frac{5}{11}$
④ $\frac{1}{2}$ ⑤ $\frac{7}{13}$

▶ 해설 내신연계기출

0756 최다빈출 왕 중요 NORMAL

빨간 공 2개, 파란 공 3개가 들어 있는 주머니에서 A, B 두 사람이 A, B의 순서로 공을 1개씩 임의로 꺼낼 때, 먼저 빨간 공을 꺼낸 사람이 이긴다고 한다. 승부가 날 때까지 공을 꺼낼 때, A가 이길 확률은? (단, 꺼낸 공은 다시 넣지 않는다.)

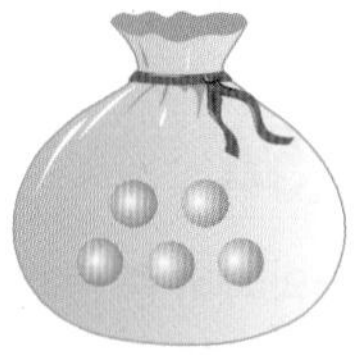

① $\frac{2}{5}$ ② $\frac{3}{10}$ ③ $\frac{4}{5}$
④ $\frac{1}{2}$ ⑤ $\frac{3}{5}$

▶ 해설 내신연계기출

0757 NORMAL

주머니 A에는 흰 공 3개, 검은 공 3개, 주머니 B에는 흰 공 2개, 검은 공 4개가 들어있다. 주머니 A, B 중에서 임의로 주머니 하나를 택하고, 그 주머니에서 임의로 두 개의 공을 동시에 꺼낼 때, 흰 공 2개가 나올 확률은?

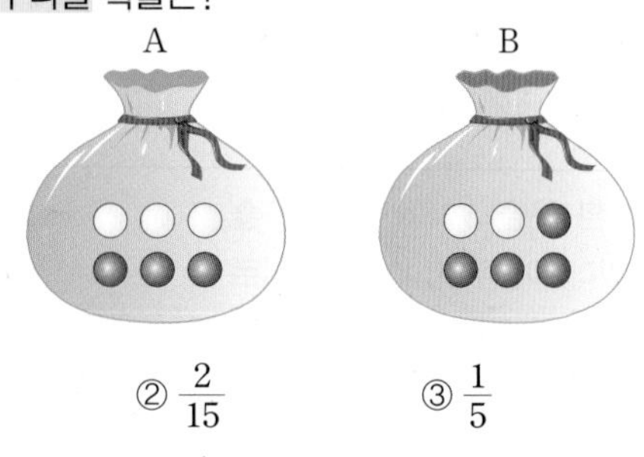

① $\frac{1}{15}$ ② $\frac{2}{15}$ ③ $\frac{1}{5}$
④ $\frac{4}{15}$ ⑤ $\frac{1}{3}$

0758 최다빈출 왕 중요 NORMAL

주머니 A에는 흰 바둑돌 2개, 검은 바둑돌 1개가 들어 있고, 주머니 B에는 흰 바둑돌 2개, 검은 바둑돌 2개가 들어 있다. 주머니 A에서 한 개의 바둑돌을 꺼내어 주머니 B에 넣고, 다시 주머니 B에서 한 개의 바둑돌을 꺼내는 시행을 할 때, 주머니 B에서 검은 바둑돌을 꺼낼 확률은?

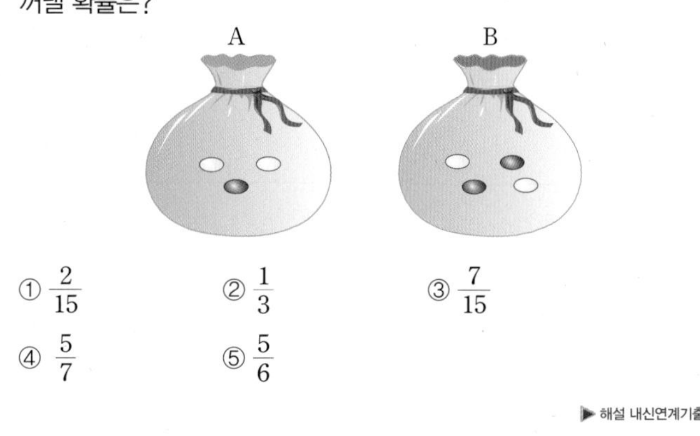

① $\frac{2}{15}$ ② $\frac{1}{3}$ ③ $\frac{7}{15}$
④ $\frac{5}{7}$ ⑤ $\frac{5}{6}$

▶ 해설 내신연계기출

0759 NORMAL

주머니 A는 흰 공 3개와 검은 공 1개가 들어 있고, 주머니 B에는 흰 공 2개와 검은 공 3개가 들어 있다. 주머니 A에서 임의로 한 개의 공을 꺼내어 주머니 B에 넣은 다음 주머니 B에서 임의로 2개의 공을 동시에 꺼낼 때, 꺼낸 2개의 공이 모두 흰 공일 확률은?

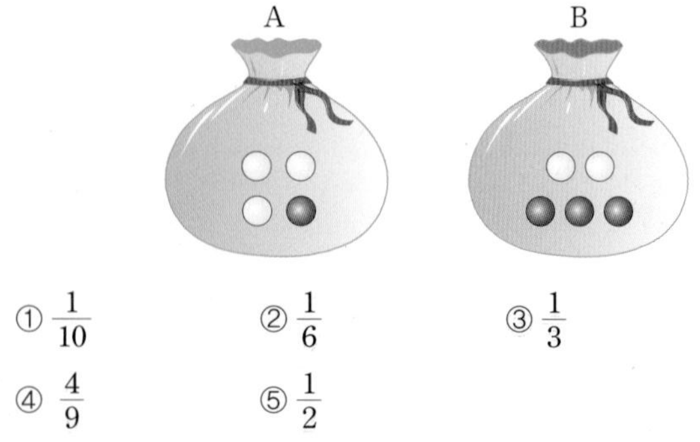

① $\frac{1}{10}$ ② $\frac{1}{6}$ ③ $\frac{1}{3}$
④ $\frac{4}{9}$ ⑤ $\frac{1}{2}$

0760

NORMAL

봉투와 카드를 이용하여 게임을 하려고 한다. A봉투에는 빨간 카드 5장과 노란 카드 3장이 들어 있고, B봉투는 비어있다.
A봉투에서 임의로 카드 2장을 동시에 꺼내어 빨간 카드가 1장이라도 나오면 꺼낸 카드 2장을 B봉투에 넣고 게임이 끝난다.
빨간 카드 1장도 나오지 않으면 꺼낸 카드 2장을 B봉투에 넣은 후 A봉투에서 다시 카드 2장을 더 꺼내어 B봉투에 넣고 게임이 끝난다. 게임이 끝난 후 B봉투에 빨간 카드가 1장 들어 있을 확률은?

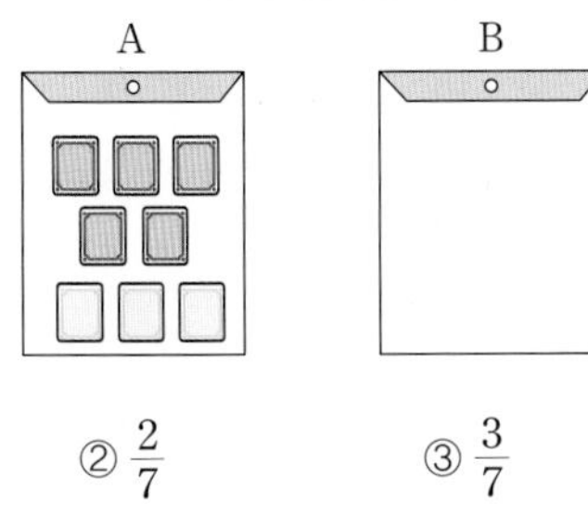

① $\frac{1}{7}$ ② $\frac{2}{7}$ ③ $\frac{3}{7}$
④ $\frac{4}{7}$ ⑤ $\frac{5}{7}$

0761

NORMAL

각 면에 2, 3, 3, 3의 숫자가 하나씩 적혀 있는 정사면체와 흰 공 4개, 빨간 공 2개가 들어 있는 주머니가 있다. 이 정사면체를 한 번 던져서 바닥에 닿는 면에 적혀 있는 수만큼의 공을 주머니에서 임의로 동시에 꺼낼 때, 빨간 공 1개를 꺼낼 확률은?

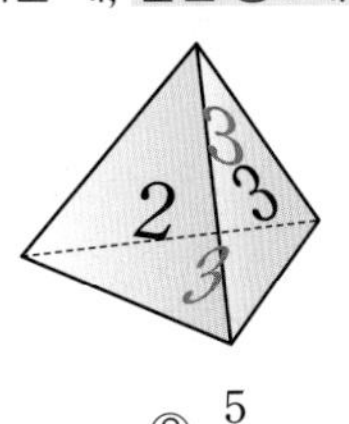

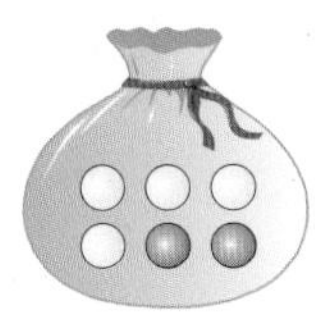

① $\frac{1}{3}$ ② $\frac{5}{12}$ ③ $\frac{1}{2}$
④ $\frac{7}{12}$ ⑤ $\frac{2}{3}$

0762

TOUGH

주머니 A에는 흰 구슬이 4개, 검은 구슬이 6개 들어 있고, 주머니 B에는 흰 구슬과 검은 구슬을 합하여 10개가 들어있다. 주머니 A에서 한 개의 구슬을 꺼내어 B에 넣고 잘 섞은 다음, 주머니 B에서 한 개의 구슬을 꺼낼 때 그것이 흰 구슬일 확률은 $\frac{2}{5}$이다.
이때 주머니 B에 처음 들어 있던 흰 구슬의 개수는?

① 3 ② 4 ③ 5
④ 6 ⑤ 7

0763

최다빈출 왕중요

TOUGH

1, 2, 3, 4, 5의 숫자가 하나씩 적혀 있는 공 5개가 들어있는 주머니가 있다. 한 개의 주사위를 던져서 3의 배수의 눈이 나오면 임의로 3개의 공을 동시에 꺼내고, 3의 배수가 아닌 눈이 나오면 주머니에서 임의로 2개의 공을 동시에 꺼낼 때, 꺼낸 공에 적힌 모든 수의 곱이 짝수일 확률은?

① $\frac{19}{30}$ ② $\frac{2}{3}$ ③ $\frac{7}{10}$
④ $\frac{11}{15}$ ⑤ $\frac{23}{30}$

▶ 해설 내신연계기출

유형 08 주머니에서 공을 꺼내어 같은 공을 다시 넣는 경우 확률의 곱셈정리

두 사건 A, B에 대하여

$P(E)=P(A\cap E)+P(A^c\cap E)$
$=P(A)P(E|A)+P(A^c)P(E|A^c)$

임을 이용한다.

0764 학교기출 대표 유형

주머니 속에 검은 공 2개와 흰 공 3개가 들어 있다. 이 주머니에서 임의로 한 개의 공을 꺼내어 색을 확인한 다음, 그 공과 같은 색의 공을 하나 더하여 꺼낸 공과 함께 주머니 속에 다시 넣는다. 이 주머니에서 임의로 또 한 개의 공을 꺼낼 때, 꺼낸 공이 흰 공일 확률은?

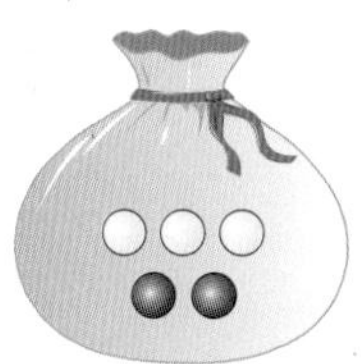

① $\frac{2}{5}$ ② $\frac{7}{15}$ ③ $\frac{8}{15}$
④ $\frac{3}{5}$ ⑤ $\frac{2}{3}$

0765 NORMAL

주머니 A에는 흰 공 2개와 검은 공 3개가 들어 있고, 주머니 B에는 흰 공 1개와 검은 공 3개가 들어 있다. 주머니 A에서 임의로 1개의 공을 꺼내어 흰 공이면 흰 공 2개를 주머니 B에 넣고 검은 공이면 검은 공 2개를 주머니 B에 넣은 후, 주머니 B에서 임의로 1개의 공을 꺼낼 때, 꺼낸 공이 흰 공일 확률은?

A

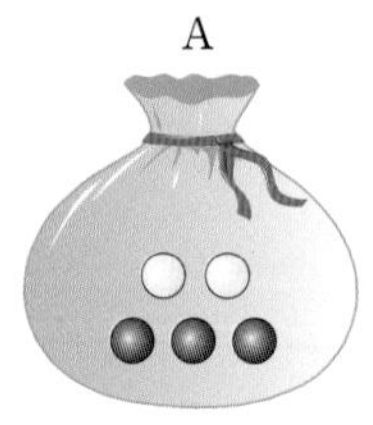

B

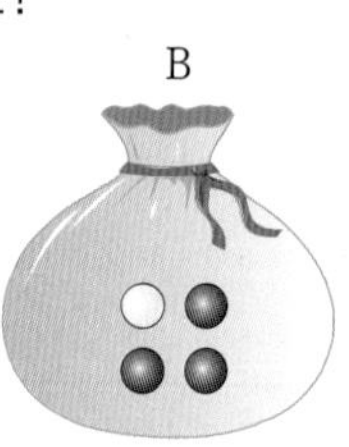

① $\frac{1}{6}$ ② $\frac{1}{5}$ ③ $\frac{7}{30}$
④ $\frac{4}{15}$ ⑤ $\frac{3}{10}$

0766 최다빈출 왕 중요 NORMAL

주머니에 흰색 공 2개와 검은색 공 5개가 들어 있다. 한 개의 공을 임의로 뽑아 그 색을 본 후 되돌려 놓고, 그 공과 같은 색의 공을 하나 더 주머니에 넣었다. 주머니에 있는 8개의 공 중에서 2개의 공을 임의로 뽑을 때, 둘 다 검은색 공일 확률은?

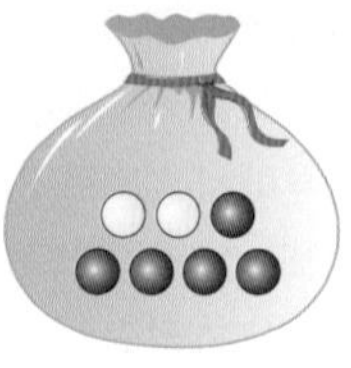

① $\frac{5}{9}$ ② $\frac{7}{10}$ ③ $\frac{7}{11}$
④ $\frac{2}{3}$ ⑤ $\frac{95}{196}$

▶ 해설 내신연계기출

0767 최다빈출 왕 중요 TOUGH

주머니 A에는 빨간 공 3개와 검은 공 5개가 들어 있고, 주머니 B는 비어 있다. 주머니 A에서 임의로 2개의 공을 꺼내어 빨간 공이 나오면 [실행1]을, 빨간 공이 나오지 않으면 [실행2]를 할 때, 주머니 B에 있는 빨간 공의 개수가 1일 확률은?

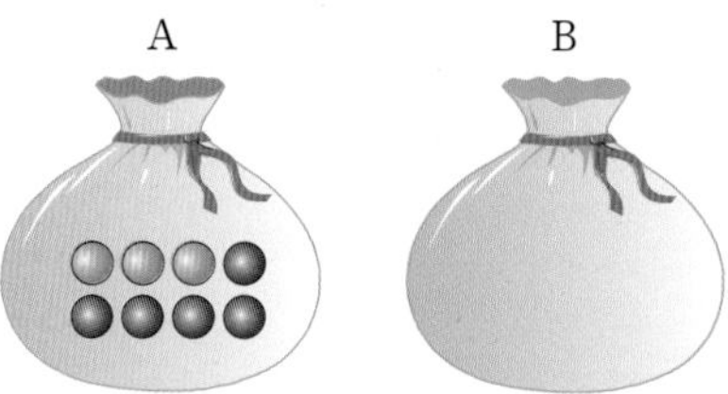

[실행1] 꺼낸 공을 주머니 B에 넣는다.
[실행2] 꺼낸 공을 주머니 B에 넣고, 주머니 A에서 임의로 2개의 공을 더 꺼내어 주머니 B에 넣는다.

① $\frac{1}{2}$ ② $\frac{7}{12}$ ③ $\frac{2}{3}$
④ $\frac{3}{4}$ ⑤ $\frac{5}{6}$

▶ 해설 내신연계기출

0768 최다빈출 왕 중요 TOUGH

주머니에 1이 하나씩 적혀 있는 4개의 공과 2가 하나씩 적혀 있는 3개의 공이 들어 있다. 이 주머니에서 임의로 한 개의 공을 꺼낸 후 꺼낸 공에 적혀 있는 숫자와 같은 숫자가 적혀 있는 공을 공에 적혀 있는 수만큼의 개수를 추가하여 꺼낸 공과 함께 주머니에 넣는다.

이 주머니에서 다시 임의로 3개의 공을 동시에 꺼낼 때, 꺼낸 3개의 공에 적혀 있는 수의 곱이 홀수일 확률은? (단, 1과 2가 적혀 있는 공은 충분히 많이 있다.)

① $\frac{2}{49}$ ② $\frac{3}{49}$ ③ $\frac{4}{49}$
④ $\frac{5}{49}$ ⑤ $\frac{6}{49}$

▶ 해설 내신연계기출

유형 09 확률의 곱셈정리 $P(E)=P(A\cap E)+P(A^c\cap E)$

두 사건 A, E에 대하여
$P(E)=P(A\cap E)+P(A^c\cap E)$
$=P(A)P(E|A)+P(A^c)P(E|A^c)$

0769 학교기출 대표 유형

어느 음식점에서 하루의 매출 목표액을 달성할 확률은 그날 비가 오는 경우 0.9, 비가 오지 않는 경우 0.3이라고 한다. 오늘 비가 올 확률이 0.6일 때, 이 음식점에서 오늘 하루의 매출 목표액을 달성할 확률은?

① 0.54 ② 0.58 ③ 0.62
④ 0.66 ⑤ 0.72

0770 최다빈출 왕중요 NORMAL

어느 청량음료 회사의 연간 청량음료 판매량은 그 해 여름의 평균 기온에 크게 좌우 된다. 과거 자료에 따르면, 한 해의 판매 목표액을 달성할 확률은 그 해 여름의 평균 기온이 예년보다 높을 경우에 0.8, 예년과 비슷할 경우에 0.6, 예년보다 낮을 경우에 0.3이다.
일기예보에 따르면 내년 여름의 평균 기온이 예년보다 높을 확률이 0.4, 예년과 비슷할 확률이 0.5, 예년보다 낮을 확률이 0.1이라고 한다. 이 회사가 내년에 판매 목표액을 달성할 확률은?

① 0.55 ② 0.60 ③ 0.65
④ 0.70 ⑤ 0.75

▶ 해설 내신연계기출

0771 최다빈출 왕중요 NORMAL

H고등학교 축구팀이 전국 체육 대회에 출전하여 우승할 확률은 맞수인 K고등학교 축구팀의 출전 여부에 따라 달라진다고 한다. H고등학교 축구팀의 우승 확률은 K고등학교 축구팀이 출전하는 경우에는 40%, 출전하지 않는 경우에는 60%라고 한다.
K고등학교 축구팀이 이번 대회에 출전할 확률이 30%라고 할 때, H고등학교 축구팀이 우승할 확률은?

① 0.12 ② 0.54 ③ 0.61
④ 0.70 ⑤ 0.76

▶ 해설 내신연계기출

0772 최다빈출 왕중요 NORMAL

어느 지역에서 비가 온 다음 날에 비가 오지 않을 확률은 0.4이고 비가 오지 않은 다음날 비가 오지 않을 확률은 0.75라고 한다. 이 지역에서 월요일에 비가 왔을 때, 같은 주 수요일에 비가 올 확률은?

① 0.24 ② 0.32 ③ 0.36
④ 0.46 ⑤ 0.56

▶ 해설 내신연계기출

0773 TOUGH

기상학자인 승기가 7월에 비가 올 확률을 조사해 보니, 비가 온 다음 날에 비가 올 확률은 $\frac{1}{3}$이고 비가 오지 않은 날의 다음 날에 비가 올 확률은 $\frac{1}{4}$이었다고 한다. 월요일에 비가 왔을 때, 같은 주 목요일에 비가 올 확률은?

① $\frac{1}{18}$ ② $\frac{7}{18}$ ③ $\frac{7}{11}$
④ $\frac{59}{216}$ ⑤ $\frac{107}{216}$

04 조건부 확률

유형 10 확률의 곱셈정리를 이용한 조건부 확률(1)

[방법1] 확률의 곱셈정리를 이용하여 조건부확률 구하기

[1단계] $\mathrm{P}(E)=\mathrm{P}(A\cap E)+\mathrm{P}(B\cap E)$

$=\mathrm{P}(A)\mathrm{P}(E|A)+\mathrm{P}(B)\mathrm{P}(E|B)$

[2단계] $\mathrm{P}(A|E)=\dfrac{\mathrm{P}(A\cap E)}{\mathrm{P}(E)}=\dfrac{\mathrm{P}(A\cap E)}{\mathrm{P}(A\cap E)+\mathrm{P}(B\cap E)}$

[방법2] 표를 이용한 조건부확률 구하기

[1단계] 문제의 내용을 표로 만든다.

[2단계] $n(A)$, $n(A\cap B)$를 확인하여

$\mathrm{P}(B|A)=\dfrac{n(A\cap B)}{n(A)}$ (단, $n(A)\neq 0$)을 구한다.

0774 학교기출 대표 유형

볼트를 만드는 어떤 공장에서 기계 A, B는 각각 전체 제품의 60%, 40%를 만들고 있고, 두 기계 A, B의 불량률은 각각 3%, 1%이다. 이 공장에서 생산된 볼트 중에서 임의로 한 개를 뽑았더니 불량품이었을 때, 그것이 기계 A에서 만들어진 것일 확률은?

① $\dfrac{1}{5}$ ② $\dfrac{1}{4}$ ③ $\dfrac{9}{10}$
④ $\dfrac{9}{11}$ ⑤ $\dfrac{3}{7}$

0775 NORMAL

두 타이어 회사 A, B에 같은 종류의 타이어를 3 : 4의 비율로 주문하였다. 두 회사 A, B의 타이어가 불량품일 확률은 각각 1%, 2%라고 한다. 임의로 뽑은 하나의 타이어가 불량품이었을 때, 그 타이어가 B회사 제품일 확률은?

① $\dfrac{2}{11}$ ② $\dfrac{3}{11}$ ③ $\dfrac{3}{8}$
④ $\dfrac{4}{7}$ ⑤ $\dfrac{8}{11}$

0776 NORMAL

감귤은 무게에 따라 분류하는데 두 감귤 농장 A, B에서 생산된 감귤을 잘못 분류한 비율은 각각 2%, 3%이다. 어느 과일 가게에서 감귤 5상자가 있는데, 이 중에서 3상자는 A농장에서, 나머지 2상자는 B농장에서 생산되었다고 한다. 이 5개의 상자 중에서 임의로 한 상자를 택하고, 그 상자에서 꺼낸 감귤 한 개가 잘못 분류된 감귤일 때, 그 감귤이 A농장에서 생산되었을 확률은?

① $\dfrac{1}{5}$ ② $\dfrac{1}{4}$ ③ $\dfrac{9}{10}$
④ $\dfrac{1}{2}$ ⑤ $\dfrac{3}{7}$

0777 최다빈출 왕 중요 NORMAL

어느 산악회 전체 회원의 60%가 남성이다. 이 산악회에서 남성의 50%가 기혼이고 여성의 40%가 기혼이다. 이 산악회의 회원 중에서 임의로 뽑은 한 명이 기혼일 때, 이 회원이 여성일 확률은?

① $\dfrac{6}{23}$ ② $\dfrac{8}{23}$ ③ $\dfrac{10}{23}$
④ $\dfrac{12}{23}$ ⑤ $\dfrac{14}{23}$

▶ 해설 내신연계기출

0778 NORMAL

어느 비행기에는 남자 승객 200명과 여자 승객 100명이 탔고, 이들 300명에게 점심식사로 두 메뉴 A, B 중에서 한 가지를 제공한다고 한다. 남자 승객의 60%와 여자 승객의 40%가 A메뉴를 선택하였다. 이 비행기의 승객 300명 중에서 임의로 택한 한 승객이 A메뉴를 선택하였다고 할 때, 이 승객이 남자 승객일 확률은?

① $\dfrac{4}{5}$ ② $\dfrac{3}{4}$ ③ $\dfrac{2}{5}$
④ $\dfrac{1}{4}$ ⑤ $\dfrac{2}{15}$

0779 최다빈출 왕 중요 NORMAL

어느 학교 전체 학생을 대상으로 지난 한 달 동안 컴퓨터를 사용한 시간에 대하여 조사하여, 컴퓨터를 매일 1시간 이상 사용한 집단 A와 그렇지 않은 집단 B로 분류하였다. 집단 A에 속한 학생은 전체 학생의 60%이었고, 이 중에서 70%의 학생이 안경을 착용하고 있었다. 그리고 집단 B에 속한 학생의 40%가 안경을 착용하고 있는 것으로 나타났다. 이때 임의로 한 학생을 선택하였더니 안경을 착용하고 있었다. 이 학생이 집단 A에 속할 확률을 $\dfrac{q}{p}$라 할 때, $p+q$의 값은? (단, p와 q는 서로소인 자연수이다.)

① 50 ② 56 ③ 58
④ 60 ⑤ 62

▶ 해설 내신연계기출

0780
최다빈출 왕중요 NORMAL

어느 날 송이네 학교 학생들의 통학 수단과 지각생을 조사하였더니 다음과 같았다.

> (가) 전체 학생 중에서 40%는 자전거로, 나머지 60%는 걸어서 등교하였다.
> (나) 자전거로 등교한 학생의 $\frac{1}{15}$과 걸어서 등교한 학생의 $\frac{1}{20}$이 지각하였다.

송이네 학교 학생 중에서 임의로 택한 한 명이 지각한 학생일 때, 그 학생이 자전거로 등교하였을 확률은?

① $\frac{1}{15}$ ② $\frac{2}{5}$ ③ $\frac{3}{20}$
④ $\frac{4}{17}$ ⑤ $\frac{8}{17}$

▶ 해설 내신연계기출

0781
최다빈출 왕중요 NORMAL

철수가 받은 전자우편의 10%는 '여행' 이라는 단어를 포함한다. '여행' 을 포함한 전자우편의 50%가 광고이고, '여행' 을 포함하지 않은 전자우편의 20%가 광고이다.
철수가 받은 한 전자우편이 광고일 때, 이 전자우편이 '여행' 을 포함할 확률은?

① $\frac{5}{23}$ ② $\frac{6}{23}$ ③ $\frac{7}{23}$
④ $\frac{8}{23}$ ⑤ $\frac{9}{23}$

▶ 해설 내신연계기출

0782
NORMAL

프리미어 리그 T팀에서 활약중인 S선수는 5번에 3번꼴로 경기에 출전한다. S선수가 출전한 경기에서 T팀이 승리할 확률은 $\frac{2}{3}$이고, S선수가 출전하지 않은 경기에서 T팀이 승리하지 못할 확률은 $\frac{3}{4}$이다. T팀이 치른 전체 경기에서 임의로 선택한 한 경기가 T팀이 승리한 경기일 때, 이 경기가 S선수가 출전한 경기일 확률은?

① $\frac{3}{4}$ ② $\frac{4}{5}$ ③ $\frac{5}{6}$
④ $\frac{6}{7}$ ⑤ $\frac{7}{8}$

0783
TOUGH

어느 학교의 전체 학생 320명을 대상으로 수학동아리 가입여부를 조사한 결과 남학생의 60%와 여학생의 50%가 수학동아리에 가입하였다고 한다. 이 학교의 수학동아리에 가입한 학생 중 임의로 1명을 선택할 때, 이 학생이 남학생일 확률을 p_1, 이 학교의 수학동아리에 가입한 학생 중 임의로 1명을 선택할 때, 이 학생이 여학생일 확률을 p_2라 하자. $p_1=2p_2$일 때, 이 학교의 남학생의 수는?

① 170 ② 180 ③ 190
④ 200 ⑤ 210

0784
최다빈출 왕중요 TOUGH

식문화 체험의 날에 어느 고등학교 전체 학생을 대상으로 점심과 저녁 식사를 제공하였다. 모든 학생들은 매 식사 때마다 양식과 한식 중 하나를 반드시 선택하였고, 전체 학생의 60%가 점심에 한식을 선택하였다.
점심에 한식을 선택한 학생의 30%는 저녁에도 한식을 선택하였고 점심에 양식을 선택한 학생의 25%는 저녁에도 양식을 선택하였다.
이 고등학교 학생 중에서 임의로 선택한 한 명이 저녁에 양식을 선택한 학생일 때, 이 학생이 점심에 한식을 선택했을 확률은 $\frac{q}{p}$이다.
$p+q$의 값은? (단, p와 q는 서로소인 자연수이다.)

① 23 ② 35 ③ 47
④ 49 ⑤ 51

▶ 해설 내신연계기출

유형 11 확률의 곱셈정리를 이용한 조건부 확률(2)

표본공간 S의 임의의 두 사건 A, B가 서로 배반사건이 아닌 경우 오른쪽 벤 다이어그램처럼
$\mathrm{P}(B)=\mathrm{P}(A\cap B)+\mathrm{P}(A^c\cap B)$
이므로 사건 B가 일어났을 때, 사건 A의 조건부 확률은

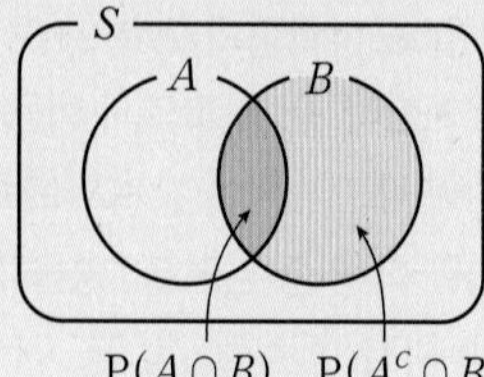

$$\mathrm{P}(A|B)=\frac{\mathrm{P}(A\cap B)}{\mathrm{P}(B)}=\frac{\mathrm{P}(A\cap B)}{\mathrm{P}(A\cap B)+\mathrm{P}(A^c\cap B)}$$

0785 학교기출 대표 유형

상자 A에는 흰 공이 2개, 검은 공이 4개가 들어 있고, 상자 B에는 흰 공이 3개, 검은 공이 2개가 들어 있다. 두 상자 A, B 중에서 한 상자를 임의로 택하고 그 상자에서 2개의 공을 꺼냈을 때, 흰 공이 1개, 검은 공이 1개가 나왔다. 이때 택한 상자가 A일 확률은?

A 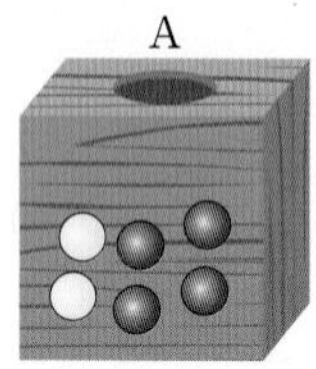 B 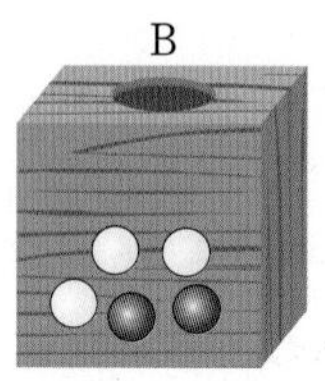

① $\frac{2}{9}$ ② $\frac{5}{9}$ ③ $\frac{3}{17}$
④ $\frac{2}{13}$ ⑤ $\frac{8}{17}$

0786 NORMAL

당첨권 5장을 포함하여 20장의 행운권이 들어 있는 상자에서 갑과 을이 차례로 1장씩 뽑았다. 을이 당첨권을 뽑았다고 할 때, 갑도 당첨권을 뽑았을 확률은? (단, 한 번 뽑은 행운권은 다시 넣지 않는다.)

① $\frac{2}{9}$ ② $\frac{3}{10}$ ③ $\frac{5}{14}$
④ $\frac{2}{19}$ ⑤ $\frac{4}{19}$

0787 NORMAL

상자 A에 검은 공 2개와 흰 공 2개가 들어 있고, 상자 B에는 검은 공 1개와 흰 공 3개가 들어 있다. 두 상자 A, B 중 임의로 선택한 하나의 상자에서 공을 1개 꺼냈더니 검은 공이 나왔을 때, 그 상자에 남은 공이 모두 흰 공일 확률을 $\frac{q}{p}$라 하자. $p+q$의 값은? (단, 모든 공의 크기와 모양은 같고, p와 q는 서로소인 자연수이다.)

A 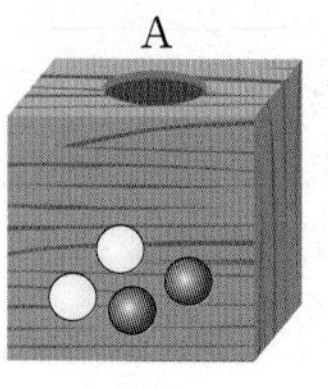 B 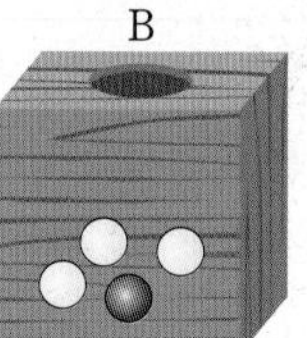

① 3 ② 4 ③ 5
④ 6 ⑤ 7

0788 최다빈출 왕중요 NORMAL

흰 공 2개, 검은 공 4개가 들어있는 주머니에서 민규와 수지가 차례로 임의로 한 개씩 공을 꺼낸다. 수지가 꺼낸 공이 검은 공일 때, 민규가 꺼낸 공이 흰 공이었을 확률은? (단, 꺼낸 공은 주머니에 다시 넣지 않는다.)

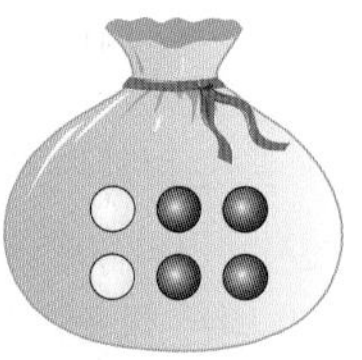

① $\frac{4}{15}$ ② $\frac{1}{3}$ ③ $\frac{2}{5}$
④ $\frac{7}{15}$ ⑤ $\frac{8}{15}$

▶ 해설 내신연계기출

0789 최다빈출 왕중요 NORMAL

상자 A에는 노란 구슬 3개와 파란구슬 3개, 상자 B에는 노란 구슬 2개와 파란 구슬 4개가 각각 들어 있다. 두 상자 A, B 중에서 한 상자를 임의로 택하고 그 상자에서 2개의 구슬을 꺼냈더니 파란 구슬 2개가 나왔다. 택한 상자가 A일 확률은?

A 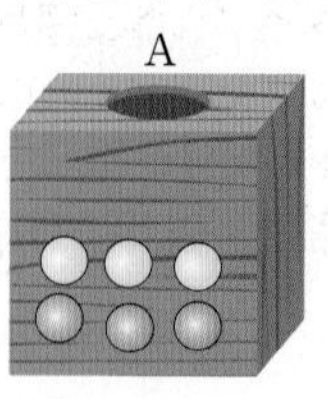 B 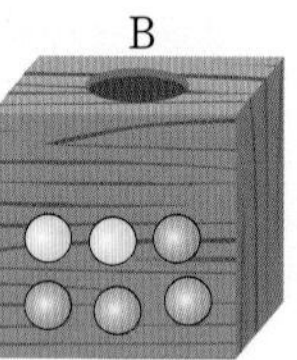

① $\frac{1}{3}$ ② $\frac{2}{7}$ ③ $\frac{3}{7}$
④ $\frac{2}{3}$ ⑤ $\frac{5}{7}$

▶ 해설 내신연계기출

0790

NORMAL

주머니 속에 1, 1, 2, 3이 각각 하나씩 적혀 있는 노란 공 4개와 2, 2, 3이 각각 하나씩 적혀 있는 빨간 공 3개가 들어 있다. 이 주머니에서 임의로 한 개의 공을 꺼내 보았더니 2가 적혀 있었다고 할 때, 이 공이 빨간색일 확률은?

① $\frac{1}{3}$ ② $\frac{2}{7}$ ③ $\frac{3}{7}$
④ $\frac{2}{3}$ ⑤ $\frac{5}{7}$

0791

최다빈출 왕 중요

NORMAL

주머니 A에는 흰 공 2개, 검은 공 4개가 들어있고, 주머니 B에는 흰 공 3개, 검은 공 2개가 들어 있다. 두 주머니 A, B에서 임의로 각각 2개씩 공을 동시에 꺼냈더니 흰 공이 3개 나왔을 때, 주머니 B에서 흰 공 2개를 꺼냈을 확률은?

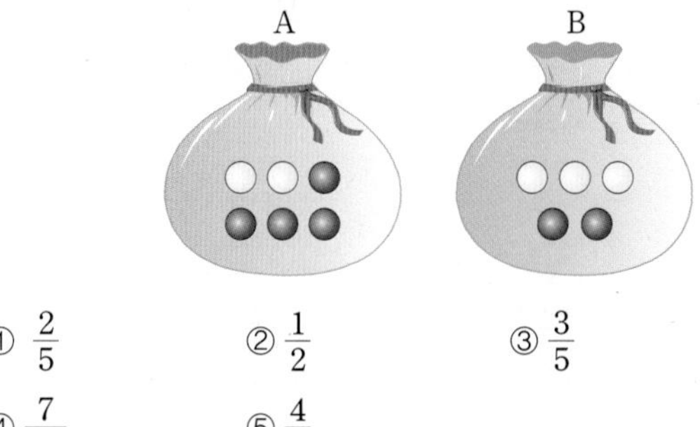

① $\frac{2}{5}$ ② $\frac{1}{2}$ ③ $\frac{3}{5}$
④ $\frac{7}{10}$ ⑤ $\frac{4}{5}$

▶ 해설 내신연계기출

0792

NORMAL

상자 A에는 흰 공 2개, 검은 공 3개가 들어 있고, 상자 B에는 흰 공 3개, 검은 공 4개가 들어 있다. 한 개의 동전을 던져 앞면이 나오면 상자 A를, 뒷면이 나오면 상자 B를 택하고, 택한 상자에서 임의로 두 개의 공을 동시에 꺼내기로 한다. 이 시행을 한 번 하여 꺼낸 공의 색깔이 서로 같았을 때, 상자 A를 택하였을 확률은?

A
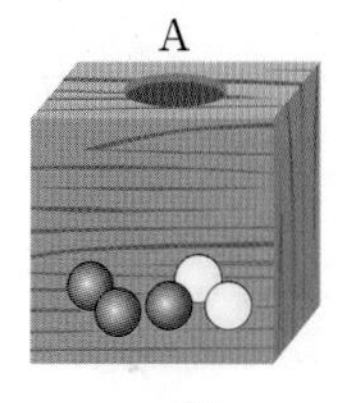
B
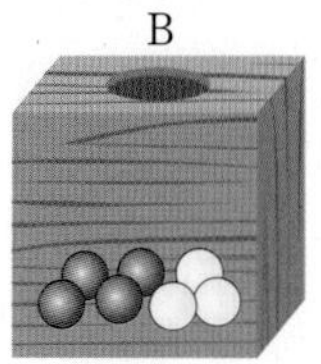

① $\frac{11}{29}$ ② $\frac{12}{29}$ ③ $\frac{13}{29}$
④ $\frac{14}{29}$ ⑤ $\frac{15}{29}$

0793

NORMAL

흰 공 3개, 검은 공 2개가 들어 있는 주머니에서 갑이 임의로 2개의 공을 동시에 꺼내고, 남아 있는 3개의 공 중에서 을이 임의로 2개의 공을 동시에 꺼낸다. 갑이 꺼낸 흰 공의 개수가 을이 꺼낸 흰 공의 개수보다 많을 때, 을이 꺼낸 공이 모두 검은 공일 확률은?

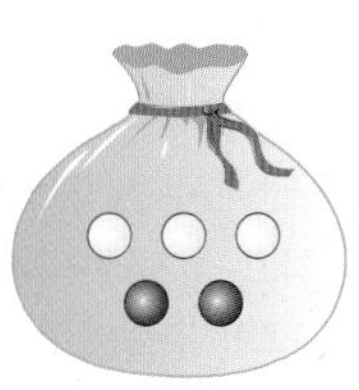

① $\frac{1}{15}$ ② $\frac{2}{15}$ ③ $\frac{1}{5}$
④ $\frac{4}{15}$ ⑤ $\frac{1}{3}$

0794 최다빈출 왕중요

NORMAL

상자 A에는 노란 공 2개와 빨간 공 5개가 들어있고, 상자 B에는 노란 공 3개와 빨간 공 4개가 들어있다. 상자 A에서 1개의 공을 임의로 꺼내어 상자 B에 넣은 다음 다시 상자 B에서 1개의 공을 꺼내기로 한다. B에서 꺼낸 공이 노란 공일 때, A에서 B로 옮겨진 공이 노란 공이었을 확률은?

A B

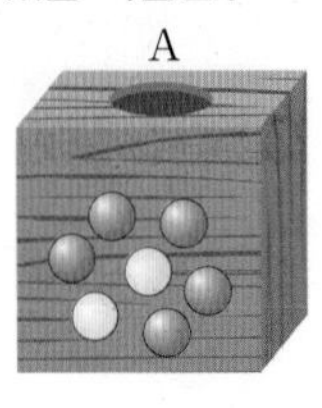

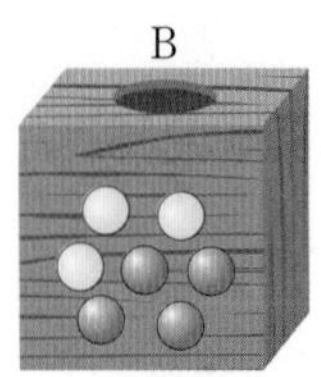

① $\frac{2}{23}$　② $\frac{4}{23}$　③ $\frac{6}{23}$

④ $\frac{8}{23}$　⑤ $\frac{10}{23}$

▶ 해설 내신연계기출

0795

NORMAL

흰 구슬 3개와 파란 구슬 4개가 들어 있는 상자 안에서 한 개의 구슬을 꺼내어 색을 확인하고 상자에 다시 넣은 후, 그 구슬과 같은 색의 구슬을 2개 더 넣고 다시 한 번 한 개의 구슬을 꺼낸다. 두 번째에 꺼낸 구슬이 흰 구슬이었을 때, 첫 번째에 꺼낸 구슬도 흰 구슬이었을 확률은?

① $\frac{2}{9}$　② $\frac{5}{9}$　③ $\frac{5}{14}$

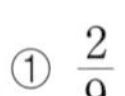

④ $\frac{2}{13}$　⑤ $\frac{4}{19}$

0796

TOUGH

주머니 A에는 흰 공 2개, 검은 공 4개가 들어 있고, 주머니 B에는 흰 공 4개, 검은 공 2개가 들어 있다. 주머니 A에서 임의로 2개의 공을 꺼내어 주머니 B에 넣고 섞은 다음 주머니 B에서 임의로 2개의 공을 꺼내어 주머니 A에 넣었더니 두 주머니에 있는 검은 공의 개수가 서로 같아졌다. 이때 주머니 A에서 꺼낸 공이 모두 검은 공이었을 확률은?

A B

① $\frac{6}{11}$　② $\frac{13}{22}$　③ $\frac{7}{11}$

④ $\frac{15}{22}$　⑤ $\frac{8}{11}$

0797

TOUGH

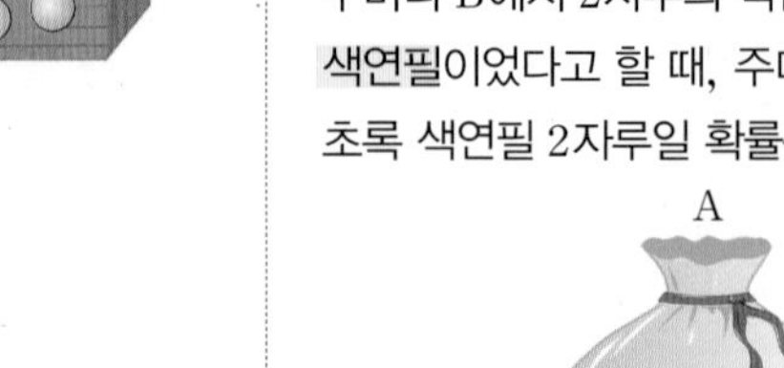

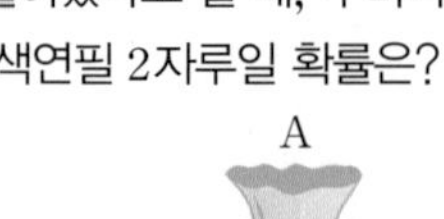

주머니 A에는 파란 색연필 2자루, 초록 색연필 4자루가 들어 있고, 주머니 B에는 파란 색연필 5자루, 초록 색연필 3자루가 들어 있다. 주머니 A에서 2자루의 색연필을 동시에 꺼내 주머니 B에 넣은 후 주머니 B에서 2자루의 색연필을 동시에 꺼냈더니 2자루 모두 초록 색연필이었다고 할 때, 주머니 A에서 주머니 B로 옮겨진 색연필이 초록 색연필 2자루일 확률은?

A B

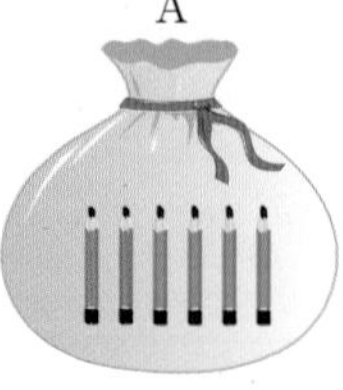

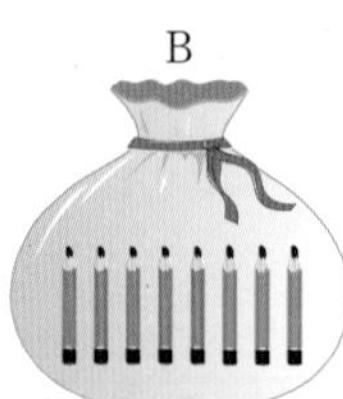

① $\frac{1}{7}$　② $\frac{1}{225}$　③ $\frac{16}{225}$

④ $\frac{4}{45}$　⑤ $\frac{20}{37}$

유형 12 확률의 곱셈정리를 이용한 조건부 확률(3)

사건 E가 일어났을 때, 사건 A가 일어날 확률은

$$P(A|E)=\frac{P(A\cap E)}{P(E)}=\frac{P(A\cap E)}{P(A\cap E)+P(B\cap E)}$$

0798 학교기출 대표 유형

어느 지역의 9월의 날씨를 조사한 결과 비가 온다고 예보한 10일 중 실제로 비가 온 날은 9일이었고 비가 오지 않는다고 예보한 20일 중 실제로 비가 오지 않은 날은 17일이었다. 이 지역에 사는 은경이는 매일 걷기 운동을 하는데 비가 온다고 예보하는 날에는 반드시 우산을 가지고 나가고 비가 오지 않는다고 예보한 날에는 우산을 가지고 나가지 않는다. 9월의 비가 온 어느 날 은경이가 우산을 가지고 걷기 운동을 할 확률은?

① $\frac{1}{3}$ ② $\frac{1}{2}$ ③ $\frac{3}{5}$
④ $\frac{2}{3}$ ⑤ $\frac{3}{4}$

0799 TOUGH

현아는 평균적으로 4번에 1번 꼴로 방문한 장소에 모자를 두고 온다. 현아가 세 장소 A, B, C를 차례로 방문하고 집에 와서야 세 장소 중에서 어느 한 곳에 모자를 두고 온 것을 알았을 때, 장소 B에 두고 왔을 확률은 $\frac{q}{p}$이다. $p+q$의 값은? (단, p와 q는 서로소인 자연수이다.)

① 48 ② 49 ③ 50
④ 51 ⑤ 52

0800 최다빈출 왕 중요 TOUGH

건망증이 심한 현무는 평균 5번에 1번의 비율로 방문한 장소에 모자를 두고 온다. 현무는 세 장소 A, B, C를 차례로 방문하고 집에 와서야 세 집 중 한 군데에 모자를 두고 왔다는 것을 알았다.
이때 모자를 C집에 두고 왔을 확률은?

① $\frac{9}{37}$ ② $\frac{19}{27}$ ③ $\frac{15}{61}$
④ $\frac{16}{61}$ ⑤ $\frac{16}{59}$

▶ 해설 내신연계기출

유형 13 조건부 확률을 이용한 진실게임

어떤 특정한 사건 E가 일어날 조건에서 사건 A가 일어날 확률은

$$P(A|E)=\frac{P(A\cap E)}{P(E)}=\frac{P(A\cap E)}{P(A\cap E)+P(B\cap E)}$$

0801 학교기출 대표 유형

흰 공이 3개, 검은 공이 2개가 들어 있는 주머니가 있다. 거짓말을 할 확률이 30%인 어떤 사람에게 공을 한 개 꺼내어 보여 주었더니 그 공을 흰 공이라고 대답하였다. 그 공이 실제로 흰 공일 확률은?

① $\frac{2}{3}$ ② $\frac{6}{7}$ ③ $\frac{7}{8}$
④ $\frac{7}{9}$ ⑤ $\frac{9}{10}$

0802 최다빈출 왕 중요 NORMAL

어느 거짓말 탐지기의 정확도는 90%이다. 즉 참말을 참이라고 판정할 확률과 거짓말을 거짓이라고 판정할 확률이 모두 0.9이다.
거짓말을 할 확률이 0.2인 어떤 사람이 한 말에 대해 거짓말 탐지기가 거짓이라고 판정했을 때, 실제로 그 사람이 거짓말을 했을 확률은?

① $\frac{9}{50}$ ② $\frac{13}{50}$ ③ $\frac{7}{25}$
④ $\frac{4}{13}$ ⑤ $\frac{9}{13}$

▶ 해설 내신연계기출

0803 최다빈출 왕 중요 NORMAL

어느 보석 감정회사에 감정의뢰가 들어오는 보석의 80%는 진품이고 20%는 가품이라고 한다. 이 회사의 보석 감별사가 진품을 가품으로 잘못 감별할 확률이 0.02, 가품을 진품으로 잘못 감별할 확률이 0.03이라고 할 때, 이 감별사가 진품으로 감별한 보석이 실제로는 가품일 확률은 $\frac{q}{p}$이다. $p+q$의 값은? (단, p와 q는 서로소인 자연수이다.)

① 398 ② 402 ③ 412
④ 423 ⑤ 443

▶ 해설 내신연계기출

0804

NORMAL

어느 양계장에서 부화되는 병아리 중 40%는 암컷이고 60%는 수컷이라고 한다. 어느 병아리 감별사는 실제 암컷 중 2%는 수컷으로, 실제 수컷 중 4%는 암컷으로 잘못 판정한다고 한다. 이 감별사가 암컷으로 판정한 병아리가 실제로는 수컷일 확률은?

① $\frac{3}{52}$ ② $\frac{11}{28}$ ③ $\frac{13}{28}$
④ $\frac{31}{56}$ ⑤ $\frac{33}{56}$

0805

최다빈출 왕중요

TOUGH

어느 의사가 암에 걸린 사람을 암에 걸렸다고 진단할 확률이 98%이고, 암에 걸리지 않은 사람을 암에 걸리지 않았다고 진단할 확률은 94%라 한다. 이 의사가 암에 걸린 사람 100명과 암에 걸리지 않은 사람 400명을 진찰하여 암에 걸렸는지 아닌지를 진단하였다.
이 500명 중 임의로 택한 한 사람이 암에 걸렸다고 진단받았을 때, 그 사람이 실제로 암에 걸렸을 확률은?

① $\frac{49}{250}$ ② $\frac{6}{125}$ ③ $\frac{49}{61}$
④ $\frac{51}{250}$ ⑤ $\frac{61}{250}$

▶ 해설 내신연계기출

0806

TOUGH

어느 도로에서 사고가 많이 발생하는 지점에 과속 단속 카메라를 설치하였다. 이 지점을 지나는 차량 중 5%는 과속을 하여 통과하며, 과속 단속 카메라가 과속하는 차량을 과속이라고 판단할 확률은 0.98이고, 과속하지 않은 차량을 과속이라고 판단할 확률은 0.02이다. 이 지점을 통과한 차량 중 임의로 한 대를 선택했을 때, 이 차량이 과속으로 단속된 차량일 때, 실제로 차량이 과속했을 확률은?

① $\frac{9}{125}$ ② $\frac{17}{250}$ ③ $\frac{8}{25}$
④ $\frac{19}{68}$ ⑤ $\frac{49}{68}$

0807

TOUGH

백인 80%, 흑인 10%, 동양인 10%의 세 인종의 주민으로 구성된 지역에서 범죄사건이 일어났다. 목격자는 '범인은 동양인' 이라고 진술 하였지만 가까이서 정확히 범인의 얼굴을 본 것은 아니고 CCTV도 없었다. 어두워지기 시작하는 저녁 무렵에 벌어진 사건임을 감안하여 수사관은 목격자 진술의 신빙성을 알아볼 필요가 있다고 판단하여 비슷한 조건에서 많은 테스트를 해 보았다. 그 결과 목격자가 인종을 옳게 판단할 확률은 모든 인종에 대해 동일하게 0.9이였고, 인종을 잘못 판단하는 경우에는 백인을 동양인으로, 흑인을 동양인으로 판단하였다고 한다. 목격자가 동양인이라고 진술한 범인이 실제로 동양인일 확률은?

① $\frac{1}{2}$ ② $\frac{2}{3}$ ③ $\frac{3}{4}$
④ $\frac{4}{5}$ ⑤ $\frac{5}{6}$

05 사건의 독립과 종속

학교내신기출 객관식 핵심문제총정리

유형 01 사건의 독립과 종속

(1) 사건의 독립과 종속 판정
$P(A)>0$, $P(B)>0$인 두 사건 A, B에 대하여

① $P(A\cap B)=P(A)P(B)$이면 두 사건 A, B는 서로 독립
② $P(A\cap B)\neq P(A)P(B)$이면 두 사건 A, B는 서로 종속

(2) 사건의 독립과 종속의 성질
① 두 사건 A, B가 서로 독립이면
$P(B|A)=P(B|A^c)=P(B)$
$P(A|B)=P(A|B^c)=P(A)$
② 두 사건 A, B가 서로 종속이면
$P(B|A)\neq P(B|A^c)\neq P(B)$
$P(A|B)\neq P(A|B^c)\neq P(A)$

0808 학교기출 대표 유형

한 개의 주사위를 던질 때, 홀수의 눈이 나오는 사건을 A, 소수의 눈이 나오는 사건을 B, 5 또는 6의 눈이 나오는 사건을 C라 할 때, 다음 [보기] 중 서로 독립인 것을 모두 고른 것은?

ㄱ. A와 B	ㄴ. B와 C	ㄷ. A와 C

① ㄱ ② ㄴ ③ ㄷ
④ ㄴ, ㄷ ⑤ ㄱ, ㄴ, ㄷ

0809 최다빈출 왕중요 BASIC

1부터 10까지의 자연수가 하나씩 적힌 10장의 카드가 들어 있는 상자에서 임의로 한 장의 카드를 꺼낼 때, 카드에 적힌 수가 홀수인 사건을 A, 소수인 사건을 B, 6의 약수인 사건을 C라 할 때, 다음 [보기] 중 서로 독립인 것을 모두 고른 것은?

ㄱ. A와 B	ㄴ. B와 C	ㄷ. A와 C

① ㄱ ② ㄴ ③ ㄷ
④ ㄴ, ㄷ ⑤ ㄱ, ㄴ, ㄷ

▶해설 내신연계기출

0810 최다빈출 왕중요 NORMAL

1부터 10까지의 자연수가 각각 하나씩 적힌 10장의 카드가 있다. 이 카드 중에서 임의로 한 장을 뽑을 때, 카드에 적힌 수가 짝수인 사건을 A, 소수인 사건을 B, 10의 약수인 사건을 C라 할 때, [보기]에서 옳은 것만을 있는 대로 고른 것은?

ㄱ. 두 사건 A, B는 서로 배반이다.
ㄴ. 두 사건 A, C는 서로 독립이다.
ㄷ. 두 사건 B, C는 서로 독립이다.

① ㄱ ② ㄴ ③ ㄷ
④ ㄱ, ㄴ ⑤ ㄱ, ㄴ, ㄷ

▶해설 내신연계기출

0811 NORMAL

한 개의 주사위를 두 번 던질 때, 다음 조건을 만족하는 세 사건 A, B, C는 다음 조건을 만족한다.

A: 첫 번째에 나오는 눈의 수가 4의 약수인 사건
B: 나오는 눈의 수가 모두 짝수인 사건
C: 나오는 눈의 수의 합이 7인 사건

다음 [보기] 중 서로 독립인 것을 모두 고른 것은?

ㄱ. A와 B	ㄴ. B와 C	ㄷ. A와 C

① ㄱ ② ㄴ ③ ㄷ
④ ㄴ, ㄷ ⑤ ㄱ, ㄴ, ㄷ

0812

NORMAL

오른쪽 그림과 같은 어느 달의 달력에서 임의로 한 날을 택할 때, 그날이 월요일인 사건을 A, 수요일인 사건을 B, 날짜가 5의 배수인 사건을 C라 하자. 다음 [보기]에서 옳은 것을 모두 고르면?

SUN	MON	TUE	WED	THU	FRI	SAT
			1	2	3	4
5	6	7	8	9	10	11
12	13	14	15	16	17	18
19	20	21	22	23	24	25
26	27	28	29	30		

ㄱ. A와 B는 서로 배반이다.
ㄴ. B와 C는 서로 독립이다.
ㄷ. A와 C는 서로 독립이다.

① ㄱ ② ㄴ ③ ㄱ, ㄴ
④ ㄴ, ㄷ ⑤ ㄱ, ㄴ, ㄷ

0813

NORMAL

한 개의 동전을 3회 던져서 첫 번째에 앞면이 나오는 사건을 A, 두 번째에 앞면이 나오는 사건을 B, 3회 중 2회만 연속하여 앞면이 나오는 사건을 C라고 할 때, 다음 [보기]에서 옳은 것을 모두 고르면?

ㄱ. 두 사건 A, B는 서로 독립이다.
ㄴ. 두 사건 A, C는 서로 종속이다.
ㄷ. 두 사건 B, C는 서로 배반사건이다.
ㄹ. 두 사건 B, C는 서로 종속이다.

① ㄱ ② ㄴ, ㄷ ③ ㄱ, ㄹ
④ ㄱ, ㄴ, ㄹ ⑤ ㄴ, ㄷ, ㄹ

0814

최다빈출 왕중요

NORMAL

1부터 10까지 자연수가 각각 하나씩 적힌 10장의 카드 중에서 임의로 한 장을 뽑을 때, n의 배수가 적힌 카드를 뽑는 사건을 A_n이라 하자. 이때 [보기]에서 옳은 것을 모두 고른 것은?

ㄱ. A_3과 A_4는 서로 배반사건이다.
ㄴ. $\mathrm{P}(A_4|A_2)=\frac{1}{5}$
ㄷ. A_2와 A_5는 서로 독립이다.

① ㄱ ② ㄱ, ㄴ ③ ㄱ, ㄷ
④ ㄴ, ㄷ ⑤ ㄱ, ㄴ, ㄷ

▶ 해설 내신연계기출

0815

TOUGH

1부터 4까지의 자연수가 하나씩 적혀 있는 흰 공 4개와 5부터 10까지의 자연수가 하나씩 적혀 있는 검은 공 6개가 들어 있는 상자에서 임의로 두 개의 공을 동시에 뽑을 때, 뽑힌 두 개의 공에 적혀 있는 수의 합이 짝수인 사건을 A라 할 때, 뽑힌 두 개의 공이 같은 색인 사건을 B라 하자. [보기]에서 옳은 것만을 있는 대로 고른 것은?

ㄱ. $\mathrm{P}(A)=\frac{4}{9}$
ㄴ. $\mathrm{P}(B|A)=\frac{2}{5}$
ㄷ. 두 사건 A와 B는 서로 독립이다.

① ㄱ ② ㄴ ③ ㄱ, ㄴ
④ ㄴ, ㄷ ⑤ ㄱ, ㄴ, ㄷ

0816

TOUGH

다음 표는 100명의 남학생, 여학생 중 두 영화 기생충과 설국열차를 관람한 학생 수를 나타낸 것이다.

구분	기생충	설국열차	계
남학생	42	28	70
여학생	18	12	30
계	60	40	100

이 100명의 학생 중 한 명을 임의로 뽑을 때, 뽑힌 학생이 남학생인 사건을 A, 기생충을 관람한 학생인 사건을 B라 할 때, [보기]에서 옳은 것만을 있는 대로 고른 것은?

ㄱ. 두 사건 A와 B는 서로 독립이다.
ㄴ. $\mathrm{P}(B|A)=\frac{3}{5}$
ㄷ. 두 사건 A와 B^C는 서로 독립이다.
ㄹ. 두 사건 A^C와 B^C는 서로 독립이다.

① ㄱ ② ㄴ, ㄷ ③ ㄱ, ㄴ, ㄷ
④ ㄴ, ㄷ, ㄹ ⑤ ㄱ, ㄴ, ㄷ, ㄹ

0817

TOUGH

한 개의 주사위를 두 번 던질 때, 나오는 눈의 수를 차례로 a, b라 하자. 다음은 이차함수 $f(x)=x^2-7x+12$에 대하여 $f(a)f(b)=0$이 성립할 확률을 구하는 과정이다.

첫 번째 던져서 나오는 주사위의 눈의 수를 a라 할 때, $f(a)=0$이 되는 사건을 A라 하고, 두 번째 던져서 나오는 주사위의 눈의 수를 b라 할 때, $f(b)=0$이 되는 사건을 B라 하자.
이차방정식 $f(x)=0$의 해는 $x=3$ 또는 $x=4$이므로

$\mathrm{P}(A)=$ (가), $\mathrm{P}(B)=$ (가)

이다.
구하는 확률 $\mathrm{P}(A\cup B)$는

$\mathrm{P}(A\cup B)=\mathrm{P}(A)+\mathrm{P}(B)-\mathrm{P}(A\cap B)$

이고, 두 사건 A와 B는 서로 독립이므로

$\mathrm{P}(A\cap B)=$ (나)

이다. 그러므로

$\mathrm{P}(A\cup B)=$ (다)

이다.

위의 (가), (나), (다)에 알맞은 수를 각각 m, n, k라 할 때, $m\times n\times k$의 값은?

① $\frac{1}{81}$ ② $\frac{5}{243}$ ③ $\frac{7}{243}$
④ $\frac{1}{27}$ ⑤ $\frac{11}{243}$

0818

TOUGH

1부터 8까지의 자연수가 하나씩 적혀 있는 8장의 카드가 있다. 이 카드를 모두 한 번씩 사용하여 그림과 같은 8개의 자리에 각각 한 장씩 임의로 놓을 때, 8 이하의 자연수 k에 대하여 k번째 자리에 놓인 카드에 적힌 수가 k 이하인 사건을 A_k라 하자.

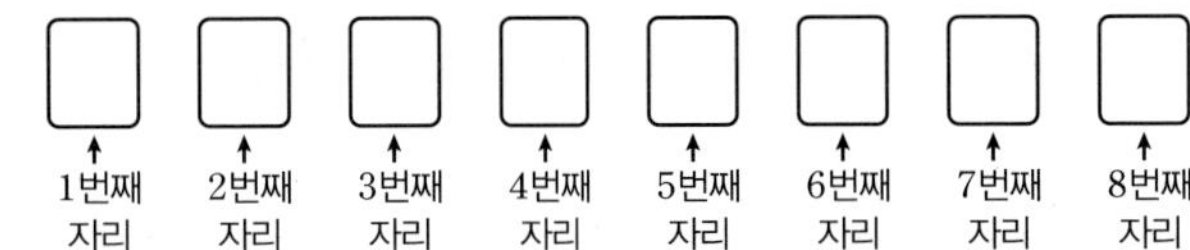

다음은 두 자연수 m, $n(1\le m<n\le 8)$에 대하여 두 사건 A_m과 A_n이 서로 독립이 되도록 하는 m, n의 모든 순서쌍 (m, n)의 개수를 구하는 과정이다.

A_k는 k번째 자리에 k 이하의 자연수 중 하나가 적힌 카드가 놓여 있고, k번째 자리를 제외한 7개의 자리에 나머지 7장의 카드가 놓여 있는 사건이므로

$\mathrm{P}(A_k)=$ (가)

이다.
$A_m\cap A_n(m<n)$은 m번째 자리에 m 이하의 자연수 중 하나가 적힌 카드가 놓여있고, n번째 자리에 n 이하의 자연수 중 m번째 자리에 놓인 카드에 적힌 수가 아닌 자연수가 적힌 카드가 놓여 있고, m번째와 n번째 자리를 제외한 6개의 자리에 나머지 6장의 카드가 놓여 있는 사건이므로

$\mathrm{P}(A_m\cap A_n)=$ (나)

이다.
한편, 두 사건 A_m과 A_n이 서로 독립이기 위해서는

$\mathrm{P}(A_m\cap A_n)=\mathrm{P}(A_m)\mathrm{P}(A_n)$

을 만족시켜야 한다.
따라서 두 사건 A_m과 A_n이 서로 독립이 되도록 하는 m, n의 모든 순서쌍 (m, n)의 개수는 (다) 이다.

위의 (가)에 알맞은 식에 $k=4$를 대입한 값을 p, (나)에 알맞은 식에 $m=3$, $n=5$를 대입한 값을 q, (다)에 알맞은 수를 r이라 할 때. $p\times q\times r$의 값은?

① $\frac{3}{8}$ ② $\frac{1}{2}$ ③ $\frac{5}{8}$
④ $\frac{3}{4}$ ⑤ $\frac{7}{8}$

유형 02 독립의 여러 가지 성질

(1) $\mathrm{P}(A)>0$, $\mathrm{P}(B)>0$인 두 사건 A, B에 대하여
두 사건 A, B가 서로 독립이기 위한 필요충분조건은
$\mathrm{P}(A\cap B)=\mathrm{P}(A)\mathrm{P}(B)$ (단, $\mathrm{P}(A)>0$, $\mathrm{P}(B)>0$)

(2) $\mathrm{P}(A)\neq 0$, $\mathrm{P}(B)\neq 0$인 두 사건 A, B가 서로 독립이면
① 두 사건 A와 B^c이 서로 독립, 즉 $\mathrm{P}(A\cap B^c)=\mathrm{P}(A)\mathrm{P}(B^c)$
② 두 사건 A^c과 B가 서로 독립, 즉 $\mathrm{P}(A^c\cap B)=\mathrm{P}(A^c)\mathrm{P}(B)$
③ 두 사건 A^c과 B^c이 서로 독립, 즉 $\mathrm{P}(A^c\cap B^c)=\mathrm{P}(A^c)\mathrm{P}(B^c)$

(3) A, B가 독립이면 $\mathrm{P}(A\cup B)=\mathrm{P}(A)+\mathrm{P}(B)-\mathrm{P}(A)\mathrm{P}(B)$

해설 $\mathrm{P}(A\cup B)=\mathrm{P}(A)+\mathrm{P}(B)-\mathrm{P}(A\cap B)$
$=\mathrm{P}(A)+\mathrm{P}(B)-\mathrm{P}(A)\mathrm{P}(B)$

(4) 두 사건 A, B가 서로 독립이고 $\mathrm{P}(A\cup B)=1$이면
$\mathrm{P}(A)=1$ 또는 $\mathrm{P}(B)=1$이다.

해설 두 사건 A, B가 서로 독립이므로
$\mathrm{P}(A\cup B)=\mathrm{P}(A)+\mathrm{P}(B)-\mathrm{P}(A\cap B)=\mathrm{P}(A)+\mathrm{P}(B)-\mathrm{P}(A)\mathrm{P}(B)$
이때 $\mathrm{P}(A\cup B)=1$이면 $1=\mathrm{P}(A)+\mathrm{P}(B)-\mathrm{P}(A)\mathrm{P}(B)$
$\{\mathrm{P}(A)-1\}\{\mathrm{P}(B)-1\}=0$
즉 $\mathrm{P}(A)=1$ 또는 $\mathrm{P}(B)=1$이다.

0819 학교기출 대표 유형

다음은 사건 A와 B가 독립일 때, A^c와 B^c는 (다) 임을 증명하는 과정이다.

> A, B가 서로 독립이므로 $\mathrm{P}(A\cap B)=\mathrm{P}(A)\mathrm{P}(B)$
> $\mathrm{P}(A^c\cap B^c)=1-$ (가)
> $=1-\{\mathrm{P}(A)+\mathrm{P}(B)-\mathrm{P}(A\cap B)\}$
> $=1-\mathrm{P}(A)-\mathrm{P}(B)+\mathrm{P}(A)\mathrm{P}(B)$
> $=1-\mathrm{P}(A)-\mathrm{P}(B)\{1-\mathrm{P}(A)\}$
> $=\{1-\mathrm{P}(A)\}\{1-\mathrm{P}(B)\}$
> $=$ (나)
> $\therefore \mathrm{P}(A^c\cap B^c)=$ (나)
> 따라서 A^c와 B^c는 서로 (다) 이다.

(가), (나), (다)에 알맞은 것을 차례로 나열한 것은?

	(가)	(나)	(다)
①	$\mathrm{P}(A\cup B)$,	$\mathrm{P}(A^c)\mathrm{P}(B^c)$,	독립
②	$\mathrm{P}(A\cap B)$,	$\mathrm{P}(A^c)\mathrm{P}(B^c)$,	독립
③	$\mathrm{P}(A\cup B)$,	$\mathrm{P}(A^c)\mathrm{P}(B^c)$,	종속
④	$\mathrm{P}(A\cap B)$,	$\mathrm{P}(A)\mathrm{P}(B)$,	종속
⑤	$\mathrm{P}(A\cup B)$,	$\mathrm{P}(A)\mathrm{P}(B)$,	종속

0820 BASIC

확률이 0이 아닌 두 사건 A, B가 서로 독립일 때, [보기]에서 옳은 것만을 있는 대로 고른 것은?

> ㄱ. $\mathrm{P}(A^c|B)=1-\mathrm{P}(A)$
> ㄴ. $\mathrm{P}(A\cup B)=\mathrm{P}(A)+\mathrm{P}(B)$
> ㄷ. $\mathrm{P}(B)=\mathrm{P}(A)\mathrm{P}(B)+\mathrm{P}(A^c)\mathrm{P}(B)$

① ㄱ ② ㄱ, ㄴ ③ ㄱ, ㄷ
④ ㄴ, ㄷ ⑤ ㄱ, ㄴ, ㄷ

0821 최다빈출 왕중요 NORMAL

$\mathrm{P}(A)>0$, $\mathrm{P}(B)>0$인 두 사건 A, B에 대하여 다음 중 옳지 않은 것은?

① A와 B가 독립이면 $\mathrm{P}(A^c\cap B)=\mathrm{P}(A^c)\mathrm{P}(B)$
② A와 B가 독립이면 $\mathrm{P}(A^c\cap B^c)=\mathrm{P}(A^c)\mathrm{P}(B^c)$
③ A와 B가 배반이면 $\mathrm{P}(A^c|B)=1$
④ A와 B가 독립이면 $\mathrm{P}(B|A)=\mathrm{P}(A|B)$
⑤ A와 B가 독립이면 $\mathrm{P}(A^c|B)=1-\mathrm{P}(A|B)$

▶ 해설 내신연계기출

0822 최다빈출 왕중요 NORMAL

두 사건 A, B가 서로 독립일 때, 다음 중 옳지 않은 것은?
(단, $\mathrm{P}(A)>0$, $\mathrm{P}(B)>0$이고, A^c은 A의 여사건이다.)

① $\mathrm{P}(A\cap B^c)=\mathrm{P}(A)-\mathrm{P}(A)\mathrm{P}(B)$
② $\mathrm{P}(A|B)=1-\mathrm{P}(A^c|B)$
③ $\mathrm{P}(A\cup B)=1$이면 $\mathrm{P}(A)=1$ 또는 $\mathrm{P}(B)=1$이다.
④ $\{1-\mathrm{P}(A)\}\{1-\mathrm{P}(B)\}=1-\mathrm{P}(A\cup B)$
⑤ A, B가 서로 독립이고 $\mathrm{P}(A\cup B)=1$이면 B는 A의 여사건이다.

▶ 해설 내신연계기출

유형 03 배반사건과 독립사건의 진위판단

① $P(A)>0$, $P(B)>0$인 두 사건 A, B에 대하여
A, B가 배반사건이면 A, B는 서로 종속사건이다. [참]

해설 공사건이 아닌 두 사건 A, B가 서로 배반사건이면
$P(A)>0$, $P(B)>0$이고 $A\cap B=\varnothing$에서 $P(A\cap B)=0$이므로
$P(A\cap B)\neq P(A)P(B)$이다. ⬅ $P(A\cap B)=0$, $P(A)P(B)>0$
따라서 두 사건 A, B는 서로 종속이다.

② 확률이 0이 아닌 두 사건 A, B에 대하여
$P(A|B)=0$이면 A, B는 서로 종속사건이다. [참]

해설 $P(A|B)=\frac{P(A\cap B)}{P(B)}=0$이므로 $P(A\cap B)=0$
즉 두 사건 A, B가 서로 배반사건이므로 두 사건 A, B는 서로 종속이다.

주의 두 사건 A, B가 배반사건이면 두 사건 A, B는 서로 독립이다. [거짓]

③ A, B가 서로 독립이면 A, B는 배반사건이 아니다. [참] ⬅ 대우

해설 공사건이 아닌 두 사건 A, B가 서로 독립사건이면 $P(A)>0$, $P(B)>0$
이고 $P(A\cap B)=P(A)P(B)\neq 0$이므로 $P(A\cap B)\neq 0$이다.
따라서 A, B는 서로 배반사건이 아니다.

참고 (1)에서 두 명제 '두 사건 A, B가 서로 배반사건이면 A, B는
서로 종속이다.' 가 참이므로 이 명제의 대우인 '두 사건 A, B가
서로 독립이면 A, B는 서로 배반사건도 아니다.' 도 참이다.

참고 $P(A|B)=\frac{P(A\cap B)}{P(B)}=\frac{P(A)P(B)}{P(B)}=P(A)\neq 0$이므로 $P(A\cap B)\neq 0$
즉 두 사건이 서로 독립이면 한 사건이 일어나는 것이 다른 사건이 일어날
확률에 영향을 주지 않으므로 두 사건은 동시에 일어날 수 있다.
이것은 두 사건이 서로 배반사건이 아님을 뜻한다.

두 사건 A, B가 서로 독립사건이면 두 사건 A, B는 서로 배반사건
이다. [거짓]
두 사건 A, B가 서로 종속사건이면 두 사건 A, B는 서로 배반사건
이다. [거짓]

반례 주사위를 던질 때 소수가 나오는 사건을 A, 짝수가 나오는 사건을 B라 하면
$P(A)=\frac{1}{2}$, $P(B)=\frac{1}{2}$, $P(A\cap B)=\frac{1}{6}$이면 $P(A\cap B)\neq P(A)P(B)$이지만
$P(A\cap B)\neq 0$이다. 즉 두 사건 A, B가 서로 종속사건일 때,
두 사건 A, B는 서로 배반사건이 아닐 수 있다.

주의 두 사건 A, B가 서로 독립이면 두 사건 A, B는 서로 배반사건이다. [거짓]

④ A, B가 배반사건이면 $P(B|A)=0$이다. [참]

해설 A, B가 배반사건이면 $P(A\cap B)=0$이므로 $P(B|A)=\frac{P(A\cap B)}{P(A)}=0$

⑤ $P(A)>0$, $P(B)>0$인 두 사건 A, B에 대하여
A와 B가 배반사건이면 $P(A)+P(B)\le 1$이다. [참]

해설 A, B가 배반사건이므로 $P(A\cup B)=P(A)+P(B)$
확률의 정의에 의해 $0<P(A)+P(B)=P(A\cup B)\le 1$

⑥ 두 사건 A와 B가 독립이고 B와 C가 독립이면
A와 C도 독립이다. [거짓]

반례 $S=\{1, 2, 3, 4, 5, 6\}$, $A=\{1, 2\}$, $B=\{2, 3, 4\}$, $C=\{4, 5\}$

0823 학교기출 대표유형

다음은 $P(A)>0$, $P(B)>0$인 두 사건 A, B에 대하여 A, B가 서로 배반사건이면 A, B는 서로 종속임을 증명하는 과정이다.

> 증명
> A, B가 서로 배반사건이면 $P(A\cap B)=$ (가) 이다.
> 그런데 $P(A)>0$, $P(B)>0$이므로 $P(A)P(B)>0$이다.
> 따라서
> (나) $\neq$ (다)
> 이므로 A, B는 서로 (라) 이 아니다.
> 즉 두 사건 A, B는 서로 배반사건이면 A, B는 서로 종속이다.

(가), (나), (다)에 알맞은 것을 차례로 나열한 것은?

	(가)	(나)	(다)	(라)
①	1	$P(A\cup B)$	$P(A)+P(B)$	종속
②	1	$P(A\cap B)$	$P(A)P(B)$	종속
③	0	$P(A\cap B)$	$P(A)+P(B)$	종속
④	0	$P(A\cap B)$	$P(A)P(B)$	독립
⑤	0	$P(A\cup B)$	$P(A)P(B)$	종속

0824 최다빈출 왕중요 BASIC

확률이 0이 아닌 두 사건에 대한 다음 설명 중 옳은 것은?

① 서로 종속인 두 사건은 배반사건이 아니다.
② 서로 독립인 두 사건은 배반사건이다.
③ 서로 배반인 두 사건은 종속사건이다.
④ 서로 배반이 아닌 두 사건은 독립사건이다.
⑤ 어떤 사건과 그 여사건은 독립사건이다.

▶해설 내신연계기출

0825 최다빈출 왕중요 NORMAL

$P(A)>0$, $P(B)>0$인 임의의 두 사건 A, B에 대하여 다음 [보기] 중 옳은 것을 모두 고른 것은?

> ㄱ. A, B가 서로 독립이면 $P(A|B)=P(B|A)$이다.
> ㄴ. A, B가 배반사건이면 $P(A)+P(B)\le 1$이다.
> ㄷ. A, B가 배반사건이고 $P(A\cup B)=1$이면 B는 A의 여사건이다.
> ㄹ. 두 사건 A, B가 서로 배반이면 A, B는 서로 독립이다.

① ㄱ ② ㄹ ③ ㄱ, ㄹ
④ ㄴ, ㄷ ⑤ ㄱ, ㄴ, ㄹ

▶해설 내신연계기출

0826

NORMAL

표본공간 S의 임의의 두 사건 A, B에 대하여 [보기]에서 옳은 것만을 있는 대로 고른 것은?
(단, $P(A)\neq 0$, $P(B)\neq 0$이고 B^c는 B의 여사건이다.)

> ㄱ. 두 사건 A, B가 서로 독립이면 $P(B|A)=1-P(B^c|A)$이다.
> ㄴ. 두 사건 A, B가 서로 배반사건이면 $0<P(A)+P(B)\leq 1$이다.
> ㄷ. 두 사건 A, B가 서로 배반사건이면 두 사건 A, B는 서로 독립이다.

① ㄱ ② ㄴ ③ ㄱ, ㄴ
④ ㄱ, ㄷ ⑤ ㄱ, ㄴ, ㄷ

0827

NORMAL

두 사건 A, B에 대하여 $0<P(A)<1$, $0<P(B)<1$일 때, [보기]에서 옳은 것만을 있는 대로 고른 것은? (단, A^c는 A의 여사건이다.)

> ㄱ. $P(A|B^c)=0$이면 $P(A|B)P(B)=P(A)$이다.
> ㄴ. 사건 A와 B가 서로 독립이면 사건 A, B는 서로 배반이다.
> ㄷ. 사건 A와 B가 서로 독립이면 $P(A|B)+P(A|B^c)=2P(A)$이다.

① ㄱ ② ㄴ ③ ㄱ, ㄷ
④ ㄴ, ㄷ ⑤ ㄱ, ㄴ, ㄷ

0828

최다빈출 왕중요 TOUGH

표본공간 S의 두 사건 A, B에 대하여 [보기]에서 옳은 것만을 있는 대로 고른 것은? (단, $P(A)\neq 0$, $P(B)\neq 0$, A^c은 A의 여사건이다.)

> ㄱ. A와 B가 서로 배반사건이면 $P(B|A)=P(A|B)=0$이다.
> ㄴ. $P(A^c|B)=0$이면 A와 B는 배반사건이다.
> ㄷ. $0<P(A|B)<P(B|A)$이면 $P(A)<P(B)$이다.
> ㄹ. $P(B|A)+P(B^c|A)=1$

① ㄱ, ㄷ ② ㄱ, ㄹ ③ ㄱ, ㄴ, ㄷ
④ ㄱ, ㄷ, ㄹ ⑤ ㄴ, ㄷ, ㄹ

▶ 해설 내신연계기출

유형 04 독립사건을 이용한 미지수 구하기 (1)

두 사건 A, B가 서로 독립이면
① $P(A\cap B)=P(A)P(B)$
② $P(B|A)=P(B|A^c)=P(B)$
③ A^c과 B, A와 B^c, A^c과 B^c도 각각 서로 독립이다.

0829

학교기출 대표 유형

다음은 어느 회사에서 전체 직원 360명을 대상으로 재직 연수와 새로운 조직 개편안에 대한 찬반 여부를 조사한 표이다.

(단위 : 명)

재직 연수 \ 찬반 여부	찬성	반대	계
10년 미만	a	b	120
10년 이상	c	d	240
계	150	210	360

재직 연수가 10년 미만일 사건과 조직 개편안에 찬성할 사건이 서로 독립일 때, a의 값은?

① 10 ② 40 ③ 50
④ 60 ⑤ 80

0830

NORMAL

다음은 어느 학교 학생들이 두 영화 겨울왕국, 기생충을 선택하는 표이다.

(단위 : 명)

구분	겨울왕국	기생충	계
남학생	40	20	60
여학생	20	a	$20+a$
계	60	$20+a$	$80+a$

이 학교 학생 중 한 명을 뽑아 무료 초대권을 주려고 한다.
선택된 영화가 겨울왕국인 사건을 A, 여학생인 사건을 B라 하자.
두 시건 A와 B가 서로 독립일 때, a의 값은?

① 8 ② 10 ③ 12
④ 14 ⑤ 16

0831

최다빈출 왕중요 NORMAL

어느 회사의 전체 직원은 기혼남성 6명, 미혼남성 20명, 기혼여성 36명, 미혼여성 x명이다. 이 회사에서 직원 중 한 사람을 선택하여 선물을 주기로 하였다. 선택된 직원이 남성인 경우를 사건 A라 하고, 미혼인 경우를 사건 B라 하자. 두 사건 A와 B가 서로 독립일 때, x의 값은? (단, 각 직원이 선택될 확률은 같다고 가정한다.)

① 10 ② 40 ③ 50
④ 60 ⑤ 120

▶ 해설 내신연계기출

0832

최다빈출 왕중요 NORMAL

어느 고등학교 1학년 학생들을 대상으로 '점심시간 중 도서관 이용 경험' 에 대하여 조사하였더니 남학생 중에서 이용 경험이 있는 학생은 30명, 없는 학생은 20명, 여학생 중에서 이용 경험이 없는 학생은 10명이었다. 조사한 학생 중에서 임의로 택한 1명이 남학생인 사건과 도서관 이용 경험이 있는 사건이 서로 독립일 때, 도서관 이용 경험이 있는 여학생 수는?

① 11 ② 13 ③ 15
④ 17 ⑤ 19

▶ 해설 내신연계기출

0833

TOUGH

어느 고등학교의 학생 중에서 1학년 80명, 2학년 100명, 3학년 120명을 뽑았더니 이 학생들 중 1학년은 여학생이 50명이고, 3학년은 여학생이 70명이었다. 이 300명의 학생들 중에서 한 명을 선택했을 때, 2학년일 사건과 남학생일 사건이 서로 독립이다. 2학년 학생 중 남학생의 수는?

① 30 ② 35 ③ 40
④ 45 ⑤ 50

0834

TOUGH

다음 표는 어느 고등학교의 방과 후 자율학습에 대한 찬반여부를 파악하기 위해 200명을 대상으로 조사한 결과를 나타낸 표이다. 200명 중 임의로 한 명을 택할 때, 학생이 선택되는 사건과 방과 후 자율학습에 반대하는 사람이 선택되는 사건이 서로 독립일 때, $2a-b$의 값은? (단, a, b는 상수이다.)

(단위 : 명)

구분	찬성	반대	합계
학생	a	b	80
학부모	30	40	70
교사	30	20	50

① 10 ② 20 ③ 40
④ 60 ⑤ 80

유형 05 독립사건을 이용한 미지수 구하기 (2)

[1단계] 두 사건 A, B가 독립이므로 $P(A\cap B)=P(A)P(B)$임을 만족하는 표를 이용하여 구한다.
[2단계] $n(A\cap B)$의 값을 구하여 자연수 k의 값 구하기

0835 학교기출 대표 유형

주사위의 1의 눈의 면에서부터 $k(1\le k\le 5)$의 눈의 면까지 빨간색을 칠하고, $(k+1)$의 눈의 면에서부터 6의 눈의 면까지는 파란색을 칠한다. 이 주사위를 던질 때, '짝수의 눈이 나온다.' 라는 사건을 A, '빨간색을 칠한 면이 나온다.' 라는 사건을 B라고 할 때, A와 B가 서로 독립이 되는 모든 k의 값의 합은?

① 2 ② 4 ③ 6
④ 8 ⑤ 10

0836 TOUGH

주머니 속에 8개의 공이 들어 있다. 이 중 k개는 흰 공이고, 나머지는 검은 공이다. 흰 공에는 1부터 k까지의 자연수가 각각 하나씩 적혀 있고, 검은 공에는 $k+1$부터 8까지의 자연수가 각각 하나씩 적혀 있다. 이 주머니에서 임의로 하나의 공을 꺼낼 때, 흰 공이 나오는 사건을 A라 하고, 홀수가 적힌 공이 나오는 사건을 B라 하자.
두 사건 A와 B가 서로 독립이 되도록 자연수 k의 값을 정할 때, 모든 k의 값의 합은? (단, $1\le k\le 7$이다.)

① 10 ② 12 ③ 14
④ 16 ⑤ 18

0837 최다빈출 왕중요 TOUGH

한 개의 주사위를 한 번 던질 때, 두 사건 A, B가 다음과 같다.

(가) 사건 A는 2 이상 4 이하의 눈이 나오는 사건이다.
(나) 사건 B는 자연수 a에 대하여 a 이하의 눈이 나오는 사건이다.

두 사건 A와 B가 서로 독립이 되도록 하는 모든 자연수 a의 값의 합은?

① 7 ② 8 ③ 9
④ 10 ⑤ 11

▶ 해설 내신연계기출

0838 최다빈출 왕중요 TOUGH

한 개의 주사위를 한 번 던진다. 홀수의 눈이 나오는 사건을 A, 6 이하의 자연수 m에 대하여 m의 약수의 눈이 나오는 사건을 B라 하자. 두 사건 A와 B가 서로 독립이 되도록 하는 모든 m의 값의 합은?

① 6 ② 8 ③ 10
④ 12 ⑤ 14

▶ 해설 내신연계기출

0839 TOUGH

한 개의 주사위를 두 번 던질 때, 첫 번째 나오는 눈의 수가 4인 사건을 A, 두 개의 주사위에서 나오는 눈의 수의 합이 k인 사건을 B_k라 하면 두 사건 A와 B_k가 서로 독립이 되도록 하는 모든 k의 값은? (단, k는 5 이상의 자연수이다.)

① 5 ② 6 ③ 7
④ 8 ⑤ 9

유형 06 독립사건을 이용한 사건의 개수 구하기

[1단계] A, B가 독립이면 $\mathrm{P}(A\cap B)=\mathrm{P}(A)\mathrm{P}(B)$임을 이용하여 $n(A)$, $n(B)$, $n(A\cap B)$를 구한다.
[2단계] 조합을 이용하여 조건을 만족하는 사건 B의 개수를 구한다.

0840 학교기출 대표 유형

1부터 10까지의 수가 각각 적힌 10장의 카드에서 한 장의 카드를 임의로 택할 때, 나오는 수가 홀수인 사건 $A=\{1, 3, 5, 7, 9\}$에 대하여 다음 조건을 만족시키는 사건 B의 개수는?

(가) 두 사건 A, B는 서로 독립이다.
(나) $\mathrm{P}(B)=\frac{1}{5}$

① 1 ② 4 ③ 9
④ 16 ⑤ 25

0841 최다빈출 왕 중요 NORMAL

표본공간 S는 $S=\{1, 2, 3, \cdots, 12\}$이고 모든 근원사건의 확률은 같다. 사건 A가 $A=\{4, 8, 12\}$일 때, 사건 X가 다음 조건을 만족시킨다. 사건 X의 개수는?

(가) 두 사건 A와 X는 서로 독립이다.
(나) $n(A\cap X)=2$

(단, $n(B)$는 집합 B의 원소의 개수를 나타낸다.)

① 240 ② 252 ③ 268
④ 320 ⑤ 360

▶ 해설 내신연계기출

0842 최다빈출 왕 중요 NORMAL

1부터 8까지의 자연수가 하나씩 적힌 카드 중에서 임의로 한 장의 카드를 뽑는 시행에서 4 이하의 수가 나오는 사건을 A라 하자. 이 시행의 표본공간의 부분집합인 사건 B에 대하여 다음 조건을 만족시킬 때, 사건 B의 개수는?

(가) 두 사건 A와 B는 서로 독립이다.
(나) $\mathrm{P}(A\cap B)=\frac{1}{4}$

① 24 ② 28 ③ 32
④ 36 ⑤ 40

▶ 해설 내신연계기출

0843 TOUGH

한 개의 주사위를 던지는 시행에서 사건 A는 3의 배수의 눈이 나오는 사건이다. 이 시행의 표본공간의 부분집합인 사건 B에 대하여 사건 A와 B는 서로 독립일 때, 사건 B의 개수는?
(단, $\mathrm{P}(B)\neq 0$, $\mathrm{P}(B)\neq 1$)

① 4 ② 6 ③ 8
④ 10 ⑤ 12

0844 TOUGH

1부터 10까지의 자연수가 하나씩 적혀 있는 10장의 카드에서 임의로 한 장의 카드를 뽑는 시행을 할 때,

짝수가 적혀 있는 카드를 뽑는 사건을 A라 하자. 이 시행에서 나오는 사건 B가 다음 조건을 만족시킬 때, 사건 B의 개수는?

(가) 두 사건 A와 B는 서로 독립이다.
(나) $n(A\cup B)=7$

① 80 ② 100 ③ 120
④ 140 ⑤ 160

유형 07 종속사건의 계산 (1)

두 사건 A, B에 대하여

① $P(B|A)=\frac{P(A\cap B)}{P(A)}$에서 $P(A\cap B)=P(A)P(B|A)(P(A)\neq 0)$

② $P(A|B)=\frac{P(A\cap B)}{P(B)}$에서 $P(A\cap B)=P(B)P(A|B)(P(B)\neq 0)$

③ $P(B)=P(A\cap B)+P(A^c\cap B)$

④ $P(A\cup B)=P(A)+P(B)-P(A\cap B)$

⑤ $P(A^c\cap B^c)=1-P(A\cup B)$

0845 학교기출 대표 유형

두 사건 A, B에 대하여

$$P(A)=\frac{5}{9},\ P(B)=\frac{1}{3},\ P(A\cup B)=\frac{2}{3}$$

일 때, $P(B|A)$의 값은?

① $\frac{4}{9}$ ② $\frac{1}{3}$ ③ $\frac{7}{9}$
④ $\frac{3}{5}$ ⑤ $\frac{2}{5}$

0846 최다빈출 왕 중요

BASIC

두 사건 A, B에 대하여

$$P(A)=\frac{3}{5},\ P(B)=\frac{4}{5},\ P(A|B)=\frac{1}{4}$$

일 때, $P(B|A)$의 값은?

① $\frac{1}{4}$ ② $\frac{3}{4}$ ③ $\frac{1}{5}$
④ $\frac{1}{3}$ ⑤ $\frac{3}{8}$

▶ 해설 내신연계기출

0847

BASIC

두 사건 A, B에 대하여

$$P(A)=\frac{1}{2},\ P(A|B)=\frac{1}{6},\ P(A\cup B)=\frac{3}{4}$$

일 때, $P(B)$의 값은?

① $\frac{1}{7}$ ② $\frac{3}{10}$ ③ $\frac{5}{11}$
④ $\frac{7}{13}$ ⑤ $\frac{9}{16}$

0848

NORMAL

두 사건 A, B에 대하여

$$P(A)=\frac{1}{3},\ P(B|A)=\frac{2}{5},\ P(A^c\cap B^c)=\frac{1}{3}$$

일 때, $P(B)$의 값은?

① $\frac{1}{3}$ ② $\frac{2}{5}$ ③ $\frac{7}{15}$
④ $\frac{8}{15}$ ⑤ $\frac{3}{5}$

0849 최다빈출 왕 중요

NORMAL

두 사건 A, B에 대하여

$$P(A)=\frac{1}{2},\ P(B)=\frac{2}{3},\ P(A^c\cap B^c)=\frac{1}{6}$$

일 때, $P(A|B)$는?

① $\frac{1}{3}$ ② $\frac{5}{12}$ ③ $\frac{1}{2}$
④ $\frac{7}{12}$ ⑤ $\frac{2}{3}$

▶ 해설 내신연계기출

0850 최다빈출 왕 중요

NORMAL

두 사건 A, B에 대하여

$$\mathrm{P}(A)=\frac{1}{2},\ \mathrm{P}(A^c\cap B^c)=\frac{3}{10},\ \mathrm{P}(B|A)=\frac{3}{5}$$

일 때, $\mathrm{P}(A|B)$의 값은? (단, A^c은 A의 여사건이다.)

① $\frac{1}{3}$ ② $\frac{2}{5}$ ③ $\frac{7}{15}$
④ $\frac{8}{15}$ ⑤ $\frac{3}{5}$

▶ 해설 내신연계기출

0851

NORMAL

두 사건 A와 B에 대하여

$$\mathrm{P}(A)=0.5,\ \mathrm{P}(B)=0.6,\ \mathrm{P}(A\cap B)=0.2$$

일 때, $\mathrm{P}(A^c|B^c)$의 값은? (단, A^c은 A의 여사건이다.)

① 0.12 ② 0.24 ③ 0.25
④ 0.30 ⑤ 0.35

0852 최다빈출 왕 중요

NORMAL

두 사건 A, B에 대하여

$$\mathrm{P}(A)=\frac{2}{5},\ \mathrm{P}(B^c)=\frac{3}{10},\ \mathrm{P}(A\cap B)=\frac{1}{5}$$

일 때, $\mathrm{P}(A^c|B^c)$의 값은? (단, A^c은 A의 여사건이다.)

① $\frac{1}{6}$ ② $\frac{1}{5}$ ③ $\frac{1}{4}$
④ $\frac{1}{3}$ ⑤ $\frac{1}{2}$

▶ 해설 내신연계기출

0853 최다빈출 왕 중요

NORMAL

두 사건 A, B에 대하여

$$\mathrm{P}(A)=\frac{1}{2},\ \mathrm{P}(B)=\frac{1}{3},\ \mathrm{P}(A|B)+\mathrm{P}(B|A)=\frac{5}{6}$$

일 때, $\mathrm{P}(A\cap B)$의 값은?

① $\frac{1}{6}$ ② $\frac{1}{5}$ ③ $\frac{1}{4}$
④ $\frac{1}{3}$ ⑤ $\frac{1}{2}$

▶ 해설 내신연계기출

0854

NORMAL

두 사건 A, B에 대하여

$$\mathrm{P}(A)=\frac{2}{3},\ \mathrm{P}(B)=\frac{2}{5},\ \mathrm{P}(B|A)+\mathrm{P}(A|B)=\frac{3}{2}$$

일 때, $\mathrm{P}(A\cap B)$는?

① $\frac{1}{8}$ ② $\frac{1}{4}$ ③ $\frac{3}{8}$
④ $\frac{1}{2}$ ⑤ $\frac{5}{8}$

0855

NORMAL

두 사건 A, B에 대하여

$$\mathrm{P}(B|A)=\frac{1}{3},\ \mathrm{P}(A|B)=\frac{1}{2},\ \mathrm{P}(A\cup B)=\frac{2}{3}$$

일 때, $\mathrm{P}(A)+\mathrm{P}(B)$의 값은?

① $\frac{3}{4}$ ② $\frac{4}{5}$ ③ $\frac{5}{6}$
④ $\frac{6}{7}$ ⑤ $\frac{7}{8}$

유형 08 종속사건의 계산 (2)

두 사건 A, B에 대하여

① $P(A)=P(A\cap B)+P(A\cap B^c)$에서

$P(A\cap B^c)=P(A)-P(A\cap B)$

② $P(B)=P(A\cap B)+P(A^c\cap B)$에서

$P(A^c\cap B)=P(B)-P(A\cap B)$

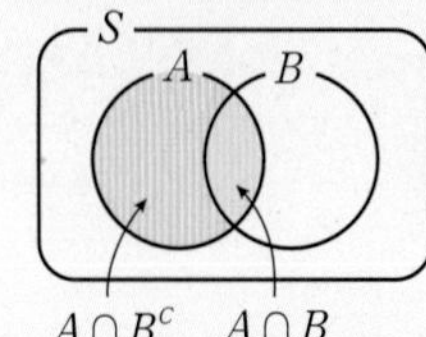

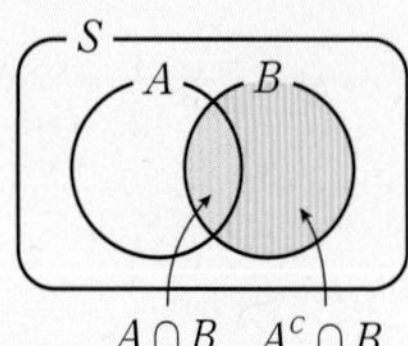

0856 학교기출 대표 유형

두 사건 A, B에 대하여

$$P(A)=\frac{13}{16},\ P(A\cap B^c)=\frac{1}{4}$$

일 때, $P(B|A)$의 값은? (단, A^c은 A의 여사건이다.)

① $\frac{5}{13}$ ② $\frac{6}{13}$ ③ $\frac{7}{13}$ ④ $\frac{8}{13}$ ⑤ $\frac{9}{13}$

0857 최다빈출 왕 중요 BASIC

두 사건 A, B에 대하여

$$P(A)=\frac{1}{3},\ P(A\cap B)=\frac{1}{8}$$

일 때, $P(B^c|A)$의 값은? (단, B^c은 B의 여사건이다.)

① $\frac{11}{24}$ ② $\frac{1}{2}$ ③ $\frac{13}{24}$ ④ $\frac{7}{12}$ ⑤ $\frac{5}{8}$

▶ 해설 내신연계기출

0858 최다빈출 왕 중요 BASIC

두 사건 A, B에 대하여

$$P(A)=\frac{1}{2},\ P(B^c)=\frac{2}{3},\ P(B|A)=\frac{1}{6}$$

일 때, $P(A|B^c)$은? (단, B^c은 B의 여사건이다.)

① $\frac{1}{5}$ ② $\frac{2}{3}$ ③ $\frac{5}{8}$ ④ $\frac{5}{12}$ ⑤ $\frac{5}{6}$

▶ 해설 내신연계기출

0859 최다빈출 왕 중요 BASIC

표본공간 S의 사건 A, B에 대하여

$$P(A)=\frac{2}{5},\ P(B)=\frac{1}{2},\ P(A|B)=\frac{3}{5}$$

일 때, $P(B|A^c)$는? (단, A^c은 A의 여사건이다.)

① $\frac{1}{5}$ ② $\frac{1}{4}$ ③ $\frac{1}{3}$ ④ $\frac{2}{5}$ ⑤ $\frac{2}{3}$

▶ 해설 내신연계기출

0860 NORMAL

두 사건 A, B에 대하여

$$P(A\cup B)=\frac{5}{8},\ P(B)=\frac{1}{4}$$

일 때, $P(A|B^c)$의 값은? (단, B^c는 B의 여사건이다.)

① $\frac{1}{2}$ ② $\frac{1}{3}$ ③ $\frac{1}{4}$ ④ $\frac{1}{5}$ ⑤ $\frac{1}{6}$

0861 최다빈출 왕 중요 NORMAL

두 사건 A, B가 서로 배반사건이고

$$P(A)=\frac{1}{4},\ P(B)=\frac{1}{3}$$

일 때, $P(A|B^c)$은? (단, B^c은 B의 여사건이다.)

① $\frac{3}{8}$ ② $\frac{1}{4}$ ③ $\frac{1}{3}$ ④ $\frac{1}{2}$ ⑤ $\frac{2}{3}$

▶ 해설 내신연계기출

유형 09 독립사건의 확률의 계산 (1)

A, B가 독립이면
① $\mathrm{P}(A\cap B)=\mathrm{P}(A)\mathrm{P}(B)$
② $\mathrm{P}(A\cup B)=\mathrm{P}(A)+\mathrm{P}(B)-\mathrm{P}(A)\mathrm{P}(B)$

0862 학교기출 대표 유형

두 사건 A와 B는 서로 독립이고

$$\mathrm{P}(A)=\frac{2}{3},\ \mathrm{P}(A\cap B)=\frac{1}{9}$$

일 때, $\mathrm{P}(B)$의 값은?

① $\frac{1}{6}$ ② $\frac{1}{3}$ ③ $\frac{1}{2}$
④ $\frac{2}{3}$ ⑤ $\frac{5}{6}$

0863 최다빈출 왕 중요

BASIC

두 사건 A, B가 서로 독립이고

$$\mathrm{P}(A)=\frac{1}{3},\ \mathrm{P}(A^C)=7\mathrm{P}(A\cap B)$$

일 때, $\mathrm{P}(B)$의 값은? (단, A^C은 A의 여사건이다.)

① $\frac{1}{7}$ ② $\frac{2}{7}$ ③ $\frac{3}{7}$
④ $\frac{4}{7}$ ⑤ $\frac{5}{7}$

▶ 해설 내신연계기출

0864

BASIC

두 사건 A, B가 서로 독립이고

$$\mathrm{P}(A)=\frac{1}{2},\ \mathrm{P}(B)=\frac{1}{3}$$

일 때, $\mathrm{P}(A\cap B^C)$의 값은? (단, B^C은 B의 여사건이다.)

① $\frac{1}{4}$ ② $\frac{1}{3}$ ③ $\frac{1}{2}$
④ $\frac{2}{3}$ ⑤ $\frac{3}{4}$

0865

NORMAL

두 사건 A와 B는 서로 독립이고

$$\mathrm{P}(A\cap B)=\frac{1}{8},\ \mathrm{P}(A\cap B^C)=\frac{3}{8}$$

일 때, $\mathrm{P}(B)$의 값은? (단, B^C은 B의 여사건이다.)

① $\frac{1}{8}$ ② $\frac{1}{4}$ ③ $\frac{3}{8}$
④ $\frac{1}{2}$ ⑤ $\frac{5}{8}$

0866 

NORMAL

두 사건 A, B가 서로 독립이고

$$\mathrm{P}(A)=\frac{1}{4},\ \mathrm{P}(A\cap B)=\frac{1}{6}$$

일 때, $\mathrm{P}(A\cup B)$는?

① $\frac{3}{4}$ ② $\frac{5}{8}$ ③ $\frac{1}{2}$
④ $\frac{3}{8}$ ⑤ $\frac{1}{4}$

▶ 해설 내신연계기출

0867 최다빈출 왕 중요

NORMAL

두 사건 A, B가 서로 독립이고

$$\mathrm{P}(A)=\frac{2}{3},\ \mathrm{P}(A\cup B)=\frac{7}{9}$$

일 때, $\mathrm{P}(B)$의 값은?

① $\frac{2}{9}$ ② $\frac{1}{3}$ ③ $\frac{4}{9}$
④ $\frac{5}{9}$ ⑤ $\frac{2}{3}$

▶ 해설 내신연계기출

0868

NORMAL

두 사건 A, B가 서로 독립이고

$$P(A)=\frac{1}{2},\ P(A^c\cap B)=\frac{1}{3}$$

일 때, 확률 $P(A^c\cap B^c)$은?

① $\frac{1}{6}$ ② $\frac{1}{3}$ ③ $\frac{1}{2}$
④ $\frac{2}{3}$ ⑤ $\frac{5}{6}$

0869

NORMAL

두 사건 A, B가 서로 독립이고

$$P(A\cup B)=\frac{5}{8},\ P(A\cap B)=\frac{1}{8},\ P(A)>P(B)$$

일 때, 확률 $P(A)$는?

① $\frac{1}{5}$ ② $\frac{1}{3}$ ③ $\frac{1}{2}$
④ $\frac{2}{3}$ ⑤ $\frac{5}{6}$

0870

NORMAL

사건 A, B가 서로 독립이고

$$P(A\cup B)=\frac{5}{6},\ 4P(A)=3P(B)$$

일 때, $P(A)$는?

① $\frac{1}{3}$ ② $\frac{1}{2}$ ③ $\frac{2}{3}$
④ $\frac{3}{4}$ ⑤ $\frac{4}{5}$

0871

NORMAL

두 사건 A, B가 서로 독립이고,

$$P(A^c\cap B)=\frac{1}{2},\ P(A^c\cap B^c)=\frac{1}{6}$$

일 때, $P(A)+P(B)$의 값을 $\frac{p}{q}$라 할 때, $p+q$의 값은?
(단, p, q는 서로소인 자연수)

① 20 ② 25 ③ 30
④ 35 ⑤ 40

0872

TOUGH

두 사건 A, B가 서로 독립이고

$$P(A^c\cap B)=\frac{1}{3},\ P(A\cap B)=\frac{1}{6}$$

일 때, $P(A^c\cup B)$의 값은? (단, A^c은 A의 여사건이다.)

① $\frac{7}{12}$ ② $\frac{2}{3}$ ③ $\frac{3}{4}$
④ $\frac{5}{6}$ ⑤ $\frac{11}{12}$

0873

TOUGH

두 사건 A, B가 서로 독립이고

$$P(A\cap B)=\frac{1}{4}$$

일 때, $P(A\cup B)=k-\frac{1}{4}$이 되도록 하는 실수 k의 최솟값은?

① $\frac{1}{2}$ ② $\frac{5}{8}$ ③ $\frac{3}{4}$
④ $\frac{7}{8}$ ⑤ 1

유형 10 독립사건의 확률의 계산 (2)

A, B가 독립이면

① $\mathrm{P}(A|B)=\mathrm{P}(A)$, $\mathrm{P}(B^c|A)=\mathrm{P}(B^c)$

② $\mathrm{P}(A\cap B)=\mathrm{P}(A)\mathrm{P}(B)$

③ $\mathrm{P}(A\cup B)=\mathrm{P}(A)+\mathrm{P}(B)-\mathrm{P}(A)\mathrm{P}(B)$

0874 학교기출 대표 유형

두 사건 A, B가 서로 독립이고

$$\mathrm{P}(A)=\frac{1}{2},\ \mathrm{P}(A\cup B)=\frac{2}{3}$$

일 때, $\mathrm{P}(B|A)$의 값은?

① $\frac{1}{6}$ ② $\frac{1}{3}$ ③ $\frac{1}{2}$

④ $\frac{2}{3}$ ⑤ $\frac{5}{6}$

0875 BASIC

두 사건 A, B가 서로 독립이고

$$\mathrm{P}(A)=\frac{3}{8},\ \mathrm{P}(B|A)=\frac{2}{3}$$

일 때, $\mathrm{P}(A\cup B)$의 값은?

① $\frac{5}{8}$ ② $\frac{2}{3}$ ③ $\frac{17}{24}$

④ $\frac{3}{4}$ ⑤ $\frac{19}{24}$

0876 BASIC

서로 독립인 두 사건 A와 B에 대하여

$$\mathrm{P}(A)=\frac{1}{4},\ \mathrm{P}(B|A)=\frac{2}{5}$$

일 때, A와 B 중에서 적어도 한 사건이 일어날 확률은?

① $\frac{9}{20}$ ② $\frac{11}{20}$ ③ $\frac{13}{20}$

④ $\frac{3}{4}$ ⑤ $\frac{17}{20}$

0877 NORMAL

두 사건 A와 B가 서로 독립이고

$$\mathrm{P}(A|B)=\frac{1}{2},\ \mathrm{P}(B^c|A)=\frac{1}{3}$$

일 때, $P(A\cap B)$의 값은? (단, B^c은 B의 여사건이다.)

① $\frac{1}{6}$ ② $\frac{1}{3}$ ③ $\frac{1}{2}$

④ $\frac{2}{3}$ ⑤ $\frac{5}{6}$

0878 최다빈출 왕중요 NORMAL

두 사건 A와 B가 서로 독립이고

$$\mathrm{P}(A|B)=\frac{1}{3},\ \mathrm{P}(A\cap B^c)=\frac{1}{12}$$

일 때, $\mathrm{P}(B)$의 값은? (단, B^c은 B의 여사건이다.)

① $\frac{5}{12}$ ② $\frac{1}{2}$ ③ $\frac{7}{12}$

④ $\frac{2}{3}$ ⑤ $\frac{3}{4}$

▶ 해설 내신연계기출

0879 최다빈출 왕중요 NORMAL

두 사건 A, B가 서로 독립이고

$$\mathrm{P}(A\cup B)=\frac{4}{5},\ \mathrm{P}(A|B)=\frac{3}{10}$$

일 때, $\mathrm{P}(B^c)$의 값은? (단, B^c은 B의 여사건이다.)

① $\frac{1}{7}$ ② $\frac{2}{7}$ ③ $\frac{3}{7}$

④ $\frac{4}{7}$ ⑤ $\frac{5}{7}$

▶ 해설 내신연계기출

0880

NORMAL

두 사건 A, B가 서로 독립이고

$$P(A^C)=\frac{2}{3},\ P(A\cap B)=\frac{1}{4}$$

일 때, $P(B|A^C)$의 값은? (단, A^C은 A의 여사건이다.)

① $\frac{1}{4}$ ② $\frac{3}{8}$ ③ $\frac{1}{2}$
④ $\frac{5}{8}$ ⑤ $\frac{3}{4}$

0881

TOUGH

사건 A, B에 대하여

$$P(A)=\frac{1}{2},\ P(B)=\frac{1}{5},\ P(A|B)+P(B|A)=\frac{7}{5}$$

일 때, [보기]에서 옳은 것만을 있는 대로 고른 것은?

ㄱ. $P(A\cap B)=\frac{1}{5}$
ㄴ. $B\subset A$
ㄷ. A와 B는 서로 독립이다.

① ㄱ ② ㄱ, ㄴ ③ ㄱ, ㄷ
④ ㄴ, ㄷ ⑤ ㄱ, ㄴ, ㄷ

0882

최다빈출 왕 중요 TOUGH

서로 독립인 두 사건 A, B에 대하여

$$P(B|A)=P(A),\ P(A\cup B)=\frac{5}{9}$$

일 때, $P(A\cap B)$의 값은?

① $\frac{1}{9}$ ② $\frac{2}{9}$ ③ $\frac{1}{3}$
④ $\frac{4}{9}$ ⑤ $\frac{5}{9}$

▶ 해설 내신연계기출

유형 11 배반사건과 독립사건의 확률의 계산

(1) 두 사건 A, B가 배반이면 $P(A\cap B)=0$
(2) 두 사건 A, B가 독립이면
① $P(A|B)=P(A)$, $P(B^c|A)=P(B^c)$
② $P(A\cap B)=P(A)P(B)$
③ $P(A\cup B)=P(A)+P(B)-P(A)P(B)$

0883

학교기출 대표 유형

세 사건 A, B, C에 대하여 A, B는 서로 독립이고 B와 C는 서로 배반사건이다.

$$P(A)=0.5,\ P(A\cap B)=0.3,\ P(B\cup C)=0.8$$

일 때, $P(C)$는 ?

① 0.1 ② 0.2 ③ 0.3
④ 0.4 ⑤ 0.5

0884

최다빈출 왕 중요 NORMAL

세 사건 A, B, C에 대하여 A와 B는 서로 배반사건이고 A와 C는 서로 독립이다.

$$P(A\cup B)=\frac{2}{3},\ P(A\cap C)=\frac{1}{5},\ P(C^c)=\frac{1}{2}$$

일 때, $P(B)$의 값은?

① $\frac{2}{7}$ ② $\frac{3}{7}$ ③ $\frac{1}{2}$
④ $\frac{4}{15}$ ⑤ $\frac{5}{16}$

▶ 해설 내신연계기출

0885

최다빈출 왕 중요 TOUGH

수지는 서로 독립인 두 사건 A, B에 대하여 두 사건 A, B가 서로 배반사건이라고 잘못 생각하여 $P(A\cup B)=0.7$로 계산하였다. $P(A\cup B)$를 바르게 계산한 값이 0.6일 때, $|P(A)-P(B)|$의 값은?

① 0.2 ② 0.3 ③ 0.4
④ 0.5 ⑤ 0.6

▶ 해설 내신연계기출

유형 12 독립사건의 확률 구하기 (1)

① 두 사건 A, B가 동시에 일어날 확률은
$P(A\cap B)=P(A)P(B|A)=P(B)P(A|B)$

② 두 사건 A, B가 서로 독립일 때,
$P(A\cap B)=P(A)P(B)$

③ 두 사건 A, B가 서로 독립이면
A, B^c, A^c, B, A^c, B^c도 독립이다.

0886 학교기출 대표 유형

한 개의 주사위와 한 개의 동전을 동시에 한 번 던질 때, 주사위는 소수의 눈이 나오고, 동전은 앞면이 나올 확률은?

① $\frac{1}{4}$ ② $\frac{1}{3}$ ③ $\frac{5}{12}$ ④ $\frac{1}{2}$ ⑤ $\frac{7}{12}$

0887 최다빈출 왕 중요 NORMAL

두 학생 A, B가 연말에 공연을 관람할 확률이 각각 $\frac{1}{7}$, $\frac{2}{5}$라고 한다. 각 학생이 공연을 관람할 사건이 서로 독립일 때, 두 학생 중에서 한 학생만 연말에 공연을 관람할 확률은?

① $\frac{3}{7}$ ② $\frac{5}{7}$ ③ $\frac{1}{5}$ ④ $\frac{17}{35}$ ⑤ $\frac{22}{35}$

▶ 해설 내신연계기출

0888 최다빈출 왕 중요 NORMAL

세 축구 선수 A, B, C가 승부차기를 성공할 확률이 각각 $\frac{4}{5}$, $\frac{3}{4}$, $\frac{7}{10}$이라 한다. 세 축구 선수가 한 번씩 승부차기를 할 때, 두 사람만 성공할 확률은?

① $\frac{7}{50}$ ② $\frac{8}{25}$ ③ $\frac{17}{40}$ ④ $\frac{41}{200}$ ⑤ $\frac{53}{200}$

▶ 해설 내신연계기출

0889 NORMAL

A, B 두 사람이 주사위를 한 번씩 던지는 시행을 반복할 때, 첫 시행에서 A와 B의 눈의 수가 같고, 두 번째 시행에서 B의 눈의 수가 A의 눈의 수보다 클 확률은?

① $\frac{1}{24}$ ② $\frac{1}{18}$ ③ $\frac{5}{72}$ ④ $\frac{1}{12}$ ⑤ $\frac{7}{72}$

0890 최다빈출 왕 중요 TOUGH

어느 디자인 공모 대회에 철수가 참가하였다. 참가자는 두 항목에서 점수를 받으며, 각 항목에서 받을 수 있는 점수는 표와 같이 3가지 중 하나이다. 철수가 각 항목에서 점수 A를 받을 확률은 $\frac{1}{2}$, 점수 B를 받을 수 있는 확률은 $\frac{1}{3}$, 점수 C를 받을 수 있는 확률은 $\frac{1}{6}$이다. 관람객 투표 점수를 받는 사건과 심사위원 점수를 받는 사건이 서로 독립일 때, 철수가 받는 두 점수의 합이 70일 확률은?

구분	점수 A	점수 B	점수 C
관람객 투표	40	30	20
심사위원	50	40	30

① $\frac{1}{3}$ ② $\frac{11}{36}$ ③ $\frac{5}{18}$ ④ $\frac{1}{4}$ ⑤ $\frac{2}{9}$

▶ 해설 내신연계기출

05 사건의 독립과 종속

유형 13 독립사건의 확률 구하기 (2)

① 세 사건 A, B, C가 모두 서로 독립이면 A^c, B^c, C^c도 모두 서로 독립이다.

② 구하는 확률은 $P(A^c \cup B^c \cup C^c)$으로 나타낼 수 있다.

⇨ $\mathbf{P(A^c \cup B^c \cup C^c)=1-P(A \cap B \cap C)}$

0891 학교기출 대표 유형

갑이 20년 후까지 살아있을 확률이 0.7이고 을이 20년 후까지 살아있을 확률이 0.8이다. 갑과 을의 생존기간이 서로에게 영향을 주지 않는다면, 갑과 을 모두 20년 후에 살아있지 못할 확률은?

① 0.56 ② 0.44 ③ 0.24
④ 0.14 ⑤ 0.06

0892 최다빈출 왕 중요 BASIC

어느 기계에는 독립적으로 작동하는 두 개의 부품 A, B가 있다. 두 개의 부품 중 적어도 하나가 작동하면 이 기계는 작동을 한다고 한다. 부품 A, B가 고장 날 확률이 각각 $\frac{3}{11}$, $\frac{1}{12}$일 때, 이 기계가 작동할 확률은?

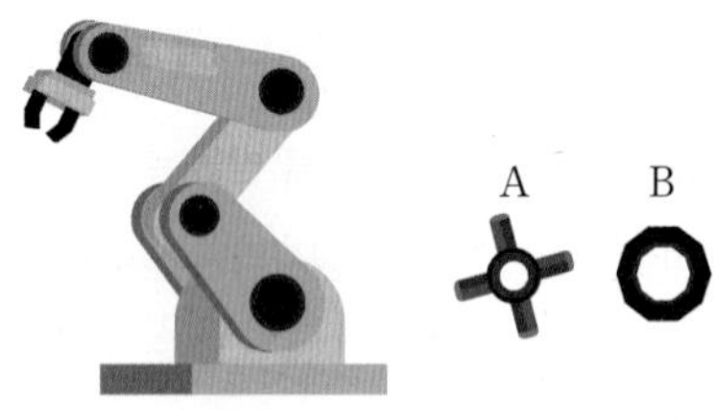

① $\frac{1}{22}$ ② $\frac{3}{22}$ ③ $\frac{41}{44}$
④ $\frac{43}{44}$ ⑤ $\frac{10}{11}$

▶ 해설 내신연계기출

0893 최다빈출 왕 중요 NORMAL

양궁 선수 P, Q가 화살을 1발 쏘아 10점 과녁에 맞힐 확률은 각각 0.9, 0.8이다. 양궁 선수 P, Q가 각각 화살을 1발씩 쏠 때, 적어도 한 선수가 10점 과녁에 맞힐 확률은? (단, P, Q가 각각 화살을 쏘아 10점 과녁에 맞힐 사건은 서로 독립이다.)

① 0.02 ② 0.06 ③ 0.82
④ 0.94 ⑤ 0.98

▶ 해설 내신연계기출

0894 NORMAL

두 농장 P, Q에서 생산된 배 중 당도가 13브릭스 이상인 배의 확률이 각각 $\frac{1}{4}$, $\frac{2}{5}$이다. 두 농장 P, Q에서 생산된 배 중에서 각각 임의로 1개의 배를 선택하여 당도를 측정할 때, 적어도 한 농장에서 선택된 배의 당도가 13브릭스 이상일 확률은? (단, 두 농장 P, Q에서 생산된 배의 당도가 13브릭스 이상인 사건은 서로 독립이다.)

① $\frac{1}{4}$ ② $\frac{7}{20}$ ③ $\frac{9}{20}$
④ $\frac{11}{20}$ ⑤ $\frac{13}{20}$

0895 NORMAL

두 명의 축구선수 동국, 정환이가 페널티킥을 성공할 확률이 각각 $\frac{2}{3}$, p이다. 이 두 선수 중 적어도 한 명이 페널티킥을 성공할 확률이 $\frac{11}{12}$일 때, 확률 p의 값은?

① $\frac{2}{3}$ ② $\frac{3}{4}$ ③ $\frac{4}{5}$
④ $\frac{5}{6}$ ⑤ $\frac{6}{7}$

0896 최다빈출 왕 중요 NORMAL

세 명의 양궁 선수가 화살 한 발을 쏘아 10점 과녁에 맞힐 확률이 각각 $\frac{4}{5}$, $\frac{3}{5}$, p이다. 적어도 한 사람은 10점 과녁을 맞힐 확률이 $\frac{119}{125}$일 때, $100p$의 값은?

① 7 ② 10 ③ 20
④ 30 ⑤ 40

▶ 해설 내신연계기출

0897

NORMAL

불량품 2개를 포함한 10개의 제품이 있다. 불량품을 모두 찾을 때까지 한 개씩 차례로 검사할 때, 6번째 검사에서 검사가 끝날 확률은?

① $\frac{1}{9}$ ② $\frac{1}{3}$ ③ $\frac{1}{4}$
④ $\frac{2}{3}$ ⑤ $\frac{3}{4}$

0898

NORMAL

각 면에 1, 1, 1, 2의 숫자가 하나씩 적혀 있는 정사면체 모양의 상자가 있다. 이 상자를 던져서 밑면에 적힌 숫자가 1이면 오른쪽 그림의 영역 A에, 숫자가 2이면 영역 B에 색을 칠하기로 하였다. 두 영역에 색이 모두 칠해 질 때까지 이 상자를 계속 던질 때, 3번째에 마칠 확률을 $\frac{q}{p}$라 하자. $p+q$의 값은? (단, p, q는 서로소인 자연수이다.)

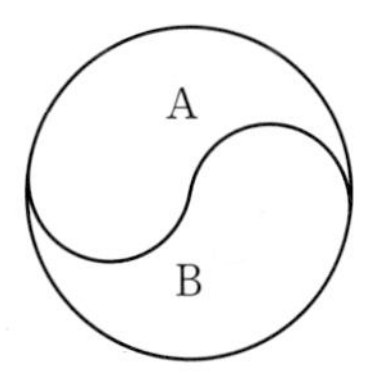

① 12 ② 14 ③ 16
④ 19 ⑤ 21

0899

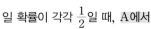

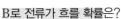

최다빈출 왕 중요

NORMAL

오른쪽 그림과 같이 ON, OFF 기능이 있는 스위치를 가진 회로가 있다. 각 스위치가 ON, OFF일 확률이 각각 $\frac{1}{2}$일 때, A에서 B로 전류가 흐를 확률은?

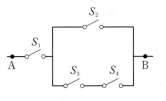

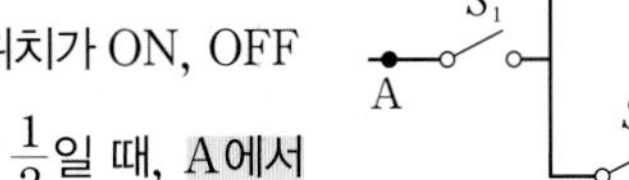

① $\frac{9}{37}$ ② $\frac{19}{27}$ ③ $\frac{5}{16}$
④ $\frac{16}{61}$ ⑤ $\frac{16}{59}$

▶ 해설 내신연계기출

0900

TOUGH

다음 그림과 같이 개설되어 있는 어느 수로에서 수로의 수문 A, B, C, D가 닫혀 있을 확률은 각각 $\frac{1}{2}$, $\frac{2}{3}$, $\frac{1}{2}$, $\frac{1}{3}$이다. 수문 X에서 물을 흘려 보낼 때, 수문 Y로 물이 흐를 확률은? (단, 수로의 수문은 서로 독립적으로 작동한다.)

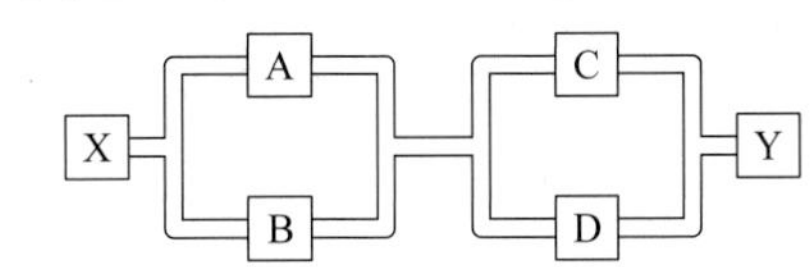

① $\frac{1}{16}$ ② $\frac{4}{9}$ ③ $\frac{5}{9}$
④ $\frac{5}{16}$ ⑤ $\frac{2}{3}$

유형 14 토너먼트와 승패의 확률의 곱셈정리

확률의 곱셈정리와 배반사건을 이용하여 확률 구하기

① 두 사건 A, B가 동시에 일어날 확률은

$P(A\cap B)=P(A)P(B|A)=P(B)P(A|B)$

② $P(A)=P(A\cap B)+P(A^c\cap B)$

$=P(A)P(B|A)+P(A^c)P(B|A^c)$

참고 토너먼트(tournament)

경기 대전 방식의 하나. 경기를 거듭할 때마다 진 편은 제외시키면서 이긴 편끼리 겨루어 최후에 남은 두 편으로 우승을 가린다.

① n명이 갖는 토너먼트 방식의 게임의 총수 ⇨ $n-1$

② 토너먼트의 대진표 작성은 분할로 한다.

0901 학교기출 대표 유형

A, B, C, D 4명이 다음 그림과 같은 대진표를 이용하여 시합을 하려고 한다. A가 C, D와 시합을 할 때, 이길 확률이 각각 $\frac{2}{3}$이고, B가 C, D와 시합을 할 때, 이길 확률이 각각 $\frac{1}{2}$이라고 한다. 이때 A와 B가 결승전에서 만날 확률은?

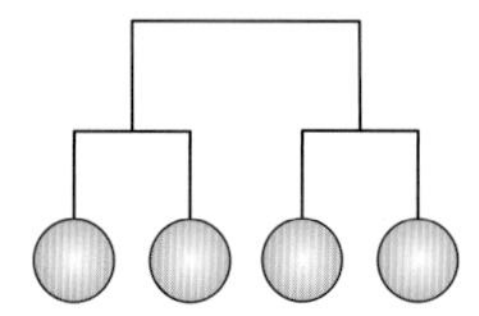

① $\frac{2}{9}$ ② $\frac{1}{3}$ ③ $\frac{4}{9}$ ④ $\frac{5}{9}$ ⑤ $\frac{2}{3}$

0902 최다빈출 왕중요 NORMAL

3학년에 7개의 반이 있는 어느 고등학교에서 토너먼트 방식으로 축구 시합을 하려고 하는데 이미 1반은 부전승으로 결정되어 있다. 다음과 같은 형태의 대진표를 만들어 시합을 할 때, 1반과 2반이 축구 시합을 할 확률은? (단, 각 반이 시합에서 이길 확률은 모두 $\frac{1}{2}$이고 기권하는 반은 없다고 한다.)

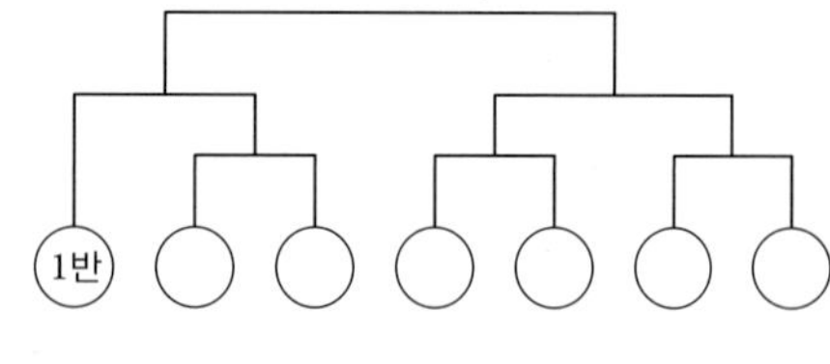

① $\frac{3}{4}$ ② $\frac{5}{8}$ ③ $\frac{1}{2}$ ④ $\frac{3}{8}$ ⑤ $\frac{1}{4}$

▶ 해설 내신연계기출

0903 NORMAL

어떤 시합에서 A가 B를 이길 확률은 $\frac{1}{2}$, B가 C를 이길 확률은 $\frac{3}{4}$, C가 A를 이길 확률은 $\frac{1}{4}$이다. A, B, C 세 사람이 토너먼트 방식으로 시합을 할 때, A가 부전승으로 올라가 우승할 확률은? (단, 비기는 경우는 없다고 한다.)

① $\frac{1}{4}$ ② $\frac{1}{3}$ ③ $\frac{5}{12}$ ④ $\frac{3}{16}$ ⑤ $\frac{3}{4}$

0904 최다빈출 왕중요 NORMAL

어떤 바둑 대회의 최종전에 3명의 기사 A, B, C가 진출하였다. 과거의 자료에 따르면 A가 B를 이길 확률은 0.5, B가 C를 이길 확률은 0.7, C가 A를 이길 확률은 0.6이고 서로 비기는 경우는 없다고 한다. 대진 추첨 결과 A가 부전승으로 결승에 진출했을 때, A가 우승할 확률은?

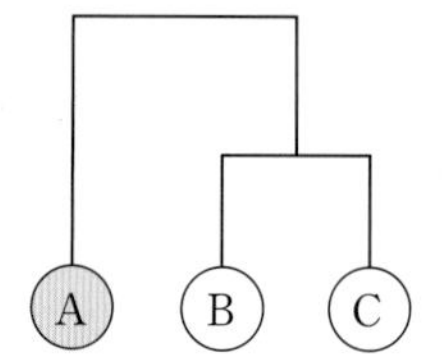

① 0.21 ② 0.32 ③ 0.42 ④ 0.47 ⑤ 0.52

▶ 해설 내신연계기출

0905 최다빈출 왕중요 NORMAL

어떤 시합에서 A가 B를 이길 확률은 $\frac{1}{2}$, B가 C를 이길 확률은 $\frac{3}{4}$, C가 A를 이길 확률은 $\frac{1}{4}$이다. 그림의 대진표와 같이 토너먼트 방식으로 시합을 진행하고, A, B, C 세 사람이 각각 (가), (나), (다)에 배정될 가능성이 모두 같을 때, A가 우승할 확률은? (단, 비기는 경우는 없다.)

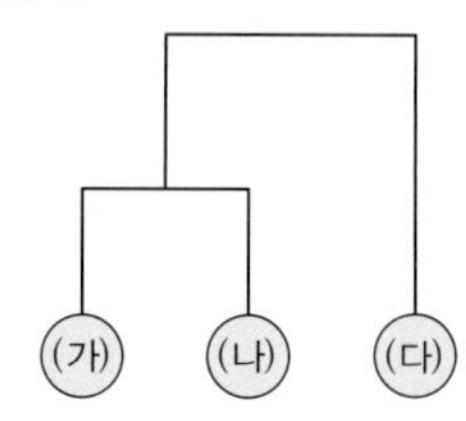

① $\frac{1}{8}$ ② $\frac{1}{12}$ ③ $\frac{1}{16}$ ④ $\frac{3}{16}$ ⑤ $\frac{7}{16}$

▶ 해설 내신연계기출

0906

NORMAL

A, B, C, D 4명이 그림과 같은 대진표에 따라 경기를 한다. 이들은 숫자 1, 2, 3, 4가 각각 한 개씩 적힌 카드가 들어있는 주머니에서 카드를 임의로 하나씩 꺼내어 나온 번호에 위치한다.

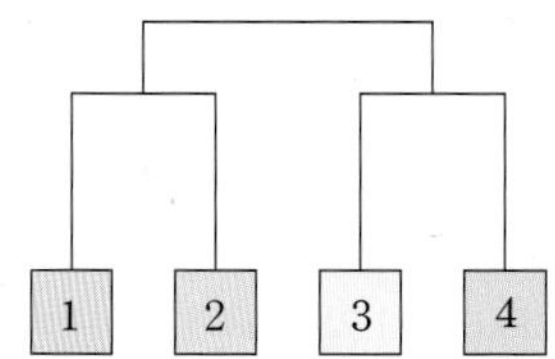

A가 C, D와 경기할 때 이길 확률이 모두 $\frac{2}{3}$이고 B가 C, D와 경기할 때, 이길 확률이 모두 $\frac{1}{2}$이라고 하자.
이때 A와 B가 결승에서 만날 확률은?

① $\frac{1}{2}$ ② $\frac{1}{3}$ ③ $\frac{2}{3}$
④ $\frac{1}{6}$ ⑤ $\frac{2}{9}$

0907

TOUGH

어느 축구팀은 경기에서 이길 확률이 $\frac{1}{2}$이라고 한다. 이 축구팀이 다음 그림과 같이 승자 진출전 방식으로 경기를 하여 최종 우승했을 때, 2승으로 우승했을 확률은?

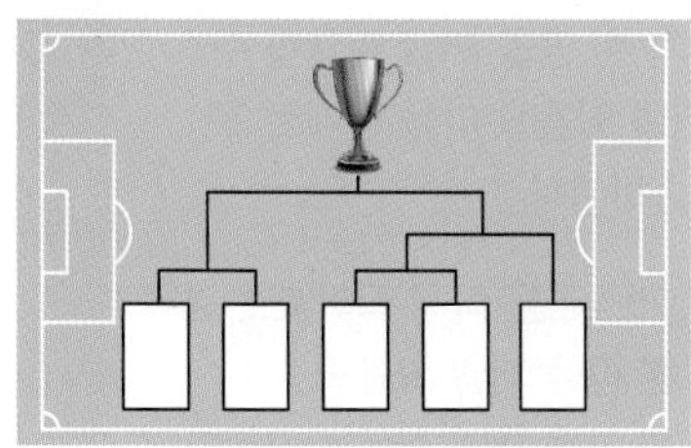

① $\frac{1}{4}$ ② $\frac{1}{3}$ ③ $\frac{2}{5}$
④ $\frac{2}{3}$ ⑤ $\frac{3}{4}$

0908 최다빈출 왕중요

TOUGH

준영이와 민지는 볼링 경기에서 두 게임을 연속으로 이기는 사람이 우승하기로 하였다. 그동안의 전적으로 보아 한 번의 게임에서 준영이가 민지를 이길 확률은 $\frac{2}{3}$라고 한다. 이때 네 번째 게임에서 준영이가 우승할 확률은? (단, 비기는 경우는 없다.)

① $\frac{3}{4}$ ② $\frac{6}{5}$ ③ $\frac{17}{24}$
④ $\frac{17}{40}$ ⑤ $\frac{8}{81}$

▶ 해설 내신연계기출

0909 최다빈출 왕중요

TOUGH

A, B 두 사람이 탁구 시합을 할 때, 한 사람이 먼저 세 세트를 이기거나 연속하여 두 세트를 이기면 승리하기로 한다. 각 세트에서 A가 이길 확률은 $\frac{1}{3}$이고, B가 이길 확률은 $\frac{2}{3}$이다. 첫 세트에서 A가 이겼을 때, 이 시합에서 A가 승리할 확률은 $\frac{q}{p}$이다. $p+q$의 값은? (단, p와 q는 서로소인 자연수이다.)

① 108 ② 112 ③ 118
④ 122 ⑤ 124

▶ 해설 내신연계기출

0910

두 사건 A, B에 대하여

$$\mathrm{P}(A)=\frac{1}{3},\ \mathrm{P}(B)=\frac{1}{4},\ \mathrm{P}(A|B)=\frac{1}{3}$$

일 때, 다음 단계로 그 과정을 서술하여라.
(단, A^c은 A의 여사건이다.)

[1단계] $\mathrm{P}(A\cap B)$을 구한다.
[2단계] $\mathrm{P}(B|A)$을 구한다.
[3단계] $\mathrm{P}(A^c\cap B^c)$을 구한다.
[4단계] $\mathrm{P}(A^c|B^c)$을 구한다.

0911

10개의 제비 중 3개의 당첨 제비가 들어 있다. 이 중에서 송이와 준기가 차례로 한 개씩 뽑을 때, 다음 단계로 구하는 과정을 서술하여라. (단, 처음에 꺼낸 제비는 다시 넣지 않는다.)

[1단계] 두 사람 모두 당첨 제비를 뽑을 확률을 구한다.
[2단계] 송이만 당첨 제비를 뽑을 확률을 구한다.
[3단계] 준기만 당첨 제비를 뽑을 확률을 구한다.
[4단계] 준기가 당첨 제비를 뽑을 확률을 구한다.
[5단계] 두 사람 중 한 명만 당첨 제비를 뽑을 확률을 구한다.

0912

4개의 당첨 제비를 포함하여 20개의 제비가 들어 있는 상자에서 승민이와 희찬이가 차례로 제비를 1개씩 임의로 뽑는다고 한다. 한 번 뽑은 제비는 다시 넣지 않을 때, 다음 단계로 구하는 과정을 서술하여라.

[1단계] 승민이가 당첨 제비를 뽑을 확률을 구한다.
[2단계] 희찬이가 당첨 제비를 뽑을 확률을 구한다.
[3단계] 1단계, 2단계 결과를 비교하여 승민이와 희찬이 중 누가 더 유리한지 설명한다.

0913

흰 공 2개와 검은 공 8개가 들어있는 주머니가 있다. 이 상자에서 민우, 수지의 순서로 임의로 한 개의 공을 꺼낼 때, 다음 각 경우에 민우가 흰 공을 꺼낼 확률과 수지가 흰 공을 꺼낼 확률을 다음 단계로 구하는 과정을 서술하여라.

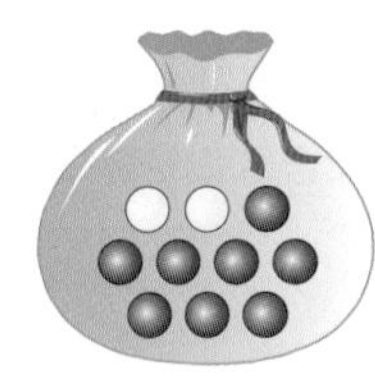

[1단계] 처음에 꺼낸 공을 다시 집어넣는 경우
민우가 흰 공을 꺼낼 확률과
수지가 흰 공을 꺼낼 확률을 구한다.
[2단계] 처음에 꺼낸 공을 다시 집어넣지 않는 경우
민우가 흰 공을 꺼낼 확률과
수지가 흰 공을 꺼낼 확률을 구한다.
[3단계] 1, 2단계에서 결과를 비교하여 뽑을 확률을 비교한다.

0914

표와 같이 두 상자 A, B에는 흰 구슬과 검은 구슬이 섞여서 각각 100개씩 들어 있는 표의 일부가 다음과 같다.

(단위 : 개)

구분	상자A	상자B
흰 구슬	a	
검은 구슬		$2a$
합계	100	100

두 상자 A, B에서 각각 1개씩 임의로 꺼낸 구슬이 서로 같은 색일 때, 그 색이 흰색일 확률은 $\frac{2}{9}$이다. a의 값을 구하는 과정을 다음 단계로 서술하여라.

[1단계] 표의 나머지 부분을 완성한다.
[2단계] 두 상자에서 같은 색의 구슬이 나올 사건을 A라 할 때, $\mathrm{P}(A)$의 값을 구한다.
[3단계] 두 상자에서 모두 흰 색의 구슬이 나오는 사건을 B라 할 때, $\mathrm{P}(A\cap B)$의 값을 구한다.
[4단계] $\mathrm{P}(B|A)$의 확률이 $\frac{2}{9}$임을 이용하여 a를 구한다.

0915

흰 공 5개, 검은 공 3개가 들어있는 주머니에서 공을 임의로 한 개씩 두 번 꺼낼 때, 흰 공이 적어도 한 번 나올 확률을 p_1, 흰 공이 한 번만 나올 확률을 p_2라 하자. p_1+p_2의 값을 구하는 과정을 다음 단계로 서술하여라. (단, 꺼낸 공은 주머니에 다시 넣는다.)

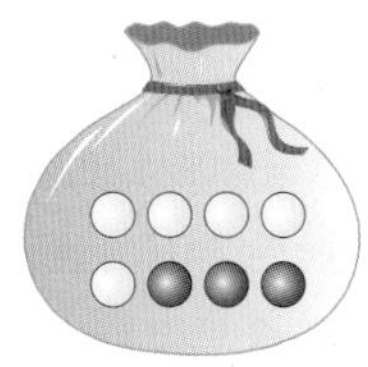

[1단계] 흰 공이 적어도 한 번 나올 확률 p_1을 구한다.
[2단계] 흰 공이 한 번만 나올 확률을 p_2를 구한다.
[3단계] p_1+p_2의 값을 구한다.

0916

어느 고등학교 3학년 100명의 학생 중에서 A, B 두 과목을 선택한 학생이 각각 40명, 60명이다. A과목을 선택한 학생의 50%가 C과목을 선택하였고, B과목을 선택한 학생의 20%가 C과목을 선택하였다. 이들 100명 중에서 임의로 한 명을 뽑아 조사하였더니 C과목을 선택하였을 때, 이 학생이 A과목도 선택하였을 확률을 다음 단계로 서술하여라. (단, A과목과 B과목을 동시에 선택한 학생은 없다.)

[1단계] 고등학교 3학년 학생 중에서 A과목을 선택한 학생일 사건을 A, B과목을 선택한 학생일 사건을 B, C과목을 선택 할 사건을 C라 할 때, $\mathrm{P}(A)$, $\mathrm{P}(B)$, $\mathrm{P}(C|A)$, $\mathrm{P}(C|B)$의 확률을 각각 구한다.
[2단계] 어느 고등학교 3학년 학생 중 C과목을 선택할 확률을 구한다.
[3단계] 임의로 한 명을 뽑아 조사하였더니 C과목을 선택하였을 때, 이 학생이 A과목도 선택하였을 확률을 구한다.

0917

수지가 인터넷으로 어느 맛집에 대한 후기를 검색하면 60%는 여자가 작성한 후기라고 한다. 이때 여자가 후기를 작성하였을 때, 단어 '싸다' 가 포함될 확률은 0.6이고, 남자가 후기를 작성하였을 때, '싸다' 가 포함될 확률은 0.5라고 한다.
수지가 '싸다' 가 포함된 후기를 찾았을 때, 이 후기가 여자가 작성한 후기일 확률을 다음 단계로 서술하여라.

[1단계] 찾은 후기가 여자가 작성한 후기인 사건을 A, 남자가 작성한 후기인 사건을 B, 단어 '싸다' 가 포함된 후기인 사건을 E라 할 때, $\mathrm{P}(A)$, $\mathrm{P}(B)$, $\mathrm{P}(E|A)$, $\mathrm{P}(E|B)$의 확률을 각각 구한다.
[2단계] 수지가 '싸다' 가 포함된 후기를 찾을 확률을 구한다.
[3단계] 수지가 '싸다' 가 포함된 후기를 찾았을 때, 이 후기가 여자가 작성한 후기일 확률을 구한다.

0918

어느 제약 회사에서 개발한 새로운 진통제의 임상시험 참가자 중 60%에게는 새로운 진통제를 주고 40%에게는 기존 진통제를 주었다. 임상시험 결과 새로운 진통제를 복용한 참가자의 80%, 기존의 진통제를 복용한 참가자의 60%가 진통 완화 효과를 봤다고 한다. 임상 시험 참가자 중에서 임의로 택한 한 명이 진통 완화 효과를 보았을 때, 그 참가자가 새로운 진통제를 복용한 참가자일 확률을 다음 단계로 서술하여라.

[1단계] 임상 시험참가자 중에서 임의로 한 명을 택할 때, 새로운 진통제를 복용한 참가자일 사건을 A, 진통제 완화 효과를 본 참가자일 사건을 B라 할 때, 주어진 문제의 관계를 이용하여 아래 그림의 (가)~(라)에 알맞은 것을 써넣는다.

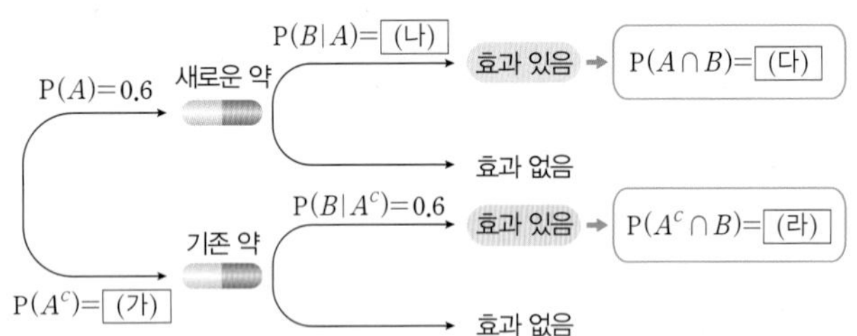

[2단계] 임상 시험 참가자 중에서 임의로 택한 한 명이 진통 완화 효과를 본 참가자일 확률을 구한다.
[3단계] 임상 시험 참가자 중에서 임의로 택한 한명이 진통 완화 효과를 보았을 때, 그 참가자가 새로운 진통제를 복용한 참가자일 확률을 구한다.

0919

두 사건 A, B가 서로 독립이고, $0<\mathrm{P}(A)<1$, $0<\mathrm{P}(B)<1$일 때, 다음 단계로 증명하여라. (단, A^c은 A의 여사건이다.)

[1단계] 두 사건 A, B^c도 서로 독립이다.
[2단계] 두 사건 A^c, B^c도 서로 독립이다.

0920

오른쪽 그림과 같이 붉은 공과 파란 공이 들어 있는 두 주머니 X, Y가 있다. 한 개의 주사위를 던져 6의 약수의 눈이 나오면 주머니 X에서 임의로 한 개의 공을 꺼내고, 6의 약수가 아닌 눈이 나오면 주머니 Y에서 임의로 한 개의 공을 꺼낸다. 꺼낸 공이 붉은 공일 때, 이 공이 주머니 X에서 나왔을 확률을 다음 단계로 서술하여라.

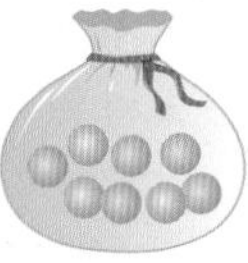
주머니 X

주머니 Y

[1단계] 한 개의 주사위를 던져 6의 약수의 눈이 나오는 사건을 A, 6의 약수가 아닌 눈이 나오는 사건을 A^c라고 하고 주머니에서 붉은 공을 꺼내는 E라 할 때, 주어진 문제의 관계를 이용하여 아래 그림의 (가)~(라)에 알맞은 것을 써넣는다.

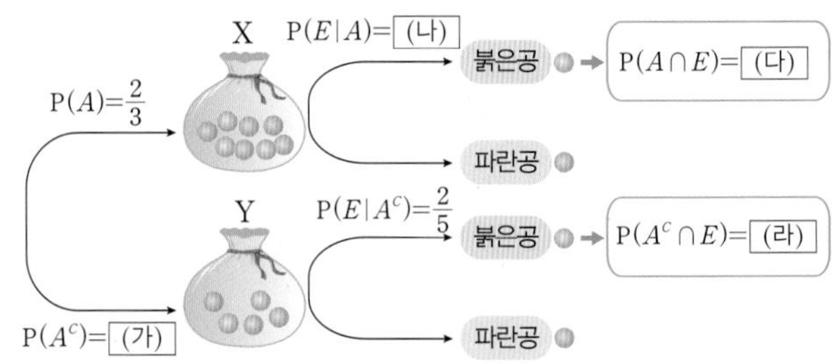

[2단계] 꺼낸 공이 붉은 공일 때, 확률을 구한다.
[3단계] 꺼낸 공이 붉은 공일 때, 이 공이 주머니 X에서 나왔을 확률을 구한다.

0921

어느 회사는 같은 부품을 A공장에서 40%, B공장에서 60% 납품받는다. 두 공장 A, B에서 생산된 부품의 불량률은 각각 1%, 2%이다. 이 부품 중에서 임의로 한 개를 택할 때, 다음 단계로 서술하여라.

[1단계] 임의로 한 개를 택한 부품이 불량품일 확률을 구한다.
[2단계] 임의로 한 개를 택한 부품이 불량품일 때, 그 부품이 A공장에서 생산되었을 확률을 구한다.

0922

우리나라 아동 중에서 7%가 주의력 결핍 과잉행동 장애(ADHD)가 있다고 한다. 전문가가 ADHD가 있는 아동을 '있음' 으로 정확하게 진단할 확률이 0.8이고, ADHD가 없는 아동을 '없음' 으로 정확하게 진단할 확률이 0.7이라고 하자.
어느 아동이 ADHD가 있는지 알아보기 위해 전문가에게 검사를 받을 때, 다음 단계로 서술하여라.

[1단계] 그 아동이 ADHD가 있고, 전문가가 정확하게 진단할 확률을 구한다.
[2단계] 그 아동이 ADHD가 없고, 전문가가 정확하게 진단할 확률을 구한다.
[3단계] 전문가가 그 아동을 정확하게 진단할 확률을 구한다.
[4단계] 전문가가 그 아동을 정확하게 진단할 때, 그 아동이 ADHD가 있을 확률을 구한다.

0923

어느 의사가 치매에 걸린 사람을 치매라고 진단할 확률은 0.95이고 치매에 걸리지 않은 사람을 치매가 아니라고 진단할 확률은 0.9라고 한다. 이 의사가 실제로 치매에 걸린 사람 100명과 실제로 치매에 걸리지 않은 사람 900명을 대상으로 치매에 걸렸는지 여부를 진단하려고 한다.
이들 1000명 중 어떤 사람이 치매에 걸렸다고 진단을 받았을 때, 그 사람이 실제로는 치매에 걸리지 않았을 확률을 구하고 그 과정을 서술하여라.

[1단계] 치매에 걸리지 않은 사람을 치매라 진단할 확률을 구한다.
[2단계] 1000명 중 어떤 사람이 치매에 걸렸다고 진단을 받을 확률을 구한다.
[3단계] 1000명 중 어떤 사람이 치매에 걸렸다고 진단을 받았을 때, 그 사람이 실제로는 치매에 걸리지 않았을 확률을 구한다.

0924

1부터 10까지의 자연수가 하나씩 적혀 있는 10장의 카드 중에서 임의로 한 장의 카드를 뽑을 때, 카드에 적힌 수가 짝수인 사건을 A, 5의 배수인 사건을 B라고 하자. 이때 두 사건 A, B가 서로 독립인지 종속인지 조사하는 과정을 다음 단계로 서술하여라.

[1단계] $\mathrm{P}(A)$, $\mathrm{P}(B)$의 값을 구한다.
[2단계] $\mathrm{P}(A\cap B)$의 값을 구한다.
[3단계] 독립인지 종속인지 조사한다.

0925

다음 표는 어느 지역 주민 600명을 대상으로 A드라마의 시청여부를 조사한 것이다.

구분	시청함	시청 안함	합계
남자	a	b	240
여자	c	d	360
합계	400	200	600

주민 600명 중에서 임의로 택한 한 명이 A드라마를 시청한 사람인 사건과 여자인 사건은 서로 독립일 때, 상수 a, b, c, d의 값을 구하는 과정을 다음 단계로 서술하여라.

[1단계] 주민 600명 중에서 임의로 한 명을 택할 때, 그 사람이 A드라마를 시청한 사람인 사건을 A, 여자인 사건을 B라 하고 $\mathrm{P}(A)$, $\mathrm{P}(B)$, $\mathrm{P}(A\cap B)$의 값을 구한다.
[2단계] 두 사건 A, B가 서로 독립임을 이용하여 상수 c를 구한다.
[3단계] 표에서 a, b, c, d값을 각각 구한다.

0926

1부터 9까지의 자연수가 하나씩 적혀 있는 9장의 카드

에서 임의로 한 장의 카드를 뽑는 시행을 한다. 이 시행에서 3의 배수가 적혀 있는 카드를 뽑는 사건을 A라 하고, 5 이하의 자연수 n에 대하여 n, $n+3$, $n+4$가 적혀 있는 카드를 뽑는 사건을 B_n이라 하자. 두 사건 A^c과 B_n이 서로 독립이 되도록 하는 모든 n의 값의 합을 구하는 과정을 다음 단계로 서술하여라.
(단, A^c은 A의 여사건이다.)

[1단계] 두 사건 A와 B_n이 일어날 확률을 각각 구한다.
[2단계] 두 사건 A^c과 B_n이 서로 독립임을 이용하여 $\mathrm{P}(A^c \cap B_n)$을 구하여 $n(A^c \cap B_n)$의 값을 구한다.
[3단계] $n=1, 2, 3, 4, 5$일 때, 2단계를 만족하는 모든 n의 값의 합을 구한다.

0927

다음 표는 500명을 대상으로 음식 A를 매주 한 번 이상 먹는 사람과 질병 B와의 연관성 여부를 조사한 것이다.

구분	질병 B에 걸림	질병 B에 걸리지 않음	합계
음식 A를 매주 한 번 이상 먹음	12	140	152
음식 A를 매주 한 번 이상 먹지는 않음	112	236	348
합계	124	376	500

전체 500명 중에서 임의로 한 명을 택할 때, 다음 단계로 그 과정을 서술하여라.

[1단계] 택한 사람이 질병 B에 걸린 사람일 확률을 구한다.
[2단계] 택한 사람이 음식 A를 매주 한 번 이상 먹는 사람일 때, 이 사람이 질병 B에 걸린 사람일 확률을 구한다.
[3단계] 위 1, 2단계에서 음식 A를 매주 한 번 이상 먹는 것이 질병 B에 걸릴 확률에 영향을 끼친다고 볼 수 있는지 서술한다.

0928

다음 그림과 같이 7개의 스위치가 있는 전기회로에서 각 스위치는 독립적으로 작동할 때, 각 스위치가 ON 또는 OFF일 확률이 $\frac{1}{2}$이다. 이때 A에서 B로 전류가 흐를 확률을 구하는 과정이다.

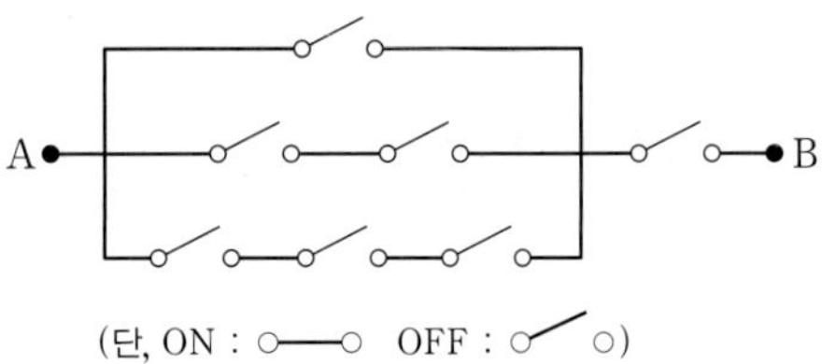

다음 그림과 같이 각 스위치를 $a \sim g$라고 하자.

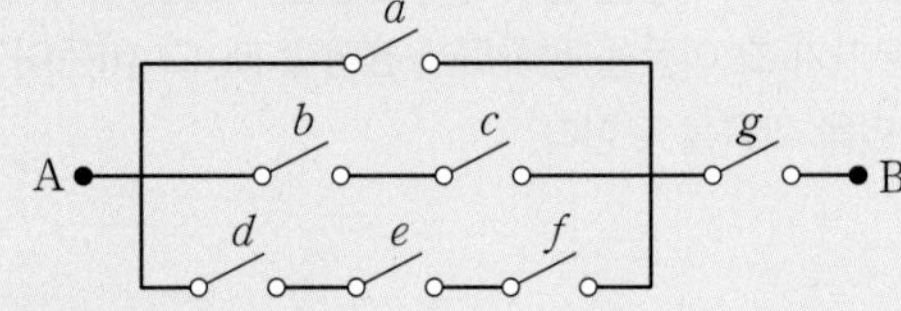

전류가 흐르지 않는 경우는 (ⅰ), (ⅱ)의 두 가지이다.
(ⅰ) g스위치가 OFF일 때
(ⅱ) ① g스위치가 ON이면서 a스위치가 OFF이고,
② b, c스위치 중 적어도 하나가 OFF이고,
③ d, e, f스위치 중 적어도 하나가 OFF일 때이다.
이때
(ⅰ) g스위치가 OFF일 확률은 $\frac{1}{2}$
(ⅱ) ① g스위치가 ON일 확률은 $\frac{1}{2}$,
a스위치가 OFF일 확률은 $\frac{1}{2}$
② b, c스위치 중 적어도 하나가 OFF일 확률은 (가)
③ d, e, f 중 적어도 하나가 OFF일 확률은 (나)
①, ②, ③에서 전류가 흐르지 않는 확률은 (다)
(ⅰ), (ⅱ)에서 A가 B로 전류가 흐르지 않을 확률은 (라)
따라서 구하는 확률은 1− (라) = (마)

위의 빈칸에 알맞은 것을 (가), (나), (다), (라), (마)에 알맞은 것을 써 넣어라.

0929

주머니 속에 10개의 축구공이 들어 있는데 이 중 6개는 사용한 적이 없는 새 공이다. 어느 날 축구를 하면서 이 주머니에서 2개의 공을 임의로 꺼내 사용하고 다시 넣었다. 그 다음 날 다시 축구를 하기 위하여 임의로 2개의 공을 꺼냈을 때, 2개 모두 사용한 적이 없는 새 공일 확률을 $\frac{q}{p}$라고 할 때, $p+q$의 값을 구하여라.
(단, p, q는 서로소인 자연수)

0930

수능기출

주머니 A와 B에는 1, 2, 3, 4, 5의 숫자가 하나씩 적혀 있는 다섯 개의 구슬이 각각 들어 있다. 철수는 주머니 A에서, 영희는 주머니 B에서 각자 구슬을 임의로 한 개씩 꺼내어 두 구슬에 적혀 있는 숫자를 확인한 후 다시 넣지 않는다. 이와 같은 시행을 반복할 때, 첫 번째 꺼낸 두 구슬에 적혀 있는 숫자가 서로 다르고, 두 번째 꺼낸 두 구슬에 적혀 있는 숫자가 같을 확률을 $\frac{p}{q}$ (p, q는 서로소인 자연수)라고 할 때, $p+q$의 값을 구하여라.

A

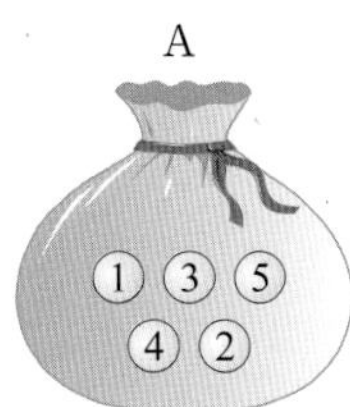

B

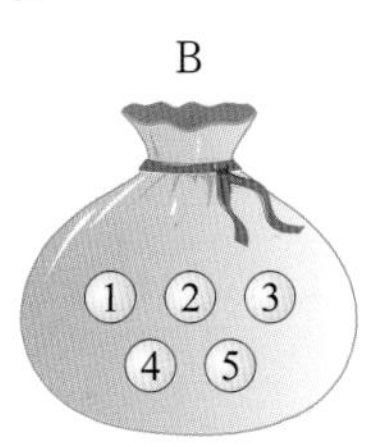

▶ 해설 내신연계기출

0931

주머니 A에는 흰색 탁구공 5개와 빨간색 탁구공 4개가 들어 있고, 주머니 B에는 흰색 탁구공 3개와 빨간색 탁구공 4개가 들어있다. 갑은 주머니 A에서 임의로 3개의 탁구공을 동시에 꺼내고 을은 주머니 B에서 임의로 2개의 탁구공을 동시에 꺼내어 갑은 주머니 B에, 을은 주머니 A에 넣었다. 갑과 을이 꺼낸 탁구공 중에 모두 빨간색 탁구공이 포함되어 두 주머니 A, B에 들어 있는 흰색 탁구공과 빨간색 탁구공이 각각 4개씩일 확률은 $\frac{q}{p}$이다. 이때 $p+q$의 값을 구하여라. (단, p와 q는 서로소인 자연수이다.)

A

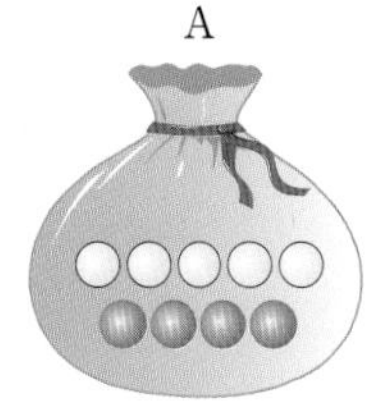

B

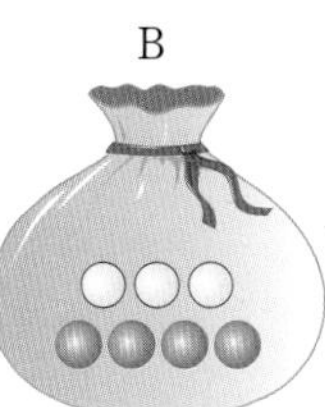

0932

사관기출

5개의 제비 중에서 당첨제비가 2개 있다. 갑이 먼저 한 개의 제비를 뽑은 다음 을이 한 개의 제비를 뽑을 때, 갑이 당첨제비를 뽑을 사건을 A, 을이 당첨제비를 뽑을 사건을 B라 하자. [보기]에서 옳은 것을 모두 고른 것은? (단, 한 번 뽑은 제비는 다시 넣지 않는다.)

ㄱ. $\mathrm{P}(A)=\mathrm{P}(B)$
ㄴ. $\mathrm{P}(B|A)>\mathrm{P}(B|A^C)$
ㄷ. $\mathrm{P}(B|A)=\mathrm{P}(A|B)$

① ㄱ ② ㄴ ③ ㄷ
④ ㄱ, ㄴ ⑤ ㄱ, ㄷ

0933

평가원기출

남학생 수와 여학생 수의 비가 2 : 3인 어느 고등학교에서 전체 학생의 70%가 K자격증을 가지고 있고, 나머지 30%는 가지고 있지 않다. 이 학교의 학생 중에서 임의로 한 명을 선택할 때, 이 학생이 K자격증을 가지고 있는 남학생일 확률이 $\frac{1}{5}$이다. 이 학교의 학생 중에서 임의로 선택한 학생이 K자격증을 가지고 있지 않을 때, 이 학생이 여학생일 확률은?

① $\frac{1}{4}$ ② $\frac{1}{3}$ ③ $\frac{5}{12}$

④ $\frac{1}{2}$ ⑤ $\frac{7}{12}$

0934

태희와 병만이는 거짓말을 할 확률이 각각 $\frac{3}{10}$, $\frac{1}{10}$이다.

흰 공 3개와 검은 공 5개가 들어 있는 주머니에서 공 한 개를 꺼내어 태희와 병만이에게 보여주었더니 태희는 흰 공, 병만이는 검은 공이라고 하였을 때, 그 공이 실제로 검은 공이었을 확률은 $\frac{q}{p}$이다.

이때 $p+q$의 값을 구하여라. (단, p, q는 서로소인 자연수)

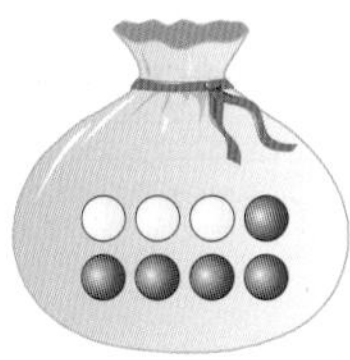

0935

교육청기출

4개의 야구팀 A, B, C, D가 다음과 같은 방법으로 우승팀을 결정하기로 하였다.

(가) A팀과 B팀이 경기를 하고 C팀과 D팀이 경기를 한다.
(나) (가)에서 이긴 팀끼리 경기를 한다.
(다) (가)에서 진 팀끼리 경기를 한다.
(라) (나)에서 진 팀과 (다)에서 이긴 팀이 경기를 한다.
(마) (나)에서 이긴 팀과 (라)에서 이긴 팀이 경기를 한다.
(바) (마)에서 이긴 팀이 우승팀이 된다.

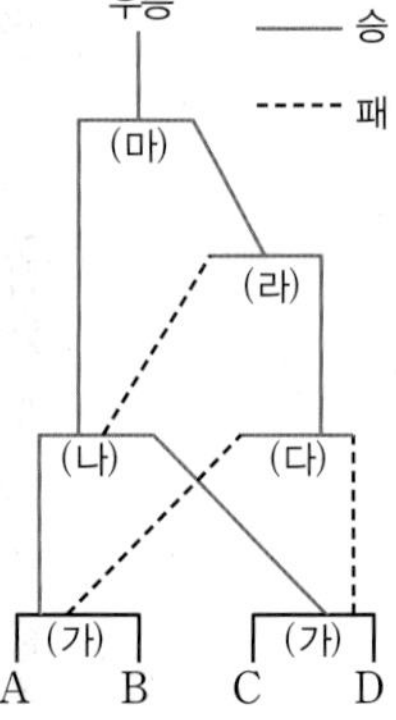

매 경기에서 각 팀이 이길 확률은 모두 $\frac{1}{2}$로 같다고 하자.

A팀이 우승했을 때, A팀이 (가)에서 이겼을 확률은 $\frac{q}{p}$이다.

이때 $p+q$의 값을 구하여라. (단, p, q는 서로소인 자연수)

0936

평가원기출

주머니에 숫자 1, 2, 3, 4가 하나씩 적혀 있는 흰 공 4개와 숫자 3, 4, 5, 6이 하나씩 적혀 있는 검은 공 4개가 들어 있다. 이 주머니에서 임의로 4개의 공을 동시에 꺼내는 시행을 한다. 이 시행에서 꺼낸 공에 적혀 있는 수가 같은 것이 있을 때, 꺼낸 공 중 검은 공이 2개일 확률을 p라 할 때, $29p$의 값을 구하여라.

06 독립시행의 확률

학교내신기출 객관식 핵심문제총정리

STEP 1 내신정복 기출유형

유형 01 한 가지 사건의 독립시행의 확률

(1) 독립시행

한 개의 동전이나 주사위를 여러 번 던지는 시행처럼, 동일한 시행을 여러 번 반복할 때 각 시행의 결과가 서로 아무런 영향을 주지 않을 때, 즉, 매회의 시행에서 일어나는 사건이 서로 독립일 때, 이러한 시행을 독립시행이라고 한다.

독립시행에서는 각 시행에서 일어나는 사건이 서로 독립이므로 독립시행의 확률은 각 사건의 확률을 곱하여 구할 수 있다.

(2) 독립시행의 확률

$_{n}\mathrm{C}_{r}p^{r}q^{n-r}$ (단, $p+q=1$, $r=0, 1, 2, 3, \cdots$)

n : 시행 횟수

r : 기대사건이 일어난 횟수

p : 1회 시행에서 사건이 일어날 확률

q : 사건이 일어나지 않을 확률 : 여사건 $(1-p)$

참고 독립시행의 특징

① 같은 시행을 여러 번 반복한다.

② 각 시행의 결과는 다른 시행의 결과에 아무런 영향을 받지 않는다. 즉, 각 시행에서 어떤 사건이 일어날 확률이 항상 일정하다.

0937 학교기출 대표 유형

한 개의 주사위를 세 번 던졌을 때, 5의 약수의 눈이 한 번 나올 확률을 p_1이라 하고, 5의 약수의 눈이 두 번 나올 확률을 p_2라고 할 때, $\frac{p_2}{p_1}$의 값은?

① $\frac{1}{4}$ ② $\frac{1}{3}$ ③ $\frac{1}{2}$ ④ 2 ⑤ 4

▶ 해설 내신연계기출

0938 BASIC

숫자 1이 적혀 있는 카드가 3장, 숫자 2가 적혀 있는 카드가 1장 들어 있는 상자에서 임의로 한 장의 카드를 꺼내어 보고 다시 상자에 넣는 시행을 4번 반복할 때, 4번의 시행에서 꺼낸 카드에 적혀 있는 수의 합이 5일 확률은?

① $\frac{23}{64}$ ② $\frac{3}{8}$ ③ $\frac{25}{64}$ ④ $\frac{13}{32}$ ⑤ $\frac{27}{64}$

0939 NORMAL

한 개의 주사위를 6번 던질 때, 나온 모든 눈의 수의 곱이 소수일 확률을 p라 하자. 6^4p의 값은?

① $\frac{1}{4}$ ② $\frac{1}{2}$ ③ 1 ④ 2 ⑤ 4

0940 최다빈출 왕중요 NORMAL

평소에 3문제 중 2문제의 비율로 문제를 맞히던 학생이 있다. 4문제 중 3문제 이상 맞히면 합격이 되는 시험에서 이 학생이 합격할 확률은?

① $\frac{5}{9}$ ② $\frac{16}{27}$ ③ $\frac{17}{27}$ ④ $\frac{2}{3}$ ⑤ $\frac{19}{27}$

▶ 해설 내신연계기출

0941 최다빈출 왕중요 NORMAL

한 개의 주사위를 던져서 나온 눈의 수를 k라고 할 때, 좌표평면 위에서 원 $(x-3)^2+(y-4)^2=k^2$이 x축과 만나는 사건을 A라고 하자. 한 개의 주사위를 8회 던질 때, 사건 A가 2회 일어날 확률은?

① $\frac{5}{64}$ ② $\frac{3}{32}$ ③ $\frac{7}{64}$ ④ $\frac{1}{8}$ ⑤ $\frac{9}{64}$

▶ 해설 내신연계기출

0942 NORMAL

채널이 1부터 100까지 설정된 텔레비전이 있다. 이 텔레비전의 리모콘의 일부는 오른쪽 그림과 같고, 현재 켜져 있는 채널은 50이다. 채널증가 버튼 ∧과 채널감소 버튼 ∨ 두 개 중 한 번에 한 개의 버튼을 임의로 여섯 번 누를 때, 채널이 다시 50이 될 확률은? (단, 버튼을 한 번 누르면 채널은 1씩 변한다.)

① $\frac{1}{4}$ ② $\frac{5}{16}$ ③ $\frac{3}{8}$ ④ $\frac{7}{16}$ ⑤ $\frac{1}{2}$

0943

NORMAL

4개의 주사위를 동시에 던질 때 3의 배수의 눈이 나온 주사위의 개수가 3의 배수가 아닌 눈이 나온 주사위의 개수보다 더 많을 확률을 p라 할 때, $9p$의 값은?

① 1 ② 2 ③ 3
④ 4 ⑤ 5

0944

NORMAL

흰 공 4개, 검은 공 2개가 들어 있는 주머니에서 임의로 공을 한 개 꺼내어 색을 확인하고 다시 주머니에 넣는 시행을 반복한다.
검은 공이 두 번 나오면 시행을 멈추기로 할 때, 공을 꺼내는 시행을 6번 한 후 멈출 확률은 $\frac{q}{p}$이다. $p+q$의 값은?
(단, p와 q는 서로소인 자연수이다.)

① 729 ② 778 ③ 809
④ 821 ⑤ 882

0945

최다빈출 왕중요

NORMAL

어떤 야구 선수가 상대 팀의 투수 A와 대결할 때, 안타를 칠 확률은 $\frac{1}{3}$이고, 투수 B와 대결할 때, 안타를 칠 확률은 $\frac{1}{4}$이다.
한 경기에서 이 선수가 투수 A와 2회 대결한 후에 투수 B와 2회 대결하였을 때, 4회의 대결 중 3회 이상 안타를 칠 확률이 $\frac{q}{p}$일 때, $p+q$의 값은? (단, p, q는 서로소이다.)

① 155 ② 158 ③ 162
④ 168 ⑤ 172

▶ 해설 내신연계기출

0946

최다빈출 왕중요

NORMAL

A, B 두 조의 선수들이 축구 승부차기 연습을 하려고 한다.
두 조에는 각각 5명의 선수가 있다. A조에서 시작하여 A조와 B조의 선수가 한 명씩 교대로 승부차기를 하기로 한다. 두 조의 선수가 모두 한 번씩 승부차기를 해서 4 : 4로 승부가 나지 않고, 추가로 각 조에서 1명만 더 승부차기를 해서 5 : 4로 A조가 이길 확률은?
(단, 각 선수의 승부차기는 독립시행이고, 승부차기가 성공할 확률은 모두 0.8이다.)

① 0.8^9 ② 0.2×0.8^9 ③ 0.8^{10}
④ 0.2×0.8^{10} ⑤ $0.2^2\times0.8^{10}$

▶ 해설 내신연계기출

0947

최다빈출 왕중요

NORMAL

50원짜리 동전 3개와 100원짜리 동전 2개를 동시에 던질 때, 앞면이 나오는 동전의 금액의 합이 200원일 확률은?

100 100
50 50 50

① $\frac{1}{32}$ ② $\frac{3}{32}$
③ $\frac{5}{32}$ ④ $\frac{7}{32}$
⑤ $\frac{9}{32}$

▶ 해설 내신연계기출

0948

TOUGH

매회 사건 A가 일어날 확률이 p일 때, 3회의 독립시행에서 사건 A가 2회 일어날 확률을 $f(p)$라고 하자. $f(p)$가 최대일 때의 p의 값은?

① $\frac{1}{4}$ ② $\frac{1}{3}$ ③ $\frac{1}{2}$
④ $\frac{2}{3}$ ⑤ $\frac{3}{4}$

유형 02 두 가지 사건의 독립시행의 확률

경우를 나누는 독립시행의 확률을 계산하는 방법
[1단계] 조건을 만족하는 경우를 모두 찾는다.
[2단계] 독립시행의 확률 ${}_{n}C_{r}p^{r}(1-p)^{n-r}$을 이용하여 각 경우의 확률을 구한다.
[3단계] 배반사건에서의 확률의 덧셈정리를 이용하여 구하는 전체 확률을 구한다.

0949 학교기출 대표유형

한 개의 주사위를 던져 홀수의 눈이 나오면 동전을 3번 던지고, 짝수의 눈이 나오면 동전을 2번 던지기로 할 때, 동전의 앞면이 한 번 나올 확률은?

① $\frac{3}{16}$ ② $\frac{5}{16}$ ③ $\frac{7}{16}$
④ $\frac{9}{16}$ ⑤ $\frac{11}{16}$

0950 최다빈출 왕중요 BASIC

주사위를 1개 던져서 나오는 눈의 수가 6의 약수이면 동전 3개를 동시에 던지고, 6의 약수가 아니면 동전 2개를 동시에 던진다. 1개의 주사위를 1번 던진 후 그 결과에 따라 동전을 던질 때, 앞면이 나오는 동전의 개수가 1일 확률은?

① $\frac{1}{3}$ ② $\frac{3}{8}$ ③ $\frac{5}{12}$
④ $\frac{11}{24}$ ⑤ $\frac{1}{2}$

▶ 해설 내신연계기출

0951 최다빈출 왕중요 NORMAL

상자에 1부터 10까지의 자연수가 하나씩 적혀 있는 10개의 공이 들어있다. 이 상자에서 임의로 한 개의 공을 꺼낼 때, 홀수가 적힌 공이 나오면 동전을 4번, 짝수가 적힌 공이 나오면 동전을 5번 던진다. 이때 동전의 앞면이 3번 나올 확률은?

① $\frac{3}{16}$ ② $\frac{7}{32}$ ③ $\frac{1}{4}$
④ $\frac{9}{32}$ ⑤ $\frac{5}{16}$

▶ 해설 내신연계기출

0952 최다빈출 왕중요 NORMAL

흰 공 4개, 검은 공 3개가 들어 있는 주머니가 있다. 이 주머니에서 임의로 2개의 공을 동시에 꺼내어, 꺼낸 2개의 공의 색이 서로 다르면 동전을 3번 던지고 꺼낸 2개의 공의 색이 서로 같으면 동전을 2번 던진다. 이 시행에서 동전의 앞면이 2번 나올 확률은?

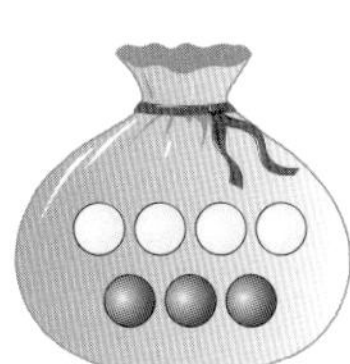

① $\frac{9}{28}$ ② $\frac{19}{56}$ ③ $\frac{5}{14}$
④ $\frac{3}{8}$ ⑤ $\frac{11}{28}$

▶ 해설 내신연계기출

0953 최다빈출 왕중요 TOUGH

한 개의 주사위와 6개의 동전을 동시에 던질 때, 주사위를 던져서 나온 눈의 수와 6개의 동전 중 앞면이 나온 동전의 개수가 같을 확률은?

① $\frac{9}{64}$ ② $\frac{19}{128}$ ③ $\frac{5}{32}$
④ $\frac{21}{128}$ ⑤ $\frac{11}{64}$

▶ 해설 내신연계기출

유형 03 1회 시행에서 일어날 확률 구하기

독립시행 관련 문제는 예전에는 시행 횟수를 이용한 단순한 문제가 주를 이뤘던 반면, 최근 문제에서는 시행 자체의 확률을 구하는 문제가 자주 출제되고 있다.

0954 학교기출 대표 유형

어느 질병에 대한 치료법으로 1단계 치료를 하고, 1단계 치료에 성공한 환자만 2단계 치료를 하여 2단계 치료까지 성공한 환자는 완치된 것으로 판단된다. 1단계 치료와 2단계 치료에 성공할 확률은 각각 $\frac{1}{2}$과 $\frac{2}{3}$이다. 4명의 환자를 대상으로 이 치료법을 적용하였을 때, 완치된 것으로 판단될 환자가 2명일 확률은?

① $\frac{13}{54}$　② $\frac{8}{27}$　③ $\frac{19}{54}$
④ $\frac{11}{27}$　⑤ $\frac{25}{54}$

0955 NORMAL

A대학교에서는 수시모집과 정시모집으로 입학생을 선발한다. 수시모집은 정시모집보다 먼저 실시하고 수시모집에 지원하여 합격한 학생은 정시모집에 지원할 수 없다고 한다. 어떤 고등학생 3명이 A대학교의 수시모집에 지원하였을 때 합격할 확률은 각각 $\frac{1}{2}$이고 정시모집에 지원하였을 때 합격할 확률은 각각 $\frac{1}{3}$이라고 하자.
이 학생 3명이 A대학교의 수시모집에 모두 지원하고 이 중 불합격한 학생은 다시 A대학교의 정시모집에 지원한다고 할 때, 3명 중 2명이 합격할 확률은?
(단, 각 학생이 A대학교에 합격하는 사건은 서로 독립이다.)

① $\frac{4}{9}$　② $\frac{14}{27}$　③ $\frac{5}{9}$
④ $\frac{16}{27}$　⑤ $\frac{2}{3}$

0956 최다빈출 왕중요 TOUGH

갑, 을 두 사람이 게임을 할 때, 갑이 이길 확률이 을이 이길 확률보다 작고, 각각의 확률은 항상 일정하다고 한다.
두 번의 게임에서 갑이 한 번은 이기고 한 번은 질 확률이 $\frac{8}{25}$일 때, 갑이 네 번의 시합에서 세 번 이상 이길 확률은?
(단, 비기는 경우는 없다.)

① $\frac{4}{625}$　② $\frac{17}{625}$　③ $\frac{18}{625}$
④ $\frac{32}{625}$　⑤ $\frac{42}{625}$

▶ 해설 내신연계기출

0957 최다빈출 왕중요 TOUGH

6명이 3명씩 두 팀으로 나누기 위하여 임의로 오른손의 손바닥 또는 손등을 동시에 내는 시행을 한다. 손바닥을 낸 사람과 손등을 낸 사람의 수가 각각 3명으로 같으면 같은 쪽을 낸 사람끼리 같은 팀이 되고, 수가 같지 않으면 앞의 시행을 반복한다.

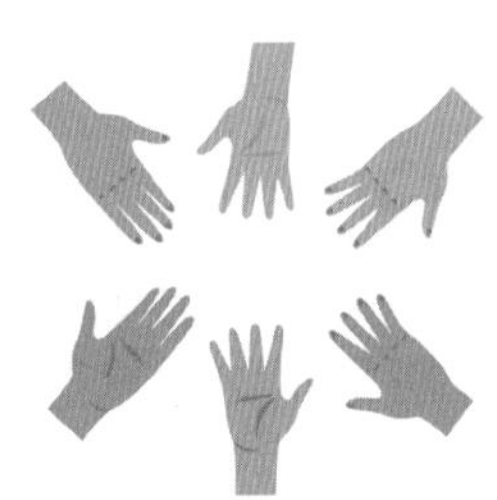

2번 이하의 시행으로 팀이 결정될 확률이 $\frac{q}{p}$일 때, $p+q$의 값은?
(단, p와 q는 서로소인 자연수이다.)

① 135　② 287　③ 391
④ 451　⑤ 498

▶ 해설 내신연계기출

유형 04 여사건의 독립시행의 확률

사건 A에 대하여 A가 일어나지 않을 사건을 A의 여사건이라 하고 A^c로 나타낸다.

$$P(A^c)=1-P(A)$$

0958 학교기출 대표 유형

어느 양궁 선수가 10점 과녁을 맞힐 확률은 $\frac{3}{4}$이라고 한다. 이 선수가 3발을 쐈을 때, 적어도 한 발은 10점 과녁에 맞힐 확률은?

① $\frac{35}{64}$ ② $\frac{25}{32}$ ③ $\frac{13}{16}$
④ $\frac{27}{32}$ ⑤ $\frac{63}{64}$

0959 최다빈출 왕중요 BASIC

어느 축구 선수는 페널티킥을 3번 시도하면 2번 성공한다. 이 축구 선수가 4번의 페널티킥을 시도할 때, 적어도 한 번은 골을 넣을 확률은?

① $\frac{1}{27}$ ② $\frac{1}{3}$ ③ $\frac{64}{81}$
④ $\frac{8}{9}$ ⑤ $\frac{80}{81}$

▶ 해설 내신연계기출

0960 BASIC

파스칼은 그의 친구 드메레(deMere. C. 1607～1684)로부터 '서로 다른 2개의 주사위를 24번 던져서 적어도 1번 (6, 6)이 나올 확률'에 대한 질문을 받았다. 이 확률은?
(단, $\left(\frac{35}{36}\right)^{24}=0.509$로 계산한다.)

① 0.191 ② 0.255 ③ 0.391
④ 0.491 ⑤ 0.982

0961 BASIC

한 개의 주사위를 5번 던져서 나오는 다섯 눈의 수의 곱이 짝수일 확률은?

① $\frac{23}{32}$ ② $\frac{25}{32}$ ③ $\frac{27}{32}$
④ $\frac{29}{32}$ ⑤ $\frac{31}{32}$

0962 최다빈출 왕중요 BASIC

한 개의 주사위를 3번 던져서 나오는 세 개의 눈의 수를 모두 곱했을 때, 그 수가 3의 배수일 확률은?

① $\frac{19}{27}$ ② $\frac{58}{81}$ ③ $\frac{59}{81}$
④ $\frac{20}{27}$ ⑤ $\frac{61}{81}$

▶ 해설 내신연계기출

0963 NORMAL

3가지 메뉴가 있는 어느 분식점에서 4쌍의 부부가 음식을 주문하려고 한다. 8명이 각각 3가지 메뉴 중 임의로 한 가지씩을 주문했을 때, 4쌍의 부부 중 부부가 같은 음식을 주문한 쌍이 적어도 2쌍일 확률은?

① $\frac{1}{3}$ ② $\frac{10}{27}$ ③ $\frac{11}{27}$
④ $\frac{4}{9}$ ⑤ $\frac{13}{27}$

유형 05 독립시행의 확률을 이용한 승패 확률

[1단계] n회에 우승을 해야 하므로 $n-1$회까지를 독립시행의 확률에 의해 계산한다.
[2단계] $n-1$회까지의 확률과 마지막 n회 우승할 확률을 곱하여 확률을 계산한다.

0964 학교기출 대표 유형

어떤 배구 대회에서는 결승에 진출한 두 팀이 5번의 경기를 하여 먼저 3번을 이기는 팀이 우승하게 된다. 이 배구 대회 결승에 진출한 두 팀 A, B의 경기에서 A팀의 승률이 $\frac{2}{3}$일 때, A팀이 4번째 경기에서 우승할 확률은? (단, 비기는 경우는 없다.)

① $\frac{2}{9}$ ② $\frac{2}{27}$ ③ $\frac{8}{27}$
④ $\frac{10}{27}$ ⑤ $\frac{13}{27}$

▶ 해설 내신연계기출

0965 BASIC

두 팀 A, B가 야구경기를 할 때, A팀이 이길 확률이 $\frac{2}{3}$이라 한다. 두 팀이 7전 4선승제의 경기를 할 때, A팀이 4승 2패로 이길 확률은? (단, 비기는 경우는 없다.)

① $\frac{130}{729}$ ② $\frac{140}{729}$ ③ $\frac{150}{729}$
④ $\frac{160}{729}$ ⑤ $\frac{170}{729}$

0966 NORMAL

5명이 한 팀을 이뤄 참가한 태권도 단체전에서 한 명씩 한 경기를 하여 3명이 이기는 순간 우승을 한다. 어느 한 팀의 5명은 각각 경기에서 이길 확률이 모두 $\frac{1}{3}$이다. 이 팀이 경기를 시작하여 5명 모두 경기하기 전에 우승이 결정될 확률은?
(단, 5명이 경기를 하는 순서는 정해져 있다.)

① $\frac{1}{27}$ ② $\frac{2}{27}$ ③ $\frac{1}{9}$
④ $\frac{4}{27}$ ⑤ $\frac{5}{27}$

0967 최다빈출 왕 중요 NORMAL

수지와 영희가 5전 3선승제인 게임을 하여 우승자를 가리기로 하였다. 수지와 영희가 각 경기에서 서로를 이길 확률은 각각 $\frac{1}{3}$, $\frac{2}{3}$이고 비기는 경우는 없다고 할 때, 4번째 경기에서 우승자가 결정될 확률은?

① $\frac{1}{9}$ ② $\frac{4}{27}$ ③ $\frac{8}{27}$
④ $\frac{1}{3}$ ⑤ $\frac{10}{27}$

▶ 해설 내신연계기출

0968 NORMAL

두 학생 A, B가 가위 바위 보를 해서 3번을 먼저 이기는 사람이 음식 메뉴를 정하기로 하였다. 두 학생 A, B는 이길 확률은 같고 비기는 경우는 없다고 할 때, 다섯 번째 가위 바위 보에서 음식 메뉴가 정해질 확률은?

① $\frac{1}{8}$ ② $\frac{1}{4}$ ③ $\frac{3}{8}$
④ $\frac{1}{2}$ ⑤ $\frac{5}{8}$

0969 최다빈출 왕중요 NORMAL

두 팀 A, B가 진출한 오디션 프로그램의 결선은 5번의 경연 중에서 3번을 먼저 이기는 팀이 최종 우승을 하게 된다. 첫 번째 경연에서 A팀이 이겼을 때, A팀이 최종 우승을 할 확률은?
(단, 두 팀이 이길 확률은 같고 비기는 경우는 없다.)

① $\frac{1}{4}$ ② $\frac{3}{4}$ ③ $\frac{3}{16}$
④ $\frac{5}{32}$ ⑤ $\frac{11}{16}$

▶ 해설 내신연계기출

0970 NORMAL

두 탁구팀 A, B가 결승전에서 만났다. 각 세트에서 A, B 두 팀이 이길 확률은 각각 $\frac{1}{3}$, $\frac{2}{3}$이다. 5세트 중 3세트를 먼저 이기는 팀이 우승한다고 할 때, A팀이 우승할 확률은?

① $\frac{1}{16}$ ② $\frac{3}{16}$ ③ $\frac{5}{16}$
④ $\frac{13}{81}$ ⑤ $\frac{17}{81}$

0971 최다빈출 왕중요 TOUGH

두 프로 야구팀 A, B가 7전 4선승제인 한국 시리즈에 진출하였다. 3경기를 진행한 결과가 A팀이 2승 1패로 앞서 가고 있을 때, A팀이 우승할 확률은? (단, 각 경기에서 두 팀이 이길 확률은 서로 같고 비기는 경우는 없다.)

① $\frac{3}{25}$ ② $\frac{3}{16}$ ③ $\frac{5}{16}$
④ $\frac{5}{32}$ ⑤ $\frac{11}{16}$

▶ 해설 내신연계기출

0972 TOUGH

7번의 경기 중에서 4번의 경기를 먼저 이기는 팀이 우승하는 프로야구 한국시리즈에 A팀과 B팀이 출전하였다.
A팀이 B팀을 이길 확률은 $\frac{1}{2}$이고, 현재까지 A팀이 2승 무패로 앞서고 있다고 할 때, B팀이 우승할 확률은?
(단, 두 팀이 비기는 경우는 없다.)

① $\frac{1}{8}$ ② $\frac{3}{16}$ ③ $\frac{1}{4}$
④ $\frac{5}{16}$ ⑤ $\frac{3}{8}$

유형 06 윷놀이에서 독립시행의 확률

겉면 ( )이 나올 확률이 p, 안쪽 면 ( )이 나올 확률이 $1-p$인 윷이 네 쪽 있을 때, 다음과 같은 확률을 구한다.

	모양	확률
도		${}_4C_1 p^3(1-p)$
개		${}_4C_2 p^2(1-p)^2$
걸		${}_4C_3 p(1-p)^3$
윷		${}_4C_0 (1-p)^4$
모		${}_4C_4 p^4$

0973 학교기출 대표 유형

윷놀이에서 윷짝 한 개를 던질 때, 둥근 면이 나올 확률은 $\frac{2}{5}$이고, 평평한 면이 나올 확률은 $\frac{3}{5}$이라고 하자. 이 윷짝 네 개를 동시에 던질 때, 걸이 나올 확률은?

① $\frac{2}{25}$ ② $\frac{113}{625}$ ③ $\frac{216}{625}$
④ $\frac{256}{625}$ ⑤ $\frac{512}{625}$

0974 NORMAL

윷짝의 둥근 면과 평평한 면이 나올 확률이 일정한 윷짝 4개를 던질 때, '모'가 나올 확률이 0.0256이라고 한다. 이 윷짝 4개를 던질 때, '개'가 나올 확률은?

도		개	
걸		윷	
모			

① $\frac{114}{625}$ ② $\frac{124}{625}$ ③ $\frac{144}{625}$
④ $\frac{216}{625}$ ⑤ $\frac{384}{625}$

0975 TOUGH

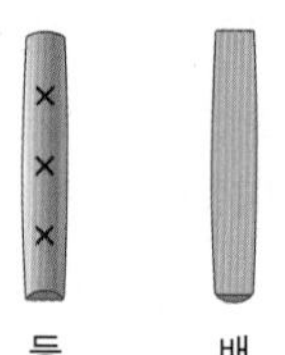

오른쪽 그림과 같이 윷가락 1개를 던지는 시행에서 ×가 보이도록 엎어지면 등, ×가 보이지 않도록 젖혀지면 배가 나왔다고 한다. 어떤 윷가락 1개를 4번 던지는 시행에서 등이 1번, 배가 3번 나올 확률과 등이 2번, 배가 2번 나올 확률이 서로 같다.
이 윷가락 1개를 4번 던지는 시행에서 등이 3번, 배가 1번 나올 확률은? (단, 윷가락 1개를 던지는 시행에서 등이 나올 확률과 배가 나올 확률은 모두 양수이고, 그 두 확률의 합은 1이다.)

① $\frac{12}{125}$ ② $\frac{72}{625}$ ③ $\frac{84}{625}$
④ $\frac{96}{625}$ ⑤ $\frac{108}{625}$

0976 TOUGH

하나의 윷짝을 던졌을 때, 겉면 ( )이 나올 확률이 p, 안쪽 면 ( )이 나올 확률이 $1-p$인 윷이 네 쪽 있다.
이 네 개의 윷짝을 던질 때, 개가 나올 확률이 걸이 나올 확률의 2배이다. 도가 나올 확률이 걸이 나올 확률의 k배라 할 때, $9k$의 값은? (단, $0<p<1$)

도		개	
걸		윷	
모			

① 12 ② 16 ③ 18
④ 20 ⑤ 22

유형 07 독립시행의 확률을 이용한 조건부확률

사건 A가 일어났을 때의 사건 B의 조건부확률

$$\mathrm{P}(B|A)=\frac{\mathrm{P}(A\cap B)}{\mathrm{P}(A)} \text{ (단, } \mathrm{P}(A)>0)$$

0977 학교기출 대표 유형

수지가 동전을 2개 던져서 나온 앞면의 개수만큼 국진이가 동전을 던진다. 국진이가 던져서 나온 앞면의 개수가 1일 때, 수지가 던져서 나온 앞면의 개수가 2일 확률은?

① $\frac{1}{6}$ ② $\frac{1}{5}$ ③ $\frac{1}{4}$
④ $\frac{1}{3}$ ⑤ $\frac{1}{2}$

0978 최다빈출 왕중요 NORMAL

서로 다른 2개의 주사위를 동시에 던져 나온 눈의 수가 같으면 한 개의 동전을 4번 던지고, 나온 눈의 수가 다르면 한 개의 동전을 2번 던진다. 이 시행에서 동전의 앞면이 나온 횟수와 뒷면이 나온 횟수가 같을 때, 동전을 4번 던졌을 확률은?

① $\frac{3}{23}$ ② $\frac{5}{23}$ ③ $\frac{7}{23}$
④ $\frac{9}{23}$ ⑤ $\frac{11}{23}$

▶ 해설 내신연계기출

0979 최다빈출 왕중요 NORMAL

한 개의 주사위를 던져서 나오는 눈의 수가 6의 약수이면 동전 세 개를 동시에 던지고, 6의 약수가 아니면 동전 두 개를 동시에 던진다. 한 개의 주사위를 1번 던진 후 그 결과에 따라 동전을 던진다. 앞면이 나오는 동전의 개수가 2일 때, 주사위의 눈의 수가 6의 약수일 확률은?

① $\frac{1}{4}$ ② $\frac{3}{4}$ ③ $\frac{2}{3}$
④ $\frac{5}{6}$ ⑤ $\frac{11}{12}$

▶ 해설 내신연계기출

0980 최다빈출 왕중요 TOUGH

나래가 주사위를 던져서 나온 눈의 수가 n이면 병진이는 n개의 동전을 던져 앞면이 나온 동전의 개수를 헤아린다. 앞면이 나온 동전의 개수가 5일 때, 나래가 던진 주사위의 눈의 수가 6일 확률은?

① $\frac{1}{4}$ ② $\frac{3}{8}$ ③ $\frac{1}{2}$
④ $\frac{5}{8}$ ⑤ $\frac{3}{4}$

▶ 해설 내신연계기출

0981 TOUGH

좌표평면의 원점에 점 A가 있다. 한 개의 동전을 사용하여 다음 시행을 한다.

> 동전을 한 번 던져
> 앞면이 나오면 점 A를 x축의 양의 방향으로 1만큼,
> 뒷면이 나오면 점 A를 y축의 양의 방향으로 1만큼 이동시킨다.

위의 시행을 반복하여 점 A의 x좌표 또는 y좌표가 처음으로 3이 되면 이 시행을 멈춘다. 점 A의 y좌표가 처음으로 3이 되었을 때, 점 A의 x좌표가 1일 확률은?

① $\frac{1}{4}$ ② $\frac{5}{16}$ ③ $\frac{3}{8}$
④ $\frac{7}{16}$ ⑤ $\frac{1}{2}$

유형 08 독립시행의 횟수 찾기

[1단계] 주어진 조건을 만족하려면 사건 A가 몇 번 일어나야 하는지를 파악한다.

[2단계] 독립시행에서 일어날 확률은 ${}_n\mathrm{C}_r p^r q^{n-r}$ (단, $p+q=1$, $r=0, 1, 2, \cdots, n$)을 구한다.

0982 학교기출 대표 유형

한 개의 동전을 5번 던질 때, 앞면이 나오는 횟수와 뒷면이 나오는 횟수의 곱이 6일 확률은?

① $\frac{5}{8}$　② $\frac{9}{16}$　③ $\frac{1}{2}$
④ $\frac{7}{16}$　⑤ $\frac{3}{8}$

▶ 해설 내신연계기출

0983 최다빈출 왕 중요 NORMAL

한 개의 동전을 6번 던질 때, 앞면이 나오는 횟수가 뒷면이 나오는 횟수보다 클 확률은 $\frac{q}{p}$이다. $p+q$의 값은?
(단, p와 q는 서로소인 자연수이다.)

① 35　② 38　③ 41
④ 43　⑤ 45

▶ 해설 내신연계기출

0984 최다빈출 왕 중요 NORMAL

한 개의 주사위를 A는 4번 던지고 B는 3번 던질 때, 3의 배수의 눈이 나오는 횟수를 각각 a, b라 하자. $a+b$의 값이 6일 확률은?

① $\frac{10}{3^7}$　② $\frac{11}{3^7}$　③ $\frac{4}{3^6}$
④ $\frac{13}{3^7}$　⑤ $\frac{14}{3^7}$

▶ 해설 내신연계기출

0985 최다빈출 왕 중요 TOUGH

한 개의 주사위를 5번 던질 때, 홀수의 눈이 나오는 횟수를 a라 하고 한 개의 동전을 4번 던질 때, 앞면이 나오는 횟수를 b라 하자.
$a-b$의 값이 3일 확률을 $\frac{q}{p}$라 할 때, $p+q$의 값은?
(단, p와 q는 서로소인 자연수이다.)

① 115　② 125　③ 137
④ 149　⑤ 151

▶ 해설 내신연계기출

0986 TOUGH

각 면에 1, 2, 3, 4의 숫자가 하나씩 적혀 있는 정사면체 모양의 상자를 던져 밑면에 적힌 숫자를 읽기로 한다. 이 상자를 3번 던져 2가 나오는 횟수를 m, 2가 아닌 숫자가 나오는 횟수를 n이라 할 때, $i^{|m-n|}=-i$일 확률은? (단, $i=\sqrt{-1}$)

① $\frac{3}{8}$　② $\frac{7}{16}$　③ $\frac{1}{2}$
④ $\frac{9}{16}$　⑤ $\frac{5}{8}$

유형 09 독립시행의 확률을 이용한 득점 확률

[1단계] 주어진 조건을 만족하는 사건 A의 시행 횟수(득점)를 구한다.
[2단계] 독립시행의 확률을 이용하여 확률을 구한다.

0987 학교기출 대표 유형

한 개의 동전을 던져서 앞면이 나오면 30점, 뒷면이 나오면 20점을 얻을 때, 동전을 6번 던져서 140점을 얻을 확률은?

① $\frac{1}{6}$ ② $\frac{12}{13}$ ③ $\frac{15}{64}$
④ $\frac{2}{3}$ ⑤ $\frac{45}{512}$

0988 NORMAL

어느 인터넷 사이트에서 회원을 대상으로 행운권 추첨행사를 하고 있다. 행운권이 당첨될 확률은 $\frac{1}{3}$이고 당첨되는 경우에는 회원 점수가 5점, 당첨되지 않는 경우에는 1점 올라간다. 행운권 추첨에 4회 참여하여 회원 점수가 16점 올라갈 확률은?
(단, 행운권을 추첨하는 시행은 서로 독립이다.)

① $\frac{8}{81}$ ② $\frac{10}{81}$ ③ $\frac{4}{27}$
④ $\frac{14}{81}$ ⑤ $\frac{16}{81}$

0989 최다빈출 왕중요 NORMAL

빨간 공이 3개, 파란 공이 4개 들어 있는 주머니에서 한 개의 공을 꺼내어 색깔을 확인하고 다시 집어넣는다. 빨간 공이 나오면 1점, 파란 공이 나오면 2점을 얻을 때, 5회의 시행에서 8점을 얻을 확률은?

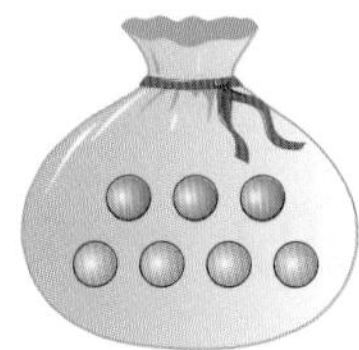

① ${}_5C_1\left(\frac{3}{7}\right)\left(\frac{4}{7}\right)^4$ ② ${}_5C_2\left(\frac{3}{7}\right)^2\left(\frac{4}{7}\right)^3$ ③ ${}_5C_3\left(\frac{3}{7}\right)^3\left(\frac{4}{7}\right)^2$
④ ${}_5C_4\left(\frac{3}{7}\right)^4\left(\frac{4}{7}\right)$ ⑤ ${}_5C_5\left(\frac{4}{7}\right)^5$

▶ 해설 내신연계기출

0990 최다빈출 왕중요 NORMAL

검은 공 4개와 흰 공 2개가 들어 있는 상자에서 임의로 공 1개를 꺼내어 색을 확인하고 다시 집어넣는 것을 1회 시행이라고 하자. 검은 공이 나오면 3점, 흰 공이 나오면 1점을 얻을 때, 8회의 시행을 한 후 12점을 얻을 확률이 $\frac{k}{3^8}$이다. 상수 k의 값은?

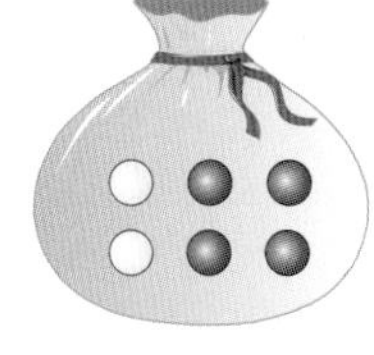

① 106 ② 108 ③ 110
④ 112 ⑤ 115

▶ 해설 내신연계기출

0991 TOUGH

한 개의 동전을 던져 앞면이 나오면 1점, 뒷면이 나오면 -1점을 얻는다. 동전을 8번 던질 때, 4번 던졌을 때까지의 점수의 합이 2점이고, 8번 모두 던진 후의 총점이 0점이 될 확률은?

① $\frac{1}{16}$ ② $\frac{3}{16}$ ③ $\frac{15}{64}$
④ $\frac{2}{3}$ ⑤ $\frac{45}{512}$

유형 10 독립시행의 확률을 이용한 위치 확률

[1단계] 주어진 조건을 만족하는 사건 A의 시행 횟수(위치)를 구한다.
[2단계] 독립시행의 확률을 이용하여 확률을 구한다.

0992 학교기출 대표 유형

좌표평면 위의 점 P는 주사위 1개를 1번 던져서 나오는 눈의 수가 4의 약수이면 x축의 양의 방향으로 1만큼, 4의 약수가 아니면 y축의 양의 방향으로 1만큼 이동한다. 주사위 1개를 6번 던질 때, 다음 그림과 같이 원점 O에서 출발한 점 P가 점 Q에 도착할 확률은?

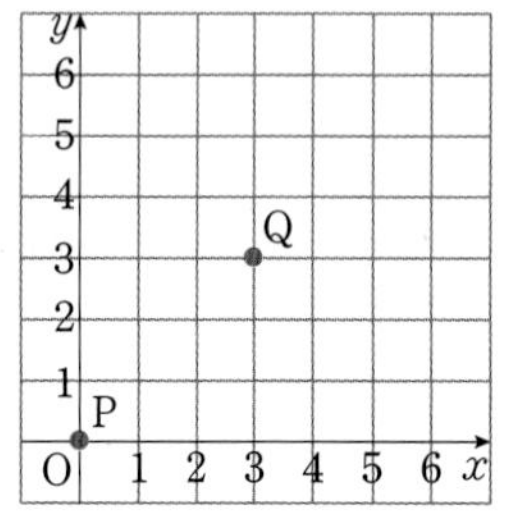

① $\frac{3}{16}$ ② $\frac{5}{16}$ ③ $\frac{3}{8}$
④ $\frac{1}{4}$ ⑤ $\frac{1}{2}$

0993 최다빈출 왕중요 NORMAL

한 개의 주사위를 던져서 나오는 눈의 수를 따라 다음 조건을 만족하면서 좌표평면 위의 점 P는 원점을 출발하여 이동한다.

(가) 나오는 눈의 수가 8의 약수이면 x축의 방향으로 1만큼 평행이동 한다.
(나) 나오는 눈의 수가 8의 약수가 아니면 y축의 방향으로 1만큼 평행이동 한다.

한 개의 주사위를 4번 던져서 점 P를 이동시켰을 때, 점 P가 곡선 $y=(x-2)^2$ 위에 있을 확률은?

① $\frac{3}{16}$ ② $\frac{1}{4}$ ③ $\frac{5}{16}$
④ $\frac{3}{8}$ ⑤ $\frac{7}{16}$

▶ 해설 내신연계기출

0994 최다빈출 왕중요 NORMAL

수직선 위의 원점에 점 A가 있다. 한 개의 주사위를 던져서 점의 개수가 짝수인 면이 나오면 점 A를 1만큼, 홀수인 면이 나오면 점 A를 -1만큼 움직인다. 주사위를 6번 던질 때, 점 A가 2의 위치에 있을 확률은?

① $\frac{1}{8}$ ② $\frac{5}{16}$ ③ $\frac{15}{64}$
④ $\frac{3}{128}$ ⑤ $\frac{15}{248}$

▶ 해설 내신연계기출

0995 최다빈출 왕중요 NORMAL

원점을 출발하여 수직선 위를 움직이는 점 P가 있다. 한 개의 동전을 던져서 앞면이 나오면 점 P를 양의 방향으로 1만큼, 뒷면이 나오면 음의 방향으로 1만큼 움직인다. 동전을 5번 던졌을 때, 점 P와 원점 사이의 거리가 1이 될 확률은?

① $\frac{1}{5}$ ② $\frac{1}{4}$ ③ $\frac{1}{3}$
④ $\frac{2}{3}$ ⑤ $\frac{5}{8}$

▶ 해설 내신연계기출

0996 최다빈출 왕중요

NORMAL

원점을 출발하여 수직선 위를 움직이는 점 P가 있다.
한 개의 주사위를 한 번 던져서 나오는 눈은 다음 조건을 만족한다.

> (가) 3의 배수의 눈이 나오면 점 P를 양의 방향으로 2만큼 이동한다.
> (나) 3의 배수의 눈이 나오지 않으면 음의 방향으로 1만큼 움직인다.

주사위를 네 번 던질 때, 점 P와 원점 사이의 거리가 5가 될 확률은?

① $\frac{2}{27}$ ② $\frac{7}{81}$ ③ $\frac{8}{81}$
④ $\frac{1}{9}$ ⑤ $\frac{10}{81}$

▶ 해설 내신연계기출

0997

TOUGH

흰 공 3개, 검은 공 1개가 들어 있는 주머니에서 임의로 한 개의 공을 꺼낼 때, 좌표평면 위의 두 점 P, Q에 대하여 다음 조건을 만족하는 시행을 한다. (단, 꺼낸 공은 주머니에 다시 넣는다.)

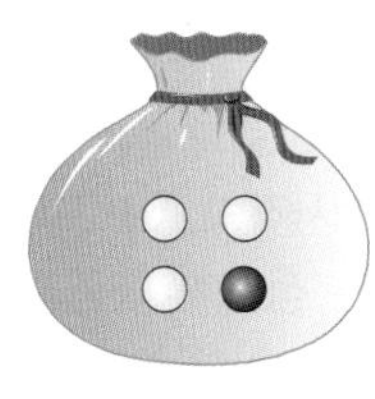

> (가) 흰 공이 나오면 점 P를 x축의 방향으로 1만큼, y축의 방향으로 1만큼 이동시키고,
> (나) 검은 공이 나오면 점 Q를 x축의 방향으로 -1만큼, y축의 방향으로 2만큼 이동시킨다.

위의 시행을 5번 반복할 때, 점 $(1, 4)$에서 출발한 점 P와 점 $(6, 0)$에서 출발한 점 Q가 같은 점에 있을 확률은?

① $\frac{21}{256}$ ② $\frac{43}{512}$ ③ $\frac{11}{128}$
④ $\frac{45}{512}$ ⑤ $\frac{23}{256}$

0998 최다빈출 왕중요

TOUGH

좌표평면 위의 원점 O를 출발한 점 P가 서로 다른 두 주사위를 동시에 던질 때마다 다음과 같은 조건으로 움직일 때, 점 P가 점 $(5, 4)$에 도착할 확률은?

> (가) 두 눈의 수의 곱이 짝수이면 x축의 방향으로 1만큼, y축의 방향으로 2만큼 평행이동한다.
> (나) 두 눈의 수의 곱이 홀수이면 x축의 방향으로 1만큼, y축의 방향으로 -1만큼 평행이동한다.

① $\frac{65}{256}$ ② $\frac{135}{512}$ ③ $\frac{35}{128}$
④ $\frac{145}{512}$ ⑤ $\frac{75}{256}$

▶ 해설 내신연계기출

0999

TOUGH

수직선의 원점에 점 P가 있다. 한 개의 주사위를 한 번 던져서 나오는 눈은 다음 조건을 만족한다.

> (가) 1 또는 2의 눈이 나오면 -1만큼 움직인다.
> (나) 3 또는 4의 눈이 나오면 1만큼 움직인다.
> (다) 5 또는 6의 눈이 나오면 움직이지 않는다.

주사위를 4번 던졌을 때, 점 P가 원점에 있을 확률은?

① $\frac{1}{81}$ ② $\frac{5}{81}$ ③ $\frac{12}{81}$
④ $\frac{19}{81}$ ⑤ $\frac{20}{81}$

유형 11 독립시행의 확률의 활용

주어진 조건을 만족하려면 사건 A가 몇 번 일어나야 하는지를 파악하고 독립시행의 확률을 이용하여 확률을 구한다.

1000 학교기출 대표 유형

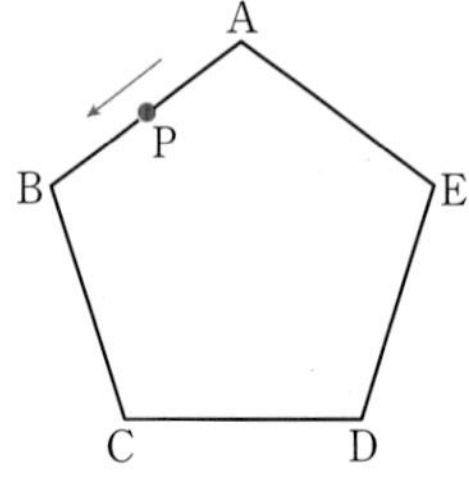

오른쪽 그림과 같이 한 변의 길이가 1인 정오각형 위를 시계 반대방향으로 변을 따라 움직이는 점 P가 있다. 한 개의 동전을 던져 앞면이 나오면 1만큼, 뒷면이 나오면 2만큼 움직일 때, 동전을 4번 던져 점 A를 출발한 점 P가 다시 점 A에 도착할 확률은?

① $\frac{1}{4}$ ② $\frac{9}{16}$ ③ $\frac{2}{3}$
④ $\frac{5}{8}$ ⑤ $\frac{3}{4}$

▶ 해설 내신연계기출

1001 TOUGH

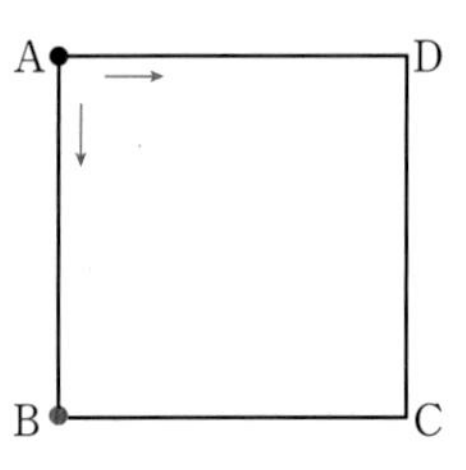

한 변의 길이가 1인 정사각형 ABCD의 변을 따라 움직이는 점 P가 있다. 한 개의 주사위를 던져 짝수의 눈이 나오면 점 P는 시계 반대 방향으로 2만큼 이동하고, 홀수의 눈이 나오면 시계 방향으로 1만큼 이동한다. 주사위를 6회 던졌을 때, 꼭짓점 A에서 출발한 점 P가 꼭짓점 B에 있을 확률은?

① $\frac{1}{16}$ ② $\frac{1}{8}$ ③ $\frac{3}{16}$
④ $\frac{1}{4}$ ⑤ $\frac{5}{16}$

1002 TOUGH

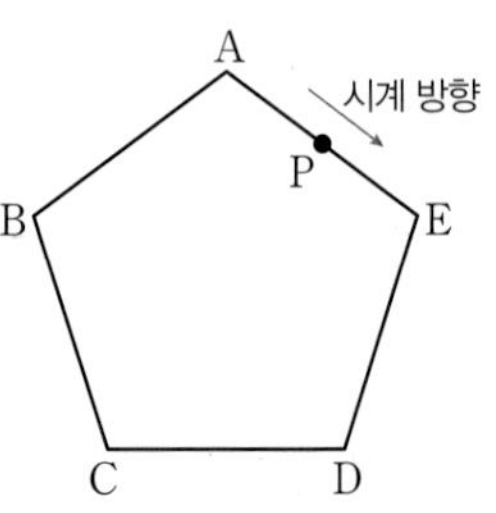

오른쪽 그림과 같이 한 변의 길이가 1인 정오각형 ABCDE의 꼭짓점 위의 P를 다음 규칙에 따라 이동시킨다.

(가) 꼭짓점 A에서 출발한다.
(나) 주사위 1개를 던져서 짝수의 눈이 나오면 정오각형의 변을 따라 시계 방향으로 2만큼 이동시킨다.
(다) 주사위 1개를 던져서 홀수의 눈이 나오면 정오각형의 변을 따라 시계 방향으로 1만큼 이동시킨다.

1개의 주사위를 10번 던져서 꼭짓점 A를 출발한 점 P가 다시 꼭짓점 A로 도착할 확률은?

① $\frac{31}{128}$ ② $\frac{125}{512}$ ③ $\frac{63}{256}$
④ $\frac{127}{512}$ ⑤ $\frac{1}{4}$

1003 최다빈출 왕 중요 TOUGH

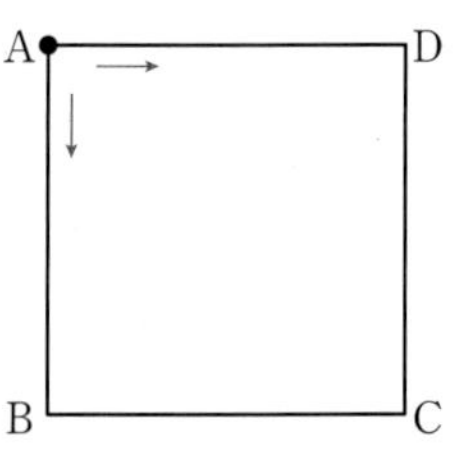

오른쪽 그림과 같이 한 변의 길이가 1인 정사각형 ABCD의 변 위를 움직이는 점 P가 다음과 같은 규칙에 따라 움직인다.

(가) 한 개의 주사위를 던져 6의 약수의 눈이 나오면 점 P는 시계 방향으로 1만큼 움직인다.
(나) 6의 약수의 눈이 나오지 않으면 시계 반대 방향으로 1만큼 움직인다.

점 P가 꼭짓점 A에서 출발하여 주사위를 4번 던져 다시 점 A에 도착할 확률은?

① $\frac{3}{27}$ ② $\frac{7}{27}$ ③ $\frac{41}{81}$
④ $\frac{20}{27}$ ⑤ $\frac{40}{81}$

▶ 해설 내신연계기출

1004

3개의 동전을 동시에 던질 때, 앞면이 나오는 동전이 1개 이하인 사건을 A, 동전 3개 모두 같은 면이 나오는 사건을 B라 하자.
두 사건 A, B가 서로 독립인지 종속인지 판별하는 과정을 다음 단계로 서술하여라.

[1단계] 앞면이 나오는 동전이 1개 이하인 사건 A의 확률 $\mathrm{P}(A)$를 구한다.
[2단계] 동전 3개 모두 같은 면이 나오는 사건 B의 확률 $\mathrm{P}(B)$를 구한다.
[3단계] 두 사건 A, B가 서로 독립인지 종속인지 판별한다.

1005

어느 인터넷 사이트에서 회원을 대상으로 행운권 추첨행사를 하고 있다. 행운권이 당첨될 확률은 $\frac{1}{4}$이고 당첨되는 경우에는 회원 점수가 8점, 당첨되지 않는 경우에는 3점 올라간다. 행운권 추첨에 4회 참여하여 회원 점수가 17점 올라갈 확률을 구하는 과정을 다음 단계로 서술하여라. (단, 행운권을 추첨하는 시행은 서로 독립이다.)

[1단계] 회원점수가 17점 올라가려면 당첨이 몇 번 되어야 하는지 구한다.
[2단계] 회원점수가 17점 올라갈 확률을 구한다.

1006

상자에 1부터 10까지의 자연수가 하나씩 적혀 있는 10개의 공이 들어있다. 이 상자에서 임의로 한 개의 공을 꺼낼 때, 홀수가 적힌 공이 나오면 동전을 4번, 짝수가 적힌 공이 나오면 동전을 5번 던진다. 이때 동전의 앞면이 3번 나올 확률을 구하는 과정을 다음 단계로 서술하여라.

[1단계] 홀수가 적힌 공이 나오고, 동전의 앞면이 3번 나올 확률을 구한다.
[2단계] 짝수가 적힌 공이 나오고, 동전의 앞면이 3번 나올 확률을 구한다.
[3단계] 동전의 앞면이 3번 나올 확률을 구한다.

1007

어느 배구 선수는 5번의 서브 중 2번 서브를 성공한다.
이 선수에게 3번의 서브 기회가 주어질 때, 2번 이상 성공할 확률을 구하는 과정이다.

3번의 서브 기회 중에서 2번 성공할 사건을 A, 3번의 서브 기회 중에서 3번 성공할 사건을 B라고 하면
$\mathrm{P}(A)={}_3\mathrm{C}_{\boxed{(가)}}\times\left(\boxed{(나)}\right)^{\boxed{(가)}}\times\left(\boxed{(다)}\right)$
$\mathrm{P}(B)={}_3\mathrm{C}_{\boxed{(라)}}\times\left(\boxed{(나)}\right)^{\boxed{(라)}}$
따라서 구하는 확률은
$\mathrm{P}(A\cup B)=\mathrm{P}(A)+\mathrm{P}(B)=\boxed{(마)}$

위의 (가), (나), (다), (라), (마)에 들어갈 수를 a, b, c, d, e라 할 때, $a+b+c+d+e$의 값을 구하여라.

1008

두 배구 팀 A, B가 상대를 각 세트에서 이길 확률이 각각 $\frac{2}{3}$, $\frac{1}{3}$이고 5세트 중에서 3세트를 먼저 이기는 팀이 경기에서 승리한다. A팀이 승리했다고 할 때, A팀이 4세트 안에 승리했을 확률을 구하는 과정을 다음 단계로 자세히 서술하여라.

[1단계] A팀이 승리할 확률을 구한다.
[2단계] A팀이 승리했다고 할 때, A팀이 4세트 안에 승리했을 확률을 구한다.

1009

나래가 1개의 주사위를 던져서 나온 눈의 수를 m이라 하고 효리가 6개의 동전을 던져서 앞면이 나온 동전의 개수를 n이라고 할 때, 다음 물음에 답하고 그 과정을 서술하여라.

[1단계] $m=3$이고 $n=2$일 확률을 구한다.
[2단계] $m=n$일 확률을 구한다.

1010

이길 확률이 $\frac{1}{2}$로 같은 두 사람 A, B가 4번의 게임을 먼저 이기면 상금을 받는 시합을 하고 있다. 그런데 4회 경기를 하여 A가 3번, B가 1번을 이긴 상태에서 부득이하게 게임을 중단하게 되었다. 이때 A와 B가 나누어 갖게 될 상금의 합리적인 분배를 다음 단계로 자세히 서술하여라.

[1단계] 게임을 중단하지 않고 계속할 때, A가 상금을 전부 가질 확률을 구한다.
[2단계] 시합이 중단되지 않고 계속된다고 생각하면 B가 상금을 전부 가질 확률을 구한다.
[3단계] A와 B가 상금을 어떻게 분배해야 공정한지 구한다.

1011

이탈리아의 수학자 파촐리는 자신의 책에 다음과 같은 문제를 실었다.

> 이길 확률이 같은 두 사람이 게임을 하여 6번 먼저 이기는 사람이 상금을 모두 갖기로 하였다. 그런데 7번의 게임에서 A가 4번, B가 3번 이겼을 때 게임을 중단하였다면 상금을 어떻게 분배해야 할까?

A와 B가 비기는 경우는 없고 매 게임에서 이길 확률이 서로 같다고 한다. 다음 단계에 따라 위의 문제를 서술하여라.

[1단계] 게임을 중단하지 않고 계속할 때, A가 상금을 모두 가질 확률을 구한다.
[2단계] 시합이 중단되지 않고 계속된다고 생각하면 B가 상금을 모두 가질 확률을 구한다.
[3단계] A와 B가 상금을 어떻게 분배해야 공정한지 구한다.

1012

두 프로야구팀 A, B가 경기를 했을 때, A팀이 이길 확률이 $\frac{3}{5}$이다. 두 팀 A, B가 7전 4선승제의 한국 시리즈 경기를 할 때, 5차전에서 승부가 가려질 확률을 구하여라. (단, 비기는 경우는 없다.)

1013

사관기출

한 개의 주사위를 4번 던질 때, 1의 눈이 나오는 횟수를 a, 2의 눈이 나오는 횟수를 b라 하자. $a-b=1$일 확률은?

① $\frac{4}{27}$ ② $\frac{5}{27}$ ③ $\frac{2}{9}$
④ $\frac{19}{81}$ ⑤ $\frac{7}{27}$

1014

평가원기출

동전 A의 앞면과 뒷면에는 각각 1과 2가 적혀있고 동전 B의 앞면과 뒷면에는 각각 3과 4가 적혀 있다. 동전 A를 세 번, 동전 B를 네 번 던져 나온 7개의 수의 합이 19 또는 20일 확률은?

① $\frac{7}{16}$ ② $\frac{15}{32}$ ③ $\frac{1}{2}$
④ $\frac{17}{32}$ ⑤ $\frac{9}{16}$

1015

평가원기출

A, B를 포함한 6명이 정육각형 모양의 탁자에 그림과 같이 둘러 앉아 주사위 한 개를 사용하여 다음 규칙을 따르는 시행을 한다.

> 주사위를 가진 사람이 주사위를 던져 나온 눈의 수가 3의 배수이면 시계 방향으로 3의 배수가 아니면 시계 반대 방향으로 이웃한 사람에게 주사위를 준다.

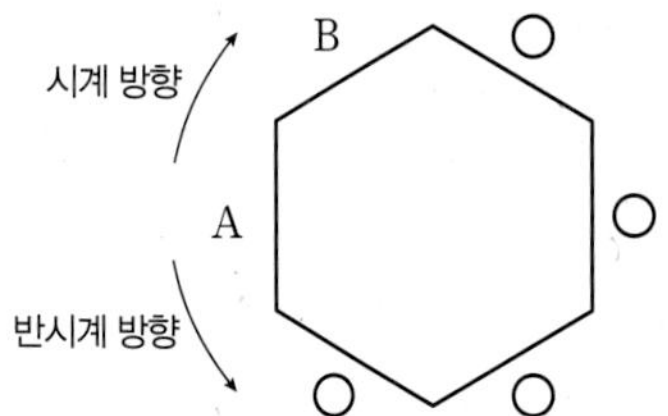

A부터 시작하여 이 시행을 5번 한 후 B가 주사위를 가지고 있을 확률은?

① $\frac{4}{27}$ ② $\frac{2}{9}$ ③ $\frac{8}{27}$
④ $\frac{10}{27}$ ⑤ $\frac{4}{9}$

1016

수능기출

한 개의 동전을 7번 던질 때, 다음 조건을 만족시킬 확률은?

> (가) 앞면이 3번 이상 나온다.
> (나) 앞면이 연속해서 나오는 경우가 있다.

① $\frac{11}{16}$ ② $\frac{23}{32}$ ③ $\frac{3}{4}$
④ $\frac{25}{32}$ ⑤ $\frac{13}{16}$

99° + 1°

젊음이 끓어오르는 온도

케빈 베이컨의 6단계 법칙

1994년 한 잡지사와의 인터뷰에서 케빈 베이컨[(1)]은 "할리우드의 모든 사람들과 직접적 또는 간접적으로 함께 일했다."라고 말했는데 이에 착안해 4명의 올브라이트 대학 학생들에 의해 만들어진 게임(Six Degrees of Kevin Bacon)이며 평균 6단계의 인적 네트워크만 거치면 전 세계 누구하고든 연결될 수 있다고 하는 6단계 분리 법칙(Six Degrees of Separation)[(2)]을 설명할 때 자주 인용되는 사례이다.

이 학생들은 실제로 케빈 베이컨과 함께 토크쇼에 출연해 이를 증명하기도 했다. 방청객들이 배우 이름을 호명하면 이들이 케빈 베이컨과의 연결고리를 찾아내는 방식었는데 대부분 2-3단계만 거치면 케빈 베이컨과 연결된다는 사실을 보여줬다.

케빈 베이컨은 처음에 이 게임이 자신을 조롱하는 거라고 생각해 싫어했으나 결국 게임을 즐기게 되었고, 이를 소재로 신용카드 광고를 찍기도 했다. 심지어 2007년에는 자신이 운영하는 자선단체의 이름을 sixdegrees.org 라고 명명했다.

(1) <풋루즈>, <엑스맨: 퍼스트 클래스>, <유혹의 선>, <아폴로13> 등 다수의 작품에 출연한 할리우드의 영화배우이다. 이 배우의 특징은 엄청난 다작 배우라는 것과 장르를 가리지 않는다는 것이다. 액션에 나오기도 하고, 멜로에 나오기도 하고, 스포츠물, 호러물에 나오기도 한다. 영화뿐 아니라 TV 드라마 시리즈에 나오기도 하고, 애니메이션 성우도 한다. 주연, 조연, 단역도 가리지 않는 잡식성 배우의 대명사이다. 심지어 제이미 올리버의 푸드튜브에도 출연했다. '케빈 베이컨의 6단계 법칙' 같은 게 나온 것도 케빈 베이컨의 이러한 성향 덕분이다.

(2) 6단계의 사람들을 거치면 서로 모르는 사람들끼리도 쉽게 연결될 수 있다는 정보전달과 네트워크에 관한 개념을 의미하는 용어이다. 1929년 헝가리의 극작가이자 저널리스트였던 프리게스 카린시(Frigyes Karinthy)에 의해 처음 개념이 소개되었으며 스탠리 밀그램의 '작은 세상 실험', 마이크로소프트의 메신저 대화창 분석 등을 통해 증명되어졌다.

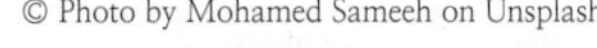

© Photo by Mohamed Sameeh on Unsplash

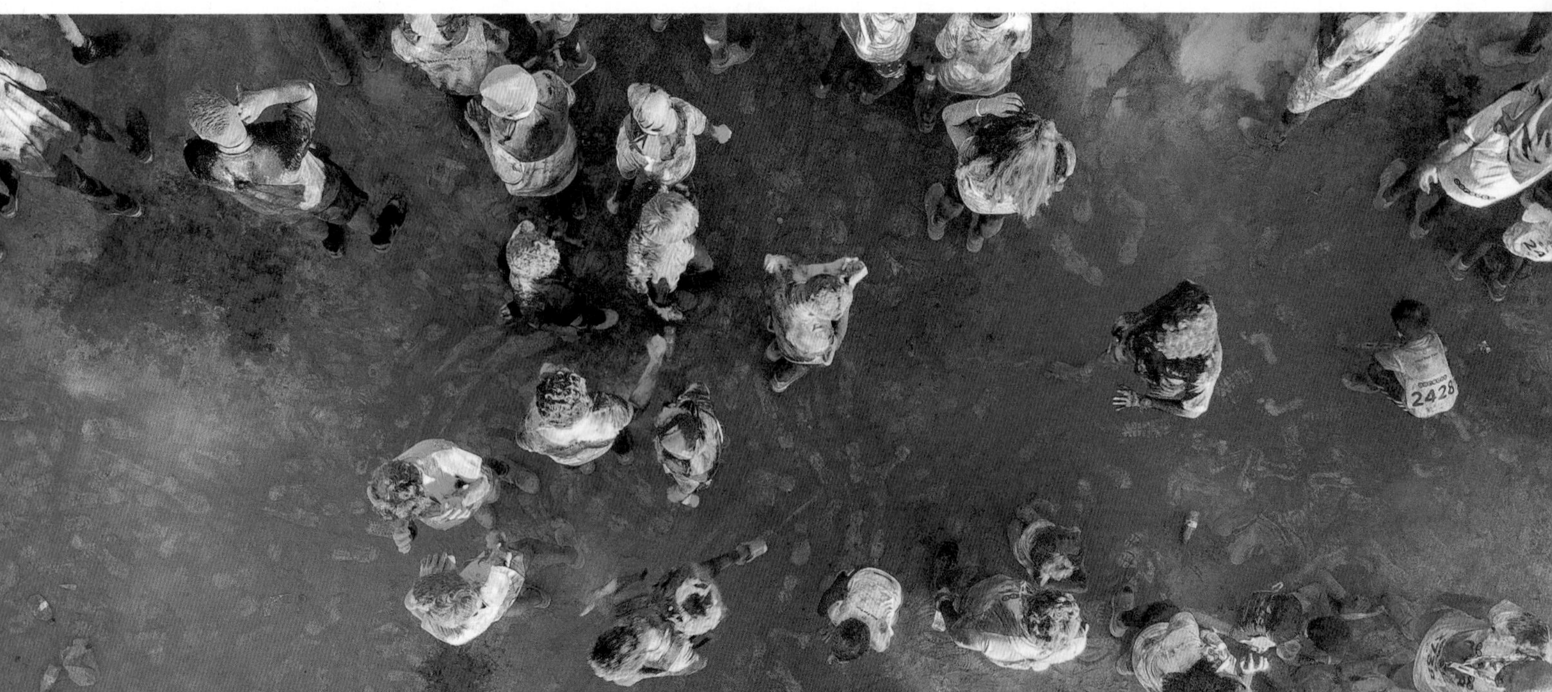

Ⅲ 통계

01 확률변수와 확률분포
02 이항분포
03 정규분포
04 이항분포와 정규분포
05 통계적 추정
06 모평균의 추정

STEP 1

학교내신기출 객관식 핵심문제총정리

01 확률변수와 확률분포

내신정복 기출유형

유형 01 확률변수의 정의

이산확률변수의 확률분포

① 이산확률변수

확률변수가 가질 수 있는 값이 유한개이거나 무한히 많더라도 자연수와 같이 셀 수 있을 때 그 확률변수를 이산확률변수라 한다.

← 개수, 횟수와 같이 셀 수 있는 값을 갖는 것

② 연속확률변수

어떤 범위 안에 속하는 모든 실수의 값을 가질 때, 그 확률변수를 연속확률변수라 한다.

← 시간, 길이, 무게 온도와 같이 일일이 셀 수 없는 것

1017 학교기출 대표 유형

다음 확률변수 중 이산확률변수가 아닌 것은?

① 어느 지역에 일 년 동안 내리는 강수량
② 어느 날 동물원의 입장객 수
③ 10개의 동전을 던질 때, 앞면이 나온 동전의 개수
④ 어느 축구 선수가 승부차기에서 슛을 성공한 횟수
⑤ 어떤 학급 학생 30명의 신발 치수

1018 BASIC

다음 확률변수가 연속확률변수가 아닌 것은?

① 어느 공장에서 생산된 전구의 수명
② 어떤 호수에서 임의로 선택한 지점의 깊이
③ 지난 한달 동안의 대전 기온
④ 어느 해의 태풍 발생 횟수
⑤ 서울발 부산행 비행기의 비행시간

1019 NORMAL

다음 [보기] 중 연속확률변수인 것만을 있는 대로 고른 것은?

ㄱ. 독도에서의 일 년 동안의 적설량
ㄴ. 어느 가게에서 계산하기 위해 기다리는 시간
ㄷ. 1부터 100까지의 자연수가 하나씩 적힌 100장의 카드 중에서 임의로 택한 한 장의 카드에 적힌 수

① ㄱ ② ㄴ ③ ㄱ, ㄴ
④ ㄴ, ㄷ ⑤ ㄱ, ㄴ, ㄷ

유형 02 확률질량함수의 성질을 이용하여 미지수와 확률 구하기

(1) 확률질량함수

이산확률변수 X가 갖는 값 $x_1, x_2, \cdots, x_n$과 X가 이들 값을 가질 확률 $p_1, p_2, \cdots, p_n$ 사이의 대응 관계를 나타내는 함수

$$P(X=x_i)=p_i\,(i=1, 2, \cdots, n)$$

를 이산확률변수 X의 확률질량함수라고 한다.

(2) 확률질량함수의 성질

확률변수 X의 확률분포가 다음과 같을 때,

X	x_1	x_2	x_3	$\cdots$	x_n	합계
$P(X=x)$	p_1	p_2	p_3	$\cdots$	p_n	1

① $0\le p(x)\le 1$ (단, $x=x_1, x_2, \cdots, x_n$)

② $\sum_{i=1}^{n} p_i=p_1+p_2+\cdots+p_n=1$ ← 확률의 합은 항상 1

③ $P(X=x_i$ 또는 $X=x_j)=P(X=x_i)+P(X=x_j)=p_i+p_j$

④ $P(p_i\le X\le p_j)=p_i+\cdots+p_j$

1020 학교기출 대표 유형

확률변수 X의 확률질량함수가

$$P(X=x)=kx^2\,(x=1, 2, 3, 4)$$

일 때, 확률 $P(X\ge 3)$의 값은?

① $\frac{1}{7}$ ② $\frac{1}{5}$ ③ $\frac{2}{5}$
④ $\frac{3}{5}$ ⑤ $\frac{5}{6}$

▶ 해설 내신연계기출

1021 BASIC

이산확률변수 X의 확률분포가

$$P(X=x)=\begin{cases}\frac{x}{10}+k & (x=1, 2, 3)\\ k & (x=4, 5, 6)\end{cases}$$

일 때, 확률변수 $P(|X-5|\le 1)$은? (단, k는 상수)

① $\frac{1}{7}$ ② $\frac{1}{6}$ ③ $\frac{1}{5}$
④ $\frac{1}{4}$ ⑤ $\frac{1}{3}$

1022 최다빈출 왕중요 NORMAL

이산확률변수 X의 확률질량함수가

$$P(X=x)=\frac{2a}{x(x+1)}\ (x=1,\ 2,\ 3,\ \cdots,\ 10)$$

일 때, $P(X=1)$의 값은? (단, a는 상수)

① $\frac{21}{40}$ ② $\frac{1}{2}$ ③ $\frac{11}{20}$
④ $\frac{10}{11}$ ⑤ $\frac{20}{21}$

▶ 해설 내신연계기출

1023 NORMAL

확률변수 X의 확률질량함수가

$$P(X=x)=\frac{a}{x(x+2)}\ (x=1,\ 2,\ 3,\ 4,\ 5)$$

일 때, $P(X=1)$의 값은? (단, a는 상수)

① $\frac{12}{25}$ ② $\frac{14}{25}$ ③ $\frac{18}{25}$
④ $\frac{20}{21}$ ⑤ $\frac{5}{8}$

1024 NORMAL

확률변수 X의 확률질량함수가

$$P(X=x)=\frac{a}{\sqrt{x}+\sqrt{x+1}}\ (x=1,\ 2,\ 3,\ \cdots,\ 15)$$

일 때, $P(X=8)$의 값이 $1-\frac{p}{q}\sqrt{2}$일 때, 서로소인 자연수 p, q에 대하여 $p+q$의 값은? (단, a는 상수)

① 3 ② 4 ③ 5
④ 6 ⑤ 7

1025 최다빈출 왕중요 NORMAL

확률변수 X가 갖는 값이 3, 4, 5, 6이고,

$$P(3\le X\le 5)=\frac{5}{8},\ P(4\le X\le 6)=\frac{1}{2}$$

일 때, $P(X=3)+P(X=6)$의 값은?

① $\frac{5}{8}$ ② $\frac{11}{16}$ ③ $\frac{3}{4}$
④ $\frac{13}{16}$ ⑤ $\frac{7}{8}$

▶ 해설 내신연계기출

1026 TOUGH

확률변수 X의 확률질량함수가

$$P(X=x)=p_x\ (x=1,\ 2,\ 3,\ 4,\ 5)$$

이고 확률 p_1, p_2, p_3, p_4, p_5가 이 순서대로 등차수열을 이룰 때, 확률 $P(X^2-6X+8\le 0)$의 값은?

① $\frac{1}{6}$ ② $\frac{1}{3}$ ③ $\frac{1}{2}$
④ $\frac{2}{3}$ ⑤ $\frac{3}{5}$

유형 03 확률분포표가 주어진 확률질량함수의 성질 – 확률 구하기

[1단계] 모든 확률의 합이 1임을 이용하여 미지수를 구한다.
[2단계] 확률변수 X가 a 이상 b 이하의 값을 가질 확률은

$$P(a\le X\le b)=\sum_{x=a}^{b}P(X=x)$$

1027 학교기출 대표 유형

확률변수 X의 확률분포를 표로 나타내면 다음과 같다.

X	1	3	6	합계
$P(X=x)$	p	$2p$	$3p$	1

$P(1\le X\le 3)$의 값은? (단, p는 양수이다.)

① $\frac{1}{3}$　② $\frac{1}{2}$　③ $\frac{2}{3}$
④ $\frac{3}{4}$　⑤ $\frac{5}{6}$

1028 최다빈출 왕중요 BASIC

이산확률변수 X의 확률분포를 표로 나타내면 다음과 같다.

X	1	2	3	4	합계
$P(X=x)$	$\frac{1}{3}$	a	$\frac{1}{6}$	$2a$	1

이때 $P(X\le 3)$의 값은? (단, a는 상수이다.)

① $\frac{1}{6}$　② $\frac{1}{3}$　③ $\frac{1}{2}$
④ $\frac{2}{3}$　⑤ $\frac{5}{6}$

▶ 해설 내신연계기출

1029 NORMAL

확률변수 X의 확률분포를 표로 나타내면 다음과 같다.

X	0	1	2	합계
$P(X=x)$	a	b	$\frac{3}{4}$	1

$P(X^2-3X+2\le 0)=\frac{5}{6}$일 때, 상수 a, b에 대하여 $a-b$의 값은?

① $\frac{1}{12}$　② $\frac{1}{6}$　③ $\frac{1}{5}$
④ $\frac{1}{2}$　⑤ $\frac{5}{6}$

1030 최다빈출 왕중요 NORMAL

확률변수 X의 확률분포가 다음 표와 같다.

X	2	3	4	합계
$P(X=x)$	$2a$	$3a$	b	1

$P(X=4)=\frac{3}{2}P(X=2)$일 때, $P(3\le X\le 4)$의 값은?
(단, a, b는 상수)

① $\frac{1}{8}$　② $\frac{1}{4}$　③ $\frac{3}{8}$
④ $\frac{3}{4}$　⑤ $\frac{7}{8}$

▶ 해설 내신연계기출

1031 TOUGH

확률변수 X가 갖는 값이 2, 4, 6, 8이고 X의 확률분포를 그래프로 나타내면 오른쪽과 같다.

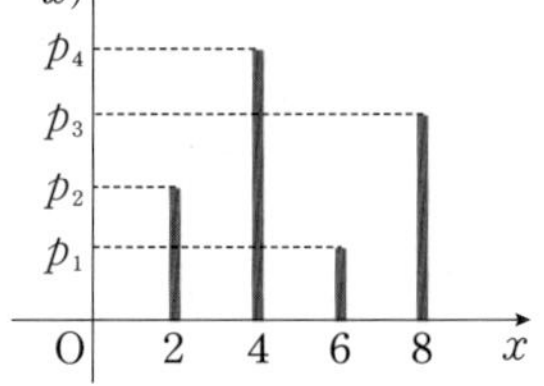

$P(2\le X\le 6)=\frac{7}{10}$,
$P(6\le X\le 8)=\frac{2}{5}$
일 때, $P(X=6)$의 값은? (단, p_1, p_2, p_3, p_4는 상수이다.)

① $\frac{1}{10}$　② $\frac{1}{5}$　③ $\frac{3}{10}$
④ $\frac{2}{5}$　⑤ $\frac{1}{2}$

유형 04 확률분포가 주어지지 않은 경우 확률 구하기

[1단계] 확률변수 X가 가질 수 있는 값을 모두 찾는다.
[2단계] 각각의 확률변수 X에 대응하는 확률을 구한다.

1032 학교기출 대표 유형

흰 공 2개, 빨간 공 1개, 검은 공 3개가 들어있는 주머니에서 임의로 2개의 공을 동시에 꺼낼 때, 꺼낸 흰 공의 개수를 확률변수 X라 하자. 확률변수 X에 대한 확률분포를 표로 나타내면 다음과 같다.

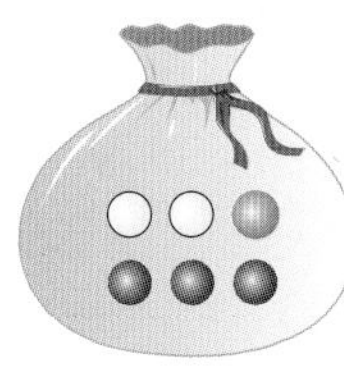

X	0	1	a	합계
$\mathrm{P}(X=x)$	b	c	$\frac{1}{15}$	1

세 상수 a, b, c에 대하여 $a+b-c$의 값은?

① $\frac{14}{15}$　② $\frac{16}{15}$　③ $\frac{6}{5}$
④ $\frac{28}{15}$　⑤ 2

1033 최다빈출 왕 중요

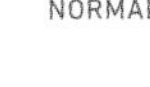

흰 공 2개, 검은 공 3개가 들어 있는 주머니에서 임의로 두 개의 공을 동시에 꺼낼 때, 꺼낸 흰 공의 개수를 확률변수 X라 하자. 이때 $\mathrm{P}(X \geq 1)$의 값은?

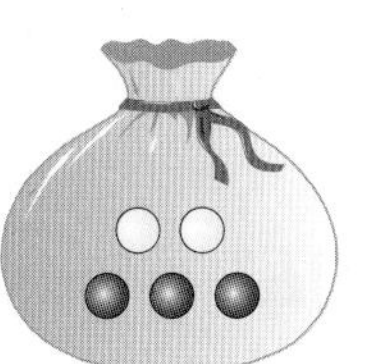

① $\frac{2}{5}$　② $\frac{3}{10}$
③ $\frac{3}{5}$　④ $\frac{7}{10}$
⑤ $\frac{4}{5}$

▶ 해설 내신연계기출

1034 NORMAL

-1, 0, 1, 2가 각각 적힌 공 4개가 들어있는 주머니에서 임의로 공 2개를 동시에 꺼낼 때, 나오는 두 수의 곱을 확률변수 X라 하자. $\mathrm{P}(X \geq 0)$의 값은?

① $\frac{1}{6}$　② $\frac{1}{3}$　③ $\frac{1}{2}$
④ $\frac{2}{3}$　⑤ $\frac{5}{6}$

1035 최다빈출 왕 중요 NORMAL

1부터 6까지의 숫자가 각각 적혀 있는 6장의 카드에서 동시에 3장을 뽑을 때, 뽑힌 카드에 적힌 수 중 가장 작은 수를 확률변수 X라고 하자. 이때 $\mathrm{P}(X \leq 2)$의 값은?

① $\frac{1}{6}$　② $\frac{1}{3}$　③ $\frac{1}{2}$
④ $\frac{2}{3}$　⑤ $\frac{4}{5}$

▶ 해설 내신연계기출

1036 TOUGH

1부터 9까지의 자연수가 하나씩 적혀 있는 9개의 공이 들어 있는 주머니가 있다. 이 주머니에서 임의로 2개의 공을 동시에 꺼낼 때, 꺼낸 공에 적혀 있는 두 수 중 큰 수를 확률변수 X라 하자. $\mathrm{P}(|X-5| \geq 3)$의 값은?

① $\frac{13}{36}$　② $\frac{7}{18}$　③ $\frac{5}{12}$
④ $\frac{4}{9}$　⑤ $\frac{17}{36}$

유형 05 확률분포가 표로 주어진 경우 이산확률변수의 평균

확률변수 X의 확률분포가 표로 주어진 경우

X	x_1	x_2	x_3	$\cdots$	x_n	합계
$\mathrm{P}(X=x)$	p_1	p_2	p_3	$\cdots$	p_n	1

[1단계] 확률의 총합이 1임을 이용하여 미지수 계산

[2단계] 기댓값 (평균)

$$\mathrm{E}(X)=m=x_1p_1+x_2p_2+\cdots+x_np_n$$

1037 학교기출 대표 유형

이산확률변수 X의 확률분포는 다음과 같다.

X	k	$3k$	$6k$	합계
$\mathrm{P}(X=x)$	a	$2a$	$4a$	1

$\mathrm{E}(X)=62$일 때, 두 상수 a, k에 대하여 ak의 값은?

① 2 ② 3 ③ 4
④ 6 ⑤ 7

▶ 해설 내신연계기출

1038 최다빈출 왕 중요 BASIC

확률변수 X의 확률분포를 표로 나타내면 다음과 같다.

X	1	3	7	합계
$\mathrm{P}(X=x)$	a	$\frac{1}{4}$	b	1

$\mathrm{E}(X)=5$일 때, 상수 a, b에 대하여 $\frac{b}{a}$의 값은?

① $\frac{5}{12}$ ② $\frac{7}{12}$ ③ $\frac{3}{4}$
④ $\frac{7}{2}$ ⑤ $\frac{11}{2}$

▶ 해설 내신연계기출

1039 최다빈출 왕 중요 NORMAL

이산확률변수 X의 확률분포를 표로 나타내면 다음과 같다.

X	-1	0	1	2	합계
$\mathrm{P}(X=x)$	$\frac{3-a}{8}$	$\frac{1}{8}$	$\frac{3+a}{8}$	$\frac{1}{8}$	1

$\mathrm{P}(0\le X\le 2)=\frac{7}{8}$일 때, 확률변수 X의 평균 $\mathrm{E}(X)$의 값은?

① $\frac{1}{4}$ ② $\frac{3}{8}$ ③ $\frac{1}{2}$
④ $\frac{5}{8}$ ⑤ $\frac{3}{4}$

▶ 해설 내신연계기출

1040 NORMAL

이산확률변수 X가 가지는 값이 1, 2, 3이고

$$\mathrm{P}(X=k+1)=\frac{1}{2}\mathrm{P}(X=k)\ (k=1,\ 2)$$

이다. $\mathrm{E}(X)$의 값은?

① $\frac{13}{7}$ ② $\frac{12}{7}$ ③ $\frac{11}{7}$
④ $\frac{10}{7}$ ⑤ $\frac{9}{7}$

1041 최다빈출 왕 중요 TOUGH

두 이산확률변수 X와 Y가 가지는 값이 각각 1부터 5까지의 자연수이고

$$\mathrm{P}(Y=k)=\frac{1}{2}\mathrm{P}(X=k)+\frac{1}{10}\ (k=1,\ 2,\ 3,\ 4,\ 5)$$

이다. $\mathrm{E}(X)=4$일 때, $\mathrm{E}(Y)=a$이다. $8a$의 값은?

① 14 ② 21 ③ 28
④ 32 ⑤ 36

▶ 해설 내신연계기출

유형 06 확률분포가 표로 주어진 경우 이산확률변수의 분산, 표준편차

확률변수 X의 확률분포가 표로 주어진 경우

X	x_1	x_2	x_3	$\cdots$	x_n	합계
$\mathrm{P}(X=x)$	p_1	p_2	p_3	$\cdots$	p_n	1

[1단계] 확률의 총합이 1임을 이용하여 미지수 계산

[2단계] 기댓값 (평균)

$\mathrm{E}(X)=m=x_1p_1+x_2p_2+\cdots+x_np_n$ ⬅ $\mathrm{E}(X)=\sum_{i=1}^{n}x_ip_i$

[3단계] 분산 (편차 제곱의 평균)

$\mathrm{V}(X)=(x_1-m)^2p_1+(x_2-m)^2p_2+\cdots+(x_n-m)^2p_n$

$=(x_1{}^2p_1+x_2{}^2p_2+x_3{}^3p_3+\cdots+x_n{}^2p_n)-m^2$

표준편차 $\sigma(X)=\sqrt{\mathrm{V}(X)}$ ⬅ 분산의 양의 제곱근

$\mathrm{V}(X)=\mathrm{E}(X^2)-\{\mathrm{E}(X)\}^2$ ⬅ $\mathrm{E}(X^2)=\mathrm{V}(X)+\{\mathrm{E}(X)\}^2$

1042 학교기출 대표 유형

확률변수 X의 확률질량함수가 $\mathrm{P}(X=x_i)=p_i\,(i=1, 2, 3, \cdots, n)$이고 X의 기댓값이 $\mathrm{E}(X)=m$일 때, 다음 중 의미가 다른 하나는?

① $\sum_{i=1}^{n}(x_i-m)^2p_i$ ② $\mathrm{E}((X-m)^2)$ ③ $\mathrm{V}(X)$

④ $\mathrm{E}(X^2)$ ⑤ $\sum_{i=1}^{n}x_i^2p_i-m^2$

1043 BASIC

확률변수 X의 확률분포가 다음 표와 같다.

X	-1	0	1	합계
$\mathrm{P}(X=x)$	a	$\frac{a}{2}$	a^2	1

확률변수 X의 분산 $\mathrm{V}(X)$의 값은?

① $\frac{3}{8}$ ② $\frac{7}{10}$ ③ $\frac{11}{16}$

④ $\frac{4}{3}$ ⑤ $\frac{5}{7}$

1044 NORMAL

확률변수 X의 확률분포가 다음 표와 같다.

X	2	4	a	합계
$\mathrm{P}(X=x)$	b	$\frac{1}{4}$	$\frac{1}{4}$	1

$\mathrm{E}(X)=4$일 때, $\mathrm{V}(X)$의 값은? (단, a, b는 상수이다.)

① 6 ② 7 ③ 8

④ 9 ⑤ 10

1045 최다빈출 왕중요  NORMAL

확률변수 X의 확률분포가 다음 표와 같다.

X	1	2	4	8	합계
$\mathrm{P}(X=x)$	$\frac{1}{4}$	a	$\frac{1}{8}$	b	1

$\mathrm{E}(X)=5$일 때, $\mathrm{V}(X)$의 값은? (단, a, b는 상수이다.)

① $\frac{39}{4}$ ② $\frac{37}{4}$ ③ $\frac{27}{4}$

④ $\frac{13}{2}$ ⑤ $\frac{85}{2}$

▶ 해설 내신연계기출

1046 NORMAL

확률변수 X의 확률분포를 표로 나타내면 다음과 같다.

X	-1	0	1	2	합계
$\mathrm{P}(X=x)$	a	$\frac{1}{3}$	$\frac{1}{6}$	b	1

$\mathrm{P}(|X-1|\le 1)=\frac{5}{6}$일 때, $\mathrm{V}(X)$의 값은?

① $\frac{5}{9}$ ② $\frac{8}{9}$ ③ $\frac{11}{9}$

④ $\frac{4}{3}$ ⑤ $\frac{5}{3}$

1047

NORMAL

이산확률변수 X의 확률분포를 표로 나타내면 다음과 같다.

X	a	b	$3a$	$3b$	합계
$\mathrm{P}(X=x)$	$\frac{1}{3}$	$\frac{1}{3}$	$\frac{1}{6}$	$\frac{1}{6}$	1

$\mathrm{E}(X)=5$, $\mathrm{V}(X)=19$일 때, 두 상수 a, b에 대하여 ab의 값은?

① 4 ② 6 ③ 8
④ 10 ⑤ 12

1048

최다빈출 왕중요

NORMAL

확률변수 X의 확률분포가 다음 표와 같다.

X	-1	0	2	합계
$\mathrm{P}(X=x)$	a	b	c	1

$\mathrm{E}(X)=1$, $\mathrm{V}(X)=\frac{11}{8}$일 때, 세 상수 a, b, c에 대하여 $a-b+c$의 값은?

① $\frac{1}{8}$ ② $\frac{1}{4}$ ③ $\frac{3}{8}$
④ $\frac{1}{2}$ ⑤ $\frac{5}{8}$

▶ 해설 내신연계기출

1049

TOUGH

확률변수 X에 대하여

$$\mathrm{P}(X=2)=1-\mathrm{P}(X=0),\ 0<\mathrm{P}(X=0)<1,$$
$$\{\mathrm{E}(X)\}^2=2\mathrm{V}(X)$$

일 때, 확률 $\mathrm{P}(X=2)$의 값은?

① $\frac{1}{6}$ ② $\frac{1}{3}$ ③ $\frac{1}{2}$
④ $\frac{2}{3}$ ⑤ $\frac{5}{6}$

유형 07 확률분포가 주어지지 않은 경우 이산확률변수의 평균 구하기

[1단계] 확률변수 X가 취할 수 있는 값에 대하여 그 각각의 확률을 구한다.
[2단계] 확률변수 X의 확률분포를 표로 나타낸다.
[3단계] 확률변수 X의 평균, 분산, 표준편차를 구한다.

1050

학교기출 대표 유형

검은 공 2개, 흰 공 3개가 들어 있는 주머니에서 임의로 2개의 공을 동시에 꺼낼 때 나오는 흰 공의 개수를 확률변수 X라 하자. $\mathrm{E}(X)$의 값은?

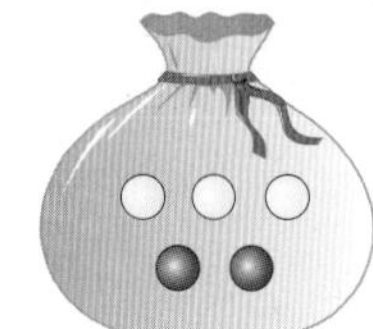

① $\frac{11}{10}$ ② $\frac{6}{5}$ ③ $\frac{13}{10}$
④ $\frac{7}{5}$ ⑤ $\frac{3}{2}$

1051

NORMAL

한 개의 주사위를 던져 나온 눈의 수의 약수의 개수를 확률변수 X라 할 때, X의 기댓값은?

① 1 ② $\frac{4}{3}$ ③ $\frac{5}{3}$
④ 2 ⑤ $\frac{7}{3}$

1052

NORMAL

1, 2, 3, 4, 5의 숫자가 하나씩 적혀 있는 5장의 카드가 있다. 이 카드 중에서 임의로 3장을 동시에 뽑을 때, 뽑힌 카드에 적힌 수 중 두 번째로 작은 수를 확률변수 X라 하자. $\mathrm{E}(X)$의 값은?

① $\frac{13}{5}$ ② $\frac{14}{5}$ ③ 3
④ $\frac{16}{5}$ ⑤ $\frac{17}{5}$

1053 최다빈출 왕중요 NORMAL

주머니 안에 흰 공 2개와 검은 공 3개가 들어있다. 이 주머니에서 한 개씩 차례로 공을 꺼낼 때, 처음으로 흰 공이 나올 때까지 공을 꺼낸 횟수를 확률변수 X라 하자. X의 기댓값은? (단, 꺼낸 공은 다시 넣지 않는다.)

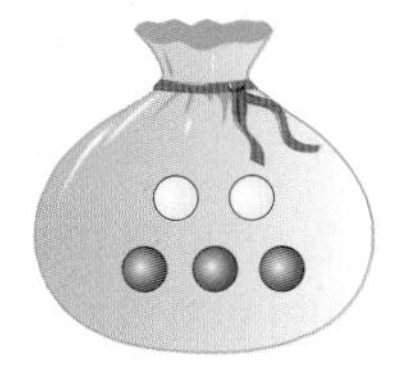

① 2　② 3　③ 4　④ 5　⑤ 6

▶ 해설 내신연계기출

1054 최다빈출 왕중요 NORMAL

1, 2, 3, 4, 5, 6, 7, 8, 9가 각각 적혀 있는 9개의 공이 들어 있는 주머니에서 임의로 하나씩 공을 꺼낼 때, 1이 적혀 있는 공이 나올 때까지 꺼내야 하는 공의 개수를 확률변수 X라고 하자.
이때 X의 기댓값은? (단, 꺼낸 공은 다시 주머니에 넣지 않는다.)

① 2　② 3　③ 4　④ 5　⑤ 6

▶ 해설 내신연계기출

1055 최다빈출 왕중요 NORMAL

주머니 속에 1부터 5까지의 자연수가 각각 하나씩 적힌 5개의 공이 들어 있다. 이 주머니에서 임의로 3개의 공을 동시에 꺼낼 때, 꺼낸 공에 적힌 수의 최솟값을 확률변수 X라 하자. 이때 X의 평균은?

① 1　② $\frac{4}{3}$　③ $\frac{3}{2}$　④ $\frac{5}{3}$　⑤ 2

▶ 해설 내신연계기출

1056 최다빈출 왕중요 NORMAL

100원짜리 동전 2개와 50원짜리 동전 1개를 던져서 앞면이 나오면 그 동전을 받기로 하는 게임에서 받을 수 있는 금액의 기댓값은?

① 100원　② 125원　③ 150원　④ 175원　⑤ 200원

▶ 해설 내신연계기출

1057 최다빈출 왕중요 NORMAL

500원짜리 동전 2개와 100원짜리 동전 6개가 들어있는 주머니에서 임의로 3개의 동전을 꺼낼 때, 나오는 동전을 받기로 하였다. 이때 받을 수 있는 금액의 기댓값은?

① 350원　② 400원　③ 450원　④ 500원　⑤ 600원

▶ 해설 내신연계기출

1058 NORMAL

주머니 안에 흰 공 4개와 검은 공 k개가 들어 있다. 주머니에서 임의로 꺼낸 공이 흰 공이면 7000원을 받고, 검은 공이면 3500원을 지불하는 게임을 한다. 이 게임에서 받을 수 있는 금액의 기댓값이 2500원일 때, k의 값은? (단, 꺼낸 공은 주머니에 다시 넣지 않는다.)

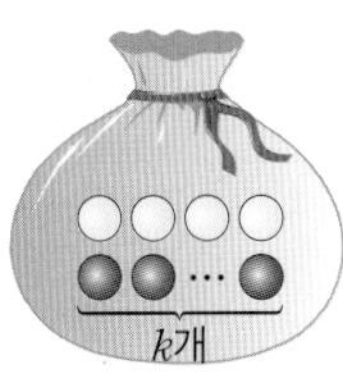

① 2　② 3　③ 4　④ 5　⑤ 6

1059

NORMAL

1부터 5까지의 자연수가 각각 하나씩 적혀 있는 5개의 서랍이 있다. 5개의 서랍 중 영희에게 임의로 2개를 배정해주려고 한다. 영희에게 배정되는 서랍에 적혀 있는 자연수 중 작은 수를 확률변수 X라 할 때, $\mathrm{E}(X)$의 값은?

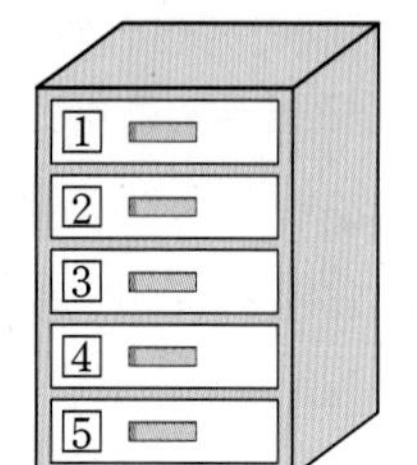

① 2　② 3　③ 4　④ 5　⑤ 6

1060

최다빈출 왕중요　NORMAL

주머니 A에는 1, 2, 3, 4의 숫자가 각각 하나씩 적힌 4장의 카드가 들어있고, 주머니 B에는 1, 2, 3, 4, 5의 숫자가 각각 하나씩 적힌 5개의 공이 들어 있다. 주머니 A에서 임의로 한 장의 카드를 꺼내고 주머니 B에서 임의로 하나의 공을 꺼낼 때 나오는 두 자연수 중 작지 않은 수를 확률변수 X라 하자. 이때 $\mathrm{E}(X)$의 값은?

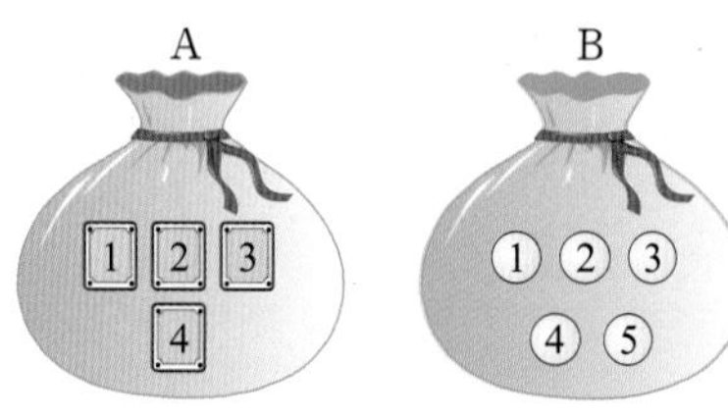

① $\frac{13}{4}$　② $\frac{7}{2}$　③ $\frac{15}{4}$　④ 4　⑤ $\frac{17}{4}$

▶ 해설 내신연계기출

1061

최다빈출 왕중요　TOUGH

어느 상품의 현재 가격은 1000원인데 매월 $\frac{1}{2}$인 확률로 20% 상승하거나 $\frac{1}{2}$인 확률로 20% 하락한다. 두 달 후 이 상품의 가격이 1000원 이하이면 1000원에서 그 가격을 뺀 금액을 받고, 1000원 이상이면 받지 않기로 하였다. 첫째달의 가격 변동과 둘째 달의 가격 변동이 독립일 때, 두 달 후 받을 수 있는 금액의 기댓값은?

① 100　② 110　③ 120　④ 150　⑤ 160

▶ 해설 내신연계기출

1062

TOUGH

한 개의 동전을 4번 던질 때, 다음 규칙에 따라 얻은 점수의 합을 확률변수 X라 할 때, $\mathrm{E}(X)$의 값은? (단, 첫 번째에 동전을 던져서 나온 결과에 대해서는 점수를 얻지 못한다.)

> (가) 앞면이 나온 후 앞면이 나오거나
> 뒷면이 나온 후 뒷면이 나오면 1점을 얻는다.
> (나) 앞면이 나온 후 뒷면이 나오거나
> 뒷면이 나온 후 앞면이 나오면 2점을 얻는다.

① $\frac{7}{2}$　② 4　③ $\frac{9}{2}$　④ 5　⑤ $\frac{11}{2}$

유형 08 확률분포가 주어지지 않은 경우 이산확률변수의 분산, 표준편차

[1단계] 확률변수 X가 취할 수 있는 값에 대하여 그 각각의 확률을 구한다.
[2단계] 확률변수 X의 확률분포를 표로 나타낸다.
[3단계] 확률변수 X의 분산, 표준편차를 구한다.

1063 학교기출 대표 유형

흰 공 3개, 검은 공 2개가 들어 있는 주머니에서 임의로 2개의 공을 꺼낼 때, 검은 공이 나오는 개수를 확률변수 X라 할 때, 분산 $\mathrm{V}(X)$의 값은?

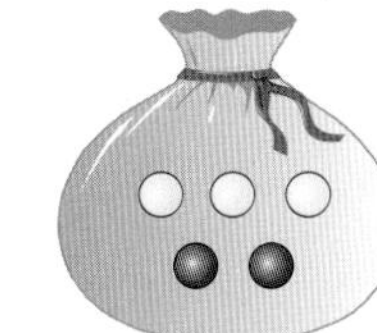

① $\frac{3}{25}$ ② $\frac{7}{25}$ ③ $\frac{9}{25}$
④ $\frac{11}{25}$ ⑤ $\frac{13}{25}$

1064 NORMAL

불량품 2개가 포함된 6개의 제품 중에서 임의로 3개의 제품을 동시에 뽑을 때 나오는 불량품의 개수를 확률변수 X라고 하자. $\mathrm{V}(X)$의 값은?

① $\frac{2}{5}$ ② $\frac{5}{6}$ ③ 1
④ $\frac{7}{5}$ ⑤ $\frac{5}{3}$

1065 최다빈출 왕 중요 NORMAL

흰 공이 3개, 검은 공이 2개 들어 있는 주머니에서 임의로 공을 한 개씩 꺼내어 공의 색을 조사한다. 이 주머니에서 검은 공을 모두 꺼낼 때까지 공을 꺼낸 총 횟수를 확률변수 X라 하자. $\mathrm{V}(X)$의 값은? (단, 꺼낸 공은 주머니에 다시 넣지 않는다.)

① $\frac{4}{5}$ ② 1 ③ $\frac{8}{5}$
④ $\frac{11}{5}$ ⑤ 2

▶ 해설 내신연계기출

1066 최다빈출 왕 중요 NORMAL

그림과 같이 A주머니에는 검은 공 4개, B주머니에는 검은 공 3개, 흰 공 1개, C주머니에는 검은 공 2개, 흰 공 2개가 들어 있다. 세 주머니 A, B, C에서 각각 공을 임의로 한 개씩 꺼낼 때, 꺼낸 공 중 흰 공의 개수를 확률변수 X라 하자. $\mathrm{V}(X)$의 값은?

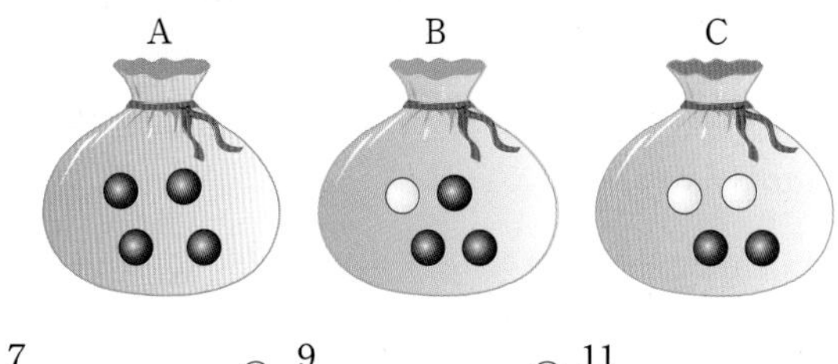

① $\frac{7}{16}$ ② $\frac{9}{16}$ ③ $\frac{11}{16}$
④ $\frac{3}{4}$ ⑤ $\frac{13}{16}$

▶ 해설 내신연계기출

1067 최다빈출 왕 중요 NORMAL

0, 1, 2, 3의 숫자가 하나씩 쓰여진 4장의 카드 중에서 임의로 두 장을 동시에 택했을 때, 카드에 적힌 숫자의 차를 확률변수 X라고 하자. 확률변수 X의 표준편차는?

① $\frac{\sqrt{3}}{5}$ ② $\frac{\sqrt{3}}{3}$ ③ $\frac{\sqrt{5}}{3}$
④ $\frac{\sqrt{3}}{2}$ ⑤ $\sqrt{3}$

▶ 해설 내신연계기출

1068 TOUGH

오른쪽 그림과 같이 좌표평면 위에 x좌표와 y좌표가 각각 0 또는 1 또는 2인 9개의 점이 있다. 이 9개의 점 중에서 임의로 서로 다른 2개의 점을 동시에 택할 때, 두 점의 x좌표의 합을 확률변수 X라 하자. $\mathrm{V}(X)$의 값은?

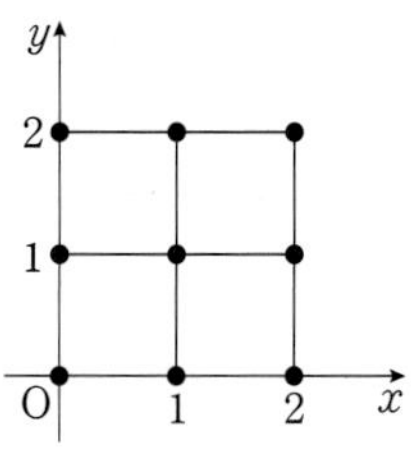

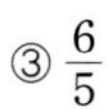

① $\frac{8}{9}$ ② $\frac{7}{6}$ ③ $\frac{6}{5}$
④ $\frac{5}{9}$ ⑤ $\frac{2}{3}$

01 확률변수와 확률분포

유형 09 E(X), V(X), E(X^2)가 주어진 경우 확률변수 $aX+b$의 평균과 분산, 표준편차

확률변수 X와 상수 a, $b(a\neq 0)$에 대하여 $aX+b$의 평균과 분산의 성질은 다음과 같다.

① $\mathrm{E}(aX+b)=a\mathrm{E}(X)+b$
② $\mathrm{V}(aX+b)=a^2\mathrm{V}(X)$
③ $\sigma(aX+b)=|a|\sigma(X)$
④ $\mathrm{E}(aX^2+bX+c)=a\mathrm{E}(X^2)+b\mathrm{E}(X)+c$

참고 $\mathrm{V}(X)=\mathrm{E}(X^2)-\{\mathrm{E}(X)\}^2$에서 $\mathrm{E}(X^2)=\mathrm{V}(X)+\{\mathrm{E}(X)\}^2$

1069 학교기출 대표 유형

확률변수 X에 대하여

$$\mathrm{E}(X)=11,\ \mathrm{E}(X^2)=125$$

일 때, $\sigma(2X+3)$의 값은?

① 2 ② 3 ③ 4
④ 5 ⑤ 6

1070 최다빈출 왕 중요 BASIC

이산확률변수 X에 대하여 $\mathrm{E}(X)=3$, $\mathrm{V}(X)=4$일 때,

$$\mathrm{E}(aX+b)=0,\ \mathrm{V}(aX+b)=1$$

이 되도록 하는 상수 a, b에 대하여 $a+b$의 값은? (단, $a>0$)

① -5 ② -3 ③ -2
④ -1 ⑤ 5

▶ 해설 내신연계기출

1071 최다빈출 왕 중요 NORMAL

확률변수 X에 대하여 $\mathrm{E}(X)=5$, $\mathrm{E}(X^2)=45$일 때,

$$\mathrm{E}(aX+b)=30,\ \mathrm{V}(aX+b)=80$$

을 만족시키는 상수 a, b에 대하여 $a+b$의 값은? (단, $a<0$)

① 32 ② 34 ③ 36
④ 38 ⑤ 40

▶ 해설 내신연계기출

1072 NORMAL

확률변수 X에 대하여

$$\mathrm{E}(3X+1)=7,\ \mathrm{E}(X^2)=5$$

일 때, 확률변수 $Y=2X-1$의 평균과 표준편차의 합은?

① 3 ② 4 ③ 5
④ 6 ⑤ 7

1073 최다빈출 왕 중요 NORMAL

확률변수 X에 대하여

$$\mathrm{E}(5X-3)=0,\ \mathrm{V}(5X-3)=1$$

일 때, $\mathrm{E}(X^2)$의 값은?

① $\frac{1}{5}$ ② $\frac{2}{5}$ ③ $\frac{3}{5}$
④ $\frac{3}{4}$ ⑤ $\frac{4}{5}$

▶ 해설 내신연계기출

1074 TOUGH

어떤 과목의 시험점수 X의 평균이 m점이고 표준편차가 σ점일 때, 새로운 확률변수 T를

$$T=a\times\frac{X-m}{\sigma}+b$$

로 정하였다. T의 평균이 100점, 표준편차가 20점이 되도록 하는 두 상수 a, b에 대하여 $a+b$의 값은? (단, $a>0$)

① 80 ② 90 ③ 100
④ 110 ⑤ 120

유형 10 확률질량함수가 주어진 경우 이산확률변수의 평균과 분산, 표준편차

[1단계] 확률변수 X의 확률질량함수를 확률분포 표로 나타낸다.
[2단계] $\mathrm{E}(X)$, $\mathrm{E}(X^2)$을 구한다.
[3단계] 분산 $\mathrm{V}(X)=\mathrm{E}(X^2)-\{\mathrm{E}(X)\}^2$을 구한다.
[4단계] 확률변수 $aX+b$의 평균과 분산을 구한다.
① $\mathrm{E}(aX+b)=a\mathrm{E}(X)+b$
② $\mathrm{V}(aX+b)=a^2\mathrm{V}(X)$

1075 학교기출 대표유형

확률변수 X의 확률질량함수가

$$\mathrm{P}(X=x)=\frac{x+2}{20}\ (x=0,\ 1,\ 2,\ 3,\ 4)$$

일 때, $\mathrm{V}(2X+3)$은?

① 4 ② 7 ③ 9
④ 11 ⑤ 12

▶ 해설 내신연계기출

1076 NORMAL

확률변수 X의 확률질량함수가

$$\mathrm{P}(X=x)=ax\ (x=1,\ 2,\ 3,\ \cdots,\ 10)$$

일 때, 확률변수 $3X-10$의 기댓값 $\mathrm{E}(3X-10)$의 값은?

① 10 ② 11 ③ 13
④ 15 ⑤ 18

1077 최다빈출 왕중요 NORMAL

이산확률변수 X가 갖는 값이 1, 2, 3, 4이고, X의 확률질량함수가

$$\mathrm{P}(X=x)=ax\ (x=1,\ 2,\ 3,\ 4)$$

일 때, $\mathrm{V}(aX)$의 값은? (단, a는 상수이다.)

① $\frac{1}{100}$ ② $\frac{1}{10}$ ③ 1
④ 10 ⑤ 100

▶ 해설 내신연계기출

1078 최다빈출 왕중요 NORMAL

이산확률변수 X의 확률질량함수가

$$\mathrm{P}(X=x)=\frac{ax+2}{10}\ (x=-1,\ 0,\ 1,\ 2)$$

일 때, $\mathrm{V}(3X+2)$의 값은? (단, a는 상수)

① 9 ② 18 ③ 27
④ 36 ⑤ 45

▶ 해설 내신연계기출

1079 NORMAL

확률변수 X의 확률질량함수가

$$\mathrm{P}(X=x)=\frac{4-x}{a}\ (x=0,\ 1,\ 2,\ 3)$$

일 때, $\mathrm{V}(aX+3)$의 값은? (단, k는 상수이다.)

① 1 ② 10 ③ 20
④ 50 ⑤ 100

1080 최다빈출 왕중요 TOUGH

확률변수 X가 갖는 값이 -1, 0, 1, 2이고 X의 확률질량함수가

$$\mathrm{P}(X=x)=\frac{x+2}{10}\ (x=-1,\ 0,\ 1,\ 2)$$

일 때, 두 상수 a, b에 대하여

$$\mathrm{E}(aX+b)=0,\ \mathrm{V}(aX+b)=1$$

를 만족시킬 때, $3a+b$의 값은? (단, $a>0$)

① 1 ② 2 ③ 3
④ 4 ⑤ 5

▶ 해설 내신연계기출

유형 11 확률분포가 표로 주어진 경우 확률변수 $aX+b$의 평균, 분산, 표준편차

[1단계] 모든 확률의 합이 1임을 이용하여 확률분포의 표를 완성한다.
[2단계] $\mathrm{E}(X)$, $\mathrm{V}(X)$의 값을 구한다.
[3단계] $\mathrm{E}(X)$, $\mathrm{V}(X)$를 이용하여 $\mathrm{E}(aX+b)$, $\mathrm{V}(aX+b)$의 값을 구한다.

1081 학교기출 대표 유형

이산확률변수 X의 확률분포를 표로 나타내면 다음과 같다.

X	2	4	6	8	합계
$\mathrm{P}(X=x)$	$\frac{2}{5}$	$\frac{3}{10}$	$\frac{1}{5}$	$\frac{1}{10}$	1

확률변수 $Y=3X+2$의 기댓값과 표준편차의 합은?

① 14 ② 16 ③ 20
④ 24 ⑤ 30

1082 BASIC

확률변수 X의 확률분포를 표로 나타내면 다음과 같다.

X	0	1	2	합계
$\mathrm{P}(X=x)$	$\frac{1}{4}$	$\frac{1}{2}$	a	b

$\mathrm{E}(aX+b)$의 값은? (단, a, b는 상수이다.)

① $\frac{3}{4}$ ② 1 ③ $\frac{5}{4}$
④ $\frac{3}{2}$ ⑤ $\frac{7}{4}$

1083 최다빈출 왕중요 BASIC

확률변수 X의 확률분포를 표로 나타내면 다음과 같다.

X	0	1	2	합계
$\mathrm{P}(X=x)$	$\frac{1}{4}$	a	$2a$	1

$\mathrm{E}\left(\frac{1}{a}X+10\right)$의 값은? (단, a는 상수이다.)

① 11 ② 12 ③ 13
④ 14 ⑤ 15

▶ 해설 내신연계기출

1084 최다빈출 왕중요 BASIC

확률변수 X의 확률분포가 다음 표와 같을 때,

X	1	2	3	4	5	합계
$\mathrm{P}(X=x)$	$\frac{3}{10}$	p	$\frac{1}{10}$	p	p	1

확률변수 $5X+3$의 평균 $\mathrm{E}(5X+3)$은? (단, p는 상수이다.)

① 17 ② 18 ③ 19
④ 20 ⑤ 21

▶ 해설 내신연계기출

1085 NORMAL

확률변수 X의 확률분포를 표로 나타내면 다음과 같다.

X	1	2	3	4	합계
$\mathrm{P}(X=x)$	$\frac{1}{4}$	$2a$	$\frac{1}{4}$	a	1

$\mathrm{V}(3X+1)$의 값은? (단, a는 상수)

① $\frac{2}{3}$ ② $\frac{11}{3}$ ③ $\frac{19}{4}$
④ $\frac{19}{2}$ ⑤ $\frac{31}{2}$

1086 최다빈출 왕중요 NORMAL

확률변수 X의 확률분포를 표로 나타내면 다음과 같다.

X	2	3	4	a	합계
$\mathrm{P}(X=x)$	b	$\frac{1}{3}$	b	$\frac{1}{6}$	1

$\mathrm{E}(X)=\frac{7}{2}$일 때, $\mathrm{V}(-2X+3)$의 값은?

① 7 ② 14 ③ 21
④ 28 ⑤ 32

▶ 해설 내신연계기출

1087 NORMAL

이산확률변수 X의 확률분포를 표로 나타내면 다음과 같다.

X	-3	1	2	합계
$\mathrm{P}(X=x)$	$\frac{1}{7}$	a	b	1

$\mathrm{E}(7X+2)=9$일 때, $\mathrm{V}(7X)$의 값은? (단, a, b는 상수이다.)

① 110 ② 120 ③ 130
④ 140 ⑤ 150

1088 최다빈출 왕중요 NORMAL

확률변수 X의 확률분포를 표로 나타내면 다음과 같다.

X	-5	0	5	10	합계
$\mathrm{P}(X=x)$	$\frac{1}{5}$	$\frac{1}{2}$	$\frac{1}{5}$	$\frac{1}{10}$	1

$$\mathrm{E}(aX+2b)=8,\ \mathrm{V}(aX+b)=76$$

일 때, 두 상수 a, b에 대하여 $a+b$의 값은? (단, $a>0$)

① 3 ② 4 ③ 5
④ 6 ⑤ 7

▶ 해설 내신연계기출

1089 TOUGH

확률변수 X의 확률분포를 표로 나타내면 다음과 같다.

X	0.121	0.221	0.321	합계
$\mathrm{P}(X=x)$	a	b	$\frac{2}{3}$	1

다음은 $\mathrm{E}(X)=0.271$일 때, $\mathrm{V}(X)$를 구하는 과정이다.

$Y=10X-2.21$이라 하자.
확률변수 Y의 확률분포를 표로 나타내면 다음과 같다.

Y	-1	0	1	계
$\mathrm{P}(Y=y)$	a	b	$\frac{2}{3}$	1

$\mathrm{E}(Y)=10\mathrm{E}(X)-2.21=0.5$이므로

$a=$ (가), $b=$ (나)

이고 $\mathrm{V}(Y)=\frac{7}{12}$이다.

한편, $Y=10X-2.21$이므로 $\mathrm{V}(Y)=$ (다) $\times\mathrm{V}(X)$이다.

따라서 $\mathrm{V}(X)=\frac{1}{(\text{다})}\times\frac{7}{12}$이다.

위의 (가), (나), (다)에 알맞은 수를 각각 p, q, r이라 할 때, pqr의 값은? (단, a, b는 상수이다.)

① $\frac{13}{9}$ ② $\frac{16}{9}$ ③ $\frac{19}{9}$
④ $\frac{22}{9}$ ⑤ $\frac{25}{9}$

1090 TOUGH

확률변수 X의 확률분포를 표로 나타내면 다음과 같다.

X	2	4	8	16	합계
$\mathrm{P}(X=x)$	$\frac{{}_4\mathrm{C}_1}{k}$	$\frac{{}_4\mathrm{C}_2}{k}$	$\frac{{}_4\mathrm{C}_3}{k}$	$\frac{{}_4\mathrm{C}_4}{k}$	1

$\mathrm{E}(3X+1)$의 값은? (단, k는 상수이다.)

① 13 ② 14 ③ 15
④ 16 ⑤ 17

유형 12 확률분포가 표로 주어지지 않은 경우 확률변수 $aX+b$의 평균과 분산, 표준편차

[1단계] 확률변수 X가 취할 수 있는 값에 대하여 그 각각의 확률을 구한다.
[2단계] 확률변수 X의 확률분포를 표로 나타낸다.
[3단계] 확률변수 X의 평균, 분산, 표준편차를 구한다.
[4단계] $\mathrm{E}(X)$, $\mathrm{V}(X)$를 이용하여 $\mathrm{E}(aX+b)=a\mathrm{E}(X)+b$
$\mathrm{V}(aX+b)=a^2\mathrm{V}(X)$의 값을 구한다.

1091 학교기출 대표 유형

흰 공 3개와 검은 공 2개가 들어 있는 주머니에서 2개의 공을 꺼낼 때, 그 속에 포함된 흰 공의 개수를 확률변수 X라고 하자.
이때 $\mathrm{E}(5X+4)+\sigma(5X+10)$의 값은?

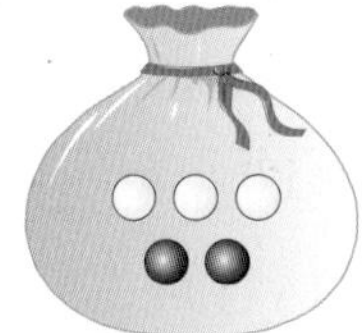

① 9 ② 13 ③ 15 ④ 18 ⑤ 21

1092 NORMAL

어떤 제품 보관 상자 안에 들어있는 5개의 제품 중에는 품질 검사를 통과하지 못한 불량품이 2개 포함되어 있다.
이 상자에서 임의로 2개의 제품을 동시에 꺼낼 때, 꺼낸 제품 중에서 불량품의 개수를 확률변수 X라 하자.
이때 $\mathrm{E}(5X+2)+\sigma(5X-1)$의 값은?

① 9 ② 12 ③ 15 ④ 18 ⑤ 21

1093 최다빈출 왕 중요 NORMAL

각 면에 1, 2, 3, 4의 숫자가 각각 하나씩 적힌 정사면체가 있다. 이 정사면체를 던져서 바닥에 놓인 면에 적힌 숫자를 확률변수 X라 할 때, $\mathrm{V}(2X+1)$의 값은?

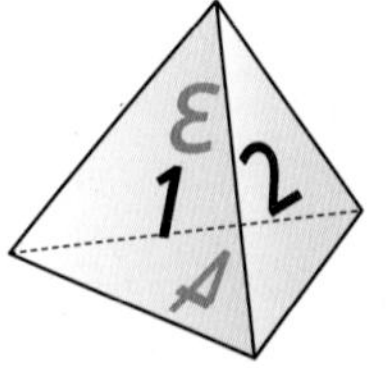

① 3 ② 4 ③ 5 ④ 6 ⑤ 7

▶ 해설 내신연계기출

1094 NORMAL

주머니 속에 1부터 5까지의 숫자가 하나씩 적혀 있는 5장의 카드가 있다. 이 주머니에서 임의로 동시에 2장의 카드를 꺼낼 때, 꺼낸 두 카드에 적혀 있는 수 중 작은 수를 확률변수 X라 하자.
$\mathrm{E}(5X+2)+\mathrm{V}(5X+2)$의 값은?

① 20 ② 25 ③ 32 ④ 37 ⑤ 39

1095 최다빈출 왕 중요 NORMAL

1, 1, 1, 2, 2, 3의 숫자가 각 면에 하나씩 적혀있는 정육면체 모양의 상자가 있다. 이 상자를 한 번 던져서 나오는 수를 확률변수 X라 하자. 확률변수 $3X-2$의 평균은?

① 1 ② 3 ③ 5 ④ 7 ⑤ 9

▶ 해설 내신연계기출

1096 최다빈출 왕 중요 NORMAL

각 면에 a, 3, 3, 3, 5, 5의 숫자가 하나씩 적혀 있는 정육면체 모양의 상자가 있다. 이 상자를 던졌을 때, 윗면에 적힌 수를 확률변수 X라 하자. $\mathrm{E}(X)=\frac{10}{3}$일 때, $\mathrm{V}(3X+1)$의 값은?

① 15 ② 16 ③ 17 ④ 18 ⑤ 19

▶ 해설 내신연계기출

1097

NORMAL

두 개의 동전을 동시에 던져서 앞면이 나오는 동전의 개수를 확률변수 X라 하고 할 때, $\mathrm{E}(2X+1)+\mathrm{V}(4X+5)$의 값은?

① 11 ② 14 ③ 17
④ 20 ⑤ 23

1098

NORMAL

한 개의 주사위를 한 번 던져서 나오는 눈의 수의 100배를 상금으로 받는 게임이 있다. 주사위를 던져서 나오는 눈의 수를 확률변수 X, 받는 상금을 확률변수 Y라 할 때, Y의 평균은?

① 200 ② 250 ③ 300
④ 350 ⑤ 400

1099

최다빈출 왕 중요

TOUGH

정육면체 모양의 세 상자 A, B, C의 각 면에 하나씩 적혀 있는 수가 다음과 같다.

> A : 1, 2, 3, 4, 5, 6
> B : 2, 4, 6, 8, 10, 12
> C : 6, 7, 8, 9, 10, 11

세 상자 A, B, C를 던져서 윗면에 적혀 있는 수를 각각 확률변수 X, Y, Z라 할 때, 다음 조건을 만족하는 상수 a, b에 대하여 $a+b$의 값은?

> (가) $\mathrm{E}(X)+\mathrm{E}(Y)+\mathrm{E}(Z)=a$
> (나) $\mathrm{V}(X)+\mathrm{V}(Y)+\mathrm{V}(Z)=b$

① $\frac{35}{2}$ ② $\frac{39}{2}$ ③ 35
④ $\frac{73}{2}$ ⑤ 37

▶ 해설 내신연계기출

1100

최다빈출 왕 중요

TOUGH

한 모서리의 길이가 2인 정육면체의 8개의 꼭짓점 중에서 임의로 서로 다른 세 개의 꼭짓점을 택하여 만든 삼각형의 넓이를 확률변수 X라 할 때, $\mathrm{E}(X^2)$의 값은?

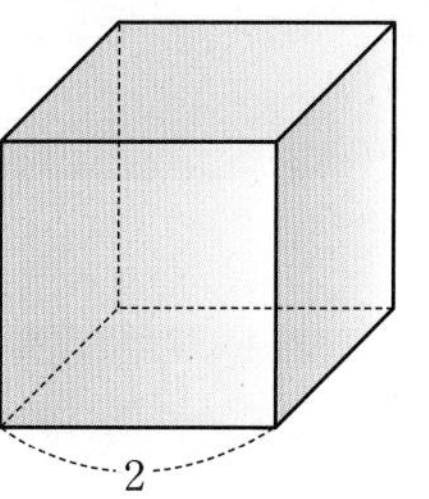

① 4 ② $\frac{32}{7}$
③ $\frac{37}{7}$ ④ 6
⑤ $\frac{48}{7}$

▶ 해설 내신연계기출

1101

최다빈출 왕 중요

TOUGH

오른쪽 그림과 같이 한 변의 길이가 2인 정육각형의 6개의 꼭짓점 중에서 임의로 세 점을 택하여 이 세 점을 꼭짓점으로 하는 삼각형의 넓이를 확률변수 X라 할 때, $\mathrm{E}(5X)$의 값은?

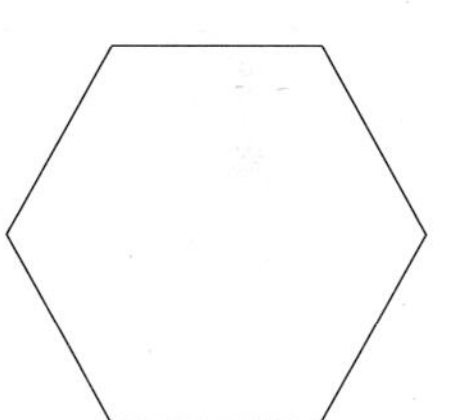

① $3\sqrt{3}$ ② $6\sqrt{2}$
③ $6\sqrt{3}$ ④ $9\sqrt{3}$
⑤ $12\sqrt{2}$

▶ 해설 내신연계기출

1102

최다빈출 왕 중요

TOUGH

주머니 속에 1, 2, 3, 4, 5의 번호가 각각 적힌 5개의 공이 들어 있다. 이 중에서 세 개의 공을 동시에 꺼낼 때, 가장 작은 수를 X라고 하자. 상수 a에 대하여 확률변수 $(10X-a)^2$의 기댓값이 최소일 때, a의 값은?

① 15 ② 30 ③ 35
④ 45 ⑤ 50

▶ 해설 내신연계기출

학교내신기출 객관식 핵심문제총정리

02 이항분포

STEP 1 내신정복 기출유형

유형 01 이항분포와 독립시행의 확률

(1) 이항분포

한 번의 시행에서 사건 A가 일어날 확률을 p, 일어나지 않을 확률을 $q(q=1-p)$라 하고 n번의 독립시행에서 사건 A가 일어나는 횟수를 확률변수 X라 하면 X의 확률질량함수는 독립시행의 확률에 의하여

$$\mathrm{P}(X=r)=\begin{cases} q^n & (r=0) \\ {}_n\mathrm{C}_r p^r q^{n-r} & (r=1, 2, \cdots, n-1) \\ p^n & (r=n) \end{cases}$$

이다.

(2) 확률변수 X의 확률분포를 표로 나타내면 다음과 같다

X	0	1	$\cdots$	r	$\cdots$	n
$\mathrm{P}(X=x)$	${}_n\mathrm{C}_0p^0q^n$	${}_n\mathrm{C}_1p^1q^{n-1}$	$\cdots$	${}_n\mathrm{C}_rp^rq^{n-r}$	$\cdots$	${}_n\mathrm{C}_np^nq^0$

이와 같은 확률변수 X의 확률분포를 이항분포라고 하며,

이것을 기호로 $\mathrm{B}(n,\ p)$와 같이 나타내고

'확률변수 X는 이항분포 $\mathrm{B}(n,\ p)$를 따른다.' 고 한다.

① 이항분포에서 각 확률의 모든 합은 1이다.

$\displaystyle\sum_{r=0}^{n}\mathrm{P}(X=r)=\sum_{r=0}^{n}{}_n\mathrm{C}_rp^rq^{n-r}=(p+q)^n=1$ ($\because$ 이항정리)

② $\displaystyle\mathrm{P}(a\le X\le b)=\sum_{r=a}^{b}{}_n\mathrm{C}_rp^rq^{n-r}$ (단, a, b는 정수)

1103 학교기출 대표 유형

확률변수 X가 다음 중 이항분포 $\mathrm{B}(n,\ p)$를 따르지 않는 것은?

① 흰 공 2개, 검은 공 3개가 들어 있는 주머니에서 한 번에 2개의 공을 꺼내어 보고 다시 넣는 시행을 10번 반복할 때, 흰 공만 2개가 나오는 횟수 X
② 주사위를 10번 던질 때, 2 이하의 눈이 나오는 횟수 X
③ 동전을 던지는 시행에서 앞면이 10번 나올 때까지 시행한 횟수 X
④ 적중률이 0.9인 사격선수가 목표물을 향해 200번 쏠 때, 목표물을 맞힌 횟수 X
⑤ 불량률이 20%인 공장에서 100개의 제품을 생산할 때, 나오는 불량품의 개수 X

▶ 해설 내신연계기출

1104 BASIC

한 개의 주사위를 500번 던지는 시행에서 3의 배수의 눈이 나오는 횟수를 확률변수 X라 할 때, 확률변수 X의 확률질량함수는

$$\mathrm{P}(X=r)={}_n\mathrm{C}_r a^r\left(\frac{2}{3}\right)^{n-r}\ (r=0,\ 1,\ 2,\ 3,\ \cdots,\ 500)$$

이다. 이때 na의 값은? (단, a는 상수)

① $\frac{300}{5}$　② $\frac{500}{3}$　③ 200
④ 250　⑤ 300

1105 BASIC

확률변수 X는 이항분포 $\mathrm{B}\left(n,\ \frac{1}{2}\right)$을 따른다.

$$\mathrm{P}(X=2)=10\mathrm{P}(X=1)$$

이 성립할 때, n의 값은?

① 12　② 21　③ 24
④ 32　⑤ 36

1106 최다빈출 왕중요 NORMAL

한 개의 주사위를 4번 던져 4 이하의 눈이 나오는 횟수를 확률변수 X라고 할 때, $\mathrm{P}(X\le 1)$의 값은?

① $\frac{1}{9}$　② $\frac{2}{9}$　③ $\frac{1}{3}$
④ $\frac{5}{27}$　⑤ $\frac{2}{3}$

▶ 해설 내신연계기출

1107

NORMAL

어느 씨앗의 발아율은 90%라고 한다. 이 씨앗 중에서 임의로 10개를 심었을 때 발아하는 씨앗의 개수를 확률변수 X라고 하자. $P(X \geq 9)=k \times \frac{9^9}{10^{10}}$일 때, 상수 k의 값은?

① 11 ② 13 ③ 17
④ 19 ⑤ 21

1108

최다빈출 왕중요 NORMAL

확률변수 X는 이항분포 $B(3,\ p)$를 따르고, 확률 $P(X<1)=\frac{1}{27}$이다. 확률변수 Y가 이항분포 $B(4,\ p)$를 따를 때, 확률 $P(Y \geq 1)$은?

① $\frac{1}{81}$ ② $\frac{31}{81}$ ③ $\frac{10}{81}$
④ $\frac{71}{81}$ ⑤ $\frac{80}{81}$

▶ 해설 내신연계기출

1109

TOUGH

어느 창고에 부품 S가 3개, 부품 T가 2개 있는 상태에서 부품 2개를 추가로 들여왔다. 추가된 부품은 S 또는 T이고 추가된 부품 중 S의 개수는 이항분포 $B\left(2,\ \frac{1}{2}\right)$을 따른다. 이 7개의 부품 중 임의로 1개를 선택한 것이 T일 때, 추가된 부품이 모두 S일 확률은?

① $\frac{1}{6}$ ② $\frac{1}{4}$ ③ $\frac{1}{3}$
④ $\frac{1}{2}$ ⑤ $\frac{3}{4}$

유형 02 이항분포 $B(n,\ p)$가 주어지는 경우 확률변수 X의 평균과 분산, 표준편차

확률변수 X가 이항분포 $B(n,\ p)$를 따를 때,
확률변수 X의 평균과 분산, 표준편차는 다음과 같다.

① 평균 $E(X)=np$
② 분산 $V(X)=np(1-p)$
③ X^2의 평균
$E(X^2)=V(X)+\{E(X)\}^2=np(1-p)+\{np\}^2$
⬅ $V(X)=E(X^2)-\{E(X)\}^2$

$B(n,\ p)$ — n: 시행횟수, p: 확률

참고 (~)번에서 (~)번인 확률 ⇨ 독립시행의 정리
(~)번에서 (~)번 나오는 횟수 ⇨ 이항분포

1110

학교기출 대표유형

확률변수 X가 이항분포 $B(24,\ p)$를 따르고 X의 평균이 12일 때, X의 분산은?

① 4 ② 5 ③ 6
④ 7 ⑤ 8

1111

최다빈출 왕중요 BASIC

확률변수 X가 이항분포 $B\left(n,\ \frac{1}{3}\right)$을 따르고 분산이 20일 때, X의 평균은?

① 10 ② 12 ③ 20
④ 30 ⑤ 60

▶ 해설 내신연계기출

1112

NORMAL

확률변수 X가 이항분포 $B\left(32,\ \frac{1}{4}\right)$을 따를 때, 이차방정식 $x^2+ax+b=0$의 두 근이 $E(X)$, $V(X)$이다.
두 상수 a, b에 대하여 $a+b$의 값은?

① 32 ② 34 ③ 36
④ 42 ⑤ 44

1113 NORMAL

확률변수 X가 이항분포 $\mathrm{B}(9,\ p)$를 따르고

$$\{\mathrm{E}(X)\}^2=\mathrm{V}(X)$$

일 때, p의 값은? (단, $0<p<1$)

① $\frac{1}{13}$ ② $\frac{1}{12}$ ③ $\frac{1}{11}$

④ $\frac{1}{10}$ ⑤ $\frac{1}{9}$

1114 최다빈출 왕중요 NORMAL

이항분포 $\mathrm{B}(12,\ p)$를 따르는 확률변수 X의 평균이 6일 때, $\mathrm{E}(X^2)$의 값은?

① 36 ② 39 ③ 45

④ 50 ⑤ 62

▶ 해설 내신연계기출

1115 최다빈출 왕중요 NORMAL

확률변수 X가 이항분포 $\mathrm{B}(n,\ p)$를 따르고

$$\mathrm{E}(X)=5,\ \mathrm{E}(X^2)=29$$

일 때, n의 값은?

① 23 ② 25 ③ 27

④ 29 ⑤ 31

▶ 해설 내신연계기출

1116 NORMAL

확률변수 X가 이항분포 $\mathrm{B}\left(n,\ \frac{1}{10}\right)$을 따르고

$$\mathrm{E}(X^2)=2\{\mathrm{E}(X)\}^2$$

일 때, n의 값은?

① 9 ② 10 ③ 11

④ 12 ⑤ 13

1117 최다빈출 왕중요 TOUGH

확률변수 X가 이항분포 $\mathrm{B}\left(n,\ \frac{1}{2}\right)$을 따르고

$$\mathrm{E}(X^2)=\mathrm{V}(X)+25$$

를 만족시킬 때, n의 값은?

① 10 ② 12 ③ 14

④ 16 ⑤ 18

▶ 해설 내신연계기출

유형 03 이항분포가 미지수로 주어질 때, 평균, 분산, 표준편차를 이용한 확률 구하기

확률변수 X가 이항분포 $\mathrm{B}(n,\ p)$를 따를 때,

① $\mathrm{P}(X=r)={}_n\mathrm{C}_r p^r q^{n-r}\ (r=0,\ 1,\ 2,\ \cdots,\ n)$

② $\mathrm{P}(a \le X \le b)=\sum_{r=a}^{b} {}_n\mathrm{C}_r p^r q^{n-r}$ (단 a, b는 정수)

③ $\mathrm{E}(X)=\sum_{r=0}^{n} r\,{}_n\mathrm{C}_r p^r q^{n-r}=np$

④ $\mathrm{V}(X)=\sum_{r=0}^{n} r^2\,{}_n\mathrm{C}_r p^r q^{n-r}-\left\{\sum_{r=0}^{n} r\,{}_n\mathrm{C}_r p^r q^{n-r}\right\}^2=npq$

1118 학교기출 대표 유형

확률변수 X가 이항분포 $\mathrm{B}(n,\ p)$를 따르고

$$\mathrm{E}(X)=8,\ \mathrm{V}(X)=4$$

일 때, $\mathrm{P}(X=2)$의 값은?

① $13\left(\frac{1}{2}\right)^{13}$　② $15\left(\frac{1}{2}\right)^{13}$　③ $17\left(\frac{1}{2}\right)^{13}$
④ $15\left(\frac{1}{2}\right)^{15}$　⑤ $17\left(\frac{1}{2}\right)^{17}$

1119 최다빈출 왕 중요 BASIC

확률변수 X가 값 x를 가질 확률이

$$\mathrm{P}(X=x)={}_n\mathrm{C}_x p^x(1-p)^{n-x}\ (\text{단, } x=0,\ 1,\ 2,\ \cdots,\ n)$$

이다.

$$\mathrm{E}(X)=1,\ \mathrm{V}(X)=\frac{9}{10}$$

일 때, $\frac{n}{p}$의 값은?

① 10　② 25　③ 50
④ 75　⑤ 100

▶ 해설 내신연계기출

1120 NORMAL

확률변수 X가 이항분포 $\mathrm{B}(16,\ p)$를 따르고

$$\mathrm{V}(X)=4$$

일 때, $\frac{\mathrm{P}(X=1)}{\mathrm{P}(X=2)}$의 값은?

① $\frac{2}{15}$　② $\frac{1}{5}$　③ $\frac{4}{15}$
④ $\frac{2}{5}$　⑤ $\frac{7}{15}$

1121 최다빈출 왕 중요 NORMAL

확률변수 X가 이항분포 $\mathrm{B}(n,\ p)$를 따르고 다음 두 조건을 모두 만족할 때, 평균 $\mathrm{E}(X)$는?

(가) $\mathrm{V}(X)=\frac{8}{9}$
(나) $\mathrm{P}(X=1)=8\mathrm{P}(X=0)$

① $\frac{1}{2}$　② $\frac{1}{3}$　③ $\frac{3}{4}$
④ $\frac{8}{3}$　⑤ $\frac{8}{7}$

▶ 해설 내신연계기출

1122 최다빈출 왕 중요 TOUGH

이항분포 $\mathrm{B}(n,\ p)$를 따르는 이산확률변수 X에 대하여

$$\mathrm{P}(X=0)=\mathrm{P}(X=n),\ \mathrm{V}(X)=5$$

를 만족시킬 때, $\mathrm{E}(X^2)$의 값은?

① 105　② 120　③ 150
④ 180　⑤ 200

▶ 해설 내신연계기출

유형 04 이항분포 $B(n,\ p)$가 주어진 경우 확률변수 $aX+b$의 평균과 분산, 표준편차

확률변수 X와 상수 a, b에 대하여 $aX+b$의 평균과 분산을 구할 때는 먼저 X의 평균과 분산을 구한 후 아래 성질을 이용한다.

① $\mathrm{E}(aX+b)=a\mathrm{E}(X)+b$

② $\mathrm{V}(aX+b)=a^2\mathrm{V}(X)$

③ $\sigma(aX+b)=|a|\sigma(X)$

④ $\mathrm{E}(aX^2+bX+c)=a\mathrm{E}(X^2)+b\mathrm{E}(X)+c$

참고 $\mathrm{V}(X)=\mathrm{E}(X^2)-\{\mathrm{E}(X)\}^2$에서 $\mathrm{E}(X^2)=\mathrm{V}(X)+\{\mathrm{E}(X)\}^2$

1123 학교기출 대표 유형

확률변수 X가 이항분포 $B(200,\ p)$를 따르고

$$\mathrm{E}(X)=40$$

일 때, 확률변수 $2X-1$의 분산 $\mathrm{V}(2X-1)$의 값은?

① 68 ② 96 ③ 128
④ 146 ⑤ 220

1124 BASIC

확률변수 X가 이항분포 $B\left(n,\ \frac{1}{3}\right)$을 따르고

$$\mathrm{E}(2X+5)=13$$

일 때, n의 값은?

① 6 ② 9 ③ 12
④ 15 ⑤ 18

1125 최다빈출 왕중요 NORMAL

이항분포 $B\left(n,\ \frac{1}{3}\right)$을 따르는 확률변수 X에 대하여

$$\mathrm{V}(2X-1)=80$$

일 때, $\mathrm{E}(2X-1)$의 값은?

① 51 ② 53 ③ 55
④ 57 ⑤ 59

▶ 해설 내신연계기출

1126 NORMAL

이항분포 $B(72,\ p)$를 따르는 확률변수 X에 대하여

$$\mathrm{E}(2X-3)=45$$

일 때, $\mathrm{V}(2X-3)$의 값은?

① 64 ② 68 ③ 70
④ 72 ⑤ 74

1127 최다빈출 왕중요 NORMAL

확률변수 X가 이항분포 $B\left(n,\ \frac{1}{5}\right)$을 따르고

$$\mathrm{E}\left(\frac{1}{4}X+10\right)=15$$

일 때, $\mathrm{E}(X^2)$의 값은?

① 412 ② 416 ③ 420
④ 424 ⑤ 428

▶ 해설 내신연계기출

1128 최다빈출 왕중요 NORMAL

확률변수 X가 이항분포 $B(n,\ p)$를 따르고

$$\mathrm{E}(2X-5)=175,\ \sigma(2X-5)=12$$

일 때, n의 값은?

① 130 ② 135 ③ 140
④ 145 ⑤ 150

▶ 해설 내신연계기출

유형 05 이항분포의 확률질량함수를 이용하여 확률변수 $aX+b$의 평균과 분산, 표준편차

확률변수 X와 상수 a, b에 대하여 $aX+b$의 평균과 분산을 구할 때는 먼저 X의 평균과 분산을 구한 후 아래 성질을 이용한다.

① $\mathrm{E}(aX+b)=a\mathrm{E}(X)+b$

② $\mathrm{V}(aX+b)=a^2\mathrm{V}(X)$

③ $\sigma(aX+b)=|a|\sigma(X)$

④ $\mathrm{E}(aX^2+bX+c)=a\mathrm{E}(X^2)+b\mathrm{E}(X)+c$

참고 $\mathrm{V}(X)=\mathrm{E}(X^2)-\{\mathrm{E}(X)\}^2$에서 $\mathrm{E}(X^2)=\mathrm{V}(X)+\{\mathrm{E}(X)\}^2$

1129 학교기출 대표 유형

확률변수 X가 이항분포 $\mathrm{B}\left(n, \frac{1}{2}\right)$을 따르고

$$\frac{\mathrm{P}(X=2)}{\mathrm{P}(X=1)}=10$$

이 성립할 때, $\mathrm{E}(2X+4)$의 값은?

① $\frac{21}{2}$ ② $\frac{25}{2}$ ③ 21
④ 23 ⑤ 25

1130 NORMAL

확률변수 X가 이항분포 $\mathrm{B}(n, p)$를 따르고

$$\mathrm{E}(X^2)=40,\ \mathrm{E}(3X+1)=19$$

일 때, $\frac{\mathrm{P}(X=1)}{\mathrm{P}(X=2)}$의 값은?

① $\frac{4}{17}$ ② $\frac{7}{17}$ ③ $\frac{10}{17}$
④ $\frac{13}{17}$ ⑤ $\frac{16}{17}$

1131 최다빈출 왕중요 NORMAL

확률변수 X가 이항분포 $\mathrm{B}(10, p)$를 따르고

$$\mathrm{P}(X=3)=\frac{4}{5}\mathrm{P}(X=4)$$

일 때, $\mathrm{E}(6X+5)$의 값은? (단, $0<p<1$)

① 25 ② 30 ③ 35
④ 40 ⑤ 45

▶ 해설 내신연계기출

1132 최다빈출 왕중요 TOUGH

확률변수 X가 이항분포 $\mathrm{B}\left(n, \frac{1}{4}\right)$을 따르고

$$9\mathrm{P}(X=3)=10\mathrm{P}(X=2)$$

일 때, $\sigma(6X+2)$의 값은?

① 3 ② 6 ③ 9
④ 12 ⑤ 15

▶ 해설 내신연계기출

1133 TOUGH

확률변수 X는 이항분포 $\mathrm{B}(30, p)$를 따르고 확률변수 Y는 이항분포 $\mathrm{B}(31, p)$를 따른다고 한다.

$$\mathrm{E}(Y)-\mathrm{E}(X)=\frac{1}{3}$$

일 때, $\mathrm{P}(Y\geq 1)-\mathrm{P}(X\geq 1)$의 값은?

① $\left(\frac{2}{3}\right)^{29}$ ② $\left(\frac{2}{3}\right)^{30}$ ③ $\frac{1}{3}\left(\frac{2}{3}\right)^{30}$
④ $\frac{1}{3}\left(\frac{2}{3}\right)^{31}$ ⑤ $\frac{1}{3}\left(\frac{2}{3}\right)^{32}$

02 이항분포

유형 06 이항분포의 확률질량함수가 주어진 경우 확률변수 X의 평균과 분산 구하기

확률변수 X가 이항분포 $\mathrm{B}(n,\ p)$를 따를 때

① $\mathrm{E}(X)=\sum_{r=0}^{n} r{}_{n}\mathrm{C}_{r}p^{r}q^{n-r}=np$

② $\mathrm{V}(X)=\sum_{r=0}^{n} r^{2}{}_{n}\mathrm{C}_{r}p^{r}q^{n-r}-\left\{\sum_{r=0}^{n} r{}_{n}\mathrm{C}_{r}p^{r}q^{n-r}\right\}^{2}=npq$

③ $\mathrm{E}(X^{2})=\sum_{r=0}^{n} r^{2}{}_{n}\mathrm{C}_{r}p^{r}q^{n-r}=npq+\{np\}^{2}$ ⬅ $\mathrm{E}(X^{2})=\mathrm{V}(X)+\{\mathrm{E}(X)\}^{2}$

1134 학교기출 대표 유형

확률변수 X의 확률질량함수가

$$\mathrm{P}(X=r)={}_{9}\mathrm{C}_{r}\left(\frac{1}{3}\right)^{r}\left(\frac{2}{3}\right)^{9-r}\ (r=0,\ 1,\ 2,\ \cdots,\ 9)$$

일 때, 다음 조건을 만족하는 $a,\ b,\ c$에 대하여 $a+b+c$의 값은?

$$a=\sum_{r=0}^{9}\mathrm{P}(X=r)$$

$$b=\sum_{r=0}^{9}r\cdot\mathrm{P}(X=r)$$

$$c=\sum_{r=0}^{9}r^{2}\cdot\mathrm{P}(X=r)$$

① 11 ② 12 ③ 14
④ 15 ⑤ 16

1135 최다빈출 왕 중요 BASIC

확률변수 X의 확률질량함수가

$$\mathrm{P}(X=x)={}_{50}\mathrm{C}_{x}\left(\frac{3}{5}\right)^{x}\left(\frac{2}{5}\right)^{50-x}\ (x=0,\ 1,\ 2,\ \cdots,\ 50)$$

일 때, $\mathrm{E}(X)+\mathrm{V}(X)$의 값은?

① 12 ② 15 ③ 30
④ 36 ⑤ 42

▶ 해설 내신연계기출

1136 NORMAL

확률변수 X의 확률질량함수가 다음과 같다.

$$\mathrm{P}(X=x)={}_{72}\mathrm{C}_{x}\left(\frac{1}{3}\right)^{x}\left(\frac{2}{3}\right)^{72-x}\ (x=0,\ 1,\ 2,\ \cdots,\ 72)$$

이때 $\mathrm{E}(2X-10)+\mathrm{V}(2X-10)$의 값은?

① 64 ② 101 ③ 102
④ 112 ⑤ 124

1137 최다빈출 왕 중요 NORMAL

확률변수 X의 확률질량함수가

$$\mathrm{P}(X=x)={}_{10}\mathrm{C}_{x}\left(\frac{1}{2}\right)^{10}\ (x=0,\ 1,\ 2,\ \cdots,\ 10)$$

일 때, $\mathrm{E}(X^{2})$의 값은?

① $\frac{5}{2}$ ② 5 ③ 15
④ 25 ⑤ $\frac{55}{2}$

▶ 해설 내신연계기출

1138 NORMAL

확률변수 X의 확률질량함수가 다음과 같다.

$$\mathrm{P}(X=x)={}_{50}\mathrm{C}_{x}p^{x}(1-p)^{50-x}\ (x=0,\ 1,\ 2,\ \cdots,\ 50)$$

X의 평균이 30일 때, $\mathrm{E}(X^{2})$의 값은?

① 412 ② 562 ③ 612
④ 816 ⑤ 912

1139 최다빈출 왕중요 NORMAL

자연수 n에 대하여 이산확률변수 X의 확률질량함수가

$$P(X=x)={}_{n}C_{x}\left(\frac{1}{2}\right)^{n}\ (x=0,\ 1,\ 2,\ \cdots,\ n)$$

이다. $V(X)=\frac{5}{2}$일 때, $E(X^2)$의 값은?

① $\frac{55}{2}$ ② 30 ③ $\frac{65}{2}$
④ 35 ⑤ $\frac{75}{2}$

▶ 해설 내신연계기출

1140 NORMAL

확률변수 X의 확률질량함수가

$$P(X=x)={}_{18}C_{x}\left(\frac{1}{3}\right)^{x}\left(\frac{2}{3}\right)^{18-x}\ (x=0,\ 1,\ 2,\ \cdots,\ 18)$$

일 때, $\sum_{x=0}^{18}x^2{}_{18}C_{x}\left(\frac{1}{3}\right)^{x}\left(\frac{2}{3}\right)^{18-x}$의 값은?

① 12 ② 31 ③ 40
④ 42 ⑤ 56

1141 TOUGH

확률변수 X의 확률질량함수가

$$P(X=r)={}_{100}C_{r}\left(\frac{1}{5}\right)^{r}\left(\frac{4}{5}\right)^{100-r}\ (r=0,\ 1,\ 2,\ \cdots,\ 100)$$

일 때, $\sum_{r=0}^{100}(r^2-r)P(X=r)$의 값은?

① 255 ② 315 ③ 396
④ 416 ⑤ 528

1142 TOUGH

어느 배구선수의 공격이 성공하는 횟수를 확률변수 X라 하면 n번 공격했을 때 k번 성공할 확률은 다음과 같다.

$$P(X=k)={}_{n}C_{k}\left(\frac{1}{2}\right)^{n}$$

이때 $\sum_{k=0}^{n}(k+1)^2P(X=k)=451$을 만족하는 n의 값은?

① 36 ② 40 ③ 45
④ 50 ⑤ 55

1143 TOUGH

한 개의 주사위를 200번 던지는 시행에서 3의 배수의 눈이 나오는 횟수를 확률변수 X라 할 때, X의 확률질량함수는

$$P(X=x)={}_{200}C_{x}a^{x}\left(\frac{2}{3}\right)^{200-x}\ (x=0,\ 1,\ 2,\ \cdots,\ 200)$$

이다. $E(3X+30a)$의 값은? (단, a는 상수이다.)

① 170 ② 190 ③ 210
④ 230 ⑤ 250

1144 최다빈출 왕중요 TOUGH

한 개의 주사위를 8번 던질 때, 소수의 눈이 나오는 횟수를 확률변수 X라고 하자. 상수 a에 대하여 확률변수 $(X-a)^2$의 평균의 최솟값은?

① 2 ② 3 ③ 4
④ 6 ⑤ 8

▶ 해설 내신연계기출

유형 07 이항분포가 주어지지 않을 때, 평균, 분산, 표준편차

[1단계] 확률변수 X가 따르는 이항분포 $B(n, p)$를 구한다.
시행횟수 n과 한 번의 시행에서 사건이 일어날 확률 p를 구하여 $B(n, p)$로 나타낸다.
[2단계] 이항분포의 평균, 분산, 표준편차를 구한다.
$E(X)=np$, $V(X)=np(1-p)$, $\sigma(X)=\sqrt{np(1-p)}$

참고 n번에서 r번인 확률 : 독립시행의 정리
n번에서 r번 나오는 횟수 : 이항분포

1145 학교기출 대표 유형

어느 농구선수가 자유투를 성공할 확률은 0.9라 한다. 이 선수가 100번의 자유투를 던질 때, 성공한 횟수를 확률변수 X라 하자. $E(X)+\sigma(X)$의 값은?

① 90 ② 93 ③ 96
④ 99 ⑤ 102

1146 BASIC

주사위 1개를 300번 던질 때, 소수의 눈이 나오는 횟수를 확률변수 X라고 하자. $E(X)+V(X)$의 값은?

① 150 ② 175 ③ 200
④ 225 ⑤ 250

1147 BASIC

두 개의 동전을 48번 던지는 시행에서 두 개 모두 앞면이 나오는 횟수를 확률변수 X라고 할 때, X^2의 평균 $E(X^2)$은?

① 144 ② 150 ③ 153
④ 156 ⑤ 162

1148 최다빈출 왕중요 NORMAL

두 개의 주사위 A, B를 동시에 400번 던질 때, 두 주사위의 눈의 수의 곱이 짝수가 되는 횟수를 확률변수 X라 하자. $E(X)+V(X)$의 값은?

① 325 ② 350 ③ 375
④ 400 ⑤ 425

▶ 해설 내신연계기출

1149 최다빈출 왕중요 NORMAL

100원짜리 동전 5개를 동시에 던져서 앞면이 나오는 동전을 모두 가지기로 할 때, 가질 수 있는 금액을 확률변수 X라고 하자. X의 분산은?

① 12000 ② 12500 ③ 15000
④ 25000 ⑤ 27500

▶ 해설 내신연계기출

1150

NORMAL

흰 공 2개, 검은 공 4개가 들어있는 상자에서 임의로 한 개의 공을 꺼내어 색을 확인한 후 다시 넣기를 45번 반복할 때, 흰 공이 나오는 횟수를 확률변수 X라 하자. $\mathrm{E}(X)+\mathrm{V}(X)$의 값은?

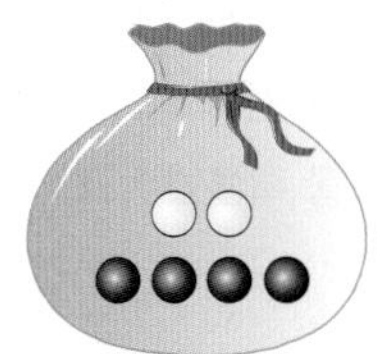

① 15 ② 20 ③ 25
④ 30 ⑤ 35

1151

최다빈출 왕중요 NORMAL

흰 공 2개, 검은 공 3개가 들어 있는 주머니에서 임의로 2개의 공을 동시에 꺼내 색을 확인하고 다시 주머니에 넣는 시행을 25회 반복할 때, 꺼낸 2개의 공의 색이 같은 횟수를 확률변수 X라 하자. $\mathrm{E}(X^2)$의 값은?

① 98 ② 104 ③ 106
④ 110 ⑤ 112

▶ 해설 내신연계기출

1152

최다빈출 왕중요 NORMAL

다음은 어느 백화점에서 판매하고 있는 등산화에 대한 제조회사별 고객의 선호도를 조사한 표이다.

제조회사	A	B	C	D	합계
선호도(%)	21	28	25	26	100

192명의 고객을 대상으로 선호도를 조사할 때, C회사 제품을 택하는 고객의 수를 확률변수 X라고 한다. 이때 X의 평균과 표준편차의 합은?

① 16 ② 50 ③ 54
④ 60 ⑤ 64

▶ 해설 내신연계기출

1153

최다빈출 왕중요 NORMAL

한 개의 주사위를 20번 던질 때, 1의 눈이 나오는 횟수를 확률변수 X라 하고, 한 개의 동전을 n번 던질 때 앞면이 나오는 횟수를 확률변수 Y라 하자. Y의 분산이 X의 분산보다 크게 되도록 하는 n의 최솟값은?

① 9 ② 10 ③ 11
④ 12 ⑤ 13

▶ 해설 내신연계기출

1154

최다빈출 왕중요 TOUGH

한 개의 주사위를 던져 나온 눈의 수 a에 대하여 직선 $y=ax$와 곡선 $y=x^2-2x+4$가 서로 다른 두 점에서 만나는 사건을 A라 하자. 한 개의 주사위를 300회 던지는 독립시행에서 사건 A가 일어나는 횟수를 확률변수 X라 할 때, X의 평균 $\mathrm{E}(X)$는?

① 100 ② 150 ③ 180
④ 200 ⑤ 240

▶ 해설 내신연계기출

유형 08 이항분포가 주어지지 않은 경우 평균과 분산을 이용하여 미지수 구하기

[1단계] 확률변수 X가 따르는 이항분포 $B(n, p)$를 구한다.

[2단계] 확률변수 X의 평균, 분산, 표준편차를 구한다.

$$E(X)=np,\ V(X)=np(1-p),\ \sigma(X)=\sqrt{np(1-p)}$$

[3단계] 조건을 만족하는 미지수를 구한다.

1155 학교기출 대표 유형

서로 다른 n개의 주사위를 동시에 던질 때, 짝수의 눈이 나오는 횟수를 확률변수 X라고 하자. X의 평균이 50일 때, X의 표준편차는?

① 5 ② 10 ③ 15
④ 20 ⑤ 24

1156 NORMAL

한 개의 동전을 n번 던져서 앞면이 나오는 횟수를 확률변수 X라 하자.

$$E(X^2)=105$$

일 때, $V(3X+2)$의 값은?

① 27 ② 36 ③ 45
④ 54 ⑤ 72

1157 최다빈출 왕중요 NORMAL

빨간 공 3개, 흰 공 k개가 들어 있는 상자에서 한 개의 공을 꺼내어 색을 확인하고 다시 넣는 시행을 45번 반복할 때, 빨간 공이 나오는 횟수를 확률변수 X라고 하자. $E(X)=15$일 때, $E(X^2)+E(kX)$의 값은?

① 195 ② 256 ③ 310
④ 325 ⑤ 387

▶ 해설 내신연계기출

1158 최다빈출 왕중요 NORMAL

흰 공 a개와 검은 공을 합하여 15개의 공이 들어 있는 주머니에서 임의로 한 개의 공을 꺼내어 색을 확인하고 넣는 시행을 n회 반복할 때, 흰 공이 나오는 횟수를 확률변수 X라 하자.

$$E(X)=20,\ \sigma(X)=2$$

을 만족하는 자연수 a, n에 대하여 $a+n$의 값은?

① 30 ② 34 ③ 37
④ 40 ⑤ 43

▶ 해설 내신연계기출

1159 TOUGH

동전 3개를 동시에 100회 던지는 시행에서 동전 3개 모두 같은 면이 나오는 횟수를 확률변수 X라 하고 동전 3개를 동시에 n회 던지는 시행에서 동전 2개만 앞면이 나오는 횟수를 확률변수 Y라 할 때,

$$E(8Y)=E(2X+1)$$

을 만족시키는 자연수 n의 값은?

① 17 ② 19 ③ 21
④ 23 ⑤ 25

유형 09 이항분포가 주어지지 않을 때, 확률변수 $aX+b$의 평균, 분산, 표준편차

[1단계] 확률변수 X가 따르는 이항분포 $B(n, p)$를 구한다.

[2단계] 확률변수 X의 평균, 분산, 표준편차를 구한다.

$E(X)=np$, $V(X)=np(1-p)$, $\sigma(X)=\sqrt{np(1-p)}$

[3단계] 확률변수 $aX+b$(a, b는 상수) 평균, 분산, 표준편차를 구한다.

① $E(aX+b)=aE(X)+b$

② $V(aX+b)=a^2V(X)$

③ $\sigma(aX+b)=|a|\sigma(X)$

1160 학교기출 대표 유형

어느 축구 선수가 승부차기에서 슛을 성공할 확률은 0.8이라 한다. 이 선수가 5번의 승부차기를 하였을 때, 슛을 성공하는 횟수를 확률변수 X라 하자. $E(2X+1)$값은?

① 4 ② 5 ③ 7
④ 9 ⑤ 11

1161 BASIC

다음 표는 어느 독서 동아리의 학년별 학생 수를 나타낸 것이다.

학년	1학년	2학년	3학년	합계
학생 수	3	4	3	10

이 동아리 학생 중에서 임의로 4명의 학생을 뽑을 때, 뽑힌 2학년 학생의 수를 확률변수 X라고 하자. $E(5X-3)$의 값은?

① 5 ② 7 ③ 15
④ 22 ⑤ 27

1162 최다빈출 왕 중요 NORMAL

서로 다른 두 개의 동전을 동시에 던지는 시행을 반복할 때, 100번 던져 모두 앞면이 나오는 횟수를 확률변수 X라 할 때, $E(2X+3)+V(2X+3)$의 값은?

① 112 ② 118 ③ 124
④ 128 ⑤ 132

▶ 해설 내신연계기출

1163 최다빈출 왕 중요 NORMAL

서로 다른 두 개의 주사위를 180번 던지는 시행에서 두 눈의 수를 곱한 값이 소수가 되는 횟수를 확률변수 X라 할 때, $E(2X+1)+\sigma(2X+1)$의 값은?

① 63 ② 71 ③ 78
④ 82 ⑤ 86

▶ 해설 내신연계기출

1164 TOUGH

어느 학교 매점에서 판매된 음료수 중에서 캔 음료수의 비율은 0.4이고, 판매된 캔 음료수 중 분리수거된 캔 음료수의 비율은 0.8이었다. 이 매점에서 판매된 음료수 중에서 200개를 임의추출하여 분리수거 여부를 조사할 때, 분리 수거된 캔 음료수의 개수를 확률변수 X라고 하자. 이때 평균 $E(2X-3)$는?

① 195 ② 120 ③ 122
④ 125 ⑤ 128

유형 10 이항분포가 주어지지 않을 때, 평균, 분산, 표준편차의 활용

[1단계] 확률변수 X가 따르는 이항분포 $B(n,\ p)$를 구한다.

[2단계] 확률변수 X의 평균, 분산, 표준편차를 구한다.

$E(X)=np$, $V(X)=np(1-p)$, $\sigma(X)=\sqrt{np(1-p)}$

1165 학교기출 대표 유형

원점 O를 출발하여 수직선 위를 움직이는 점 P가 있다.
한 개의 동전을 던져서 앞면이 나오면 양의 방향으로 2만큼, 뒷면이 나오면 음의 방향으로 1만큼 각각 이동한다. 한 개의 동전을 10회 던졌을 때, 점 P의 좌표를 확률변수 X라고 하자. 이때 확률변수 X의 평균 $E(X)$와 분산 $V(X)$라 할 때, $E(X)+2V(X)$의 값은?

① 5　② 20　③ $\frac{45}{2}$　④ 45　⑤ 50

1166 최다빈출 왕중요 NORMAL

원점 O에서 출발하여 수직선 위를 움직이는 점 P는 한 개의 주사위를 20번 던져서 다음 게임의 규칙대로 움직인 점 P의 좌표를 확률변수 X라 할 때, $E(X)+V(X)$의 값은?

(가) 6의 약수의 눈이 나오면
점 P를 양의 방향으로 2만큼 움직인다.
(나) 6의 약수의 눈이 나오지 않으면
점 P를 음의 방향으로 1만큼 움직인다.

① 20　② 30　③ 40　④ 50　⑤ 60

▶ 해설 내신연계기출

1167 NORMAL

원점 O에서 출발하여 수직선 위를 움직이는 점 P는 주사위 1개를 던져서 홀수의 눈이 나오면 양의 방향으로 3만큼 움직이고, 짝수의 눈이 나오면 음의 방향으로 2만큼 움직인다.
주사위 1개를 10번 던질 때, 점 P의 좌표를 확률변수 X라고 하자. X의 평균과 분산의 합은?

① $\frac{125}{2}$　② $\frac{135}{2}$　③ $\frac{145}{2}$　④ $\frac{165}{2}$　⑤ 125

1168 최다빈출 왕중요 NORMAL

한 개의 주사위를 한 번 던져 3의 배수의 눈이 나오면 3점을 얻고 3의 배수가 아닌 눈이 나오면 1점을 얻는 게임이 있다.
이 게임을 270번 반복할 때, 얻을 수 있는 총 점수의 기댓값은?

① 420　② 430　③ 440　④ 450　⑤ 460

▶ 해설 내신연계기출

1169 최다빈출 왕중요 TOUGH

좌표평면 위의 원점에 점 P가 놓여 있다. 흰 공 3개, 검은 공 2개가 들어 있는 주머니에서 임의로 2개의 공을 동시에 꺼내어 같은 색 공이 나오면 점 P를 x축의 방향으로 2만큼, 다른 색 공이 나오면 점 P를 y축의 방향으로 1만큼 평행이동시키는 시행을 25회 반복한 후 점 P가 놓여진 점의 x좌표와 y좌표의 합을 확률변수 X라 하자. $E(X)+V(X)$의 값은? (단, 꺼낸 공은 다시 주머니에 넣는다.)

① 37　② 38　③ 40　④ 41　⑤ 43

▶ 해설 내신연계기출

유형 11 이항분포가 주어지지 않을 때, 평균 $\mathrm{E}(a^x)$의 기댓값 구하기

[1단계] 주어진 조건으로부터 시행횟수 n과 한 번의 시행에서 어떤 사건이 일어날 확률 p를 구하여 $\mathrm{B}(n,\ p)$로 나타낸다.

[2단계] $\mathrm{P}(X=r)={}_n\mathrm{C}_r p^r q^{n-r}$에서

$$\mathrm{E}(a^x)=\sum_{r=0}^{n} a^r \mathrm{P}(X=r)=\sum_{r=0}^{n} a^r {}_n\mathrm{C}_r p^r q^{n-r}$$

$$=\sum_{r=0}^{n} {}_n\mathrm{C}_r (ap)^r q^{n-r}=(ap+q)^n$$을 활용한다.

1170 학교기출 대표 유형

10개의 동전을 던져서 앞면이 x개 나오면 3^x원을 상금으로 받는다고 할 때, 상금의 기댓값은?

① 32 ② 64 ③ 128
④ 256 ⑤ 1024

1171 최다빈출  중요 NORMAL

한 개의 주사위를 5번 던져서 1의 눈이 나오는 횟수가 X이면 13^x원을 받는 게임에서 상금의 기댓값은?

① 27 ② 64 ③ 81
④ 243 ⑤ 729

▶ 해설 내신연계기출

1172 최다빈출 왕 중요 TOUGH

한 개의 주사위를 20번 던져 6의 약수의 눈이 x번 나오면 4^x원을 상금으로 받기로 하였다. 상금의 기댓값은?

① 2^{10}원 ② 3^{10}원 ③ 6^{10}원
④ 2^{20}원 ⑤ 3^{20}원

▶ 해설 내신연계기출

유형 12 큰 수의 법칙

n회의 독립시행에서 사건 A가 일어나는 횟수를 확률변수 X라 할 때, 상대도수 $\frac{X}{n}$와 수학적 확률 p 사이에 성립하는 성질을 큰 수의 법칙이라 한다.
큰 수의 법칙은 시행횟수가 충분히 클 때, 사건 A가 일어나는 통계적 확률이 사건 A가 일어나는 수학적 확률에 가까워짐을 의미한다.

1173 학교기출 대표 유형

한 개의 주사위를 30번 던져서 1의 눈이 나오는 횟수를 X라고 할 때, X의 확률분포를 표로 나타내면 오른쪽과 같다.

이때 $\mathrm{P}\left(\left|\frac{X}{30}-\frac{1}{6}\right|\le 0.05\right)$의 값은?

n / $\mathrm{P}(X)$	30	50
$\mathrm{P}(X=0)$	0.0042	0.0001
$\mathrm{P}(X=1)$	0.0253	0.0011
$\mathrm{P}(X=2)$	0.0733	0.0054
$\mathrm{P}(X=3)$	0.1368	0.0172
$\mathrm{P}(X=4)$	0.1847	0.0405
$\mathrm{P}(X=5)$	0.1921	0.0745
$\mathrm{P}(X=6)$	0.1601	0.1118
$\mathrm{P}(X=7)$	0.1098	0.1405
$\mathrm{P}(X=8)$	0.0631	0.1510
$\mathrm{P}(X=9)$	0.0309	0.1410
$\mathrm{P}(X=10)$	0.0130	0.1156

① 0.3769
② 0.3957
③ 0.5042
④ 0.5369
⑤ 0.7649

1174 TOUGH

동전을 40번 던져서 앞면이 나오는 횟수를 확률변수 X라 할 때, $\mathrm{P}\left(\left|\frac{X}{40}-\frac{1}{2}\right|<\frac{1}{10}\right)$의 값은?

① $\sum_{x=16}^{24} {}_{40}\mathrm{C}_x\left(\frac{1}{2}\right)^{40}$ ② $\sum_{x=16}^{24} {}_{40}\mathrm{C}_x\left(\frac{1}{4}\right)^{40}$
③ $\sum_{x=17}^{23} {}_{40}\mathrm{C}_x\left(\frac{1}{2}\right)^{40}$ ④ $\sum_{x=17}^{23} {}_{40}\mathrm{C}_x\left(\frac{1}{4}\right)^{40}$
⑤ $\sum_{x=17}^{24} {}_{40}\mathrm{C}_x\left(\frac{1}{2}\right)^{40}$

유형 13 확률변수 X 의 빈칸추론

[1단계] 확률변수 X가 가질 수 있는 값을 모두 찾는다.
[2단계] 확률변수 X가 각 값을 가질 확률을 구하여 확률분포를 표로 나타낸다.
[3단계] 평균, 분산, 표준편차를 구한다.

1175 학교기출 대표 유형

1부터 9까지의 자연수가 각각 하나씩 적힌 9개의 공이 들어 있는 주머니에서 임의로 1개의 공을 꺼내어 적힌 수를 더하는 시행을 반복한다. 꺼낸 공은 다시 넣지 않으며, 첫 번째 꺼낸 공에 적힌 수가 짝수이거나 꺼낸 공에 적힌 수를 차례로 더하다가 그 합이 짝수가 되면 이 시행을 멈추기로 한다. 시행을 멈출 때까지 꺼낸 공의 개수를 확률변수 X라 하자. 다음은 $\mathrm{E}(X)$를 구하는 과정이다.
(단, 모든 공의 크기와 재질은 서로 같다.)

첫 번째 꺼낸 공에 적힌 수가 홀수일 때, 꺼낸 공에 적힌 모든 수의 합이 짝수가 되려면 그 이후 시행에서 홀수가 적힌 공이 한 번 더 나와야 한다. 이때 짝수가 적힌 공은 4개이므로 확률변수 X가 가질 수 있는 값 중 가장 큰 값을 m이라 하면

$m=$ (가) 이다.

(ⅰ) $X=1$인 경우
첫 번째 꺼낸 공에 적힌 수가 짝수이므로 $\mathrm{P}(X=1)=\frac{4}{9}$

(ⅱ) $X=2$인 경우
첫 번째와 두 번째 꺼낸 공에 적힌 수가 모두 홀수이므로
$\mathrm{P}(X=2)=\frac{{}_5\mathrm{P}_2}{{}_9\mathrm{P}_2}=\frac{5}{18}$

(ⅲ) $X=k(3\le k\le m)$인 경우
첫 번째와 k번째 꺼낸 공에 적힌 수가 홀수이고,
두 번째부터 $(k-1)$번째까지 꺼낸 공에 적힌 수가 모두 짝수이므로 $\mathrm{P}(X=k)=\frac{\boxed{(나)}}{{}_9\mathrm{P}_k}$

따라서 $\mathrm{E}(X)=\sum_{i=1}^{m}\{i\times\mathrm{P}(X=i)\}=2$

위의 (가)에 알맞은 수를 a라 하고, (나)에 알맞은 식을 $f(k)$라 할 때, $a+f(4)$의 값은?

① 246 ② 248 ③ 250
④ 252 ⑤ 254

1176 TOUGH

1부터 n까지의 자연수가 하나씩 적혀 있는 n장의 카드가 있다. 이 카드 중에서 임의로 서로 다른 4장의 카드를 선택할 때, 선택한 카드 4장에 적힌 수 중 가장 큰 수를 확률변수 X라 하자.
다음은 $\mathrm{E}(X)$를 구하는 과정이다. (단, $n\ge 4$)

자연수 $k(4\le k\le n)$에 대하여 확률변수 X의 값이 k일 확률은 1부터 $k-1$까지의 자연수가 적혀 있는 카드 중에서 서로 다른 3장의 카드와 k가 적혀 있는 카드를 선택하는 경우의 수를 전체 경우의 수로 나누는 것이므로

$$\mathrm{P}(X=k)=\frac{\boxed{(가)}}{{}_n\mathrm{C}_4}$$

이다. 자연수 $r\,(1\le r\le k)$에 대하여

$${}_k\mathrm{C}_r=\frac{k}{r}\times{}_{k-1}\mathrm{C}_{r-1}$$

이므로

$$k\times\boxed{(가)}=4\times\boxed{(나)}$$

이다. 그러므로

$$\begin{aligned}\mathrm{E}(X)&=\sum_{k=4}^{n}\{k\times\mathrm{P}(X=k)\}\\&=\frac{1}{{}_n\mathrm{C}_4}\sum_{k=4}^{n}\left(k\times\boxed{(가)}\right)\\&=\frac{4}{{}_n\mathrm{C}_4}\sum_{k=4}^{n}\boxed{(나)}\end{aligned}$$

이다.

$$\sum_{k=4}^{n}\boxed{(나)}={}_{n+1}\mathrm{C}_5$$

이므로

$$\mathrm{E}(X)=(n+1)\times\boxed{(다)}$$

이다.

위의 (가), (나)에 알맞은 식을 각각 $f(k)$, $g(k)$라 하고, (다)에 알맞은 수를 a라 할 때, $a\times f(6)\times g(5)$의 값은?

① 40 ② 45 ③ 50
④ 55 ⑤ 60

1177

TOUGH

숫자 2, 2, 3, 4가 각각 하나씩 적힌 공 4개가 들어 있는 주머니가 있다. 이 주머니에서 임의로 공을 한 개 꺼내어 그 공에 적힌 수를 종이에 적고, 꺼낸 공을 주머니에 다시 넣는 시행을 반복할 때 종이에 적힌 모든 수의 합이 처음으로 9 이상이 될 때까지 주머니에서 공을 꺼낸 횟수를 확률변수 X라 하자. 다음은 $\mathrm{E}(X)$의 값을 구하는 과정이다.

> 주머니에서 임의로 꺼낸 공에 적힌 수가 2, 3, 4일 확률은 각각 $\frac{1}{2}$, $\frac{1}{4}$, $\frac{1}{4}$이고, 확률변수 X가 가질 수 있는 값은 3, 4, 5이다.
>
> (i) $X=5$인 사건은
> 공을 4번 꺼낼 때까지 종이에 적힌 수의 합이 8인 경우뿐이므로 $\mathrm{P}(X=5)=$ (가)
>
> (ii) $X=4$인 사건은
> 공을 3번 꺼낼 때까지 종이에 적힌 수의 합이 6이고 네 번째 꺼낸 공에 적힌 수가 3이상인 경우,
> 공을 3번 꺼낼 때까지 종이에 적힌 수의 합이 7인 경우,
> 공을 3번 꺼낼 때까지 종이에 적힌 수의 합이 8인 경우로 나눌 수 있다.
> 그러므로
> $$\mathrm{P}(X=4)={}_3\mathrm{C}_3\left(\frac{1}{2}\right)^3\times\left(\frac{1}{4}+\frac{1}{4}\right)+\boxed{(나)}$$
> $$+\left\{{}_3\mathrm{C}_2\left(\frac{1}{2}\right)^2\left(\frac{1}{4}\right)^1+{}_3\mathrm{C}_1\left(\frac{1}{2}\right)^1\left(\frac{1}{4}\right)^2\right\}$$
> (i), (ii)에서 $\mathrm{P}(X=3)=1-\mathrm{P}(X=5)-\mathrm{P}(X=4)$이므로
> $\mathrm{E}(X)=$ (다)

위의 (가), (나), (다)에 알맞은 수를 각각 a, b, c라 할 때, $a+b+c$의 값은?

① $\frac{109}{32}$ ② $\frac{113}{32}$ ③ $\frac{117}{32}$ ④ $\frac{121}{32}$ ⑤ $\frac{125}{32}$

1178

TOUGH

무게가 1인 추 6개, 무게가 2인 추 3개와 비어 있는 주머니 1개가 있다. 주사위 한 개를 사용하여 다음의 시행을 한다. (단, 무게의 단위는 g이다.)

> 주사위를 한 번 던져 나온 눈의 수가 2 이하이면 무게가 1인 추 1개를 주머니에 넣고, 눈의 수가 3 이상이면 무게가 2인 추 1개를 주머니에 넣는다.

위의 시행을 반복하여 주머니에 들어 있는 추의 총무게가 처음으로 6보다 크거나 같을 때, 주머니에 들어 있는 추의 개수를 확률변수 X라 하자. 다음은 X의 확률질량함수 $\mathrm{P}(X=x)(x=3,\ 4,\ 5,\ 6)$을 구하는 과정이다.

> (i) $X=3$인 사건은
> 주머니에 무게가 2인 추 3개가 들어 있는 경우이므로
> $\mathrm{P}(X=3)=$ (가)
>
> (ii) $X=4$인 사건은
> 세 번째 시행까지 넣은 추의 총무게가 4이고 네 번째 시행에서 무게가 2인 추를 넣는 경우와 세 번째 시행까지 넣은 추의 총무게가 5인 경우로 나눌 수 있다. 그러므로
> $$\mathrm{P}(X=4)=\boxed{(나)}+{}_3\mathrm{C}_1\left(\frac{1}{3}\right)^1\left(\frac{2}{3}\right)^2$$
>
> (iii) $X=5$인 사건은
> 네 번째 시행까지 넣은 추의 총무게가 4이고 다섯 번째 시행에서 무게가 2인 추를 넣는 경우와 네 번째 시행까지 넣은 추의 총무게가 5인 경우로 나눌 수 있다. 그러므로
> $$\mathrm{P}(X=5)={}_4\mathrm{C}_4\left(\frac{1}{3}\right)^4\left(\frac{2}{3}\right)^0\times\frac{2}{3}+\boxed{(다)}$$
>
> (iv) $X=6$인 사건은
> 다섯 번째 시행까지 넣은 추의 총무게가 5인 경우이므로
> $$\mathrm{P}(X=6)=\left(\frac{1}{3}\right)^5$$

위의 (가), (나), (다)에 알맞은 수를 각각 a, b, c라 할 때, $\frac{ab}{c}$의 값은?

① $\frac{4}{9}$ ② $\frac{7}{9}$ ③ $\frac{10}{9}$ ④ $\frac{13}{9}$ ⑤ $\frac{16}{9}$

확률변수와 확률분포

1179

한 개의 주사위를 한 번 던져서 나오는 눈의 수를 4로 나눈 나머지를 확률변수 X라 할 때, 다음 단계로 서술하여라.

[1단계] X의 확률분포를 표로 나타낸다.
[2단계] $\mathrm{P}(X \le 2)$를 구한다.
[3단계] $\mathrm{E}(X)$, $\mathrm{V}(X)$의 값을 구한다.
[4단계] $\mathrm{V}(6X-5)$를 구한다.

1180

흰 공 5개와 검은 공 5개가 들어 있는 주머니에서 임의로 3개의 공을 꺼낼 때, 꺼낸 검은 공의 개수를 확률변수 X라 할 때, 다음 단계로 서술하여라.

[1단계] X의 확률질량함수를 구한다.
[2단계] X의 확률분포를 표로 나타낸다.
[3단계] 검은 공을 적어도 1개 이상 꺼낼 확률을 구한다.
[4단계] $\mathrm{E}(X)$, $\mathrm{V}(X)$의 값을 구한다.
[5단계] $\mathrm{E}(6X+1)+\mathrm{V}(6X+1)$을 구한다.

1181

3개의 불량품을 포함한 10개의 제품 중에서 임의로 2개를 동시에 꺼내려고 한다. 꺼낸 제품 중에서 불량품의 개수를 확률변수 X라 할 때, 다음 단계로 그 과정을 상세히 서술하여라.

[1단계] 다음 확률분포 표를 완성하고, X의 확률질량함수를 구한다.

X				합계
$\mathrm{P}(X=x)$				

[2단계] 불량품이 1개 이하일 확률을 구한다.
[3단계] $\mathrm{E}(X)$, $\mathrm{V}(X)$을 구한다.
[4단계] $\mathrm{V}(15X+3)$을 구한다.

1182

1부터 12까지의 자연수가 각각 하나씩 적힌 12개의 공이 들어있는 주머니에서 임의로 한 개의 공을 꺼내는 시행을 반복한다.
꺼낸 공에 적힌 수를 모두 더하여 그 합이 4의 배수가 되면 이 시행을 멈추기로 할 때, 시행을 멈출 때까지 꺼낸 공의 개수를 확률변수 X라 하자. $\mathrm{P}(X \ge 3)$의 값을 구하는 과정을 다음 단계로 자세히 서술하여라. (단, 꺼낸 공은 다시 넣지 않는다.)

[1단계] 공에 적힌 수를 4로 나눈 나머지가 r인 숫자의 집합을 A_r이라 할 때, 집합 A_0, A_1, A_2, A_3을 구한다.
[2단계] $X=1$인 경우와 $X=2$인 경우의 확률을 각각 구한다.
[3단계] $\mathrm{P}(X \ge 3)=1-\mathrm{P}(X \le 2)$을 이용하여 확률을 구한다.

1183

확률변수 X의 확률분포를 표로 나타내면 다음과 같다.

X	2	4	8	합계
$\mathrm{P}(X=x)$	a	a^2	$\frac{1}{4}$	1

다음 단계로 그 과정을 서술하여라. (단, $0<a<1$)

[1단계] 상수 a의 값을 구한다.
[2단계] 확률변수 X의 평균 $\mathrm{E}(X)$를 구한다.
[3단계] 확률변수 X의 분산 $\mathrm{V}(X)$를 구한다.
[4단계] $\mathrm{E}(aX+1)$, $\mathrm{V}(aX+1)$을 각각 구한다.

1184

확률변수 X의 확률질량함수가

$$\mathrm{P}(X=x)=\frac{2x-1}{a}\ (x=1,\ 2,\ 3)$$

일 때, 다음 단계로 그 과정을 서술하여라.

[1단계] 상수 a의 값을 구한다.
[2단계] 확률변수 X의 평균을 구한다.
[3단계] 확률변수 X의 표준편차를 구한다.
[4단계] $\mathrm{E}(aX+3)$, $\mathrm{V}(aX+3)$을 각각 구한다.

1185

이산확률변수 X의 확률분포를 표로 나타내면 아래와 같다.

X	k	$2k$	$3k$	합계
$\mathrm{P}(X=x)$	a	b	$\frac{1}{7}$	1

이때 $\mathrm{P}(X=k)=7\mathrm{P}(X=2k)\times\mathrm{P}(X=2k)$와 $\mathrm{E}(X)=22$를 만족하는 상수 a, b, k에 대하여 abk의 값을 구하는 과정을 다음 단계로 서술하여라.

[1단계] 확률의 총합을 이용하여 $a+b$의 값을 구한다.
[2단계] 1단계에서 구한 $a+b$의 값과
$\mathrm{P}(X=k)=7\mathrm{P}(X=2k)\times\mathrm{P}(X=2k)$을 이용하여
a, b의 값을 구한다.
[3단계] X의 평균이 22임을 이용하여 k의 값을 구한다.
[4단계] abk의 값을 구한다.

1186

확률변수 X가 갖는 값이 0, 1, 2, 3이고 X의 확률질량함수가

$$\mathrm{P}(X=x)=\frac{4-x}{k}\ (x=0,\ 1,\ 2,\ 3)$$

일 때, 두 상수 a, b에 대하여

$$\mathrm{E}(aX+b)=2,\ \mathrm{V}(aX+b)=1$$

을 만족시킬 때, $2a+b$의 값을 다음 단계로 서술하여라.
(단, k, a, b는 상수이고 $a>0$)

[1단계] 확률변수 X의 확률분포를 표로 나타내고 상수 k의 값을 구하여라.
[2단계] 확률변수 X의 평균 $\mathrm{E}(X)$와 분산 $\mathrm{V}(X)$를 구한다.
[3단계] $\mathrm{E}(aX+b)=2$, $\mathrm{V}(aX+b)=1$을 이용하여 상수 a, b의 값을 구한다.
[4단계] $2a+b$의 값을 구한다.

1187

어떤 시험 점수 X의 평균이 m, 표준편차가 σ일 때,

$$T=15\left(\frac{X-m}{\sigma}\right)+50$$

을 표준점수라 한다.
시험 점수 65는 표준 점수 80으로 변환되었고, 시험 점수 50은 표준 점수 35로 변환되었다. 갑의 시험점수는 70이고, 을의 표준 점수는 86일 때, 누구의 성적이 더 높은지 구하는 그 과정을 다음 단계로 서술하여라.

[1단계] 표준점수 T의 평균과 표준편차를 구한다.
[2단계] 시험 점수 65는 표준 점수 80으로 변환되었고, 시험 점수 50은 표준 점수 35로 변환되었을 때, m, σ의 값을 구한다.
[3단계] 갑의 시험점수는 70이고, 을의 표준 점수는 86일 때, 누구의 성적이 더 높은지 구한다.

이항분포

1188

확률변수 X가 이항분포 $\mathrm{B}(n,\ p)$를 따르고

$$\mathrm{E}(X)=\frac{10}{3},\ \mathrm{V}(X)=\frac{20}{9}$$

일 때, $\frac{\mathrm{P}(X=3)}{\mathrm{P}(X=1)}$ 값을 구하는 과정을 다음 단계로 자세히 서술하여라.

[1단계] 평균과 분산을 이용하여 n, p의 값을 구한다.
[2단계] 확률변수 X의 확률질량함수를 구한다.
[3단계] $\frac{\mathrm{P}(X=3)}{\mathrm{P}(X=1)}$의 값을 구한다.

1189

이항분포 $\mathrm{B}(n,\ p)$를 따르는 확률변수 X에 대하여

$$\mathrm{E}(X)=\frac{7}{8},\ \mathrm{E}(X^2)=2\{\mathrm{E}(X)\}^2$$

을 만족할 때, $\frac{\mathrm{P}(X=3)}{\mathrm{P}(X=2)}$의 값을 구하는 과정을 다음 단계로 자세히 서술하여라.

[1단계] 평균과 분산을 이용하여 n, p의 값을 구한다.
[2단계] 확률변수 X의 확률질량함수를 구한다.
[3단계] $\frac{\mathrm{P}(X=3)}{\mathrm{P}(X=2)}$의 값을 구한다.

1190

확률변수 X가 이항분포 $\mathrm{B}(8,\ p)$를 따르고

$$\mathrm{P}(X=3)=\frac{1}{2}\mathrm{P}(X=4)$$

일 때, 확률변수 $13X$의 평균 $\mathrm{E}(13X)$를 구하는 과정을 다음 단계로 서술하여라. (단, $0<p<1$)

[1단계] 확률변수 X의 확률질량함수 $\mathrm{P}(X=x)$를 p를 사용하여 나타낸다.
[2단계] $\mathrm{P}(X=3)=\frac{1}{2}\mathrm{P}(X=4)$를 만족시키는 상수 p의 값을 구한다.
[3단계] $\mathrm{E}(13X+6)$을 구한다.

1191

한 개의 주사위를 45번 던져 3의 배수의 눈이 나오는 횟수를 확률변수 X라고 할 때, 다음 단계로 그 과정을 자세히 서술하여라.

[1단계] 확률변수 X의 확률질량함수를 구한다.

[2단계] $\dfrac{\mathrm{P}(X=1)}{\mathrm{P}(X=0)}$의 값을 구한다.

[3단계] $\mathrm{V}(-2X+1)$의 값을 구한다.

[4단계] X^2의 평균 $\mathrm{E}(X^2)$을 구한다.

[5단계] $\mathrm{E}((X-3)^2)$의 값을 구한다.

1192

확률변수 X의 확률분포가 다음 표와 같다.

X	0	1	…	n	합계
$\mathrm{P}(X=x)$	${}_n\mathrm{C}_0\left(\frac{2}{5}\right)^n$	${}_n\mathrm{C}_1\left(\frac{3}{5}\right)^1\left(\frac{2}{5}\right)^{n-1}$	…	${}_n\mathrm{C}_n\left(\frac{3}{5}\right)^n$	1

확률변수 $-5X+3a$의 평균이 -100, 분산이 120일 때, $n+a$의 값을 구하고 그 과정을 다음 단계로 서술하여라. (단, a는 상수)

[1단계] 확률변수 X가 따르는 이항분포 $\mathrm{B}(n,\ p)$를 구한다.

[2단계] 확률변수 X의 평균과 분산을 n에 관하여 정리한다.

[3단계] $\mathrm{E}(-5X+3a)=-100$, $\mathrm{V}(-5X+3a)=120$을 만족하는 n, a의 값을 구한다.

[4단계] $n+a$의 값을 구한다.

1193

탑승 가능한 좌석이 80석인 어느 항공 노선에서 전산 오류로 인해 82명이 예약되었다고 한다. 예약된 사람이 사전 통보 없이 탑승하지 않을 확률이 0.05라고 할 때, 좌석이 부족하지 않을 확률을 다음 두 방법으로 구한 것이다. 빈 칸에 들어갈 식 또는 수를 구하여라. (단, $0.95^{81}=0.0157$, $0.95^{82}=0.0149$로 계산한다.)

[방법 1] 탑승하는 사람의 수를 확률변수 X라고 하면 좌석이 부족하지 않을 확률 $\mathrm{P}(X\le 80)$을 구한다.

> 확률변수 X는
> 예약된 82명의 사람이 탑승하는 확률이 0.95이므로
> 확률변수 X는 이항분포 $\mathrm{B}(82,\ 0.95)$를 따른다.
> 확률변수 X의 확률질량함수는
> $\mathrm{P}(X=x)=\square\ (x=0,\ 1,\ 2,\ \cdots,\ 82)$
> 이므로 구하는 확률은
> $\mathrm{P}(X\le 80)=1-\{\mathrm{P}(X=\square)+\mathrm{P}(X=\square)\}$
> $=1-({}_{82}\mathrm{C}_{81}\times 0.95^{81}\times 0.05+{}_{82}\mathrm{C}_{82}\times 0.95^{82})$
> $=1-(82\times 0.0157\times 0.05+0.0149)$
> $=1-0.07927=0.92073$

[방법 2] 탑승하지 않는 사람의 수를 확률변수 Y라고 하면 좌석이 부족하지 않을 확률 $1-\mathrm{P}(Y\le 1)$을 구한다.

> 확률변수 Y는
> 예약된 82명의 사람이 탑승하지 않을 확률이 0.05이므로
> 확률변수 Y는 이항분포 $\mathrm{B}(82,\ 0.05)$를 따른다.
> 확률변수 Y의 확률질량함수는
> $\mathrm{P}(Y=y)=\square\ (y=0,\ 1,\ 2,\ \cdots,\ 82)$
> 이므로 구하는 확률은
> $1-\mathrm{P}(Y\le 1)=1-\{\mathrm{P}(Y=\square)+\mathrm{P}(Y=\square)\}$
> $=1-({}_{82}\mathrm{C}_0\times 0.95^{82}+{}_{82}\mathrm{C}_1\times 0.05\times 0.95^{81})$
> $=1-(0.0149+82\times 0.05\times 0.0157)$
> $=1-0.07927=0.92073$

▶ 해설 내신연계기출

확률변수와 확률분포

1194

1, 2, 3의 숫자가 하나씩 적혀 있는 공이 다음 그림과 같이 각각 2개, 1개, 1개 들어 있는 주머니에서 임의로 2개의 공을 동시에 꺼낼 때, 주머니에 남아 있는 공에 적혀 있는 모든 수의 합을 확률변수 X라 하자. $\mathrm{E}(2X+5)$의 값을 구하여라.

1195

교육청기출

그림과 같이 숫자 1, 2, 3이 각각 하나씩 적혀 있는 흰 공 3개와 검은 공 3개가 들어있는 주머니가 있다. 이 주머니에서 임의로 2개의 공을 동시에 꺼낼 때, 꺼낸 공에 적혀 있는 숫자의 최솟값을 확률변수 X라 하자. X의 평균이 $\frac{q}{p}$일 때, $p+q$의 값을 구하여라.
(단, p, q는 서로소인 자연수이다.)

1196

교육청기출

두 개의 주사위를 던져서 나온 눈의 수의 곱을 N이라 하자.

$$\mathrm{N}=k\cdot 2^{n}\ (k\text{는 홀수, } n\text{은 음이 아닌 정수})$$

일 때, n의 값을 확률변수 X라 하자. 이때 확률변수 $3X+9$의 평균을 구하여라.

1197

남학생 3명과 여학생 2명을 임의로 한 줄로 세우고 앞에서부터 1, 2, 3, 4, 5의 번호를 부여한다고 한다.
앞에서부터 처음으로 서 있는 남학생이 부여받은 번호를 확률변수 X라 할 때, $\mathrm{E}(6X+1)$의 값을 구하여라.

1198

A, B, C, D의 4명은 각각 서로 다른 가방 a, b, c, d를 메고 있다. 이 4명이 모두 자신의 가방을 나래에게 맡기고, 나래가 임의로 이들 가방을 다시 4명에게 각각 한 개씩 나누어 줄 때, 자신의 가방을 돌려받은 사람의 수를 확률변수 X라 하자. $\mathrm{V}(X)$의 값을 구하여라.

a b c d

1199

평가원기출

어떤 학생이 오랜만에 방문하는 인터넷 사이트에 접속하기 위하여 비밀번호 여섯 자리를 입력하려고 한다. 이 학생은 비밀번호를 지정할 때, 앞의 네 자리는 항상 자신의 생일 숫자인 1023을 사용하고 뒤의 두 자리는 5, 6, 7, 8, 9 중에서 서로 다른 두 숫자를 택하여 사용하는데, 뒤의 두 자리 수가 전혀 기억나지 않는다. 비밀번호 입력을 시작하여 맞는지 확인하는 데 걸리는 시간은 10초이고 접속에 실패한 비밀번호는 다시 입력하지 않는다. 처음 입력할 때부터 접속될 때까지 소요되는 시간의 기댓값은?

① 1분 ② 1분 30초 ③ 1분 45초
④ 2분 ⑤ 3분 10초

1200

서로 다른 두 개의 주사위를 던져서 나오는 눈의 수를 각각 a, b라 고 하자.
점 (a, b)에 대하여 원 $(x-a)^2+(y-b)^2=4^2$과 x축 또는 y축과의 교점의 개수가 0이면 0점, 1이면 2점, 2이면 4점, 3이면 6점, 4이면 8점을 받는 놀이가 있다. 이 놀이를 한 번 하여 얻을 수 있는 점수를 확률변수 X라고 할 때, X의 평균을 구하여라.

이항분포

1201

수능기출

두 주사위 A, B를 동시에 던질 때, 나오는 각각의 눈의 수 m, n에 대하여 $m^2+n^2 \le 25$가 되는 사건을 E라 하자.
두 주사위 A, B를 동시에 던지는 12회의 독립시행에서 사건 E가 일어나는 횟수를 확률변수 X라 할 때, X의 분산 $\mathrm{V}(X)$는 $\frac{q}{p}$이다. $p+q$의 값을 구하여라. (단, p, q는 서로소인 자연수이다.)

1202

나래는 기본점수로 100점을 부여 받고, 한 개의 주사위를 한 번 던지는 시행을 90회 하면서 다음과 같은 규칙으로 점수를 얻는다.

(가) 주사위를 한 번 던져서 3의 배수의 눈이 나오면 나래의 점수에 3점을 더한다.
(나) 주사위를 한 번 던져서 3의 배수의 눈이 나오지 않으면 나래의 점수에서 1점을 뺀다.

한 개의 주사위를 90회 던진 후 계산된 나래의 점수를 확률변수 X라 할 때, $\mathrm{E}(X)+\mathrm{V}(X)$의 값을 구하여라.

1203

두 사람 A, B가 각각 주사위 한 개를 동시에 던질 때, 나온 두 주사위의 눈의 수의 합이 3의 배수이면 A가 1점을 얻고, 그렇지 않으면 B가 1점을 얻는다. 이와 같은 시행을 30번 반복할 때, A가 얻는 점수의 합의 기댓값과 B가 얻는 점수의 합의 기댓값의 차를 구하여라.

▶ 해설 내신연계기출

1204

확률변수 X의 확률질량함수가

$$\mathrm{P}(X=r)={}_9\mathrm{C}_r\left(\frac{1}{3}\right)^r\left(\frac{2}{3}\right)^{9-r}\ (r=0,\ 1,\ 2,\ 3,\ \cdots,\ 9)$$

일 때, 다음 조건을 만족하는 상수 a, b, c, d에 대하여 $a+b+c+d$의 값을 구하여라.

$$a=\sum_{r=0}^{9}{}_9\mathrm{C}_r\left(\frac{1}{3}\right)^r\left(\frac{2}{3}\right)^{9-r}$$

$$b=\sum_{r=0}^{9}r\,{}_9\mathrm{C}_r\left(\frac{1}{3}\right)^r\left(\frac{2}{3}\right)^{9-r}$$

$$c=\sum_{r=0}^{9}(r-3)^2\,{}_9\mathrm{C}_r\left(\frac{1}{3}\right)^r\left(\frac{2}{3}\right)^{9-r}$$

$$d=\sum_{r=0}^{9}r^2\,{}_9\mathrm{C}_r\left(\frac{1}{3}\right)^r\left(\frac{2}{3}\right)^{9-r}$$

1205

사관기출

사건 A가 1회의 시행에서 일어날 확률이 p일 때, n회의 독립시행에서 사건 A가 일어나는 횟수를 확률변수 X라 하자.

확률변수 X의 평균이 80이고 분산이 64라 할 때, $\sum_{r=0}^{n}5^r\mathrm{P}(X=r)$의 값은? (단, $\mathrm{P}(X=r)$은 $X=r$일 때의 확률이다.)

① $\left(\frac{9}{5}\right)^{400}$　② $\left(\frac{7}{5}\right)^{450}$　③ $\left(\frac{9}{5}\right)^{399}$
④ 2^{399}　⑤ 2^{400}

03 정규분포

학교내신기출 객관식 핵심문제총정리

유형 01 연속확률변수와 확률밀도함수

(1) **연속확률변수**

확률변수 X가 어떤 구간에 속하는 모든 실수 값을 취할 때, 확률변수 X를 연속확률변수라고 한다.

(2) **확률밀도함수**

연속확률변수 X가 $\alpha \le X \le \beta$에 속하는 모든 실수 값을 취할 때, 다음 조건을 모두 만족시키는 함수 $f(x)$를 확률변수 X의 확률밀도함수라고 한다.

① 모든 실수 x에 대하여 $f(x) \ge 0$

② 함수 $y=f(x)$의 그래프와 x축 및 두 직선 $x=\alpha$, $x=\beta$로 둘러싸인 부분의 넓이는 1이다.

③ 확률 $\mathrm{P}(a \le X \le b)$는 함수 $y=f(x)$의 그래프와 x축 및 두 직선 $x=a$, $x=b$로 둘러싸인 부분의 넓이와 같다.

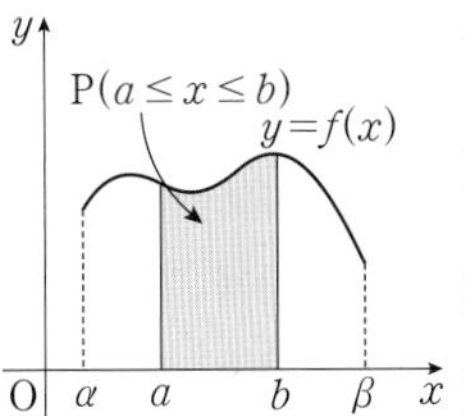

참고 a, b가 실수이고 X가 연속확률변수일 때,

① $\mathrm{P}(X=a)=0$, $\mathrm{P}(X=b)=0$

② $\mathrm{P}(a \le X \le b)=\mathrm{P}(a < X \le b)=\mathrm{P}(a \le X < b)=\mathrm{P}(a < X < b)$

1206 학교기출 대표 유형

연속확률변수 X의 확률밀도함수가

$$f(x)=kx\,(0 \le x \le 3)$$

일 때, $\mathrm{P}(2 \le X \le 3)$의 값은? (단, k는 상수이다.)

① $\frac{2}{9}$ ② $\frac{4}{9}$ ③ $\frac{5}{9}$ ④ $\frac{5}{8}$ ⑤ $\frac{7}{8}$

▶ 해설 내신연계기출

1207 BASIC

연속확률변수 X의 확률밀도함수가

$$f(x)=k(2-x)\,(0 \le x \le 2)$$

일 때, $k+\mathrm{P}\left(\frac{1}{2} \le X \le 1\right)$의 값은? (단, k는 상수)

① $\frac{5}{16}$ ② $\frac{5}{8}$ ③ $\frac{11}{16}$ ④ $\frac{3}{4}$ ⑤ $\frac{13}{16}$

1208 최다빈출 왕중요 NORMAL

연속확률변수 X의 확률밀도함수가

$$f(x)=\begin{cases} kx & (0 \le x < 1) \\ k(2-x) & (1 \le x \le 2) \end{cases}$$

일 때, $k+\mathrm{P}\left(\frac{1}{2} \le X \le 2\right)$의 값은? (단, k는 상수)

① $\frac{7}{8}$ ② $\frac{11}{8}$ ③ $\frac{13}{8}$ ④ $\frac{15}{8}$ ⑤ $\frac{17}{8}$

▶ 해설 내신연계기출

1209 NORMAL

구간 $[0, 3]$의 모든 실수 값을 가지는 연속확률변수 X에 대하여 X의 확률밀도함수 $y=f(x)$의 그래프는 그림과 같다.

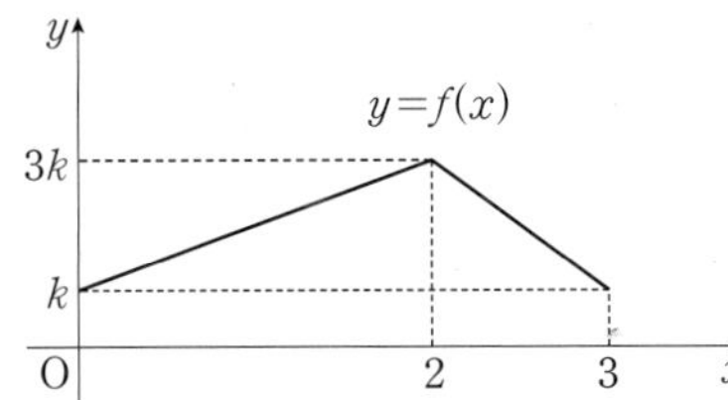

$k+\mathrm{P}(0 \le X \le 2)$의 값은? (단, k는 상수)

① $\frac{2}{3}$ ② $\frac{5}{6}$ ③ $\frac{5}{4}$ ④ $\frac{7}{8}$ ⑤ $\frac{11}{12}$

1210 최다빈출 왕중요 NORMAL

연속확률변수 X가 갖는 값의 범위는 $0 \le X \le 2$이고, X의 확률밀도함수의 그래프가 그림과 같을 때, $\mathrm{P}\left(\frac{1}{3} \le X \le a\right)$의 값은? (단, a는 상수이다.)

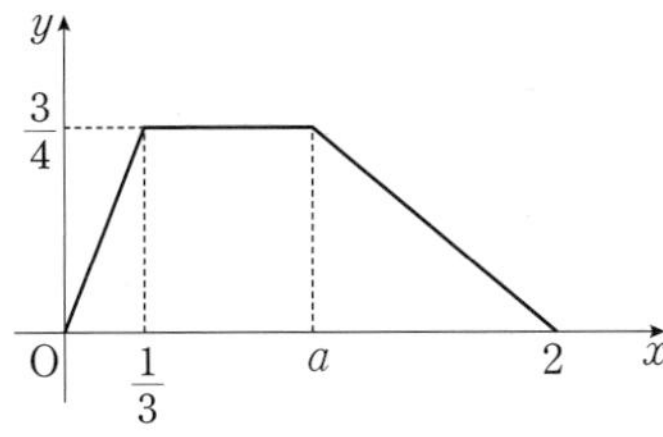

① $\frac{11}{16}$ ② $\frac{5}{8}$ ③ $\frac{9}{16}$ ④ $\frac{1}{2}$ ⑤ $\frac{7}{16}$

▶ 해설 내신연계기출

1211

NORMAL

연속확률변수 X가 취하는 값의 범위가 $0 \leq X \leq 10$이고, 확률변수 X의 확률밀도함수 $y=f(x)$의 그래프가 다음 그림과 같다.

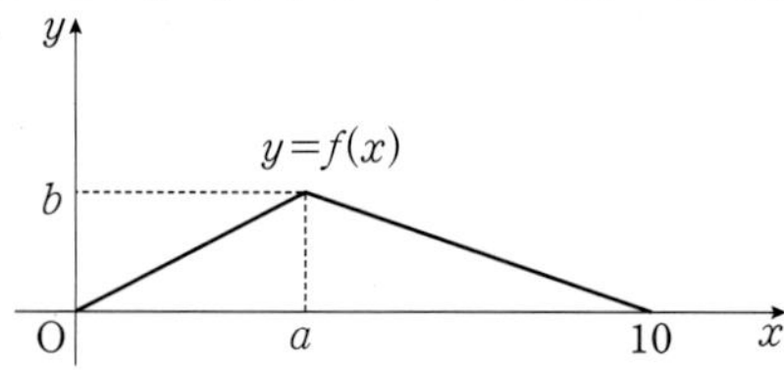

$\mathrm{P}(0 \leq X \leq a)=\frac{2}{5}$일 때, 상수 a, b에 대하여 $a+b$의 값은?

① $\frac{21}{5}$ ② $\frac{22}{5}$ ③ $\frac{23}{5}$
④ $\frac{24}{5}$ ⑤ 5

1212

NORMAL

연속확률변수 X가 취하는 값의 범위가 $0 \leq X \leq 4$이고, 확률변수 X의 확률밀도함수 $y=f(x)$의 그래프가 다음 그림과 같다.

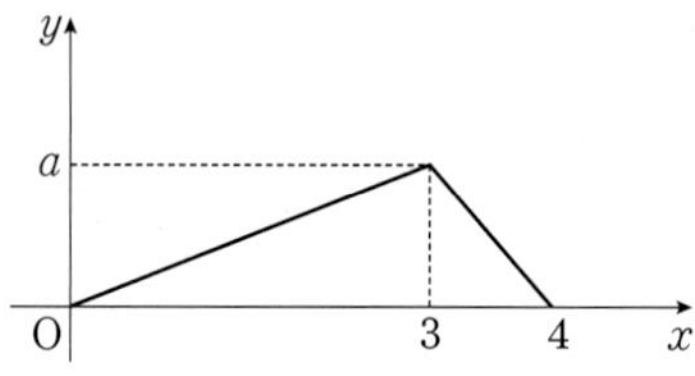

양의 상수 a에 대하여 $\mathrm{P}(0 \leq X \leq 2a)$의 값은 ?

① $\frac{1}{10}$ ② $\frac{1}{11}$ ③ $\frac{1}{12}$
④ $\frac{1}{13}$ ⑤ $\frac{1}{14}$

1213 최다빈출 왕중요

NORMAL

연속확률변수 X의 확률밀도함수 $f(x)$의 그래프가 그림과 같다.

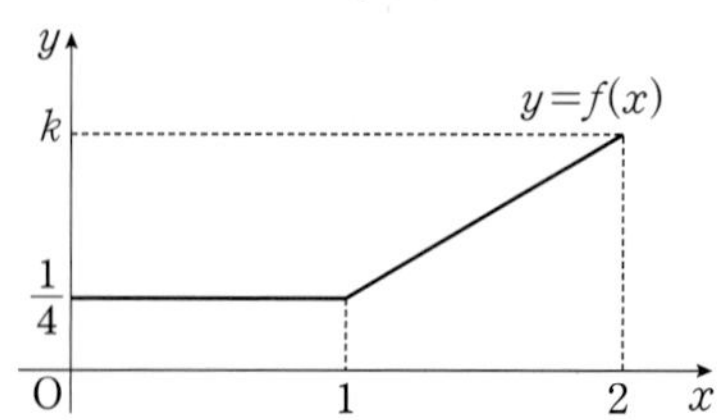

일 때, $k+\mathrm{P}\left(X>\frac{3}{2}\right)$의 값은? (단, k는 상수이다.)

① $\frac{1}{4}$ ② $\frac{3}{4}$ ③ $\frac{3}{2}$
④ $\frac{7}{4}$ ⑤ $\frac{9}{4}$

▶ 해설 내신연계기출

1214

NORMAL

연속확률변수 X의 확률밀도함수가

$$f(x)=2k-k|x|\,(-2 \leq x \leq 2)$$

일 때, $k+\mathrm{P}(X^2 \leq 1)$의 값은? (단, k는 양의 실수이다.)

① $\frac{1}{2}$ ② $\frac{3}{4}$ ③ $\frac{5}{6}$
④ 1 ⑤ $\frac{7}{6}$

1215 최다빈출 왕중요

NORMAL

$0 \leq x \leq 3$에서 정의된 연속확률변수 X의 확률밀도함수 $y=f(x)$의 그래프가 다음 그림과 같다.

$$\mathrm{P}(0 \leq X \leq 1)=2\mathrm{P}(a \leq X \leq 3)$$

일 때, a의 값은? (단, $1<a<3$)

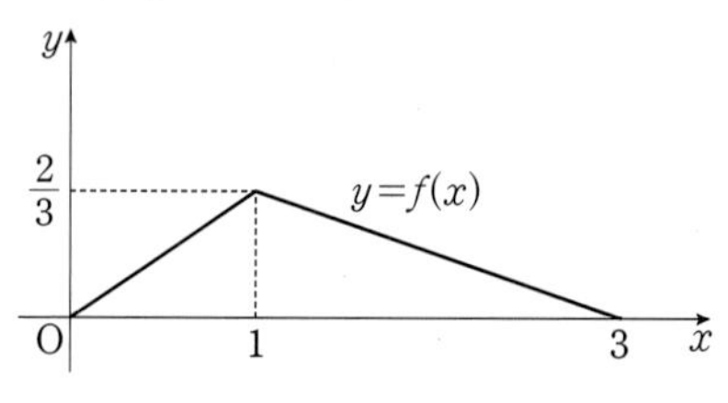

① $\frac{4}{3}$ ② $\frac{3}{2}$ ③ 2
④ $\frac{5}{2}$ ⑤ $\frac{8}{3}$

▶ 해설 내신연계기출

1216 최다빈출 왕중요

TOUGH

오른쪽 그림은 $0 \leq X \leq 1$에서 정의된 확률변수 X의 확률밀도함수 $y=f(x)$의 그래프를 나타낸 것이다. [보기]에서 옳은 것만을 있는 대로 고른 것은? (단, $a>0$인 상수이다.)

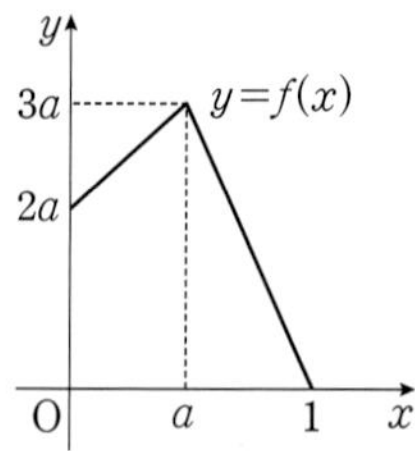

ㄱ. $\mathrm{P}(X=a)=\frac{3}{2}$
ㄴ. $\mathrm{P}(0 \leq X \leq a)=\mathrm{P}(a \leq X \leq 1)$
ㄷ. $\mathrm{P}\left(0 \leq X \leq \frac{3}{2}a\right)=\frac{29}{32}$

① ㄱ ② ㄷ ③ ㄱ, ㄴ
④ ㄴ, ㄷ ⑤ ㄱ, ㄴ, ㄷ

▶ 해설 내신연계기출

1217
TOUGH

양의 실수 a, b에 대하여 연속확률변수 X가 취하는 값의 범위는 $-a \le X \le 4$이고, 확률변수 X의 확률밀도함수가

$$f(x)=\begin{cases} \frac{b}{a}(x+a) & (-a \le x \le 0) \\ b-\frac{1}{12}x & (0 \le x \le 4) \end{cases}$$

이다. $\mathrm{P}(0 \le X \le 4)=2\mathrm{P}(-a \le X \le 0)$일 때, 상수 a, b에 대하여 $a+b$의 값은?

① $\frac{3}{2}$ ② 2 ③ $\frac{5}{2}$ ④ 3 ⑤ $\frac{7}{3}$

1218
TOUGH

구간 [0, 8]의 모든 값을 취하는 확률변수 X의 확률밀도함수 $f(x)$가 다음을 만족시킨다.

$$f(4+x)=f(4-x)\ (0 \le x \le 4)$$

$\mathrm{P}(2 \le X \le 4)=3\mathrm{P}(0 \le X \le 2)$이고 $\mathrm{P}(3 \le X \le 4)=\frac{3}{16}$일 때, 확률 $\mathrm{P}(5 \le X \le 6)$은?

① $\frac{1}{16}$ ② $\frac{3}{16}$ ③ $\frac{5}{16}$ ④ $\frac{7}{16}$ ⑤ $\frac{9}{16}$

유형 02 확률밀도함수의 성질을 이용한 확률

확률변수 X의 확률밀도함수 $f(x)$가 주어지고 확률을 구할 때에는 $\mathrm{P}(a \le X \le b)$가 $y=f(x)$의 그래프와 x축 및 두 직선 $x=a$, $x=b$로 둘러싸인 도형의 넓이와 같음을 이용한다.

1219
학교기출 대표 유형

연속확률변수 X가 갖는 값의 범위는 $0 \le X \le 3$이고, 확률 $\mathrm{P}(X \le 1)$과 확률 $\mathrm{P}(X \le 2)$의 값이 이차방정식 $6x^2-5x+1=0$의 두 근 일 때, 확률 $\mathrm{P}(1 < X \le 2)$의 값은?

① $\frac{1}{12}$ ② $\frac{1}{6}$ ③ $\frac{1}{4}$ ④ $\frac{1}{3}$ ⑤ $\frac{5}{12}$

1220
최다빈출 왕 중요 NORMAL

성주가 버스 정류장에 도착하여 배차 간격이 10분인 버스를 기다리는 시간을 확률변수 X라고 할 때, 확률변수 X의 확률밀도함수가

$$f(x)=\frac{1}{k}\ (0 \le x \le 10)$$

이다. 성주가 버스를 6분 이상 기다릴 확률은?

① $\frac{1}{10}$ ② $\frac{1}{8}$ ③ $\frac{2}{5}$ ④ $\frac{3}{5}$ ⑤ $\frac{4}{5}$

▶ 해설 내신연계기출

1221
최다빈출 왕 중요 NORMAL

연속확률변수 X가 갖는 값의 범위가 $0 \le X \le 2$이고, 확률변수 X의 확률밀도함수가

$$f(x)=\begin{cases} x & (0 \le x < 1) \\ -x+2 & (1 \le x \le 2) \end{cases}$$

일 때, $\mathrm{P}\left(a \le X \le a+\frac{1}{2}\right)$의 최댓값은? (단, a는 상수이다.)

① $\frac{7}{16}$ ② $\frac{1}{2}$ ③ $\frac{9}{16}$ ④ $\frac{5}{8}$ ⑤ $\frac{11}{16}$

▶ 해설 내신연계기출

유형 03 정규분포 곡선의 성질

정규분포 $N(m, \sigma^2)$의 확률밀도함수의 그래프는

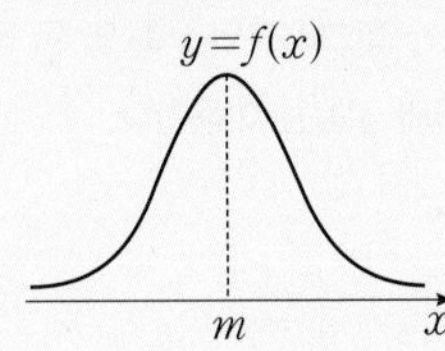

(1) 직선 $x=m$에 대하여 대칭인 종 모양의 곡선이다.

① $P(X \geq m)=P(X \leq m)=0.5$

② $P(m \leq X \leq m+a)=P(m-a \leq X \leq m)$ (단, $a>0$)

(2) x축이 점근선이고, $x=m$일 때, 최댓값 $\frac{1}{\sqrt{2\pi}\sigma}$을 가진다.

(3) 곡선과 x축 사이의 넓이는 1이다.

(4) $P(X \geq x_1)=P(X \leq x_2)$이면 $m=E(X)=\frac{x_1+x_2}{2}$

(5) $V(X)=E(X^2)-\{E(X)\}^2$에서 $\sigma=\sqrt{V(X)}$

1222 학교기출 대표 유형

확률변수 X가 정규분포 $N(m, \sigma^2)$을 따르고 확률밀도함수가 $f(x)$일 때, 다음 설명 중 옳지 않은 것은?

① $P(X \leq m)=P(X \geq m)=0.5$이다.
② $x=m$일 때, $f(x)$는 최댓값을 갖는다.
③ 임의의 실수 a에 대하여 $P(X \leq m+a)=P(X \geq m-a)$이다.
④ $a<m$일 때, $P(X \geq a)=0.5-P(a \leq X \leq m)$이다.
⑤ $a<b$일 때, $P(a \leq X \leq b)=P(X \leq b)-P(X \leq a)$이다.

1223 최다빈출 왕 중요 BASIC

정규분포 $N(m, \sigma^2)$을 따르는 확률변수 X의 확률밀도함수 $f(x)$가 k의 값에 관계없이

$f(60+k)=f(60-k)$

를 만족시킬 때, m의 값은? (단, k는 상수)

① 30 ② 60 ③ 80
④ 90 ⑤ 120

▶ 해설 내신연계기출

1224 BASIC

정규분포 $N(30, 2^2)$을 따르는 확률변수 X에 대하여

$P(X \leq 10)=P(X \geq a)$

일 때, $aP(X \leq 30)$의 값은? (단, a는 상수)

① 15 ② 20 ③ 25
④ 30 ⑤ 35

1225 최다빈출 왕 중요 BASIC

정규분포 $N(m, \sigma^2)$을 따르는 확률변수 X가 다음 두 조건을 만족시킬 때, $m+\sigma$의 값은?

(가) $P(X \leq 5)=P(X \geq 15)$
(나) $V\left(\frac{1}{3}X\right)=4$

① 16 ② 24 ③ 28
④ 36 ⑤ 46

▶ 해설 내신연계기출

1226 최다빈출 왕 중요 NORMAL

확률변수 X는 평균이 m, 표준편차가 σ인 정규분포를 따르고 다음 조건을 만족시킨다.

(가) $P(X \leq m-5)=P(X \geq 2m-4)$
(나) $P(X \geq 1)=P(X \leq m+2\sigma)$

$m+\sigma$의 값은?

① 11 ② 13 ③ 15
④ 17 ⑤ 19

▶ 해설 내신연계기출

1227 TOUGH

확률변수 X가 정규분포 $N(m, \sigma^2)$을 따른다.

$P(X \geq 4)=0.68,\ P(X \geq 10)=0.32$

일 때, $P(|X-m| \leq 3)$의 값은?

① 0.32 ② 0.34 ③ 0.36
④ 0.38 ⑤ 0.40

유형 04 정규분포의 그래프의 비교

정규분포 $N(m, \sigma^2)$의 확률밀도함수의 그래프는

(1) **곡선의 볼록한 모양이 바뀌는 점과 대칭축과의 거리는 σ이다.**

(2) σ의 값이 일정할 때, m의 값이 달라지면 대칭축의 위치는 바뀌지만 모양은 변하지 않는다.

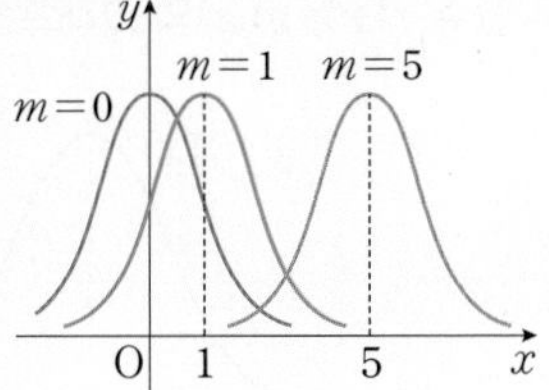

(3) m의 값이 일정할 때,

① 표준편차 σ의 값이 커질수록 곡선은 낮아지면서 양쪽으로 퍼지고,

② 표준편차 σ의 값이 작아질수록 곡선은 높아지면서 뾰족하게 된다.

즉 σ의 값이 클수록 가운데 부분의 높이는 낮아지고 옆으로 퍼진 모양이 된다.

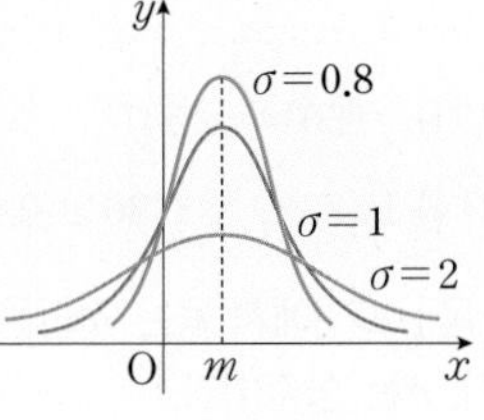

1228 학교기출 대표 유형

정규분포 $N(m, \sigma^2)$을 따르는 확률변수 X의 확률밀도함수 $y=f(x)$의 그래프에 대하여 다음 중 옳지 않은 것은?

① 직선 $x=m$에 대하여 대칭이고, x축이 점근선이다.

② 곡선의 볼록한 모양이 바뀌는 점과 대칭축과의 거리는 σ이다.

③ 곡선 $y=f(x)$와 x축 사이의 넓이는 1이다.

④ m의 값이 일정할 때, σ의 값이 커질수록 곡선은 낮아지면서 양쪽으로 퍼진다.

⑤ σ의 값이 일정할 때, m의 값이 달라지면 곡선의 모양도 달라진다.

1229 최다빈출 왕중요 BASIC

오른쪽 그림의 곡선 A, B, C는 각각 정규분포를 따르는 세 확률변수 X_A, X_B, X_C의 확률밀도함수의 그래프이다. 곡선 A, B의 대칭축이 서로 같고 곡선 C는 곡선 B를 평행이동 한 것이다.

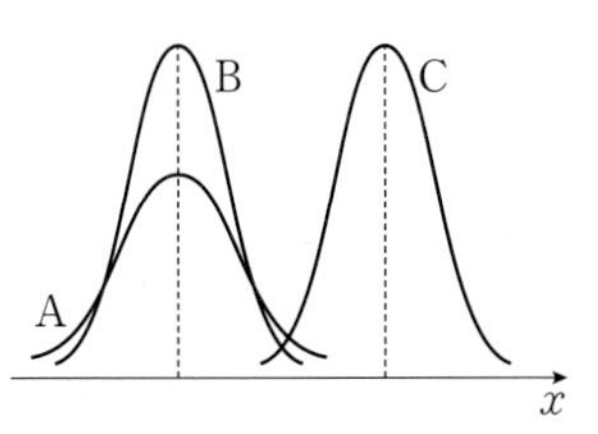

X_A, X_B, X_C의 평균을 각각 m_A, m_B, m_C라 하고 표준편차를 각각 σ_A, σ_B, σ_C라고 할 때, [보기]에서 옳은 것을 모두 고른 것은?

ㄱ. $m_A < m_C$	ㄴ. $\sigma_A < \sigma_C$	ㄷ. $\sigma_B = \sigma_C$

① ㄱ ② ㄱ, ㄴ ③ ㄱ, ㄷ
④ ㄴ, ㄷ ⑤ ㄱ, ㄴ, ㄷ

▶ 해설 내신연계기출

1230 BASIC

확률변수 X_1, X_2, X_3은 각각 정규분포 $N(4, a^2)$, $N(6, b^2)$, $N(c, d^2)$을 따르고, X_1, X_2, X_3의 확률밀도함수는 각각 $f_1(x)$, $f_2(x)$, $f_3(x)$이다. 세 곡선 $y=f_1(x)$, $y=f_2(x)$, $y=f_3(x)$가 그림과 같을 때, [보기]에서 옳은 것을 모두 고른 것은? (단, a, b, c, d는 양수이다.)

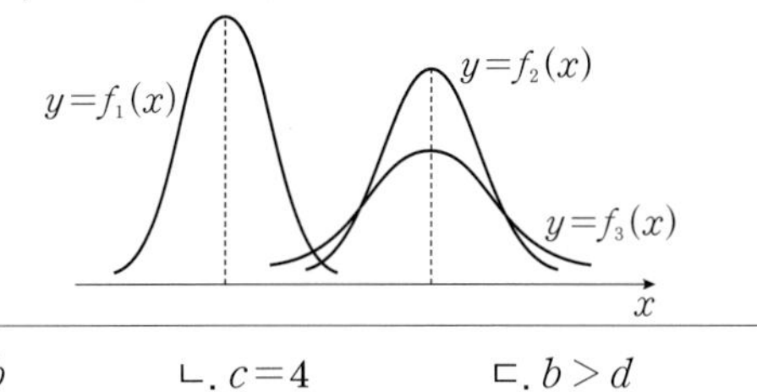

ㄱ. $a < b$	ㄴ. $c=4$	ㄷ. $b > d$

① ㄱ ② ㄴ ③ ㄷ
④ ㄱ, ㄴ ⑤ ㄱ, ㄴ, ㄷ

1231 NORMAL

정규분포를 따르는 확률변수 X_1, X_2의 확률밀도함수를 각각 $f(x)$, $g(x)$라 할 때, 두 함수 $y=f(x)$, $y=g(x)$의 그래프가 오른쪽 그림과 같다. 다음 [보기] 중 옳은 것을 모두 고른 것은?

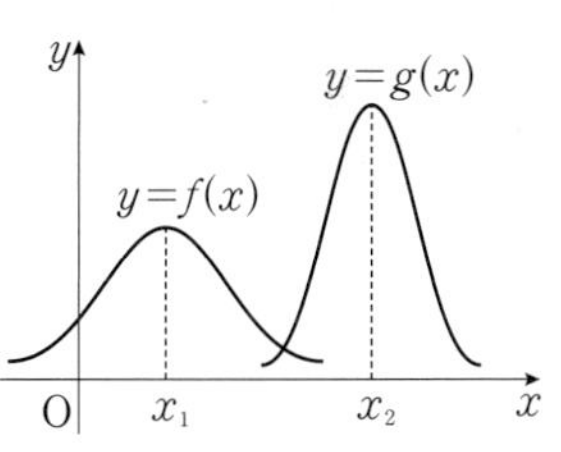

ㄱ. $E(X_1) < E(X_2)$　　ㄴ. $\sigma(X_1) > \sigma(X_2)$
ㄷ. $f(E(X_1)) < g(E(X_2))$　　ㄹ. $P(X_1 \le x_1) = P(X_2 \ge x_2)$

① ㄱ, ㄷ ② ㄴ, ㄹ ③ ㄱ, ㄴ, ㄷ
④ ㄴ, ㄷ, ㄹ ⑤ ㄱ, ㄴ, ㄷ, ㄹ

1232 최다빈출 왕중요 NORMAL

3학년 재학생 수가 각각 500명인 같은 지역 세 고등학교 (A, B, C) 3학년 학생의 수학 성적 분포가 각각 정규분포를 이루고 오른쪽 그림과 같다. 다음 [보기] 중 옳은 것을 모두 고른 것은?

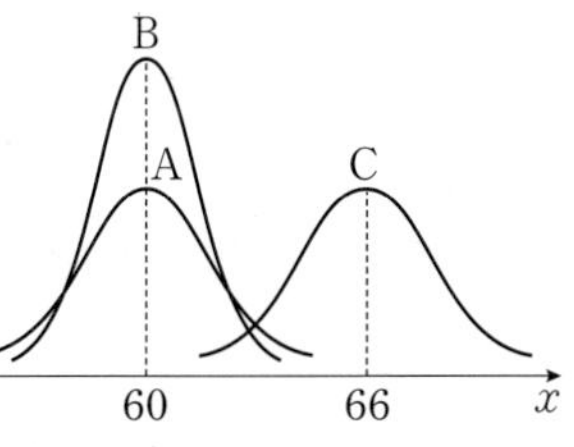

ㄱ. 성적이 우수한 학생들이 B고등학교보다 A고등학교에 더 많이 있다.
ㄴ. B고등학교 학생들은 평균적으로 A고등학교 학생들보다 성적이 더 우수하다.
ㄷ. C고등학교 학생들보다 B고등학교 학생들의 성적이 더 고른 편이다.

① ㄱ ② ㄴ ③ ㄷ
④ ㄱ, ㄷ ⑤ ㄴ, ㄷ

▶ 해설 내신연계기출

1233 최다빈출 중요 NORMAL

학생의 수가 서로 같은 두 고등학교 A, B의 수학점수를 각각 확률변수 X, Y라 할 때, X, Y는 각각 정규분포 $\mathrm{N}(m_1, \sigma_1^2)$, $\mathrm{N}(m_2, \sigma_2^2)$을 따르고 X, Y의 확률밀도함수 $y=f(x)$, $y=g(x)$의 그래프는 각각 그림과 같다.

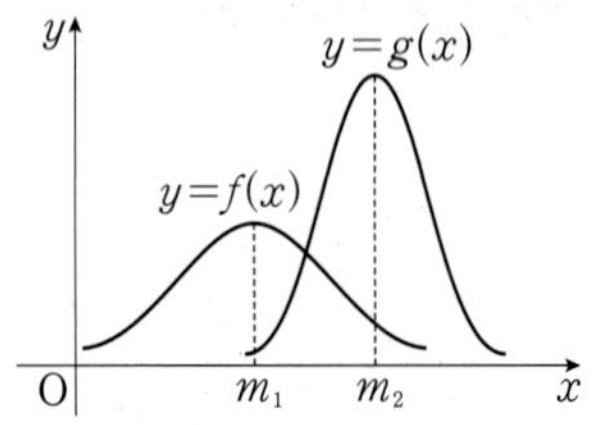

다음 [보기]에서 옳은 것을 모두 고른 것은?

ㄱ. $\mathrm{P}(X \le m_1)+\mathrm{P}(Y \le m_2)=1$
ㄴ. B고등학교의 수학점수의 평균이 A고등학교의 수학점수의 평균보다 높다.
ㄷ. A고등학교의 수학 점수의 표준편차가 B고등학교의 수학 점수의 표준편차보다 크다.

① ㄱ ② ㄴ ③ ㄷ
④ ㄱ, ㄴ ⑤ ㄱ, ㄴ, ㄷ

▶ 해설 내신연계기출

1234 TOUGH

$0<\sigma_1<\sigma_2$일 때, 두 확률변수 X와 Y는 각각 정규분포 $\mathrm{N}(10, \sigma_1^2)$, $\mathrm{N}(10, \sigma_2^2)$을 따르고, 두 확률변수 X와 Y의 확률밀도함수는 각각 $f(x)$, $g(x)$일 때, 다음 조건을 만족시킨다.

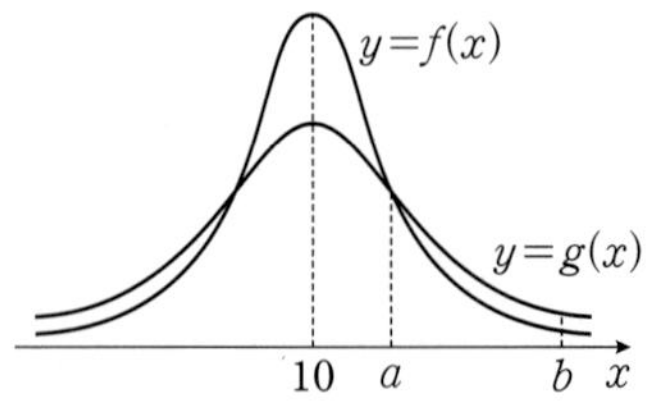

(가) 두 상수 a, b에 대하여 $10<a<b$이다.
(나) $f(a)=g(a)$
(다) $\mathrm{P}(10 \le X \le a)=\mathrm{P}(a \le X \le b)$

다음 [보기]에서 옳은 것만을 있는 대로 고른 것은?

ㄱ. $f(b)<g(b)$
ㄴ. $\mathrm{P}(X \le 10)+\mathrm{P}(Y \ge 10)=1$
ㄷ. $2a<b+10$
ㄹ. $\mathrm{P}(10 \le Y \le c)=0.25$이면 $a<c$이다.

① ㄱ, ㄴ ② ㄴ, ㄹ ③ ㄱ, ㄴ, ㄷ
④ ㄴ, ㄷ, ㄹ ⑤ ㄱ, ㄴ, ㄷ, ㄹ

1235 TOUGH

두 확률변수 X, Y는 각각 정규분포 $\mathrm{N}(a, \sigma^2)$, $\mathrm{N}(a+24, \sigma^2)$을 따르고 두 확률변수 X, Y의 확률밀도함수가 각각 $f(x)$, $g(x)$일 때, 두 함수 $f(x)$, $g(x)$의 그래프는 다음 조건을 만족시킨다.

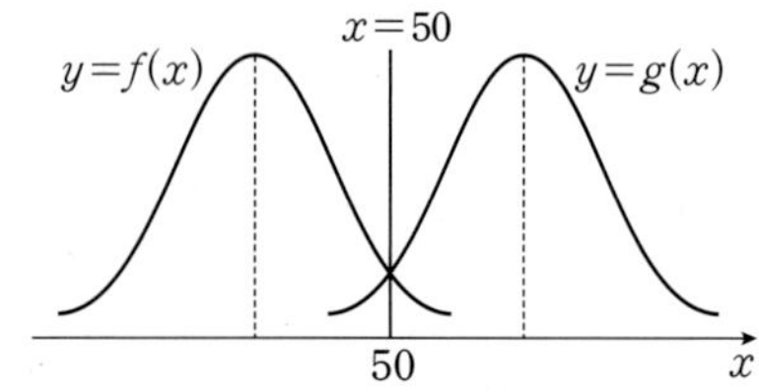

(가) $f(50)=g(50)$
(나) $\mathrm{P}(33 \le X \le 36)=0.24$, $\mathrm{P}(38 \le X \le 43)=0.38$

다음 [보기]에서 옳은 것만을 있는 대로 고른 것은? (단, a는 상수이다.)

ㄱ. $a=38$
ㄴ. $\mathrm{P}(X \ge 50)+\mathrm{P}(Y \ge 50)=1$
ㄷ. $\mathrm{P}(40 \le X \le 43)=\mathrm{P}(64 \le Y \le 67)=0.24$
ㄹ. $\mathrm{P}(62 \le Y \le 64)=0.14$

① ㄱ ② ㄱ, ㄷ ③ ㄷ, ㄹ
④ ㄴ, ㄷ, ㄹ ⑤ ㄱ, ㄴ, ㄷ, ㄹ

1236 TOUGH

세 확률변수 X_1, X_2, X_3은 각각 정규분포 $\mathrm{N}(m_1, \sigma_1^2)$, $\mathrm{N}(m_2, \sigma_2^2)$, $\mathrm{N}(m_3, \sigma_3^2)$을 각각 따르고 세 확률변수 X_1, X_2, X_3의 확률밀도함수가 각각 $f(x)$, $g(x)$, $h(x)$일 때,

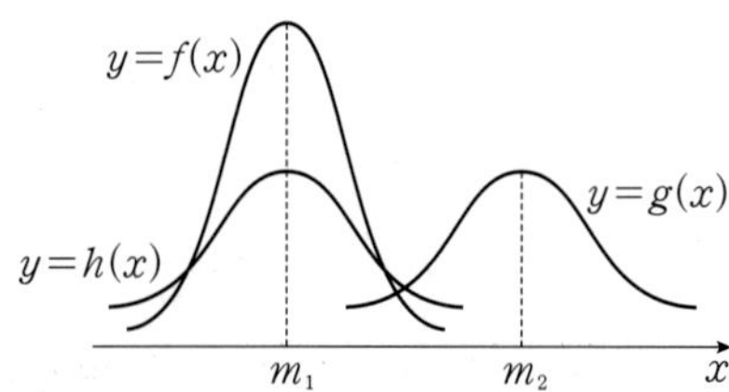

세 함수 $f(x)$, $g(x)$, $h(x)$는 다음 조건을 만족시킨다.

(가) $f(m_1)>h(m_1)$이고 $g(x)=h(x-3)$이다.
(나) $\mathrm{P}(X_1 \le 8)=0.5$
(다) $\mathrm{P}(X_2 \ge m_2+1)=0.38$, $\mathrm{P}(X_3 \le m_1-3)=0.22$

$\mathrm{P}(12 \le X_2 \le 14)$의 값은? (단, 두 함수 $y=f(x)$와 $y=h(x)$의 그래프는 각각 직선 $x=m_1$에 대하여 대칭이고 $y=g(x)$의 그래프는 직선 $x=m_2$에 대하여 대칭이다.)

① 0.13 ② 0.14 ③ 0.15
④ 0.16 ⑤ 0.17

유형 05 정규분포의 확률이 최대가 되는 값 구하기

정규분포 $\mathrm{N}(m, \sigma^2)$의 확률밀도함수의 그래프는

x축이 점근선이고 $x=m$일 때, 최댓값이 $\frac{1}{\sqrt{2\pi}\sigma}$을 가진다.

참고 $\mathrm{P}(a \le X \le b)$이 최대이려면 ⇨ $\frac{a+b}{2}=m$

1237 학교기출 대표 유형

확률변수 X가 정규분포 $\mathrm{N}(7, 3^2)$을 따를 때, 확률

$$\mathrm{P}(2a-3 \le X \le 2a+1)$$

이 최대가 되도록 하는 상수 a의 값은?

① 3 ② 4 ③ 5
④ 6 ⑤ 7

1238 최다빈출 왕 중요 BASIC

확률변수 X가 정규분포 $\mathrm{N}(m, \sigma^2)$을 따를 때,

$$\mathrm{P}(X \le 30)=\mathrm{P}(X \ge 52)$$

가 성립한다. $\mathrm{P}(a \le X \le a+16)$의 값이 최대가 되도록 하는 실수 a의 값은?

① 31 ② 32 ③ 33
④ 34 ⑤ 35

▶ 해설 내신연계기출

1239 BASIC

정규분포 $\mathrm{N}(m, 4)$를 따르는 확률변수 X에 대하여 함수

$$g(k)=\mathrm{P}(k-8 \le X \le k)$$

는 $k=12$일 때, 최댓값을 갖는다. 상수 m의 값은?

① 6 ② 7 ③ 8
④ 9 ⑤ 10

1240 NORMAL

확률변수 X가 정규분포 $\mathrm{N}(50, 5^2)$를 따를 때, 함수 $F(x)=\mathrm{P}(X \le x)$에 대하여

$$F(x+20)-F(x)$$

의 최댓값을 오른쪽 표준정규분포표를 이용하여 구한 것은?

z	$\mathrm{P}(0 \le Z \le z)$
1.0	0.3413
1.5	0.4332
2.0	0.4772
2.5	0.4938

① 0.6826 ② 0.8664 ③ 0.9544
④ 0.9710 ⑤ 0.9876

1241 최다빈출 왕 중요 TOUGH

확률변수 X가 평균이 m, 표준편차가 σ인 정규분포를 따를 때, 실수 전체의 집합에서정의된 함수 $f(t)$는

$$f(t)=\mathrm{P}(t \le X \le t+2)$$

이다. 함수 $f(t)$는 $t=4$에서 최댓값을 갖고, $f(m)=0.3413$이다.

z	$\mathrm{P}(0 \le Z \le z)$
1.0	0.3413
1.5	0.4332
2.0	0.4772
2.5	0.4938

오른쪽 표준정규분포표를 이용하여 $f(7)$의 값을 구한 것은?

① 0.1359 ② 0.0919 ③ 0.0606
④ 0.0440 ⑤ 0.0166

▶ 해설 내신연계기출

유형 06 정규분포에서 확률 구하기

확률변수 X가 정규분포 $N(m, \sigma^2)$을 따를 때,
정규분포 곡선은 직선 $x=m$에 대하여 대칭이므로
[1단계] m과 σ를 사용하여 확률변수 X의 값의 범위를 나타낸다.
[2단계] 주어진 표를 이용하여 확률을 구한다.

① $P(m-\sigma \le X \le m+\sigma)=0.6826$

② $P(m-2\sigma \le X \le m+2\sigma)=0.9544$

③ $P(m-3\sigma \le X \le m+3\sigma)=0.9974$

참고 표준화 공식 $Z=\frac{X-m}{\sigma}$을 이용한다.

1242 학교기출 대표 유형

정규분포 $N(m, \sigma^2)$을 따르는 확률변수 X에 대하여

$$P(X \le m+\sigma)=0.8413$$

일 때, 확률 $P(m-\sigma \le X \le m+\sigma)$의 값은?

① 0.6348 ② 0.6826 ③ 0.7785
④ 0.8842 ⑤ 0.9544

1243 NORMAL

정규분포 $N(m, \sigma^2)$을 따르는 확률변수 X에 대하여 $P(m \le X \le x)$는 오른쪽 표와 같다.
확률변수 X가 정규분포 $N(20, 3^2)$을 따를 때, 오른쪽 표를 이용하여 $P(14 \le X \le 20)$의 값을 구한 것은?

x	$P(m \le X \le x)$
$m+\sigma$	0.3413
$m+2\sigma$	0.4772
$m+3\sigma$	0.4987

① 0.2880 ② 0.3413 ③ 0.4772
④ 0.4812 ⑤ 0.8413

1244 최다빈출 왕중요 NORMAL

정규분포 $N(m, \sigma^2)$을 따르는 확률변수 X에 대하여 $P(m \le X \le x)$는 오른쪽 표와 같다.
확률변수 X가 정규분포 $N(30, 2^2)$을 따를 때,

$$P(26 \le X \le a)=0.1359$$

를 만족하는 상수 a의 값은?

x	$P(m \le X \le x)$
$m+\sigma$	0.3413
$m+2\sigma$	0.4772
$m+3\sigma$	0.4987

① 28 ② 30 ③ 32
④ 34 ⑤ 36

▶ 해설 내신연계기출

1245 NORMAL

확률변수 X가 정규분포 $N(m, \sigma^2)$을 따르고

$$P(m-\sigma \le X \le m+2\sigma)=a,$$
$$P\left(\left|\frac{X-m}{\sigma}\right| \ge 2\right)=b$$

라고 할 때, 확률 $P(X \ge m+\sigma)$를 a, b로 나타낸 것은?

① $a-b$ ② $1-a-b$ ③ $1-a-\frac{b}{2}$
④ $1+a+b$ ⑤ $1+a-\frac{b}{2}$

1246 최다빈출 왕중요 TOUGH

확률변수 X가 정규분포 $N(m, \sigma^2)$을 따르고 다음 조건을 만족시킨다.

(가) $P(X \ge 64)=P(X \le 56)$
(나) $E(X^2)=3616$

$P(X \le 68)$의 값을 오른쪽 표를 이용하여 구한 것은?

x	$P(m \le X \le x)$
$m+1.5\sigma$	0.4332
$m+2\sigma$	0.4772
$m+2.5\sigma$	0.4938

① 0.9104 ② 0.9332
③ 0.9544 ④ 0.9772
⑤ 0.9938

▶ 해설 내신연계기출

유형 07 정규분포의 표준화를 이용한 미지수 계산

확률변수 X가 정규분포 $\mathrm{N}(m,\ \sigma^2)$를 따를 때,

① 확률변수 $Z=\dfrac{X-m}{\sigma}$은 표준정규분포 $\mathrm{N}(0,\ 1)$을 따른다.

② $\mathrm{P}(a \le X \le b)=\mathrm{P}\left(\dfrac{a-m}{\sigma} \le Z \le \dfrac{b-m}{\sigma}\right)$

참고 정규분포의 표준화

정규분포	표준화	표준정규분포
$\mathrm{N}(m,\ \sigma^2)$	$Z=\dfrac{X-m}{\sigma}$ ⇨ 색칠한 부분의 넓이는 같다.	$\mathrm{N}(0,\ 1)$
$f(x)$, m, $m+\sigma$, x		$f(z)$, 0, 1, z

1247 학교기출 대표 유형

확률변수 X가 정규분포 $\mathrm{N}(110,\ 4^2)$을 따를 때,

$$\mathrm{P}(X \le 100)=\mathrm{P}(X \ge a)=\mathrm{P}(Z \ge b)$$

가 성립한다. 두 상수 a, b에 대하여 ab의 값은?
(단, Z는 표준정규분포표를 따르는 확률변수이다.)

① 200　② 250　③ 300
④ 400　⑤ 450

1248 최다빈출 왕 중요 NORMAL

두 확률변수 X, Y가 각각 정규분포 $\mathrm{N}(50,\ 10^2)$, $\mathrm{N}(40,\ 8^2)$을 따른다고 할 때,

$$\mathrm{P}(50 \le X \le k)=\mathrm{P}(24 \le Y \le 40)$$

을 만족시키는 상수 k의 값은?

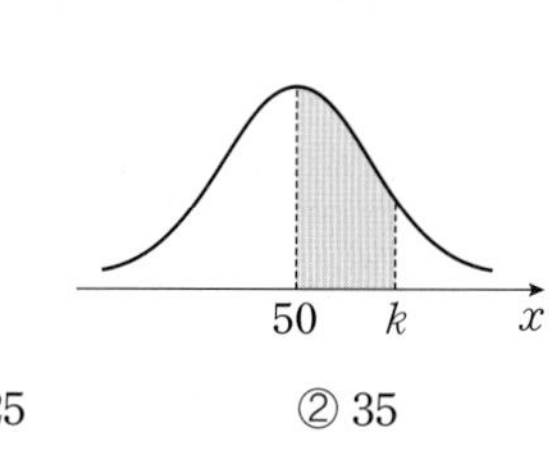

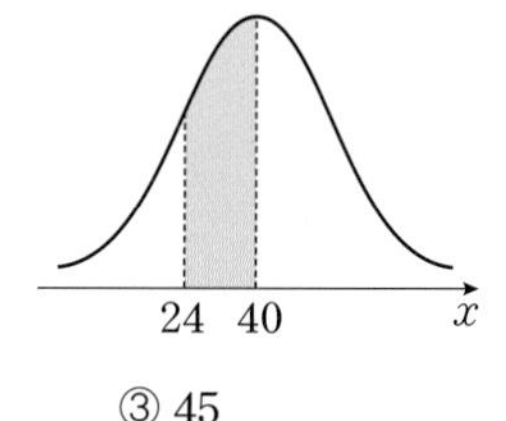

① 25　② 35　③ 45
④ 55　⑤ 70

▶ 해설 내신연계기출

1249 NORMAL

두 확률변수 X, Y가 각각 정규분포 $\mathrm{N}(12,\ 2^2)$, $\mathrm{N}(22,\ 3^2)$을 따르고

$$\mathrm{P}(10 \le X \le k)=\mathrm{P}(k \le Y \le 25)$$

일 때, 상수 k의 값은?

① 12　② 14　③ 16
④ 18　⑤ 20

1250 NORMAL

두 확률변수 X, Y가 각각 정규분포 $\mathrm{N}(2,\ 3^2)$, $\mathrm{N}(0,\ 2^2)$을 따르고

$$\mathrm{P}(X \ge 2k)=\mathrm{P}(Y \ge k)$$

일 때, 상수 k의 값은?

① -3　② -2　③ -1
④ 2　⑤ 4

1251 최다빈출 왕 중요 NORMAL

확률변수 X, Y가 각각 정규분포 $\mathrm{N}(10,\ 2^2)$, $\mathrm{N}(m,\ 4^2)$을 따르고

$$2\mathrm{P}(10 \le X \le 14)=\mathrm{P}(15 \le Y \le 2m-15)$$

일 때, 상수 m의 값은?

① 20　② 21　③ 22
④ 23　⑤ 24

▶ 해설 내신연계기출

1252 최다빈출 왕중요 NORMAL

두 확률변수 X, Y가 각각 정규분포 $\mathrm{N}(1,\ 2^2)$, $\mathrm{N}(2,\ 3^2)$을 따를 때,

$$\mathrm{P}(X \le 5)=\mathrm{P}(Y \ge k)$$

를 만족시키는 상수 k의 값은?

① -4　② -2　③ 1
④ 2　⑤ 4

▶ 해설 내신연계기출

1253 NORMAL

정규분포를 따르는 두 연속확률변수 X, Y가 다음 조건을 만족시킨다.

(가) $\mathrm{E}(X)=10$
(나) $Y=3X$

$\mathrm{P}(X \le k)=\mathrm{P}(Y \ge k)$를 만족시키는 상수 k의 값은?

① 14　② 15　③ 16
④ 17　⑤ 18

1254 최다빈출 왕중요 TOUGH

확률변수 X가 정규분포 $\mathrm{N}(a,\ 2^2)$을 따르고 확률변수 X의 확률밀도함수 $f(x)$가 다음 조건을 만족시킨다.

(가) 임의의 실수 k에 대하여 $f(80+k)=f(80-k)$
(나) $2\mathrm{P}(a-2 \le X \le a)+\mathrm{P}(a+2 \le X \le a+4)$
　$=\mathrm{P}(78 \le X \le b)$
(다) $\mathrm{P}(78 \le X \le b)=\mathrm{P}(0 \le Z \le c)+\mathrm{P}(0 \le Z \le 2)$

세 상수 a, b, c에 대하여 $a+b+c$의 값은?
(단, Z는 표준정규분포표를 따르는 확률변수이다.)

① 162　② 163　③ 164
④ 165　⑤ 166

▶ 해설 내신연계기출

1255 TOUGH

확률변수 X는 평균이 m, 표준편차가 σ인 정규분포를 따르고 확률변수 X의 확률밀도함수 $f(x)$가 다음 조건을 만족시킨다.

(가) $\mathrm{P}(X \ge 48)=0.0228$
(나) $\mathrm{P}(42 \le X \le 48)=0.2857$

이때 $m+\sigma$의 값을 오른쪽 표준정규분포표를 이용하여 구한 것은?

z	$\mathrm{P}(0 \le Z \le z)$
0.5	0.1915
1.0	0.3413
1.5	0.4332
2.0	0.4772

① 38　② 40
③ 42　④ 44
⑤ 46

1256 최다빈출 왕중요 TOUGH

확률변수 X가 평균이 m, 표준편차가 σ인 정규분포를 따르고

$$\mathrm{P}(X \le 3)=\mathrm{P}(3 \le X \le 80)=0.3$$

일 때, $m+\sigma$의 값은?
(단, Z가 표준정규분포를 따르는 확률변수일 때,
$\mathrm{P}(0 \le Z \le 0.25)=0.1$, $\mathrm{P}(0 \le Z \le 0.52)=0.2$로 계산한다.)

① 150　② 155　③ 160
④ 180　⑤ 190

▶ 해설 내신연계기출

유형 08 정규분포곡선의 성질을 이용하여 미지수를 구한 후 확률 구하기

[1단계] 다음 조건을 만족하는 평균 m과 분산 σ^2을 구한다.

① $\mathrm{P}(X \ge x_1)=\mathrm{P}(X \le x_2)$이면 $m=\mathrm{E}(X)=\dfrac{x_1+x_2}{2}$

② $\mathrm{V}(X)=\mathrm{E}(X^2)-\{\mathrm{E}(X)\}^2$에서 $\sigma=\sqrt{\mathrm{V}(X)}$

③ $f(a-x)=f(b+x)$이면 $x=\dfrac{a+b}{2}$에 대칭이다.

[2단계] 확률변수 X를 $Z=\dfrac{X-m}{\sigma}$으로 표준화 한다.

[3단계] 표준정규분포를 이용하여 확률을 구한다.

1257 학교기출 대표 유형

확률변수 X는 정규분포 $\mathrm{N}(m,\ 2^2)$을 따르고

$$\mathrm{P}(X \le 7)=\mathrm{P}(X \ge 5)$$

이다. $\mathrm{P}(X \ge 4)$의 값을 오른쪽 표준정규분포표를 이용하여 구한 것은?

z	$\mathrm{P}(0 \le Z \le z)$
0.5	0.1915
1.0	0.3413
1.5	0.4332
2.0	0.4772

① 0.6915 ② 0.8185 ③ 0.8413
④ 0.9332 ⑤ 0.9772

▶ 해설 내신연계기출

1258 최다빈출 왕 중요 NORMAL

정규분포 $\mathrm{N}(m,\ \sigma^2)$을 따르는 확률변수 X에 대하여 확률밀도함수 $f(x)$가 모든 실수 x에 대하여

$$f(100-x)=f(100+x)$$

를 만족한다.

$$\mathrm{P}(m \le X \le m+8)=0.4772$$

일 때, 표준정규분포표를 이용하여 $\mathrm{P}(94 \le X \le 110)$을 구하면?

z	$\mathrm{P}(0 \le Z \le z)$
1.5	0.4332
2.0	0.4772
2.5	0.4938
3.0	0.4987

① 0.9104 ② 0.9270 ③ 0.9710
④ 0.9725 ⑤ 0.9759

▶ 해설 내신연계기출

1259 NORMAL

확률변수 X가 정규분포 $\mathrm{N}(10,\ 2^2)$을 따르고, 확률변수 X의 확률밀도함수 $y=f(x)$의 그래프가 직선 $y=k$와 두 점 A, B에서 만난다. 두 점 A, B의 x좌표를 각각 a, b라 할 때,

$$\mathrm{P}(a \le X \le b)=0.9544$$

이다. 두 상수 a, b에 대하여 $2a+b$의 값은?
(단, k는 상수이고, Z가 표준정규분포를 따른다.)

z	$\mathrm{P}(0 \le Z \le z)$
0.5	0.1915
1.0	0.3413
1.5	0.4332
2.0	0.4772

① 20 ② 22 ③ 24
④ 26 ⑤ 28

1260 NORMAL

확률변수 X가 정규분포 $\mathrm{N}(5,\ 2^2)$을 따를 때,

$$\mathrm{P}(X \le 9-2a)=\mathrm{P}(X \ge 3a-3)$$

을 만족시키는 상수 a에 대하여 $\mathrm{P}(9-2a \le X \le 3a-3)$의 값을 오른쪽 표준정규분포표를 이용하여 구한 것은?

z	$\mathrm{P}(0 \le Z \le z)$
1.0	0.3413
1.5	0.4332
2.0	0.4772
2.5	0.4938

① 0.7745 ② 0.8664 ③ 0.9104
④ 0.9544 ⑤ 0.9876

1261 NORMAL

확률변수 X는 평균이 50, 표준편차가 σ인 정규분포를 따르고, 확률변수 Z는 표준정규분포를 따른다.

$$\mathrm{P}(X \le 60)=\mathrm{P}(Z \ge -1)$$

일 때, $\mathrm{P}(45 \le X \le 65)$의 값을 오른쪽 표준정규분포표를 이용하여 구한 것은?

z	$\mathrm{P}(0 \le Z \le z)$
0.5	0.1915
1.0	0.3413
1.5	0.4332
2.0	0.4772

① 0.5328 ② 0.6247 ③ 0.7745
④ 0.8185 ⑤ 0.9104

1262 최다빈출 왕중요 NORMAL

확률변수 X는 평균이 m, 표준편차가 8인 정규분포를 따르고 다음 조건을 만족시킨다.

(가) $\mathrm{P}(X \le k)+\mathrm{P}(X \le 100+k)=1$
(나) $\mathrm{P}(X \ge 2k)=0.0668$

m의 값을 오른쪽 표준정규분포표를 이용하여 구한 것은? (단, k는 상수이다.)

z	$\mathrm{P}(0 \le Z \le z)$
0.5	0.1915
1.0	0.3413
1.5	0.4332
2.0	0.4772

① 96 ② 100 ③ 104 ④ 108 ⑤ 112

▶ 해설 내신연계기출

1263 NORMAL

확률변수 X는 정규분포 $\mathrm{N}(m, \sigma^2)$을 따르고 다음 조건을 만족시킨다.

(가) $\mathrm{P}(X \ge 128)=\mathrm{P}(X \le 140)$
(나) $\mathrm{P}(m \le X \le m+10)=\mathrm{P}(-1 \le Z \le 0)$

$\mathrm{P}(X \ge k)=0.0668$을 만족시키는 상수 k의 값을 오른쪽 표준정규분포표를 이용하여 구한 것은? (단, Z는 표준정규분포를 따르는 확률변수이다.)

z	$\mathrm{P}(0 \le Z \le z)$
0.5	0.1915
1.0	0.3413
1.5	0.4332
2.0	0.4772

① 138 ② 145 ③ 149 ④ 152 ⑤ 162

1264 최다빈출 왕중요 TOUGH

확률변수 X는 평균이 m, 표준편차가 5인 정규분포를 따르고 확률변수 X의 확률밀도함수 $f(x)$가 다음 조건을 만족시킨다.

(가) $f(10)>f(20)$
(나) $f(4)<f(22)$

m이 자연수일 때, $\mathrm{P}(17 \le X \le 18)$의 값을 오른쪽 표준정규분포표를 이용하여 구한 것은?

z	$\mathrm{P}(0 \le Z \le z)$
0.6	0.226
0.8	0.288
1.0	0.341
1.2	0.385
1.4	0.419

① 0.044 ② 0.053 ③ 0.062 ④ 0.078 ⑤ 0.097

▶ 해설 내신연계기출

1265 최다빈출 왕중요 TOUGH

확률변수 X는 정규분포 $\mathrm{N}(10, 4^2)$, 확률변수 Y는 정규분포 $\mathrm{N}(m, 4^2)$을 따르고 확률변수 X와 Y의 확률밀도함수는 각각 $f(x)$, $g(x)$이다. $f(12)=g(26)$, $\mathrm{P}(Y \ge 26) \ge 0.5$일 때, $\mathrm{P}(Y \le 20)$의 값을 표준정규분포표를 이용하여 구한 것은?

z	$\mathrm{P}(0 \le Z \le z)$
1.0	0.3413
1.5	0.4332
2.0	0.4772
2.5	0.4938

① 0.0062 ② 0.0228 ③ 0.0896 ④ 0.1587 ⑤ 0.2255

▶ 해설 내신연계기출

1266 TOUGH

확률변수 X는 정규분포 $\mathrm{N}(20, \sigma^2)$을 따르고 확률변수 Y는 정규분포 $\mathrm{N}(m, \sigma^2)$을 따른다. 두 확률변수 X와 Y의 확률밀도함수는 각각 $f(x)$, $g(x)$이라 할 때, 다음 조건을 만족시킨다.

(가) $f(a)=f(28)=g(28)$
(나) $\mathrm{P}(a \le X \le 28)=0.84$, $\mathrm{P}(Y \ge b)=0.08$

두 상수 a, b에 대하여 $a+b$의 값은? (단, $m \ne 20$)

① 52 ② 54 ③ 56 ④ 58 ⑤ 60

1267 최다빈출 왕중요 TOUGH

확률변수 X는 정규분포 $\mathrm{N}(10, 2^2)$, 확률변수 Y는 정규분포 $\mathrm{N}(m, 2^2)$을 따르고 확률변수 X와 Y의 확률밀도함수는 각각 $f(x)$와 $g(x)$이다.

$$f(12) \le g(20)$$

을 만족시키는 m에 대하여 $\mathrm{P}(21 \le Y \le 24)$의 최댓값을 오른쪽 표준정규분포표를 이용하여 구한 것은?

z	$\mathrm{P}(0 \le Z \le z)$
0.5	0.1915
1.0	0.3413
1.5	0.4332
2.0	0.4772

① 0.5328 ② 0.6247 ③ 0.7745 ④ 0.8185 ⑤ 0.9104

▶ 해설 내신연계기출

유형 09 표준정규분포곡선에서 확률을 만족시키는 미지수 구하기

정규분포 $N(m, \sigma^2)$을 따르는 확률변수 X에 대하여

$P(a \le X \le b) = k$를 만족시키는 미지수의 값을 다음 단계로 구한다.

[1단계] 확률변수 X를 $Z = \frac{X-m}{\sigma}$으로 표준화 한다.

[2단계] $P(a \le X \le b) = P\left(\frac{a-m}{\sigma} \le Z \le \frac{b-m}{\sigma}\right) = k$를 만족시키는 미지수의 값을 구한다.

참고 확률변수 X가 정규분포 $N(m, \sigma^2)$을 따르고 $P(X \ge a) = p$일 때,

① $p < 0.5$이면

$P(X \ge a)$

$= P\left(Z \ge \frac{a-m}{\sigma}\right)$

$= P(Z \ge 0) - P\left(0 \le Z \le \frac{a-m}{\sigma}\right)$

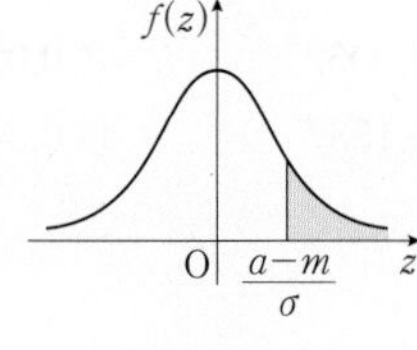

② $p > 0.5$이면

$P(X \ge a)$

$= P\left(Z \ge \frac{a-m}{\sigma}\right)$

$= P\left(\frac{a-m}{\sigma} \le Z \le 0\right) + P(Z \ge 0)$

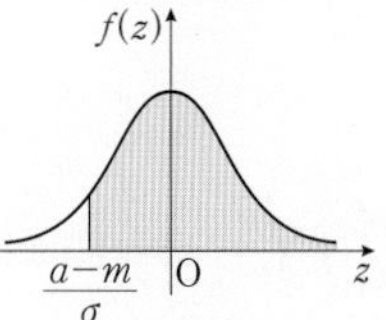

1268 학교기출 대표 유형

확률변수 X가 정규분포 $N(50, 5^2)$을 따를 때,

$$P(45 \le X \le a) = 0.8185$$

를 만족시킬 때, 오른쪽 정규분포표를 이용하여 실수 a의 값을 구한 것은?

z	$P(0 \le Z \le z)$
1.0	0.3413
2.0	0.4772
3.0	0.4987

① 20 ② 30 ③ 40 ④ 50 ⑤ 60

1269 최다빈출 왕 중요

확률변수 X가 정규분포 $N(m, 10^2)$을 따르고

$$P(X \le 50) = 0.2119$$

일 때, m의 값을 오른쪽 표준정규분포표를 이용하여 구한 것은?

z	$P(0 \le Z \le z)$
0.6	0.2257
0.7	0.2580
0.8	0.2881
0.9	0.3159

① 55 ② 56 ③ 57 ④ 58 ⑤ 59

▶ 해설 내신연계기출

1270 최다빈출 왕 중요 NORMAL

확률변수 X는 정규분포 $N(50, 2^2)$을 따를 때,

$$P(X \ge k) = 0.0013$$

을 만족시키는 상수 k의 값은?

z	$P(0 \le Z \le z)$
1.0	0.3413
2.0	0.4772
3.0	0.4987

① 40 ② 45 ③ 52 ④ 56 ⑤ 63

▶ 해설 내신연계기출

1271 최다빈출 왕 중요 NORMAL

확률변수 X가 평균이 m, 표준편차가 $\frac{m}{3}$인 정규분포를 따르고

$$P\left(X \le \frac{9}{2}\right) = 0.9987$$

일 때, 오른쪽 표준정규분포표를 이용하여 m의 값을 구한 것은?

z	$P(0 \le Z \le z)$
1.5	0.4332
2.0	0.4772
2.5	0.4938
3.0	0.4987

① $\frac{3}{2}$ ② $\frac{7}{4}$ ③ 2 ④ $\frac{9}{4}$ ⑤ $\frac{5}{2}$

▶ 해설 내신연계기출

1272 NORMAL

두 연속확률변수 X와 Y는 각각 정규분포 $N(50, \sigma^2)$, $N(65, 4\sigma^2)$을 따른다.

$$P(X \ge k) = P(Y \le k) = 0.1056$$

일 때, $k+\sigma$의 값을 오른쪽 표준정규분포표를 이용하여 구하면? (단, $\sigma > 0$)

z	$P(0 \le Z \le z)$
1.25	0.3944
1.50	0.4332
1.75	0.4599
2.00	0.4772

① 49 ② 53 ③ 55 ④ 57 ⑤ 59

1273 TOUGH

확률변수 X는 평균이 m, 표준편차가 σ인 정규분포를 따르고 다음 등식을 만족시킨다.

$$P(m \le X \le m+12) - P(X \le m-12) = 0.3664$$

오른쪽 표준정규분포표를 이용하여 σ의 값을 구한 것은?

z	$P(0 \le Z \le z)$
0.5	0.1915
1.0	0.3413
1.5	0.4332
2.0	0.4772

① 4 ② 6 ③ 8 ④ 10 ⑤ 12

유형 10 확률변수가 1개인 정규분포의 활용 −확률 구하기

학생 n명의 키, 몸무게, 성적 등이 정규분포를 따를 때, 특정 범위에 포함되는 학생의 백분율 또는 학생 수를 다음과 같이 구한다.

[1단계] 확률변수 X를 찾는다.

[2단계] 확률변수 X에 대한 평균과 표준편차를 구하여 정규분포 $\mathrm{N}(m, \sigma^2)$로 나타낸다.

[3단계] 주어진 확률변수 X의 범위를 표시하여 정규분포를 표준정규분포로 고쳐 표준정규분포 곡선을 그려 주어진 표(표준정규분포표)를 이용한다.

$$\mathrm{P}(a \le X \le b) = \mathrm{P}\left(\frac{a-m}{\sigma} \le X \le \frac{b-m}{\sigma}\right)$$

1274 학교기출 대표 유형

어느 고등학교 학생들의 봉사시간은 평균이 48시간이고 표준편차가 10시간인 정규분포를 따른다고 한다. 이 고등학교 학생 중에서 임의로 1명을 택할 때, 이 학생의 봉사시간이 58시간 이상일 확률을 오른쪽 표준정규분포표를 이용하여 구한 것은?

z	$\mathrm{P}(0 \le Z \le z)$
0.5	0.1915
1.0	0.3413
1.5	0.4332
2.0	0.4772

① 0.0668 ② 0.1587 ③ 0.7745
④ 0.8185 ⑤ 0.9104

1275 NORMAL

어느 패스트푸드점에서 판매하는 햄버거의 열량은 평균이 440kcal이고 표준편차가 20kcal인 정규분포를 따른다고 한다. 이 패스트푸드점에서 주문한 햄버거 한 개의 열량이 450kcal 이하일 확률을 오른쪽 표준정규분포표를 이용하여 구한 것은?

z	$\mathrm{P}(0 \le Z \le z)$
0.5	0.1915
1.0	0.3413
1.5	0.4332
2.0	0.4772

① 0.1587 ② 0.3085 ③ 0.6915
④ 0.8413 ⑤ 0.9772

1276 최다빈출 왕 중요 NORMAL

어느 공장에서 생산하는 전기 자동차 배터리 1개의 용량은 평균이 64.2, 표준편차가 0.4인 정규분포를 따른다고 한다. 이 공장에서 생산한 전기 자동차 배터리 중 임의로 1개를 선택할 때, 이 배터리의 용량이 65 이상일 확률을 오른쪽 표준정규분포표를 이용하여 구한 것은? (단, 전기 자동차 배터리 용량의 단위는 kWh이다.)

z	$\mathrm{P}(0 \le Z \le z)$
1.0	0.3413
1.5	0.4332
2.0	0.4772
2.5	0.4938

① 0.0062 ② 0.0228 ③ 0.0668
④ 0.1587 ⑤ 0.3085

▶ 해설 내신연계기출

1277 최다빈출 왕 중요 NORMAL

어느 세차장에서 승용차 한 대를 세차하는데 걸리는 세차 시간은 평균 30분, 표준편차 2분인 정규분포를 따른다고 한다. 한 대의 승용차를 이 세차장에서 세차할 때, 세차 시간이 33분 이상일 확률을 표준정규분포표를 이용하여 구한 값이 a일 때, $10000a$의 값은?

z	$\mathrm{P}(0 \le Z \le z)$
0.5	0.1915
1.0	0.3413
1.5	0.4332
2.0	0.4772

① 158 ② 228 ③ 341
④ 566 ⑤ 668

▶ 해설 내신연계기출

1278 NORMAL

어느 회사에서 생산되는 노트북 컴퓨터 한 대의 무게는 평균이 940g이고 표준편차가 20g인 정규분포를 따른다고 한다. 이 회사에서 생산된 노트북 컴퓨터 중에서 임의로 택할 때, 이 노트북의 무게가 1000g 이상일 확률을 표준정규분포표를 이용하여 구한 것은?

z	$\mathrm{P}(0 \le Z \le z)$
1.0	0.3413
1.5	0.4332
2.0	0.4772
2.5	0.4938
3.0	0.4987

① 0.0013 ② 0.0062 ③ 0.0228
④ 0.0668 ⑤ 0.1587

1279
최다빈출 왕중요 NORMAL

집에서 학교까지의 통학 시간을 X분이라고 하면 확률변수 X는 정규분포 $N(30,\ 5^2)$을 따른다. 수업 시작 40분 전에 집에서 출발할 때, 지각할 확률은?

z	$P(0 \le Z \le z)$
1.0	0.3413
2.0	0.4772
3.0	0.4987

① 0.0228 ② 0.1574 ③ 0.2561
④ 0.3771 ⑤ 0.8085

▶ 해설 내신연계기출

1280
NORMAL

어느 공항에서 처리되는 각 수하물의 무게는 평균이 18kg, 표준편차가 2kg인 정규분포를 따른다고 한다. 이 공항에서 처리되는 수하물 중에서 임의로 한 개를 선택할 때, 이 수하물의 무게가 16kg 이상이고 22kg 이하일 확률을 오른쪽 표준정규분포표를 이용하여 구한 것은?

z	$P(0 \le Z \le z)$
0.5	0.1915
1.0	0.3413
1.5	0.4332
2.0	0.4772

① 0.5328 ② 0.6247 ③ 0.7745
④ 0.8185 ⑤ 0.9104

1281
최다빈출 왕중요 NORMAL

어느 공장에서 생산되는 KF94 마스크 한 개의 수명은 평균이 3000분, 표준편차가 80분인 정규분포를 따른다고 한다. 이 공장에서 생산된 KF94 마스크 중 임의로 선택한 한 개의 수명이 2920분 이상 3120분 이하일 확률을 오른쪽 표준정규분포를 이용하여 구한 것은?

z	$P(0 \le Z \le z)$
0.5	0.1915
1.0	0.3413
1.5	0.4332
2.0	0.4772

① 0.5328 ② 0.6247 ③ 0.6826
④ 0.7745 ⑤ 0.8185

▶ 해설 내신연계기출

1282
최다빈출 왕중요 NORMAL

어느 농장에서 수확하는 파프리카 1개의 무게는 평균이 180g, 표준편차가 20g인 정규분포를 따른다고 한다. 이 농장에서 수확한 파프리카 중에서 임의로 선택한 파프리카 1개의 무게가 190g 이상이고 210g 이하일 확률을 오른쪽 표준정규분포표를 이용하여 구한 것은?

z	$P(0 \le Z \le z)$
0.5	0.1915
1.0	0.3413
1.5	0.4332
2.0	0.4772

① 0.0440 ② 0.0919 ③ 0.1359
④ 0.1498 ⑤ 0.2417

▶ 해설 내신연계기출

1283
최다빈출 왕중요 TOUGH

어느 연구소에서 토마토 모종을 심은 지 3주가 지났을 때, 토마토 줄기의 길이를 조사한 결과 토마토 줄기의 길이는 평균이 30cm, 표준편차가 2cm인 정규분포를 따른다고 한다. 이 연구소에서 토마토 모종을 심은 지 3주가 지났을 때, 토마토 줄기 중 임의로 선택한 줄기의 길이가 28cm 이하이거나 32cm 이상일 확률을 표준정규분포표를 이용하여 구한 것은?

z	$P(0 \le Z \le z)$
0.5	0.1915
1.0	0.3413
1.5	0.4332
2.0	0.4772

① 0.2880 ② 0.3174 ③ 0.6234
④ 0.6882 ⑤ 0.8432

▶ 해설 내신연계기출

유형 11 정규분포의 활용 –도수 (인원수) 구하기

학생 n명의 키, 몸무게, 성적 등이 정규분포를 따를 때, 특정 범위에 포함되는 학생의 백분율 또는 학생 수를 다음과 같이 구한다.
[1단계] 키, 몸무게, 성적 등을 X로 놓는다.
[2단계] X가 특정범위에 포함될 확률 p를 표준정규분포표를 이용하여 구한다.
[3단계] 학생 수 및 불량품의 개수 ⇨ (확률)×전체개수(명)

1284 학교기출 대표 유형

어느 도시의 고등학교 학생 5000명의 수학 성적은 평균이 60점, 표준편차가 10점인 정규분포를 따른다고 한다. 이 5000명의 학생 중에서 수학 성적이 80점 이상인 학생 수는?

z	$P(0 \le Z \le z)$
0.5	0.1915
1.0	0.3413
1.5	0.4332
2.0	0.4772

① 114 ② 171 ③ 228
④ 285 ⑤ 342

▶ 해설 내신연계기출

1285 NORMAL

어느 유기 동물 보호소에 있는 유기동물 몸무게를 조사했더니 평균 9kg이고, 표준편차가 1.5kg인 정규분포를 따른다고 한다. 몸무게가 7.5kg 이상 10.5kg 이하인 유기동물은 전체 유기동물의 몇 %인가?

z	$P(0 \le Z \le z)$
0.5	0.1915
1.0	0.3413
1.5	0.4332
2.0	0.4772

① 38.30% ② 68.26% ③ 86.64%
④ 77.45% ⑤ 95.44%

1286 최다빈출 왕중요 NORMAL

어느 공장에서 생산되는 제품의 무게는 평균이 80g, 표준편차가 2g인 정규분포를 따른다고 한다. 이 제품의 무게가 76g 이하이거나 84g 이상인 것은 불량품으로 판정된다. 이 공장에서 생산된 10000개의 제품 중에서 불량품의 개수의 기댓값을 오른쪽 표준정규분포표를 이용하여 구한 것은?

z	$P(0 \le Z \le z)$
0.5	0.1915
1.2	0.3849
1.5	0.4332
2.0	0.4772

① 191 ② 228 ③ 384
④ 433 ⑤ 456

▶ 해설 내신연계기출

1287 NORMAL

어느 제약회사에서 만드는 원 모양의 알약의 지름의 길이는 평균이 6mm, 표준편차가 0.4mm인 정규분포를 따른다고 한다. 이 알약 1000개 중에서 지름의 길이가 5.4mm 이상 7mm 이하인 것은 몇 개인지 표준정규분포표를 이용하여 구한 것은?

z	$P(0 \le Z \le z)$
1.0	0.3413
1.5	0.4332
2.0	0.4772
2.5	0.4938
3.0	0.4987

① 171 ② 228 ③ 668
④ 813 ⑤ 927

1288 최다빈출 왕중요 TOUGH

어느 회사의 신입사원 n명의 연수 점수는 평균이 82점, 표준편차가 5점인 정규분포를 따르고, 연수 점수가 90점 이상인 신입사원은 24명이라 한다. 연수점수가 74점 이상 82점 이하인 신입사원의 수를 오른쪽 표준정규분포표를 이용하여 구한 것은?

z	$P(0 \le Z \le z)$
0.5	0.19
1.2	0.38
1.6	0.45
2.0	0.48

① 191 ② 216 ③ 384
④ 433 ⑤ 456

▶ 해설 내신연계기출

유형 12 정규분포의 활용 – 확률의 곱셈정리

[1단계] 확률변수 X가 정규분포 $N(m, \sigma^2)$을 따르므로 주어진 확률을 표준화하여 구한다.
[2단계] 확률의 곱셈정리를 이용하여 확률을 구한다.

1289 학교기출 대표 유형

어느 농장에서 생산되는 포도 한 송이의 무게는 평균 500g, 표준편차 50g인 정규분포를 따른다고 한다. 한편, 포도 한 송이의 가격은 표와 같이 무게를 기준으로 정하였다. 이때 포도 한 송이 가격의 기댓값은? (단, $P(0 \le Z \le 1)=0.34$)

무게(g)	가격(원)
500 미만	1000
500 이상 550 미만	1100
550 이상	1200

① 1,066원 ② 1,100원 ③ 1,160원
④ 1,200원 ⑤ 1,300원

▶ 해설 내신연계기출

1290 NORMAL

고속도로의 어느 지점을 통과하는 자동차들의 속력은 평균이 104km/시, 표준편차가 8km/시인 정규분포를 따른다고 한다. 이 지점에서의 속력이 120km/시를 초과하면 과속으로 단속된다고 할 때, 이 지점을 통과하는 두 자동차 A, B가 모두 과속으로 단속될 확률을 주어진 표준정규분포표를 이용하여 구한 것은?
(단, A와 B의 속력은 서로 독립이다.)

z	$P(0 \le Z \le z)$
1.0	0.34
1.5	0.43
2.0	0.48

① $\frac{1}{2500}$ ② $\frac{1}{400}$ ③ $\frac{49}{10000}$
④ $\frac{9}{2500}$ ⑤ $\frac{16}{625}$

1291 TOUGH

어느 회사 직원들의 어느 날의 출근 시간은 평균이 66.4분, 표준편차가 15분인 정규분포를 따른다고 한다. 이 날 출근 시간이 73분 이상인 직원들 중에서 40%, 73분 미만인 직원들 중에서 20%가 지하철을 이용하였고, 나머지 직원들은 다른 교통수단을 이용하였다.
이 날 출근한 이 회사 직원들 중 임의로 선택한 1명이 지하철을 이용하였을 확률은? (단, Z가 표준정규분포를 따르는 확률변수일 때, $P(0 \le Z \le 0.44)=0.17$로 계산한다.)

① 0.306 ② 0.296 ③ 0.286
④ 0.276 ⑤ 0.266

1292 최다빈출 왕 중요 TOUGH

어느 재래시장을 이용하는 고객의 집에서 시장까지의 거리는 평균이 1740m, 표준편차가 500m인 정규분포를 따른다고 한다. 집에서 시장까지의 거리가 2000m 이상인 고객 중에서 15%, 2000m 미만인 고객 중에서 5%는 자가용을 이용하여 시장에 온다고 한다.
자가용을 이용하여 시장에 온 고객 중에서 임의로 1명을 선택할 때, 이 고객의 집에서 시장까지의 거리가 2000m 미만일 확률은?
(단, Z가 표준정규분포를 따르는 확률변수일 때, $P(0 \le Z \le 0.52)=0.2$로 계산한다.)

① $\frac{3}{8}$ ② $\frac{7}{16}$ ③ $\frac{1}{2}$
④ $\frac{9}{16}$ ⑤ $\frac{5}{8}$

▶ 해설 내신연계기출

유형 13 정규분포의 활용 – 미지수 구하기

정규분포 $\mathrm{N}(m, \sigma^2)$을 따르는 확률변수 X에 대하여

$\mathrm{P}(a \le X \le b)=k$를 만족시키는 미지수의 값을 다음 단계로 구한다.

[1단계] 확률변수 X를 $Z=\frac{X-m}{\sigma}$으로 표준화 한다.

[2단계] $\mathrm{P}(a \le X \le b)=\mathrm{P}\left(\frac{a-m}{\sigma} \le Z \le \frac{b-m}{\sigma}\right)=k$를 만족시키는 미지수의 값을 구한다.

1293 학교기출 대표 유형

어느 고등학교의 학생들을 대상으로 등교시간을 조사했더니 평균이 30분이고, 표준편차가 5분인 정규분포를 따른다고 한다. 등교시간을 확률변수 X라고 할 때,

$$\mathrm{P}(X \ge a)=0.8413$$

을 만족시키는 상수 a의 값은?

z	$\mathrm{P}(0 \le Z \le z)$
0.5	0.1915
1.0	0.3413
1.5	0.4332
2.0	0.4772

① 25 ② 27 ③ 30
④ 32 ⑤ 34

1294 NORMAL

어느 고등학교 남학생의 몸무게는 평균이 62kg, 표준편차가 4kg인 정규분포를 따른다고 한다. 이 도시의 고등학교 남학생 중 임의로 한 명을 선택할 때, 이 학생의 몸무게가 $a$kg 이상일 확률이 0.04이다. 오른쪽 표준정규분포표를 이용하여 상수 a의 값은?

z	$\mathrm{P}(0 \le Z \le z)$
1.00	0.34
1.25	0.39
1.50	0.43
1.75	0.46
2.00	0.48

① 48 ② 56 ③ 60
④ 69 ⑤ 72

1295 최다빈출 왕중요 NORMAL

어느 동물의 특정 자극에 대한 반응시간은 평균이 m, 표준편차가 1인 정규분포를 따른다고 한다. 반응 시간이 2.93 미만일 확률이 0.1003일 때, m의 값을 오른쪽 표준정규분포표를 이용하여 구한 것은?

z	$\mathrm{P}(0 \le Z \le z)$
0.91	0.3186
1.28	0.3997
1.65	0.4505
2.02	0.4783

① 3.47 ② 3.84 ③ 4.21
④ 4.58 ⑤ 4.95

▶ 해설 내신연계기출

1296 최다빈출 왕중요 NORMAL

어느 회사에서 만든 로봇 청소기가 완전히 충전되었을 때, 청소할 수 있는 시간은 평균이 130분, 표준편차가 10분인 정규분포를 따른다고 한다. 이 회사에서 만든 로봇 청소기 한 대를 임의로 선택할 때, 이 로봇 청소기가 완전히 충전되었을 때, 청소할 수 있는 시간이 a분 이상일 확률이 0.9332이다. a의 값을 위의 표준정규분포표를 이용하여 구한 것은?

z	$\mathrm{P}(0 \le Z \le z)$
0.5	0.1915
1.0	0.3413
1.5	0.4332
2.0	0.4772

① 105 ② 110 ③ 115
④ 120 ⑤ 125

▶ 해설 내신연계기출

1297 최다빈출 왕중요 TOUGH

어느 공장에서 생산되는 음료수 한 병의 무게는 평균이 997g이고 표준편차가 σg인 정규분포를 따른다고 한다. 이 공장에서 생산된 음료수 중에서 한 병의 무게를 확률변수 X라고 할 때,

$$\mathrm{P}(X \le 991)=0.0228$$

를 만족한다. 이 공장에서 생산된 음료수 중 임의로 선택한 한 병의 무게가 1000g 이상일 확률을 오른쪽 표준정규분포표를 이용하여 구한 것은?

z	$\mathrm{P}(0 \le Z \le z)$
0.5	0.1915
1.0	0.3413
1.5	0.4332
2.0	0.4772

① 0.0228 ② 0.0668 ③ 0.1498
④ 0.1587 ⑤ 0.3085

▶ 해설 내신연계기출

유형 14 확률변수가 두 개인 정규분포의 활용 —확률이 같아지는 경우

[1단계] 확률변수 X, Y의 정규분포를 각각 구한다.

[2단계] 확률변수 X, Y를 $Z=\frac{X-m}{\sigma}$으로 각각 표준화 한다.

[3단계] 표준정규분포를 이용하여 확률이 같아지도록 하는 미지수를 구한다.

1298 학교기출 대표 유형

어느 두 지역 A, B에서 스마트폰 가입자가 한 달 동안 사용한 데이터 용량을 조사하였더니 각각 정규분포 $\mathrm{N}(500,\ 10^2)$, $\mathrm{N}(520,\ 5^2)$을 따른다고 한다. 지역 A에서 스마트폰 가입자 중 임의로 1명을 택했을 때 한 달 동안 사용한 데이터 용량이 k 이상일 확률과 지역 B에서 스마트폰 가입자 중 임의로 1명을 택했을 때 한 달 동안 사용한 데이터 용량이 k 이상일 확률이 같았다. 상수 k의 값은?
(단, 데이터 사용량의 단위는 MB이다.)

① 510 ② 520 ③ 530
④ 540 ⑤ 550

1299 최다빈출 왕중요 NORMAL

어느 회사에서 국내 본사와 해외 지사에 근무할 신입사원을 각각 선발하였다. 국내 본사 지원자의 입사 시험 성적을 조사하였더니 평균이 680점, 표준편차가 40점인 정규분포를 따르고, 해외 지사 지원자의 입사 시험성적을 조사하였더니 평균이 720점, 표준편차가 30점인 정규분포를 따른다고 한다. 국내 본사 지원자 중 임의로 선택한 한 명의 입사 시험 성적이 740점 이상일 확률을 p_1, 해외 지사 지원자 중 임의로 선택한 한 명의 입사 시험 성적이 a점 이상일 확률을 p_2라 하자. $p_1=p_2$를 만족시키는 실수 a의 값은?

① 745 ② 750 ③ 755
④ 760 ⑤ 765

▶ 해설 내신연계기출

1300 TOUGH

어느 공장에서 생산되는 A타이어의 수명은 평균이 40000km이고 표준편차가 2000km인 정규분포를 따르고, B타이어의 수명은 평균이 45000km이고 표준편차가 4000km인 정규분포를 따른다고 한다. 이 공장에서 생산된 A타이어와 B타이어 중에서 임의로 제품을 각각 1개씩 택할 때, 택한 A타이어의 수명이 43000km 이상일 확률과 B타이어의 수명이 $a$km 이하일 확률이 같다. 상수 a의 값은?

① 39000 ② 41000 ③ 43000
④ 45000 ⑤ 47000

1301 최다빈출 왕중요 TOUGH

어느 회사에서는 두 종류의 막대 모양 과자 A, B를 생산하고 있다. 과자 A의 길이의 분포는 평균 m, 표준편차 σ_1인 정규분포이고 과자 B의 길이의 분포는 평균 $m+25$, 표준편차 σ_2인 정규분포이다. 과자 A의 길이가 $m+10$ 이상일 확률과 과자 B의 길이가 $m+10$ 이하일 확률이 같을 때, $\frac{\sigma_2}{\sigma_1}$의 값은?

① $\frac{3}{2}$ ② 2 ③ $\frac{5}{2}$
④ 3 ⑤ $\frac{7}{2}$

▶ 해설 내신연계기출

유형 15 확률변수가 두 개인 정규분포의 활용 – 미지수 구하기

[1단계] 확률변수 X, Y의 정규분포를 각각 구한다.

[2단계] 확률변수 X, Y를 $Z=\frac{X-m}{\sigma}$으로 각각 표준화 한다.

[3단계] 표준정규분포를 이용하여 조건을 만족하는 미지수를 구한다.

1302 학교기출 대표 유형

두 확률변수 X, Y가 각각 정규분포 $\mathrm{N}(6,\ \sigma^2)$, $\mathrm{N}(16,\ 4\sigma^2)$을 따른다.

$$\mathrm{P}(X\geq 8)=0.1587$$

일 때, $\mathrm{P}(Y\geq 8)$의 값을 오른쪽 정규분포표를 이용하여 구한 것은?

z	$\mathrm{P}(0\leq Z\leq z)$
0.5	0.1915
1.0	0.3413
1.5	0.4332
2.0	0.4772

① 0.7745 ② 0.8185 ③ 0.8664 ④ 0.9104 ⑤ 0.9772

1303 최다빈출 왕중요 NORMAL

어느 공장에서는 두 종류의 자동차 프레임 A, B를 생산하고 있다. 자동차 프레임 A의 무게는 평균이 m, 표준편차가 σ인 정규분포를 따르고 자동차 프레임 B의 무게는 평균이 $m+15$, 표준편차가 2σ인 정규분포를 따른다.
자동차 프레임 A의 무게가 $m-5$ 이하일 확률이 0.1587일 때, 자동차 프레임 B의 무게가 m 이상 $m+25$ 이하일 확률을 다음 표준정규분포표를 이용하여 구한 것은? (단, 무게의 단위는 g이다.)

z	$\mathrm{P}(0\leq Z\leq z)$
0.5	0.1915
1.0	0.3413
1.5	0.4332
2.0	0.4772

① 0.5328 ② 0.6247 ③ 0.6687 ④ 0.7745 ⑤ 0.8185

▶ 해설 내신연계기출

1304 TOUGH

모의평가 응시자 중 확률과 통계와 미적분을 선택한 학생의 수학 점수는 각각 정규분포 $\mathrm{N}(65,\ 15^2)$, $\mathrm{N}(51,\ 12^2)$을 따른다고 한다. 확률과 통계를 선택한 학생 중에서 임의로 한 명을 선택하였을 때, 수학 점수가 a점 이상일 확률이 미적분을 선택한 학생 중에서 임의로 한 명을 선택하였을 때, 수학 점수가 66점 이상일 확률의 2배라 할 때, a의 값을 오른쪽 표준정규분포표를 이용하여 구한 것은?

z	$\mathrm{P}(0\leq Z\leq z)$
0.80	0.288
0.95	0.329
1.10	0.364
1.25	0.394

① 77 ② 78 ③ 79 ④ 80 ⑤ 82

1305 최다빈출 왕중요 TOUGH

어느 학교 3학년 학생의 A과목 시험 점수는 평균이 m, 표준편차가 σ인 정규분포를 따르고, B과목 시험 점수는 평균이 $m+3$, 표준편차가 σ인 정규분포를 따른다고 한다. 이 학교 3학년 학생 중에서 A과목 시험 점수가 80점 이상인 학생일 확률이 0.09이고, B과목 시험 점수가 80점 이상인 학생일 확률이 0.15일 때, $m+\sigma$의 값은?
(단, Z가 표준정규분포를 따르는 확률변수일 때, $\mathrm{P}(0\leq Z\leq 1.04)=0.35$, $\mathrm{P}(0\leq Z\leq 1.34)=0.41$ 로 계산한다.)

① 68.6 ② 70.6 ③ 72.6 ④ 74.6 ⑤ 76.6

▶ 해설 내신연계기출

유형 16 표준화하여 확률변수를 비교하기

두 확률변수 X, Y가 각각 정규분포 $\mathrm{N}(m_X, \sigma_X^2)$, $\mathrm{N}(m_Y, \sigma_Y^2)$을 따를 때, 확률변수 X와 Y를 표준화한 확률변수 $Z_X=\frac{X-m_X}{\sigma_X}$, $Z_Y=\frac{Y-m_Y}{\sigma_Y}$의 확률의 대소 관계를 비교한다.

1306 학교기출 대표 유형

다음은 지수가 받은 어느 시험성적표의 일부이다.

과목	국어	수학	영어
평균	60	65	65
표준편차	8	4	5
지수의 성적	80	77	75

각 과목별 성적 분포가 정규분포를 이룬다고 할 때, 지수가 다른 학생에 비해 상대적으로 우수한 과목을 차례로 나열한 것은?

① 국어, 수학, 영어 ② 국어, 영어, 수학
③ 수학, 국어, 영어 ④ 수학, 영어, 국어
⑤ 영어, 국어, 수학

1307 NORMAL

다음 표는 민규의 2학년 중간고사 성적표의 일부이다.

과목	영어	수학	국어
평균	69	56	64
표준편차	15	18	16
민규의 성적	76	65	78

민규는 다른 학생에 비해 성적이 가장 좋다고 할 수 있는 과목과 세 과목 중 성적이 가장 고른 과목을 구하면? (단, 이 학급 학생의 영어, 수학, 국어, 성적은 각각 정규분포를 따른다.)

① 국어, 영어 ② 국어, 수학 ③ 영어, 수학
④ 수학, 영어 ⑤ 수학, 국어

1308 최다빈출 왕중요 NORMAL

다음 표는 철수의 2학년 중간고사 성적표의 일부이다.
국어, 수학, 영어 시험 성적은 각각 정규분포를 따르고 각 과목의 평균, 표준편차와 철수의 성적은 다음 표와 같았다.

과목	국어	수학	영어
평균	75	70	72
표준편차	15	12	16
철수의 성적	90	84	89

철수의 성적을 2학년 전체 학생의 성적과 비교할 때,
다음 [보기] 중 옳은 것을 있는 대로 고르면?

ㄱ. 국어 성적이 수학 성적이나 영어 성적보다 상대적으로 나쁘다.
ㄴ. 수학 성적이 상대적으로 가장 좋고 국어 성적이 상대적으로 가장 나쁘다.
ㄷ. 수학 성적이 가장 낮게 나왔으나 국어 성적이나 영어 성적보다는 상대적으로 좋다.

① ㄱ ② ㄴ ③ ㄱ, ㄴ
④ ㄴ, ㄷ ⑤ ㄱ, ㄴ, ㄷ

▶ 해설 내신연계기출

1309 최다빈출 왕중요 TOUGH

국제 배드민턴 대회에서 사용할 수 있는 셔틀콕의 무게는 $4.74\mathrm{g} \sim 5.5\mathrm{g}$이다. 세 회사 A, B, C에서 생산한 셔틀콕의 무게는 각각 정규분포를 따른다. 다음은 세 회사에서 생산하는 셔틀콕의 무게의 평균과 표준편차를 나타낸 것이다.

회사명	A	B	C
평균	4.9	5.2	m
표준편차	σ	0.6	1

세 회사 A, B, C에서 생산하는 셔틀콕을 임의로 하나씩 뽑을 때, 무게가 5.5g 이상일 확률 $\mathrm{P_A}$, $\mathrm{P_B}$, $\mathrm{P_C}$가 부등식 $\mathrm{P_A} \geq \mathrm{P_B} \geq \mathrm{P_C}$를 만족할 때, m의 최댓값과 σ의 최솟값의 합은?

① 1.2 ② 2.5 ③ 5
④ 5.2 ⑤ 6.2

▶ 해설 내신연계기출

유형 17 정규분포를 이용한 최저점수 구하기

확률분포 X가 정규분포 $N(m, \sigma^2)$을 따를 때, 상위 a% 안에 드는 X의 최저 점수 구하는 순서를 다음과 같다.

[1단계] 합격자의 최저점수를 k로 놓는다.

[2단계] $P(X \geq k)=P\left(Z \geq \frac{k-m}{\sigma}\right)=\frac{a}{100}$에서

$P\left(0 \leq Z \leq \frac{k-m}{\sigma}\right)$을 구한다.

[3단계] 표준정규분포표를 이용하여 k의 값을 구한다.

1310 학교기출 대표 유형

320명을 모집하는 어느 회사의 입사 시험에 2000명이 응시하였다. 응시자의 점수는 평균 240점, 표준편차 20점의 정규분포를 따른다고 할 때, 최저 합격 점수를 표준정규분포표를 이용하여 구하면?

z	$P(0 \leq Z \leq z)$
0.5	0.19
1.0	0.34
1.5	0.43
2.0	0.48

① 260 ② 265 ③ 270 ④ 275 ⑤ 280

1311 NORMAL

어느 학교 학생 1000명의 수학성적의 평균이 70점, 표준편차가 10점인 정규분포를 따른다고 한다. 이 학교 학생이 상위 63등 이내에 들기 위해서는 몇 점 이상을 받아야 하는지를 표준정규분포표를 이용하여 구하면?

z	$P(0 \leq Z \leq z)$
1.00	0.3413
1.15	0.3750
1.53	0.4370

① 70.2점 ② 75.8점 ③ 78.4점 ④ 85.3점 ⑤ 96.4점

1312 최다빈출 왕중요 NORMAL

어느 지역의 청소년 음악 콩쿨 지원자 1000명의 평가 점수가 평균이 63점이고 표준편차가 20점인 정규분포를 따른다고 한다. 이 콩쿨 예선을 통과한 인원이 242명이라 할 때, 오른쪽 표준정규분포표를 이용하여 예선을 통과할 수 있는 최저 점수를 표준정규분포표를 이용하여 구하면?

z	$P(0 \leq Z \leq z)$
0.5	0.1915
0.6	0.2257
0.7	0.2580
0.8	0.2881

① 72 ② 75 ③ 77 ④ 78 ⑤ 79

▶ 해설 내신연계기출

1313 NORMAL

어느 회사의 채용 시험에 400명이 응시하였다. 응시자들의 성적 분포는 평균이 660점, 표준편차가 50점인 정규분포를 따른다고 한다. 시험 점수가 높은 순으로 20명이 합격한다고 할 때, 합격하려면 적어도 n점 이상이 되어야 한다. 이를 만족시키는 최소의 자연수 n의 값을 위의 표준정규분포표를 이용하여 구한 것은? (단, 시험 점수는 최소 1점에서 최대 1000점 사이의 자연수이다.)

z	$P(0 \leq Z \leq z)$
1.44	0.43
1.65	0.45
1.96	0.48

① 711 ② 722 ③ 743 ④ 754 ⑤ 758

1314 최다빈출 왕중요 NORMAL

어느 고등학교 2학년 학생들의 수학과목의 점수는 평균이 70점, 표준편차가 10점인 정규분포를 따른다고 한다.
수학과목의 점수가 상위 4% 이내에 속하는 학생들이 수학과목에서 1등급을 받는다고 한다. 동점자가 없다고 할 때, 1등급을 받기 위한 최저 점수는? (단, $P(0 \leq Z \leq 1.75)=0.46$으로 계산한다.)

① 87 ② 87.5 ③ 88 ④ 89.5 ⑤ 90

▶ 해설 내신연계기출

1315

최다빈출 왕중요

NORMAL

어떤 짭짤이 토마토 농장에서 생산되는 짭짤이 토마토 한 개의 무게는 평균이 55g, 표준편차가 6g인 정규분포를 따른다고 한다. 이 농장에서 생산되는 짭짤이 토마토 중에서 무게가 상위 10% 이내인 것을 특품으로 포장하여 판다고 할 때, 특품에 해당하는 짭짤이 토마토 한 개의 무게는 최소 몇 g인지 오른쪽 표준정규분포표를 이용하여 구한 것은?

z	$\mathrm{P}(0 \le Z \le z)$
1.00	0.34
1.04	0.35
1.28	0.40
1.65	0.45

① 60.80 ② 62.08 ③ 62.20
④ 62.40 ⑤ 62.68

▶ 해설 내신연계기출

1316

NORMAL

어느 자격증 시험에서 70점 이상을 받으면 합격이라 한다. 10000명이 응시한 이 자격증 시험 점수가 평균이 55점이고 표준편차가 σ점인 정규분포를 따를 때, 합격자 수가 668명이었다. 표준정규분포표를 이용하여 σ의 값을 구한 것은?

z	$\mathrm{P}(0 \le Z \le z)$
0.5	0.1915
1.0	0.3413
1.5	0.4332
2.0	0.4772

① 6 ② 8 ③ 10
④ 12 ⑤ 14

1317

TOUGH

어느 고등학교 학생 400명의 1000m 달리기 기록은 평균이 230초이고 표준편차가 30초인 정규분포를 따른다고 한다. 기록이 몇 초 이하이면 상위 10위 이내에 드는지 표준정규분포표를 이용하여 구한 것은?

z	$\mathrm{P}(0 \le Z \le z)$
1.16	0.377
1.53	0.437
1.96	0.475

① 171.2 ② 218.69 ③ 224.12
④ 275.9 ⑤ 295.9

1318

TOUGH

어느 의대 감염내과는 대수능시험의 수학 점수가 높은 순으로 n명의 신입생을 선발하였고, 이 의대 감염내과에 입학원서를 낸 1000명의 학생의 대수능시험 수학점수는 평균이 76점, 표준편차가 8점인 정규분포를 따른다.
이 1000명의 학생 중 대학수학능력시험 수학 점수가 88점인 학생이 합격하였을 때, 자연수 n의 최솟값을 오른쪽 표준정규분포표를 이용하여 구한 것은?

z	$\mathrm{P}(0 \le Z \le z)$
0.5	0.1915
1.0	0.3413
1.5	0.4332
2.0	0.4772

① 65 ② 67 ③ 68
④ 70 ⑤ 72

1319

TOUGH

전교생이 1000명인 어느 고등학교 학생의 수학 점수는 정규분포를 따른다고 한다. 이 학교 학생 중에서 수학 점수가 80점 이상인 학생이 159명, 90점 이상인 학생이 67명일 때, a점 이상인 학생이 40명이다. a의 값을 오른쪽 표준정규분포표를 이용하여 구한 것은?

z	$\mathrm{P}(0 \le Z \le z)$
1.00	0.341
1.25	0.394
1.50	0.433
1.75	0.460

① 92 ② 93 ③ 94
④ 95 ⑤ 96

STEP 1

04 이항분포와 정규분포

학교내신기출 객관식 핵심문제총정리

내신정복 기출유형

유형 01 이항분포와 정규분포의 관계를 이용한 확률 구하기 (1)

(1) 확률변수 X가 이항분포 $\mathrm{B}(n,\ p)$를 따를 때, n이 충분히 크면 X는 근사적으로 정규분포 $\mathrm{N}(np,\ npq)$를 따른다. (단, $q=1-p$)

(2) 확률변수 X가 이항분포 $\mathrm{B}(n,\ p)$를 따를 때, n이 충분히 클 때의 확률 $\mathrm{P}(a \le X \le b)$는 정규분포를 이용하여 구한다.

참고 확률변수 X가 이항분포 $\mathrm{B}(n,\ p)$를 따를 때, n의 값이 충분히 크면

① 이항분포 $\mathrm{B}(n,\ p)$의 그래프는 정규분포 $\mathrm{N}(np,\ npq)$의 그래프에 가까워진다. (단, $q=1-p$)

② 확률변수 X는 근사적으로 정규분포 $\mathrm{N}(np,\ npq)$를 따른다.

③ 확률변수 $Z=\dfrac{X-np}{\sqrt{npq}}$는 근사적으로 표준정규분포 $\mathrm{N}(0,\ 1)$을 따른다.

④ n의 값이 충분히 크다는 것은 일반적으로 $np \ge 5$, $nq \ge 5$을 동시에 만족 시킬 때이다.

⑤ 이항분포 $\mathrm{B}(n,\ p)$를 따르는 확률변수 X의 확률질량함수는
$\mathrm{P}(X=x)={}_n\mathrm{C}_x p^x q^{n-x}\ (x=0,\ 1,\ 2,\ \cdots,\ n)$이고
X의 평균과 분산, 표준편차는
$\mathrm{E}(X)=np$, $\mathrm{V}(X)=npq$, $\sigma(X)=\sqrt{npq}$

1320 학교기출 대표 유형

확률변수 X가 이항분포 $\mathrm{B}\left(64,\ \dfrac{1}{2}\right)$를 따를 때, X는 근사적으로 정규분포 $\mathrm{N}(a,\ b)$를 따르고

$$\mathrm{P}(32 \le X \le 40)=\mathrm{P}(0 \le Z \le c)$$

이다. 이때 상수 a, b, c에 대하여 $a+b+c$의 값은?
(단, 확률변수 Z는 표준정규분포를 따른다.)

① 36 ② 48 ③ 50
④ 52 ⑤ 56

1321 최다빈출 왕중요 NORMAL

이항분포 $\mathrm{B}\left(100,\ \dfrac{1}{2}\right)$을 따르는 확률변수 X가 근사적으로 정규분포 $\mathrm{N}(a,\ b)$를 따른다고 할 때,

$$\mathrm{P}(X \ge 55)=0.5-\mathrm{P}(0 \le Z \le c)$$

이다. 이때 상수 a, b, c에 대하여 $a+b+c$의 값은?
(단, 확률변수 Z는 표준정규분포를 따른다.)

① 72 ② 74 ③ 76
④ 78 ⑤ 80

▶ 해설 내신연계기출

1322 최다빈출 왕중요 NORMAL

확률변수 X가 이항분포 $\mathrm{B}\left(100,\ \dfrac{4}{5}\right)$를 따를 때, 확률 $\mathrm{P}(78 \le X \le 86)$을 표준정규분포를 이용하여 구한 것은?

z	$\mathrm{P}(0 \le Z \le z)$
0.5	0.1915
1.0	0.3413
1.5	0.4332
2.0	0.4772

① 0.5328 ② 0.6247
③ 0.7745 ④ 0.9104
⑤ 0.9332

▶ 해설 내신연계기출

1323 NORMAL

확률변수 X가 이항분포 $\mathrm{B}\left(100,\ \dfrac{1}{5}\right)$을 따를 때, $\mathrm{P}(|X-20| \le 10)$을 오른쪽 표준정규분포표를 이용하여 구한 것은?

z	$\mathrm{P}(0 \le Z \le z)$
1.0	0.3413
1.5	0.4332
2.0	0.4772
2.5	0.4938

① 0.6826 ② 0.8185
③ 0.8413 ④ 0.9270
⑤ 0.9876

1324 최다빈출 왕중요 NORMAL

확률변수 X가 이항분포 $\mathrm{B}(1200,\ p)$를 따르고 $\mathrm{E}(X)=300$일 때, $\mathrm{P}(X \ge 315)$의 값을 오른쪽 표준정규분포표를 이용하여 구한 것은?

z	$\mathrm{P}(0 \le Z \le z)$
1.0	0.3413
1.5	0.4332
2.0	0.4772
2.5	0.4938

① 0.1587 ② 0.2816
③ 0.3413 ④ 0.4332
⑤ 0.4772

▶ 해설 내신연계기출

1325

NORMAL

확률변수 X는 이항분포 $\mathrm{B}(720,\ p)$를 따르고 $\mathrm{V}(-2X+3)=400$일 때, $\mathrm{P}(X \le 110)$의 값을 오른쪽 표준정규분포표를 이용하여 구한 것은? $\left(\text{단, } 0<p<\frac{1}{2}\right)$

z	$\mathrm{P}(0 \le Z \le z)$
1.0	0.3413
1.5	0.4332
2.0	0.4772
2.5	0.4938

① 0.0062 ② 0.0228 ③ 0.0668
④ 0.1587 ⑤ 0.3413

1326

NORMAL

확률변수 X의 확률질량함수가

$$\mathrm{P}(X=x)={}_{450}\mathrm{C}_x\left(\frac{1}{3}\right)^x\left(\frac{2}{3}\right)^{450-x}\ (x=0,\ 1,\ 2,\ \cdots,\ 450)$$

일 때, $\mathrm{P}(140 \le X \le 170)$의 값을 오른쪽 표준정규분포표를 이용하여 구한 것은?

z	$\mathrm{P}(0 \le Z \le z)$
1.0	0.3413
1.5	0.4332
2.0	0.4772
2.5	0.4938

① 0.0456 ② 0.1570
③ 0.6826 ④ 0.8185
⑤ 0.9270

1327

최다빈출 왕중요

NORMAL

$\displaystyle\sum_{k=87}^{96} {}_{100}\mathrm{C}_k\left(\frac{9}{10}\right)^k\left(\frac{1}{10}\right)^{100-k}$의 값을 오른쪽 표준정규분포표를 이용하여 구한 것은?

z	$\mathrm{P}(0 \le Z \le z)$
0.5	0.1915
1.0	0.3413
1.5	0.4332
2.0	0.4772

① 0.5220 ② 0.5668
③ 0.6587 ④ 0.8085
⑤ 0.8185

▶ 해설 내신연계기출

1328

최다빈출 왕중요

NORMAL

확률변수 X가 다음 조건을 만족할 때, $\mathrm{P}(X \ge 315)$의 값을 오른쪽 표준정규분포표를 이용하여 구한 것은?

z	$\mathrm{P}(0 \le Z \le z)$
0.5	0.1915
1.0	0.3413
1.5	0.4332
2.0	0.4772

(가) $\mathrm{P}(X=x)={}_{1200}\mathrm{C}_x p^x(1-p)^{1200-x}\ (x=0,\ 1,\ 2,\ \cdots,\ 1200)$
(나) $\mathrm{E}(X)=300$

① 0.0013 ② 0.0062 ③ 0.0228
④ 0.0668 ⑤ 0.1587

▶ 해설 내신연계기출

1329

최다빈출 왕중요

TOUGH

자연수 n에 대하여 이산확률변수 X의 확률질량함수가

$$\mathrm{P}(X=r)={}_n\mathrm{C}_r\left(\frac{1}{5}\right)^r\left(\frac{4}{5}\right)^{n-r}\ (\text{단, } r=0,\ 1,\ 2,\ \cdots,\ n)$$

이고, $\mathrm{V}(X)=16$일 때, 다음 [보기]에서 옳은 것만을 있는 대로 고른 것은? (단, Z가 표준정규분포를 따르는 확률변수이다.)

z	$\mathrm{P}(0 \le Z \le z)$
0.5	0.1915
1.0	0.3413
1.5	0.4332
2.0	0.4772

ㄱ. 확률변수 X는 이항분포 $\mathrm{B}\left(100,\ \frac{1}{5}\right)$을 따른다.
ㄴ. 확률변수 X는 근사적으로 정규분포 $\mathrm{N}(20,\ 4^2)$을 따른다.
ㄷ. $\mathrm{P}(X \ge 28)=0.0228$

① ㄱ ② ㄴ ③ ㄱ, ㄷ
④ ㄴ, ㄷ ⑤ ㄱ, ㄴ, ㄷ

▶ 해설 내신연계기출

1330

TOUGH

확률변수 X에 대하여

$$\mathrm{P}(X=r)={}_{100}\mathrm{C}_r\left(\frac{1}{2}\right)^{100}\ (r=0,\ 1,\ 2,\ \cdots,\ 100)$$

일 때, $\displaystyle\sum_{r=40}^{65}\{1-\mathrm{P}(X=r)\}$의 값을 오른쪽 표준정규분포표를 이용하여 구한 것은?

z	$\mathrm{P}(0 \le Z \le z)$
1.0	0.3413
1.5	0.4332
2.0	0.4772
2.5	0.4938
3.0	0.4987

① 25.0241 ② 25.0681
③ 25.1649 ④ 25.2255
⑤ 25.3174

04 이항분포와 정규분포

유형 02 이항분포와 정규분포의 관계를 이용한 확률 구하기 (2)

n번의 독립시행에서 사건 A가 일어날 확률을 구하는 단계는 다음과 같다.

[1단계] 사건 A가 일어날 횟수를 확률변수 X라 하고 한 번의 시행에서 사건 A가 일어날 확률 p를 구하여 주어진 상황을 이항분포 $\mathrm{B}(n,\ p)$로 나타낸다.

[2단계] 확률변수 X가 근사적으로 따르는 정규분포 $\mathrm{N}(np,\ np(1-p))$를 구하고 X를 표준화 한다.

[3단계] 표준정규분포표를 이용하여 확률을 구한다.

이산확률변수 확률질량함수 이항분포 $\mathrm{B}(n,\ p)$	n이 충분히 크면 → 확률 $\mathrm{P}(a \le X \le b)$의 복잡한 확률 계산을 간단히 계산하는 방법	연속확률변수 확률밀도함수 정규분포 $\mathrm{N}(np,\ npq)$

1331 학교기출 대표 유형

한 개의 주사위를 180번 던질 때, 1의 눈이 나오는 횟수가 25 이상 35 이하일 확률을 표준정규분포표를 이용하여 구하면?

z	$\mathrm{P}(0 \le Z \le z)$
0.5	0.1915
1.0	0.3413
1.5	0.4332
2.0	0.4772

① 0.0228 ② 0.6826
③ 0.7745 ④ 0.9104
⑤ 0.9544

1332 최다빈출 왕 중요 NORMAL

서로 다른 두 개의 주사위를 동시에 던지는 시행을 192회 반복할 때, 짝수의 눈이 적어도 한 개 나오는 횟수를 확률변수 X라 하자.
$\mathrm{P}(X \le 156)$의 값을 오른쪽 표준정규분포표를 이용하여 구한 것은?

z	$\mathrm{P}(0 \le Z \le z)$
1.0	0.3413
1.5	0.4332
2.0	0.4772
2.5	0.4938

① 0.8413 ② 0.8964 ③ 0.9332
④ 0.9772 ⑤ 0.9938

▶ 해설 내신연계기출

1333 최다빈출 왕 중요 NORMAL

서로 다른 두 개의 주사위를 동시에 450번 던질 때, 두 주사위의 눈의 수의 차가 2 이하인 사건의 횟수를 확률변수 X라고 하자. 다음은 오른쪽 표준정규분포표를 이용하여 확률 $\mathrm{P}(X \le 320)$을 구하는 과정이다.
(가), (나), (다), (라), (마), (바)에 알맞은 수를 써넣어라.

z	$\mathrm{P}(0 \le Z \le z)$
0.5	0.1915
1.0	0.3413
1.5	0.4332
2.0	0.4772

> 한 번의 시행에서 두 주사위의 눈의 수의 차가 2 이하인 사건의 확률은 [(가)]이다.
> 확률변수 X는 이항분포 $\mathrm{B}($[(나)], [(가)]$)$를 따르고 시행횟수도 충분히 크므로 확률변수 X는 근사적으로 정규분포 $\mathrm{N}($[(다)], [(라)]$)$을 따른다.
> 따라서 구하는 확률은
> $\mathrm{P}(X \le 320) = \mathrm{P}(Z \le$ [(마)]$) =$ [(바)]

▶ 해설 내신연계기출

1334 NORMAL

한 개의 주사위를 1800번 던질 때, 3의 배수의 눈이 나오는 횟수를 확률변수 X라 하자.
다음은 오른쪽 표준정규분포표를 이용하여 확률 $\mathrm{P}(620 \le X \le 640)$을 구하는 과정이다.
(가), (나), (다), (라), (마), (바), (사)에 알맞은 수를 써넣어라.

z	$\mathrm{P}(0 \le Z \le z)$
0.5	0.1915
1.0	0.3413
1.5	0.4332
2.0	0.4772

> 한 번의 시행에서 주사위의 눈이 3의 배수의 눈이 나올 확률은 [(가)]이다.
> 확률변수 X는 이항분포 $\mathrm{B}($[(나)], [(가)]$)$를 따르고 시행횟수도 충분히 크므로 확률변수 X는 근사적으로 정규분포 $\mathrm{N}($[(다)], [(라)]$)$을 따른다.
> 따라서 구하는 확률은
> $\mathrm{P}(620 \le X \le 640)$
> $= \mathrm{P}($[(마)] $\le Z \le$ [(바)]$)$
> $=$ [(사)]

1335 최다빈출 왕 중요 NORMAL

어느 도서관에서 보유한 도서 현황을 조사하였더니 전체 도서의 40%가 문학 도서였다. 이 도서관에서 보유한 도서 600권을 임의로 택하였을 때, 문학 도서가 246권 이상 252권 이하일 확률을 오른쪽 표준정규분포표를 이용하여 구한 것은?

z	$P(0 \le Z \le z)$
0.5	0.1915
1.0	0.3413
1.5	0.4332
2.0	0.4772

① 0.1359 ② 0.1498 ③ 0.1525
④ 0.2417 ⑤ 0.2857

▶ 해설 내신연계기출

1336 최다빈출 왕 중요 NORMAL

어느 회사의 직원을 대상으로 10년 이상 근무한 사람의 비율을 조사하였더니 20%였다. 이 회사의 직원 중에서 400명을 임의로 뽑을 때, 10년 이상 근무한 사람의 수가 76명 이상 96명 이하일 확률을 오른쪽 표준정규분포표를 이용하여 구한 것은?

z	$P(0 \le Z \le z)$
0.5	0.1915
1.0	0.3413
1.5	0.4332
2.0	0.4772

① 0.5328 ② 0.6247 ③ 0.6687
④ 0.7745 ⑤ 0.9104

▶ 해설 내신연계기출

1337 NORMAL

한 명의 친구와 72번의 가위 바위 보를 할 때, 26번 이상 35번 이하로 이길 확률을 표준정규분포표를 이용하여 구하면?

z	$P(0 \le Z \le z)$
0.5	0.1915
1.0	0.3413
2.0	0.4772
2.75	0.4970

① 0.3055 ② 0.4332
③ 0.6915 ④ 0.8413
⑤ 0.9332

1338 최다빈출 왕 중요 TOUGH

동전 1개를 던져서 앞면이 나오면 4점을 얻고, 뒷면이 나오면 2점을 잃는 게임을 하였다. 동전 1개를 100번 던진 후, 최종 점수가 190점 이상이 될 확률을 오른쪽 표준정규분포표를 이용하여 구한 것은?

z	$P(0 \le Z \le z)$
1.0	0.3413
1.5	0.4332
2.0	0.4772
3.0	0.4987

① 0.0013 ② 0.0440 ③ 0.0606
④ 0.0919 ⑤ 0.1359

▶ 해설 내신연계기출

1339 최다빈출 왕 중요 TOUGH

흰 공 2개, 검은 공 3개가 들어 있는 주머니에서 임의로 2개의 공을 동시에 꺼내어 공의 색깔을 확인하고 다시 주머니에 넣는 시행을 150회 반복할 때, 같은 색깔의 공을 꺼내는 횟수를 확률변수 X라 하자.
$P(72 \le X \le 75)$의 값을 오른쪽 표준정규분포표를 이용하여 구한 것은?

z	$P(0 \le Z \le z)$
1.0	0.3413
1.5	0.4332
2.0	0.4772
2.5	0.4938

① 0.0166 ② 0.0440 ③ 0.0606
④ 0.0919 ⑤ 0.1359

▶ 해설 내신연계기출

1340 최다빈출 왕중요 TOUGH

어느 백화점에서 판매하고 있는 운동화에 대한 제조회사별 고객의 선호도를 조사한 표는 다음과 같다.

제조 회사	A	B	C	D	합계
선호도(%)	28	25	26	21	100

192명의 고객이 한 켤레씩 운동화를 산다고 할 때, B제조 회사 운동화를 선택할 고객이 39명 이상일 확률을 오른쪽 표준정규분포표를 이용하여 구하면?

z	$\mathrm{P}(0 \le Z \le z)$
0.5	0.1915
1.0	0.3413
1.5	0.4332
2.0	0.4772

① 0.6247 ② 0.6826 ③ 0.7745
④ 0.9332 ⑤ 0.9772

▶ 해설 내신연계기출

1341 최다빈출 왕중요 TOUGH

다음 표는 A, B, C 3곳의 전자 제품 회사에서 생산된 TV와 에어컨의 선호도를 조사한 것이다.

종류/회사	A	B	C	합계
TV의 선호도(%)	20	50	30	100
에어컨의 선호도(%)	35	20	45	100

400명의 고객 중 B회사의 TV와 에어컨을 모두 선호하는 고객의 수가 34명 이상일 확률을 구하여라.
(단, TV와 에어컨을 선호하는 것은 각각 독립이다.)

z	$\mathrm{P}(0 \le Z \le z)$
1.0	0.3413
1.5	0.4332
2.0	0.4772
2.5	0.4938

① 0.3055 ② 0.4332 ③ 0.6915
④ 0.8413 ⑤ 0.9332

▶ 해설 내신연계기출

1342 최다빈출 왕중요 TOUGH

각 면에 1, 2, 3, 4의 숫자가 하나씩 적혀 있는 정사면체 모양의 상자가 있다. 이 상자를 192회 던질 때, 1이 적혀 있는 면이 바닥에 놓이는 횟수를 확률변수 X라 하자. $\sum_{k=36}^{60} \mathrm{P}(X=k)$의 값을 오른쪽 표준정규분포표를 이용하여 구한 것은?

z	$\mathrm{P}(0 \le Z \le z)$
0.5	0.1915
1.0	0.3413
1.5	0.4332
2.0	0.4772
2.5	0.4938

① 0.6826 ② 0.7745 ③ 0.8664
④ 0.9544 ⑤ 0.9876

▶ 해설 내신연계기출

1343 TOUGH

1부터 5까지 자연수가 하나씩 적혀 있는 공 5개가 주머니에 들어 있다. 이 주머니에서 공을 하나 꺼내어 적혀 있는 수를 확인하고 다시 넣는다. 이와 같은 시행을 150번 반복할 때, 짝수가 적혀 있는 공이 나오는 횟수를 X라 하자. 확률변수 X에 대하여 옳은 것만을 [보기]에서 있는 대로 고른 것은?

> ㄱ. X의 분산은 36이다.
> ㄴ. $\mathrm{P}(X=0) < \mathrm{P}(X=150)$
> ㄷ. $\mathrm{P}(X \le 51) > \mathrm{P}(X \ge 72)$

① ㄱ ② ㄱ, ㄴ ③ ㄱ, ㄷ
④ ㄴ, ㄷ ⑤ ㄱ, ㄴ, ㄷ

유형 03 이항분포와 정규분포의 관계에서 확률을 만족시키는 미지수 구하기

확률변수 X가 이항분포 $\mathrm{B}(n,\ p)$를 따를 때, $\mathrm{P}(Z \geq k)=\alpha$를 만족하는 k의 값 구하기

[1단계] 확률변수 X가 근사적으로 따르는 정규분포 $\mathrm{N}(np,\ np(1-p))$를 구하고 X를 표준화 한다.

[2단계] $\mathrm{P}(0 \leq Z \leq k)$꼴의 확률을 구하고, 표준정규분포표와 비교하여 k의 값을 구한다.

1344 학교기출 대표 유형

확률변수 X가 이항분포 $\mathrm{B}\left(720,\ \frac{1}{6}\right)$을 따를 때,

$$\mathrm{P}(X \leq k)=0.0228$$

을 만족시키는 상수 k의 값을 오른쪽 표준정규분포표를 이용하여 구한 것은?

z	$\mathrm{P}(0 \leq Z \leq z)$
1.0	0.3413
2.0	0.4772
3.0	0.4987

① 100 ② 121 ③ 144 ④ 196 ⑤ 225

1345 최다빈출 왕 중요

NORMAL

한 개의 동전을 400번 던질 때, 앞면이 나온 횟수를 확률변수 X라 하자.

$$\mathrm{P}(X \leq k)=0.9772$$

를 만족시키는 상수 k의 값을 오른쪽 표준정규분포표를 이용하여 구한 것은?

z	$\mathrm{P}(0 \leq Z \leq z)$
1.0	0.3413
2.0	0.4772
3.0	0.4987

① 190 ② 200 ③ 210 ④ 220 ⑤ 230

▶ 해설 내신연계기출

1346

NORMAL

어느 지역에서 승용차를 가지고 있는 사람들 중 10년 이상 된 승용차를 가진 사람의 비율을 조사하였더니 20%이었다. 이 지역에서 승용차를 가지고 있는 사람 400명을 조사하여 그 중에 10년 이상 된 승용차를 가진 사람이 k명 이상일 확률이 0.0668일 때, k의 값은?

z	$\mathrm{P}(0 \leq Z \leq z)$
0.5	0.1915
1.0	0.3413
1.5	0.4332
2.0	0.4772

① 62 ② 69 ③ 80 ④ 86 ⑤ 92

1347 최다빈출 왕 중요

NORMAL

확률변수 X가 이항분포 $\mathrm{B}\left(100,\ \frac{1}{5}\right)$을 따를 때,

$$\mathrm{P}(a \leq X \leq 24)=0.7745$$

를 만족시키는 상수 a의 값을 오른쪽 표준정규분포표를 이용하여 구한 것은?

z	$\mathrm{P}(0 \leq Z \leq z)$
0.5	0.1915
1.0	0.3413
1.5	0.4332
2.0	0.4772

① 11 ② 12 ③ 13 ④ 14 ⑤ 15

▶ 해설 내신연계기출

1348

NORMAL

어떤 프로농구팀에서 3점슛을 성공시킬 확률이 $\frac{1}{5}$인 선수가 있다. 이 선수가 225번 3점 슛을 할 때, 3점슛을 성공시킬 횟수를 확률변수 X라 할 때,

$$\mathrm{P}(39 \leq X \leq a)=0.8185$$

를 만족시키는 상수 a의 값을 오른쪽 표준정규분포표를 이용하여 구한 것은? (단, $a \geq 40$이고 3점 슛은 독립시행이다.)

z	$\mathrm{P}(0 \leq Z \leq z)$
0.5	0.1915
1.0	0.3413
1.5	0.4332
2.0	0.4772

① 55 ② 57 ③ 59 ④ 62 ⑤ 64

1349

NORMAL

확률변수 X의 확률질량함수가

$$P(X=r)={}_{100}C_r\left(\frac{1}{2}\right)^r\left(\frac{1}{2}\right)^{100-r} (r=0, 1, 2, \cdots, 100)$$

으로 주어져 있고, 확률변수 Z는 표준정규분포 $N(0, 1)$을 따른다.

$$P(X\le k)=P(Z\ge 3)$$

을 만족시키는 상수 k의 값은? (단, $0\le k<50$)

① 35 ② 40 ③ 45 ④ 47 ⑤ 49

1350

최다빈출 왕중요 TOUGH

1이 적혀 있는 공이 5개, 2가 적혀 있는 공이 2개, 3이 적혀 있는 공이 3개 들어 있는 주머니에서 임의로 한 개의 공을 꺼내어 공에 적혀 있는 숫자를 확인한 후 다시 주머니에 넣는 시행을 400회 반복하였을 때, 1이 적혀 있는 공이 나오는 횟수를 X, 2가 적혀 있는 공이 나오는 횟수를 확률변수 Y라 하자.

$$P(X\le 220)=P(Y\ge a)$$

가 성립할 때, 상수 a의 값은?

① 54 ② 56 ③ 60 ④ 64 ⑤ 68

▶ 해설 내신연계기출

유형 04 이항분포와 정규분포의 관계 활용 예약률 취소율

n번의 독립시행에서 X가 이항분포를 따를 때, 예약률 취소율 구하기

[1단계] 탑승하는 사람 수(또는 취소하는 사람 수)를 확률변수 X라 하고 주어진 상황을 이항분포 $B(n, p)$로 나타낸다.

[2단계] 확률변수 X가 근사적으로 따르는 정규분포 $N(np, np(1-p))$를 구하고 X를 표준화 한다.

[3단계] 정원을 초과하지 않은(좌석이 부족하지 않는) 확률을 구한다.

1351

학교기출 대표유형

어느 열차의 탑승권을 예매한 사람이 실제로 열차를 타지 않을 확률이 20%라고 한다. 좌석 수가 87석인 열차의 탑승권을 예매한 사람이 100명일 때, 좌석이 부족하지 않을 확률은?

(단, $P(0\le Z\le 1.75)=0.4599$)

① 0.0228 ② 0.0501 ③ 0.2980 ④ 0.7780 ⑤ 0.9599

▶ 해설 내신연계기출

1352

최다빈출 왕중요 TOUGH

과거의 자료에 따르면 객실 336개가 있는 어느 호텔 객실을 예약한 사람이 예약을 취소하거나 실제로 호텔에 오지 않을 확률이 20%라고 한다. 이 호텔에서 어느 날 400개의 객실을 예약 받았을 때, 객실이 부족할 확률을 오른쪽 표준정규분포표를 이용하여 구한 것은?

z	$P(0\le Z\le z)$
0.5	0.1915
1.0	0.3413
1.5	0.4332
2.0	0.4772

① 0.0228 ② 0.0668 ③ 0.1587 ④ 0.2417 ⑤ 0.2857

▶ 해설 내신연계기출

1353

TOUGH

나래가 100명을 선발하는 A대학교의 B학과에 지원하여 7번째 예비 합격 후보가 되었다. 이 학과의 합격자가 등록을 하지 않을 확률이 0.1이라고 할 때, 나래가 이 학과에 합격할 확률을 표준정규분포표를 이용하여 구한 것은?

(단, 예비 합격 후보들은 추가 합격의 기회가 주어질 경우 모두 등록한다.)

z	$P(0\le Z\le z)$
0.5	0.1915
1.0	0.3413
1.5	0.4332
2.0	0.4772

① 0.6587 ② 0.7780 ③ 0.8085 ④ 0.8413 ⑤ 0.9599

유형 05 정규분포를 이용하여 이항분포인 확률 p를 구하고 주어진 확률 구하기

[1단계] 정규분포를 이용하여 기대하는 확률 p를 구한다.

[2단계] 주어진 조건을 이항분포 $\mathrm{B}(n,\ p)$로 나타낸다.

[3단계] 정규분포 $\mathrm{N}(np,\ np(1-p))$로 바꾸고 표준화하여 확률을 구한다.

1354 학교기출 대표 유형

어느 회사에서 생산되는 통조림의 무게는 평균이 310g, 표준편차가 5g인 정규분포를 따르고, 무게가 300g 이하인 통조림은 불량품으로 판정한다고 한다. 이 회사에서 통조림 5000개를 검사할 때, 불량품으로 판정되는 통조림의 개수의 평균을 표준정규분포표를 이용하여 구하면?

z	$\mathrm{P}(0 \le Z \le z)$
0.5	0.1915
1.0	0.3413
1.5	0.4332
2.0	0.4772

① 114 ② 228 ③ 334
④ 668 ⑤ 919

▶ 해설 내신연계기출

1355 NORMAL

어느 공장에서 생산되는 제품의 무게는 평균이 30g, 표준편차가 5g인 정규분포를 따른다고 한다. 이 공장에서는 무게가 40g 이상인 제품을 불량품으로 판정한다. 이 제품 중에서 2500개를 임의로 추출할 때, 불량품의 개수가 57개 이상일 확률을 표준정규분포표를 이용하여 구한 것은?

z	$\mathrm{P}(0 \le Z \le z)$
0.5	0.19
1.0	0.34
1.5	0.43
2.0	0.48

① 0.02 ② 0.07 ③ 0.16
④ 0.21 ⑤ 0.31

1356 최다빈출 왕 중요 NORMAL

어느 공장에서 생산되는 향수 한 병의 내용물 용량은 평균이 100g, 표준편차가 1g인 정규분포를 따르고, 생산되는 향수 중에서 내용물 용량이 97.88g 이상 102.75g 이하인 것을 정품으로 판정한다. 이 공장에서 생산된 향수 10000병을 임의로 추출할 때, 정품의 개수가 9828병 이하일 확률을 표준정규분포표를 이용하여 구한 것은?

z	$\mathrm{P}(0 \le Z \le z)$
2.00	0.4772
2.05	0.4798
2.12	0.4830
2.75	0.4970

① 0.4332 ② 0.6915 ③ 0.8413
④ 0.9332 ⑤ 0.9772

▶ 해설 내신연계기출

1357 TOUGH

어느 도시의 학생 2500명을 대상으로 조사한 통학 시간은 정규분포를 따르고 평균이 25분, 표준편차가 5분이라고 한다. 이 2500명의 학생 중 임의로 택한 한 학생의 통학 시간이 35분 이상일 확률은 p_1이다. 또, 이 2500명의 학생 중에서 통학 시간이 35분 이상인 학생이 n명 이상일 확률은 p_2이다. $p_1=p_2$일 때, 자연수 n의 값은? (단, 오른쪽 표준정규분포표를 이용한다.)

z	$\mathrm{P}(0 \le Z \le z)$
1.0	0.34
1.5	0.43
2.0	0.48

① 64 ② 66 ③ 68
④ 70 ⑤ 72

1358

연속확률변수 X가 취하는 값의 범위가 $0 \le X \le 6$이고, 확률변수 X의 확률밀도함수 $y=f(x)$의 그래프가 그림과 같을 때, $\mathrm{P}(1 \le X \le 4)$를 구하는 과정을 다음 단계로 서술하여라.

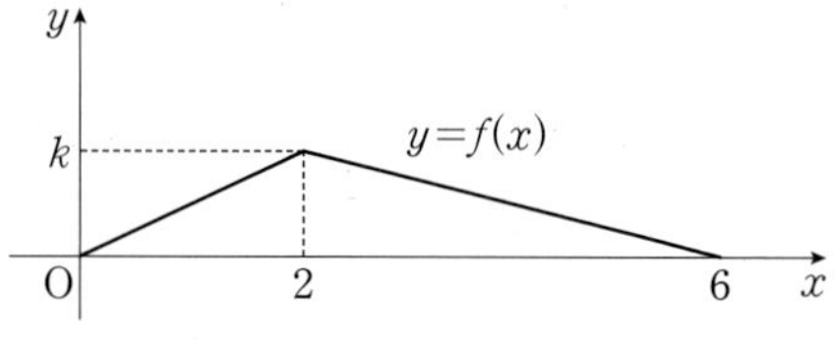

[1단계] 상수 k의 값을 구한다.
[2단계] $0 \le x \le 6$에서 확률밀도함수 $f(x)$의 식을 작성한다.
[3단계] 사다리꼴의 넓이를 이용하여 $\mathrm{P}(1 \le X \le 4)$의 값을 구한다.

1359

다음은 정규분포 $\mathrm{N}(m, \sigma^2)$을 따르는 확률변수 X의 확률밀도함수 $y=f(x)$의 그래프에 대한 설명이다. $\square$ 안에 알맞은 것을 써넣어라.

(1) 직선 $\square$에 대하여 대칭인 종모양의 곡선이다.
(2) 점근선은 $\square$이다.
(3) 함수 $f(x)$는 x의 값이 $\square$일 때 최댓값을 갖는다.
(4) 곡선과 x축 사이의 넓이는 $\square$이다.
(5) m의 값이 일정할 때, σ의 값이 $\square$곡선은 낮아지면서 양쪽으로 퍼진다.
(6) σ의 값이 $\square$할 때, m의 값이 변하면 대칭축의 위치는 바뀌지만 곡선의 모양은 같다.

1360

확률변수 X가 정규분포 $\mathrm{N}(10, \sigma^2)$을 따르고

$$\mathrm{P}(7 \le X \le 10)=0.1915$$

일 때, $\mathrm{P}(X \ge 16)$을 오른쪽 표준정규분포표를 이용하여 구하는 과정을 다음 단계로 서술하여라.

z	$\mathrm{P}(0 \le Z \le z)$
0.5	0.1915
1.0	0.3413
2.0	0.4772
3.0	0.4987

[1단계] 확률변수 Z가 따르는 분포를 구한다.
[2단계] $\mathrm{P}(7 \le X \le 10)=0.1915$를 이용하여 σ의 값을 구한다.
[3단계] $\mathrm{P}(X \ge 16)$의 값을 구한다.

1361

확률변수 X가 정규분포 $\mathrm{N}(5, \sigma^2)$을 따를 때, $\mathrm{P}(X \ge 9)=0.11$이다. $\mathrm{V}(5X+3)$의 값을 오른쪽 표준정규분포표를 이용하여 구하고 그 과정을 다음 단계로 서술하여라.

z	$\mathrm{P}(0 \le Z \le z)$
1.00	0.34
1.25	0.39
1.50	0.43
1.75	0.46
2.00	0.48

[1단계] 확률변수 X가 따르는 정규분포를 구한다.
[2단계] $\mathrm{P}(X \ge 9)=0.11$을 만족하는 표준편차 σ를 구한다.
[3단계] $\mathrm{V}(5X+3)$의 값을 구한다.

1362

H고등학교 학생 1000명의 4km 마라톤기록은 평균이 25분, 표준편차가 5분인 정규분포를 따른다고 한다. 오른쪽 표준정규분포표를 이용하여 다음 단계로 구하는 과정을 서술하여라.

z	$\mathrm{P}(0 \leq Z \leq z)$
0.6	0.2257
1.0	0.3413
1.4	0.4192
1.96	0.4750

[1단계] 마라톤 기록이 18분 이상 28분 이하인 학생은 전체의 약 몇 %인지 구한다.
[2단계] 마라톤 기록이 30분 이상인 학생은 대략 몇 명인지 구한다.
[3단계] 상위 25위 이내에 들기 위한 기록은 약 몇 분인지 구한다.

1363

어느 공장에서 생산된 A제품의 무게는 평균이 mg, 표준편차가 12g인 정규분포를 따른다고 한다. 이 공장에서 생산된 제품 A 중 임의로 선택한 한 제품의 무게가 282g 이상일 확률이 0.0228이었다.
이 공장에서 생산된 제품 A 중 임의로 선택한 한 제품의 무게가 240g 이상이고 252g 이하일 확률을 오른쪽 표준정규분포표를 이용하여 구하는 과정을 다음 단계로 서술하여라.

z	$\mathrm{P}(0 \leq Z \leq z)$
0.5	0.1915
1.0	0.3413
1.5	0.4332
2.0	0.4772

[1단계] A제품 한 개의 무게를 확률변수 X라 할 때, X가 따르는 정규분포를 구한다.
[2단계] 제품 A 중 임의로 선택한 한 제품의 무게가 282g 이상일 확률이 0.0228임을 이용하여 평균 m의 값을 구한다.
[3단계] 제품 A 중 임의로 선택한 한 제품의 무게가 240g 이상이고 252g 이하일 확률을 구한다.

1364

어느 지역 고등학교 2학년 5000명이 치른 중간고사에서 수학, 사회, 국어시험의 과목별 점수의 평균 및 표준편차와 나래가 받은 점수는 다음 표와 같다.

과목	수학	사회	국어
평균	68	52	72
표준편차	8	16	12
나래의 점수	84	76	78

각 과목의 점수는 정규분포를 따를 때, 다음 단계로 서술하여라.

[1단계] 상대적으로 나래의 성적이 좋은 과목부터 차례대로 서술하여라.
[2단계] 수학 과목에서 나래의 전교석차는 최소 몇 등인지 오른쪽 표준정규분포표를 이용하여 구한다. (단, 동점자는 없다고 가정한다.)

z	$\mathrm{P}(0 \leq Z \leq z)$
0.5	0.1915
1.0	0.3413
1.5	0.4332
2.0	0.4772

1365

두 사람 A, B가 각각 가위, 바위, 보를 낼 확률이 아래와 같다. 60번의 가위 바위 보를 할 때, A가 30번 이상 이길 확률을 오른쪽 표준정규분포표를 이용하여 구하는 과정을 다음 단계로 서술하여라.

z	$\mathrm{P}(0 \leq Z \leq z)$
1.0	0.3413
1.5	0.4332
2.0	0.4772
2.5	0.4938

	가위	바위	보
A	$\frac{1}{4}$	$\frac{1}{2}$	$\frac{1}{4}$
B	$\frac{1}{2}$	$\frac{1}{4}$	$\frac{1}{4}$

[1단계] 1회 시행에서 A가 이길 확률을 구한다.
[2단계] A가 이기는 횟수를 확률변수 X라고 할 때, X가 근사적으로 따르는 정규분포를 구한다.
[3단계] A가 30번 이상 이길 확률을 구한다.

1366

어느 회사 직원의 하루 생산량은 근무 기간에 따라 달라진다고 한다. 근무 기간이 n개월 $(1 \le n \le 100)$인 직원의 하루 생산량은 평균이 $an+100$(a는 상수), 표준편차가 12인 정규분포를 따른다고 한다. 근무 기간이 16개월인 직원의 하루 생산량이 84 이하일 확률이 0.0228일 때, 근무 기간이 36개월인 직원의 하루 생산량이 100이상이고 142 이하일 확률을 오른쪽 표준정규분포표를 이용하여 구하는 과정을 다음 단계로 자세히 서술하여라.

z	$\mathrm{P}(0 \le Z \le z)$
1.0	0.3413
1.5	0.4332
2.0	0.4772
2.5	0.4938

[1단계] 근무 기간이 16개월인 직원의 하루 생산량을 확률변수 X라 할 때, 정규분포와 표준정규분포의 관계를 서술한다.
[2단계] 근무 기간이 16개월인 직원의 하루 생산량이 84 이하일 확률이 0.0228임을 이용하여 상수 a를 구한다.
[3단계] 근무 기간이 36개월인 직원의 하루 생산량을 확률변수 Y라 할 때, 정규분포와 표준정규분포의 관계를 서술한다.
[4단계] 근무 기간이 36개월인 직원의 하루 생산량이 100 이상이고 142 이하일 확률을 구한다.

1367

어느 회사에서는 두 종류의 막대 모양의 과자 A, B를 생산하고 있다. 과자 A의 길이는 정규분포 $\mathrm{N}(10,\ 0.4^2)$을 따르고, 과자 B의 길이는 정규분포 $\mathrm{N}(12,\ 0.6^2)$을 따른다.
임의로 두 종류의 과자를 각각 하나씩 선택할 때, 과자 A의 길이가 d 이상일 확률과 과자 B의 길이가 d 이하일 확률이 같아지는 d의 값을 구하는 과정을 다음 단계로 자세히 서술하여라. (단, 과자 길이의 단위는 cm이다.)

[1단계] 과자 A의 길이를 확률변수 X라 할 때, X가 따르는 정규분포를 구한다.
[2단계] 과자 A의 길이가 d 이상일 확률을 구한다.
[3단계] 과자 B의 길이를 확률변수 Y라 할 때, Y가 따르는 정규분포를 구한다.
[4단계] 과자 B의 길이가 d 이하일 확률을 구한다.
[5단계] 2단계, 4단계에서 구하는 확률이 같아지는 경우 상수 d의 값을 구한다.

1368

정원이 30명인 어느 대학 수학과의 수시 모집에 150명이 응시하였다. 응시자의 내신 점수와 면접 점수를 더한 총점은 평균이 84점, 표준편차가 7점인 정규분포를 따른다고 한다. 모집 정원의 1.5배를 1차 합격자로 선발한다고 할 때, 1차 합격자가 되려면 총점을 몇 점 이상 받아야 하는지를 오른쪽 표준정규분포표를 이용하여 구하는 과정을 다음 단계로 서술하여라.

z	$\mathrm{P}(0 \le Z \le z)$
0.52	0.2
0.62	0.23
0.84	0.3
1.0	0.34

[1단계] 응시자의 내신 점수와 면접 점수를 더한 총점을 확률변수 X, 1차 합격선의 총점을 c점이라 할 때, $\mathrm{P}(X \ge c)$를 구한다.
[2단계] 표준정규분포 $\mathrm{N}(0,\ 1)$을 따르는 확률변수 Z를 이용하여 $\mathrm{P}(X \ge c)$를 나타낸다.
[3단계] 오른쪽 표준정규분포표를 이용하여 c의 값을 구한다.

1369

어느 지역에서 열린 좋은 한우 선발대회에 후보로 등록된 한우 200마리의 무게는 평균이 450kg, 표준편차가 25kg인 정규분포를 따른다고 한다. 심사를 통해 무게가 무거운 순서대로 80마리를 선별할 때, [보기]의 한우 중 심사를 통과하는 한우는 모두 몇 마리인지 구하는 과정을 다음 단계로 서술하여라.

z	$\mathrm{P}(0 \le Z \le z)$
0.25	0.1
0.5	0.2
1.25	0.38
1.5	0.43

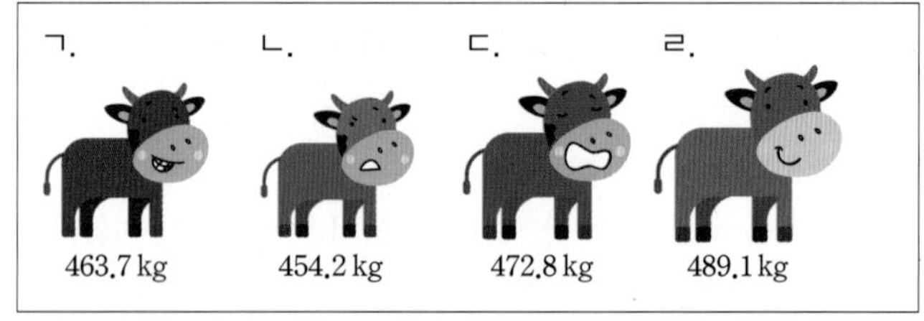

[1단계] 심사를 통과하는 한우들은 상위 몇 %에 속한다고 볼 수 있는지를 구한다.
[2단계] 심사를 통과하는 한우의 최소 무게를 $x$kg라 할 때, x의 값을 구한다.
[3단계] [보기]의 한우 중에서 1단계 심사를 통과하는 한우는 모두 몇 마리인지 구한다.

1370

확률변수 X가 이항분포 $\mathrm{B}\left(625, \frac{4}{5}\right)$을 따를 때,

$$\mathrm{P}(500 \le X \le k) = 0.38$$

을 만족시키는 상수 k의 값을 오른쪽 표준정규분포표를 이용하여 구하는 과정을 다음 단계로 서술하여라.

z	$\mathrm{P}(0 \le Z \le z)$
1.1	0.36
1.2	0.38
1.6	0.45

[1단계] 확률변수 X가 근사적으로 따르는 정규분포를 구한다.
[2단계] $\mathrm{P}(500 \le X \le k) = 0.38$을 Z에 대한 확률로 나타낸다.
[3단계] k의 값을 구한다.

1371

한 개의 주사위를 한 번 던져서 나오는 눈의 수 a의 값에 따라 좌표평면 위에 이차함수 $y = x^2 + 2ax + 5$의 그래프를 그리는 시행을 한다. 이 시행을 450회 반복할 때, 그려지는 이차함수의 그래프 중 x축과 서로 다른 두 점에서 만나는 횟수를 확률변수 X라 할 때,

$$\mathrm{P}(X \ge k) = 0.8413$$

를 만족시키는 자연수 k의 값을 오른쪽 표준정규분포표를 이용하여 구하는 과정을 다음 단계로 서술하여라.

z	$\mathrm{P}(0 \le Z \le z)$
0.5	0.1915
1.0	0.3413
1.5	0.4332
2.0	0.4772

[1단계] 이차함수의 그래프 중 x축과 서로 다른 두 점에서 만나는 확률을 구한다.
[2단계] 확률변수 X가 근사적으로 따르는 정규분포를 구한다.
[3단계] $\mathrm{P}(X \ge k) = 0.8413$을 Z에 대한 확률로 나타낸다.
[4단계] k의 값을 구한다.

1372

어느 회사에서 만든 신제품의 무게는 정규분포 $\mathrm{N}(180, 8^2)$을 따른다. 이 회사에서는 신제품의 무게가 164보다 작을 경우 불량품으로 판정한다.
하루에 2500개의 신제품을 생산할 때, 불량품의 개수가 64개 이하일 확률을 구하려고 한다. 위의 표준정규분포표를 이용하여 다음 단계로 그 과정을 서술하여라.

z	$\mathrm{P}(0 \le Z \le z)$
1.0	0.34
1.5	0.43
2.0	0.48

[1단계] 제품 한 개의 무게를 확률변수 X라 할 때, 임의로 선택한 한 개의 제품이 불량품일 확률을 구한다.
[2단계] 이 공장의 제품 2500개 중에서 불량품의 개수를 확률변수 Y라 할 때, Y가 근사적으로 따르는 정규분포를 구한다.
[3단계] 불량품의 개수가 64 이하일 확률을 구한다.

1373

계란은 무게에 따라 다음과 같이 구분한다.

구분	왕란	특란	대란	중란	소란
무게	68g 이상	60g 이상 68g 미만	52g 이상 60g 미만	44g 이상 52g 미만	44g 미만

어느 양계장에서 생산되는 계란 한 개의 무게는 평균이 59.6g이고 표준편차가 10g인 정규분포를 따른다고 한다. 이 양계장에서 생산되는 계란 400개 중에서 왕란이 90개 이상일 확률을 오른쪽 표준정규분포표를 이용하여 구는 과정을 다음 단계로 서술하여라.

z	$\mathrm{P}(0 \le Z \le z)$
0.84	0.3
1.05	0.3531
1.25	0.3944
2.25	0.4878

[1단계] 이 계란의 무게를 확률변수 X라 할 때, 왕란일 확률을 구한다.
[2단계] 이 양계장에서 생산되는 계란 400개 중에서 왕란으로 분류되는 계란 수를 확률변수 Y라 할 때, Y가 근사적으로 따르는 정규분포를 구한다.
[3단계] 왕란이 90개 이상일 확률을 구한다.

04 이항분포와 정규분포

1374

평가원기출

구간 $[0, 3]$의 모든 실수 값을 가지는 연속확률변수 X에 대하여

$$\mathrm{P}(x \le X \le 3) = a(3-x)\ (0 \le x \le 3)$$

이 성립할 때, $\mathrm{P}(0 \le X \le a) = \frac{q}{p}$이다.

$p+q$의 값을 구하여라. (단, a는 상수이고, p와 q는 자연수이다.)

▶ 해설 내신연계기출

1375

교육청기출

확률변수 X는 정규분포 $\mathrm{N}(m, 2^2)$, 확률변수 Y는 정규분포 $\mathrm{N}(2m, \sigma^2)$을 따른다.

$$\mathrm{P}(X \le 8) + \mathrm{P}(Y \le 8) = 1$$

을 만족시키는 m과 σ에 대하여

$$\mathrm{P}(Y \le m+4) = 0.3085$$

일 때, $\mathrm{P}(X \le \sigma)$의 값을 오른쪽 표준정규분포표를 이용하여 구한 것은?

z	$\mathrm{P}(0 \le Z \le z)$
0.5	0.1915
1.0	0.3413
1.5	0.4332
2.0	0.4772

① 0.0228 ② 0.0668 ③ 0.1359
④ 0.1587 ⑤ 0.2857

1376

정규분포를 따르는 두 확률변수 X, Y의 확률밀도함수를 각각 $f(x)$, $g(x)$라 하자. 모든 실수 x에 대하여

$$f(x-2) = g(x+2)$$

가 성립할 때, 보기에서 옳은 것만을 있는 대로 고른 것은?

ㄱ. $\mathrm{E}(2X+3) = \mathrm{E}(2Y-5)$
ㄴ. $\mathrm{V}(2X+3) = \mathrm{V}(-2Y+1)$
ㄷ. 모든 실수 a에 대하여
$\mathrm{P}(a-4 \le X \le a) = \mathrm{P}(a \le Y \le a+4)$이다.

① ㄱ ② ㄴ ③ ㄱ, ㄷ
④ ㄴ, ㄷ ⑤ ㄱ, ㄴ, ㄷ

1377

수능기출

확률변수 X와 Y는 평균이 모두 0이고 분산이 각각 σ^2과 $\frac{\sigma^2}{4}$인 정규분포를 따르고, 확률변수 Z는 표준정규분포를 따른다.
두 양수 a와 b에 대하여 $\mathrm{P}(|X| \le a) = \mathrm{P}(|Y| \le b)$일 때, 옳은 것만을 [보기]에서 있는 대로 고른 것은?

ㄱ. $a > b$
ㄴ. $\mathrm{P}\left(Z > \frac{2b}{\sigma}\right) = \mathrm{P}\left(Y > \frac{a}{2}\right)$
ㄷ. $\mathrm{P}(Y \le b) = 0.7$일 때, $\mathrm{P}(|X| \le a) = 0.3$이다.

① ㄱ ② ㄷ ③ ㄱ, ㄴ
④ ㄴ, ㄷ ⑤ ㄱ, ㄴ, ㄷ

1378

확률변수 X는 평균이 30, 표준편차가 σ_1인 정규분포를 따르고, 확률변수 Y는 평균이 50, 표준편차가 σ_2인 정규분포를 따른다. 두 확률변수 X, Y가 다음 조건을 만족시킨다.

(가) $\mathrm{P}(10 \le X \le 30) = \mathrm{P}(50 \le Y \le 60)$
(나) $\mathrm{P}(30 \le X \le 50) + \mathrm{P}(40 \le Y \le 50) = 0.9544$

$\mathrm{P}(30 \le X \le 40) + \mathrm{P}(50 \le Y \le 65)$의 값을 p라 할 때, $1000p$의 값을 오른쪽 표준정규분포표를 이용하여 구하여라.

z	$\mathrm{P}(0 \le Z \le z)$
1.0	0.3413
1.5	0.4332
2.0	0.4772
2.5	0.4938
3.0	0.4987

1379

수직선 위의 원점에 있는 점 P가 있다. 점 P는 동전을 던져서 앞면이 나오면 오른쪽으로 2만큼 이동하고, 뒷면이 나오면 왼쪽으로 1만큼 이동한다. 동전을 100번 던질 때, 점 P의 좌표가 35 이상 80 이하가 될 확률을 p라 할 때, 오른쪽 표준정규분포표를 이용하여 $10000p$의 값을 구하여라.

z	$\mathrm{P}(0 \le Z \le z)$
0.5	0.1915
1.0	0.3413
1.5	0.4332
2.0	0.4772

1380

교육청기출

확률변수 X는 정규분포 $\mathrm{N}(m_1, \sigma_1^2)$, 확률변수 Y는 정규분포 $\mathrm{N}(m_2, \sigma_2^2)$을 따르고, 확률변수 X, Y의 확률밀도함수는 각각 $f(x)$, $g(x)$이다.

$$\sigma_1 = \sigma_2 \text{이고 } f(24) = g(28)$$

일 때, 확률변수 X, Y는 다음 조건을 만족시킨다.

(가) $\mathrm{P}(m_1 \le X \le 24) + \mathrm{P}(28 \le Y \le m_2) = 0.9544$
(나) $\mathrm{P}(Y \ge 36) = 1 - \mathrm{P}(X \le 24)$

$\mathrm{P}(18 \le X \le 21)$의 값을 오른쪽 표준정규분포표를 이용하여 구한 것은?

z	$\mathrm{P}(0 \le Z \le z)$
0.5	0.1915
1.0	0.3413
1.5	0.4332
2.0	0.4772

① 0.3830 ② 0.5328 ③ 0.6247 ④ 0.6826 ⑤ 0.7745

1381

평가원기출

양의 실수 전체의 집합에서 정의된 함수 $\mathrm{G}(t)$는 평균이 t, 표준편차가 $\frac{1}{t^2}$인 정규분포를 따르는 확률변수 X에 대하여

$$\mathrm{G}(t) = \mathrm{P}\left(X \le \frac{3}{2}\right)$$

이다. 함수 $\mathrm{G}(t)$의 최댓값을 p라 할 때, 오른쪽 표준정규분포표를 이용하여 $10000p$의 값을 구하여라.

z	$\mathrm{P}(0 \le Z \le z)$
0.4	0.1554
0.5	0.1915
0.6	0.2257
0.7	0.2580

05 통계적 추정

학교내신기출 객관식 핵심문제총정리

STEP 1 내신정복 기출유형

유형 01 모집단과 표본

(1) 전수조사 : 조사의 대상이 되는 집단 전체를 조사하는 것
(2) 표본조사 : 조사의 대상 중에서 일부분만 택하여 조사하여 조사 대상 전체의 성질을 추측하는 것
(3) 모집단 : 조사의 대상이 되는 집단 전체
(4) 표본 : 조사하기 위하여 모집단에서 뽑은 일부분
(5) 추출 : 모집단에서 표본을 뽑는 것
① 임의 추출 : 모집단의 각 대상이 추출될 확률이 동일하도록 표본을 추출하는 방법
② 복원추출 : 모집단에서 한 번 추출된 자료를 다시 되돌려 놓고 다음 자료를 뽑는 것
③ 비복원추출 : 모집단에서 추출된 자료를 되돌려 놓지 않고 다음 자료를 뽑는 것

참고 특별한 말이 없으면 임의 추출은 복원추출로 간주한다.

1382 학교기출 대표 유형

다음에서 전수조사가 적합한 것은?

① 형광등 수명조사
② 어느 TV프로그램의 실시간 시청률
③ 우리나라 고등학생의 하루 평균 수면시간
④ 올해의 쌀 예상 수확량
⑤ 어느 고등학교 2학년 학생들의 기말고사 수학 성적의 평균

1383 BASIC

다음을 조사할 때, 전수조사가 적합한 것은?

① 병역 의무자의 징병 검사
② 자동차 충돌 안정성 조사
③ 어느 지역의 공기 오염도 조사
④ 한강의 수질 오염도 조사
⑤ 투표 후 유권자들에 대한 출구 조사

1384 최다빈출 왕중요 NORMAL

1부터 6까지의 자연수가 하나씩 적혀 있는 6개의 공을 모집단으로 하여 표본의 크기가 2인 표본을 추출하려고 할 때, 다음 조건을 만족하는 상수 a, b, c에 대하여 $a+b+c$의 값은?

(가) 복원추출 하는 경우의 수는 a이다.
(나) 비복원추출로 공을 하나씩 뽑는 경우의 수는 b이다.
(다) 비복원추출로 공을 동시에 뽑는 경우의 수는 c이다.

① 72 ② 78 ③ 81
④ 85 ⑤ 87

▶ 해설 내신연계기출

유형 02 모평균과 표본평균

(1) 모평균, 모분산, 모표준편차
모집단에서 조사하려고 하는 특성을 나타내는 확률변수 X의 평균 m, 분산 σ^2, 표준편차 σ를 각각 모평균, 모분산, 모표준편차라 한다.
(2) 표본평균, 표본분산, 표본표준편차
모집단에서 임의추출한 크기가 n인 표본의 각 대상을 $X_1, X_2, \cdots, X_n$이라 할 때, 이것의 평균, 분산, 표준편차를 각각 표본평균, 표본분산, 표본표준편차라 하고, 이것을 각각 기호로 $\overline{X}$, S^2, S와 같이 나타낸다.

① $\overline{X}=\dfrac{X_1+X_2+\cdots+X_n}{n}=\dfrac{1}{n}\sum_{i=1}^{n}X_i$

② $S^2=\dfrac{1}{n-1}\{(X_1-\overline{X})^2+(X_2-\overline{X})^2+\cdots+(X_n-\overline{X})^2\}$
$=\dfrac{1}{n-1}\sum_{i=1}^{n}(X_i-\overline{X})^2$

③ $S=\sqrt{S^2}$

주의 ① 임의추출하는 이유는 표본으로부터 모집단의 성질을 알아내기 위해서는 표본이 편중되면 안 되기 때문이다.
② 표본분산과 모분산의 차이를 줄이기 위해 표본분산은 모분산과 달리 편차의 제곱의 합을 $n-1$로 나눈 것으로 정의한다.
③ 모평균 m을 추정할 때, 모표준편차 σ의 값을 모르는 것이 보통이므로 모표준편차를 표본표준편차로 대신할 수 있으므로 σ를 대신하기에 S가 더욱 적절하다.

1385 학교기출 대표 유형

다음은 어느 모집단에서 확률변수 X의 확률분포를 표로 나타낸 것이다.

X	0	2	4	합계
$\mathrm{P}(X=x)$	$\frac{1}{3}$	$\frac{1}{2}$	$\frac{1}{6}$	1

이 모집단에서 크기가 2인 표본을 임의추출할 때, 표본평균 $\overline{X}$에 대하여 확률 $\mathrm{P}(\overline{X}<2)$은?

① $\frac{5}{18}$ ② $\frac{1}{3}$ ③ $\frac{7}{18}$
④ $\frac{4}{9}$ ⑤ $\frac{1}{2}$

1386 최다빈출 왕중요

NORMAL

모집단의 확률변수 X의 확률분포가 다음 표와 같다. 이 모집단에서 크기가 2인 표본을 복원추출할 때, 표본평균 $\overline{X}$에 대하여 확률 $P(\overline{X} \le 3)$은?

X	1	3	5	합계
$P(X=x)$	$\frac{1}{4}$	$\frac{1}{2}$	$\frac{1}{4}$	1

① $\frac{5}{16}$ ② $\frac{3}{8}$ ③ $\frac{7}{16}$
④ $\frac{11}{16}$ ⑤ $\frac{3}{4}$

▶ 해설 내신연계기출

1387

NORMAL

모집단의 확률변수 X의 확률질량함수가

$$P(X=x)=\frac{x}{20}\ (x=2,\ 4,\ 6,\ 8)$$

일 때, 이 모집단에서 크기가 2인 표본을 복원추출하여 구한 표본평균을 $\overline{X}$라 하자. $P(\overline{X}=6)$의 값은?

① $\frac{3}{10}$ ② $\frac{1}{5}$ ③ $\frac{2}{5}$
④ $\frac{1}{4}$ ⑤ $\frac{1}{2}$

1388

TOUGH

모집단의 확률변수 X의 확률분포를 표로 나타내면 다음과 같다. 이 모집단에서 크기가 2인 표본을 임의추출하여 구한 표본평균을 $\overline{X}$라 할 때, $P(\overline{X}=3)=\frac{3}{16}$이다. $P(\overline{X}=2)$의 값은? (단, a, b는 상수이다.)

X	1	2	3	4	합계
$P(X=x)$	$\frac{1}{8}$	a	b	$\frac{1}{2}$	1

① $\frac{3}{64}$ ② $\frac{5}{64}$ ③ $\frac{7}{64}$
④ $\frac{9}{64}$ ⑤ $\frac{11}{64}$

1389

TOUGH

주머니 속에 1의 숫자가 적혀 있는 공 1개, 2의 숫자가 적혀 있는 공 2개, 3의 숫자가 적혀 있는 공 5개가 들어 있다. 이 주머니에서 임의로 1개의 공을 꺼내어 공에 적혀 있는 수를 확인한 후 다시 넣는다. 이와 같은 시행을 2번 반복할 때, 꺼낸 공에 적혀 있는 수의 평균을 $\overline{X}$라 하자. $P(\overline{X}=2)$의 값은?

① $\frac{5}{32}$ ② $\frac{11}{64}$ ③ $\frac{3}{16}$
④ $\frac{13}{64}$ ⑤ $\frac{7}{32}$

05 통계적 추정

1390 최다빈출 왕중요

TOUGH

주머니 A에는 숫자 1, 2가 하나씩 적혀 있는 2개의 공이 들어있고, 주머니 B에는 숫자 3, 4, 5가 하나씩 적혀 있는 3개의 공이 들어 있다. 다음의 시행을 3번 반복하여 확인한 세 개의 수의 평균을 $\overline{X}$라 하자.

A
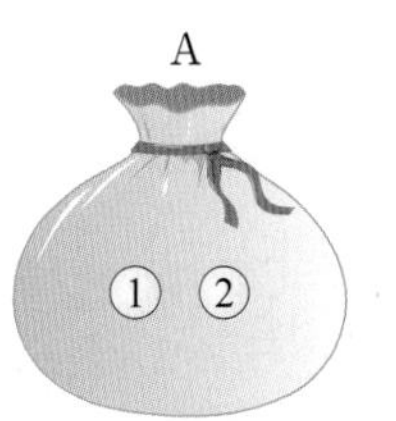

B
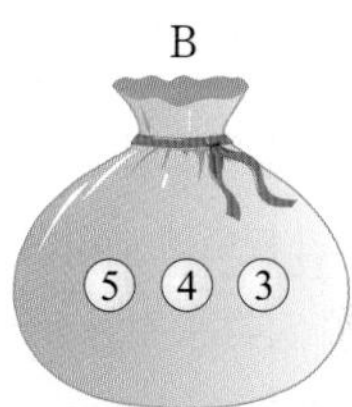

> 두 주머니 A, B 중 임의로 선택한 하나의 주머니에서 임의로 한 개의 공을 꺼내어 공에 적혀 있는 수를 확인한 후 꺼낸 주머니에 다시 넣는다.

$P(\overline{X}=2)=\frac{q}{p}$일 때, $p+q$의 값은? (단, p와 q는 서로소인 자연수이다.)

① 69 ② 70 ③ 71
④ 72 ⑤ 73

▶ 해설 내신연계기출

유형 03 표본평균 $\overline{X}$의 평균, 분산, 표준편차

(1) 표본평균의 평균과 분산

모평균이 m이고 모표준편차가 σ인 모집단에서 임의추출한 크기가 n인 표본의 표본평균 $\overline{X}$에 대하여 다음이 성립한다.

① 표본평균의 평균은 모평균 m과 일치한다. 즉 $\mathrm{E}(\overline{X})=m$

② $\mathrm{V}(\overline{X})=\dfrac{\sigma^2}{n}$, $\sigma(\overline{X})=\dfrac{\sigma}{\sqrt{n}}$

(2) 표본평균의 확률분포

모평균이 m, 모분산이 σ^2인 모집단에서 크기가 n인 표본을 임의추출할 때,

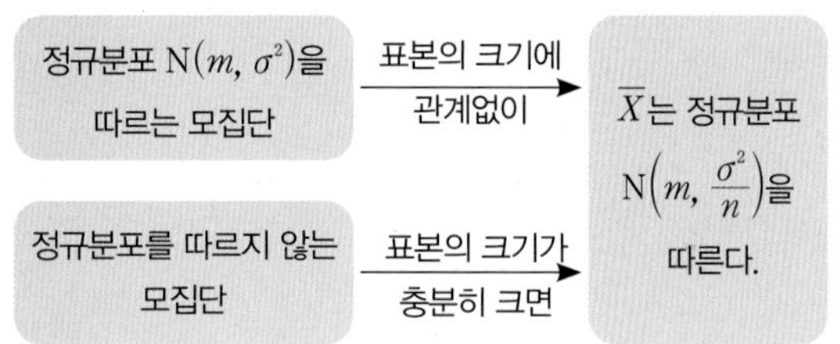

참고 두 정규분포의 평균이 같고 표준편차가 다를 때,
즉 두 그래프는 대칭축의 위치는 같으나 곡선의 퍼져 있는 상태가 다르다.
➡ 표준편차 σ의 값이 클수록 낮아지면서 넓어지고 표준편차 σ가 작을수록 높아지면서 좁아진다.
➡ 곡선 모양의 변화

1391 학교기출 대표 유형

다음은 어떤 모집단에서 크기가 n인 표본을 임의추출하였을 때, 표본평균 $\overline{X}$의 분포에 대하여 설명한 것이다.
☐ 안에 알맞은 것을 차례로 적은 것은?

(가) 표본평균 $\overline{X}$의 평균은 ☐과 같다.
(나) 표본평균 $\overline{X}$의 분산은 표본의 크기 n에 ☐한다.
(다) n이 충분히 크면 표본평균 $\overline{X}$의 분포는 근사적으로 ☐를 따른다.

① 모평균, 정비례, 정규분포 ② 모평균, 반비례, 정규분포
③ 모평균, 반비례, 이항분포 ④ 모비율, 반비례, 이항분포
⑤ 모분산, 정비례, 정규분포

1392 BASIC

다음은 어떤 모집단에서 크기가 n인 표본을 임의추출할 때, 표본평균 $\overline{X}$과 표본평균의 평균에 대하여 다음 [보기] 중 옳은 것은?

ㄱ. 크기가 n인 표본을 한 번만 추출할 때, 그 표본평균과 모평균이 항상 같다.
ㄴ. 크기가 n인 표본을 모두 추출할 때, 모든 표본평균의 평균과 모평균이 항상 같다.
ㄷ. 표본의 크기를 4배 크게 하면 표본평균의 표준편차는 $\dfrac{1}{2}$배가 된다.

① ㄱ ② ㄴ ③ ㄱ, ㄴ
④ ㄴ, ㄷ ⑤ ㄱ, ㄴ, ㄷ

1393 BASIC

확률변수 X가 오른쪽 그림과 같이 정규분포 $\mathrm{N}(m,\ 2^2)$을 따르는 모집단에서 크기 4인 표본을 임의추출하여 얻은 표본평균 $\overline{X}$의 분포로 적절한 것은?

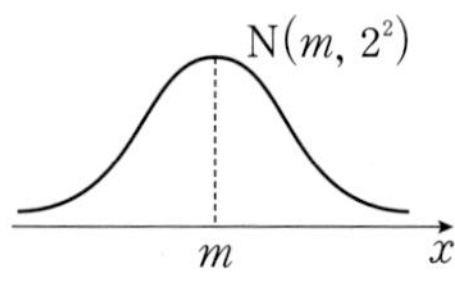

①
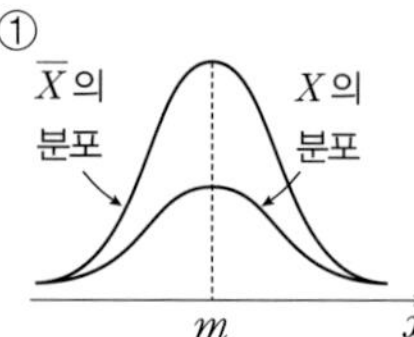

②
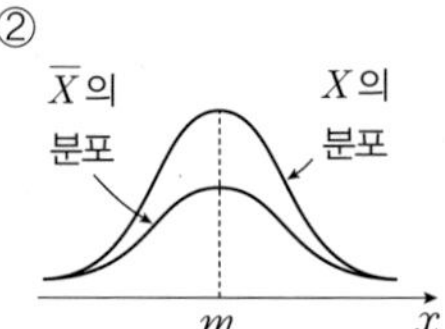

③
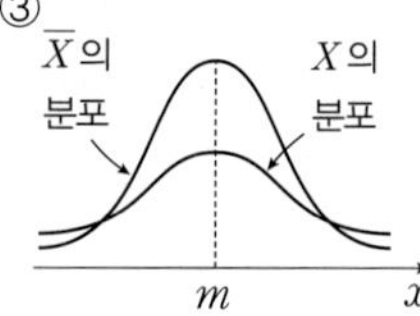

④
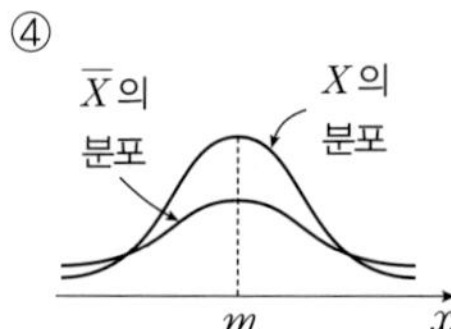

⑤
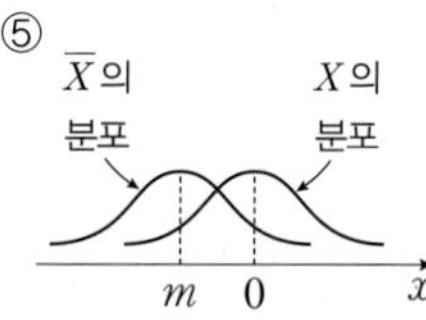

1394 최다빈출 왕중요 NORMAL

모평균이 m, 모표준편차가 σ인 정규분포를 따르는 모집단에서 크기 n_1인 표본을 임의추출하여 얻은 표본평균을 $\overline{X}$, 크기 n_2인 표본을 임의추출하여 얻은 표본평균을 $\overline{Y}$라고 할 때, 다음 [보기] 중 옳은 것을 고르면?

ㄱ. $\mathrm{E}(\overline{X})=\mathrm{E}(\overline{Y})$이면 $n_1=n_2$
ㄴ. $n_1 < n_2$이면 $\mathrm{V}(\overline{X})=\mathrm{V}(\overline{Y})$
ㄷ. $\sigma(\overline{X})=\sigma(\overline{Y})$이면 $n_1=n_2$

① ㄴ ② ㄷ ③ ㄱ, ㄴ
④ ㄴ, ㄷ ⑤ ㄱ, ㄴ, ㄷ

▶ 해설 내신연계기출

유형 04 모평균과 모분산이 주어질 때, 표본평균의 평균, 분산, 표준편차를 이용한 미지수계산

(1) 표본평균의 평균과 분산, 표준편차
모평균이 m, 모표준편차가 σ인 모집단에서 임의추출한 크기가 n인 표본의 표본평균 $\overline{X}$에 대하여 다음이 성립한다.

① $E(\overline{X})=m$

② $V(\overline{X})=\frac{\sigma^2}{n}$, $\sigma(\overline{X})=\frac{\sigma}{\sqrt{n}}$

(2) 다음 용어의 차이에 주의한다.

① 모평균 (m) : 모집단의 평균

② 표본평균 $\overline{X}$: 추출한 표본의 평균

③ 표본평균의 평균 $E(\overline{X})$: 모든 표본평균의 평균

← $\overline{X}$는 확률변수인 반면 m, $E(\overline{X})$는 상수이고 $m=E(\overline{X})$가 항상 성립한다.

④ 모표준편차 (σ) : 모집단의 표준편차

⑤ 표본표준편차 S : 추출한 표본의 표준편차

⑤ 표본평균의 표준편차 $\sigma(\overline{X})$: 모든 표본평균들의 표준편차

← S는 변수인 반면 σ, $\sigma(\overline{X})$는 상수이고 $\sigma(\overline{X})=\frac{\sigma}{\sqrt{n}}$가 항상 성립한다.

(단, n은 표본의 크기)

1395 학교기출 대표 유형

모평균이 50, 모표준편차가 5인 모집단으로부터 크기 n인 표본을 임의추출할 때, 표본평균 $\overline{X}$의 평균은 a, 표준편차는 $\frac{1}{3}$이다. 이때 $a+n$의 값은?

① 50 ② 125 ③ 225
④ 275 ⑤ 325

1396 최다빈출 왕중요 BASIC

모평균이 20, 모표준편차가 8인 모집단에서 크기가 n인 표본을 임의추출할 때, 표본평균 $\overline{X}$에 대하여

$$E(\overline{X})+V(\overline{X})=24$$

이다. 이때 n의 값은?

① 8 ② 12 ③ 16
④ 18 ⑤ 20

▶ 해설 내신연계기출

1397 BASIC

모평균이 m이고 모표준편차가 3인 모집단에서 크기가 n인 표본을 임의추출하여 구한 표본평균을 $\overline{X}$라 할 때,

$$E(\overline{X})=2n,\ V(\overline{X})=\frac{3}{2}$$

이다. m의 값은?

① 4 ② 8 ③ 12
④ 16 ⑤ 20

1398 BASIC

표준편차가 4인 모집단에서 크기가 n인 표본을 임의추출할 때, 표본평균 $\overline{X}$의 표준편차가 1 이하가 되도록 하는 n의 최솟값은?

① 16 ② 24 ③ 52
④ 49 ⑤ 81

1399 최다빈출 왕중요 NORMAL

확률변수 X의 평균이 20, 표준편차가 4인 모집단에서 크기 8인 표본을 임의추출하였다. 표본평균을 $\overline{X}$라고 할 때, $\overline{X}^2$의 평균은?

① 300 ② 320 ③ 402
④ 510 ⑤ 520

▶ 해설 내신연계기출

1400 최다빈출 왕중요

NORMAL

2 이상의 자연수 n에 대하여 모집단에서 크기가 n인 표본을 임의추출하여 구한 표본평균을 $\overline{X}$라 하자. 이 모집단의 확률변수 X에 대하여

$$\mathrm{E}(X)=3,\ \mathrm{E}(X^2)=25$$

일 때, $\mathrm{E}(\overline{X}^2)=13$을 만족시키는 n의 값은?

① 4 ② 5 ③ 6
④ 7 ⑤ 8

▶ 해설 내신연계기출

1401

NORMAL

확률변수 X의 모평균이 m, 모표준편차가 σ인 모집단에서 크기가 16인 표본을 복원추출하여 만든 표본평균을 $\overline{X}$라 하자. $\sigma(\overline{X})=1$일 때, $\mathrm{V}(2X+1)$의 값은?

① 24 ② 36 ③ 42
④ 56 ⑤ 64

1402 최다빈출 왕중요

NORMAL

모평균이 10, 모표준편차가 4인 모집단에서 크기가 4인 표본을 임의추출하여 구한 표본평균을 $\overline{X}$라 할 때, $\mathrm{E}(3\overline{X}+2)+\sigma(3\overline{X}+2)$의 값은?

① 32 ② 34 ③ 36
④ 38 ⑤ 40

▶ 해설 내신연계기출

1403

NORMAL

이항분포 $\mathrm{B}\left(12,\ \frac{1}{2}\right)$을 따르는 모집단에서 크기 3인 표본을 임의추출하여 구한 표본평균을 $\overline{X}$라 할 때, $\mathrm{E}(\overline{X}^2)$의 값은?

① 31 ② 33 ③ 35
④ 37 ⑤ 39

1404 최다빈출 왕중요

TOUGH

어느 모집단의 확률변수 X의 확률질량함수가

$$\mathrm{P}(X=r)={}_n\mathrm{C}_r\left(\frac{2}{5}\right)^r\left(\frac{3}{5}\right)^{n-r}\ (r=0,\ 1,\ 2,\ \cdots,\ n)$$

일 때, 이 모집단에서 크기가 6인 표본을 임의추출하여 구한 표본평균을 $\overline{X}$라 하자. $\mathrm{E}(\overline{X})+\mathrm{V}(\overline{X})=11$일 때, 자연수 n의 값은?

① 15 ② 20 ③ 25
④ 30 ⑤ 50

▶ 해설 내신연계기출

유형 05 모집단의 확률분포가 주어질 때, 표본평균의 평균, 분산, 표준편차

[1단계] 모집단의 확률분포에서 모평균 m과 모분산 σ^2을 구한다.

① $m=\mathrm{E}(X)=\sum_{i=1}^{n}x_ip_i \left(단, \sum_{i=1}^{n}p_i=1\right)$

② $\sigma^2=\mathrm{V}(X)=\mathrm{E}(X^2)-\{\mathrm{E}(X)\}^2$

[2단계] 크기가 n인 표본의 표본평균 $\overline{X}$의 평균, 분산, 표준편차를 구한다.

$\mathrm{E}(\overline{X})=m,\ \mathrm{V}(\overline{X})=\frac{\sigma^2}{n},\ \sigma(\overline{X})=\frac{\sigma}{\sqrt{n}}$

1405 학교기출 대표 유형

모집단의 확률변수 X의 확률분포가 다음 표와 같다.

X	-1	0	1	합계
$\mathrm{P}(X=x)$	$\frac{1}{6}$	$\frac{1}{3}$	$\frac{1}{2}$	1

이 모집단에서 크기가 5인 표본을 임의추출할 때의 표본평균을 $\overline{X}$라 할 때, $\mathrm{E}(\overline{X}^2)$의 값은?

① $\frac{1}{6}$ ② $\frac{1}{3}$ ③ $\frac{2}{9}$
④ $\frac{2}{7}$ ⑤ $\frac{4}{5}$

1406 BASIC

모집단의 확률변수 X의 확률분포를 표로 나타내면 다음과 같다.

X	2	4	6	합계
$\mathrm{P}(X=x)$	a	$\frac{1}{6}$	$\frac{1}{2}$	1

이 모집단에서 크기가 2인 표본을 임의추출하여 구한 표본평균을 $\overline{X}$라 할 때, $\mathrm{E}\left(\frac{1}{a}\overline{X}\right)$의 값은? (단, a는 상수이다.)

① 9 ② 11 ③ 13
④ 15 ⑤ 17

1407 최다빈출 왕 중요 NORMAL

모집단의 확률변수 X의 확률분포를 표로 나타내면 다음과 같다.

X	1	2	3	합계
$\mathrm{P}(X=x)$	$\frac{1}{4}$	a	$\frac{1}{4}$	1

이 모집단에서 크기가 4인 표본을 복원추출하여 구한 표본평균 $\overline{X}$라 할 때, $\mathrm{V}(4\overline{X})$의 값은? (단, a는 상수)

① $\frac{1}{8}$ ② 1 ③ 2
④ 4 ⑤ 8

▶ 해설 내신연계기출

1408 NORMAL

모집단의 확률변수 X의 확률분포를 표로 나타내면 다음과 같다.

X	0	1	2	합계
$\mathrm{P}(X=x)$	$\frac{2}{5}$	a	$\frac{1}{5}$	1

이 모집단에서 크기가 5인 표본을 임의추출할 때, 표본평균 $\overline{X}$에 대하여 $\mathrm{E}(\overline{X}^2)$의 값은? (단, a는 상수)

① $\frac{14}{125}$ ② $\frac{16}{25}$ ③ $\frac{94}{125}$
④ $\frac{14}{25}$ ⑤ $\frac{28}{25}$

1409 최다빈출 왕 중요 NORMAL

모집단의 확률변수 X의 확률분포를 표로 나타내면 다음과 같다.

X	2	a	8	합계
$\mathrm{P}(X=x)$	$\frac{1}{3}$	b	$\frac{1}{6}$	1

이 모집단에서 크기가 10인 표본을 임의추출 하여 구한 표본평균을 $\overline{X}$라 할 때, $\mathrm{E}(\overline{X})=5$을 만족하는 두 상수 a, b에 대하여 $ab\mathrm{V}(\overline{X})$의 값은?

① $\frac{3}{2}$ ② 2 ③ $\frac{5}{2}$
④ 3 ⑤ 7

▶ 해설 내신연계기출

1410 최다빈출 왕중요 NORMAL

모집단의 확률변수 X의 확률분포를 표로 나타내면 다음과 같다.

X	1	3	5	합계
$\mathrm{P}(X=x)$	a	b	$\frac{1}{2}$	1

이 모집단에서 크기가 3인 표본을 임의추출하여 구한 표본평균 $\overline{X}$에 대하여 $\mathrm{E}(\overline{X})=\frac{7}{2}$일 때, $\mathrm{V}(\overline{X})$의 값은? (단, a, b는 상수이다.)

① $\frac{11}{12}$　② 1　③ $\frac{13}{12}$
④ $\frac{7}{6}$　⑤ $\frac{5}{4}$

▶ 해설 내신연계기출

1411 NORMAL

어느 모집단의 확률변수 X의 확률분포가 다음 표와 같다.

X	0	2	4	합계
$\mathrm{P}(X=x)$	$\frac{1}{6}$	a	b	1

$\mathrm{E}(X^2)=\frac{16}{3}$일 때, 이 모집단에서 임의추출한 크기가 20인 표본의 표본평균 $\overline{X}$에 대하여 $\mathrm{V}(\overline{X})$의 값은? (단, a, b는 상수이다.)

① $\frac{1}{60}$　② $\frac{1}{30}$　③ $\frac{1}{20}$
④ $\frac{1}{15}$　⑤ $\frac{1}{12}$

1412 NORMAL

모집단의 확률변수 X의 확률분포를 표로 나타내면 다음과 같다.

X	-1	0	2	합계
$\mathrm{P}(X=x)$	a	b	c	1

이 모집단에서 크기가 3인 표본을 임의추출하여 구한 표본평균을 $\overline{X}$라 할 때,

$$\mathrm{E}(\overline{X})=\frac{1}{2},\ \mathrm{V}(\overline{X})=\frac{7}{20}$$

이다. 세 상수 a, b, c에 대하여 $500abc$의 값은?

① 6　② 9　③ 12
④ 15　⑤ 18

1413 최다빈출 왕중요 TOUGH

모집단의 확률변수 X의 확률분포를 표로 나타내면 다음과 같다.

X	3	4	5	6	합계
$\mathrm{P}(X=x)$	$\frac{1}{12}$	$\frac{1}{4}$	a	b	1

이 모집단에서 크기가 4인 표본을 임의추출하여 구한 표본평균을 $\overline{X}$라 할 때, $\mathrm{E}(2\overline{X}+3)=13$이다. $\mathrm{V}(4\overline{X}+1)$의 값은?
(단, a, b는 상수이다.)

① $\frac{1}{16}$　② $\frac{1}{4}$　③ 1
④ 2　⑤ 4

▶ 해설 내신연계기출

1414

TOUGH

다음은 어떤 모집단의 확률분포표이다.

X	10	20	30	합계
$\mathrm{P}(X=x)$	$\frac{1}{2}$	a	$\frac{1}{2}-a$	1

이 모집단에서 크기가 2인 표본을 복원추출하여 구한 표본평균을 $\overline{X}$라 하자. $\overline{X}$의 평균이 18일 때, $\mathrm{P}(\overline{X}=20)$의 값은? (단, a는 상수이다.)

① $\frac{2}{5}$ ② $\frac{19}{50}$ ③ $\frac{9}{25}$
④ $\frac{17}{50}$ ⑤ $\frac{8}{25}$

1415

최다빈출 왕중요 TOUGH

다음은 어떤 모집단의 확률분포를 나타낸 것이다.

X	1	2	3	합계
$\mathrm{P}(X=x)$	0.3	0.4	0.3	1

이 모집단에서 크기가 2인 표본을 복원추출할 때, 표본평균 $\overline{X}$의 확률분포표는 다음과 같다.

$\overline{X}$	1	1.5	2	2.5	3	합계
$\mathrm{P}(\overline{X})$	0.09	0.24	a	b	0.09	1

이때 $\mathrm{V}(\overline{X})+a+b$의 값은? (단, a, b는 상수이다.)

① 0.86 ② 0.87 ③ 0.88
④ 0.89 ⑤ 0.90

▶ 해설 내신연계기출

1416

TOUGH

숫자 1이 적혀 있는 공 10개, 숫자 2가 적혀 있는 공 20개, 숫자 3이 적혀 있는 공 30개가 들어 있는 주머니가 있다.
이 주머니에서 임의로 한 개의 공을 꺼내어 공에 적혀 있는 수를 확인한 후 다시 넣는다. 이와 같은 시행을 10번 반복하여 확인한 10개의 수의 합을 확률변수 Y라 하자. 다음은 확률변수 Y의 평균 $\mathrm{E}(Y)$와 분산 $\mathrm{V}(Y)$를 구하는 과정이다.

주머니에 들어 있는 60개의 공을 모집단으로 하자.
이 모집단에서 임의로 한 개의 공을 꺼낼 때, 이 공에 적혀 있는 수를 확률변수 X라 하면 X의 확률분포, 즉 모집단의 확률분포는 다음 표와 같다.

X	1	2	3	합계
$\mathrm{P}(X=x)$	$\frac{1}{6}$	$\frac{1}{3}$	$\frac{1}{2}$	1

따라서 모평균 m과 모분산 σ^2은

$$m=\mathrm{E}(X)=\frac{7}{3},\ \sigma^2=\mathrm{V}(X)=\boxed{(가)}$$

이다.
모집단에서 크기가 10인 표본을 임의추출하여 구한 표본평균을 $\overline{X}$라 하면

$$\mathrm{E}(\overline{X})=\frac{7}{3},\ \mathrm{V}(\overline{X})=\boxed{(나)}$$

이다
주머니에서 n번째 꺼낸 공에 적혀 있는 수를 X_n이라 하면

$$Y=\sum_{n=1}^{10}X_n=10\overline{X}$$

이므로

$$\mathrm{E}(Y)=\frac{70}{3},\ \mathrm{V}(Y)=\boxed{(다)}$$

이다.

위의 (가), (나), (다)에 알맞은 수를 각각 p, q, r라 할 때, $p+q+r$의 값은?

① $\frac{31}{6}$ ② $\frac{11}{2}$ ③ $\frac{35}{6}$
④ $\frac{37}{6}$ ⑤ $\frac{13}{2}$

유형 06 모집단의 확률분포가 주어지지 않을 때, 표본평균의 평균, 분산, 표준편차 구하기

[1단계] 확률변수 X가 취하는 값과 그 각각의 확률을 구하여 확률분포를 표로 만든다.
[2단계] 모평균 m과 모분산 σ^2을 구한다.
[3단계] 크기가 n인 표본의 표본평균 $\overline{X}$의 평균, 분산, 표준편차를 구한다. 즉 $E(\overline{X})=m$, $V(\overline{X})=\frac{\sigma^2}{n}$

1417 학교기출 대표 유형

숫자 1, 1, 2, 3이 각각 적힌 공 4개가 들어있는 주머니에서 크기가 2인 표본을 임의추출 하였을 때, 공에 적혀 있는 수의 평균을 $\overline{X}$라 하자. $E(2\overline{X})+V(4\overline{X})$의 값은?

① 9 ② 10 ③ 11
④ 12 ⑤ 13

1418 최다빈출 왕 중요 NORMAL

1부터 5까지의 자연수가 하나씩 적힌 공이 들어있는 주머니에서 3개의 공을 임의 추출할 때, 공에 적혀 있는 수의 평균을 $\overline{X}$라 하자. $E(3\overline{X}+2)+V(3\overline{X}+2)$의 값은?

① 13 ② 14 ③ 15
④ 16 ⑤ 17

▶ 해설 내신연계기출

1419 NORMAL

주머니 속에 1, 1, 2, 2, 2, 2, 3, 3이 적힌 8개의 공이 들어 있다. 이 주머니에서 임의추출한 3개의 공에 적힌 수의 표본평균을 $\overline{X}$라 고 할 때, $V(6\overline{X}+2)$의 값은?

① 3 ② 6 ③ 9
④ 12 ⑤ 16

1420 최다빈출 왕 중요 NORMAL

5개의 숫자 1, 1, 1, 2, 3이 각각 하나씩 적힌 5개의 공이 들어 있는 상자에서 크기가 n인 표본을 임의추출할 때, 공에 적힌 숫자의 표본평균 $\overline{X}$의 분산이 $\frac{1}{50}$이다. 이때 n의 값은?

① 17 ② 22 ③ 27
④ 32 ⑤ 37

▶ 해설 내신연계기출

1421 TOUGH

주머니에 숫자 2, 4, 6이 하나씩 적힌 세 개의 공이 들어있다. 이 주머니에서 크기가 2인 표본을 복원추출할 때, 공에 적힌 숫자의 평균을 $\overline{X}$라고 할 때, 옳은 것만을 [보기]에서 있는 대로 고른 것은?

ㄱ. $\overline{X}$의 최댓값은 6이다.
ㄴ. $P(\overline{X}\geq 3)=\frac{2}{3}$
ㄷ. $E(\overline{X})+V(\overline{X})=\frac{20}{3}$

① ㄱ ② ㄱ, ㄴ ③ ㄴ, ㄷ
④ ㄱ, ㄷ ⑤ ㄱ, ㄴ, ㄷ

유형 07 표본평균 $\overline{X}$의 확률 구하기

[1단계] 모집단이 따르는 정규분포 $N(m, \sigma^2)$을 구한다.

[2단계] 표본평균 $\overline{X}$가 따르는 정규분포 $N\left(m, \frac{\sigma^2}{n}\right)$을 구한다.

[3단계] 표본평균 $\overline{X}$를 $Z=\frac{\overline{X}-m}{\frac{\sigma}{\sqrt{n}}}$을 이용하여 표준화한다.

[4단계] 표준정규분포표를 이용하여 확률을 구한다.

1422 학교기출 대표 유형

정규분포 $N(40, 4^2)$을 따르는 모집단에서 크기가 4인 표본을 임의추출하여 구한 표본평균을 $\overline{X}$라고 할 때, $P(\overline{X} \le 44)$의 값은?

z	$P(0 \le Z \le z)$
1.0	0.3413
1.5	0.4332
2.0	0.4772
3.0	0.4987

① 0.5328 ② 0.6247 ③ 0.6880
④ 0.9104 ⑤ 0.9772

1423 NORMAL

모평균이 40, 모표준편차가 5인 정규분포를 따르는 모집단에서 크기가 100인 표본을 임의추출할 때, 표본평균 $\overline{X}$가 39.1 이상 41.2 이하일 확률은?

z	$P(0 \le Z \le z)$
1.5	0.4332
1.8	0.4641
2.0	0.4772
2.4	0.4918

① 0.8950 ② 0.9225 ③ 0.9370
④ 0.9559 ⑤ 0.9737

1424 최다빈출 왕중요 NORMAL

정규분포 $N\left(5, \frac{225}{4}\right)$를 따르는 모집단에서 크기가 225인 표본을 임의추출 하였을 때, 표본평균을 $\overline{X}$라 하자. $P(\overline{X} \ge 6)$의 값은?

z	$P(0 \le Z \le z)$
1.0	0.3413
1.5	0.4332
2.0	0.4772
3.0	0.4987

① 0.0228 ② 0.0668 ③ 0.0885
④ 0.1228 ⑤ 0.1587

▶ 해설 내신연계기출

1425 최다빈출 왕중요 NORMAL

어느 병원 응급실을 찾은 환자들의 진료 대기시간을 확률변수 X라고 할 때, X는 평균이 15분이고 표준편차가 5분인 정규분포를 따른다고 한다. 이 병원 응급실을 찾은 환자들 중에서 임의로 선택한 환자 4명의 진료 대기시간의 평균을 $\overline{X}$라고 할 때, 확률 $P(\overline{X} \le 12)$의 값을 오른쪽 표준정규분포표를 이용하여 구한 것은?

z	$P(0 \le Z \le z)$
0.8	0.2881
1.2	0.3849
1.5	0.4332
2.0	0.4772

① 0.0228 ② 0.1151 ③ 0.1587
④ 0.2119 ⑤ 0.6151

▶ 해설 내신연계기출

1426 NORMAL

어느 회사에서 생산한 드론의 최대 원격 조종거리는 평균이 302m, 표준편차가 9m인 정규분포를 따른다고 한다. 어느 인터넷 쇼핑몰에서 드론을 이용한 택배 시스템 구축을 위해 이 회사의 드론 81대를 구입하였다.
이 인터넷 쇼핑몰에서 구입한 드론의 최대 원격 조종거리의 평균이 300m 이하일 확률은?

z	$P(0 \le Z \le z)$
0.5	0.1915
1.0	0.3413
1.5	0.4332
2.0	0.4772

① 0.0228 ② 0.0668 ③ 0.1587
④ 0.3085 ⑤ 0.6915

1427 최다빈출 왕중요 NORMAL

어느 공장에서 생산하는 화장품 1개의 내용량은 평균이 201.5g이고 표준편차가 1.8g인 정규분포를 따른다고 한다. 이 공장에서 생산한 화장품 중 임의추출한 9개의 화장품 내용량의 표본평균이 200g 이상일 확률을 오른쪽 표준정규분포표를 이용하여 구한 것은?

z	$\mathrm{P}(0 \le Z \le z)$
1.0	0.3413
1.5	0.4332
2.0	0.4772
2.5	0.4938

① 0.7745 ② 0.8413 ③ 0.9332
④ 0.9772 ⑤ 0.9938

▶ 해설 내신연계기출

1428 최다빈출 왕중요 NORMAL

어느 방송사 예능프로그램의 방송 시간은 평균이 60분, 표준편차가 4분인 정규분포를 따른다고 한다. 크기가 4인 표본을 임의추출하여 조사한 방송 시간의 표본평균을 $\overline{X}$라 할 때, 확률 $\mathrm{P}(58 \le \overline{X} \le 62)$를 오른쪽 표준정규분포표를 이용하여 구하면?

z	$\mathrm{P}(0 \le Z \le z)$
0.5	0.1915
1.0	0.3413
1.5	0.4332
2.0	0.4772

① 0.5328 ② 0.6247 ③ 0.6826
④ 0.9104 ⑤ 0.9772

▶ 해설 내신연계기출

1429 최다빈출 왕중요 NORMAL

어느 도시에서 공용자전거 1회 이용 시간은 평균이 50분, 표준편차가 10분인 정규분포를 따른다고 한다. 이 도시의 공용 자전거를 이용한 시민 중에서 25명을 임의추출할 때, 1회 이용 시간의 평균이 48분 이상 54분 이하일 확률은?

z	$\mathrm{P}(0 \le Z \le z)$
0.5	0.1915
1.0	0.3413
1.5	0.4332
2.0	0.4772

① 0.5328 ② 0.6915 ③ 0.8185
④ 0.9332 ⑤ 0.9774

▶ 해설 내신연계기출

1430 NORMAL

어느 지역의 1인 가구의 월 식료품 구입비는 평균이 45만 원, 표준편차가 8만 원인 정규분포를 따른다고 한다. 이 지역의 1인 가구 중에서 임의로 추출한 16가구의 월 식료품 구입비의 표본평균이 44만 원 이상이고 47만 원 이하일 확률을 오른쪽 표준정규분포표를 이용하여 구한 것은?

z	$\mathrm{P}(0 \le Z \le z)$
0.5	0.1915
1.0	0.3413
1.5	0.4332
2.0	0.4772

① 0.3830 ② 0.5328 ③ 0.6915
④ 0.8185 ⑤ 0.8413

1431 NORMAL

정규분포 $\mathrm{N}(m, \sigma^2)$을 따르는 모집단에서 크기가 n인 표본을 임의추출할 때, 표본평균 $\overline{X}$에 대하여 $\sigma=2$와 $\sigma=4$일 때의 확률 $\mathrm{P}\left(\overline{X} \ge m+\frac{2}{\sqrt{n}}\right)$를 각각 p_1, p_2라 하자. p_1+p_2의 값은?

z	$\mathrm{P}(0 \le Z \le z)$
0.5	0.1915
1.0	0.3413
1.5	0.4332
2.0	0.4772

① 0.0896 ② 0.2255 ③ 0.4672
④ 0.6915 ⑤ 0.7745

1432 최다빈출 왕중요 NORMAL

세계핸드볼연맹에서 공인한 여자 일반부용 핸드볼 공을 생산하는 회사가 있다. 이 회사에서 생산된 핸드볼 공의 무게는 평균 350g, 표준편차 16g인 정규분포를 따른다고 한다. 이 회사는 일정한 기간 동안 생산된 핸드볼 공 중에서 임의로 추출된 핸드볼 공 64개의 무게의 평균이 346g 이하이거나 355g 이상이면 생산 공정에 문제가 있다고 판단한다. 이 회사에서 생산 공정에 문제가 있다고 판단할 확률을 표준정규분포표를 이용하여 구한 것은?

z	$\mathrm{P}(0 \le Z \le z)$
2.00	0.4772
2.25	0.4878
2.50	0.4938
2.75	0.4970

① 0.0290 ② 0.0258 ③ 0.0184
④ 0.0152 ⑤ 0.0092

▶ 해설 내신연계기출

1433 최다빈출 중요 TOUGH

어느 공장에서 생산되는 제품의 무게는 정규분포 $N(10, 2^2)$을 따른다고 한다. A, B 두 사람이 크기가 4인 표본을 각각 독립적으로 임의추출하였을 때, A, B가 추출한 표본의 평균이 모두 9 이상 13 이하가 될 확률은?

z	$P(0 \le Z \le z)$
0.5	0.1915
1.0	0.3413
1.5	0.4332
3.0	0.4987

① 0.0228 ② 0.0456 ③ 0.3692
④ 0.5323 ⑤ 0.7056

▶ 해설 내신연계기출

1434 TOUGH

어떤 모집단의 분포가 정규분포 $N(m, 10^2)$을 따르고, 이 정규분포의 확률밀도함수 $f(x)$의 그래프와 구간별 확률은 아래와 같다.

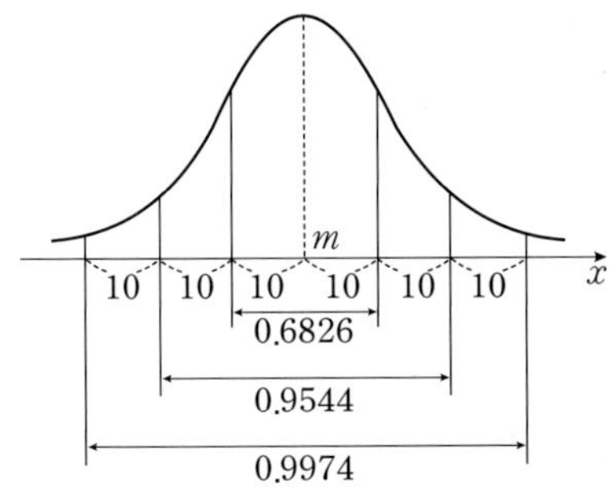

확률밀도함수 $f(x)$는 모든 실수 x에 대하여

$$f(x)=f(100-x)$$

를 만족한다. 이 모집단에서 크기 25인 표본을 임의추출할 때의 표본평균을 $\overline{X}$라 하자. $P(44 \le \overline{X} \le 48)$의 값은?

① 0.1359 ② 0.1574 ③ 0.1965
④ 0.2350 ⑤ 0.2718

1435 TOUGH

이항분포 $B\left(180, \frac{1}{6}\right)$을 따르는 모집단에서 크기가 25인 표본을 임의추출하여 구한 표본평균을 $\overline{X}$라 할 때, $P(28 \le \overline{X} \le 29)$의 값을 오른쪽 표준정규분포표를 이용하여 구한 것은?

z	$P(0 \le Z \le z)$
1.0	0.3413
1.5	0.4332
2.0	0.4772

① 0.0228 ② 0.0668 ③ 0.0919
④ 0.1359 ⑤ 0.1587

1436 TOUGH

어느 농장에서 생산하는 단호박 한 개의 무게는 평균이 460g, 표준편차가 25g인 정규분포를 따른다고 한다.
이 농장에서 생산한 단호박 중 100개를 임의 추출하여 무게를 검사할 때, 13개 이상의 무게가 492g 이상일 확률은?

z	$P(0 \le Z \le z)$
0.5	0.19
1.0	0.34
1.28	0.40
1.5	0.43

① 0.02 ② 0.1 ③ 0.16
④ 0.31 ⑤ 0.69

유형 08 표본평균 $\overline{X}$, $\overline{Y}$의 확률 구하기

[1단계] 모집단이 따르는 두 확률변수 X, Y의 정규분포 $\mathrm{N}(m, \sigma^2)$을 각각 구한다.

[2단계] 표본평균 $\overline{X}$, $\overline{Y}$가 따르는 정규분포 $\mathrm{N}\left(m, \dfrac{\sigma^2}{n}\right)$을 각각 구한다.

[3단계] 표본평균 $\overline{X}$, $\overline{Y}$를 $Z=\dfrac{\overline{X}-m}{\dfrac{\sigma}{\sqrt{n}}}$으로 표준화하여 주어진 확률을 구한다.

1437 학교기출 대표 유형

어느 회사에서는 생산되는 제품을 1000개씩 상자에 넣어 판매한다. 이때 상자에서 임의로 추출한 16개 제품의 무게의 표본평균이 12.7 이상이면 그 상자를 정상 판매하고, 12.7 미만이면 할인 판매한다. A상자에 들어 있는 제품의 무게는 평균 16, 표준편차 6인 정규분포를 따르고, B상자에 있는 제품의 무게는 평균 10, 표준편차 6인 정규분포를 따른다고 할 때, A상자가 할인 판매될 확률이 p, B상자가 정상 판매될 확률이 q이다. $p+q$의 값을 오른쪽 표준 정규분포표를 이용하여 구한 것은? (단, 무게의 단위는 g)

z	$\mathrm{P}(0 \le Z \le z)$
1.6	0.4452
1.8	0.4641
2.0	0.4772
2.2	0.4861

① 0.0367 ② 0.0498 ③ 0.0587
④ 0.0687 ⑤ 0.0776

1438 NORMAL

어느 공장에서 생산되는 A제품의 무게는 정규분포 $\mathrm{N}(m, 2^2)$을 따르고, B제품의 무게는 정규분포 $\mathrm{N}(3m, 4^2)$을 따른다고 한다. 이 공장에서 생산된 A제품과 B제품 중에서 임의로 4개씩 택할 때, 택한 A제품 4개의 평균 무게가 k 이상일 확률과 B제품 4개의 평균 무게가 k 이하일 확률이 같다. $\dfrac{m}{k}$의 값은?

① $\dfrac{1}{5}$ ② $\dfrac{2}{5}$ ③ $\dfrac{3}{5}$
④ $\dfrac{4}{5}$ ⑤ 1

1439 최다빈출 왕 중요 TOUGH

정규분포 $\mathrm{N}(0, 4^2)$을 따르는 모집단에서 크기가 9인 표본을 임의추출하여 구한 표본평균을 $\overline{X}$, 정규분포 $\mathrm{N}(3, 2^2)$을 따르는 모집단에서 크기가 16인 표본을 임의추출하여 구한 표본평균을 $\overline{Y}$라 하자.

$$\mathrm{P}(\overline{X} \ge 1)=\mathrm{P}(\overline{Y} \le a)$$

를 만족시키는 상수 a의 값은?

① $\dfrac{19}{8}$ ② $\dfrac{5}{2}$ ③ $\dfrac{21}{8}$
④ $\dfrac{11}{4}$ ⑤ $\dfrac{23}{8}$

▶ 해설 내신연계기출

1440 TOUGH

모평균이 58이고, 모표준편차가 σ인 정규분포를 따르는 모집단에서 크기가 16인 표본을 임의추출하여 구한 표본평균을 $\overline{X}$라 하고, 모평균이 m이고, 모표준편차가 $\sigma+2$인 정규분포를 따르는 모집단에서 크기가 25인 표본을 임의추출하여 구한 표본평균을 $\overline{Y}$라 하자. 두 확률변수 $\overline{X}$, $\overline{Y}$의 확률밀도함수를 각각 $f(x)$, $g(x)$라 할 때, 두 함수 $y=f(x)$, $y=g(x)$의 그래프는 직선 $x=60$에 대하여 서로 대칭이다.

$$\mathrm{P}(\overline{X} \ge 60)+\mathrm{P}(\overline{Y} \le 60)$$

의 값을 오른쪽 표준정규분포표를 이용하여 구한 것은?

z	$\mathrm{P}(0 \le Z \le z)$
0.5	0.1915
1.0	0.3413
1.5	0.4332
2.0	0.4772

① 0.0124 ② 0.0456 ③ 0.1336
④ 0.3174 ⑤ 0.6170

1441 최다빈출 왕 중요 TOUGH

정규분포 $\mathrm{N}(50, 8^2)$을 따르는 모집단에서 크기가 16인 표본을 임의추출하여 구한 표본평균을 $\overline{X}$, 정규분포 $\mathrm{N}(75, \sigma^2)$을 따르는 모집단에서 크기가 25인 표본을 임의추출하여 구한 표본평균을 $\overline{Y}$라 하자.

$$\mathrm{P}(\overline{X} \le 53)+\mathrm{P}(\overline{Y} \le 69)=1$$

일 때, $\mathrm{P}(\overline{Y} \ge 71)$의 값을 오른쪽 표준정규분포표를 이용하여 구한 것은?

z	$\mathrm{P}(0 \le Z \le z)$
1.0	0.3413
1.2	0.3849
1.4	0.4192
1.6	0.4452

① 0.8413 ② 0.8644 ③ 0.8849
④ 0.9192 ⑤ 0.9452

▶ 해설 내신연계기출

유형 09 확률변수 X와 표본평균 $\overline{X}$의 확률 구하기

① 확률변수 X가 정규분포 $\mathrm{N}(m, \sigma^2)$을 따른다.

⇨ $Z=\dfrac{X-m}{\sigma}$이라 하면 Z는 표준정규분포 $\mathrm{N}(0, 1)$을 따른다.

② 표본평균 $\overline{X}$가 정규분포 $\mathrm{N}\left(m, \dfrac{\sigma^2}{n}\right)$을 따른다.

⇨ $Z=\dfrac{\overline{X}-m}{\dfrac{\sigma}{\sqrt{n}}}$이라 하면 Z는 표준정규분포 $\mathrm{N}(0, 1)$을 따른다.

1442 학교기출 대표 유형

확률변수 X가 정규분포 $\mathrm{N}(77, 6^2)$을 따를 때, 모집단에서 크기가 9인 표본을 임의추출하여 구한 표본평균 $\overline{X}$에 대하여

$$\mathrm{P}(71 \le X \le 89)=\mathrm{P}(75 \le \overline{X} \le a)$$

가 성립하는 상수 a의 값은?

① 78　② 79　③ 80　④ 81　⑤ 82

1443

NORMAL

모집단의 확률변수 X가 정규분포를 따를 때, 이 모집단에서 임의추출한 크기가 16인 표본의 표본평균을 $\overline{X}$라고 하자.

$$\mathrm{P}(X \le 6)=\mathrm{P}(\overline{X} \ge 9)$$

일 때, 모집단의 평균은?

① 7.2　② 7.5　③ 7.8　④ 8.1　⑤ 8.4

1444 최다빈출 왕 중요

NORMAL

모집단의 확률변수 X는 정규분포 $\mathrm{N}(3, 2^2)$을 따른다. 이 모집단에서 크기가 4인 표본을 임의추출하여 구한 표본평균을 $\overline{X}$라 할 때,

$$\mathrm{P}(X \ge 1)=\mathrm{P}(\overline{X} \le a)$$

를 만족시키는 상수 a의 값은?

① 1　② 2　③ 3　④ 4　⑤ 5

▶ 해설 내신연계기출

1445

NORMAL

어느 고등학교 신입생의 키는 평균이 168cm이고 표준편차가 2cm인 정규분포를 따른다. 임의로 뽑은 한 신입생의 키가 164cm 이상 172cm 이하일 확률과 임의추출한 64명의 신입생의 평균 키가 $(168-\alpha)$cm 이상 $(168+\alpha)$cm 이하일 확률이 서로 같을 때, α의 값은?

① $\dfrac{1}{3}$　② $\dfrac{1}{4}$　③ $\dfrac{1}{2}$　④ $\dfrac{3}{2}$　⑤ $\dfrac{7}{2}$

1446 최다빈출 왕 중요

NORMAL

어느 공장에서 만드는 제품 A의 무게는 평균 120g, 표준편차 10g인 정규분포를 따른다고 한다. 이 공장에서 만드는 제품 A 중에서 임의추출한 1개의 무게가 130g 이상일 확률을 p_1, 임의추출한 4개의 무게의 평균이 130g 이상일 확률을 p_2라 할 때, p_1-p_2의 값을 표준정규분포표를 이용하여 구한 것은?

z	$\mathrm{P}(0 \le Z \le z)$
0.5	0.1915
1.0	0.3413
1.5	0.4332
2.0	0.4772
2.5	0.4938

① -0.1498　② -0.1359　③ 0　④ 0.1359　⑤ 0.1498

▶ 해설 내신연계기출

05 통계적 추정

1447 최다빈출 왕중요 TOUGH

어느 공장에서 생산되는 제품의 길이 X는 평균이 m이고 표준편차가 4인 정규분포를 따른다고 한다.

$$P(m \le X \le a)=0.3413$$

일 때, 이 공장에서 생산된 제품 중에서 임의추출한 제품 16개의 길이의 표본평균이 $a-2$ 이상일 확률을 오른쪽 표준정규분포표를 이용하여 구한 것은? (단, a는 상수이고 길이의 단위는 cm이다.)

z	$P(0 \le Z \le z)$
1.0	0.3413
1.5	0.4332
2.0	0.4772

① 0.0228 ② 0.0668 ③ 0.0919
④ 0.1359 ⑤ 0.1587

▶ 해설 내신연계기출

1448 TOUGH

모평균이 40, 모표준편차가 σ인 정규분포를 따르는 모집단의 확률변수 X와 이 모집단에서 크기가 4인 표본을 임의추출하여 구한 표본평균 $\overline{X}$는 임의의 양수 k에 대하여

$$P(X \ge 40+k)=P(\overline{X} \le 40-k\sigma)$$

을 만족시킨다. $P(X \le a)=P(\overline{X} \ge 42)$일 때, 두 상수 a, σ에 대하여 $a\sigma$의 값은?

① 14 ② 16 ③ 18
④ 20 ⑤ 22

1449 TOUGH

어느 지역 학생들의 1일 인터넷 사용시간 X는 평균이 m분, 표준편차가 30분인 정규분포를 따른다. 이 지역 학생들을 대상으로 9명을 임의추출하여 조사한 1일 인터넷 사용시간의 표본평균을 $\overline{X}$라 하자. 함수 $G(k)$, $H(k)$를

$$G(k)=P(X \le m+30k)$$
$$H(k)=P(\overline{X} \ge m-30k)$$

라 할 때, 옳은 것만을 [보기]에서 있는 대로 고른 것은?

ㄱ. $G(0)=H(0)$
ㄴ. $G(3)=H(1)$
ㄷ. $G(1)+H(-1)=1$

① ㄱ ② ㄷ ③ ㄱ, ㄴ
④ ㄴ, ㄷ ⑤ ㄱ, ㄴ, ㄷ

1450 최다빈출 왕중요 TOUGH

어느 공장에서 생산되는 제품의 무게 X는 평균이 60g, 표준편차가 5g인 정규분포를 따른다고 한다. 제품의 무게가 50g 이하인 제품은 불량품으로 판정한다. 이 공장에서 생산된 제품 중에서 2500개를 임의로 추출할 때, 2500개 무게의 평균을 $\overline{X}$, 불량품의 개수를 Y라고 하자. 오른쪽 표준정규분포표를 이용하여 옳은 것만을 [보기]에서 있는 대로 고른 것은?

z	$P(0 \le Z \le z)$
0.5	0.19
1.0	0.34
1.5	0.43
2.0	0.48
2.5	0.49

ㄱ. $P(\overline{X} \ge 60)=\frac{1}{2}$
ㄴ. $P(Y \ge 57)=P(\overline{X} \le 59.9)$
ㄷ. 임의의 양수 k에 대하여
$P(60-k \le X \le 60+k) > P(60-k \le \overline{X} \le 60+k)$

① ㄱ ② ㄷ ③ ㄱ, ㄴ
④ ㄴ, ㄷ ⑤ ㄱ, ㄴ, ㄷ

▶ 해설 내신연계기출

유형 10 표본평균의 확률 – 표본의 크기 및 미지수 값 구하기 (1)

[1단계] 크기가 n표본의 표본평균 $\overline{X}$가 따르는 정규분포 $N\left(m, \frac{\sigma^2}{n}\right)$을 구한 다음 $Z=\frac{\overline{X}-m}{\frac{\sigma}{\sqrt{n}}}$으로 표준화한다.

[2단계] 표준정규분포표의 확률을 이용하여 표본의 크기 및 미지수를 구한다.

1451 학교기출 대표 유형

정규분포 $N(50, 2^2)$을 따르는 모집단에서 크기가 4인 표본을 임의추출하여 구한 표본평균을 $\overline{X}$라 할 때,

$$P(\overline{X} \le k)=0.9987$$

이다. 상수 k의 값은?

z	$P(0 \le Z \le z)$
1.0	0.3413
1.5	0.4332
2.0	0.4772
3.0	0.4987

① 50 ② 51 ③ 52 ④ 53 ⑤ 54

1452 최다빈출 왕중요 NORMAL

모평균이 85, 모표준편차가 6인 정규분포를 따르는 모집단에서 크기가 16인 표본을 임의추출하여 구한 표본평균을 $\overline{X}$라 할 때,

$$P(\overline{X} \ge k)=0.0228$$

을 만족시키는 상수 k의 값을 오른쪽 표준정규분포표를 이용하여 구한 것은?

z	$P(0 \le Z \le z)$
0.5	0.1915
1.0	0.3413
1.5	0.4332
2.0	0.4772

① 76 ② 80 ③ 84 ④ 86 ⑤ 88

▶ 해설 내신연계기출

1453 최다빈출 왕중요 NORMAL

어느 공장에서 생산하는 통조림의 무게는 평균이 300g, 표준편차가 40g인 정규분포를 따른다고 한다. 이 공장에서 생산한 통조림 중에서 임의로 추출한 100개의 표본의 평균을 $\overline{X}$라고 할 때,

$$P(\overline{X} \ge a)=0.8413$$

을 만족하는 상수 a의 값을 표준정규분포표를 이용하여 구한 것은?

z	$P(0 \le Z \le z)$
0.5	0.1915
1.0	0.3413
1.5	0.4332
2.0	0.4772

① 280 ② 296 ③ 302 ④ 310 ⑤ 314

▶ 해설 내신연계기출

1454 NORMAL

어느 공장에서 생산하는 테니스공의 무게는 정규분포 $N(58, 0.5^2)$을 따른다고 한다. 이 공장에서 생산한 테니스공 25개를 임의추출할 때, 테니스공의 무게의 평균을 $\overline{X}$라 하자. 이때

$$P(\overline{X} \ge k)=0.025$$

를 만족시키는 상수 k의 값을 오른쪽 표준정규분포표를 이용하여 구한 것은?

z	$P(0 \le Z \le z)$
0.5	0.1915
1.0	0.3413
1.5	0.4332
1.96	0.4750

① 58.15 ② 58.196 ③ 59.10 ④ 59.196 ⑤ 60.196

1455 NORMAL

정규분포 $N(85, 4^2)$을 따르는 모집단에서 크기가 n인 표본을 임의추출할 때, 표본평균 $\overline{X}$에 대하여

$$P(\overline{X} \le 84)=0.0228$$

이다. 이때 위의 표준정규분포표를 이용하여 n의 값은?

z	$P(0 \le Z \le z)$
0.5	0.1915
1.5	0.4332
2.0	0.4772

① 16 ② 25 ③ 36 ④ 49 ⑤ 64

1456 최다빈출 왕중요 NORMAL

z	$\mathrm{P}(0 \le Z \le z)$
1.0	0.3413
1.5	0.4332
2.0	0.4772
2.5	0.4938

정규분포 $\mathrm{N}(27, 2^2)$을 따르는 모집단에서 크기가 n인 표본을 임의추출할 때, 표본평균을 $\overline{X}$라고 하자. 이때

$$\mathrm{P}(26 \le \overline{X} \le 28) = 0.9876$$

을 만족시키는 n의 값은?

① 16 ② 25 ③ 36
④ 49 ⑤ 64

▶ 해설 내신연계기출

1457 NORMAL

z	$\mathrm{P}(0 \le Z \le z)$
1.0	0.3413
1.5	0.4332
2.0	0.4772
2.5	0.4938
3.0	0.4987

어느 공장에서 생산되는 음료수 캔 한 개의 용량은 평균이 500mL이고 표준편차가 2mL인 정규분포를 따른다고 한다. 이 공장에서 생산된 음료수 캔 중에서 n개를 임의추출할 때, 표본평균 $\overline{X}$가 499mL 이상 501mL 이하일 확률이 0.9974일 때, n의 값은?

① 16 ② 25 ③ 36
④ 49 ⑤ 64

1458 TOUGH

z	$\mathrm{P}(0 \le Z \le z)$
1.0	0.3413
1.5	0.4332
2.0	0.4772

숫자 4, 5, 6, 7이 하나씩 적힌 공이 각각 4개, 3개, 2개, 1개 들어 있는 주머니가 있다. 이 주머니에서 복원추출한 64개의 공에 적힌 숫자의 평균을 $\overline{X}$라 할 때,

$$\mathrm{P}(\overline{X} \ge k) = 0.1587$$

을 만족하는 상수 k의 값을 표준정규분포표를 이용하여 구한 것은?

① $\frac{41}{8}$ ② $\frac{21}{4}$ ③ $\frac{21}{3}$
④ $\frac{23}{4}$ ⑤ 6

1459 최다빈출 왕중요 TOUGH

z	$\mathrm{P}(0 \le Z \le z)$
0.5	0.1915
1.0	0.3413
1.5	0.4332
2.0	0.4772

4, 5, 6, 7의 숫자가 각각 하나씩 적힌 공이 각각 80개, 60개, 40개, 20개가 들어 있는 주머니에서 100개의 공을 임의추출할 때, 공에 적힌 숫자의 평균을 $\overline{X}$라 하자. 이때

$$\mathrm{P}(\overline{X} \ge k) = 0.0228$$

을 만족시키는 상수 k의 값은?

① $\frac{26}{5}$ ② $\frac{13}{3}$ ③ 5
④ $\frac{27}{5}$ ⑤ $\frac{29}{5}$

▶ 해설 내신연계기출

유형 11 표본평균의 확률 – 표본의 크기 및 미지수 값 구하기 (2)

정규분포 $N(m, \sigma^2)$을 따르는 확률변수 X에 대하여

$P(a \le X \le b)=k$를 만족시키는 미지수의 값을 다음 단계로 구한다.

[1단계] 확률변수 X를 $Z=\dfrac{X-m}{\sigma}$으로 표준화 한다.

[2단계] $P(a \le X \le b)=P\left(\dfrac{a-m}{\sigma} \le Z \le \dfrac{b-m}{\sigma}\right)=k$를 만족시키는 미지수의 값을 구한다.

1460 학교기출 대표 유형

어느 과자 공장에서 생산하는 과자 A의 무게는 평균 800g, 표준편차 14g인 정규분포를 따른다고 한다. 이 공장에서는 생산 시스템의 이상 여부를 점검하기 위하여 하루에 생산된 과자 A 중에서 크기가 49인 임의표본을 추출하여 과자의 무게에 대한 표본평균 $\overline{X}$를 계산한다. $\overline{X}$가 상수 c보다 작으면 생산 시스템에 이상이 있는 것으로 판단하고 생산 시스템을 점검한다. 이 공장에서 생산 시스템에 이상이 있다고 판단될 확률이 0.02라고 할 때, 오른쪽 표준정규분포표를 이용하여 구한 상수 c의 값은?

z	$P(0 \le Z \le z)$
1.88	0.47
2.05	0.48
2.33	0.49

① 771.3 ② 784.7 ③ 787.1
④ 791.5 ⑤ 795.9

▶ 해설 내신연계기출

1461 NORMAL

어느 공장에서 생산되는 빵의 무게는 평균이 200g, 표준편차가 12g인 정규분포를 따른다고 한다. 이 공장에서는 하루에 생산된 빵 중에서 크기가 16인 표본을 임의추출하여 구한 표본평균 $\overline{X}$가 a보다 작으면 생산시스템에 이상이 있다고 판단될 확률이 0.01라고 할 때, 다음 표준정규분포표를 이용하여 a의 값은?

z	$P(0 \le Z \le z)$
1.88	0.47
2.05	0.48
2.33	0.49

① 182.01 ② 189.01 ③ 191.04
④ 193.01 ⑤ 195.03

1462 NORMAL

어느 학교의 체육대회에서 학급 대항 멀리뛰기 시합을 하는데, 각 학급에서 임의추출한 학생 4명의 멀리뛰기 기록에 대한 표본평균 $\overline{X}$가 상수 L보다 크면 이 학급은 예선을 통과한 것으로 한다. 어느 학급 학생들의 멀리뛰기 기록은 평균 196.8, 표준편차 10인 정규분포를 따른다고 한다. 이 학급이 예선을 통과할 확률이 0.8770일 때, 상수 L의 값을 구한 것은? (단, 멀리뛰기 기록의 단위는 cm이다.)

z	$P(0 \le Z \le z)$
1.07	0.3577
1.16	0.3770
1.18	0.3810
1.27	0.3980

① 190 ② 191 ③ 192
④ 193 ⑤ 194

1463 NORMAL

정규분포 $N(m, 4^2)$을 따르는 모집단에서 크기가 n인 표본을 임의추출하여 그 표본평균을 $\overline{X}$라고 할 때,

$$P(|\overline{X}-m| \le 1.96)=0.95$$

를 만족시키는 n의 값은? (단, $P(|Z| \le 1.96)=0.95$)

① 16 ② 26 ③ 49
④ 81 ⑤ 100

1464 TOUGH

정규분포 $N(m, 5^2)$을 따르는 모집단에서 크기가 n인 표본을 임의추출할 때, 표본평균 $\overline{X}$과 모평균의 차가 0.2 이하일 확률이 0.9544이다. 이때 n의 값을 오른쪽 표준정규분포표를 이용하여 구한 것은?

z	$P(0 \le Z \le z)$
1.0	0.3413
1.5	0.4332
2.0	0.4772
2.5	0.4938

① 900 ② 1200 ③ 1600
④ 2500 ⑤ 3600

유형 12 표본평균의 확률 ㅡ 평균과 표준편차 구하기

[1단계] 크기가 n인 표본의 표본평균 $\overline{X}$가 따르는 정규분포

$\mathrm{N}\left(m, \frac{\sigma^2}{n}\right)$을 구한 다음 $Z=\frac{\overline{X}-m}{\frac{\sigma}{\sqrt{n}}}$으로 표준화한다.

[2단계] 표준정규분포표의 확률을 이용하여 평균과 표준편차를 구한다.

1465 학교기출 대표 유형

어느 학교 학생들의 통학 시간은 평균이 50분, 표준편차가 σ분인 정규분포를 따른다. 이 학교 학생들을 대상으로 16명을 임의추출하여 조사한 통학 시간의 표본평균을 $\overline{X}$라 하자.

z	$\mathrm{P}(0 \le Z \le z)$
1.0	0.3413
1.5	0.4332
2.0	0.4772

$$\mathrm{P}(50 \le \overline{X} \le 56)=0.4332$$

일 때, σ의 값을 표준정규분포표를 이용하여 구하면?

① 10 ② 12 ③ 14
④ 16 ⑤ 18

1466 최다빈출 왕중요 NORMAL

어느 아이스크림 할인점에서 판매하는 아이스크림 한 개의 무게는 평균이 m, 표준편차가 2인 정규분포를 따른다고 한다. 이 할인점에서 판매하는 아이스크림 중에서 임의로 추출한 16개의 무게의 평균을 $\overline{X}$라 할 때.

z	$\mathrm{P}(0 \le Z \le z)$
1.0	0.3413
1.5	0.4332
2.0	0.4772
3.0	0.4987

$$\mathrm{P}(\overline{X} \le 101)=0.0228$$

를 만족시키는 m의 값을 오른쪽 표준정규분포표를 이용하여 구한 것은? (단, 무게의 단위는 g이다.)

① 98 ② 100 ③ 102
④ 104 ⑤ 106

▶ 해설 내신연계기출

1467 최다빈출 왕중요 NORMAL

어느 약품 회사가 생산하는 약품 1병의 용량은 평균이 m, 표준편차가 10인 정규분포를 따른다고 한다. 이 회사가 생산한 약품 중에서 임의로 추출한 25병의 용량의 표본평균이 2000 이상일 확률이 0.9772일 때, m의 값을 표준정규분포표를 이용하여 구하면? (단, 용량의 단위는 mL이다.)

z	$\mathrm{P}(0 \le Z \le z)$
1.5	0.4332
2.0	0.4772
2.5	0.4938
3.0	0.4987

① 2000 ② 2004 ③ 2008
④ 2012 ⑤ 2016

▶ 해설 내신연계기출

1468 최다빈출 왕중요 NORMAL

정규분포 $\mathrm{N}(m, 4^2)$을 따르는 모집단에서 임의추출한 크기 m^2인 표본의 표본평균을 $\overline{X}$라 하자. 이때

z	$\mathrm{P}(0 \le Z \le z)$
1.0	0.3413
1.5	0.4332
2.0	0.4772

$$\mathrm{P}(m-1 \le \overline{X} \le m+1)=0.9544$$

를 만족시키는 m의 값은? (단, m은 자연수이다.)

① 2 ② 4 ③ 6
④ 8 ⑤ 10

▶ 해설 내신연계기출

1469 TOUGH

모집단의 확률변수 X는 평균 50, 표준편차 σ인 정규분포를 따른다. 이 모집단에서 임의추출한 크기가 9인 표본의 표본평균을 $\overline{X}$라 하자.

$$\mathrm{P}(44 \le X \le 56)=0.8$$

일 때, 확률 $\mathrm{P}(\overline{X} \ge 52)$의 값은?

① 0.1 ② 0.15 ③ 0.2
④ 0.25 ⑤ 0.3

유형 13 표본평균의 확률에서 표본의 최솟값 구하기

[1단계] 표본평균 $\overline{X}$가 정규분포 $N\left(m, \frac{\sigma^2}{n}\right)$을 따를 때,

$Z=\dfrac{\overline{X}-m}{\frac{\sigma}{\sqrt{n}}}$으로 표준화 한다.

[2단계] 주어진 확률을 만족하는 표본의 최솟값을 구한다.

1470

학교기출 대표 유형

어느 농장에서 재배되는 복숭아의 무게 Xg은 평균이 10이고 표준편차가 2인 정규분포를 따른다고 한다.
이 복숭아 중에서 임의추출한 n개의 표본의 평균 무게를 $\overline{X}$라고 할 때, 확률

$$P(9 \le \overline{X} \le 11) \ge 0.9974$$

를 만족하는 자연수 n의 최솟값을 오른쪽 표준정규분포표를 이용하여 구한 것은?

z	$P(0 \le Z \le z)$
1.0	0.3413
1.5	0.4332
2.0	0.4772
2.5	0.4938
3.0	0.4987

① 20 ② 23 ③ 36
④ 40 ⑤ 45

1471

최다빈출 왕중요 NORMAL

대중교통을 이용하여 출근하는 어느 지역 직장인의 월 교통비는 평균이 8이고 표준편차가 1.2인 정규분포를 따른다고 한다. 대중교통을 이용하여 출근하는 이 지역 직장인 중 임의추출한 n명의 월 교통비의 표본평균을 $\overline{X}$라 할 때,

$$P(7.76 \le \overline{X} \le 8.24) \ge 0.6826$$

이 되기 위한 자연수 n의 최솟값을 오른쪽 표준정규분포표를 이용하여 구하면? (단, 교통비의 단위는 만 원이다.)

z	$P(0 \le Z \le z)$
0.5	0.1915
1.0	0.3413
1.5	0.4332
2.0	0.4772

① 9 ② 16 ③ 25
④ 36 ⑤ 49

▶ 해설 내신연계기출

1472

최다빈출 왕중요 NORMAL

어느 고속철도 회사에서는 서울에서 출발하여 김천에 도착하는 노선을 운행하며, 이 노선의 소요시간을 항상 기록한다. 기록된 이 노선의 소요시간은 평균이 240, 표준편차가 15인 정규분포를 따른다고 한다.

z	$P(0 \le Z \le z)$
1.0	0.3413
1.5	0.4332
2.0	0.4772
2.5	0.4938

이 회사에서 기록한 이 노선의 소요시간 중에서 임의로 추출한 n개의 소요시간의 표본평균을 $\overline{X}$라 할 때,

$$P(\overline{X} \le 245) \ge 0.9772$$

이기 위한 자연수 n의 최솟값을 오른쪽 표준정규분포표를 이용하여 구한 것은? (단, 소요시간의 단위는 분이다.)

① 24 ② 28 ③ 32
④ 36 ⑤ 40

▶ 해설 내신연계기출

1473

TOUGH

모평균이 m이고, 모표준편차가 3인 정규분포를 따르는 모집단에서 크기가 n인 표본을 임의추출할 때, 표본평균 $\overline{X}$와 모평균의 차가 0.5 이하일 확률이 0.99 이상이 되기 위한 n의 최솟값은?
(단, $P(0 \le Z \le 2.58)=0.495$로 계산한다.)

① 120 ② 160 ③ 180
④ 220 ⑤ 240

1474

최다빈출 왕중요 TOUGH

정규분포 $N(m, 5^2)$을 따르는 모집단에서 크기가 n인 표본을 임의추출할 때, 표본평균을 $\overline{X}$라 하자. 이때

$$P\left(|\overline{X}-m| \le \frac{7}{10}\right) \ge 0.95$$

를 만족시키는 자연수 n의 최솟값은?
(단, $P(0 \le Z \le 1.96)=0.475$)

① 144 ② 139 ③ 196
④ 225 ⑤ 256

▶ 해설 내신연계기출

유형 14 표본평균 $\overline{X}$의 범위를 구하여 표본평균의 확률 구하기

표본평균 $\overline{X}$가 정규분포 $N\left(m, \frac{\sigma^2}{n}\right)$을 따를 때,

[1단계] 모집단의 정규분포와 표본평균 $\overline{X}$의 정규분포를 구한다.

[2단계] 표본평균 $\overline{X}$의 범위를 정하여 구하는 확률을 계산한다.

1475 학교기출 대표 유형

어느 고등학교 학생들의 몸무게는 평균이 60kg, 표준편차가 6kg인 정규분포를 따른다고 한다. 무게가 558kg 이상이 되면 경고음을 내도록 설계되어 있는 엘리베이터에 이 고등학교 학생 중에서 임의추출한 9명이 탑승하였을 때, 경고음이 울릴 확률을 위의 표준정규분포표를 이용하여 구한 것은?

z	$P(0 \le Z \le z)$
0.5	0.1915
1.0	0.3413
1.5	0.4332
2.0	0.4772

① 0.1587 ② 0.1915 ③ 0.3085
④ 0.3413 ⑤ 0.4332

1476 NORMAL

어느 회사에서 생산된 배터리 1개의 수명은 모평균이 20시간, 모표준편차가 1시간인 정규분포를 따른다고 한다. 이 배터리 중에서 4개를 임의추출할 때, 배터리 4개의 수명의 총합이 86시간 이상일 확률은?

z	$P(0 \le Z \le z)$
1.5	0.4332
2.0	0.4772
2.5	0.4938
3.0	0.4987

① 0.0013 ② 0.0228 ③ 0.0668
④ 0.1228 ⑤ 0.1587

1477 최다빈출 왕중요 NORMAL

어느 회사에서 생산하는 과자 1개의 무게는 평균이 40g, 표준편차가 4g인 정규분포를 따른다고 한다. 이 회사에서는 임의추출한 과자 16개를 한 세트로 포장하여 판매한다. 이 회사의 과자 한 세트를 구입하였을 때, 그 무게가 672g 이상일 확률은? (단, 포장 재료의 무게는 제외한다.)

z	$P(0 \le Z \le z)$
0.5	0.1915
1.0	0.3413
1.5	0.4332
2.0	0.4772

① 0.0228 ② 0.0668 ③ 0.1587
④ 0.3085 ⑤ 0.6915

▶ 해설 내신연계기출

1478 NORMAL

어느 제과점에서 만든 단팥빵 한 개의 무게는 평균이 200g, 표준편차가 20g인 정규분포를 따른다고 한다. 이 단팥빵을 16개씩 임의추출하여 한 상자에 넣어 판매하는데, 단팥빵 한 상자의 무게가 3.12kg 이상 3.36kg 이하일 때, 정상 제품으로 분류하여 판매한다고 한다. 이 제과점에서 판매하는 단팥빵 상자 중에서 임의추출한 한 상자가 정상 제품으로 분류될 확률을 위의 표준정규분포표를 이용하여 구한 것은? (단, 상자의 무게는 고려하지 않는다.)

z	$P(0 \le Z \le z)$
0.5	0.1915
1.0	0.3413
1.5	0.4332
2.0	0.4772

① 0.3830 ② 0.5328 ③ 0.6915
④ 0.8185 ⑤ 0.8413

1479 최다빈출 왕중요 NORMAL

어느 도시에서 공용 자전거의 1회 이용 시간은 평균이 60분, 표준편차가 10분인 정규분포를 따른다고 한다. 공용 자전거를 이용한 25회를 임의추출하여 조사할 때, 25회 이용 시간의 총합이 1450분 이상일 확률을 오른쪽 표준정규분포표를 이용하여 구한 것은?

z	$P(0 \le Z \le z)$
1.0	0.3413
1.5	0.4332
2.0	0.4772
2.5	0.4938

① 0.8351 ② 0.8413 ③ 0.9332
④ 0.9772 ⑤ 0.9928

▶ 해설 내신연계기출

1480

최다빈출 왕중요 TOUGH

어느 농장에서 생산되는 귤 한 개의 무게는 평균이 85g, 표준편차가 12g인 정규분포를 따른다고 한다. 이 농장에서는 한 상자에 귤을 임의로 9개씩 넣고, 그 무게가 693g 이하이면 불량품으로 분류한다. 이 농장에서 생산한 10000개의 귤 상자 중에서 불량품으로 판정되는 상자의 개수는? (단, 상자의 무게는 생각하지 않는다.)

z	$\mathrm{P}(0 \le Z \le z)$
1.5	0.4332
2.0	0.4772
2.5	0.4938
3.0	0.4987

① 191 ② 196 ③ 228
④ 305 ⑤ 668

▶ 해설 내신연계기출

1481

TOUGH

어느 공장에서 생산하는 음료수 1병의 용량은 평균이 200g, 표준편차가 6g인 정규분포를 따른다고 한다. 이 공장에서 생산된 음료수는 4병을 한 세트로 판매하는데 한 세트의 용량이 788g 이상 836g 이하이면 정품으로 판정한다고 한다. 이 공장에서 생산된 음료수 두 세트 A, B를 임의로 추출했을 때, 한 세트의 제품만 정품일 확률을 오른쪽 표준 정규분포표를 이용하여 구한 것은? (단, 포장지의 무게는 생각하지 않는다.)

z	$\mathrm{P}(0 \le Z \le z)$
1.0	0.3413
1.5	0.4332
2.0	0.4772
2.5	0.4938
3.0	0.4987

① 0.2680 ② 0.2682 ③ 0.2684
④ 0.2686 ⑤ 0.2688

1482

TOUGH

어느 공장에서 생산하는 비누 한 개의 무게는 평균이 160g이고 표준편차가 4g인 정규분포를 따른다고 한다.
이 공장에서 판매하는 비누 상자에는 이 공장에서 추출한 비누 4개가 들어 있고 무게가 ag 미만이면 불량품으로 판정한다고 한다. 이 공장에서 판매하는 비누 상자 1개를 임의로 선택할 때, 선택한 한 상자가 불량품으로 판정될 확률이 0.0228이다. 오른쪽 표준정규분포표를 이용하여 a의 값을 구한 것은?
(단, 비누 상자의 무게는 생각하지 않는다.)

z	$\mathrm{P}(0 \le Z \le z)$
0.5	0.1915
1.0	0.3413
1.5	0.4332
2.0	0.4772

① 612 ② 616 ③ 620
④ 624 ⑤ 628

1483

TOUGH

어느 초콜릿 공장에서 만드는 초콜릿 한 개의 무게 평균이 30g이고 표준편차가 4g인 정규분포를 따른다고 한다.
이 초콜릿 공장에서는 초콜릿 4개씩 한 상자에 담아서 판매하는데, 4개의 초콜릿을 담은 상자의 무게가 109.76g 이하이면 불량품인 상자로 판정된다고 한다. 이 초콜릿 공장에서 출하한 초콜릿 상자 400개 중에서 불량품인 상자가 28개 이하일 확률은? (단, 상자의 무게는 무시하고, $\mathrm{P}(0 \le Z \le 1.28)=0.40$, $\mathrm{P}(0 \le Z \le 2)=0.48$로 계산한다.)

z	$\mathrm{P}(0 \le Z \le z)$
0.58	0.22
1.28	0.4
1.64	0.45
2.00	0.48

① 0.02 ② 0.05 ③ 0.1
④ 0.28 ⑤ 0.38

06 모평균의 추정

학교내신기출 객관식 핵심문제총정리

STEP 1 내신정복 기출유형

유형 01 모평균 신뢰구간 구하기 – 모표준편차가 주어진 경우

정규분포 $N(m, \sigma^2)$을 따르는 모집단에서 임의추출한 크기가 n인 표본의 표본평균 $\overline{X}$의 값을 $\overline{x}$라고 할 때, 모평균 m의 신뢰구간은 다음과 같다.

	신뢰구간	신뢰구간의 길이
신뢰도 95%	$\overline{x}-1.96\frac{\sigma}{\sqrt{n}} \le m \le \overline{x}+1.96\frac{\sigma}{\sqrt{n}}$	$2\times1.96\times\frac{\sigma}{\sqrt{n}}$
신뢰도 99%	$\overline{x}-2.58\frac{\sigma}{\sqrt{n}} \le m \le \overline{x}+2.58\frac{\sigma}{\sqrt{n}}$	$2\times2.58\times\frac{\sigma}{\sqrt{n}}$

참고 **신뢰도 α%의 신뢰구간의 뜻**
크기가 n인 표본을 여러 번 추출하여 신뢰구간을 만들 때,
모평균 m을 포함한 것이 α%라는 의미이다.

1484 학교기출 대표 유형

어느 농장에서 키우는 돼지의 무게는 표준편차가 5kg인 정규분포를 따른다고 한다. 이 농장에서 돼지 100마리를 임의추출하여 무게를 조사하였더니 평균이 150kg이었다. 이 농장에서 키우는 돼지의 무게의 모평균 m에 대한 신뢰도 95%의 신뢰구간은?
(단, $P(|Z|\le 1.96)=0.95$)

① $148.02 \le m \le 149.98$ ② $149.02 \le m \le 150.98$
③ $147.02 \le m \le 151.68$ ④ $146.98 \le m \le 152.02$
⑤ $146.98 \le m \le 150.89$

1485 BASIC

어느 회사에서 생산하는 비누 1개의 무게는 모평균이 mg, 모표준편차가 20g인 정규분포를 따른다고 한다. 이 회사에서 생산한 비누 25개를 임의추출하여 무게를 측정한 결과 평균이 250g이었다고 할 때, 이 비누 1개 무게의 모평균 m에 대한 신뢰도 95%의 신뢰구간은?
(단, $P(|Z|\le 1.96)=0.95$)

① $242.08 \le m \le 257.92$ ② $241.04 \le m \le 258.96$
③ $242.02 \le m \le 257.98$ ④ $242.08 \le m \le 257.92$
⑤ $242.16 \le m \le 257.84$

1486 최다빈출 왕중요 NORMAL

어느 고등학교 남학생들의 하루 운동시간은 모평균이 m분이고 모표준편차가 10분인 정규분포를 따른다고 한다.이 학교 남학생 중에서 25명을 임의추출하여 하루 운동시간을 조사하였더니, 평균이 42분이었다. 이 학교 남학생들의 하루 운동 시간의 모평균 m에 대한 신뢰도 95%의 신뢰구간이

$$38+\alpha \le m \le 38+\beta$$

일 때, $2\alpha+\beta$의 값은? (단, $P(|Z|\le 1.96)=0.95$)

① 2.02 ② 4.08 ③ 6.02
④ 8.08 ⑤ 9.06

▶ 해설 내신연계기출

1487 최다빈출 왕중요 NORMAL

어느 공장에서 생산하는 치즈의 무게는 모평균이 m, 모표준편차가 2인 정규분포를 따른다고 한다. 이 공장에서 생산 하는 치즈 중 64개를 임의추출하여 구한 치즈의 무게의 표본평균은 20이었다. 이 결과를 이용하여 구한 이 공장에서 생산하는 치즈의 무게의 모평균 m에 대한 신뢰도 99%의 신뢰구간은? (단, $P(|Z|\le 2.58)=0.99$)

① $19.343 \le m \le 20.657$ ② $19.346 \le m \le 20.654$
③ $19.349 \le m \le 20.651$ ④ $19.352 \le m \le 20.648$
⑤ $19.355 \le m \le 20.645$

▶ 해설 내신연계기출

1488 NORMAL

어느 양어장에 있는 물고기 1마리의 길이는 표준편차가 2cm인 정규분포를 따른다고 한다. 이 양어장에 있는 물고기 64마리를 임의로 추출하여 그 길이를 측정하였더니 평균이 25cm이었다.
이 양어장에 있는 물고기 1마리의 길이의 평균 m에 대한 신뢰도 99%의 신뢰구간이

$$24+\alpha \le m \le 24+\beta$$

일 때, $\alpha+\beta$의 값은? (단, $P(|Z|\le 2.58)=0.99$)

① 1.355 ② 2 ③ 2.355
④ 3 ⑤ 3.355

유형 02 모평균 신뢰구간 구하기 －표본표준편차가 주어진 경우

모평균에 대한 신뢰구간을 구할 때, 모표준편차 σ를 모르는 경우가 많은데 표본의 크기 n이 충분히 클 때 $(n \geq 30)$, 표본표준편차 S의 값 s는 모표준편차 σ와 큰 차이가 없음이 알려져 있다.
따라서 모표준편차 σ 대신 s를 대입하여 모평균의 신뢰구간을 구할 수 있다.

1489 학교기출 대표 유형

어느 양식장에서 키우는 물고기의 길이는 정규분포를 따른다고 한다. 이 양식장에서 키우는 물고기 36마리를 임의추출하여 조사하였더니 길이의 평균이 32cm, 표준편차가 3cm이었다. 이 양식장에서 키우는 물고기의 평균 길이 m의 신뢰도 95%인 신뢰구간은?
(단, $\mathrm{P}(|Z| \leq 1.96)=0.95$)

① $31.02 \leq m \leq 32.96$ ② $31.02 \leq m \leq 32.98$
③ $31 \leq m \leq 33$ ④ $30.98 \leq m \leq 33.02$
⑤ $30.96 \leq m \leq 33.04$

1490 NORMAL

어느 공장에서 생산되는 탁구공을 일정한 높이에서 강철바닥에 떨어뜨렸을 때, 탁구공이 튀어 오른 높이는 정규분포를 따른다고 한다. 이 공장에서 생산된 탁구공 중 임의추출한 100개에 대하여 튀어 오른 높이를 측정하였더니 평균이 245, 표준편차가 20이었다.
이 공장에서 생산되는 탁구공 전체의 튀어 오른 높이의 평균에 대한 신뢰도 95%의 신뢰구간에 속하는 정수의 개수는?
(단, 높이의 단위는 mm이고 Z가 표준정규분포를 따를 때, $\mathrm{P}(0 \leq Z \leq 1.96)=0.4750$이다.)

① 5 ② 6 ③ 7
④ 8 ⑤ 9

1491 NORMAL

어떤 모집단이 정규분포 $\mathrm{N}(m, \sigma^2)$을 따른다고 한다. 이 모집단에서 표본의 크기가 100인 표본을 임의 추출하였더니 평균이 68, 표준편차가 20이었다. 모평균 m의 신뢰도 99%의 신뢰구간에 속하는 자연수의 개수는? (단, $\mathrm{P}(0 \leq Z \leq 2)=0.475$, $\mathrm{P}(0 \leq Z \leq 3)=0.495$)

① 10 ② 12 ③ 13
④ 14 ⑤ 16

1492 최다빈출 왕중요 NORMAL

어느 회사에서 생산된 배터리의 수명은 정규분포를 따른다고 한다. 이 회사에서 생산된 배터리 중 임의추출한 100대의 수명의 표준평균이 $\overline{x}$, 표본표준편차가 500이었다. 이 결과를 이용하여 회사에서 생산된 배터리의 수명의 평균을 신뢰도 95%로 추정한 신뢰구간이 $\overline{x}-c \leq m \leq \overline{x}+c$일 때, c의 값은? (단, Z가 표준정규분포를 따르는 확률변수일 때, $\mathrm{P}(0 \leq Z \leq 1.96)=0.4750$이다.)

① 63 ② 86 ③ 98
④ 102 ⑤ 120

▶해설 내신연계기출

1493

NORMAL

모평균이 m인 정규분포를 따르는 모집단에서 크기가 100인 표본을 임의추출하여 얻은 표본의 평균이 30, 표준편차가 5이다.

모평균 m에 대한 신뢰도 99%의 신뢰구간이 $30-c \le m \le 30+c$일 때, $2c$의 값은? (단, Z가 표준정규분포를 따르는 확률변수일 때, $P(0 \le Z \le 2.58)=0.495$로 계산한다.)

① 1.92 ② 2.14 ③ 2.36
④ 2.58 ⑤ 2.80

1494

최다빈출 왕중요

TOUGH

어떤 자동차 회사의 A자동차의 연비는 정규분포를 따른다고 한다. 이 자동차 64대를 임의추출하여 연비를 조사하였더니 평균이 12km/L, 표준편차가 4km/L이었다.

A자동차의 평균연비 m의 신뢰도 95%의 신뢰구간은 $a \le m \le b$이고 평균연비 m의 신뢰도 99%의 신뢰구간은 $c \le m \le d$일 때, $a+d$의 값은? (단, Z가 표준정규분포를 따르는 확률변수일 때, $P(0 \le Z \le 1.96)=0.475$, $P(0 \le Z \le 2.58)=0.495$)

① 24 ② 24.31 ③ 23.69
④ 26.27 ⑤ 28.27

▶ 해설 내신연계기출

1495

TOUGH

어느 과수원에서 생산하는 사과의 무게는 정규분포를 따른다고 한다. 이 과수원에서 생산하는 사과 중에서 임의추출한 크기 49인 표본을 조사하였더니 사과무게의 표본평균이 $\bar{x}$, 표준편차가 25이었다. 이 결과를 이용하여 구한 과수원에서 생산하는 사과 무게의 평균 m에 대한 신뢰도 95%신뢰구간이 $193 \le m \le a$일 때, $\bar{x}+a$의 값은? (단, 단위의 무게는 g이고 Z가 표준정규분포를 따르는 확률변수일 때, $P(0 \le Z \le 1.96)=0.475$이다.)

① 403 ② 405 ③ 407
④ 409 ⑤ 411

1496

TOUGH

어느 농가에서 생산하는 사과의 무게는 정규분포를 따른다고 한다. 이 농가에서 생산하는 사과 중 100개를 임의추출하여 그 무게를 측정하였더니 평균이 200g, 표준편차가 50g이었다. 이 농가에서 생산하는 사과 무게의 평균 mg을 신뢰도 α%로 추정하였더니 신뢰구간이

$$190.6 \le m \le 209.4$$

이었다. 위의 표준정규분포표를 이용하여 α의 값은?

z	$P(0 \le Z \le z)$
1.75	0.46
1.88	0.47
2.05	0.48
2.33	0.49

① 92 ② 94 ③ 95
④ 96 ⑤ 99

유형 03 모평균의 신뢰구간을 이용하여 표본의 크기 구하기

정규분포 $\mathrm{N}(m, \sigma^2)$을 따르는 모집단에서 크기가 n인 표본의 표본평균 $\overline{X}$의 값을 $\overline{x}$라고 할 때, 모평균 m의 신뢰도 $\alpha\%$의 신뢰구간

$$\overline{x}-k\frac{\sigma}{\sqrt{n}} \le m \le \overline{x}+k\frac{\sigma}{\sqrt{n}}$$

이므로 $\left(\text{단, } \mathrm{P}(-k \le Z \le k)=\frac{\alpha}{100}\right)$

신뢰구간이 $a \le m \le b$(a, b는 상수)이면

① $\overline{x}=\frac{a+b}{2}$

② $a=\overline{x}-k\frac{\sigma}{\sqrt{n}}$, $b=\overline{x}+k\frac{\sigma}{\sqrt{n}}$

③ $b-\overline{x}=\overline{x}-a=k\frac{\sigma}{\sqrt{n}}$, $b-a=2k\frac{\sigma}{\sqrt{n}}$

1497 학교기출 대표 유형

어느 회사 직원들의 하루 여가 활동 시간은 모평균이 m, 모표준편차가 10인 정규분포를 따른다고 한다. 이 회사 직원 중 n명을 임의추출하여 신뢰도 95%로 추정한 모평균 m에 대한 신뢰구간이

$$38.08 \le m \le 45.92$$

일 때, n의 값은? (단, 시간의 단위는 분이고, Z가 표준정규분포를 따르는 확률변수일 때, $\mathrm{P}(0 \le Z \le 1.96)=0.475$로 계산한다.)

① 25 ② 36 ③ 49
④ 64 ⑤ 81

1498 최다빈출 왕중요 NORMAL

어느 도시에서 주민들이 일 년 동안 영화를 관람하는 횟수는 모평균이 m, 모표준편차가 6인 정규분포를 따른다고 한다. 이 도시의 주민들 중에서 n명을 임의추출하여 일 년 동안 영화를 관람하는 횟수를 조사하였더니 모평균 m에 대한 신뢰도 99%의 신뢰구간이

$$3.42 \le m \le 8.58$$

이었다. 이때 n의 값은? (단, Z가 표준정규분포를 따르는 확률변수일 때, $\mathrm{P}(0 \le Z \le 2.58)=0.495$로 계산하고, 관람횟수의 단위는 회이다.)

① 9 ② 16 ③ 25
④ 36 ⑤ 49

▶ 해설 내신연계기출

1499 최다빈출 왕중요 NORMAL

정규분포 $\mathrm{N}(m, 4^2)$을 따르는 모집단에서 크기가 n인 표본을 임의추출하여 조사한 결과 표본평균이 $\overline{x}$이었다. 모평균 m을 95%의 신뢰도로 추정한 신뢰구간이

$$44.06 \le m \le 46.02$$

일 때, $n+\overline{x}$의 값은? (단, Z가 표준정규분포를 따르는 확률변수일 때, $\mathrm{P}(|Z| \le 1.96)=0.95$이다.)

① 107.04 ② 109.04 ③ 111.04
④ 113.04 ⑤ 115.04

▶ 해설 내신연계기출

1500 최다빈출 왕중요 NORMAL

어느 분식점에서 판매하는 떡볶이의 열량은 정규분포를 따른다고 한다. 이 분식점에서 판매하는 떡볶이 n그릇을 임의추출하여 그 열량을 조사하였더니 평균이 150kcal, 표준편차가 12kcal였다.
이 분식점에서 판매하는 떡볶이 열량의 평균 $m$kcal을 신뢰도 95%로 추정한 신뢰구간이

$$146.08 \le m \le a$$

일 때 두 상수 n, a에 대하여 $n+a$의 값은?
(단, $\mathrm{P}(|Z| \le 1.96)=0.95$)

① 153.92 ② 163.92 ③ 183.92
④ 189.92 ⑤ 193.92

▶ 해설 내신연계기출

1501 TOUGH

어느 고등학교 학생들의 1개월 자율학습실 이용 시간은 평균이 m, 표준편차가 5인 정규분포를 따른다고 한다. 이 고등학교 학생 25명을 임의추출하여 1개월 자율학습실 이용 시간을 조사한 표본평균이 $\overline{x_1}$일 때, 모평균 m에 대한 신뢰도 95%의 신뢰구간이

$$80-a \le m \le 80+a$$

이었다. 또, 이 고등학교 학생 n명을 임의추출하여 1개월 자율학습실 이용시간을 조사한 표본평균이 $\overline{x_2}$일 때, 모평균 m에 대한 신뢰도 95%의 신뢰구간이 다음과 같다.

$$\frac{15}{16}\overline{x_1}-\frac{5}{7}a \le m \le \frac{15}{16}\overline{x_1}+\frac{5}{7}a$$

$n+\overline{x_2}$의 값은? (단, 이용시간의 단위는 시간이고, Z가 표준정규분포를 따르는 확률변수일 때, $\mathrm{P}(0 \le Z \le 1.96)=0.475$로 계산한다.)

① 121 ② 124 ③ 127
④ 130 ⑤ 133

유형 04 모평균의 신뢰구간을 이용하여 미지수 구하기

정규분포 $\mathrm{N}(m, \sigma^2)$을 따르는 모집단에서 임의추출한 크기가 n인 표본의 표본평균 $\overline{X}$의 값을 $\overline{x}$라고 할 때, 신뢰도 $\alpha\%$로 추정한 모평균 m의 신뢰구간이 $a \le m \le b$이면

① 모평균 m에 대한 신뢰도 95%의 신뢰구간은

$\overline{x}-1.96\frac{\sigma}{\sqrt{n}} \le m \le \overline{x}+1.96\frac{\sigma}{\sqrt{n}}$이므로

➡ $a=\overline{x}-1.96\frac{\sigma}{\sqrt{n}}$, $b=\overline{x}+1.96\frac{\sigma}{\sqrt{n}}$

② 모평균 m에 대한 신뢰도 99%의 신뢰구간은

$\overline{x}-2.58\frac{\sigma}{\sqrt{n}} \le m \le \overline{x}+2.58\frac{\sigma}{\sqrt{n}}$이므로

➡ $a=\overline{x}-2.58\frac{\sigma}{\sqrt{n}}$, $b=\overline{x}+2.58\frac{\sigma}{\sqrt{n}}$

1502 학교기출 대표 유형

어느 마을에서 수확하는 수박의 무게는 평균이 $m$kg, 표준편차가 1.4kg인 정규분포를 따른다고 한다. 이 마을에서 수확한 수박 중에서 49개를 임의추출하여 얻은 표본평균을 이용하여 이 마을에서 수확하는 수박의 무게의 평균 m에 대한 신뢰도 95%의 신뢰구간을 구하면

$$a \le m \le 7.992$$

이다. a의 값은? (단, Z가 표준정규분포를 따르는 확률변수일 때, $\mathrm{P}(|Z| \le 1.96)=0.95$로 계산한다.)

① 7.198 ② 7.208 ③ 7.218
④ 7.228 ⑤ 7.238

1503 최다빈출 왕중요 NORMAL

어느 나라의 18세 남자의 키는 모평균이 $m$cm, 모표준편차가 σcm인 정규분포를 따른다고 한다. 이 나라의 18세 남자 중 64명을 임의추출하여 구한 18세 남자의 키의 표본평균이 172.5cm일 때, 이를 이용하여 구한 모평균 m에 대한 신뢰도 95%의 신뢰구간은

$$172.01 \le m \le b$$

일 때, $b+\sigma$의 값은? (단, Z가 표준정규분포를 따르는 확률변수일 때, $\mathrm{P}(|Z| \le 1.96)=0.95$로 계산한다.)

① 174.99 ② 179.97 ③ 180.97
④ 181.97 ⑤ 182.97

▶ 해설 내신연계기출

1504 최다빈출 왕중요 NORMAL

어느 회사에서 생산하는 음료수 1병에 들어 있는 칼슘 함유량은 모평균이 m, 모표준편차가 σ인 정규분포를 따른다고 한다. 이 회사에서 생산한 음료수 16병을 임의추출하여 칼슘 함유량을 측정한 결과 표본평균이 12.34이었다. 이 회사에서 생산한 음료수 1병에 들어 있는 칼슘 함유량의 모평균 m에 대한 신뢰도 95%의 신뢰구간이

$$11.36 \le m \le a$$

일 때, $a+\sigma$의 값은? (단, Z가 표준정규분포를 따를 때, $\mathrm{P}(0 \le Z \le 1.96)=0.4750$이고, 칼슘 함유량의 단위는 mg이다.)

① 14.32 ② 14.82 ③ 15.32
④ 15.82 ⑤ 16.32

▶ 해설 내신연계기출

1505 NORMAL

어느 과수원에서 수확한 배의 무게는 정규분포를 따른다고 한다. 이 과수원에서 수확한 배 중 100개를 임의추출하여 무게를 측정하였더니 평균이 250g, 표준편차가 sg이었다. 이 과수원에서 수확한 배의 평균 mg에 대한 신뢰도 95%의 신뢰구간이

$$a \le m \le 251.96$$

일 때, $a+s$의 값은? (단, a는 상수, $\mathrm{P}(|Z| \le 1.96)=0.95$)

① 248.04 ② 258.04 ③ 268.04
④ 278.04 ⑤ 288.04

1506 최다빈출 왕중요 NORMAL

모평균이 m, 모표준편차가 σ인 정규분포를 따르는 모집단에서 크기가 36인 표본을 임의추출하여 얻은 표본평균이 $\overline{x}$이다. 모평균 m에 대한 신뢰도 99%의 신뢰구간이

$$58.56 \le m \le 65.44$$

이다. $\overline{x}+\sigma$의 값은? (단, Z가 표준정규분포를 따르는 확률변수일 때, $\mathrm{P}(|Z| \le 2.58)=0.99$로 계산한다.)

① 64 ② 66 ③ 68
④ 70 ⑤ 80

▶ 해설 내신연계기출

1507

NORMAL

어느 회사에서 생산하는 초콜릿 한 개의 무게는 평균이 m, 표준편차가 σ인 정규분포를 따른다고 한다. 이 회사에서 생산하는 초콜릿 중에서 임의추출한 크기가 49인 표본을 조사하였더니 초콜릿 무게의 표본평균의 값이 $\overline{x}$이었다. 이 결과를 이용하여 이 회사에서 생산하는 초콜릿 한 개의 무게의 평균 m에 대한 신뢰도 95%의 신뢰구간을 구하면

$$1.73 \le m \le 1.87$$

이다. $\dfrac{\sigma}{\overline{x}}=k$일 때, $180k$의 값은?
(단, 무게의 단위는 g이고, Z가 표준정규분포를 따르는 확률변수일 때, $\mathrm{P}(0 \le Z \le 1.96)=0.475$로 계산한다.)

① 18 ② 24 ③ 25
④ 28 ⑤ 32

1508

최다빈출 왕중요

NORMAL

어느 음식점을 방문한 고객의 주문 대기 시간은 평균이 m분, 표준편차가 σ분인 정규분포를 따른다고 한다. 이 음식점을 방문한 고객 중 64명을 임의추출하여 얻은 표본평균을 이용하여, 이 음식점을 방문한 고객의 주문 대기 시간의 평균 m에 대한 신뢰도 95%의 신뢰구간을 구하면 $a \le m \le b$이다. $b-a=4.9$일 때, σ의 값은?
(단, Z가 표준정규분포를 따르는 확률변수일 때, $\mathrm{P}(|Z| \le 1.96)=0.95$로 계산한다.)

① 4 ② 6 ③ 8
④ 10 ⑤ 12

▶ 해설 내신연계기출

1509

NORMAL

어느 공장에서 생산되는 제품의 길이는 모표준편차가 $\dfrac{1}{1.96}$인 정규분포를 따른다고 한다. 이 공장에서 생산되는 제품 중에서 임의추출한 10개 제품의 길이를 측정하여 표본평균을 구하였다. 이 표본평균을 이용하여 구한 제품의 길이의 모평균 m에 대한 신뢰도 95%의 신뢰구간을 $\alpha \le m \le \beta$라 하자.
α와 β가 이차방정식 $10x^2-100x+k=0$의 두 근 일 때, k의 값은?
(단, $\mathrm{P}(0 \le Z \le 1.96)=0.4750$)

① 200 ② 210 ③ 234
④ 249 ⑤ 256

1510

최다빈출 왕중요

NORMAL

어느 제과점에서 생산되는 과자 한 상자의 무게는 표준편차가 10g인 정규분포를 따른다고 한다. 이 제과점에서 생산된 n개의 상자를 임의추출하여 구한 과자 한 상자의 평균 무게 m의 신뢰도 95%인 신뢰구간이

$$253.04 \le m \le 256.96$$

이었다. 이 표본을 이용하여 과자 한 상자의 평균 무게 m의 신뢰도 99%인 신뢰구간은?
(단, $\mathrm{P}(|Z| \le 1.96)=0.95$, $\mathrm{P}(|Z| \le 2.58)=0.99$)

① $251.42 \le m \le 256.58$ ② $252.42 \le m \le 257.58$
③ $253.42 \le m \le 256.26$ ④ $254.38 \le m \le 257.26$
⑤ $254.12 \le m \le 256.62$

▶ 해설 내신연계기출

1511 최다빈출 왕중요 TOUGH

표준편차 σ가 알려진 정규분포를 따르는 모집단에서 크기가 n인 표본을 임의추출하여 얻은 모평균에 대한 신뢰도 95%의 신뢰구간이

$$100.4 \le m \le 139.6$$

이었다. 같은 표본을 이용하여 얻은 모평균에 대한 신뢰도 99%의 신뢰구간에 속하는 자연수의 개수는?
(단, Z가 표준정규분포를 따르는 확률변수일 때, $\mathrm{P}(0 \le Z \le 1.96)=0.475$, $\mathrm{P}(0 \le Z \le 2.58)=0.495$)

① 36 ② 40 ③ 46
④ 51 ⑤ 56

▶ 해설 내신연계기출

1512 TOUGH

어느 지역 주민들의 하루 여가 활동 시간은 평균이 m분, 표준편차가 σ분인 정규분포를 따른다고 한다. 이 지역 주민 중 16명을 임의추출하여 구한 하루 여가 활동 시간의 표본평균이 75분일 때, 모평균 m에 대한 신뢰도 95%의 신뢰구간이 $a \le m \le b$이다.
이 지역 주민 중 16명을 다시 임의추출하여 구한 하루 여가 활동 시간의 표본평균이 77분일 때, 모평균 m에 대한 신뢰도 99%의 신뢰구간이 $c \le m \le d$이다. $d-b=3.86$을 만족시키는 σ의 값은?
(단, Z가 표준정규분포를 따르는 확률변수일 때, $\mathrm{P}(|Z| \le 1.96)=0.95$, $\mathrm{P}(|Z| \le 2.58)=0.99$로 계산한다.)

① 8 ② 10 ③ 12
④ 14 ⑤ 16

1513 TOUGH

모표준편차가 σ인 정규분포를 따르는 모집단에서 표본을 추출하여 모평균 m을 추정했다. 표본의 크기가 4, 표본평균이 $\overline{x_1}$인 표본을 이용하여 신뢰도 99%로 구한 신뢰구간이 $a \le m \le b$, 표본의 크기가 n, 표본평균이 $\overline{x_2}$인 표본을 이용하여 신뢰도 95%로 구한 신뢰구간이 $c \le m \le d$이었다.

$$b-a=3(d-c)$$

가 성립하도록 하는 n의 값은?
(단, $\mathrm{P}(0 \le Z \le 2)=0.475$, $\mathrm{P}(0 \le Z \le 3)=0.495$)

① 9 ② 16 ③ 25
④ 36 ⑤ 49

1514 TOUGH

정규분포를 따르고 모표준편차가 2인 모집단에서 크기가 4인 표본을 임의추출했더니 그 평균이 20이었다고 한다. 평균 m에 대한 신뢰도 95%, 99%의 신뢰구간이 각각 $a \le m \le b$, $c \le m \le d$라고 할 때, 다음 [보기]에서 옳은 것을 모두 고른 것은?
(단, $\mathrm{P}(|Z| \le 2)=0.95$, $\mathrm{P}(|Z| \le 3)=0.99$)

ㄱ. $b-a=4$
ㄴ. $b-a=\frac{2}{3}(d-c)$
ㄷ. m에 대한 신뢰도 95%, 99%의 두 신뢰구간에 모평균 m이 반드시 포함된다.

① ㄱ ② ㄱ, ㄴ ③ ㄴ, ㄷ
④ ㄱ, ㄷ ⑤ ㄱ, ㄴ, ㄷ

1515
TOUGH

모평균이 m이고, 모표준편차가 σ인 정규분포를 따르는 모집단에서 크기가 n인 표본을 임의추출하여 구한 표본평균을 $\overline{X}$라 할 때,

$$P(\overline{X} \le m+3)=0.9332$$

이다. 이 모집단에서 크기가 n인 표본을 임의추출하여 구한 표본평균이 36일 때, 이를 이용하여 구한 모평균 m에 대한 신뢰도 95%의 신뢰구간이 $a \le m \le b$이다. $b-a$의 값은?
(단, Z가 표준정규분포를 따르는 확률변수일 때, $P(0 \le Z \le 1.5)=0.4332$, $P(0 \le Z \le 1.96)=0.4750$으로 계산한다.)

① 5.92 ② 6.26 ③ 7.84
④ 8.56 ⑤ 9.68

1516
최다빈출 왕중요 TOUGH

어느 과일가게에서 판매하는 복숭아의 무게는 모평균이 m이고, 모표준편차가 σ인 정규분포를 따른다고 한다. 이 과일가게에서 판매하는 복숭아 중 36개를 임의추출하여 구한 무게의 표본평균의 값이 $\overline{x}$이고, 이를 이용하여 구한 모평균 m에 대한 신뢰도 99%의 신뢰구간이

z	$P(0 \le Z \le z)$
0.98	0.3365
1.29	0.4015
1.72	0.4573
1.96	0.4750
2.58	0.4950

$$\overline{x}-c \le m \le \overline{x}+c$$

이다. 이 과일가게에서 판매하는 복숭아 중 임의추출한 64개의 복숭아의 무게의 평균이 $m+\frac{1}{2}c$ 이상일 확률을 다음 표준정규분포표를 이용하여 구한 것은? (단, 무게의 단위는 g이다.)

① 0.1635 ② 0.0985 ③ 0.0427
④ 0.0250 ⑤ 0.0050

▶ 해설 내신연계기출

1517
TOUGH

어느 나라에서 작년에 운행된 택시의 연간 주행거리는 모평균이 m인 정규분포를 따른다고 한다. 이 나라에서 작년에 운행된 택시 중에서 16대를 임의추출하여 구한 연간주행거리의 표본평균이 $\overline{x}$이고 이 결과를 이용하여 신뢰도 95%로 추정한 m에 대한 신뢰 구간이

z	$P(0 \le Z \le z)$
0.49	0.1879
0.98	0.3365
1.47	0.4292
1.96	0.4750

$$\overline{x}-c \le m \le \overline{x}+c$$

이었다. 이 나라에서 작년에 운행된 택시 중에서 임의로 1대를 선택할 때, 이 택시의 연간 주행거리가 $m+c$ 이하일 확률을 오른쪽 표준정규분포표를 이용하여 구한 것은?
(단, $P(0 \le Z \le 1.96)=0.4750$이다.)

① 0.6242 ② 0.6635 ③ 0.6879
④ 0.8365 ⑤ 0.9292

1518
TOUGH

정규분포 $N(m, 2^2)$을 따르는 모집단에서 임의추출한 크기가 7인 표본과 크기가 10인 표본의 표본평균을 각각 $\overline{X_A}$, $\overline{X_B}$라 하고, $\overline{X_A}$와 $\overline{X_B}$의 분포를 이용하여 신뢰도 95%로 추정한 모평균 m의 신뢰구간을 각각 $a \le m \le b$, $c \le m \le d$라고 하자.
다음 [보기]에서 옳은 것을 모두 고른 것은?

ㄱ. $\overline{X_A}$의 분산은 $\overline{X_B}$의 분산보다 크다.
ㄴ. $P(\overline{X_A} \le m+2) < P(\overline{X_B} \le m+2)$
ㄷ. $d-c < b-a$

① ㄱ ② ㄷ ③ ㄱ, ㄴ
④ ㄴ, ㄷ ⑤ ㄱ, ㄴ, ㄷ

유형 05 모평균의 신뢰구간의 길이

정규분포 $N(m, \sigma^2)$을 따르는 모집단에서 크기가 n인 표본을 임의추출할 때,

① 모평균 m의 신뢰구간이 $a \le m \le b$(a, b는 상수)일 때,
모평균 m의 신뢰구간의 길이 l
⇨ $l=b-a$

② 모표준편차 σ, 표본의 크기 n일 때,
신뢰도 α% 로 추정한 모평균 m의 신뢰구간의 길이 l은
⇨ $l=2\times k\frac{\sigma}{\sqrt{n}}$ $\left(\text{단, } P(|Z|\le k)=\frac{\alpha}{100}\right)$

1519 학교기출 대표 유형

모평균이 m, 모표준편차가 4인 정규분포를 따르는 모집단에서 크기가 256인 표본을 임의추출하여 구한 표본평균의 값이 $\overline{x}$이고, 이를 이용하여 구한 모평균 m에 대한 신뢰도 99%의 신뢰구간이 $a \le m \le b$이다. $b-a$의 값은?
(단, $P(|Z|\le 2.58)=0.99$로 계산한다.)

① 1.29　② 1.32　③ 1.35
④ 1.38　⑤ 1.41

1520 BASIC

어느 회사에서 생산하는 배드민턴 라켓의 모표준편차가 σg인 정규분포를 따른다고 한다. 이 회사에서 생산한 배드민턴 라켓 중 49개를 임의추출하여 평균 무게를 신뢰도 95%로 추정할 때, 그 신뢰구간의 길이가 1.12g이었다. 이때 σ의 값은?
(단, $P(0\le Z\le 1.96)=0.4750$)

① 2　② 3　③ 4
④ 5　⑤ 6

1521 최다빈출 왕중요 BASIC

정규분포 $N(m,\sigma^2)$을 따르는 모집단에서 크기가 n_1, n_2인 표본을 임의추출하여 신뢰도 95%로 추정한 모평균 m의 신뢰구간의 길이가 각각 l, $2l$이라 한다. $\frac{n_1}{n_2}$의 값은? (단, $P(|Z|\le 1.96)=0.95$)

① 2　② 4　③ 9
④ 16　⑤ 25

▶ 해설 내신연계기출

1522 최다빈출 왕중요 NORMAL

어느 회사에서 생산하는 영양제 1정에 들어 있는 칼슘의 양을 확률변수 X라고 하면 X는 정규분포를 따른다고 한다. 이 영양제 16정을 임의추출하여 모평균 $m$mg에 대한 신뢰도 95%인 신뢰구간은

$$125.85 \le m \le 130.75$$

이었다. 이 영양제 100정을 임의추출하여 모평균 $m$mg에 대한 신뢰도 99%인 신뢰구간을 구할 때, 이 신뢰구간의 길이는?
(단, $P(|Z|\le 1.96)=0.95$, $P(|Z|\le 2.58)=0.99$)

① 1.96　② 1.99　③ 2.58
④ 2.99　⑤ 3.14

1523 최다빈출 왕중요 TOUGH

정규분포 $N(m, \sigma^2)$을 따르는 모집단에서 크기가 n인 표본을 임의추출하여 그 표본평균을 $\overline{X}$라 하자. 모평균 m의 신뢰도 95%의 신뢰구간이 $a\le m\le b$라 할 때, $b-a=11.76$이다.
$P(\overline{X}\ge m+5.88)$의 값은? (단, $P(0\le Z\le 1.96)=0.4750$)

① 0.5　② 0.475　③ 0.35
④ 0.1　⑤ 0.025

▶ 해설 내신연계기출

유형 06 신뢰구간의 길이를 이용하여 표본의 크기 구하기

정규분포 $N(m, \sigma^2)$을 따르는 모집단에서 크기가 n인 표본을 임의추출할 때, 모평균 m을 신뢰도 $\alpha\%$ 로 추정한 신뢰구간의 길이 l일 때,

$$l=2\times k\frac{\sigma}{\sqrt{n}}\left(\text{단, } P(|Z|\le k)=\frac{\alpha}{100}\right)$$

로 놓고 표본의 크기 n의 값을 구한다.

1524 학교기출 대표유형

어느 공장에서 생산하는 제품 한 개의 무게는 모평균이 mg, 모표준편차가 3g인 정규분포를 따르다고 한다. 이 공장에서 생산하는 제품 중 n개를 임의추출하여 구한 제품의 무게의 표본평균의 값이 $\overline{x}$g이고, 이를 이용하여 구한 모평균 m에 대한 신뢰도 99%의 신뢰구간이 $a\le m\le b$이다. $b-a=1.72$일 때, n의 값은?
(단, Z가 표준정규분포를 따르는 확률변수일 때, $P(|Z|\le 2.58)=0.99$로 계산한다.)

① 25　② 36　③ 49
④ 64　⑤ 81

1525 최다빈출 왕중요 NORMAL

어느 대학교 체육학과 학생 전체의 100m달리기 기록은 모평균이 m초, 모표준편차가 σ초인 정규분포를 따른다고 한다.
이 대학교 체육학과 학생 중 n명을 임의추출하여 얻은 100m달리기 기록의 표본평균을 이용하여 구한 모평균 m에 대한 신뢰도 95%의 신뢰구간이 $a\le m\le b$이다.

$$b-a\le 0.28\sigma$$

를 만족시키는 자연수 n의 최솟값은?
(단, $P(|Z|\le 1.96)=0.95$로 계산한다.)

① 121　② 144　③ 169
④ 196　⑤ 225

▶ 해설 내신연계기출

1526 최다빈출 왕중요 NORMAL

어느 양계장에서 생산된 달걀의 무게는 표준편차가 2g인 정규분포를 따른다고 한다. 이 양계장에서 생산된 달걀 n개를 임의추출하여 조사했더니 평균 무게 m에 대한 신뢰도 95%의 신뢰구간이 $a\le m\le b$이었다. 이때 $b-a\le 1.96$을 만족시키는 자연수 n의 최솟값은? (단, $P(|Z|\le 1.96)=0.95$로 계산한다.)

① 15　② 16　③ 17
④ 18　⑤ 19

▶ 해설 내신연계기출

1527 최다빈출 왕중요 NORMAL

어느 회사에서 생산하는 노트북 배터리 사용 시간은 평균이 m분, 표준편차가 10분인 정규분포를 따른다고 한다. 이 회사에서 생산한 노트북 배터리 n개를 임의추출하여 하루 사용 시간을 조사하였더니 평균이 380분이었다. 이 결과를 이용하여 전체 노트북 배터리 하루 평균 사용 시간 m을 신뢰도 92%로 추정한 신뢰구간이 $a\le m\le b$이었다. $b-a$의 값이 4 이하가 되도록 하는 자연수 n의 최솟값은?

z	$P(0\le Z\le z)$
1.34	0.410
1.56	0.440
1.80	0.460
1.96	0.475
2.58	0.495

① 81　② 82　③ 83
④ 84　⑤ 85

▶ 해설 내신연계기출

1528 TOUGH

표준편차가 4인 정규분포를 따르는 모집단의 모평균 m을 크기가 16인 표본을 임의추출하여 모평균을 신뢰도 $\alpha\%$로 추정하였더니 신뢰구간 $a\le m\le b$에서 $b-a$의 값이 1이었다. 같은 신뢰도로 추정한 모평균 m의 신뢰구간이 $c\le m\le d$라고 할 때, $d-c$의 값이 2가 되도록 하는 표본의 크기는?

① 2　② 4　③ 9
④ 16　⑤ 25

유형 07 모평균과 표본평균의 차를 이용한 표본의 크기의 최솟값 구하기

정규분포 $N(m, \sigma^2)$을 따르는 모집단에서 크기가 n인 표본을 임의추출하여 표본평균 $\overline{X}$의 값을 $\overline{x}$라 하고 모평균 m의 신뢰도 $\alpha\%$로 추정할 때, 모평균 m과 표본평균 $\overline{x}$의 차는

$\overline{x}-k\frac{\sigma}{\sqrt{n}} \le m \le \overline{x}+k\frac{\sigma}{\sqrt{n}}$ $\left(단, P(|Z| \le k)=\frac{\alpha}{100}\right)$

$-k\times\frac{\sigma}{\sqrt{n}} \le m-\overline{x} \le k\times\frac{\sigma}{\sqrt{n}}$

$\Rightarrow |m-\overline{x}| \le k\times\frac{\sigma}{\sqrt{n}}$

즉, 모평균 m과 표본평균 $\overline{X}$의 차가 $k\times\frac{\sigma}{\sqrt{n}}$ 이하이다.

1529 학교기출 대표 유형

어느 공장에서 생산되는 A제품의 수명은 정규분포 $N(m, 50^2)$을 따른다고 한다. A제품 n개를 임의추출하여 구한 수명의 평균을 $\overline{x}$라 하자. 신뢰도 95%로 모평균 m을 추정하였을 때, **표본평균 $\overline{x}$와 모평균 m의 차가 5시간 이하**가 되게 하는 n의 최솟값은?
(단, 수명의 단위는 시간이고, Z가 표준정규분포를 따르는 확률변수일 때, $P(0 \le Z \le 1.96)=0.475$로 계산한다.)

① 384 ② 385 ③ 386
④ 387 ⑤ 388

1530 NORMAL

어느 고등학교 2학년 학생들의 기말고사 수학점수는 표준편차가 5점인 정규분포를 따른다고 한다. 이 고등학교 2학년 학생 중에서 n명을 임의추출하였을 때, 기말고사 수학 점수의 평균을 $\overline{x}$라 하자. 신뢰도 95%로 모평균 m을 추정하였을 때, **표본평균 $\overline{x}$와 모평균 m의 차가 2점 이하**가 되게 하는 n의 최솟값은?
(단, Z가 표준정규분포표를 따르는 확률변수일 때, $P(|Z| \le 1.96)=0.95$로 계산한다.)

① 16 ② 25 ③ 36
④ 49 ⑤ 64

1531 최다빈출 왕 중요 NORMAL

어느 지역의 버스 정류장 사이의 거리는 표준편차가 80m인 정규분포를 따른다. 모평균을 신뢰도 95%로 추정할 때, **모평균과 표본평균의 차가 39.2m 이하**가 되기 위한 표본의 크기의 최솟값은?
(단, $P(|Z| \le 1.96)=0.95$)

① 16 ② 25 ③ 36
④ 49 ⑤ 64

▶ 해설 내신연계기출

1532 최다빈출 왕 중요 NORMAL

표준편차가 0.2인 정규분포를 따르는 모집단에서 크기가 n인 표본을 임의추출하여 신뢰도 99%로 추정할 때, **모평균과 표본평균의 차가 0.0258 이하**가 되도록 하는 n의 최솟값은? (단, Z가 표준정규분포표를 따르는 확률변수일 때, $P(|Z| \le 2.58)=0.99$로 계산한다.)

① 225 ② 256 ③ 316
④ 400 ⑤ 625

▶ 해설 내신연계기출

1533 TOUGH

정규분포를 따르는 모집단에서 표본을 임의추출하여 구한 표본평균으로 모평균을 신뢰도 99%로 추정할 때, **모평균과 표본평균의 차를 모표준편차의 $\frac{1}{4}$ 이하**로 되게 하려고 한다. 이때 필요한 표본의 크기의 최솟값은? (단, $P(|Z| \le 3)=0.99$)

① 144 ② 169 ③ 225
④ 275 ⑤ 576

유형 08 신뢰구간의 길이를 이용하여 신뢰도 구하기

정규분포 $N(m, \sigma^2)$을 따르는 모집단에서 크기가 n인 표본을 임의추출하여 모평균 m의 신뢰도 $\alpha\%$로 추정한 신뢰구간의 길이가 l일 때,

⇨ $P(|Z| \le k) = \frac{\alpha}{100}$로 놓고 $l = 2 \times k\frac{\sigma}{\sqrt{n}}$임을 이용하여 k의 값을 먼저 구한 후 α의 값을 구한다.

1534 학교기출 대표 유형

어느 공장에서 생산하는 제품 A는 표준편차가 σ인 정규분포를 따른다고 한다. 이 공장에서 생산하는 제품 A 중에서 49개를 임의추출하여 구한 표본평균 $\overline{X}$의 값을 $\overline{x}$라고 할 때, 모평균 m에 대한 신뢰도 $\alpha\%$의 신뢰구간이

$$\overline{x} - \frac{0.98\sigma}{7} \le m \le \overline{x} + \frac{0.98\sigma}{7}$$

이다. 이때 표준정규분포표를 이용하여 α의 값을 구하면?

z	$P(0 \le Z \le z)$
0.98	0.340
1.64	0.450
1.96	0.475

① 16 ② 26 ③ 34 ④ 54 ⑤ 68

1535 최다빈출 왕 중요 NORMAL

어느 회사 직원의 하루 여가활동시간은 모평균이 m분, 모표준편차가 10분인 정규분포를 따른다고 한다. 이 회사 직원 중 임의추출한 25명의 하루 여가 활동 시간의 평균이 42분이었을 때, 신뢰도 $\alpha\%$로 추정한 모평균 m분의 신뢰구간이 $38.08 \le m \le 45.92$이였다.
이때 α의 값은?

z	$P(0 \le Z \le z)$
1.27	0.3980
1.69	0.4545
1.96	0.4750
2.54	0.4945
3.29	0.4995

① 79.6 ② 90.9 ③ 95 ④ 98.90 ⑤ 99.9

▶ 해설 내신연계기출

1536 최다빈출 왕 중요 NORMAL

어느 회사에서 생산하는 핸드폰 배터리의 충전시간은 정규분포를 따른다고 한다. 이 회사에서 생산한 핸드폰 중 100대를 임의추출하여 배터리의 충전시간을 측정한 결과 평균이 200분, 표준편차가 50분이었다. 이 회사에서 생산하는 핸드폰 배터리의 충전시간의 평균 m을 신뢰도 $\alpha\%$로 추정한 신뢰구간의 길이가 17일 때, 위의 표준정규분포표를 이용하여 α의 값을 구한 것은?

z	$P(0 \le Z \le z)$
0.6	0.225
1.2	0.385
1.7	0.455
2.0	0.478
2.4	0.492

① 45 ② 56.7 ③ 77 ④ 91 ⑤ 98.4

▶ 해설 내신연계기출

1537 최다빈출 왕 중요 TOUGH

분산이 σ^2인 정규분포를 따르는 모집단에서 크기 n인 표본을 임의추출하여 모평균 m을 추정한 후 신뢰구간의 길이를 구하고자 한다. 오른쪽 표준정규분포표를 이용하여 구한 모평균 m에 대한 신뢰도 79.6%의 신뢰구간의 길이가 l이고, 모평균 m에 대한 신뢰도 $\alpha\%$의 신뢰구간의 길이는 $2l$이다. 이때 α의 값은?

z	$P(0 \le Z \le z)$
1.27	0.3980
1.69	0.4545
1.96	0.4750
2.54	0.4945
3.29	0.4995

① 87.3 ② 90.9 ③ 95.0 ④ 98.9 ⑤ 99.9

▶ 해설 내신연계기출

유형 09 신뢰구간의 성질

(1) 신뢰구간의 길이 l은 신뢰도 $\alpha\%(k)$에 비례한다.

표본의 크기 n이 일정할 때

① 신뢰도 α의 값이 커질수록 (k의 값이 커진다.)
신뢰구간의 길이 l은 길어진다.

② 신뢰도 α의 값이 작을수록 (k의 값이 작아진다.)
신뢰구간의 길이 l은 짧아진다.

$l=2k\frac{\sigma}{\sqrt{n}}$

(2) 신뢰구간의 길이 l은 $\sqrt{n}$에 반비례한다.

신뢰도가 일정할 때 (k의 값이 일정하다.)

① 표본의 크기 n의 값이 커질수록 신뢰구간의 길이 l은 짧아진다.

② 표본의 크기 n의 값이 작을수록 신뢰구간의 길이 l은 길어진다.

(3) 신뢰도와 모표준편차가 일정할 때, 표본의 크기가 p배 하면
신뢰구간의 길이는 $\frac{1}{\sqrt{p}}$배이다.

참고 신뢰구간의 길이 $2k\frac{\sigma}{\sqrt{n}}$ ⇨ 신뢰도 α가 높으면 k의 값은 커지고,
표본의 크기가 작아지면 $\frac{1}{\sqrt{n}}$의 값이 커진다.
신뢰구간의 길이는 모평균 m과 표본평균 $\overline{x}$와 관련이 없다.

1538 학교기출 대표 유형

정규분포를 따르는 모집단에서 표본을 임의추출하여 모평균 m의 신뢰구간을 구할 때, [보기] 중 옳은 것만을 있는 대로 고른 것은?

ㄱ. 표본의 크기가 일정할 때, 신뢰도가 높아지면 신뢰구간의 길이는 길어진다.
ㄴ. 신뢰도가 일정할 때, 표본의 크기가 커지면 신뢰구간의 길이는 길어진다.
ㄷ. 모평균 m이 커지면 신뢰구간의 길이는 길어진다.

① ㄱ ② ㄴ ③ ㄱ, ㄷ
④ ㄴ, ㄷ ⑤ ㄱ, ㄴ, ㄷ

1539 최다빈출 왕중요 BASIC

모표준편차가 σ인 정규분포를 따르는 어느 모집단에서 표본을 임의추출하여 모평균 m을 추정하였더니 모평균 m에 대하여 신뢰도 $\alpha\%$인 신뢰구간이 $a\le m\le b$이었다. 다음 [보기] 중 옳은 것을 고른 것은?

ㄱ. 표본의 크기가 일정할 때, 신뢰도를 높게 하면 $b-a$의 값은 커진다.
ㄴ. 신뢰도가 일정할 때, 표본의 크기를 크게 하면 $b-a$의 값은 작아진다.
ㄷ. 신뢰도가 일정할 때, 표본의 크기를 2배로 늘리면 $b-a$의 값은 $\frac{\sqrt{2}}{2}$배가 된다.

① ㄱ ② ㄴ ③ ㄱ, ㄴ
④ ㄱ, ㄷ ⑤ ㄱ, ㄴ, ㄷ

▶ 해설 내신연계기출

1540 NORMAL

정규분포를 따르는 모집단에서 표본을 임의추출하여 모평균을 추정하려고 한다. 다음 설명 중 옳지 않은 것은?

① $E(\overline{X})$는 표본의 크기와 관계없이 모평균과 같다.
② 표본평균 $\overline{X}$의 분산은 표본의 크기에 반비례한다.
③ 동일한 표본을 사용할 때, 신뢰도 99%인 신뢰구간은 신뢰도 95%인 신뢰구간을 포함한다.
④ 신뢰도가 일정할 때, 표본의 크기가 작을수록 신뢰구간의 길이는 짧아진다.
⑤ 신뢰구간의 길이는 표본평균의 값과 관계가 없다.

1541 최다빈출 왕중요 NORMAL

정규분포 $N(m,\ \sigma^2)$를 따르는 모집단에서 임의추출한 표본으로 모평균을 추정하려고 한다. 모평균과 신뢰구간에 대한 다음 중 옳은 것은?

① 신뢰도를 낮추면서 표본의 크기를 크게 하면 신뢰구간의 길이는 작아진다.
② 신뢰도를 높이면서 표본의 크기를 크게 하면 신뢰구간의 길이는 작아진다.
③ 신뢰도가 일정할 때, 표본의 크기가 작을수록 신뢰구간의 길이는 작아진다.
④ 신뢰도가 일정할 때, 표본의 크기를 9배로 늘리면 신뢰구간의 길이는 3배가 된다.
⑤ 표본평균 $\overline{x}$가 커지면 신뢰구간의 길이는 길어진다.

▶ 해설 내신연계기출

1542 최다빈출 왕중요 TOUGH

모집단 A는 정규분포 $N(m_1,\ \sigma^2)$을 따르고, 모집단 B는 정규분포 $N\left(m_2,\ \left(\frac{\sigma}{2}\right)^2\right)$을 따른다. 모집단 A에서 크기 n_1, 모집단 B에서 크기 n_2인 표본을 각각 임의추출할 때의 표본평균을 각각 $\overline{X_A}$, $\overline{X_B}$라 하자. 다음 [보기]에서 옳은 것만을 있는 대로 고른 것은?
(단, n_1, n_2는 1보다 큰 자연수이다.)

ㄱ. $m_1=m_2$이면 $E(\overline{X_A})=E(\overline{X_B})$이다.
ㄴ. 표본평균 $\overline{X_B}$는 정규분포 $N\left(m_2,\ \left(\frac{\sigma}{2}\right)^2\right)$을 따른다.
ㄷ. $n_1=4n_2$일 때, m_1에 대한 신뢰도 95%의 신뢰구간이 $a\le m\le b$이고 m_2에 대한 신뢰도 95%의 신뢰구간이 $c\le m\le d$이면 $b-a=d-c$이다.

① ㄱ ② ㄷ ③ ㄱ, ㄷ
④ ㄴ, ㄷ ⑤ ㄱ, ㄴ, ㄷ

▶ 해설 내신연계기출

1543

모집단의 확률변수 X가 갖는 값은 2, 4, a이고, 이 모집단에서 크기가 2인 표본을 임의추출하여 구한 표본평균 $\overline{X}$가 갖는 값은 2, 3, 4, 5, b, a이다.

$$P(\overline{X}=2)=\frac{1}{16},\ P(\overline{X}=3)=\frac{3}{16}$$

일 때, 두 상수 a, b에 대하여 $ab\times P(X=4)$의 값을 구하는 과정을 다음 단계로 서술하여라. (단, $a>b>5$)

[1단계] 모집단의 확률변수 X가 2, 4, a일 때, 표본의 크기가 2인 표본평균 $\overline{X}$가 갖는 값이 2, 3, 4, 5, b, a임을 이용하여 a, b의 값을 구한다.
[2단계] $P(\overline{X}=2)=\frac{1}{16}$임을 이용하여 $P(X=2)$의 값을 구한다.
[3단계] $P(\overline{X}=3)=\frac{3}{16}$임을 이용하여 $P(X=4)$의 값을 구한다.
[4단계] $ab\times P(X=4)$의 값을 구한다.

1544

모집단의 확률변수 X의 확률분포가 다음 표와 같다.

X	1	3	5	합계
$P(X=x)$	$3a$	$2a$	a	1

이 모집단에서 크기가 4인 표본을 임의추출할 때의 표본평균을 $\overline{X}$라 할 때, $E(\overline{X}^2)$의 값을 구하는 과정을 다음 단계로 서술하여라. (단, a는 상수)

[1단계] a의 값을 구한다.
[2단계] $E(X)$, $V(X)$를 구한다.
[3단계] $E(\overline{X})$, $V(\overline{X})$를 구한다.
[4단계] $E(\overline{X}^2)$의 값을 구한다.

1545

1, 2, 2, 3, 3, 3의 숫자가 각각 적힌 공이 들어 있는 상자에서 크기가 n인 표본을 복원추출하였다. 이때 공에 적힌 숫자의 표본평균 $\overline{X}$의 분산이 $\frac{5}{36}$가 되도록 하는 n의 값을 구하는 과정을 다음 단계로 서술하여라.

[1단계] 상자에서 임의로 1개의 공을 꺼낼 때, 공에 적힌 숫자를 확률변수 X라 하고 X의 확률분포를 표로 나타낸다.
[2단계] 모집단의 확률변수 X에 대하여 평균과 분산을 구한다.
[3단계] 이 모집단에서 표본의 크기가 n인 표본의 표본평균 $\overline{X}$에 대하여 $E(\overline{X})$, $V(\overline{X})$의 값을 구한다.
[4단계] $V(\overline{X})=\frac{5}{36}$를 만족하는 자연수 n의 값을 구한다.

1546

어느 회사에서는 국제핸드볼연맹에서 공인한 여자 일반부용 핸드볼 공을 생산하는데, 생산한 핸드볼 공 한 개의 무게는 평균이 350g, 표준편차가 16g인 정규분포를 따른다고 한다.

z	$P(0\le Z\le z)$
0.5	0.1915
1.0	0.3413
1.5	0.4332
2.0	0.4772

이 회사에서 생산한 핸드볼 공중에서 다음과 같이 크기가 n인 표본을 임의추출할 때, 표본평균이 350g 이상 354g 이하일 확률을 다음 단계로 각각 구하는 과정을 서술하여라.

[1단계] $n=4$일 때, 확률을 구한다.
[2단계] $n=16$일 때, 확률을 구한다.
[3단계] $n=64$일 때, 확률을 구한다.

1547

확률변수 X가 정규분포 $\mathrm{N}(10, 1^2)$을 따르는 모집단에서 크기가 4인 표본을 임의추출한 표본평균을 $\overline{X}$, 크기가 9인 표본을 임의추출하여 구한 표본평균을 $\overline{Y}$라 할 때, 다음 단계로 그 과정을 서술하여라.

[1단계] 세 확률변수 X, $\overline{X}$, $\overline{Y}$의 정규분포를 각각 구한다.

[2단계] 세 확률변수 X, $\overline{X}$, $\overline{Y}$의 확률밀도함수의 그래프를 다음 그림에서 각각 찾고 그 까닭을 서술하여라.

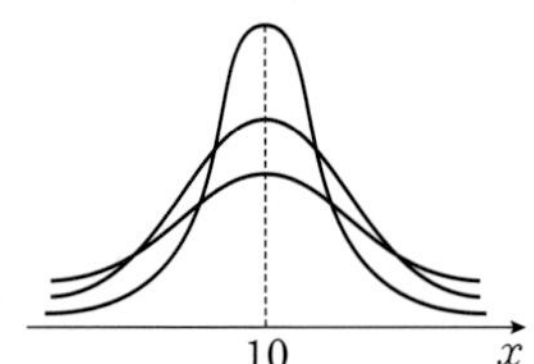

1548

2, 3, 4, 5의 숫자가 각각 하나씩 적힌 공이 각각 40개, 30개, 20개, 10개가 들어 있는 주머니에서 36개의 공을 임의추출할 때, 공에 적힌 숫자의 평균을 $\overline{X}$라 하자. 이때

z	$\mathrm{P}(0 \le Z \le z)$
1.0	0.3413
1.5	0.4332
1.8	0.4641
2.0	0.4772

$$\mathrm{P}(\overline{X} \ge k) = 0.0359$$

를 만족시키는 상수 k의 값을 구하는 과정을 다음 단계로 서술하여라.

[1단계] 공에 적힌 숫자를 확률변수 X라 하면 X의 확률분포를 표로 나타내어라

[2단계] 확률변수 X의 평균과 표준편차를 구한다.

[3단계] 확률변수 $\overline{X}$의 확률분포를 구한다.

[4단계] 확률변수 Z가 표준정규분포 $\mathrm{N}(0, 1)$을 따를 때,

$\mathrm{P}(\overline{X} \ge k) = \mathrm{P}(Z \ge \alpha)$을 만족하는 α의 값을 구한다.

[5단계] $\mathrm{P}(\overline{X} \ge k) = 0.0359$를 만족하는 상수 k를 구한다.

▶ 해설 내신연계기출

1549

어느 공장에서 생산하는 우유의 용량은 평균이 1000mL, 표준편차가 60mL인 정규분포를 따른다고 한다. 이 공장에서 생산하는 우유 중 n개를 임의추출할 때, 표본평균 $\overline{X}$에 대해 오른쪽 표준정규분포표를 이용하여

z	$\mathrm{P}(0 \le Z \le z)$
1.0	0.3413
1.5	0.4332
2.0	0.4772
2.5	0.4938

$$\mathrm{P}(970 \le \overline{X} \le 1030) = 0.9544$$

를 만족시키는 n의 값을 구하는 과정을 다음 단계로 서술하여라.

[1단계] $\overline{X}$의 확률분포를 n을 사용하여 나타낸다.

[2단계] 확률변수 Z가 표준정규분포 $\mathrm{N}(0, 1)$을 따를 때,

$\mathrm{P}(970 \le \overline{X} \le 1030) = \mathrm{P}(\alpha \le Z \le \beta)$가 되도록 하는 α와 β를 구한다.

[3단계] n의 값을 구한다.

1550

평균이 m, 표준편차가 12인 정규분포를 따르는 모집단에서 크기가 64인 표본을 임의추출하여 그 표본평균을 $\overline{X}$라고 할 때, 다음 단계로 그 과정을 서술하여라.

[1단계] 표본평균 $\overline{X}$와 모평균 m의 차가 3 이하일 확률을 구한다.
(단, $\mathrm{P}(0 \le Z \le 2) = 0.4772$)

[2단계] $\mathrm{P}(-k \le \overline{X} - m \le k) = 0.90$을 만족시키는 상수 k의 값을 구한다. (단, $\mathrm{P}(0 \le Z \le 1.65) = 0.45$)

1551

어느 가게에서 판매하는 달걀 한 개의 무게는 평균이 50g, 표준편차가 6g인 정규분포를 따르고, 임의추출한 달걀 4개를 한 세트로 포장하여 판매한다. 이 가게에서 달걀 한 세트를 구입하였을 때, 그 무게가 182g 이하이면 불량품으로 분류한다. 이 가게에서 판매하는 10000개의 달걀 세트 상자 중에서 불량품으로 판정되는 달걀 세트의 개수를 구하는 과정을 다음 단계로 서술하여라. (단, 상자의 무게는 생각하지 않는다.)

z	$\mathrm{P}(0\le Z\le z)$
0.5	0.1915
1.0	0.3413
1.5	0.4332
2.0	0.4772

[1단계] 임의로 택한 달걀 한 세트에 들어 있는 달걀 4개의 무게의 평균을 $\overline{X}$라 할 때, $\overline{X}$가 따르는 정규분포를 구한다.

[2단계] 달걀 한 세트의 무게가 182g 이하일 확률을 구한다.

[3단계] 불량품으로 판정되는 달걀 세트의 개수를 구한다.

1552

어떤 제과점에서 만드는 과자 한 개의 무게는 평균이 20g, 표준편차가 2g인 정규분포를 따른다고 한다. 이 제과점에서는 과자 16개씩을 한 상자에 담아서 판매하는데, 16개의 과자를 담은 상자의 무게가 306.88g 이하이거나 333.12g 이상이면 반품된다고 한다. 어느 날 이 제과점에서 출하한 과자 상자 100개 중에서 반품된 상자가 7개 이하일 확률을 오른쪽 표준정규분포표를 이용하여 구하는 과정을 다음 단계로 서술하여라. (단, 상자의 무게는 생각하지 않는다.)

z	$\mathrm{P}(0\le Z\le z)$
0.5	0.19
1.0	0.34
1.5	0.43
1.64	0.45

[1단계] 한 상자에 들어 있는 과자 16개의 평균 무게를 $\overline{X}$라고 하면 표본평균 $\overline{X}$가 따르는 정규분포를 구한다.

[2단계] 16개의 과자를 담은 상자의 무게가 306.88g 이하이거나 333.12g 이상일 확률을 구한다.

[3단계] 출하한 과자 상자 100개 중에서 반품된 상자의 수를 확률변수 Y라 할 때, Y가 따르는 정규분포를 구한다.

[4단계] 출하한 과자 상자 100개 중에서 반품된 상자가 7개 이하일 확률을 구한다.

1553

정규분포를 따르고 표준편차가 10인 어느 모집단에서 크기가 4인 표본을 임의추출하였더니 평균이 30이었다.
이 결과를 이용하여 구한 모평균 m에 대한 신뢰도 95%의 신뢰구간에 속하는 자연수의 총합을 a, 모평균 m에 대한 신뢰도 99%의 신뢰구간에 속하는 자연수의 총합을 b라 할 때, $b-a$의 값을 구하는 과정을 다음 단계로 서술하여라.
(단, Z가 표준정규분포를 따르는 확률변수일 때, $\mathrm{P}(0\le Z\le 1.96)=0.475$, $\mathrm{P}(0\le Z\le 2.58)=0.495$로 계산한다.)

[1단계] 모평균 m의 신뢰도 95%의 신뢰구간 구간에 속하는 자연수를 구한다.

[2단계] 모평균 m의 신뢰도 99%의 신뢰구간 구간에 속하는 자연수를 구한다.

[3단계] 1, 2단계에서 구한 자연수의 총합이 각각 a, b이므로 $b-a$의 값을 구한다.

1554

어느 회사에서 생산되는 과일통조림의 무게는 정규분포를 따른다고 한다. 이 제품 중에서 크기가 36인 표본을 임의추출하여 구한 과일통조림의 무게의 평균은 401g, 표준편차는 sg이었다.
이를 이용하여 구한 과일 통조림의 평균 무게 m의 신뢰도 95%인 신뢰구간이

$$397.08\le m\le 404.92$$

일 때, 다음 단계로 구하는 과정을 서술하여라.
(단, Z가 표준정규분포를 따르는 확률변수일 때, $\mathrm{P}(0\le Z\le 1.96)=0.475$, $\mathrm{P}(0\le Z\le 2.58)=0.495$로 계산한다.)

[1단계] 모평균 m의 신뢰도 95%인 신뢰구간을 표준편차는 s로 나타낸다.

[2단계] 신뢰도 95%인 신뢰구간이 $397.08\le m\le 404.92$임을 이용하여 표준편차 s를 구한다.

[3단계] 같은 표본을 이용하여 얻은 모평균에 대한 신뢰도 99%의 신뢰구간을 구한다.

1555

수능기출

모평균 75, 모표준편차 5인 정규분포를 따르는 모집단에서 임의추출한 크기 25인 표본의 표본평균을 $\overline{X}$라 하자. 표준정규분포를 따르는 확률변수 Z에 대하여 양의 상수 c가

$$P(|Z|>c)=0.06$$

을 만족시킬 때, 다음 [보기]에서 옳은 것을 모두 고른 것은?

ㄱ. $P(Z>a)=0.05$인 상수 a에 대하여 $c>a$이다.
ㄴ. $P(\overline{X}\le c+75)=0.97$
ㄷ. $P(\overline{X}>b)=0.01$인 상수 b에 대하여 $c<b-75$이다.

① ㄱ ② ㄷ ③ ㄱ, ㄴ
④ ㄴ, ㄷ ⑤ ㄱ, ㄴ, ㄷ

1556

평가원기출

정규분포 $N(10,\ 2^2)$을 따르는 모집단에서 임의추출한 크기 n인 표본의 표본평균을 $\overline{X}$, 표준정규분포를 따르는 확률변수를 Z라 하자.
옳은 것만을 [보기]에서 있는 대로 고른 것은? (단, a, b는 상수이다.)

ㄱ. $V(\overline{X})=\frac{4}{n}$
ㄴ. $P(\overline{X}\le 10-a)=P(\overline{X}\ge 10+a)$
ㄷ. $P(\overline{X}\ge a)=P(Z\le b)$이면 $a+\frac{2}{\sqrt{n}}b=10$이다.

① ㄱ ② ㄴ ③ ㄱ, ㄷ
④ ㄴ, ㄷ ⑤ ㄱ, ㄴ, ㄷ

1557

사관기출

어느 도시의 직장인들이 하루 동안 도보로 이동한 거리는 평균이 $m$km, 표준편차가 σkm인 정규분포를 따른다고 한다.
이 도시의 직장인들 중에서 36명을 임의추출하여 조사한 결과 36명이 하루 동안 도보로 이동한 거리의 총합은 216km이었다.
이 결과를 이용하여, 이 도시의 직장인들이 하루 동안 도보로 이동한 거리의 평균 m에 대한 신뢰도 95%의 신뢰구간을 구하면

$$a\le m\le a+0.98$$

이다. $100(a+\sigma)$의 값을 구하여라. (단, Z가 표준정규분포를 따르는 확률변수일 때, $P(|Z|\le 1.96)=0.95$로 계산한다.)

1558

모평균이 m이고, 모표준편차가 σ인 정규분포를 따르는 모집단에서 크기가 64인 표본을 임의추출하여 구한 표본평균의 값이 $\overline{x}$이고, 이를 이용하여 구한 모평균 m에 대한 신뢰도 99%의 신뢰구간이

$$6.71\le m\le 9.29$$

이다. 이 모집단에서 크기가 196인 표본을 임의추출하여 구한 표본평균의 값이 $\overline{x}+1$이고, 이를 이용하여 구한 모평균 m에 대한 신뢰도 95%의 신뢰구간이 $a\le m\le b$일 때, $100a$의 값을 구하여라.
(단, Z가 표준정규분포를 따르는 확률변수일 때,
$P(|Z|\le 1.96)=0.95$, $P(|Z|\le 2.58)=0.99$로 계산한다.)

SYNERGY FINAL TEST

내신 1등급

경우의 수 모의평가

총 2회 / 회당 24문제 5지선다형 20문제(4점) 서술형/주관식 4문제(5점)

SYNERGY FINAL TEST

FINAL STEP

01 MAPL; SYNERGY 경우의 수 모의평가

대상 고등학교 2/3학년
과목코드 01
시간 50분
배점 100점 만점 총 24문제 (4점 × 20문제 – 객관식) (5점 × 04문제 – 서술형)

- 답안지에 필요한 인적사항을 기입할 것
- 객관식 문제의 답안 표기는 OMR카드에 반드시 컴퓨터용 사인펜을 사용하여 기입할 것
- 주관식 문제의 답안 표기는 반드시 검은색 펜을 사용할 것

객 관 식

01번 ~ 20번 4점

01

5지선다 4점

${}_5\Pi_3 + {}_5H_3 + {}_5C_3$의 값은?

① 150 ② 165 ③ 170
④ 175 ⑤ 190

02

5지선다 4점

오른쪽 그림과 같이 보라색 의자와 노란색 의자를 포함한 색이 서로 다른 6개의 의자를 원형으로 배열하려고 할 때, 6개의 의자를 원형으로 배열하는 경우의 수를 p, 보라색 의자와 노란색 의자를 마주 보게 배열하는 경우의 수를 q라 할 때, $p+q$의 값은?

① 120 ② 134 ③ 144
④ 150 ⑤ 165

03

5지선다 4점

남학생 3명과 여학생 3명이 일정한 간격을 두고 원 모양의 탁자에 둘러앉을 때, 여학생 3명이 서로 이웃하게 앉는 경우의 수는?
(단, 회전하여 일치하는 것은 같은 것으로 본다.)

① 12 ② 24 ③ 36
④ 48 ⑤ 50

04

5지선다 4점

부모와 자녀를 포함한 6명의 가족들이 원형의 식탁에 둘러앉을 때, 부모 사이에 자녀 1명이 앉는 방법의 수는?
(단, 원형 식탁의 자리는 일정한 간격으로 떨어져 있고, 회전하여 일치하는 것은 같은 것으로 본다.)

① 40 ② 48 ③ 56
④ 64 ⑤ 72

05

5지선다 4점

6명의 학생이 다음 그림과 같이 정삼각형 모양의 탁자에 둘러앉는 경우의 수와 직사각형 모양의 탁자에 둘러앉을 때, 각각의 경우의 수의 합은? (단, 회전하여 일치하는 것은 같은 것으로 본다.)

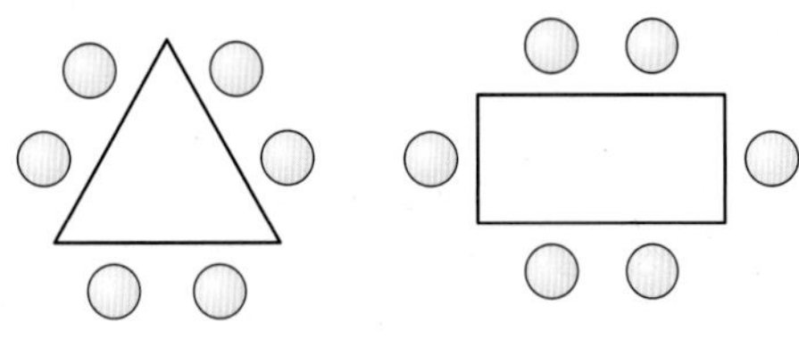

① 240 ② 360 ③ 480
④ 540 ⑤ 600

06

5지선다 4점

다음 중 그 경우의 수가 다른 하나는?

① 서로 다른 5통의 편지를 A, B, C의 세 종류의 우체통에 넣는 경우의 수 (단, 편지를 넣지 않는 우체통이 있을 수 있다.)
② 엘리베이터에 동승한 5명이 2, 3, 4층의 3개의 층 중 어느 한 층에 내리는 경우의 수 (단, 한 명도 내리지 않는 층이 있을 수 있다.)
③ 어느 리조트의 3개의 방 201호, 202호, 203호에 배낭여행을 하는 다섯 친구 A, B, C, D, E가 투숙하는 경우의 수 (단, 빈 방이 있을 수 있다.)
④ 숫자 1, 2, 3, 4, 5중에서 중복을 허락하여 다섯 개를 택해 일렬로 나열하여 만든 다섯 자리의 자연수가 있다. 이 자연수의 각 자리 숫자의 배열을 거꾸로 나열하였을 때, 처음과 같은 자연수가 되는 경우의 수
⑤ 서로 다른 5개의 사탕을 3명의 학생에게 나누어 주는 경우의 수 (단, 사탕을 받지 않은 학생이 있을 수 있다.)

07

5지선다 4점

모양과 크기가 같은 빨간 깃발 3개, 파란 깃발 2개, 초록 깃발 2개를 모두 일렬로 나열하여 신호를 만들려고 할 때, 파란 깃발이 양 끝에 오도록 만들 수 있는 신호의 수는?
(단, 같은 색깔의 깃발은 서로 구별되지 않는다.)

① 10 ② 14 ③ 18
④ 24 ⑤ 28

08

5지선다 4점

6개의 문자

F, R, A, N, C, E

를 일렬로 나열할 때, F가 A보다 앞에 오고, N은 E보다 앞에 오도록 배열하는 경우의 수는?

① 100 ② 120 ③ 140
④ 160 ⑤ 180

09

5지선다 4점

그림과 같이 마름모 모양으로 연결된 도로망이 있다. 이 도로망을 따라 A지점에서 출발하여 B지점까지 최단거리로 가는 경우의 수는?

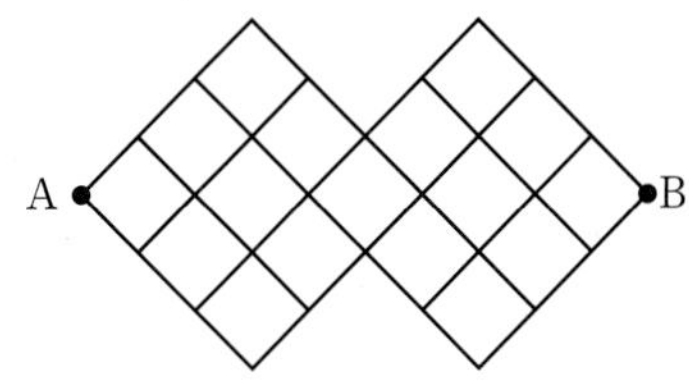

① 100 ② 150 ③ 200 ④ 250 ⑤ 300

10

5지선다 4점

다음 조건을 만족하는 p, q, r에 대하여 $p+q+r$의 값은?

(가) 모양과 크기가 같은 흰 공, 노란 공, 빨간 공 중에서 중복을 허용하여 7개를 택하는 경우의 수는 p이다.

(나) 전체 학생이 10명인 어느 학급의 회장선거에 A, B, C 3명이 출마하였다. 이 학급의 전체 학생이 무기명으로 후보자 한 명에게 투표하는 경우의 수는 q이다.

(다) $(x+y+z)^6$을 전개하여 생기는 서로 다른 항의 개수는 r이다.

① 100 ② 110 ③ 120 ④ 130 ⑤ 140

11

5지선다 4점

크기와 모양이 같은 흰 공 4개와 검은 공 5개를 서로 다른 세 주머니 A, B, C에 넣는 경우의 수는? (단, 빈 주머니가 있을 수도 있다.)

① 285 ② 315 ③ 325 ④ 345 ⑤ 360

12

5지선다 4점

방정식 $x+y+z=8$에 대하여 다음 조건을 만족하는 정수해의 개수를 각각 p, q, r이라 할 때, $p+q+r$의 값은?

(가) 방정식 $x+y+z=8$의 음이 아닌 정수해의 개수는 p이다.

(나) 방정식 $x+y+z=8$의 양의 정수해의 개수는 q이다.

(다) 방정식 $x+y+z=8$을 만족하는 -1 이상의 정수해의 개수는 r이다.

① 120 ② 144 ③ 150 ④ 160 ⑤ 165

13

5지선다 4점

사과, 배, 감 3종류의 과일을 파는 가게에서 10개의 과일을 사려고 한다. 세 종류의 과일이 적어도 1개씩 포함되도록 사는 경우의 수는?

① 10　② 24　③ 30　④ 36　⑤ 40

14

5지선다 4점

집합 $X=\{1, 2, 3, 4, 5\}$에 대하여 X에서 X로의 함수 f 중에서 다음 조건을 만족시키는 p, q에 대하여 $p+q$의 값은?

(가) $f(1)=f(2)<3$인 함수의 개수는 p이다.
(나) 집합 X의 임의의 두 원소 x_1, x_2에 대하여 $x_1<x_2$이면 $f(x_1)\le f(x_2)$를 만족하는 함수의 개수는 q이다.

① 126　② 148　③ 250　④ 376　⑤ 398

15

5지선다 4점

$(a+x)^8$의 전개식에서 x^6의 계수가 112일 때, x의 계수는? (단, a는 양수)

① 64　② 128　③ 516　④ 1024　⑤ 2048

16

5지선다 4점

$\left(x^2+\dfrac{2}{x}\right)^6$의 전개식에 대한 설명으로 [보기]에서 옳은 것만을 있는 대로 고른 것은?

ㄱ. x^3의 계수는 160이다.
ㄴ. 서로 다른 항의 개수는 7이다.
ㄷ. 상수항은 240이다.

① ㄱ　② ㄴ　③ ㄱ, ㄴ　④ ㄱ, ㄷ　⑤ ㄱ, ㄴ, ㄷ

17

5지선다 4점

다항식

$$(1-2x)^4(x+3)$$

의 전개식에서 x^2의 계수는?

① 32 ② 40 ③ 48
④ 56 ⑤ 64

18

5지선다 4점

이항계수의 성질에 대하여 다음 중 옳지 않은 것은?

① ${}_{10}C_0+{}_{10}C_1+{}_{10}C_2+\cdots+{}_{10}C_{10}=2^{10}$

② ${}_{13}C_2+{}_{13}C_4+\cdots+{}_{13}C_{12}=2^{12}$

③ ${}_{15}C_0+2{}_{15}C_1+2^2{}_{15}C_2+\cdots+2^{15}{}_{15}C_{15}=3^{15}$

④ ${}_{10}C_{10}+{}_{11}C_{10}+{}_{12}C_{10}+\cdots+{}_{20}C_{10}={}_{21}C_{10}$

⑤ $({}_{12}C_0)^2+({}_{12}C_1)^2+({}_{12}C_2)^2+\cdots+({}_{12}C_{12})^2={}_{24}C_{12}$

19

5지선다 4점

집합 $A=\{x|x$는 10 이하의 자연수$\}$의 부분집합 중에서 원소의 개수가 홀수인 부분집합의 개수는?

① 124 ② 256 ③ 512
④ 1024 ⑤ 2048

20

5지선다 4점

이항정리를 이용하여 31^{30}을 900으로 나눈 나머지는?

① 1 ② 21 ③ 32
④ 42 ⑤ 52

※ 다음은 서술형 문제입니다.
서술형 답안지에 풀이과정과 답을 정확하게 서술하시오.

서술형 & 주관식

21번 ~ 24번 5점

21

서술형 5점

A, B를 포함한 남학생 3명과 여학생 3명이 원탁 식탁에 둘러앉을 때, 다음 단계로 서술하여라.

[1단계] A, B가 마주 보고 앉는 경우의 수를 구한다.
[2단계] A, B가 서로 이웃하게 앉는 경우의 수를 구한다.
[3단계] A, B가 서로 이웃하지 않도록 앉는 경우의 수를 구한다.
[4단계] 남학생과 여학생이 번갈아 앉는 경우의 수를 구한다.

22

서술형 5점

다음 단어에 있는 8개의 문자를

baseball

모두 일렬로 배열할 때, 다음 단계로 구하는 과정을 서술하여라.

[1단계] 맨 뒤에 s가 오도록 배열하는 방법의 수를 구한다.
[2단계] 두 문자 s, e가 이웃하는 경우의 수를 구한다.

23

서술형 5점

7개의 문자

a, a, b, b, c, d, e

를 일렬로 나열할 때, 다음 단계로 구하는 과정을 서술하여라.

[1단계] 짝수 번째 자리에 모음이 오게 나열하는 경우의 수를 구한다.
[2단계] 두 문자 a, a가 이웃하지 않는 경우의 수를 구한다.
[3단계] 세 문자 c, d, e 중 어느 2개의 문자도 서로 이웃하지 않도록 나열하는 경우의 수를 구한다.
[4단계] 같은 문자는 이웃하지 않도록 하는 경우의 수를 구한다.

24

주관식 5점

그림과 같이 4등분된 큰 원의 내부에 정사각형을 내접하여 다섯 개의 영역으로 나누어진 원판이 있다. 5개의 영역에 서로 다른 5가지의 색을 칠해 각 영역을 구별하려고 한다. 인접한 영역에는 같은 색을 칠할 수 없지만 인접하지 않은 영역에는 같은 색을 칠할 수 있다. 5가지 색을 모두 사용하지 않아도 된다고 할 때, 원판을 칠하는 경우의 수를 구하여라. (단, 한 영역에는 한 가지 색만 칠하고, 회전하여 일치하는 것은 같은 것으로 본다.)

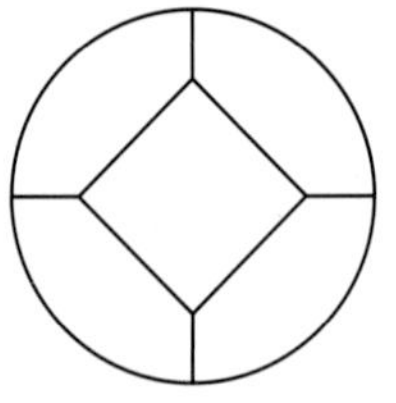

FINAL STEP

02 경우의 수 모의평가

M A P L ; S Y N E R G Y

대상 고등학교 2/3학년
과목코드 01
시간 50분
배점 100점 만점 총 24문제 (4점 × 20문제 – 객관식) (5점 × 04문제 – 서술형)

- 답안지에 필요한 인적사항을 기입할 것
- 객관식 문제의 답안 표기는 OMR카드에 반드시 컴퓨터용 사인펜을 사용하여 기입할 것
- 주관식 문제의 답안 표기는 반드시 검은색 펜을 사용할 것

객 관 식

01번 ~ 20번 4점

01

5지선다 4점

등식

$${}_{6}H_{4}={}_{n}C_{5}$$

를 만족하는 n의 값은?

① 5 ② 6 ③ 7
④ 8 ⑤ 9

02

5지선다 4점

남학생 2명과 여학생 4명이 원탁에 둘러앉을 때, 남학생끼리 이웃하지 않게 앉는 경우의 수는?

① 36 ② 72 ③ 120
④ 144 ⑤ 178

03

5지선다 4점

오른쪽 그림과 같이 정육각형을 6등분한 도형이 있다. 6개의 영역에 서로 다른 6가지 색을 모두 사용하여 칠하려고 한다. 한 영역에 한 가지 색만을 칠할 때, 색칠한 결과로 나올 수 있는 경우의 수는? (단, 회전하여 일치하는 것은 같은 것으로 본다.)

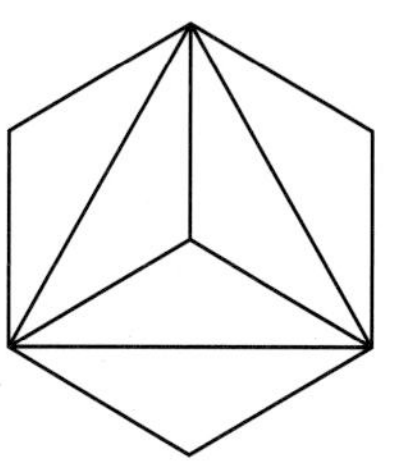

① 180 ② 240 ③ 300
④ 360 ⑤ 420

04

5지선다 4점

다음 조건을 만족하는 p, q, r에 대하여 $p+q+r$의 값은?

(가) 4명의 자원봉사자가 집 고치기 활동에 참여하였다. 4명을 도배, 청소, 보일러 공사의 3가지 활동에 배정하는 경우의 수는 p이다. (단, 자원봉사자가 배정되지 않은 활동이 있을 수 있다.)
(나) 중복을 허락하여 여섯 개의 숫자 0, 1, 2, 3, 4, 5로 만들 수 있는 세 자리 자연수의 개수는 q이다.
(다) 4개의 숫자 1, 2, 3, 4에서 중복을 허용하여 세 자리 자연수를 만들 때, 3을 반드시 포함하는 자연수의 개수는 r이다.

① 298 ② 302 ③ 324
④ 342 ⑤ 362

05

5지선다 4점

5개의 수 0, 1, 2, 3, 4에서 중복을 허용하여 만들 수 있는 자연수를 크기가 작은 수부터 순서대로 나열할 때, 2000은 몇 번째에 오는 수인가?

① 125 ② 230 ③ 240
④ 250 ⑤ 280

06

5지선다 4점

단어

M, A, L, A, Y, S, I, A

에 사용된 8개의 알파벳을 다음 조건을 만족시키도록 일렬로 나열하는 경우의 수는?

(가) 모든 A는 I보다 왼쪽에 나열한다.
(나) M, L, Y는 왼쪽부터 이 순서대로 나열하거나 이와 반대의 순서대로 나열한다.

① 520 ② 540 ③ 560
④ 580 ⑤ 600

07

5지선다 4점

10개의 문자

S, T, A, T, I, S, T, I, C, S

를 모두 한 번씩 사용하여 다음 조건을 만족시키도록 일렬로 나열하는 경우의 수는?

(가) 양쪽 끝에 S를 나열한다.
(나) A와 C는 두 개의 I 사이에 나열한다.

① 240 ② 280 ③ 360
④ 440 ⑤ 560

08

5지선다 4점

그림과 같이 정사각형 모양으로 연결된 도로망이 있다 이 도로망을 따라 A지점에서 출발하여 B지점까지 최단거리로 가는 경우의 수는?

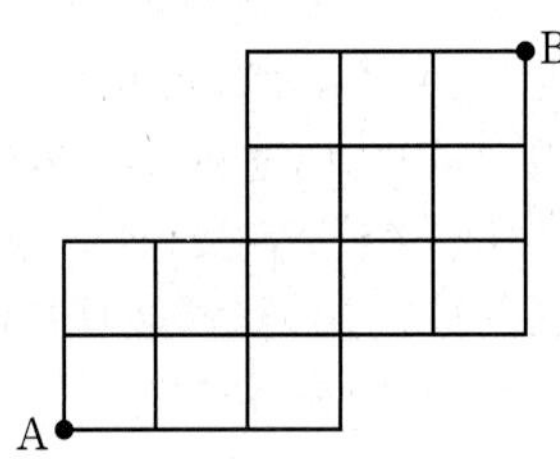

① 100 ② 101 ③ 102
④ 103 ⑤ 104

09

5지선다 4점

같은 종류의 야구공 3개, 같은 종류의 축구공 4개를 학생 2명에게 남김없이 나누어 주는 경우의 수는?
(단, 아무것도 받지 못하는 학생이 있을 수 있다.)

① 8 ② 12 ③ 16
④ 20 ⑤ 24

10

5지선다 4점

다음 조건을 만족하는 a, b, c에 대하여 $a+b+c$의 값은?
(단, 빈 상자가 있을 수 있다.)

(가) 서로 다른 3개의 바구니에 서로 다른 2개의 사탕을 넣는 경우의 수는 a이다.
(나) 서로 다른 3개의 바구니에 서로 다른 2개의 공을 넣을 때, 각 상자에 많아야 한 개의 공을 넣는 경우의 수는 b이다.
(다) 서로 다른 3개의 바구니에 똑같은 2개의 공을 넣는 모든 경우의 수는 c이다.

① 7 ② 14 ③ 21
④ 28 ⑤ 35

11

5지선다 4점

다음 조건을 만족하는 m, n에 대하여 $n-m$의 값은?

(가) 방정식 $x+y+z+w=4$를 만족시키는 음이 아닌 정수해의 순서쌍 (x, y, z, w)의 개수는 m이다.
(나) 방정식 $x+y+z=13$을 만족시키는 자연수 x, y, z의 모든 순서쌍 (x, y, z)의 개수는 n이다.

① 28 ② 31 ③ 35
④ 37 ⑤ 41

12

5지선다 4점

집합 $X=\{1, 2, 3, 4\}$에서 집합 $Y=\{4, 5, 6, 7\}$로의 함수 f 중 다음 조건을 만족하는 함수의 개수는?

(가) $f(2)=5$
(나) 집합 X의 임의의 두 원소 x_1, x_2에 대하여 $x_1<x_2$이면 $f(x_1)\le f(x_2)$

① 10 ② 12 ③ 14
④ 16 ⑤ 18

13

5지선다 4점

같은 종류의 장미 7송이와 같은 종류의 국화 5송이를 세 사람에게 다음 조건을 만족시키도록 남김없이 나누어 주는 경우의 수는? (단, 같은 종류의 꽃은 구별하지 않는다.)

(가) 각 사람에게 장미를 적어도 1송이씩 나누어 준다.
(나) 국화를 못 받는 사람이 적어도 1명 있다.

① 210 ② 215 ③ 220 ④ 225 ⑤ 230

14

5지선다 4점

다항식 $(x+a)^6$의 전개식에서 상수항과 x^3의 계수의 합이 0일 때, 상수항은? (단, a는 0이 아닌 상수이다.)

① 144 ② 196 ③ 256 ④ 324 ⑤ 400

15

5지선다 4점

다음 조건을 만족하는 a, b에 대하여 $a+b$의 값은?

(가) $\left(ax+\frac{1}{x}\right)^4$의 전개식에서 상수항이 54일 때, 양수 a의 값
(나) $\left(x-\frac{b}{y}\right)^5$의 전개식에서 $\frac{x^3}{y^2}$의 계수가 250일 때, 양수 b의 값

① 6 ② 8 ③ 10 ④ 12 ⑤ 14

16

5지선다 4점

100 이하의 자연수 n에 대하여 $\left(2x^5+\frac{3}{x^2}\right)^n$을 전개할 때, 0이 아닌 상수항이 나오도록 하는 모든 n의 값의 합은?

① 735 ② 745 ③ 765 ④ 775 ⑤ 785

17

5지선다 4점

다항식

$$(x+1)^3(x^2+1)^n$$

의 전개식에서 x^3의 계수가 28일 때, 자연수 n의 값은?

① 5 ② 6 ③ 7
④ 8 ⑤ 9

18

5지선다 4점

이항계수의 성질 중 다음 [보기]에서 옳은 것만을 있는 대로 고른 것은?

ㄱ. ${}_3C_3+{}_4C_3+{}_5C_3+{}_6C_3+\cdots+{}_{10}C_3={}_{11}C_4$
ㄴ. ${}_{50}C_1+{}_{50}C_3+{}_{50}C_5+\cdots+{}_{50}C_{49}=2^{49}$
ㄷ. ${}_{10}C_0+7{}_{10}C_1+7^2{}_{10}C_2+\cdots+7^{10}{}_{10}C_{10}=2^{30}$

① ㄱ ② ㄴ ③ ㄱ, ㄴ
④ ㄴ, ㄷ ⑤ ㄱ, ㄴ, ㄷ

19

5지선다 4점

11^{11}의 백의 자리, 십의 자리, 일의 자리의 숫자를 각각 a, b, c라고 할 때, abc의 값은?

① 4 ② 6 ③ 8
④ 12 ⑤ 16

20

5지선다 4점

어느 회사에서 자료 보안을 담당하고 있는 A는 해외 지사에서 근무하는 B에게 1000부터 1999까지의 자연수를 전송하려고 한다.
A는 다른 사람이 전송되는 내용을 파악하기 어렵게 하기 위하여 각 자리 수의 합이 10 이하이면 마지막에 0을, 11 이상이면 마지막에 1을 붙여서 다섯 자리 자연수로 전송하기로 하였다.
예를 들어 1025는 10250으로, 1385는 13851로 전송한다. A가 B에게 전송한 다섯 자리 자연수 중 일의 자리가 0인 것의 개수는?

① 110 ② 120 ③ 220
④ 240 ⑤ 280

※ 다음은 서술형 문제입니다.
서술형 답안지에 풀이과정과 답을 정확하게 서술하시오.

서술형 & 주관식

21번 ~ 24번 5점

21

서술형 5점

서로 다른 8가지 색을 사용하여 다음 주어진 도형에 칠하는 경우의 수를 다음 단계로 서술하여라. (단, 한 영역에는 한 가지 색만 칠하고, 같은 색을 중복하여 칠하지 않으며 회전하여 일치하는 것은 같은 것으로 본다. 계산이 복잡하면 식을 세워도 좋다.)

[1단계] 원을 6등분하여 도형의 6개의 영역에 서로 다른 8가지색으로 구분되게 칠하는 경우의 수를 구한다.

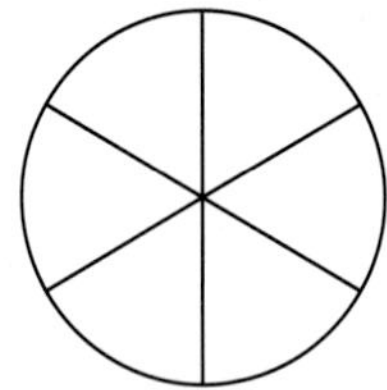

[2단계] 중심이 같은 두 원 사이를 5등분하여 도형의 6개의 영역에 서로 다른 8가지 색으로 구분되게 칠하는 경우의 수를 구한다.

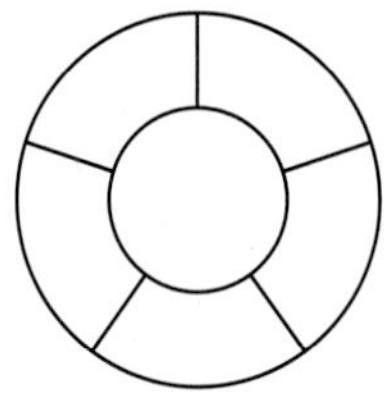

[3단계] 원에 내접하는 정사각형을 4등분하여 도형의 8개의 영역에 서로 다른 8가지 색으로 구분되게 칠하는 경우의 수를 구한다.

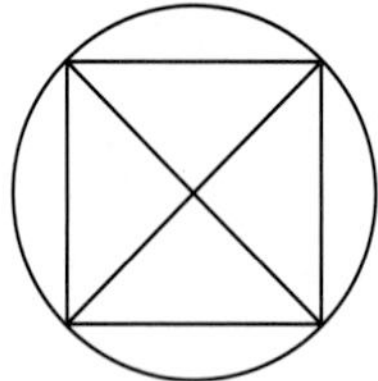

22

서술형 5점

방정식

$$a+b+c+d+e=17$$

을 만족시키는 양의 정수 a, b, c, d, e에 대하여 다음 단계로 구하는 과정을 자세히 서술하여라.

[1단계] 양의 정수해의 모든 순서쌍 (a, b, c, d, e)의 개수를 구한다.

[2단계] a, c, e는 홀수, b, d는 짝수인 모든 순서쌍 (a, b, c, d, e)의 개수를 구한다.

[3단계] $a \geq 2$, $b \geq 3$, $c \geq 4$인 모든 순서쌍 (a, b, c, d, e)의 개수를 구한다.

23

서술형 5점

21^{41}을 400으로 나눈 나머지를 다음 단계로 서술하여라.

[1단계] 21^{41}을 $(20+1)^{41}$으로 변형한 후 이항정리를 이용하여 전개한다.

[2단계] 1단계에서 전개한 각 항이 400의 배수인지 알아본다.

[3단계] 2단계의 결과를 이용하여 21^{41}을 400으로 나누었을 때의 나머지를 구한다.

24

주관식 5점

그림과 같은 도로망에서 ✻ 지점은 바이러스 감염지역이어서 지날 수 없다. A지점에서 출발하여 B지점까지 도로를 따라 최단거리로 가는 경우의 수를 구하여라.

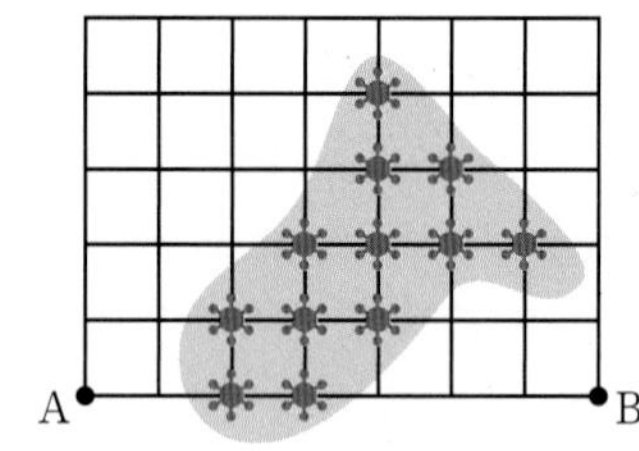

SYNERGY FINAL TEST

내신 1등급
확률
모의평가

총 2회 / 회당 24문제 5지선다형 20문제(4점) 서술형/주관식 4문제(5점)

SYNERGY FINAL TEST

FINAL STEP

01 확률 모의평가

M A P L ; S Y N E R G Y

대상 고등학교 2/3학년
과목코드 01
시간 50분
배점 100점 만점 총 24문제 (4점 × 20문제 – 객관식) (5점 × 04문제 – 서술형)

- 답안지에 필요한 인적사항을 기입할 것
- 객관식 문제의 답안 표기는 OMR카드에 반드시 컴퓨터용 사인펜을 사용하여 기입할 것
- 주관식 문제의 답안 표기는 반드시 검은색 펜을 사용할 것

객 관 식

01번 ~ 20번 4점

01

5지선다 4점

A, B를 포함한 6명의 학생을 임의로 일렬로 세울 때, A와 B 사이에 한 사람이 있을 확률은?

① $\frac{1}{15}$ ② $\frac{2}{15}$ ③ $\frac{1}{5}$ ④ $\frac{4}{15}$ ⑤ $\frac{1}{3}$

02

5지선다 4점

네 학생 A, B, C, D가 각자 추천하는 책을 한 권씩 가지고 와서 책 제목이 적힌 제비 4개 중에서 임의로 한 개씩을 뽑아 책을 나누어 갖기로 하였다. 이때 네 학생이 모두 자신의 것이 아닌 책을 갖게 될 확률은?

① $\frac{3}{8}$ ② $\frac{2}{3}$ ③ $\frac{3}{4}$ ④ $\frac{5}{6}$ ⑤ $\frac{7}{30}$

03

5지선다 4점

다음 조건을 만족하는 확률의 값이 p, q일 때, $p+q$의 값은?

(가) 원 모양의 화단에 일정한 간격으로 장미, 국화를 포함한 6종류의 화분을 진열하려고 한다. 장미, 국화 화분이 이웃하여 진열될 확률은 p이다.
(나) 남학생 4명과 여학생 3명이 원탁에 앉을 때, 여학생끼리 이웃하여 앉지 않을 확률은 q이다.

① $\frac{1}{5}$ ② $\frac{1}{4}$ ③ $\frac{1}{3}$ ④ $\frac{4}{5}$ ⑤ $\frac{3}{5}$

04

5지선다 4점

네 개의 숫자 0, 1, 2, 3에서 중복을 허락하여 세 개의 숫자를 택하여 세 자리 자연수를 만들 때, 짝수일 확률은?

① $\frac{1}{3}$ ② $\frac{1}{2}$ ③ $\frac{2}{3}$ ④ $\frac{3}{7}$ ⑤ $\frac{4}{5}$

05

5지선다 4점

1부터 10까지의 자연수가 하나씩 적혀 있는 10개의 공이 들어있는 주머니가 있다. 이 주머니에서 임의로 6개의 공을 동시에 꺼낼 때, 꺼낸 공에 적힌 숫자 중 두 번째로 작은 수가 4일 확률은 ?

① $\frac{1}{12}$ ② $\frac{3}{14}$ ③ $\frac{1}{6}$
④ $\frac{1}{4}$ ⑤ $\frac{1}{3}$

06

5지선다 4점

다음 조건을 만족하는 상수 a, b에 대하여 $a+b$의 값은?

(가) 주머니 속에 모양과 크기가 같은 흰 공과 검은 공이 합쳐서 10개 들어 있다. 이 중에서 임의로 3개씩 꺼내어 보고 다시 넣는 시행을 반복하였더니 3개 모두 흰 공이 나올 확률은 $\frac{1}{6}$이었다. 이 주머니 속에 들어 있는 흰 공의 개수는 a이다.
(나) 당첨 제비를 포함한 10개의 제비가 들어 있는 상자에서 현수와 지영이가 이 순서대로 임의로 하나씩 제비를 뽑을 때, 두 사람이 뽑은 제비가 모두 당첨 제비일 확률이 $\frac{2}{15}$이었다. 이 상자에 들어 있는 당첨 제비의 개수는 b이다. (단, 꺼낸 제비는 상자 안에 다시 넣지 않는다.)

① 8 ② 9 ③ 10
④ 11 ⑤ 12

07

5지선다 4점

n이 20 이하의 자연수일 때, x에 대한 이차방정식

$$10x^2-7nx+n^2=0$$

의 정수해가 존재할 확률은?

① $\frac{3}{5}$ ② $\frac{4}{5}$ ③ $\frac{5}{7}$
④ $\frac{2}{3}$ ⑤ $\frac{5}{6}$

08

5지선다 4점

주머니에 흰 공 5개와 검은 공 4개가 들어있다. 이 주머니에서 임의로 3개의 공을 동시에 꺼낼 때, 흰 공의 개수가 검은 공의 개수보다 많을 확률은?

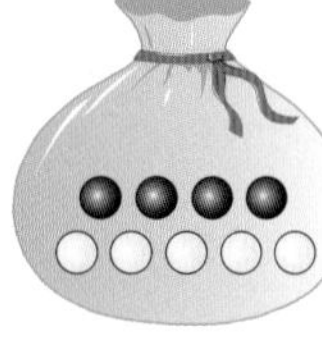

① $\frac{11}{21}$ ② $\frac{23}{42}$

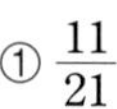

③ $\frac{4}{7}$ ④ $\frac{25}{42}$
⑤ $\frac{13}{21}$

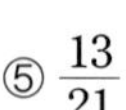

09

5지선다 4점

1부터 100까지의 자연수 중에서 임의로 하나의 수를 택할 때, 그 수가 12와 서로소일 확률은?

① $\frac{33}{100}$ ② $\frac{17}{50}$ ③ $\frac{7}{20}$
④ $\frac{9}{25}$ ⑤ $\frac{37}{100}$

10

5지선다 4점

다음 조건을 만족하는 확률의 값이 p, q, r일 때, $p+q+r$의 값은? (단, A^c는 A의 여사건이다.)

(가) 두 사건 A, B에 대하여

$$\mathrm{P}(A)=\frac{2}{3},\ \mathrm{P}(B)=\frac{1}{3},\ \mathrm{P}(A\cup B)=\frac{5}{6}$$

일 때, $\mathrm{P}(B|A)$의 값은 p이다.

(나) 서로 배반인 두 사건 A, B에 대하여

$$\mathrm{P}(A)=\frac{1}{2},\ \mathrm{P}(A^c\cap B^c)=\frac{1}{4}$$

일 때, $\mathrm{P}(B)$의 값은 q이다.

(다) 두 사건 A, B가 서로 독립이고

$$\mathrm{P}(A)=\frac{1}{4},\ \mathrm{P}(A\cup B)=\frac{1}{3}$$

일 때, $\mathrm{P}(B)$의 값은 r이다.

① $\frac{7}{18}$ ② $\frac{5}{9}$ ③ $\frac{11}{18}$
④ $\frac{2}{3}$ ⑤ $\frac{3}{4}$

11

5지선다 4점

어느 인공지능 시스템에 산 사진 50장과 바다 사진 50장을 입력한 후, 이 인공지능 시스템이 각각의 사진을 인식하는 실험을 실시하여 다음 결과를 얻었다.

(단위 : 장)

입력 \ 인식	산 사진	바다 사진	합계
산 사진	42	8	50
바다 사진	4	46	50
합계	46	54	100

이 실험에서 입력된 100장의 사진 중에서 임의로 선택한 1장이 인공지능 시스템에 의해 산 사진으로 인식된 사진일 때, 이 사진이 산 사진일 확률을 $\frac{p}{q}$라 할 때, $p+q$의 값은? (단, p, q는 서로소인 자연수)

① 40 ② 42 ③ 44
④ 46 ⑤ 48

12

5지선다 4점

어느 고등학교에서 1학년, 2학년 학생들을 대상으로 사생대회를 실시하기 위해 수채화 부문과 유화 부문에 대한 신청을 받은 결과 참가 신청한 전체 학생 수가 400명이고 각 부문의 학년별 신청 학생 수는 다음과 같다.

구분	수채화	유화
1학년	a	80
2학년	150	b

사생대회에 참가 신청한 학생 중 임의로 뽑은 한 명의 학생이 수채화 부문에 신청한 학생이었을 때, 이 학생이 1학년일 확률이 $\frac{2}{7}$이다. b의 값은? (단, 한 학생은 한 분야만 신청할 수 있다.)

① 70 ② 90 ③ 110
④ 130 ⑤ 150

13

5지선다 4점

상자 속에 20개의 제비가 들어 있고, 그 중 4개가 당첨제비이다. 이 상자에서 나래와 현아가 차례로 한 개씩 제비를 뽑을 때, 다음 [보기] 중에서 옳은 것은? (단, 뽑은 제비는 다시 넣지 않는다.)

ㄱ. 나래와 현아가 모두 당첨제비를 뽑을 확률은 $\frac{3}{95}$이다.

ㄴ. 현아가 당첨제비를 뽑을 확률은 $\frac{1}{5}$이다.

ㄷ. 나래가 당첨제비를 뽑을 확률은 현아가 당첨제비를 뽑을 확률 보다 크다.

① ㄱ ② ㄴ ③ ㄱ, ㄴ
④ ㄴ, ㄷ ⑤ ㄱ, ㄴ, ㄷ

14

5지선다 4점

주머니 A에는 흰 공 3개, 검은 공 4개가 들어 있고,
주머니 B에는 흰 공 4개, 검은 공 2개가 들어 있다.
주머니 A에서 임의로 한 개의 공을 꺼내어 주머니 B에 넣고, 다시 주머니 B에서 임의로 한 개의 공을 꺼낼 때, 주머니 B에서 흰 공을 꺼낼 확률은?

A

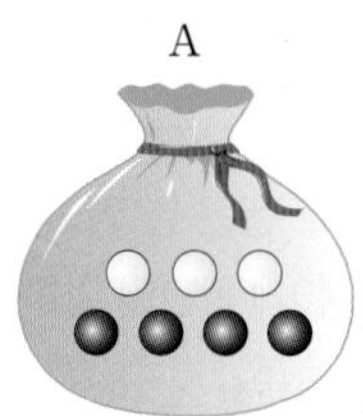

B

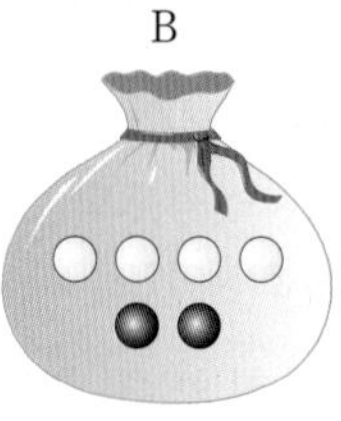

① $\frac{29}{49}$ ② $\frac{30}{49}$ ③ $\frac{31}{49}$
④ $\frac{32}{49}$ ⑤ $\frac{33}{49}$

15

5지선다 4점

어느 회사는 같은 제품을 두 공장 A, B에서 각각 전체 제품의 40%, 60%를 생산하고 있고, 두 공장 A, B의 불량률은 각각 2%, 3%라고 한다. 두 공장에서 생산된 제품 중 한 제품이 불량품이었을 때, 그 제품이 A공장에서 생산되었을 확률은?

① $\frac{1}{13}$ ② $\frac{2}{13}$ ③ $\frac{1}{7}$
④ $\frac{4}{13}$ ⑤ $\frac{5}{13}$

16

5지선다 4점

다음은 어느 학교 남학생 200명과 여학생 100명을 대상으로 개와 고양이 중에서 반려동물로 선호하는 동물을 조사한 표이다.

(단위 : 명)

	개	고양이
남학생	120	80
여학생	a	$100-a$

조사 대상 중 임의로 선택한 한 명이 남학생인 사건과 임의로 선택한 한 명이 개를 선호하는 학생인 사건이 서로 독립일 때, a의 값은? (단, 조사 대상인 모든 학생은 개와 고양이 중에서 반려동물로 선호하는 동물이 오직 하나이다.)

① 58 ② 60 ③ 62
④ 64 ⑤ 66

17

5지선다 4점

$P(A)>0$, $P(B)>0$인 두 사건 A, B에 대하여 옳지 않은 것은?
(단, A^c은 A의 여사건이다.)

① 두 사건 A, B가 서로 독립이면
$\{1-P(A)\}\{1-P(B)\}=1-P(A\cup B)$

② A와 B가 서로 배반사건이면 $P(B|A)=P(A|B)=0$이다.

③ $P(A^c|B)=0$이면 A와 B는 서로 배반사건이다.

④ $0<P(A|B)<P(B|A)$이면 $P(A)<P(B)$이다.

⑤ $P(B|A)+P(B^c|A)=1$

18

5지선다 4점

10문제 중 9문제 이상을 맞히면 통과하는 시험이 있다.
한 문제를 맞힐 확률이 $\frac{1}{3}$인 학생이 이 시험에서 합격할 확률은?
(단, 이 학생이 각 문제를 맞힐 확률은 모두 같다.)

① $\frac{2}{3^8}$　② $\frac{19}{3^{10}}$　③ $\frac{20}{3^{10}}$
④ $\frac{7}{3^9}$　⑤ $\frac{22}{3^{10}}$

19

5지선다 4점

주사위 1개를 던져서 홀수의 눈이 나오면 동전 1개를 2번 던지고, 짝수의 눈이 나오면 동전 1개를 4번 던진다. 주사위 1개를 1번 던진 후 그 결과에 따라 동전을 던질 때, 동전의 앞면이 2번 나올 확률은?

① $\frac{3}{16}$　② $\frac{5}{16}$　③ $\frac{7}{16}$
④ $\frac{9}{16}$　⑤ $\frac{11}{16}$

20

5지선다 4점

배구 리그 우승팀 결정전에 진출한 두 팀 A, B는 7번의 경기 중 먼저 4번 이기는 팀이 우승을 한다. 3차전이 경기가 끝난 결과 A팀이 1승 2패로 뒤져 있다. A팀이 우승할 확률은?
(단, 매 경기에 무승부는 없고, 두 팀이 이길 확률은 서로 같다.)

① $\frac{3}{16}$　② $\frac{5}{16}$　③ $\frac{7}{16}$
④ $\frac{9}{16}$　⑤ $\frac{11}{15}$

※ 다음은 서술형 문제입니다.
서술형 답안지에 풀이과정과 답을 정확하게 서술하시오.

서술형 & 주관식

21번 ~ 24번 5점

21

서술형 5점

주머니 A에는 흰 공 2개, 검은 공 4개가 들어있고, 주머니 B에는 흰 공 3개, 검은 공 3개가 들어있다. 두 주머니 A, B에서 각각 공을 임의로 2개씩 꺼낼 때, 나온 4개의 공 중 흰 공의 개수가 3일 확률을 구하는 과정을 다음 단계로 서술하여라.

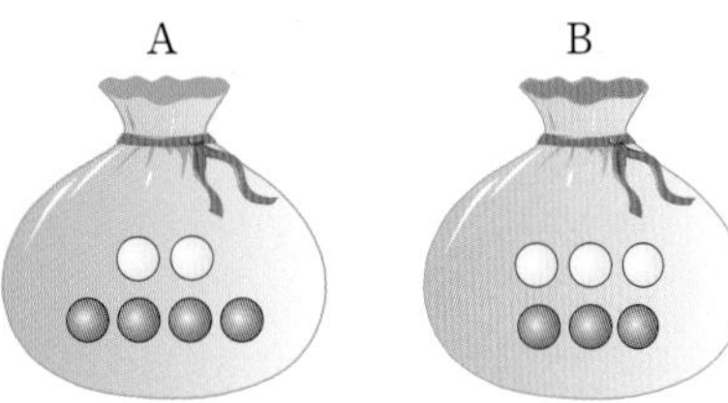

[1단계] 주머니 A, B에서 꺼낸 공 중 흰 공의 개수가 1, 2가 되는 확률을 구한다.
[2단계] 주머니 A, B에서 꺼낸 공 중 흰 공의 개수가 2, 1이 되는 확률을 구한다.
[3단계] 1, 2단계를 이용하여 흰 공의 개수가 3일 확률을 구한다.

22

서술형 5점

오른쪽 정팔각형의 꼭짓점 중에서 임의로 세 점을 택하여 삼각형을 만들 때, 다음 단계로 그 과정을 서술하여라.

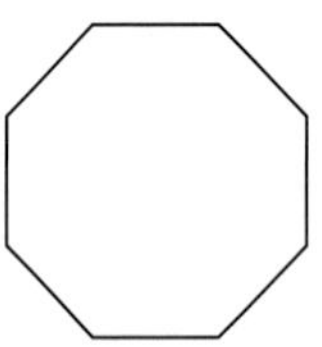

[1단계] 만든 삼각형이 직각삼각형이 될 확률을 구한다.
[2단계] 이 삼각형이 이등변삼각형이 될 확률을 구한다.
[3단계] 만든 삼각형이 예각삼각형 또는 둔각삼각형이 될 확률을 구한다.

23

서술형 5점

어떤 제품의 품질 검사기가 고장이 나서 정상을 정상이라고 판단한 확률이 $\frac{3}{5}$, 비정상을 정상이라고 판단한 확률이 $\frac{2}{5}$임을 알게 되었다. 평소 이 제품은 정상과 비정상의 비율이 $7:1$이었다.
이 검사기에 의하여 정상이라고 판단된 제품이 실제로 정상일 확률을 구하는 과정을 다음 단계로 자세히 서술하여라.

[1단계] 이 검사기에 의하여 정상이라고 판단할 확률을 구한다.
[2단계] 이 검사기에 의하여 정상이라고 판단할 때, 실제로 정상일 확률을 구한다.

24

주관식 5점

주머니에 1, 2, 3, 4의 숫자가 하나씩 적혀 있는 빨간 구슬 4개와 5, 6, 7의 숫자가 하나씩 적혀 있는 파란 구슬 3개가 들어 있다.
이 주머니에서 임의로 2개의 구슬을 동시에 꺼내었더니 구슬에 적힌 두 수의 곱이 홀수일 때, 이 두 구슬의 색이 서로 다를 확률을 $\frac{p}{q}$라 할 때, $p+q$의 값을 구하여라.
(단, p, q는 서로소인 자연수)

FINAL STEP

02

M A P L ; S Y N E R G Y

확률 모의평가

대상 고등학교 2/3학년
과목코드 01
시간 50분

배점 100점 만점 총 24문제
(4점 × 20문제 – 객관식)
(5점 × 04문제 – 서술형)

- 답안지에 필요한 인적사항을 기입할 것
- 객관식 문제의 답안 표기는 OMR카드에 반드시 컴퓨터용 사인펜을 사용하여 기입할 것
- 주관식 문제의 답안 표기는 반드시 검은색 펜을 사용할 것

객 관 식

01번 ~ 20번 4점

01

5지선다 4점

1부터 10까지의 자연수가 하나씩 적혀 있는 10장의 카드에서 한 장의 카드를 택할 때, 카드에 적힌 수가 3의 배수인 사건을 A, 소수인 사건을 B라고 하자. 이때 두 사건 A, B와 모두 배반인 사건 C의 개수는?

① 2 ② 4 ③ 8
④ 16 ⑤ 32

02

5지선다 4점

A와 B를 포함한 6명의 학생을 일렬로 세울 때, 다음 조건을 만족하는 확률을 각각 p_1, p_2, p_3라 할 때, $p_1+p_2+p_3$의 값은?

(가) A, B가 이웃하여 서게 될 확률
(나) A와 B가 양 끝에 서게 될 확률
(다) A와 B 사이에 한 사람이 있을 확률

① $\frac{4}{15}$ ② $\frac{1}{2}$ ③ $\frac{7}{15}$
④ $\frac{2}{3}$ ⑤ $\frac{4}{5}$

03

5지선다 4점

한 개의 주사위를 5번 던질 때, 나오는 눈의 수를 차례로 a_1, a_2, a_3, a_4, a_5라 하자. 이 5개의 수가 서로 다른 4개의 수로만 이뤄질 확률을 p라 할 때, $54p$의 값은?

① 13 ② 20 ③ 25
④ 27 ⑤ 29

04

5지선다 4점

다음 조건을 만족하는 확률의 값이 p, q일 때, pq의 값은?

(가) 집합 $A=\{1, 2, 3\}$에서 집합 $B=\{1, 2, 3, 4, 6, 12\}$로의 함수 $f: A \longrightarrow B$를 만들 때, $x_1<x_2$이면 $f(x_1) \le f(x_2)$을 만족시킬 확률은 p이다.
(나) 집합 $X=\{1, 2, 3\}$에서 집합 $Y=\{1, 2, 3, 4, 5, 6, 7\}$에 대하여 $f(1)<f(2)<f(3)$을 만족시키는 모든 함수 $f: X \longrightarrow Y$ 중에서 임의로 하나를 선택할 때, 선택된 함수가 $f(1)=3$ 또는 $f(3)=7$을 만족시킬 확률은 q이다.

① $\frac{7}{27}$ ② $\frac{18}{35}$ ③ $\frac{2}{15}$
④ $\frac{1}{5}$ ⑤ $\frac{7}{15}$

05

5지선다 4점

다음 조건을 만족하는 상수 a, b에 대하여 $a+b$의 값은?

(가) n개의 당첨제비가 들어 있는 12개의 제비 중에서 2개를 뽑을 때, 2개가 모두 당첨될 확률이 $\frac{1}{22}$이라 한다. 이때 n의 값은 a이다.

(나) k개의 당첨제비가 들어있는 10개의 제비 중에서 임의로 2개를 뽑을 때, 적어도 한 개가 당첨 제비일 확률이 $\frac{2}{3}$이다. 이때 자연수 k의 값은 b이다.

① 5　② 6　③ 7　④ 8　⑤ 9

06

5지선다 4점

1부터 7까지의 자연수가 각각 적힌 7장의 카드에서 임의로 3장을 뽑으려고 한다. 뽑힌 카드에 적힌 숫자의 크기 순으로 카드를 배열할 때, 카드에 적힌 숫자를 차례로 a, b, c라고 하자. b가 5일 확률이 $\frac{q}{p}$일 때, $p+q$의 값은? (단, p, q는 서로소인 자연수이다.)

① 35　② 38　③ 40　④ 43　⑤ 46

07

5지선다 4점

두 학생 A, B를 포함한 7명의 학생을 임의로 3명과 4명의 2개 조로 편성하려고 한다. 두 학생 A, B가 같은 조에 편성될 확률은?

① $\frac{3}{7}$　② $\frac{7}{14}$　③ $\frac{4}{7}$　④ $\frac{9}{14}$　⑤ $\frac{5}{7}$

08

5지선다 4점

다음 대화에서 옳은 말을 한 학생은?

선생님 : 여러분! 이번 달 청소 당번 10명 중 제비뽑기로 복도 청소 2명과 교실 청소 8명을 정하려고 합니다. 단, 꺼낸 제비는 다시 넣지 않도록 합시다.

승우 : 첫 번째로 제비를 뽑는 학생이 교실 청소를 하고, 두 번째로 제비를 뽑는 학생이 복도 청소를 할 확률은 $\frac{8}{45}$이네요.

강인 : 두 번째로 제비를 뽑는 학생이 복도 청소를 할 확률은 $\frac{1}{45}$ 입니다.

흥민 : 첫 번째로 제비를 뽑는 학생이 복도 청소를 할 확률은 두 번째로 제비를 뽑는 학생이 복도 청소를 할 확률보다 커요.

① 승우　② 강인　③ 승우, 강인　④ 승우, 흥민　⑤ 승우, 강인, 흥민

09

5지선다 4점

세 학생 a, b, c를 포함한 5명의 학생을 각각 1반부터 4반까지 4개의 반 중에서 1개 반에 임의로 배정할 때, 세 학생 a, b, c를 모두 서로 다른 반에 배정할 확률은?

① $\frac{1}{4}$ ② $\frac{3}{8}$ ③ $\frac{1}{2}$
④ $\frac{5}{8}$ ⑤ $\frac{3}{4}$

10

5지선다 4점

한 개의 주사위를 한 번 던지는 시행에서 짝수의 눈이 나오는 사건을 A, 3의 배수의 눈이 나오는 사건을 B, 홀수의 눈이 나오는 사건을 C라고 할 때, [보기]에서 옳은 것만을 있는 대로 고른 것은?

ㄱ. A와 B는 서로 독립이다.
ㄴ. A와 C는 서로 배반이다.
ㄷ. A와 C는 서로 독립이다.

① ㄱ ② ㄱ, ㄴ ③ ㄱ, ㄷ
④ ㄴ, ㄷ ⑤ ㄱ, ㄴ, ㄷ

11

5지선다 4점

1부터 12까지의 자연수가 하나씩 적힌 12개의 공이 상자에 들어있다. 이 상자에서 임의로 꺼낸 공에 적힌 수가 12의 약수일 때, 그 수가 홀수일 확률은?

① $\frac{1}{12}$ ② $\frac{1}{6}$ ③ $\frac{1}{4}$
④ $\frac{1}{3}$ ⑤ $\frac{5}{12}$

12

5지선다 4점

어느 과수원에서 생산한 사과 40개와 배 80개의 무게를 조사한 결과는 다음과 같다.

구분	500g 이상	500g 미만	합계
사과	a	b	40
배	c	a	80
합계	80	40	120

이 조사에서 무게를 측정한 120개의 과일 중 임의로 선택한 1개의 과일이 사과일 때, 이 사과의 무게가 500g 이상일 확률을 p_1이라 하고, 이 조사에서 무게를 측정한 120개의 과일 중 임의로 선택한 1개의 과일의 무게가 500g 미만일 때, 이 과일이 배일 확률을 p_2라 하자. $p_1+p_2=\frac{9}{10}$일 때, $b+c$의 값은? (단, a, b, c는 상수이다.)

① 65 ② 72 ③ 80
④ 82 ⑤ 84

13

5지선다 4점

어느 회사의 직원은 모두 60명이고, 각 직원은 두 개의 부서 A, B 중 한 부서에 속해 있다. 이 회사의 A부서는 20명, B부서는 40명의 직원으로 구성되어 있다. 이 회사의 A부서에 속해 있는 직원의 50%가 여성이다. 이 회사 여성 직원의 60%가 B부서에 속해 있다. 이 회사의 직원 60명 중에서 임의로 선택한 한 명이 B부서에 속해 있을 때, 이 직원이 여성일 확률은 p이다. $80p$의 값은?

① 30 ② 45 ③ 60
④ 75 ⑤ 90

14

5지선다 4점

흰 공 4개, 검은 공 2개가 들어 있는 주머니와 각 면에 2, 3, 3, 3의 숫자가 하나씩 적혀 있는 정사면체가 있다. 이 정사면체를 한 번 던져서 바닥에 닿는 면에 적혀 있는 수만큼의 공을 주머니에서 임의로 동시에 꺼낼 때, 검은 공 1개를 꺼낼 확률은?

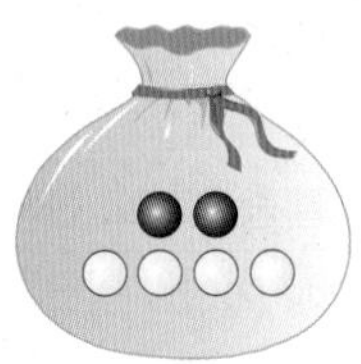

① $\frac{1}{3}$ ② $\frac{5}{12}$ ③ $\frac{1}{2}$
④ $\frac{7}{12}$ ⑤ $\frac{2}{3}$

15

5지선다 4점

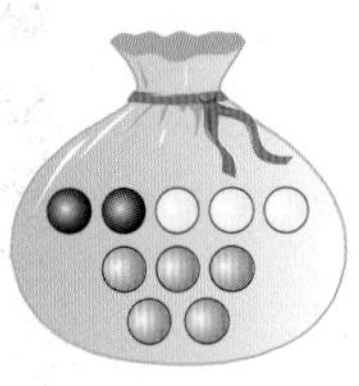

검은 공 2개, 흰 공 3개, 빨간 공 5개가 들어 있는 주머니가 있다. 이 주머니에서 임의로 동시에 꺼낸 2개의 공의 색이 서로 다를 때, 꺼낸 2개의 공의 색이 흰색과 빨간색일 확률은 $\frac{q}{p}$이다. $p+q$의 값은?
(단, p와 q는 서로소인 자연수이다.)

① 46 ② 48 ③ 50
④ 52 ⑤ 54

16

5지선다 4점

확률이 0이 아닌 두 사건 A, B에 대하여 다음 중 옳은 것은?

① A, B가 서로 배반 사건이면 A, B는 서로 독립이다.
② A, B가 서로 독립이면 A, B는 서로 배반사건이다.
③ A, B가 서로 독립이면 $\mathrm{P}(A^c|B)=1-\mathrm{P}(B)$
④ A, B가 서로 독립이고 $\mathrm{P}(A|B)=\mathrm{P}(B^c)=\frac{1}{5}$이면 $\mathrm{P}(A^c\cap B)=\frac{16}{25}$이다.
⑤ 두 사건 A, B가 서로 독립이면 $\{1-\mathrm{P}(A)\}\{1-\mathrm{P}(B)\}=\mathrm{P}((A\cap B)^c)$

17

5지선다 4점

4번에 1번 꼴로 방문한 곳에 휴대폰을 두고 다니는 혜리가 어느 날 독서실, 체육관, 매점 세 곳을 갔다 와서 휴대폰이 없어진 것을 알았다. 매점에 휴대폰을 두고 왔을 확률은?

① $\frac{9}{37}$　② $\frac{3}{16}$　③ $\frac{9}{64}$
④ $\frac{37}{64}$　⑤ $\frac{16}{59}$

18

5지선다 4점

코로나19의 치료제 렘데시비르의 치유율이 $\frac{5}{6}$라고 한다.

이 렘데시비르로 3명의 환자를 치료할 때, 적어도 한 명이 치유될 확률은?

① $\frac{49}{216}$　② $\frac{57}{64}$　③ $\frac{13}{16}$
④ $\frac{27}{32}$　⑤ $\frac{215}{216}$

19

5지선다 4점

서로 다른 2개의 주사위를 동시에 던져 나온 눈의 수가 서로 같으면 한 개의 동전을 4번 던지고, 나온 눈의 수가 서로 다르면 한 개의 동전을 2번 던지기로 하였다. 이 시행에서 동전의 앞면이 나온 횟수와 뒷면이 나온 횟수가 같을 확률은?

① $\frac{5}{48}$　② $\frac{7}{48}$　③ $\frac{5}{24}$
④ $\frac{23}{48}$　⑤ $\frac{25}{48}$

20

5지선다 4점

오른쪽 그림과 같이 주사위를 던져 짝수의 눈이 나오면 1칸, 홀수의 눈이 나오면 2칸 씩 시계방향으로 움직이는 놀이판이 있다. A에서 출발하여 주사위를 6번 던졌을 때, A에 다시 올 확률은?

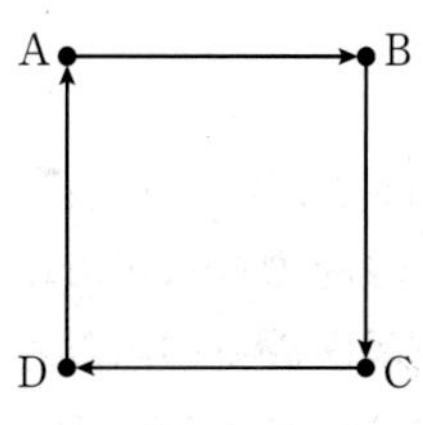

① $\frac{1}{6}$　② $\frac{1}{4}$　③ $\frac{1}{3}$
④ $\frac{2}{3}$　⑤ $\frac{4}{7}$

※ 다음은 서술형 문제입니다.
서술형 답안지에 풀이과정과 답을 정확하게 서술하시오.

서술형 & 주관식

21번 ~ 24번 5점

21

서술형 5점

두 사건 A, B에 대하여

$$\mathrm{P}(A)=\frac{1}{2},\ \mathrm{P}(B)=\frac{3}{10},\ \mathrm{P}(A|B)=\frac{2}{3}$$

일 때, 다음 단계로 그 과정을 서술하여라.
(단, A^c은 A의 여사건이다.)

[1단계] $\mathrm{P}(A\cap B)$을 구한다.
[2단계] $\mathrm{P}(B|A)$을 구한다.
[3단계] $\mathrm{P}(A^c\cap B^c)$을 구한다.
[4단계] $\mathrm{P}(A^c|B^c)$을 구한다.

22

서술형 5점

어느 도시에서 야간에 뺑소니 사건이 일어났다. 이 도시 전 차량의 80%는 자가용이고 20%는 영업용이다. 그런데 한 목격자가 뺑소니 차량을 자가용이라고 증언하였다. 이 증언의 타당성을 알아보기 위해 사고와 동일한 상황에서 그 목격자가 자가용 차량과 영업용 차량을 구별할 수 있는 능력을 측정해 본 결과 바르게 구별할 확률이 90%이었다. 그렇다면 목격자가 본 뺑소니 차량이 실제로 자가용일 확률은 $\frac{q}{p}$이다. 이때 $p+q$의 값을 구하는 과정을 다음 단계로 서술하여라. (단, p, q는 서로소인 자연수이고 모든 차량이 뺑소니 사건을 일으킬 가능성은 같다고 가정한다.)

[1단계] 한 목격자가 뺑소니 차량을 자가용이라고 증언할 확률을 구한다.
[2단계] 한 목격자가 뺑소니 차량을 자가용이라고 증언할 때, 뺑소니 차량이 실제로 자가용일 확률을 구한다.
[3단계] $p+q$의 값을 구한다.

23

서술형 5점

각 면에 1, 2, 3, 4의 숫자가 각각 하나씩 적혀 있는 정사면체 모양의 상자와 동전 4개를 동시에 던지는 시행에서 상자의 바닥에 놓인 면에 적혀 있는 수가 짝수일 때, 상자의 바닥에 놓인 면에 적혀 있는 수와 앞면이 나오는 동전의 개수가 같을 확률을 구하는 과정을 다음 단계로 서술하여라.

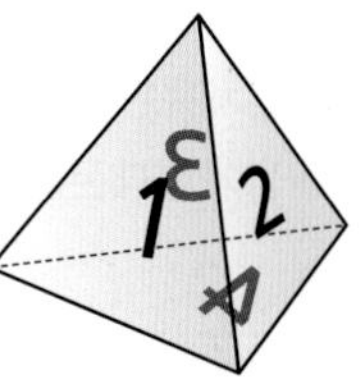

[1단계] 상자의 바닥에 놓인 면에 적혀 있는 수가 짝수일 확률은 구한다.
[2단계] 상자의 바닥에 놓인 면에 적혀 있는 수가 짝수이고 앞면이 나오는 동전의 개수가 같을 확률을 구한다.
[3단계] 상자의 바닥에 놓인 면에 적혀 있는 수가 짝수일 때, 상자의 바닥에 놓인 면에 적혀 있는 수와 앞면이 나오는 동전의 개수가 같을 확률을 구한다.

24

주관식 5점

흰 공 3개에는 1, 2, 3의 숫자를 하나씩 적고, 검은 공 3개에는 4, 5, 6의 숫자를 하나씩 적어 주머니에 넣은 후 임의로 2개의 공을 동시에 꺼냈다. 주머니에서 꺼낸 2개의 공에 적힌 숫자의 합이 소수일 때, 꺼낸 2개의 공의 색이 같을 확률은 $\frac{q}{p}$이다. $p+q$의 값을 구하여라. (단, p, q는 서로소인 자연수)

SYNERGY FINAL TEST

내신 1등급
통계
모의평가

총 2회 / 회당 24문제 5지선다형 20문제(4점) 서술형/주관식 4문제(5점)

SYNERGY FINAL TEST

통계 모의평가

대상	고등학교 2/3학년
과목코드	01
시간	50분
배점	100점 만점 총 24문제 (4점 × 20문제 – 객관식) (5점 × 04문제 – 서술형)

- 답안지에 필요한 인적사항을 기입할 것
- 객관식 문제의 답안 표기는 OMR카드에 반드시 컴퓨터용 사인펜을 사용하여 기입할 것
- 주관식 문제의 답안 표기는 반드시 검은색 펜을 사용할 것

객 관 식

01번 ~ 20번 4점

01

5지선다 4점

이산확률변수 X의 확률분포를 표로 나타내면 다음과 같다.

X	1	2	3	합계
$P(X=x)$	$2a$	$\frac{1}{2}$	$\frac{1}{3}-a$	1

$V\left(\frac{1}{a}X\right)$의 값은? (단, a는 상수이다.)

① 11　② 17　③ 23
④ 38　⑤ 121

02

5지선다 4점

평균이 20, 표준편차가 4인 확률변수 X가 있다. 이때 확률변수 $Y=aX+b$의 평균이 30, 분산이 16이 되도록 하는 두 상수 a, b에 대하여 $a+b$의 값은? (단, $a>0$)

① 9　② 10　③ 11
④ 12　⑤ 13

03

5지선다 4점

확률변수 X의 확률질량함수가

$$P(X=x)=\frac{3x+1}{12}\ (x=0,\ 1,\ 2)$$

일 때, $E(2X+1)+V(-6X+10)$의 값은?

① 11　② 13　③ 15
④ 17　⑤ 19

04

5지선다 4점

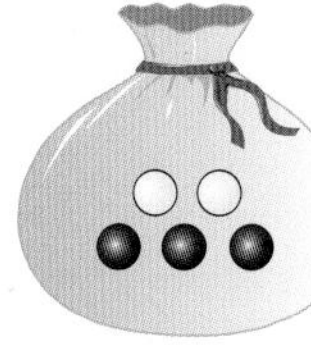

검은 공 3개, 흰 공 2개가 들어 있는 주머니에서 2개의 공을 꺼낼 때, 그 속에 포함되어 있는 흰 공의 개수를 확률변수 X라 한다. 이때 확률변수

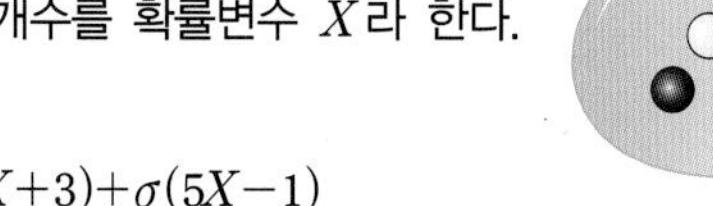

$$E(5X+3)+\sigma(5X-1)$$

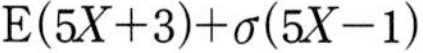

의 값은?

① 7　② 8　③ 9
④ 10　⑤ 12

05

5지선다 4점

한 모서리의 길이가 1인 정육면체에서 세 꼭짓점을 택하여 삼각형을 만들려고 한다. 만들어지는 삼각형의 넓이의 제곱을 확률변수 X라 할 때, $\mathrm{V}(7X)$의 값은?

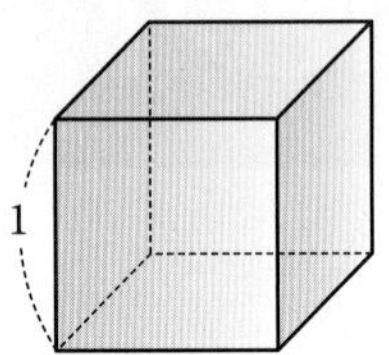

① $\frac{6}{7}$　② $\frac{3}{2}$　③ $\frac{7}{5}$

④ 7　⑤ $\frac{54}{7}$

06

5지선다 4점

한 개의 주사위를 90번 던져 3의 배수의 눈이 나오는 횟수를 확률변수 X라고 할 때, 확률변수 X^2의 평균 $\mathrm{E}(X^2)$은?

① 50　② 370　③ 430

④ 880　⑤ 920

07

5지선다 4점

흰 공 2개와 검은 공 n $(n \geq 2)$개가 들어있는 상자에서 임의로 1개의 공을 꺼내어 공의 색을 확인한 다음 다시 상자에 넣는 시행을 10회 반복할 때, 흰 공이 나온 횟수를 확률변수 X라 하자.

$V(X)=\frac{20}{9}$일 때, n의 값은?

① 4　② 5　③ 6

④ 7　⑤ 8

08

5지선다 4점

연속확률변수 X의 확률밀도함수가

$$f(x)=k(1-x)(0 \leq x \leq 1)$$

일 때, $k\mathrm{P}\left(0 \leq X \leq \frac{1}{2}\right)$의 값은? (단, k는 상수)

① $\frac{3}{4}$　② $\frac{4}{5}$　③ $\frac{5}{6}$

④ $\frac{3}{2}$　⑤ $\frac{7}{8}$

09

5지선다 4점

정규분포 $\mathrm{N}(m,\ \sigma^2)$을 따르는 확률변수 X가 다음 조건을 만족시킬 때, 상수 m, σ에 대하여 $m \times \sigma^2$의 값은?

(가) $\mathrm{P}(X \ge 11) = \mathrm{P}(X \le 7)$
(나) $\mathrm{V}(3X) = 2$

① $\frac{17}{9}$ ② 2 ③ $\frac{19}{9}$
④ $\frac{20}{9}$ ⑤ $\frac{7}{3}$

10

5지선다 4점

그림에서 세 곡선 A, B, C는 각각 정규분포를따르는 세 확률변수 X_{A}, X_{B}, X_{C}의 확률밀도함수의 그래프이다.

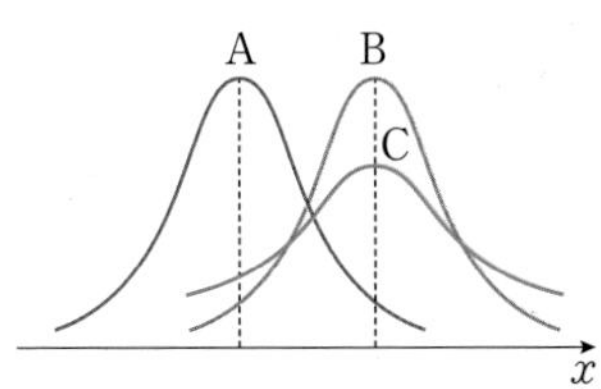

곡선 B는 곡선 A를 평행이동한 것이고, 곡선 B와 곡선 C의 대칭축은 서로 같다. X_{A}, X_{B}, X_{C}의 평균을 각각 m_{A}, m_{B}, m_{C}, 표준편차를 각각 σ_{A}, σ_{B}, σ_{C}라고 할 때, [보기]에서 옳은 것만을 있는 대로 고른 것은?

ㄱ. $m_{\mathrm{A}} < m_{\mathrm{C}}$ ㄴ. $\sigma_{\mathrm{A}} < \sigma_{\mathrm{C}}$ ㄷ. $\sigma_{\mathrm{A}} = \sigma_{\mathrm{B}}$

① ㄱ ② ㄱ, ㄴ ③ ㄱ, ㄷ
④ ㄴ, ㄷ ⑤ ㄱ, ㄴ, ㄷ

11

5지선다 4점

어떤 제과점에서 만드는 과자 한 개의 평균이 30g, 표준편차가 2g인 정규분포를 따른다고 한다. 이 중에서 임의로 선택한 과자 한 개의 무게가 27g 이상일 확률은?

z	$\mathrm{P}(0 \le Z \le z)$
0.5	0.1915
1.0	0.3413
1.5	0.4332
2.0	0.4772

① 0.6887 ② 0.7745 ③ 0.8185
④ 0.9104 ⑤ 0.9332

12

5지선다 4점

어느 회사에서 166명의 신입사원을 선발하기 위해 입사시험을 시행하였다. 응시자 1000명의 성적은 평균이 820점, 표준편차가 50점인 정규분포를 따른다고 할 때, 합격자의 최저 점수를 표준정규분포표를 이용하여 구하면?

z	$\mathrm{P}(0 \le Z \le z)$
0.49	0.1879
0.97	0.3340
1.45	0.4265
1.93	0.4732

① 868.5 ② 869 ③ 869.5
④ 870 ⑤ 870.5

13

5지선다 4점

확률변수 X가 이항분포 $\mathrm{B}\left(400, \frac{1}{2}\right)$을 따를 때, $\mathrm{P}(200 \leq X \leq 215)$의 값을 오른쪽 표준정규분포표를 이용하여 구한 것은?

z	$\mathrm{P}(0 \leq Z \leq z)$
0.5	0.1915
1.0	0.3413
1.5	0.4332
2.0	0.4772

① 0.1915 ② 0.2816 ③ 0.3413
④ 0.4332 ⑤ 0.4772

14

5지선다 4점

어느 학교 학생들을 대상으로 학교생활에 대한 만족도를 조사하였더니 전체 학생 중에서 80%가 만족한다고 응답하였다. 이 학교 학생 400명을 임의로 택하였을 때, 학교생활에 만족한다고 응답한 학생이 312명 이상 336명 이하일 확률을 표준정규분포표를 이용하여 구하면?

z	$\mathrm{P}(0 \leq Z \leq z)$
0.5	0.1915
1.0	0.3413
1.5	0.4332
2.0	0.4772

① 0.4332 ② 0.6915 ③ 0.8185
④ 0.8413 ⑤ 0.9332

15

5지선다 4점

이산확률변수 X의 확률질량함수가

$$\mathrm{P}(\mathrm{X}=x)={}_{100}\mathrm{C}_x p^x(1-p)^{100-x}\,(x=0, 1, 2, \cdots, 100)$$

이고, $\mathrm{E}(X)=20$일 때, 다음 [보기]에서 옳은 것만을 있는 대로 고른 것은? (단, Z가 표준정규분포를 따르는 확률변수이다.)

z	$\mathrm{P}(0 \leq Z \leq z)$
1.0	0.3413
1.5	0.4332
2.0	0.4772
2.5	0.4938

ㄱ. 확률변수 X는 이항분포 $\mathrm{B}\left(100, \frac{1}{5}\right)$을 따른다.
ㄴ. 확률변수 X는 근사적으로 정규분포 $\mathrm{N}(20, 4^2)$을 따른다.
ㄷ. $\mathrm{P}(24 \leq X \leq 30)=0.1525$

① ㄱ ② ㄴ ③ ㄱ, ㄷ
④ ㄴ, ㄷ ⑤ ㄱ, ㄴ, ㄷ

16

5지선다 4점

다음은 어느 모집단의 확률분포를 표로 나타낸 것이다.

X	3	5	7	합계
$\mathrm{P}(X=x)$	a	b	$\frac{5}{8}$	1

이 모집단에서 크기가 3인 표본을 임의추출하여 구한 표본평균을 $\overline{X}$라 하자. $\mathrm{E}(\overline{X})=6$일 때, $\mathrm{V}(\overline{X})$의 값은?

① $\frac{1}{3}$ ② $\frac{2}{3}$ ③ $\frac{\sqrt{6}}{3}$
④ 1 ⑤ 2

17

서술형 5점

어느 회사에서 직원들이 일주일 동안 운동하는 시간은 평균 65분, 표준편차 15분인 정규분포를 따른다고 한다. 이 회사 직원 중 임의추출한 25명이 일주일 동안 운동하는 시간의 평균이 68분 이상일 확률을 오른쪽 표준정규분포표를 이용하여 구한 것은?

z	$\mathrm{P}(0 \le Z \le z)$
0.5	0.1915
1.0	0.3413
1.5	0.4332
2.0	0.4772

① 0.0228 ② 0.0668 ③ 0.1587
④ 0.3085 ⑤ 0.4332

18

서술형 5점

어느 공장에서 생산되는 건전지의 수명은 평균 m시간, 표준편차 3시간인 정규분포를 따른다고 한다. 이 공장에서 생산된 건전지 중 크기가 n인 표본을 임의추출하여 건전지의 수명에 대한 표본평균을 $\overline{X}$라 하자.

z	$\mathrm{P}(0 \le Z \le z)$
0.5	0.1915
1.0	0.3413
1.5	0.4332
2.0	0.4772
2.5	0.4938

$$\mathrm{P}(m-0.5 \le \overline{X} \le m+0.5)=0.8664$$

를 만족시키는 표본의 크기 n의 값을 표준정규분포표를 이용하여 구한 것은?

① 49 ② 64 ③ 81
④ 100 ⑤ 121

19

서술형 5점

정규분포 $\mathrm{N}(m,\ 2^2)$을 따르는 모집단에서 크기 n인 표본을 임의 추출하여 조사한 결과 표본평균이 $\overline{x}$이었다. 모평균 m을 95%의 신뢰도로 추정한 신뢰구간이

$$9.608 \le m \le 10.392$$

일 때, $n+\overline{x}$의 값은? (단, $\mathrm{P}(0 \le Z \le 1.96)=0.4750$)

① 100 ② 110 ③ 120
④ 130 ⑤ 140

20

서술형 5점

어느 고등학교 학생들의 체지방률은 모평균이 m, 모표준편차가 0.6인 정규분포를 따른다고 한다. 이 고등학교에서 n명의 학생을 임의추출하여 신뢰도 95%로 추정한 모평균 m에 대한 신뢰구간이 $a \le m \le b$이다. $b-a \le 0.196$이 되도록 하는 자연수 n의 최솟값은? (단, 체지방률의 단위는 %이고 Z가 표준정규분포를 따르는 확률변수일 때, $\mathrm{P}(|Z| \le 1.96)=0.95$로 계산한다.)

① 100 ② 121 ③ 144
④ 169 ⑤ 196

※ 다음은 서술형 문제입니다.
서술형 답안지에 풀이과정과 답을 정확하게 서술하시오.

서술형 & 주관식

21번 ~ 24번 5점

21

서술형 5점

여학생 4명과 남학생 3명 중에서 임의로 대표 3명을 뽑을 때, 뽑힌 여학생의 수를 확률변수 X라 할 때, 다음 단계로 그 과정을 서술하여라.

[1단계] X의 확률질량함수를 구한다.
[2단계] X의 확률분포를 표로 나타낸다.
[3단계] 여학생이 적어도 2명 뽑힐 확률을 구한다.
[4단계] X의 기댓값과 분산을 구한다.
[5단계] $V(7X-1)$을 구한다.

22

서술형 5점

한 개의 주사위를 20번 던져서 1의 눈이 나오는 횟수를 확률변수 X라 할 때, 다음 단계로 그 과정을 서술하여라.

[1단계] $\dfrac{P(X=1)}{P(X=0)}$의 값을 구한다.
[2단계] $V(-3X+1)$의 값을 구한다.
[3단계] X^2의 평균 $E(X^2)$을 구한다.
[4단계] $E((3-X)^2)$의 값을 구한다.

23

서술형 5점

z	$P(0\le Z\le z)$
0.5	0.1915
1.0	0.3413
1.5	0.4332
2.0	0.4772
2.5	0.4938

어느 회사에서 생산하는 이온음료 한 병의 무게는 평균이 500g이고 표준편차가 20g인 정규분포를 따른다고 한다.
이 회사에서는 여름을 맞아 이온음료 4병을 포장하여 세트로 판매하고 있다. 이 회사에서 생산한 이온음료 한 세트를 임의 추출 하였을 때, 그 무게가 1920g 이하이면 불량품으로 분류한다.
이 회사에서 생산한 10000개의 이온음료 세트 중에서 불량품으로 판정되는 세트의 개수를 다음 단계로 서술하여라.
(단, 포장한 재료의 무게는 제외한다.)

[1단계] 임의로 택한 이온음료 한 세트에 들어 있는 음료 4병의 무게의 평균을 $\overline{X}$라 할 때, $\overline{X}$가 따르는 정규분포를 구한다.
[2단계] 이온음료 한 세트의 무게가 1920g 이하일 확률을 구한다.
[3단계] 불량품으로 판정되는 이온음료 세트의 개수를 구한다.

24

주관식 5점

정규분포 $N(50,\ 8^2)$을 따르는 모집단에서 크기가 16인 표본을 임의추출하여 구한 표본평균을 $\overline{X}$, 정규분포 $N(75,\ \sigma^2)$을 따르는 모집단에서 크기가 25인 표본을 임의추출하여 구한 표본평균을 $\overline{Y}$라고 하자. 다음은

$$P(\overline{X}\le 53)+P(\overline{Y}\le 69)=1$$

일 때, σ의 값을 표준정규분포표를 이용하여 구하는 과정이다.
(단, Z는 표준정규분포를 따르는 확률변수이다.)

> 표본평균 $\overline{X}$는 정규분포 $N(50,\ \boxed{(가)}^2)$을 따르고,
> 표본평균 $\overline{Y}$는 정규분포 $N\left(75,\ \left(\dfrac{\sigma}{\boxed{(나)}}\right)^2\right)$을 따른다.
> $P(\overline{X}\le 53)=0.5+P\left(0\le Z\le \boxed{(다)}\right)$
> $P(\overline{Y}\le 69)=0.5-P\left(0\le Z\le \dfrac{\boxed{(라)}}{\sigma}\right)$
> 이때 $P(\overline{X}\le 53)+P(\overline{Y}\le 69)=1$이므로
> $P\left(0\le Z\le \boxed{(다)}\right)=P\left(0\le Z\le \dfrac{\boxed{(라)}}{\sigma}\right)$
> 따라서 $\sigma=\boxed{(마)}$이다.

위의 (가), (나), (다), (라), (마)에 들어가는 수를 a, b, c, d, e라 할 때, $a+b+c+d+e$의 값을 구하여라.

FINAL STEP

02

M A P L ; S Y N E R G Y

통계 모의평가

대상 고등학교 2/3학년
과목코드 01
시간 50분

배점 100점 만점 총 24문제
(4점 × 20문제 - 객관식)
(5점 × 04문제 - 서술형)

- 답안지에 필요한 인적사항을 기입할 것
- 객관식 문제의 답안 표기는 OMR카드에 반드시 컴퓨터용 사인펜을 사용하여 기입할 것
- 주관식 문제의 답안 표기는 반드시 검은색 펜을 사용할 것

객 관 식

01번 ~ 20번 4점

01

5지선다 4점

흰 공 3개와 검은 공 5개가 들어 있는 주머니가 있다. 이 주머니에서 임의로 3개의 공을 동시에 꺼낼 때, 검은 공의 개수를 확률변수 X라 하자. X의 확률분포를 표로 나타내고, 검은 공을 적어도 한 개 이상 꺼낼 확률은?

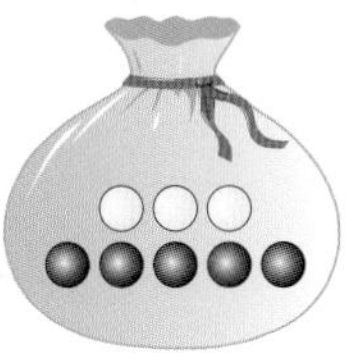

① $\frac{5}{28}$ ② $\frac{15}{56}$ ③ $\frac{19}{56}$
④ $\frac{15}{28}$ ⑤ $\frac{55}{56}$

02

5지선다 4점

이산확률변수 X의 확률분포를 표로 나타내면 다음과 같다.

X	0	1	2	3	합계
$P(X=x)$	$\frac{1}{5}$	a	$\frac{3}{10}$	b	1

$E(X)=\frac{7}{5}$일 때, $V(X)$값을 구하면?

① $\frac{47}{50}$ ② $\frac{49}{25}$ ③ $\frac{43}{18}$
④ $\frac{29}{10}$ ⑤ $\frac{49}{10}$

03

5지선다 4점

$1, 1, 2, a, 5$가 각각 하나씩 적혀 있는 5장의 카드에서 임의로 한 장을 뽑을 때, 카드에 적혀 있는 수를 확률변수 X라 하자.
$E(5X+1)=14$일 때, $\sigma(5X+2)$의 값은?

① $\sqrt{30}$ ② $\sqrt{33}$ ③ $2\sqrt{11}$
④ $\sqrt{55}$ ⑤ $\sqrt{66}$

04

5지선다 4점

효경이가 1, 2, 3, 4 ,5 ,6, 7, 8, 9가 각각 적혀 있는 9개의 공이 들어 있는 주머니에서 임의로 하나씩 공을 꺼낼 때, 효경이가 좋아하는 수 7이 적혀 있는 공이 나오기까지 꺼내야 하는 공의 개수를 확률변수 X라 할 때, X의 기댓값 $E(X)$의 값은?
(단, 꺼낸 공은 다시 넣지 않는다.)

① 2 ② 3 ③ 4
④ 5 ⑤ 6

05

5지선다 4점

확률변수 X의 확률질량함수가

$$P(X=x)=\frac{x+4}{10}\ (x=-3, -2, -1, 0)$$

일 때, 확률변수 $Y=aX+b$의 평균은 0, 분산은 5이다.
a^2+b^2의 값은? (단, a, b는 상수이고 $a \neq 0$이다.)

① 6 ② 8 ③ 10
④ 12 ⑤ 14

06

5지선다 4점

확률변수 X가 이항분포 $\mathrm{B}(10,\ p)$를 따르고

$$\mathrm{P}(X=4)=\frac{1}{3}\mathrm{P}(X=5)$$

일 때, $\mathrm{E}(7X)$의 값은? (단, $0<p<1$)

① 20　② 30　③ 40　④ 50　⑤ 60

07

5지선다 4점

정육면체 모양의 주사위 1개를 던져서 나온 눈의 수가 a이면 좌표평면 위에 직선 $y=2ax$를 그리는 시행을 한다. 이 시행을 300번 반복할 때, 직선 $y=2ax$가 곡선 $y=x^2+2x+3$과 서로 다른 두 점에서 만나도록 그려지는 횟수를 확률변수 X라 하자.
$\mathrm{V}(3X-2)$의 값은?

① $\frac{200}{27}$　② $\frac{200}{9}$　③ $\frac{20}{3}$　④ 200　⑤ 600

08

5지선다 4점

확률변수 X가 정규분포 $\mathrm{N}(2m,\ m^2)$을 따르고 확률변수 Z가 표준정규분포 $\mathrm{N}(0,\ 1)$을 따른다.

$$\mathrm{P}(m\le X\le 16)=\mathrm{P}(-2\le Z\le 1)$$

일 때, 양수 m의 값은?

① 1　② 2　③ 3　④ 4　⑤ 5

09

5지선다 4점

확률변수 X는 정규분포 $\mathrm{N}(m,\ 2^2)$을 따르고

$$\mathrm{P}(X\le m-4)=\mathrm{P}(X\ge 2m-4)$$

를 만족시킨다. $\mathrm{P}(4\le X\le 6)$의 값을 오른쪽 표준정규분포표를 이용하여 구한 것은?

z	$\mathrm{P}(0\le Z\le z)$
0.5	0.1915
1.0	0.3413
1.5	0.4332
2.0	0.4772

① 0.1359　② 0.1498　③ 0.2417　④ 0.6247　⑤ 0.8185

10

5지선다 4점

어느 제과점에서 만드는 식빵 한 개의 무게는 평균이 $500g$이고 표준편차가 $10g$인 정규분포를 따른다고 한다.
이 제과점에서 만든 식빵 중 임의로 한 개를 선택할 때, 이 식빵 무게가 ag 이하일 확률이 0.0668이다.
상수 a의 값을 오른쪽 표준정규분포표를 이용하여 구한 것은?

z	$\mathrm{P}(0\le Z\le z)$
1.0	0.3413
1.5	0.4332
2.0	0.4772
2.5	0.4938

① 470 ② 475 ③ 480
④ 485 ⑤ 490

11

5지선다 4점

어느 모집단의 확률변수 X가 정규분포 $\mathrm{N}(50,\ 4^2)$을 따를 때,
이 모집단에서 임의추출한 크기가 64인 표본의 평균을 $\overline{X}$라 하자.

$$\mathrm{P}(X\le 44)=\mathrm{P}(\overline{X}\ge a)$$

를 만족시키는 실수 a에 대하여 $4a$의 값은?

① 110 ② 120 ③ 201
④ 203 ⑤ 205

12

5지선다 4점

$\displaystyle\sum_{k=308}^{400} {}_{400}\mathrm{C}_k\left(\frac{4}{5}\right)^k\left(\frac{1}{5}\right)^{400-k}$의 값을 오른쪽 표준정규분포표를 이용하여 구한 것은?

z	$\mathrm{P}(0\le Z\le z)$
0.5	0.1915
1.0	0.3413
1.5	0.4332
2.0	0.4772

① 0.6826 ② 0.7745 ③ 0.8664
④ 0.9332 ⑤ 0.9772

13

5지선다 4점

다음은 어느 백화점에서 판매하고 있는 등산화에 대한 제조회사별 고객의 선호도를 조사한 표이다.

제조회사	A	B	C	D	합계
선호도(%)	20	28	25	27	100

192명의 고객이 각각 한 켤레씩 등산화를 산다고 할 때, C회사 제품을 선택할 고객이 42명 이상일 확률을 오른쪽 표준정규분포표를 이용하여 구한 것은?

z	$\mathrm{P}(0\le Z\le z)$
0.5	0.1915
1.0	0.3413
1.5	0.4332
2.0	0.4772

① 0.6915 ② 0.7745 ③ 0.8256
④ 0.8332 ⑤ 0.8413

14

5지선다 4점

자연수 n에 대하여 확률변수 X의 확률질량함수가

$$P(X=x)={}_{n}C_{x}\left(\frac{1}{4}\right)^{n-x}\left(\frac{3}{4}\right)^{x}\ (x=0,\ 1,\ 2,\ \cdots,\ n)$$

이고, $V(X)=36$일 때, 다음 [보기]에서 옳은 것만을 있는 대로 고른 것은? (단, Z가 표준정규분포를 따르는 확률변수일 때, $P(0\le Z\le 1)=0.3413$으로 계산한다.)

ㄱ. 확률변수 X는 이항분포 $B\left(192,\ \frac{1}{4}\right)$을 따른다.
ㄴ. 확률변수 X는 근사적으로 정규분포 $N(144,\ 6^2)$을 따른다.
ㄷ. $P(138\le X\le 150)=0.6826$

① ㄱ ② ㄴ ③ ㄱ, ㄷ
④ ㄴ, ㄷ ⑤ ㄱ, ㄴ, ㄷ

15

5지선다 4점

1부터 5까지의 숫자가 각각 적힌 5개의 공이 들어 있는 주머니가 있다. 이 주머니에서 복원추출한 2개의 공에 적힌 수의 평균을 $\overline{X}$라고 할 때, $E(2\overline{X}-3)+\sigma(2\overline{X}-3)$의 값은?

① 2 ② 3 ③ 5
④ 8 ⑤ 9

16

5지선다 4점

어느 공장에서 생산된 전구 1개의 수명은 평균이 800시간이고 표준편차가 40시간인 정규분포를 따른다고 한다.
이 공장에서 생산된 전구 중 임의추출한 64개의 전구의 수명의 표본평균이 790시간 이하일 확률을 오른쪽 표준정규분포표를 이용하여 구한 것은?

z	$P(0\le Z\le z)$
0.5	0.1915
1.0	0.3413
1.5	0.4332
2.0	0.4772

① 0.0062 ② 0.0228 ③ 0.0668
④ 0.1587 ⑤ 0.1815

17

5지선다 4점

어느 회사에서 생산하는 자동차 타이어의 수명을 확률변수 X라 하면 X는 정규분포 $N(m,\ 3.6^2)$을 따른다고 한다. 이 회사에서 생산하는 자동차 타이어 중에서 임의추출한 36개의 자동차 타이어의 수명의 표본평균을 $\overline{X}$라 하자.

z	$P(0\le Z\le z)$
1.0	0.3413
1.5	0.4332
2.0	0.4772
2.5	0.4938

$$P(\overline{X}\ge 50)=0.0228$$

일 때, 오른쪽 표준정규분포표를 이용하여 m의 값을 구한 것은? (단, 자동차타이어의 수명의 단위는 개월이다.)

① 47.5 ② 48 ③ 48.8
④ 49 ⑤ 49.5

18

5지선다 4점

어느 밭에서 수확한 딸기의 무게는 정규분포를 따른다고 한다. 이 딸기 중에서 임의추출한 n개의 무게를 조사하였더니 평균이 20g, 표준편차가 5g이었다. 이 결과를 이용하여 이 밭에서 수확한 딸기 무게의 평균을 신뢰도 95%로 추정한 신뢰구간이

$19.02 \le m \le a$

이다. $n+a$의 값은? (단, 표준정규분포를 따르는 확률변수 Z에 대하여 $\mathrm{P}(0 \le Z \le 1.96)=0.4750$이다.)

① 84.98 ② 85.96 ③ 101.02 ④ 120.98 ⑤ 121.96

19

5지선다 4점

오른쪽 표준정규분포표를 이용하여 정규분포를 따르는 모집단에서 임의추출한 n개의 표본으로 모평균을 신뢰도 98%로 추정하면 신뢰구간의 길이가 l이고 같은 표본의 크기로 모평균 m을 신뢰도 α%로 추정하면 신뢰구간의 길이가 $\frac{2}{5}l$이다. 위의 표준정규분포표를 이용하여 α의 값을 구한 것은?

z	$\mathrm{P}(0 \le Z \le z)$
0.5	0.19
1.0	0.34
1.5	0.43
2.0	0.47
2.5	0.49

① 16 ② 26 ③ 34 ④ 54 ⑤ 68

20

5지선다 4점

모표준편차가 σ인 정규분포를 따르는 어느 모집단에서 표본을 임의추출하여 모평균 m을 추정하였더니, 모평균 m의 신뢰도 α%의 신뢰구간이 $a \le m \le b$이었다. 다음 중 옳지 않은 것은?

① 표본의 크기가 일정할 때, 신뢰도를 높이면 신뢰구간의 길이는 길어진다.
② 신뢰도가 일정할 때, 표본의 크기를 크게 하면 신뢰구간의 길이는 길어진다.
③ 표본의 크기가 같을 때, 신뢰도가 높아질수록 신뢰구간의 길이가 길어진다.
④ 신뢰구간의 길이가 일정할 때, 표본의 크기를 크게 하면 신뢰도는 높아진다.
⑤ 신뢰구간의 길이는 모평균 m, 표본평균 $\overline{x}$의 값과는 관계가 없다.

※ 다음은 서술형 문제입니다.
서술형 답안지에 풀이과정과 답을 정확하게 서술하시오.

서술형 & 주관식

21번 ~ 24번 5점

21

서술형 5점

확률변수 X가 이항분포 $\mathrm{B}(n, p)$를 따르고

$$\mathrm{E}(X)=1,\ \mathrm{E}(X^2)=\frac{9}{5}$$

를 만족할 때, $\frac{\mathrm{P}(X=3)}{\mathrm{P}(X=2)}$의 값을 구하는 과정을 다음 단계로 서술하여라.

[1단계] 평균과 분산을 이용하여 n, p의 값을 구한다.
[2단계] 확률변수 X의 확률질량함수를 구한다.
[3단계] $\frac{\mathrm{P}(X=3)}{\mathrm{P}(X=1)}$의 값을 구한다.

22

서술형 5점

어느 과수원에서 수확한 사과의 무게는 평균 400g, 표준편차 50g인 정규분포를 따른다고 한다. 이 사과 중 무게가 442g 이상인 것을 1등급 상품으로 정한다. 이 과수원에서 수확한 사과 중 100개를 임의로 선택할 때, 1등급 상품이 24개 이상일 확률을 위의 표준정규분포표를 이용하여 다음 단계로 그 과정을 서술하여라.

z	$P(0 \le Z \le z)$
0.64	0.24
0.84	0.30
1.00	0.34
1.28	0.40

[1단계] 사과 한 개의 무게를 확률변수 X라 할 때, 임의로 선택한 사과 한 개의 제품이 1등급 상품일 확률을 구한다.

[2단계] 이 과수원에서 수확한 사과 100개 중에서 1등급 상품의 개수를 확률변수 Y라 할 때, Y가 근사적으로 따르는 정규분포를 구한다.

[3단계] 1등급 상품이 24개 이상일 확률을 구한다.

23

서술형 5점

4, 5, 6, 7의 숫자가 각각 하나씩 적힌 공이 각각 80개, 60개, 40개, 20개가 들어 있는 주머니에서 100개의 공을 임의추출할 때, 공에 적힌 숫자의 평균을 $\overline{X}$라 하자. 이때

$$P(\overline{X} \ge k) = 0.0228$$

을 만족시키는 상수 k의 값을 구하는 과정을 다음 단계로 서술하여라.

z	$P(0 \le Z \le z)$
1.0	0.3413
1.5	0.4332
2.0	0.4772
2.5	0.4938

[1단계] 공에 적힌 숫자를 확률변수 X라 하면 X의 확률분포를 표로 나타내어라

[2단계] 확률변수 X의 평균과 표준편차를 구한다.

[3단계] 확률변수 $\overline{X}$의 확률분포를 구한다.

[4단계] 확률변수 Z가 표준정규분포 $N(0, 1)$을 따를 때,

$P(\overline{X} \ge k) = P(Z \ge a)$를 만족하는 a의 값을 구한다.

[5단계] $P(\overline{X} \ge k) = 0.0228$을 만족하는 상수 k를 구한다.

24

주관식 5점

폭이 같고 높이와 색깔이 모두 다른 나무 막대 4개를 일렬로 세우려고 한다. 다음 그림은 일렬로 세운 나무 막대를 앞쪽에서 바라보았을 때, 나무 막대 2개가 보이도록 나무 막대 4개를 세운 한 가지 예이다.

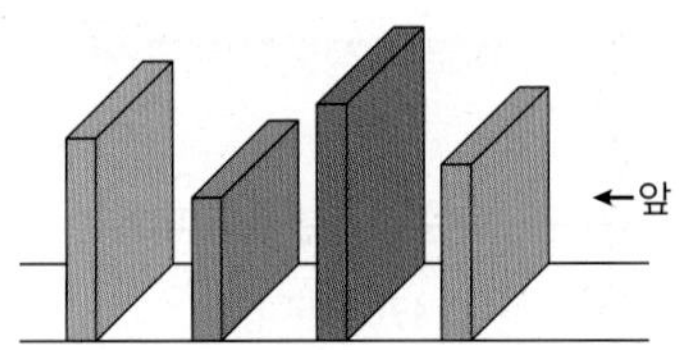

이와 같이 나무 막대 4개를 일렬로 세우고 앞쪽에서 바라보았을 때, 보이는 나무 막대의 개수를 확률변수 X라 하자.
확률변수 X의 기댓값을 구하는 과정이다.

4개의 막대를 일렬로 세우는 경우의 수는 $4! = 24$

(i) $X=1$인 경우
맨 앞에 가장 높은 막대를 세우고, 그 뒤에 나머지 3개의 막대를 임의로 세우면 되므로 $P(X=1)=$ (가)

(ii) $X=4$인 경우
앞에서부터 높이가 낮은 순서대로 세우면 되므로
$P(X=4)=\frac{1}{4!}=\frac{1}{24}$

(iii) $X=2$인 경우 다음 세 가지 유형으로 나누어 구할 수 있다.
[유형1] 가장 높은 막대를 맨 뒤에 세우는 경우
[유형2] 가장 높은 막대를 뒤에서 2번째에 세우는 경우
[유형3] 가장 높은 막대를 뒤에서 3번째에 세우는 경우

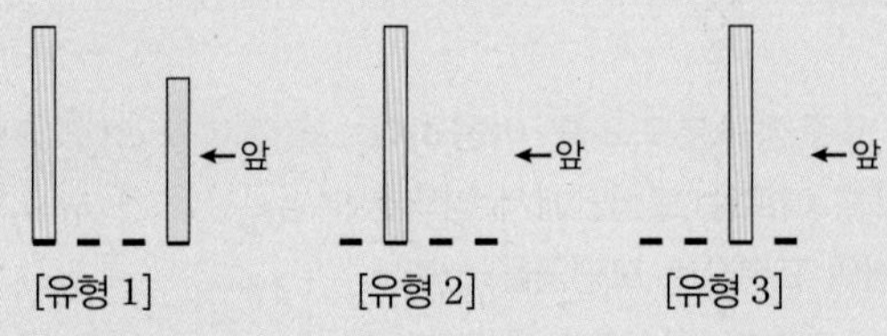

$\therefore P(X=2)=$ (나)

(iv) $X=3$인 경우
$P(X=3)=1-\{P(X=1)+P(X=2)+P(X=4)\}$
$=$ (다)

(i)~(iv)에서 확률변수 X의 확률분포는 다음 표와 같다.

X	1	2	3	4	합계
$P(X=x)$	(가)	(나)	(다)	$\frac{1}{24}$	1

따라서 기댓값은 $E(X)=$ (라)

위의 (가), (나), (다), (라) 에 알맞은 수를 a, b, c, d라 할 때, $24(a+b+c+d)$의 값을 구하여라.

SYNERGY FINAL TEST

내신 1등급

중간고사 기말고사 모의평가

중간고사 2회 경우의 수 ~ 확률의 덧셈정리
기말고사 2회 조건부확률 ~ 통계적 추정
회당 24문제 5지선다형 20문제(4점) 서술형/주관식 4문제(5점)

SYNERGY FINAL TEST

FINAL STEP **01**

M A P L ; S Y N E R G Y

확률과 통계 중간고사

대상 고등학교 2/3학년
과목코드 01
시간 50분
배점 100점 만점 총 24문제 (4점 × 20문제 - 객관식) (5점 × 04문제 - 서술형)

- 답안지에 필요한 인적사항을 기입할 것
- 객관식 문제의 답안 표기는 OMR카드에 반드시 컴퓨터용 사인펜을 사용하여 기입할 것
- 주관식 문제의 답안 표기는 반드시 검은색 펜을 사용할 것

객 관 식

01번 ~ 20번 4점

01

5지선다 4점

남자 3명과 여자 4명이 원 모양의 탁자에 둘러앉을 때, 남자 3명 중 어느 둘도 이웃하지 않도록 앉는 경우의 수는?

① 24 ② 48 ③ 64
④ 121 ⑤ 144

02

5지선다 4점

다음 중 옳지 않은 것은?

① 3명의 남학생과 3명의 여학생이 원탁에 둘러앉을 때, 여학생 3명이 서로 이웃하게 앉는 경우의 수는 $3! \times 3!$이다. (단, 회전하여 일치하는 것은 같은 것으로 본다.)

② 8개의 숫자 1, 1, 2, 2, 2, 3, 4, 5를 일렬로 나열할 때, 홀수 번째에 홀수를 나열하는 경우의 수는 $\frac{4!}{2!} \times \frac{4!}{3!}$이다.

③ 두 집합 $X=\{1, 2, 3\}$, $Y=\{4, 5, 6, 7, 8\}$에 대하여 X에서 Y로의 함수의 개수는 ${}_5\Pi_3$이다.

④ 네 종류의 볼펜을 판매하는 문구점에서 8개의 볼펜을 사는 경우의 수는 ${}_4\mathrm{H}_8$이다. (단, 한 개도 사지 않는 볼펜이 있을 수 있다.)

⑤ 서로 다른 5개의 음료수를 서로 다른 3개의 상자에 담는 경우의 수는 ${}_5\Pi_3$이다. (단, 빈 상자가 있을 수 있다.)

03

5지선다 4점

두 집합

$$X=\{1, 2, 3, 4, 5\},\ Y=\{1, 2, 3, 4, 5, 6, 7\}$$

에 대하여 X에서 Y로의 함수 f 중에서 다음 조건을 만족시키는 함수 f의 개수는?

> 집합 X의 모든 원소 a에 대하여 $a+f(a)$는 짝수이다.

① 564 ② 568 ③ 572
④ 576 ⑤ 580

04

5지선다 4점

7개의 문자

O, T, T, T, A, W, A

를 일렬로 나열할 때, A가 서로 이웃하지 않도록 나열하는 경우의 수는?

① 300 ② 320 ③ 340
④ 360 ⑤ 380

05

5지선다 4점

8개의 자연수

$$1,\ 2,\ 3,\ 4,\ 5,\ 6,\ 7,\ 8$$

을 일렬로 나열할 때, 6은 8보다 왼쪽에 나열하고, 소수는 작은 수부터 크기순으로 왼쪽부터 나열하는 경우의 수는?

① 640 ② 680 ③ 720
④ 820 ⑤ 840

06

5지선다 4점

그림과 같이 색칠된 곳은 지날 수 없는 직사각형 모양으로 연결된 도로망이 있다. 이 도로망을 따라 A지점에서 출발하여 B지점까지 최단거리로 가는 경우의 수는?

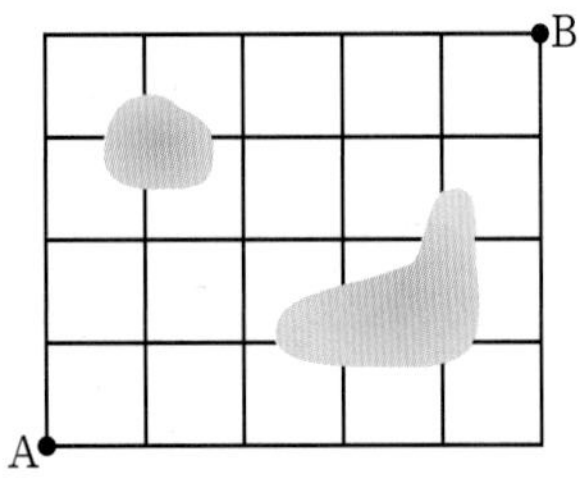

① 40 ② 41 ③ 42
④ 43 ⑤ 44

07

5지선다 4점

다음 조건을 만족하는 p, q에 대하여 $p+q$의 값은?

(가) 체육관에서 보관하고 있는 야구공, 테니스공, 탁구공 중에서 7개의 공을 택하는 경우의 수는 p이다.
(단, 3종류의 공은 7개 이상이다.)

(나) 빨간 공, 노란 공, 파란 공이 각각 10개씩 들어 있는 주머니에서 7개의 공을 꺼낼 때, 각 색깔의 공이 적어도 한 개씩은 포함되도록 하는 경우의 수는 q이다.

① 39 ② 47 ③ 51
④ 62 ⑤ 72

08

5지선다 4점

방정식

$$x+y+z=16$$

을 만족시키는 양의 정수해 중에서 x, y, z가 모두 짝수인 모든 순서쌍 $(x,\ y,\ z)$의 개수는?

① 18 ② 19 ③ 20
④ 21 ⑤ 22

09

5지선다 4점

두 집합 $X=\{1, 2, 3, 4\}$, $Y=\{1, 3, 5, 6, 7, 8\}$에 대하여 X에서 Y로의 함수 f 중 다음 조건을 만족시키는 함수의 개수는?

(가) $f(x)=x$를 만족시키는 x가 단 하나만 존재한다.
(나) 집합 X의 임의의 두 원소 x_1, x_2에 대하여
$x_1<x_2$이면 $f(x_1)\le f(x_2)$이다.

① 51 ② 53 ③ 55
④ 120 ⑤ 144

10

5지선다 4점

다음 조건을 만족하는 실수 p, q에 대하여 $p+q$의 값은 ?

(가) 다항식 $(1+x)^n$의 전개식에서 x^2의 계수가 36일 때,
자연수 n의 값은 p이다.
(나) 다항식 $(x+a)^5$의 전개식에서 x^2의 계수가 80일 때,
x^3의 계수는 q이다. (단, a는 실수이다.)

① 36 ② 49 ③ 53
④ 64 ⑤ 72

11

5지선다 4점

$\left(3x-\dfrac{2}{x}\right)^6$의 전개식에 대한 설명으로 [보기]에서 옳은 것만을 있는 대로 고른 것은?

ㄱ. x^4의 계수는 -2916이다.
ㄴ. $\dfrac{1}{x^4}$의 계수는 576이다.
ㄷ. 서로 다른 항의 개수는 7이다.
ㄹ. 상수항은 -4320이다.

① ㄱ ② ㄴ, ㄷ ③ ㄱ, ㄹ
④ ㄱ, ㄴ, ㄷ ⑤ ㄱ, ㄷ, ㄹ

12

5지선다 4점

다항식

$$(1+x^2)^3(1+x^3)^n$$

의 전개식에서 x^6의 계수가 16일 때, 자연수 n의 값은?

① 6 ② 7 ③ 8
④ 9 ⑤ 10

13

5지선다 4점

다음 식의 전개식에서 x^2의 계수는? $(x\neq 0)$

$$(1+x)+(1+x)^2+(1+x)^3+\cdots+(1+x)^{10}$$

① 165 ② 166 ③ 167
④ 168 ⑤ 169

14

5지선다 4점

다음 조건을 만족하는 확률의 값이 p, q일 때, $p+q$의 값은?

(가) 두 사건 A, B에 대하여

$$\mathrm{P}(A)=\frac{1}{3},\ \mathrm{P}(B)=\frac{1}{4},\ \mathrm{P}(A^c\cup B^c)=\frac{5}{6}$$

일 때, $\mathrm{P}(A\cup B)$의 값은 p이다.

(나) 두 사건 A, B에 대하여

$$\mathrm{P}(A^c\cap B^c)=\frac{1}{3},\ \mathrm{P}(A\cap B^c)=\frac{1}{4}$$

일 때, $\mathrm{P}(B)$의 값은 q이다. (단, A^c은 A의 여사건이다.)

① $\frac{5}{12}$ ② $\frac{5}{6}$ ③ $\frac{5}{4}$
④ $\frac{3}{2}$ ⑤ $\frac{25}{24}$

15

5지선다 4점

다음 조건을 만족하는 확률이 p, q일 때, $p+q$의 값은?

(가) 7개의 문자 D, E, N, M, A, R, K를 일렬로 나열할 때, D와 M 사이에 2개의 문자가 들어갈 확률은 p이다.

(나) 생일이 서로 다른 네 사람이 있다. 이들을 일렬로 세울 때, 두 번째 사람이 자신과 이웃한 두 사람보다 생일이 빠를 확률은 q이다.

① $\frac{1}{14}$ ② $\frac{4}{21}$ ③ $\frac{1}{7}$
④ $\frac{5}{21}$ ⑤ $\frac{11}{21}$

16

5지선다 4점

오른쪽 그림과 같이 12개의 점이 가로, 세로로 각각 1만큼의 간격으로 놓여 있다. 이 중에서 임의로 2개의 점을 택하여 연결한 선분의 길이가 무리수일 확률은?

① $\frac{2}{7}$ ② $\frac{3}{7}$
③ $\frac{4}{7}$ ④ $\frac{5}{7}$
⑤ $\frac{6}{11}$

17

5지선다 4점

1부터 8까지의 자연수가 하나씩 적힌 공 8개가 들어 있는 주머니에서 임의로 한 개의 공을 꺼내 공에 적힌 수를 확인하고 다시 주머니에 넣는 시행을 3회 반복한다. 꺼낸 공에 적힌 수를 차례대로 a, b, c라 할 때, 다음 조건을 만족시킬 확률이 $\frac{q}{p}$이다. $p+q$의 값은? (단, p와 q는 서로소인 자연수이다.)

(가) $a<b<c$
(나) $a\times b\times c$는 짝수이다.

① 112 ② 141 ③ 152 ④ 162 ⑤ 172

18

5지선다 4점

그림과 같이 반원의 호를 6등분하는 점 7개와 지름의 중점 O가 있다. 이 중 임의로 세 점을 뽑을 때, 직각삼각형이 될 확률은?

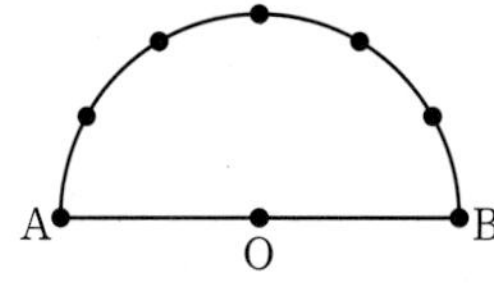

① $\frac{3}{28}$ ② $\frac{1}{8}$ ③ $\frac{1}{7}$ ④ $\frac{9}{56}$ ⑤ $\frac{5}{28}$

19

5지선다 4점

1부터 30까지의 수가 적힌 30장의 카드가 있다. 이 중에서 한 장의 카드를 임의로 꺼낼 때, 꺼낸 카드에 적힌 수가 2의 배수이거나 3의 배수일 확률은?

① $\frac{1}{4}$ ② $\frac{1}{3}$ ③ $\frac{1}{2}$ ④ $\frac{2}{3}$ ⑤ $\frac{3}{4}$

20

5지선다 4점

노란 공과 파란 공을 합하여 모두 10개의 공이 들어 있는 주머니에서 임의로 3개의 공을 동시에 꺼낼 때, 노란 공을 적어도 한 개 꺼낼 확률이 $\frac{5}{6}$이다. 이 주머니 속에 들어 있는 파란 공의 개수는?

① 4 ② 5 ③ 6 ④ 7 ⑤ 8

※ 다음은 서술형 문제입니다.
서술형 답안지에 풀이과정과 답을 정확하게 서술하시오.

서술형 & 주관식

21번 ~ 24번 5점

21

서술형 5점

7개의 문자

N, A, M, I, D, I, A

를 일렬로 나열할 때, 다음 단계로 구하는 과정을 서술하여라.

[1단계] 홀수 번째 자리에 모음이 오게 나열하는 경우의 수를 구한다.
[2단계] A, A가 이웃하게 배열되는 경우의 수를 구한다.
[3단계] 두 문자 I, I가 서로 이웃하지 않도록 나열하는 경우의 수를 구한다.
[4단계] 세 문자 N, M, D 중 어느 2개의 문자도 서로 이웃하지 않도록 나열하는 경우의 수를 구한다.
[5단계] 같은 문자는 이웃하지 않도록 하는 경우의 수를 구한다.

22

서술형 5점

방정식 $a+b+c=12$를 만족시키는 음이 아닌 정수 a, b, c의 순서쌍 (a, b, c)에서 a, b, c 중 적어도 하나가 홀수인 순서쌍의 개수를 구하는 과정을 다음 단계로 서술하여라.

[1단계] 방정식 $a+b+c=12$를 만족시키는 음이 아닌 정수 a, b, c의 순서쌍 (a, b, c)의 개수를 구한다.
[2단계] 방정식 $a+b+c=12$를 만족시키는 짝수인 정수 a, b, c의 순서쌍 (a, b, c)의 개수를 구한다. (단, 0은 짝수로 본다.)
[3단계] 적어도 하나가 홀수인 순서쌍의 개수를 구한다.

23

주관식 5점

한 개의 주사위를 3번 던져 나오는 눈의 수를 차례로 a, b, c라 할 때,

$$a \le b < c$$

일 확률이 $\frac{q}{p}$이다. 서로소인 자연수 p, q에 대하여 $p+q$의 값을 구하여라.

24

주관식 5점

지갑에 만 원짜리 지폐 2장, 오천 원짜리 지폐 4장, 천 원짜리 지폐 3장이 들어 있다. 이 지갑에서 3장의 지폐를 임의로 꺼낼 때, 꺼낸 돈의 합이 2만 원 미만일 확률을 구하는 과정이다. (가)~(라)에 알맞은 수를 a, b, c, d라 할 때, $a+b+c+d$의 값을 구하여라.

꺼낸 모든 지폐 돈의 합이 2만원 미만인 사건을 A라고 하면 A^C은 꺼낸 모든 돈의 합이 2만 원 이상인 사건이다.
(ⅰ) 꺼낸 지폐가 만 원짜리 2장과 다른 지폐 한 장일 확률은 (가)
(ⅱ) 꺼낸 지폐가 만 원짜리 한 장과 오천 원짜리 2장일 확률은 (나)
(ⅰ), (ⅱ)에서 $\mathrm{P}(A^C)=$ (다) 이므로 구하는 확률은

$$\mathrm{P}(A)=1-\mathrm{P}(A^C)= \text{(라)}$$

FINAL STEP

02 확률과 통계 중간고사

MAPL ; SYNERGY

대상 고등학교 2/3학년
과목코드 01
시간 50분
배점 100점 만점 총 24문제 (4점 × 20문제 – 객관식) (5점 × 04문제 – 서술형)

- 답안지에 필요한 인적사항을 기입할 것
- 객관식 문제의 답안 표기는 OMR카드에 반드시 컴퓨터용 사인펜을 사용하여 기입할 것
- 주관식 문제의 답안 표기는 반드시 검은색 펜을 사용할 것

객 관 식

01번 ~ 20번 4점

01

5지선다 4점

오른쪽 그림과 같이 큰 원 내부가 7개의 부분으로 나누어져 있다. 이 내부를 빨강, 주황, 노랑, 초록, 파랑, 남색, 보라의 7가지 색을 모두 사용하여 칠하는 방법의 수는? (단, 작은 원을 제외한 나머지 6개의 부분은 모양과 크기가 서로 같다.)

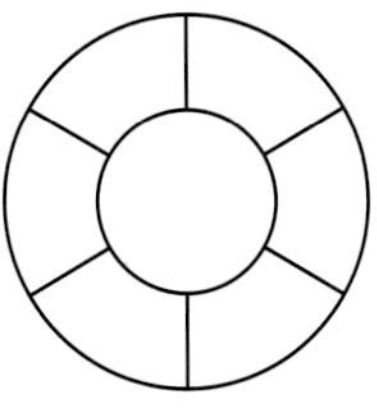

① 120 ② 210 ③ 320
④ 720 ⑤ 840

02

5지선다 4점

다음 조건을 만족하는 p, q, r에 대하여 $p+q+r$의 값은?

(가) 다섯 개의 문자 §, ※, @, #, & 중에서 중복을 허용하여 택한 3개를 일렬로 나열하여 만들 수 있는 암호의 개수는 p이다.
(나) 중복을 허용하여 3개의 숫자 0, 1, 2로 만들 수 있는 네 자리의 자연수의 개수는 q이다.
(다) 6개의 숫자 1, 2, 3, 4, 5, 6을 중복 사용하여 세 자리의 자연수를 만들 때 숫자 5가 포함되는 세 자리의 자연수의 개수는 r이다.

① 240 ② 250 ③ 270
④ 290 ⑤ 300

03

5지선다 4점

7개의 문자

A, A, B, B, B, C, D

를 일렬로 나열할 때, A가 서로 이웃하지 않도록 나열하는 경우의 수는?

① 300 ② 320 ③ 340
④ 360 ⑤ 380

04

5지선다 4점

어느 회사원이 오늘 처리해야 할 업무는 A, B, C를 포함하여 모두 7가지이다. 이 중에서 업무 A는 업무 B보다 먼저 처리되어야 하고 업무 C는 가장 먼저 처리하거나 가장 나중에 처리해야 한다. 업무를 처리할 순서를 정하는 경우의 수는?

① 360 ② 480 ③ 600
④ 720 ⑤ 840

05

5지선다 4점

다음 중 옳지 않은 것은?

① 어느 고등학교에 다니는 1학년 학생 1명, 2학년 학생 2명, 3학년 학생 3명을 6개의 의자가 일정한 간격으로 놓인 원탁에 둘러앉으려고 한다. 3학년 학생 3명이 모두 이웃하여 앉게 되는 경우의 수는 $(4-1)!\times 3!$이다. (단, 회전하여 일치하는 것은 같은 것으로 본다.)

② 두 집합 $X=\{1, 2, 3, 4, 5, 6\}$, $Y=\{1, 2, 3, 4\}$에 대하여 X에서 Y로의 함수 중에서 치역의 모든 원소의 곱이 짝수인 함수의 개수는 ${}_4\Pi_6-{}_2\Pi_6$이다.

③ 6개의 문자 C, A, N, A, D, A를 일렬로 나열할 때, 문자 C가 홀수 번째에 오도록 하는 경우의 수는 $3\times\dfrac{5!}{3!}$이다.

④ 세 나라 호주, 프랑스, 미국에 배낭여행을 하는 다섯 친구 A, B, C, D, E가 여행하는 나라를 택하는 경우의 수는 ${}_5\Pi_3$이다.

⑤ 같은 종류의 연필 9개를 3명의 학생에게 남김없이 나누어 줄 때, 모든 학생이 적어도 한 자루의 연필을 받도록 나누어 주는 경우의 수는 ${}_3\mathrm{H}_6$이다.

06

5지선다 4점

그림과 같은 도로망이 있다. A지점에서 출발하여 도로를 따라 백신이 있는 P지점은 반드시 지나고, 코로나 19가 발생한 Q지점은 지나지 않고, B지점까지 최단거리로 가는 경우의 수는?

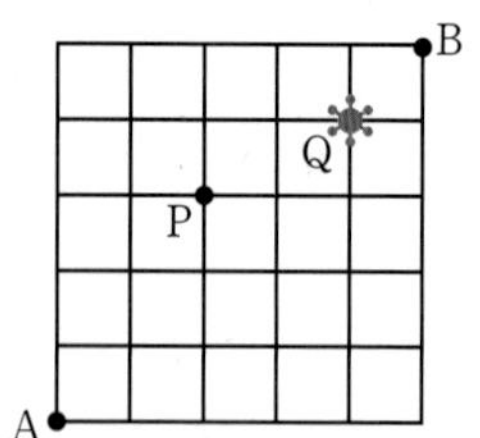

① 16 ② 24 ③ 32 ④ 40 ⑤ 48

07

5지선다 4점

다음 조건을 만족하는 실수 p, q, r에 대하여 $p+q+r$의 값은?

(가) 나래는 과일가게에서 과일을 사려고 한다. 사과, 오렌지, 배, 감의 4종류의 과일 중에서 8개를 사는 경우의 수는 p이다. (단, 4종류의 과일은 각각 8개 이상이고 같은 종류의 과일은 서로 구별하지 않는다.)

(나) 빨간 공, 노란 공, 파란 공이 각각 8개씩 들어 있는 주머니에서 7개의 공을 꺼낼 때, 각 색깔의 공이 적어도 한 개씩은 포함되도록 하는 경우의 수는 q이다.

(다) 숫자 1, 2, 3, 4에서 중복을 허락하여 5개를 택할 때, 숫자 4가 한 개 이하가 되는 경우의 수는 r이다.

① 214 ② 216 ③ 218 ④ 220 ⑤ 224

08

5지선다 4점

방정식

$$x+y+z=15$$

를 만족시키는 x, y, z가 모두 홀수인 양의 정수해의 개수는?

① 10 ② 16 ③ 18 ④ 28 ⑤ 36

09

5지선다 4점

두 집합 $X=\{2, 3, 4, 5\}$, $Y=\{4, 5, 6, 7, 8, 9\}$에 대하여 다음 두 조건을 만족하는 함수 $f: X \longrightarrow Y$의 개수는?

(가) $f(3) \leq 6$
(나) 집합 X의 임의의 두 원소 a, b에 대하여
$a < b$이면 $f(a) \leq f(b)$

① 36 ② 52 ③ 64
④ 81 ⑤ 92

10

5지선다 4점

다음 조건을 만족하는 실수 p, q에 대하여 $p+q$의 값은?

(가) 다항식 $(x+a)^7$의 전개식에서 x^4의 계수가 280일 때, 실수 a의 값은 p이다.
(나) 다항식 $(x+k)^8$의 전개식에서 x^7의 계수가 24일 때, x^6의 계수는 q이다. (단, k는 상수이다.)

① 225 ② 235 ③ 245
④ 254 ⑤ 264

11

5지선다 4점

$\left(-x+\dfrac{2}{x^2}\right)^5$의 전개식에 대한 설명으로 [보기]에서 옳은 것만을 있는 대로 고른 것은?

ㄱ. x^2의 계수는 10이다.
ㄴ. $\dfrac{1}{x}$의 계수는 -40이다.
ㄷ. 서로 다른 항의 개수는 6이다.
ㄹ. 상수항은 -120이다.

① ㄱ ② ㄴ, ㄷ ③ ㄱ, ㄹ
④ ㄱ, ㄴ, ㄷ ⑤ ㄱ, ㄴ, ㄷ, ㄹ

12

5지선다 4점

다항식

$$(x+1)(2x+a)^6$$

의 전개식에서 x^6의 계수가 160일 때, 상수 a의 값은?

① $\dfrac{1}{3}$ ② $\dfrac{1}{2}$ ③ 1
④ 2 ⑤ 3

13

5지선다 4점

다음 공식

$$\frac{{}_{19}C_1+{}_{19}C_3+{}_{19}C_5+\cdots+{}_{19}C_{19}}{{}_{10}C_0+{}_{10}C_1+{}_{10}C_2+\cdots+{}_{10}C_{10}}=2^n$$

을 만족시키는 자연수 n의 값은?

① 6　② 7　③ 8　④ 9　⑤ 10

14

5지선다 4점

50 이하의 자연수 n 중에서

$${}_nC_1+{}_nC_2+\cdots+{}_nC_n$$

의 값이 7의 배수가 되도록 하는 n의 개수는?

① 12　② 14　③ 16　④ 18　⑤ 20

15

5지선다 4점

다음 중 옳지 않은 것은?

① 1부터 9까지의 자연수가 하나씩 적힌 9장의 카드 중에서 임의로 3장의 카드를 동시에 뽑을 때, 3장 모두 홀수가 적힌 카드가 나올 확률은 $\frac{5}{42}$이다.

② 5명의 회원 A, B, C, D, E로 구성된 모임에서 여행을 가려고 한다. 제비뽑기로 운전할 사람 2명을 미리 정하려고 할 때, A가 포함될 확률이 $\frac{2}{5}$이다.

③ 수지가 서로 다른 네 종류의 과일 사과, 배, 귤, 포도에서 중복을 허락하여 5개를 구입할 때, 사과가 2개 포함될 확률은 $\frac{5}{28}$이다. (단, 같은 종류의 과일은 서로 구별하지 않는다.)

④ 4명의 학생 A, B, C, D가 사진을 찍기 위해 일렬로 섰을 때, C가 항상 D의 오른쪽에 서게 될 확률은 $\frac{3}{8}$이다.

⑤ 흰 공 2개, 빨간 공 4개가 들어 있는 주머니가 있다. 이 주머니에서 임의로 2개의 공을 동시에 꺼낼 때, 꺼낸 2개의 공이 모두 흰 공일 확률이 $\frac{1}{15}$이다.

16

5지선다 4점

A, B를 포함한 7명의 사람이 오른쪽 그림과 같은 모터보트에 임의로 자리를 정하여 앉을 때, A, B가 서로 이웃하여 앉을 확률은? (단, 7명 모두 모터보트 운전을 할 수 있다.)

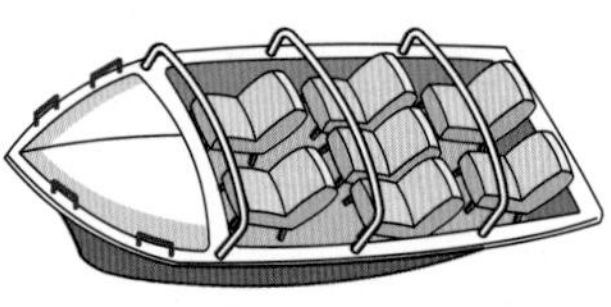

① $\frac{3}{20}$　② $\frac{3}{10}$　③ $\frac{4}{21}$　④ $\frac{1}{3}$　⑤ $\frac{1}{2}$

17

5지선다 4점

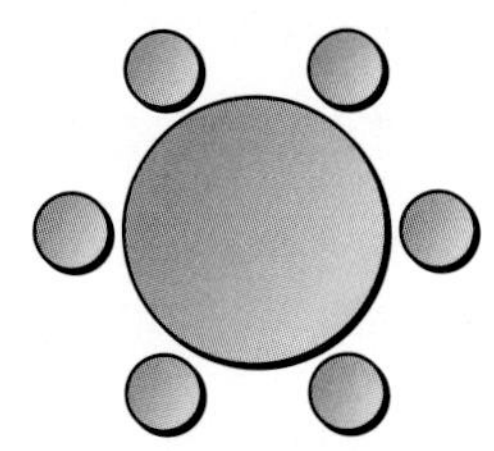

오른쪽 그림과 같이 원형 탁자에 일정한 간격으로 배열된 6개의 의자에 A, B를 포함한 6명의 학생이 임의로 앉을 때, A, B가 이웃 하여 앉을 확률은? (단, 회전하여 일치하는 것은 같은 것으로 본다.)

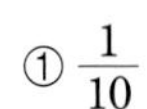

① $\frac{1}{10}$　② $\frac{1}{5}$　③ $\frac{3}{10}$　④ $\frac{2}{5}$　⑤ $\frac{1}{2}$

18

5지선다 4점

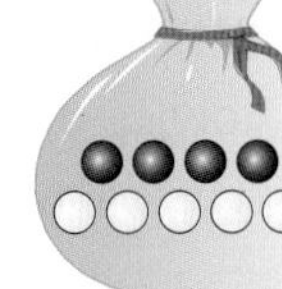

검은 공 5개, 흰 공 6개가 들어 있는 주머니가 있다. 이 주머니에서 임의로 3개의 공을 동시에 꺼낼 때, 검은 공과 흰 공이 적어도 한 개씩 포함될 확률은?

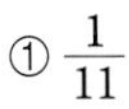

① $\frac{1}{11}$　② $\frac{3}{11}$　③ $\frac{5}{11}$　④ $\frac{7}{11}$　⑤ $\frac{9}{11}$

19

5지선다 4점

50원, 100원, 500원 짜리 동전이 각각 3개씩 모두 9개가 들어있는 지갑에서 동전 3개를 임의로 꺼낼 때, 꺼낸 모든 동전 금액의 합이 250원 이상일 확률을 $\frac{q}{p}$라 하자. 이때 $p+q$의 값은? (단, p, q는 서로소인 자연수이다.)

① 79　② 81　③ 83　④ 85　⑤ 87

20

5지선다 4점

1에서 100까지의 자연수가 각각 하나씩 적혀 있는 100장의 카드에서 1장을 택할 때, 카드에 적힌 수가 6과 서로소일 확률은?

① $\frac{11}{28}$　② $\frac{13}{28}$　③ $\frac{15}{28}$　④ $\frac{23}{100}$　⑤ $\frac{33}{100}$

※ 다음은 서술형 문제입니다.
서술형 답안지에 풀이과정과 답을 정확하게 서술하시오.

서술형 & 주관식

21번 ~ 24번 5점

21

서술형 5점

두 집합 $X=\{a, b, c\}$, $Y=\{1, 2, 3, 4\}$에 대하여 함수 $f: X \longrightarrow Y$의 개수를 구하는 과정을 다음 단계로 서술하여라.

[1단계] X에서 Y로의 함수의 개수를 구한다.
[2단계] 집합 X의 두 원소 x_1, x_2에 대하여 $x_1 \neq x_2$이면 $f(x_1) \neq f(x_2)$인 함수의 개수를 구한다.
[3단계] $f(a)<f(b)<f(c)$를 만족하는 함수의 개수를 구한다.
[4단계] $f(a) \leq f(b) \leq f(c)$를 만족하는 함수의 개수를 구한다.

22

서술형 5점

$\left(x^2-\dfrac{2}{x^3}\right)^n$의 전개식에서 0이 아닌 상수항이 존재하도록 하는 자연수 n의 최솟값을 m이라 하고 그때의 상수항을 k라 할 때, $m+k$의 값을 구하는 과정을 다음 단계로 서술하여라.

[1단계] $\left(x^2-\dfrac{2}{x^3}\right)^n$의 전개식의 일반항을 r을 사용하여 구한다.
[2단계] 상수항이 존재하도록 자연수 n을 r에 대한 식으로 나타낸다.
[3단계] m의 값을 구한다.
[4단계] k의 값을 구한다.
[5단계] $m+k$의 값을 구한다.

23

서술형 5점

A반과 B반의 학생으로만 구성된 어느 동아리 회원 10명 중에서 대표 2명을 뽑을 때, 같은 반 학생이 뽑힐 확률은 $\dfrac{8}{15}$이다.
이 동아리 회원 중에서 A반과 B반의 학생 수의 차를 구하는 과정을 다음 단계로 서술하여라.

[1단계] 동아리 회원 10명 중에서 대표 2명을 뽑는 경우의 수를 구한다.
[2단계] 배반사건의 확률을 이용하여 A반의 학생 수를 구한다.
[3단계] 여사건의 확률을 이용하여 A반의 학생 수를 구한다.
[4단계] A반과 B반의 학생 수의 차를 구한다.

24

주관식 5점

주머니에 숫자 1, 2, 3이 각각 하나씩 적힌 공 3개와 문자 A, B가 각각 하나씩 적힌 공 2개가 들어있다. 이 주머니에서 임의로 공을 1개씩 모두 꺼내어 꺼낸 순서대로 왼쪽부터 일렬로 나열할 때, 1이 적힌 공은 2가 적힌 공보다 왼쪽에 놓이고 3이 적힌 공은 2가 적힌 공보다 오른쪽에 놓이며 A가 적힌 공은 B가 적힌 공보다 왼쪽에 놓일 확률을 $\dfrac{q}{p}$라 할 때, 서로소인 자연수 p, q에 대하여 $p+q$의 값을 구하여라.
(단, 꺼낸 공은 다시 넣지 않는다.)

FINAL STEP

01 확률과 통계 기말고사

MAPL ; SYNERGY

대상 고등학교 2/3학년
과목코드 01
시간 50분
배점 100점 만점 총 24문제 (4점 × 20문제 – 객관식) (5점 × 04문제 – 서술형)

- 답안지에 필요한 인적사항을 기입할 것
- 객관식 문제의 답안 표기는 OMR 카드에 반드시 컴퓨터용 사인펜을 사용하여 기입할 것
- 주관식 문제의 답안 표기는 반드시 검은색 펜을 사용할 것

객 관 식

01번 ~ 20번 4점

01

5지선다 4점

한 개의 주사위를 던져서 짝수의 눈이 나왔을 때, 그 눈의 수가 3의 배수일 확률은?

① $\frac{1}{3}$ ② $\frac{2}{5}$ ③ $\frac{7}{15}$
④ $\frac{8}{15}$ ⑤ $\frac{3}{5}$

02

5지선다 4점

어느 전자 우편 사이트는 '스펨메일 (spam mail)차단' 기능을 사용하면 광고성 우편 중에서 94%를 차단하지만, 정상 우편도 3% 차단한다고 한다. 이 기능을 이용하여 광고성 우편 100통과 정상 우편 100통을 검사하였다. 이 중에서 임의로 뽑은 한 통의 우편이 차단된 우편이었을 때, 이 우편이 광고성 우편일 확률은?

① $\frac{92}{95}$ ② $\frac{92}{97}$ ③ $\frac{94}{97}$
④ $\frac{95}{97}$ ⑤ $\frac{96}{97}$

03

5지선다 4점

코로나19의 영향으로 어느 고등학교 학생 360명은 온라인 수업과 대면수업 중 하나를 선택하였다. 이 학교의 학생 중 온라인수업을 선택한 학생은 남학생 90명과 여학생 70명이다. 이 학교의 학생 중 임의로 뽑은 1명의 학생이 대면수업을 선택한 학생일 때, 이 학생이 남학생일 확률은 $\frac{3}{4}$이다. 이 학교의 여학생의 수는?

① 120 ② 160 ③ 180
④ 200 ⑤ 240

04

5지선다 4점

두 사건 A와 B가 서로 독립일 때, 다음 [보기] 중 옳은 것을 모두 고른 것은?

ㄱ. A와 B는 서로 배반사건이다.
ㄴ. A와 B^c도 서로 독립이다.
ㄷ. $\mathrm{P}(A\cap B^c)=\mathrm{P}(A)\{1-\mathrm{P}(B)\}$
ㄹ. $\mathrm{P}(A^c|B)=1-\mathrm{P}(A|B)$

① ㄴ ② ㄷ ③ ㄴ, ㄷ
④ ㄴ, ㄷ, ㄹ ⑤ ㄱ, ㄴ, ㄷ, ㄹ

05

5지선다 4점

주머니에 1이 하나씩 적혀 있는 4개의 공과 2가 하나씩 적혀 있는 3개의 공이 들어 있다. 이 주머니에서 임의로 한 개의 공을 꺼낸 후 꺼낸 공에 적혀 있는 숫자와 같은 숫자가 적혀 있는 공을 공에 적혀 있는 수만큼의 개수를 추가하여 꺼낸 공과 함께 주머니에 넣는다. 이 주머니에서 다시 임의로 3개의 공을 동시에 꺼낼 때, 꺼낸 3개의 공에 적혀 있는 수의 곱이 홀수일 확률은? (단, 1과 2가 적혀 있는 공은 충분히 많이 있다.)

① $\frac{1}{49}$ ② $\frac{1}{21}$ ③ $\frac{5}{49}$
④ $\frac{6}{49}$ ⑤ $\frac{5}{28}$

06

5지선다 4점

어느 학급의 학생 중 25%는 자전거를 타고 등교한다고 한다. 이 학급의 학생 중 임의로 3명을 동시에 택할 때, 자전거를 타고 등교하는 학생이 2명 이상일 확률은?

① $\frac{3}{32}$ ② $\frac{5}{32}$ ③ $\frac{1}{8}$
④ $\frac{13}{32}$ ⑤ $\frac{27}{64}$

07

5지선다 4점

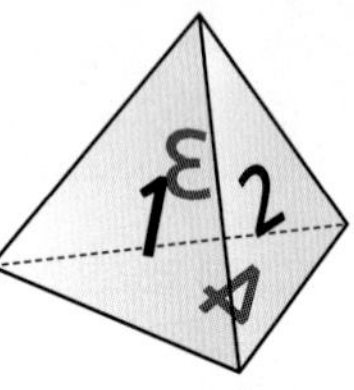

각 면에 1, 2, 3, 4의 숫자가 각각 하나씩 적혀 있는 정사면체 모양의 상자와 동전 4개를 동시에 던지는 시행에서 상자의 바닥에 놓인 면에 적혀 있는 수가 짝수이고 상자의 바닥에 놓인 면에 적혀 있는 수와 앞면이 나오는 동전의 개수가 같을 확률은?

① $\frac{7}{64}$ ② $\frac{7}{32}$ ③ $\frac{1}{4}$
④ $\frac{9}{32}$ ⑤ $\frac{5}{16}$

08

5지선다 4점

확률변수 X의 확률분포를 표로 나타내면 다음과 같다.

X	0	1	2	3	4	합계
$\mathrm{P}(X=x)$	$\frac{1}{8}$	a	$\frac{1}{8}$	$\frac{1}{8}$	b	1

$\mathrm{E}(X)=2$일 때, $\mathrm{V}(2X+3)$의 값은?

① 8 ② 12 ③ 16
④ 18 ⑤ 25

09

5지선다 4점

주사위를 한 번 던져 나온 눈의 수를 4로 나눈 나머지를 확률변수 X라 할 때, X의 평균은? (단, 주사위의 각 눈이 나올 확률은 모두 같다.)

① 2 ② $\frac{5}{3}$ ③ $\frac{3}{2}$
④ $\frac{4}{3}$ ⑤ 1

10

5지선다 4점

확률변수 X가 이항분포 $\mathrm{B}\left(36, \frac{2}{3}\right)$를 따른다.

$$\mathrm{E}(2X-a)=\mathrm{V}(2X-a)$$

를 만족시키는 상수 a의 값은?

① 8 ② 10 ③ 12
④ 14 ⑤ 16

11

5지선다 4점

흰 공 n개와 빨간 공 8개가 들어있는 주머니에서 임의로 한 개의 공을 꺼내 공의 색을 확인한 후 공을 주머니에 다시 넣는 시행을 20번 반복할 때, 흰 공이 나오는 횟수를 확률변수 X라 하자. $\mathrm{E}(X)=12$일 때, 자연수 n의 값은?

① 10 ② 12 ③ 14
④ 16 ⑤ 18

12

5지선다 4점

$-10 \le X \le 10$에서 정의된 연속확률변수 X의 확률밀도함수 $f(x)$의 그래프가 다음 그림과 같을 때, $\mathrm{P}(|X| \le 5)$의 값은? (단, k는 상수)

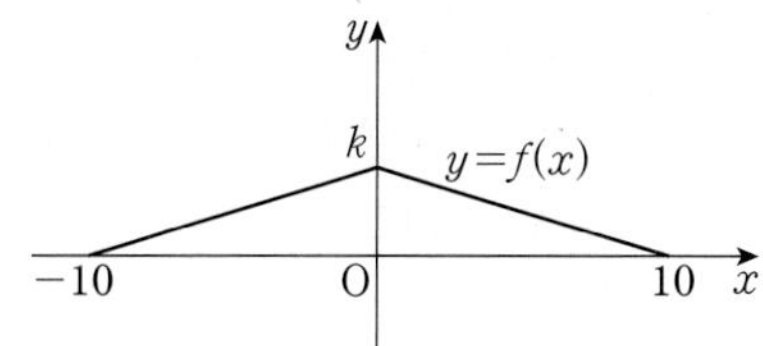

① $\frac{1}{4}$ ② $\frac{3}{10}$ ③ $\frac{1}{2}$
④ $\frac{3}{4}$ ⑤ $\frac{4}{5}$

13

5지선다 4점

어느 연구소에서 토마토 모종을 심은 지 3주가 지났을 때, 토마토 줄기의 길이를 조사한 결과 토마토 줄기의 길이는 평균이 30cm, 표준편차가 2cm인 정규분포를 따른다고 한다.

z	$P(0 \le Z \le z)$
1.0	0.3413
1.5	0.4332
2.0	0.4772
2.5	0.4938

이 연구소에서 토마토 모종을 심은 지 3주가 지났을 때, 토마토 줄기 중 임의로 선택한 줄기의 길이가 27cm 이상이고 32cm 이하일 확률을 표준정규분포표를 이용하여 구한 것은?

① 0.6826　② 0.7745　③ 0.8185
④ 0.9104　⑤ 0.9270

14

5지선다 4점

어느 회사에서 올해 375명의 신입 사원을 모집하는데 30000명이 응시했다. 입사 시험의 지원자들의 점수는 평균이 620점, 표준편차가 50점인 정규분포를 따를 때, 이 입사 시험에 합격하려면 몇 점 이상인가?

z	$P(0 \le Z \le z)$
0.52	0.1985
1.25	0.3944
1.52	0.4357
2.24	0.4875

① 728　② 730　③ 732
④ 745　⑤ 750

15

5지선다 4점

두 개의 주사위를 동시에 한 번 던지는 시행을 160회 반복할 때, 두 주사위를 던져서 나온 눈의 수의 합이 4의 배수가 되는 횟수를 확률변수 X라 할 때, 확률변수 X^2의 평균 $E(X^2)$은?

① 1600　② 1630　③ 1690
④ 1730　⑤ 1790

16

5지선다 4점

어느 지역 선거에서 네 후보 A, B, C, D를 지지하는 유권자의 비율을 조사한 표는 다음과 같다.

후보	A	B	C	D	합계
유권자의 비율(%)	20	10	40	30	100

이 지역의 100명의 유권자가 한 표씩 지지하는 후보에 투표할 때, 후보 A를 지지하지 않는 유권자가 70명 이상일 확률을 오른쪽 표준정규분포표를 이용하여 구한 것은?

z	$P(0 \le Z \le z)$
1.0	0.3413
1.5	0.4332
2.0	0.4772
2.5	0.4938

① 0.6826　② 0.7745　③ 0.9332
④ 0.9772　⑤ 0.9938

17

5지선다 4점

모집단의 확률변수 X의 확률분포를 표로 나타내면 다음과 같다.

X	1	2	3	계
$\mathrm{P}(X=x)$	$\frac{1}{5}$	a	b	1

모평균이 2인 모집단에서 크기가 4인 표본을 임의추출할 때, 표본평균 $\overline{X}$의 분산은? (단, a, b는 상수이다.)

① $\frac{1}{10}$　② $\frac{1}{8}$　③ $\frac{1}{4}$
④ $\frac{1}{2}$　⑤ $\frac{2}{3}$

18

5지선다 4점

어느 고등학교 학생들이 등교할 때, 걸리는 시간은 평균이 20분이고 표준편차가 5분인 정규분포를 따른다고 한다. 이 학교 학생 중에서 36명을 임의추출할 때, 등교할 때 걸리는 시간의 평균이 18분 이상일 확률을 오른쪽 표준정규분포표를 이용하여 구한 것은?

z	$\mathrm{P}(0 \le Z \le z)$
1.0	0.3413
1.5	0.4332
2.0	0.4772
2.4	0.4918

① 0.6915　② 0.8185　③ 0.9332
④ 0.9772　⑤ 0.9918

19

5지선다 4점

어느 공장에서 생산하는 스마트폰은 길이의 평균 m 표준편차가 2인 정규분포를 따른다고 한다. 이 공장에서 생산한 스마트폰 16개를 임의추출할 때, 그 길이의 평균이 18.92 이하일 확률이 0.975가 되도록 하는 m의 값은? (단, $\mathrm{P}(0 \le Z \le 1.96)=0.475$)

① 17.94　② 20.94　③ 21.36
④ 32.45　⑤ 36.24

20

5지선다 4점

어느 지역 고등학생들의 몸무게는 정규분포를 따른다고 한다. 이 중 64명을 임의추출하였더니 표본평균이 61kg, 표본표준편차가 8kg이었다. 이 지역 고등학생의 몸무게의 평균 m에 대하여 신뢰도 99%의 신뢰구간은? (단, $\mathrm{P}(|Z| \le 2.58)=0.99$)

① $50.08 \le m \le 50.92$　② $56.4 \le m \le 63.6$
③ $54.46 \le m \le 62.54$　④ $58.42 \le m \le 63.58$
⑤ $58.73 \le m \le 61.28$

※ 다음은 서술형 문제입니다.
서술형 답안지에 풀이과정과 답을 정확하게 서술하시오.

서술형 & 주관식

21번 ~ 24번 5점

21

서술형 5점

오른쪽 표준정규분포표를 이용하여 다음 단계로 구하는 과정을 서술하여라.

z	$P(0 \le Z \le z)$
0.5	0.1915
1.0	0.3413
1.5	0.4332
2.0	0.4772

[1단계] 확률변수 X가 이항분포 $B\left(1200, \frac{3}{4}\right)$을 따를 때,
$P(900 \le X \le 915)$의 값을 구한다.

[2단계] $\sum_{k=48}^{57} {}_{192}C_k \left(\frac{1}{4}\right)^k \left(\frac{3}{4}\right)^{192-k}$의 값을 구한다.

22

서술형 5점

남학생 6명, 여학생 3명으로 이뤄진 중창단에서 임의로 3명의 학생을 선발할 때, 선발되는 여학생의 수를 확률변수 X라 하자.
다음 단계로 그 과정을 서술하여라.

[1단계] X의 확률분포를 표로 나타낸다.
[2단계] 여학생이 1명 이하로 선발될 확률을 구한다.
[3단계] X의 기댓값과 분산을 구한다.
[4단계] $E(2X+3)+V(2X+3)$을 구한다.

23

서술형 5점

표준편차가 σ인 정규분포를 따르는 모집단에서 크기가 n인 표본을 임의추출하였을 때, 모평균 m에 대한 신뢰도 95%의 신뢰구간이

$$100.4 \le m \le 139.6$$

이었다. 이때 같은 표본을 이용하여 모평균 m에 대한 신뢰도 99%의 신뢰구간을 구하는 과정을 다음 단계로 서술하여라.
(단, Z가 표준정규분포를 따르는 확률변수일 때,
$P(0 \le Z \le 1.96)=0.475$, $P(0 \le Z \le 2.58)=0.495$)

[1단계] 표본평균을 $\bar{x}$라 하면 모평균 m에 대한 신뢰도 95%의 신뢰구간을 구한다.
[2단계] 신뢰도 95%의 신뢰구간이 $100.4 \le m \le 139.6$임을 이용하여 표본평균 $\bar{x}$와 $\frac{\sigma}{\sqrt{n}}$의 값을 구한다.
[3단계] 모평균 m에 대한 신뢰도 99%의 신뢰구간을 구한다.

24

주관식 5점

한 개의 주사위를 450회 던졌을 때, 4보다 큰 눈이 나오는 횟수를 확률변수 X라고 하자.
다음은 오른쪽 표준정규분포표를 이용하여 확률 $P(135 \le X \le 165)$를 구하는 과정이다.
(가), (나), (다), (라), (마), (바), (사)에 알맞은 수를 써넣어라.

z	$P(0 \le Z \le z)$
0.52	0.1985
1.25	0.3944
1.50	0.4332
2.24	0.4875

한 번의 시행에서 주사위의 눈이 4보다 큰 눈이 나올 확률은 [(가)]이다.
확률변수 X는 이항분포 B([(나)], [(가)])를 따르고 시행횟수도 충분히 크므로 확률변수 X는 근사적으로 정규분포 N([(다)], [(라)])을 따른다.
따라서 구하는 확률은
$P(135 \le X \le 165)=P($[(마)]$\le Z \le$[(바)]$)$
$=2P(0 \le Z \le$[(바)]$)=$[(사)]

FINAL STEP

02 확률과 통계 기말고사

MAPL; SYNERGY

대상 고등학교 2/3학년
과목코드 01
시간 50분
배점 100점 만점 총 24문제 (4점 × 20문제 - 객관식) (5점 × 04문제 - 서술형)

- 답안지에 필요한 인적사항을 기입할 것
- 객관식 문제의 답안 표기는 OMR카드에 반드시 컴퓨터용 사인펜을 사용하여 기입할 것
- 주관식 문제의 답안 표기는 반드시 검은색 펜을 사용할 것

객 관 식

01번 ~ 20번 4점

01

5지선다 4점

다음 조건을 만족하는 p_1, p_2에 대하여 p_1+p_2의 값은?

(가) 두 사건 A, B에 대하여

$$\mathrm{P}(A)=\frac{1}{2},\ \mathrm{P}(B^c)=\frac{2}{3},\ \mathrm{P}(B|A)=\frac{1}{3}$$

일 때, $\mathrm{P}(A|B^c)$의 값은 p_1이다.

(단, B^c은 B의 여사건이다.)

(나) 두 사건 A, B가 서로 독립이고

$$\mathrm{P}(A\cup B)=\frac{3}{4},\ \mathrm{P}(A|B)=\frac{5}{8}$$

일 때, $\mathrm{P}(A^c\cap B)$의 값은 p_2이다.

(단, A^c은 A의 여사건이다.)

① $\frac{1}{4}$ ② $\frac{5}{9}$ ③ $\frac{2}{3}$ ④ $\frac{5}{8}$ ⑤ $\frac{3}{4}$

02

5지선다 4점

어느 고등학교 3학년 학생에게 대학에서 전공하고자 하는 경영학과와 미디어학과의 선호도를 조사한 것이 다음 표와 같다.

	남학생	여학생
경영학과	5	x
미디어학과	25	15

3학년 학생 중에서 임의로 뽑은 한 명이 여학생 이였을 때, 이 학생이 경영학과를 선호할 확률은 $\frac{1}{6}$이다. 이때 x의 값은?

① 3 ② 4 ③ 5 ④ 6 ⑤ 7

03

5지선다 4점

주머니 A에 검은 구슬 3개가 들어 있고, 주머니 B에는 검은 구슬 2개와 흰 구슬 2개가 들어 있다. 두 주머니 A, B 중 임의로 선택한 하나의 주머니에서 동시에 꺼낸 2개의 구슬이 모두 검은 색일 때, 선택된 주머니가 B이었을 확률은?

A

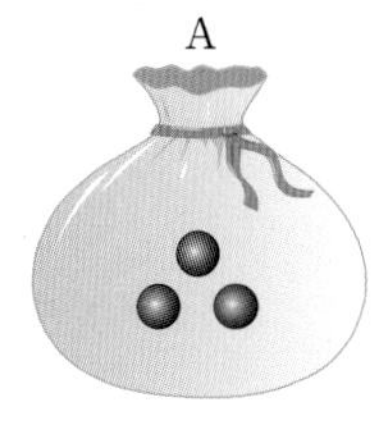

B

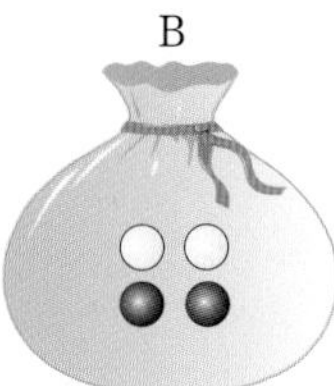

① $\frac{5}{14}$ ② $\frac{2}{7}$ ③ $\frac{3}{14}$ ④ $\frac{1}{7}$ ⑤ $\frac{1}{14}$

04

5지선다 4점

그림과 같이 3인용, 2인용, 1인용 벤치의자가 각각 한 개씩 놓여있다.

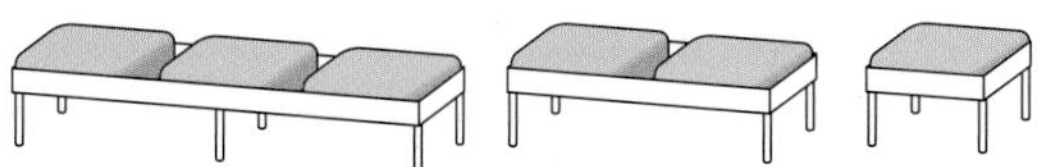

이 6개의 자리에 나래와 도연이를 포함한 6명이 임의로 한 명씩 앉기로 한다. 나래와 도연이가 같은 벤치의자에 서로 이웃하여 앉을 때, 나래와 도연이가 3인용 벤치의자에 앉을 확률은?

① $\frac{2}{5}$ ② $\frac{7}{15}$ ③ $\frac{8}{15}$ ④ $\frac{3}{5}$ ⑤ $\frac{2}{3}$

05

5지선다 4점

1부터 10까지의 자연수가 각각 하나씩 적힌 10장의 카드 중에서 임의로 한 장을 뽑을 때, n의 배수가 적힌 카드를 뽑는 사건을 A_n이라 하자. [보기]에서 옳은 것만을 있는 대로 고른 것은?

> ㄱ. A_3과 A_4는 서로 배반사건이다.
> ㄴ. $\mathrm{P}(A_4|A_2)=\frac{1}{5}$
> ㄷ. A_2와 A_5는 서로 독립이다.

① ㄱ ② ㄱ, ㄴ ③ ㄱ, ㄷ
④ ㄴ, ㄷ ⑤ ㄱ, ㄴ, ㄷ

06

5지선다 4점

프로야구 한국시리즈는 7번의 경기에서 4번을 먼저 이기는 팀이 우승한다. 한국시리즈에 진출한 A팀, B팀이 경기에서 이길 확률은 각각 $\frac{1}{3}$, $\frac{2}{3}$이다. A팀이 2승 1패로 앞서 가고 있을 때, A팀이 우승할 확률은? (단, 비기는 경우는 없다.)

① $\frac{16}{81}$ ② $\frac{28}{81}$ ③ $\frac{11}{27}$
④ $\frac{13}{27}$ ⑤ $\frac{3}{9}$

07

5지선다 4점

원점을 출발하여 수직선 위를 움직이는 점 P에 대하여 동전을 한 번 던질 때마다 다음과 같은 규칙에 따라 움직이려고 한다.

> (가) 앞면이 나오면 양의 방향으로 1만큼 이동한다.
> (나) 뒷면이 나오면 음의 방향으로 1만큼 이동한다.

동전을 5번 던질 때, 점 P가 원점에서 3만큼 떨어진 곳에 위치할 확률은?

① $\frac{1}{16}$ ② $\frac{3}{16}$ ③ $\frac{5}{16}$
④ $\frac{7}{16}$ ⑤ $\frac{7}{18}$

08

5지선다 4점

이산확률변수 X의 확률분포를 표로 나타내면 아래와 같다.

X	1	2	4	8	계
$\mathrm{P}(X=x)$	a	$\frac{1}{8}$	b	$\frac{1}{2}$	1

확률변수 X의 평균이 5일 때, X의 분산은?

① $\frac{39}{4}$ ② $\frac{37}{4}$ ③ $\frac{27}{4}$
④ $\frac{13}{2}$ ⑤ $\frac{85}{2}$

09

5지선다 4점

나래는 자신의 금고를 여는 비밀번호의 세 숫자 1, 3, 5의 배열 순서를 잊어버렸다. 이 숫자를 임의로 배열하여 금고를 여는 시도를 했을 때, 정확한 비밀번호를 맞혀 열릴 때까지 시도한 횟수의 기댓값은? (단, 비밀번호는 서로 다른 숫자로 구성되고 한 번 배열했던 것은 다시 배열하지 않는다.)

① 3번　② 3.5번　③ 4번
④ 4.5번　⑤ 5번

10

5지선다 4점

오른쪽 그림과 같이 한 모서리의 길이가 2인 정육면체에서 서로 다른 세 꼭짓점을 택하여 만든 삼각형의 넓이를 확률변수 X라 하자. 이때 $\mathrm{E}(7X^2)$의 값은?

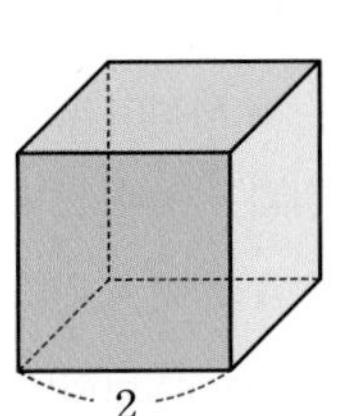

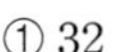

① 32　② 36　③ 42
④ 48　⑤ 52

11

5지선다 4점

이항분포 $\mathrm{B}\left(n, \frac{1}{3}\right)$을 따르는 확률변수 X에 대하여

$$\mathrm{V}(5X+2)=100$$

일 때, $\mathrm{E}(4X+1)$의 값은?

① 18　② 20　③ 22
④ 25　⑤ 27

12

5지선다 4점

세 수 a, b, c에 대하여

$$a=\sum_{x=0}^{16} {}_{16}\mathrm{C}_x \left(\frac{1}{4}\right)^x \left(\frac{3}{4}\right)^{16-x}$$

$$b=\sum_{x=0}^{16} x\,{}_{16}\mathrm{C}_x \left(\frac{1}{4}\right)^x \left(\frac{3}{4}\right)^{16-x}$$

$$c=\sum_{x=0}^{16} x^2\,{}_{16}\mathrm{C}_x \left(\frac{1}{4}\right)^x \left(\frac{3}{4}\right)^{16-x}$$

일 때, $a+b+c$의 값은?

① 16　② 20　③ 24
④ 28　⑤ 32

13

5지선다 4점

연속확률변수 X가 갖는 값의 범위가 $0 \le X \le 8$이고 확률변수 X의 확률밀도함수 $y=f(x)$의 그래프가 그림과 같다.

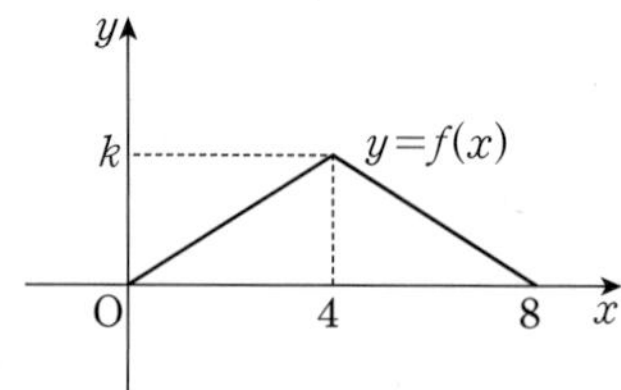

$k+\mathrm{P}(|X-3|<1)$의 값은? (단, k는 상수이다.)

① $\frac{1}{8}$　② $\frac{3}{16}$　③ $\frac{1}{4}$　④ $\frac{3}{8}$　⑤ $\frac{5}{8}$

14

5지선다 4점

어느 병원에서 한 환자가 의사와 진찰을 보는 시간은 평균이 30분, 표준편차가 5분인 정규분포를 따른다고 한다. 이 병원에서 의사와 진찰을 본 환자 중 임의로 택한 한 명이 의사와 진찰을 본 시간이 20분 이상일 확률을 다음 표준정규분포표를 이용하여 구한 것은?

z	$\mathrm{P}(0 \le Z \le z)$
0.5	0.1915
1.0	0.3413
1.5	0.4332
2.0	0.4772

① 0.6915　② 0.8413　③ 0.9104　④ 0.9332　⑤ 0.9772

15

5지선다 4점

정규분포 $\mathrm{N}(m, \sigma^2)$을 따르는 확률변수 X에 대하여 확률밀도함수 $f(x)$가 모든 실수 x에 대하여 $f(100-x)=f(100+x)$를 만족한다.

z	$\mathrm{P}(0 \le Z \le z)$
1.5	0.4332
2.0	0.4772
2.5	0.4938
3.0	0.4987

$$\mathrm{P}(m \le X \le m+8)=0.4772$$

일 때,

표준정규분포표를 이용하여 $\mathrm{P}(94 \le X \le 110)$을 구하면?

① 0.9104　② 0.9270　③ 0.9710　④ 0.9725　⑤ 0.9759

16

5지선다 4점

어느 뼈 화석이 두 동물 A와 B 중에서 어느 동물의 것인지 판단하는 방법 가운데 한 가지는 특정 부위의 길이를 이용하는 것이다.
동물 A의 이 부위의 길이는 정규분포 $\mathrm{N}(10, 0.4^2)$을 따르고,
동물 B의 이 부위의 길이는 정규분포 $\mathrm{N}(12, 0.6^2)$을 따른다.
이 부위의 길이가 d 미만이면 동물 A의 화석으로 판단하고,
d 이상이면 동물 B의 화석으로 판단한다.
동물 A의 화석을 동물 A의 화석으로 판단할 확률과 동물 B의 화석을 동물 B의 화석으로 판단할 확률이 같아지는 d의 값은?
(단, 길이의 단위는 cm이다.)

① 8.8　② 9.8　③ 10.8　④ 11.8　⑤ 12.8

17

5지선다 4점

확률변수 X가 다음 조건을 만족시킨다.

(가) $P(X=x)={}_{1200}C_{r}p^{r}(1-p)^{1200-r}$
(단, $r=0, 1, 2, \cdots, 1200$)

(나) $E(X)=300$

z	$P(0 \le Z \le z)$
1.0	0.3413
1.5	0.4332
2.0	0.4772
2.5	0.4938

$P(X \ge 330)$의 값을 오른쪽 표준정규분포표를 이용하여 구한 것은? (단, $0<p<1$이다.)

① 0.0062 ② 0.0228 ③ 0.0896
④ 0.1587 ⑤ 0.2255

18

5지선다 4점

정규분포 $N(16, 8^2)$을 따르는 모집단에서 크기가 16인 표본을 임의추출할 때, 표본평균 $\overline{X}$가 17 이상 19 이하일 확률은? (단, Z가 표준정규분포를 따른다.)

z	$P(0 \le Z \le z)$
0.5	0.1915
1.0	0.3413
1.5	0.4332
2.0	0.4772

① 0.1498 ② 0.2417 ③ 0.2857
④ 0.5328 ⑤ 0.6247

19

5지선다 4점

어느 공장에서 생산되는 제품의 무게가 정규분포 $N(11, 2^2)$을 따른다고 하자. A와 B 두 사람이 크기가 4인 표본을 각각 독립적으로 임의추출하였다. A와 B가 추출한 표본의 평균이 모두 10 이상 14 이하가 될 확률을 오른쪽 표준정규분포표를 이용하여 구한 것은?

z	$P(0 \le Z \le z)$
1.0	0.3413
2.0	0.4772
3.0	0.4987

① 0.8123 ② 0.7056 ③ 0.6587
④ 0.5228 ⑤ 0.2944

20

5지선다 4점

정규분포 $N(m, \sigma^2)$을 따르는 모집단에서 크기가 16인 표본을 임의추출하여 신뢰도 95%로 추정한 모평균 m에 대한 신뢰구간이 $70.08 \le m \le 77.92$이다. 이 모집단에서 크기가 64인 표본을 임의추출하여 얻은 표본평균이 124일 때, 이를 이용하여 구한 모평균 m에 대한 신뢰도 95%의 신뢰구간은? (단, Z가 표준정규분포를 따르는 확률변수일 때, $P(|Z| \le 1.96)=0.95$로 계산한다.)

① $122.04 \le m \le 125.96$ ② $123.04 \le m \le 125.96$
③ $123.04 \le m \le 124.96$ ④ $122.96 \le m \le 124.04$
⑤ $120.08 \le m \le 127.92$

※ 다음은 서술형 문제입니다.
서술형 답안지에 풀이과정과 답을 정확하게 서술하시오.

서술형 & 주관식

21번 ~ 24번 5점

21

서술형 5점

어느 학교의 학생이 하루에 섭취하는 단백질의 양은 평균이 $60\,g$, 표준편차가 $5\,g$인 정규분포를 따른다고 한다. 이 학교의 학생 중 임의추출한 n명이 하루에 섭취하는 단백질의 양의 평균이 $65\,g$ 이하일 확률이 0.9772일 때, 자연수 n의 값을 오른쪽 표준정규분포표를 이용하여 구한 것을 다음 단계로 서술하여라.

z	$P(0 \le Z \le z)$
1.0	0.3413
1.5	0.4332
2.0	0.4772
2.5	0.4938

[1단계] 단백질의 양의 평균을 $\overline{X}$라 할 때, 확률변수 $\overline{X}$가 따르는 정규분포를 구한다.
[2단계] $P(\overline{X} \le 65) = 0.9772$를 만족하는 자연수 n의 값을 구한다.

22

서술형 5점

어느 지역 문화 축제에 A고등학교 동아리 2팀과 B고등학교 동아리 4팀이 참가하였다. 이 동아리들 중 오전에 공연할 3팀을 임의로 뽑을 때, 뽑힌 동아리 중에서 B고등학교의 동아리의 수를 확률변수 X라 할 때, 다음 단계로 그 과정을 구하는 서술하여라.

[1단계] X의 확률분포를 표로 나타낸다.
[2단계] 오전에 공연하는 B고등학교 동아리가 2팀 이하일 확률을 구한다.
[3단계] $E(X)$, $V(X)$의 값을 구한다.
[4단계] $E(5X+2)+V(5X+2)$의 값을 구한다.

23

서술형 5점

어느 과수원에서 생산되는 귤 한 개의 무게는 평균이 65g이고 표준편차가 5g인 정규분포를 따르고, 무게가 75g 이상인 것은 특등으로 판정한다.
이 과수원에서 생산된 귤 2500개 중 특등 귤의 개수가 57개 이상일 확률을 구하는 과정이다.
오른쪽 표준정규분포표를 이용하여 다음 물음에 답하고 그 과정을 서술하여라.

z	$P(0 \le Z \le z)$
0.5	0.19
1.0	0.34
1.5	0.43
2.0	0.48

[1단계] 귤 한 개의 무게를 확률변수 X라 하고 귤 한 개를 택할 때, 특등 귤일 확률을 구한다.
[2단계] 2500개의 귤 중에서 특등 귤의 개수를 확률변수 Y라 할 때, Y가 근사적으로 따르는 정규분포를 구한다.
[3단계] 특등 귤이 57개 이상일 확률을 구한다.

24

주관식 5점

한 개의 주사위를 5번 던질 때, 홀수의 눈이 나오는 횟수를 a라 하고, 한 개의 동전을 4번 던질 때, 앞면이 나오는 횟수를 b라 하자. $a-b$의 값이 3일 확률을 $\frac{q}{p}$라 할 때, $p+q$의 값을 구하여라.
(단, p와 q는 서로소인 자연수이다.)

표준정규분포표

TABLE OF STANDARD NORMAL DISTRIBUTION

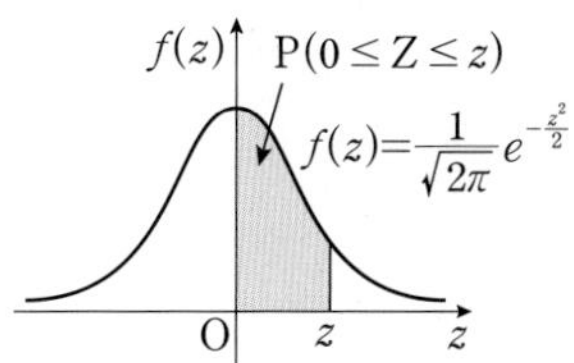

z	0.00	0.01	0.02	0.03	0.04	0.05	0.06	0.07	0.08	0.09
0.0	0.0000	0.0040	0.0080	0.0120	0.0160	0.0199	0.0239	0.0279	0.0319	0.0359
0.1	0.0398	0.0438	0.0478	0.0517	0.0557	0.0596	0.0636	0.0675	0.0714	0.0753
0.2	0.0793	0.0832	0.0871	0.0910	0.0948	0.0987	0.1026	0.1064	0.1103	0.1141
0.3	0.1179	0.1217	0.1255	0.1293	0.1331	0.1368	0.1406	0.1443	0.1480	0.1517
0.4	0.1554	0.1591	0.1628	0.1664	0.1700	0.1736	0.1772	0.1808	0.1844	0.1879
0.5	0.1915	0.1950	0.1985	0.2019	0.2054	0.2088	0.2123	0.2157	0.2190	0.2224
0.6	0.2257	0.2291	0.2324	0.2357	0.2389	0.2422	0.2454	0.2486	0.2517	0.2549
0.7	0.2580	0.2611	0.2642	0.2673	0.2704	0.2734	0.2764	0.2794	0.2823	0.2852
0.8	0.2881	0.2910	0.2939	0.2967	0.2995	0.3023	0.3051	0.3078	0.3106	0.3133
0.9	0.3159	0.3186	0.3212	0.3238	0.3264	0.3289	0.3315	0.3340	0.3365	0.3389
1.0	0.3413	0.3438	0.3461	0.3485	0.3508	0.3531	0.3554	0.3577	0.3599	0.3621
1.1	0.3643	0.3665	0.3686	0.3708	0.3729	0.3749	0.3770	0.3790	0.3810	0.3830
1.2	0.3849	0.3869	0.3888	0.3907	0.3925	0.3944	0.3962	0.3980	0.3997	0.4015
1.3	0.4032	0.4049	0.4066	0.4082	0.4099	0.4115	0.4131	0.4147	0.4162	0.4177
1.4	0.4192	0.4207	0.4222	0.4236	0.4251	0.4265	0.4279	0.4292	0.4306	0.4319
1.5	0.4332	0.4345	0.4357	0.4370	0.4382	0.4394	0.4406	0.4418	0.4429	0.4441
1.6	0.4452	0.4463	0.4474	0.4484	0.4495	0.4505	0.4515	0.4525	0.4535	0.4545
1.7	0.4554	0.4564	0.4573	0.4582	0.4591	0.4599	0.4608	0.4616	0.4625	0.4633
1.8	0.4641	0.4649	0.4656	0.4664	0.4671	0.4678	0.4686	0.4693	0.4699	0.4706
1.9	0.4713	0.4719	0.4726	0.4732	0.4738	0.4744	0.4750	0.4756	0.4761	0.4767
2.0	0.4772	0.4778	0.4783	0.4788	0.4793	0.4798	0.4803	0.4808	0.4812	0.4817
2.1	0.4821	0.4826	0.4830	0.4834	0.4838	0.4842	0.4846	0.4850	0.4854	0.4857
2.2	0.4861	0.4864	0.4868	0.4871	0.4875	0.4878	0.4881	0.4884	0.4887	0.4890
2.3	0.4893	0.4896	0.4898	0.4901	0.4904	0.4906	0.4909	0.4911	0.4913	0.4916
2.4	0.4918	0.4920	0.4922	0.4925	0.4927	0.4929	0.4931	0.4932	0.4934	0.4936
2.5	0.4938	0.4940	0.4941	0.4943	0.4945	0.4946	0.4948	0.4949	0.4951	0.4952
2.6	0.4953	0.4955	0.4956	0.4957	0.4959	0.4960	0.4961	0.4962	0.4963	0.4964
2.7	0.4965	0.4966	0.4967	0.4968	0.4969	0.4970	0.4971	0.4972	0.4973	0.4974
2.8	0.4974	0.4975	0.4976	0.4977	0.4977	0.4978	0.4979	0.4979	0.4980	0.4981
2.9	0.4981	0.4982	0.4983	0.4983	0.4984	0.4984	0.4985	0.4985	0.4986	0.4986
3.0	0.4987	0.4987	0.4987	0.4988	0.4988	0.4989	0.4989	0.4989	0.4990	0.4990
3.1	0.4990	0.4991	0.4991	0.4991	0.4992	0.4992	0.4992	0.4992	0.4993	0.4993
3.2	0.4993	0.4993	0.4994	0.4994	0.4994	0.4994	0.4994	0.4995	0.4995	0.4995
3.3	0.4995	0.4995	0.4996	0.4996	0.4996	0.4996	0.4996	0.4996	0.4996	0.4997
3.4	0.4997	0.4997	0.4997	0.4997	0.4997	0.4997	0.4997	0.4997	0.4998	0.4998

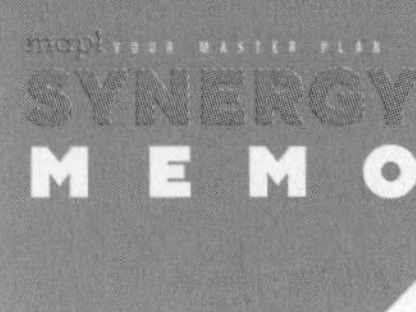
mapl YOUR MASTER PLAN
SYNERGY
MEMO

SYNERGY'S SPEED CHECK

I 경우의 수

0001	②	0002	③	0003	④	0004	①
0005	①	0006	③	0007	①	0008	①
0009	④	0010	③	0011	⑤	0012	②
0013	⑤	0014	①	0015	④	0016	⑤
0017	⑤	0018	④	0019	③	0020	⑤
0021	③	0022	②	0023	③	0024	②
0025	④	0026	②	0027	③	0028	③
0029	②	0030	⑤	0031	⑤	0032	③
0033	④	0034	②	0035	④	0036	①
0037	②	0038	③				
0039	③	0040	⑤	0041	①	0042	②
0043	④	0044	④	0045	⑤	0046	③
0047	④	0048	⑤	0049	③	0050	④
0051	④	0052	③	0053	③	0054	②
0055	②	0056	⑤	0057	④	0058	⑤
0059	④	0060	③	0061	③	0062	⑤
0063	④	0064	⑤	0065	②	0066	③
0067	②	0068	④	0069	①	0070	④
0071	④	0072	③	0073	③	0074	②
0075	③	0076	④	0077	②	0078	⑤

0079	③	0080	⑤	0081	④	0082	①
0083	①	0084	⑤	0085	③	0086	④
0087	①	0088	③	0089	③	0090	③
0091	④	0092	④	0093	②	0094	④
0095	⑤	0096	③	0097	①	0098	③
0099	③	0100	③	0101	④	0102	④
0103	④	0104	④	0105	②	0106	⑤
0107	⑤	0108	②	0109	②	0110	②
0111	④	0112	③	0113	③	0114	①
0115	④	0116	③	0117	②	0118	①
0119	③	0120	①	0121	②	0122	①
0123	②	0124	⑤	0125	⑤	0126	③
0127	①	0128	②	0129	②	0130	①
0131	②	0132	④	0133	③	0134	②
0135	③	0136	③	0137	④	0138	③
0139	②	0140	⑤	0141	③	0142	②
0143	②	0144	④	0145	④	0146	②
0147	③	0148	③	0149	②	0150	②
0151	⑤	0152	⑤	0153	②	0154	④
0155	④	0156	①	0157	②	0158	②
0159	③	0160	④	0161	⑤	0162	①
0163	②			0164	해설참조		
0165	해설참조			0166	해설참조		
0167	해설참조			0168	해설참조		
0169	해설참조			0170	해설참조		
0171	해설참조			0172	해설참조		
0173	해설참조			0174	해설참조		
0175	해설참조			0176	9	0177	85
0178	68	0179	①	0180	④	0181	228
0182	450	0183	81				

0184	⑤	0185	②	0186	②	0187	④
0188	③	0189	②	0190	③	0191	③
0192	①	0193	④	0194	③	0195	②
0196	⑤	0197	④	0198	⑤	0199	⑤
0200	①	0201	②	0202	④	0203	②
0204	⑤	0205	①	0206	④	0207	②
0208	②	0209	③	0210	③	0211	③
0212	③	0213	①	0214	⑤	0215	④
0216	③	0217	⑤	0218	④	0219	②
0220	⑤	0221	①	0222	④	0223	④
0224	④	0225	③	0226	②	0227	②
0228	④	0229	③	0230	⑤	0231	③
0232	⑤	0233	④	0234	②	0235	⑤
0236	①	0237	③	0238	④	0239	④
0240	①	0241	②	0242	④	0243	②
0244	③	0245	⑤	0246	⑤	0247	①
0248	②	0249	⑤	0250	⑤	0251	④
0252	②	0253	④	0254	②	0255	②
0256	③	0257	④	0258	②	0259	③
0260	③	0261	⑤	0262	②	0263	④
0264	⑤	0265	⑤	0266	④	0267	②
0268	③	0269	①	0270	③	0271	④
0272	③	0273	⑤	0274	③	0275	③
0276	④	0277	②	0278	③	0279	③
0280	④	0281	③	0282	③	0283	①
0284	③	0285	③	0286	③		
0287	⑤	0288	⑤	0289	①	0290	①
0291	④	0292	④	0293	②	0294	⑤
0295	⑤	0296	③	0297	②	0298	①
0299	①	0300	③	0301	④	0302	⑤
0303	①	0304	②	0305	②	0306	③
0307	⑤	0308	⑤	0309	②	0310	⑤

0311 ④ 0312 ② 0313 ② 0314 ③
0315 ③ 0316 ④ 0317 ③ 0318 ④
0319 ② 0320 ⑤ 0321 ② 0322 ③
0323 ② 0324 ④ 0325 ② 0326 ①
0327 ② 0328 ② 0329 ② 0330 ④
0331 ⑤ 0332 ⑤ 0333 ② 0334 ④
0335 ③ 0336 ⑤ 0337 ④ 0338 ⑤
0339 ① 0340 ③ 0341 ③ 0342 ④
0343 ⑤ 0344 ② 0345 ⑤ 0346 ②
0347 ① 0348 ③ 0349 ③ 0350 ③
0351 ③ 0352 ② 0353 ③ 0354 ④
0355 ③ 0356 ① 0357 ② 0358 ①
0359 ⑤ 0360 ② 0361 ④ 0362 ④
0363 ⑤ 0364 ④ 0365 ① 0366 ③
0367 ③ 0368 ② 0369 ③ 0370 ②
0371 ⑤ 0372 ④ 0373 ② 0374 ③
0375 ② 0376 ④ 0377 ② 0378 ④
0379 ③ 0380 ④ 0381 ⑤ 0382 ②
0383 ② 0384 ② 0385 해설참조
0386 해설참조 0387 해설참조
0388 해설참조 0389 해설참조
0390 해설참조 0391 해설참조
0392 해설참조 0393 해설참조
0394 해설참조 0395 해설참조
0396 해설참조 0397 해설참조
0398 해설참조 0399 해설참조
0400 해설참조 0401 해설참조
0402 32 0403 126 0404 43 0405 114
0406 56 0407 84 0408 285 0409 ③
0410 ③

Ⅱ 확률

0411 ④ 0412 ③ 0413 ④ 0414 ⑤
0415 ① 0416 ⑤ 0417 ② 0418 ⑤
0419 ③ 0420 ④ 0421 ⑤ 0422 ②
0423 ⑤ 0424 ④ 0425 ② 0426 ④
0427 ② 0428 ⑤ 0429 ④ 0430 ④
0431 ② 0432 ⑤ 0433 ⑤ 0434 ①
0435 ④ 0436 ① 0437 ④ 0438 ①
0439 ③ 0440 ② 0441 ⑤ 0442 ④
0443 ⑤ 0444 ② 0445 ② 0446 ③
0447 ② 0448 ② 0449 ③ 0450 ⑤
0451 ① 0452 ① 0453 ⑤ 0454 ④
0455 ④ 0456 ② 0457 ③ 0458 ⑤
0459 ④ 0460 ④ 0461 ① 0462 ③
0463 ② 0464 ④ 0465 ④ 0466 ⑤
0467 ② 0468 ⑤ 0469 ③ 0470 ②
0471 ② 0472 ① 0473 ① 0474 ②
0475 ② 0476 ⑤ 0477 ② 0478 ③
0479 ① 0480 ④ 0481 ① 0482 ④
0483 ③ 0484 ⑤ 0485 ⑤ 0486 ③
0487 ③ 0488 ⑤ 0489 ④ 0490 ①
0491 ① 0492 ③ 0493 ③ 0494 ③
0495 ⑤ 0496 ④ 0497 ⑤ 0498 ④
0499 ④ 0500 ① 0501 ③ 0502 ⑤
0503 ④ 0504 ④ 0505 ⑤ 0506 ④
0507 ④ 0508 ③ 0509 ④ 0510 ③
0511 ⑤ 0512 ④ 0513 ③ 0514 ③
0515 ① 0516 ⑤ 0517 ② 0518 ④
0519 ⑤ 0520 ② 0521 ① 0522 ⑤
0523 ⑤ 0524 ② 0525 ③ 0526 ③
0527 ⑤ 0528 ④ 0529 ② 0530 ②
0531 ② 0532 ③ 0533 ② 0534 ③
0535 ② 0536 ⑤ 0537 ⑤ 0538 ②
0539 ② 0540 ① 0541 ④ 0542 ⑤
0543 ④ 0544 ③ 0545 ②

0546 ④ 0547 ③ 0548 ① 0549 ②
0550 ② 0551 ④ 0552 ③ 0553 ⑤
0554 ⑤ 0555 ② 0556 ① 0557 ①
0558 ⑤ 0559 ② 0560 ⑤ 0561 ⑤
0562 ① 0563 ⑤ 0564 ② 0565 ②
0566 ② 0567 ① 0568 ② 0569 ④
0570 ③ 0571 ③ 0572 ④ 0573 ④
0574 ② 0575 ① 0576 ④ 0577 ③
0578 ④ 0579 ① 0580 ④ 0581 ②
0582 ② 0583 ③ 0584 ③ 0585 ②
0586 ⑤ 0587 ① 0588 ① 0589 ③
0590 ④ 0591 ④ 0592 ④ 0593 ④
0594 ③ 0595 ⑤ 0596 ③ 0597 ②
0598 ③ 0599 ⑤ 0600 ⑤ 0601 ③
0602 ⑤ 0603 ② 0604 ③ 0605 ①

0606 ③ 0607 ④ 0608 ② 0609 ②
0610 ② 0611 ② 0612 ④ 0613 ③
0614 ② 0615 ① 0616 ② 0617 ⑤
0618 ③ 0619 ⑤ 0620 ① 0621 ⑤
0622 ⑤ 0623 ⑤ 0624 ① 0625 ②
0626 ① 0627 ④ 0628 ⑤ 0629 ④

0630 ④ 0631 ⑤ 0632 ③ 0633 ④
0634 ⑤ 0635 ⑤ 0636 ① 0637 ⑤
0638 ⑤ 0639 ④ 0640 ② 0641 ④
0642 ④ 0643 ⑤ 0644 ⑤ 0645 ③
0646 ③ 0647 ⑤ 0648 ⑤ 0649 ④
0650 ③ 0651 ① 0652 ① 0653 ③
0654 ④ 0655 ④ 0656 ④ 0657 ②
0658 ⑤ 0659 ⑤ 0660 ④ 0661 ④
0662 ⑤ 0663 ② 0664 ③ 0665 ②
0666 ④ 0667 ④ 0668 ① 0669 ⑤
0670 ② 0671 ⑤ 0672 해설참조
0673 해설참조 0674 해설참조
0675 해설참조 0676 해설참조
0677 해설참조 0678 해설참조
0679 해설참조 0680 해설참조
0681 해설참조 0682 해설참조
0683 해설참조 0684 해설참조
0685 해설참조 0686 해설참조
0687 해설참조 0688 해설참조
0689 ④ 0690 154 0691 49 0692 68
0693 ① 0694 ① 0695 ④ 0696 35
0697 15 0698 22 0699 ②

0700 ⑤ 0701 ② 0702 ① 0703 ②
0704 ③ 0705 ⑤ 0706 ③ 0707 ③
0708 ⑤ 0709 ③ 0710 ③ 0711 ①
0712 ② 0713 ④ 0714 ④ 0715 ④
0716 ⑤ 0717 ② 0718 ④ 0719 ⑤
0720 ② 0721 ② 0722 ④ 0723 ①
0724 ④ 0725 ① 0726 ⑤ 0727 ③
0728 ⑤ 0729 ⑤ 0730 ⑤ 0731 ③
0732 ⑤ 0733 ③ 0734 ③ 0735 ③
0736 ⑤ 0737 ④ 0738 ⑤ 0739 ③
0740 ② 0741 ⑤ 0742 ① 0743 ④
0744 ⑤ 0745 ② 0746 ② 0747 ⑤
0748 ③ 0749 ④ 0750 ② 0751 ②
0752 ③ 0753 ① 0754 ③ 0755 ②
0756 ⑤ 0757 ② 0758 ③ 0759 ②
0760 ④ 0761 ④ 0762 ② 0763 ⑤
0764 ④ 0765 ⑤ 0766 ⑤ 0767 ④
0768 ⑤ 0769 ④ 0770 ③ 0771 ②
0772 ④ 0773 ④ 0774 ④ 0775 ⑤
0776 ④ 0777 ② 0778 ② 0779 ①
0780 ⑤ 0781 ① 0782 ② 0783 ④
0784 ③ 0785 ⑤ 0786 ⑤ 0787 ②

0788 ③ 0789 ① 0790 ④ 0791 ⑤
0792 ④ 0793 ⑤ 0794 ④ 0795 ②
0796 ① 0797 ⑤ 0798 ⑤ 0799 ②
0800 ④ 0801 ④ 0802 ⑤ 0803 ①
0804 ① 0805 ③ 0806 ⑤ 0807 ①

0808 ④ 0809 ③ 0810 ② 0811 ③
0812 ③ 0813 ③ 0814 ③ 0815 ③
0816 ⑤ 0817 ② 0818 ④ 0819 ①
0820 ③ 0821 ④ 0822 ⑤ 0823 ④
0824 ③ 0825 ④ 0826 ③ 0827 ③
0828 ④ 0829 ③ 0830 ② 0831 ⑤
0832 ③ 0833 ③ 0834 ③ 0835 ③
0836 ② 0837 ② 0838 ② 0839 ③
0840 ⑤ 0841 ② 0842 ④ 0843 ⑤
0844 ② 0845 ⑤ 0846 ④ 0847 ②
0848 ③ 0849 ③ 0850 ⑤ 0851 ③
0852 ④ 0853 ① 0854 ③ 0855 ③
0856 ⑤ 0857 ⑤ 0858 ③ 0859 ③
0860 ① 0861 ① 0862 ① 0863 ②
0864 ② 0865 ② 0866 ① 0867 ②
0868 ① 0869 ③ 0870 ② 0871 ②
0872 ④ 0873 ⑤ 0874 ② 0875 ⑤
0876 ② 0877 ② 0878 ⑤ 0879 ②
0880 ⑤ 0881 ② 0882 ① 0883 ②
0884 ④ 0885 ② 0886 ① 0887 ①
0888 ③ 0889 ③ 0890 ③ 0891 ⑤
0892 ④ 0893 ⑤ 0894 ④ 0895 ②
0896 ⑤ 0897 ① 0898 ④ 0899 ③
0900 ③ 0901 ① 0902 ⑤ 0903 ④
0904 ④ 0905 ⑤ 0906 ⑤ 0907 ⑤
0908 ⑤ 0909 ③ 0910 해설참조
0911 해설참조 0912 해설참조
0913 해설참조 0914 해설참조
0915 해설참조 0916 해설참조
0917 해설참조 0918 해설참조
0919 해설참조 0920 해설참조
0921 해설참조 0922 해설참조
0923 해설참조 0924 해설참조
0925 해설참조 0926 해설참조
0927 해설참조 0928 해설참조
0929 163 0930 23 0931 202 0932 ⑤
0933 ② 0934 97 0935 7 0936 17

0937 ③ 0938 ⑤ 0939 ② 0940 ②

0941 ③ 0942 ② 0943 ① 0944 ③
0945 ① 0946 ② 0947 ④ 0948 ④
0949 ③ 0950 ③ 0951 ④ 0952 ①
0953 ④ 0954 ② 0955 ① 0956 ②
0957 ③ 0958 ⑤ 0959 ⑤ 0960 ④
0961 ⑤ 0962 ① 0963 ③ 0964 ③
0965 ④ 0966 ③ 0967 ⑤ 0968 ③
0969 ⑤ 0970 ⑤ 0971 ⑤ 0972 ②
0973 ③ 0974 ④ 0975 ④ 0976 ②
0977 ④ 0978 ① 0979 ② 0980 ⑤
0981 ③ 0982 ① 0983 ④ 0984 ⑤
0985 ③ 0986 ② 0987 ③ 0988 ①
0989 ② 0990 ④ 0991 ① 0992 ②
0993 ③ 0994 ③ 0995 ⑤ 0996 ③
0997 ④ 0998 ② 0999 ④ 1000 ①
1001 ③ 1002 ④ 1003 ③
1004 해설참조 1005 해설참조
1006 해설참조 1007 해설참조
1008 해설참조 1009 해설참조
1010 해설참조 1011 해설참조
1012 $\frac{168}{625}$ 1013 ④ 1014 ① 1015 ③
1016 ①

III 통계

1017 ① 1018 ④ 1019 ③ 1020 ⑤
1021 ③ 1022 ③ 1023 ② 1024 ③
1025 ⑤ 1026 ⑤ 1027 ② 1028 ④
1029 ① 1030 ④ 1031 ① 1032 ④
1033 ④ 1034 ④ 1035 ⑤ 1036 ④
1037 ① 1038 ④ 1039 ⑤ 1040 ③
1041 ③ 1042 ④ 1043 ③ 1044 ①
1045 ① 1046 ③ 1047 ② 1048 ③
1049 ④ 1050 ② 1051 ⑤ 1052 ③
1053 ① 1054 ④ 1055 ③ 1056 ②
1057 ⑤ 1058 ② 1059 ① 1060 ②
1061 ② 1062 ③ 1063 ③ 1064 ①
1065 ② 1066 ① 1067 ③ 1068 ②
1069 ③ 1070 ④ 1071 ④ 1072 ③
1073 ② 1074 ⑤ 1075 ② 1076 ②
1077 ① 1078 ① 1079 ⑤ 1080 ②
1081 ③ 1082 ③ 1083 ⑤ 1084 ①
1085 ④ 1086 ① 1087 ④ 1088 ③
1089 ⑤ 1090 ⑤ 1091 ② 1092 ①
1093 ③ 1094 ④ 1095 ② 1096 ③

1097 ① 1098 ④ 1099 ④ 1100 ⑤
1101 ④ 1102 ①
1103 ③ 1104 ② 1105 ② 1106 ①
1107 ④ 1108 ⑤ 1109 ① 1110 ③
1111 ④ 1112 ② 1113 ④ 1114 ②
1115 ② 1116 ① 1117 ① 1118 ②
1119 ⑤ 1120 ① 1121 ④ 1122 ①
1123 ③ 1124 ③ 1125 ⑤ 1126 ①
1127 ② 1128 ⑤ 1129 ⑤ 1130 ①
1131 ② 1132 ③ 1133 ③ 1134 ④
1135 ⑤ 1136 ③ 1137 ⑤ 1138 ⑤
1139 ① 1140 ③ 1141 ③ 1142 ②
1143 ③ 1144 ① 1145 ② 1146 ④
1147 ③ 1148 ③ 1149 ② 1150 ③
1151 ③ 1152 ③ 1153 ④ 1154 ④
1155 ① 1156 ③ 1157 ④ 1158 ③
1159 ① 1160 ④ 1161 ① 1162 ④
1163 ② 1164 ④ 1165 ⑤ 1166 ⑤
1167 ② 1168 ④ 1169 ④ 1170 ⑤
1171 ④ 1172 ⑤ 1173 ④ 1174 ③
1175 ① 1176 ① 1177 ⑤ 1178 ①
1179 해설참조 1180 해설참조
1181 해설참조 1182 해설참조
1183 해설참조 1184 해설참조
1185 해설참조 1186 해설참조
1187 해설참조 1188 해설참조
1189 해설참조 1190 해설참조
1191 해설참조 1192 해설참조
1193 해설참조 1194 12 1195 37
1196 13 1197 10 1198 1 1199 ③
1200 $\frac{14}{3}$ 1201 47 1202 450 1203 10
1204 17 1205 ①

1206 ③ 1207 ⑤ 1208 ④ 1209 ②
1210 ④ 1211 ① 1212 ③ 1213 ④
1214 ④ 1215 ③ 1216 ② 1217 ⑤
1218 ② 1219 ② 1220 ③ 1221 ①
1222 ④ 1223 ② 1224 ③ 1225 ①
1226 ② 1227 ③ 1228 ⑤ 1229 ③
1230 ① 1231 ⑤ 1232 ④ 1233 ⑤
1234 ⑤ 1235 ⑤ 1236 ④ 1237 ②
1238 ③ 1239 ③ 1240 ③ 1241 ①
1242 ② 1243 ③ 1244 ① 1245 ③
1246 ④ 1247 ③ 1248 ⑤ 1249 ③
1250 ⑤ 1251 ④ 1252 ① 1253 ②

1254	④	1255	④	1256	②	1257	③
1258	②	1259	④	1260	④	1261	②
1262	⑤	1263	③	1264	③	1265	②
1266	③	1267	①	1268	⑤	1269	④
1270	④	1271	④	1272	⑤	1273	③
1274	②	1275	③	1276	②	1277	⑤
1278	①	1279	①	1280	④	1281	④
1282	⑤	1283	②	1284	①	1285	②
1286	⑤	1287	⑤	1288	②	1289	①
1290	①	1291	⑤	1292	②	1293	①
1294	④	1295	③	1296	③	1297	④
1298	④	1299	⑤	1300	①	1301	①
1302	⑤	1303	④	1304	①	1305	⑤
1306	③	1307	①	1308	⑤	1309	⑤
1310	①	1311	④	1312	③	1313	③
1314	②	1315	⑤	1316	③	1317	①
1318	②	1319	④				
1320	③	1321	③	1322	②	1323	⑤
1324	①	1325	④	1326	④	1327	⑤
1328	⑤	1329	⑤	1330	①	1331	②
1332	④			1333	해설참조		
1334	해설참조			1335	②	1336	③
1337	①	1338	①	1339	①	1340	④
1341	④	1342	④	1343	③	1344	①
1345	④	1346	⑤	1347	④	1348	②
1349	①	1350	④	1351	⑤	1352	①
1353	④	1354	①	1355	③	1356	⑤
1357	①			1358	해설참조		
1359	해설참조			1360	해설참조		
1361	해설참조			1362	해설참조		
1363	해설참조			1364	해설참조		
1365	해설참조			1366	해설참조		
1367	해설참조			1368	해설참조		
1369	해설참조			1370	해설참조		
1371	해설참조			1372	해설참조		
1373	해설참조			1374	10	1375	④
1376	⑤	1377	③	1378	840	1379	8185
1380	②	1381	6915				
1382	⑤	1383	①	1384	③	1385	④
1386	④	1387	④	1388	②	1389	⑤
1390	③	1391	②	1392	④	1393	③
1394	②	1395	④	1396	③	1397	③
1398	①	1399	③	1400	①	1401	⑤
1402	④	1403	④	1404	③	1405	③
1406	③	1407	③	1408	③	1409	①

1410	①	1411	④	1412	②	1413	⑤
1414	④	1415	③	1416	④	1417	①
1418	⑤	1419	②	1420	④	1421	①
1422	⑤	1423	④	1424	①	1425	②
1426	①	1427	⑤	1428	③	1429	③
1430	②	1431	③	1432	①	1433	⑤
1434	②	1435	④	1436	③	1437	②
1438	③	1439	③	1440	④	1441	①
1442	④	1443	⑤	1444	④	1445	③
1446	④	1447	①	1448	③	1449	③
1450	③	1451	④	1452	⑤	1453	②
1454	②	1455	⑤	1456	②	1457	③
1458	①	1459	①	1460	⑤	1461	④
1462	②	1463	①	1464	④	1465	④
1466	③	1467	②	1468	④	1469	①
1470	③	1471	③	1472	④	1473	⑤
1474	③	1475	①	1476	①	1477	①
1478	④	1479	②	1480	③	1481	⑤
1482	④	1483	①				
1484	②	1485	⑤	1486	④	1487	⑤
1488	②	1489	②	1490	③	1491	③
1492	③	1493	④	1494	②	1495	③
1496	②	1497	①	1498	④	1499	②
1500	④	1501	②	1502	②	1503	①
1504	③	1505	②	1506	④	1507	③
1508	④	1509	④	1510	②	1511	④
1512	③	1513	②	1514	②	1515	③
1516	③	1517	③	1518	⑤	1519	①
1520	①	1521	②	1522	③	1523	⑤
1524	⑤	1525	④	1526	②	1527	①
1528	②	1529	②	1530	②	1531	①
1532	④	1533	①	1534	⑤	1535	③
1536	④	1537	④	1538	①	1539	⑤
1540	④	1541	①	1542	③		
1543	해설참조			1544	해설참조		
1545	해설참조			1546	해설참조		
1547	해설참조			1548	해설참조		
1549	해설참조			1550	해설참조		
1551	해설참조			1552	해설참조		
1553	해설참조			1554	해설참조		
1555	⑤	1556	⑤	1557	701	1558	844

MAPL ; SYNERGY

01 경우의 수 모의평가

01 ③	02 ③	03 ③	04 ②	05 ⑤
06 ④	07 ①	08 ⑤	09 ③	10 ④
11 ②	12 ②	13 ④	14 ④	15 ④
16 ⑤	17 ⑤	18 ②	19 ③	20 ①

서술형

21 해설참조	22 해설참조
23 해설참조	24 120

MAPL ; SYNERGY

02 경우의 수 모의평가

01 ⑤	02 ②	03 ②	04 ①	05 ④
06 ③	07 ⑤	08 ①	09 ④	10 ③
11 ②	12 ②	13 ④	14 ⑤	15 ②
16 ①	17 ⑤	18 ⑤	19 ②	20 ③

서술형

21 해설참조	22 해설참조
23 해설참조	24 185

MAPL ; SYNERGY

01 확률 모의평가

01 ④	02 ①	03 ⑤	04 ②	05 ②
06 ③	07 ①	08 ④	09 ①	10 ③
11 ③	12 ③	13 ③	14 ③	15 ④
16 ②	17 ③	18 ④	19 ②	20 ②

서술형

21 해설참조	22 해설참조
23 해설참조	24 5

MAPL ; SYNERGY

02 확률 모의평가

01 ④	02 ④	03 ③	04 ③	05 ③
06 ④	07 ①	08 ①	09 ②	10 ②
11 ④	12 ⑤	13 ①	14 ④	15 ①
16 ④	17 ①	18 ⑤	19 ④	20 ②

서술형

21 해설참조	22 해설참조
23 해설참조	24 해설참조

MAPL ; SYNERGY

01 통계 모의평가

01 ②	02 ③	03 ⑤	04 ④	05 ②
06 ⑤	07 ①	08 ④	09 ②	10 ⑤
11 ⑤	12 ①	13 ④	14 ③	15 ⑤
16 ②	17 ③	18 ③	19 ②	20 ③

서술형

21 해설참조	22 해설참조
23 해설참조	24 58.5

MAPL ; SYNERGY

02 통계 모의평가

01 ⑤	02 ①	03 ⑤	04 ④	05 ③
06 ④	07 ⑤	08 ④	09 ①	10 ④
11 ④	12 ④	13 ⑤	14 ④	15 ③
16 ②	17 ③	18 ④	19 ⑤	20 ②

서술형

21 해설참조	22 해설참조
23 해설참조	24 73

MAPL; SYNERGY

01 중간고사 모의평가

01	⑤	02	⑤	03	④	04	①	05	⑤
06	⑤	07	③	08	④	09	①	10	②
11	⑤	12	①	13	①	14	②	15	⑤
16	⑤	17	②	18	④	19	④	20	③

서술형

21	해설참조	22	해설참조
23	251	24	$\frac{103}{84}$

MAPL; SYNERGY

02 중간고사 모의평가

01	⑤	02	③	03	①	04	④	05	④
06	④	07	②	08	④	09	④	10	④
11	④	12	②	13	③	14	③	15	④
16	③	17	④	18	⑤	19	①	20	⑤

서술형

21	해설참조	22	해설참조
23	해설참조	24	13

MAPL; SYNERGY

01 기말고사 모의평가

01	①	02	③	03	①	04	④	05	④
06	②	07	①	08	①	09	③	10	⑤
11	②	12	④	13	②	14	③	15	②
16	⑤	17	①	18	⑤	19	①	20	④

서술형

21	해설참조	22	해설참조
23	해설참조	24	해설참조

MAPL; SYNERGY

02 기말고사 모의평가

01	④	02	①	03	④	04	⑤	05	③
06	③	07	③	08	①	09	②	10	④
11	④	12	③	13	⑤	14	⑤	15	②
16	③	17	②	18	②	19	②	20	①

서술형

21	해설참조	22	해설참조
23	해설참조	24	137

mapl YOUR MASTER PLAN
MEMO

© Photo by Mae Mu on Unsplash

I'd rather regret the things I've done
than regret the things I haven't done.
Lucille Ball

masterplan

마플 시너지 내신문제집

MAPL SYNERGY SERIES

확률과 통계

1558Q

최다 빈출 문제로 이루어진 내신연계기출

+ 0659Q

도움을 주신 분들
정영필 김민석 강승혁 이승효 김성진 서혜원

내신 일등급을 위한 최고의 교재

마플시너지

확률과 통계

마플시너지 내신문제집 확률과 통계

ISBN : 978-89-94845-71-5 (53410)

발행일 : 2020년 7월 29일(1판 1쇄)

인쇄일 : 2025년 1월 14일

판/쇄 : 1판 10쇄

펴낸곳
희망에듀출판부 *(Heemang Institute, inc. Publishing dept.)*

펴낸이
임정선

주소 경기도 부천시 석천로 174 하성빌딩
[174, Seokcheon-ro, Bucheon-si, Gyeonggi-do, Republic of Korea]

교재 오류 및 문의
mapl@heemangedu.co.kr

희망에듀 홈페이지
http://www.heemangedu.co.kr

마플교재 인터넷 구입처
http://www.mapl.co.kr

교재 구입 문의
오성서적
Tel 032) 653-6653
Fax 032) 655-4761

YOUR
MASTER
PLAN

YOUR
MASTER
PLAN

마플시너지
내신문제집
MAPL SYNERGY SERIES

서명 : 마플시너지 내신문제집 확률과 통계
발행일 : 2020년 7월 29일(1판 1쇄)
인쇄일 : 2025년 1월 14일
판/쇄 : 1판 10쇄

펴낸곳
희망에듀출판부
(Heemang Institute, inc. Publishing dept.)

펴낸이
임정선

주소
경기도 부천시 석천로 174 하성빌딩
[174, Seokcheon-ro, Bucheon-si, Gyeonggi-do, Republic of Korea]

교재 오류 및 문의
mapl@heemangedu.co.kr

희망에듀 홈페이지
http://www.heemangedu.co.kr

마플교재 인터넷 구입처
http://www.mapl.co.kr

교재 구입 문의
오성서적
Tel 032) 653-6653
Fax 032) 655-4761

정가 22000 원

53410
9 788994 845715
ISBN 978-89-94845-71-5

마플 내신대비 문제집

MAPL SYNERGY SERIES
YOUR MASTER PLAN
www.mapl.co.kr

Your master plan.
mapl

마플시너지 정답과 해설

내신 일등급을 위한 최고의 교재

마플시너지

확률과 통계

마플시너지
내신문제집
MAPL SYNERGY SERIES

내신과 수능, 당신의 1등급이 우리의 철학. 마플!

강력한 개념이 끝나면 이젠 문제풀이다 !
학교 교과서를 유형별 단원별로 정리한 학교 내신의 완벽한 대비서
내신 1등급의 필독서 !

마플 시너지 내신문제집

MAPL SYNERGY SERIES

확률과 통계

1558Q

최다 빈출 문제로 이루어진 내신연계기출

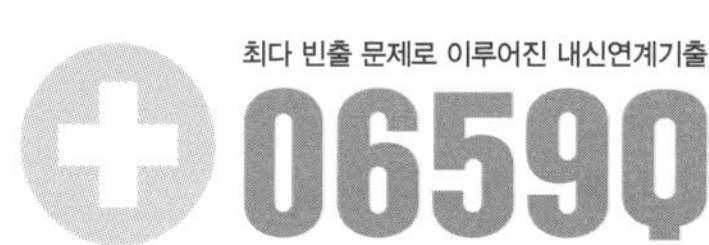

도움을 주신 분들

정영필 김민석 강승혁 이승효 김성진 서혜원

내신 일등급을 위한 최고의 교재

마플시너지

확률과 통계

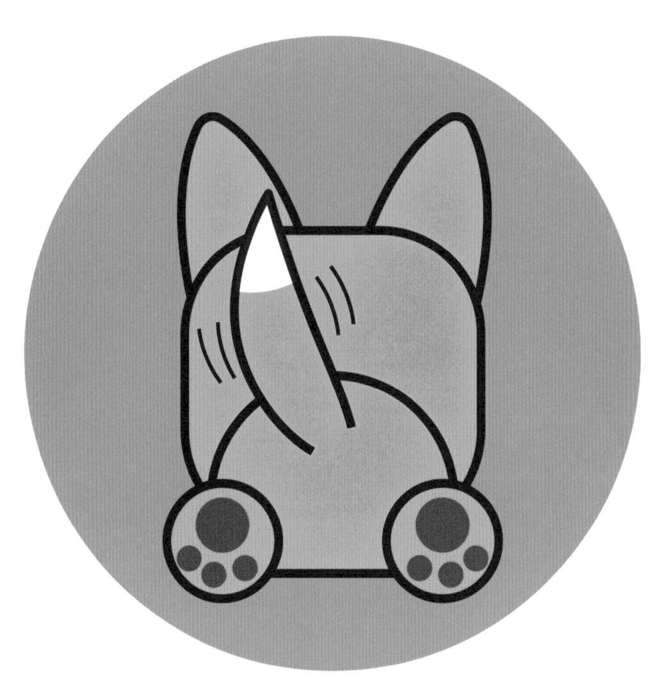

마플시너지 내신문제집 확률과 통계
ISBN : 978-89-94845-71-5 (53410)
발행일 : 2020년 7월 29일(1판 1쇄)
인쇄일 : 2025년 1월 14일
판/쇄 : 1판 10쇄

펴낸곳
희망에듀출판부 *(Heemang Institute, inc. Publishing dept.)*

펴낸이
임정선

주소 경기도 부천시 석천로 174 하성빌딩
[174, Seokcheon-ro, Bucheon-si, Gyeonggi-do, Republic of Korea]

교재 오류 및 문의
mapl@heemangedu.co.kr

희망에듀 홈페이지
http://www.heemangedu.co.kr

마플교재 인터넷 구입처
http://www.mapl.co.kr

교재 구입 문의
오성서적
Tel 032) 653-6653
Fax 032) 655-4761

YOUR
MASTER
PLAN

YOUR
MASTER
PLAN

정답과 해설

mapl SYNERGY
YOUR MASTER PLAN

CONTENTS

1 경우의 수

MAPL; SYNERGY

01 원순열

STEP 1 내신정복기출유형

0001

 정답 ②

STEP Ⓐ **원순열의 수 $f(n)$ 구하기**

서로 다른 n개를 원형으로 배열하는 원순열의 수 $f(n)$은

$f(n)=(n-1)!$

STEP Ⓑ **자연수 m의 값 구하기**

$\dfrac{f(10)}{f(7)\times f(m)}=21$에서 $\dfrac{(10-1)!}{(7-1)!(m-1)!}=\dfrac{9\cdot8\cdot7}{(m-1)!}=21$

$(m-1)!=24$

따라서 $4!=24$이므로 $m=5$

0002

 정답 ③

STEP Ⓐ **6명이 원 모양의 탁자에 둘러앉는 방법의 수 구하기**

6명이 원 모양의 탁자에 둘러앉는 방법의 수는 원순열의 수이므로

$(6-1)!=5!=120$

STEP Ⓑ **A, B가 서로 마주 보고 앉는 방법의 수 구하기**

A의 자리가 정해지면 B의 자리는 서로 마주보는 자리로 고정되므로

구하는 경우의 수는 5명이 원 모양의 탁자에 둘러앉는 방법의 수와 같다.

즉 구하는 방법의 수는 $(5-1)!=4!=24$

따라서 $p+q=120+24=144$

0003

 정답 ④

STEP Ⓐ **남학생 5명의 원순열의 수 구하기**

먼저 남학생 5명을 원형으로 배열하는 방법의 수는

$(5-1)!=4!=24$

STEP Ⓑ **여학생 5명을 앉히는 순열의 수 구하기**

이제 남학생의 사이사이에 여학생 5명을 앉히면 되므로

여학생을 배열하는 방법의 수는 $5!=120$

따라서 남학생과 여학생을 교대로 배열하는 방법의 수는 $4!\times5!=2880$

내신연계 출제문항 001

혈액형이 A형인 사람 5명과 B형인 사람 5명의 혈액을 채취하여 혈장을 분리하려고 한다. 10개의 시험관을 원 모양으로 꽂을 수 있는 원심분리기에 A형과 B형의 혈액이 담긴 시험관을 교대로 배열하는 방

법의 수는? (단, 회전하여 일치하는 것은 같은 것으로 본다.)

① 120 ② 720
③ 1440 ④ 2880
⑤ 3256

STEP Ⓐ **A형의 혈액이 담긴 시험관을 꽂는 원순열의 수 구하기**

A형의 혈액이 담긴 시험관을 먼저 꽂은 후

B형의 혈액형이 담긴 시험관을 꽂으면 된다.

A형의 혈액이 담긴 시험관을 꽂는 방법의 수는 $(5-1)!=4!$

STEP Ⓑ **B형의 혈액이 담긴 시험관을 꽂는 순열의 수 구하기**

그 사이사이에 B형의 혈액이 담긴 시험관을 꽂는 방법의 수는 $5!$

따라서 구하는 방법의 수는 $4!\times5!=2880$

정답 ④

0004

 정답 ①

STEP Ⓐ **부모 사이에 자녀 1명이 앉는 방법의 수 구하기**

부모를 제외한 3명의 자녀들 중 부모 사이에 앉을 자녀 1명을 뽑는 경우의 수는 ${}_3C_1=3$

STEP Ⓑ **원형으로 나열하여 구하기**

부모 사이에 앉는 자녀 1명과 부모를 묶어서 한 사람으로 생각하여 3명이 원형으로 앉는 경우의 수는 $(3-1)!=2!=2$

이때 부모끼리 서로 자리를 바꾸는 경우의 수는 $2!=2$

따라서 부모 사이에 자녀 1명이 앉는 경우의 수는 $3\times2\times2=12$

내신연계 출제문항 002

A, B를 포함하여 6명으로 구성된 아이돌 그룹이 하나의 원형을 만드는 안무를 구성할 때, A, B 사이에 1명이 있는 경우의 수는?

(단, 회전하여 일치하는 경우는 같은 것으로 본다.)

① 40 ② 48 ③ 56
④ 64 ⑤ 72

STEP Ⓐ **A, B 사이에 1명이 앉는 방법의 수 구하기**

A, B를 제외한 4명의 아이돌 그룹 멤버 중 A, B 사이에 있는 1명을 뽑는 경우의 수는 ${}_4C_1=4$

STEP Ⓑ **원형으로 나열하여 구하기**

A, B와 1명을 한 사람으로 생각하여 4명이 원형을 만드는 경우의 수는

$(4-1)!=3!=6$

이때 A, B끼리 서로 자리를 바꾸는 경우의 수는 $2!=2$

따라서 구하는 경우의 수는 $4\times6\times2=48$

정답 ②

0005

 정답 ①

STEP Ⓐ **6명 중에서 5명을 뽑는 경우의 수 구하기**

6명의 학생에서 5명을 뽑는 경우의 수는 ${}_6C_5={}_6C_1=6$

STEP Ⓑ **뽑힌 5명이 원형 탁자에 앉는 경우의 수 구하기**

5명이 원형 탁자에 앉는 경우의 수는 $(5-1)!=4!=24$

따라서 구하는 경우의 수는 $6\times24=144$

0006

 정답 ③

STEP Ⓐ **여학생 2명을 한 사람으로 생각하여 5명이 원탁에 둘러앉는 경우의 수 구하기**

여학생끼리 이웃하여야 하므로 여학생 2명을 1명으로 생각하면

5명이 원탁에 둘러앉는 경우의 수는 $(5-1)!=4!=24$

STEP Ⓑ **여학생 2명이 자리를 바꾸는 경우의 수 구하기**

그 각각의 경우에 대하여 여학생끼리 자리를 바꾸어 앉는 경우의 수는 $2!=2$

STEP Ⓒ **전체 경우의 수 구하기**

따라서 구하는 경우의 수는 $24\times2=48$

0007

 ①

STEP Ⓐ **이웃하는 원순열을 이용하여 경우의 수 구하기**

1학년 학생 2명을 1명으로 생각하고, 2학년 학생 2명을 1명으로 생각하여 5명의 학생을 원형으로 나열하는 경우의 수는 $(5-1)!=4!=24$

이 각각에 대하여 1학년 학생 2명이 자리를 바꾸는 경우의 수는 $2!=2$

이 각각에 대하여 2학년 학생 2명이 자리를 바꾸는 경우의 수는 $2!=2$

따라서 구하는 경우의 수는 $24\times2\times2=96$

내/신/연/계/ 출제문항 003

오른쪽 그림과 같이 원형 탁자에 7개의 의자가 일정한 간격으로 놓여 있다. A학교 학생 2명, B학교 학생 2명, C학교 학생 3명이 모두 이 7개의 의자에 앉으려고 할 때, A학교 학생 2명이 서로 이웃하여 앉고, B학교 학생 2명도 서로 이웃하여 앉는 경우의 수는? (단, 회전하여 일치하는 것은 같은 것으로 본다.)

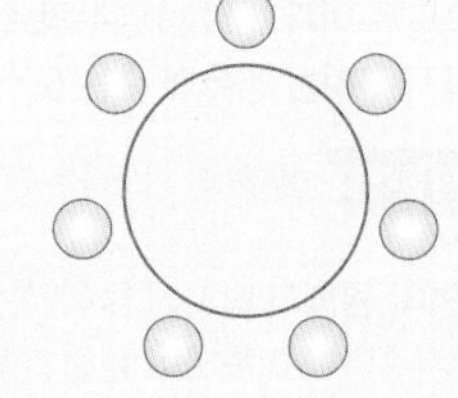

① 36 ② 56 ③ 72
④ 84 ⑤ 96

STEP Ⓐ **이웃하는 원순열을 이용하여 경우의 수 구하기**

A학교 학생 2명과 B학교 학생 2명을 각각 한 학생으로 생각하여 5명의 학생을 원형으로 배열하는 경우의 수는 $\frac{5!}{5}=4!=24$

이 각각에 대하여 A학교 학생 2명이 서로 자리를 바꾸는 경우의 수는 $2!$

B학교 학생 2명이 서로 자리를 바꾸는 경우의 수는 $2!$이므로

구하는 경우의 수는 $24\times2\times2=96$

 ⑤

0008

 ①

STEP Ⓐ **부부끼리 묶어서 한 사람으로 생각하여 3명이 원형으로 둘러앉는 경우의 수 구하기**

부부끼리 묶어서 한 사람으로 생각하여 3명이 원탁에 둘러앉는 방법의 수를 구하면 $(3-1)!=2!=2$

STEP Ⓑ **부부끼리 자리를 바꾸는 경우의 수 구하기**

부부끼리 자리를 바꾸는 방법의 수는 각각 $2!\times2!\times2!=8$

따라서 구하는 경우의 수는 $2\times8=16$

0009

 ④

STEP Ⓐ **A, B를 하나로 생각하여 원형으로 배열하는 경우의 수 구하기**

A, B를 하나로 생각하여 $(n-1)$명의 학생을 원형으로 배열하는 경우의 수는 $(n-1-1)!=(n-2)!$

각 경우에 대하여 A, B의 위치를 바꾸는 방법의 수가 $2!$

즉 구하는 경우의 수는 $(n-2)!\times2!=48$

STEP Ⓑ **n의 값 구하기**

따라서 $(n-2)!=24$이므로 $n-2=4$ $\therefore n=6$

내/신/연/계/ 출제문항 004

A, B, C를 포함한 n명의 학생이 원형 식탁에 앉을 때, A, B, C끼리 서로 이웃하여 앉는 경우의 수가 144가 되도록 하는 n의 값은?

① 4 ② 5 ③ 6
④ 7 ⑤ 8

STEP Ⓐ **A, B, C를 한 사람으로 생각하여 원탁에 둘러앉는 경우의 수 구하기**

A, B, C를 한 사람으로 생각하여 $(n-2)$명이 원형 식탁에 둘러앉는 경우의 수는 $(n-3)!$

이때 각각에 대하여 A, B, C가 서로 자리를 바꿔 앉는 경우의 수는 $3!=6$

STEP Ⓑ **n의 값 구하기**

즉 구하는 경우의 수는 $(n-3)!\times6=144$

따라서 $(n-3)!=24$이므로 $n-3=4$ $\therefore n=7$

 ④

0010

 ③

STEP Ⓐ **고기와 무채를 이웃하게 담는 경우의 수 구하기**

가운데 밀전병을 담고 고기와 무채를 하나로 생각하여 7가지음식을 원형으로 담는 경우의 수는 $(7-1)!=6!$

STEP Ⓑ **고기와 무채의 위치를 바꾸는 경우의 수 구하기**

각 경우에 대하여 고기와 무채의 위치를 바꾸는 경우의 수가 $2!$

따라서 구하는 경우의 수는 $6!\times2!=720\times2=1440$

내/신/연/계/ 출제문항 005

오른쪽 그림과 같은 구절판찬합에 밀전병, 고기, 무채를 포함한 9가지의 서로 다른 음식을 한 칸에 한 가지씩 담으려고 한다. 가운데 밀전병을 놓고, 고기와 무채를 이웃하지 않게 담는 경우의 수는? (단, 회전하여 일치하는 것은 같은 것으로 본다.)

① 720 ② 3600 ③ 3800
④ 4200 ⑤ 4220

STEP Ⓐ **가운데 밀전병을 담고 8가지 음식을 원형으로 담는 경우의 수 구하기**

가운데 밀전병을 담고 8가지 음식을 원형으로 담는 경우의 수는 $(8-1)!=7!=5040$

STEP Ⓑ **고기와 무채를 이웃하게 담는 경우의 수 구하기**

또한, 가운데 밀전병을 담고 8가지 음식 중 고기와 무채를 이웃하게 담는 경우의 수는 $(7-1)!\times2!=1440$

STEP Ⓒ **구하는 경우의 수 구하기**

따라서 고기와 무채를 이웃하지 않게 담는 경우의 수는 $5040-1440=3600$

 ②

0011

 ⑤

STEP A **A, B가 이웃하게 앉는 경우의 수 구하기**

빈 의자 한 개를 한 사람으로 생각하고
두 학생 A와 B를 묶어서 한 사람으로 생각하면
5명을 원형으로 나열하는 원순열의 수는
$(5-1)!=4!=24$

STEP B **A와 B가 서로 자리를 바꾸는 경우의 수 구하기**

이때 A와 B가 서로 자리를 바꾸는 경우의 수는 $2!$
따라서 구하는 경우의 수는 $24\times2!=48$

다른풀이 순열을 이용하여 풀이하기

학생 A가 의자에 앉는 경우의 수는 6
학생 B는 학생 A의 옆자리에 앉아야 하므로 경우의 수는 2
나머지 4개의 의자에 3명이 앉는 경우의 수는
${}_4P_3=4\times3\times2=24$
회전하여 겹치는 것이 각 경우에 대하여 6번씩 나오므로 구하는 경우의 수는
$\frac{6\times2\times24}{6}=48$

0012

 ②

STEP A **어린이 4명이 원형으로 앉는 경우의 수 구하기**

어른 2명을 제외한 어린이 4명이 원형으로 앉는 경우의 수는
$(4-1)!=3!$

STEP B **어른 2명이 앉는 경우의 수 구하기**

어린이 4명 사이사이의 4자리(㉠, ㉡, ㉢, ㉣)
에 어른 2명이 2자리를 택하여 앉는 경우의
수는 ${}_4P_2=12$
따라서 구하는 경우의 수는 $3!\times{}_4P_2=72$

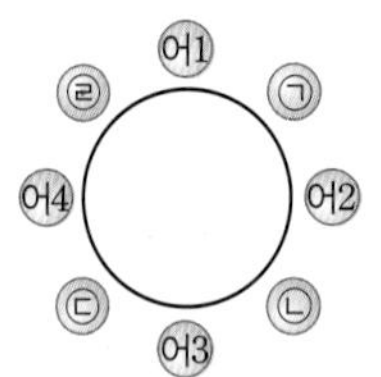

다른풀이 6명이 원탁에 둘러앉는 경우의 수에서 어른 2명이 이웃하여 앉는 경우의 수를 빼서 풀이하기

6명이 원형의 탁자에 둘러앉는 경우의 수는 $(6-1)!=5!=120$
어른 2명을 한 명으로 생각하여 5명이 원형으로 앉는 경우의 수는
$(5-1)!=4!=24$
이때 어른 2명이 서로 자리를 바꾸는 경우의 수는 $2!=2$
따라서 어른 2명이 서로 이웃하지 않도록 앉는 경우의 수는
$120-24\times2=72$

내신연계 출제문항 006

수지와 준호를 포함한 7명이 원형의 탁자에 둘러앉을 때, 수지와 준호가 이웃하지 않게 앉는 경우의 수는?
(단, 회전하여 일치하는 것은 같은 것으로 본다.)

① 475　② 480　③ 485
④ 490　⑤ 495

STEP A **수지와 준호가 이웃하지 않게 앉는 경우의 수 구하기**

7명이 원탁에 둘러앉는 경우의 수는 $(7-1)!=6!=720$
수지와 준호를 한 사람으로 생각하여 6명이 원탁에 둘러앉는 경우의 수는
$(6-1)!=5!=120$
이때 수지와 준호끼리 서로 자리를 바꾸는 경우의 수는 $2!=2$
수지와 준호가 이웃하여 앉는 경우의 수는 $120\times2=240$
따라서 구하는 경우의 수는 $720-240=480$

다른풀이 순열을 이용하여 풀이하기

수지와 준호를 제외한 5명이
원탁(A, B, C, D, E)에 둘러앉는 경우의
수는 $(5-1)!=4!=24$
5명이 오른쪽 그림과 같이 앉았을 때, 수지와
준호는 5명 사이사이에 한 명씩 앉으면 된다.
즉 수지와 준호가 원탁에 앉는 경우의 수는
㉠~㉤의 다섯 자리 중 두 자리를 뽑는 순열
의 수와 같으므로 ${}_5P_2=5\times4=20$
따라서 구하는 경우의 수는 $24\times20=480$

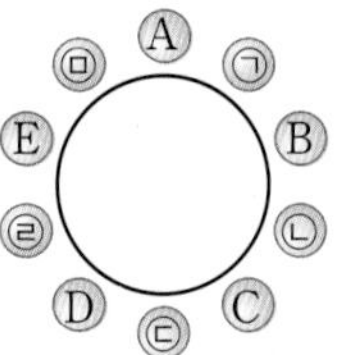

정답 ②

0013

 ⑤

STEP A **남자 4명이 원형의 탁자에 둘러앉는 경우의 수 구하기**

먼저 남자 4명이 원형의 탁자에 둘러앉는 경우의 수는 $(4-1)!=6$

STEP B **여자 3명이 앉는 경우의 수 구하기**

이때 남자 사이의 4곳 중에서 3곳을 택하여 여자가 앉으면 서로 이웃하지 않으므로 여자가 앉는 경우의 수는 ${}_4P_3=24$
따라서 구하는 경우의 수는 $6\times24=144$

오답풀이 여자끼리 이웃하는 경우의 수를 구하여 풀이하기

7명이 원형의 탁자에 둘러앉는 경우의 수는 $(7-1)!=6!=720$
여자 3명이 이웃하여 원형의 탁자에 둘러앉는 경우는
여자 3명을 한 명으로 생각하여 5명이 원형으로 앉는 경우의 수는
$(5-1)!=4!=24$
이때 여자 3명이 서로 자리를 바꾸는 경우의 수는 $3!=6$
따라서 여자 3명이 서로 이웃하지 않도록 앉는 경우의 수는
$720-24\times6=576$
위의 풀이 중 여자 2명이 이웃하는 경우가 있으므로 여자끼리 이웃하지 않는 경우의 수와 일치하지 않는다.

내신연계 출제문항 007

남학생 3명과 여학생 5명이 원탁 모양의 탁자에 둘러앉을 때, 모든 남학생과 남학생 사이에 적어도 한 명의 여학생이 앉는 경우의 수는?

① 120　② 720　③ 1440
④ 2880　⑤ 3360

STEP A **여학생 5명이 원형의 탁자에 둘러앉는 경우의 수 구하기**

먼저 여학생 5명이 원형의 탁자에 둘러앉는 경우의 수는 $(5-1)!=24$

STEP B **남학생 3명이 앉는 경우의 수 구하기**

이때 여학생 사이의 5곳 중에서 3곳을 택하여 남학생 3명이 앉는 경우의 수는
${}_5P_3=5\times4\times3=60$
따라서 구하는 경우의 수는 $24\times60=1440$

 ③

0014

 ①

STEP A **여자 4명을 이웃하여 원형의 탁자에 앉히는 경우의 수 구하기**

우선 여자 4명을 묶어서 한 사람으로 생각하여 남자 3명과 함께 원형의 탁자에 앉히는 경우의 수는 $(4-1)!=3!=6$

STEP B **A와 B 2명이 이웃하지 않는 경우의 수 구하기**

이때 여자 4명끼리 자리를 바꿀 수 있는데,
A와 B 2명이 이웃하지 않아야하므로 4명을 일렬로 나열하는 경우에서
A와 B 2명이 이웃하는 경우를 제외하는 경우의 수는 $4!-3!\times2=12$

STEP Ⓒ **구하는 경우의 수 구하기**

따라서 구하는 경우의 수는 $6\times12=72$

0015

STEP Ⓐ **서로 다른 5개의 접시를 원형으로 나열하는 경우의 수 구하기**

서로 다른 5개의 접시를 원형으로 나열하는 경우의 수는
$(5-1)!=4!=24$

STEP Ⓑ **사과를 올려놓지 않은 접시 2개가 서로 이웃하지 않도록 하는 경우의 수 구하기**

이 각각에 대하여 5개의 접시 중에서 사과를 올려놓을 3개의 접시를 택할 때, 사과를 올려놓지 않을 접시 2개가 서로 이웃하지 않도록 택하는 경우의 수는
${}_5C_3-5=5$
이 각각에 대하여 택한 3개의 접시에 서로 다른 3개의 사과를 각각 한 개씩 올려놓는 경우의 수는
$3!=6$

STEP Ⓒ **구하는 경우의 수 구하기**

따라서 구하는 경우의 수는 $24\times5\times6=720$

다른풀이 순열을 이용하여 풀이하기

5개의 접시 중에서 3개의 접시를 택하여 서로 다른 3개의 사과를 각각 한 개씩 올려놓는 경우의 수는 ${}_5P_3=60$
이 각각에 대하여 사과를 올려놓지 않은 2개의 접시가 서로 이웃하지 않도록 5개의 접시를 원형으로 나열하는 경우의 수는
$(5-1)!-(4-1)!\times2!=24-12=12$
따라서 구하는 경우의 수는 $60\times12=720$

0016

STEP Ⓐ **1학년 3명이 이웃하는 경우의 수 구하기**

1학년 3명이 이웃해야 하므로 1학년 3명을 하나로 생각하여 3학년 3명과 함께 원형으로 나열하는 경우의 수는
$(4-1)!=3!=3\times2\times1=6$
이때 1학년 3명이 서로 자리를 바꾸는 경우의 수는 서로 다른 3개에서 3개를 택하는 순열의 수이므로 $3!=3\times2\times1=6$

STEP Ⓑ **2학년 2명은 이웃하지 않는 경우의 수 구하기**

또한, 2학년 2명은 이웃하지 않아야 하므로 그림과 같이 1학년을 ●로, 3학년을 ●으로 나타내면 1학년과 3학년이 앉고 난 다음 이들 사이의 빈 자리 ∨ 네 곳 중 두 군데에 앉으면 되므로 그 경우의 수는 서로 다른 4개에서 2개를 택하는 순열의 수이다.
즉 ${}_4P_2=4\times3=12$

STEP Ⓒ **경우의 수 구하기**

따라서 구하는 경우의 수는 $6\times6\times12=432$

내신연계 출제문항 008

국제 패션 디자인 대회에 참가한 A대학 2명, B대학 2명, C대학 3명이 원형의 탁자에 둘러앉을 때, A대학 2명은 이웃하고, B대학 2명은 이웃하지 않도록 앉는 경우의 수는?

① 72　② 120　③ 144
④ 288　⑤ 336

STEP Ⓐ **A대학 2명과 C대학 3명이 원형으로 둘러앉는 경우의 수 구하기**

A대학 2명을 한 사람으로 생각하여 C대학 3명과 같이 원형으로 둘러앉는 경우의 수는 $(4-1)!=3!=6$
그 각각의 경우에 대하여 A대학 2명이 서로 자리를 바꾸어 앉는 경우의 수는 $2!$이다.
즉 이웃하는 A대학 2명과 C대학 3명이 원형으로 둘러앉는 경우의 수는
$6\times2!=12$

STEP Ⓑ **B대학 2명이 앉는 경우의 수 구하기**

이때 B대학 2명이 이웃하지 않도록 앉으려면 그림과 같이 ◯자리 4곳 중에서 2곳을 택하여 앉으면 되므로 그 경우의 수는 ${}_4P_2=12$

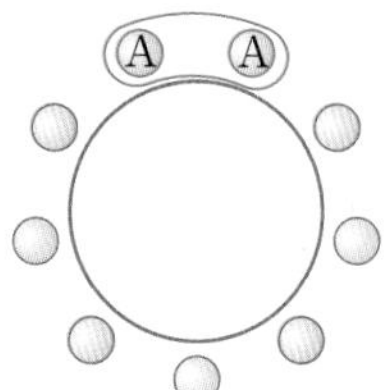

STEP Ⓒ **경우의 수 구하기**

따라서 구하는 경우의 수는 $12\times12=144$

0017

STEP Ⓐ **6명의 학생이 원형으로 앉는 경우의 수 구하기**

6명의 학생이 원 모양의 탁자에 둘러앉는 경우의 수는 $(6-1)!=5!=120$

STEP Ⓑ **E대학 학생의 옆에 Y대학 학생이 앉지 않는 경우의 수 구하기**

이 중에서 E대학 학생의 옆에 Y대학 학생이 앉지 않는 경우 E대학 학생의 양 옆에 S대학 학생이 앉아야 하므로 E대학 학생의 양 옆에 S대학 학생 2명을 택하여 앉는 경우의 수는 ${}_3P_2=3\times2=6$
이 각각에 대하여 E대학 학생과 양 옆에 앉은 S대학 학생으로 이뤄진 3명의 학생을 한 명으로 생각하고 나머지 3명의 학생과 원형으로 나열하는 경우의 수는 $(4-1)!=3!=6$
즉 E대학 학생의 옆에 Y대학 학생이 앉지 않는 경우의 수는 $6\times6=36$

STEP Ⓒ **여사건을 이용하여 구하기**

따라서 구하는 경우의 수는 $120-36=84$

0018

STEP Ⓐ **(원순열의 수)×(회전시켰을 때 겹쳐지지 않는 경우의 수)임을 이용하여 구하기**

6명을 원형으로 배열하는 원순열의 수는 $(\boxed{6}-1)!=5!$
이때 정삼각형 모양의 탁자에서는 원형으로 배열하는 한 가지 방법에 대하여 다음 그림과 같이 서로 다른 경우가 $\boxed{2}$가지씩 존재한다.

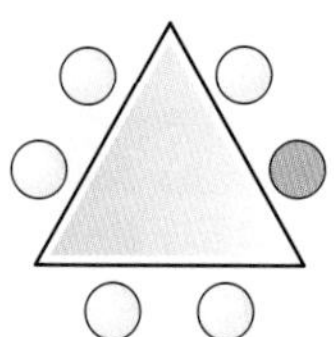

따라서 구하는 방법의 수는 $(6-1)!\times2=5!\times2=\boxed{240}$
$a+b+c=6+2+240=248$

긴 탁자에 6명이 일렬로 앉는 방법의 수는 $6!$
정삼각형 모양의 탁자에 6명이 둘러앉는 방법의 수는 $\frac{6!}{3}$
(∵ 두 칸씩 돌아앉으면 3가지 같은 경우가 생기므로)

0019

 ③

STEP Ⓐ (원순열의 수)×(회전시켰을 때 겹쳐지지 않는 경우의 수)임을 이용하여 구하기

8명이 원탁에 둘러앉는 경우의 수는 $(8-1)!=7!$
이때 정사각형 모양의 식탁에 앉는 경우는 다음 그림과 같이 서로 다른 2가지씩 존재한다.

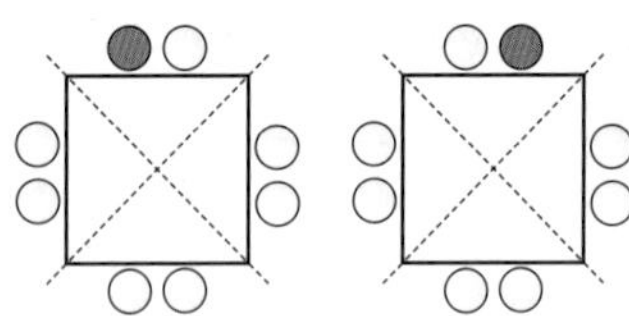

따라서 구하는 경우의 수는 $7!\times 2$

0020

 ⑤

STEP Ⓐ (원순열의 수)×(회전시켰을 때 겹쳐지지 않는 경우의 수)임을 이용하여 구하기

6명의 학생을 원형으로 배열하는 원순열의 수는 $(6-1)!=5!$
이때 각각의 탁자에 앉는 서로 다른 경우의 수를 구하면

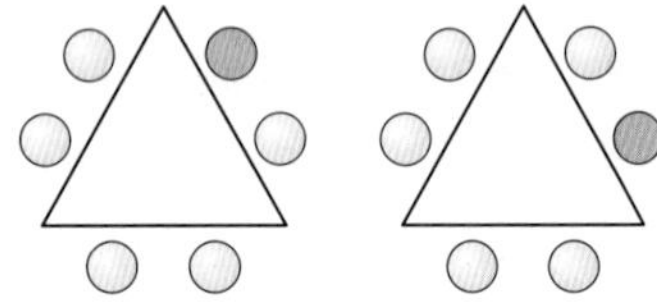

정삼각형에서는 원형으로 배열하는 한 가지 경우에 대하여 서로 다른 경우가 2가지씩 존재하므로 $5!\times 2=240$

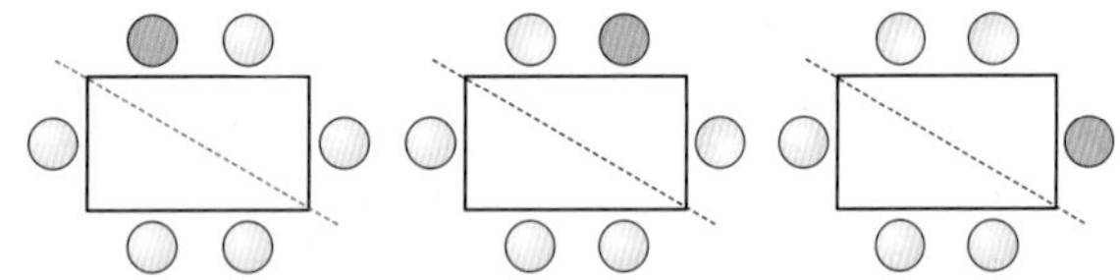

직사각형에서는 원형으로 배열하는 한 가지 경우에 대하여 서로 다른 경우가 3가지씩 존재하므로 $5!\times 3=360$

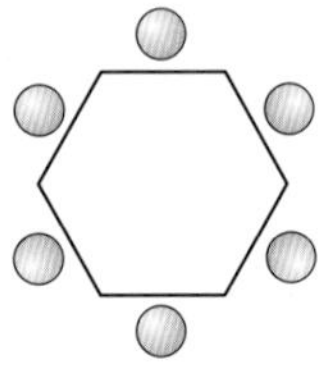

정육각형에서는 원형으로 배열하는 한 가지 경우에 대하여 서로 다른 경우가 1가지씩 존재하므로 $5!\times 1=120$

STEP Ⓑ 각각의 경우의 수의 합 구하기

따라서 $240+360+120=720$

내신연계 출제문항 009

8명의 학생이 다음 그림과 같은 정사각형, 직사각형 모양의 탁자에 둘러앉을 때, 각각의 경우의 수의 합은? (단, 회전하여 일치하는 것은 같은 것으로 본다.)

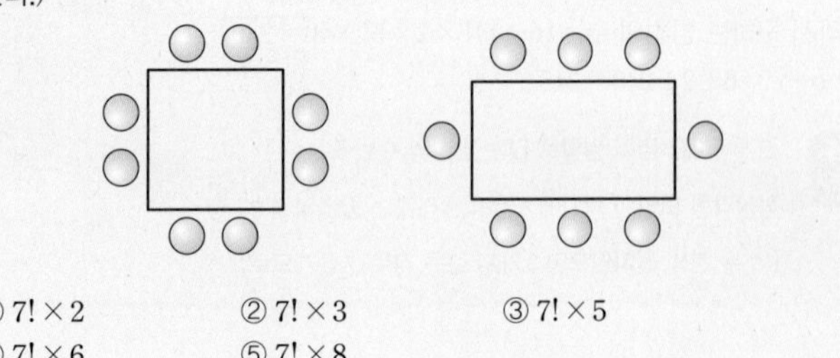

① $7!\times 2$　② $7!\times 3$　③ $7!\times 5$
④ $7!\times 6$　⑤ $7!\times 8$

STEP Ⓐ 각각 탁자에 둘러앉는 경우의 수 구하기

8명의 학생을 원형으로 배열하는 원순열의 수는 $(8-1)!=7!$
이때 각각의 탁자에 앉는 서로 다른 경우의 수를 구하면

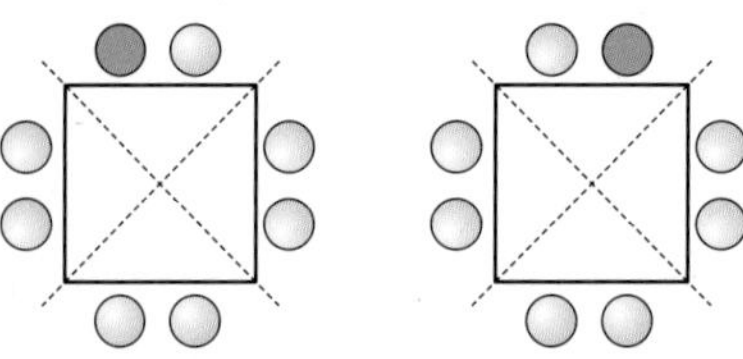

정사각형에서는 원형으로 배열하는 한 가지 경우에 대하여 서로 다른 경우가 2가지씩 존재하므로 $7!\times 2$

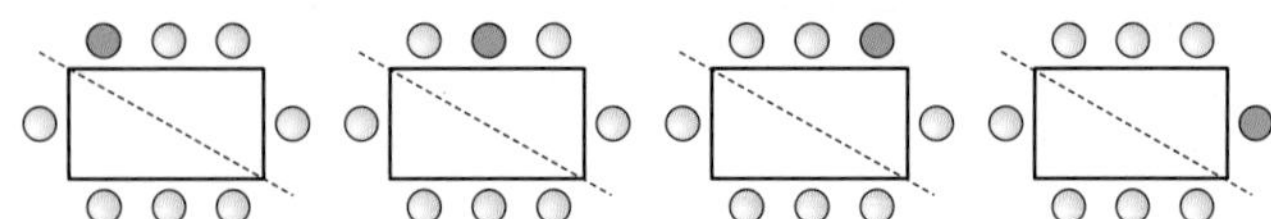

직사각형에서는 원형으로 배열하는 한 가지 경우에 대하여 서로 다른 경우가 4가지씩 존재하므로 $7!\times 4$

STEP Ⓑ 각각의 경우의 수의 합 구하기

따라서 $7!\times 2+7!\times 4=7!\times 6$

 ④

0021

 ③

STEP Ⓐ 남자가 탁자에 둘러앉는 경우의 수 구하기

남녀가 교대로 앉으려면 여자 4명은 다음 그림에서 색칠한 자리에 앉아야 하고 남자 4명은 나머지 자리에 앉으면 된다.

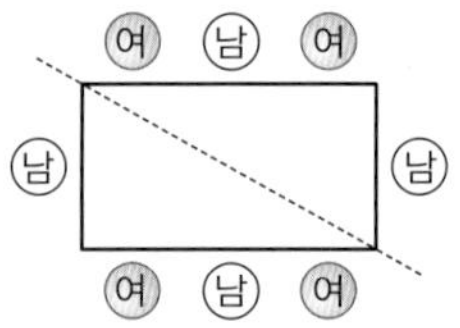

이 탁자는 180°만큼 회전하면 겹쳐지므로 남자 4명을 색칠하지 않은 4개의 자리에 배열하는 경우의 수는 $2\times(4-1)!=12$

STEP Ⓑ 여자가 자리에 앉는 경우의 수 구하기

여자 4명이 4개의 자리에 앉는 경우의 수는 $4!$이고 남녀의 순서를 바꿀 수도 있으므로 구하는 경우의 수는 $12\times 4!\times 2=576$

0022

 ②

STEP Ⓐ 같은 학년의 학생끼리 이웃하여 정사각형 탁자에 배정하는 경우의 수 구하기

같은 학년의 학생끼리 정사각형의 같은 변 쪽에 서로 이웃하려면
네 변에 각각 1학년 학생 2명, 2학년 학생 2명, 3학년 학생 2명, 빈 의자 2개를 정사각형 탁자에 배정해야 하므로 그 경우의 수는 $(4-1)!=6$

STEP Ⓑ 각 학년의 학생들이 각각 서로 자리를 바꾸는 경우의 수 구하기

1학년 학생 2명, 2학년 학생 2명, 3학년 학생 2명이 각각 서로 자리를 바꾸는 경우의 수는 $2\times 2\times 2=8$
따라서 구하는 경우의 수는 $6\times 8=48$

0023

정답 ③

STEP Ⓐ **서로 다른 7가지 색 중에서 4가지 색을 택하기**

서로 다른 7가지의 색 중 4가지를 선택하는 경우의 수는 ${}_7C_4=35$

STEP Ⓑ **원순열을 이용하여 경우의 수 구하기**

선택한 4가지 색을 원형으로 배열하는 경우의 수는 $(4-1)!=3!$
따라서 구하는 방법의 수는 $35\times 3!=210$

다른풀이 원형으로 배열하는 경우로 풀이하기

서로 다른 7가지 색에서 4가지 색을 택하여 원형으로 배열하는 경우의 수는
$\frac{{}_7P_4}{4}=\frac{7\times 6\times 5\times 4}{4}=210$

0024

정답 ②

STEP Ⓐ **가운데 작은 원에 색을 칠하는 경우의 수 구하기**

서로 다른 5가지 색 중 하나를 사용하여 가운데 원에 색을 칠하는 경우의 수는 ${}_5C_1=5$

STEP Ⓑ **원순열을 이용하여 경우의 수 구하기**

나머지 4가지 색을 4등분한 칸에 칠하는 방법의 수는 4개를 원형으로 배열하는 원순열의 수와 같으므로 $(4-1)!=6$
따라서 구하는 방법의 수는 $5\times 6=30$

다른풀이 회전해서 같은 경우를 이용하여 풀이하기

5개의 영역에 5가지 색을 칠하는 경우의 수는 $5!$
이때 다음 4가지의 그림은 같은 경우이다.

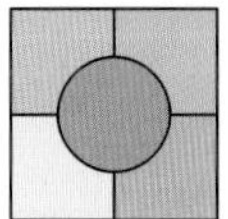 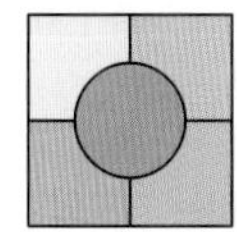 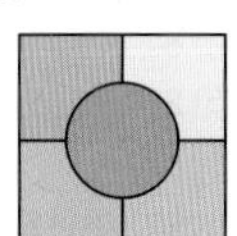 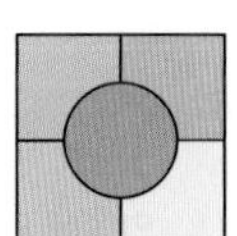

따라서 구하는 경우의 수는 $\frac{5!}{4}=30$

0025

정답 ④

STEP Ⓐ **가운데 원에 색칠하는 경우의 수 구하기**

가운데 원에 색칠하는 경우의 수는 ${}_7C_1=7$

STEP Ⓑ **원순열의 정의를 이용하여 경우의 수 구하기**

가운데 원에 칠한 색을 제외한 6가지 색을 모두 사용하여 가운데 원을 제외한 나머지 6개의 원을 색칠하는 경우의 수는 $(6-1)!=5!$
따라서 구하는 경우의 수는 $7\times 5!=840$

다른 표현 같은 문제

오른쪽 그림은 놀이터에 있는 그늘막을 위에서 내려다본 모습을 정육각형과 원으로 단순화시켜 나타낸 것이다.
서로 다른 7가지 색을 모두 사용하여 그늘막의 각 영역을 구분해 칠하는 방법의 수를 구하여라.
(단, 작은 원을 제외한 나머지 6개의 부분은 모양과 크기가 서로 같다.)

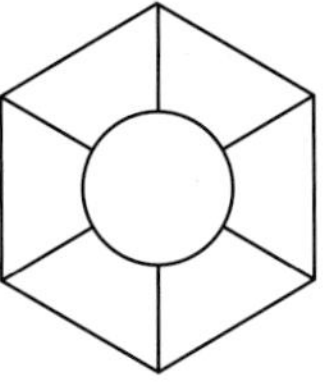

내신연계 출제문항 010

오른쪽 그림과 같이 합동인 정육각형 7개를 붙여 만든 도형의 각 면에 다른 색이 오도록 7가지 색으로 구분하여 칠하는 경우의 수는? (단, 회전하여 일치하는 것은 같은 것으로 본다.)

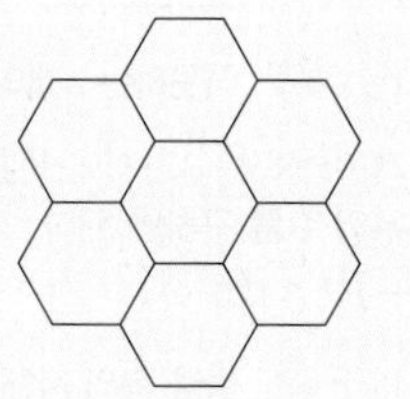

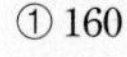

① 160　② 320
③ 520　④ 720
⑤ 840

STEP Ⓐ **가운데 작은 정육각형에 색을 칠하는 경우의 수 구하기**

서로 다른 7가지 색 중 하나를 사용하여 가운데 작은 정육각형에 색을 칠하는 경우의 수는 ${}_7C_1=7$

STEP Ⓑ **원순열을 이용하여 경우의 수 구하기**

나머지 6가지 색을 6등분한 칸에 칠하는 방법의 수는 6개를 원형으로 배열하는 원순열의 수와 같으므로 $(6-1)!=120$
따라서 구하는 방법의 수는 $7\times(6-1)!=7\times 5!=840$

정답 ⑤

0026

정답 ②

STEP Ⓐ **파란색과 주황색을 하나로 생각하여 원형으로 색칠하는 방법의 수 구하기**

파란색과 주황색을 하나로 생각하여 6가지 색을 원판에 색칠하는 방법의 수는 $(6-1)!=5!=120$

STEP Ⓑ **파란색과 주황색의 위치를 바꾸는 방법의 수 구하기**

파란색과 주황색의 위치를 바꾸는 방법의 수가 $2!$
따라서 구하는 방법의 수는 $5!\times 2=240$

내신연계 출제문항 011

오른쪽 그림과 같이 반지름의 길이가 같은 6개의 원에 빨강, 주황, 노랑, 초록, 파랑, 보라의 6가지 색으로 구분되게 칠하려고 한다. 빨간색과 파란색을 이웃하게 칠하는 경우의 수는? (단, 한 영역에 한가지의 색을 칠하고 회전하여 일치하는 것은 같은 것으로 본다.)

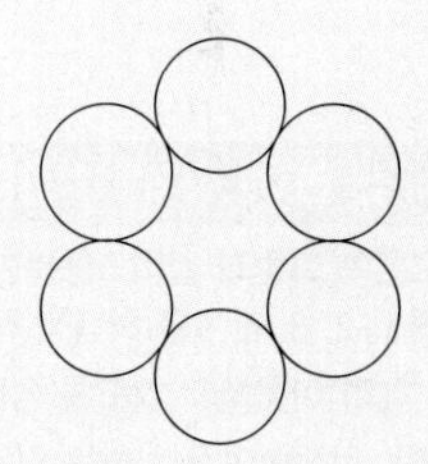

① 18　② 24
③ 36　④ 48
⑤ 64

STEP Ⓐ **이웃하는 2개의 색을 하나의 묶음으로 여기고 원순열 구하기**

빨간색과 파란색을 한 가지 색으로 생각하여 5가지 색을 원판에 칠하는 경우의 수는 $(5-1)!=4!=24$

STEP Ⓑ **묶음 속의 자체순열을 구하여 곱의 법칙 적용하여 구하기**

빨간색과 파란색으로 칠할 자리를 바꾸는 경우의 수는 $2!=2$
따라서 구하는 경우의 수는 $24\times 2=48$

정답 ④

0027

 ③

STEP Ⓐ **이웃하는 3개의 색을 하나의 묶음으로 여기고 원순열 구하기**

먼저 이웃하는 3가지의 색을 하나로 여기고 모두 6개를 원순열로 배열하는 경우의 수를 구하면 된다.
$(6-1)!=120$

STEP Ⓑ **묶음 속의 자체순열을 구하여 곱의 법칙 적용하여 구하기**

묶음 속의 3개를 배열하는 경우의 수는 $3!=6$
따라서 전체 경우의 수는 $120\times6=720$

0028

 ③

STEP Ⓐ **빨간색과 보라색을 제외한 4가지 색을 원형으로 칠하는 경우의 수 구하기**

빨간색과 보라색을 제외한 4가지 색을 원형으로 칠하는 경우의 수는
$(4-1)!=3!=6$

STEP Ⓑ **빨간색과 보라색을 칠하는 경우의 수 구하기**

4가지 색 사이사이의 4자리에 빨간색과 보라색을 칠하는 경우의 수는
${}_4P_2=12$
따라서 구하는 경우의 수는 $6\times12=72$

다른풀이 여사건을 이용하여 풀이하기

주어진 도형에 서로 다른 6가지 색을 모두 사용하여 칠하는 경우의 수는 서로 다른 6개를 원형으로 나열하는 원순열의 수와 같으므로
$(6-1)!=5!=120$
빨간색과 보라색이 이웃하도록 칠하는 경우의 수는 빨간색과 보라색을 한 가지 색으로 생각하여 5가지 색을 칠하는 경우의 수와 같으므로
$(5-1)!=4!=24$
이때 빨간색과 보라색이 서로 자리를 바꾸는 경우의 수는 $2!=2$
따라서 빨간색과 보라색이 서로 이웃하지 않도록 칠하는 경우의 수는
$120-24\times2=72$

내/신/연/계/ 출제문항 012

오른쪽 그림과 같이 5등분한 원판의 각 영역에 1, 2, 3, 4, 5를 하나씩 적으려고 한다.
3, 4가 이웃하지 않도록 적는 경우의 수는?
(단, 회전하여 일치하는 것은 같은 것으로 본다.)

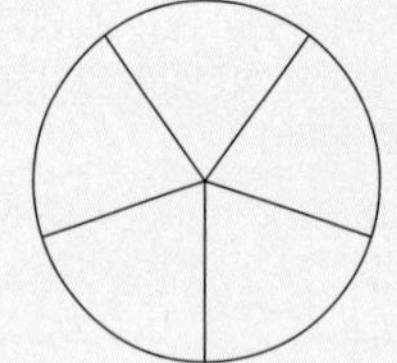

① 12 ② 15
③ 18 ④ 21
⑤ 24

STEP Ⓐ **5개의 숫자를 원형으로 나열하는 경우의 수 구하기**

5개의 숫자를 원형으로 나열하는 경우의 수는 $(5-1)!=4!=24$

STEP Ⓑ **3, 4가 이웃하여 원형으로 나열하는 경우의 수 구하기**

이 중에서 3, 4가 이웃하는 경우의 수는 $(4-1)!\times2!=3!\times2!=12$
따라서 구하는 경우의 수는 $24-12=12$

다른풀이 순열을 이용하여 풀이하기

5개의 영역 중 한 영역에 3을 적은 후 이것과 이웃하지 않게 4를 적는 경우의 수는 2
이 각각에 대하여 나머지 3개의 영역에 1, 2, 5를 적는 경우의 수는 $3!=6$
따라서 구하는 경우의 수는 $2\times6=12$ 정답 ①

0029

 ②

STEP Ⓐ **작은 원의 안쪽 3개의 영역을 칠하는 경우의 수 구하기**

작은 원의 안쪽 3개의 영역을 칠하는 3가지 색을 고르는 경우의 수는 ${}_6C_3$
고른 3가지 색으로 칠하는 경우의 수는 $(3-1)!=2!$

STEP Ⓑ **남은 3가지 색에서 나머지 3개의 영역을 칠하는 경우의 수 구하기**

나머지 3가지의 색을 원의 외부 3개의 영역에 칠하는 경우의 수는 $3!$

STEP Ⓒ **곱의 법칙을 이용하여 경우의 수 구하기**

따라서 구하는 모든 경우의 수는 ${}_6C_3\times2!\times3!=240$

다른풀이 순열을 이용하여 풀이하기

바깥쪽의 세 영역에 3가지 색을 칠하는 경우의 수는 $\frac{{}_6P_3}{3}=40$
이 경우 각각에 대하여 안쪽의 세 영역에 나머지 3가지 색을 칠하는 경우의 수는 $3!=6$
따라서 구하는 경우의 수는 $40\times6=240$

내/신/연/계/ 출제문항 013

오른쪽 그림과 같이 한 개의 원을 중심각의 크기가 같은 3개의 부채꼴로 나누고 크기가 같은 원 3개를 각 부채꼴의 호의 길이를 이등분하는 점에서 각각 접하도록 만든 6개의 영역으로 구분되는 도형이 있다. 서로 다른 6가지 색을 모두 사용하여 6개의 영역을 색칠하는 경우의 수는?
(단, 각 영역에는 한 가지 색만 칠하고 회전하여 일치하는 것은 같은 것으로 본다.)

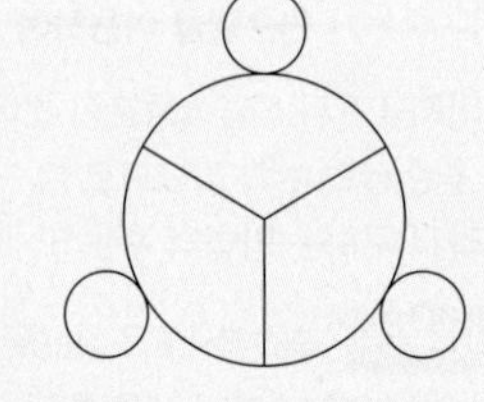

① 64 ② 84 ③ 120
④ 180 ⑤ 240

STEP Ⓐ **안쪽에 있는 3개의 영역을 칠하는 경우의 수 구하기**

부채꼴 세 곳을 칠할 색 3가지를 택하는 경우의 수는 ${}_6C_3=20$
이 각각에 대하여 3가지 색으로 부채꼴 세 곳을 칠하는 경우의 수는
$(3-1)!=2!=2$

STEP Ⓑ **남은 3가지 색에서 나머지 3개의 영역을 칠하는 경우의 수 구하기**

이 각각에 대하여 남은 3가지 색으로 남은 원 세 곳을 칠하는 경우의 수는
$3!=6$

STEP Ⓒ **곱의 법칙을 이용하여 경우의 수 구하기**

따라서 구하는 경우의 수는 $20\times2\times6=240$

다른풀이 회전하여 같아지는 경우로 풀이하기

6개의 영역에 서로 다른 6가지 색을 모두 사용하여 칠하는 경우의 수는 $6!$
회전하였을 때 같은 것이 3가지씩 있으므로 경우의 수는 $\frac{6!}{3}=240$ 정답 ⑤

0030

 ⑤

STEP Ⓐ **작은 원의 안쪽 4개의 영역을 칠하는 경우의 수 구하기**

작은 원의 안쪽 4개의 영역을 칠하는 4가지 색을 고르는 경우의 수는 ${}_8C_4$
고른 4가지 색으로 칠하는 경우의 수는 $(4-1)!=3!$

STEP Ⓑ **남은 4가지 색으로 나머지 4개의 영역을 칠하는 경우의 수 구하기**

남은 4가지 색으로 나머지 4개의 영역을 칠하는 경우의 수는 $4!$

STEP Ⓒ **곱의 법칙을 이용하여 경우의 수 구하기**

따라서 구하는 모든 경우의 수는 ${}_8C_4\times3!\times4!=420\times4!$ $\therefore k=420$

다른풀이 순열을 이용하여 풀이하기

바깥쪽의 네 영역에 4가지 색을 칠하는 경우의 수는 $\frac{{}_8P_4}{4}=420$

이 경우 각각에 대하여 안쪽의 네 영역에 나머지 4가지 색을 칠하는 경우의 수는 $4!=24$

따라서 구하는 경우의 수는 $420\times24=10080$

다른 표현 같은 문제

정사각형에 내접하는 원을 4등분하여 오른쪽 그림과 같은 도형을 만들었다. 도형의 한 영역에 한 가지 색만 사용하여 8개의 영역에 서로 다른 8가지 색을 모두 칠하는 경우의 수를 구하여라. (단, 회전하여 겹치는 것들은 같은 것으로 한다.)

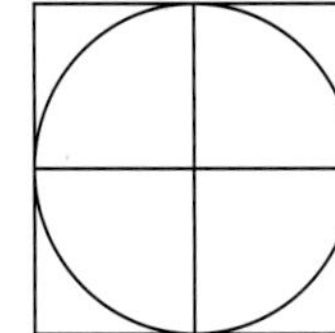

0031

 ⑤

STEP Ⓐ 작은 정삼각형과 그 내접원에 칠하는 경우의 수 구하기

7개의 영역에서 7가지 색 중에서 가운데 영역에 색칠하는 방법의 수는 ${}_7C_1=7$

남은 6가지 색 중에서 정삼각형의 내접원 외부에 색칠하는 방법의 수는

${}_6C_3\times(3-1)!=40$ ← $\frac{{}_6P_3}{3}=40$

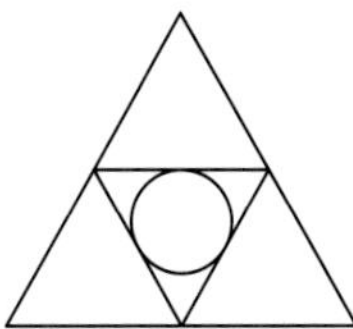

STEP Ⓑ 큰 정삼각형 영역에 칠하는 경우의 수 구하기

나머지 3가지 색을 큰 정삼각형의 내부에 색칠하는 것은 회전에 의하여 일치할 수 없으므로 색칠하는 방법의 수는 $3!=6$

STEP Ⓒ 색칠한 결과로 나올 수 있는 경우의 수 구하기

따라서 색칠한 결과로 나올 수 있는 경우의 수는 $7\times40\times6=1680$

내/신/연/계/ 출제문항 014

오른쪽 그림과 같이 서로 접하고 크기가 같은 원 3개와 이 세 원의 중심을 꼭짓점으로 하는 정삼각형이 있다. 원의 내부 또는 정삼각형의 내부에 만들어지는 7개의 영역에 서로 다른 7가지 색을 모두 사용하여 칠하려고 한다. 한 영역에 한 가지 색만을 칠할 때, 색칠한 결과로 나올 수 있는 경우의 수는? (단, 회전하여 일치하는 것은 같은 것으로 본다.)

① 1260 ② 1680 ③ 2520
④ 3760 ⑤ 5040

STEP Ⓐ 가운데 영역과 정삼각형 내부와 원 내부가 겹치는 영역에 칠하는 경우의 수 구하기

오른쪽 그림과 같이 7개의 영역을 각각 a, b, c, d, e, f, g라 하자.

7가지 색 중에서 가운데 영역 a에 색칠하는 방법의 수는 ${}_7C_1=7$

남은 6가지 색 중에서 b, c, d에 색칠하는 방법의 수는 ${}_6C_3\times(3-1)!=40$ ← $\frac{{}_6P_3}{3}=40$

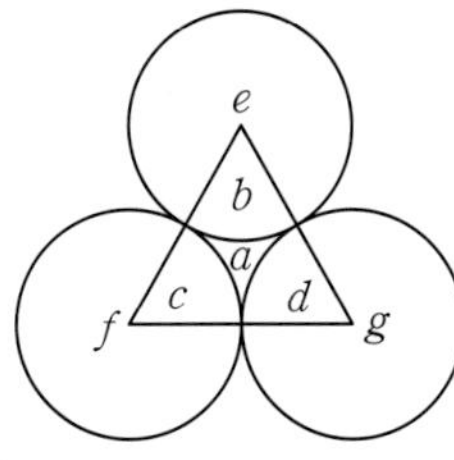

STEP Ⓑ 정삼각형 외부와 원 내부가 겹치는 영역에 칠하는 경우의 수 구하기

나머지 3가지 색을 e, f, g에 색칠하는 것은 회전에 의하여 일치할 수 없으므로 색칠하는 방법의 수는 $3!=6$

STEP Ⓒ 색칠한 결과로 나올 수 있는 경우의 수 구하기

따라서 색칠한 결과로 나올 수 있는 경우의 수는 $7\times40\times6=1680$

다른풀이 원형으로 배열하는 경우로 풀이하기

서로 다른 7개의 영역에 7가지 색을 칠하는 방법의 수는 $7!$

가운데 부분을 제외한 삼각형 내부의 남은 세 부분을 $120°$씩 회전할 때마다 같은 그림이 3번 나오게 된다.

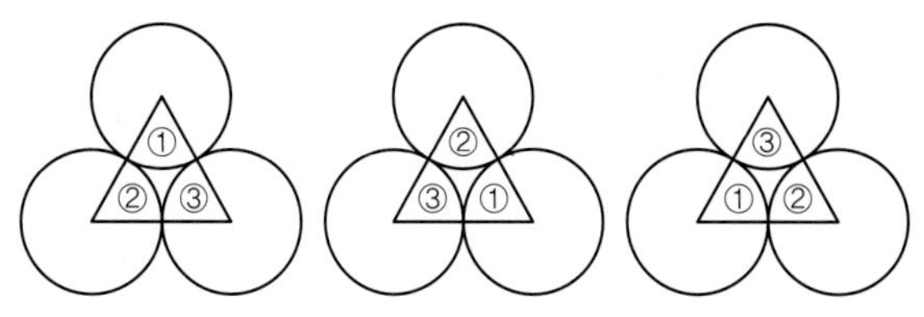

따라서 구하는 경우의 수는 $\frac{7!}{3}=\frac{7\cdot6\cdot5\cdot4\cdot3\cdot2\cdot1}{3}=1680$

 ②

0032

 ③

STEP Ⓐ 가운데 정사각형에 칠하는 경우의 수 구하기

가운데 정사각형의 내부에 색을 칠하는 경우의 수는 ${}_9C_1=9$

STEP Ⓑ 나머지 영역의 색을 칠하는 경우의 수 구하기

바깥쪽 8개의 정사각형의 내부에 색을 칠하는 경우의 수는 원순열의 수이므로 $(8-1)!=7!$

이때 하나의 원순열에 대하여 색을 칠하는 방법은 다음 그림과 같이 2가지 경우가 있다.

a	b	c
h		d
g	f	e

h	a	b
g		c
f	e	d

따라서 9가지의 색으로 하나씩 칠하는 경우의 수는 $9\times7!\times2=18\times7!$

$\therefore k=18$

0033

 ④

STEP Ⓐ 서로 다른 5가지의 색 중 2, 3, 4가지를 골라 칠하는 경우의 수 구하기

(ⅰ) 2가지 색을 골라 칠하는 경우

먼저 2가지 색을 고르는 경우의 수는 ${}_5C_2=10$이고

2가지 색을 도형에 칠하는 경우의 수는 2이므로 $10\times2=20$

(ⅱ) 3가지 색을 골라 칠하는 경우

먼저 3가지 색을 고르는 경우의 수는 ${}_5C_3=10$이고

3가지 색을 중앙에 칠하는 경우의 수는 3,

주변의 영역에 두 개의 삼각형을 칠하는 색을 결정하는 경우의 수는 2이므로 $3\times2=6$

즉 $10\times6=60$

(ⅲ) 4가지 색을 골라 칠하는 경우

먼저 4가지 색을 고르는 경우의 수는 ${}_5C_4=5$이고

4가지 색을 도형에 칠하는 경우의 수는 중앙에 칠할 수 있는 색이 4가지, 나머지 3가지 색으로 주변의 영역을 칠하는 경우의 수는 원순열을 이용하면 $(3-1)!=2$이므로 $4\times2=8$

즉 $5\times8=40$

STEP Ⓑ 합의 법칙을 이용하여 경우의 수 구하기

(ⅰ)~(ⅲ)에서 구하는 경우의 수는 $20+60+40=120$

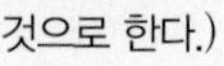

내신연계 출제문항 015

서로 다른 네 가지 색을 일부 또는 전부 사용하여 다음 그림의 합동인 네 부분이 구별되도록 칠하는 방법의 수는? (단, 회전하여 겹쳐지는 것들은 같은 것으로 한다.)

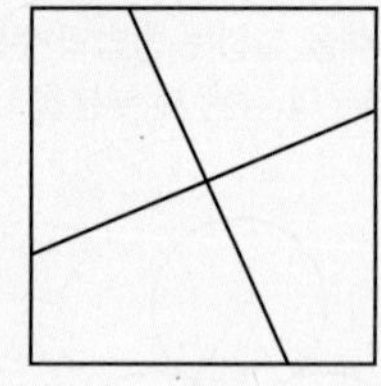

① 12 ② 18 ③ 24
④ 28 ⑤ 32

STEP Ⓐ 사용하는 색의 종류의 수에 따른 경우의 수 구하기

(i) 두 가지 색만 쓰는 경우
네 가지 색 중에서 두 가지를 선택하는 방법의 수는 ${}_4C_2$이고 칠하는 방법은 각 경우마다 1가지뿐이다.
$\therefore {}_4C_2=6$

(ii) 세 가지 색을 쓰는 경우
네 가지 색 중에서 세 가지를 선택하는 방법의 수는 ${}_4C_3$이고 네 부분이 구별되도록 하는 경우가 ${}_3C_1$이 있다.
$\therefore {}_4C_3\times{}_3C_1=12$

(iii) 네 가지 색을 모두 쓰는 경우
네 가지 색의 원순열의 수이므로 $(4-1)!=6$

STEP Ⓑ 합의 법칙을 이용하여 경우의 수 구하기

(i)~(iii)에서 구하는 방법의 수는 $6+12+6=24$

정답 ③

0034

정답 ②

STEP Ⓐ 기준이 되는 영역의 색을 칠하는 경우의 수 구하기

서로 다른 5가지 색 중 1가지 색을 택하여 정사각뿔의 밑면을 칠하는 경우의 수는 ${}_5C_1=5$

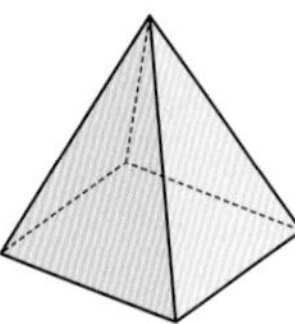

STEP Ⓑ 나머지 영역의 색을 칠하는 경우의 수 구하기

나머지 4가지 색으로 정사각뿔의 옆면을 칠하는 경우의 수는 4개를 배열하는 원순열의 수이므로 $(4-1)!=3!=6$
따라서 구하는 경우의 수는 $5\times6=30$

다른풀이 모든 면이 구분된다고 가정하고 색칠하여 풀이하기

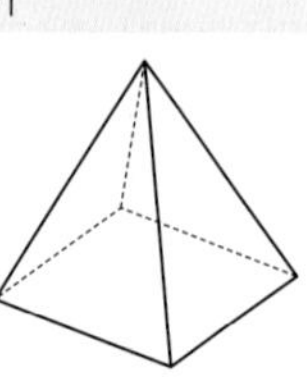

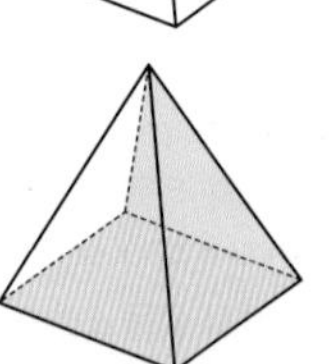

정사각뿔이 고정되어 있어 정사각뿔의 모든 면이 구분된다고 하면 5가지의 색으로 정사각뿔의 모든 면을 칠하는 방법의 수는 $5!=120$
정사각뿔을 움직일 때,
밑면(정사각형)은 다른 면과 구분되지만 옆면(이등변삼각형)은 서로 합동이므로 밑면을 기준으로 90°씩 회전시키면 서로 겹친다.
즉 4개의 옆면은 서로 구분되지 않으므로 색이 칠해진 120가지 정사각뿔 중에는 서로 같은 것이 4가지씩 있다.
따라서 서로 다른 5가지의 색을 모두 사용하여 정사각뿔을 칠하는 방법의 수는

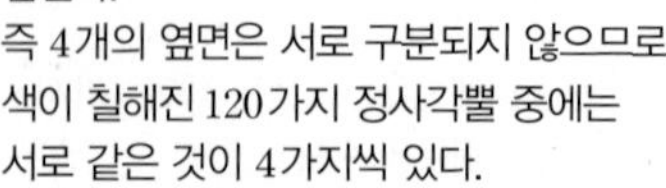

$\dfrac{120}{4}=30$

0035

정답 ④

STEP Ⓐ 기준이 되는 영역의 색을 칠하는 경우의 수 구하기

서로 다른 6가지 색 중 1가지 색을 택하여 정오각뿔의 밑면을 칠하는 경우의 수는 6

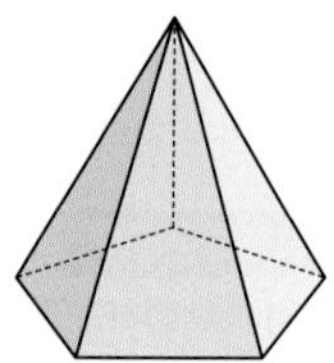

STEP Ⓑ 나머지 영역의 색을 칠하는 경우의 수 구하기

정오각뿔의 옆면은 모두 합동이므로 5가지의 색을 원형으로 배열하는 원순열의 수는 $(5-1)!=4!=24$
따라서 구하는 경우의 수는 $6\times24=144$

다른풀이 모든 면이 구분된다고 가정하고 색칠하여 풀이하기

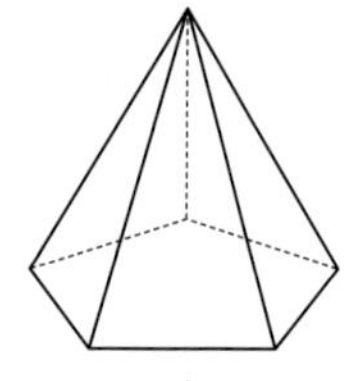

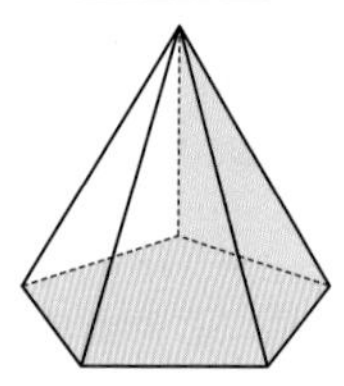

정오각뿔이 고정되어 있어 정오각뿔의 모든 면이 구분된다고 하면 6가지의 색으로 정오각뿔의 모든 면을 칠하는 방법의 수는 $6!=720$
정오각뿔을 움직일 때,
밑면(정오각형)은 다른 면과 구분되지만 옆면(이등변삼각형)은 서로 합동이므로 밑면을 기준으로 72°씩 회전시키면 서로 겹친다.
즉 5개의 옆면은 서로 구분되지 않으므로 색이 칠해진 720가지 정오각뿔 중에는 서로 같은 것이 5가지씩 있다.
따라서 서로 다른 6가지의 색을 모두 사용하여 정오각뿔을 칠하는 방법의 수는
$\dfrac{720}{5}=144$

내신연계 출제문항 016

오른쪽 그림과 같은 정육각뿔이 있다. 서로 다른 7가지 색 중에서 6가지 색을 택하여 이 정육각뿔의 옆면을 칠하는 모든 방법의 수는? (단, 각 색은 1번씩만 사용하고, 회전하여 일치하는 경우는 모두 같은 것으로 본다.)

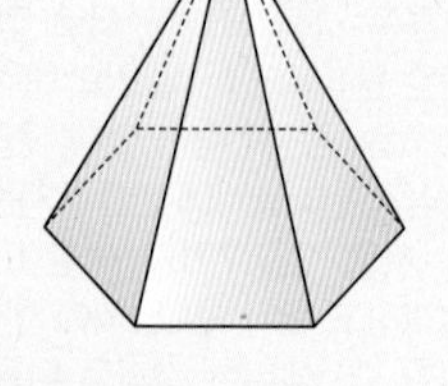

① 560 ② 720
③ 840 ④ 920
⑤ 960

STEP Ⓐ 기준이 되는 영역의 색을 칠하는 경우의 수 구하기

7가지 색 중에서 6가지를 택하는 방법의 수는 ${}_7C_6={}_7C_1=7$

STEP Ⓑ 나머지 영역의 색을 칠하는 경우의 수 구하기

정육각뿔의 옆면은 모두 합동이므로 6가지의 색을 원형으로 배열하는 방법의 수는 $(6-1)!=5!=120$
따라서 구하는 모든 방법의 수는 $7\times120=840$

정답 ③

0036

 ①

STEP Ⓐ 기준이 되는 영역의 색을 칠한 후 나머지 영역의 색을 칠하는 경우의 수 구하기

정사면체의 모든 면을 4가지의 색을 모두 사용하여 칠하는 방법의 수는 1면을 정해 1가지 색을 칠한 후, 나머지 3가지 색으로 나머지 3면을 원순열로 배열하여 칠하는 방법의 수와 같다.

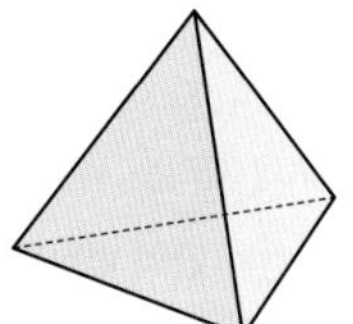

따라서 구하는 방법의 수는 $1\times(3-1)!=2$

다른풀이 한 면을 밑면으로 정하여 색칠하여 풀이하기

STEP Ⓐ 모든 영역의 색을 칠하는 경우의 수 구하기

정사면체가 고정되어 있어 정사면체의 모든 면이 구분된다고 하면 서로 다른 4가지의 색으로 정사면체의 모든 면을 칠하는 방법의 수는 $4!$

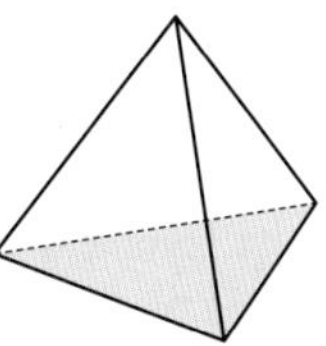

STEP Ⓑ 회전시켰을 때 겹치는 경우의 수 구하기

정사면체를 움직일 때, 4개의 면은 서로 구분되지 않으므로 특정한 색이 칠해진 한 면을 밑면으로 정하면 서로 같은 것이 4가지씩 있다.
특정한 색이 칠해진 밑면(정삼각형)을 기준으로 회전시키면 서로 같은 것이 3가지씩 있다.

STEP Ⓒ 색칠한 결과로 나올 수 있는 경우의 수 구하기

따라서 서로 다른 4가지의 색으로 정사면체를 칠하는 방법의 수는 $\dfrac{4!}{4\times3}=2$

0037

 ②

STEP Ⓐ 기준이 되는 영역의 색을 칠한 후 나머지 영역의 색을 칠하는 경우의 수 구하기

정육면체의 모든 면을 6가지의 색을 모두 사용하여 칠하는 방법의 수는 1면을 정해 1가지 색을 칠한 후, 이 면과 만나는 4면을 나머지 5가지 색 중 4가지 색을 택하여 원순열로 배열하여 칠하고, 남은 1가지 색을 마지막 면에 칠하는 방법의 수와 같다.

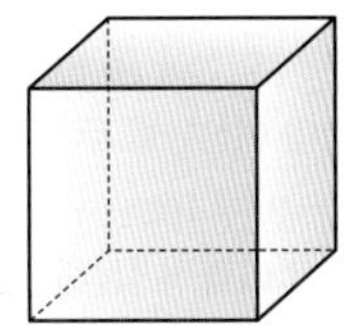

따라서 구하는 방법의 수는 $1\times5\times(4-1)!=30$

다른풀이 원형으로 배열하는 경우로 풀이하기

우선 한 면을 기준으로 한 가지 색을 칠한다.
남은 면들에 색을 칠하는 경우의 수는 $5!$
이때 정육면체의 한 면이 정사각형이므로 4가지가 겹친다.

따라서 구하는 경우의 수는 $\dfrac{5!}{4}=30$

다른풀이 원형으로 배열하는 경우로 풀이하기

정육면체가 고정되어 있어 정육면체의 모든 면이 구분된다고 하면 서로 다른 6가지의 색으로 정육면체의 모든 면을 칠하는 방법의 수는 $6!$
정육면체를 움직일 때, 6개의 면은 서로 구분되지 않으므로 특정한 색이 칠해진 한 면을 밑면으로 정하면 서로 같은 것이 6가지씩 있다.

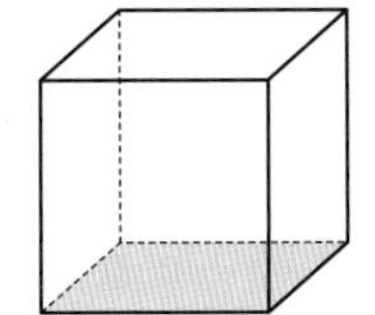

특정한 색이 칠해진 밑면(정사각형)을 기준으로 회전시키면 서로 같은 것이 4가지씩 있다.

따라서 서로 다른 6가지의 색으로 정사면체를 칠하는 방법의 수는 $\dfrac{6!}{6\times4}=30$

0038

 ③

STEP Ⓐ 합동인 두 정삼각형에 칠할 색을 결정하기

8개의 면 중에서 합동인 정삼각형 2개에 칠할 색을 고르고
이를 윗면과 아랫면으로 고정시키는 경우의 수는
${}_8C_2\times(2-1)!=28$

STEP Ⓑ 옆면에 있는 등변사다리꼴에 칠할 색을 결정하기

윗면과 아랫면을 고정시켜 놓고 6개의 사다리꼴에 색을 칠하는 경우의 수는
회전시켰을 때, 같아지는 경우가 3개씩 있으므로 $\dfrac{6!}{3}=240$
따라서 구하는 경우의 수는 $28\times240=6720$

다른풀이 $\dfrac{n!}{n}$을 이용하여 풀이하기

STEP Ⓐ 모든 면이 구분된다고 가정하고 색칠하는 경우의 수 구하기

팔면체가 고정되어 있어 팔면체의 모든 면이 구분된다고 하면 서로 다른 8가지의 색으로 팔면체의 모든 면을 칠하는 방법의 수는 $8!$

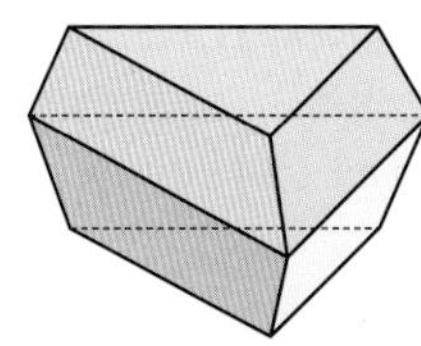

STEP Ⓑ 밑면을 정하고 회전하여 겹치는 경우의 수를 구하여 전체 경우의 수 구하기

팔면체를 움직일 때, 정삼각형을 밑면으로 정하면 서로 같은 것이 2가지씩 있다.
특정한 색이 칠해진 밑면(정삼각형)을 기준으로 회전시키면 서로 같은 것이 3가지씩 있다.
따라서 서로 다른 8가지의 색으로 팔면체를 칠하는 방법의 수는 $\dfrac{8!}{2\times3}=6720$

다른풀이 정삼각형 2개, 위쪽 등변사다리꼴 3개, 아래쪽 등변사다리꼴 3개 풀이하기

(ⅰ) 8개의 색 중에서 2개의 색을 선택하여 합동인 정삼각형 2개를 칠한다.
이때 문제에서 주어진 팔면체는 위, 아래의 구분이 없으므로 그냥 색을 선택하면 된다.
(ⅱ) 남은 6개의 색 중에서 3개의 색을 선택하여 위쪽에 있는 등변사다리꼴 3개를 칠하면 되는데 기준이 없으므로 원순열이다.
다시 남은 3개의 색으로 아래쪽에 있는 등변사다리꼴 3개를 칠하면 되는데 위쪽 등변사다리꼴의 색을 통해 기준이 생겼으므로 원순열이 아닌 순열이 된다.
(ⅰ), (ⅱ)에서 구하는 경우의 수는
(정삼각형 2개)×(위쪽 등변사다리꼴 3개)×(아래쪽 등변사다리꼴 3개)

$$\begin{aligned}{}_8C_2\times\{{}_6C_3\times(3-1)!\}\times3! &= 28\times20\times2\times6\\ &= 6720\end{aligned}$$

다른풀이 순열을 이용하여 경우의 수 구하기

합동인 정삼각형 2개, 등변사다리꼴 6개로 된 팔면체에 서로 다른 8가지 색으로 색칠하는 방법의 수는
(ⅰ) 밑면에 8가지 반대편에 7가지 색칠하면 8×7
이때 밑면을 결정하는 방법이 2개로 같으므로 $\dfrac{8\times7}{2}$
(ⅱ) 밑면에 접한 3개 면에 색칠하는 경우의 수는 ${}_6P_3$
이때 밑면에 접한 3개 면을 원형으로 배열할 때,
접하는 등변사다리꼴의 개수가 3개이므로 $\dfrac{{}_6P_3}{3}$
(ⅲ) 나머지 3개 면을 일렬로 색칠하는 방법의 수 $3!$
(ⅰ)~(ⅲ)에서 $\dfrac{8\times7}{2}\times\dfrac{{}_6P_3}{3}\times3!=6720$

02 중복순열

STEP 1 내신정복 기출유형

0039

정답 ③

STEP Ⓐ 순열과 중복순열의 수 계산하기

${}_{n}\mathrm{P}_{2}+{}_{n}\Pi_{2}=120$에서 $n(n-1)+n^2=120$

$2n^2-n-120=0$, $(n-8)(2n+15)=0$

따라서 자연수 $n=8$

0040

정답 ⑤

STEP Ⓐ 중복순열의 수 계산하기

조건 (가)에서 ${}_{n}\Pi_{4}=n^4=256$이므로 $n^4=4^4$ $\quad\therefore n=4$

조건 (나)에서 ${}_{3}\Pi_{r}=3^r=729$이므로 $3^r=3^6$ $\quad\therefore r=6$

따라서 $n+r=4+6=10$

0041

 ①

STEP Ⓐ 중복순열을 이용하여 경우의 수 구하기

서로 다른 3개의 교통수단에서 중복을 허용하여 4개를 택하여 일렬로 배열하는 모든 방법의 수와 같으므로 ${}_{3}\Pi_{4}=3^4$

내신연계 출제문항 017

참외, 수박, 복숭아, 사과가 각각 1개씩 있다. 이 과일을 서로 다른 3개의 접시 A, B, C에 남김없이 담는 경우의 수는?

① ${}_{3}\Pi_{4}$ ② ${}_{4}\Pi_{3}$ ③ ${}_{4}\mathrm{P}_{3}$ ④ ${}_{4}\mathrm{H}_{3}$ ⑤ ${}_{4}\mathrm{C}_{3}$

STEP Ⓐ 중복순열을 이용하여 경우의 수 구하기

잘못된 풀이 접시 A에 담을 수 있는 과일은 4개
접시 B에 담을 수 있는 과일도 4개
접시 C에 담을 수 있는 과일도 4개
이므로 구하는 경우의 수는 $4\times4\times4=4^3=64$

옳은 풀이 과일의 입장에서 생각하면
4가지의 과일을 담을 수 있는 접시는
A, B, C 3개 중 1개이므로 구하는 경우의 수는
${}_{3}\Pi_{4}=3\times3\times3\times3=3^4=81$

 ①

0042

 ②

STEP Ⓐ 중복순열을 이용하여 경우의 수 구하기

5명의 신입사원을 배치할 수 있는 부서가 4개이므로 구하는 방법의 수는 4개 중에서 5개를 택하는 중복순열의 수와 같다.

따라서 구하는 방법의 수는 ${}_{4}\Pi_{5}=4^5$

0043

 ④

STEP Ⓐ 중복순열을 이용하여 경우의 수 구하기

앞의 두 자리는 특수문자 '&, $, #, ※' 중에서 중복하여 나열하는 경우의 수는 ${}_{4}\Pi_{2}=4^2$

뒤의 두 자리는 영문자 's, e' 중에서 중복하여 나열하는 경우의 수는 ${}_{2}\Pi_{2}=2^2$

중간의 세 자리는 세 자리의 수 '389'를 넣는 경우의 수는 1

STEP Ⓑ 곱의 법칙을 이용하여 경우의 수 구하기

따라서 구하는 경우의 수는 $4^2\times1\times2^2=64$

0044

 ④

STEP Ⓐ 2개에서 중복을 허락하여 7개를 택해 일렬로 나열하는 중복순열의 수 구하기

서로 다른 7개의 공을 서로 다른 2개의 주머니에 넣는 경우의 수는
서로 다른 2개에서 중복을 허락하여 7개를 택해 일렬로 나열하는 중복순열의 수와 같으므로 ${}_{2}\Pi_{7}=2^7=128$

STEP Ⓑ 7개의 공을 모두 한 개의 주머니에 넣는 2가지 경우는 제외하여 경우의 수 구하기

이때 빈 주머니가 없도록 하려면 7개의 공을 모두 한 개의 주머니에 넣는 2가지 경우는 제외해야 하므로 구하는 경우의 수는 $128-2=126$

내신연계 출제문항 018

10명의 학생들을 두 반 A, B에 배정하는 경우의 수는?
(단, 각 반에 1명 이상의 학생을 배정한다.)

① 510 ② 1022 ③ 1024 ④ 2040 ⑤ 2042

STEP Ⓐ 중복순열을 이용하여 경우의 수 구하기

한 명의 학생을 두 반 A, B에 배정하는 방법의 수는 2가지이므로
10명의 학생들을 두 반 A, B에 배정하는 경우의 수는
${}_{2}\Pi_{10}=2^{10}=1024$

따라서 10명의 학생을 모두 두 반 A, B에 각각 배정하는 방법의 수는 제외하므로 배정하는 경우의 수는 $2^{10}-2=1024-2=1022$

 ②

0045

 ⑤

STEP Ⓐ 중복순열을 이용하여 경우의 수 구하기

서로 다른 6개의 스티커를 3명의 학생에게 나눠 주는 경우의 수는
서로 다른 3개에서 중복을 허락하여 6개를 선택하여 나열하는 경우의 수와 같으므로 ${}_{3}\Pi_{6}=3^6$ …… ㉠

서로 다른 3개의 사과를 n명에게 남김없이 나누어 주는 경우의 수는
서로 다른 n개에서 중복을 허락하여 3개를 선택해 나열하는 경우의 수와 같으므로 ${}_{n}\Pi_{3}=n^3$ …… ㉡

STEP Ⓑ n의 값 구하기

㉠, ㉡이 서로 같으므로 $n^3=3^6$

따라서 $n=3^2=9$

0046

정답 ③

STEP Ⓐ 6명의 학생이 떡볶이, 김밥, 라면 중에서 한 가지씩 주문하는 경우의 수 구하기

6명의 학생이 떡볶이, 김밥, 라면 중에서 한 가지씩 주문하는 경우의 수는 서로 다른 3개에서 중복을 허락하여 6개를 택해 일렬로 나열하는 중복순열의 수와 같으므로 ${}_3\Pi_6=3^6=729$

STEP Ⓑ 6명의 학생이 김밥을 제외한 떡볶이, 라면 중에서만 한 가지씩 주문하는 경우의 수 구하기

이때 6명의 학생이 김밥을 아무도 주문하지 않고 떡볶이, 라면 중에서만 한 가지씩 주문하는 경우의 수는 서로 다른 2개에서 중복을 허락하여 6개를 택해 일렬로 나열하는 중복순열의 수와 같으므로 ${}_2\Pi_6=2^6=64$

따라서 적어도 한 명은 김밥을 주문하는 경우의 수는 $729-64=665$

'적어도 ~인 경우' 의 사건은 '~인 경우' 가 하나 이상만 있으면 되므로 경우의 수를 구할 때에는 전체 경우의 수에서 '하나도 ~가 아닌' 경우의 수를 빼면 된다.

(적어도 ~가 있는 경우의 수)=(전체 경우의 수)−(반대의 경우의 수)

내신연계 출제문항 019

1에서 999까지의 자연수 중에서 5를 적어도 한 개 포함하는 자연수의 개수는?

① 210　② 217　③ 271
④ 320　⑤ 728

STEP Ⓐ 각 자리의 숫자로 5를 포함하지 않는 세 자리 이하의 자연수의 개수 구하기

0부터 9까지의 숫자 중 5를 제외한 9개의 숫자에서 중복을 허용하여 세 개를 택하여 배열하는 순열의 수는 ${}_9\Pi_3-1=9^3-1=728$ (단, 000을 제외)

STEP Ⓑ 5를 적어도 한 개 포함하는 세 자리 이하의 자연수의 개수 구하기

따라서 5를 적어도 한 개 포함하는 세 자리 이하의 자연수의 개수는

$999-728=271$

③

0047

정답 ④

STEP Ⓐ 중복순열을 이용하여 경우의 수 구하기

① 2개의 방에 5명의 학생을 배정하는 경우의 수는
${}_2\Pi_5=2^5=32$

② 두 영화 A, B에서 중복을 허용하여 5개를 택하는 방법의 수는
${}_2\Pi_5=2^5=32$

③ 2개의 기호에서 중복을 허용하여 5개를 택하는 방법의 수는
${}_2\Pi_5=2^5=32$

④ 5개의 체험활동기관에서 중복을 허용하여 2개를 택하는 방법의 수는
${}_5\Pi_2=5^2=25$
즉 한 학생당 선택할 수 있는 경우의 수는 각각 다섯 가지이므로 경우의 수의 곱의 법칙을 이용하여 $5\times5=5^2$

⑤ 2종류의 음료수에서 중복을 허용하여 5개를 택하는 방법의 수는
${}_2\Pi_5=2^5=32$

따라서 경우의 수가 다른 것은 ④이다.

0048

⑤

STEP Ⓐ 중복순열을 이용하여 경우의 수 구하기

① 3가지 동아리에서 중복을 허용하여 4개를 택하는 경우의 수는
${}_3\Pi_4=3^4=81$

② 네 사람이 가위 바위 보를 할 때, 나올 수 있는 모든 경우의 수는
가위 바위 보 세 가지 중에서 중복을 허용하여 네 개를 선택하여 일렬로 나열하는 경우의 수와 같으므로 ${}_3\Pi_4=3^4=81$

③ 서로 다른 4개의 인형을 학생 3명에게 남김없이 나눠 주는 경우의 수는
학생 3명에서 중복을 허락하여 인형을 받는 학생을 4명 택해 일렬로 나열하는 경우의 수와 같으므로 ${}_3\Pi_4=3^4=81$

④ 4명의 여행객이 각각 1통씩 쓴 편지를 세 종류의 우체통에 넣는 방법의 수는
서로 다른 3개에서 4개를 택하는 중복순열의 수와 같으므로 ${}_3\Pi_4=3^4=81$

⑤ 3명의 학생이 네 종류의 주스를 택하는 경우의 수는
서로 다른 4개에서 3개를 택하는 중복순열의 수이므로 ${}_4\Pi_3=4^3=64$

따라서 경우의 수가 다른 것은 ⑤이다.

내신연계 출제문항 020

다음 중 그 경우의 수가 다른 하나는?

① 서로 다른 4개의 과일을 남김없이 서로 다른 3개의 접시에 담는 경우의 수

② 어느 리조트의 4개방 Ⅰ호, Ⅱ호, Ⅲ호, Ⅳ호에 배낭여행을 하는 세 친구 A, B, C가 투숙하는 경우의 수

③ 서로 다른 4개의 상자 A, B, C, D에 서로 다른 3개의 공을 넣는 모든 방법의 수 (단, 한 상자에 공을 여러 개 넣을 수 있다.)

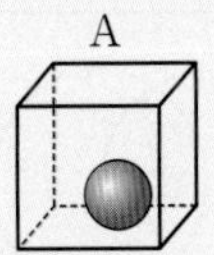

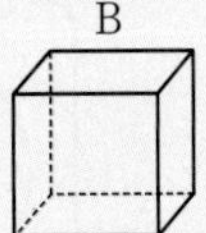

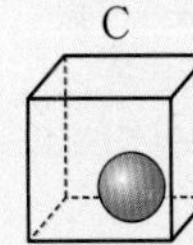

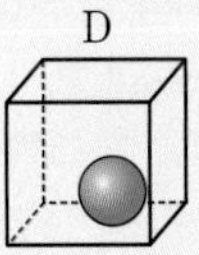

④ 네 개의 문자 ※, @, #, & 중에서 중복을 허용하여 택한 3개를 일렬로 나열하여 만들 수 있는 암호의 개수

⑤ 어느 방과 후 교실에는 A, B, C, D교실이 마련되어 있다.
3명의 학생이 각각 A, B, C, D교실 중 하나를 택할 수 있을 때,
3명이 방과 후 교실을 택하는 경우의 수
(단, 한 방과 후 교실을 두 명 이상 택할 수 있다.)

STEP Ⓐ 중복순열을 이용하여 경우의 수 구하기

① 3가지 접시에서 중복을 허용하여 4개를 택하는 경우의 수는 ${}_3\Pi_4=3^4=81$

잘못된 풀이

접시 A에 담을 수 있는 과일은 4개
접시 B에 담을 수 있는 과일도 4개
접시 C에 담을 수 있는 과일도 4개
이므로 구하는 경우의 수는 $4\times4\times4=4^3=64$

② 서로 다른 4개의 방에서 3개를 택하는 중복순열의 수와 같으므로
${}_4\Pi_3=4^3=64$

③ 서로 다른 4개의 상자에서 중복을 허용하여 3개를 택하여 일렬로 배열하는 모든 방법의 수와 같으므로 ${}_4\Pi_3$

④ 네 개의 문자 중에서 중복을 허락하여 세 개를 뽑아 나열하는 경우의 수는
서로 다른 4개에서 3개를 뽑아 나열하는 중복순열이므로 ${}_4\Pi_3=4^3=64$

⑤ 3명의 학생이 4개의 교실 중 한 교실을 택하는 경우의 수는 서로 다른 4개의 교실에서 중복을 허락하여 3명의 학생이 각각 하나씩 뽑아 나열하는 경우의 수와 같으므로 ${}_4\Pi_3=4^3=64$

따라서 경우의 수가 다른 것은 ①이다.

①

0049

정답 ③

STEP Ⓐ **중복순열을 이용하여 경우의 수 구하기**

① 서로 다른 6개의 스티커를 3명의 학생에게 나눠 주는 경우의 수는 서로 다른 3개에서 중복을 허락하여 6개를 선택하여 나열하는 경우의 수와 같으므로 ${}_3\Pi_6=3^6$

② 서로 다른 3개의 사과를 9명에게 남김없이 나누어 주는 경우의 수는 서로 다른 9개에서 중복을 허락하여 3개를 선택해 나열하는 경우의 수와 같으므로 ${}_9\Pi_3=9^3=3^6$

③ 9명을 도배, 청소, 보일러 공사의 3가지 활동에 배정하는 경우의 수는 서로 다른 3개에서 중복을 허락하여 9개를 선택하여 나열하는 경우의 수와 같으므로 ${}_3\Pi_9=3^9$ [거짓]

④ 여섯 사람이 가위 바위 보를 할 때, 나올 수 있는 모든 경우의 수는 가위 바위 보 세 가지 중에서 중복을 허용하여 여섯 개를 선택하고 그 여섯 개를 일렬로 나열하는 중복순열의 경우의 수와 같으므로 ${}_3\Pi_6=3^6$

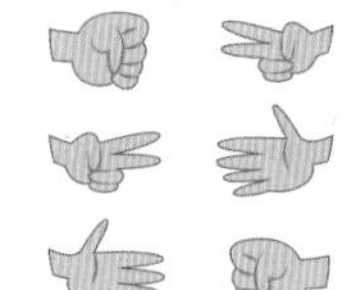

⑤ 6명의 신입사원을 배치할 수 있는 부서가 각각 3개씩이므로 구하는 방법의 수는 3개 중에서 중복을 허락하여 6개를 택해 일렬로 나열하는 경우의 수와 같으므로 ${}_3\Pi_6=3^6$

따라서 나머지 넷과 다른 하나는 ③이다.

0050

STEP Ⓐ **중복순열을 이용하여 경우의 수 구하기**

$A\cap B=\{3, 5, 7\}$이므로 3, 5, 7을 제외한 원소 1, 2, 4, 6을 오른쪽 그림의 ①, ②, ③에 위치하면 되므로 $3\times3\times3\times3=3^4=81$

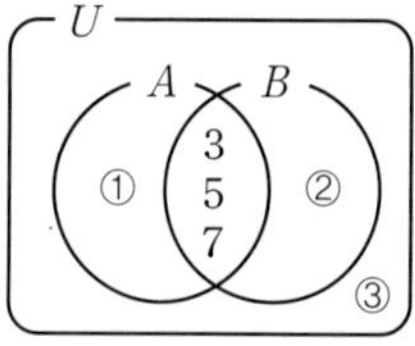

내/신/연/계/ 출제문항 021

전체집합 $U=\{1, 2, 3, 4, 5\}$의 두 부분집합 A, B에 대하여

$A-B=\{1\}$

을 만족하는 모든 순서쌍 (A, B)의 개수는?

① 81 ② 87 ③ 93
④ 99 ⑤ 105

STEP Ⓐ **중복순열을 이용하여 구하기**

전체집합 $U=\{1, 2, 3, 4, 5\}$의 두 부분집합 A, B에 대하여 $A-B=\{1\}$을 만족하는 두 집합 A, B의 순서쌍의 개수는 $A\cap B$, $B-A$, $(A\cup B)^C$의 세 집합 ①, ②, ③에 각 각 원소가 들어가는 경우이므로 2, 3, 4, 5가 들어갈 수 있는 경우의 수는 서로 다른 3개에서 중복을 허락하여 4개를 뽑아 일렬로 배열하는 중복조합의 수와 같으므로 순서쌍 (A, B)의 개수는 ${}_3\Pi_4=3^4=81$

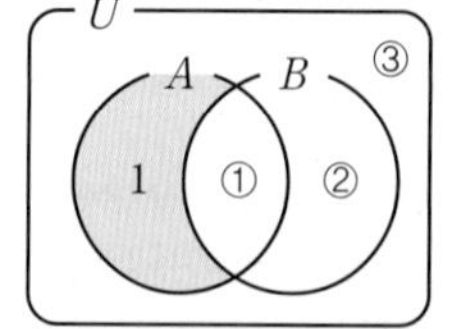

0051

정답 ④

STEP Ⓐ **$A\cap B$에 속할 두 원소를 택하는 경우의 수 구하기**

$A\cap B$에 속할 두 원소를 택하는 경우의 수는 ${}_6C_2=15$

STEP Ⓑ **나머지 4개의 원소를 각각 $A-B$ 또는 $B-A$ 중 하나에 넣는 경우의 수 구하기**

이 각각에 대하여 나머지 4개의 원소를 각각 $A-B$ 또는 $B-A$ 중 하나에 넣으면 되고 이 경우의 수는 두 집합 $A-B$, $B-A$에서 중복을 허락하여 4개를 택해 일렬로 나열하는 중복순열의 수와 같으므로

${}_2\Pi_4=2^4=16$

따라서 구하는 경우의 수는 $15\times16=240$

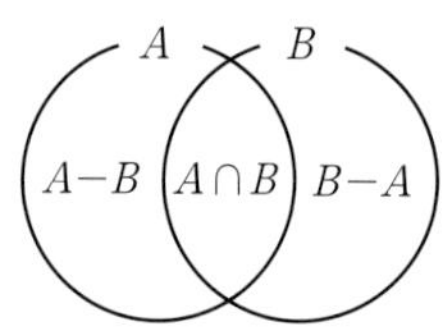

내/신/연/계/ 출제문항 022

집합 $\{1, 2, 3, 4, 5, 6\}$의 서로소인 두 부분집합 A, B의 순서쌍 (A, B)의 개수는?

① 729 ② 720 ③ 243
④ 64 ⑤ 36

STEP Ⓐ **중복순열을 이용하여 경우의 수 구하기**

$U=\{1, 2, 3, 4, 5, 6\}$의 원소를 벤다이어그램에 넣으면 서로소인 두 집합 A, B의 순서쌍의 개수는 오른쪽 그림에서 A, B, $(A\cup B)^C$의 세 집합 ①, ②, ③에 각 원소가 들어가는 경우이므로 서로 다른 3개에서 6개를 뽑아 일렬로 배열하는 중복조합의 수와 같으므로 순서쌍 (A, B)의 개수는 ${}_3\Pi_6=3^6=729$

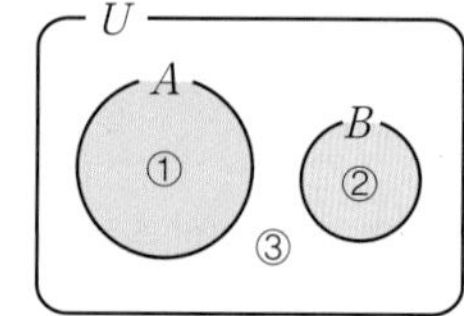

0052

정답 ③

STEP Ⓐ **벤 다이어그램을 이용하여 구간 나누기**

$A\subset B$를 벤 다이어그램으로 표현하면 오른쪽 그림과 같고 A, $B-A$, B^C인 집합을 ㉠, ㉡, ㉢으로 나누어 문제에 주어진 조건에 따라 구한다.

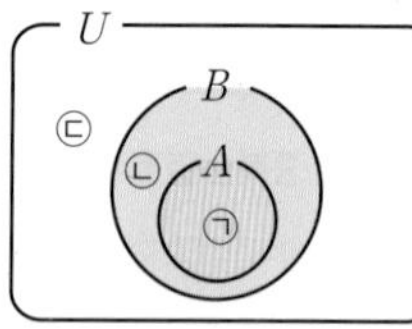

STEP Ⓑ **벤 다이어그램 안에 원소를 채워 넣는 경우의 수 구하기**

집합 U의 원소를 벤 다이어그램에 넣으면 원소가 들어갈 수 있는 곳은 A, $B-A$, B^C인 ㉠, ㉡, ㉢의 세 곳이므로 원소를 넣는 경우의 수는 서로 다른 3개에서 중복을 허락하여 5개를 뽑아 일렬로 배열하는 경우의 수와 같으므로 ${}_3\Pi_5=3^5$

이때 부분집합 A, B가 공집합이 아니므로 A가 공집합일 경우를 제외하므로 $B-A$, B^C의 원소만 될 수 있는 경우의 수 2^5개를 제외한다.

따라서 순서쌍 (A, B)의 개수는 $3^5-2^5=243-32=211$

다른풀이 집합 B의 원소의 개수에 따라 풀이하기

STEP Ⓐ **집합 B의 원소의 개수에 따라 경우를 나누고 집합 A는 집합 B의 부분집합임을 이용하기**

(ⅰ) 집합 B가 원소가 1개인 경우
집합 B의 경우의 수는 ${}_5C_1$
집합 A의 경우의 수는 $2^1-1(\because A\neq\varnothing)$

(ii) 집합 B의 원소가 2개인 경우
집합 B의 경우의 수는 ${}_5C_2$
집합 A의 경우의 수는 $2^2-1(\because A\neq\varnothing)$
⋮
(v) 집합 B의 원소가 5개인 경우
집합 B의 경우의 수는 ${}_5C_5$
집합 A의 경우의 수는 2^5-1

STEP Ⓑ **이항계수를 이용하여 경우의 수 구하기**

(i)~(iii)에서 구하는 경우의 수는

${}_5C_1(2^1-1)+{}_5C_2(2^2-1)+{}_5C_3(2^3-1)+{}_5C_4(2^4-1)+{}_5C_5(2^5-1)$

$=\sum_{k=1}^{5}{}_5C_k(2^k-1)=\sum_{k=0}^{5}{}_5C_k(2^k-1)$

$=\sum_{k=0}^{5}{}_5C_k2^k-\sum_{k=0}^{5}{}_5C_k$

$=(2+1)^5-2^5$

$=211$

$n(B)=k$일 때, $A\subset B$를 만족하는 집합 B의 개수는 ${}_5C_k$이고
집합 A의 개수는 2^k-1개이므로 순서쌍 (A, B)의 개수는 $\sum_{k=1}^{5}{}_5C_k(2^k-1)$

0053

STEP Ⓐ **양 끝에 같은 문자를 배열하는 경우의 수 구하기**

양 끝에 서로 같은 문자가 올 수 있는 경우의 수는 모두 3가지

STEP Ⓑ **중복순열을 이용하여 경우의 수 구하기**

나머지 3자리에 M, P, L 3개의 문자 중에서 중복을 허락하여 배열하는 경우의 수는 중복순열이므로 ${}_3\Pi_3=3^3=27$
따라서 전체 경우의 수는 $3\times27=81$

내/신/연/계/ 출제문항 023

세 문자 A, B, C에서 중복을 허락하여 6개를 택하여 일렬로 나열할 때, 첫 번째 자리와 마지막 자리의 문자가 서로 다른 경우의 수는?

① 162 ② 243 ③ 324
④ 405 ⑤ 486

STEP Ⓐ **첫 번째 자리와 마지막 자리에 문자를 배열하기**

첫 번째 자리와 마지막 자리의 문자를 서로 다르게 배열하는 경우의 수는 서로 다른 3개에서 2개를 택하여 일렬로 나열하는 순열의 수와 같으므로 ${}_3P_2=3\times2=6$

STEP Ⓑ **나머지 네 자리 문자를 배열하기**

두 번째 자리에서 다섯 번째 자리까지 문자를 배열하는 경우의 수는 서로 다른 3개에서 중복을 허락하여 4개를 택하여 일렬로 나열하는 중복순열의 수와 같으므로 ${}_3\Pi_4=3^4=81$

STEP Ⓒ **구하는 경우의 수 구하기**

따라서 구하는 경우의 수는 $6\times81=486$

0054

STEP Ⓐ **전체 경우의 수 구하기**

세 문자 a, b, c에서 중복을 허락하여 3개를 택하여 일렬로 나열하는 경우의 수는 ${}_3\Pi_3=3^3=27$

STEP Ⓑ **a끼리 서로 이웃하게 나열하는 경우의 수 구하기**

(i) a가 2개 연속하는 경우는 aab, aac, baa, caa의 4개
(ii) a가 3개 연속되는 경우는 aaa의 1개

STEP Ⓒ **구하는 경우의 수 구하기**

(i), (ii)에 의하여 구하는 경우의 수는 $27-(4+1)=22$

0055

STEP Ⓐ **전체 경우의 수 구하기**

세 문자 a, b, c에서 중복을 허락하여 4개를 택하여 일렬로 나열하는 경우의 수는 ${}_3\Pi_4=3^4=81$ …… ㉠

STEP Ⓑ **문자 a가 0개 또는 1개 나열되는 경우의 수 구하기**

(i) ㉠ 중에서 문자 a가 0개 나열되는 경우
b, c로만 중복을 허락하여 나열하는 경우의 수는 ${}_2\Pi_4=2^4=16$
(ii) ㉠ 중에서 문자 a가 1개 나열되는 경우
문자 a를 나열하는 경우의 수는 4
나머지 세 자리에 b, c를 중복을 허락하여 나열하는 경우의 수는
${}_2\Pi_3=2^3=8$이므로 경우의 수는 $4\times8=32$

STEP Ⓒ **구하는 경우의 수 구하기**

(i), (ii)에 의하여 구하는 경우의 수는 $81-(16+32)=33$

내/신/연/계/ 출제문항 024

세 문자 a, b, c 중에서 중복을 허락하여 5개를 택하고 일렬로 나열할 때, a를 2개 이상 나열하는 경우의 수는?

① 121 ② 131 ③ 141
④ 151 ⑤ 161

STEP Ⓐ **전체 경우의 수 구하기**

세 문자 a, b, c에서 중복을 허락하여 5개를 택하여 일렬로 나열하는 경우의 수는 ${}_3\Pi_5=3^5=243$ …… ㉠

STEP Ⓑ **문자 a가 0개 또는 1개 나열되는 경우의 수 구하기**

(i) ㉠ 중에서 문자 a가 0개 나열되는 경우
b, c로만 중복을 허락하여 나열하는 경우의 수는 ${}_2\Pi_5=2^5=32$
(ii) ㉠ 중에서 문자 a가 1개 나열되는 경우
문자 a를 나열하는 경우의 수는 5
나머지 네 자리에 b, c를 중복을 허락하여 나열하는 경우의 수는
${}_2\Pi_4=2^4=16$이므로 경우의 수는 $5\times16=80$

STEP Ⓒ **구하는 경우의 수 구하기**

(i), (ii)에 의하여 구하는 경우의 수는 $243-(32+80)=131$

0056

STEP Ⓐ **백의 자리에 오는 경우의 수 구하기**

백의 자리에는 0을 제외한 1, 2, 3, 4가 올 수 있으므로 그 경우의 수는 4

STEP Ⓑ **십, 일의 자리를 채우는 경우의 수 구하기**

십의 자리, 일의 자리에는 각각 0, 1, 2, 3, 4가 모두 올 수 있으므로
그 경우의 수는 ${}_5\Pi_2=5^2$
따라서 구하는 세 자리 자연수의 개수는 $4\times5^2=100$

0057

정답 ④

STEP Ⓐ 일의 자리의 숫자가 홀수인 경우의 수 구하기

세 자리 자연수가 홀수이려면 일의 자리의 숫자는 홀수이어야 한다.
일의 자리에 올 수 있는 수는 1, 3, 5 중 한 수이므로 ${}_3C_1=3$
백의 자리와 십의 자리에 올 수 있는 수는 1, 2, 3, 4, 5 중 한 수씩이므로
${}_5\Pi_2=5^2=25$

STEP Ⓑ 곱의 법칙을 이용하여 경우의 수 구하기

따라서 구하는 홀수인 자연수의 개수는 $3\times25=75$

0058

⑤

STEP Ⓐ 천의 자리와 일의 자리에 숫자를 채우는 경우의 수 구하기

천의 자리에는 0을 제외한 1, 2, 3이 올 수 있으므로 그 경우의 수는 3
짝수가 되기 위해서는 일의 자리에 0, 2 중에 하나의 수가 와야 하므로
그 경우의 수는 2

STEP Ⓑ 중복순열을 이용하여 나머지 두 자리에 숫자를 채우는 경우의 수 구하기

백의 자리, 십의 자리에는 각각 0, 1, 2, 3이 모두 올 수 있으므로
그 경우의 수는 ${}_4\Pi_2=4^2=16$

STEP Ⓒ 곱의 법칙을 이용하여 경우의 수 구하기

따라서 구하는 네 자리 자연수의 개수는 $3\times{}_4\Pi_2\times2=96$

내신연계 출제문항 025

다섯 개의 숫자 0, 1, 2, 3, 4 중에서 중복을 허용하여 만든 네 자리의 자연수가 홀수인 경우의 수는?

① 50 ② 100 ③ 150
④ 200 ⑤ 250

STEP Ⓐ 일의 자리의 숫자가 홀수인 경우의 수 구하기

네 자리 자연수가 홀수이려면 일의 자리의 숫자는 홀수이어야 한다.
일의 자리에 올 수 있는 수는 1, 3 중 한 수이므로 ${}_2C_1=2$
천의 자리에 올 수 있는 숫자는 1, 2, 3, 4 중 한 수이므로 ${}_4C_1=4$
백의 자리와 십의 자리에 올 수 있는 수는 0, 1, 2, 3, 4 중 한 수이므로
${}_5\Pi_2=5^2=25$

STEP Ⓑ 곱의 법칙을 이용하여 경우의 수 구하기

따라서 구하는 홀수인 자연수의 개수는 $2\times4\times25=200$

④

0059

④

STEP Ⓐ 천의 자리와 일의 자리에 숫자를 채우는 경우의 수 구하기

천의 자리에는 0을 제외한 1, 2, 3, 5, 7이 올 수 있으므로 그 경우의 수는 5
홀수가 되기 위해서는 일의 자리에 1, 3, 5, 7 중에 하나의 수가 와야 하므로
그 경우의 수는 4

STEP Ⓑ 중복순열을 이용하여 나머지 두 자리에 숫자를 채우는 경우의 수 구하기

백의 자리, 십의 자리에는 각각 0, 1, 2, 3, 5, 7이 모두 올 수 있으므로
그 경우의 수는 ${}_6\Pi_2=6^2=36$

STEP Ⓒ 곱의 법칙을 이용하여 경우의 수 구하기

따라서 구하는 네 자리 자연수의 개수는 $5\times{}_6\Pi_2\times4=720$

0060

③

STEP Ⓐ 세 자리의 자연수의 경우의 수 구하기

세 자리의 자연수의 개수는 5개의 수에서 중복을 허용하여 3개를 택하여 일렬로 배열하는 방법의 수와 같으므로 ${}_5\Pi_3=5^3=125$

STEP Ⓑ 1이 포함되지 않는 경우의 수 구하기

1을 포함하지 않는 세 자리의 자연수의 개수는 1을 제외한 4개의 수에서 중복을 허용하여 3개를 택하여 일렬로 배열하는 방법의 수와 같으므로
${}_4\Pi_3=4^3=64$

STEP Ⓒ 1이 포함되어 있는 경우의 수 구하기

따라서 구하는 자연수의 개수는 $125-64=61$

내신연계 출제문항 026

6개의 숫자

1, 2, 3, 4, 5, 6

을 중복 사용하여 세 자리의 자연수를 만들려고 한다.
이때 숫자 5가 포함되는 세 자리의 자연수의 개수는?

① 91 ② 93 ③ 95
④ 97 ⑤ 99

STEP Ⓐ 세 자리의 자연수의 경우의 수 구하기

6개의 숫자 1, 2, 3, 4, 5, 6을 중복 사용하여 만들 수 있는 세 자리의 자연수의 개수는 ${}_6\Pi_3=6^3$

STEP Ⓑ 5가 포함되지 않는 경우의 수 구하기

5를 제외한 5개의 숫자 1, 2, 3, 4, 6을 중복 사용하여 만들 수 있는 세 자리의 자연수의 개수는 ${}_5\Pi_3=5^3$

STEP Ⓒ 5가 포함되어 있는 경우의 수 구하기

따라서 숫자 5가 포함되는 세 자리의 자연수의 개수는
$6^3-5^3=216-125=91$

정답 ①

0061

③

STEP Ⓐ 세 자리의 정수의 경우의 수 구하기

0, 1, 2, 3을 중복을 허용하여 만들 수 있는 세 자리의 정수는 백의 자리에는 3가지, 십의 자리와 일의 자리에는 각각 4가지가 올 수 있으므로 그 개수는
$3\times{}_4\Pi_2=3\times4^2=48$

STEP Ⓑ 1이 포함되지 않는 경우의 수 구하기

그런데 1이 포함되지 않는 것은 0, 2, 3을 중복을 허용하여 만든 경우이다.
이 경우 백의 자리에는 2가지, 십의 자리와 일의 자리에는 각각 3가지가 올 수 있으므로 그 개수는 $2\times{}_3\Pi_2=2\times3^2=18$

STEP Ⓒ 1이 포함되어 있는 경우의 수 구하기

따라서 1이 포함되어 있는 것의 개수는 $48-18=30$

0062

 ⑤

STEP Ⓐ **(세 숫자로 만들 네 자리 자연수)−(1을 포함하지 않는 네 자리 자연수)−(2를 포함하지 않는 네 자리 자연수)+(1과 2가 모두 포함되지 않은 네 자리 자연수의 개수)임을 이용하기**

세 숫자 1, 2, 3을 중복 사용하여 만들 수 있는 네 자리 자연수의 개수는

${}_3\Pi_4=3^4=81$

이 중 1이 포함되지 않은 자연수의 개수는 ${}_2\Pi_4=2^4=16$

2가 포함되지 않은 자연수의 개수는 ${}_2\Pi_4=2^4=16$

1과 2가 모두 포함되지 않은 자연수의 개수는 ${}_1\Pi_4=1^4=1$

따라서 1과 2가 모두 포함되어 있는 자연수의 개수는 $81-(16+16-1)=50$

다른풀이 (세 숫자로 만들 네 자리 자연수)−(1, 3 또는 2, 3만으로 만들 네 자리 자연수)+(3만으로 만들 네 자리 자연수)

(i) 세 숫자에서 중복을 허락하여 네 자리 자연수를 만들 경우의 수는

${}_3\Pi_4=3^4=81$

(ii) 1, 3 또는 2, 3을 중복을 허락하여 네 자리 자연수를 만들 경우의 수는

${}_2\Pi_4\times2=2^4\times2=32$

(iii) 3만으로 만들 네 자리 자연수 1

따라서 구하는 자연수의 개수는 $81-32+1=50$

다른풀이 같은 것이 있는 순열을 이용하여 풀이하기

(i) 1과 2로만 이뤄진 자연수

(1, 1, 1, 2), (1, 2, 2, 2)로 만들 수 있는 네 자리 자연수의 개수는

$\frac{4!}{3!}\times2=8$

(1, 1, 2, 2)로 만들 수 있는 네 자리 자연수의 개수는 $\frac{4!}{2!2!}=6$

(ii) 1, 2, 3이 모두 포함된 자연수

(1, 1, 2, 3), (1, 2, 2, 3), (1, 2, 3, 3)으로 만들 수 있는 네 자리 자연수의 개수는 $\frac{4!}{2!}\times3=36$

(i), (ii)에서 구하는 자연수의 개수는 $8+6+36=50$

0063

 ④

STEP Ⓐ **만의 자리의 숫자가 1인 경우의 수 구하기**

(i) 만의 자리의 숫자가 1인 경우

나머지 한 개의 숫자 1이 들어갈 자리를 택하는 경우의 수는 ${}_4C_1=4$

이 각각에 대하여 남은 세 자리에 들어갈 숫자를 택하는 경우의 수는

네 개의 숫자 0, 2, 3, 4에서 중복을 허락하여 3개를 택해 일렬로

나열하는 중복순열의 수와 같으므로 ${}_4\Pi_3=4^3=64$

즉 이 경우의 수는 $4\times64=256$

STEP Ⓑ **만의 자리의 숫자가 1이 아닌 경우의 수 구하기**

(ii) 만의 자리의 숫자가 1이 아닌 경우

만의 자리에 올 수 있는 숫자는 2, 3, 4의 3가지

이 각각에 대하여 남은 네 자리 중 숫자 1이 들어갈 두 자리를 택하는

경우의 수는 ${}_4C_2=6$

이 각각에 대하여 남은 두 자리에 들어갈 숫자를 택하는 경우의 수는

네 개의 숫자 0, 2, 3, 4에서 중복을 허락하여 2개를 택해 일렬로

나열하는 중복순열의 수와 같으므로 ${}_4\Pi_2=4^2=16$

즉 이 경우의 수는 $3\times6\times16=288$

STEP Ⓒ **구하는 경우의 수 구하기**

(i), (ii)에 의하여 구하는 자연수의 개수는 $256+288=544$

내신연계 출제문항 027

4개의 숫자

0, 2, 3, 4

에서 중복을 허락하여 네 자리 자연수를 만들 때,

숫자 2는 한 개 이하가 되는 자연수의 개수는?

① 135 ② 145 ③ 155
④ 165 ⑤ 175

STEP Ⓐ **2의 개수에 따라 분류하여 경우의 수 구하기**

(i) 2가 0개일 때,

숫자 0, 3, 4에서 중복을 허락하여 네 자리 자연수를 만들면 된다.

천의 자리에 올 수 있는 숫자는 3, 4이므로 2가지

나머지 3개의 자리는 0, 3, 4에서 중복을 허락하여 3개를 택해 나열하는

경우의 수와 같으므로 ${}_3\Pi_3=3^3=27$

즉 2가 0개인 자연수의 개수는 $2\times27=54$

(ii) 2가 1개일 때,

2가 천의 자리의 수인 경우

나머지 3개의 자리는 0, 3, 4에서 중복을 허락하여 3개를 택해 나열하는

경우의 수와 같으므로 ${}_3\Pi_3=3^3=27$

2가 천의 자리가 아닌 자리의 수인 경우는 3가지

천의 자리에 올수 있는 숫자는 3, 4이므로 2가지

나머지 2개의 자리는 0, 3, 4에서 중복을 허락하여 2개를 택해 나열하는

경우의 수와 같으므로 ${}_3\Pi_2=3^2=9$

즉 2가 1개인 자연수의 개수는 $27+3\times2\times9=81$

STEP Ⓑ **구하는 자연수의 개수 구하기**

(i), (ii)에서 구하는 자연수의 개수는 $54+81=135$

 ①

0064

 ⑤

STEP Ⓐ **각 자리의 수의 합이 홀수가 되기 위한 조건 구하기**

각 자리의 수의 합이 홀수가 되기 위해서는

백의 자리, 십의 자리, 일의 자리의 수 중에서

홀수 3개 또는 홀수 1개, 짝수 2개이어야 한다.

(i) 홀수 3개인 경우

1, 3, 5 중에서 중복을 허락하여 만들 수 있는 세 자리 자연수의 개수는

${}_3\Pi_3=3^3=27$

(ii) 홀수 1개, 짝수 2개인 경우

백의 자리, 십의 자리, 일의 자리의 수가

(짝 짝 홀), (짝 홀 짝), (홀 짝 짝)인 경우로 3가지이고

이 각각에 대하여 1, 3, 5 중에서 1개, 2, 4 중에서 중복을 허락하여

2개를 택하여 나열하는 경우의 수와 같으므로

$3\times{}_3\Pi_1\times{}_2\Pi_2=3\times3^1\times2^2=36$

STEP Ⓑ **합의 법칙을 이용하여 경우의 수 구하기**

(i), (ii)에 의하여 구하는 경우의 수는 $27+36=63$

I 경우의 수

내신연계 출제문항 028

1, 2, 3, 4, 5, 6의 여섯 개의 숫자를 사용하여 만들 수 있는 세 자리 자연수 중에서 다음 조건을 만족시키는 자연수의 개수는?

(가) 각 자리의 숫자의 합은 짝수이다.
(나) 짝수는 중복하여 사용할 수 있고, 홀수는 중복하여 사용할 수 없다.

① 75 ② 81 ③ 115
④ 120 ⑤ 125

STEP Ⓐ 각 자리의 수의 합이 짝수가 되기 위한 조건 구하기

만들 수 있는 세 자리 자연수 중에서 각 자리의 숫자의 합이 짝수인 경우는 각 자리의 숫자가 모두 짝수이거나 하나는 짝수, 두 개는 홀수인 경우이다.

(ⅰ) 모두 짝수인 경우
조건을 만족시키는 자연수의 개수는 짝수 2, 4, 6에서 중복을 허락하여 3개를 택해 배열하는 경우의 수와 같으므로 ${}_3\Pi_3=3^3=27$

(ⅱ) 하나는 짝수, 두 개는 홀수인 경우
짝수 2, 4, 6에서 1개를 뽑는 경우의 수는 3
홀수 1, 3, 5에서 2개를 뽑는 경우의 수는 ${}_3C_2=3$
이때 뽑힌 3개의 숫자를 일렬로 배열하는 경우의 수는 $3!=6$
즉 이 경우의 자연수의 개수는 $3\times3\times6=54$

STEP Ⓑ 합의 법칙을 이용하여 경우의 수 구하기

(ⅰ), (ⅱ)에서 구하는 자연수의 개수는 $27+54=81$  ②

0065

 ②

STEP Ⓐ 중복순열을 이용하여 경우의 수 구하기

깃발을 1번, 2번, 3번 들어 올려서 만들 수 있는 신호의 개수는
${}_3\Pi_1=3$, ${}_3\Pi_2=9$, ${}_3\Pi_3=27$
따라서 만들 수 있는 서로 다른 모든 신호의 개수는 $3+9+27=39$

내신연계 출제문항 029

3개의 모양 ♠, ♥, ♣ 중에서 중복을 허용하여 1개부터 4개까지 택한 후 일렬로 배열하여 무늬를 만들려고 한다. 만들 수 있는 무늬의 종류는 모두 몇 개인가?

① 81 ② 90 ③ 98
④ 112 ⑤ 120

STEP Ⓐ 중복순열과 합의 법칙을 이용하여 경우의 수 구하기

1개를 택한 후 일렬로 배열하는 무늬의 종류는 ${}_3\Pi_1=3$
2개를 택한 후 일렬로 배열하는 무늬의 종류는 ${}_3\Pi_2=3^2=9$
3개를 택한 후 일렬로 배열하는 무늬의 종류는 ${}_3\Pi_3=3^3=27$
4개를 택한 후 일렬로 배열하는 무늬의 종류는 ${}_3\Pi_4=3^4=81$
따라서 구하는 무늬의 종류는 $3+9+27+81=120$  ⑤

0066

 ③

STEP Ⓐ 중복순열과 합의 법칙을 이용하여 경우의 수 구하기

2개를 사용하여 만들 수 있는 신호는 ${}_2\Pi_2=2^2$
3개를 사용하여 만들 수 있는 신호는 ${}_2\Pi_3=2^3$
4개를 사용하여 만들 수 있는 신호는 ${}_2\Pi_4=2^4$
5개를 사용하여 만들 수 있는 신호는 ${}_2\Pi_5=2^5$
따라서 구하는 신호의 가짓수는 ${}_2\Pi_2+{}_2\Pi_3+{}_2\Pi_4+{}_2\Pi_5=2^2+2^3+2^4+2^5=60$

0067

 ②

STEP Ⓐ 중복순열을 이용하여 경우의 수 구하기

모스 부호 •, − 중 중복을 허용하여 n개를 나열하여 만들 수 있는 신호의 개수는 ${}_2\Pi_n=2^n$
따라서 50가지의 신호를 만들기 위해서는
${}_2\Pi_1+{}_2\Pi_2+\cdots+{}_2\Pi_n=2^1+2^2+2^3+\cdots+2^n=\dfrac{2(2^n-1)}{2-1}=2^{n+1}-2\geq50$

STEP Ⓑ 부등식을 만족하는 n의 값 구하기

따라서 $2^5-2=30$, $2^6-2=62$이므로 부등식을 만족하는 n의 값은 5

내신연계 출제문항 030

손수건을 들어 올리거나 내려서 300개의 서로 다른 신호를 만들려고 할 때, 최소한 몇 개의 손수건이 필요한가?

① 4 ② 5 ③ 6
④ 7 ⑤ 8

STEP Ⓐ 중복순열을 이용하여 경우의 수 구하기

n개의 손수건을 사용하여 만들 수 있는 신호의 개수는 ${}_2\Pi_n=2^n$이므로
n개 이하의 손수건을 사용하여 만들 수 있는 신호의 개수는
${}_2\Pi_1+{}_2\Pi_2+\cdots+{}_2\Pi_n$
만들려고 하는 신호의 개수가 300이므로
$2+2^2+\cdots+2^n\geq300$, $\dfrac{2(2^n-1)}{2-1}\geq300$
$\therefore 2^n\geq151$
따라서 $2^7=128$, $2^8=256$이므로 최소의 자연수 n은 8  ⑤

0068

 ④

STEP Ⓐ 2500보다 큰 자연수의 개수는 백의 자리와 천의 자리의 숫자를 기준으로 분류하여 구하기

(ⅰ) 천의 자리가 2, 백의 자리가 5일 때,
2500보다 큰 자연수는 ${}_6\Pi_2=6^2=36$
(ⅱ) 천의 자리가 2, 백의 자리가 6
2500보다 큰 자연수는 ${}_6\Pi_2=6^2=36$
(ⅲ) 천의 자리가 3, 4, 5, 6일 때,
2500보다 큰 자연수는 $4\times{}_6\Pi_3=4\times6^3=864$

STEP Ⓑ 2500보다 큰 자연수를 만드는 경우의 수 구하기

(ⅰ)~(ⅲ)에서 구하는 자연수의 개수는 $36+36+864=936$

0069

 ①

STEP Ⓐ 중복순열을 이용하여 2100보다 작은 경우의 수 구하기

천의 자리의 수가 1인 네 자리 자연수의 개수는
${}_4\Pi_3=4^3=64$
천의 자리의 수가 2이고 백의 자리의 수가 0인 네 자리 자연수의 개수는
${}_4\Pi_2=4^2=16$
따라서 구하는 경우의 수는 $64+16=80$

0070

정답 ④

STEP Ⓐ **세 자리 이하의 자연수의 개수 구하기**

0, 1, 2, 3, 4를 사용하여 만든 자연수는 맨 앞자리에는 0을 제외한 4개의 숫자가 올 수 있고 나머지 자리에는 5개의 숫자가 모두 올 수 있다.
한 자리의 수의 개수는 4
두 자리의 수의 개수는 $4\times{}_5\Pi_1=20$
세 자리의 수의 개수는 $4\times{}_5\Pi_2=100$
이므로 세 자리 이하의 자연수의 개수는 $4+20+100=124$

STEP Ⓑ **천의 자리 숫자가 1인 네 자리 자연수의 개수 구하기**

네 자리의 수 중 천의 자릿수가 1인 개수는 ${}_5\Pi_3=125$
즉 세 자리 이하의 자연수와 천의 자리 숫자가 1인 네 자리 자연수의 개수는
$124+125=249$

STEP Ⓒ **2000은 몇 번째 수인지 구하기**

따라서 2000은 250번째 수이다.

내/신/연/계/ 출제문항 031

여섯 개의 숫자

0, 1, 2, 3, 4, 5

를 중복 사용하여 만든 자연수를 크기가 작은 순서로 나열할 때, 3000은 몇 번째 수인가?

① 30　② 180　③ 216
④ 646　⑤ 648

STEP Ⓐ **세 자리 이하의 자연수의 개수 구하기**

0, 1, 2, 3, 4, 5를 사용하여 만든 자연수는 맨 앞자리에는 0을 제외한 5개의 숫자가 올 수 있고 나머지 자리에는 6개의 숫자가 모두 올 수 있다.
한 자리의 수의 개수는 5
두 자리의 수의 개수는 $5\times{}_6\Pi_1=30$
세 자리의 수의 개수는 $5\times{}_6\Pi_2=180$
이므로 세 자리 이하의 자연수의 개수는 $5+30+180=215$

STEP Ⓑ **천의 자리 숫자가 1, 2인 네 자리 자연수의 개수 구하기**

네 자리의 수 중 천의 자릿수가 1인 개수는 ${}_6\Pi_3=216$
네 자리의 수 중 천의 자릿수가 2인 개수는 ${}_6\Pi_3=216$
즉 세 자리 이하의 자연수와 천의 자리 숫자가 1, 2인 네 자리 자연수의 개수는
$215+216+216=647$

STEP Ⓒ **3000은 몇 번째 수인지 구하기**

따라서 3000은 648번째 수이다.  ⑤

0071

 ④

STEP Ⓐ **함수의 개수와 일대일함수의 개수 구하기**

(ⅰ) X에서 Y로의 함수의 개수는
Y의 원소 a, b, c, d, e의 5개에서 4개를 택하는 중복순열 수와 같으므로
$m={}_5\Pi_4=5^4=625$
(ⅱ) X에서 Y로의 일대일함수의 개수는
Y의 원소 a, b, c, d, e의 5개에서 4개를 택하는 순열 수와 같으므로
$n={}_5P_4=5\times4\times3\times2=120$
(ⅰ), (ⅱ)에서 $m-n=625-120=505$

0072

 ③

STEP Ⓐ **함수의 개수와 일대일대응인 함수의 개수 구하기**

(ⅰ) X에서 X로의 함수의 개수는
X의 원소 1, 2, 3, 4의 4개에서 4개를 택하는 중복순열 수와 같으므로
$m={}_4\Pi_4=4^4=256$
(ⅱ) 역함수가 존재하려면 일대일대응이어야 하므로 X에서 X로의 일대일대응의 개수는 X의 원소 1, 2, 3, 4의 4개에서 4개를 택하는 순열 수와 같으므로 $n={}_4P_4=4!=4\times3\times2\times1=24$
(ⅰ), (ⅱ)에서 $m-n=256-24=232$

내/신/연/계/ 출제문항 032

두 집합

$X=\{1, 2, 3\}$, $Y=\{a, b, c\}$

에 대하여 X에서 Y로의 함수의 개수를 m, X에서 Y로의 함수 중 역함수가 존재하는 함수의 개수를 n이라 할 때, $m-n$의 값은?

① 18　② 20　③ 21
④ 26　⑤ 31

STEP Ⓐ **함수의 개수와 일대일대응의 개수 구하기**

(ⅰ) X에서 Y로의 함수의 개수는
Y의 원소 a, b, c의 3개에서 3개를 택하는 중복순열 수와 같으므로
$m={}_3\Pi_3=3^3=27$
(ⅱ) 역함수가 존재하려면 일대일 대응이어야 하므로 X에서 Y로의 일대일대응의 개수는 Y의 원소 a, b, c의 3개에서 3개를 택하는 순열 수와 같으므로 $n={}_3P_3=3!=3\times2\times1=6$
(ⅰ), (ⅱ)에서 $m-n=27-6=21$  ③

0073

 ③

STEP Ⓐ **a의 함숫값을 결정하는 경우의 수 구하기**

$f(a)\neq1$이므로
$f(a)=2, 3, 4, 5$이므로 경우의 수는 4가지

STEP Ⓑ **b, c의 함숫값을 결정하는 경우의 수를 구하기**

1, 2, 3, 4, 5의 5개 중에서 2개를 택하는 중복순열의 수와 같으므로
${}_5\Pi_2=5^2=25$

STEP Ⓒ **함수의 개수 구하기**

따라서 조건을 만족하는 함수의 개수는 $4\times25=100$

내신연계 출제문항 033

집합 $X=\{0, 1, 2, 3\}$에 대하여 X에서 X로의 함수 f가 있다.
$f(2)f(3) \neq 0$을 만족시키는 함수 f의 개수는?

① 27 ② 81 ③ 96
④ 121 ⑤ 144

STEP Ⓐ **집합 X의 원소 2, 3에 대응 가능한 경우의 수 구하기**

$f(2)f(3) \neq 0$이려면 $f(2) \neq 0$이고 $f(3) \neq 0$이어야 한다.
집합 X의 원소 2, 3에 대응 가능한 원소는 1, 2, 3이므로
집합 X의 원소 2, 3에 1, 2, 3을 대응시키는 경우의 수는
${}_3\Pi_2=3^2=9$

STEP Ⓑ **집합 X의 원소 0, 1에 대응 가능한 경우의 수 구하기**

집합 X의 원소 0, 1에 대응 가능한 원소는 0, 1, 2, 3이므로
집합 X의 원소 0, 1에 0, 1, 2, 3을 대응시키는 경우의 수는
${}_4\Pi_2=4^2=16$

STEP Ⓒ **곱의 법칙을 이용하여 구하기**

따라서 구하는 함수의 개수는 $9 \times 16=144$  ⑤

0074

 ②

STEP Ⓐ **중복순열과 같은 것이 있는 순열을 이용하여 구하기**

(i) X에서 Y로의 함수의 개수는
Y의 원소 1, 2의 2개에서 3개를 택하는 중복순열 수와 같으므로
$m={}_2\Pi_3=2^3=8$

(ii) $f(1)+f(2)+f(3)=5$인 함수의 개수는
$f(1)$, $f(2)$, $f(3)$ 중 두 개의 값은 2, 나머지 한 개의 값은 1이어야 한다.
이를 만족시키는 함수의 개수는 $n=\dfrac{3!}{2!}=3$

(i), (ii)에서 $m+n=8+3=11$

내신연계 출제문항 034

집합 $X=\{1, 2, 3, 4, 5\}$에 대하여 X에서 X로의 함수 f 중에서
$$f(1)+f(2)=3$$
을 만족시키는 함수 f의 개수는?

① 125 ② 150 ③ 200
④ 250 ⑤ 300

STEP Ⓐ **중복순열을 이용하여 구하기**

집합 $X=\{1, 2, 3, 4, 5\}$에 대하여
X에서 X로의 함수 f에서 $f(1)+f(2)=3$을 만족하는 함수는
$f(1)=1$, $f(2)=2$ 또는 $f(1)=2$, $f(2)=1$이므로 2가지이고
나머지 $f(3)$, $f(4)$, $f(5)$의 함수의 개수는 ${}_5\Pi_3=5^3=125$
따라서 구하는 함수의 개수는 $2 \times 125=250$  ④

0075

 ③

STEP Ⓐ **중복순열을 이용하여 함수의 개수 구하기**

X에서 Y로의 함수의 개수에서 상수함수의 개수를 뺀다.
a, b의 2개에서 4개를 택하는 중복순열의 수는 ${}_2\Pi_4=2^4=16$
따라서 상수함수의 개수는 2개이므로 치역과 공역이 서로 같은 것의 개수는
$16-2=14$

0076

 ④

STEP Ⓐ **치역이 $\{1, 3, 5\}$인 경우의 수 구하기**

조건 (가), (나)에 의하여 함수 f의 치역은 $\{1, 3, 5\}$이어야 한다.
집합 $\{1, 2, 3, 4, 5\}$에서 $\{1, 3, 5\}$로의 함수의 개수는 ${}_3\Pi_5=3^5=243$

STEP Ⓑ **치역이 $\{1, 3\}$, $\{1, 5\}$, $\{3, 5\}$, $\{1\}$, $\{3\}$, $\{5\}$인 경우의 수 구하기**

집합 $\{1, 2, 3, 4, 5\}$에서 $\{1, 3\}$ 또는 $\{1, 5\}$ 또는 $\{3, 5\}$로의 함수의 개수는
$3 \times {}_2\Pi_5=3 \times 2^5=96$
집합 $\{1, 2, 3, 4, 5\}$에서 $\{1\}$ 또는 $\{3\}$ 또는 $\{5\}$로의 함수의 개수는 3
따라서 구하는 함수 f의 개수는 $243-(96-3)=150$

내신연계 출제문항 035

두 집합
$$X=\{1, 2, 3, 4, 5\},\ Y=\{1, 2, 3\}$$
에 대하여 X에서 Y로의 함수 중에서 치역의 모든 원소의 곱이 짝수인
함수의 개수는?

① 168 ② 197 ③ 208
④ 211 ⑤ 235

STEP Ⓐ **적어도 하나의 짝수인 원소를 가지는 경우의 수 구하기**

치역의 모든 원소의 곱이 짝수이려면 치역은 적어도 하나의 짝수인 원소를
가져야 한다.
X에서 Y로의 함수의 개수는
Y의 원소 1, 2, 3의 3개에서 5개를 택하는 중복순열 수와 같으므로
${}_3\Pi_5=3^5=243$
X에서 Y로의 함수에서 치역의 원소가 홀수뿐인 함수의 개수는
Y의 원소 1, 3의 2개에서 5개를 택하는 중복순열 수와 같으므로
${}_2\Pi_5=2^5=32$

STEP Ⓑ **치역의 모든 원소의 곱이 짝수인 함수의 개수 구하기**

따라서 구하는 함수의 개수는 $243-32=211$  ④

0077

정답 ②

STEP A 치역이 $\{1,\ 2,\ 3\}$ 또는 $\{2,\ 4\}$인 경우의 수 구하기

치역의 모든 원소의 합이 6인 경우는
치역이 $\{1,\ 2,\ 3\}$ 또는 $\{2,\ 4\}$인 경우뿐이다.

(i) 치역이 $\{1,\ 2,\ 3\}$인 경우
1, 2, 3에서 중복을 허락하여 4개를 택해 일렬로 나열하는 경우에서 치역이 $\{1,\ 2\}$, $\{1,\ 3\}$, $\{2,\ 3\}$ 또는 $\{1\}$, $\{2\}$, $\{3\}$인 경우를 제외하면 되므로 이 경우의 수는 ${}_3\Pi_4-3({}_2\Pi_4-2)-3=81-3\times14-3=36$

(ii) 치역이 $\{2,\ 4\}$인 경우
2, 4에서 중복을 허락하여 4개를 택해 일렬로 나열하는 경우에서 치역이 $\{2\}$ 또는 $\{4\}$인 경우를 제외하면 되므로 이 경우의 수는
${}_2\Pi_4-2=16-2=14$

STEP B 구하는 함수의 개수 구하기

(i), (ii)에 의하여 구하는 함수의 개수는 $36+14=50$

다른풀이 같은 것이 있는 수열의 수를 이용하여 풀이하기

치역의 모든 원소의 합이 6인 경우는
치역이 $\{1,\ 2,\ 3\}$ 또는 $\{2,\ 4\}$인 경우뿐이다.

(i) 치역이 $\{1,\ 2,\ 3\}$인 경우
정의역의 원소의 개수가 4이므로 1, 2, 3 중 하나는 그것을 함숫값으로 갖는 원소가 2개이어야 한다.
㉠ 1을 함숫값으로 갖는 원소가 2개인 경우
1, 1, 2, 3을 일렬로 나열하는 경우의 수와 같으므로
이 경우의 수는 $\dfrac{4!}{2!}=12$
㉡ 2를 함숫값으로 갖는 원소가 2개인 경우
1, 2, 2, 3을 일렬로 나열하는 경우의 수와 같으므로
이 경우의 수는 $\dfrac{4!}{2!}=12$
㉢ 3을 함숫값으로 갖는 원소가 2개인 경우
1, 2, 3, 3을 일렬로 나열하는 경우의 수와 같으므로
이 경우의 수는 $\dfrac{4!}{2!}=12$
㉠~㉢에 의하여 이 경우의 수는 $12+12+12=36$

(ii) 치역이 $\{2,\ 4\}$인 경우
㉠ 2를 함숫값으로 갖는 원소가 1개, 4를 함숫값으로 갖는 원소가 3개인 경우
2, 4, 4, 4를 일렬로 나열하는 경우의 수와 같으므로
이 경우의 수는 $\dfrac{4!}{3!}=4$
㉡ 2를 함숫값으로 갖는 원소가 2개, 4를 함숫값으로 갖는 원소가 2개인 경우
2, 2, 4, 4를 일렬로 나열하는 경우의 수와 같으므로
이 경우의 수는 $\dfrac{4!}{2!2!}=6$
㉢ 2를 함숫값으로 갖는 원소가 3개, 4를 함숫값으로 갖는 원소가 1개인 경우
2, 2, 2, 4를 일렬로 나열하는 경우의 수와 같으므로
이 경우의 수는 $\dfrac{4!}{3!}=4$
㉠~㉢에 의하여 이 경우의 수는 $4+6+4=14$

(i), (ii)에 의하여 구하는 함수의 개수는 $36+14=50$

0078

정답 ⑤

STEP A 조건을 만족하도록 $f(4)$의 값에 따라 경우의 수 구하기

(i) $f(4)=1$인 경우
$f(1)+f(2)+f(3)\geq3$
즉 $f(1)$, $f(2)$, $f(3)$은 2, 3, 4 중 하나의 값에 대응되는 경우의 수는
${}_3\Pi_3=3^3$

(ii) $f(4)=2$인 경우
$f(1)+f(2)+f(3)\geq6$ …… ㉠
$f(1)$, $f(2)$, $f(3)$은 1, 3, 4 중 하나의 값에 대응되는 경우의 수는
${}_3\Pi_3=3^3$이고 그 중 $(1,\ 1,\ 1)$, $(1,\ 1,\ 3)$에 대응되면 ㉠에 모순된다.
즉 경우의 수는 $3^3-4=23$

(iii) $f(4)=3$인 경우
$f(1)+f(2)+f(3)\geq9$ …… ㉡
$f(1)$, $f(2)$, $f(3)$은 1, 2, 4 중 하나의 값에 대응되므로
㉡조건을 만족하려면 $(1,\ 4,\ 4)$, $(2,\ 4,\ 4)$, $(4,\ 4,\ 4)$이어야 하므로
경우의 수는 $\dfrac{3!}{2!}+\dfrac{3!}{2!}+1=3+3+1=7$

(iv) $f(4)=4$인 경우
$f(1)+f(2)+f(3)\geq12$이며 조건을 만족하는 경우가 없다.

(i)~(iv)에서 구하는 함수의 개수는 $27+23+7=57$

03 STEP 1 내신정복기출유형 같은 것이 있는 순열

0079

 ③

STEP Ⓐ 같은 것이 있는 순열의 수 구하기

r이 2개, e가 3개, m이 2개가 있으므로

이들 8개의 문자를 모두 일렬로 나열하는 순열의 수는 $\frac{8!}{2!3!2!}=1680$

내/신/연/계/ 출제문항 036

다음 카드를 일렬로 나열하는 방법의 수는?

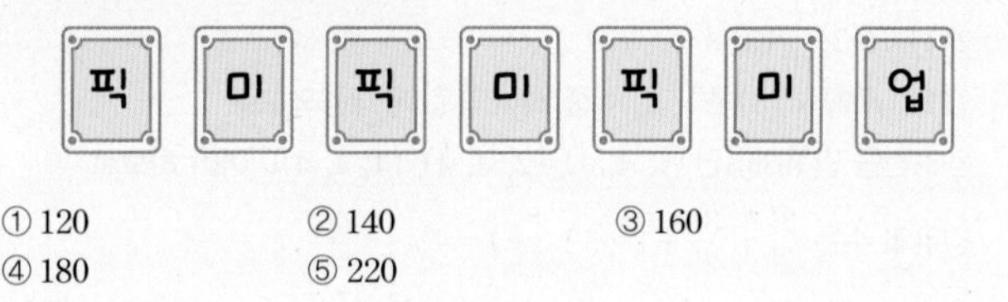

① 120 ② 140 ③ 160
④ 180 ⑤ 220

STEP Ⓐ 같은 것이 있는 순열의 수 구하기

'픽'의 카드가 3개, '미'의 카드가 3개, '업'의 카드가 1개가 있으므로

이들 7개의 문자를 모두 일렬로 나열하는 순열의 수는 $\frac{7!}{3!3!}=140$  ②

0080

 ⑤

STEP Ⓐ 같은 것이 있는 순열의 수 구하기

하나의 V를 제외한 나머지 8개의 문자를 모두 일렬로 배열하면 된다.
이때 8개의 문자에 E가 4개, R이 2개, G가 1개, N이 1개 있으므로

구하는 방법의 수는 $\frac{8!}{4!\times2!}=840$

0081

정답 ④

STEP Ⓐ 같은 것이 있는 순열의 수 구하기

6개의 재료 중에서 치즈가 3장, 고기 패티가 2장, 토마토 슬라이스가 1장 있으므로 구하는 방법의 수는 $\frac{6!}{3!2!}=60$

내/신/연/계/ 출제문항 037

서로 구분되지 않는 3개의 사과와 서로 구분되지 않는 3개의 초콜릿을 6명의 학생에게 남김없이 1개씩 나누어 주는 경우의 수는?
(단, 사과와 초콜릿을 받지 못하는 학생은 없다.)

① 16 ② 18 ③ 20
④ 24 ⑤ 28

STEP Ⓐ 같은 것이 있는 순열의 수 구하기

서로 구분되지 않는 3개의 사과를 a, a, a라 하고, 서로 구분되지 않는 3개의 초콜릿을 b, b, b라 하면 구하는 경우의 수는 a, a, a, b, b, b를 일렬로 나열하는 경우의 수와 같으므로 $\frac{6!}{3!3!}=20$  ③

0082

 ①

STEP Ⓐ 같은 것이 있는 순열의 수 구하기

양 끝에 노란색 깃발을 배열하면 가운데 7개의 깃발은
노란색 깃발 2개, 빨간색 깃발 5개를 일렬로 배열하는 방법의 수와 같다.

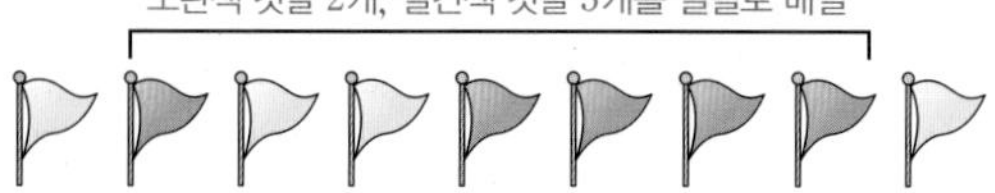

따라서 구하는 방법의 수는 $\frac{7!}{2!5!}=21$

내/신/연/계/ 출제문항 038

흰색 깃발 5개, 파란색 깃발 5개를 일렬로 모두 나열할 때,
양 끝에 흰색 깃발이 놓이는 경우의 수는?
(단, 같은 색 깃발끼리는 서로 구별하지 않는다.)

① 56 ② 63 ③ 70
④ 77 ⑤ 84

STEP Ⓐ 같은 것이 있는 순열을 이용하여 구하기

먼저 양 끝에 흰색 깃발을 놓고 흰색 깃발 2개를 제외한 가운데 8개는
흰색 깃발 3개, 파란색 깃발 5개를 일렬로 나열하는 경우의 수와 같다.

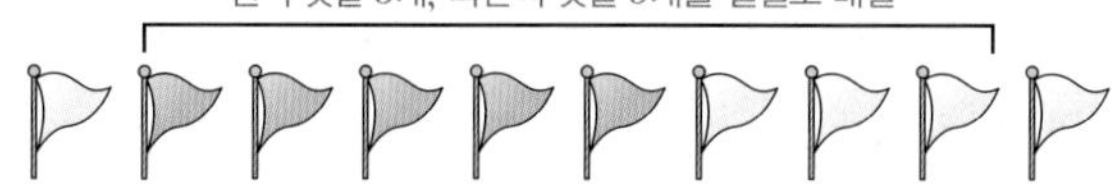

따라서 구하는 방법의 수는 $\frac{8!}{3!5!}=56$  ①

0083

 ①

STEP Ⓐ 같은 것이 있는 순열을 이용하여 구하기

양 끝에 t를 놓는 방법의 수는 1

나머지 문자 i, n, e, r, n, e를 일렬로 배열하는 경우의 수는 $\frac{6!}{2!2!}=180$

따라서 구하는 방법의 수는 $1\times180=180$

내/신/연/계/ 출제문항 039

영어단어 S, T, A, T, I, S, T, I, C의 9개의 문자를 일렬로 나열할 때,
양 끝에 S가 오도록 하는 방법의 수는?

① 340 ② 360 ③ 380
④ 400 ⑤ 420

STEP Ⓐ 같은 것이 있는 순열을 이용하여 구하기

S를 양 끝에 나열하는 방법의 수는 1가지

나머지 문자 T, A, T, I, T, I, C를 일렬로 나열하는 경우의 수는 $\frac{7!}{3!2!}=420$

따라서 구하는 방법의 수는 $420\times1=420$  ⑤

0084
 ⑤

STEP Ⓐ **L이 양 끝에 오도록 배열하는 방법의 수 구하기**

L□□□□□□□L과 같이 양 끝을 L로 고정하고

나머지 문자 e, x, c, e, e, n, t를 일렬로 배열하는 방법의 수는 $\frac{7!}{3!}=840$

0085
 ③

STEP Ⓐ **a와 i가 양 끝에 오도록 나열하는 경우의 수 구하기**

양 끝에 a와 i가 오는 경우의 수 2

h, p, p, n, e, s, s를 일렬로 나열하는 경우의 수는 $\frac{7!}{2!2!}=1260$

따라서 구하는 경우의 수는 $2\times1260=2520$

내신연계 출제문항 040

영어단어

H, A, P, P, I, N, E, S, S

에 있는 9개의 문자 중 P, P, I가 이웃하도록 일렬로 나열하는 경우의 수는?

① 1260 ② 2520 ③ 5040
④ 5660 ⑤ 7560

STEP Ⓐ **이웃하여 나열하기**

P, P, I를 한 문자로 생각하여 2개의 S가 있는 7개의 문자를 일렬로 나열하는 경우의 수는 $\frac{7!}{2!}=7\times6\times5\times4\times3=2520$

이때 P, P, I를 일렬로 나열하는 경우의 수는 $\frac{3!}{2!}=3$

따라서 구하는 경우의 수는 $2520\times3=7560$  ⑤

HAPPINESS에 있는 9개의 문자 중 P, P, I가 이웃하도록 일렬로 배열할 때, I가 P와 P 사이에 오도록 배열하는 경우의 수를 구하면
I가 P와 P 사이에 와야 하므로 PIP를 한 문자로 생각하여 나열하면 된다.
따라서 구하는 경우의 수는 2개의 S가 있는 7개의 문자를 일렬로 나열하는 경우의 수와 같으므로 $\frac{7!}{2!}=7\times6\times5\times4\times3=2520$

0086
 ④

STEP Ⓐ **a, l, l, i, s, w, e, l, l에 있는 9개의 문자를 일렬로 나열할 때, 모음이 양 끝에 오도록 나열하는 경우의 수 구하기**

양 끝에 a, i, e 중 2개의 문자를 일렬로 나열하는 경우의 수는 ${}_3P_2=6$

나머지 문자 l, l, s, w, l, l과 모음 중 하나의 문자를 일렬로 나열하는 경우의 수는 $\frac{7!}{4!}=210$

따라서 구하는 경우의 수는 $6\times210=1260$

0087
 ①

STEP Ⓐ **홀수 번째 자리에 모음이 오도록 나열하는 방법의 수 구하기**

①		③		⑤		⑦

4개의 홀수 번째 자리에 A, A, I, I를 배열하는 방법의 수는 $\frac{4!}{2!2!}=6$

이때 짝수 번째 자리에 N, M, D를 배열하는 방법의 수는 $3!=6$

따라서 구하는 방법의 수는 $6\times6=36$

내신연계 출제문항 041

9개의 문자

L, I, T, H, U, A, N, I, A

를 일렬로 나열할 때, 홀수 번째 자리에 모음이 오게 나열하는 방법의 수는?

① 240 ② 360 ③ 420
④ 600 ⑤ 720

STEP Ⓐ **홀수 번째 자리에 모음이 오도록 나열하는 방법의 수 구하기**

①		③		⑤		⑦		⑨

5개의 홀수 번째 자리에 I, I, A, A, U를 배열하는 방법의 수는 $\frac{5!}{2!2!}=30$

이때 짝수 번째 자리에 L, T, H, N를 배열하는 방법의 수는 $4!=24$

따라서 구하는 방법의 수는 $30\times24=720$  ⑤

0088
정답 ③

STEP Ⓐ **같은 것이 있는 순열의 수를 이용하여 구하기**

(i) 양쪽 끝에 b가 오는 경우의 수는 $\frac{5!}{3!}=20$

(ii) 양쪽 끝에 c가 오는 경우의 수는 $\frac{5!}{2!}=60$

STEP Ⓑ **양쪽 끝에 서로 같은 문자가 오는 경우의 수 구하기**

따라서 구하는 경우의 수는 $20+60=80$

내신연계 출제문항 042

7개의 문자

s, u, c, c, e, s, s

를 일렬로 나열할 때, 양 끝에 같은 문자가 오도록 하는 경우의 수는?

① 80 ② 85 ③ 90
④ 95 ⑤ 100

STEP Ⓐ **양 끝에 c가 오는 경우의 수 구하기**

같은 문자가 양 끝에 오려면 2개 이상이어야 하므로
양 끝에 올 수 있는 문자는 c와 s뿐이다.

(i) c가 양 끝에 오는 경우 ← c□□□□□c
남은 문자 5개 중에서 3개가 s이므로 일렬로 나열하는 경우의 수는
$\frac{5!}{3!}=5\times4=20$

STEP Ⓑ **양 끝에 s가 오는 경우의 수 구하기**

(ii) s가 양 끝에 오는 경우 ← s□□□□□s
남은 문자 5개 중에서 2개가 c이므로 일렬로 나열하는 경우의 수는
$\frac{5!}{2!}=5\times4\times3=60$

STEP Ⓒ **양 끝에 같은 문자가 오는 경우의 수 구하기**

(i), (ii)에서 구하는 경우의 수는 $20+60=80$ 정답 ①

0089

STEP A 같은 것이 있는 순열의 수를 이용하여 구하기

(i) 양 끝에 흰 공이 놓이는 경우의 수는 $\frac{7!}{3!4!}=35$

(ii) 양 끝에 파란 공이 놓이는 경우의 수는 $\frac{7!}{5!2!}=21$

STEP B 양 끝에 있는 공의 색깔이 서로 같은 경우의 수 구하기

(i), (ii)에서 구하는 경우의 수는 $35+21=56$

0090

STEP A 같은 것이 있는 순열의 수를 이용하여 구하기

8개의 공을 일렬로 나열하는 경우의 수는 $\frac{8!}{5!2!}=168$

STEP B 양쪽 끝에 같은 색의 공이 있는 경우의 수 구하기

흰 공이 양 끝에 있는 경우의 수는 $\frac{6!}{3!2!}=60$

빨간 공이 양 끝에 있는 경우의 수는 $\frac{6!}{5!}=6$

STEP C 양 끝에 있는 공의 색깔이 서로 다른 경우의 수 구하기

따라서 구하는 경우의 수는 $168-(60+6)=102$

0091

STEP A 이웃하는 것을 한 묶음으로 생각하여 같은 것이 있는 경우의 수 구하기

모음 u, e를 한 문자로 보면 6개의 문자 중에서

s가 3개 c가 2개 포함된 같은 것이 있는 순열의 수는 $\frac{6!}{3!2!}=60$

STEP B 이웃하는 것끼리 나열하는 경우의 수 구하기

모음 u, e를 서로 바꾸어 놓을 수 있는 경우의 수는 2

따라서 구하는 경우의 수는 $60\times2=120$

0092

STEP A 같은 것이 있는 순열의 수를 이용하여 구하기

모음 A, A, A, I를 한 문자 X로 생각하여 X, M, L, Y, S의 5개의 문자를 일렬로 나열하는 경우의 수는 $5!=120$

모음 A, A, A, I끼리 자리를 바꾸는 경우의 수는 $\frac{4!}{3!}=4$

따라서 구하는 경우의 수는 $120\times4=480$

0093

STEP A 같은 것이 있는 순열의 수를 이용하여 구하기

6개의 영문자 M, I, D, D, L, E를 한 줄로 나열하는 경우의 수는 $\frac{6!}{2!}=360$

STEP B D가 이웃하여 나열하는 경우의 수 구하기

D, D를 묶어서 하나로 보고 나열하는 경우의 수는 $5!=120$

STEP C D가 서로 이웃하지 않도록 나열하는 경우의 수 구하기

따라서 구하는 경우의 수는 $360-120=240$

다른풀이 사이사이 배열하여 풀이하기

M, I, L, E의 4개를 일렬로 나열하고 그 사이사이에 D, D를 나열하는 경우의 수를 구한다.

따라서 구하는 경우의 수는 $4!\times{}_5C_2=24\times10=240$

내신연계 출제문항 043

7개의 문자

M, O, R, O, C, C, O

를 일렬로 나열할 때, C가 서로 이웃하지 않도록 나열하는 경우의 수는?

① 300 ② 320 ③ 340
④ 360 ⑤ 380

STEP A 전체 경우의 수에서 C가 서로 이웃하게 나열하는 경우의 수를 빼서 구하기

7개의 문자 M, O, R, O, C, C, O를 일렬로 나열하는 경우의 수는

$\frac{7!}{3!2!}=420$

C 2개를 하나로 보고 6개의 문자를 일렬로 나열하는 경우의 수는

$\frac{6!}{3!}=120$

따라서 구하는 경우의 수는 $420-120=300$

다른풀이 사이사이 배열하여 풀이하기

M, O, O, O, R의 5개를 일렬로 나열하고 그 사이사이에 C, C를 나열하는 경우의 수를 구한다.

따라서 구하는 경우의 수는 $\frac{5!}{3!}\times{}_6C_2=20\times15=300$

0094

STEP A 같은 것이 있는 순열 구하기

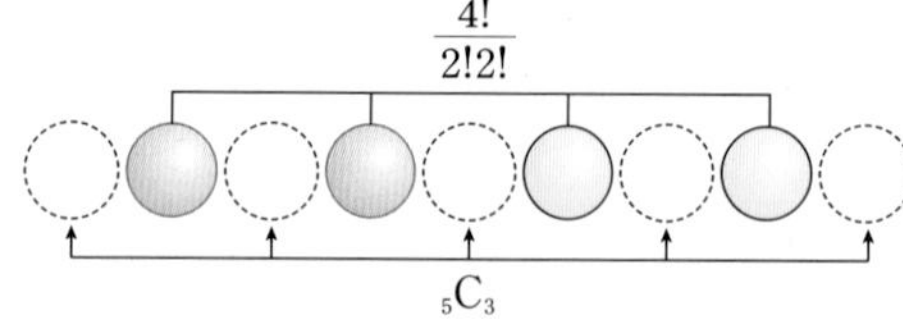

파란 공 2개와 노란 공 2개를 먼저 나열하는 경우의 수는 $\frac{4!}{2!2!}=6$

양 끝과 사이 5곳 중 3곳을 택하여 빨간 공을 배치하는 경우의 수는

${}_5C_3={}_5C_2=10$

따라서 빨간 공끼리는 어느 것도 서로 이웃하지 않도록 나열하는 경우의 수는

$6\times10=60$

0095

STEP Ⓐ **전체 경우의 수에서 흰 공을 서로 이웃하게 나열하는 경우의 수를 빼서 구하기**

흰 공 2개, 빨간 공 2개, 검은 공 4개를 일렬로 나열하는 경우의 수는

$\dfrac{8!}{2!2!4!}=420$

흰 공 2개를 하나로 보고 7개의 공을 일렬로 나열하는 경우의 수는

$\dfrac{7!}{2!4!}=105$

따라서 구하는 경우의 수는 $420-105=315$

다른풀이 사이사이 배열하여 풀이하기

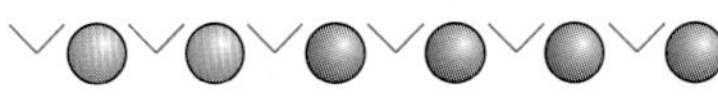

빨간 공 2개, 검은 공 4개를 일렬로 나열하고 그 사이사이에 흰 공을 나열하는 경우의 수를 구한다.

따라서 구하는 경우의 수는 $\dfrac{6!}{2!4!}\times {}_7C_2=15\times 21=315$

다른풀이 중복조합을 이용하여 풀이하기

흰 공 2개를 나열하고 그 사이사이에 빨간 공 2개, 검은 공 4개를 다음 그림과 같이 각각 a, b, c (단, $a\geq 0$, $b\geq 1$, $c\geq 0$)개의 공을 넣는다.

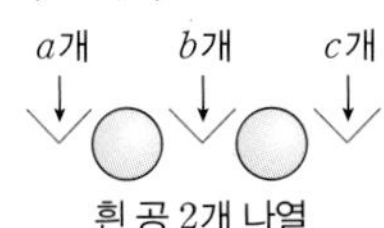

즉 $a+b+c=6$ (단, $a\geq 0$, $b\geq 1$, $c\geq 0$) …… ㉠

인 정수해의 개수이므로 $b=b'+1(b'\geq 0)$라 하면

$a+b+c=6$에서 $a+b'+c=5$ (단, $a\geq 0$, $b'\geq 0$, $c\geq 0$)

인 정수해의 개수는 ${}_3H_5={}_{3+5-1}C_5={}_7C_5={}_7C_2=21$

이때 ㉠의 경우에 빨간 공 2개, 검은 공 4개를 나열해야 하므로 $\dfrac{6!}{2!4!}=15$

따라서 구하는 경우의 수는 $15\times 21=315$

내신연계 출제문항 044

9개의 문자

A, A, B, B, B, C, C, C, C

를 일렬로 나열할 때, A가 서로 이웃하지 않도록 나열하는 경우의 수는?

① 980 ② 1025 ③ 1155
④ 1255 ⑤ 1260

STEP Ⓐ **전체 경우의 수에서 흰 공을 서로 이웃하게 나열하는 경우의 수를 빼서 구하기**

A 2개, B 3개, C 4개를 일렬로 나열하는 경우의 수는 $\dfrac{9!}{2!3!4!}=1260$

A 2개를 하나로 보고 8개를 일렬로 나열하는 경우의 수는 $\dfrac{8!}{3!4!}=280$

따라서 구하는 경우의 수는 $1260-280=980$

다른풀이 사이사이 배열하여 풀이하기

B 3개, C 4개를 일렬로 나열하고 그 사이사이에 A를 나열하는 경우의 수를 구한다.

따라서 구하는 경우의 수는 $\dfrac{7!}{3!4!}\times {}_8C_2=35\times 28=980$

0096

STEP Ⓐ **전체 경우의 수에서 A, B를 서로 이웃하게 나열하는 경우의 수를 빼서 구하기**

A, B, C, C, D, D, D를 일렬로 나열하는 경우의 수는 $\dfrac{7!}{2!3!}=420$

A, B를 하나로 보고 6개를 일렬로 나열하고

A, B를 자체 배열하는 경우의 수는 $\dfrac{6!}{2!3!}\times 2!=120$

따라서 구하는 경우의 수는 $420-120=300$

다른풀이 사이사이 배열하여 풀이하기

STEP Ⓐ **A, B를 제외한 나머지를 일렬로 나열하는 경우의 수 구하기**

C, C, D, D, D를 나열하는 경우의 수는 $\dfrac{5!}{2!3!}=10$

STEP Ⓑ **A와 B가 서로 이웃하지 않게 나열하는 경우의 수 구하기**

이 각각에 대하여 그림과 같이 ∨ 표시된 곳 중 두 곳에 A, B를 넣으면 되므로 경우의 수는 서로 다른 6개에서 2개를 택하는 순열의 수와 같다.

즉 ${}_6P_2=6\times 5=30$

따라서 구하는 경우의 수는 $10\times 30=300$

0097

STEP Ⓐ **세 문자 c, d, e 중 어느 2개의 문자도 서로 이웃하지 않도록 나열하는 경우의 수 구하기**

4개의 문자 a, a, b, b를 일렬로 나열하는 경우의 수는 $\dfrac{4!}{2!2!}=6$

이 각각에 대하여 ∨이 놓여 있는 자리에 세 문자 c, d, e를 나열하는 경우의 수는 ${}_5P_3=5\times 4\times 3=60$

따라서 구하는 경우의 수는 $6\times 60=360$

0098

STEP Ⓐ **같은 것이 있는 순열의 수를 이용하여 구하기**

7개의 문자를 일렬로 나열하는 순열의 수는

$\dfrac{7!}{2!2!}=1260$ …… ㉠

STEP Ⓑ **a끼리, b끼리 이웃하는 같은 것이 있는 순열의 수를 이용하여 구하기**

같은 문자가 이웃하는 경우는

(i) 'aa'가 있는 순열의 수는 'aa'를 한 문자로 보았을 때의 경우의 수이므로

$\dfrac{6!}{2!}=360$

(ii) 'bb'가 있는 순열의 수는 'bb'를 한 문자로 보았을 때의 경우의 수이므로

$\dfrac{6!}{2!}=360$

(iii) 'aa', 'bb'가 동시에 있는 경우의 수는 $5!=120$

(i)~(iii)에 의하여 같은 문자가 이웃하는 경우의 수는

$360+360-120=600$ …… ㉡

STEP Ⓒ **같은 문자는 이웃하지 않도록 하는 경우의 수 구하기**

따라서 ㉠, ㉡에 의하여 구하는 순열의 수는 $1260-600=660$

내신연계 출제문항 045

6개의 문자

$a,\ a,\ b,\ b,\ c,\ d$

를 일렬로 나열할 때, a끼리 또는 b끼리 이웃하는 경우의 수는?

① 47 ② 80 ③ 86
④ 96 ⑤ 120

STEP Ⓐ **a끼리 이웃하는 같은 것이 있는 순열의 수를 이용하여 구하기**

6개의 문자를 나열할 때, a끼리 이웃하는 경우는 2개의 a를 묶어 한 개로 생각하면 되므로 $\frac{5!}{2!}=60$ …… ㉠

STEP Ⓑ **b끼리 이웃하는 같은 것이 있는 순열의 수를 이용하여 구하기**

또, b끼리 이웃하는 경우는 2개의 b를 묶어 한 개로 생각하면 되므로

$\frac{5!}{2!}=60$ …… ㉡

STEP Ⓒ **a끼리, b끼리 이웃하는 같은 것이 있는 순열의 수를 이용하여 구하기**

그런데 ㉠, ㉡에서 중복되는 경우는 2개의 a와 2개의 b가 각각 이웃해 있는 경우이므로 경우의 수는 $4!=24$ …… ㉢

STEP Ⓓ **a끼리 또는 b끼리 이웃하는 경우의 수 구하기**

따라서 구하는 경우의 수는 ㉠과 ㉡의 합에서 중복되는 경우인 ㉢을 빼면 되므로 $60+60-24=96$

정답 ④

0099

 ③

STEP Ⓐ **제1행의 각 칸에 영문자를 나열하는 경우의 수 구하기**

제1행의 각 칸에 영문자 A, A, A, B, B, C를 하나씩 나열하는 경우의 수는

$\frac{6!}{3!2!}=60$

STEP Ⓑ **제2행의 각 칸에 영문자를 나열하는 경우의 수 구하기**

이때 같은 열에는 서로 다른 영문자를 나열해야 하므로 제1행에서 A가 나열된 세 칸의 밑에 있는 제2행의 칸에는 B, B, C가 나열된다.

또, 제1행에서 B 또는 C가 나열된 세 칸의 밑에 있는 제2행의 칸에는 A, A, A가 나열되어야 한다.

이와 같이 제2행을 나열하는 경우의 수는 $\frac{3!}{2!}\times1=3$

STEP Ⓒ **같은 열에는 서로 다른 영문자를 나열하는 경우의 수를 구하기**

따라서 구하는 경우의 수는 $60\times3=180$

다음과 같이 한 줄로 나열하는 경우의 수와 같으므로 $\frac{6!}{2!2!}=180$

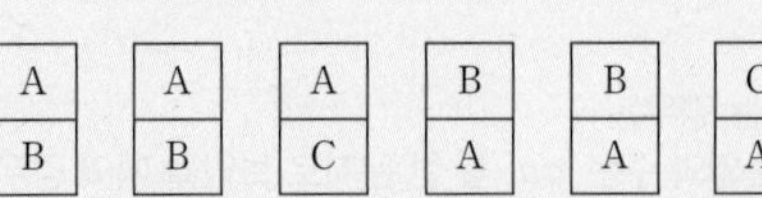

0100

STEP Ⓐ **a, b가 모두 포함되어 4개를 택한 후 일렬로 나열하는 경우의 수 구하기**

(ⅰ) $a,\ a,\ a,\ b$ 또는 $a,\ b,\ b,\ b$를 택한 경우

일렬로 나열하는 방법의 수는 $2\cdot\frac{4!}{3!}=8$

(ⅱ) $a,\ a,\ b,\ c$ 또는 $a,\ b,\ b,\ c$ 또는 $a,\ b,\ c,\ c$를 택한 경우

일렬로 나열하는 방법의 수는 $3\cdot\frac{4!}{2!}=36$

(ⅲ) $a,\ a,\ b,\ b$를 택한 경우

일렬로 나열하는 방법의 수는 $\frac{4!}{2!2!}=6$

STEP Ⓑ **구하는 경우의 수 구하기**

따라서 구하는 경우의 수는 $8+36+6=50$

0101

STEP Ⓐ **문자 a가 두 번 이상 나오는 경우의 수 구하기**

(ⅰ) a가 두 번 나오는 경우

a가 2개, b가 2개인 경우의 수는 $\frac{4!}{2!2!}=6$

a가 2개, c가 2개인 경우의 수는 $\frac{4!}{2!2!}=6$

a가 2개, b가 1개, c가 1개인 경우의 수는 $\frac{4!}{2!}=12$

이므로 이 경우의 수는 $6+6+12=24$

(ⅱ) a가 세 번 나오는 경우

a가 3개, b가 1개인 경우의 수는 $\frac{4!}{3!}=4$

a가 3개, c가 1개인 경우의 수는 $\frac{4!}{3!}=4$

이므로 이 경우의 수는 $4+4=8$

(ⅲ) a가 네 번 나오는 경우

네 개의 a를 일렬로 나열하는 경우의 수는 1이다.

STEP Ⓑ **구하는 경우의 수 구하기**

(ⅰ)~(ⅲ)에 의하여 구하는 경우의 수는 $1+8+24=33$

다른풀이 조합을 이용하여 풀이하기

STEP Ⓐ **a가 두 번 이상 나오는 경우는 a가 2번, 3번, 4번 나오는 경우로 나누어 구하기**

(ⅰ) a가 두 번 나오는 경우

네 자리 중 a를 2자리에 배치하는 경우의 수가 ${}_4C_2$이고

나머지 두 자리에 b 또는 c를 중복하여 배치하는 경우의 수가 2^2

이므로 ${}_4C_2\times2^2=\frac{4\cdot3}{2\cdot1}\times4=24$

(ⅱ) a가 세 번 나오는 경우

네 자리 중 a를 3자리에 배치하는 경우의 수가 ${}_4C_3$이고

나머지 한 자리에 b 또는 c를 배치하는 경우의 수가 2

이므로 ${}_4C_3\times2^1=4\times2=8$

(ⅲ) a가 네 번 나오는 경우

$aaaa$ 한 가지

(ⅰ)~(ⅲ)에서 구하는 경우의 수는 $24+8+1=33$

내신연계 출제문항 046

세 문자 a, b, c 중에서 중복을 허락하여 4개를 택해 일렬로 나열할 때, 이웃하는 a와 b가 존재하도록 나열하는 경우의 수는?

① 32 ② 34 ③ 36
④ 38 ⑤ 40

STEP Ⓐ c는 2개 이하로 택하여 나열하는 경우의 수 구하기

a와 b를 1개 이상씩 택해야 하므로 c는 2개 이하로 택해야 한다.

(ⅰ) c를 택하지 않는 경우
a와 b에서 중복을 허락하여 4개를 택해 일렬로 나열하는 경우의 수는 ${}_2\Pi_4=16$이고 이 중에서 이웃하는 a와 b가 존재하지 않는 경우는 $aaaa$, $bbbb$의 2가지뿐이므로 이 경우의 수는 $16-2=14$

(ⅱ) c를 1개 택하는 경우
㉠ a가 1개, b가 2개인 경우
a, b, b, c를 일렬로 나열하는 경우의 수는 $\frac{4!}{2!}=12$이고
이 중에서 이웃하는 a와 b가 존재하지 않는 경우는 $acbb$, $bbca$의 2가지뿐이므로 이 경우의 수는 $12-2=10$
㉡ a가 2개, b가 1개인 경우
㉠과 마찬가지 방법으로 생각하면 이 경우의 수는 10
즉 이 경우의 수는 $10+10=20$

(ⅲ) c를 2개 택하는 경우
a, b, c, c를 a와 b가 이웃하도록 나열하는 경우의 수는 $\frac{3!}{2!}\times 2!=6$

STEP Ⓑ 구하는 경우의 수 구하기

(ⅰ)~(ⅲ)에 의하여 구하는 경우의 수는 $14+20+6=40$

 정답 ⑤

0102

 정답 ④

STEP Ⓐ 홀수 개씩 모두 7개를 선택하여 일렬로 나열하는 경우의 수 구하기

선택한 7개의 문자 중 A, B, C의 개수를 차례로 a, b, c라 하면
세 수 a, b, c는 모두 홀수이고 그 합이 7이어야 하므로 다음 경우가 나온다.

(ⅰ) $(a, b, c)=(1, 1, 5)$인 경우
7개의 문자 A, B, C, C, C, C, C를 일렬로 나열하는 경우의 수는 7개 중 같은 것이 각각 1개, 1개, 5개 있는 순열의 수와 같으므로
$\frac{7!}{5!}=42$
$(a, b, c)=(1, 5, 1)$, $(5, 1, 1)$인 경우의 수도 모두 42이다.

(ⅱ) $(a, b, c)=(1, 3, 3)$인 경우
7개의 문자 A, B, B, B, C, C, C를 일렬로 나열하는 경우의 수는 7개 중 같은 것이 각각 1개, 3개, 3개 있는 순열의 수와 같으므로
$\frac{7!}{3!3!}=140$
$(a, b, c)=(3, 1, 3)$, $(3, 3, 1)$인 경우의 수도 모두 140이다.

STEP Ⓑ 구하는 경우의 수 구하기

(ⅰ), (ⅱ)에 의하여 구하는 경우의 수는 $3\cdot 42+3\cdot 140=546$

0103

 정답 ④

STEP Ⓐ 6개의 숫자를 일렬로 나열하는 경우의 수 구하기

6개의 숫자 1, 2, 2, 3, 3, 3을 일렬로 나열하는 경우의 수는 $\frac{6!}{2!3!}=60$

STEP Ⓑ 숫자 2가 서로 이웃하는 경우의 수를 구하기

이 중에서 숫자 2가 서로 이웃하는 경우의 수는 $\frac{5!}{3!}=20$

따라서 구하는 자연수의 개수는 $60-20=40$

다른풀이 조합을 이용하여 풀이하기

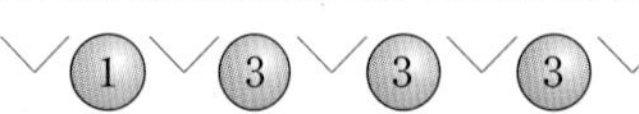

4개의 숫자 1, 3, 3, 3을 일렬로 나열한 후, 그 사이의 3개의 자리와 맨 앞, 맨 뒤를 포함한 5개의 자리 중 서로 다른 2개의 자리를 택하여 2를 넣으면 되므로 구하는 자연수의 개수는 $\frac{4!}{3!}\times {}_5C_2=4\times 10=40$

0104

 정답 ④

STEP Ⓐ 일의 자리에는 숫자 1이 오는 경우의 수 구하기

□□□□1과 같이 일의 자리에는 숫자 1이 와야 하므로
나머지 네 자리에 0, 1, 2, 2를 나열하면 된다.

이때 0, 1, 2, 2를 일렬로 나열하는 경우의 수는 $\frac{4!}{2!}=12$

STEP Ⓑ 숫자 0이 만의 자리에 오는 경우의 수 구하기

이 중에서 숫자 0이 만의 자리에 오는 경우의 수는
나머지 세 자리에 1, 2, 2를 일렬로 나열하는 경우의 수와 같으므로 $\frac{3!}{2!}=3$

따라서 구하는 홀수의 개수는 $12-3=9$

다른풀이 만의 자리에 숫자 1, 2가 오는 경우로 풀이하기

일의 자리에는 숫자 1이 와야 하므로 다음 두 가지 경우로 나눠 생각할 수 있다.

(ⅰ) 만의 자리에 숫자 1이 오는 경우
나머지 세 자리에 0, 2, 2를 일렬로 나열하면 되므로 이 경우의 수는
$\frac{3!}{2!}=3$

(ⅱ) 만의 자리에 숫자 2가 오는 경우
나머지 세 자리에 0, 1, 2를 나열하면 되므로 이 경우의 수는
$3!=6$

(ⅰ), (ⅱ)에 의하여 구하는 경우의 수는 $3+6=9$

내신연계 출제문항 047

여섯 개의 숫자
0, 1, 2, 2, 3, 3
을 모두 사용하여 만들 수 있는 여섯 자리 자연수 중에서 홀수의 개수는?

① 72 ② 76 ③ 82
④ 86 ⑤ 92

STEP Ⓐ 같은 것이 있는 순열의 수를 이용하여 구하기

0, 1, 2, 2, 3, 3을 모두 사용하여 만들 수 있는 여섯 자리 홀수는
□□□□□1, □□□□□3꼴이다.

(ⅰ) □□□□□1꼴의 자연수의 개수는
0, 2, 2, 3, 3을 일렬로 나열하는 경우의 수는 $\frac{5!}{2!2!}=30$
이때 0□□□□1꼴로 나열하는 경우의 수는 2, 2, 3, 3을 일렬로 나열하는 경우의 수와 같으므로 $\frac{4!}{2!2!}=6$
즉 구하는 경우의 수는 $30-6=24$

(ⅱ) □□□□□3꼴의 자연수의 개수는
0, 1, 2, 2, 3을 일렬로 나열하는 경우의 수는 $\frac{5!}{2!}=60$
이때 0□□□□3꼴로 나열하는 경우의 수는 1, 2, 2, 3을 일렬로 나열하는 경우의 수와 같으므로 $\frac{4!}{2!}=12$
즉 구하는 경우의 수는 $60-12=48$

(ⅰ), (ⅱ)에서 구하는 홀수의 개수는 $24+48=72$

 정답 ①

0105

정답 ②

STEP A 같은 것이 있는 순열의 수를 이용하여 구하기

0, 1, 1, 1, 2, 2를 모두 사용하여 만들 수 있는 여섯 자리 짝수는

□□□□□0, □□□□□2꼴이다

(i) □□□□□0꼴의 자연수의 개수는

1, 1, 1, 2, 2를 일렬로 나열하는 경우의 수는 $\frac{5!}{3!2!}=10$

(ii) □□□□□2꼴의 자연수의 개수는

0, 1, 1, 1, 2를 일렬로 나열하는 경우의 수는 $\frac{5!}{3!}=20$

이때 0□□□□2꼴로 나열하는 경우의 수는 1, 1, 1, 2를 일렬로 나열하는 경우의 수와 같으므로 $\frac{4!}{3!}=4$

즉 구하는 경우의 수는 $20-4=16$

(i), (ii)에서 구하는 짝수의 개수는 $10+16=26$

내신연계 출제문항 048

여섯 개의 숫자

0, 2, 2, 3, 5, 5

를 모두 사용하여 만들 수 있는 여섯 자리 자연수 중 짝수의 개수는?

① 64 ② 78 ③ 82
④ 86 ⑤ 90

STEP A 같은 것이 있는 순열의 수를 이용하여 구하기

0, 2, 2, 3, 5, 5를 모두 사용하여 만들 수 있는 여섯 자리 짝수는

□□□□□0, □□□□□2꼴이다

(i) □□□□□0꼴의 자연수의 개수는

2, 2, 3, 5, 5를 일렬로 나열하는 경우의 수는 $\frac{5!}{2!2!}=30$

(ii) □□□□□2꼴의 자연수의 개수는

0, 2, 3, 5, 5를 일렬로 나열하는 경우의 수는 $\frac{5!}{2!}=60$

이때 0□□□□2꼴로 나열하는 경우의 수는 2, 3, 3, 5를 일렬로 나열하는 경우의 수와 같으므로 $\frac{4!}{2!}=12$

즉 구하는 경우의 수는 $60-12=48$

(i), (ii)에서 구하는 짝수의 개수는 $30+48=78$

정답 ②

0106

정답 ⑤

STEP A 첫째 자리를 기준으로 같은 것이 있는 순열의 수 구하기

0, 0, 2, 3, 3, 3을 모두 사용하여 만들 수 있는 여섯 자리 짝수는

□□□□□0, □□□□□2꼴이다

(i) □□□□□0꼴의 자연수의 개수는

0, 2, 3, 3, 3을 일렬로 나열하는 방법의 수는 $\frac{5!}{3!}=20$

이때 0□□□□0꼴로 나열하는 경우의 수는 2, 3, 3, 3을 일렬로 나열하는 경우의 수와 같으므로 $\frac{4!}{3!}=4$

즉 구하는 경우의 수는 $20-4=16$

(ii) □□□□□2꼴의 자연수의 개수는

0, 0, 3, 3, 3을 일렬로 나열하는 방법의 수는 $\frac{5!}{2!3!}=10$

이때 0□□□□2꼴로 나열하는 경우의 수는 0, 3, 3, 3을 일렬로 나열하는 경우의 수와 같으므로 $\frac{4!}{3!}=4$

즉 구하는 경우의 수는 $10-4=6$

(i), (ii)에서 구하는 짝수의 개수는 $16+6=22$

0107

정답 ⑤

STEP A 홀수 번째에 홀수를 나열하는 경우의 수 구하기

①		③		⑤		⑦		⑨	

10개의 숫자 중 홀수와 짝수가 각각 5개씩 있으므로

홀수는 홀수 번째에, 짝수는 짝수 번째에 배열하면 된다.

10개의 숫자 중 홀수는 1, 1, 3, 3, 5이므로

이를 홀수 번째에 나열하는 경우의 수는 $\frac{5!}{2!2!}=30$

STEP B 짝수 번째에 짝수를 나열하는 경우의 수 구하기

나머지 짝수 2, 2, 2, 4, 4를 짝수 번째에 나열하는 경우의 수는 $\frac{5!}{3!2!}=10$

STEP C 곱의 법칙을 이용하여 구하기

따라서 구하는 경우의 수는 $30\times10=300$

내신연계 출제문항 049

8개의 숫자

1, 1, 2, 2, 2, 3, 4, 5

를 일렬로 나열할 때, 홀수 번째에 홀수를 나열하는 경우의 수는?

① 12 ② 24 ③ 36
④ 48 ⑤ 60

STEP A 같은 것이 있는 순열의 수를 이용하여 구하기

①		③		⑤		⑦	

8개의 숫자 중 홀수와 짝수가 각각 4개씩 있으므로

홀수는 홀수 번째에, 짝수는 짝수 번째에 배열하면 된다.

8개의 숫자 중 홀수는 1, 1, 3, 5이므로

이를 홀수 번째에 나열하는 경우의 수는 $\frac{4!}{2!}=12$

나머지 짝수 2, 2, 2, 4를 짝수 번째에 나열하는 경우의 수는 $\frac{4!}{3!}=4$

따라서 구하는 경우의 수는 $12\times4=48$

정답 ④

0108

정답 ②

STEP A 6의 배수가 될 조건 조사하기

여섯 자리의 수가 6의 배수이기 위해서는

3의 배수이면서 동시에 2의 배수이어야 한다.

여섯 개의 숫자 합이 3의 배수이므로 일의 자리가 짝수,

즉 □□□□□2꼴이면 6의 배수이다.

STEP B 같은 것이 있는 순열의 수를 이용하여 구하기

따라서 일의 자리를 제외한 나머지 다섯 자리에 1, 1, 2, 3, 3을 배열하는

경우의 수는 $\frac{5!}{2!2!}=30$

내신연계 출제문항 050

각 자리의 숫자가 1, 2, 3만으로 이루어지고 3의 배수인 4자리 자연수의 개수는?

① 23 ② 25 ③ 27
④ 29 ⑤ 31

STEP Ⓐ 1, 2, 3을 사용하여 네 자리 3의 배수인 자연수 개수 구하기

3의 배수인 4자리 자연수는 각 자리의 합이 3의 배수이므로
다음과 같이 분류한다.

(i) 각 자리의 합 6인 경우

1, 1, 1, 3이므로 경우의 수는 $\frac{4!}{3!}=4$

1, 1, 2, 2이므로 경우의 수는 $\frac{4!}{2!2!}=6$

(ii) 각 자리의 합 9인 경우

1, 2, 3, 3이므로 경우의 수는 $\frac{4!}{2!}=12$

2, 2, 2, 3이므로 경우의 수는 $\frac{4!}{3!}=4$

(iii) 각 자리의 합 12인 경우

3, 3, 3, 3이므로 경우의 수는 1

STEP Ⓑ 합의 법칙을 이용하여 구하기

(i)~(iii)에서 구하는 경우의 수는 $4+6+12+4+1=27$

정답 ③

0109

정답 ②

STEP Ⓐ a의 개수를 기준으로 같은 것이 있는 순열의 수 구하기

4개를 선택하는 경우를 a의 개수를 기준으로 생각하면 3가지이고
각각의 경우에 일렬로 나열하는 경우의 수는

(i) a가 3개인 경우

a, a, a, b를 일렬로 나열하는 문자열의 개수는 $\frac{4!}{3!}=4$

a, a, a, c를 일렬로 나열하는 문자열의 개수는 $\frac{4!}{3!}=4$

(ii) a가 2개인 경우

a, a, b, b를 일렬로 나열하는 문자열의 개수는 $\frac{4!}{2!2!}=6$

a, a, b, c를 일렬로 나열하는 문자열의 개수는 $\frac{4!}{2!}=12$

(iii) a가 1개인 경우

a, b, b, c를 일렬로 나열하는 문자열의 개수는 $\frac{4!}{2!}=12$

STEP Ⓑ 합의 법칙을 이용하여 구하기

(i)~(iii)에서 서로 다른 문자열의 개수는 $4+4+6+12+12=38$

내신연계 출제문항 051

5개의 숫자

2, 2, 3, 3, 3

중에서 3개를 사용하여 만들 수 있는 세 자리 자연수의 개수는?

① 6 ② 7 ③ 20
④ 22 ⑤ 24

STEP Ⓐ 3의 개수를 기준으로 같은 것이 있는 순열의 수 구하기

3개를 선택하는 경우를 3의 개수를 기준으로 생각하면 3가지이고
각각의 경우에 일렬로 나열하는 경우의 수는

(i) 3이 3개인 경우

3, 3, 3을 일렬로 나열하는 세 자리 자연수의 개수는 1

(ii) 3이 2개인 경우

3, 3, 2를 일렬로 나열하는 세 자리 자연수의 개수는 $\frac{3!}{2!}=3$

(iii) 3이 1개인 경우

3, 2, 2를 일렬로 나열하는 세 자리 자연수의 개수는 $\frac{3!}{2!}=3$

STEP Ⓑ 합의 법칙을 이용하여 구하기

(i)~(iii)에서 세 자리 자연수의 개수는 $1+3+3=7$

정답 ②

0110

정답 ②

STEP Ⓐ r의 개수를 기준으로 같은 것이 있는 순열의 수 구하기

빨간색 구슬을 r, 파란색 구슬을 b, 노란색 구슬을 y라고 하면
r, r, r, b, b, y 중에서 4개를 골라 일렬로 배열하는 경우 r의 개수를 기준으로 생각하면 3가지이고 각각의 경우의 수는 다음과 같다.

(i) r이 3개인 경우

r, r, r, b를 일렬로 배열하는 경우의 수는 $\frac{4!}{3!}=4$

r, r, r, y를 일렬로 배열하는 경우의 수는 $\frac{4!}{3!}=4$

(ii) r이 2개인 경우

r, r, b, b를 일렬로 배열하는 경우의 수는 $\frac{4!}{2!2!}=6$

r, r, b, y를 일렬로 배열하는 경우의 수는 $\frac{4!}{2!}=12$

(iii) r이 1개인 경우

r, b, b, y를 일렬로 배열하는 경우의 수는 $\frac{4!}{2!}=12$

STEP Ⓑ 합의 법칙을 이용하여 구하기

(i)~(iii)에서 구하는 경우의 수는 $4+4+6+12+12=38$

0111

 정답 ④

STEP A 4의 개수를 기준으로 같은 것이 있는 순열의 수 구하기

다섯 자리의 홀수의 개수는 일의 자리의 수가 3이고
나머지 네 자리에 4의 개수를 기준으로 생각하면 3가지이고
각각의 경우의 수는 다음과 같다.

(ⅰ) 4가 3개인 경우

4, 4, 4, 3을 일렬로 배열하는 경우의 수는 $\frac{4!}{3!}=4$

4, 4, 4, 2를 일렬로 배열하는 경우의 수는 $\frac{4!}{3!}=4$

(ⅱ) 4가 2개인 경우

4, 4, 2, 2를 일렬로 배열하는 경우의 수는 $\frac{4!}{2!2!}=6$

4, 4, 2, 3을 일렬로 배열하는 경우의 수는 $\frac{4!}{2!}=12$

(ⅲ) 4가 1개인 경우

4, 3, 2, 2를 일렬로 배열하는 경우의 수는 $\frac{4!}{2!}=12$

STEP B 합의 법칙을 이용하여 구하기

(ⅰ)~(ⅲ)에서 다섯 자리의 자연수를 만들 때, 홀수의 개수는
$4+4+6+12+12=38$

0112

 정답 ③

STEP A $\left[\frac{x}{100}\right]$는 자연수 x의 십의 자리와 일의 자리가 없어짐을 이해하기

만들어진 여섯 자리 자연수 x에 $\left[\frac{x}{100}\right]$를 취하면 십의 자리와 일의 자리는 사라지게 된다.

STEP B 합의 법칙을 이용하여 구하기

그러므로 1, 1, 1, 2, 3, 4를 나열하여 만들 수 있는 4자리 정수의 개수를
구하는 경우의 수와 같으므로

(ⅰ) 1을 한 개 사용하는 경우의 수는 $4!=24$

(ⅱ) 1을 두 개 사용하는 경우의 수는 ${}_3C_2\times\frac{4!}{2!}=36$

(ⅲ) 1을 세 개 사용하는 경우의 수는 ${}_3C_1\times\frac{4!}{3!}=12$

(ⅰ)~(ⅲ)에 의하여 모두 $24+36+12=72$

0113

 정답 ③

STEP A 각 경우에 따라 같은 것이 있는 순열의 수 구하기

(ⅰ) 1을 2개, 2를 2개, 3을 1개 선택하는 경우

1, 1, 2, 2, 3을 나열하는 경우의 수는 $\frac{5!}{2!2!}=30$

숫자 1이 이웃하는 경우의 수는 $\frac{4!}{2!}=12$

숫자 2가 이웃하는 경우의 수는 $\frac{4!}{2!}=12$

숫자 1도 이웃하고 숫자 2도 이웃하는 자연수의 개수는 $3!=6$
같은 숫자가 이웃하는 경우의 수는 $12+12-6=18$
즉 같은 숫자가 이웃하지 않는 자연수의 개수는 $30-18=12$

(ⅱ) 1을 2개, 2를 1개, 3을 2개 선택하는 경우
(ⅰ)과 같은 방법으로 12

(ⅲ) 1을 1개, 2를 2개, 3을 2개 선택하는 경우
(ⅰ)과 같은 방법으로 12

(ⅰ)~(ⅲ)에서 구하는 자연수의 개수는 $12+12+12=36$

내신연계 출제문항 052

두 문자 a, b에서 중복을 허락하여 만든 7자리 문자열 중에서 다음 조건을 만족시키는 문자열의 개수는?

(가) 첫 문자는 a이다. (나) b는 연속하지 않는다.

① 12 ② 15 ③ 18
④ 21 ⑤ 24

STEP A 각 경우에 따라 같은 것이 있는 순열의 수 구하기

a를 맨 앞에 먼저 배열하고 나머지 6자리는 b의 개수에 따라 경우를 나눠보면 다음과 같다.

(ⅰ) b가 0개일 때,
a는 6개이므로 a, a, a, a, a, a를 일렬로 나열하는 경우의 수는 1

(ⅱ) b가 1개일 때,
a는 5개이므로 a, a, a, a, a, b를 일렬로 나열하는 경우의 수는 $\frac{6!}{5!}=6$

(ⅲ) b가 2개일 때,
a는 4개이므로 b가 연속하지 않게 배열하는 경우의 수는

와 같이 a를 먼저 배열하고 b는 ∨에서 2개를 택하여 배열하면 된다.
즉 구하는 문자열의 개수는 서로 다른 5개에서 2개를 택하는 경우의 수와 같으므로 ${}_5C_2=10$

(ⅳ) b가 3개일 때,
a는 3개이므로 b가 연속하지 않게 배열하는 경우의 수는

와 같이 a를 먼저 배열하고 b는 ∨에서 3개를 택하여 배열하면 된다.
즉 구하는 문자열의 개수는 서로 다른 4개에서 3개를 택하는 경우의 수와 같으므로 ${}_4C_3=4$

(ⅴ) b가 4개 이상일 때, b는 연속할 수 밖에 없다.

STEP B 합의 법칙을 이용하여 경우의 수 구하기

(ⅰ)~(ⅴ)에서 구하는 문자열의 개수는 $1+6+10+4=21$ 정답 ④

0114

 정답 ①

STEP A 순서쌍을 기준으로 같은 것이 있는 순열의 수 구하기

1단 올라가는 횟수를 a, 2단 올라가는 횟수를 b라 할 때,
합하여 6단까지 올라가므로 $a+2b=6$
그런데 a, b는 0 이상의 정수이므로 구하는 순서쌍은
(6, 0), (4, 1), (2, 2), (0, 3)

STEP B 한 걸음에 1단 또는 2단씩 올라 맨 위의 단까지 가는 경우의 수 구하기

(ⅰ) (6, 0)일 때, $aaaaaa$를 일렬로 배열하는 경우의 수와 같으므로
$\frac{6!}{6!}=1$ ⬅ 1, 1, 1, 1, 1, 1을 일렬로 나열하는 경우의 수

(ⅱ) (4, 1)일 때, $aaaab$를 일렬로 배열하는 경우의 수와 같으므로
$\frac{5!}{4!}=5$ ⬅ 1, 1, 1, 1, 2를 일렬로 나열하는 경우의 수

(ⅲ) (2, 2)일 때, $aabb$를 일렬로 배열하는 경우의 수와 같으므로
$\frac{4!}{2!2!}=6$ ⬅ 1, 1, 2, 2를 일렬로 나열하는 경우의 수

(ⅳ) (0, 3)일 때, bbb를 일렬로 배열하는 경우의 수와 같으므로
$\frac{3!}{3!}=1$ ⬅ 2, 2, 2를 일렬로 나열하는 경우의 수

(ⅰ)~(ⅳ)에서 구하는 경우의 수는 $1+6+5+1=13$

내신연계 출제문항 053

학교에 있는 10개의 계단을 오르는데 한 걸음에 한 계단 또는 두 계단을 오를 수 있다. 10개의 계단을 오르는 경우의 수는?

① 87 ② 88 ③ 89
④ 90 ⑤ 91

STEP Ⓐ 순서쌍을 기준으로 같은 것이 있는 순열의 수 구하기

한 계단 올라가는 횟수를 a, 두 계단 올라가는 횟수를 b라 할 때,
합하여 10단까지 올라가므로 $a+2b=10$
그런데 a, b는 0 이상의 정수이므로 구하는 순서쌍은
$(10, 0)$, $(8, 1)$, $(6, 2)$, $(4, 3)$, $(2, 4)$, $(0, 5)$

STEP Ⓑ 한 걸음에 1단 또는 2단씩 올라 맨 위의 단까지 가는 경우의 수 구하기

한 걸음에 한 계단 또는 두 계단을 올라 10개의 계단을 오르는 경우는

(i) 1, 1, 1, 1, 1, 1, 1, 1, 1, 1인 경우
이를 일렬로 나열하는 경우의 수와 같으므로 경우의 수는 1

(ii) 1, 1, 1, 1, 1, 1, 1, 1, 2인 경우
이를 일렬로 나열하는 경우의 수와 같으므로 경우의 수는 $\frac{9!}{8!}=9$

(iii) 1, 1, 1, 1, 1, 1, 2, 2인 경우
이를 일렬로 나열하는 경우의 수와 같으므로 경우의 수는 $\frac{8!}{6!2!}=28$

(iv) 1, 1, 1, 1, 2, 2, 2인 경우
이를 일렬로 나열하는 경우의 수와 같으므로 경우의 수는 $\frac{7!}{4!3!}=35$

(v) 1, 1, 2, 2, 2, 2인 경우
이를 일렬로 나열하는 경우의 수와 같으므로 경우의 수는 $\frac{6!}{2!4!}=15$

(vi) 2, 2, 2, 2, 2인 경우
이를 일렬로 나열하는 경우의 수와 같으므로 경우의 수는 1

(i)~(vi)에서 구하는 경우의 수는 $1+9+28+35+15+1=89$  ③

0115

정답 ④

STEP Ⓐ 같은 것이 있는 순열의 수 구하기

7세트에서 A의 우승이 확정되어야 하므로 7세트 경기에서는 반드시 A가 이겨야 하고 1세트부터 6세트까지는 A와 B가 각각 3번씩 이겨야 한다.
따라서 구하는 경우의 수는 A, A, A, B, B, B를 일렬로 나열하는 경우의 수와 같으므로 $\frac{6!}{3!3!}=20$

다른풀이 조합으로 풀이하기

7차전에서 A의 우승이 확정되어야 하므로 7차전 경기에서는 반드시 A가 이겨야 하고 1차전부터 6차전까지는 A와 B가 각각 3번씩 이겨야 한다.
따라서 구하는 경우의 수는 '_, _, _, _, _, _'의 6개의 자리에서 A가 들어갈 자리 3개를 뽑는 경우의 수와 같으므로 ${}_6C_3=20$

0116

 ③

STEP Ⓐ 같은 것이 있는 순열의 수 구하기

주어진 조건에 맞는 트럭과 승용차를 주차시키는 방법의 수는 트럭을 a라 하고 승용차를 b라고 할 때, 트럭 3대, 승용차 2대,
즉 a, a, a, b, b를 일렬로 배열하는 방법의 수와 같다.
따라서 구하는 방법의 수는 $\frac{5!}{3!2!}=10$

0117

 ②

STEP Ⓐ 같은 것이 있는 순열 구하기

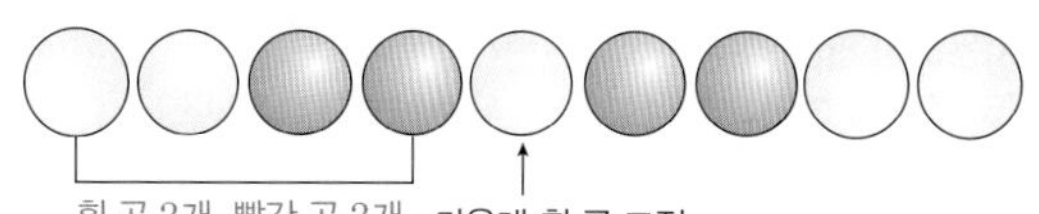

빨간 공의 개수는 짝수, 흰 공의 개수는 홀수이므로 흰 공 1개를 가운데에 놓고 나머지 공을 좌우대칭이 되도록 놓으면 된다.
즉 빨간 공 2개와 흰 공 2개를 일렬로 나열하는 경우의 수와 같으므로 구하는 경우의 수는 $\frac{4!}{2!2!}=6$

0118

 ①

STEP Ⓐ 같은 것이 있는 순열의 수를 이용하여 만들 수 있는 비밀번호의 개수 구하기

1부터 9까지의 자연수 중에서 서로 다른 두 개의 숫자 a, b (단, $a<b$)를 선택하는 방법의 수는 ${}_9C_2=36$
네 자리 수의 암호를 만들기 위해 나열하는 방법은

(i) a, a, a, b 또는 b, b, b, a로 만들 수 있는 비밀번호의 개수는
$\frac{4!}{3!}+\frac{4!}{3!}=8$

(ii) a, a, b, b로 만들 수 있는 비밀번호의 개수는 $\frac{4!}{2!2!}=6$

(i), (ii)에서 만들 수 있는 비밀번호의 개수는 $8+6=14$

STEP Ⓑ 두 종류의 숫자로만 된 네 자릿수의 비밀번호의 개수 구하기

따라서 구하는 경우의 수는 $36\times 14=504$

참고 ${}_9C_2\times({}_2\Pi_4-2)=504$

내신연계 출제문항 054

0부터 9까지의 정수를 이용하여 2322, 0010, 9090과 같은 두 종류의 숫자로만 된 네 자릿수의 비밀번호를 만들려고 한다.
이때 만들 수 있는 비밀번호는 모두 몇 개인가?

① 610 ② 620 ③ 630
④ 640 ⑤ 650

STEP Ⓐ 두 종류의 숫자를 선택하는 방법의 수 구하기

0부터 9까지의 10개의 숫자 중 두 종류의 숫자를 선택하는 방법의 수는 ${}_{10}C_2=45$

STEP Ⓑ 두 종류의 숫자로만 된 네 자릿수의 비밀번호의 개수 구하기

(i) a, a, a, b 또는 b, b, b, a로 만들 수 있는 비밀번호의 개수는
$\frac{4!}{3!}+\frac{4!}{3!}=8$

(ii) a, a, b, b로 만들 수 있는 비밀번호의 개수는 $\frac{4!}{2!2!}=6$

(i), (ii)에서 만들 수 있는 비밀번호의 개수는 $8+6=14$

STEP Ⓒ 두 종류의 숫자로만 된 네 자릿수의 비밀번호의 개수 구하기

따라서 구하는 경우의 수는 $45\times 14=630$  ③

0119

 ③

STEP A 0의 사용을 기준으로 같은 것이 있는 순열의 수 구하기

(i) 0을 사용하지 않는 경우

각 자리의 수의 합이 5인 다섯 자리 자연수는 11111이다.

즉 1개

(ii) 0을 한 개 사용하는 경우

0, 1, 1, 1, 2를 일렬로 나열하는 경우의 수에서 0을 맨 앞에 두고 1, 1, 1, 2를 일렬로 나열하는 경우의 수를 뺀 것과 같다.

즉 구하는 경우의 수는 $\frac{5!}{3!}-\frac{4!}{3!}=20-4=16$

(i), (ii)에서 구하는 경우의 수는 $1+16=17$

0120

 ①

STEP A 같은 것이 있는 순열의 수를 이용하여 구하기

주어진 조건을 만족하는 함수 f의 개수는

$f(1)+f(2)+f(3)+f(4)=7$을 만족하는 4 이하의 자연수의 순서쌍 $(f(1), f(2), f(3), f(4))$의 개수 $(1, 1, 1, 4)$, $(1, 1, 2, 3)$, $(1, 2, 2, 2)$를 일렬로 나열하는 경우의 수와 같다.

(i) 1, 1, 1, 4를 일렬로 나열하는 경우의 수는 $\frac{4!}{3!}=4$

(ii) 1, 1, 2, 3을 일렬로 나열하는 경우의 수는 $\frac{4!}{2!}=12$

(iii) 1, 2, 2, 2를 일렬로 나열하는 경우의 수는 $\frac{4!}{3!}=4$

(i)~(iii)에서 구하는 전체 경우의 수는 $4+12+4=20$

0121

 ②

STEP A 각 경우를 기준으로 같은 것이 있는 순열의 수 구하기

두 조건을 만족하는 네 수는

$(1, 1, 1, 7)$, $(1, 1, 3, 5)$, $(1, 3, 3, 3)$인 경우가 있다.

(i) 1, 1, 1, 7을 일렬로 나열하는 네 자리의 자연수의 개수는 $\frac{4!}{3!}=4$

(ii) 1, 1, 3, 5를 일렬로 나열하는 네 자리의 자연수의 개수는 $\frac{4!}{2!}=12$

(ii) 1, 3, 3, 3을 일렬로 나열하는 네 자리의 자연수의 개수는 $\frac{4!}{3!}=4$

(i)~(iii)에서 구하는 네 자리의 자연수는 $4+12+4=20$

내신연계 출제문항 055

1, 3, 9, 27에서 중복을 허락하여 다섯 개의 숫자를 택하여 순서쌍 (a, b, c, d, e)를 만들 때, $abcde=27$을 만족시키는 순서쌍의 개수는?

① 21　② 28　③ 35
④ 42　⑤ 49

STEP A 같은 것이 있는 순열의 수를 이용하여 구하기

$abcde=27$을 만족시키는 경우는

1, 1, 1, 1, 27 또는 1, 1, 1, 3, 9 또는 1, 1, 3, 3, 3

(i) 1, 1, 1, 1, 27인 경우 순서쌍의 개수는

1, 1, 1, 1, 27을 일렬로 나열하는 경우의 수와 같으므로 $\frac{5!}{4!}=5$

(ii) 1, 1, 1, 3, 9인 경우 순서쌍의 개수는

1, 1, 1, 3, 9를 일렬로 나열하는 경우의 수와 같으므로 $\frac{5!}{3!}=20$

(iii) 1, 1, 3, 3, 3인 경우 순서쌍의 개수는

1, 1, 3, 3, 3을 일렬로 나열하는 경우의 수와 같으므로 $\frac{5!}{2!3!}=10$

(i)~(iii)에서 구하는 순서쌍의 개수는 $5+20+10=35$  ③

0122

 ①

STEP A 현수막 A는 1곳에 설치하므로 현수막 B를 2곳, 3곳, 4곳에 설치하는 경우로 나누어 같은 것이 있는 순열의 수 구하기

현수막 A는 반드시 설치하고 현수막 B는 2곳 이상 설치해야 하므로 B를 2곳, 3곳, 4곳에 설치하는 경우로 나누어 분류한다.

(i) B를 2곳에 설치하는 경우

A, B, B, C, C를 일렬로 배열하는 경우의 수와 같으므로 $\frac{5!}{2!2!}=30$

(ii) B를 3곳에 설치하는 경우

A, B, B, B, C를 일렬로 배열하는 경우의 수와 같으므로 $\frac{5!}{3!}=20$

(iii) B를 4곳에 설치하는 경우

A, B, B, B, B를 일렬로 배열하는 경우의 수와 같으므로 $\frac{5!}{4!}=5$

따라서 구하는 경우의 수는 $30+20+5=55$

다른풀이 조합으로 풀이하기

(i) B를 2곳에 설치하는 A, B, B, C, C인 경우

다섯 개의 자리 중에서 B를 놓을 자리를 택하고

나머지 세 자리 중 두 자리에 C를 놓는 경우의 수와 같으므로

${}_5C_2\times{}_3C_2\times{}_1C_1=30$

(ii) B를 3곳에 설치하는 A, B, B, B, C인 경우

다섯 개의 자리 중에서 B를 놓을 자리를 택하고

나머지 두 자리에 A, C를 놓는 경우의 수와 같으므로

${}_5C_3\times{}_2C_1\times{}_1C_1=20$

(iii) B를 4곳에 설치하는 A, B, B, B, B인 경우

다섯 개의 자리 중에서 B를 놓을 자리를 택하고

나머지 한 자리에 A를 놓는 경우의 수와 같으므로

${}_5C_4\times{}_1C_1=5$

따라서 구하는 경우의 수는 $30+20+5=55$

0123

 ②

STEP A 네 제곱수의 합이 17이 되는 조합 구하기

네 제곱수의 합이 17이 되는 경우는

$(16, 1, 0, 0)$, $(9, 4, 4, 0)$의 두 가지이다.

STEP B 각 조건을 만족하는 네 정수 a, b, c, d의 순서쌍의 개수 구하기

(i) $(16, 1, 0, 0)$일 때,

네 정수 a, b, c, d에 대하여 $a^2+b^2+c^2+d^2=17$을 만족하는 a, b, c, d의 모든 순서쌍 (a, b, c, d)의 개수는 $\frac{4!}{2!}\times2^2=48$

← $a^2=16$, $b^2=1$일 때, $a=\pm4$, $b=\pm1$이므로 각각 2가지씩 있다.

(ii) $(9, 4, 4, 0)$일 때,

네 정수 a, b, c, d에 대하여 $a^2+b^2+c^2+d^2=17$을 만족하는 a, b, c, d의 모든 순서쌍 (a, b, c, d)의 개수는 $\frac{4!}{2!}\times2^3=96$

← $a^2=9$, $b^2=4$, $c^2=4$일 때, $a=\pm3$, $b=\pm2$, $c=\pm2$이므로 각각 2가지씩 있다.

(i), (ii)에서 $48+96=144$

0124

 ⑤

STEP A 주사위의 눈의 합이 14가 되는 경우 확인하기

한 개의 주사위를 세 번 던져 나오는 눈의 수의 합이 14가 되는 경우는 $(6,\ 6,\ 2)$, $(6,\ 5,\ 3)$, $(6,\ 4,\ 4)$, $(5,\ 5,\ 4)$가 있다.

STEP B 같은 것이 있는 경우의 수 구하기

$a+b+c=14$를 만족하는 순서쌍 $(a,\ b,\ c)$의 개수

(ⅰ) 6, 6, 2인 경우 순서쌍의 개수는 $\frac{3!}{2!}=3$

(ⅱ) 6, 5, 3인 경우 순서쌍의 개수는 $3!=6$

(ⅲ) 6, 4, 4인 경우 순서쌍의 개수는 $\frac{3!}{2!}=3$

(ⅳ) 5, 5, 4인 경우 순서쌍의 개수는 $\frac{3!}{2!}=3$

(ⅰ)~(ⅳ)에서 모든 순서쌍 $(a,\ b,\ c)$의 개수는 $3+6+3+3=15$

다른풀이 직접 중복조합을 이용하여 풀이하기

STEP A 중복조합을 사용하기 쉽게 변형하기

$1\le a\le 6$, $1\le b\le 6$, $1\le c\le 6$이고 $a+b+c=14$이므로

$a=6-a'$, $b=6-b'$, $c=6-c'$이라 하자.

$(6-a')+(6-b')+(6-c')=14$

$a'+b'+c'=4$ (단, a', b', c'은 음이 아닌 정수)

STEP B 중복조합을 이용하여 구하기

따라서 모든 순서쌍 $(a,\ b,\ c)$의 개수는 ${}_3H_4={}_6C_4={}_6C_2=15$

0125

 ⑤

STEP A 같은 것이 있는 순열을 이용하여 구하기

K, R의 순서가 고정되어 있으므로 K, R을 모두 X로 생각하면

5개의 문자 K, O, R, E, A를 X, O, X, E, A로 놓고 일렬로 나열한 후

첫 번째 X는 K, 두 번째 X는 R로 바꾸면 된다.

따라서 구하는 경우의 수는 $\frac{5!}{2!}=60$

0126

 ③

STEP A 같은 것이 있는 순열을 이용하여 구하기

a와 f의 순서가 정해져 있으므로 a와 f를 모두 x로 생각하여

6개의 문자 x, b, c, d, e, x를 일렬로 나열한 다음,

앞의 x에 a, 뒤의 x에 f를 넣으면 된다.

따라서 구하는 모든 방법의 수는 $\frac{6!}{2!}=360$

0127

 ①

STEP A 같은 것이 있는 순열을 이용하여 구하기

b, d, f의 순서가 정해져 있으므로 b, d, f를 모두 x로 생각하여

6개의 문자 a, x, c, x, e, x를 일렬로 나열한 다음,

x자리에 b, d, f를 넣으면 된다.

따라서 구하는 모든 방법의 수는 $\frac{6!}{3!}=120$

내신연계 출제문항 056

A, B, C를 포함한 7명의 학생을 일렬로 세울 때, A가 B보다 앞에 있고 B가 C보다 앞에 있도록 세우는 경우의 수는?

① 760 ② 800 ③ 820
④ 840 ⑤ 860

STEP A 같은 것이 있는 순열을 이용하여 구하기

A, B, C의 순서가 정해져 있으므로 A, B, C를 X, X, X로 놓고 7명을 일렬로 세운 후 X의 자리에 앞에서부터 순서대로 A, B, C를 세우면 된다.

따라서 구하는 경우의 수는 $\frac{7!}{3!}=840$  ④

0128

 ②

STEP A 같은 것이 있는 순열을 이용하여 경우의 수 구하기

A보다 B가 먼저 영화관에 들어가는 경우의 수는 전체의 $\frac{1}{2}$임을 이용한다.

n명이 일렬로 줄을 설 때, A보다 B가 먼저 영화관에 들어가는 경우의 수는 $\frac{n!}{2}$

따라서 $\frac{n!}{2}=360$이므로 $n!=720$에서 $n=6$

0129

 ②

STEP A 순서가 정해진 순열의 수 구하기

SYSTEMS의 7개의 문자를 일렬로 나열할 때, 순서가 정해진 수들을 같은 문자로 생각하여 T, E를 X, X로 3개의 S는 연속적으로 나와야 하므로 SSS를 하나의 문자로 생각하여 X, X, SSS, Y, M을 나열한 후 첫 번째 X를 T로, 두 번째 X는 E로 바꾸는 경우의 수와 같다.

따라서 구하는 경우의 수는 $\frac{5!}{2!}=60$

0130

 ①

STEP A 같은 것이 있는 순열을 이용하여 구하기

홀수 1, 3, 5는 1, 3, 5의 순으로 나열되어야 하므로

1, 3, 5는 같은 문자 A로 두고 A, A, A, 2, 4, 6을 일렬로 나열한 후

문자 A자리에 앞에서부터 1, 3, 5를 차례로 바꾸어 넣으면 홀수끼리는

크기가 작은 수가 앞에 오게 되므로 구하는 경우의 수는

$\frac{6!}{3!}=6\times5\times4=120$

0131

 ②

STEP A 같은 것이 있는 순열을 이용하여 구하기

숫자 1, 2, 3, 4의 순서가 정해져 있으므로

1, 2, 3, 4를 모두 x로 바꿔 생각한다.

즉 x, x, x, x, a, b, c를 일렬로 나열한 후 x자리에 1, 2, 3, 4로 바꾸면 된다.

따라서 구하는 경우의 수는 $\frac{7!}{4!}=210$

내/신/연/계/ 출제문항 057

그림과 같이 $1, 3, 5, 7$이 하나씩 적혀 있는 파란색 카드 4장과 $2, 4, 6$이 하나씩 적혀 있는 노란색 카드 3장이 있다. 7장의 카드를 일렬로 배열할 때, 노란색 카드에 적혀 있는 숫자가 작은 수부터 크기순으로 배열되는 경우의 수는?

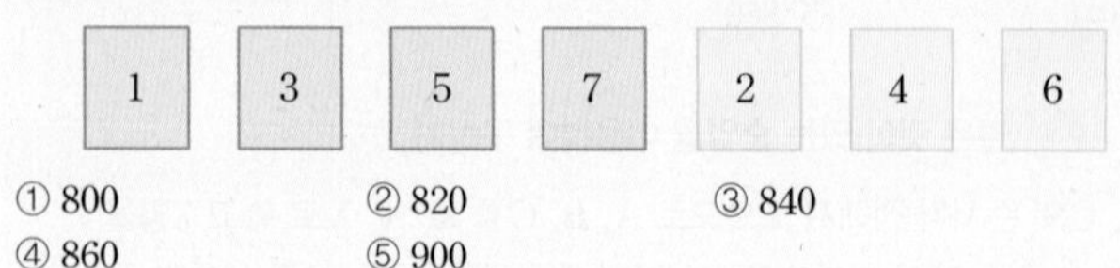

① 800 ② 820 ③ 840
④ 860 ⑤ 900

STEP Ⓐ **노란색 카드 세 개를 같은 문자로 간주하여 일렬로 나열하는 경우의 수 구하기**

노란색 카드의 순서가 정해져 있으므로
노란색 카드 세 개를 모두 x로 바꾸어 생각한다.
즉 $x, x, x, 1, 3, 5, 7$을 일렬로 나열한 후 x자리를 $2, 4, 6$으로 바꾸면 된다.

따라서 구하는 경우의 수는 $\dfrac{7!}{3!}=840$

 ③

0132

정답 ④

STEP Ⓐ **순서가 정해진 국어, 수학 영어를 같은 숫자로 정하기**

조건에서 각 과목의 과제는 수준 I 의 과제를 제출한 후에만 수준 II 의 과제를 제출할 수 있다고 했다.
그런데 수준 I 과 수준 II 의 순서를 먼저 생각하면
국어, 수학, 영어에 따라 경우를 다 나눠야 하는 것이 아닌지를 고민하여 혼란이 올 수 있다.
이때는 국어를 a, 수학을 b, 영어를 c로 놓고
a, a, b, b, c, c를 일렬로 나열한 후
같은 문자에서 앞은 A, 뒤는 B로 놓으면 된다.

STEP Ⓑ **같은 것이 있는 순열의 수 구하기**

따라서 6개 중에서 a, b, c가 각각 2개씩 있으므로 a, a, b, b, c, c를 일렬로 나열하는 경우의 수는 $\dfrac{6!}{2!2!2!}=\dfrac{720}{8}=90$

다른풀이 조합을 이용하여 풀이하기

전체 제출해야 하는 과제의 자리가 6개 있다고 생각하고 이 중에서 2개를 선택하여 첫 번째 자리에는 국어 A를, 두 번째 자리에는 국어 B를 배열한다.
다시 나머지 4개 중에서 2개를 선택하여 첫 번째 자리에는 수학 A를, 두 번째 자리에는 수학 B를 배열한 후 나머지 2개 중에서 첫 번째 자리에는 영어 A를, 두 번째 자리에는 영어 B를 배열한다.
$\therefore {}_6C_2\times{}_4C_2\times1=15\times6\times1=90$
즉 자리만 정하고 나면 순서가 정해져 있기 때문에 조합을 이용하여 계산한 것이다.

내/신/연/계/ 출제문항 058

현진이는 국어, 수학, 영어를 공부하기 위하여 기출 문제를 준비하였다.
각 과목의 기출 문제는 1단계 문제 1묶음과 2단계 문제 1묶음으로 구성되어 있다. 반드시 1단계 문제를 끝내야 2단계 문제를 풀 수 있다고 할 때, 준비한 6묶음의 기출문제를 모두 공부할 수 있는 경우의 수는?

① 84 ② 86 ③ 88
④ 90 ⑤ 92

STEP Ⓐ **같은 것이 있는 순열을 이용하여 경우의 수 구하기**

국어, 수학, 영어 1단계 문제를 각각 A, B, C라 하고
2단계 문제를 각각 a, b, c라 하자.
그러면 A, B, C, a, b, c를 배열하는데,
반드시 같은 알파벳의 대문자가 소문자보다 앞에 오도록 일렬로 배열하는 방법의 수와 같다.
이는 같은 것이 있는 순열로 볼 수 있으므로 구하는 경우의 수는
$\dfrac{6!}{2!2!2!}=90$

 ④

0133

 ③

STEP Ⓐ **순서가 정해진 키보드와 마우스를 같은 문자로 정하기**

4대의 컴퓨터를 a, b, c, d라고 하면
1대의 컴퓨터에 1개의 키보드와 1개의 마우스를 연결해야 하므로
a, a, b, b, c, c, d, d를 일렬로 배열한 다음, 같은 문자에 대하여 첫 번째를 키보드로 두 번째를 마우스로 생각하면 된다.

STEP Ⓑ **같은 것이 있는 순열의 수 구하기**

따라서 구하는 모든 경우의 수는 $\dfrac{8!}{2!2!2!2!}=2520$

내/신/연/계/ 출제문항 059

세 개의 서로 다른 음료수 A, B, C에는 뚜껑이 달려 있고 안에는 각각의 음료가 들어있다. 각 음료를 마시기 위해서는 반드시 음료의 뚜껑이 열려 있어야 한다. 이때 세 음료수의 뚜껑을 열어 서로 다른 모든 음료를 마시는 경우의 수는?

① 82 ② 84 ③ 86
④ 88 ⑤ 90

STEP Ⓐ **세 음료수의 뚜껑을 열어 서로 다른 모든 음료를 마시는 경우의 수 구하기**

세 음료수 A, B, C의 뚜껑을 각각 a_1, b_1, c_1이라 하고
안에 들어 있는 음료수를 각각 a_2, b_2, c_2라고 하자.
음료수의 뚜껑을 열고 음료를 마시는 방법의 수는
$a_1, a_2, b_1, b_2, c_1, c_2$를 일렬로 나열할 때,
a_1, b_1, c_1이 각각 a_2, b_2, c_2의 앞에 오도록 나열하는 방법의 수와 같다.
즉 a_1과 a_2, b_1과 b_2, c_1과 c_2 사이에는 배열순서가 정해져 있으므로
같은 문자로 생각하여 나열하면 된다.

STEP Ⓑ **순서가 정해진 순열의 수 구하기**

따라서 구하는 경우의 수는 $\dfrac{6!}{2!2!2!}=90$

다른풀이 조합을 이용하여 풀이하기

세 음료수 A, B, C의 뚜껑을 각각 a_1, b_1, c_1이라 하고
안에 들어 있는 음료수를 각각 a_2, b_2, c_2라고 하자.
음료수의 뚜껑을 열고 음료를 마시는 방법의 수는
$a_1, b_1, c_1, a_2, b_2, c_2$의 6개에서 2개를 선택하여 첫 번째 자리에는 음료수 A의 뚜껑 a_1를 두 번째 자리에는 음료수 a_2를 배열한다.
다시 나머지 4개 중에서 2개를 선택하여 첫 번째 자리에는 음료수 B의 뚜껑 b_1를 두 번째 자리에는 음료수 b_2를 배열한 후
나머지 2개 중에서 첫 번째 자리에는 음료수 C의 뚜껑 c_1를 두 번째 자리에는 음료수 c_2를 배열한다.
따라서 구하는 경우의 수는 ${}_6C_2\times{}_4C_2\times1=90$

 ⑤

0134

정답 ②

STEP Ⓐ 순서가 정해진 2, 4와 홀수를 같은 숫자로 정하기

짝수가 적혀 있는 카드 중에서 2가 적혀 있는 카드는 4가 적혀 있는 카드보다 왼쪽에 나열되어야 하므로 두 카드를 같은 카드 a, a라 하고
홀수가 적혀 있는 카드는 작은 수부터 크기 순서로 왼쪽부터 나열되어야 하므로 세 카드 1, 3, 5 역시 같은 카드 b, b, b라 하자.
즉 6장의 카드를 주어진 조건에 따라 나열하는 경우의 수는
a, a, b, b, b, 6을 나열하는 경우의 수와 같다.
나열하고 난 후에 a는 순서대로 2, 4로 b는 왼쪽부터 차례대로 1, 3, 5로 바꾸면 된다.

STEP Ⓑ 같은 것이 있는 순열을 이용하여 구하기

따라서 a, a, b, b, b, 6을 일렬로 나열하는 경우의 수는 $\frac{6!}{2!3!}=60$

2와 4의 순서가 정해져 있으므로 6!가지 중 2!가지의 중복이 발생한다.
또, 홀수를 나열하는 순서도 정해져 있으므로 6!가지 중 3!가지의 중복이 발생한다.
따라서 6!을 2!3!으로 나눠야 한다.

다른풀이 조합을 이용하여 풀이하기

STEP Ⓐ 2, 4가 나열되는 두 칸을 선택하는 경우의 수 구하기

1, 2, 3, 4, 5, 6의 6개에서 이 중에서 2개를 선택하여 첫 번째 자리에는 2를, 두 번째 자리에는 4를 배열한다.
즉 경우의 수는 ${}_6C_2=15$

STEP Ⓑ 1, 3, 5가 나열되는 세 칸을 선택하는 경우의 수 구하기

다시 나머지 4개 중에서 3개를 선택하여 첫 번째 자리에는 1을, 두 번째 자리에는 3을 세 번째 자리에는 5를 배열한 후 나머지 1개를 선택하여 6을 배열한다.
즉 경우의 수는 ${}_4C_3={}_4C_1=4$
따라서 경우의 수는 $15\times4=60$

내/신/연/계/ 출제문항 060

1, 2, 3, 4, 5의 5개의 숫자를 모두 사용하여 다섯 자리 자연수를 만들 때, 3은 5보다 왼쪽에 배열하고, 짝수는 크기가 큰 순서로 배열하는 경우의 수는?

① 10 ② 20 ③ 30
④ 40 ⑤ 50

STEP Ⓐ 순서가 정해진 3, 5와 짝수를 같은 숫자로 정하기

3은 5보다 왼쪽에 배열해야 하므로 3과 5를 X로 놓고
짝수 2, 4는 크기가 큰 순서로 배열해야 하므로 2와 4를 Y로 놓는다.

STEP Ⓑ 같은 것이 있는 순열의 수 구하기

따라서 구하는 경우의 수는 X, X, Y, Y, 1을 일렬로 나열하는 경우의 수와 같으므로 $\frac{5!}{2!2!}=30$

정답 ③

0135

정답 ③

STEP Ⓐ A, B를 제외한 4가지에서 2가지를 택하는 경우의 수 구하기

처리해야 할 6가지 업무를 A, B, C, D, E, F라 하면
C, D, E, F의 4가지 업무 중 2개를 택하는 경우의 수는 ${}_4C_2=6$

STEP Ⓑ A, B를 같은 문자로 보고 업무 처리 순서 정하기

이때 업무 C, D가 택해졌을 때, 업무 A를 업무 B보다 먼저 처리하는 방법의 수는 A와 B를 같은 문자 X, X로 보고 X, X, C, D를 일렬로 배열하는 방법의 수와 같으므로 $\frac{4!}{2!}=12$
따라서 구하는 경우의 수는 $6\times12=72$

다른풀이 조합을 이용하여 풀이하기

A, B 이외의 나머지 업무 중 2개를 택하는 경우의 수는 ${}_4C_2=6$
이 4가지 업무 중에서 2개를 선택하여 첫 번째 자리에는 업무 A를, 두 번째 자리에는 업무 B를 배열하고 나머지 두 업무를 배열한다.
즉 ${}_4C_2\times2!=12$
따라서 구하는 경우의 수는 $6\times12=72$

내/신/연/계/ 출제문항 061

어느 회사원이 오늘 처리해야 할 업무는 A, B, C를 포함하여 모두 7가지이다. 이 중에서 업무 A는 업무 B보다 먼저 처리되어야 하고 업무 C는 가장 먼저 처리하거나 가장 나중에 처리해야 한다. 업무를 처리할 순서를 정하는 경우의 수는?

① 360 ② 480 ③ 600
④ 720 ⑤ 840

STEP Ⓐ 같은 것이 있는 순열을 이용하여 구하기

7개의 업무를 A, B, C, 1, 2, 3, 4라 하자.
(ⅰ) C를 가장 먼저 처리하는 경우
A, B를 모두 O, O라고 생각하고 O, O, 1, 2, 3, 4를 나열하는 경우의 수는 $\frac{6!}{2!}=360$
이때 나열된 O, O에 앞쪽에 A, 뒤쪽에 B를 배열하면 된다.
(ⅱ) C를 가장 나중에 처리하는 경우
A, B를 모두 O, O라고 생각하고 O, O, 1, 2, 3, 4를 나열하는 경우의 수는 $\frac{6!}{2!}=360$
이때 나열된 O, O에 앞쪽에 A, 뒤쪽에 B를 배열하면 된다.
(ⅰ), (ⅱ)에서 구하는 경우의 수는 $360+360=720$

정답 ④

0136

정답 ③

STEP Ⓐ 순서가 정해진 자연수를 같은 숫자로 보기

조건 (가)에서 6을 2보다 왼쪽에 배열해야 하므로
6과 2를 X, X와 같이 같은 것으로 본다.
조건 (나)에서 홀수를 왼쪽에서 큰 수부터 배열해야 하므로
7, 5, 3, 1도 Y, Y, Y, Y와 같이 서로 같은 것으로 본다.

STEP Ⓑ 같은 것이 있는 순열의 수 구하기

따라서 구하는 경우의 수는 X, X, Y, Y, Y, Y, 4를 일렬로 배열하는 경우의 수와 같으므로 $\frac{7!}{2!4!}=105$

0137

정답 ④

STEP A 같은 것이 있는 순열의 수를 이용하여 경우의 수 구하기

조건 (가)를 만족시키는 경우는 A, B, C를 X, X, X로 놓고

일렬로 세운 후에 X, X, X의 순서대로 A, B, C를 세우면 되므로

그 경우의 수는 $\frac{7!}{3!}=840$

조건 (나)에서 D, E가 이웃하는 경우의 수는

D, E를 한 사람으로 생각하면 되므로 그 경우의 수는 $\frac{6!}{3!}\times 2=120\times 2=240$

STEP B 전체 경우의 수에서 D, E가 이웃하는 경우의 수를 빼서 구하기

따라서 구하는 경우의 수는 $840-240=600$

다른풀이 D, E가 이웃하지 않은 순열의 수를 이용하여 풀이하기

D, E를 제외한 5명을 일렬로 세울 때, A, B, C를 X, X, X로 놓고

일렬로 세우는 경우의 수는 $\frac{5!}{3!}=20$

이 각각에 대하여 5명의 사이사이와 맨 앞, 맨 뒤의 6곳에 D, E를 세우는 경우의 수는 ${}_6P_2=6\times 5=30$

따라서 구하는 경우의 수는 $20\times 30=600$

내/신/연/계/ 출제문항 062

10개의 문자 H, I, G, H, S, C, H, O, O, L을 다음 규칙에 따라 일렬로 배열한다.

> (가) 3개의 문자 I, O, O는 이웃하도록 배열한다.
> (나) 문자 G는 문자 S보다 항상 왼쪽에 배열한다.

예를 들어 HHGOIOSCLH는 위의 규칙을 만족시키는 배열이다.

주어진 10개의 문자를 배열하는 경우의 수가 $\frac{a!}{4}$일 때, 자연수 a의 값은?

① 5 ② 6 ③ 7
④ 8 ⑤ 9

STEP A 같은 것이 있는 순열의 수를 이용하여 경우의 수 구하기

(i) 3개의 문자 I, O, O가 이웃하므로 3개의 문자를 하나로 보고 배열한 다음 자리를 바꾸는 경우의 수는 $\frac{3!}{2!}$

(ii) G가 S보다 항상 왼쪽에 있도록 배열하는 경우는 이 두 문자를 모두 A로 놓고 배열하는 것과 같다.
I, O, O를 묶어서 B로 생각하면 A, A, B, H, H, H, C, L을 배열하는 경우의 수는 $\frac{8!}{2!3!}$

(i), (ii)에서 구하는 경우의 수는 $\frac{8!}{2!3!}\times\frac{3!}{2!}=\frac{8!}{4}$이므로 $a=8$

다른풀이 I, O, O를 제외하고 G, S를 B로 놓고 직접 배열하여 풀이하기

10개의 문자 H, I, G, H, S, C, H, O, O, L에서 I, O, O를 제외하고

G, S를 B로 놓은 7개의 문자 H, B, H, B, C, H, L을 다음 그림과 같이

□의 자리에 배열하는 경우의 수는 $\frac{7!}{3!2!}$

△□△□△□△□△□△□△□△

이때 I, O, O를 한 문자 A로 보고 8개의 △ 중 한 자리에 배열하는 경우의 수는 $8\times\frac{3!}{2!}$

따라서 구하는 경우의 수는 $\frac{7!}{3!2!}\times 8\times\frac{3!}{2!}=\frac{8!}{4}$

정답 ④

0138

정답 ③

STEP A A와 B를 동일하게 생각하여 경우의 수 구하기

다섯 명 A, B, C, D, E를 다섯 곳에 발령할 때,

A의 발령지보다 B의 발령지가 멀도록 발령하는 경우의 수는

A와 B를 같은 사람으로 생각하여 거리가 먼 곳에 B를 발령하면 되므로

같은 것이 있는 순열로 생각할 수 있다.

즉 경우의 수는 $\frac{5!}{2!}=60$

STEP B A와 B가 (가), (나)에 발령될 경우를 제외하고 경우의 수 구하기

이 중에서 A, B가 같은 거리인 경우는 제외시켜야 하므로

A와 B를 같은 사람으로 생각하여 (가), (나)지사에 발령하고

C, D, E를 나머지 세 지사에 발령하는 방법의 수는 $3!=6$

따라서 구하는 방법의 수는 $60-6=54$

다른풀이 A의 발령지를 지정해주는 경우

B의 발령지가 A의 발령지보다 본사로부터 거리가 멀어야 하므로

A가 발령받는 지사를 기준으로 생각한다.

(i) A를 (가), (나)에 발령하고 B는 (다), (라), (마) 중에 발령하는 경우의 수는 $2\times 3=6$

(ii) A를 (다)에 발령하고 B는 (라), (마) 중에 발령하는 경우의 수는 $1\times 2=2$

(iii) A를 (라)에 발령하고 B는 (마)에 발령하는 경우의 수는 $1\times 1=1$

(i)~(iii)에 의해 A와 B의 발령지를 선택하는 경우의 수는

$6+2+1=9$

이때 C, D, E의 나머지 발령지를 선택하는 경우의 수는 $3!=6$

따라서 구하는 경우의 수는 $9\times 6=54$

0139

정답 ②

STEP A 조건 (가), (나)를 만족하는 인형을 진열하는 경우의 수 구하기

펭귄 인형을 크기가 작은 것부터 a_1, a_2, a_3이라 하고

곰 인형을 크기가 작은 것부터 b_1, b_2, b_3, b_4라 하면

(가), (나) 조건을 모두 만족시키려면

a_1, a_2, b_1이 b_2의 왼쪽에 진열되어야 하므로 a_3이 b_2의 왼쪽에 있는 경우와 오른쪽에 있는 경우로 나눠 경우의 수를 구할 수 있다.

(i) a_3이 b_2보다 오른쪽에 있는 경우
b_2를 기준으로 왼쪽에 a_1, a_2, b_1이 오른쪽에 a_3, b_3, b_4가 진열된다.
펭귄 인형과 곰 인형 각각의 순서는 정해져 있으므로
a_1, a_2, a_3을 모두 a로 두고 b_1, b_2, b_3, b_4를 모두 b로 둔다면
a, a, b와 a, b, b를 진열하는 경우의 수이므로 $\frac{3!}{2!}\times\frac{3!}{2!}=9$

(ii) a_3이 b_2보다 왼쪽에 있는 경우
b_2를 기준으로 왼쪽에 a_1, a_2, a_3, b_1이 오른쪽에 b_3, b_4가 진열된다.
펭귄 인형과 곰 인형 각각의 순서는 정해져 있으므로
a_1, a_2, a_3을 모두 a로 두고 b_1, b_2, b_3, b_4를 모두 b로 둔다면
a, a, a, b와 b, b를 진열하는 경우의 수이므로 $\frac{4!}{3!}\times 1=4$

STEP B 구하는 경우의 수 구하기

(i), (ii)에 의하여 구하는 경우의 수는 $9+4=13$

+α 주어진 조건을 만족하는 진열은 다음 표와 같이 분할 할 수 있다.

진열	1	2	3	4	5	6	7
(i)	a_1	a_2	b_1	b_2	b_3	b_4	a_3
(ii)	a_1	a_2	a_3	b_1	b_2	b_3	b_4

다른풀이 조합을 이용한 풀이하기

(ⅰ) a_3이 b_2보다 왼쪽에 있는 경우

$(b_1), a_1, (b_1), a_2, (b_1), a_3, (b_1), b_2, b_3, b_4$

즉 경우의 수는 ${}_4C_1 \times 1=4$

(ⅱ) a_3이 b_2보다 오른쪽에 있는 경우

$(b_1), a_1, (b_1), a_2, (b_1), b_2, (a_3), b_3, (a_3), b_4, (a_3)$

즉 경우의 수는 ${}_3C_1 \times 1 \times {}_3C_1=9$

(ⅰ), (ⅱ)에 의하여 구하는 경우의 수는 $9+4=13$

0140

정답 ⑤

STEP Ⓐ **A지점에서 B지점까지 갈 때, 반드시 지나야 하는 교차점 찾기**

오른쪽 그림에서와 같이 A지점에서 B지점으로 가려면 P, Q, R의 교차점을 지나야만 한다.

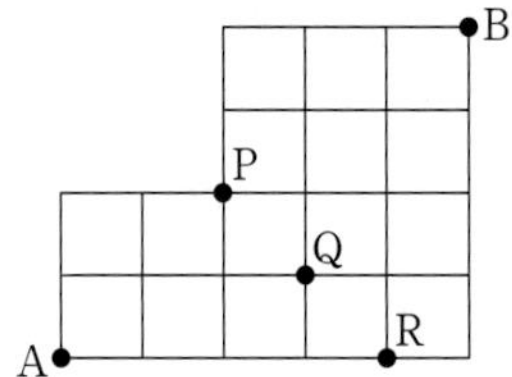

STEP Ⓑ **최단거리로 가는 경우의 수 구하기**

(ⅰ) A → P → B로 가는 경우

$\frac{4!}{2!2!} \times \frac{5!}{3!2!}=6 \times 10=60$

(ⅱ) A → Q → B로 가는 경우

$\frac{4!}{3!1!} \times \frac{5!}{2!3!}=4 \times 10=40$

(ⅲ) A → R → B로 가는 경우

$1 \times \frac{5!}{1!4!}=1 \times 5=5$

따라서 A지점에서 B지점으로 최단 거리로 가는 방법의 수는 $60+40+5=105$

다른풀이 지나지 않은 점을 이용하여 풀이하기

STEP Ⓐ **A지점에서 B지점까지 최단거리로 가는 경우의 수 구하기**

오른쪽 그림과 같이 모든 도로망이 연결되어 있다고 하면 A지점에서 B지점까지 최단거리로 가는 경우의 수는 $\frac{9!}{5!4!}=126$

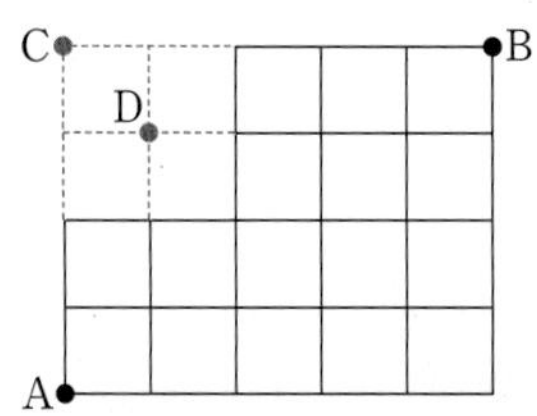

STEP Ⓑ **A지점에서 C, D지점을 거치지 않고 B지점까지 최단거리로 가는 경우의 수 구하기**

A지점에서 C, D지점을 지나는 경우의 수

(ⅰ) 점 C를 지나는 경우의 수는 $1 \times 1=1$

(ⅱ) 점 D를 지나는 경우의 수는 $\frac{4!}{1!3!} \times \frac{5!}{4!1!}=20$

따라서 구하는 경우의 수 $126-(1+20)=105$

내신연계 출제문항 063

오른쪽 그림과 같은 도로망이 있다. A지점에서 출발하여 B지점까지 최단 거리로 가는 경우의 수는?

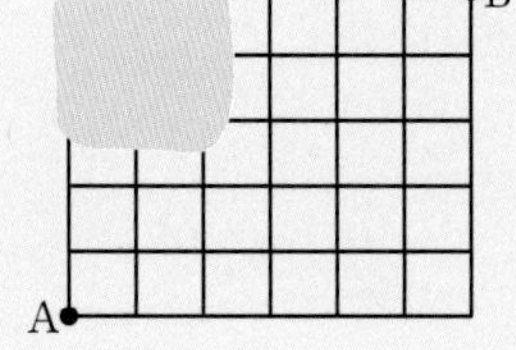

① 175 ② 196
③ 281 ④ 293
⑤ 315

STEP Ⓐ **중간지점 P, Q, R을 정하기**

A에서 P, Q, R을 거쳐 B까지 최단 거리로 가는 경우의 수를 구하면 된다.

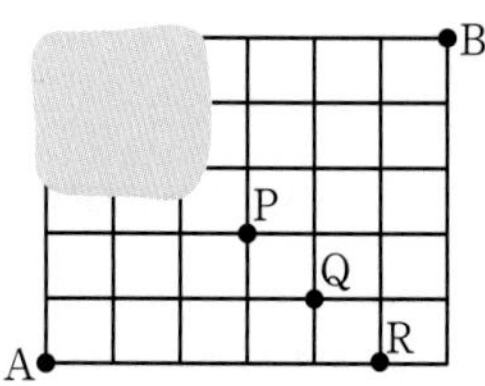

STEP Ⓑ **A지점에서 P, Q, R지점을 거쳐 B지점까지 최단거리로 가는 경우의 수 구하기**

A에서 P를 거쳐 B까지 최단 거리로 가는 경우의 수는 $\frac{5!}{3!2!} \times \frac{6!}{3!3!}=200$

A에서 Q를 거쳐 B까지 최단 거리로 가는 경우의 수는 $\frac{5!}{4!1!} \times \frac{6!}{2!4!}=75$

A에서 R을 거쳐 B까지 최단 거리로 가는 경우의 수는 $1 \times \frac{6!}{1!5!}=6$

STEP Ⓒ **합의 법칙을 이용하여 경우의 수를 구하기**

따라서 구하는 경우의 수는 $200+75+6=281$

정답 ③

0141

정답 ③

STEP Ⓐ **A지점에서 B지점까지 갈 때, 반드시 지나야 하는 교차점 찾기**

오른쪽 그림에서와 같이 A지점에서 B지점으로 가려면 P, Q의 교차점을 지나야만 한다.

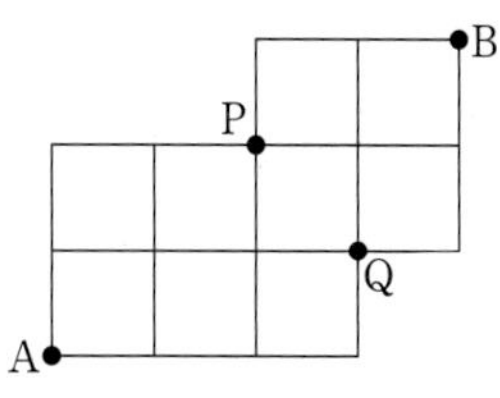

STEP Ⓑ **최단거리로 가는 경우의 수 구하기**

A지점에서 출발하여 B지점까지 가는 최단 경로의 수

A → P → B로 가는 최단 경로의 수는 $\frac{4!}{2!2!} \times \frac{3!}{2!1!}=18$

A → Q → B로 가는 최단 경로의 수는 $\frac{4!}{3!1!} \times \frac{3!}{1!2!}=12$

따라서 구하는 최단 경로의 수는 $18+12=30$

내신연계 출제문항 064

오른쪽 그림과 같은 직사각형 모양으로 연결된 도로망이 있다. 이 도로망을 따라 A지점에서 출발하여 B지점까지 최단거리로 가는 경우의 수는?

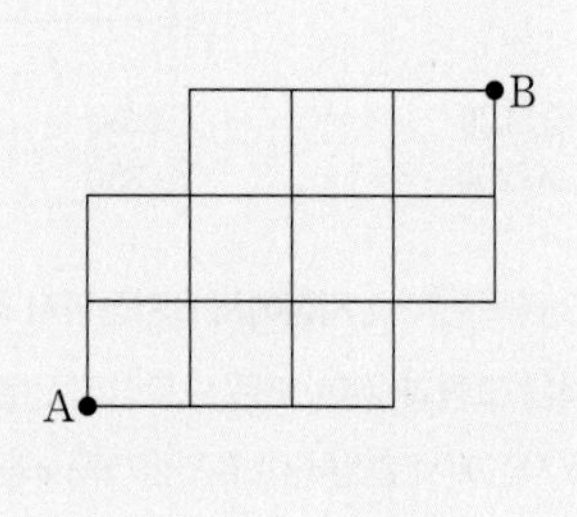

① 27 ② 29
③ 31 ④ 33
⑤ 35

STEP Ⓐ **A지점에서 B지점까지 최단거리로 가는 경우의 수 구하기**

오른쪽 그림과 같이 모든 도로망이 연결되어 있다고 하면 A지점에서 출발하여 B지점까지 최단거리로 가는 경우의 수는 $\frac{7!}{4!3!}=35$

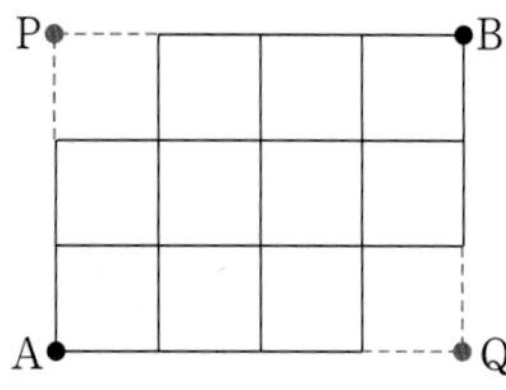

STEP Ⓑ **P지점 또는 Q지점을 지나는 경우의 수 구하기**

A → P → B로 가는 최단 경로의 수는 1

A → Q → B로 가는 최단 경로의 수는 1

따라서 구하는 최단 경로의 수는 $35-(1+1)=33$

정답 ④

0142

정답 ②

STEP Ⓐ **A지점에서 B지점까지 최단거리로 가는 경우의 수 구하기**

그림과 같이 모든 도로망이 연결되어 있다고 하면

A지점에서 출발하여 B지점까지 최단거리로 가는 경우의 수는 $\dfrac{8!}{5!3!}=56$

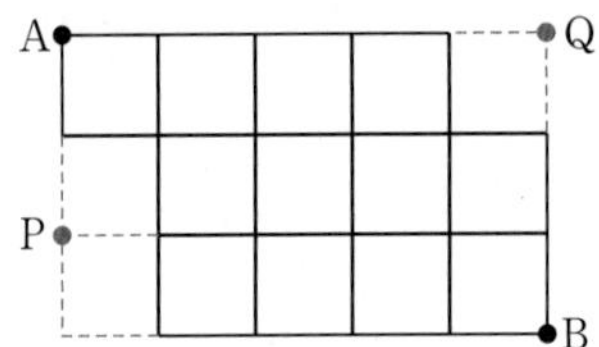

STEP Ⓑ **P지점 또는 Q지점을 지나는 경우의 수 구하기**

이 중에서 P지점 또는 Q지점을 지나는 경우의 수는 $1\times\dfrac{6!}{5!}+1\times1=7$

따라서 구하는 경우의 수는 $56-7=49$

다른풀이 교차점을 이용하여 풀이하기

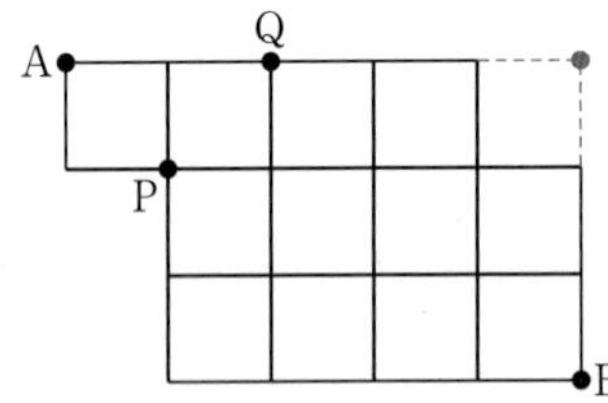

A지점에서 출발하여 B지점까지 최단거리로 가는 경우의 수는

A → P → B 또는 A → Q → B이므로

$2\times\dfrac{6!}{4!2!}+1\times\left(\dfrac{6!}{3!3!}-1\right)=30+19=49$

내/신/연/계/ 출제문항 065

그림과 같은 도로망의 A지점에서 B지점까지 최단 거리로 가는 경우의 수는?

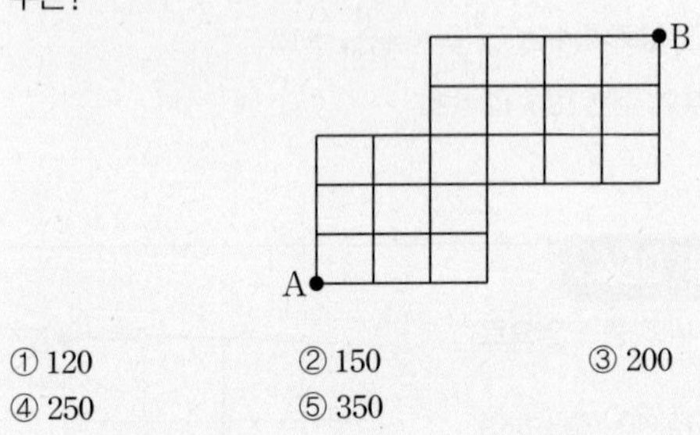

① 120　② 150　③ 200
④ 250　⑤ 350

STEP Ⓐ **A지점에서 B지점까지 최단거리로 가는 경우의 수 구하기**

다음 그림과 같이 모든 도로망이 연결되어 있다고 하면

A지점에서 출발하여 B지점까지 최단거리로 가는 경우의 수는 $\dfrac{11!}{6!5!}=462$

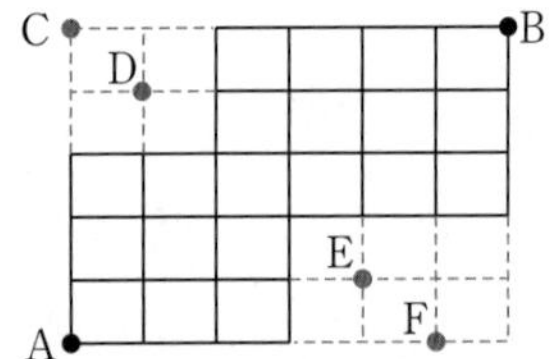

STEP Ⓑ **C, D, E, F지점을 지나는 경우의 수 구하기**

(ⅰ) A → C → B인 경우의 수는 $1\times1=1$

(ⅱ) A → D → B인 경우의 수는 $\dfrac{5!}{4!}\times\dfrac{6!}{5!}=5\times6=30$

(ⅲ) A → E → B인 경우의 수는 $\dfrac{5!}{4!}\times\dfrac{6!}{2!4!}=5\times15=75$

(ⅳ) A → F → B인 경우의 수는 $1\times\dfrac{6!}{5!}=6$

(ⅰ)~(ⅳ)에서 구하는 경우의 수는 $462-(1+30+75+6)=350$

다른풀이 교차점을 이용하여 풀이하기

STEP Ⓐ **A지점에서 B지점까지 갈 때, 반드시 지나야 하는 교차점 찾기**

다음 그림에서와 같이 A지점에서 B지점으로 가려면 P, Q의 교차점을 지나야만 한다.

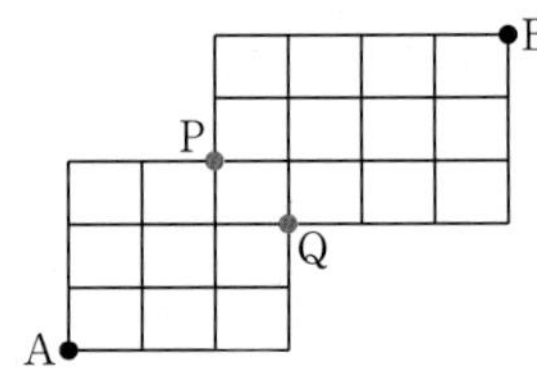

(ⅰ) A → P → B인 경우의 수는 $\dfrac{5!}{2!3!}\times\dfrac{6!}{4!2!}=150$

(ⅱ) A → Q → B인 경우의 수는 $\dfrac{5!}{3!2!}\times\dfrac{6!}{3!3!}=200$

(ⅰ), (ⅱ)에 의하여 $150+200=350$

0143

정답 ②

STEP Ⓐ **A지점에서 B지점까지 갈 때, 반드시 지나는 교차점을 찾기**

A지점에서 B지점으로 가기 위해서는 다음 그림의 C, D, E 중 한 점을 통과해야 한다.

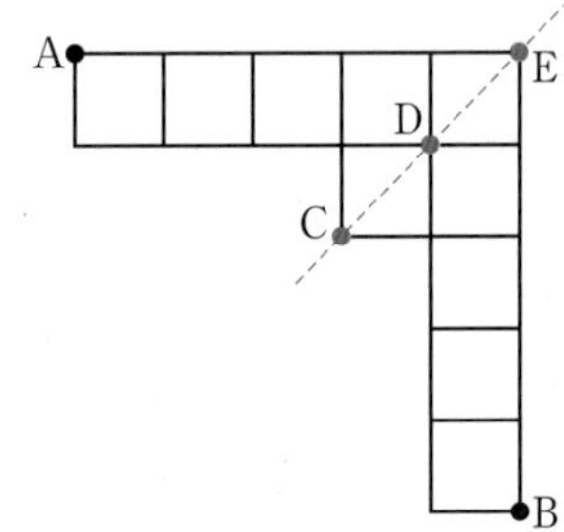

STEP Ⓑ **A지점에서 B지점까지 최단거리로 가는 경우의 수 구하기**

(ⅰ) A → C → B로 가는 경우의 수는 $\dfrac{4!}{3!}\times\dfrac{4!}{3!}=16$

(ⅱ) A → D → B로 가는 경우의 수는 $\dfrac{5!}{4!}\times\dfrac{5!}{4!}=25$

(ⅲ) A → E → B로 가는 경우의 수는 $1\times1=1$

(ⅰ)~(ⅲ)에서 최단거리로 가는 방법의 수는 $16+25+1=42$

다른풀이 합의 법칙을 이용하여 최단거리로 가는 경우의 수 구하기

다음 그림처럼 두 경로가 만나는 점에서 각각의 경우를 더해주면 된다. 마찬가지로 답은 42이다.

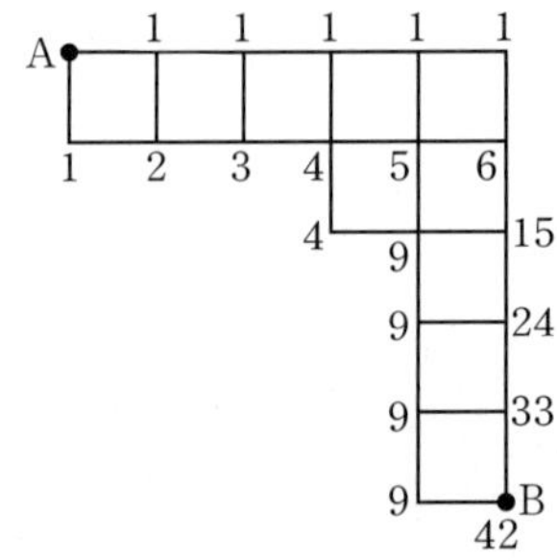

0144

정답 ④

STEP Ⓐ A지점에서 B지점까지 최단거리로 가는 경우의 수 구하기

다음 그림과 같이 두 마름모의 교점을 P라고 하자.

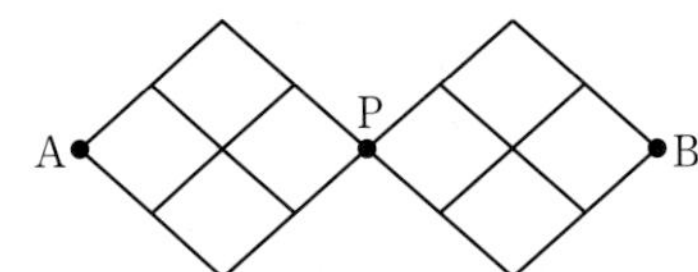

(i) A지점에서 P지점까지 최단 거리로 가는 방법의 수는 $\frac{4!}{2!2!}=6$

(ii) P지점에서 B지점까지 최단 거리로 가는 방법의 수는 $\frac{4!}{2!2!}=6$

(i), (ii)에서 A지점에서 B지점까지 최단 거리로 가는 방법의 수는 $6\cdot 6=36$

참고 주어진 도로망을 오른쪽 그림과 같이 나타낸 후 중간지점을 C라 하자.
A → C → B에서
A → C인 최단 경로의 수는
→ → ↓ ↓를 일렬로 나열하는 경우의 수와 같으므로 $\frac{4!}{2!2!}=6$
C → B인 최단경로의 수는
→ → ↓ ↓를 일렬로 나열하는 경우의 수와 같으므로 $\frac{4!}{2!2!}=6$
따라서 구하는 경우의 수는 $6\times 6=36$

내신연계 출제문항 066

오른쪽 그림과 같은 도로망이 있다.
A지점에서 P지점을 지나 B지점으로 가는 최단 경로의 수는?

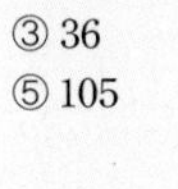

① 64 ② 52
③ 36 ④ 72
⑤ 105

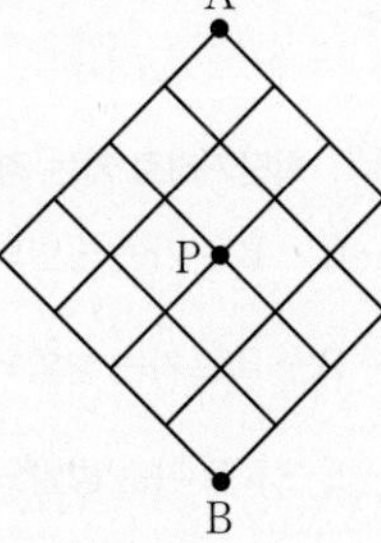

STEP Ⓐ A지점에서 P지점을 거쳐 B지점까지 최단거리로 가는 경우의 수 구하기

A지점에서 P지점으로 가는 최단 경로의 수는 $\frac{4!}{2!2!}=6$

P지점에서 B지점으로 가는 최단 경로의 수는 $\frac{4!}{2!2!}=6$

따라서 구하는 경로의 수는 $6\times 6=36$

정답 ③

0145

정답 ④

STEP Ⓐ A지점에서 B지점 까지 최단거리로 가는 경우의 수 구하기

오른쪽 그림과 같이 P지점과 Q지점을 연결하는 도로가 있다고 가정하면 A지점을 출발하여 B지점까지 최단거리로 가는 경우의 수는 $\frac{7!}{4!3!}=35$

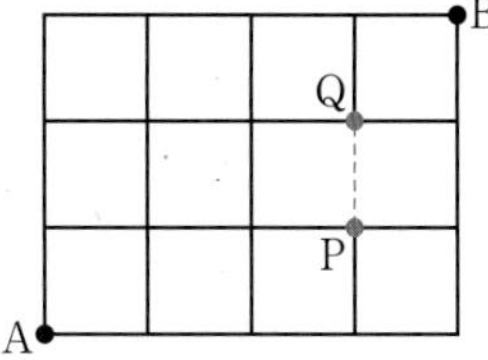

STEP Ⓑ PQ를 지나는 최단거리로 가는 경우의 수 구하기

P지점과 Q지점을 연결하는 도로를 지나는 경우의 수는 $\frac{4!}{3!}\times 1\times \frac{2!}{1!1!}=8$

STEP Ⓒ 최단거리로 가는 경우의 수 구하기

따라서 구하는 경우의 수는 $35-8=27$

내신연계 출제문항 067

오른쪽 그림과 같은 도로망이 있다.
A지점에서 B지점까지 최단 거리로 가는 경우의 수는?

① 10 ② 46
③ 56 ④ 60
⑤ 68

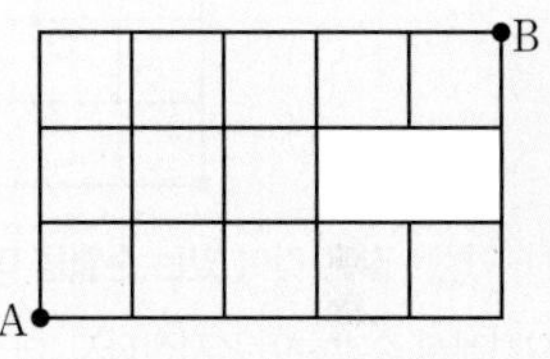

STEP Ⓐ A지점에서 B지점 까지 최단거리로 가는 경우의 수 구하기

오른쪽 그림과 같이 P지점과 Q지점을 연결하는 도로가 있다고 가정하면 A지점을 출발하여 B지점까지 최단거리로 가는 경우의 수는 $\frac{8!}{5!3!}=56$

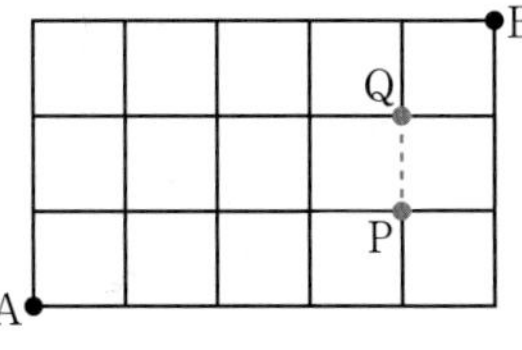

STEP Ⓑ PQ를 지나는 최단거리로 가는 경우의 수 구하기

P지점과 Q지점을 연결하는 도로를 지나는 경우의 수는
$\frac{5!}{4!1!}\times 1\times \frac{2!}{1!1!}=10$

STEP Ⓒ 최단거리로 가는 경우의 수 구하기

따라서 구하는 경우의 수는 $56-10=46$

정답 ②

0146

정답 ②

STEP Ⓐ A지점에서 B지점까지 갈 때, 반드시 지나는 교차점을 찾기

A지점에서 B지점으로 가기 위해서는 그림의 P, Q, R 중 한 점을 통과해야 한다.

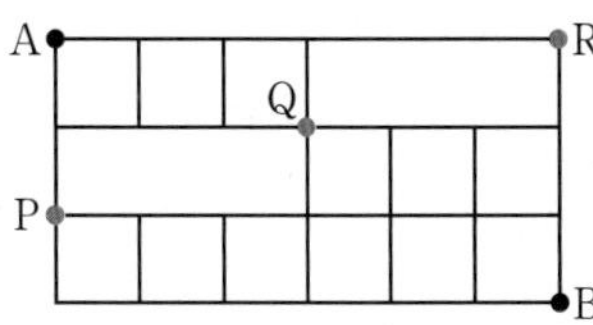

STEP Ⓑ A지점에서 B지점까지 최단거리로 가는 경우의 수 구하기

(i) A → P → B로 가는 경우의 수는 $1\times \frac{7!}{6!}=7$

(ii) A → Q → B로 가는 경우의 수는 $\frac{4!}{3!}\times \frac{5!}{2!3!}=40$

(iii) A → R → B로 가는 경우의 수는 $1\times 1=1$

(i)~(iii)에서 구하는 경우의 수는 $7+40+1=48$

내신연계 출제문항 068

어느 부대가 그림과 같은 바둑판 모양의 도로망에서 장애물(색칠된 부분)을 피해 A지점에서 B지점으로 도로를 따라 이동하려고 한다. A지점에서 출발하여 B지점까지 최단거리로 가는 경우의 수는?

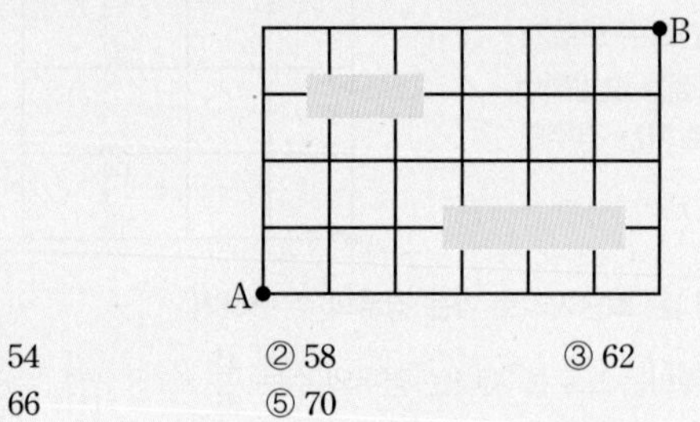

① 54 ② 58 ③ 62
④ 66 ⑤ 70

STEP A P, Q, R, S지점을 정하여 최단 경로를 찾기

다음 그림과 같이 P, Q, R, S지점을 정하면 다음과 같다.

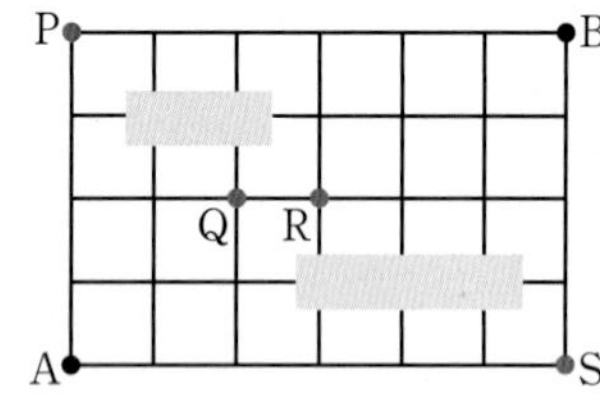

STEP B 같은 것이 있는 순열을 이용하여 경우의 수 구하기

A지점에서 출발하여 B지점까지 최단거리로 가는 경우의 수

(ⅰ) A → P → B로 가는 방법의 수는 $1\times1=1$

(ⅱ) A → Q → R → B로 가는 방법의 수는 $\frac{4!}{2!2!}\times1\times\frac{5!}{3!2!}=6\times10=60$

(ⅲ) A → S → B로 가는 방법의 수는 $1\times1=1$

(ⅰ)~(ⅲ)에서 구하는 최단거리로 가는 경우의 수는 $1+60+1=62$  정답 ③

0147

 정답 ③

STEP A A지점에서 출발하여 B지점까지 최단거리로 가는 경우의 수에서 A지점에서 출발하여 P지점을 지나 B지점까지 최단거리로 가는 경우의 수를 뺀 것과 같음을 이용하기

오른쪽 그림과 같이 도로망을 연결하여 교차지점을 P라 하면

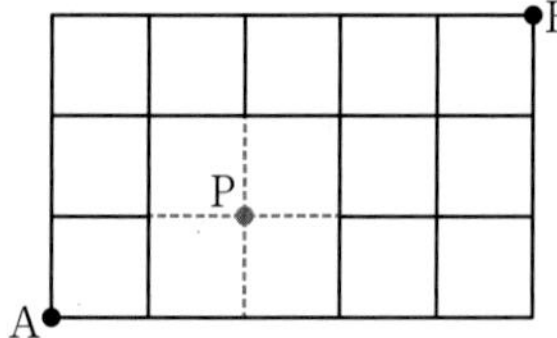

(ⅰ) A지점에서 출발하여 B지점까지 최단거리로 가는 경우의 수는 $\frac{8!}{5!3!}=56$

(ⅱ) A지점에서 출발하여 P지점을 지나 B지점까지 최단거리로 가는 경우의 수는 $\frac{3!}{2!}\times\frac{5!}{3!2!}=3\times10=30$

(ⅰ), (ⅱ)에 의하여 구하는 경우의 수는 $56-30=26$

다른풀이 지나는 점을 이용하여 풀이하기

그림과 같이 세 지점을 X, Y, Z라 하면 구하는 경우의 수는 다음 세 가지 경우로 나눠 생각할 수 있다.

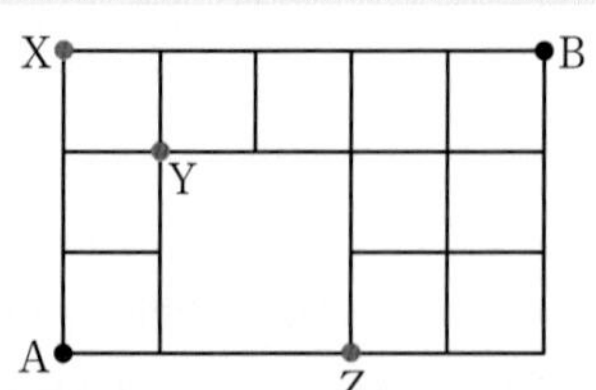

(ⅰ) A → X → B로 가는 경우의 수는 $1\times1=1$

(ⅱ) A → Y → B로 가는 경우의 수는 $\frac{3!}{2!}\times\frac{5!}{4!}=3\times5=15$

(ⅲ) A → Z → B로 가는 경우의 수는 $1!\times\frac{5!}{2!3!}=1\times10=10$

(ⅰ)~(ⅲ)에 의하여 구하는 경우의 수는 $1+15+10=26$

내신연계 출제문항 069

오른쪽 그림과 같은 도로망에서 A지점에서 B지점까지 최단거리로 가는 경우의 수는?

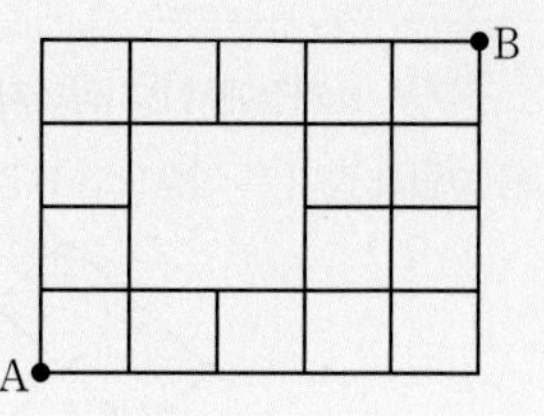

① 60 ② 66
③ 80 ④ 94
⑤ 126

STEP A A지점에서 B지점까지 최단거리로 가는 경우의 수 구하기

A지점에서 B지점까지 최단거리로 가는 경우의 수는 $\frac{9!}{5!4!}=126$

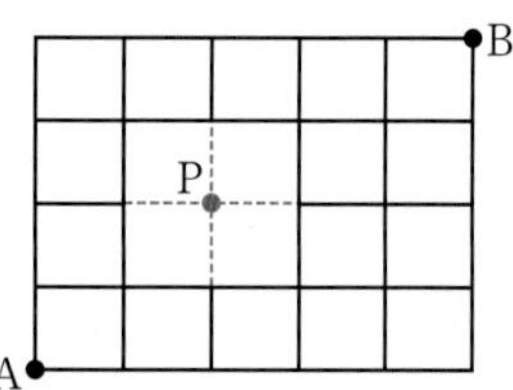

A지점에서 P지점을 지나 B지점까지 최단거리로 가는 경우의 수는

$\frac{4!}{2!2!}\times\frac{5!}{3!2!}=6\times10=60$

따라서 구하는 경우의 수는 $126-60=66$ 정답 ②

0148

 정답 ③

STEP A A지점에서 B지점까지 갈 때, 반드시 지나야 하는 교차점 찾기

오른쪽 그림에서와 같이 A지점에서 B지점으로 가려면 C, D, E, F의 교차점을 지나야만 한다.

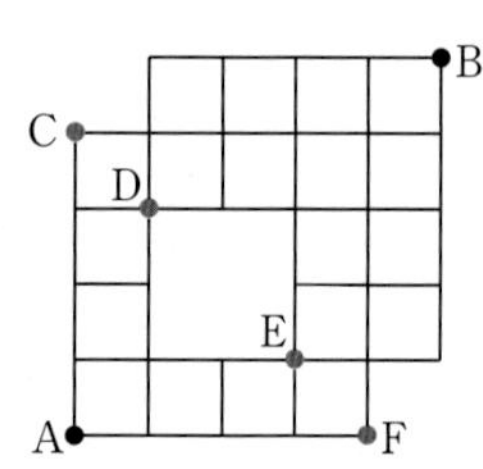

STEP B 최단거리로 가는 경우의 수 구하기

(ⅰ) A → C → B로 가는 방법의 수는 $1\times1\times\frac{5!}{4!}=5$

(ⅱ) A → D → B로 가는 방법의 수는 $\frac{4!}{3!}\times\frac{6!}{4!2!}=4\times15=60$

(ⅲ) A → E → B로 가는 방법의 수는 $\frac{4!}{3!}\times\frac{6!}{2!4!}=4\times15=60$

(ⅳ) A → F → B로 가는 방법의 수는 $1\times1\times\frac{5!}{4!}=5$

(ⅰ)~(ⅳ)에서 구하는 방법의 수는 $5+60+60+5=130$

다른풀이 지나는 않은 점을 이용하여 풀이하기

STEP A A지점에서 B지점까지 최단거리로 가는 경우의 수 구하기

오른쪽 그림에서와 같이 A지점에서 B지점까지 최단거리에서 A지점에서 P, Q, R지점을 지나 B지점까지 가는 최단거리의 경우의 수를 뺀다.

A지점에서 B지점까지 최단거리는 $\frac{10!}{5!5!}=252$

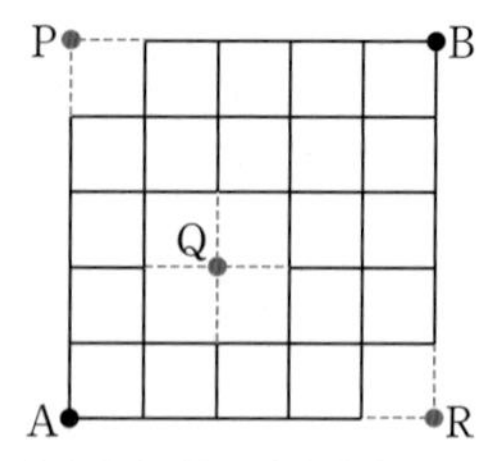

STEP B A지점에서 P, Q, R지점을 지나 B지점까지 가는 최단거리로 가는 경우의 수 구하기

A지점에서 P, Q, R지점을 지나 B지점까지 가는 최단거리의 방법의 수

(ⅰ) A → P → B로 가는 방법의 수는 $1\times1=1$

(ⅱ) A → Q → B로 가는 방법의 수는 $\frac{4!}{2!2!}\times\frac{6!}{3!3!}=6\times20=120$

(ⅲ) A → R → B로 가는 방법의 수는 $1\times1=1$

(ⅰ)~(ⅲ)에서 구하는 경우의 수는 $1+120+1=122$

STEP C 최단거리로 가는 경우의 수 구하기

따라서 구하는 방법의 수는 $252-122=130$

내신연계 출제문항 070

오른쪽 그림과 같은 도로망이 있다. A지점에서 출발하여 B지점까지 도로를 따라 최단 거리로 가는 경우의 수는?

① 49 ② 50
③ 51 ④ 52
⑤ 53

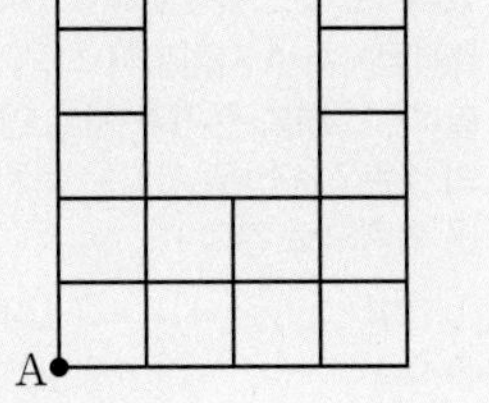

STEP A A지점에서 B지점까지 최단거리로 가는 경우의 수

오른쪽 그림에서와 같이 A지점에서 B지점으로 가려면 P, Q, R의 교차점을 지나야만 한다.

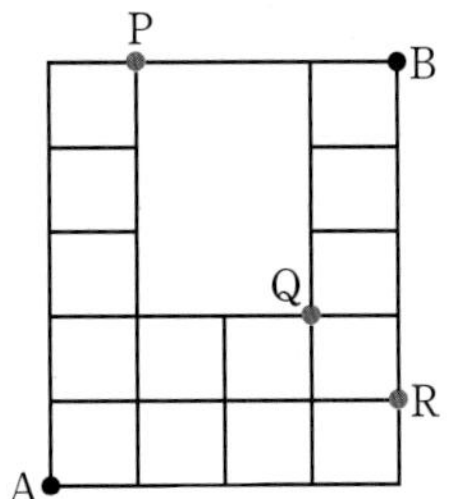

STEP B 최단거리로 가는 경우의 수 구하기

(i) A → P → B로 가는 경우의 수는 $\frac{6!}{5!}\times 1=6$

(ii) A → Q → B로 가는 경우의 수는 $\frac{5!}{3!2!}\times\frac{4!}{3!}=40$

(iii) A → R → B로 가는 경우의 수는 $\frac{5!}{4!}\times 1=5$

(i)~(iii)에서 구하는 경우의 수는 $6+40+5=51$

정답 ③

0149

정답 ②

STEP A A지점에서 B지점까지 갈 때, 반드시 지나는 교차점을 찾기

A지점에서 B지점으로 가기 위해서는 그림의 P, Q, R 중 한 점을 통과해야 한다.
A지점에서 B지점으로 가는 최단거리는
A → P → U → B, A → Q → U → B, A → Q → V → B,
A → R → U → B, A → R → V → B의 5가지 경우이다.

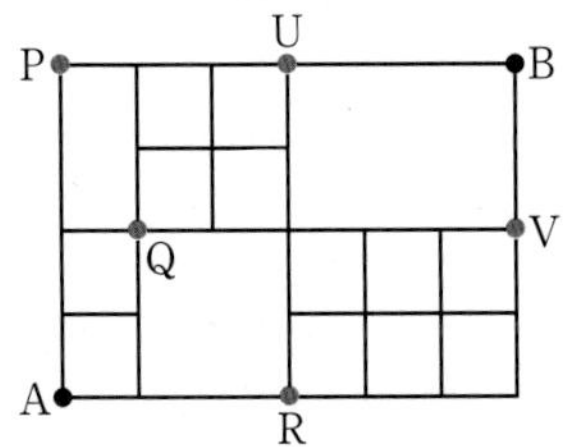

STEP B A지점에서 B지점까지 최단거리로 가는 경우의 수 구하기

(i) A → P → U → B로 가는 경우의 수는 $1\times 1=1$

(ii) A → Q → U → B로 가는 경우의 수는 $\frac{3!}{2!}\times\frac{4!}{2!2!}\times 1=18$

(iii) A → Q → V → B로 가는 경우의 수는 $\frac{3!}{2!}\times 1=3$

(iv) A → R → U → B의 경우 1

(v) A → R → V → B의 경우 $1\times\frac{5!}{3!2!}=10$

(i)~(v)로부터 최단거리로 가는 경우의 수는 $1+18+3+1+10=33$

0150

정답 ②

STEP A A지점에서 B지점까지 최단거리로 가는 경우의 수 구하기

다음 그림과 같이 세 지점 Q, R, S를 잡자.

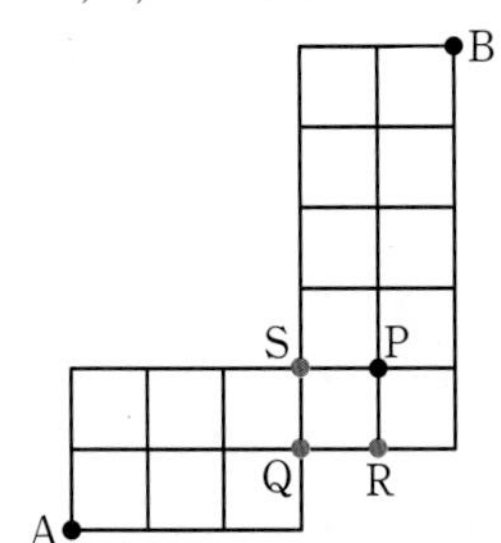

A지점에서 출발하여 P지점을 지나서 B지점까지 최단거리로 가는 경우는 A → Q → R → P → B와 A → S → P → B로 가는 경우가 있다.

(i) A → Q → R → P → B로 가는 경우의 수는

$\frac{4!}{3!}\times 1\times 1\times\frac{5!}{4!}=4\times 1\times 1\times 5=20$

(ii) A → S → P → B로 가는 경우의 수는

$\frac{5!}{3!2!}\times 1\times\frac{5!}{4!}=10\times 1\times 5=50$

(i), (ii)에서 구하는 경우의 수는 $20+50=70$

0151

정답 ⑤

STEP A P지점만 지나가는 경우의 수 구하기

(i) P지점만 지나가는 경우

A → P → B로 이동하는 경우의 수는

$\frac{3!}{2!}\times\frac{6!}{4!2!}=3\times 15=45$이고

이 중에서 A → P → Q → B로 이동하는 경우의 수는

$\frac{3!}{2!}\times 1\times\frac{4!}{2!2!}=3\times 1\times 6=18$이므로

이 경우의 수는 $45-18=27$

STEP B Q지점만 지나가는 경우의 수 구하기

(ii) Q지점만 지나가는 경우

A → Q → B로 이동하는 경우의 수는

$\frac{5!}{3!2!}\times\frac{4!}{2!2!}=10\times 6=60$이고

이 중에서 A → P → Q → B로 이동하는 경우의 수는

(i)에서와 마찬가지로 18이므로

이 경우의 수는 $60-18=42$

STEP C 구하는 경우의 수 구하기

(i), (ii)에 의하여 구하는 경우의 수는 $27+42=69$

0152

정답 ⑤

STEP A 점들을 각각 연결하여 직사각형 만들기

원의 점들을 연결해 직사각형을 만든 후, 각 접점을 이어서 길을 만들면 다음과 같다.

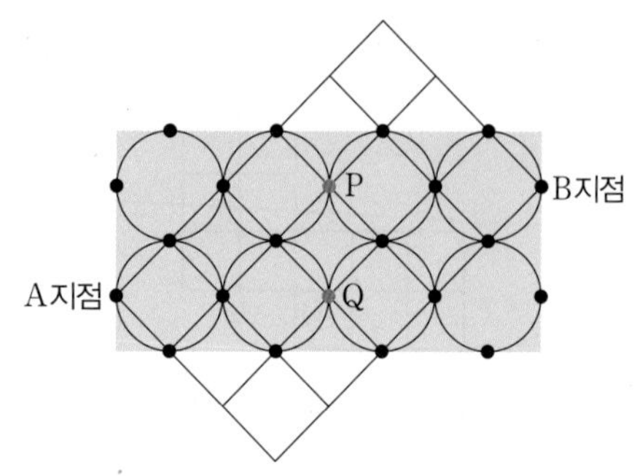

STEP B 각각의 경우의 수를 구하기

(i) A → P → B로 가는 경우

$$\frac{4!}{3!}\times\left(\frac{4!}{2!2!}-1\right)=4\times5=20$$

(ii) A → Q → B로 가는 경우

$$\left(\frac{4!}{2!2!}-1\right)\times\frac{4!}{3!}=5\times4=20$$

(i), (ii)에서 구하는 경우의 수는 $20+20=40$

다른풀이 합의 법칙을 이용하여 풀이하기

A지점에서 출발하여 최단거리로 B지점까지 가는 동안 A에서 출발하여 각 지점까지의 최단 경로의 수를 적으면 아래와 같다.

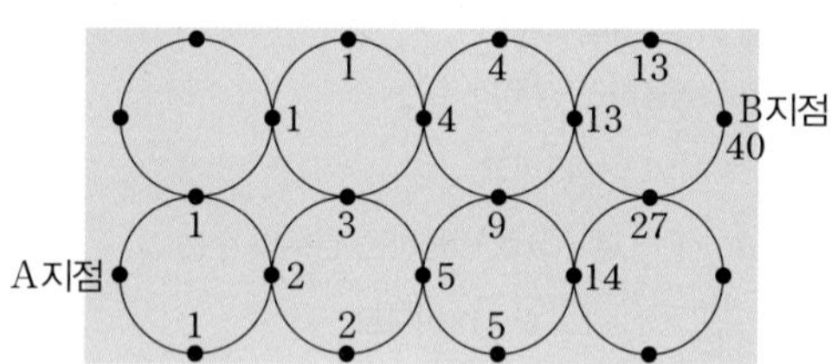

따라서 구하는 경우의 수는 40

0153

정답 ②

STEP A 두 사람이 A에서 B까지, B에서 A까지 가는 최단거리의 경우의 수 구하기

수지는 A지점에서 B지점까지, 슬기는 B지점에서 A지점까지 최단거리로 가는 경우의 수는

$$\frac{6!}{3!3!}\times\frac{6!}{3!3!}=400$$

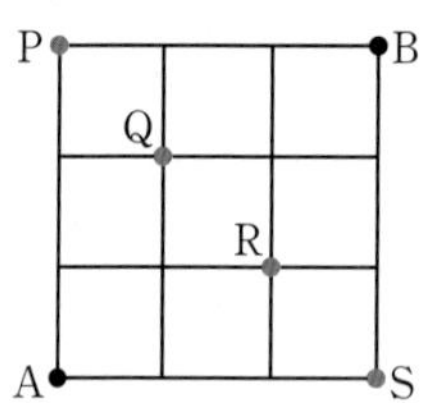

STEP B 두 사람이 만나는 경우의 수 구하기

(i) 수지와 슬기가 P지점에서 만나는 경우의 수는 $1\times1=1$

(ii) 수지와 슬기가 Q지점에서 만나는 경우의 수는

$$\left(\frac{3!}{2!}\times\frac{3!}{2!}\right)\times\left(\frac{3!}{2!}\times\frac{3!}{2!}\right)=81$$

(iii) 수지와 슬기가 R지점에서 만나는 경우의 수는 81

(iv) 수지와 슬기가 S지점에서 만나는 경우의 수는 1

STEP C 두 사람이 서로 만나지 않는 모든 경우의 수 구하기

따라서 구하는 모든 경우의 수는 $400-(1+81+81+1)=236$

내신연계 출제문항 071

오른쪽 그림과 같은 바둑판 모양의 도로망이 있다. 소희는 A지점에서 B지점까지, 준기는 B지점에서 A지점까지 최단거리로 간다고 할 때, 소희와 준기가 서로 만나지 않는 방법의 수는? (단, 두 사람은 동시에 출발하여 같은 속력으로 간다.)

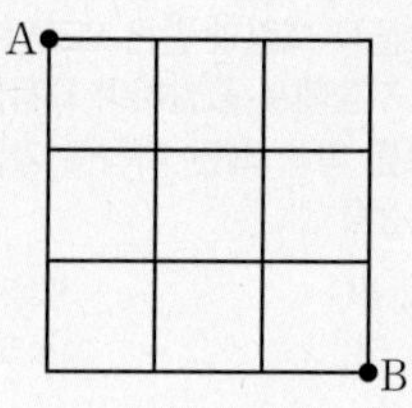

① 121 ② 144
③ 169 ④ 225
⑤ 236

STEP A 소희와 준기가 A에서 B까지, B에서 A까지 가는 최단거리의 경우의 수 구하기

소희는 A지점에서 B지점까지, 준기는 B지점에서 A지점까지 최단거리로 가는 경우의 수는

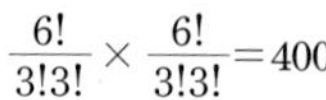

$$\frac{6!}{3!3!}\times\frac{6!}{3!3!}=400$$

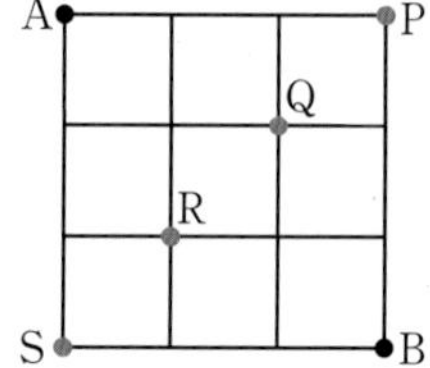

STEP B 소희와 준기가 만나는 경우의 수 구하기

(i) 소희와 준기가 지점 P에서 만나는 경우의 수는 $1\times1=1$

(ii) 소희와 준기가 지점 Q에서 만나는 경우의 수는

$$\left(\frac{3!}{2!}\times\frac{3!}{2!}\right)\times\left(\frac{3!}{2!}\times\frac{3!}{2!}\right)=81$$

(iii) 소희와 준기가 지점 R에서 만나는 경우의 수는 81

(iv) 소희와 준기가 지점 S에서 만나는 경우의 수는 1

STEP C 두 사람이 서로 만나지 않는 모든 경우의 수 구하기

따라서 구하는 모든 경우의 수는 $400-(1+81+81+1)=236$

정답 ⑤

0154

정답 ④

STEP A A지점에서 B지점 까지 최단거리로 가는 경우의 수 구하기

A지점에서 B지점으로 최단 거리로 가는 경우의 수는 $\frac{9!}{5!4!}=126$

STEP B A지점에서 P지점을 거쳐 B지점으로 최단거리로 가는 경우의 수 구하기

A지점에서 P지점을 거쳐 B지점으로 최단 거리로 가는 경우의 수는

$$\frac{4!}{2!2!}\times\frac{5!}{3!2!}=6\times10=60$$

STEP C A지점에서 P지점을 거치지 않고 B지점으로 가는 최단거리로 가는 경우의 수 구하기

따라서 구하는 경우의 수는 $126-60=66$

내/신/연/계/ 출제문항 072

오른쪽 그림은 어느 도시의 도로망이다. A지점에서 C지점까지 최단 거리로 가는 경로 중에서 B지점을 지나지 않는 경우의 수는?

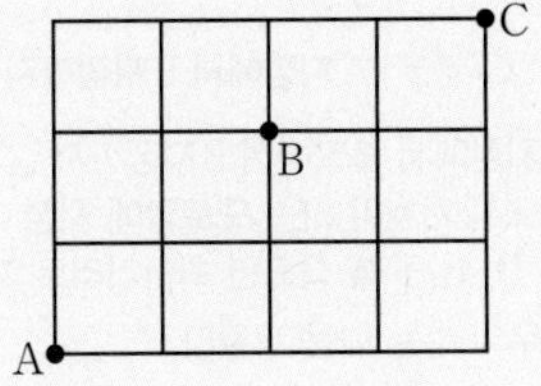

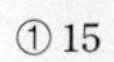
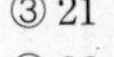

① 15　② 17
③ 21　④ 22
⑤ 26

STEP Ⓐ **A지점에서 C지점까지 최단거리로 가는 경우의 수 구하기**

A지점에서 C지점까지 가는 최단 거리로 가는 경우의 수는 $\frac{7!}{4!3!}=35$

STEP Ⓑ **A지점에서 B지점을 거쳐 C지점으로 최단거리로 가는 경우의 수 구하기**

A지점에서 B지점을 거쳐 C지점으로 최단 거리로 가는 경우의 수는

$\frac{4!}{2!2!}\times\frac{3!}{2!1!}=6\times3=18$

STEP Ⓒ **A지점에서 B지점을 거치지 않고 C지점으로 가는 최단거리로 가는 경우의 수 구하기**

따라서 구하는 경우의 수는 $35-18=17$

 ②

0155

 ④

STEP Ⓐ **A지점에서 B지점까지 최단거리로 가는 경우의 수 구하기**

오른쪽 그림에서 A에서 B로 가는 전체 최단 경로의 수는

$\frac{9!}{5!4!}=126$

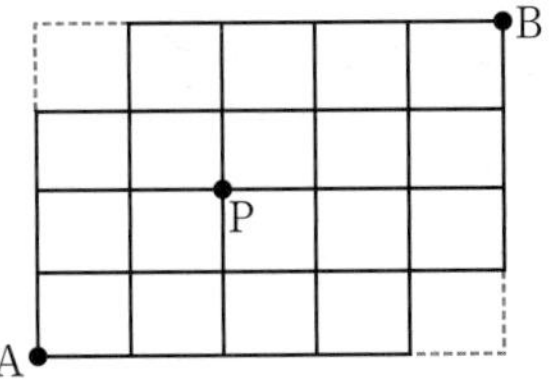

그 중 왼쪽 위와 오른쪽 아래의 경로를 지나는 것은 각 1개씩 있으므로 구하는 최단 거리의 수는 $126-2=124$

STEP Ⓑ **A지점에서 P지점을 거쳐 B지점으로 최단거리로 가는 경우의 수 구하기**

$A\to P\to B$의 최단 경로의 수는 $\frac{4!}{2!2!}\times\frac{5!}{3!2!}=60$

STEP Ⓒ **P를 지나지 않는 최단거리로 가는 경우의 수 구하기**

따라서 P를 지나지 않는 최단 경로의 수는 $124-60=64$

다른풀이 P를 제외한 교차점을 지나는 경우의 수 구하기

STEP Ⓐ **A지점에서 B지점까지 지나야 하는 교차점 찾기**

A에서 B까지 가기 위해서는 오른쪽 그림과 같이 P, Q, R, S의 교차점을 지나야 하며 이 중 P를 제외한 Q, R, S를 지나는 경우의 수를 구하면 된다.

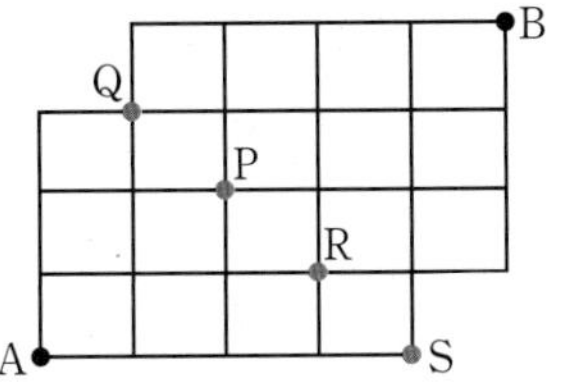

STEP Ⓑ **경우의 수 구하기**

(ⅰ) $A\to Q\to B$의 최단 경로의 수는 $\frac{4!}{3!1!}\times\frac{5!}{4!1!}=20$

(ⅱ) $A\to R\to B$의 최단 경로의 수는 $\frac{4!}{3!1!}\times\frac{5!}{3!2!}=40$

(ⅲ) $A\to S\to B$의 최단 경로의 수는 $\frac{4!}{4!0!}\times\frac{4!}{3!1!}=4$

따라서 구하고자 하는 경우의 수는 $20+40+4=64$

0156

 ①

STEP Ⓐ **A지점에서 P지점을 지나 Q지점을 지나지 않고 B지점까지 가는 최단거리 구하기**

(ⅰ) A지점에서 출발하여 P지점, R지점을 모두 지나 B지점까지 최단거리로 가는 방법의 수는 $\frac{5!}{3!2!}\times1\times1=10$

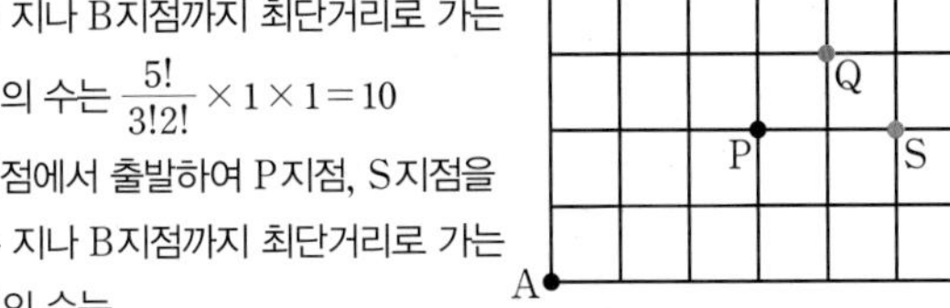

(ⅱ) A지점에서 출발하여 P지점, S지점을 모두 지나 B지점까지 최단거리로 가는 방법의 수는

$\frac{5!}{3!2!}\times1\times\frac{3!}{1!2!}=10\times3=30$

(ⅰ), (ⅱ)에 의하여 구하는 방법의 수는 $10+30=40$

다른풀이 전체 최단거리에서 A지점에서 P지점을 지나 Q지점을 걸쳐 B지점까지 가는 최단거리의 방법의 수를 빼기

STEP Ⓐ **A지점에서 P지점을 지나 B지점까지 최단거리로 가는 경우의 수 구하기**

A지점에서 P지점을 거쳐 B지점까지 최단거리로 가는 경우의 수는

$\frac{5!}{3!2!}\times\frac{5!}{3!2!}=10\times10=100$

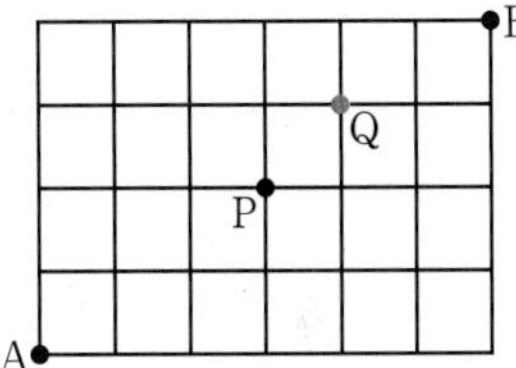

STEP Ⓑ **A지점에서 P지점을 지나 Q지점을 거쳐 B지점까지 최단거리로 가는 경우의 수 구하기**

A지점에서 P지점을 지나 Q지점을 거쳐 B지점까지 최단거리로 가는 경우의 수는 $\frac{5!}{3!2!}\times2!\times\frac{3!}{2!}=10\times2\times3=60$

STEP Ⓒ **구하는 최단거리 구하기**

따라서 구하는 최단거리의 방법의 수는 $100-60=40$

내/신/연/계/ 출제문항 073

오른쪽 그림과 같은 도로망이 있다. A지점에서 출발하여 B지점까지 최단 거리로 갈 때, P지점은 거치지 않고 Q지점은 반드시 지나는 방법의 수는?

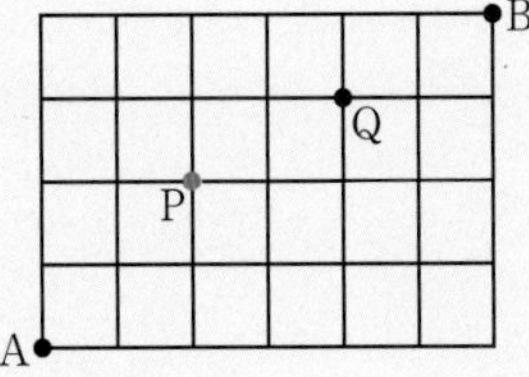

① 51　② 54
③ 64　④ 74
⑤ 84

STEP Ⓐ **A지점에서 Q지점을 지나 B지점까지 최단거리로 가는 경우의 수 구하기**

A지점에서 Q지점을 거쳐 B지점까지 최단 거리로 가는 경우의 수는

$\frac{7!}{4!3!}\times\frac{3!}{2!}=35\times3=105$

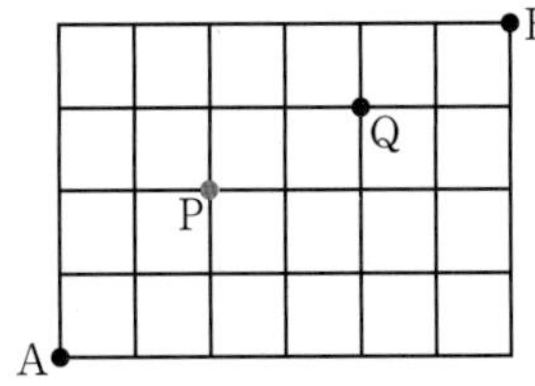

STEP Ⓑ **A지점에서 P지점을 지나 Q지점을 걸쳐 B지점까지 최단거리로 가는 경우의 수 구하기**

A지점에서 P지점을 지나 Q지점을 거쳐 B지점까지 최단거리로 가는 경우의 수는 $\frac{4!}{2!2!}\times\frac{3!}{2!}\times\frac{3!}{2!}=6\times3\times3=54$

STEP Ⓒ **구하는 최단거리 구하기**

따라서 구하는 최단거리의 방법의 수는 $105-54=51$

정답 ①

0157

정답 ②

STEP A P, Q, R지점을 정하여 최단 경로를 찾기

A지점에서 출발하여 C지점을 지나지 않고 D지점도 지나지 않으면서 B지점까지 최단거리로 가는 방법의 수는 그림과 같이 P, Q, R지점을 잡으면 반드시 P, Q, R지점을 모두 지나야 한다.

즉 $A \to P \to Q \to R \to B$로 가는 최단거리의 수를 구한다.

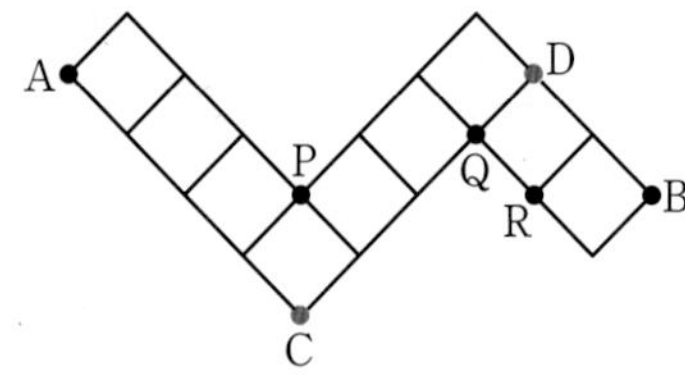

STEP B 같은 것이 있는 순열을 이용하여 경우의 수를 구하기

$A \to P$로 가는 방법의 수는 $\frac{4!}{3!1!}=4$ (또는 ${}_4C_1=4$)

$P \to Q$로 가는 방법의 수는 $\frac{3!}{2!1!}=3$ (또는 ${}_3C_1=3$)

$Q \to R$로 가는 방법의 수는 1

$R \to B$로 가는 방법의 수는 $\frac{2!}{1!1!}=2$ (또는 ${}_2C_1=2$)

따라서 구하는 경우의 수는 $4 \times 3 \times 1 \times 2=24$

다른풀이 합의 법칙을 이용하여 풀이하기

C지점과 D지점을 모두 지나지 않아야 하므로 다음과 같은 도로망을 따라 A지점에서 B지점으로 이동하는 경우의 수를 구하면 되므로 구하는 경우의 수는 24이다.

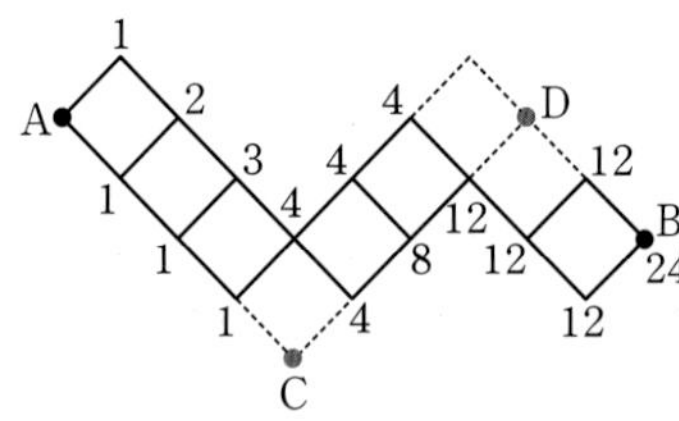

0158

정답 ②

STEP A A지점에서 B지점까지 갈 때, 반드시 지나는 교차점을 찾기

A지점에서 출발하여 B지점까지 갈 때, 반드시 거쳐야 하는 도로망에 지점 C, D, E, F를 잡으면 최단거리로 가는 경우의 수는 다음과 같다.

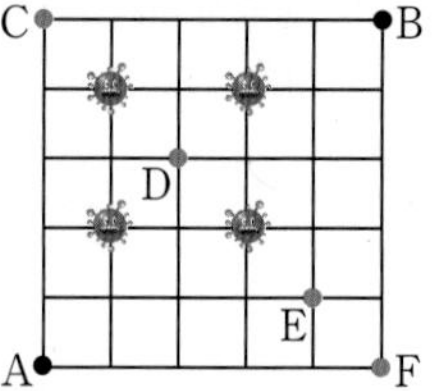

STEP B 구하는 최단거리로 가는 경우의 수 구하기

(ⅰ) $A \to C \to B$로 가는 경우의 수는 $1 \times 1=1$

(ⅱ) $A \to D \to B$로 가는 경우의 수는

$$\left(\frac{5!}{3!2!}-\frac{3!}{2!1!}\times\frac{2!}{1!1!}\right)\times\left(\frac{5!}{3!2!}-2!\times\frac{3!}{2!1!}\right)=4\times4=16$$

(ⅲ) $A \to E \to B$로 가는 경우의 수는 $\frac{5!}{4!}\times\frac{5!}{4!}=5\times5=25$

(ⅳ) $A \to F \to B$로 가는 경우의 수는 $1 \times 1=1$

(ⅰ)~(ⅳ)에 의하여 구하는 경우의 수는 $1+16+25+1=43$

다른풀이 합의 법칙을 이용하여 풀이하기

오른쪽 그림과 같이 일일이 세는 방법도 가능하다.

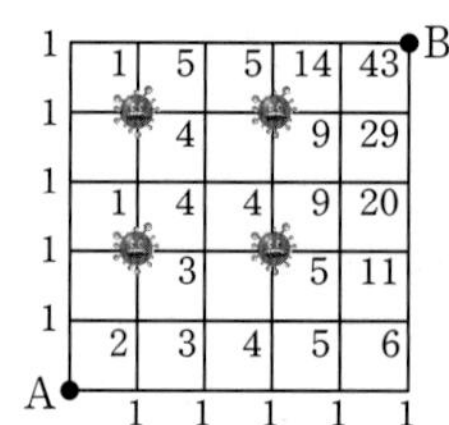

내신연계 출제문항 074

오른쪽 그림은 어느 도시의 도로망이다. 도시에 있는 세 개의 지점에서 코로나 바이러스가 시작되었다. A지점에서 출발하여 코로나의 근원지인 세 지점을 지나지 않고 P지점을 거쳐 백신이 있는 B지점까지 도로를 따라 최단거리로 가는 경우의 수는?

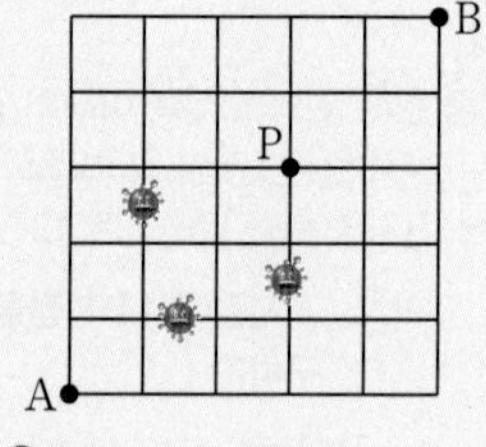

① 24 ② 30 ③ 36 ④ 48 ⑤ 54

STEP A A지점에서 P지점까지 갈 때, 반드시 지나는 교차점을 찾기

오른쪽 그림과 같이 중간에 반드시 지나게 되는 지점을 C, D이라 하자.

(ⅰ) $A \to C \to P \to B$로 가는 경우의 수는

$1\times1\times\frac{4!}{2!2!}=6$

(ⅱ) $A \to D \to P \to B$로 가는 경우의 수는

$\left(\frac{4!}{2!2!}-2\right)\times2\times\frac{4!}{2!2!}=4\times2\times6=48$

(ⅰ), (ⅱ)에서 구하는 경우의 수는 $6+48=54$

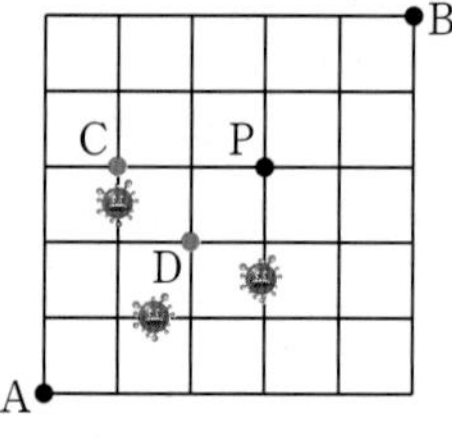

다른풀이 합의 법칙을 이용하여 풀이하기

오른쪽 그림과 같이 일일이 세는 방법도 가능하다.

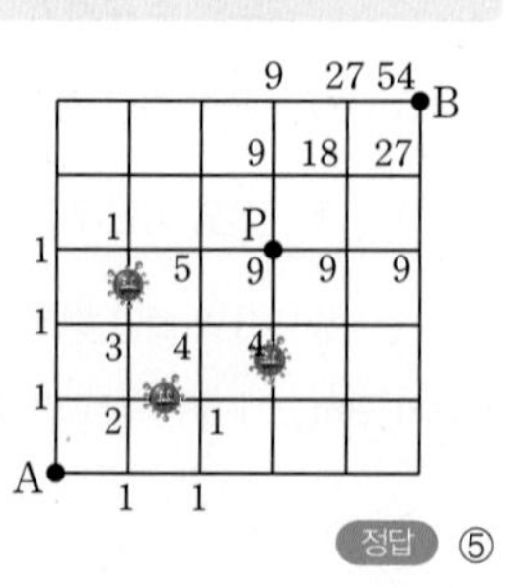

정답 ⑤

0159

정답 ③

STEP Ⓐ A지점에서 B지점까지 갈 때, 반드시 지나는 교차점을 찾기

오른쪽 그림과 같이 세 지점 P, Q, R을 잡으면 A지점에서 B지점으로 가는 최단거리는 세 지점 P, Q, R 중 한 지점을 반드시 지나야 하며 이 세 지점 중 한 지점만 지나야 한다.

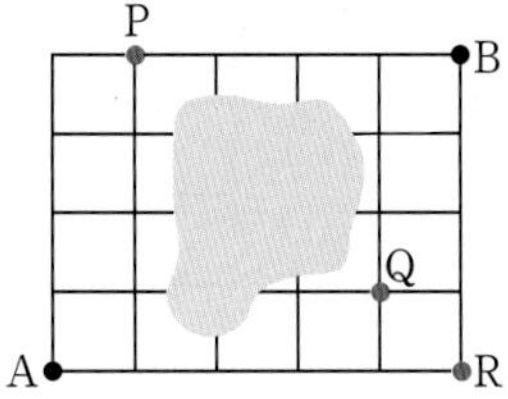

(ⅰ) A → P → B인 경우

최단거리로 가는 방법의 수는 $\frac{5!}{4!}\times 1=5$

(ⅱ) A → Q → B인 경우

최단거리로 가는 방법의 수는 $1\times 2!\times \frac{4!}{3!}=8$

(ⅲ) A → R → B인 경우

최단거리로 가는 방법의 수는 $1\times 1=1$

STEP Ⓑ 구하는 경우의 수 구하기

따라서 구하는 방법의 수는 $5+8+1=14$

내신연계 출제문항 075

오른쪽 그림은 어느 도시의 도로망이다. 이 도시의 거리 축제로 인하여 색칠한 부분에서 차량 이동이 통제된다고 할 때, A지점에서 B지점까지 최단거리로 가는 방법의 수는?

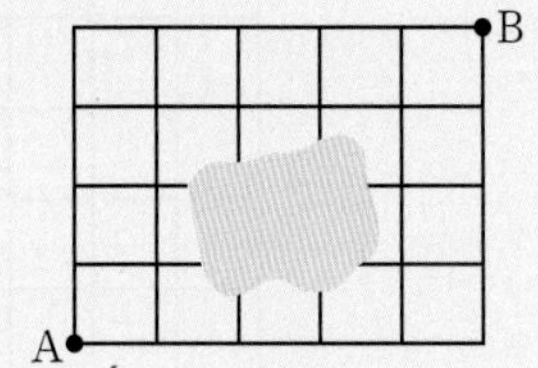

① 20 ② 25
③ 26 ④ 30
⑤ 32

STEP Ⓐ A지점에서 B지점까지 갈 때, 반드시 지나는 교차점을 찾기

오른쪽 그림에서 색칠한 부분을 지나지 않으려면 세 지점 P, Q, R 중 반드시 한 지점을 거쳐야 한다.

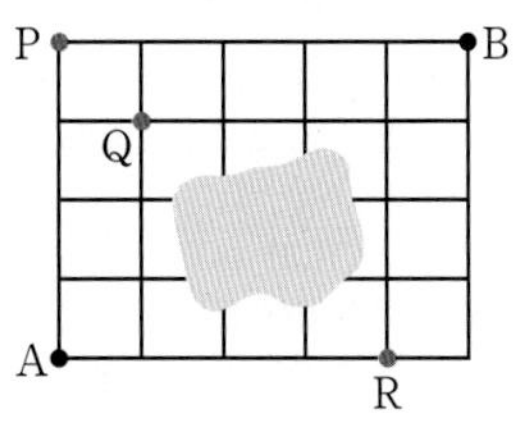

STEP Ⓑ A지점에서 B지점까지 최단거리로 가는 경우의 수 구하기

A → P → B로 가는 방법의 수는 $1\times 1=1$

A → Q → B로 가는 방법의 수는 $\frac{4!}{3!}\times \frac{5!}{4!}=20$

A → R → B로 가는 방법의 수는 $1\times \frac{5!}{4!}=5$

STEP Ⓒ 구하는 경우의 수 구하기

따라서 구하는 방법의 수는 $1+20+5=26$

0160

정답 ④

STEP Ⓐ A지점에서 B지점까지 갈 때, 반드시 지나는 교차점을 찾기

오른쪽 그림과 같이 네 지점 P, Q, R, S를 잡으면 A에서 B까지 최단거리로 가는 방법의 수는

A → P → Q → R → B,

A → P → Q → S → B

의 두 가지 경우이다.

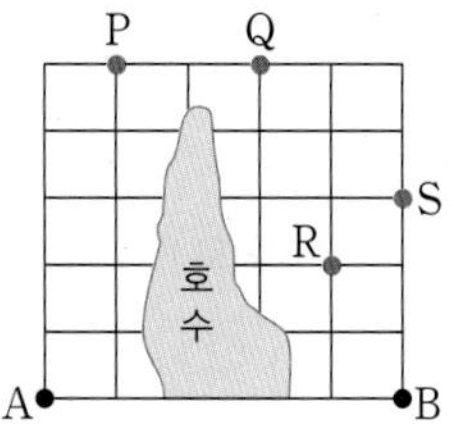

STEP Ⓑ A지점에서 B지점까지 최단거리로 가는 경우의 수 구하기

(ⅰ) A → P → Q → R → B의 경우는 $\frac{6!}{5!}\times 1\times \frac{4!}{3!}\times \frac{3!}{2!}=72$

(ⅱ) A → P → Q → S → B의 경우는 $\frac{6!}{5!}\times 1\times \frac{4!}{2!2!}\times 1=36$

따라서 구하는 방법의 수는 $72+36=108$

0161

정답 ⑤

STEP Ⓐ A지점에서 B지점까지 갈 때, 반드시 지나는 교차점을 찾기

다음 그림의 두 지점 X, Y에 대하여 구하는 방법의 수는
A지점에서 B지점까지 최단 거리로 가는 방법의 수에서
X지점에서 Y지점까지 좌회전하여 가는 방법의 수를 빼면 된다.

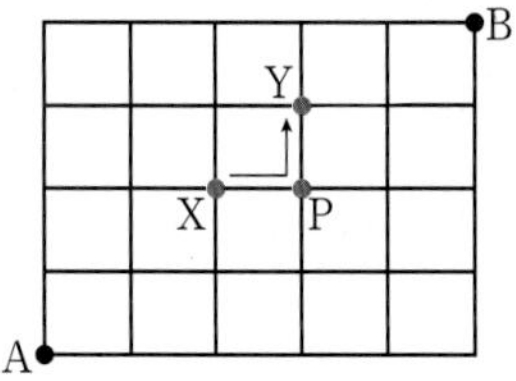

STEP Ⓑ A지점에서 B지점까지 최단거리로 가는 경우의 수 구하기

따라서 구하는 방법의 수는 $\frac{9!}{5!4!}-\left(\frac{4!}{2!2!}\times \frac{3!}{2!}\right)=108$

0162

정답 ①

STEP Ⓐ A지점에서 B지점까지 갈 때, 반드시 지나는 교차점을 찾기

P, Q에서 직진하지 않는 방법은 다음 그림과 같다.

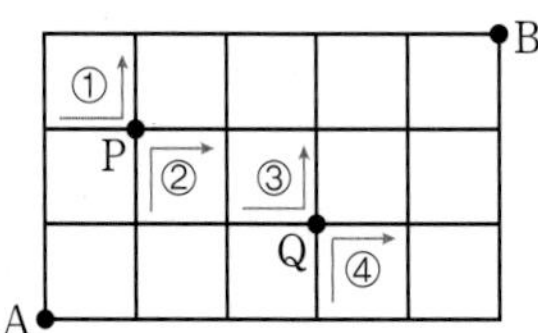

STEP Ⓑ A지점에서 B지점까지 최단거리로 가는 경우의 수 구하기

(ⅰ) P를 지나는 방법의 수는

①의 경우 $\frac{2!}{2!}\times \frac{4!}{4!}=1$과

②의 경우 $\frac{2!}{1!1!}\times \frac{4!}{3!1!}=8$이므로 $1+8=9$

(ⅱ) Q를 지나는 방법의 수는

③의 경우 $\frac{3!}{2!1!}\times \frac{3!}{2!1!}=9$와

④의 경우 $\frac{3!}{3!}\times \frac{3!}{2!1!}=3$이므로 $9+3=12$

따라서 P, Q를 동시에 지나는 경우는 없으므로 $9+12=21$

Ⅰ 경우의 수

0163

정답 ②

STEP A A지점에서 B지점까지 최단거리로 가는 방법의 수 구하기

A에서 B까지 최단 거리로 가는 방법의 수는

$\frac{8!}{5!3!}=56$

STEP B 교차로 P, Q에서 좌회전하는 경우를 제외하기

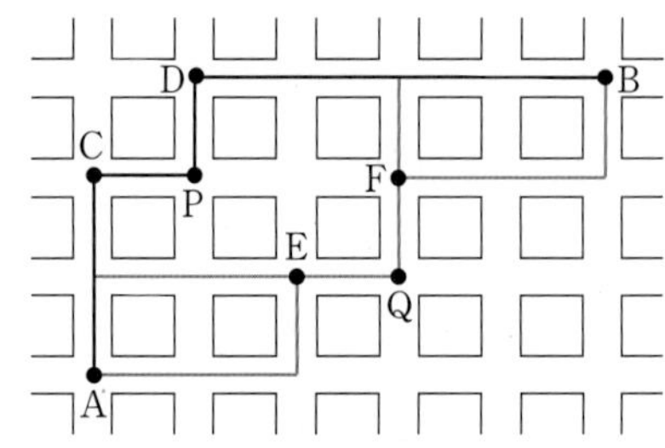

교차로 점 P에서 좌회전을 하는 최단 거리의 방법의 수는
A → C → P → D → B로 가는 경로의 수이므로
$1\times1\times1\times1=1$
교차로 Q에서 좌회전을 하는 최단 거리의 방법의 수는
A → E → Q → F → B로 가는 경로의 수이므로
$\frac{3!}{2!}\times1\times1\times\frac{3!}{2!}=3\times3=9$
따라서 구하는 최단 경로의 수는 $56-1-9=46$

전체 최단 경로의 수 ${}_8C_3=56$
A → C → P → D → B의 경로의 수는 ${}_1C_1\cdot1\cdot1\cdot{}_1C_1=1$
A → E → Q → F → B의 경로의 수는 ${}_3C_2\cdot1\cdot1\cdot{}_3C_2=9$
따라서 구하는 최단 경로의 수는 $56-1-9=46$

내신연계 출제문항 076

그림은 어느 도시의 도로를 선으로 나타낸 것이다. 교차로 P에서는 좌회전을 할 수 없고, 교차로 Q는 공사 중이어서 지나갈 수 없다고 한다.

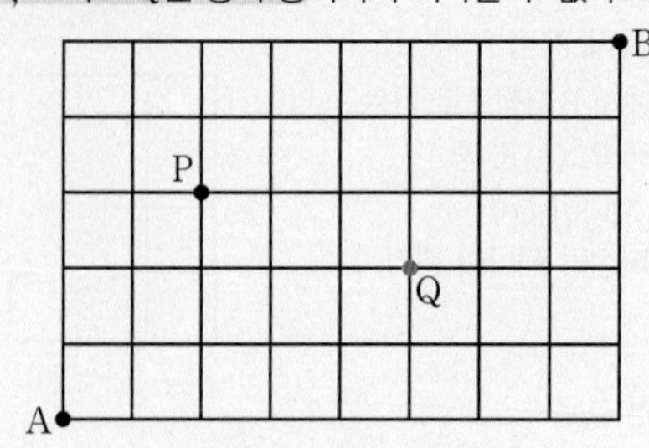

A를 출발하여 B에 도달하는 최단 경로의 개수는?

① 818 ② 825 ③ 832
④ 839 ⑤ 846

STEP A A에서 B까지 최단거리로 가는 방법의 수 구하기

A를 출발하여 B에 도달하는 최단 경로의 방법의 수는

$\frac{13!}{8!5!}=1287$

STEP B 교차로 P에서 좌회전하는 경우와 교차로 Q를 지나는 경우를 제외하기

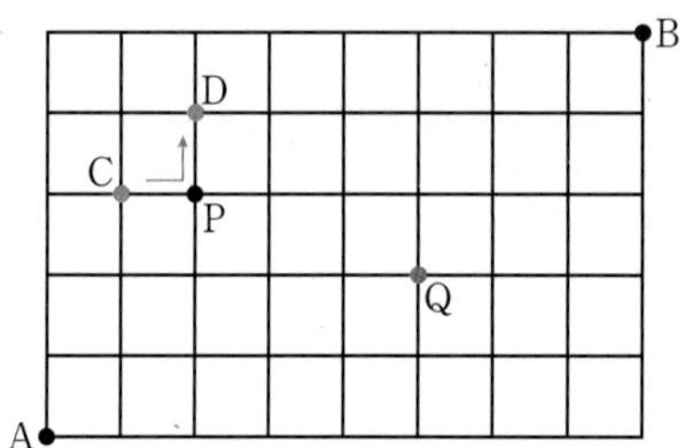

(i) 교차로 P에서 좌회전하는 최단 경로의 수는
A → C → P → D → B로 가는 경로의 수이므로
$\frac{4!}{3!}\times1\times1\times\frac{7!}{6!}=28$

(ii) 교차로 Q를 지나는 최단 경로의 수는
A → Q → B로 가는 경로의 수이므로
$\frac{7!}{5!2!}\times\frac{6!}{3!3!}=21\times20=420$

A를 출발하여 B에 도달하는 최단 경로 중 교차로 Q를 지나면서 교차로 P에서 좌회전 하는 경우는 없으므로
(i), (ii)에서 구하는 최단 경로의 수는 $1287-28-420=839$

다른풀이 여사건과 조합을 이용하여 최단거리 구하기

전체 최단 경로의 수는 ${}_{13}C_5=1287$
A → C → P → D → B의 경로의 수는 ${}_4C_1\cdot{}_7C_1=28$
A → Q → B의 경로의 수는 ${}_7C_2\cdot{}_6C_3=420$
따라서 구하는 최단 경로의 수는
${}_{13}C_5-{}_4C_1\cdot{}_7C_1-{}_7C_2\cdot{}_6C_3=1287-28-420=839$

정답 ④

STEP 2 서술형 기출유형

0164

정답 해설참조

1단계 6명이 원형의 탁자에 둘러앉는 경우의 수를 구한다. ◀ 20%

6명이 원형의 탁자에 둘러앉는 경우의 수는
$(6-1)!=5!=5\cdot4\cdot3\cdot2\cdot1=120$

2단계 할머니와 할아버지가 이웃하게 앉는 경우의 수를 구한다. ◀ 40%

이웃하게 서는 할머니와 할아버지를 묶어 한 사람으로 생각하고
5명이 원형으로 서는 경우의 수를 구하면 $(5-1)!=4!=24$
그 각각의 경우에 대하여 할머니와 할아버지가 자리를 바꾸는 경우의 수는
$2!=2$
따라서 구하는 경우의 수는 $24\times2=48$

3단계 딸과 아들이 마주 보게 앉는 경우의 수를 구한다. ◀ 40%

딸을 고정시키면 아들이 앉을 수 있는
경우의 수는 1
나머지 4명이 앉는 경우의 수는 4명을
일렬로 배열하는 순열의 수이므로
$4!=24$
따라서 구하는 경우의 수는 $1\times24=24$

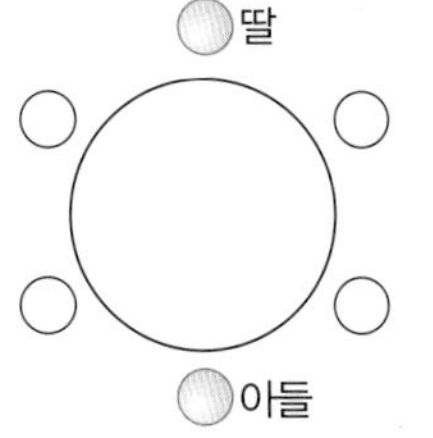

0165

정답 해설참조

1단계 여학생 3명의 학생증을 모두 이웃하게 놓는 경우의 수를 구한다. ◀ 30%

여학생 3명을 묶어 한 사람으로 생각하고
4명의 학생증을 원형으로 올려놓는 경우의 수는 $(4-1)!=3!=6$
그 각각에 대하여 여학생 3명의 학생증의 자리를 서로 바꾸어 놓는 경우의 수는
$3!=6$
따라서 구하는 경우의 수는 $6\times6=36$

2단계 여학생과 남학생의 학생증을 교대로 놓는 경우의 수를 구한다. ◀ 30%

여학생 3명의 학생증을 원형으로 올려놓는 경우의 수는 $(3-1)!=2$
여학생 학생증 사이의 3곳 중에서 3곳을 택하여 남학생의 학생증을 놓는
경우의 수는 ${}_3P_3=3!=6$
따라서 구하는 경우의 수는 $2\times6=12$

3단계 수지와 준기의 학생증을 이웃하지 않게 놓는 경우의 수를 구한다. ◀ 40%

수지와 준기의 학생증을 제외한 4명의 학생증을 원형으로 올려놓는 경우의
수는 $(4-1)!=3!=6$
4명의 학생증 4자리 사이사이에 수지와 준기의 학생증을 놓는 경우의 수는
${}_4P_2=4\times3=12$
따라서 구하는 경우의 수는 $6\times12=72$

다른풀이 경우의 수의 곱의 법칙을 이용하여 풀이하기

(ⅰ) 학생증을 배열하는 전체 경우의 수는 $(6-1)!=5!=120$
(ⅱ) 수지와 준기가 이웃하여 놓일 경우의 수는
수지와 준기를 묶어서 하나로 본 뒤 원순열을 구하고
수지와 준기의 순서를 정하면 되므로 $(5-1)!\times2=48$
따라서 구하는 경우의 수는 $120-48=72$

0166

정답 해설참조

1단계 준비된 9가지의 음식을 서로 다르게 담는 경우의 수를 구한다. ◀ 30%

가운데에 음식을 담는 경우의 수는 ${}_9C_1=9$
나머지 8가지 음식을 원형으로 담는 경우의 수는 $(8-1)!=7!$
따라서 구하는 경우의 수는 $9\times7!=45360$

2단계 가운데에 밀전병을 담고 8가지 음식 중 당근과 소고기를 이웃하여 담는 경우의 수를 구한다. ◀ 30%

가운데에 밀전병을 담고 8가지 음식 중 당근과 소고기를 묶어서 한 가지 음식
이라 생각하면 7가지 음식을 원형으로 담는 경우의 수는 $(7-1)!=6!$
그 각각의 경우에 대하여 당근과 소고기의 자리를 바꾸어 담는 경우의 수는 $2!$
따라서 구하는 경우의 수는 $6!\times2!=1440$

3단계 가운데 밀전병을 담고 8가지 음식 중 고기와 무채를 이웃하지 않게 담는 경우의 수를 구한다. ◀ 40%

가운데 밀전병을 담고 8가지 음식을 원형으로 담는 경우의 수는 $(8-1)!=7!$
또한, 가운데 밀전병을 담고 8가지 음식 중 고기와 무채를 이웃하게 담는 경우
의 수는 $6!\times2!$
따라서 고기와 무채를 이웃하지 않게 담는 경우의 수는
$7!-6!\times2=5040-1440=3600$

0167

정답 해설참조

1단계 다음 그림과 같이 앉아 있는 6명의 학생 A, B, C, D, E, F가 반시계 방향으로 한 칸씩 이동하여 앉기를 반복할 때, 주어진 경우와 회전하여 일치하는 경우를 모두 그려라. ◀ 50%

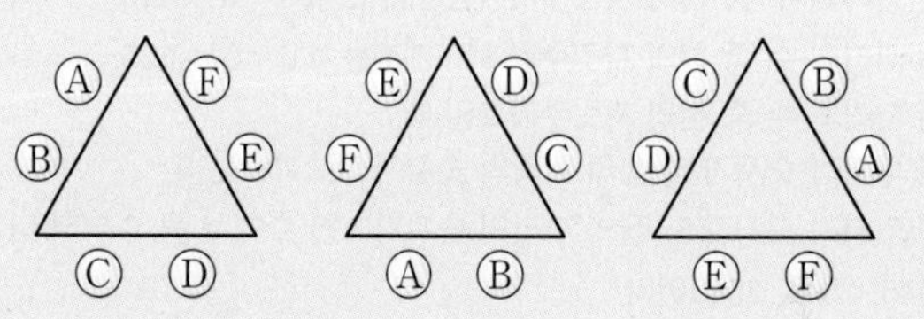

2단계 1단계를 이용하여 (가), (나), (다)에 알맞은 수를 구한다. ◀ 50%

서로 다른 6개를 일렬로 나열하는 순열의 수는 $6!=\boxed{720}$이고,
정삼각형 둘레에 위 그림과 같이 배열하면 회전하여 일치하는 경우가
$\boxed{3}$가지씩 있으므로 구하는 방법의 수는 $\frac{720}{3}=\boxed{240}$이다.

0168

정답 해설참조

1단계 다음 그림과 같이 앉아 있는 6명의 학생 A, B, C, D, E, F가 반시계 방향으로 한 칸씩 이동하여 앉기를 반복할 때, 주어진 경우와 회전하여 일치하는 경우를 모두 그려라. ◀ 50%

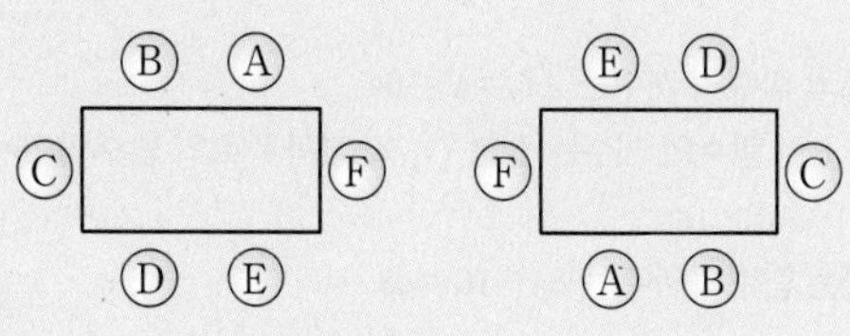

2단계 1단계를 이용하여 (가), (나), (다)에 알맞은 수를 구한다. ◀ 50%

서로 다른 6개를 일렬로 나열하는 순열의 수는 $6!=\boxed{720}$이고,
직사각형 둘레에 위 그림과 같이 배열하면 회전하여 일치하는 경우가
$\boxed{2}$가지씩 있으므로 구하는 방법의 수는 $\frac{720}{2}=\boxed{360}$이다.

0169

정답 해설참조

1단계	10개의 빵 중에서 5개를 택하는 경우의 수를 구한다.	◀ 40%

10개의 빵 중에서 5개를 택하는 경우의 수는 ${}_{10}C_5=252$

2단계	1단계에서 택한 5개의 빵을 바구니에 나누어 담는 경우의 수를 구한다.	◀ 40%

1단계에서 택한 5개의 빵을 바구니에 나누어 담는 경우의 수는 ${}_3\Pi_5=3^5=243$

3단계	1단계, 2단계의 결과를 이용하여 10개의 빵 중에 5개를 택하여 바구니에 나누어 담는 경우의 수를 구한다.	◀ 20%

따라서 구하는 경우의 수는 ${}_{10}C_5\times{}_3\Pi_5=252\times243=61236$

0170

정답 해설참조

1단계	3000보다 큰 자연수의 개수를 구하시오.	◀ 40%

3000보다 큰 자연수는

네 자리의 수 중 천의 자릿수가 3인 개수는 ${}_5\Pi_3=5^3=125$

네 자리의 수 중 천의 자릿수가 4인 개수는 ${}_5\Pi_3=5^3=125$

네 자리의 수 중 천의 자릿수가 5인 개수는 ${}_5\Pi_3=5^3=125$

이므로 3000보다 큰 자연수의 개수는 $3\times5^3=375$

2단계	큰 수부터 차례로 나열할 때, 2543은 몇 번째로 나열된 수인지 구하시오.	◀ 60%

(ⅰ) 천의 자리 숫자가 5, 4, 3인 네 자리 자연수의 개수는

네 자리의 수 중 천의 자릿수가 5인 개수는 ${}_5\Pi_3=5^3=125$

네 자리의 수 중 천의 자릿수가 4인 개수는 ${}_5\Pi_3=5^3=125$

네 자리의 수 중 천의 자릿수가 3인 개수는 ${}_5\Pi_3=5^3=125$

(ⅱ) 네 자리의 수 중 천의 자릿수가 2일 때,

백의 자리 숫자가 5, 십의 자리의 숫자가 5인 개수는 5,

백의 자리 숫자가 5, 십의 자리의 숫자가 4인 수에서 큰 수부터 나열하면 2545, 2544, 2543이다.

(ⅰ), (ⅱ)에서 큰 수부터 차례로 나열할 때, 2543은 $3\times125+5+3=383$번째 수이다.

0171

정답 해설참조

1단계	X에서 Y로의 함수 f 중 $f(1)=7$을 만족시키는 함수의 개수를 구한다.	◀ 40%

$f(1)=7$인 함수의 개수는 집합 $\{2, 3\}$에서 Y로의 함수의 개수와 같다.

즉 구하는 함수의 개수는 ${}_4\Pi_2=4^2=16$

2단계	X에서 Y로의 함수 f 중 $f(2)\neq6$을 만족시키는 함수의 개수를 구한다.	◀ 60%

$f(2)\neq6$인 함수의 개수는 전체 함수의 개수에서 $f(2)=6$인 함수의 개수를 빼면 된다.

X에서 Y로의 함수의 개수는 ${}_4\Pi_3=4^3=64$

이때 $f(2)=6$인 함수의 개수는 집합 $\{1, 3\}$에서 Y로의 함수의 개수와 같으므로 ${}_4\Pi_2=4^2=16$

따라서 구하는 함수의 개수는 $64-16=48$

0172

정답 해설참조

1단계	모든 문자를 나열하는 경우의 수를 구한다.	◀ 30%

BANANA의 6개의 문자 중 서로 같은 것이 A가 3개, N이 2개 있으므로 이를 일렬로 나열하는 경우의 수는 $\frac{6!}{3!2!}=60$

2단계	N이 양 끝에 오도록 나열하는 경우의 수를 구한다.	◀ 30%

N□□□□N와 같이 양 끝에 N를 배열하고 중간에 B, A, A, A를 일렬로 나열하면 되므로 경우의 수는 $1\times\frac{4!}{3!}=4$

3단계	같은 문자끼리 모두 이웃하는 경우의 수를 구한다.	◀ 40%

같은 문자 A, A, A와 N, N끼리 묶어 각각 K, Q로 한 문자로 생각하면 B, K, Q의 3개의 문자를 일렬로 나열하는 경우의 수는 $3!=6$

또, A, A, A와 N, N을 각각 일렬로 배열하면 1가지씩이다.

따라서 구하는 경우의 수는 $1\times1\times3!=6$

0173

정답 해설참조

1단계	1층에 8개의 전구를 배열하는 경우의 수를 구한다.	◀ 20%

1층에 8개의 전구를 배열하는 경우의 수는 $\frac{8!}{4!2!2!}=420$

2단계	2층에 전구를 배열할 때, 파란색 전구 위에는 빨간색 전구와 노란색 전구만 배열하는 경우의 수를 구한다.	◀ 30%

2층에 전구를 배열할 때,

파란색 전구 위에는 빨간색 전구와 노란색 전구만 배열할 수 있으므로

$\frac{4!}{2!2!}=6$가지

3단계	빨간색 전구와 노란색 전구 위에는 파란색 전구만 배열하는 경우의 수를 구한다.	◀ 20%

빨간색 전구와 노란색 전구 위에는 파란색 전구만 배열할 수 있으므로 1가지이다.

4단계	같은 칸에는 서로 다른 색의 전구를 배열하는 경우의 수를 구한다.	◀ 30%

따라서 구하는 경우의 수는 $420\times6=2520$

0174

정답 해설참조

1단계 홀수 번째 자리에 모음이 오게 나열하는 경우의 수를 구한다. ◀ 10%

4개의 홀수 번째 자리에 모음 A, A, I, I를 일렬로 나열하는 경우의 수는

$\frac{4!}{2!2!}=6$

3개의 짝수 번째 자리에 N, M, D를 일렬로 나열하는 경우의 수는

$3!=6$

따라서 구하는 경우의 수는 $6\times6=36$

2단계 A, A가 이웃하게 배열되는 경우의 수를 구한다. ◀ 20%

A, A를 한 문자 X로 생각하여

X, N, M, I, I, D의 6개의 문자를 일렬로 나열하는 경우의 수는 $\frac{6!}{2!}=360$

A, A 자리를 바꾸는 경우의 수는 1

따라서 구하는 경우의 수는 $360\times1=360$

3단계 두 문자 I, I가 서로 이웃하지 않도록 나열하는 경우의 수를 구한다. ◀ 20%

N, A, M, I, D, I, A를 일렬로 나열하는 경우의 수는 $\frac{7!}{2!2!}=1260$

I, I를 하나로 보고 6개를 일렬로 나열하는 경우의 수는 $\frac{6!}{2!}=360$

따라서 구하는 경우의 수는 $1260-360=900$

다른풀이 사이사이 배열하여 풀이하기

N, A, M, D, A의 5개를 일렬로 나열하고 그 사이사이에 I, I를 나열하는 경우의 수를 구한다.

따라서 구하는 경우의 수는 $\frac{5!}{2!}\times{}_6C_2=60\times15=900$

4단계 세 문자 N, M, D 중 어느 2개의 문자도 서로 이웃하지 않도록 나열하는 경우의 수를 구한다. ◀ 20%

4개의 문자 A, A, I, I를 일렬로 나열하는 경우의 수는 $\frac{4!}{2!2!}=6$

이 각각에 대하여 ∨가 놓여 있는 자리에 세 문자 N, M, D를 나열하는 경우의 수는 ${}_5P_3=5\times4\times3=60$

따라서 구하는 경우의 수는 $6\times60=360$

5단계 같은 문자는 이웃하지 않도록 하는 경우의 수를 구한다. ◀ 30%

7개의 문자를 일렬로 나열하는 순열의 수는

$\frac{7!}{2!2!}=1260$ …… ㉠

같은 문자가 이웃하는 경우는

(ⅰ) 'AA'가 있는 순열의 수는 'AA'를 한 문자로 보았을 때의 경우의 수이므로 $\frac{6!}{2!}=360$

(ⅱ) 'II'가 있는 순열의 수는 'II'를 한 문자로 보았을 때의 경우의 수이므로 $\frac{6!}{2!}=360$

(ⅲ) 'AA' 'II'가 동시에 있는 경우의 수는 $5!=120$

(ⅰ)~(ⅲ)에 의하여 같은 문자가 이웃하는 경우의 수는

$360+360-120=600$ …… ㉡

따라서 ㉠, ㉡에 의하여 구하는 순열의 수는 $1260-600=660$

0175

정답 해설참조

1단계 A지점에서 B지점까지 도로를 따라 최단거리로 가는 경우의 수를 구한다. ◀ 30%

도로망에서 최단거리로 가려면 → 또는 ↑방향으로 움직여야 한다.

A지점에서 B지점까지 최단 거리로 가는 경우의 수는

→→→→→↑↑↑↑↑를 일렬로 나열하는 경우의 수와 같으므로

$\frac{10!}{5!5!}=252$ …… ㉠

2단계 A지점에서 P지점을 거쳐 B지점까지 도로를 따라 최단거리로 가는 경우의 수를 구한다. ◀ 40%

A지점에서 P지점까지 최단거리로 가는 경우의 수는

→→↑↑를 일렬로 나열하는 경우의 수와 같으므로

$\frac{4!}{2!2!}=6$

P지점에서 B지점까지 최단거리로 가는 경우의 수는

→→→↑↑↑를 일렬로 나열하는 경우의 수와 같으므로

$\frac{6!}{3!3!}=20$

따라서 구하는 경우의 수는 $6\times20=120$ …… ㉡

3단계 A지점에서 B지점까지 도로를 따라 최단거리로 갈 때 점 P를 거치지 않는 경우의 수를 구한다. ◀ 30%

㉠의 경우의 수에서 ㉡의 경우의 수를 뺀 것과 같으므로 $252-120=132$

다른풀이 합의 법칙을 이용하여 풀이하기

다음과 같이 일일이 세는 방법도 가능하다.

(1)

1	6	21	56	126	252 B
1	5	15	35	70	126
1	4	10	20	35	56
1	3	6	10	15	21
1	2	3	4	5	6
A	1	1	1	1	1

(2)

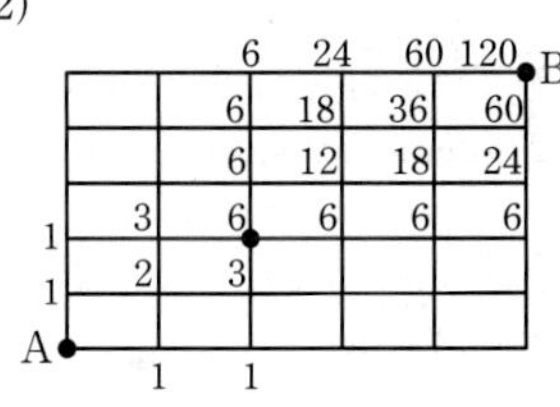

STEP 3 행복한 1등급 문제

0176

 정답 9

STEP A A지점에서 B지점까지 최단거리로 가는 경우의 수 구하기

문제에 주어진 그림을 다시 나타내면 [그림1]과 같고 [그림1]을 다시 나타내면 [그림2]와 같다.

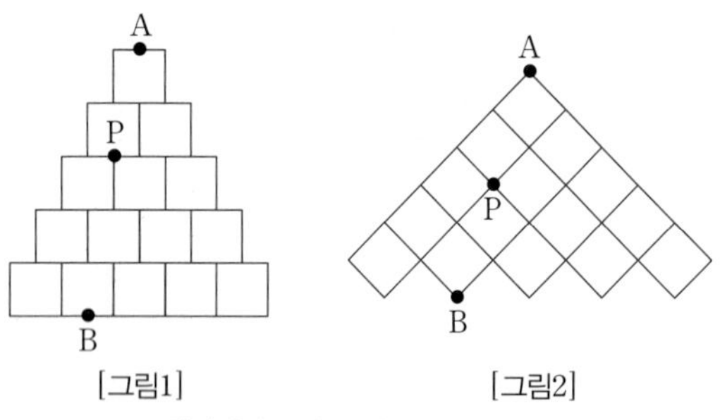

[그림1] [그림2]

따라서 A → P → B로 최단거리로 가는 경우의 수는

$\frac{3!}{2!1!} \times \frac{3!}{2!1!} = 3 \times 3 = 9$

다른풀이 합의 법칙을 이용하여 최단거리로 가는 경우의 수 구하기

주어진 도로망에서 A지점에서 P지점을 거쳐 B지점까지 갈 때, 각 지점에 최단거리로 가는 경우의 수는 위쪽에 이웃한 두 지점의 최단거리로 가는 경우의 수의 합이거나 또는 바로 위쪽의 지점의 최단거리로 가는 경우의 수와 같다.
이를 이용하여 각 지점에 최단거리로 가는 경우의 수를 나타내면 오른쪽 그림과 같다.
따라서 A → P → B로 최단거리로 가는 경우의 수는 9이다.

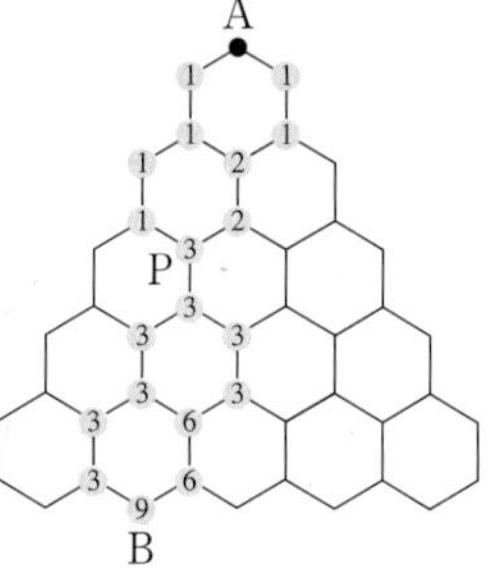

0177

 정답 85

STEP A 네 자리 자연수 중 3의 배수가 되는 조건 구하기

네 자리 자연수 중 3의 배수가 되는 경우는
각 자리의 숫자의 합이 3의 배수가 되는 경우이다.
1, 2, 3, 4로 만든 네 자리 자연수의 각 자리의 숫자의 합 중 가장 작은 값이
$1+1+1+1=4$, 가장 큰 값이 $4+4+4+4=16$이므로
각 자리의 숫자의 합이 3의 배수인 값은 6, 9, 12, 15

STEP B 같은 것이 있는 순열의 수를 이용하여 구하기

(ⅰ) 각 자리의 숫자의 합이 6인 경우

1, 1, 1, 3을 일렬로 나열하는 경우의 수는 $\frac{4!}{3!}=4$

1, 1, 2, 2를 일렬로 나열하는 경우의 수는 $\frac{4!}{2!2!}=6$

즉 각 자리의 숫자의 합이 6인 자연수의 개수는
$4+6=10$

(ⅱ) 각 자리의 숫자의 합이 9인 경우

1, 1, 3, 4를 일렬로 나열하는 경우의 수는 $\frac{4!}{2!}=12$

1, 2, 2, 4를 일렬로 나열하는 경우의 수는 $\frac{4!}{2!}=12$

1, 2, 3, 3을 일렬로 나열하는 경우의 수는 $\frac{4!}{2!}=12$

2, 2, 2, 3을 일렬로 나열하는 경우의 수는 $\frac{4!}{3!}=4$

즉 각 자리의 숫자의 합이 9인 자연수의 개수는
$12+12+12+4=40$

(ⅲ) 각 자리의 숫자의 합이 12인 경우

1, 3, 4, 4를 일렬로 나열하는 경우의 수는 $\frac{4!}{2!}=12$

2, 2, 4, 4를 일렬로 나열하는 경우의 수는 $\frac{4!}{2!2!}=6$

2, 3, 3, 4를 일렬로 나열하는 경우의 수는 $\frac{4!}{2!}=12$

3, 3, 3, 3을 일렬로 나열하는 경우의 수는 1

즉 각 자리의 숫자의 합이 12인 자연수의 개수는 $12+6+12+1=31$

(ⅳ) 각 자리의 숫자의 합이 15인 경우

3, 4, 4, 4를 일렬로 나열하는 경우의 수는 $\frac{4!}{3!}=4$

STEP C 구하는 경우의 수 구하기

(ⅰ)~(ⅳ)에서 구하는 자연수의 개수는 $10+40+31+4=85$

내/신/연/계/ 출제문항 077

3개의 숫자 1, 2, 3 중에서 중복을 허용하여 4개를 택하여 만들 수 있는 2000 이하의 네 자리 자연수 중에서 3의 배수의 개수를 구하여라.

STEP A 3의 개수를 기준으로 같은 것이 있는 순열의 수 구하기

구하는 수의 천의 자리 숫자는 1이고

(ⅰ) 3이 0개 오는 경우
각 자리의 숫자의 합이 3의 배수가 되려면 1이 1개, 2가 2개 포함되어야 하므로 1, 2, 2를 일렬로 배열하는 방법의 수는 $\frac{3!}{1!2!}=3$

(ⅱ) 3이 1개 포함 되는 경우
각 자리의 숫자의 합이 3의 배수가 되려면 3이 1개, 1이 2개 포함되어야 하므로 1, 1, 3을 일렬로 배열하는 방법의 수는 $\frac{3!}{2!1!}=3$

(ⅲ) 3이 2개 포함 되는 경우
각 자리의 숫자의 합이 3의 배수가 되려면 3이 2개, 2가 1개 포함되어야 하므로 2, 3, 3을 일렬로 배열하는 방법의 수는 $\frac{3!}{1!2!}=3$

STEP B 구하는 방법의 수 구하기

(ⅰ)~(ⅲ)에서 구하는 3의 배수의 개수는 $3+3+3=9$

 정답 9

0178

 정답 68

STEP A 1의 개수가 5개인 경우의 수 구하기

1의 개수가 5개인 경우의 수는
0이 3개와 1이 5개인 0, 0, 0, 1, 1, 1, 1, 1을 일렬로 나열하는 경우의 수와 같으므로 $\frac{8!}{3!5!}=56$

STEP B 처음 네 자리가 0110인 경우의 수 구하기

처음 네 자리가 '0110□□□□' 인 경우의 수는
마지막 네 자리에 '0'또는 '1' 을 임의로 나열하는 경우의 수와 같으므로
$2^4=16$

STEP C 중복되는 경우의 수를 구하기

1의 개수가 5개인 동시에 처음 4자리가 '0110[0][1][1][1]' 인 경우의 수는
마지막 네 자리에 '0' 1개와 '1' 3개를 나열하는 경우의 수와 같으므로
$\frac{4!}{1!3!}=4$
따라서 구하는 서로 다른 보안카드의 총 개수는 $56+16-4=68$

다른풀이 조합을 이용하여 풀이하기

STEP A 1의 개수가 5개인 경우, 0110을 처음 네 자리로 하는 경우의 수 구하기

(ⅰ) 1의 개수가 5개인 경우

이는 8자리 중 5자리를 선택하는 경우의 수와 같다.

즉 ${}_8C_5={}_8C_3=56$

(ⅱ) 0110을 처음 네 자리로 하는 경우

이는 0110□□□□와 같은 꼴이므로

뒤에 네 자리에 0 또는 1을 임의로 나열하는 중복순열의 수와 같으므로

${}_2\Pi_4=2^4=16$

STEP Ⓑ 0110을 처음 네 자리로 하면서 1의 개수가 5개인 경우의 수 구하기

(ⅲ) 0110을 처음 네 자리로 하면서 1의 개수가 5개인 경우

즉 0110□□□□의 꼴에서 뒤에 네 자리에 1이 세 개인 경우

${}_4C_3={}_4C_1=4$

STEP Ⓒ 보안카드의 총 개수 구하기

따라서 구하는 서로 다른 보안카드의 총 개수는

(ⅰ)+(ⅱ)−(ⅲ)$=56+16-4=68$

세 개 이상의 사건에서 어느 두 사건도 동시에 일어나지 않으면 합의 법칙을 이용할 수 있지만 그렇지 않을 때에는 꼭 중복된 경우의 수를 빼 주어야 한다.

0179

 ①

STEP Ⓐ 같은 것이 있는 순열의 수를 이용하여 빈칸추론하기

일곱 자리의 자연수를 만들 때,

짝수 번째 자리는 세 군데이므로 숫자 2는 많아야 세 번 사용할 수 있다.

(ⅰ) 숫자 2를 한 번 사용한 경우

2를 십의 자리에 오도록 놓으면 조건을 만족시키도록 만들 수 있는 자연수는 나머지 자리에 1, 1, 1, 1, 1, 3 또는 1, 1, 1, 1, 3, 3 또는 1, 1, 1, 3, 3, 3 또는 1, 1, 3, 3, 3, 3 또는 1, 3, 3, 3, 3, 3을 나열한 것

이므로 그 경우의 수는 $\frac{6!}{5!1!}+\frac{6!}{4!2!}+\frac{6!}{3!3!}+\frac{6!}{2!4!}+\frac{6!}{1!5!}=\boxed{62}$이다.

2를 짝수 번째 자리에 한 번 오도록 놓는 경우의 수는

세 군데 중 한 군데를 선택하는 경우의 수와 같으므로 ${}_3C_1=3$이다.

그러므로 숫자 2를 한 번 사용했을 때 일곱 자리의 자연수를 만들 수 있는 경우의 수는 $3\times62=\boxed{186}$이다.

(ⅲ) 숫자 2를 세 번 사용한 경우

2를 모든 짝수 번째 자리에 오도록 놓으면

조건을 만족시키도록 만들 수 있는 자연수는 홀수 번째 자리에 1, 3을 모두 한 번 이상씩 사용하여 만든 것이므로 나머지 자리에 1, 1, 1, 3 또는 1, 1, 3, 3 또는 1, 3, 3, 3을 나열하여 만든 것이다.

그러므로 그 경우의 수는 $\frac{4!}{3!1!}+\frac{4!}{2!2!}+\frac{4!}{1!3!}=\boxed{14}$이다.

다른풀이 중복순열을 이용하여 풀이하기

숫자 2를 세 번 사용한 경우

2를 모든 짝수 번째 자리에 오도록 놓으면 조건을 만족시키도록 만들 수 있는 자연수는 홀수 번째 자리에 1, 3을 모두 한 번 이상씩 사용하여 만든 것이다. 즉 구하려는 값은 1, 3을 중복을 허락하여 네 개를 선택한 후 일렬로 나열하는 경우의 수에서 1을 네 개, 3을 네 개 선택한 경우의 수 2를 뺀 값이므로 ${}_2\Pi_4-2=2^4-2=\boxed{14}$이다.

따라서 $p=62$, $q=186$, $r=14$이므로 $p+q+r=262$

참고 (ⅱ) 숫자 2를 두 번 사용한 경우

2, 2를 십의 자리와 천의 자리에 오도록 놓으면 조건을 만족시키도록 만들 수 있는 자연수는 나머지 자리에

1, 1, 1, 1, 3 또는 1, 1, 1, 3, 3 또는 1, 1, 3, 3, 3 또는 1, 3, 3, 3, 3

을 나열한 것이므로 그 경우의 수는 $\frac{5!}{4!1!}+\frac{5!}{3!2!}+\frac{5!}{2!3!}+\frac{5!}{1!4!}=30$

2를 짝수 번째 자리에 두 번 오도록 놓는 경우의 수는 ${}_3C_2=3$

그러므로 숫자 2를 두 번 사용했을 때, 일곱 자리의 자연수를 만들 수 있는 경우의 수는 $3\times30=90$

0180

 ④

STEP Ⓐ 주사위를 3번 던져서 나오는 눈의 수의 곱이 홀수인 경우의 수 구하기

(ⅰ) 한 개의 주사위를 3번 던져서 나오는 모든 경우의 수는

$6^3=216$

(ⅱ) 한 개의 주사위를 3번 던져서 나오는 눈의 수의 곱이 홀수인 경우는

1, 3, 5 중에서 중복을 허락하여 3개를 선택한 후 일렬로 배열하는

중복순열과 같으므로 이 경우의 수는 ${}_3\Pi_3=3^3=\boxed{27}$

STEP Ⓑ 같은 것이 있는 순열을 이용하여 세 수의 곱이 8 미만인 경우를 구하여 여사건을 이용하기

(ⅲ) 6 이하의 짝수는 2, 4, 6이므로 세 수의 곱이 2인 경우의 수는

2, 1, 1을 일렬로 배열하는 순열의 수와 같으므로

$\frac{3!}{2!}=3$ …… ㉠

세 수의 곱이 4인 경우의 수는

4, 1, 1 또는 2, 2, 1을 일렬로 배열하는 순열의 수와 같으므로

$\frac{3!}{2!}+\frac{3!}{2!}=3+3=6$ …… ㉡

세 수의 곱이 6인 경우의 수는

6, 1, 1 또는 3, 2, 1을 일렬로 배열하는 순열의 수와 같으므로

$\frac{3!}{2!}+3!=3+6=9$ …… ㉢

㉠, ㉡, ㉢에서 한 개의 주사위를 3번 던져서 나오는 눈의 수의 곱이

6 이하의 짝수인 경우의 수는 $3+6+9=\boxed{18}$

(ⅰ)~(ⅲ)에서 한 개의 주사위를 3번 던져서 나오는 눈의 수의 곱이 8 이상의 짝수인 경우의 수는 $216-27-18=\boxed{171}$

STEP Ⓒ $3a+2b+c$의 값 구하기

따라서 $a=27$, $b=18$, $c=171$이므로 $3a+2b+c=288$

0181

 228

STEP Ⓐ 전체 경우의 수 구하기

서로 다른 3개의 상자에 서로 다른 5개의 공을 넣는 방법의 수는

${}_3\Pi_5=243$

STEP Ⓑ 합이 13 이상이 되는 경우의 수 구하기

합이 13 이상이 되는 상자가 있는 경우는 다음과 같다.

(ⅰ) 1, 3, 4, 5가 적힌 공을 한 상자에, 2가 적힌 공을 다른 두 상자에 넣는 경우의 수는 ${}_3P_2=6$

(ⅱ) 2, 3, 4, 5가 적힌 공을 한 상자에, 1이 적힌 공을 다른 두 상자에 넣는 경우의 수는 ${}_3P_2=6$

(ⅲ) 1, 2, 3, 4, 5가 적힌 공을 한 상자에 넣는 방법의 수는 3

STEP Ⓒ 구하는 경우의 수 구하기

따라서 구하는 모든 경우의 수는 $243-(6+6+3)=228$

다른풀이 합이 13 이상이 되는 상자가 존재하는 경우를 이용하여 풀이하기

STEP Ⓐ 전체 경우의 수 구하기

5개의 공에 적힌 수를 모두 더하면 15이므로

여사건을 이용하는 것이 효율적이다.

이때 여사건의 수는 합이 13, 14, 15인 경우로 나눠 구하면 된다.

구하는 방법의 수는 5개의 공을 3개의 상자에 넣는 모든 방법의 수에서 어떤 한 상자에 넣어진 공에 적힌 수의 합이 13 이상이 되도록 넣는 방법의 수를 빼어 구하면 된다.

즉 3개의 상자 A, B, C에 서로 다른 5개의 공을 임의로 넣는 경우의 수는

${}_3\Pi_5=3^5=243$

STEP Ⓑ **합이 13 이상이 되는 경우의 수 구하기**

상자에 있는 공에 적힌 숫자의 합이 13 이상인 상자가 존재하는 경우의 수는 다음과 같다.

(ⅰ) 합이 13인 경우

공을 (1, 3, 4 ,5), (2), (0)으로 나눈 후 세 상자 A, B, C에 넣는 경우의 수는 $3!=6$

 세 상자 중 어느 한 상자에 1, 3, 4, 5가 들어가고 2는 나머지 두 상자 중 어느 하나에 들어가는 경우의 수는 $3\times2=6$

(ⅱ) 합이 14인 경우

공을 (2, 3, 4, 5), (1), (0)으로 나눈 후 세 상자 A, B, C에 넣는 경우의 수는 $3!=6$

 세 상자 중 어느 한 상자에 2, 3, 4, 5가 들어가고 1은 나머지 두 상자 중 어느 하나에 들어가는 경우의 수는 $3\times2=6$

(ⅲ) 합이 15인 경우

공을 (1, 2, 3, 4, 5), (0), (0)으로 나눈 후 세 상자 A, B, C에 넣는 경우의 수는 $\frac{3!}{2!}=3$

 세 상자 중 어느 한 상자에 1, 2, 3, 4, 5가 들어가는 경우의 수는 3

STEP Ⓒ **구하는 방법의 수 구하기**

(ⅰ)~(ⅲ)에 의하여 구하는 방법의 수는 $243-(6+6+3)=228$

다른풀이 경우의 수의 곱의 법칙을 이용하여 풀이하기

3개의 상자 A, B, C에 서로 다른 5개의 공을 임의로 넣는 경우의 수는

${}_3\Pi_5=3^5=243$

이때 상자에 있는 공에 적힌 숫자의 합이 13 이상인 상자는 많아야 1개이므로 공에 적힌 숫자의 합이 13 이상인 경우가 존재하려면 세 상자 중 어느 한 상자에는 3, 4, 5가 적힌 공은 반드시 들어가고 이 상자에 1, 2가 적힌 공 중에서 적어도 하나가 들어가야 한다.

즉 이 경우의 수는 ${}_3C_1\times({}_3\Pi_2-{}_2\Pi_2)=3(9-4)=15$

따라서 구하는 경우의 수는 $243-15=228$

내/신/연/계/ 출제문항 078

1, 2, 3, 4의 숫자가 각각 적힌 4개의 공을 3개의 상자 A, B, C에 나누어 넣으려고 한다. 어느 상자도 넣어진 공에 적힌 수의 합이 8 이상이 되는 경우가 없도록 공을 상자에 나누어 넣는 방법의 수를 구하여라.
(단, 빈 상자의 경우에는 넣어진 공에 적힌 수의 합을 0으로 생각한다.)

STEP Ⓐ **3개의 상자에 4개의 공을 나누어 넣는 방법의 수 구하기**

3개의 상자 A, B, C에 4개의 공을 나누어 넣는 방법의 수는 ${}_3\Pi_4=3^4=81$

STEP Ⓑ **합이 8 이상이 되는 경우의 수 구하기**

(ⅰ) 공에 적힌 수의 합이 8인 상자가 있는 경우는 (2), (1, 3, 4)이고 그 방법의 수는 $3!=6$

(ⅱ) 공에 적힌 수의 합이 9인 상자가 있는 경우는 (1), (2, 3, 4)이고 그 방법의 수는 $3!=6$

(ⅲ) 공에 적힌 수의 합이 10인 상자가 있는 경우는 (1, 2, 3, 4)이고 그 방법의 수는 $\frac{3!}{2!}=3$

STEP Ⓒ **전체 경우의 수에서 (ⅰ)~(ⅲ)의 경우의 수를 빼어 방법의 수를 구하기**

따라서 구하는 방법의 수는 $81-(6+6+3)=66$

 정답 66

0182

 정답 450

STEP Ⓐ **조건을 만족하도록 선택하고 같은 것이 있는 순열을 이용하여 자연수의 개수 구하기**

조건 (가)에서 각각의 홀수는 선택되지 않거나 한 번만 선택되어야 하고 조건 (나)에서 각각의 짝수는 선택되지 않거나 두 번만 선택되어야 하므로 홀수는 1개, 3개 선택되어야 한다. ⬅ 짝수가 선택되면 각각 두 번만 선택되므로

(ⅰ) **홀수 1개, 짝수 4개를 선택하는 경우**

홀수 3개 중 1개를 선택하고

짝수 3개 중 2개가 각각 2번씩 선택되어야 하므로 경우의 수는

${}_3C_1\times{}_3C_2=3\times3=9$

이 각각에 대하여 이 수를 나열하는 경우의 수는 $\frac{5!}{2!2!}=30$

즉 구하는 다섯 자리의 자연수의 개수는 $9\times30=270$

⬅ 12244, 12266, 14466, 32244, 32266, 34466, 52244, 52266, 54466을 나열하는 경우의 수 $\frac{5!}{2!2!}\times9=270$

(ⅱ) **홀수 3개, 짝수 2개를 선택하는 경우**

홀수 3개 중 3개를 선택하고

짝수 3개 중 1개가 2번 선택되어야 하므로 경우의 수는

${}_3C_3\times{}_3C_1=3$

이 각각에 대하여 이 수를 나열하는 경우의 수는 $\frac{5!}{2!}=60$

즉 구하는 다섯 자리의 자연수의 개수는 $3\times60=180$

⬅ 13522, 13544, 13566을 나열하는 경우의 수 $\frac{5!}{2!}\times3=180$

STEP Ⓑ **모든 다섯 자리의 자연수의 개수 구하기**

(ⅰ), (ⅱ)에서 구하는 경우의 수는 $270+180=450$

0183

 정답 81

STEP Ⓐ **공의 개수가 모두 3의 배수가 되도록 각 상자에 넣을 경우 구하기**

조건을 만족하는 경우 각각의 상자에 넣는 공의 총 개수는 3개 또는 6개이므로 검은 공이 각각 1개, 2개, 3개 들어 있는 상자에 차례대로 전체 공의 개수를 3, 3, 6 또는 3, 6, 3 또는 6, 3, 3으로 넣을 수 있다.

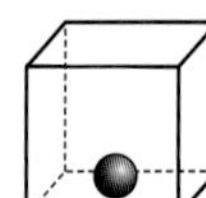 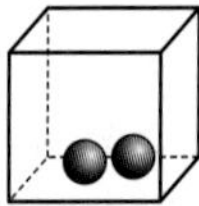 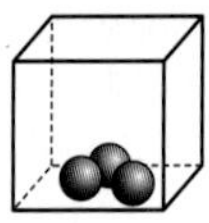

STEP Ⓑ **각 상황별로 흰 공을 넣는 경우의 수 구하기**

(ⅰ) 상자에 들어갈 전체 공의 수가 3, 3, 6인 경우는

흰 공의 개수를 각각 2, 1, 3으로 넣어야 하므로 경우의 수는

$\frac{6!}{2!3!}=60$ ⬅ ${}_6C_2\times{}_4C_1\times{}_3C_3=15\times4\times1=60$

(ⅱ) 상자에 들어갈 전체 공의 수가 3, 6, 3인 경우는

흰 공의 개수를 각각 2, 4, 0으로 넣어야 하므로 경우의 수는

$\frac{6!}{2!4!}=15$ ⬅ ${}_6C_2\times{}_4C_4=15$

(ⅲ) 상자에 들어갈 전체 공의 수가 6, 3, 3인 경우는

흰 공의 개수를 각각 5, 1, 0으로 넣어야 하므로 경우의 수는

$\frac{6!}{5!}=6$ ⬅ ${}_6C_5\times{}_1C_1=6$

(ⅰ)~(ⅲ)에서 구하는 모든 경우의 수는 $60+15+6=81$

STEP 1 내신정복 기출유형

04 중복조합

0184

 ⑤

STEP Ⓐ **순열과 조합의 기호 계산하기**

① ${}_4\Pi_2=4^2=16$

② ${}_4C_3=\dfrac{4!}{3!}=4$

③ ${}_3H_5={}_7C_5=\dfrac{7!}{2!5!}=21$

④ ${}_7C_5=\dfrac{7!}{2!5!}=21$

⑤ ${}_5H_3={}_7C_3=\dfrac{7!}{3!4!}=35$

$\therefore\ {}_4C_3<{}_4\Pi_2<{}_3H_5={}_7C_5<{}_5H_3$

0185

 ②

STEP Ⓐ **중복순열과 중복조합의 공식을 이용하여 계산하기**

${}_2\Pi_3+{}_2H_3=2^3+{}_{2+3-1}C_3=8+4=12$

0186

 ②

STEP Ⓐ **중복조합 계산하기**

${}_3H_r={}_8C_6$에서

${}_3H_r={}_{3+r-1}C_r={}_{2+r}C_r={}_{2+r}C_2={}_8C_6={}_8C_2$이므로 $2+r=8$

따라서 $r=6$

0187

 ④

STEP Ⓐ **중복조합을 계산하여 r 구하기**

${}_3H_r={}_{3+r-1}C_r={}_{2+r}C_r={}_{2+r}C_2$

이때 ${}_{r+2}C_2={}_7C_2$이므로 $r=5$

STEP Ⓑ **${}_4H_r$의 값 구하기**

따라서 $r=5$이므로 ${}_4H_5={}_{4+5-1}C_5={}_8C_5={}_8C_3=56$

내/신/연/계/ 출제문항 079

자연수 r에 대하여 ${}_3H_r={}_8C_2$일 때, ${}_4H_r$의 값은?

① 18 ② 34 ③ 56
④ 72 ⑤ 84

STEP Ⓐ **중복조합을 계산하여 r 구하기**

${}_3H_r={}_{3+r-1}C_r={}_{2+r}C_r={}_{2+r}C_2$

이때 ${}_{r+2}C_2={}_8C_2$이므로 $r=6$

STEP Ⓑ **${}_4H_r$의 값 구하기**

따라서 $r=6$이므로 ${}_4H_6={}_{4+6-1}C_6={}_9C_6={}_9C_3=84$

 ⑤

0188

 ③

STEP Ⓐ **중복조합을 계산하여 r 구하기**

${}_4H_r={}_{4+r-1}C_r={}_{3+r}C_r={}_{3+r}C_3$

이때 ${}_{3+r}C_3={}_9C_3$이므로 $r=6$

STEP Ⓑ **${}_rH_4$의 값 구하기**

따라서 $r=6$이므로 ${}_6H_4={}_{6+4-1}C_4={}_9C_4=126$

0189

 ②

STEP Ⓐ **중복순열을 계산하여 n 구하기**

조건 (가)에서 ${}_n\Pi_3=n^3=8$이므로 $n=2$

STEP Ⓑ **중복조합을 계산하여 r 구하기**

조건 (나)에서 ${}_3H_r={}_{3+r-1}C_r={}_{2+r}C_r={}_{2+r}C_2$

즉 ${}_{2+r}C_2=\dfrac{(2+r)(1+r)}{2}=15$

$(2+r)(1+r)=30=6\times5$이므로 $r=4$

따라서 $n+r=2+4=6$

내/신/연/계/ 출제문항 080

${}_3H_n=21$일 때, 자연수 n의 값은?

① 4 ② 5 ③ 6
④ 7 ⑤ 8

STEP Ⓐ **중복조합의 수 계산하기**

${}_3H_n={}_{n+2}C_n={}_{n+2}C_2=\dfrac{(n+2)(n+1)}{2}$이므로 $\dfrac{(n+2)(n+1)}{2}=21$

$n^2+3n-40=0,\ (n-5)(n+8)=0$

따라서 n이 자연수이므로 $n=5$

정답 ②

0190

 ③

STEP Ⓐ **중복조합을 이용하여 빈칸 채우기**

위의 모든 경우는 4개의 '1' 과 2개의 '/' 를 일렬로 배열한 것과 같다.

따라서 모든 경우의 수는 같은 것이 있는 순열의 수

$\boxed{\dfrac{6!}{4!2!}}=15$ 또는 조합의 수 $\boxed{{}_6C_4}=15$와 같고

이로부터 ${}_3H_4={}_6C_4$임을 알 수 있다.

일반적으로 서로 다른 n개에서 r개를 택하는 중복조합의 수 ${}_nH_r$는

r개의 '1' 과 $(n-1)$개의 '/' 를 일렬로 배열하는 경우의 수와 같으므로

$\boxed{\dfrac{(n+r-1)!}{r!(n-1)!}}={}_{n+r-1}C_r$와 같다.

즉 ${}_nH_r={}_{n+r-1}C_r$이다.

0191

 ③

STEP Ⓐ **중복조합을 이용하여 경우의 수 구하기**

5가지 종류의 노트 중에서 중복을 허용하여 9개의 노트를 택하는 중복조합의 수이므로 ${}_5H_9={}_{13}C_9={}_{13}C_4=715$

0192

정답 ①

STEP A 중복조합의 공식을 이용하여 계산하기

3종류의 음료수 중에서 중복을 허용하여 5개를 택하는 조합의 수와 같으므로
구하는 방법의 수는 ${}_3\mathrm{H}_5={}_{3+5-1}\mathrm{C}_5={}_7\mathrm{C}_5={}_7\mathrm{C}_2=21$

내/신/연/계/ 출제문항 081

빨간색, 초록색, 파란색, 검은색 볼펜 각각 7개씩 있다. 이 볼펜 중에서 7개를 선택하는 경우의 수는? (단, 같은 색의 볼펜끼리는 구별하지 않는다.)

① 108 ② 112 ③ 116
④ 120 ⑤ 124

STEP A 중복조합의 수 구하기

서로 다른 볼펜 4개에서 중복을 허용하여 7개를 선택하는 경우의 수이므로
${}_4\mathrm{H}_7={}_{4+7-1}\mathrm{C}_7={}_{10}\mathrm{C}_7={}_{10}\mathrm{C}_3=120$  ④

0193

 ④

STEP A 중복조합의 공식을 이용하여 계산하기

네 종류의 연필 중에서 8개의 연필을 사는 경우의 수는 서로 다른 4개에서 8개를 택하는 중복조합의 수인 ${}_4\mathrm{H}_8$이다.
따라서 구하는 경우의 수는 ${}_4\mathrm{H}_8={}_{4+8-1}\mathrm{C}_8={}_{11}\mathrm{C}_8={}_{11}\mathrm{C}_{11-8}={}_{11}\mathrm{C}_3=165$

0194

 ③

STEP A 중복조합을 이용하여 경우의 수 구하기

서로 다른 세 종류의 공에서 6개의 공을 택하는 경우의 수는 ${}_3\mathrm{H}_6={}_{3+6-1}\mathrm{C}_6=28$

다른풀이 부정방정식을 이용하여 풀이하기

나오는 빨간 공, 노란 공, 파란 공의 개수를 각각 x, y, z라고 하면
구하는 방법의 수는 방정식 $x+y+z=6$에서 x, y, z가 모두 음이 아닌 정수인 해의 개수와 같다.
따라서 구하는 방법의 수는 ${}_3\mathrm{H}_6={}_{3+6-1}\mathrm{C}_6={}_8\mathrm{C}_6={}_8\mathrm{C}_2=28$

내/신/연/계/ 출제문항 082

빨간색, 파란색, 노란색 공이 각각 5개, 10개, 15개씩 있다.
이 중에서 6개의 공을 택하는 경우의 수는?
(단, 같은 색의 공은 서로 구별되지 않는다.)

① 24 ② 25 ③ 26
④ 27 ⑤ 28

STEP A 중복조합을 이용하여 경우의 수 구하기

서로 다른 세 종류의 공에서 6개의 공을 택하는 경우의 수는 ${}_3\mathrm{H}_6={}_{3+6-1}\mathrm{C}_6=28$
이때 빨간색 공을 6개 택하는 경우는 일어나지 않으므로 구하는 경우의 수는
$28-1=27$

다른풀이 부정방정식을 이용하여 풀이하기

나오는 빨간 공, 노란 공, 파란 공의 개수를 각각 x, y, z라고 하면
구하는 방법의 수는 방정식 $x+y+z=6$에서 x, y, z가 모두 음이 아닌 정수인 해의 개수에서 x는 6의 해를 가질 수 없으므로 구하는 방법의 수는
${}_3\mathrm{H}_6={}_{3+6-1}\mathrm{C}_6={}_8\mathrm{C}_6={}_8\mathrm{C}_2=28$에서 $28-1=27$  ④

0195

정답 ②

STEP A 중복조합의 공식을 이용하여 계산하기

서로 다른 4개의 문자에서 중복을 허락하여 n개를 택하는 경우의 수는
서로 다른 4개에서 n개를 택하는 중복조합의 수와 같으므로

$${}_4\mathrm{H}_n={}_{4+n-1}\mathrm{C}_n={}_{n+3}\mathrm{C}_n={}_{n+3}\mathrm{C}_3=\frac{(n+3)(n+2)(n+1)}{6}$$

STEP B ${}_4\mathrm{H}_n=120$임을 만족하는 n의 값 구하기

즉 $\frac{(n+3)(n+2)(n+1)}{6}=120$이므로
$(n+3)(n+2)(n+1)=720=10\times9\times8$
따라서 $n=7$

내/신/연/계/ 출제문항 083

서로 다른 3종류의 바이러스 진단키트 중에서 중복을 허락하여 n개의 바이러스 진단키트를 주문하는 경우의 수가 55일 때, n의 값은?
(단, 각 종류의 바이러스 진단키트는 충분히 많고, 주문하지 않은 바이러스 진단키트의 종류가 있을 수 있다.)

① 8 ② 9 ③ 10
④ 11 ⑤ 12

STEP A 중복조합의 공식을 이용하여 계산하기

서로 다른 3종류의 바이러스 진단키트 중에서 중복을 허락하여
n개의 진단키트를 주문하는 경우의 수는 서로 다른 3개에서 n개를 택하는 중복조합의 수와 같으므로

$${}_3\mathrm{H}_n={}_{3+n-1}\mathrm{C}_n={}_{n+2}\mathrm{C}_n={}_{n+2}\mathrm{C}_2=\frac{(n+2)(n+1)}{2\times1}$$

STEP B ${}_3\mathrm{H}_n=55$임을 만족하는 n의 값 구하기

즉 $\frac{(n+2)(n+1)}{2}=55$
$n^2+3n-108=0$, $(n+12)(n-9)=0$
따라서 n은 자연수이므로 $n=9$  ②

0196

 ⑤

STEP A 오렌지 맛 사탕 다섯 개를 네 명의 학생에게 나누어 주는 경우의 수 구하기

오렌지 맛 사탕 5개를 네 명의 학생에게 나누어 주는 경우의 수는
서로 다른 네 개에서 다섯 개를 선택하는 중복조합과 같으므로
${}_4\mathrm{H}_5={}_{4+5-1}\mathrm{C}_5={}_8\mathrm{C}_5={}_8\mathrm{C}_3=56$

STEP B 딸기 맛 사탕 네 개를 네 명의 학생에게 나누어 주는 경우의 수 구하기

딸기 맛 사탕 4개를 네 명의 학생에게 나누어 주는 경우의 수는
서로 다른 네 개에서 네 개를 선택하는 중복조합과 같으므로
${}_4\mathrm{H}_4={}_{4+4-1}\mathrm{C}_4={}_7\mathrm{C}_4={}_7\mathrm{C}_3=35$

STEP C 곱의 법칙을 이용하여 경우의 수 구하기

따라서 구하는 경우의 수는 $56\times35=1960$

내/신/연/계/ 출제문항 084

같은 종류의 볼펜 3개와 같은 종류의 색연필 5개를 4명의 학생에게 남김없이 나누어 주는 경우의 수는? (단, 아무 것도 받지 못하는 사람이 있을 수 있다.)

① 1100 ② 1110 ③ 1120
④ 1130 ⑤ 1140

STEP Ⓐ 볼펜 3개를 네 명의 학생에게 나누어 주는 경우의 수 구하기

같은 종류의 볼펜 3개를 네 명의 학생에게 남김없이 나누어 주는 경우의 수는 서로 다른 4개에서 3개를 택하는 중복조합의 수와 같으므로

${}_4H_3={}_{4+3-1}C_3={}_6C_3=20$

STEP Ⓑ 색연필 5개를 네 명의 학생에게 나누어 주는 경우의 수 구하기

이 각각에 대하여 같은 종류의 색연필 5개를 네 명의 학생에게 남김없이 나누어 주는 경우의 수는 서로 다른 4개에서 5개를 택하는 중복조합의 수와 같으므로

${}_4H_5={}_{4+5-1}C_5={}_8C_5={}_8C_3=56$

STEP Ⓒ 곱의 법칙을 이용하여 경우의 수 구하기

따라서 구하는 경우의 수는 $20\times56=1120$

 ③

0197

 ④

STEP Ⓐ 5개의 사탕을 서로 다른 3개의 바구니에 나누어 주는 경우의 수 구하기

서로 다른 3개의 바구니에 5개의 사탕을 나누어 담는 경우의 수는
서로 다른 3개에서 5개를 택하는 중복조합의 수와 같으므로

${}_3H_5={}_7C_5={}_7C_2=21$

STEP Ⓑ 7개의 초콜릿을 서로 다른 3개의 바구니에 나누어 주는 경우의 수 구하기

이 각각에 대하여
서로 다른 3개의 바구니에 7개의 초콜릿을 나누어 담는 경우의 수는
서로 다른 3개에서 7개를 택하는 중복조합의 수와 같으므로

${}_3H_7={}_9C_7={}_9C_2=36$

STEP Ⓒ 곱의 법칙을 이용하여 경우의 수 구하기

따라서 구하는 방법의 수는 $21\times36=756$

0198

 ⑤

STEP Ⓐ 주스, 생수, 우유를 각각 3명에게 나누어 주는 경우는 중복조합을 이용하여 경우의 수 구하기

(ⅰ) 같은 종류의 주스 4병을 3명에게 나누어 주는 경우의 수는
${}_3H_4={}_{3+4-1}C_4={}_6C_4={}_6C_2=15$

(ⅱ) 같은 종류의 생수 2병을 3명에게 나누어 주는 경우의 수는
${}_3H_2={}_{3+2-1}C_2={}_4C_2=6$

(ⅲ) 우유 1병을 3명에게 나누어 주는 경우의 수는 ${}_3H_1={}_{3+1-1}C_1={}_3C_1=3$

STEP Ⓑ 곱의 법칙을 이용하여 경우의 수 구하기

(ⅰ)~(ⅲ)에서 주스를 나누어 주는 것, 생수를 나누어 주는 것, 우유를 나누어 주는 것은 동시에 일어나므로 곱의 법칙에 의해 $15\times6\times3=270$

0199

 ⑤

STEP Ⓐ 짝수 두 개를 중복해서 선택하는 경우의 수 구하기

두 수 2, 4에서 중복을 허락하여 두 개를 선택하는 경우의 수는

${}_2H_2={}_3C_2=3$ ⬅ (2, 2), (4, 4), (2, 4)의 3개

STEP Ⓑ 세 수에서 중복을 허락하여 5개를 선택하는 경우의 수 구하기

세 수 1, 3, 5에서 중복을 허락하여 5개를 선택하는 경우의 수는

${}_3H_5={}_7C_5={}_7C_2=21$

따라서 구하는 경우의 수는 $3\times21=63$

0200

 ①

STEP Ⓐ 전개식의 서로 다른 항의 개수 구하기

$(x+y+z)^4=\underbrace{(x+y+z)(x+y+z)\times\cdots\times(x+y+z)}_{4\text{개}}$이므로

다항식 $(x+y+z)^4$을 전개할 때 생기는 각 항은 다음과 같은 꼴이다.

$$x^4,\ x^3y,\ \cdots,\ xyz^2,\ \cdots,\ yz^3,\ z^4$$

$(x+y+z)^4$의 전개식에서 서로 다른 항의 개수는 3개의 문자 x, y, z에서 중복을 허용하여 4개를 택하는 조합의 수와 같다.

따라서 구하는 서로 다른 항의 개수는 ${}_3H_4={}_{3+4-1}C_4={}_6C_4={}_6C_2=15$

다른풀이 음이 아닌 정수해의 개수를 이용하여 풀이하기

$(x+y+z)^4$을 전개할 때 생기는 항은

$x^ay^bz^c$ (단, $a+b+c=4$, a, b, c는 음이 아닌 정수)으로 나타낼 수 있다.

$a+b+c=4$이므로 3개의 문자 a, b, c에서 중복을 허용하여 4개를 택하고 그 곱을 만드는 것과 같으므로 ${}_3H_4={}_{3+4-1}C_4={}_6C_4=15$

0201

 ②

STEP Ⓐ 중복조합을 이용하여 구하기

$(x+y+z+w)^n$의 전개식에서 서로 다른 항의 개수는
4개의 문자 x, y, z, w 중 n개를 택하는 중복조합의 수와 같으므로

${}_4H_n={}_{4+n-1}C_n={}_{3+n}C_3=\dfrac{(n+3)(n+2)(n+1)}{3\times2\times1}$

STEP Ⓑ 서로 다른 항의 개수가 35일 때, n의 값 구하기

$\dfrac{(n+3)(n+2)(n+1)}{3\times2\times1}=35$에서 $(n+3)(n+2)(n+1)=35\times6=7\times6\times5$

따라서 $n=4$

내/신/연/계/ 출제문항 085

자연수 n에 대하여 다항식 $(x+y+z+w)^n$의 전개식에서 서로 다른 항의 개수가 56일 때, n의 값은?

① 3 ② 4 ③ 5
④ 6 ⑤ 7

STEP Ⓐ 전개식의 서로 다른 항의 개수 구하기

$(x+y+z+w)^n$의 전개식에서 서로 다른 항의 개수는
4개의 문자 x, y, z, w 중에서 n개를 택하는 중복조합의 수와 같으므로

${}_4H_n={}_{4+n-1}C_n={}_{3+n}C_3=\dfrac{(n+3)(n+2)(n+1)}{3\times2\times1}$

STEP Ⓑ 서로 다른 항의 개수가 56일 때, n의 값 구하기

$\dfrac{(n+3)(n+2)(n+1)}{3\times2\times1}=56$에서 $(n+3)(n+2)(n+1)=56\times6=8\times7\times6$

따라서 $n=5$

 ③

0202

 ④

STEP Ⓐ $(w+x+y+z)^6$**의 전개식에서 항의 개수 구하기**

$(w+x+y+z)^6$의 전개식에서 서로 다른 모든 항의 개수는

${}_4\mathrm{H}_6={}_{4+6-1}\mathrm{C}_6={}_9\mathrm{C}_6={}_9\mathrm{C}_3=84$

STEP Ⓑ $(x+y+z)^6$**의 전개식에서 항의 개수 구하기**

w를 포함하지 않는 $(x+y+z)^6$의 전개식에서 항의 개수는

${}_3\mathrm{H}_6={}_{3+6-1}\mathrm{C}_6={}_8\mathrm{C}_6={}_8\mathrm{C}_2=28$

STEP Ⓒ w**를 포함하는 서로 다른 항의 개수구하기**

따라서 w를 포함하는 항의 개수는 $84-28=56$

w, x, y, z 네 개의 문자 중 중복을 허용하여 6개를 뽑는 것이다.
이때 6개 중 하나로 이미 w를 뽑았다고 가정한 뒤 나머지 5개를 중복조합 하면 ${}_4\mathrm{H}_5={}_8\mathrm{C}_5={}_8\mathrm{C}_3=56$

내신연계 출제문항 086

$(a+b+c)^6$의 전개식에서 c를 인수로 갖는 서로 다른 항의 개수는?

① 19 ② 20 ③ 21
④ 22 ⑤ 23

STEP Ⓐ $(a+b+c)^6$**의 전개식에서 서로 다른 항의 개수 구하기**

$(a+b+c)^6$의 전개식에서 항의 개수는 a, b, c에서 중복을 허락하여 6개를 택하는 경우의 수와 같으므로 ${}_3\mathrm{H}_6={}_{3+6-1}\mathrm{C}_6={}_8\mathrm{C}_6={}_8\mathrm{C}_2=28$

STEP Ⓑ $(a+b)^6$**의 전개식에서 서로 다른 항의 개수 구하기**

이 중 c를 인수로 갖지 않는 항의 개수는 a, b에서 중복을 허락하여 6개를 택하는 경우의 수와 같으므로 ${}_2\mathrm{H}_6={}_{2+6-1}\mathrm{C}_6={}_7\mathrm{C}_6={}_7\mathrm{C}_1=7$

STEP Ⓒ c**를 인수로 갖는 항의 개수 구하기**

따라서 c를 인수로 갖는 항의 개수는 $28-7=21$

 ③

0203

 ②

STEP Ⓐ b**를 포함하지 않는 서로 다른 항의 개수 구하기**

$(a+b+c+d)^6$의 전개식에서 b를 포함하지 않는 서로 다른 항의 개수는
$(a+c+d)^6$의 전개식에서 서로 다른 항의 개수와 같다.
$(a+c+d)^6$의 전개식에서 서로 다른 항의 개수는 3개의 문자 a, c, d에서 6개를 택하는 중복조합의 수와 같으므로

${}_3\mathrm{H}_6={}_{3+6-1}\mathrm{C}_6={}_8\mathrm{C}_6={}_8\mathrm{C}_2=28$

STEP Ⓑ a**를 포함하지 않는 서로 다른 항의 개수 구하기**

한편 $(a+c+d)^6$의 전개식에서 a를 포함하지 않는 항의 개수는
$(c+d)^6$의 전개식에서 서로 다른 항의 개수와 같다.
이 경우의 수는 2개의 문자 c, d에서 6개를 택하는 중복조합의 수와 같으므로

${}_2\mathrm{H}_6={}_{2+6-1}\mathrm{C}_6={}_7\mathrm{C}_1=7$

STEP Ⓒ **조건을 만족하는 항의 개수 구하기**

따라서 구하는 항의 개수는 $28-7=21$

다른풀이 a를 포함하지 않는 항의 개수를 이용하여 풀이하기

STEP Ⓐ a**는 포함하고** b**는 포함하지 않는 음아닌 정수의 방정식 구하기**

$(a+b+c+d)^6$의 전개식에서 b를 포함하지 않는 서로 다른 항의 개수는
$(a+c+d)^6$의 전개식에서 서로 다른 항의 개수와 같다.
$(a+c+d)^6$의 전개식에서 a를 포함하는 각 항은
$a^x c^y d^z$ $(x+y+z=6$, x는 자연수, y, z는 음이 아닌 정수$)$의 꼴이다.
$x=x'+1$ (x'은 음이 아닌 정수)라 하면
$x+y+z=6$에서 $(x'+1)+y+z=6$
$x'+y+z=5$

STEP Ⓑ **음이 아닌 정수해의 개수 구하기**

위의 방정식을 만족시키는 음이 아닌 정수 x', y, z의 모든 순서쌍 (x', y, z)의 개수는 서로 다른 3개에서 5개를 택하는 중복조합의 수와 같으므로

${}_3\mathrm{H}_5={}_{3+5-1}\mathrm{C}_5={}_7\mathrm{C}_5={}_7\mathrm{C}_2=\dfrac{7\times6}{2\times1}=21$

내신연계 출제문항 087

$(a+b+c+d+e)^{10}$의 전개식에서 a, e를 모두 포함하지 않고 b, c를 모두 포함하는 서로 다른 항의 개수는?

① 36 ② 39 ③ 42
④ 45 ⑤ 48

STEP Ⓐ b, c**는 포함하고** a, e**는 포함하지 않는 음이 아닌 정수의 방정식 구하기**

$(a+b+c+d+e)^{10}$의 전개식에서 a, e를 포함하지 않는 서로 다른 항의 개수는
$(b+c+d)^{10}$의 전개식의 서로 다른 항의 개수와 같다.
이때 $(b+c+d)^{10}$의 전개식에서 각 항을 $b^x c^y d^z$이라 하면
$(b+c+d)^{10}$의 전개식에서 b, c를 모두 포함하는 서로 다른 항의 개수는
방정식 $x+y+z=10$을 만족시키는 $x\ge1$, $y\ge1$, $z\ge0$인 정수 x, y, z의 모든 순서쌍 (x, y, z)의 개수와 같다.
이때 $x=x'+1$, $y=y'+1$이라 하면 $x'\ge0$, $y'\ge0$이므로
모든 순서쌍 (x, y, z)의 개수는 방정식 $(x'+1)+(y'+1)+z=10$
즉 $x'+y'+z=8$

STEP Ⓑ **음이 아닌 정수해의 개수 구하기**

위의 방정식을 만족시키는 음이 아닌 정수 x', y', z의 모든 순서쌍 (x', y', z)의 개수는 서로 다른 3개에서 중복을 허락하여 8개를 택하는 중복조합의 수와 같으므로 ${}_3\mathrm{H}_8={}_{3+8-1}\mathrm{C}_8={}_{10}\mathrm{C}_8={}_{10}\mathrm{C}_2=45$
따라서 구하는 항의 개수는 45

정답 ④

0204

 ⑤

STEP Ⓐ $(a+b+c)^4$**의 전개식에서 항의 개수 구하기**

$(a+b+c)^4$의 전개식에서 서로 다른 항의 개수는 3개의 문자 a, b, c 중에서 중복을 허락하여 4개를 택하여 곱하면 주어진 다항식을 전개할 때 생기는 항이 하나씩 만들어진다.
따라서 $(a+b+c)^4$을 전개할 때 생기는 서로 다른 항의 개수는 3개의 문자 a, b, c 중에서 4개를 택하는 중복조합의 수와 같으므로

${}_3\mathrm{H}_4={}_{3+4-1}\mathrm{C}_4={}_6\mathrm{C}_4={}_6\mathrm{C}_2=15$

STEP Ⓑ $(x+y)^3$**의 전개식에서 항의 개수 구하기**

$(x+y)^3$의 전개식에서 서로 다른 항의 개수는 서로 다른 두 문자 x, y에서 중복을 허락하여 세 문자를 선택하는 방법의 수와 같으므로
이 경우의 서로 다른 항의 개수는 ${}_2\mathrm{H}_3={}_{2+3-1}\mathrm{C}_3={}_4\mathrm{C}_3={}_4\mathrm{C}_1=4$

STEP Ⓒ $(a+b+c)^4(x+y)^3$**의 전개식에서 서로 다른 항의 개수 구하기**

따라서 주어진 전개식에서 서로 다른 항의 개수는 $15\times4=60$

내/신/연/계/ 출제문항 088

다항식 $(a+b+c)^6(x+y)^4$의 전개식에서 서로 다른 항의 개수는?

① 135 ② 140 ③ 145
④ 150 ⑤ 155

STEP Ⓐ $(a+b+c)^6$과 $(x+y)^4$에서 만들어지는 항의 개수 각각 구하기

(ⅰ) $(a+b+c)^6$을 전개할 때 생기는 항들은 서로 다른 3개의 문자 a, b, c에서 6개를 택하는 중복조합의 수와 같으므로
$_3H_6={}_{3+6-1}C_6={}_8C_6={}_8C_2=28$

(ⅱ) $(x+y)^4$을 전개할 때 생기는 항들은 서로 다른 2개의 문자 x, y에서 4개를 택하는 중복조합의 수와 같으므로
$_2H_4={}_{2+4-1}C_4={}_5C_4={}_5C_1=5$

STEP Ⓑ 곱의 법칙을 이용하여 경우의 수 구하기

(ⅰ), (ⅱ)에서 구하는 서로 다른 항의 개수는 $28\times5=140$

 ②

0205

 ①

STEP Ⓐ 음이 아닌 정수해의 개수 구하기

3개의 문자 a, b, c로 만들 수 있는 단항식은
$a^xb^yc^z$($x+y+z=4$, x, y, z는 음이 아닌 정수)의 꼴로 나타내어지므로
서로 다른 3개에서 중복을 허락하여 4개를 택하는 중복조합의 수와 같다.
따라서 $_3H_4={}_{3+4-1}C_4={}_6C_4=15$

내/신/연/계/ 출제문항 089

3개의 문자 x, y, z를 이용하여 만들 수 있는 단항식 중 서로 다른 오차식의 개수는?

① 13 ② 15 ③ 17
④ 19 ⑤ 21

STEP Ⓐ 음이 아닌 정수해의 개수 구하기

3개의 문자 x, y, z로 만들 수 있는 단항식은
$x^ay^bz^c$ ($a+b+c=5$, a, b, c는 음이 아닌 정수)의 꼴로 나타내어지므로
서로 다른 3개에서 중복을 허락하여 5개를 택하는 중복조합의 수와 같다.
따라서 $_3H_5={}_{3+5-1}C_5={}_7C_5={}_7C_2=21$

정답 ⑤

0206

 ④

STEP Ⓐ 음이 아닌 정수해의 개수 구하기

2를 x개, 3을 y개, 5를 z개, 7을 w개 뽑아 이들을 모두 곱한 정수는
$2^x3^y5^z7^w$으로 나타내어진다.
이때 $x+y+z+w=5$이고 x, y, z, w는 음이 아닌 정수이므로
구하는 정수의 개수는 서로 다른 4개에서 중복을 허락하여 5개를 택하는 중복조합의 수와 같다.
따라서 $_4H_5={}_{4+5-1}C_5={}_8C_5=56$

0207

 ②

STEP Ⓐ 기명투표를 이용하여 구하는 경우의 수 구하기

찬성과 반대를 각각 A, B라 하면 기명 투표이므로
AB와 BA는 서로 다른 것으로 본다.
즉 구하는 경우의 수는 서로 다른 2개에서 9개를 택하는 중복순열의 수와 같으므로 $a={}_2\Pi_9=2^9=512$

STEP Ⓑ 무기명투표를 하였을 때, 나올 수 있는 모든 경우의 수 구하기

찬성과 반대를 각각 A, B라 하면 무기명 투표이므로
AB와 BA는 서로 같은 것으로 본다.
즉 구하는 경우의 수는 서로 다른 2개에서 9개를 택하는 중복조합의 수와 같으므로 $b={}_2H_9={}_{2+9-1}C_9={}_{10}C_9={}_{10}C_1=10$
따라서 $a+b=512+10=522$

0208

 ②

STEP Ⓐ 무기명투표를 이용하여 구하는 경우의 수 구하기

무기명투표이므로 구분이 되지 않는 5장의 투표용지에 회장 후보 A, B, C를 적는 방법의 수와 같다.

STEP Ⓑ 중복조합을 이용하여 구하기

A, B, C 3개 중에서 중복을 허락하여 5개를 택하는 중복조합의 수와 같다.
따라서 $_3H_5={}_{3+5-1}C_5={}_7C_5=21$

0209

 ③

STEP Ⓐ 무기명투표를 이용하여 구하는 경우의 수 구하기

무기명투표이므로 구분이 되지 않는 15장의 투표용지에 회장 후보 A, B, C를 적는 방법의 수와 같다.

STEP Ⓑ 중복조합을 이용하여 구하기

서로 다른 3개에서 중복을 허락하여 15개를 택하는 중복조합의 수와 같다.
따라서 $_3H_{15}={}_{3+15-1}C_{15}={}_{17}C_2=136$

'기명' 투표일 경우 어떤 학생이 어떤 후보를 선택했는지에 따라 모두 다른 경우가 되므로 중복순열의 수로 계산해야 한다.
예를 들어 20명의 학생이 3명의 회장 후보 A, B, C에게 '기명' 투표를 하는 경우의 수는 구분이 되는 20장의 투표용지에 회장 후보 A, B, C를 적는 방법의 수와 같다.
따라서 A, B, C 3개에서 중복을 허락하여 20개를 택하여 나열하는 경우의 수와 같으므로 $_3\Pi_{20}=3^{20}$

내/신/연/계/ 출제문항 090

10명으로 이루어진 사진 동아리에서 사진을 찍을 장소를 선정하기 위해 세 지역 A, B, C 중 한 지역에 무기명으로 투표하기로 하였다.
투표 결과로 나올 수 있는 경우의 수는? (단, 기권이나 무효는 없다.)

① 60 ② 62 ③ 64
④ 66 ⑤ 68

STEP Ⓐ 무기명투표를 이용하여 구하는 경우의 수 구하기

무기명투표이므로 구분이 되지 않는 10장의 투표용지에 세 지역 A, B, C를 적는 방법의 수와 같다.
즉 서로 다른 3개에서 중복을 허락하여 10개를 택하는 경우의 수와 같다.

STEP Ⓑ 중복조합을 이용하여 구하기

따라서 $_3H_{10}={}_{3+10-1}C_{10}={}_{12}C_{10}={}_{12}C_2=66$

 ④

0210

 ③

STEP A 무기명투표를 이용하여 구하는 경우의 수 구하기

흥민이를 A라 하고, 흥민이가 아닌 두 학생을 B, C라 하자.
10장의 스티커 중 3장을 먼저 A에게 붙이고, 남은 스티커 7장을 중복을 허락하여 A, B, C에게 나누어 붙이면 되므로 구하는 경우의 수는
${}_3H_7={}_9C_7={}_9C_2=36$

0211

 ③

STEP A 무기명 투표의 경우의 수 구하기

무기명투표이므로 구분되지 않는 10장의 투표용지에 1안, 2안, 3안을 적는 방법의 수와 같다.

STEP B 중복조합을 이용하여 구하기

세 개의 안 중 중복을 허락하여 10개를 택하는 경우의 수와 같으므로
${}_3H_{10}={}_{3+10-1}C_{10}={}_{12}C_{10}={}_{12}C_2=66$

내/신/연/계/ 출제문항 091

어느 자동차 회사의 신차 출시일정을 결정하는 10명의 대표들이 월요일, 화요일, 목요일, 금요일 중 한 요일에 무기명으로 투표하기로 하였다. 다음 표의 예와 같이 각 요일별 득표수를 기록한 것을 개표 결과라 할 때, 개표 결과로 나올 수 있는 경우의 수는?

요일	월	화	목	금	계
득표수	1	3	2	4	10

(단, 기권이나 무효는 없다.)

① 136 ② 160 ③ 194
④ 240 ⑤ 286

STEP A 무기명투표를 이용하여 구하는 경우의 수 구하기

무기명 투표이므로 구분되지 않는 10장의 투표용지에 네 요일 중 한 요일에 투표한 결과로 나올 수 있는 경우의 수와 같다.

STEP B 중복조합을 이용하여 구하기

서로 다른 4개에서 10개를 택하는 중복조합의 수와 같으므로
${}_4H_{10}={}_{4+10-1}C_{10}={}_{13}C_{10}={}_{13}C_3=286$

 ⑤

0212

 ③

STEP A 중복순열을 이용하여 a 구하기

조건 (가)에서 구하는 경우의 수는 서로 다른 4개에서 중복을 허락하여 3개를 뽑아 나열하는 경우의 수와 같으므로 $a={}_4\Pi_3=4^3=64$

STEP B 중복조합을 이용하여 b 구하기

조건 (나)에서 구하는 경우의 수는 서로 다른 4개에서 중복을 허락하여 3개를 뽑는 경우의 수와 같으므로 $b={}_4H_3={}_6C_3=20$
따라서 $a+b=64+20=84$

0213

 ①

STEP A 중복순열과 중복조합 비교하기

① 중복순열의 수이므로 ${}_3\Pi_4=3^4=81$
② 중복조합의 수이므로 ${}_3H_4={}_6C_4=15$
③ $(a+b+c)^4$을 전개할 때 생기는 항들은 서로 다른 3개의 문자 a, b, c에서 4개를 택하는 중복조합의 수이다.
$\therefore\ {}_3H_4={}_6C_4=15$
④ 3명의 후보 중에서 중복을 허락하여 4장의 투표지에 적을 사람을 선택하는 경우이므로 중복조합의 수이다.
$\therefore\ {}_3H_4={}_6C_4=15$
⑤ 중복조합의 수이므로 ${}_3H_4={}_6C_4=15$
따라서 ①이 나머지 넷과 다른 값을 갖는다.

0214

 ⑤

STEP A 중복조합의 공식을 이용하여 계산하기

① 서로 다른 공 3개에서 중복을 허용하여 7개를 선택하는 경우의 수이므로
${}_3H_7={}_{3+7-1}C_7={}_9C_7={}_9C_2=36$
② 서로 다른 세 가지 공 중에서 중복을 허용하여 7개를 선택하는 경우의 수이므로 ${}_3H_7={}_{3+7-1}C_7={}_9C_7={}_9C_2=36$
③ 서로 다른 필통에 넣는 연필의 개수를 각각 x, y, z라 하면
$x+y+z=10$을 만족하는 (x, y, z)의 순서쌍의 개수를 구하면 된다.
이때 각 필통에 적어도 하나의 연필을 넣어야하므로
x, y, z는 자연수이다.
$x=a+1$, $y=b+1$, $z=c+1$(a, b, $c \ge 0$인 정수)라 하면
$a+b+c=7$($a \ge 0$, $b \ge 0$, $c \ge 0$인 정수)의 해의 개수와 같으므로
${}_3H_7={}_{3+7-1}C_7={}_9C_7={}_9C_2=36$
④ $(a+b+c)^7$의 전개식에서 서로 다른 항의 개수는
서로 다른 3개의 문자 a, b, c 중에서 중복을 허용하여 7개를 택하는 경우의 수와 같으므로 ${}_3H_7={}_{3+7-1}C_7={}_9C_7={}_9C_2=36$
⑤ 세 자리의 자연수이므로 $a \ge 1$이어야 한다.
$1 \le a \le b \le c$이므로 1부터 7까지의 자연수에서 중복을 허락하여 3개를 택한 후 크기 순으로 a, b, c로 정하면 되므로 구하는 경우의 수는
${}_7H_3={}_{7+3-1}C_3={}_9C_3=84$
따라서 ⑤가 나머지 넷과 다른 값을 갖는다.

0215

 ④

STEP A 여러 가지 경우의 수를 이용하여 경우의 수 구하기

조건 (가)에서 3가지 메뉴 중 중복을 허락하여
5개를 택해 일렬로 배열하는 방법과 같으므로 구하는 경우의 수는
$p={}_3\Pi_5=3^5=243$
조건 (나)에서 세 종류의 주스 중에서 중복을 허용하여 5병을 택하는 경우의 수는 서로 다른 세 개에서 중복을 허용하여 다섯 개를 선택하는 중복조합이므로
$q={}_3H_5={}_{3+5-1}C_5={}_7C_5={}_7C_2=21$
조건 (다)에서 $(a+b+c)^5$의 전개식에서 서로 다른 항의 개수는
서로 다른 3개의 문자 a, b, c 중에서 중복을 허용하여 5개를 택하는 중복조합의 수와 같으므로 $s={}_3H_5={}_{3+5-1}C_5={}_7C_5={}_7C_2=21$

STEP B $p+q+r$의 값 구하기

따라서 $p+q+r=243+21+21=285$

0216

정답 ③

STEP Ⓐ **중복순열과 중복조합의 공식을 이용하여 계산하기**

조건 (가)에서 3명의 학생이 네 종류의 주스를 택하는 경우의 수는
서로 다른 4개에서 3개를 택하는 중복순열의 수와 같다.
즉 구하는 방법의 수는 $p={}_4\Pi_3=4^3=64$
조건 (나)에서 A와 B의 순서가 정해져 있으므로
B를 A로 나타내어 A, A, C, D, E를 한 줄로 나열하는 경우와 같다.
즉 구하는 경우의 수는 $q=\frac{5!}{2!}=60$
조건 (다)에서 무기명투표이므로 구분이 되지 않는 20장의 투표용지에
회장후보 A, B, C를 적는 방법의 수와 같다.
즉 서로 다른 3개에서 중복을 허락하여 20개를 택하는 경우의 수와 같다.
$r={}_3H_{20}={}_{3+20-1}C_{20}={}_{22}C_{20}={}_{22}C_2=231$

STEP Ⓑ **$p+q+r+s$의 값 구하기**

따라서 $p+q+r=64+60+231=355$

내/신/연/계/ 출제문항 092

다음 조건을 만족하는 a, b, c, d에 대하여 $a+b+c+d$의 값은?

(가) 4명의 학생이 연극반, 합창반, 방송반의 3가지 동아리 중에서 각각 하나를 선택하여 가입하는 경우의 수는 a이다.
(나) 사과, 배, 귤, 감 4가지의 과일 중에서 중복을 허용하여 3개를 택하는 방법의 수는 b이다.
(단, 사과, 배, 귤, 감은 각각 3개 이상씩 있다.)
(다) 6개의 숫자 0, 1, 1, 2, 2, 2로 만들 수 있는 6자리 자연수의 개수는 c이다.
(라) 다항식 $(x+y+z+w)^6$의 전개식에서 서로 다른 항의 개수는 d이다.

① 205　② 220　③ 235
④ 265　⑤ 285

STEP Ⓐ **중복조합을 이용하여 경우의 수 구하기**

조건 (가)에서 4명의 학생이 세 종류의 동아리를 택하는 경우의 수는
서로 다른 3개에서 4개를 택하는 중복순열의 수와 같으므로
$a={}_3\Pi_4=3^4=81$
조건 (나)에서 4가지의 과일 중에서 중복을 허용하여 3개를 택하는 방법의
수는 $b={}_4H_3={}_{4+3-1}C_3={}_6C_3=20$
조건 (다)에서 맨 앞자리에 올 수 있는 숫자는 1, 2이므로
구하는 자연수의 개수는 0, 1, 1, 2, 2, 2를 일렬로 나열하는 전체 경우의
수에서 맨 앞자리에 0이 오는 경우의 수를 뺀 것과 같으므로
$c=\frac{6!}{2!3!}-\frac{5!}{2!3!}=50$
조건 (라)에서 $(x+y+z+w)^6$의 전개식에서 서로 다른 항의 개수는
4개의 문자 x, y, z, w에서 중복을 허용하여 6개를 택하는 중복조합의 수와
같으므로 $d={}_4H_6={}_{4+6-1}C_6={}_9C_6={}_9C_3=84$

STEP Ⓑ **$a+b+c+d$의 값 구하기**

따라서 $a+b+c+d=81+20+50+84=235$

정답 ③

0217

정답 ⑤

STEP Ⓐ **여러 가지 경우의 수에서 참, 거짓 판단하기**

① 어른 4명이 원탁에 둘러앉는 경우의 수는 $(4-1)!$
어린이 4명을 어른 4명 사이사이의 4개의 자리에 앉히는 경우의 수는
$4!$이므로 구하는 경우의 수는 $(4-1)!\times 4!$이다.
② 7개의 공을 일렬로 나열할 때, 축구공이 3개, 농구공이 4개 있으므로
구하는 경우의 수는 $\frac{7!}{3!4!}$이다.
③ 9개의 문자 중 h, a, g는 순서가 정해져 있으므로 이를 모두 X로 놓으면
9개의 문자 c, X, X, l, l, e, n, X, e를 일렬로 나열하는 경우의 수와
같으므로 $\frac{9!}{3!2!2!}$이다.
④ 서로 다른 골프공 3개에서 중복을 허용하여 7개를 선택하는 경우의 수이므로
${}_3H_7={}_{3+7-1}C_7={}_9C_7={}_9C_2=36$이다.
⑤ O, X로만 답할 수 있는 5개의 문제에 임의로 답하는 경우의 수는
서로 다른 2개에서 중복을 허락하여 5개를 뽑아 나열하는 경우의 수와
같으므로 ${}_2\Pi_5$이다.
따라서 옳지 않은 것은 ⑤이다.

내/신/연/계/ 출제문항 093

다음 중 옳지 않은 것은?

① A, B, C, D, E, F의 6명의 학생이 원탁에 둘러앉을 때, A, B 사이에 한 명의 학생이 앉는 경우의 수는 ${}_4C_1\times(4-1)!\times 2!$이다.
② 5개의 문자 a, b, c, d, e를 일렬로 나열할 때, 세 문자 c, d, e를 이 순서대로 배열하는 경우의 수는 $\frac{5!}{3!}$이다.
③ 서로 다른 3개의 상자에 똑같은 2개의 공을 넣는 경우의 수는 ${}_3H_2$이다.
④ $(a+b+c)^8$의 전개식에서 c의 차수가 3인 서로 다른 항의 개수는 ${}_5H_2$이다.
⑤ 서로 다른 3개의 상자에 서로 다른 2개의 쿠키를 넣는 경우의 수는 ${}_3\Pi_2$이다.

STEP Ⓐ **여러 가지 경우의 수에서 참, 거짓 판단하기**

① A, B를 제외한 4명의 학생 중 A, B 사이에 앉을 학생 1명을 뽑는 경우의
수는 ${}_4C_1$
A, B와 1명의 학생을 한 학생으로 생각하여 4명이 원형 탁자에 앉는
경우의 수는 $\frac{4!}{4}=(4-1)!$
이때 A, B끼리 서로 자리를 바꾸는 경우의 수는 $2!$
즉 구하는 경우의 수는 ${}_4C_1\times(4-1)!\times 2!$
② 세 문자 c, d, e를 이 순서대로 배열해야 하므로 c, d, e를 B로 놓고
일렬로 나열한 후 B자리에 c, d, e를 순서대로 적어주면 된다.
즉 a, b, B, B, B를 일렬로 나열하는 경우의 수와 같으므로 $\frac{5!}{3!}$이다.
③ 서로 다른 3개에서 중복을 허락하여 2개를 뽑는 경우의 수와 같으므로
${}_3H_2$이다.
④ $(a+b+c)^8$의 전개식에서 서로 다른 항의 개수는 3개의 문자 a, b, c 중
8개를 택하는 중복조합의 수와 같다.
이때 c의 차수가 3이려면 8개 중 3개는 c를 택하고, 남은 2개의 문자
a, b 중 5개를 택해야 하므로 c의 차수가 3인 서로 다른 항의 개수는
2개의 문자 a, b 중 5개를 택하는 중복조합의 수와 같으므로 ${}_2H_5$
⑤ 서로 다른 3개에서 중복을 허락하여 2개를 뽑아 나열하는 경우의 수와
같으므로 ${}_3\Pi_2$
따라서 옳지 않은 것은 ④이다.

정답 ④

Ⅰ 경우의 수

0218

정답 ④

STEP A 음이 아닌 정수해의 개수 구하기

방정식 $x+y+z=6$의 음이 아닌 정수인 해의 개수는
세 문자 x, y, z 중에서 중복을 허락하여 6개를 택하는 중복조합의 수와
같으므로 $\alpha={}_3\mathrm{H}_6={}_{3+6-1}\mathrm{C}_6={}_8\mathrm{C}_6={}_8\mathrm{C}_2=28$

STEP B x, y, z가 양의 정수이므로 음이 아닌 정수해로 바꾸어 정수해의 개수 구하기

방정식 $x+y+z=6$의 양의 정수해의 개수는
$x=1+a,\ y=1+b,\ z=1+c$ (a, b, c는 음이 아닌 정수)
로 놓으면 $x+y+z=(1+a)+(1+b)+(1+c)=6$
$a+b+c=3$
방정식 $x+y+z=6$의 양의 정수해의 개수는
방정식 $a+b+c=3$의 음이 아닌 정수해의 개수와 같다.
방정식 $a+b+c=3$의 음이 아닌 정수해의 개수는
세 문자 a, b, c 중에서 3개를 택하는 중복조합의 수와 같으므로
$\beta={}_3\mathrm{H}_3={}_{3+3-1}\mathrm{C}_3={}_5\mathrm{C}_3={}_5\mathrm{C}_2=10$

STEP C $\alpha-\beta$의 값 구하기

따라서 $\alpha-\beta=28-10=18$

0219

정답 ②

STEP A 음이 아닌 정수해의 개수 구하기

$x+y+z=n$을 만족하는 음이 아닌 정수해의 개수는
세 문자 x, y, z 중에서 중복을 허락하여 n개를 택하는 중복조합의 수와
같으므로 ${}_3\mathrm{H}_n={}_{n+2}\mathrm{C}_n={}_{n+2}\mathrm{C}_2$

STEP B 자연수 n의 값 구하기

즉 ${}_{n+2}\mathrm{C}_2=105$이므로 $\dfrac{(n+2)(n+1)}{2}=105$
$(n+2)(n+1)=210,\ n^2+3n-208=0$
$(n-13)(n+16)=0$
따라서 $n=13\,(\because n>0)$

내/신/연/계/ 출제문항 094

방정식 $x+y+z=n$의 음이 아닌 정수해의 개수가 45일 때,
자연수 n의 값은?

① 8 ② 9 ③ 10
④ 11 ⑤ 12

STEP A 음이 아닌 정수해의 개수 구하기

$x+y+z=n$을 만족하는 음이 아닌 정수해의 개수는
세 문자 x, y, z 중에서 중복을 허락하여 n개를 택하는 중복조합의 수와
같으므로 ${}_3\mathrm{H}_n={}_{n+2}\mathrm{C}_n={}_{n+2}\mathrm{C}_2$

STEP B 자연수 n의 값 구하기

방정식 $x+y+z=n$을 만족시키는 음이 아닌 정수해의 개수는
${}_3\mathrm{H}_n={}_{3+n-1}\mathrm{C}_n={}_{n+2}\mathrm{C}_n={}_{n+2}\mathrm{C}_2=\dfrac{(n+2)(n+1)}{2}$
$\dfrac{(n+2)(n+1)}{2}=45$에서 $(n+2)(n+1)=45\times2=10\times9$
따라서 $n=8$

정답 ①

0220

정답 ⑤

STEP A 자연수 조건을 만족하는 방정식으로 유도하기

x, y, z가 자연수이므로 $x+y+z$도 자연수이다.
$x+y+z-\dfrac{1}{w}=\dfrac{59}{5}$에서 $x+y+z-\dfrac{1}{w}=12-\dfrac{1}{5}$이므로 $x+y+z=12,\ w=5$

STEP B 중복조합의 수를 이용하여 구하기

구하는 경우의 수는 $x+y+z=12$를 만족시키는 자연수 x, y, z의 모든
순서쌍 (x, y, z)의 개수와 같으므로 $x=a+1,\ y=b+1,\ z=c+1$이라 하면
$a+b+c=9$ (단, $a\ge0,\ b\ge0,\ c\ge0$)을 만족시키는 음이 아닌 정수 a, b, c
에 대하여 모든 순서쌍 (a, b, c)의 개수와 같다.
따라서 구하는 경우의 수는 ${}_3\mathrm{H}_9={}_{3+9-1}\mathrm{C}_9={}_{11}\mathrm{C}_9={}_{11}\mathrm{C}_2=55$

0221

정답 ①

STEP A x의 값에 따른 정수 y, z의 순서쌍 (y, z)의 개수 구하기

(ⅰ) $x=1$일 때, $y+z=5$를 만족시키는 음이 아닌 정수 y, z의
순서쌍 (y, z)의 개수는 ${}_2\mathrm{H}_5={}_{2+5-1}\mathrm{C}_5={}_6\mathrm{C}_5=6$
(ⅱ) $x=3$일 때, $y+z=3$을 만족시키는 음이 아닌 정수 y, z의
순서쌍 (y, z)의 개수는 ${}_2\mathrm{H}_3={}_{2+3-1}\mathrm{C}_3={}_4\mathrm{C}_3=4$
(ⅲ) $x=5$일 때, $y+z=1$을 만족시키는 음이 아닌 정수 y, z의
순서쌍 (y, z)의 개수는 ${}_2\mathrm{H}_1={}_{2+1-1}\mathrm{C}_1={}_2\mathrm{C}_1=2$
(ⅰ)~(ⅲ)에서 구하는 순서쌍의 개수는 $6+4+2=12$

다른풀이 경우의 수의 곱의 법칙 이용하기

(홀, 홀, 짝)의 순서쌍을 가져야하므로
y, z 중에서 홀수를 결정하는 경우의 수는 2가지
y가 홀수일 때, $x=2a+1,\ y=2b+1,\ z=2c$
$2a+1+2b+1+2c=6,\ a+b+c=2$ (a, b, c는 음이 아닌 정수)
${}_3\mathrm{H}_2={}_4\mathrm{C}_2=6\quad\therefore 2\cdot6=12$

0222

정답 ④

STEP A 주어진 조건을 양의 정수해의 방정식으로 바꾸기

네 자리의 자연수를 $abcd$라 하면 각 자리의 수의 합이 7이므로
$a+b+c+d=7$ (단, $a\ge1,\ b\ge1,\ c\ge1,\ d\ge1$인 정수)
를 만족하는 양의 정수해의 경우의 수를 구한다.

STEP B 음이 아닌 정수해로 바꾸어 정수해의 개수 구하기

$a=a'+1,\ b=b'+1,\ c=c'+1,\ d=d'+1$이라 하면
$a'+b'+c'+d'=3$ (단, a', b', c', d'은 음이 아닌 정수)
따라서 구하는 해의 개수는 순서쌍 (a', b', c', d')의 개수와 같으므로
${}_4\mathrm{H}_3={}_{4+3-1}\mathrm{C}_3={}_6\mathrm{C}_3=20$

다른풀이 같은 것이 있는 순열을 이용하여 풀이하기

STEP A 같은 것이 있는 순열을 이용하여 자연수 개수 구하기

7을 4개의 자연수로 분할하면
$7=4+1+1+1$
$=3+2+1+1$
$=2+2+2+1$
이므로 각 경우로 나누어 자연수의 개수를 구하면 다음과 같다.
(ⅰ) 각 자리의 수가 4, 1, 1, 1인 경우
네 수 4, 1, 1, 1을 나열하는 자연수의 개수는 $\dfrac{4!}{3!1!}=4$
(ⅱ) 각 자리의 수가 3, 2, 1, 1인 경우
네 수 3, 2, 1, 1을 나열하는 자연수의 개수는 $\dfrac{4!}{2!1!1!}=12$

(ⅲ) 각 자리의 수가 2, 2, 2, 1인 경우

네 수 2, 2, 2, 1을 나열하는 자연수의 개수는 $\frac{4!}{3!1!}=4$

(ⅰ)~(ⅲ)에 의하여 구하는 자연수의 개수는 $4+12+4=20$

다른풀이 조합을 이용하여 풀이하기

네 자리의 자연수 중 각 자리의 수의 합이 7이므로
7개의 공을 네 묶음으로 나누는 조합의 수와 같다.
즉 네 묶음으로 나누려면 중간에 세 개의 구획선이 필요하므로
○ | ○○ | ○○ | ○○ 와 같은 모양이 된다.

○V○V○V○V○V○V○

따라서 7개의 공에서 구획선이 들어갈 곳은 위의 그림과 같이 V인 6개에서 3곳을 선택하면 되므로 구하는 경우의 수는 ${}_6C_3=20$

내신연계 출제문항 095

각 자리의 수가 0이 아닌 네 자리 자연수 중 각 자리의 수의 합이 6인 자연수의 개수는?

① 10 ② 12 ③ 14
④ 16 ⑤ 18

STEP Ⓐ 주어진 조건을 양의 정수해의 방정식으로 바꾸기

네 자리의 자연수를 $abcd$라 하면 각 자리의 수의 합이 6이므로
$a+b+c+d=6$ (단, $a\ge1$, $b\ge1$, $c\ge1$, $d\ge1$인 정수)
을 만족하는 양의 정수해의 경우의 수이므로
$a=a'+1$, $b=b'+1$, $c=c'+1$, $d=d'+1$이라 하면
$a'+b'+c'+d'=2$ (단, a', b', c', d'은 음이 아닌 정수)
따라서 구하는 해의 개수는 순서쌍 (a', b', c', d')의 개수와 같으므로
${}_4H_2={}_5C_2=10$

다른풀이 같은 것이 있는 경우의 수를 이용하여 풀이하기

각 자리의 수의 합이 6인 경우는 다음 두 가지 경우이다.

(ⅰ) 각 자리의 수가 1, 1, 1, 3인 경우

네 수 1, 1, 1, 3을 나열하는 경우의 수는 $\frac{4!}{3!1!}=4$

(ⅱ) 각 자리의 수가 1, 1, 2, 2인 경우

네 수 1, 1, 2, 2를 나열한 경우의 수는 $\frac{4!}{2!2!}=6$

(ⅰ), (ⅱ)에서 구하는 경우의 수는 합의 법칙에 의해 $4+6=10$  ①

0223

 ④

STEP Ⓐ 먼저 4명의 학생을 원형으로 배열하는 경우의 수 구하기

먼저 의자를 고려하지 않고 4명의 학생을
원형으로 배열하는 경우의 수는
$(4-1)!=6$

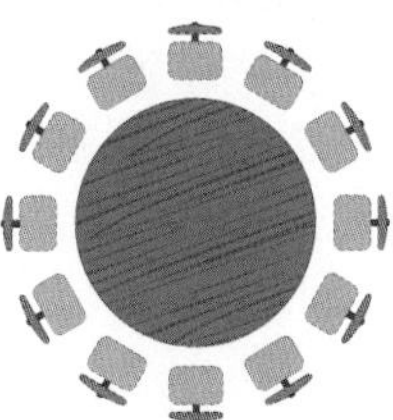

STEP Ⓑ x, y, z가 양의 정수이므로 음이 아닌 정수해로 바꾸어 정수해의 개수 구하기

4명의 학생 사이에 있는 빈 의자의 개수를 각각 a, b, c, d라고 하면
$a+b+c+d=12-4=8$
이때 a, b, c, d는 1 이상의 자연수이므로 ${}_4H_4={}_{4+4-1}C_4={}_7C_4={}_7C_3=35$
따라서 구하는 경우의 수는 $6\times35=210$

내신연계 출제문항 096

원형의 탁자 주위에 똑같은 의자가 16개 놓여 있다. 4명의 학생이 탁자에 둘러앉을 때, 빈 의자를 사이에 두고 어느 누구도 이웃하지 않게 앉는 경우의 수는?

① 330 ② 550 ③ 660
④ 880 ⑤ 990

STEP Ⓐ 먼저 4명의 학생을 원형으로 배열하는 경우의 수 구하기

먼저 의자를 고려하지 않고 4명의 학생을 원형으로 배열하는 경우의 수는
$(4-1)!=6$

STEP Ⓑ x, y, z가 양의 정수이므로 음이 아닌 정수해로 바꾸어 정수해의 개수 구하기

4명의 학생 사이에 있는 빈 의자의 개수를 각각 a, b, c, d라고 하면
$a+b+c+d=16-4=12$
이때 a, b, c, d는 1 이상의 자연수이므로
${}_4H_8={}_{4+8-1}C_8={}_{11}C_8={}_{11}C_3=\frac{11\cdot10\cdot9}{3\cdot2\cdot1}=165$
따라서 구하는 경우의 수는 $6\times165=990$  ⑤

0224

 ④

STEP Ⓐ 음이 아닌 짝수 해를 음이 아닌 정수해의 식으로 바꾸기

음이 아닌 정수 x, y, z가 짝수이므로
$x=2a$, $y=2b$, $z=2c$ (단, a, b, c는 음이 아닌 정수)
로 놓으면
$x+y+z=2a+2b+2c=10$
$\therefore a+b+c=5$ …… ㉠

STEP Ⓑ 음이 아닌 정수해의 개수 구하기

따라서 방정식 ㉠을 만족시키는 음이 아닌 정수 a, b, c의 순서쌍 (a, b, c)의 개수는 세 문자 a, b, c 중에서 5개를 택하는 중복조합의 수와 같으므로
${}_3H_5={}_{3+5-1}C_5={}_7C_5={}_7C_2=21$

0225

 ③

STEP Ⓐ 짝수인 양의 정수해를 음이 아닌 정수해의 식으로 바꾸기

x, y, z는 모두 짝수인 양의 정수이므로
$x=2a+2$, $y=2b+2$, $z=2c+2$ (단, a, b, c는 음이 아닌 정수)
로 놓으면
$x+y+z=(2a+2)+(2b+2)+(2c+2)=20$
$\therefore a+b+c=7$ …… ㉠

STEP Ⓑ 음이 아닌 정수해의 개수 구하기

따라서 방정식 ㉠을 만족시키는 음이 아닌 정수 a, b, c의 순서쌍 (a, b, c)의 개수는 세 문자 a, b, c 중에서 7개를 택하는 중복조합의 수와 같으므로
${}_3H_7={}_{3+7-1}C_7={}_9C_7={}_9C_2=36$

내/신/연/계/ 출제문항 097

방정식

$$x+y+z=14$$

를 만족하는 해 중에서 x, y, z가 양수이고 짝수인 순서쌍 (x, y, z)의 개수는?

① 12 ② 13 ③ 14
④ 15 ⑤ 16

STEP A 짝수인 양의 정수해를 음이 아닌 정수해의 식으로 바꾸기

x, y, z는 모두 짝수인 양의 정수이므로

$x=2a+2$, $y=2b+2$, $z=2c+2$ (단, a, b, c는 음이 아닌 정수)

로 놓으면 $x+y+z=(2a+2)+(2b+2)+(2c+2)=14$

$\therefore a+b+c=4$

STEP B 음이 아닌 정수해의 개수 구하기

따라서 방정식 $x+y+z=14$를 만족시키는 양의 짝수 x, y, z의 순서쌍의 개수는 방정식 $a+b+c=4$의 음이 아닌 정수 a, b, c의 순서쌍 (a, b, c)의 개수이고 서로 다른 3개의 문자 a, b, c에서 4개를 택하는 중복조합의 수와 같으므로 ${}_3H_4={}_{3+4-1}C_4={}_6C_4={}_6C_2=15$

 ④

0226

 ②

STEP A 홀수인 정수해를 음이 아닌 정수해의 식으로 바꾸기

양의 정수 x, y, z가 홀수이므로

$x=2a+1$, $y=2b+1$, $z=2c+1$ (a, b, c는 음이 아닌 정수)

로 놓으면

$x+y+z=(2a+1)+(2b+1)+(2c+1)=11$

$\therefore a+b+c=4$ …… ㉠

STEP B 음이 아닌 정수해의 개수 구하기

따라서 방정식 ㉠을 만족시키는 음이 아닌 정수 a, b, c의 순서쌍 (a, b, c)의 개수는 세 문자 a, b, c 중에서 4개를 택하는 중복조합의 수와 같으므로

${}_3H_4={}_{3+4-1}C_4={}_6C_4={}_6C_2=15$

내/신/연/계/ 출제문항 098

다항식

$$(x+y+z)^{11}$$

의 전개식에서 x, y, z의 차수가 모두 홀수인 서로 다른 항의 개수는?

① 12 ② 13 ③ 14
④ 15 ⑤ 16

STEP A 홀수인 정수해를 음이 아닌 정수해의 식으로 바꾸기

$(x+y+z)^{11}$의 전개식에서 x, y, z의 차수가 모두 홀수인 항의 개수는 $x^a y^b z^c$에서 방정식 $a+b+c=11$을 만족하는 홀수 a, b, c의 순서쌍 (a, b, c)의 개수와 같다.

$a=2a'+1$, $b=2b'+1$, $c=2c'+1$ (a', b', c'는 음이 아닌 정수)

로 놓으면 $(2a'+1)+(2b'+1)+(2c'+1)=11$

$\therefore a'+b'+c'=4$ …… ㉠

STEP B 음이 아닌 정수해의 개수 구하기

따라서 방정식 ㉠을 만족시키는 음이 아닌 정수 a', b', c'의 순서쌍 (a', b', c')의 개수는 세 문자 a', b', c' 중에서 4개를 택하는 중복조합의 수와 같으므로 ${}_3H_4={}_{3+4-1}C_4={}_6C_4={}_6C_2=15$

정답 ④

0227

 ②

STEP A 짝수와 홀수인 정수해를 음이 아닌 정수해의 식으로 바꾸기

x, y는 모두 짝수, z, w는 모두 홀수이므로

$x=2a$, $y=2b$, $z=2c+1$, $w=2d+1$ (단, a, b, c, d는 음이 아닌 정수)

로 놓으면 $x+y+z+w=2a+2b+(2c+1)+(2d+1)=12$

$\therefore a+b+c+d=5$ …… ㉠

STEP B 음이 아닌 정수해의 개수 구하기

따라서 방정식 ㉠을 만족시키는 음이 아닌 정수 a, b, c, d의 순서쌍 (a, b, c, d)의 개수는 세 문자 a, b, c, d 중에서 5개를 택하는 중복조합의 수와 같으므로 ${}_4H_5={}_{4+5-1}C_5={}_8C_5={}_8C_3=56$

내/신/연/계/ 출제문항 099

방정식 $x+y+z=15$를 만족시키는 자연수 x, y, z에 대하여

x는 홀수, y, z는 모두 짝수

인 모든 순서쌍 (x, y, z)의 개수는?

① 21 ② 24 ③ 27
④ 30 ⑤ 32

STEP A 짝수와 홀수인 정수해를 음이 아닌 정수해의 식으로 바꾸기

x는 홀수, y, z는 모두 짝수이므로

$x=2a+1$, $y=2b+2$, $z=2c+2$(a, b, c는 음이 아닌 정수)

로 놓으면 $x+y+z=15$에서 $(2a+1)+(2b+2)+(2c+2)=15$

$2a+2b+2c=10$ $\therefore a+b+c=5$

STEP B 음이 아닌 정수해의 개수 구하기

따라서 방정식 $a+b+c=5$를 만족시키는 음이 아닌 정수 a, b, c의 모든 순서쌍 (a, b, c)의 개수는 서로 다른 3개에서 중복을 허락하여 5개를 택하는 경우의 수와 같으므로 ${}_3H_5={}_{3+5-1}C_5={}_7C_5={}_7C_2=21$

정답 ①

0228

 ④

STEP A 홀수인 양의 정수해를 음이 아닌 정수해의 식으로 바꾸기

xyz가 홀수이므로 x, y, z는 홀수이어야 한다.

즉 $x=2a+1$, $y=2b+1$, $z=2c+1$ (단, a, b, c는 음이 아닌 정수)

로 놓으면 $x+y+z=(2a+1)+(2b+1)+(2c+1)=19$

$\therefore a+b+c=8$ …… ㉠

STEP B 음이 아닌 정수해의 개수 구하기

따라서 방정식 ㉠을 만족시키는 음이 아닌 정수 a, b, c의 순서쌍 (a, b, c)의 개수는 세 문자 a, b, c 중에서 8개를 택하는 중복조합의 수와 같으므로

${}_3H_8={}_{3+8-1}C_8={}_{10}C_8={}_{10}C_2=45$

0229

 ③

STEP A 양의 정수해의 개수 구하기

xyz가 짝수이므로 x, y, z는 적어도 하나가 짝수이어야 한다.

즉 방정식 $x+y+z=9$의 양의 정수 x, y, z의 순서쌍 (x, y, z) 중에서 x, y, z가 모두 홀수인 것을 제외한 것이다.

$x=x'+1$, $y=y'+1$, $z=z'+1$ (x, y', z'는 음이 아닌 정수)

로 놓으면 $x+y+z=(x'+1)+(y'+1)+(z'+1)=9$

$\therefore x'+y'+z'=6$

방정식 $x'+y'+z'=6$을 만족시키는 음이 아닌 정수 x', y', z'의 순서쌍 (x', y', z')의 개수는 서로 다른 3개에서 6개를 택하는 중복조합의 수와 같으므로 ${}_3H_6={}_{3+6-1}C_6={}_8C_6={}_8C_2=28$

STEP B x, y, z**의 양의 홀수해의 순서쌍의 개수 구하기**

x, y, z는 모두 홀수인 양의 정수해는

$x=2a+1$, $y=2b+1$, $z=2c+1$(a, b, c는 음이 아닌 정수)

로 놓으면 $x+y+z=(2a+1)+(2b+1)+(2c+1)=9$

$\therefore a+b+c=3$

방정식 $a+b+c=3$을 만족시키는 음이 아닌 정수 a, b, c의 순서쌍 (a, b, c)의 개수는 서로 다른 3개에서 3개를 택하는 중복조합의 수와 같으므로

${}_3H_3={}_{3+3-1}C_3={}_5C_3={}_5C_2=10$

STEP C **곱** xyz**의 값이 짝수인 것의 개수 구하기**

따라서 곱 xyz의 값이 짝수인 것의 순서쌍 (x, y, z)의 개수는 $28-10=18$

내/신/연/계/ 출제문항 100

방정식

$$a+b+c=10$$

을 만족시키는 음이 아닌 정수 a, b, c의 순서쌍 (a, b, c)에서 a, b, c 중 적어도 하나가 홀수인 순서쌍의 개수는? (단, 0은 짝수로 간주한다.)

① 30 ② 35 ③ 40
④ 45 ⑤ 50

STEP A **음이 아닌 정수해의 개수 구하기**

a, b, c 중 적어도 하나가 홀수인 순서쌍의 개수는

방정식 $a+b+c=10$을 만족시키는 음이 아닌 정수 a, b, c의 모든 순서쌍의 개수에서 a, b, c가 모두 짝수 또는 0인 순서쌍의 개수를 뺀 것과 같다.

방정식 $a+b+c=10$을 만족시키는 음이 아닌 정수 a, b, c의 순서쌍의 개수는

${}_3H_{10}={}_{3+10-1}C_{10}={}_{12}C_{10}={}_{12}C_2=66$

STEP B a, b, c**가 모두 짝수 또는 0인 정수해 구하기**

a, b, c가 모두 짝수 또는 0이므로 $a=2a'$, $b=2b'$, $c=2c'$으로 놓으면

$a+b+c=2a'+2b'+2c'=10$에서 $a'+b'+c'=5$

즉 방정식 $a+b+c=10$을 만족시키는 짝수 또는 0인 a, b, c의 순서쌍의 개수는 방정식 $a'+b'+c'=5$를 만족시키는 음이 아닌 정수 a', b', c'의 순서쌍의 개수와 같으므로 ${}_3H_5={}_{3+5-1}C_5={}_7C_5={}_7C_2=21$

STEP C **적어도 하나가 홀수인 순서쌍의 개수 구하기**

따라서 적어도 하나가 홀수인 순서쌍의 개수는 $66-21=45$ 

0230

STEP A **음이 아닌 정수** d**의 값 구하기**

음이 아닌 정수 a, b, c, d에 대하여 $a+b+c=6-3d$이고

$a+b+c\geq 0$이므로 $6-3d\geq 0$ $\quad\therefore d\leq 2$

즉 d는 0, 1, 2

STEP B **음이 아닌 정수해의 개수 구하기**

d의 값에 따라 각 경우로 나누면 다음과 같다.

(i) $d=0$일 때, $a+b+c+0=6$, 즉 $a+b+c=6$
위의 방정식을 만족시키는 음이 아닌 정수 a, b, c의 순서쌍 (a, b, c)의 개수는 서로 다른 3개에서 6개를 택하는 중복조합의 수와 같으므로
${}_3H_6={}_{3+6-1}C_6={}_8C_6={}_8C_2=28$

(ii) $d=1$일 때, $a+b+c+3=6$, 즉 $a+b+c=3$
위의 방정식을 만족시키는 음이 아닌 정수 a, b, c의 순서쌍 (a, b, c)의 개수는 서로 다른 3개에서 3개를 택하는 중복조합의 수와 같으므로
${}_3H_3={}_{3+3-1}C_3={}_5C_3={}_5C_2=10$

(iii) $d=2$일 때, $a+b+c+6=6$, 즉 $a+b+c=0$
위의 방정식을 만족시키는 음이 아닌 정수 a, b, c의 순서쌍 (a, b, c)는 $(0, 0, 0)$의 1개이다.

(i)~(iii)에서 구하는 순서쌍의 개수는 $28+10+1=39$

0231

STEP A **자연수** w**의 값 구하기**

양의 정수 x, y, z, w에 대하여 $x+y+z=14-5w$이고

$x+y+z\geq 3$이므로 $14-5w\geq 3$ $\quad\therefore w\leq\dfrac{11}{5}$

즉 양의 정수 w는 1, 2

STEP B **양의 정수해의 개수 구하기**

(i) $w=1$인 경우
$x+y+z=9$ (단, 양의 정수 x, y, z)
$x=a+1$, $y=b+1$, $z=c+1$로 놓으면
$a+b+c=6$ (단, 음이 아닌 정수 a, b, c)
구하는 순서쌍의 개수는 $a+b+c=6$을 만족시키는 음이 아닌 정수의 순서쌍의 개수이므로 ${}_3H_6={}_{3+6-1}C_6={}_8C_2=28$

(ii) $w=2$인 경우
$x+y+z=4$ (단, 양의 정수 x, y, z)
$x=a+1$, $y=b+1$, $z=c+1$로 놓으면
$a+b+c=1$ (단, 음이 아닌 정수 a, b, c)
구하는 순서쌍의 개수는 $a+b+c=1$을 만족시키는 음이 아닌 정수의 모든 순서쌍의 개수이므로 ${}_3H_1={}_{3+1-1}C_1={}_3C_1=3$

(i), (ii)에서 구하는 순서쌍의 개수는 $28+3=31$

내/신/연/계/ 출제문항 101

방정식

$$x+y+z+5w=7$$

을 만족시키는 음이 아닌 정수 x, y, z, w의 순서쌍 (x, y, z, w)의 개수는?

① 32 ② 35 ③ 38
④ 42 ⑤ 45

STEP A **음이 아닌 정수** w**의 값 구하기**

음이 아닌 정수 x, y, z, w에 대하여 $x+y+z=7-5w$이고

$x+y+z\geq 0$이므로 $7-5w\geq 0$ $\quad\therefore w\leq\dfrac{7}{5}$

즉 음이 아닌 정수 w는 0, 1

STEP B **음이 아닌 정수해의 개수 구하기**

(i) $w=0$일 때, $x+y+z=7$이고 구하는 순서쌍의 개수는
서로 다른 3개에서 7개를 택하는 중복조합의 수이므로
${}_3H_7={}_{3+7-1}C_7={}_9C_7={}_9C_2=36$

(ii) $w=1$일 때, $x+y+z=2$이고 구하는 순서쌍의 개수는
서로 다른 3개에서 2개를 택하는 중복조합의 수이므로
${}_3H_2={}_{3+2-1}C_2={}_4C_2=6$

(i), (ii)에서 구하는 순서쌍의 개수는 합의 법칙에 의해 $36+6=42$

0232

 ⑤

STEP Ⓐ **중복조합을 이용하여 조건 (가)를 만족하는 경우의 수 구하기**

중복조합의 수를 이용하여
조건 (가)를 만족시키는 순서쌍의 개수를 구한 후
조건 (나)를 만족시키지 않는 경우의 수를 뺀다.
방정식 $x+y+z+u=6$을 만족하는 음이 아닌 정수해의 모든 순서쌍 (x, y, z, u)의 개수는 서로 다른 4개에서 중복을 허락하여 6개를 선택하는 중복조합의 수이므로 ${}_4H_6={}_{4+6-1}C_6={}_9C_6={}_9C_3=84$

STEP Ⓑ **$x=u$를 만족하는 음이 아닌 정수해의 개수 구하기**

이 중에서 $x=u$인 경우
즉 $x+y+z+u=2x+y+z=6$이므로
음이 아닌 정수 x, y, z에 대하여 $y+z=6-2x$이고
$y+z\geq 0$이므로 $6-2x\geq 0$ $\quad\therefore x\leq 3$
즉 음 아닌 정수 x는 $0, 1, 2, 3$

(i) $x=0$일 때,
$y+z=6$을 만족시키는 음이 아닌 정수해의 개수는 ${}_2H_6={}_7C_6=7$

(ii) $x=1$일 때,
$y+z=4$를 만족시키는 음이 아닌 정수해의 개수는 ${}_2H_4={}_5C_4=5$

(iii) $x=2$일 때,
$y+z=2$를 만족시키는 음이 아닌 정수해의 개수는 ${}_2H_2={}_3C_2=3$

(iv) $x=3$일 때,
$y+z=0$을 만족시키는 음이 아닌 정수해의 개수는 $y=0$, $z=0$일 때, 1

(i)~(iv)에서 구하는 순서쌍의 개수는 $7+5+3+1=16$

STEP Ⓒ **여사건의 경우의 수 구하기**

따라서 구하는 음이 아닌 정수의 순서쌍의 개수는 $84-16=68$

내/신/연/계/ 출제문항 102

다음 조건을 만족시키는 양의 정수 x, y, z, w의 모든 순서쌍 (x, y, z, w)의 개수는?

(가) $x+y+z+w=6$
(나) $x\neq w$

① 6 ② 10 ③ 24
④ 32 ⑤ 68

STEP Ⓐ **중복조합을 이용하여 조건 (가)를 만족하는 경우의 수 구하기**

중복조합의 수를 이용하여
조건 (가)를 만족시키는 순서쌍의 개수를 구한 후
조건 (나)를 만족시키지 않는 경우의 수를 뺀다.
방정식 $x+y+z+w=6$을 만족시키는 양의 정수 x, y, z, w의 순서쌍의 개수
$x=x'+1$, $y=y'+1$, $z=z'+1$, $w=w'+1$로 놓으면
$x+y+z+w=(x'+1)+(y'+1)+(z'+1)+(w'+1)=6$
$x'+y'+z'+w'=2$
즉 방정식 $x+y+z+w=6$을 만족시키는 양의 정수 x, y, z, w의 순서쌍의 개수는 방정식 $x'+y'+z'+w'=2$를 만족시키는 양이 아닌 정수 x', y', z', w'의 순서쌍의 개수와 같으므로 ${}_4H_2={}_5C_2=10$

STEP Ⓑ **$x=w$를 만족하는 양의 정수해의 개수 구하기**

이 중에서 $x=w$인 경우
즉 $x+y+z+w=2x+y+z=6$이므로 양의 정수 x, y, z에 대하여
$y+z=6-2x$이고 $y+z>0$이므로 $6-2x>0$ $\quad\therefore x<3$
즉 양의 정수 x는 $1, 2$

(i) $x=1$일 때,
$y+z=4$를 만족시키는 양의 정수 y, z의 순서쌍은
$(1, 3), (2, 2), (3, 1)$로 3개이다.

(ii) $x=2$일 때,
$y+z=2$를 만족시키는 양의 정수 y, z의 순서쌍은
$(1, 1)$로 1개이다.

(i), (ii)에서 하는 순서쌍의 개수는 $3+1=4$

STEP Ⓒ **여사건의 경우의 수 구하기**

따라서 구하는 순서쌍의 개수는 $10-4=6$

 ①

0233

정답 ④

STEP Ⓐ **조건 (가)를 만족하는 음이 아닌 정수해의 개수 구하기**

조건 (가)에서
방정식 $a+b+c+d=6$을 만족시키는 음이 아닌 정수 a, b, c의 순서쌍 (a, b, c, d)의 개수는 a, b, c, d 중에서 중복을 허락하여 6개를 택하는 중복조합의 수와 같으므로
${}_4H_6={}_{4+6-1}C_6={}_9C_6={}_9C_3=84$ ...... ㉠

STEP Ⓑ **조건 (나)의 여사건을 만족하는 정수해의 개수 구하기**

이 중에서 조건 (나)를 만족시키지 않는 순서쌍의 개수는
방정식 $a+b+c+d=6$을 만족시키는 자연수 a, b, c, d의 순서쌍 (a, b, c, d)의 개수와 같다. ⬅ $a\geq 1, b\geq 1, c\geq 1, d\geq 1$인 정수해
이 개수는
$a=a'+1$, $b=b'+1$, $c=c'+1$, $d=d'+1$이라 하면
$a'+b'+c'+d'=2$를 만족시키는 음이 아닌 정수 a', b', c', d'의 모든 순서쌍 (a', b', c', d')의 개수와 같으므로
${}_4H_2={}_{4+2-1}C_2={}_5C_2=10$ ...... ㉡
따라서 ㉠, ㉡에서 구하는 순서쌍의 개수는 $84-10=74$

0234

 ②

STEP Ⓐ **조건 (가)를 만족하는 음이 아닌 정수해의 개수 구하기**

조건 (가)에서
방정식 $a+b+c+d=12$를 만족시키는 음이 아닌 정수 a, b, c의 모든 순서쌍 (a, b, c, d)의 개수는 a, b, c, d 중에서 중복을 허락하여 12개를 택하는 중복조합의 수와 같으므로 ${}_4H_{12}={}_{15}C_{12}={}_{15}C_3=455$

STEP Ⓑ **조건 (나)의 여사건을 만족하는 음이 아닌 정수해의 개수 구하기**

$a\neq 2$이고 $a+b+c\neq 10$인 경우의 수는
전체 경우의 수에서 $a=2$ 또는 $a+b+c=10$인 경우를 제외하면 되므로

(i) $a=2$인 경우
$a+b+c+d=12$, $b+c+d=10$을 만족시키는 음이 아닌 정수 a, b, c의 순서쌍 (a, b, c)의 개수는 b, c, d 중에서 중복을 허락하여 10개를 택하는 중복조합의 수와 같으므로 ${}_3H_{10}={}_{12}C_{10}={}_{12}C_2=66$

(ii) $a+b+c=10$인 경우 ⬅ $d=2$
$a+b+c=10$을 만족시키는 음이 아닌 정수 a, b, c의 순서쌍 (a, b, c)의 개수는 a, b, c 중에서 중복을 허락하여 10개를 택하는 중복조합의 수와 같으므로 ${}_3H_{10}={}_{12}C_{10}={}_{12}C_2=66$

(iii) $a=2$이고 $a+b+c=10$인 경우 ⬅ $d=2$
$2+b+c=10$, $b+c=8$을 만족시키는 음이 아닌 정수 b, c의 순서쌍 (b, c)의 개수는 b, c 중에서 중복을 허락하여 8개를 택하는 중복조합의 수와 같으므로 ${}_2H_8={}_9C_8={}_9C_1=9$

(i) ~ (iii)에서 $a=2$ 또는 $a+b+c=10$인 경우의 수는
$66+66-9=123$

STEP Ⓒ **조건 (가), (나)를 만족하는 경우의 수 구하기**

따라서 구하는 순서쌍의 경우의 수는 $455-123=332$

내/신/연/계/ 출제문항 103

다음 조건을 만족시키는 음이 아닌 정수 a, b, c, d, e의 모든 순서쌍 (a, b, c, d, e)의 개수는?

(가) $a+b+c+d+e=7$
(나) $a-2b\neq 0$

① 274 ② 276 ③ 278
④ 280 ⑤ 282

STEP Ⓐ 음이 아닌 정수해의 개수 구하기

중복조합의 수를 이용하여
조건 (가)를 만족시키는 순서쌍의 개수를 구한 후
조건 (나)를 만족시키지 않는 경우의 수를 뺀다.
방정식 $a+b+c+d+e=7$을 만족시키는 음이 아닌 정수 a, b, c, d, e의 모든 순서쌍 (a, b, c, d, e)의 개수는 서로 다른 5개에서 7개를 택하는 중복조합의 수와 같으므로 ${}_5H_7={}_{5+7-1}C_7={}_{11}C_7={}_{11}C_4=330$

STEP Ⓑ $a=2b$를 만족하는 음이 아닌 정수해의 개수 구하기

이 중에서 $a=2b$인 경우
$3b+c+d+e=7$이므로 음이 아닌 정수 b, c, d, e에 대하여
$c+d+e=7-3b$이고 $c+d+e\geq 0$이므로 $7-3b\geq 0$
$\therefore b\leq \frac{7}{3}$
즉 음이 아닌 정수 b는 0, 1, 2

(i) $b=0$일 때,
$c+d+e=7$을 만족시키는 음이 아닌 정수 c, d, e의 모든 순서쌍 (c, d, e)의 개수는 서로 다른 3개에서 7개를 택하는 중복조합의 수와 같으므로 ${}_3H_7={}_{3+7-1}C_7={}_9C_7={}_9C_2=36$

(ii) $b=1$일 때,
$c+d+e=4$를 만족시키는 음이 아닌 정수 c, d, e의 모든 순서쌍 (c, d, e)의 개수는 서로 다른 3개에서 4개를 택하는 중복조합의 수와 같으므로 ${}_3H_4={}_{3+4-1}C_4={}_6C_4={}_6C_2=15$

(iii) $b=2$일 때,
$c+d+e=1$을 만족시키는 음이 아닌 정수 c, d, e의 모든 순서쌍 (c, d, e)의 개수는 서로 다른 3개에서 1개를 택하는 중복조합의 수와 같으므로 ${}_3H_1={}_{3+1-1}C_1={}_3C_1=3$

(i)~(iii)에서 구하는 순서쌍의 개수는 $36+15+3=54$

STEP Ⓒ 여사건의 경우의 수 구하기

따라서 구하는 순서쌍의 개수는 $330-54=276$  ②

0235

정답 ⑤

STEP Ⓐ 조건을 만족하는 부정방정식 작성하기

천의 자리의 수를 a, 백의 자리의 수를 b, 십의 자리의 수를 c, 일의 자리의 수를 d라 하면
$a+b+c+d=9$ (a는 자연수, b, c는 음이 아닌 정수, d는 홀수)이므로
$a=a'+1$, $d=2d'+1$ (a', d'는 음이 아닌 정수)
로 놓으면 $a'+b+c+2d'=7$ …… ㉠
조건을 만족시키는 자연수의 개수는 ㉠을 만족시키는 음이 아닌 정수 a', b, c, d'의 모든 순서쌍 (a', b, c, d')의 개수와 같다.

STEP Ⓑ d'을 기준으로 음이 아닌 정수해의 개수 구하기

(i) $d'=0$인 경우
$a'+b+c=7$을 만족시키는 음이 아닌 정수 a', b, c의 모든 순서쌍 (a', b, c)의 개수는 서로 다른 3개에서 7개를 택하는 중복조합의 수와 같으므로 ${}_3H_7={}_{3+7-1}C_7={}_9C_7={}_9C_2=36$

(ii) $d'=1$인 경우
$a'+b+c=5$를 만족시키는 음이 아닌 정수 a', b, c의 모든 순서쌍 (a', b, c)의 개수는 서로 다른 3개에서 5개를 택하는 중복조합의 수와 같으므로 ${}_3H_5={}_{3+5-1}C_5={}_7C_5={}_7C_2=21$

(iii) $d'=2$인 경우
$a'+b+c=3$을 만족시키는 음이 아닌 정수 a', b, c의 모든 순서쌍 (a', b, c)의 개수는 서로 다른 3개에서 3개를 택하는 중복조합의 수와 같으므로 ${}_3H_3={}_{3+3-1}C_3={}_5C_3={}_5C_2=10$

(iv) $d'=3$인 경우
$a'+b+c=1$을 만족시키는 음이 아닌 정수 a', b, c의 모든 순서쌍 (a', b, c)의 개수는 서로 다른 3개에서 1개를 택하는 중복조합의 수와 같으므로 ${}_3H_1={}_{3+1-1}C_1={}_3C_1=3$

(i)~(iv)에 의하여 구하는 경우의 수는 $36+21+10+3=70$

0236

 ①

STEP Ⓐ 주어진 방정식의 해를 음이 아닌 정수해의 식으로 바꾸기

방정식 $x+y+z=15(x\geq 2,\ y\geq 3,\ z\geq 4)$에서
$x=a+2,\ y=b+3,\ z=c+4$ (a, b, c는 음이 아닌 정수)
로 놓으면 $x+y+z=(a+2)+(b+3)+(c+4)=15$
$\therefore a+b+c=6$

STEP Ⓑ 음이 아닌 정수해의 개수 구하기

방정식 $x+y+z=15(x\geq 2,\ y\geq 3,\ z\geq 4)$의 정수해의 개수는
방정식 $a+b+c=6$의 음이 아닌 정수해의 개수와 같다.
따라서 세 개의 문자 a, b, c에서 6개를 택하는 중복조합의 수와 같으므로
${}_3H_6={}_{3+6-1}C_6={}_8C_6={}_8C_2=28$

내/신/연/계/ 출제문항 104

방정식

$$x+y+z=8$$

에 대하여 $x\geq 1,\ y\geq 2,\ z\geq 3$인 정수해는 모두 몇 가지인가?

① 6 ② 8 ③ 10
④ 12 ⑤ 14

STEP Ⓐ 주어진 방정식의 해를 음이 아닌 정수해의 식으로 바꾸기

방정식 $x+y+z=8(x\geq 1,\ y\geq 2,\ z\geq 3)$에서
$x=a+1,\ y=b+2,\ z=c+3$ (a, b, c는 음이 아닌 정수)
로 놓으면 $x+y+z=(a+1)+(b+2)+(c+3)=8$
$\therefore a+b+c=2$

STEP Ⓑ 음이 아닌 정수해의 개수 구하기

방정식 $x+y+z=8(x\geq 1,\ y\geq 2,\ z\geq 3)$의 정수해의 개수는
방정식 $a+b+c=2$의 음이 아닌 정수해의 개수와 같다.
따라서 세 개의 문자 a, b, c에서 2개를 택하는 중복조합의 수와 같으므로
${}_3H_2={}_{3+2-1}C_2={}_4C_2=6$  ①

0237

정답 ③

STEP Ⓐ -1 **이상인 정수해를 음이 아닌 정수해의 식으로 바꾸기**

x, y, z는 $x \geq -1$, $y \geq -1$, $z \geq -1$인 정수이므로
$x=a-1$, $y=b-1$, $z=c-1$ (a, b, c는 음이 아닌 정수)
로 놓으면 $x+y+z=(a-1)+(b-1)+(c-1)=4$
$\therefore a+b+c=7$

STEP Ⓑ **음이 아닌 정수해의 개수 구하기**

방정식 $x+y+z=4$를 만족시키는 -1 이상의 정수 x, y, z 순서쌍 (x, y, z)의 개수는 방정식 $a+b+c=7$의 음이 아닌 정수 a, b, c의 순서쌍 (a, b, c)의 개수와 같다.
따라서 서로 다른 3개의 문자 a, b, c에서 7개를 택하는 중복조합의 수와 같으므로 ${}_3H_7={}_{3+7-1}C_7={}_9C_7={}_9C_2=36$

내/신/연/계/ 출제문항 105

방정식

$$x+y+z=8$$

을 만족시키는 -1 이상의 정수 x, y, z의 모든 순서쌍 (x, y, z)의 개수는?

① 12 ② 45 ③ 78
④ 111 ⑤ 144

STEP Ⓐ -1 **이상인 정수해를 음이 아닌 정수해의 식으로 바꾸기**

x, y, z는 $x \geq -1$, $y \geq -1$, $z \geq -1$인 정수이므로
$x=a-1$, $y=b-1$, $z=c-1$ (a, b, c는 음이 아닌 정수)
로 놓으면 $x+y+z=(a-1)+(b-1)+(c-1)=8$
$\therefore a+b+c=11$

STEP Ⓑ **음이 아닌 정수해의 개수 구하기**

방정식 $x+y+z=8$을 만족시키는 -1 이상의 정수 x, y, z 순서쌍 (x, y, z)의 개수는 방정식 $a+b+c=11$의 음이 아닌 정수 a, b, c의 순서쌍 (a, b, c)의 개수와 같다.
따라서 서로 다른 3개의 문자 a, b, c에서 11개를 택하는 중복조합의 수와 같으므로 ${}_3H_{11}={}_{3+11-1}C_{11}={}_{13}C_{11}={}_{13}C_2=78$ 정답 ③

0238

정답 ④

STEP Ⓐ **주어진 방정식의 해를 음이 아닌 정수해의 식으로 바꾸어 계산하기**

$x+y+z=10$을 만족시키는 세 자연수의 순서쌍 (x, y, z)의 개수는
$x=a+1$, $y=b+1$, $z=c+1$로 놓으면
방정식 $a+b+c=7$의 음이 아닌 정수해의 개수와 같으므로
${}_3H_7={}_9C_7={}_9C_2=36$

STEP Ⓑ $x>5$**인 경우의 수를 제외하여 구하기**

$x=6$일 때, $y+z=4$에서 $b+c=2$이므로
음이 아닌 정수의 순서쌍 (b, c)의 개수는 ${}_2H_2={}_3C_2=3$
$x=7$일 때, y, z 중 하나가 2이고 나머지는 1인 경우이므로 2가지
$x=8$일 때, y, z 모두 1인 경우이므로 1가지
따라서 구하는 모든 순서쌍의 개수는 $36-(3+2+1)=30$

0239

정답 ④

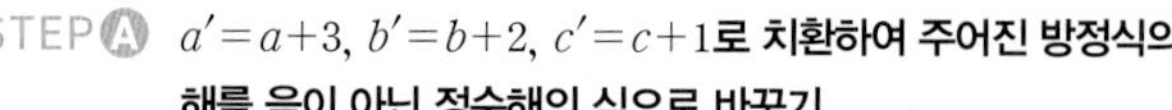

STEP Ⓐ $a'=a+3$, $b'=b+2$, $c'=c+1$**로 치환하여 주어진 방정식의 해를 음이 아닌 정수해의 식으로 바꾸기**

$a+3 \leq b+2 \leq c+1 \leq d$에서
$a'=a+3$, $b'=b+2$, $c'=c+1$이라 하면
$4 \leq a' \leq b' \leq c' \leq d \leq 12$이다.
4에서 12까지의 자연수 중에서 중복을 허락하여 네 수 a', b', c', d'를 택하면 네 수 a, b, c, d는 주어진 조건을 만족시킨다.
따라서 구하는 경우의 수는 ${}_9H_4={}_{9+4-1}C_4={}_{12}C_4=495$

0240

정답 ①

STEP Ⓐ **주어진 조건을 만족하는 정수** d**의 값 구하기**

음이 아닌 정수 a, b, c, d에 대하여
조건 (가)에서 $a+b+c=10-3d$이고
조건 (나)에서 $a+b+c \leq 5$이므로 $0 \leq 10-3d \leq 5$
$\therefore \frac{5}{3} \leq d \leq \frac{10}{3}$
즉 정수 d가 될 수 있는 값은 2, 3

STEP Ⓑ d**의 값에 따라 각각의 경우의 수 구하기**

(ⅰ) $d=2$일 때,
$a+b+c=4$를 만족시키는 음이 아닌 정수 a, b, c의 순서쌍 (a, b, c)의 개수는 서로 다른 3개에서 중복을 허락하여 4개를 택하는 중복조합의 수이므로 ${}_3H_4={}_{3+4-1}C_4={}_6C_4={}_6C_2=15$
(ⅱ) $d=3$일 때,
$a+b+c=1$을 만족시키는 음이 아닌 정수 a, b, c의 순서쌍 (a, b, c)의 개수는 서로 다른 3개 중에서 1개를 택하는 경우의 수이므로
${}_3H_1={}_{3+1-1}C_1={}_3C_1=3$
(ⅰ), (ⅱ)에서 구하는 순서쌍의 개수는 $15+3=18$

$d=0$일 때,
조건 (가)로부터 $a+b+c=10$
조건 (나)의 $a+b+c \leq 5$에 모순
$d=1$일 때,
조건 (가)로부터 $a+b+c=7$
조건 (나)의 $a+b+c \leq 5$에 모순

다른풀이 d의 값에 따라 경우를 나누어 풀이하기

조건 (나)에서 $0 \leq a+b+c \leq 5$이므로 음이 아닌 정수 a, b, c에 대하여 다음과 같이 분류한다.
(ⅰ) $a+b+c=0$, 2, 3, 5일 때,
조건 (가)에서 $3d=10$, 8, 7, 5이므로 정수인 d가 존재하지 않으므로 모순
(ⅱ) $a+b+c=1$일 때,
조건 (가)에서 $3d=9$이므로 $d=3$이고 $a+b+c=1$을 만족시키는 음이 아닌 정수 a, b, c의 순서쌍 (a, b, c)의 개수는 ${}_3H_1={}_{3+1-1}C_1={}_3C_1=3$
(ⅲ) $a+b+c=4$일 때,
조건 (가)에서 $3d=6$이므로 $d=2$이고 $a+b+c=4$를 만족시키는 음이 아닌 정수 a, b, c의 순서쌍 (a, b, c)의 개수는
${}_3H_4={}_{3+4-1}C_4={}_6C_4={}_6C_2=15$
(ⅰ)~(ⅲ)에서 구하는 순서쌍의 개수는 $15+3=18$

내신연계 출제문항 106

다음 조건을 만족시키는 음이 아닌 정수 x, y, z의 모든 순서쌍 (x, y, z)의 개수는?

(가) $x+y+z=10$
(나) $0<y+z<10$

① 39 ② 44 ③ 49
④ 54 ⑤ 59

STEP A 음이 아닌 정수해의 개수 구하기

조건 (가)에서 $x+y+z=10$을 만족시키는 음이 아닌 정수 x, y, z의 모든 순서쌍 (x, y, z)의 개수는 서로 다른 3개에서 10개를 택하는 중복조합의 수와 같으므로 ${}_3H_{10}={}_{3+10-1}C_{10}={}_{12}C_{10}={}_{12}C_2=66$

STEP B 조건 (나)를 만족하지 않은 음이 아닌 정수해의 개수 구하기

이 중에서 조건 (나)를 만족하지 않은 경우는
$y+z=0$ 또는 $y+z=10$일 때이므로
(ⅰ) $x=10$이고 $y+z=0$일 때,
  $y+z=0$을 만족하는 순서쌍 (x, y, z)의 개수는 1
(ⅱ) $x=0$이고 $y+z=10$일 때,
  $y+z=10$을 만족하는 순서쌍 (y, z)의 개수는 ${}_2H_{10}={}_{11}C_{10}=11$
(ⅰ), (ⅱ)에서 구하고자 하는 순서쌍의 개수는 $66-(1+11)=54$

다른풀이 직접 중복조합을 이용하여 순서쌍의 개수 풀이하기

조건 (나) $0<y+z<10$에서 $y+z=1, 2, 3, \cdots, 9$이므로
조건 (가) $x+y+z=10$을 만족하는 순서쌍 (x, y, z)의 개수는 다음과 같다.
$y+z=1$일 때, $x=9$인 순서쌍 $(9, y, z)$의 개수는 ${}_2H_1={}_2C_1=2$
$y+z=2$일 때, $x=8$인 순서쌍 $(8, y, z)$의 개수는 ${}_2H_2={}_3C_2=3$
$y+z=3$일 때, $x=7$인 순서쌍 $(7, y, z)$의 개수는 ${}_2H_3={}_4C_3=4$
$y+z=4$일 때, $x=6$인 순서쌍 $(6, y, z)$의 개수는 ${}_2H_4={}_5C_4=5$
$y+z=5$일 때, $x=5$인 순서쌍 $(5, y, z)$의 개수는 ${}_2H_5={}_6C_5=6$
$y+z=6$일 때, $x=4$인 순서쌍 $(4, y, z)$의 개수는 ${}_2H_6={}_7C_6=7$
$y+z=7$일 때, $x=3$인 순서쌍 $(3, y, z)$의 개수는 ${}_2H_7={}_8C_7=8$
$y+z=8$일 때, $x=2$인 순서쌍 $(2, y, z)$의 개수는 ${}_2H_8={}_9C_8=9$
$y+z=9$일 때, $x=1$인 순서쌍 $(1, y, z)$의 개수는 ${}_2H_9={}_{10}C_9=10$
따라서 구하는 순서쌍 (x, y, z)의 개수는
$2+3+4+5+6+7+8+9+10=\dfrac{9(2+10)}{2}=54$

정답 ④

0241

STEP A 연립방정식에서 w의 값 구하기

연립방정식 $\begin{cases} x+y+z+3w=14 & \cdots\cdots ㉠ \\ x+y+z+w=10 & \cdots\cdots ㉡ \end{cases}$

㉠－㉡을 하면 $2w=4$ $\therefore w=2$
이것을 ㉠ 또는 ㉡에 대입하면 $x+y+z=8$

STEP B 중복조합을 이용하여 순서쌍 구하기

즉 w는 항상 2이고 $x+y+z=8$을 만족하는 음이 아닌 정수 $(x, y, z, 2)$의 순서쌍의 개수는 서로 다른 3개에서 8개를 택하는 중복조합의 수와 같으므로
${}_3H_8={}_{3+8-1}C_8={}_{10}C_8={}_{10}C_2=45$

0242

STEP A a, b, c, d, e 중 그 값이 0인 것을 선택하는 경우의 수 구하기

조건 (가)에서 a, b, c, d, e 중에서 0의 개수가 2이므로 5개 중 0인 것 2개를 뽑는 경우의 수는 ${}_5C_2=10$ …… ㉠

STEP B 중복조합을 이용하여 순서쌍 구하기

이 10가지 경우의 수에서 $a=b=0$이라 하면 $c\neq0$, $d\neq0$, $e\neq0$이고
조건 (나)에서 $c+d+e=10$
을 만족시키는 자연수 c, d, e의 순서쌍 (c, d, e)의 개수는
$c=c'+1$, $d=d'+1$, $e=e'+1$ (단, c', d', e'는 음이 아닌 정수)
라 하면 $(c'+1)+(d'+1)+(e'+1)=10$
$c'+d'+e'=7$을 만족시키는 음이 아닌 정수해의 개수와 같으므로
${}_3H_7={}_{3+7-1}C_7={}_9C_7={}_9C_2=36$ …… ㉡
따라서 ㉠, ㉡에서 순서쌍의 개수는 $10\times36=360$

내신연계 출제문항 107

다음 조건을 만족시키는 음이 아닌 정수 a, b, c, d, e의 모든 순서쌍 (a, b, c, d, e)의 개수는?

(가) a, b, c, d, e 중 3개는 0이다.
(나) $a+b+c+d+e=7$

① 50 ② 55 ③ 60
④ 65 ⑤ 70

STEP A a, b, c, d, e 중 그 값이 0인 것을 선택하는 경우의 수 구하기

조건 (가)에서 a, b, c, d, e 중 0의 값을 갖는 3개를 택하는 경우의 수는
${}_5C_3={}_5C_2=10$ …… ㉠

STEP B 중복조합을 이용하여 순서쌍 구하기

이 중 $a=b=c=0$이라 하면 $d\neq0$, $e\neq0$이고
조건 (나)에서 $d+e=7$
d, e가 양의 정수이므로 $d=d'+1$, $e=e'+1$로 놓으면
$d+e=(d'+1)+(e'+1)=7$에서 $d'+e'=5$
즉 $d+e=7$을 만족시키는 양의 정수해의 개수는 $d'+e'=5$를 만족시키는 음이 아닌 정수해의 개수와 같으므로
${}_2H_5={}_6C_5={}_6C_1=6$ …… ㉡
따라서 ㉠, ㉡에서 순서쌍의 개수는 $10\times6=60$

정답 ③

0243

STEP A 네 자연수 a, b, c, d 중 홀수가 2개인 경우의 수 구하기

조건 (가)에서 네 자연수 a, b, c, d 중 홀수가 2개를 택하는 경우의 수는
${}_4C_2=6$ …… ㉠

STEP B 중복조합을 이용하여 2개의 짝수와 2개의 홀수의 경우의 수 구하기

이 6가지 중에서 a, b가 홀수, c, d가 짝수라 하면
$a=2a'+1$, $b=2b'+1$, $c=2c'+2$, $d=2d'+2$
(단, a', b', c', d'는 음이 아닌 정수)로 놓으면
조건 (나)에서 $(2a'+1)+(2b'+1)+(2c'+2)+(2d'+2)=12$
$\therefore a'+b'+c'+d'=3$
이때 순서쌍 (a', b', c', d')의 개수는 서로 다른 네 개의 문자에서 중복을 허락하여 3개를 선택하는 중복조합의 수이므로
${}_4H_3={}_{4+3-1}C_3={}_6C_3=20$ …… ㉡
따라서 ㉠, ㉡에서 순서쌍의 개수는 $6\times20=120$

0244

 ③

STEP Ⓐ **중복조합을 이용하여 조건을 만족시키는 각각의 순서쌍의 개수 구하기**

$a+b+c-d=9$에서 $a+b+c=9+d$

이때 $d \le 4$이므로 다음 각 경우로 나눌 수 있다.

(ⅰ) $d=0$일 때, $a+b+c=9$

조건 (나) $c \ge d$에서 $c \ge 0$이므로 주어진 순서쌍의 개수는

${}_3H_9={}_{11}C_9={}_{11}C_2=55$

(ⅱ) $d=1$일 때, $a+b+c=10$

조건 (나) $c \ge d$에서 $c \ge 1$이므로 $c=c'+1(c' \ge 0)$로 놓으면

$a+b+c'=9$

그러므로 구하는 순서쌍의 개수는 ${}_3H_9={}_{11}C_9={}_{11}C_2=55$

(ⅲ) $d=2$일 때, $a+b+c=11$

조건 (나) $c \ge d$에서 $c \ge 2$이므로 $c=c'+2(c' \ge 0)$로 놓으면

$a+b+c'=9$

그러므로 구하는 순서쌍의 개수는 ${}_3H_9={}_{11}C_9={}_{11}C_2=55$

(ⅳ) $d=3$일 때, $a+b+c=12$

조건 (나) $c \ge d$에서 $c \ge 3$이므로 $c=c'+3(c' \ge 0)$로 놓으면

$a+b+c'=9$

그러므로 구하는 순서쌍의 개수는 ${}_3H_9={}_{11}C_9={}_{11}C_2=55$

(ⅴ) $d=4$일 때, $a+b+c=13$

조건 (나) $c \ge d$에서 $c \ge 4$이므로 $c=c'+4(c' \ge 0)$로 놓으면

$a+b+c'=9$

그러므로 구하는 순서쌍의 개수는 ${}_3H_9={}_{11}C_9={}_{11}C_2=55$

(ⅰ)~(ⅴ)에서 구하는 순서쌍의 개수는 합의 법칙에 의하여

$55 \times 5=275$

$a+b+c=9+d$에서 $c \ge d$을 만족하는 $c=d+c'$ (단, $c' \ge 0$)

$a+b+c'+d=9+d$

즉 $a+b+c'=9$ (단, a, b, c'은 음이 아닌 정수)

다른풀이 $c-d=f$로 놓고 풀이하기

$c \ge d$이므로 $c-d \ge 0$이고 $c-d=f$라 하면

$a+b+c-d=a+b+f$이므로

$a+b+f=9$를 만족하는 음이 아닌 정수해의 개수는

${}_3H_9={}_{11}C_9={}_{11}C_2=\dfrac{11 \times 10}{2 \times 1}=55$

이때 $d \le 4$이므로 $d=0, 1, 2, 3, 4$의 5가지 경우가 있으므로

전체 순서쌍의 개수는 $55 \times 5=275$

내신연계 출제문항 108

다음 조건을 만족시키는 음이 아닌 정수 a, b, c, d 모든 순서쌍 (a, b, c, d)의 개수는?

(가) $4a+b+c+d=9$
(나) $d \ge 2$

① 40 ② 42 ③ 44
④ 46 ⑤ 48

STEP Ⓐ **$d=d'+2$ (d'은 음이 아닌 정수)로 놓고 a의 값에 따라 경우를 나눈 다음 중복조합의 수를 이용하기**

조건 (나)에서 $d \ge 2$이므로

$d=d'+2$ (d'은 음이 아닌 정수)

로 놓으면

$4a+b+c+d=9$에서 $4a+b+c+(d'+2)=9$

$4a+b+c+d'=7$

a의 값은 0 또는 1이 될 수 있으므로 두 가지 경우로 나누어 생각하자.

(ⅰ) $a=0$일 때,

방정식 $b+c+d'=7$을 만족시키는 음이 아닌 정수 b, c, d'의 순서쌍 (b, c, d')의 개수는 서로 다른 3개에서 중복을 허락하여 7개를 택하는 중복조합의 수와 같으므로 ${}_3H_7={}_9C_7={}_9C_2=36$

(ⅱ) $a=1$일 때,

방정식 $b+c+d'=3$을 만족시키는 음이 아닌 정수 b, c, d'의 순서쌍 (b, c, d')의 개수는 서로 다른 3개에서 중복을 허락하여 3개를 택하는 중복조합의 수와 같으므로 ${}_3H_3={}_5C_3={}_5C_2=10$

(ⅰ), (ⅱ)에서 구하는 순서쌍의 개수는 합의 법칙에 의하여 $36+10=46$

 ④

0245

 ⑤

STEP Ⓐ **조건 (가)에서 중복조합을 이용하여 순서쌍의 개수 구하기**

조건 (가)에서 $a+b+c=6$을 만족하는 음이 아닌 정수해의 순서쌍 (a, b, c)의 개수는 ${}_3H_6={}_8C_6=28$

STEP Ⓑ **직선의 기울기를 이용하여 조건 (나)를 만족시키지 않는 순서쌍을 구하여 순서쌍의 개수 구하기**

조건 (나)를 만족하지 않는 경우는 $(1, a)$, $(2, b)$, $(3, c)$가 한 직선 위에 있는 경우이다.

두 점 $(2, b)$, $(3, c)$를 지나는 직선의 기울기와 두 점 $(1, a)$, $(2, b)$를 지나는 직선의 기울기가 같아야 하므로

$\dfrac{b-a}{2-1}=\dfrac{c-b}{3-2}$, $b-a=c-b$ $\quad \therefore 2b=a+c$

이 식을 조건 (가)에 대입하면 $3b=6$이므로

$b=2$, $a+c=4$를 이루는 경우를 제외하면 된다.

즉 세 점이 한 직선 위에 있는 경우의 수는 ${}_2H_4={}_5C_4=5$

조건 (가)를 이용해 구한 28개의 순서쌍 중에서

조건 (나)를 이용해 구한 5가지의 순서쌍을 제외해야 한다.

따라서 구하는 순서쌍의 개수는 $28-5=23$

다른풀이 직접 경우의 수를 이용하여 풀이하기

조건 (가)를 만족시키는 음이 아닌 정수 a, b, c의 순서쌍 (a, b, c)의 개수는 서로 다른 3개에서 6개를 뽑는 중복조합의 수와 같으므로

${}_3H_6={}_{3+6-1}C_6={}_8C_6={}_8C_2=28$ $\quad \cdots\cdots$ ㉠

이때 조건 (나)에서 세 점 $(1, a)$, $(2, b)$, $(3, c)$가 한 직선 위에 있지 않아야 하므로 $\dfrac{b-a}{2-1} \ne \dfrac{c-b}{3-2}$, $b-a \ne c-b$, $2b \ne a+c$

$2b \ne 6-b$ ($\because$ 조건 (가)에서 $a+c=6-b$)

$3b \ne 6$ $\quad \therefore b \ne 2$

따라서 조건 (가)를 만족하는 순서쌍 (a, b, c) 중에서 $b=2$인 경우는

$(0, 2, 4)$, $(1, 2, 3)$, $(2, 2, 2)$, $(3, 2, 1)$, $(4, 2, 0)$의 5가지이므로

구하는 순서쌍의 개수는 $28-5=23$

0246

 ⑤

STEP Ⓐ **$x+y+z$의 값이 될 수 있는 음이 아닌 정수의 경우 구하기**

x, y, z가 음이 아닌 정수이므로

$x+y+z \le 4$에서 $x+y+z$의 값이 될 수 있는 것은 0, 1, 2, 3, 4이다.

STEP Ⓑ **중복조합을 이용하여 경우의 수 구하기**

(ⅰ) $x+y+z=0$에서 음이 아닌 정수인 해의 개수는 ${}_3H_0=1$

(ⅱ) $x+y+z=1$에서 음이 아닌 정수인 해의 개수는 ${}_3H_1={}_3C_1=3$

(ⅲ) $x+y+z=2$에서 음이 아닌 정수인 해의 개수는 ${}_3H_2={}_4C_2=6$

(ⅳ) $x+y+z=3$에서 음이 아닌 정수인 해의 개수는 ${}_3H_3={}_5C_3=10$

(ⅴ) $x+y+z=4$에서 음이 아닌 정수인 해의 개수는 ${}_3H_4={}_6C_4=15$

(ⅰ)~(ⅴ)에서 구하는 해의 개수는 $1+3+6+10+15=35$

다른풀이 부등식을 방정식화 하여 풀이하기

$x+y+z \le 4$를 만족하는 $x,\ y,\ z$가 음이 아닌 정수해의 순서쌍 $(x,\ y,\ z)$와 $x+y+z+k=4$를 만족하는 $x,\ y,\ z,\ k$가 음이 아닌 정수해의 순서쌍 $(x,\ y,\ z,\ k)$는 일대일 대응한다.

즉 $x+y+z+k=4$를 만족하는 $x,\ y,\ z,\ k$가 음이 아닌 정수해의 개수는 ${}_4\mathrm{H}_4={}_7\mathrm{C}_4={}_7\mathrm{C}_3=35$

부등식의 정수해의 개수 구하기

부등식

$$x_1+x_2+x_3+\cdots+x_n \le r\ (n,\ r\text{은 자연수})$$

의 음이 아닌 정수해의 개수

⇨ $x_1+x_2+x_3+\cdots+x_n+k=r$ (k도 음이 아닌 정수)

⇨ ${}_{n+1}\mathrm{H}_r={}_{n+r+1-1}\mathrm{C}_r={}_{n+r}\mathrm{C}_r$

내/신/연/계/ 출제문항 109

부등식

$$x+y+z \le 3$$

를 만족하는 음이 아닌 정수해의 개수는?

① 16 ② 20 ③ 25
④ 30 ⑤ 35

STEP A $x+y+z$**의 값이 될 수 있는 음이 아닌 정수의 경우 구하기**

$x,\ y,\ z$가 음이 아닌 정수이므로

$x+y+z \le 3$에서 $x+y+z$의 값이 될 수 있는 것은 $0,\ 1,\ 2,\ 3$이다.

STEP B 중복조합을 이용하여 경우의 수 구하기

(ⅰ) $x+y+z=0$에서 음이 아닌 정수인 해의 개수는 ${}_3\mathrm{H}_0=1$

(ⅱ) $x+y+z=1$에서 음이 아닌 정수인 해의 개수는 ${}_3\mathrm{H}_1={}_3\mathrm{C}_1=3$

(ⅲ) $x+y+z=2$에서 음이 아닌 정수인 해의 개수는 ${}_3\mathrm{H}_2={}_4\mathrm{C}_2=6$

(ⅳ) $x+y+z=3$에서 음이 아닌 정수인 해의 개수는 ${}_3\mathrm{H}_3={}_5\mathrm{C}_3=10$

(ⅰ)~(ⅴ)에서 구하는 해의 개수는 $1+3+6+10=20$

다른풀이 부등식을 방정식화 하여 풀이하기

$x+y+z \le 3$를 만족하는 $x,\ y,\ z$가 음이 아닌 정수해의 순서쌍 $(x,\ y,\ z)$와 $x+y+z+k=3$를 만족하는 $x,\ y,\ z$가 음이 아닌 정수해의 순서쌍 $(x,\ y,\ z,\ k)$는 일대일 대응한다.

즉 $x+y+z+k=3$를 만족하는 $x,\ y,\ z$가 음이 아닌 정수해의 개수는 ${}_4\mathrm{H}_3={}_6\mathrm{C}_3=20$

정답 ②

0247

정답 ①

STEP A $x+y+z+w$**의 값이 될 수 있는 음이 아닌 정수의 경우 구하기**

$x,\ y,\ z,\ w$가 음이 아닌 정수이므로

$x+y+z+w \le 4$에서 $x+y+z+w$의 값이 될 수 있는 것은 $0,\ 1,\ 2,\ 3,\ 4$

STEP B 중복조합을 이용하여 경우의 수 구하기

(ⅰ) $x+y+z+w=0$의 해의 개수는 ${}_4\mathrm{H}_0={}_{4+0-1}\mathrm{C}_0={}_3\mathrm{C}_0=1$

(ⅱ) $x+y+z+w=1$의 해의 개수는 ${}_4\mathrm{H}_1={}_{4+1-1}\mathrm{C}_1={}_4\mathrm{C}_1=4$

(ⅲ) $x+y+z+w=2$의 해의 개수는 ${}_4\mathrm{H}_2={}_{4+2-1}\mathrm{C}_2={}_5\mathrm{C}_2=10$

(ⅳ) $x+y+z+w=3$의 해의 개수는 ${}_4\mathrm{H}_3={}_{4+3-1}\mathrm{C}_3={}_6\mathrm{C}_3=20$

(ⅴ) $x+y+z+w=4$의 해의 개수는 ${}_4\mathrm{H}_4={}_{4+4-1}\mathrm{C}_4={}_7\mathrm{C}_4=35$

(ⅰ)~(ⅴ)에서 구하는 해의 개수는 $1+4+10+20+35=70$

다른풀이 부등식을 방정식화 하여 풀이하기

$x+y+z+w \le 4$를 만족하는 $x,\ y,\ z,\ w$가 음이 아닌 정수해의 순서쌍 $(x,\ y,\ z,\ w)$와 $x+y+z+w+k=4$를 만족하는 $x,\ y,\ z,\ w,\ k$가 음이 아닌 정수해의 순서쌍 $(x,\ y,\ z,\ w,\ k)$는 일대일 대응한다.

즉 $x+y+z+w+k=4$를 만족하는 $x,\ y,\ z,\ w,\ k$가 음이 아닌 정수해의 개수는 ${}_5\mathrm{H}_4={}_8\mathrm{C}_4=70$

0248

정답 ②

STEP A 중복조합을 이용하여 부정방정식의 정수해의 개수 구하기

$x,\ y,\ z$가 양의 정수인 해이므로 $x+y+z \ge 3$

주어진 조건에 의하여 $3 \le x+y+z < 5$을 만족시킨다.

즉 $x+y+z=3$ 또는 $x+y+z=4$에 대하여 양의 정수인 해의 개수를 구하면 된다.

(ⅰ) $x+y+z=3$에서 양의 정수인 해의 개수는 ${}_3\mathrm{H}_0=1$

(ⅱ) $x+y+z=4$에서 양의 정수인 해의 개수는 ${}_3\mathrm{H}_1={}_3\mathrm{C}_1=3$

따라서 구하는 해의 개수는 $1+3=4$

다른풀이 부등식을 방정식화 하여 풀이하기

$x+y+z<5$를 만족하는 $x,\ y,\ z$가 양의 정수해의 순서쌍 $(x,\ y,\ z)$와 $x+y+z+k=5$를 만족하는 $x,\ y,\ z,\ k$가 양의 정수해의 순서쌍 $(x,\ y,\ z,\ k)$는 일대일대응한다.

$x=a+1,\ y=b+1,\ z=c+1,\ k=d+1$ (단, $a,\ b,\ c,\ d$는 음이 아닌 정수)로 놓으면 $a+b+c+d=1$의 음이 아닌 정수해의 개수는 ${}_4\mathrm{H}_1={}_4\mathrm{C}_1=4$

0249

정답 ⑤

STEP A 세 수의 곱을 지수의 합으로 표현된 부정방정식으로 나타내기

$1024=2^{10}$이므로 $a=2^x,\ b=2^y,\ c=2^z$로 놓으면

$abc=2^{10}$에서 $2^{x+y+z}=2^{10}$

즉 $x+y+z=10$ ⋯⋯ ㉠

STEP B 중복조합을 이용하여 경우의 수 구하기

따라서 방정식 ㉠을 만족시키는 음이 아닌 정수 $x,\ y,\ z$의 순서쌍 $(x,\ y,\ z)$의 개수는 세 문자 $x,\ y,\ z$ 중에서 10개를 택하는 중복조합의 수와 같으므로

$${}_3\mathrm{H}_{10}={}_{12}\mathrm{C}_{10}={}_{12}\mathrm{C}_2=\frac{12\cdot 11}{2\cdot 1}=66$$

0250

정답 ⑤

STEP A 세 수의 곱을 지수의 합으로 표현된 부정방정식으로 나타내기

$a=2^x,\ b=2^y,\ c=2^z$ ($x,\ y,\ z$는 1 이상의 자연수)

라 하면 $abc=2^n$에서 $2^{x+y+z}=2^n$

$\therefore\ x+y+z=n$

양의 정수 $x,\ y,\ z$의 순서쌍 $(x,\ y,\ z)$의 개수이므로

$x=a+1,\ y=b+1,\ z=c+1$ (단, $a,\ b,\ c$는 음이 아닌 정수)

라 하면 $a+b+c=n-3$ ⋯⋯ ㉠

STEP B 중복조합을 이용하여 경우의 수 구하기

방정식 ㉠을 만족시키는 음이 아닌 정수 $a,\ b,\ c$의 순서쌍 $(a,\ b,\ c)$의 개수는 세 문자 $a,\ b,\ c$ 중에서 $n-3$개를 택하는 중복조합의 수와 같으므로

$${}_3\mathrm{H}_{n-3}={}_{n-1}\mathrm{C}_{n-3}={}_{n-1}\mathrm{C}_2=\frac{(n-1)(n-2)}{2}=28$$

따라서 $(n-1)(n-2)=8\cdot 7$이므로 $n=9$

0251

 ④

STEP Ⓐ 방정식을 음이 아닌 정수해의 방정식으로 변형하기

$a=2^{x_1}3^{y_1}$, $b=2^{x_2}3^{y_2}$, $c=2^{x_3}3^{y_3}$ (단, x_1, x_2, x_3, y_1, y_2, y_3은 음이 아닌 정수)
로 놓으면
$abc=2^{x_1+x_2+x_3}3^{y_1+y_2+y_3}$
$abc=2^7\times3^4$에서 $x_1+x_2+x_3=7$, $y_1+y_2+y_3=4$

STEP Ⓑ 음이 아닌 정수해의 개수 구하기

방정식 $x_1+x_2+x_3=7$을 만족시키는 음이 아닌 정수 x_1, x_2, x_3의 모든 순서쌍 (x_1, x_2, x_3)의 개수는 서로 다른 3개에서 7개를 택하는 중복조합의 수와 같으므로 ${}_3H_7={}_{3+7-1}C_7={}_9C_7={}_9C_2=36$
방정식 $y_1+y_2+y_3=4$를 만족시키는 음이 아닌 정수 y_1, y_2, y_3의 모든 순서쌍 (y_1, y_2, y_3)의 개수는 서로 다른 3개에서 4개를 택하는 중복조합의 수와 같으므로 ${}_3H_4={}_{3+4-1}C_4={}_6C_4={}_6C_2=15$
따라서 자연수 a, b, c의 모든 순서쌍 (a, b, c)의 개수는 $36\times15=540$

내/신/연/계/ 출제문항 110

등식
$$abc=2^6\times3^4$$
을 만족시키는 자연수 a, b, c의 모든 자연수 (a, b, c)의 개수는?

① 360 ② 380 ③ 400
④ 420 ⑤ 440

STEP Ⓐ 방정식을 음이 아닌 정수해의 방정식으로 변형하기

$a=2^{x_1}3^{y_1}$, $b=2^{x_2}3^{y_2}$, $c=2^{x_3}3^{y_3}$ (단, x_1, x_2, x_3, y_1, y_2, y_3은 음이 아닌 정수)
로 놓으면
$abc=2^{x_1+x_2+x_3}3^{y_1+y_2+y_3}$
$abc=2^6\times3^4$에서 $x_1+x_2+x_3=6$, $y_1+y_2+y_3=4$

STEP Ⓑ 음이 아닌 정수해의 개수 구하기

방정식 $x_1+x_2+x_3=6$을 만족시키는 음이 아닌 정수 x_1, x_2, x_3의 모든 순서쌍 (x_1, x_2, x_3)의 개수는 서로 다른 3개에서 6개를 택하는 중복조합의 수와 같으므로 ${}_3H_6={}_{3+6-1}C_6={}_8C_6={}_8C_2=28$
방정식 $y_1+y_2+y_3=4$를 만족시키는 음이 아닌 정수 y_1, y_2, y_3의 모든 순서쌍 (y_1, y_2, y_3)의 개수는 서로 다른 3개에서 4개를 택하는 중복조합의 수와 같으므로 ${}_3H_4={}_{3+4-1}C_4={}_6C_4={}_6C_2=15$
따라서 자연수 a, b, c의 모든 순서쌍 (a, b, c)의 개수는 $28\times15=420$

 ④

0252

 ②

STEP Ⓐ 음이 아닌 정수해의 개수 구하기

서로 다른 세 명의 학생에게 중복을 허용하여 똑같은 사과 7개를 나누어 주기 때문에 3개 중에 중복을 허용하여 7개를 뽑는 경우의 수와 같다.
$a={}_3H_7={}_{3+7-1}C_7={}_9C_7={}_9C_2=36$

STEP Ⓑ 양의 정수해의 개수 구하기

3명의 학생에게 사과를 각각 한 개씩 나누어 주고 남은 4개의 사과를 3명의 학생에게 나누어 주면 된다.
즉 서로 다른 3개에서 중복을 허락하여 4개를 택하는 중복조합의 수이므로
$b={}_3H_4={}_6C_4={}_6C_2=15$
따라서 $a+b=36+15=51$

다른풀이 양의 정수해를 이용하여 풀이하기

세 학생이 받은 사과의 수를 각각 x, y, z라 하면
$x+y+z=7$을 만족하는 양의 정수해의 개수와 같다.
$x=a+1$, $y=b+1$, $z=c+1$ (단, a, b, c는 음이 아닌 정수)
로 놓으면
$a+b+c=4$의 음이 아닌 정수해의 개수와 같으므로
$b={}_3H_4={}_6C_4={}_6C_2=15$

0253

 ④

STEP Ⓐ 음이 아닌 정수해의 개수 구하기

5개의 학급에서 임의로 8명의 임원을 뽑는 방법의 수는
서로 다른 5개에서 중복을 허락하여 8개를 택하는 중복조합의 수이므로
$m={}_5H_8={}_{5+8-1}C_8={}_{12}C_8={}_{12}C_4=495$

STEP Ⓑ 양의 정수해의 개수 구하기

8명의 임원 중 한 학급에서 적어도 한 명을 뽑는 방법의 수는
8명 중 5명의 임원을 각 학급에서 1명씩 뽑은 다음,
나머지 3명의 임원을 다시 5개의 학급에서 임의로 뽑으면 된다.
즉 서로 다른 5개에서 중복을 허락하여 3개를 택하는 중복조합의 수이므로
$n={}_5H_3={}_{5+3-1}C_3={}_7C_3=35$
따라서 $m+n=530$

0254

 ②

STEP Ⓐ 네 종류의 꽃을 각각 1개씩 먼저 나누어 주기

네 종류의 꽃을 각각 1개씩을 먼저 사고
네 종류의 꽃에서 6개의 꽃을 사는 경우의 수를 구한다.

STEP Ⓑ 중복조합을 이용하여 구하기

따라서 장미, 카네이션, 백합, 국화 4종류의 꽃에서 중복을 허락하여 나머지 6개의 꽃을 택하는 중복조합의 수이므로 ${}_4H_6={}_{4+6-1}C_6={}_9C_6={}_9C_3=84$

다른풀이 양의 정수해를 이용하여 풀이하기

장미, 카네이션, 백합, 국화의 개수를 각각 a, b, c, d라고 하면
$a+b+c+d=10$
이때 각 꽃은 한 개 이상 사야 하므로
$a=x+1$, $b=y+1$, $c=z+1$, $d=w+1$ (x, y, z, w는 음이 아닌 정수)
로 놓으면
$x+y+z+w=6$의 음이 아닌 정수해의 개수와 같으므로
구하는 경우의 수는 ${}_4H_6={}_{4+6-1}C_6={}_9C_6={}_9C_3=84$

내/신/연/계/ 출제문항 111

어느 마트에서는 사과, 배, 망고를 적당히 12개씩 담아 과일 선물 바구니를 만들려고 한다. 세 종류의 과일을 적어도 한 개씩은 넣는다고 할 때, 만들 수 있는 서로 다른 선물 바구니의 개수는?

① 50 ② 55 ③ 60
④ 65 ⑤ 70

STEP Ⓐ 세 종류의 과일을 각각 1개씩 먼저 나누어 주기

세 종류의 과일을 각각 1개씩을 먼저 담고
세 종류의 과일에서 9개의 과일을 담아 선물바구니를 구한다.

STEP Ⓑ 중복조합을 이용하여 구하기

따라서 사과, 배, 망고 3종류의 과일에서 중복을 허락하여 나머지 9개의 과일을 택하는 중복조합의 수이므로 ${}_3H_9={}_{3+9-1}C_9={}_{11}C_9={}_{11}C_2=55$

다른풀이 양의 정수해를 이용하여 풀이하기

선물바구니에 넣는 사과, 배, 망고의 개수를 각각 a, b, c라고 하면
$a+b+c=12$
이때 각 과일은 한 개 이상 들어가야 하므로
$a=x+1$, $b=y+1$, $c=z+1$ (x, y, z는 음이 아닌 정수)
로 놓으면 $x+y+z=9$의 음이 아닌 정수해의 개수와 같으므로
구하는 선물 바구니의 개수는 ${}_3H_9={}_{3+9-1}C_9={}_{11}C_9={}_{11}C_2=55$  ②

0255

 ②

STEP A 세 종류의 탁구공을 각각 1개씩 먼저 나누어 주기

탁구공을 각각 1개씩을 먼저 주머니에 넣고 같은 종류의 탁구공 6개를
서로 다른 3개의 주머니에 넣으면 된다.

STEP B 중복조합을 이용하여 구하기

다른 3개의 주머니에서 중복을 허락하여 6개를 택하는 중복조합의 수이므로
${}_3H_6={}_{3+6-1}C_6={}_8C_6={}_8C_2=28$

다른풀이 양의 정수해를 이용하여 풀이하기

STEP A 부정방정식의 해의 개수를 이용하여 경우의 수 구하기

서로 다른 주머니에 넣는 탁구공의 개수를 각각 x, y, z라 하면
$x+y+z=9$를 만족하는 (x, y, z)의 순서쌍의 개수를 구하면 된다.

STEP B 중복조합의 수 구하기

이때 각 주머니에 적어도 하나의 탁구공을 넣어야하므로 x, y, z는 자연수이다.
$x=a+1$, $y=b+1$, $z=c=1(a, b, c \geq 0$인 정수)
라 하면 $a+b+c=6(a \geq 0, b \geq 0, c \geq 0$인 정수)
의 해의 개수 ${}_3H_6={}_{3+6-1}C_6={}_8C_6={}_8C_2=28$

내신연계 출제문항 112

같은 종류의 티셔츠 10장을 4명의 회원에게 주려고 한다.
티셔츠를 받지 않은 회원이 생기지 않도록 나누어 주는 경우의 수는?

① 12 ② 24 ③ 28
④ 36 ⑤ 84

STEP A 4명의 회원에게 먼저 티셔츠 1장씩 나누어 주기

4명의 회원에게 한 장씩 배정한 후 나머지 6장의 티셔츠를 4명에게 나누어
주는 경우의 수를 구한다.

STEP B 중복조합을 이용하여 구하기

6장의 티셔츠를 중복을 허용하여 4명에게 나누어 주는 것과 같으므로 구하는
경우의 수는 ${}_4H_6={}_{4+6-1}C_6={}_9C_6={}_9C_3=84$

다른풀이 양의 정수해를 이용하여 풀이하기

4명의 회원에게 나누어 주는 개수를 x, y, z, w라고 하면 구하는 경우의 수는
방정식 $x+y+z+w=10$에서 x, y, z, w가 모두 양의 정수인 해의 개수와 같다.
$x=a+1$, $y=b+1$, $z=c+1$, $w=d+1$ (단, a, b, c, d는 음이 아닌 정수)
$x+y+z+w=10$에서 $a+b+c+d=6$의 음이 아닌 정수해는
${}_4H_6={}_{4+6-1}C_6={}_9C_6={}_9C_3=84$ 정답 ⑤

0256

 ③

STEP A 8자루의 연필을 4명에게 나누어 주는 중복조합의 수에서 4자루의 연필을 4명에게 나누어 주는 중복조합의 수를 빼면 됨을 이해하기

연필을 한 자루도 받지 못하는 학생이 생기는 사건에는 연필을 받지 못하는
학생이 1명인 사건, 2명인 사건, 3명인 사건 모두 포함된다.
각 사건에 대한 경우의 수를 일일이 구할 수도 있지만 전체의 경우의 수에서
4명 모두 적어도 한 개의 연필을 받는 경우의 수를 빼면 쉽게 구할 수 있다.

STEP B 4명의 학생에게 8자루의 연필을 나누어 주는 경우의 수 구하기

즉 4명의 학생이 받는 연필의 개수를 a, b, c, d라 하고
8자루의 연필 모두를 나누어 주는 방법은
$a+b+c+d=8$ (단, a, b, c, d는 음이 아닌 정수)
의 꼴로 나타내어지므로 서로 다른 4개에서 중복을 허락하여
8개를 택하는 중복조합의 수는 ${}_4H_8={}_{4+8-1}C_8={}_{11}C_8={}_{11}C_3=165$

STEP C 4명이 모두 적어도 한 자루의 연필을 가지는 경우의 수 구하기

4명의 학생이 적어도 1개씩 연필을 받는 방법의 수는
$a+b+c+d=8$ (단, a, b, c, d는 양의 정수)
즉 $a=a'+1$, $b=b'+1$, $c=c'+1$, $d=d'+1$
$a'+b'+c'+d'=4$ (단, a', b', c', d'은 음이 아닌 정수)의 꼴이다.
즉 서로 다른 4개에서 중복을 허락하여 4개를 택하는 중복조합의 수는
${}_4H_4={}_{4+4-1}C_4={}_7C_4={}_7C_3=35$
따라서 연필을 한 자루도 받지 못하는 학생이 생기는 경우의 수는 $165-35=130$

다른풀이 직접 경우를 나누어 풀이하기

(ⅰ) 4명 중 1명이 연필을 받지 못하는 경우
받지 못할 학생 1명을 선택하고 나머지 3명에게 미리 한 자루씩 나누어 준 후
남은 연필 5자루를 중복을 허락하여 3명의 학생에게 나누어 주는 경우의 수는
${}_4C_1 \cdot {}_3H_5=4 \cdot {}_7C_5=4 \cdot {}_7C_2=4\times21=84$

(ⅱ) 4명 중 2명이 연필을 받지 못하는 경우
받지 못할 학생 2명을 선택하고 나머지 2명에게 미리 한 자루씩 나누어 준 후
남은 연필 6자루를 중복을 허락하여 2명의 학생에게 나누어 주는 경우의 수는
${}_4C_2 \cdot {}_2H_6=6 \cdot {}_7C_6=6 \cdot {}_7C_1=6 \cdot 7=42$

(ⅲ) 4명 중 3명이 연필을 받지 못하는 경우
받지 못할 학생 3명을 선택하고 나머지 1명이 8자루를 가지는 경우의 수는
${}_4C_3 \cdot 1=4$

(ⅰ)~(ⅲ)에서 구하는 경우의 수는 $84+42+4=130$

내신연계 출제문항 113

같은 종류의 사탕 8개를 A, B, C, D 네 명에게 모두 나누어줄 때,
한 개도 받지 못하는 사람이 생기는 경우의 수는?

① 110 ② 120 ③ 130
④ 140 ⑤ 150

STEP A 8개의 사탕을 4명에게 나누어 주는 중복조합의 수에서 4개의 사탕을 4명에게 나누어 주는 중복조합의 수를 빼면 됨을 이해하기

구하는 경우의 수는 사탕 8개를 A, B, C, D 네 명에게 모두 주는 경우의 수에서
A, B, C, D 네 명 모두 적어도 한 개의 사탕을 받는 경우의 수를 뺀 것과 같다.

STEP B 8개의 사탕을 4명에게 나누어 주는 경우의 수 구하기

사탕 8개를 A, B, C, D 네 명에게 모두 나누어 주는 경우의 수는
A, B, C, D에서 8개를 택하는 중복조합의 수와 같으므로
${}_4H_8={}_{4+8-1}C_8={}_{11}C_8={}_{11}C_3=165$

STEP C 4개의 사탕을 4명에게 나누어 주는 경우의 수 구하기

A, B, C, D 네 명 모두 적어도 한 개의 사탕을 받는 경우의 수는
8개의 사탕 중 A, B, C, D 4명에게 먼저 사탕을 각각 1개씩 나누어 준 후
남은 사탕 4개를 A, B, C, D 네 명에게 모두 나누어 주는 중복조합의 수와
같으므로 ${}_4H_4={}_{4+4-1}C_4={}_7C_4={}_7C_3=35$
따라서 구하는 경우의 수는 $165-35=130$  ③

0257

 ④

STEP A **세 종류의 버거를 먼저 1개씩 주문하기**

치킨버거, 한우불고기버거, 치즈버거를 먼저 하나씩 주문하고
3종류의 버거에서 남은 $(n-3)$개를 주문하는 경우의 수이다.

STEP B **중복조합을 이용하여 n의 값 구하기**

$${}_{3}H_{n-3}={}_{n-1}C_{n-3}={}_{n-1}C_{2}=\frac{(n-1)(n-2)}{2}$$

$\frac{(n-1)(n-2)}{2}=15$에서 $(n-1)(n-2)=30=6\times5$

따라서 $n=7$

0258

 ②

STEP A **중복조합을 이용하여 m 구하기**

고구마피자, 새우피자, 불고기피자 중에서 m개를 주문하는 경우의 수는

$${}_{3}H_{m}={}_{3+m-1}C_{m}={}_{m+2}C_{m}={}_{m+2}C_{2}=\frac{(m+2)(m+1)}{2}=36$$

즉 $(m+2)(m+1)=72=9\times8$이므로 자연수 m은 $m=7$

STEP B **각각의 피자를 1개씩 주문을 하고 남은 4개에 대해 중복조합을 이용하여 구하기**

고구마피자, 새우피자, 불고기피자를 적어도 하나씩 포함하여 7개를 주문하는 경우는 각각의 피자를 1개씩 주문을 하고 남은 4개의 피자에 대하여 중복을 허락하여 선택한다.
따라서 구하는 경우의 수는 서로 다른 3개에서 중복을 허락하여 4개를 택하는 중복조합의 수이므로 ${}_{3}H_{4}={}_{3+4-1}C_{4}={}_{6}C_{4}={}_{6}C_{2}=15$

다른풀이 양의 정수해를 이용하여 풀이하기

고구마피자, 새우피자, 불고기피자의 개수를 각각 x, y, z라 하면
각 종류의 피자는 적어도 하나씩 선택해야 하므로 $x+y+z=7$인
양의 정수해의 개수를 구한다.
$x=a+1$, $y=b+1$, $z=c+1$ (단, a, b, c는 음이 아닌 정수)
$(a+1)+(b+1)+(c+1)=7$에서
$a+b+c=4$의 음이 아닌 정수해의 개수이므로 구하는 경우의 수는
3개에서 중복을 허락하여 4개를 뽑는 방법의 수이다.
따라서 ${}_{3}H_{4}={}_{3+4-1}C_{4}={}_{6}C_{4}={}_{6}C_{2}=15$

내/신/연/계/ 출제문항 114

사과 주스, 포도 주스, 감귤 주스 중에서 m병을 선택하는 경우의 수가 45일 때, 사과 주스, 포도 주스, 감귤 주스를 각각 적어도 하나씩 포함하여 m개를 선택하는 경우의 수는?

① 17 ② 19 ③ 21
④ 23 ⑤ 25

STEP A **중복조합을 이용하여 m 구하기**

사과 주스, 포도 주스, 감귤 주스 중에서 m개를 주문하는 경우의 수는

$${}_{3}H_{m}={}_{3+m-1}C_{m}={}_{m+2}C_{m}={}_{m+2}C_{2}=\frac{(m+2)(m+1)}{2}=45$$

즉 $(m+2)(m+1)=90=10\times9$
m은 자연수이므로 $m=8$

STEP B **세 종류의 주스를 각각 1개씩 먼저 선택하여 중복조합을 이용하여 구하기**

사과 주스, 포도 주스, 감귤 주스를 한 개씩 꺼내고
사과 주스, 포도 주스, 감귤 주스에서 5개를 택하는 경우의 수를 구한다.
사과 주스, 포도 주스, 감귤 주스에서 5개를 중복하여 꺼내는 방법의 수는
${}_{3}H_{5}={}_{3+5-1}C_{5}={}_{7}C_{5}={}_{7}C_{2}=21$

다른풀이 양의 정수해를 이용하여 풀이하기

선택하는 사과주스, 포도주스, 감귤주스 병의 개수를 각각 x, y, z라 하면
각 종류의 주스는 적어도 한 병 이상씩 선택해야 하므로 $x+y+z=5$를
만족하는 정수 x, y, z를 구한다.
따라서 구하는 경우의 수는 3개에서 중복을 허락하여 5개를 뽑는 방법의 수
이므로 ${}_{3}H_{5}={}_{3+5-1}C_{5}={}_{7}C_{5}={}_{7}C_{2}=21$ 정답 ③

0259

 ③

STEP A **각 종류의 공을 먼저 3개씩 나누기**

같은 종류의 공을 세 개씩 꺼내어 각 상자에 세 개씩 먼저 넣고
나머지 6개의 공을 세 상자에 넣는 경우의 수를 구한다.

STEP B **중복조합 이용하여 구하기**

따라서 세 상자 A, B, C에서 중복을 허용하여 6개를 꺼내는 경우의 수는
${}_{3}H_{6}={}_{3+6-1}C_{6}={}_{8}C_{6}={}_{8}C_{2}=28$

다른풀이 양의 정수해를 이용하여 풀이하기

STEP A **주어진 방정식의 해를 음이 아닌 정수해의 식으로 바꾸기**

같은 종류의 공 15개에서
상자 A, B, C에 넣을 공의 개수를 각각 x, y, z라 하면
$x+y+z=15\,(x\geq3,\ y\geq3,\ z\geq3)$
$x=a+3$, $y=b+3$, $z=c+3$ (단, a, b, c은 음이 아닌 정수)
로 놓으면 $(a+3)+(b+3)+(c+3)=15$
$a+b+c=6$

STEP B **음이 아닌 정수해의 개수 구하기**

따라서 방정식 $a+b+c=6$의 음이 아닌 정수해의 개수인 세 개의 문자
a, b, c에서 6개를 택하는 중복조합의 수와 같으므로
${}_{3}H_{6}={}_{3+6-1}C_{6}={}_{8}C_{6}={}_{8}C_{2}=28$

내/신/연/계/ 출제문항 115

한 상자에 빨간 공, 노란 공, 파란 공이 각각 6개씩 들어 있다. 이 상자에서 9개의 공을 동시에 꺼낼 때, 각 색깔의 공이 적어도 2개씩 나오는 모든 경우의 수는? (단, 같은 색깔의 공은 서로 구별되지 않는다.)

① 10 ② 14 ③ 18
④ 24 ⑤ 36

STEP A **주어진 방정식의 해를 음이 아닌 정수해의 식으로 바꾸기**

꺼낸 9개의 공 중에서
빨간 공, 노란 공, 파란 공의 개수를 각각 x, y, z라 하면
방정식 $x+y+z=9\,(x\geq2,\ y\geq2,\ z\geq2)$에서
$x=a+2$, $y=b+2$, $z=c+2$(a, b, c는 음이 아닌 정수)
$x+y+z=(a+2)+(b+2)+(c+2)=9$
$\therefore\ a+b+c=3$

STEP B **음이 아닌 정수해의 개수 구하기**

따라서 방정식 $x+y+z=9\,(x\geq2,\ y\geq2,\ z\geq2)$의 정수해의 개수는
방정식 $a+b+c=3$의 음이 아닌 정수해의 개수인 3개의 문자 a, b, c에서
세 개를 택하는 중복조합의 수와 같으므로
${}_{3}H_{3}={}_{3+3-1}C_{3}={}_{5}C_{3}={}_{5}C_{2}=10$ 정답 ①

참고 공의 개수를 일일이 나타내면 다음과 같다.
(2, 2, 5), (2, 3, 4), (2, 4, 3), (2, 5, 2), (3, 2, 4), (3, 3, 3),
(3, 4, 2), (4, 2, 3), (4, 3, 2), (5, 2, 2)이므로 구하는 모든 경우의 수는 10

0260

정답 ③

STEP A 네 종류의 과일 중에서 8개를 선택하는 방정식 작성하기

선택되는 8개 중에 사과, 감, 배, 귤을 선택한 개수를 각각 x, y, z, w라 하면 주어진 조건에 의하여

$x+y+z+w=8$ ($x=0$ 또는 $x=1$이고 $y \geq 1$, $z \geq 1$, $w \geq 1$)

STEP B 사과가 1개 이하이므로 $x=0$, $x=1$로 나누어 경우의 수 구하기

(i) $x=0$일 때, $y+z+w=8$ ($y \geq 1$, $z \geq 1$, $w \geq 1$)이므로

$y=y'+1$, $z=z'+1$, $w=w'+1$이라 하면

$y'+z'+w'=5$ ($y' \geq 0$, $z' \geq 0$, $w' \geq 0$)이므로

순서쌍 (x, y, z, w)의 개수는 ${}_3H_5={}_{3+5-1}C_5={}_7C_5={}_7C_2=21$

(ii) $x=1$일 때, $y+z+w=7$ ($y \geq 1$, $z \geq 1$, $w \geq 1$)이므로

$y=y'+1$, $z=z'+1$, $w=w'+1$이라 하면

$y'+z'+w'=4$ ($y' \geq 0$, $z' \geq 0$, $w' \geq 0$)이므로

순서쌍 (x, y, z, w)의 개수는 ${}_3H_4={}_{3+4-1}C_4={}_6C_4={}_6C_2=15$

(i), (ii)에서 구하는 경우의 수는 $21+15=36$

내신연계 출제문항 116

한 개의 주사위를 3번 던져서 나온 눈의 수를 차례로 x, y, z라 하자. 방정식 $x+y+z=6$을 만족시키는 해의 순서쌍 (x, y, z)의 개수는?

① 7 ② 10 ③ 13
④ 16 ⑤ 19

STEP A 주어진 방정식의 해를 음이 아닌 정수해의 식으로 바꾸기

$x \geq 1$, $y \geq 1$, $z \geq 1$이고 $x+y+z=6$이므로

$x=x'+1$, $y=y'+1$, $z=z'+1$ (단, 음이 아닌 정수 x', y', z')

로 놓고 주어진 방정식에 대입하면

$(x'+1)+(y'+1)+(z'+1)=6$

$x'+y'+z'=3$

STEP B 음이 아닌 정수해의 개수 구하기

따라서 $x'+y'+z'=3$을 만족하는 음이 아닌 정수 x', y', z'의 모든 순서쌍 (x', y', z')의 개수는 ${}_3H_3={}_5C_3={}_5C_2=10$

정답 ②

0261

STEP A 요일별로 먼저 한 명의 학생과 상담하기

요일별로 먼저 한 명의 학생과 상담하고
나머지 6명의 학생이 요일별 상담하는 경우의 수를 구한다.

STEP B 중복조합 이용하여 구하기

따라서 각 요일별로 상담하는 학생 수는 3개의 문자를 중복해서 6번 선택하는 중복조합의 수이므로 ${}_3H_6={}_{3+6-1}C_6={}_8C_6={}_8C_2=28$

다른풀이 양의 정수해를 이용하여 풀이하기

월요일, 화요일, 수요일에 상담하는 학생 수가 각각 a, b, c명이고
3일 동안 상담하는 학생 수가 9명이므로 $a+b+c=9$
이때 요일별로 적어도 한 명의 학생과 상담하므로
$a=a'+1$, $b=b'+1$, $c=c'+1$이라 하면
$a'+b'+c'=6$의 음이 아닌 정수해의 개수와 같다.
따라서 상담 계획표의 가짓수는 ${}_3H_6={}_{3+6-1}C_6={}_8C_6={}_8C_2=28$

0262

STEP A 조건 (가)를 만족하는 부정방정식의 음이 아닌 정수해의 조건 구하기

네 명의 학생 A, B, C, D가 받는 초콜릿의 개수를 각각 a, b, c, d라 하면
$a+b+c+d=8$
이때 조건 (가)에 의하여 네 명의 학생이 각각 적어도 1개의 초콜릿을 받으므로 a, b, c, d는 자연수이다.
이때 $a=a'+1$, $b=b'+1$, $c=c'+1$, $d=d'+1$이라 하면
$a'+b'+c'+d'=4$(a', b', c', d'은 음이 아닌 정수) …… ㉠

STEP B 조건 (나)를 만족하는 중복조합의 수 구하기

조건 (나)에 의하여 $a>b$이므로 $a'>b'$이어야 하므로

(i) $b'=0$일 때,

$a'=1$인 경우 $c'+d'=3$이므로 이 경우의 수는 ${}_2H_3={}_4C_3=4$

$a'=2$인 경우 $c'+d'=2$이므로 이 경우의 수는 ${}_2H_2={}_3C_2=3$

$a'=3$인 경우 $c'+d'=1$이므로 이 경우의 수는 ${}_2H_1={}_2C_1=2$

$a'=4$인 경우 $c'+d'=0$이므로 이 경우의 수는 1

(ii) $b'=1$일 때,

$a'=2$인 경우 $c'+d'=1$이므로 이 경우의 수는 ${}_2H_1={}_2C_1=2$

$a'=3$인 경우 $c'+d'=0$이므로 이 경우의 수는 1

(iii) $b'=2$이고

$a'>b'$이므로 $a' \geq 3$

이때 $a'+b' \geq 5$이므로 ㉠을 만족하지 못한다.

(i)~(iii)에서 구하는 모든 경우의 수는 $(4+3+2+1)+(2+1)=10+3=13$

다른풀이 조건 (나)를 이용하여 풀이하기

네 명의 학생 A, B, C, D가 받는 초콜릿의 개수를 각각 a, b, c, d라 하면
$a+b+c+d=8$
조건 (가)에 의하여 a, b, c, d는 자연수이므로
$a=a'+1$, $b=b'+1$, $c=c'+1$, $d=d'+1$ (a', b', c', d'은 음이 아닌 정수)
라 하면 $a'+b'+c'+d'=4$
조건 (나)에 의하여 $a'>b'$이므로
$a'=a''+b'+1$ (a''은 음이 아닌 정수)
라 하면 $a''+2b'+c'+d'=3$
즉 구하는 경우의 수는 방정식 $a''+2b'+c'+d'=3$을 만족시키는 음이 아닌 정수 a'', b', c', d'의 모든 순서쌍 (a'', b', c', d')의 개수와 같다.

(i) $b'=0$인 경우

$a''+c'+d'=3$을 만족시키는 음이 아닌 정수 a'', c', d'의 모든 순서쌍 (a'', c', d')의 개수는 ${}_3H_3={}_{3+3-1}C_3={}_5C_3={}_5C_2=10$

(ii) $b'=1$인 경우

$a''+c'+d'=1$을 만족시키는 음이 아닌 정수 a'', c', d'의 모든 순서쌍 (a'', c', d')의 개수는 ${}_3H_1={}_{3+1-1}C_1={}_3C_1=3$

(i), (ii)에 의하여 구하는 경우의 수는 $10+3=13$

0263

STEP A 중복조합의 여러 가지 경우의 수 구하기

조건 (가)에서 x, y, z는 모두 홀수인 양의 정수이므로
$x=2a+1$, $y=2b+1$, $z=2c+1$ (단, a, b, c는 음이 아닌 정수)
로 놓으면 $x+y+z=(2a+1)+(2b+1)+(2c+1)=23$
$\therefore a+b+c=10$
방정식 $a+b+c=10$의 음이 아닌 정수 a, b, c의 순서쌍 (a, b, c)의 개수는 서로 다른 3개의 문자 a, b, c에서 10개를 택하는 중복조합의 수와 같으므로
$p={}_3H_{10}={}_{3+10-1}C_{10}={}_{12}C_{10}={}_{12}C_2=66$
조건 (나)에서 3명의 학생이 받는 연필의 개수를 각각 a, b, c라 하자.
모든 학생이 적어도 한 자루의 연필을 받도록 나누어 주는 경우의 수는
방정식 $a+b+c=9$ (a, b, c는 자연수)를 만족시키는 모든 순서쌍 (a, b, c)의 개수와 같다.
이때 $a=a'+1$, $b=b'+1$, $c=c'+1$ (a', b', c'은 음이 아닌 정수)
라 하면
모든 순서쌍 (a, b, c)의 개수는 방정식 $(a'+1)+(b'+1)+(c'+1)=9$
즉 $a'+b'+c'=6$을 만족시키는 음이 아닌 정수 a', b', c'의 모든 순서쌍 (a', b', c')의 개수와 같다.
즉 서로 다른 3개에서 중복을 허락하여 6개를 택하는 중복조합의 수와 같으므로 $q={}_3H_6={}_{3+6-1}C_6={}_8C_6={}_8C_2=28$
조건 (다)에서 각 상자에 공이 1개 이상씩 들어가도록 나누어 넣어야 하므로 3개의 상자에 공을 1개씩 미리 넣고 남은 공 3개를 3개의 상자에 넣는다.
즉 구하는 경우의 수는 $r={}_3H_3={}_5C_3=10$
따라서 $p+q+r=66+28+10=104$

참고
서로 다른 3개의 상자 A, B, C에 대하여 같은 종류의 공 6개를 각각 상자 A, B, C에 x, y, z개를 나누어 준다면
$x+y+z=6(x\ge1, y\ge1, z\ge1)$의 정수해 개수이므로
${}_3H_3={}_5C_3=10$ ⬅ $x'+y'+z'=3(x'\ge0, y'\ge0, z'\ge0)$

내신연계 출제문항 117

다음 조건을 만족하는 상수 p, q, r에 대하여 $p+q+r$의 값은?

(가) 방정식 $a+b+c=12$를 만족시키는 음이 아닌 정수 a, b, c의 순서쌍 (a, b, c)에서 a, b, c 중 적어도 하나가 홀수인 순서쌍의 개수는 p이다.
(나) 바닐라, 초코, 딸기, 민트, 녹차의 5종류 맛의 아이스크림을 판매하는 가게에서 8개의 아이스크림을 고를 때, 5종류 각각의 맛이 적어도 한 개는 포함되는 경우의 수는 q이다.
(단, 각 종류의 과일은 8개 이상씩 있다.)
(다) 한 바구니에 빨간 장미, 노란 장미, 흰 장미가 각각 10송이씩 들어 있다. 이 바구니에서 14송이의 장미를 동시에 꺼낼 때, 각 색깔의 장미가 적어도 3송이씩 나오는 모든 경우의 수는 r이다.
(단, 같은 색깔의 장미는 서로 구별되지 않는다.)

① 112 ② 114 ③ 119
④ 122 ⑤ 133

STEP A 중복조합의 여러 가지 경우의 수 구하기

조건 (가)에서 a, b, c 중 적어도 하나가 홀수인 순서쌍의 개수는
방정식 $a+b+c=12$를 만족시키는 음이 아닌 정수 a, b, c의 모든 순서쌍의 개수에서 a, b, c가 모두 짝수 또는 0인 순서쌍의 개수를 뺀 것과 같다.
방정식 $a+b+c=12$를 만족시키는 음이 아닌 정수 a, b, c의 순서쌍의 개수는
${}_3H_{12}={}_{14}C_{12}={}_{14}C_2=91$
a, b, c가 모두 짝수 또는 0이므로 $a=2a'$, $b=2b'$, $c=2c'$으로 놓으면
$a+b+c=2a'+2b'+2c'=12$
$\therefore a'+b'+c'=6$
즉 방정식 $a'+b'+c'=6$을 만족시키는 음이 아닌 정수 a', b', c'의 순서쌍의 개수와 같으므로 ${}_3H_6={}_8C_6={}_8C_2=28$
따라서 적어도 하나가 홀수인 순서쌍의 개수는 $91-28=63$
조건 (나)에서 8개 중 5종류의 아이스크림 1개씩을 뽑은 다음 나머지 3종류의 아이스크림에서 다시 5개의 아이스크림을 임의로 뽑으면 된다.
서로 다른 5개에서 중복을 허락하여 3개를 택하는 중복조합의 수이므로
${}_5H_3={}_{5+3-1}C_3={}_7C_3=35$

다른풀이 양의 정수해를 이용하여 풀이하기

바닐라, 초코, 딸기, 민트. 녹차의 5종류 맛의 개수를 x, y, z, u, w라고 하면 구하는 방법의 수는 방정식 $x+y+z+u+w=8$에서 x, y, z, u, w가 모두 양의 정수인 해의 개수와 같다.
$x=a+1$, $y=b+1$, $z=c+1$, $u=d+1$, $w=e+1$
(단, a, b, c, d, e는 음이 아닌 정수)
$x+y+z+u+w=8$에서 $a+b+c+d+e=3$의 음 아닌 정수해는
${}_5H_3={}_{5+3-1}C_3={}_7C_3=35$
조건 (다)에서 각 색깔의 장미 3송이씩 꺼내고 나머지 5송이의 장미를 꺼내는 경우의 수를 구한다.
빨간 장미, 노란 장미, 흰 장미에서 중복을 허용하여 5송이의 장미를 꺼내는 경우의 수는 ${}_3H_5={}_{3+5-1}C_5={}_7C_5={}_7C_2=21$

다른풀이 양의 정수해를 이용하여 풀이하기

각 색깔의 장미를 3송이씩 꺼내고, 5송이의 장미를 더 꺼내면 되므로
더 꺼내는 빨간 장미, 노란 장미, 흰 장미의 수를 각각 x, y, z라 하면
$x+y+z=5$를 만족시키는 음이 아닌 정수해의 개수를 구하면 된다.
구하는 모든 경우의 수는 $r={}_3H_5={}_{3+5-1}C_5={}_7C_5={}_7C_2=21$

STEP B 중복조합을 이용하여 구하기

따라서 $p+q+r=63+35+21=119$

0264

정답 ⑤

STEP A 각 학생들에게 흰색과 주황색 탁구공을 미리 1개씩 나누어 주고 남은 흰색 탁구공 5개와 주황색 탁구공 4개를 나누어 주는 경우의 수 구하기

흰색 탁구공 8개와 주황색 탁구공 7개가 있으므로 흰색 탁구공과 주황색 탁구공을 각각 한 개씩 3명의 학생에게 나누어 준 후, 나머지 흰색 탁구공 5개와 주황색 탁구공 4개를 나누어 주는 경우를 생각하면 된다.

(i) 흰색 탁구공 5개를 3명의 학생에게 나누어 주는 경우
세 학생에서 중복을 허락하여 다섯 학생을 택한 후 흰색 탁구공을 주는 경우와 같으므로 그 경우의 수는

$${}_3H_5={}_{3+5-1}C_5={}_7C_5={}_7C_2=\frac{7\cdot6}{2\cdot1}=21$$

(ii) 주황색 탁구공 4개를 3명의 학생에게 나누어 주는 경우
세 학생에서 중복을 허락하여 네 학생을 택한 후 주황색 탁구공을 주는 경우와 같으므로 그 경우의 수는

$${}_3H_4={}_{3+4-1}C_4={}_6C_4={}_6C_2=\frac{6\cdot5}{2\cdot1}=15$$

STEP B 곱의 법칙을 이용하여 경우의 수 구하기

(i), (ii)에서 구하는 경우의 수는 곱의 법칙에 의하여 $21\times15=315$

다른풀이 정수해의 개수를 이용하여 풀이하기

STEP A 양의 정수해의 개수 구하기

(i) 3명의 학생에게 흰색 탁구공을 각각 x, y, z개씩 나누어 주면
$x+y+z=8$ ($x\geq1$, $y\geq1$, $z\geq1$인 자연수)
$x=a+1$, $y=b+1$, $z=c+1$
$a+b+c=5$ (a, b, c는 음이 아닌 정수)
즉 흰색 탁구공을 각각 1개씩 나누어 주고 남은 흰색 탁구공 5개를 3명의 학생에게 나누어 주는 방법의 수는
${}_3H_5={}_{3+5-1}C_5={}_7C_5={}_7C_2=21$

(ii) 3명의 학생에게 주황색 탁구공을 각각 x', y', z'개씩 나누어 주면
$x'+y'+z'=7$ ($x'\geq1$, $y'\geq1$, $z'\geq1$인 자연수)
$x'=a'+1$, $y'=b'+1$, $z'=c'+1$
$a'+b'+c'=4$ (a', b', c'는 음이 아닌 정수)
즉 주황색 탁구공을 각각 1개씩 나누어 주고 남은 주황색 탁구공 4개를 3명의 학생에게 나누어 주는 방법의 수는
${}_3H_4={}_{3+4-1}C_4={}_6C_4={}_6C_2=15$

(i), (ii)에서 경우의 수는 $21\times15=315$

0265

STEP A 분할을 이용하여 경우의 수 구하기

서로 다른 종류의 사탕 3개를 같은 종류의 주머니 3개에 각각 1개씩 나누어 담는 경우의 수는 1 ⇐ ${}_3C_1\times{}_2C_1\times{}_1C_1\times\frac{1}{3!}=1$

STEP B 중복조합을 이용하여 경우의 수 구하기

서로 다른 사탕 3개를 각 주머니에 1개씩 넣으면 주머니는 구별이 가능하게 된다.
즉 같은 종류의 구슬 7개를 서로 구별이 되는 주머니 3개에 남김없이 나누어 담을 때, 각 주머니에 구슬이 1개 이상씩 들어가도록 나누어 넣으면 된다.
서로 다른 주머니 3개에서 중복을 허락하여 4(=7−3)개를 택하는 경우의 수와 같으므로 ${}_3H_4={}_{3+4-1}C_4={}_6C_4={}_6C_2=\frac{6\times5}{2}=15$

따라서 구하는 경우의 수는 $1\times15=15$

내신연계 출제문항 118

서로 다른 종류의 사탕 5개, 같은 종류의 구슬 7개, 같은 종류의 주머니 3개가 있다. 사탕은 3개를 택하여 각 주머니에 1개씩 나누어 담고, 구슬은 7개 모두를 각 주머니에 1개 이상씩 들어가도록 나누어 담는 경우의 수는?

① 110 ② 120 ③ 130
④ 140 ⑤ 150

STEP A 서로 다른 종류의 사탕 5개에서 3개를 택하는 경우의 수 구하기

주머니는 서로 구별되지 않으므로
각 주머니에 사탕이 1개씩 들어가도록 나누어 담는 경우의 수는
서로 다른 종류의 사탕 5개 중 3개를 택하는 조합의 수와 같으므로
${}_5C_3={}_5C_2=10$

STEP B 중복조합을 이용하여 경우의 수 구하기

이제 주머니 3개는 서로 구별되므로 각 주머니마다 구슬을 1개씩 넣은 후 나머지 구슬 4개를 주머니 3개에 나누어 담으면 된다.
남아 있는 서로 같은 종류의 구슬 4개를 서로 다른 주머니 3개에 남김없이 나누어 담는 경우의 수는 서로 다른 3개에서 4개를 택하는 중복조합의 수와 같으므로 ${}_3H_4={}_{3+4-1}C_4={}_6C_4={}_6C_2=\frac{6\times5}{2\times1}=15$

따라서 구하는 경우의 수는 $10\times15=150$

다른풀이 주머니에 담는 공의 개수를 분류하여 구하기

같은 종류의 구슬 7개를 같은 종류의 주머니 3개에 적어도 1개의 구슬이 들어가도록 남김없이 나누어 담는 경우는 구슬을
'1개, 1개, 5개,' 또는 '1개, 2개, 4개' 또는 '1개, 3개, 3개' 또는 '2개, 2개, 3개'로 나누어 담는 4가지 경우가 있다.

(i) 구슬을 '1개, 1개, 5개' 또는 '1개, 3개, 3개' 또는 '2개, 2개, 3개' 로 나누어 담는 경우
각 경우에서 같은 종류의 구슬 7개를 같은 종류의 주머니 3개에 주어진 개수와 같이 나누어 담는 경우의 수는 1
이때 같은 개수의 구슬이 들어간 주머니 2개는 서로 구별되지 않는다.
서로 다른 종류의 사탕 5개 중 3개를 택하는 경우의 수는
${}_5C_3={}_5C_2=\frac{5\times4}{2\times1}=10$이고
택한 사탕 3개를 구별되지 않는 주머니 2개와 구별되는 주머니 1개에 나누어 담는 경우의 수는 $\frac{3!}{2!}=3$
구슬을 나누어 담는 3가지 경우에 대하여 같은 수만큼의 경우가 생기므로 이 경우의 수는 $3\times(1\times10\times3)=90$

(ii) 구슬을 1개, 2개, 4개로 나누어 담는 경우
이 경우 주머니 3개는 모두 구별된다.
서로 다른 종류의 사탕 5개 중 3개를 택하는 경우의 수는
${}_5C_3={}_5C_2=\frac{5\times4}{2\times1}=10$이고
택한 사탕 3개를 서로 구별되는 주머니 3개에 나누어 담는 경우의 수는
$3!=3\times2\times1=6$
이므로 이 경우의 수는 ${}_5C_3\times3!=10\times6=60$

(i), (ii)에서 경우의 수는 $90+60=150$ 

0266

정답 ④

STEP A 탁구공 3개를 세 상자에 남김없이 넣은 경우의 수 구하기

먼저 상자 A에 탁구공 1개, 상자 B에 야구공 1개를 넣은 후
나머지 탁구공 3개와 야구공 4개를 세 상자에 남김없이 나누어 주는 경우를 생각하면 된다.
탁구공 3개를 세 상자에 남김없이 넣은 경우의 수는 서로 다른 3개에서 3개를 택하는 중복조합의 수와 같으므로
${}_3H_3={}_{3+3-1}C_3={}_5C_3={}_5C_2=10$

STEP B 야구공 4개를 세 상자에 남김없이 넣은 경우의 수 구하기

각각에 대하여 야구공 4개를 세 상자에 남김없이 넣은 경우의 수는
서로 다른 3개에서 4개를 택하는 중복조합의 수와 같으므로
${}_3H_4={}_{3+4-1}C_4={}_6C_4={}_6C_2=15$

STEP C 곱의 법칙을 이용하여 경우의 수 구하기

따라서 구하는 경우의 수는 곱의 법칙에 의하여 $10\times15=150$

내/신/연/계/ 출제문항 119

같은 종류의 농구공 4개와 같은 종류의 축구공 3개를 장훈이와 지성이에게 남김없이 나누어 줄 때, 장훈이는 적어도 농구공 1개를 받고 지성이는 적어도 축구공 1개를 받도록 나누어 주는 경우의 수는?

① 10 ② 12 ③ 14
④ 16 ⑤ 18

STEP A 농구공 3개를 두 사람에게 남김없이 나누어 주는 경우의 수 구하기

먼저 장훈이에게 농구공 1개, 지성이에게 축구공 1개를 주고 나머지 농구공 3개, 축구공 2개를 장훈이와 지성이에게 나누어 주는 경우의 수와 같으므로
장훈이와 지성이에게 농구공 3개를 나누어 주는 경우의 수는 장훈, 지성 중 중복을 허락하여 세 사람을 택하는 경우의 수와 같으므로
${}_2H_3={}_{2+3-1}C_3={}_4C_3={}_4C_1=4$

STEP B 축구공 2개를 두 사람에게 남김없이 나누어 주는 경우의 수 구하기

이 각각에 대하여 장훈, 지성에게 축구공 2개를 남김없이 나누어 주는 경우의 수는 장훈, 지성 중 중복을 허락하여 두 사람을 택하는 경우의 수와 같으므로
${}_2H_2={}_{2+2-1}C_2={}_3C_2={}_3C_1=3$

STEP C 곱의 법칙을 이용하여 경우의 수 구하기

따라서 구하는 경우의 수는 곱의 법칙에 의하여 $4\times3=12$ 

0267

정답 ②

STEP A 사탕 2개, 초콜릿 4개를 세 사람에게 나누어 주는 경우의 수 구하기

세 사람이 각각 적어도 사탕 1개, 초콜릿 2개를 받아야 하므로
먼저 세 사람에게 각각 사탕 1개와 초콜릿 2개를 나누어 준 후
나머지 사탕 2개와 초콜릿 4개를 나누어 주는 경우를 생각하면 된다.

(i) 사탕 2개를 세 사람에게 나누어 주는 경우
세 사람에서 중복을 허락하여 두 사람을 택한 후
사탕을 주는 경우와 같으므로 그 경우의 수는
${}_3H_2={}_{3+2-1}C_2={}_4C_2=6$

(ii) 초콜릿 4개를 세 사람에게 나누어 주는 경우
세 사람에서 중복을 허락하여 네 사람을 택한 후
초콜릿을 주는 경우와 같으므로 그 경우의 수는
${}_3H_4={}_{3+4-1}C_4={}_6C_4={}_6C_2=15$

STEP B 곱의 법칙을 이용하여 경우의 수 구하기

(i), (ii)에서 구하는 경우의 수는 곱의 법칙에 의하여 $6\times15=90$

0268

정답 ③

STEP A 중복조합을 이용하여 경우의 수 구하기

세 사람이 받는 음료수의 개수에 따라 다음과 같은 경우로 나누어 생각할 수 있다.

(i) 세 사람이 음료수를 각각 1개씩 받는 경우
같은 종류의 빵 7개를 세 사람에게 남김없이 나누어 주는 경우의 수는
서로 다른 3개에서 7개를 택하는 중복조합의 수와 같으므로
${}_3H_7={}_{3+7-1}C_7={}_9C_7={}_9C_2=36$

(ii) 세 사람 중 두 사람만 음료수를 받는 경우
음료수를 받지 못하는 한 사람을 택하는 경우의 수는
${}_3C_1=3$
이 각각에 대하여 나머지 두 사람에게 음료수 3개를 각 사람이 적어도 1개씩 받도록 나누어 주는 경우의 수는 먼저 두 사람에게 음료수를 1개씩 나누어 준 후 나머지 음료수를 받을 한 사람을 택하는 경우의 수와 같으므로 ${}_2C_1=2$
이 각각에 대하여 음료수를 받지 못한 사람에게 먼저 빵을 1개 나누어 주고 나머지 빵 6개를 세 사람에게 남김없이 나누어 주는 경우의 수는
서로 다른 3개에서 6개를 택하는 중복조합의 수와 같으므로
${}_3H_6={}_{3+6-1}C_6={}_8C_6={}_8C_2=28$
즉 이 경우의 수는 $3\times2\times28=168$

(iii) 세 사람 중 한 사람만 음료수 3개를 받는 경우
음료수 3개를 받을 한 사람을 택하는 경우의 수는
${}_3C_1=3$
이 각각에 대하여 음료수를 받지 못한 두 사람에게 먼저 빵을 1개씩 나누어 주고 나머지 빵 5개를 세 사람에게 남김없이 나누어 주는 경우의 수는 서로 다른 3개에서 5개를 택하는 중복조합의 수와 같으므로
${}_3H_5={}_{3+5-1}C_2={}_7C_5={}_7C_2=21$
즉 이 경우의 수는 $3\times21=63$

(i)~(iii)에 의하여 구하는 경우의 수는 $36+168+63=267$

0269

STEP A 중복조합을 이용하여 조건을 만족시키는 경우의 수 구하기

여학생 3명이 받는 볼펜의 개수를 각각 a, b, c
남학생 2명이 받는 연필의 개수를 각각 x, y라 하면

(i) 여학생이 연필 각 1자루씩, 남학생이 볼펜 각 1자루씩 받는 경우
남은 연필 4자루를 남학생 2명이 각각 x, y자루씩 받는 경우의 수는
$x+y=4$에서 ${}_2H_4={}_5C_4=5$
남은 볼펜 2자루를 여학생 3명이 각각 a, b, c자루씩 받는 경우의 수는
$a+b+c=2$에서 ${}_3H_2={}_4C_2=6$
즉 이 경우의 수는 $5\times6=30$

(ii) 여학생이 연필 각 2자루씩, 남학생이 볼펜 각 1자루씩 받는 경우
남은 연필 1자루를 남학생 2명이 각각 x, y자루씩 받는 경우의 수는
$x+y=1$에서 ${}_2H_1={}_2C_1=2$
남은 볼펜 2자루를 여학생 3명이 각각 a, b, c자루씩 받는 경우의 수는
$a+b+c=2$에서 ${}_3H_2={}_4C_2=6$
즉 이 경우의 수는 $2\times6=12$

(iii) 여학생이 연필 각 1자루씩, 남학생이 볼펜 2자루씩 받는 경우
남은 연필 4자루를 남학생 2명이 각각 x, y자루씩 받는 경우의 수는
$x+y=4$에서 ${}_2H_4={}_5C_4=5$
즉 이 경우의 수는 5

(iv) 여학생이 연필 각 2자루씩, 남학생이 볼펜 각 2자루씩 받는 경우
남은 연필 1자루를 남학생 2명이 각각 x, y자루씩 받는 경우의 수는
$x+y=1$에서 ${}_2H_1={}_2C_1=2$
즉 이 경우의 수는 2

(i)~(iv)에서 구하는 경우의 수는 $30+12+5+2=49$

다른풀이 정수해의 개수를 이용하여 풀이하기

STEP A 중복조합을 이용하여 경우의 수 구하기

(ⅰ) 여학생 3명은 연필을 각각 1자루씩, 남학생 2명은 볼펜을 각각 1자루씩 받은 경우
남학생 2명이 받는 연필의 개수를 x, y
여학생 3명이 받는 볼펜의 개수를 x', y', z'이라 하면
$x+y=4$ (단, x, y는 음이 아닌 정수)
$x'+y'+z'=2$ (단, x', y', z'은 음이 아닌 정수)이므로
그 경우의 수는 ${}_{2}\mathrm{H}_{4}\times{}_{3}\mathrm{H}_{2}={}_{5}\mathrm{C}_{4}\times{}_{4}\mathrm{C}_{2}=5\times\dfrac{4\times3}{2}=30$

(ⅱ) 여학생 3명은 연필을 각각 2자루씩, 남학생 2명은 볼펜을 각각 1자루씩 받은 경우
남학생 2명이 받는 연필의 개수를 x, y
여학생 3명이 받는 볼펜의 개수를 x', y', z'이라 하면
$x+y=1$ (단, x, y는 음이 아닌 정수)
$x'+y'+z'=2$ (단, x', y', z'은 음이 아닌 정수)이므로
그 경우의 수는 ${}_{2}\mathrm{H}_{1}\times{}_{3}\mathrm{H}_{2}={}_{2}\mathrm{C}_{1}\times{}_{4}\mathrm{C}_{2}=2\times6=12$

(ⅲ) 여학생 3명이 연필을 각각 1자루씩, 남학생 2명은 볼펜을 각각 2자루씩 받은 경우
남학생 2명이 받는 연필의 개수를 x, y라 하면
$x+y=4$ (단, x, y는 음이 아닌 정수)이므로
그 경우의 수는 ${}_{2}\mathrm{H}_{4}={}_{5}\mathrm{C}_{4}=5$

(ⅳ) 여학생 3명은 연필을 각각 2자루씩, 남학생 2명은 볼펜을 각각 2자루씩 받은 경우
남학생 2명이 받는 연필의 개수를 x, y라 하면
$x+y=1$ (단, x, y는 음이 아닌 정수)이므로
그 경우의 수는 ${}_{2}\mathrm{H}_{1}={}_{2}\mathrm{C}_{1}=2$

(ⅰ)~(ⅳ)에 의하여 구하는 경우의 수는 $30+12+2+5=49$

0270

 ③

STEP Ⓐ 각 조건을 만족하는 함수의 개수 구하기

조건 (가)에서
정의역의 원소 1, 2, 3 각각에 대하여 공역의 원소 1, 2, 3이 대응될 수 있으므로
X에서 X로의 함수의 개수는 $a=3\times3\times3={}_{3}\Pi_{3}=3^3=27$
조건 (나)에서
X에서 X로의 일대일 대응의 개수는 $b=3!=3\times2\times1=6$
조건 (다)에서
X에서 X로의 일대일 대응이고 임의의 원소 $x\in X$에 대하여
$f(x)\neq x$가 되는 함수의 개수, 즉 $f(1)\neq1$, $f(2)\neq2$, $f(3)\neq3$인 함수는
1, 2, 3에 대응하는 함수가 231, 312의 두 개이므로 $c=2$
조건 (라)에서
집합 X의 두 원소 x_1, x_2에 대하여 $x_1<x_2$일 때,
$f(x_1)<f(x_2)$를 만족하는 함수의 개수는
$f(1)<f(2)<f(3)$을 만족하는 함수에 대응하므로
1, 2, 3 중에서 순서를 생각하지 않고 3개를 뽑는 경우의 수는 $d={}_{3}\mathrm{C}_{3}=1$
조건 (마)에서
주어진 조건에 의하여 $f(1)\le f(2)\le f(3)$이므로
$f(1)$, $f(2)$, $f(3)$의 값은 X의 원소 1, 2, 3 중에서 중복을 허용하여
3개를 택하여 크기순으로 대응시키면 된다.
즉 함수 f의 개수는 서로 다른 3개에서 3개를 택하는 중복조합의 수와
같으므로 $e={}_{3}\mathrm{H}_{3}={}_{5}\mathrm{C}_{3}=10$
따라서 $a+b+c+d+e=27+6+2+1+10=46$

0271

 ④

STEP Ⓐ 각 조건을 만족하는 함수의 개수 구하기

조건 (가)에 의하여
$f(1)<f(2)<f(3)$이므로 $f(1)$, $f(2)$, $f(3)$의 값은
Y의 원소 1, 2, 3, 4, 5, 6 중에서 3개를 택하여 크기순으로 대응시키면 된다.
즉 함수 f의 개수는 서로 다른 6개에서 3개를 택하는 조합의 수와 같으므로
$a={}_{6}\mathrm{C}_{3}=20$
조건 (나)에 의하여
$g(1)\le g(2)\le g(3)$이므로 $g(1)$, $g(2)$, $g(3)$의 값은
Y의 원소 1, 2, 3, 4, 5, 6 중에서 중복을 허용하여 3개를 택하여 크기순으로 대응시키면 된다.
즉 함수 g의 개수는 서로 다른 6개에서 3개를 택하는 중복조합의 수와
같으므로 $b={}_{6}\mathrm{H}_{3}={}_{6+3-1}\mathrm{C}_{3}={}_{8}\mathrm{C}_{3}=56$
따라서 $b-a=56-20=36$

0272

 ③

STEP Ⓐ 정의역의 각 원소의 함숫값에 대한 대소 관계를 이해하기

주어진 조건에 의하여
$f(1)\le f(2)\le f(3)\le f(4)\le f(5)$이므로
$f(1)$, $f(2)$, $f(3)$, $f(4)$, $f(5)$의 값은 Y의 원소 6, 7, 8 중에서
중복을 허락하여 5개를 택하여 크기순으로 대응시키면 된다.

STEP Ⓑ 중복조합의 수를 이용하여 함수의 개수 구하기

따라서 함수 f의 개수는 서로 다른 3개에서 5개를 택하는 중복조합의 수와
같으므로 ${}_{3}\mathrm{H}_{5}={}_{3+5-1}\mathrm{C}_{5}={}_{7}\mathrm{C}_{5}={}_{7}\mathrm{C}_{2}=21$

내신연계 출제문항 120

두 집합
$X=\{1, 2, 3, 4\}$, $Y=\{1, 2, 3, 4, 5, 6, 7\}$
에 대하여 X에서 Y로의 함수 f가
$x_1<x_2$이면 $f(x_1)\ge f(x_2)$
를 만족시키는 함수 f의 개수는? (단, $x_1\in X$, $x_2\in X$)

① 64 ② 81 ③ 210
④ 260 ⑤ 720

STEP Ⓐ 정의역의 각 원소의 함숫값에 대한 대소 관계를 이해하기

주어진 조건에 의하여
$f(1)\ge f(2)\ge f(3)\ge f(4)$이므로
$f(1)$, $f(2)$, $f(3)$, $f(4)$의 값은 Y의 원소 1, 2, 3, 4, 5, 6, 7 중에서
중복을 허용하여 4개를 택하여 크기순으로 대응시키면 된다.

STEP Ⓑ 중복조합의 수를 이용하여 조건을 만족시키는 함수의 개수 구하기

따라서 함수 f의 개수는 서로 다른 7개에서 4개를 택하는 중복조합의 수와
같으므로 ${}_{7}\mathrm{H}_{4}={}_{7+4-1}\mathrm{C}_{4}={}_{10}\mathrm{C}_{4}=210$  ③

0273

정답 ⑤

STEP A $f(3)$을 택하는 경우의 수 구하기

$f(1)\le f(2)$를 만족시키는 함수 f에 대하여
$f(3)$을 택하는 경우의 수는 5이다.

STEP B $f(1)\le f(2)$를 만족하는 경우의 수 구하기

$f(1)\le f(2)$을 만족하는 함수 f는
$f(1)$, $f(2)$의 값은 Y의 원소 3, 4, 5, 6, 7 중에서 중복을 허락하여 2개를 택하여 크기순으로 대응시키면 되므로 그 경우의 수는 서로 다른 5개에서 2개를 택하는 중복조합의 수와 같으므로
${}_5H_2={}_{5+2-1}C_2={}_6C_2=15$

STEP C 곱의 법칙을 이용하여 함수 f의 개수 구하기

따라서 구하는 함수 f의 개수는 $5\times 15=75$

0274

정답 ③

STEP A $f(2)=4$임을 이용하여 $f(1)$의 경우의 수 구하기

주어진 조건에 의하여
$f(1)\le f(2)=4\le f(3)\le f(4)$이므로
$f(1)$의 값은 Y의 원소 1, 2, 3, 4 중에서
중복을 허락하여 1개를 택하여
대응하므로 4가지이다.

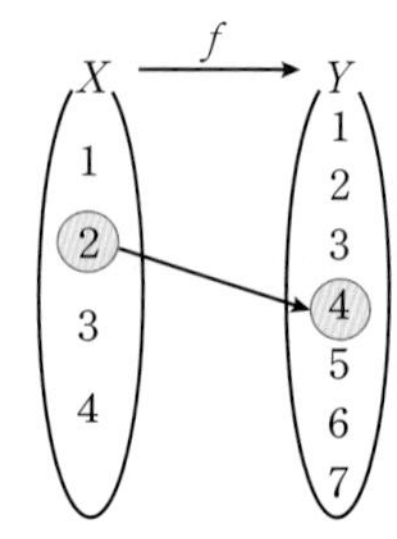

STEP B $f(3)$, $f(4)$가 가질 수 있는 경우의 수 구하기

$f(3)$, $f(4)$가 가질 수 있는 값은 Y의 원소 4, 5, 6, 7 중에서 중복을 허락하여 2개를 택하여 크기순으로 대응시키면 되므로 경우의 수는
${}_4H_2={}_{4+2-1}C_2={}_5C_2=10$

STEP C 곱의 법칙을 이용하여 함수의 개수 구하기

따라서 구하는 함수의 개수는 $4\times 10=40$

내신연계 출제문항 121

집합 $X=\{1, 2, 3, 4, 5, 6\}$에 대하여 X에서 X로의 함수 f 중 다음 조건을 만족시키는 함수의 개수는?

(가) $f(3)=3$
(나) 집합 X의 임의의 두 원소 a, b에 대하여
$a<b$이면 $f(a)\le f(b)$이다.

① 60 ② 80 ③ 96
④ 112 ⑤ 120

STEP A $f(1)$, $f(2)$가 가질 수 있는 값의 경우의 수 구하기

주어진 조건에 의하여 $f(1)\le f(2)\le f(3)=3\le f(4)\le f(5)\le f(6)$이므로
$f(1)$, $f(2)$값은 X의 원소 1, 2, 3 중에서
중복을 허락하여 2개를 택하여 크기순으로
대응시키면 되므로 경우의 수는
${}_3H_2={}_{3+2-1}C_2={}_4C_2=6$

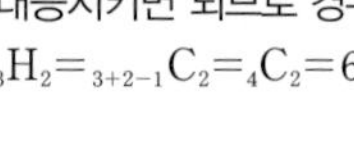

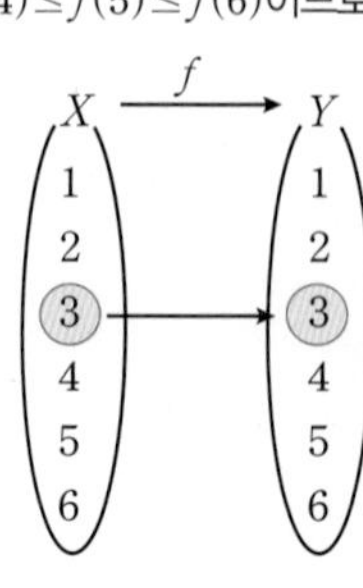

STEP B $f(4)$, $f(5)$, $f(6)$가 가질 수 있는 경우의 수 구하기

이 각각에 대하여 $f(4)$, $f(5)$, $f(6)$값은 X의 원소 3, 4, 5, 6 중에서 중복을 허락하여 3개를 택하여 크기순으로 대응시키면 되므로 경우의 수는
${}_4H_3={}_{4+3-1}C_3={}_6C_3=20$

STEP C 곱의 법칙을 이용하여 함수의 개수 구하기

따라서 구하는 함수의 개수는 $6\times 20=120$

정답 ⑤

0275

정답 ③

STEP A $f(3)=3$인 경우 중복조합을 이용하여 함수의 개수 구하기

조건 (가)에 의하여 $f(3)$은 3의 배수이므로 다음 두 가지 경우로 나누어 생각할 수 있다.

(ⅰ) $f(3)=3$인 경우
$f(1)\le f(2)\le 3$이므로 1, 2, 3에서
중복을 허락하여 2개를 택한 후 작은
수부터 크기순으로 $f(1)$, $f(2)$의
값으로 정하면 된다.
즉 $f(1)$, $f(2)$의 값을 정하는 경우의
수는 서로 다른 3개에서 2개를 택하는
중복조합의 수와 같으므로
${}_3H_2={}_{3+2-1}C_2={}_4C_2=6$
이 각각에 대하여 $3\le f(4)\le f(5)\le f(6)$이므로
3, 4, 5, 6에서 중복을 허락하여 3개를 택한 후 작은 수부터 크기순으로 $f(4)$, $f(5)$, $f(6)$의 값으로 정하면 된다.
즉 $f(4)$, $f(5)$, $f(6)$의 값을 정하는 경우의 수는 서로 다른 4개에서 3개를 택하는 중복조합의 수와 같으므로
${}_4H_3={}_{4+3-1}C_3={}_6C_3=20$
즉 이 경우의 수는 $6\times 20=120$

STEP B $f(3)=6$인 경우 중복조합을 이용하여 함수의 개수 구하기

(ⅱ) $f(3)=6$인 경우
$f(1)\le f(2)\le 6$이므로
1, 2, 3, 4, 5, 6에서 중복을 허락하여
2개를 택한 후 작은 수부터 크기순으로
$f(1)$, $f(2)$의 값으로 정하면 된다.
즉 $f(1)$, $f(2)$의 값을 정하는 경우의
수는 서로 다른 6개에서 2개를 택하는
중복조합의 수와 같으므로
${}_6H_2={}_{6+2-1}C_2={}_7C_2=21$
이 각각에 대하여 $f(4)=f(5)=f(6)=6$이어야 하므로
$f(4)$, $f(5)$, $f(6)$의 값을 정하는 경우의 수는 1
즉 이 경우의 수는 $21\times 1=21$

STEP C 합의 법칙을 이용하여 함수의 개수 구하기

(ⅰ), (ⅱ)에 의하여 구하는 함수의 개수는 $120+21=141$

내신연계 출제문항 122

집합 $X=\{1, 2, 3, 4, 5\}$에 대하여 다음 조건을 만족시키는 함수 $f: X \longrightarrow X$의 개수는?

> (가) $f(3) \neq 3$
> (나) 집합 X의 두 원소 x_1, x_2에 대하여
> $x_1 < x_2$이면 $f(x_1) \leq f(x_2)$이다.

① 60 ② 70 ③ 80
④ 90 ⑤ 126

STEP A 조건 (나)를 만족시키는 함수의 개수 구하기

집합 X의 두 원소 x_1, x_2에 대하여 $x_1 < x_2$이면 $f(x_1) \leq f(x_2)$를 만족시키는 모든 함수의 개수에서 $f(3)=3$을 만족시키는 함수의 개수를 빼면 된다.
조건 (나)를 만족시키는 함수의 개수는
1, 2, 3, 4, 5의 5개를 뽑는 중복조합의 수와 같으므로
${}_5H_5={}_{5+5-1}C_5={}_9C_5={}_9C_4=126$

STEP B $f(3)=3$을 만족시키는 함수 구하기

이 중에서 $f(3)=3$을 만족시키는 함수는 공역의 1, 2, 3에서 중복을 허락하여 2개를 뽑은 후 작은 수부터 정의역 1, 2에 차례대로 대응시키고 공역의 3, 4, 5에서 중복을 허락하여 2개를 택한 후 작은 수부터 정의역의 4, 5에 차례대로 대응시키면 된다.
즉 구하는 함수의 개수는
${}_3H_2 \times {}_3H_2={}_4C_2 \times {}_4C_2=6 \times 6=36$

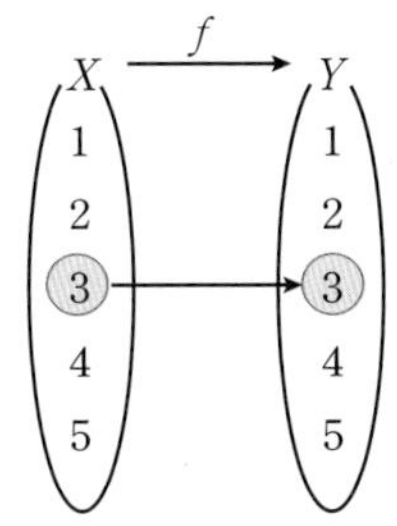

STEP C 조건 (나)를 만족시키는 함수에서 $f(3)=3$을 만족시키는 함수를 빼서 구하기

따라서 구하는 함수 f의 개수는 $126-36=90$

 ④

0276

 ④

STEP A $f(2)=5$, $f(2)=6$, $f(2)=7$임을 이용하여 각각의 함수의 개수 구하기

조건 (가)에서 $f(2) \leq 7$이므로 $f(2)$의 값이 될 수 있는 수는 5, 6, 7

(i) $f(2)=5$일 때,
$f(1)=5$이고 집합 Y의 원소 5, 6, 7, 8, 9, 10의 6개에서 중복을 허락하여 $f(3)$, $f(4)$의 값 2개를 택하는 경우의 수와 같으므로
함수의 개수는 $1 \times {}_6H_2={}_7C_2=21$

(ii) $f(2)=6$일 때,
$f(1)=5$ 또는 $f(1)=6$이고 집합 Y의 원소 6, 7, 8, 9, 10의 5개에서 중복을 허락하여 $f(3)$, $f(4)$의 값 2개를 택하는 경우의 수와 같으므로
함수의 개수는 $2 \times {}_5H_2=2 \times {}_6C_2=2 \times 15=30$

(iii) $f(2)=7$일 때,
$f(1)=5$ 또는 $f(1)=6$ 또는 $f(1)=7$이고 집합 Y의 원소 7, 8, 9, 10의 4개에서 중복을 허락하여 $f(3)$, $f(4)$의 값 2개를 택하는 경우의 수와 같으므로 함수의 개수는 $3 \times {}_4H_2=3 \times {}_5C_2=3 \times 10=30$

(i)~(iii)에서 구하는 함수의 개수는 $21+30+30=81$

0277

 ②

STEP A 두 조건 (가), (나)를 만족하는 함수의 개수 구하기

조건 (가), (나)를 모두 만족시키는 $f(2)$, $f(3)$의 값을 정하는 경우는
$f(2)=1$, $f(3)=6$일 때와 $f(2)=2$, $f(3)=3$일 때이다.

(i) $f(2)=1$, $f(3)=6$일 때,
조건 (나)에서 $f(1) \leq f(2)$이므로 $f(1)=1$
이때 $f(3) \leq f(4) \leq f(5)$이어야 하므로 $f(4)$, $f(5)$의 값이 될 수 있는 자연수는 6, 7, 8, 9, 10 중 각각 한 개씩이다.
즉 함수 f의 개수는 ${}_5H_2={}_{5+2-1}C_2={}_6C_2=15$

(ii) $f(2)=2$, $f(3)=3$일 때,
조건 (나)에서 $f(1)$의 값이 될 수 있는 자연수는 1 또는 2
이때 $f(4)$, $f(5)$의 값이 될 수 있는 자연수는 3, 4, 5, 6, 7, 8, 9, 10 중 각각 한 개씩이다.
즉 함수 f의 개수는 $2 \times {}_8H_2=2 \times {}_{8+2-1}C_2=2 \times {}_9C_2=72$

(i), (ii)에 의하여 구하는 함수 f의 개수는 $15+72=87$

내신연계 출제문항 123

두 집합 $A=\{1, 2, 3, 4\}$, $B=\{0, 1, 2, 3, 4, 5, 6\}$에 대하여 함수 $f: A \longrightarrow B$ 중 다음 조건을 만족시키는 함수 f의 개수는?

> (가) 집합 A의 임의의 두 원소 x_1, x_2에 대하여
> $x_1 < x_2$이면 $f(x_1) \leq f(x_2)$이다.
> (나) $f(1)f(2)=4$

① 20 ② 21 ③ 22
④ 23 ⑤ 24

STEP A 두 조건 (가), (나)를 만족하는 함수의 개수 구하기

두 조건 (가), (나)를 만족시키는 $f(1)$, $f(2)$의 값을 정하는 경우는
$f(1)=1$, $f(2)=4$ 또는 $f(1)=f(2)=2$의 두 가지이다.

(i) $f(1)=1$, $f(2)=4$일 때,
조건 (가)에서 $f(3)$, $f(4)$의 값은 각각 4, 5, 6 중 하나이며
$f(3) \leq f(4)$이어야 한다.
이때 $f(3)$, $f(4)$의 값을 정하는 경우의 수는
서로 다른 3개의 수 4, 5, 6에서 중복을 허락하여
2개를 택하는 중복조합의 수와 같으므로
${}_3H_2={}_{3+2-1}C_2={}_4C_2=6$

(ii) $f(1)=f(2)=2$일 때,
조건 (가)에서 $f(3)$, $f(4)$의 값은 각각 2, 3, 4, 5, 6 중 하나이며
$f(3) \leq f(4)$이어야 한다.
이때 $f(3)$, $f(4)$의 값을 정하는 경우의 수는
서로 다른 5개의 수 2, 3, 4, 5, 6에서 중복을 허락하여
2개를 택하는 중복조합의 수와 같으므로
${}_5H_2={}_{5+2-1}C_2={}_6C_2=15$

(i), (ii)에서 구하는 함수 f의 개수는 $6+15=21$

 ②

0278

정답 ③

STEP Ⓐ **두 조건 (가), (나)를 만족하는 함수의 개수 구하기**

조건 (가)에서 $f(1)f(5)=6$이므로 $f(1)$, $f(5)$가 가질 수 있는 값은 $f(1)=2$, $f(5)=3$일 때와 $f(1)=3$, $f(5)=2$일 때이다.

(i) $f(1)=2$, $f(5)=3$일 때,
$f(2)\ge f(3)\ge f(4)\ge 3$이므로 3, 4, 5에서 중복을 허락하여 3개를 택한 후, 크기순으로 차례로 $f(2)$, $f(3)$, $f(4)$의 값으로 정하면 되므로 경우의 수는
${}_3H_3={}_{3+3-1}C_3={}_5C_3={}_5C_2=10$

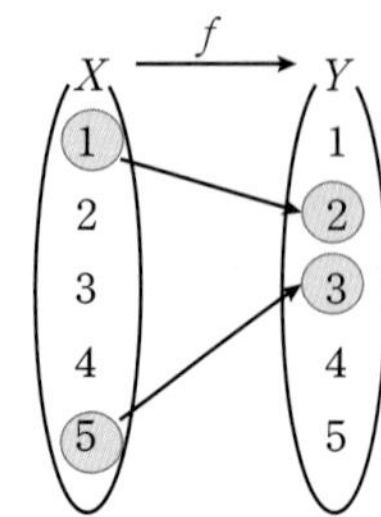

(ii) $f(1)=3$, $f(5)=2$일 때,
$f(2)\ge f(3)\ge f(4)\ge 2$이므로 2, 3, 4, 5에서 중복을 허락하여 3개를 택한 후, 크기순으로 차례로 $f(2)$, $f(3)$, $f(4)$의 값으로 정하면 되므로 경우의 수는
${}_4H_3={}_{4+3-1}C_3={}_6C_3=20$

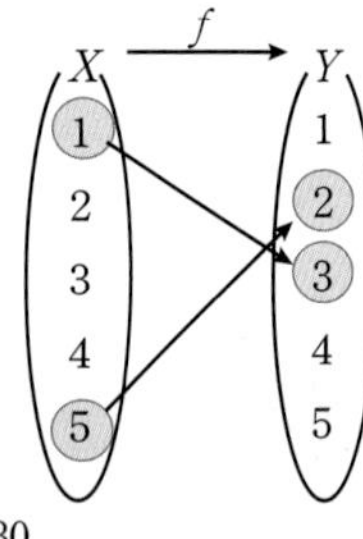

(i), (ii)에서 구하는 함수 f의 개수는 $20+10=30$

0279

정답 ③

STEP Ⓐ **$f(1)$의 값과 $f(3)$, $f(4)$, $f(5)$의 값을 정하는 경우로 나누어 함수의 개수 구하기**

세 조건 (가), (나), (다)를 만족하는 경우는
$f(1)\le f(2)=4\le f(3)<f(4)\le f(5)$

(i) $f(1)$을 정하는 방법의 수는 3, 4에서 1개를 선택하는 조합의 수와 같으므로
${}_2C_1=2$

(ii) $f(3)<f(4)\le f(5)$를 만족하는 $f(3)$, $f(4)$, $f(5)$를 정하는 경우의 수는 $f(3)\le f(4)\le f(5)$인 경우

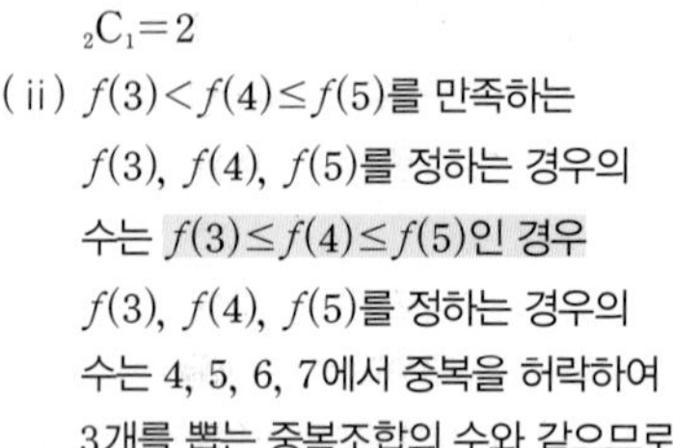

$f(3)$, $f(4)$, $f(5)$를 정하는 경우의 수는 4, 5, 6, 7에서 중복을 허락하여 3개를 뽑는 중복조합의 수와 같으므로
${}_4H_3={}_{4+3-1}C_3={}_6C_3=\dfrac{6\cdot5\cdot4}{3\cdot2\cdot1}=20$ …… ㉠

$f(3)=f(4)\le f(5)$인 경우
$f(3)$, $f(4)$, $f(5)$를 정하는 경우의 수는 4, 5, 6, 7에서 중복을 허락하여 2개를 뽑는 중복조합의 수와 같으므로
${}_4H_2={}_{4+2-1}C_2={}_5C_2=\dfrac{5\cdot4}{2\cdot1}=10$ …… ㉡

즉 ㉠, ㉡에서 구하는 경우의 수는 $20-10=10$

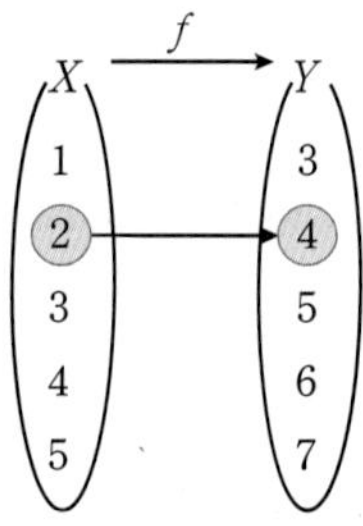

(i), (ii)에서 구하는 함수 f의 개수는 $2\times10=20$

내/신/연/계/ 출제문항 124

집합 $X=\{1, 2, 3, 4, 5, 6\}$에 대하여 다음 조건을 만족시키는 함수 $f: X\longrightarrow X$의 개수는?

(가) $f(3)=3$
(나) $f(3)<f(4)$
(다) 집합 X의 두 원소 x_1, x_2에 대하여 $x_1<x_2$이면 $f(x_1)\le f(x_2)$이다.

① 60 ② 65 ③ 70 ④ 75 ⑤ 80

STEP Ⓐ **$f(1)$, $f(2)$의 값과 $f(3)$, $f(4)$, $f(5)$의 값을 정하는 경우로 나누어 함수의 개수 구하기**

세 조건 (가), (나), (다)를 만족하는 경우는
$f(1)\le f(2)\le f(3)=3<f(4)\le f(5)\le f(6)$

(i) $f(1)\le f(2)\le f(3)$이고 $f(3)=3$인 경우
$f(3)$, $f(1)$, $f(2)$의 값을 정하는 경우의 수는 1, 2, 3에서 중복을 허락하여 2개를 뽑는 중복조합의 수와 같으므로
${}_3H_2={}_{3+2-1}C_2={}_4C_2=6$

(ii) $f(3)<f(4)$를 만족하고 $f(4)\le f(5)\le f(6)$인 경우
$f(4)$, $f(5)$, $f(6)$의 값을 정하는 경우의 수는 4, 5, 6에서 중복을 허락하여 3개를 뽑는 중복조합의 수와 같으므로
${}_3H_3={}_{3+3-1}C_3={}_5C_3={}_5C_2=10$

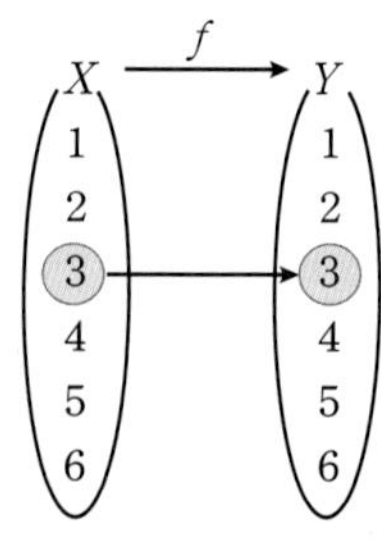

(i), (ii)에서 구하는 함수 f의 개수는 $6\times10=60$

정답 ①

0280

정답 ④

STEP Ⓐ **조건 (가)를 만족하는 경우의 수 구하기**

조건 (가)에서 함수 f의 치역에 속하는 집합 X의 원소 3개를 택하는 경우의 수는 ${}_7C_3=35$ …… ㉠

STEP Ⓑ **음이 아닌 정수해의 개수 구하기**

치역에 속하는 3개의 수에 각각 대응하는 집합 X의 원소의 개수를 각각 a, b, c라 하자.
집합 X의 원소의 개수는 7이므로
$a+b+c=7$
치역의 각 원소에 적어도 하나의 값은 대응되어야 하므로
$a\ge1$, $b\ge1$, $c\ge1$
즉 음이 아닌 세 정수 a', b', c'에 대하여
$a=a'+1$, $b=b'+1$, $c=c'+1$이라 하면
$(a'+1)+(b'+1)+(c'+1)=7$
$\therefore a'+b'+c'=4$ (a', b', c'은 음이 아닌 정수)
이때 순서쌍 (a', b', c')의 개수는
${}_3H_4={}_6C_4={}_6C_2=15$ …… ㉡

[조건을 만족하는 예]

STEP Ⓒ **조건을 만족시키는 함수 $f: X\longrightarrow X$의 개수 구하기**

따라서 ㉠, ㉡에서 구하는 함수 f의 개수는 $35\times15=525$

내신연계 출제문항 125

집합 $X=\{1, 2, 3, 4, 5\}$에 대하여 X에서 X로의 함수 f 중 다음 조건을 만족시키는 함수의 개수는?

(가) 집합 X의 임의의 두 원소 x_1, x_2에 대하여
$x_1 < x_2$이면 $f(x_1) \geq f(x_2)$이다.
(나) 함수 f의 치역의 원소의 개수는 4 이하이다.

① 123 ② 124 ③ 125
④ 126 ⑤ 127

STEP A 조건 (가)를 만족하는 함수의 개수 구하기

함수 f가 조건 (가)를 만족시키려면 1, 2, 3, 4, 5에서 중복을 허락하여 5개를 택한 후, 큰 수부터 크기순으로 $f(1)$, $f(2)$, $f(3)$, $f(4)$, $f(5)$의 값으로 정하면 된다.
즉 조건 (가)를 만족시키는 함수 f의 개수는
서로 다른 5개에서 5개를 택하는 중복조합의 수와 같으므로
${}_5H_5={}_{5+5-1}C_5={}_9C_5={}_9C_4=126$

STEP B 함수 f의 치역의 원소의 개수가 5인 경우의 수 구하기

이 중에서 조건 (나)를 만족시키지 않는 함수는
$f(1)=5$, $f(2)=4$, $f(3)=3$, $f(4)=2$, $f(5)=1$인 한 가지뿐이다.

STEP C 조건 (가)를 만족하는 함수의 개수에서 치역의 원소의 개수가 5인 함수의 개수 빼기

따라서 구하는 함수의 개수는 $126-1=125$

 ③

0281

 ③

STEP A 조합을 이용하여 m 구하기

$a_1 < a_2 < a_3 < a_4$인 눈이 나오려면
1, 2, 3, 4, 5, 6에서 서로 다른 4개의 수를 택하여 크기순으로 배열한 후
차례로 a_1, a_2, a_3, a_4에 대응시키면 되므로 $m={}_6C_4={}_6C_2=15$

STEP B 중복조합을 이용하여 n 구하기

$a_1 \leq a_2 \leq a_3 \leq a_4$인 눈이 나오려면 1, 2, 3, 4, 5, 6에서
중복을 허락하여 4개의 수를 택한 후, 크기 순으로 배열하고
차례로 a_1, a_2, a_3, a_4에 대응시키면 되므로 $n={}_6H_4={}_{6+4-1}C_4={}_9C_4=126$
따라서 $m+n=126+15=141$

0282

 ③

STEP A 중복조합을 이용하여 경우의 수 구하기

$0 < a \leq b \leq c < 10$을 만족시키는 순서쌍 (a, b, c)의 개수는
1, 2, 3, 4, 5, 6, 7, 8, 9의 9개 자연수 중에서 3개를 택하는 중복조합의 수와 같으므로 ${}_9H_3={}_{9+3-1}C_3={}_{11}C_3=165$

0283

 ①

STEP A $4 \leq a \leq b \leq 6$을 만족하는 중복조합의 수 구하기

$4 \leq a \leq b \leq 6$을 만족시키는 두 자연수 a, b는 4, 5, 6에서 중복을 허락하여 2개를 택한 후 작은 수부터 크기순으로 a, b의 값으로 정하면 되므로
모든 순서쌍 (a, b)의 개수는 ${}_3H_2={}_{3+2-1}C_2={}_4C_2=6$

STEP B $6 \leq c \leq d \leq e \leq 10$을 만족하는 중복조합의 수 구하기

이 각각에 대하여 $6 \leq c \leq d \leq e \leq 10$을 만족시키는 세 자연수 c, d, e는 6, 7, 8, 9, 10에서 중복을 허락하여 3개를 택한 후 작은 수부터 크기순으로 c, d, e의 값으로 정하면 되므로 모든 순서쌍 (c, d, e)의 개수는
${}_5H_3={}_{5+3-1}C_3={}_7C_3=35$

STEP C 곱의 법칙을 이용하여 구하기

따라서 구하는 순서쌍의 개수는 $6 \times 35=210$

내신연계 출제문항 126

자연수 a, b, c, d에 대하여
$1 < a < b \leq 6 < c \leq d \leq 12$
를 만족시키는 모든 순서쌍 (a, b, c, d)의 개수는?

① 210 ② 215 ③ 220
④ 230 ⑤ 250

STEP A 조합을 이용하여 경우의 수 구하기

6을 기준으로 순서쌍 (a, b)와 순서쌍 (c, d)의 개수를 각각 구한 후 곱의 법칙을 이용하여 구한다.
$1 < a < b \leq 6 < c \leq d \leq 12$ …… ㉠
(i) $1 < a < b \leq 6$에서 자연수 a, b의 순서쌍 (a, b)는
2, 3, 4, 5, 6 중에서 서로 다른 두 자연수를 택하는 조합의 수이므로
경우의 수는 ${}_5C_2=10$

STEP B 중복조합을 이용하여 구하기

(ii) $6 < c \leq d \leq 12$에서 자연수 c, d의 순서쌍 (c, d)는
7, 8, 9, 10, 11, 12 중에서 중복을 허락하여 두 자연수를 택하는 중복조합의 수이므로 경우의 수는
${}_6H_2={}_{6+2-1}C_2=21$

STEP C 곱의 법칙을 이용하여 구하기

(i), (ii)에서 구하는 모든 순서쌍 (a, b, c, d)의 개수는 $10 \times 21=210$

 ①

0284

 ③

STEP A $1 \leq a_1 \leq a_2 \leq a_3 \leq a_4 \leq a_5 \leq 6$을 만족시키는 순서쌍의 개수 구하기

조건 (가)에서 $1 \leq a_1 \leq a_2 \leq a_3 \leq a_4 \leq a_5 \leq 6$를 만족시키는 경우의 수는
1, 2, 3, 4, 5, 6의 6개 중에서 중복을 허락하여 5개를 택하는 경우의 수와 같으므로 ${}_6H_5={}_{10}C_5=252$

STEP B $1 \leq a_1 \leq a_2=a_3 \leq a_4 \leq a_5 \leq 6$을 만족시키는 순서쌍의 개수 구하기

$1 \leq a_1 \leq a_2=a_3 \leq a_4 \leq a_5 \leq 6$를 만족시키는 경우의 수는
1, 2, 3, 4, 5, 6의 6개 중에서 중복을 허락하여 4개를 택하는 경우의 수와 같으므로 ${}_6H_4={}_9C_4=126$

STEP C $1 \leq a_1 \leq a_2 < a_3 \leq a_4 \leq a_5 \leq 6$을 만족시키는 순서쌍의 개수 구하기

$1 \leq a_1 \leq a_2 < a_3 \leq a_4 \leq a_5 \leq 6$를 만족시키는 경우의 수는
$1 \leq a_1 \leq a_2 \leq a_3 \leq a_4 \leq a_5 \leq 6$를 만족시키는 경우의 수에서
$1 \leq a_1 \leq a_2=a_3 \leq a_4 \leq a_5 \leq 6$를 만족시키는 경우의 수를 뺀 것과 같으므로
$252-126=126$

내신연계 출제문항 127

두 집합 $X=\{1, 2, 3, 4\}$, $Y=\{5, 6, 7, 8, 9, 10\}$에 대하여 X에서 Y로의 함수 f가 $f(1) \le f(2) < f(3) \le f(4)$를 만족시킬 때, 가능한 함수 f의 개수는?

① 34 ② 52 ③ 70
④ 98 ⑤ 126

STEP Ⓐ $f(1) \le f(2) \le f(3) \le f(4)$를 만족시키는 함수의 개수 구하기

$f(1) \le f(2) \le f(3) \le f(4)$를 만족시키는 함수의 개수는
집합 Y의 원소 6개 중 중복을 허락하여 4개를 택하는 경우의 수와 같으므로
${}_6H_4 = {}_{6+4-1}C_4 = {}_9C_4 = 126$

STEP Ⓑ $f(1) \le f(2) = f(3) \le f(4)$를 만족시키는 함수의 개수 구하기

$f(1) \le f(2) = f(3) \le f(4)$를 만족시키는 함수의 개수는
집합 Y의 원소 6개 중에서 중복을 허락하여 3개를 택하는 경우의 수와 같으므로 ${}_6H_3 = {}_{6+3-1}C_3 = {}_8C_3 = 56$

STEP Ⓒ $f(1) \le f(2) < f(3) \le f(4)$를 만족시키는 함수의 개수 구하기

$f(1) \le f(2) < f(3) \le f(4)$를 만족시키는 함수의 개수는
$f(1) \le f(2) \le f(3) \le f(4)$를 만족시키는 함수의 개수에서
$f(1) \le f(2) = f(3) \le f(4)$를 만족시키는 함수의 개수를 뺀 것과 같다.
따라서 가능한 함수의 개수는 $126-56=70$

다른풀이 조합을 이용하여 풀이하기

(ⅰ) $f(1) < f(2) < f(3) < f(4)$일 때,
함수의 개수는 집합 Y의 원소 6개 중 4개를 택하는 경우의 수와 같으므로
${}_6C_4 = {}_6C_2 = 15$

(ⅱ) $f(1) = f(2) < f(3) < f(4)$ 또는 $f(1) < f(2) < f(3) = f(4)$일 때,
함수의 개수는 집합 Y의 원소 6개 중에서 3개를 택하는 경우의 수와 같으므로 $2 \times {}_6C_3 = 2 \times 20 = 40$

(ⅲ) $f(1) = f(2) < f(3) = f(4)$일 때,
함수의 개수는 집합 Y의 원소 6개 중에서 2개를 택하는 경우의 수와 같으므로 ${}_6C_2 = 15$

(ⅰ)~(ⅲ)에서 구하는 함수의 개수는 $15+40+15=70$

 ③

0285

 ③

STEP Ⓐ 중복조합을 이용하여 순서쌍 $(|a|, |b|, |c|)$의 개수 구하기

$1 \le |a| \le |b| \le |c| \le 5$를 만족시키는 모든 순서쌍 $(|a|, |b|, |c|)$의 개수는
1, 2, 3, 4, 5 중에서 중복을 허락하여 3개를 택하는 중복조합의 수와 같으므로
${}_5H_3 = {}_{5+3-1}C_3 = {}_7C_3 = 35$

STEP Ⓑ 순서쌍 (a, b, c)의 개수 구하기

이때 세 정수 a, b, c는 각각 절댓값이 같고 부호가 다른 두 개의 값을 가질 수 있으므로 구하는 순서쌍의 개수는 $35 \times 2 \times 2 \times 2 = 280$

⬅ 순서쌍 (a, b, c)의 개수는 $(|a|, |b|, |c|)$의 개수의 8배

내신연계 출제문항 128

세 정수 a, b, c에 대하여

$$1 \le a \le |b| \le |c| \le 7$$

을 만족시키는 모든 순서쌍 (a, b, c)개수는?

① 300 ② 312 ③ 324
④ 336 ⑤ 348

STEP Ⓐ 중복조합을 이용하여 a, $|b|$, $|c|$의 값을 정하는 경우의 수 구하기

$1 \le a \le |b| \le |c| \le 7$을 만족하는 순서쌍 $(a, |b|, |c|)$의 개수는
7개의 자연수 중 중복을 허락하여 3개를 선택하는 경우의 수와 같으므로
${}_7H_3 = {}_{7+3-1}C_3 = {}_9C_3 = 84$

STEP Ⓑ $|b|$, $|c|$에서 b와 c의 값을 결정하는 경우의 수를 곱하여 전체 경우의 수 구하기

이때 $|b| = \alpha$, $|c| = \beta$라 하면 $b = \pm\alpha$, $c = \pm\beta$가 될 수 있으므로
a와 b의 각각의 경우의 수는 2가지이므로 $2 \times 2 \times 84 = 336$

 ④

0286

 ③

STEP Ⓐ 세 자연수의 곱이 홀수이므로 세 수가 모두 홀수임을 이용하기

조건 (가)에서 $a \times b \times c$는 홀수이므로 a, b, c는 모두 홀수이다.

STEP Ⓑ 중복조합을 이용하여 구하기

조건 (나)에서 a, b, c는 모두 20 이하의 홀수이고 $a \le b \le c$이므로
a, b, c에서 서로 같은 수를 선택할 수 있고 서로 다른 수를 선택하는 경우에는 크기의 순서가 정해진다.
즉 20 이하의 홀수 1, 3, 5, 7, $\cdots$, 19의 10개 중에서 중복을 허락하여
3개를 뽑는 순서쌍의 (a, b, c)의 개수는 ${}_{10}H_3 = {}_{10+3-1}C_3 = {}_{12}C_3 = 220$

다른풀이 세 수 모두 홀수가 됨을 이용하여 풀이하기

조건 (가)에서 $a \times b \times c$가 홀수이므로 a, b, c는 모두 홀수인 자연수이다.
즉 $a = 2x_1 - 1$, $b = 2x_2 - 1$, $c = 2x_3 - 1$ (단, x_1, x_2, x_3는 자연수)이라 하면
조건 (나)에서 $2x_1 - 1 \le 2x_2 - 1 \le 2x_3 - 1 \le 20$
$x_1 \le x_2 \le x_3 \le \frac{21}{2}$ $\quad \therefore x_1 \le x_2 \le x_3 \le 10$ ($\because$ x_1, x_2, x_3는 자연수)
이 식을 만족하는 자연수 x_1, x_2, x_3의 모든 순서쌍 (x_1, x_2, x_3)의 개수는
${}_{10}H_3 = {}_{12}C_3 = 220$

 $a < b < c \le 20$이면 20 이하의 홀수 중 서로 다른 세 수를 고르기만 하면 되므로 조합 ${}_{10}C_3$을 이용하여 구하면 자동으로 a, b, c의 크기는 순서가 정해진다.

내신연계 출제문항 129

다음 조건을 만족시키는 세 자연수의 모든 순서쌍 (a, b, c)의 개수는?

> (가) 세 수 a, b, c의 합은 짝수이다.
> (나) $a \le b \le c \le 15$

① 320 ② 324 ③ 328
④ 332 ⑤ 336

STEP Ⓐ 세 수 a, b, c에 대하여 $a+b+c$가 짝수인 경우 이해하기

1부터 15까지의 자연수 중 짝수는 2, 4, 6, 8, 10, 12, 14의 7개이고
홀수는 8개이므로 $a+b+c$가 짝수인 경우 세 수 a, b, c가 모두 짝수인 경우와
세 수 a, b, c 중 1개만 짝수인 경우로 나누어 구한다.

STEP Ⓑ 각각의 경우의 수 구하기

(ⅰ) a, b, c가 모두 짝수인 경우
$a \le b \le c \le 15$를 만족하는 순서쌍 (a, b, c)의 개수는 짝수 7개 중 중복을 허락하여 3개를 선택하는 경우의 수이므로 ${}_7H_3 = {}_{7+3-1}C_3 = {}_9C_3 = 84$

(ⅱ) a, b, c 중 1개만 짝수인 경우
$a \le b \le c \le 15$를 만족하는 순서쌍 (a, b, c)의 개수는 짝수 1개를 선택하는 경우의 수이므로 ${}_7C_1 = 7$
홀수 8개 중 중복을 허락하여 2개를 선택하는 경우의 수는 ${}_8H_2$
선택한 세 수를 크기순으로 나열하는 경우의 수는 1이므로
$7 \times {}_8H_2 \times 1 = 7 \times {}_9C_2 \times 1 = 252$

(ⅰ), (ⅱ)에 의하여 구하는 경우의 수는 $84+252=336$

 ⑤

05 이항정리

STEP 1 내신정복기출유형

0287

정답 ⑤

STEP A 다항식의 전개식에서 일반항 구하기

$(x+2y)^4$의 전개식의 일반항은

${}_4\mathrm{C}_r x^r (2y)^{4-r} = {}_4\mathrm{C}_r 2^{4-r} x^r y^{4-r}$ (단, $r=0, 1, 2, 3, 4$)

STEP B x^2y^2의 계수 구하기

따라서 x^2y^2의 계수는 $r=2$일 때이므로 ${}_4\mathrm{C}_2 \times 2^2 = 6 \times 4 = 24$

0288

정답 ⑤

STEP A 이항계수의 일반항을 구하여 x^2의 계수 구하기

$(3x+1)^5$의 전개식의 일반항은

${}_5\mathrm{C}_r (3x)^{5-r} \times 1^r = {}_5\mathrm{C}_r 3^{5-r} x^{5-r}$ (단, $r=0, 1, 2, 3, 4, 5$)

STEP B x^2의 계수 구하기

x^2의 항은 $5-r=2 \quad \therefore r=3$

따라서 x^2의 계수는 ${}_5\mathrm{C}_3 \times 3^2 = 10 \times 9 = 90$

0289

정답 ①

STEP A 다항식의 전개식에서 일반항 구하기

$(2x-3y)^4$의 전개식에서 일반항은

${}_4\mathrm{C}_r (2x)^{4-r} (-3y)^r = {}_4\mathrm{C}_r \times 2^{4-r} \times (-3)^r \times x^{4-r} y^r$ (단, $r=0, 1, 2, 3, 4$)

STEP B x^3y의 계수 구하기

이때 x^3y항은 $r=1$인 경우이다.

따라서 x^3y의 계수는 ${}_4\mathrm{C}_1 \times 2^3 \times (-3) = -96$

0290

정답 ①

STEP A 다항식의 전개식에서 일반항 구하기

$(3-ax)^5$의 전개식의 일반항은

${}_5\mathrm{C}_r 3^{5-r} (-ax)^r = {}_5\mathrm{C}_r 3^{5-r} (-a)^r x^r$ (단, $r=0, 1, 2, \cdots, 5$)

STEP B x^3의 계수가 -720임을 이용하여 상수 a 구하기

x^3항은 $r=3$이므로 $-{}_5\mathrm{C}_3 3^2 a^3 = -720$

따라서 $a^3=8$이므로 $a=2$

내신연계 출제문항 130

$(ax-y)^8$의 전개식에서 x^3y^5의 계수가 -1512일 때, 상수 a의 값은?

① 1 ② 2 ③ 3
④ 12 ⑤ 14

STEP A 다항식의 전개식에서 일반항 구하기

$(ax-y)^8$의 전개식의 일반항은 ${}_8\mathrm{C}_r (ax)^{8-r} (-y)^r = {}_8\mathrm{C}_r a^{8-r} (-1)^r x^{8-r} y^r$

STEP B x^3y^5의 계수가 -1512임을 이용하여 상수 a 구하기

x^3y^5항은 $r=5$이므로 $-{}_8\mathrm{C}_5 a^3 = -1512$

따라서 $a^3=27$이므로 $a=3$

정답 ③

0291

정답 ④

STEP A 다항식의 전개식에서 일반항 구하기

$(x-a)^4 = (-a+x)^4$의 전개식에서 일반항은 ${}_4\mathrm{C}_r (-a)^{4-r} x^r$

STEP B x의 계수와 상수항의 합이 0임을 이용하여 양수 a 구하기

x의 계수는 $r=1$일 때, ${}_4\mathrm{C}_1 (-a)^3 = -4a^3$

상수항은 $r=0$일 때, ${}_4\mathrm{C}_0 (-a)^4 = a^4$

이때 x의 계수와 상수항의 합이 0이므로 $a^4 + (-4a^3) = 0$, $a^3(a-4)=0$

따라서 양수 a는 $a=4$

내신연계 출제문항 131

$(x-a)^4$의 전개식에서 x^2의 계수와 x의 계수의 합이 0일 때, 상수항은? (단, $a>0$)

① $\frac{3}{2}$ ② $\frac{9}{4}$ ③ $\frac{27}{8}$
④ $\frac{27}{16}$ ⑤ $\frac{81}{16}$

STEP A 다항식의 전개식에서 일반항 구하기

$(x-a)^4$의 전개식에서 일반항은 ${}_4\mathrm{C}_r x^{4-r} (-a)^r$

STEP B x^2의 계수와 x의 계수의 합이 0임을 이용하여 양수 a 구하기

x^2의 계수는 $x^{4-r}=x^2$에서 $r=2$이므로 ${}_4\mathrm{C}_2 \times (-a)^2 = 6a^2$

x의 계수는 $x^{4-r}=x$에서 $r=3$이므로 ${}_4\mathrm{C}_3 \times (-a)^3 = -4a^3$

이때 x^2의 계수와 x의 계수의 합이 0이므로 $6a^2-4a^3=0$, $2a^2(3-2a)=0$

즉 양수 a는 $a=\frac{3}{2}$

STEP C 상수항 구하기

상수항은 $r=4$일 때, ${}_4\mathrm{C}_4 (-a)^4 x^0 = a^4$

따라서 구하는 상수항은 $a^4 = \left(\frac{3}{2}\right)^4 = \frac{81}{16}$

정답 ⑤

0292

정답 ④

STEP A 다항식의 전개식에서 일반항 구하기

다항식 $(ax+1)^6$의 전개식의 일반항은 ${}_6\mathrm{C}_r (ax)^r$ ($r=0, 1, 2, \cdots, 6$)

STEP B x의 계수와 x^3의 계수가 같음을 이용하여 $20a^2$값 구하기

x의 계수 ${}_6\mathrm{C}_1 a$와 x^3의 계수 ${}_6\mathrm{C}_3 a^3$이 같으므로 $6a = 20a^3$

따라서 $a \neq 0$이므로 $20a^2 = 6$

내/신/연/계/ 출제문항 132

다항식 $(x+a)^5$의 전개식에서 x^3의 계수와 x^4의 계수가 같을 때, a의 값은? (단, a는 양수)

① $\frac{1}{2}$　　② 1　　③ $\frac{3}{2}$
④ 2　　⑤ $\frac{5}{2}$

STEP Ⓐ **다항식의 전개식에서 일반항 구하기**

$(x+a)^5$의 전개식에서 일반항은 ${}_5C_r x^{5-r} a^r$ (단, $r=0, 1, 2, \cdots, 5$)

STEP Ⓑ **x^3의 계수와 x^4의 계수가 같음을 이용하여 양수 a 구하기**

x^3의 계수는 $r=2$일 때이므로 ${}_5C_2 \times a^2=10a^2$
x^4의 계수는 $r=1$일 때이므로 ${}_5C_1 \times a=5a$
x^3의 계수와 x^4의 계수가 같으므로 $10a^2=5a$
$2a^2-a=0$, $a(2a-1)=0$

따라서 a는 양수이므로 $a=\frac{1}{2}$

 ①

0293

 ②

STEP Ⓐ **다항식의 전개식에서 일반항 구하기**

$(1+x)^n$의 전개식에서 일반항은 ${}_nC_r x^r$

STEP Ⓑ **x^2의 계수가 45임을 이용하여 자연수 n 구하기**

x^2의 계수가 45이므로 ${}_nC_2=45$

$\frac{n(n-1)}{2}=45$

즉 $n^2-n-90=0$, $(n-10)(n+9)=0$
따라서 $n=10$ ($\because$ n은 자연수)

내/신/연/계/ 출제문항 133

다항식 $(x-1)^n$의 전개식에서 x^2의 계수가 -78일 때, n의 값은?

① 10　　② 11　　③ 13
④ 14　　⑤ 15

STEP Ⓐ **다항식의 전개식에서 일반항 구하기**

$(x-1)^n$의 전개식에서 일반항은 ${}_nC_r x^{n-r}(-1)^r={}_nC_r(-1)^r x^{n-r}$

STEP Ⓑ **x^2의 계수가 -78임을 이용하여 자연수 n 구하기**

x^2의 항은 $n-r=2$인 경우이므로 $r=n-2$

즉 x^2의 계수는 $(-1)^{n-2}\cdot{}_nC_{n-2}=(-1)^{n-2}\times\frac{n(n-1)}{2}=-78$

따라서 $n=13$

 ③

0294

 ⑤

STEP Ⓐ **다항식의 전개식에서 일반항 구하기**

$(a+x)^5$의 전개식에서 일반항은 ${}_5C_r a^{5-r} x^r$

STEP Ⓑ **x^3의 계수가 40임을 이용하여 a^2의 값 구하기**

x^3의 계수는 $r=3$을 대입하면 ${}_5C_3 a^2$이므로
${}_5C_3 a^2=40$에서 $10a^2=40$
$\therefore$ $a^2=4$

STEP Ⓒ **x의 계수 구하기**

따라서 x의 계수는 $r=1$일 때이므로 ${}_5C_1 a^4=5\times4^2=80$

내/신/연/계/ 출제문항 134

다항식 $(x+a)^7$의 전개식에서 x^4의 계수가 280일 때, x^5의 계수는? (단, a는 상수이다.)

① 84　　② 91　　③ 98
④ 105　　⑤ 112

STEP Ⓐ **다항식의 전개식에서 일반항 구하기**

$(a+x)^7$의 전개식에서 일반항은 ${}_7C_r a^{7-r} x^r$

STEP Ⓑ **x^4의 계수가 280임을 이용하여 a 구하기**

x^4의 계수는 ${}_7C_4 a^3$이므로 ${}_7C_4 a^3=280$
$35a^3=280$, $a^3=8$　$\therefore$ $a=2$

STEP Ⓒ **x^5의 계수 구하기**

따라서 x^5의 계수는 ${}_7C_5\times a^2={}_7C_2\times2^2=\frac{7\times6}{2}\times2^2=84$

 ①

0295

 ⑤

STEP Ⓐ **x의 계수가 14임을 이용하여 a 구하기**

$(1+ax)^7$의 전개식의 일반항은 ${}_7C_r(ax)^r={}_7C_r a^r x^r$
x의 계수가 14이므로 ${}_7C_1 a=14$
$7a=14$　$\therefore$ $a=2$

STEP Ⓑ **x^2의 계수 구하기**

따라서 x^2의 계수는 ${}_7C_2\cdot2^2=84$

내/신/연/계/ 출제문항 135

다항식 $(3x^2+a)^5$의 전개식에서 x^8의 계수가 405일 때, x^6의 계수는? (단, a는 상수)

① 180　　② 210　　③ 240
④ 270　　⑤ 300

STEP Ⓐ **다항식의 전개식에서 일반항 구하기**

$(3x^2+a)^5$의 전개식에서 일반항은 ${}_5C_r(3x^2)^r a^{5-r}$

STEP Ⓑ **x^8의 계수가 405임을 이용하여 상수 a 구하기**

x^8의 계수가 405이므로 ${}_5C_4\times3^4\times a^1=405$
$\therefore$ $a=1$

STEP Ⓒ **x^6의 계수 구하기**

따라서 ${}_5C_3\times3^3\times a^2=10\times27=270$

 ④

0296

정답 ③

STEP A 다항식의 전개식에서 일반항 구하기

$(x+2)^{19}$의 전개식에서 일반항은 ${}_{19}C_r x^r 2^{19-r}$ (단, $r=0, 1, 2, 3, \cdots 19$)

x^k의 계수는 ${}_{19}C_k 2^{19-k}$

x^{k+1}의 계수는 ${}_{19}C_{k+1} 2^{18-k}$

STEP B x^k의 계수가 x^{k+1}의 계수보다 크게 되는 자연수 k의 최솟값 구하기

${}_{19}C_k 2^{19-k} > {}_{19}C_{k+1} 2^{18-k}$에서 ${}_{19}C_k \times 2 > {}_{19}C_{k+1}$

$\dfrac{19!}{k!(19-k)!} \times 2 > \dfrac{19!}{(k+1)!(18-k)!}$ ← ${}_nC_r = \dfrac{n!}{r!(n-r)!}$

$\dfrac{2}{19-k} > \dfrac{1}{k+1}$

$3k > 17$에서 $k > \dfrac{17}{3}$

따라서 자연수 k의 최솟값은 6

0297

정답 ②

STEP A 두 다항식의 전개식에서 x^{n-1}의 계수 구하기

$2(x+a)^n$의 전개식의 일반항은 $2{}_nC_r a^r x^{n-r}$ (단, $n=0, 1, \cdots, n$)

x^{n-1}항의 계수는 $r=1$일 때이므로

$2{}_nC_1 a = 2na$ …… ㉠

$(x-1)(x+a)^n = x(x+a)^n - (x+a)^n$이므로

x^{n-1}의 항의 계수는

${}_nC_2 a^2 - ({}_nC_1 \cdot a) = \dfrac{n(n-1)}{2}a^2 - na$ …… ㉡

STEP B 두 다항식의 x^{n-1}의 계수가 같음을 이용하여 순서쌍 (a, n) 구하기

㉠, ㉡에서

$2na = \dfrac{n(n-1)}{2}a^2 - na$를 정리하면

$6na = n(n-1)a^2$, $6=(n-1)a$

$(n-1)a = 6 = 1\cdot 6 = 2\cdot 3 = 3\cdot 2 = 6\cdot 1$

a, $n(n \geq 2)$은 자연수이므로

a	$n-1$
1	6
2	3
3	2
6	1

이를 만족하는 순서쌍 (a, n)은 $(a, n)=(6, 2), (3, 3), (2, 4), (1, 7)$

따라서 an의 최댓값은 (a, n)이 $(6, 2)$일 때, 12

(1) 정수 조건의 부정방정식 : (일차식)×(일차식)=(정수)꼴로 변형
(2) 실수 조건의 부정방정식 :
① $A^2+B^2=0$꼴로 변형하여 $A=0$, $B=0$임을 이용한다.
② 한 문자에 대하여 내림차순으로 정리한 후 이차방정식의 판별식 D가 $D \geq 0$임을 이용한다.

내신연계 출제문항 136

다항식 $(x+2)^n$의 전개식에서 x^{n-1}의 계수를 a라 하고,
다항식 $(x-1)^2(x+2)^{n-2}$의 전개식에서 x^{n-1}의 계수를 b라 할 때,
$2a-3b=0$을 만족하는 자연수 n의 값은? (단, $n \geq 4$)

① 5 ② 6 ③ 7
④ 8 ⑤ 9

STEP A 두 다항식의 전개식에서 x^{n-1}의 계수 구하기

(i) $(x+2)^n$의 전개식의 일반항은 ${}_nC_r x^{n-r} 2^r$이고
x^{n-1}항은 $r=1$일 때이므로 x^{n-1}의 계수 a는
$a = {}_nC_1 \times 2 = 2n$

(ii) $(x-1)^2(x+2)^{n-2} = (x^2-2x+1)(x+2)^{n-2}$
$= x^2(x+2)^{n-2} - 2x(x+2)^{n-2} + (x+2)^{n-2}$
이므로 x^{n-1}의 계수는
$(x+2)^{n-2}$의 전개식에서 x^{n-3}의 계수에 1을 곱하고
x^{n-2}의 계수에 각각 -2를 곱하여 더하면 된다.
이때 $(x+2)^{n-2}$의 전개식의 일반항은 ${}_{n-2}C_s x^{n-2-s} 2^s$이고
x^{n-2}항은 $s=0$일 때이므로 x^{n-2}의 계수는 ${}_{n-2}C_0 = 1$
x^{n-3}항은 $s=1$일 때이므로 x^{n-3}의 계수는 ${}_{n-2}C_1 \times 2 = 2(n-2)$
$\therefore b = -2\times 1 + 1\times 2(n-2) = 2n-6$

STEP B $2a-3b=0$을 만족하는 자연수 n의 값 구하기

$2a-3b=0$에서 $2\times 2n - 3(2n-6) = 0$

따라서 $-2n+18=0$이므로 $n=9$

정답 ⑤

0298

정답 ①

STEP A $x^2(x+a)^n$의 전개식에서 x^{n-1}의 계수 구하기

$x^2(x+a)^n$의 전개식에서 일반항이

$x^2 \cdot {}_nC_r a^{n-r} x^r = {}_nC_r a^{n-r} x^{r+2}$이므로

x^{n-1}의 계수는 ${}_nC_{n-3} a^3 = \boxed{{}_nC_3} a^3$이다.

STEP B 두 다항식의 x^{n-1}의 계수가 같게 되는 a의 일차방정식 구하기

$a^2 n = {}_nC_3 \times a^3 - 2a^2 n$에서 이 식을 정리하면

$n = {}_nC_3 \times a - 2n$

이 식을 정리하여 a를 n에 관한 식으로 나타내면

$a = \dfrac{3n}{{}_nC_3} = \dfrac{18}{\boxed{(n-1)(n-2)}}$

STEP C a가 자연수가 되는 n의 값 구하기

또한, a가 자연수이고 $a = \dfrac{18}{(n-1)(n-2)}$을 만족하는 n은

4 이상의 자연수이므로 n은 2 이상의 연속한 두 자연수 $n-2$, $n-1$의 곱이

18의 약수이어야 한다.

18의 약수는 1, 2, 3, 6, 9, 18이므로

이를 만족시키는 연속된 두 자연수는 2, 3뿐이므로 $n=\boxed{4}$이다.

따라서 $f(n) = {}_nC_3$, $g(n) = (n-1)(n-2)$, $k=4$이므로

$f(4) + g(4) = {}_4C_3 + (4-1)(4-2) = 4+6 = 10$

0299

정답 ①

STEP A $(x+a)^{10}$의 일반항을 이용하여 x, x^2, x^4의 계수 나타내기

$(x+a)^{10}$의 전개식에서 일반항은 ${}_{10}C_r a^{10-r} x^r$이므로

x, x^2, x^4의 계수는 ${}_{10}C_1 a^9$, ${}_{10}C_2 a^8$, ${}_{10}C_4 a^6$

STEP B 등비수열의 성질을 이용하여 a의 값 구하기

즉 $10a^9$, $45a^8$, $210a^6$이 순서대로 등비수열을 이루므로

$(45a^8)^2 = 10a^9 \times 210a^6$

따라서 $a = \dfrac{28}{27}$

0300

 ③

STEP A $(2x+1)^n$의 전개식의 일반항 나타내기

$(2x+1)^n$의 전개식의 일반항은 ${}_nC_r(2x)^r={}_nC_r2^rx^r$

STEP B 등차수열의 성질을 이용하여 n의 값 구하기

이때 x^3, x^4, x^5의 계수는 r의 값이 각각 3, 4, 5일 때이므로

${}_nC_32^3$, ${}_nC_42^4$, ${}_nC_52^5$이 등차수열을 이루므로

$2{}_nC_42^4={}_nC_32^3+{}_nC_52^5$

$2^5\times\dfrac{n(n-1)(n-2)(n-3)}{4!}$

$=2^3\times\dfrac{n(n-1)(n-2)}{3!}+2^5\times\dfrac{n(n-1)(n-2)(n-3)(n-4)}{5!}$

양변을 $2^3n(n-1)(n-2)$로 나누고 정리하면

$\dfrac{n-3}{6}=\dfrac{1}{6}+\dfrac{(n-3)(n-4)}{30}$

$5(n-3)=5+n^2-7n+12$, $n^2-12n+32=0$

따라서 $n=4$ 또는 $n=8$, $n\geq5$이므로 $n=8$

내신연계 출제문항 137

$(x+2)^n$의 전개식에서 x^3, x^4, x^5의 계수가 이 순서로 등차수열을 이룰 때, x^6의 계수는? (단, n은 6 이상이고 10 이하인 자연수이다.)

① 102 ② 108 ③ 112
④ 118 ⑤ 124

STEP A $(x+2)^n$의 전개식의 일반항 나타내기

$(x+2)^n$의 전개식의 일반항은 ${}_nC_r2^{n-r}x^r$

STEP B 등차수열의 성질을 이용하여 n의 값 구하기

이때 x^3, x^4, x^5의 계수는 각각 ${}_nC_32^{n-3}$, ${}_nC_42^{n-4}$, ${}_nC_52^{n-5}$

이 세 수가 이 순서대로 등차수열을 이루므로

${}_nC_32^{n-3}+{}_nC_52^{n-5}=2\times{}_nC_42^{n-4}$

양변을 2^{n-5}로 나누면 ${}_nC_3\times4+{}_nC_5={}_nC_4\times4$

$\dfrac{n(n-1)(n-2)}{3\cdot2\cdot1}\times4+\dfrac{n(n-1)(n-2)(n-3)(n-4)}{5\cdot4\cdot3\cdot2\cdot1}$

$=\dfrac{n(n-1)(n-2)(n-3)}{4\cdot3\cdot2\cdot1}\times4$

$n\geq6$이므로 양변을 $n(n-1)(n-2)$로 나누면

$\dfrac{1}{6}\times4+\dfrac{(n-3)(n-4)}{120}=\dfrac{n-3}{24}\times4$

정리하면

$n^2-27n+152=0$, $(n-8)(n-19)=0$

n은 6 이상이고 10 이하인 자연수이므로 $n=8$

STEP C x^6의 계수 구하기

따라서 x^6의 계수는 ${}_8C_6\times2^{8-6}=28\times4=112$ 정답 ③

0301

 ④

STEP A 계수가 정수가 되기 위한 r의 조건 찾기

$(\sqrt{3}+x)^5$의 전개식의 일반항은 ${}_5C_r(\sqrt{3})^{5-r}x^r$

계수가 정수가 되려면 $(\sqrt{3})^{5-r}$이 정수가 되어야 하므로

$5-r$은 2의 배수 꼴이어야 한다.

STEP B r의 값에 따른 계수 구하기

즉 $r=1$, 3, 5일 때, 계수가 정수이므로 이 항들의 계수를 모두 더하면

${}_5C_1\times(\sqrt{3})^{5-1}+{}_5C_3\times(\sqrt{3})^{5-3}+{}_5C_5\times(\sqrt{3})^{5-5}=5\times3^2+10\times3+1=76$

내신연계 출제문항 138

$(\sqrt[5]{3}+x)^{10}$의 전개식에서 계수가 정수인 항들의 계수의 총합은?

① 753 ② 756 ③ 759
④ 762 ⑤ 766

STEP A 계수가 정수가 되기 위한 r의 값 구하기

$(\sqrt[5]{3}+x)^{10}$의 전개식의 일반항은 ${}_{10}C_r(\sqrt[5]{3})^{10-r}x^r$

계수가 정수가 되려면 $10-r=5k$ (단, $k=0$, 1, 2)

$\therefore r=0$, 5, 10

STEP B r의 값에 따른 계수 구하기

(i) $r=0$일 때, ${}_{10}C_0(\sqrt[5]{3})^{10}x^0$이므로 계수는 ${}_{10}C_0(\sqrt[5]{3})^{10}=3^2=9$

(ii) $r=5$일 때, ${}_{10}C_5(\sqrt[5]{3})^5x^5$이므로 계수는 ${}_{10}C_5(\sqrt[5]{3})^5=756$

(iii) $r=10$일 때, ${}_{10}C_{10}(\sqrt[5]{3})^0x^{10}$이므로 계수는 ${}_{10}C_{10}(\sqrt[5]{3})^0=1$

따라서 구하는 계수의 총합은 $9+756+1=766$  ⑤

0302

 ⑤

STEP A 이항정리를 이용하여 전개식의 일반항 구하기

$\left(2x+\dfrac{1}{x^2}\right)^4$의 전개식에서 일반항은

${}_4C_r(2x)^{4-r}\left(\dfrac{1}{x^2}\right)^r={}_4C_r2^{4-r}x^{4-3r}$ (단, $r=0$, 1, 2, 3, 4)

STEP B x의 계수 구하기

x의 계수는 $4-3r=1$에서 $r=1$

따라서 x의 계수는 ${}_4C_1\times2^3=32$

0303

 ①

STEP A 다항식의 전개식의 일반항 구하기

$\left(3x^2+\dfrac{1}{x}\right)^6$의 전개식에서 일반항은

${}_6C_r(3x^2)^{6-r}\left(\dfrac{1}{x}\right)^r={}_6C_r3^{6-r}x^{12-3r}$ (단, $r=0$, 1, 2, 3, $\cdots$, 6)

STEP B 상수항 구하기

이때 상수항은 $12-3r=0$

$\therefore r=4$

따라서 상수항은 $3^2\cdot{}_6C_4=135$

0304

 ②

STEP A 다항식의 전개식의 일반항 구하기

$\left(x^2-\dfrac{3}{x}\right)^6$의 전개식의 일반항은

${}_6C_r(x^2)^{6-r}\left(-\dfrac{3}{x}\right)^r={}_6C_rx^{12-2r}\dfrac{(-3)^r}{x^r}$

$={}_6C_r(-3)^rx^{12-3r}$ (단, $r=0$, 1, 2, 3, $\cdots$, 6)

STEP B x^6의 계수 구하기

x^6항은 $12-3r=6$에서 $r=2$일 때이다.

따라서 x^6의 계수는 ${}_6C_2\times(-3)^2=15\times9=135$

내/신/연/계/ 출제문항 139

$\left(x^2-\dfrac{3}{x^3}\right)^4$의 전개식에서 x^3의 계수는?

① -12　② -45　③ -210
④ -1024　⑤ -2048

STEP Ⓐ **다항식의 전개식의 일반항을 구하고 지수법칙을 이용하여 간단히 정리하기**

$\left(x^2-\dfrac{3}{x^3}\right)^4$ 전개식의 일반항은 ${}_4C_r(x^2)^{4-r}\left(-\dfrac{3}{x^3}\right)^r={}_4C_r(-3)^r x^{8-5r}$

STEP Ⓑ **x^3의 계수 구하기**

이때 x^3항은 $8-5r=3$인 경우이므로 $r=1$
따라서 x^3의 계수는 ${}_4C_1(-3)^1=-12$

 ①

0305

 ②

STEP Ⓐ **$\left(x^3+\dfrac{1}{x}\right)^3$의 일반항을 이용하여 x의 계수 구하기**

$\left(x^3+\dfrac{1}{x}\right)^3$의 일반항은 ${}_3C_r(x^3)^{3-r}\left(\dfrac{1}{x}\right)^r={}_3C_r x^{9-4r}$
즉 x의 일차항은 $r=2$일 때, ${}_3C_2x=3x$

STEP Ⓑ **미분을 통해 $\dfrac{d}{dx}\left(x^3+\dfrac{1}{x}\right)^3$의 상수항 구하기**

따라서 $\dfrac{d}{dx}\left(x^3+\dfrac{1}{x}\right)^3$의 상수항은 $\dfrac{d}{dx}(3x)=3$

내/신/연/계/ 출제문항 140

$\dfrac{d}{dx}(2x-1)^8$의 전개식에서 x^2의 계수는?

① -1233　② -1344　③ -448
④ 1344　⑤ 1477

STEP Ⓐ **$(2x-1)^8$의 x^3항의 계수 구하기**

$\dfrac{d}{dx}(2x-1)^8$의 전개식에서 x^2항은
$(2x-1)^8$의 전개식의 x^3항을 미분하여 얻어진다.
이때 x^3항의 계수는 ${}_8C_5(2x)^3(-1)^5={}_8C_5 2^3(-1)^5x^3=-448x^3$

STEP Ⓑ **x^2의 계수 구하기**

따라서 미분하여 x^2의 계수를 구하면 $-448\times3=-1344$

 ②

0306

 ③

STEP Ⓐ **$\left(x^2-\dfrac{k}{x}\right)^5$의 전개식의 일반항을 이용하여 x^4의 계수 나타내기**

$\left(x^2-\dfrac{k}{x}\right)^5$의 전개식의 일반항은 ${}_5C_r(x^2)^{5-r}\left(-\dfrac{k}{x}\right)^r=(-1)^r{}_5C_rk^rx^{10-3r}$
$x^{10-3r}=x^4$에서 $r=2$이므로 x^4항은 $(-1)^2{}_5C_2k^2x^4=10k^2x^4$

STEP Ⓑ **부정적분을 이용하여 k값 구하기**

$\displaystyle\int\left(x^2-\dfrac{k}{x}\right)^5dx$의 전개식에서 x^5의 항은
$\displaystyle\int(10k^2x^4)dx=2k^2x^5+C$ (단, C는 적분상수)
이므로 $2k^2=18$
따라서 양수 k는 $k=3$

0307

 ⑤

STEP Ⓐ **다항식의 전개식의 일반항 구하기**

$\left(2x+\dfrac{3}{x}\right)^4$의 전개식의 일반항은 ${}_4C_r(2x)^{4-r}\left(\dfrac{3}{x}\right)^r={}_4C_r\times2^{4-r}\times3^r\times x^{4-2r}$

STEP Ⓑ **이항정리의 일반항을 이용하여 [보기]의 진위판단하기**

ㄱ. x^2의 계수는 $4-2r=2$이므로 $r=1$
　즉 x^2의 계수는 ${}_4C_1\times2^3\times3^1=4\times8\times3=96$ [참]
ㄴ. 서로 다른 항의 계수는 서로 다른 2개에서 중복을 허락하여 4개를 택하는 경우의 수와 같으므로 ${}_2H_4={}_{2+4-1}C_4={}_5C_4={}_5C_1=5$ [참]
ㄷ. 상수항은 $4-2r=0$이므로 $r=2$
　즉 상수항은 ${}_4C_2\times2^2\times3^2=6\times4\times9=216$ [참]
따라서 옳은 것은 ㄱ, ㄴ, ㄷ이다.

내/신/연/계/ 출제문항 141

$\left(3x-\dfrac{1}{x}\right)^6$의 전개식에 대한 설명으로 [보기]에서 옳은 것만을 있는 대로 고른 것은?

> ㄱ. $\dfrac{1}{x^4}$의 계수는 -18이다.
> ㄴ. 서로 다른 항의 개수는 6이다.
> ㄷ. 상수항은 -540이다.

① ㄱ　② ㄴ　③ ㄱ, ㄴ
④ ㄱ, ㄷ　⑤ ㄱ, ㄴ, ㄷ

STEP Ⓐ **다항식의 전개식의 일반항 구하기**

$\left(3x-\dfrac{1}{x}\right)^6$의 전개식의 일반항은 ${}_6C_r(3x)^{6-r}\left(-\dfrac{1}{x}\right)^r={}_6C_r3^{6-r}(-1)^rx^{6-2r}$

STEP Ⓑ **이항정리의 일반항을 이용하여 [보기]의 참, 거짓 판단하기**

ㄱ. $\dfrac{1}{x^4}$의 계수는 $6-2r=-4$이므로 $r=5$
　즉 $\dfrac{1}{x^4}$의 계수는 ${}_6C_53^{6-5}(-1)^5=6\cdot3\cdot(-1)=-18$ [참]
ㄴ. 서로 다른 항의 계수는 서로 다른 2개에서 중복을 허락하여 6개를 택하는 경우의 수와 같으므로 ${}_2H_6={}_{2+6-1}C_6={}_7C_6={}_7C_1=7$ [거짓]
ㄷ. 상수항은 $6-2r=0$이므로 $r=3$
　즉 상수항은 ${}_6C_33^{6-3}(-1)^3=20\cdot27\cdot(-1)=-540$ [참]
따라서 옳은 것은 ㄱ, ㄷ이다.

정답 ④

0308

 ⑤

STEP Ⓐ **다항식의 전개식의 일반항 구하기**

$\left(2x^2-\dfrac{1}{x}\right)^4$의 전개식의 일반항은 ${}_4C_r(2x^2)^{4-r}\left(-\dfrac{1}{x}\right)^r={}_4C_r2^{4-r}(-1)^rx^{8-3r}$

STEP Ⓑ **이항정리의 일반항을 이용하여 [보기]의 참, 거짓 판단하기**

ㄱ. x^5의 계수는 $8-3r=5$이므로 $r=1$
　즉 x^5의 계수는 ${}_4C_12^{4-1}(-1)^1=4\cdot8\cdot(-1)=-32$ [참]
ㄴ. x^2의 계수는 $8-3r=2$이므로 $r=2$
　즉 x^2의 계수는 ${}_4C_22^{4-2}(-1)^2=6\cdot4\cdot1=24$ [참]
ㄷ. 서로 다른 항의 개수는 서로 다른 2개에서 중복을 허락하여 4개를 택하는 경우의 수와 같으므로 ${}_2H_4={}_{2+4-1}C_4={}_5C_4={}_5C_1=5$ [참]
ㄹ. 상수항은 $8-3r=0$을 만족시키는 음이 아닌 정수 r이 존재하지 않으므로 상수항은 0이다. [참]
따라서 옳은 것은 ㄱ, ㄴ, ㄷ, ㄹ이다.

내/신/연/계/ 출제문항 142

$\left(x^2-\frac{1}{x}\right)^6$의 전개식에 대한 설명으로 [보기]에서 옳은 것만을 있는 대로 고른 것은?

> ㄱ. x^3의 계수는 -20이다.
> ㄴ. 서로 다른 항의 개수는 7이다.
> ㄷ. 상수항은 -15이다.

① ㄱ　　② ㄴ　　③ ㄱ, ㄴ
④ ㄱ, ㄷ　　⑤ ㄱ, ㄴ, ㄷ

STEP Ⓐ 다항식의 전개식의 일반항을 구하고 지수법칙을 이용하여 간단히 정리하기

$\left(x^2-\frac{1}{x}\right)^6$의 전개식의 일반항은 ${}_6C_r(x^2)^{6-r}\left(-\frac{1}{x}\right)^r={}_6C_r(-1)^r x^{12-3r}$

STEP Ⓑ 이항정리의 일반항을 이용하여 [보기]의 참, 거짓 판단하기

ㄱ. x^3의 계수는 $12-3r=3$인 경우이므로 $r=3$
　즉 x^3의 계수는 ${}_6C_3(-1)^3=-20$ [참]
ㄴ. 서로 다른 항의 개수는 서로 다른 2개에서 중복을 허락하여 6개를 택하는 경우의 수와 같으므로 ${}_2H_6={}_{2+6-1}C_6={}_7C_6={}_7C_1=7$ [참]
ㄷ. 상수항은 $12-3r=0$이므로 $r=4$
　즉 상수항은 ${}_6C_4(-1)^4=15$ [거짓]
따라서 옳은 것은 ㄱ, ㄴ이다.

 정답 ③

0309

 정답 ②

STEP Ⓐ 다항식의 전개식의 일반항을 구하고 지수법칙을 이용하여 간단히 정리하기

$\left(x^2-\frac{2}{x}\right)^4$의 전개식의 일반항은 ${}_4C_r(x^2)^{4-r}\left(-\frac{2}{x}\right)^r={}_4C_r(-2)^r x^{8-3r}$

STEP Ⓑ x^2의 계수와 $\frac{1}{x}$의 계수 구하기

(i) x^2항은 $8-3r=2$일 때이므로 $r=2$
　즉 x^2의 계수는 ${}_4C_2(-2)^2=24$
(ii) $\frac{1}{x}$항은 $8-3r=-1$일 때이므로 $r=3$
　즉 $\frac{1}{x}$의 계수는 ${}_4C_3(-2)^3=-32$
(i), (ii)에서 $a=24$, $b=-32$이므로 $a+b=-8$

내/신/연/계/ 출제문항 143

$\left(\frac{x}{4}+\frac{4}{x}\right)^8$의 전개식에서 상수항을 a, x^2의 계수를 b라고 할 때, ab의 값은?

① 231　　② 238　　③ 245
④ 252　　⑤ 259

STEP Ⓐ 다항식의 전개식의 일반항을 구하고 지수법칙을 이용하여 간단히 정리하기

$\left(\frac{x}{4}+\frac{4}{x}\right)^8$의 전개식의 일반항은 ${}_8C_r\left(\frac{x}{4}\right)^{8-r}\left(\frac{4}{x}\right)^r={}_8C_r\times4^{2r-8}\times x^{8-2r}$

STEP Ⓑ 상수항 a와 x^2의 계수 b 구하기

상수항은 $8-2r=0$, 즉 $r=4$일 때이므로
$a={}_8C_4\times4^0=70$
x^2항은 $8-2r=2$, 즉 $r=3$일 때이므로 x^2의 계수는
$b={}_8C_3\times4^{-2}=\frac{7}{2}$

STEP Ⓒ ab의 값 구하기

따라서 $ab=70\times\frac{7}{2}=245$

 정답 ③

0310

 정답 ⑤

STEP Ⓐ 다항식의 전개식의 일반항을 구하고 지수법칙을 이용하여 간단히 정리하기

$\left(x+\frac{1}{x}\right)^n$의 일반항은 ${}_nC_r x^{n-r}\left(\frac{1}{x}\right)^r={}_nC_r x^{n-2r}$이므로
$x^{n-2r}=x^2$에서 $r=\frac{n}{2}-1$
즉 x^2항은 n이 짝수일 때만 가능하다.

STEP Ⓑ n의 값에 따른 x^2의 계수 구하기

$\left(x+\frac{1}{x}\right)^2$에서 $r=0$일 때, ${}_2C_0$
$\left(x+\frac{1}{x}\right)^4$에서 $r=1$일 때, ${}_4C_1$
$\left(x+\frac{1}{x}\right)^6$에서 $r=2$일 때, ${}_6C_2$
따라서 구하는 x^2의 계수는 ${}_2C_0+{}_4C_1+{}_6C_2=1+4+15=20$

내/신/연/계/ 출제문항 144

다항식

$$\left(x+\frac{1}{x}\right)^2+\left(x+\frac{1}{x}\right)^3+\left(x+\frac{1}{x}\right)^4+\left(x+\frac{1}{x}\right)^5+\left(x+\frac{1}{x}\right)^6$$

의 전개식에서 x^3의 계수는?

① 2　　② 3　　③ 4
④ 6　　⑤ 8

STEP Ⓐ 전개식의 일반항을 구하고 지수법칙을 이용하여 정리하기

$\left(x+\frac{1}{x}\right)^n$의 전개식의 일반항은 ${}_nC_r x^{n-r}\left(\frac{1}{x}\right)^r={}_nC_r x^{n-2r}$

STEP Ⓑ n의 값에 따른 x^3의 계수 구하기

$n-2r=3$ ($n=2$, 3, 4, 5, 6)에서 $n=2$, 4, 6일 때,
x^3항은 존재하지 않는다.
$n=3$, 5일 때, $n-2r=3$을 만족시키는 r의 값은 각각 0, 1이므로
x^3의 계수는 ${}_3C_0+{}_5C_1=1+5=6$

정답 ④

0311

 정답 ④

STEP Ⓐ 다항식의 전개식의 일반항을 구하고 지수법칙을 이용하여 간단히 정리하기

$\left(x^8-\frac{1}{x^7}\right)^n$의 전개식의 일반항은 ${}_nC_r(x^8)^{n-r}(-x^{-7})^r={}_nC_r(-1)^r x^{8n-15r}$

STEP Ⓑ 상수항이 존재하기 위한 자연수 n의 최솟값 구하기

상수항이 존재하려면 $8n-15r=0$에서 $n=\frac{15}{8}r$
이때 8과 15는 서로소이므로 r은 8의 배수이고
$r=8$일 때, n의 최솟값을 갖는다. ⬅ n은 15의 배수이고 r는 8의 배수이다.
따라서 n의 최솟값은 $n=15$

0312

정답 ②

STEP Ⓐ **다항식의 전개식의 일반항을 구하고 지수법칙을 이용하여 간단히 정리하기**

$\left(x^3-\dfrac{2}{x^2}\right)^n$ 의 전개식의 일반항은 ${}_n\mathrm{C}_r(x^3)^{n-r}\left(-\dfrac{2}{x^2}\right)^r={}_n\mathrm{C}_r(-2)^r x^{3n-5r}$

STEP Ⓑ **상수항이 존재하도록 하는 m, k의 값 구하기**

상수항이 존재하려면 $3n-5r=0$일 때, $n=\dfrac{5}{3}r$

이때 3과 5는 서로소이므로 r는 3의 배수이고

$r=3$일 때, n의 최솟값을 갖는다. ⬅ n은 5의 배수이고 r은 3의 배수이다.

즉 n의 최솟값은 $m=5$

그때의 상수항은 $k={}_5\mathrm{C}_3\times(-2)^3=10\times(-8)=-80$

STEP Ⓒ **$m+k$의 값 구하기**

따라서 $m+k=5+(-80)=-75$

내/신/연/계/ 출제문항 145

$\left(x^2+\dfrac{2}{x^5}\right)^n$ 의 전개식에서 0이 아닌 상수항이 존재하도록 하는 자연수 n의 최솟값을 m이라 하고, 그때의 상수항을 k라 할 때, $m+k$의 값은?

① 84 ② 87 ③ 91
④ 95 ⑤ 97

STEP Ⓐ **다항식의 전개식의 일반항을 구하고 지수법칙을 이용하여 간단히 정리하기**

$\left(x^2+\dfrac{2}{x^5}\right)^n$ 의 전개식의 일반항은 ${}_n\mathrm{C}_r(x^2)^r\left(\dfrac{2}{x^5}\right)^{n-r}={}_n\mathrm{C}_r2^{n-r}x^{7r-5n}$

STEP Ⓑ **상수항이 존재하도록 하는 m, k의 값 구하기**

상수항이 0이 아니려면 $7r-5n=0$을 만족시켜야 하므로 $n=\dfrac{7}{5}r$

이때 5와 7은 서로소이므로 r은 5의 배수이고

$r=5$일 때, n의 최솟값을 갖는다. ⬅ n은 7의 배수이고 r은 5의 배수이다.

즉 n의 최솟값은 $m=7$

그때의 상수항은 $k={}_7\mathrm{C}_5\times2^2=21\times4=84$

STEP Ⓒ **$m+k$의 값 구하기**

따라서 $m+k=7+84=91$

정답 ③

0313

정답 ②

STEP Ⓐ **다항식의 전개식의 일반항을 구하고 지수법칙을 이용하여 간단히 정리하기**

$\left(x^2+\dfrac{2}{x}\right)^n$ 의 전개식의 일반항은 ${}_n\mathrm{C}_r(x^2)^{n-r}\left(\dfrac{2}{x}\right)^r={}_n\mathrm{C}_r\times2^r\times x^{2n-3r}$

STEP Ⓑ **상수항 $f(n)$ 구하기**

상수항은 $2n=3r$, 즉 $r=\dfrac{2}{3}n$일 때이다.

즉 n이 3의 배수가 아닐 때, 상수항은 0이고

n이 3의 배수일 때, $n=3k$ (k는 자연수)라 하면

$r=2k$이므로 상수항은 ${}_{3k}\mathrm{C}_{2k}\times2^{2k}$

STEP Ⓒ **상수항들의 합 구하기**

$n=3$일 때, $r=2$이므로 상수항은 ${}_3\mathrm{C}_2\times2^2=12$

$n=6$일 때, $r=4$이므로 상수항은 ${}_6\mathrm{C}_4\times2^4=15\times16=240$

따라서 상수항들의 합은 $12+240=252$

내/신/연/계/ 출제문항 146

$\left(x^7+\dfrac{1}{x^4}\right)^n$ 의 전개식에서 상수항이 나오도록 하는 자연수 n의 값을 작은 것부터 차례로 a_1, a_2, a_3, $\cdots$이라 할 때, $\displaystyle\sum_{k=1}^{10}a_k$의 값은?

① 605 ② 575 ③ 385
④ 121 ⑤ 55

STEP Ⓐ **다항식의 전개식의 일반항을 구하고 지수법칙을 이용하여 간단히 정리하기**

$\left(x^7+\dfrac{1}{x^4}\right)^n$ 의 전개식의 일반항은 ${}_n\mathrm{C}_r(x^7)^{n-r}\left(\dfrac{1}{x^4}\right)^r={}_n\mathrm{C}_rx^{7n-11r}$

STEP Ⓑ **상수항이 존재하기 위한 자연수 n의 값 구하기**

상수항은 $7n-11r=0$, 즉 $n=\dfrac{11}{7}r$인 경우이다.

이때 7과 11은 서로소이므로 r은 7의 배수이고 n은 11의 배수이다.

따라서 $\displaystyle\sum_{k=1}^{10}a_k=\sum_{k=1}^{10}11k=11\times\frac{10\times11}{2}=605$

정답 ①

0314

정답 ③

STEP Ⓐ **다항식의 전개식의 일반항을 구하고 지수법칙을 이용하여 간단히 정리하기**

전개식의 일반항은 ${}_4\mathrm{C}_r(ax^2)^{4-r}\left(\dfrac{2}{x}\right)^r={}_4\mathrm{C}_ra^{4-r}\cdot2^r\cdot x^{8-3r}$

STEP Ⓑ **x^2의 계수가 6일 때, 양수 a의 값 구하기**

x^2의 항은 $8-3r=2$인 경우이므로 $r=2$

x^2의 계수가 6이므로 $24a^2=6$

따라서 a는 양수이므로 $a=\dfrac{1}{2}$

0315

정답 ③

STEP Ⓐ **다항식의 전개식의 일반항을 구하고 지수법칙을 이용하여 간단히 정리하기**

$\left(ax-\dfrac{4}{3x^2}\right)^6$ 의 전개식의 일반항은

${}_6\mathrm{C}_r(ax)^{6-r}\left(-\dfrac{4}{3x^2}\right)^r={}_6\mathrm{C}_ra^{6-r}\left(-\dfrac{4}{3}\right)^rx^{6-3r}$

STEP Ⓑ **상수항이 135일 때, 양수 a의 값 구하기**

이때 상수항은 $6-3r=0$인 경우이므로 $r=2$

${}_6\mathrm{C}_2\times a^4\times\left(-\dfrac{4}{3}\right)^2=135$

$a^4=\dfrac{81}{16}=\left(\dfrac{3}{2}\right)^4$

따라서 양수 a의 값은 $\dfrac{3}{2}$

내/신/연/계/ 출제문항 147

$\left(ax^3-\frac{1}{x}\right)^5$의 전개식에서 x^3의 계수가 -90일 때, 양수 a의 값은?

① 1　② 3　③ 5
④ 7　⑤ 9

STEP Ⓐ 다항식의 전개식의 일반항을 구하고 지수법칙을 이용하여 간단히 정리하기

$\left(ax^3-\frac{1}{x}\right)^5$의 전개식의 일반항은 ${}_5C_r(ax^3)^{5-r}\left(-\frac{1}{x}\right)^r$

즉 ${}_5C_r a^{5-r}(-1)^r x^{15-4r}$

STEP Ⓑ x^3의 계수가 -90일 때, 양수 a의 값 구하기

x^3항은 $15-4r=3$인 경우이므로 $r=3$

즉 x^3의 계수가 -90이므로 ${}_5C_3a^2(-1)^3=-90$

따라서 $a^2=9$이므로 $a=3(\because a>0)$　정답 ②

0316

 ④

STEP Ⓐ 다항식의 전개식의 일반항을 구하고 지수법칙을 이용하여 간단히 정리하기

$\left(x-\frac{a}{y}\right)^5$의 전개식에서 일반항은 ${}_5C_rx^{5-r}\left(-\frac{a}{y}\right)^r={}_5C_r(-a)^rx^{5-r}\left(\frac{1}{y}\right)^r$

STEP Ⓑ $\frac{x^3}{y^2}$의 계수가 250인 양수 a의 값 구하기

$\frac{x^3}{y^2}$의 계수는 $r=2$이므로 ${}_5C_2(-a)^2={}_5C_2a^2=10a^2=250$

따라서 양수 $a=5$

0317

 ③

STEP Ⓐ 다항식의 전개식의 일반항을 구하고 지수법칙을 이용하여 간단히 정리하기

$\left(x^2+\frac{k}{x}\right)^5$의 전개식에서 일반항은 ${}_5C_r(x^2)^{5-r}\left(\frac{k}{x}\right)^r={}_5C_rk^rx^{10-3r}$

STEP Ⓑ x^4의 계수가 90인 양수 k의 값 구하기

x^4의 항은 $10-3r=4$인 경우 이므로 $r=2$

이때 x^4의 계수가 90이므로 ${}_5C_2k^2=90$에서 $10k^2=90$

$\therefore k^2=9$

즉 $k=3(\because k$는 양의 실수)

STEP Ⓒ $\frac{1}{x^2}$의 계수 구하기

$\left(x^2+\frac{k}{x}\right)^5$의 전개식의 일반항에 $k=3$을 대입하면

${}_5C_r3^rx^{10-3r}$

따라서 $\frac{1}{x^2}$의 계수는 $10-3r=-2$, 즉 $r=4$일 때이므로

대입하여 계수를 구하면 ${}_5C_4\times3^4=5\times81=405$

내/신/연/계/ 출제문항 148

$\left(x+\frac{k}{x}\right)^7$의 전개식에서 x^3의 계수가 84일 때, $\frac{1}{x^3}$의 계수는?
(단, k는 양의 실수이다.)

① 228　② 448　③ 512
④ 612　⑤ 672

STEP Ⓐ 다항식의 전개식의 일반항을 구하고 지수법칙을 이용하여 간단히 정리하기

$\left(x+\frac{k}{x}\right)^7$의 전개식의 일반항은 ${}_7C_rx^r\left(\frac{k}{x}\right)^{7-r}={}_7C_rk^{7-r}x^{2r-7}(0\le r\le7)$

STEP Ⓑ x^3의 계수가 84인 양수 k의 값 구하기

이때 x^3의 계수는 $2r-7=3$, 즉 $r=5$일 때이므로 대입하여 식을 정리하면

${}_7C_5\times k^2=21k^2=84$, $k^2=4$

즉 $k=2(\because k$는 양의 실수)

STEP Ⓒ $\frac{1}{x^3}$의 계수 구하기

$\left(x+\frac{k}{x}\right)^7$의 전개식의 일반항에 $k=2$를 대입하면

${}_7C_r2^{7-r}x^{2r-7}$

따라서 $\frac{1}{x^3}$의 계수는 $2r-7=-3$, 즉 $r=2$일 때이므로

대입하여 계수를 구하면 ${}_7C_2\times2^5=21\times32=672$　정답 ⑤

0318

 ④

STEP Ⓐ 유리함수의 점근선의 방정식 구하기

유리함수 $y=\frac{3-2x}{2x-4}$에서 $y=\frac{-1}{2x-4}-1$이므로

점근선의 방정식은 $x=2$, $y=-1$

즉 $a=2$, $b=-1$

STEP Ⓑ 다항식의 전개식에서 x^5의 계수 구하기

다항식 $\left(ax^3+\frac{b}{x}\right)^7$, 즉 $\left(2x^3-\frac{1}{x}\right)^7$의 전개식에서 일반항은

${}_7C_r(2x^3)^{7-r}\left(-\frac{1}{x}\right)^r={}_7C_r2^{7-r}(-1)^rx^{21-4r}$

따라서 x^5항은 $21-4r=5$, 즉 $r=4$일 때이므로 x^5의 계수는

${}_7C_4\times2^3\times(-1)^4=35\times8\times1=280$

내/신/연/계/ 출제문항 149

유리함수 $y=\frac{2x+1}{x-2}$의 그래프의 점근선의 방정식이 $x=a$, $y=b$일 때,
다항식 $\left(ax+\frac{b}{x^2}\right)^6$의 전개식에서 상수항은?

① 960　② 964　③ 972
④ 976　⑤ 981

STEP Ⓐ 유리함수의 점근선의 방정식 구하기

유리함수 $y=\frac{2x+1}{x-2}$에서 $y=\frac{5}{x-2}+2$이므로

점근선의 방정식은 $x=2$, $y=2$

즉 $a=2$, $b=2$

STEP Ⓑ 다항식의 전개식에서 상수항 구하기

$\left(2x+\frac{2}{x^2}\right)^6$ 전개식의 일반항은 ${}_6C_r(2x)^{6-r}\left(\frac{2}{x^2}\right)^r={}_6C_r\times2^6x^{6-3r}$

이때 상수항은 $6-3r=0$인 경우이므로 $r=2$

따라서 ${}_6C_2\times2^6=15\times64=960$　정답 ①

0319

정답 ②

STEP Ⓐ 다항식의 전개식의 일반항을 구하고 지수법칙을 이용하여 간단히 정리하기

$\left(x^3+\frac{1}{x}\right)^{n+1}$ 의 전개식의 일반항은 ${}_{n+1}\mathrm{C}_r(x^3)^{n+1-r}\left(\frac{1}{x}\right)^r={}_{n+1}\mathrm{C}_r x^{3n-4r+3}$

STEP Ⓑ $\frac{1}{x^{n-7}}$ 항의 계수 a_n 구하기

$\frac{1}{x^{n-7}}$ 항은 $3n-4r+3=7-n$인 경우이므로 $r=n-1$

$\frac{1}{x^{n-7}}$ 항의 계수는 $a_n={}_{n+1}\mathrm{C}_{n-1}={}_{n+1}\mathrm{C}_2=\frac{n(n+1)}{2}$

STEP Ⓒ 시그마의 성질을 이용하여 구하기

따라서 $\sum_{n=1}^{15}\frac{1}{a_n}=\sum_{n=1}^{15}\frac{2}{n(n+1)}=2\sum_{n=1}^{15}\left(\frac{1}{n}-\frac{1}{n+1}\right)$

$=2\left\{\left(\frac{1}{1}-\frac{1}{2}\right)+\left(\frac{1}{2}-\frac{1}{3}\right)+\cdots+\left(\frac{1}{15}-\frac{1}{16}\right)\right\}$

$=2\left(1-\frac{1}{16}\right)=\frac{15}{8}$

0320

 ⑤

STEP Ⓐ 전개식에서 x^4의 항이 나오는 경우 구하기

$(1+2x)^6(1-x)$의 전개식에서 x^4항은 다음 두 가지 경우가 있다.

(i) ${}_6\mathrm{C}_3(2x)^3\times(-x)=20\times8\times(-1)\times x^4=-160x^4$

(ii) ${}_6\mathrm{C}_4(2x)^4=15\times16\times x^4=240x^4$

STEP Ⓑ x^4의 계수 구하기

따라서 x^4의 계수는 $-160+240=80$

0321

 ②

STEP Ⓐ $(1+2x)(1+x)^5$의 전개식에서 x^4의 계수 구하기

$(1+2x)(1+x)^5$의 전개식에서 x^4의 계수는

(i) $(1+2x)$에서 상수항과 $(1+x)^5$에서 x^4항을 곱하는 경우

$1\times{}_5\mathrm{C}_4=5$

(ii) $(1+2x)$에서 x항과 $(1+x)^5$에서 x^3항을 곱하는 경우

$2\times{}_5\mathrm{C}_3=2\times10=20$

(i), (ii)에서 x^4의 계수는 $5+20=25$

$(1+2x)(1+x)^5=(1+x)^5+2x(1+x)^5$에서 x^4항은

$(1\cdot{}_5\mathrm{C}_4x^4)+(2x\times{}_5\mathrm{C}_3\times x^3)$이므로 x^4의 계수는 $5+2\times10=25$

0322

 ③

STEP Ⓐ 전개식에서 x^6의 항이 나오는 경우 구하기

$(1+x)^6$의 전개식의 일반항은 ${}_6\mathrm{C}_rx^r$이므로

$(1+x)^6(1+x^2+x^4)$의 전개식에서 x^6항은 다음 세 가지 경우가 있다.

(i) ${}_6\mathrm{C}_6x^6\times1=x^6$ ⬅ $(1+x)^6$의 전개식의 육차항과 $(1+x^2+x^4)$의 상수항의 곱

(ii) ${}_6\mathrm{C}_4x^4\times x^2=15x^6$ ⬅ $(1+x)^6$의 전개식의 사차항과 $(1+x^2+x^4)$의 이차항의 곱

(iii) ${}_6\mathrm{C}_2x^2\times x^4=15x^6$ ⬅ $(1+x)^6$의 전개식의 이차항과 $(1+x^2+x^4)$의 사차항의 곱

STEP Ⓑ x^6의 계수 구하기

따라서 x^6의 계수는 $1+15+15=31$

내/신/연/계/ 출제문항 150

다항식

$$(x^2+2x+1)(x-a)^5$$

의 전개식에서 x^2의 계수와 상수항이 같을 때, 양수 a의 값은?

① 1 ② 2 ③ 3
④ 4 ⑤ 5

STEP Ⓐ $(x-a)^5$의 일반항 구하기

$(x-a)^5=(-a+x)^5$의 전개식의 일반항은 ${}_5\mathrm{C}_r(-a)^{5-r}x^r$

STEP Ⓑ $(x^2+2x+1)(x-a)^5$의 전개식에서 x^2의 계수와 상수항 구하기

$(x^2+2x+1)(x-a)^5$의 전개식에서

x^2의 계수는 ⬅ (x^2항)×(상수항)+(x항)×(x항)+(상수항)×(x^2항)

${}_5\mathrm{C}_0(-a)^5+2\times{}_5\mathrm{C}_1(-a)^4+{}_5\mathrm{C}_2(-a)^3=-a^5+10a^4-10a^3$

상수항은 ${}_5\mathrm{C}_0(-a)^5=-a^5$이므로 $-a^5+10a^4-10a^3=-a^5$에서

$10a^4-10a^3=0,\ 10a^3(a-1)=0$

따라서 양수 a는 $a=1$

정답 ①

0323

 ②

STEP Ⓐ 이항정리를 이용하여 x의 계수 구하기

$(2+x)^4(1+3x)^3$의 전개식에서 x의 항은 다음 두 가지로 나눌 수 있다.

(i) $(2+x)^4$에서 상수항, $(1+3x)^3$에서 x의 항의 곱인 경우

$(2+x)^4$에서 상수항은 ${}_4\mathrm{C}_0\times2^4\times x^0=16$

$(1+3x)^3$에서 x항은 ${}_3\mathrm{C}_1\times1^2\times(3x)^1=9x$

즉 x의 계수는 $16\times9=144$

(ii) $(2+x)^4$에서 x의 항, $(1+3x)^3$에서 상수항의 곱인 경우

$(2+x)^4$에서 x항은 ${}_4\mathrm{C}_1\times2^3\times x=32x$

$(1+3x)^3$에서 상수항은 ${}_3\mathrm{C}_0\times1^3\times(3x)^0=1$

즉 x의 계수는 $32\times1=32$

(i), (ii)에서 구하는 x의 계수는 $144+32=176$

내/신/연/계/ 출제문항 151

다항식

$$(x+2)^3(2x-1)^4$$

의 전개식에서 x의 계수는?

① -14 ② -35 ③ -45
④ -52 ⑤ -210

STEP Ⓐ $(x+2)^3$과 $(2x-1)^4$의 전개식의 일반항 구하기

$(x+2)^3$의 전개식의 일반항은 ${}_3\mathrm{C}_rx^r2^{3-r}$

$(2x-1)^4$의 전개식의 일반항은 ${}_4\mathrm{C}_s(2x)^s(-1)^{4-s}={}_4\mathrm{C}_s2^s(-1)^{4-s}x^s$

STEP Ⓑ 각 상황에 따른 x의 계수 구하기

$(x+2)^3(2x-1)^4$의 전개식의 일반항은 ${}_3\mathrm{C}_r2^{3-r}{}_4\mathrm{C}_s2^s(-1)^{4-s}x^{r+s}$

이때 x의 계수는 $r+s=1$이고

$r,\ s$는 각각 $0\le r\le3,\ 0\le s\le4$인 정수인 경우이므로

$r=0,\ s=1$인 경우와 $r=1,\ s=0$인 경우로 나눌 수 있다.

(i) $r=0,\ s=1$인 경우 ⬅ (상수항)×(x항)

x의 계수는 ${}_3\mathrm{C}_0\times2^3\times{}_4\mathrm{C}_1\times2\times(-1)^3=-64$

(ii) $r=1,\ s=0$인 경우 ⬅ (x항)×(상수항)

x의 계수는 ${}_3\mathrm{C}_1\times2^2\times{}_4\mathrm{C}_0\times2^0\times(-1)^4=12$

(i), (ii)에서 x의 계수는 $-64+12=-52$

정답 ④

0324

정답 ④

STEP Ⓐ **전개식의 일반항 구하기**

$(a+x)^3$ 의 전개식의 일반항은 ${}_3C_r a^{3-r}x^r$

$(-1+x)^4$ 의 전개식의 일반항은 ${}_4C_s(-1)^{4-s}\times x^s$

이므로 $(x+a)^3(x-1)^4$의 전개식의 일반항은

${}_3C_r a^{3-r}x^r\times {}_4C_s(-1)^{4-s}x^s={}_3C_r\times {}_4C_s(-1)^{4-s}a^{3-r}x^{r+s}$

STEP Ⓑ **$(x+a)^3(x-1)^4$의 전개식에서 x의 계수 구하기**

x의 계수는 $r+s=1$일 때이고 $0\le r\le 3,\ 0\le s\le 4$인 정수이다.

(i) $r=0,\ s=1$일 때,

x^1의 계수는 ${}_3C_0a^3\times {}_4C_1(-1)^3=-4a^3$ ⬅(상수항)×(x항)

(ii) $r=1,\ s=0$일 때,

x^1의 계수는 ${}_3C_1a^2\times {}_4C_0(-1)^4=3a^2$ ⬅(x항)×(상수항)

STEP Ⓒ **x의 계수가 -1임을 이용하여 상수 a 구하기**

(i), (ii)에서 x의 계수는 -1이므로 $-4a^3+3a^2=-1$

$4a^3-3a^2-1=0,\ (a-1)(4a^2+a+1)=0$

따라서 $a=1$

다른풀이 전개하여 x의 계수가 -1임을 이용하여 풀이하기

STEP Ⓐ **직접 전개하기**

$(x+a)^3={}_3C_0x^3+{}_3C_1x^2a+{}_3C_2xa^2+{}_3C_3a^3$

$\quad=x^3+3ax^2+3a^2x+a^3$

$(x-1)^4={}_4C_0x^4+{}_4C_1x^3(-1)+{}_4C_2x^2(-1)^2+{}_4C_3x(-1)^3+{}_4C_4(-1)^4$

$\quad=x^4-4x^3+6x^2-4x+1$

STEP Ⓑ **$(x+a)^3(x-1)^4$의 전개식에서 x의 계수 구하기**

이므로 $(x+a)^3(x-1)^4$의 전개식에서 x의 계수는

$3a^2\times 1+a^3\times(-4)=3a^2-4a^3$

STEP Ⓒ **x의 계수가 -1임을 이용하여 상수 a 구하기**

이때 x의 계수는 -1이므로 $3a^2-4a^3=-1$

$(a-1)(4a^2+a+1)=0$

따라서 $a=1$

0325

STEP Ⓐ **전개식의 일반항 구하기**

$(1+x)^4$의 전개식에서 일반항은 ${}_4C_r\times x^r\ (r=0,\ 1,\ \cdots,\ 4)$

$(1+x^2)^n$의 전개식에서 일반항은 ${}_nC_s\times x^{2s}\ (s=0,\ 1,\ 2,\ \cdots,\ n)$

이므로 $(1+x)^4(1+x^2)^n$의 전개식에서 일반항은 ${}_4C_r\times {}_nC_s\times x^{r+2s}$

STEP Ⓑ **$(1+x)^4(1+x^2)^n$의 전개식에서 x^2의 계수 구하기**

x^2의 계수는 $r+2s=2$이고 $0\le r\le 4,\ 0\le s\le n$인 정수이다.

(i) $r=0,\ s=1$일 때,

x^2의 계수는 ${}_4C_0\times {}_nC_1=1\times n=n$ ⬅(상수항)×(x^2항)

(ii) $r=2,\ s=0$일 때,

x^2의 계수는 ${}_4C_2\times {}_nC_0=6\times 1=6$ ⬅(x^2항)×(상수항)

STEP Ⓒ **x^2의 계수가 12임을 이용하여 자연수 n 구하기**

(i), (ii)에서 $n+6=12$이므로 $n=6$

내신연계 출제문항 152

다항식

$$(1+x)^5(1+x^2)^n$$

의 전개식에서 x^2의 계수가 20일 때, 자연수 n의 값은?

① 6 ② 8 ③ 10
④ 12 ⑤ 16

STEP Ⓐ **전개식의 일반항 구하기**

$(1+x)^5$의 전개식에서 각 항은 ${}_5C_r\times x^r\ (r=0,\ 1,\ \cdots,\ 5)$

$(1+x^2)^n$의 전개식에서 각 항은 ${}_nC_s\times x^{2s}\ (s=0,\ 1,\ 2,\ \cdots,\ n)$

이므로 $(1+x)^5(1+x^2)^n$의 전개식에서 일반항은 ${}_5C_r\times {}_nC_s\times x^{r+2s}$

STEP Ⓑ **$(1+x)^5(1+x^2)^n$의 전개식에서 x^2의 계수 구하기**

x^2의 계수는 $r+2s=2$이고 $0\le r\le 5,\ 0\le s\le n$인 정수이다.

(i) $r=0,\ s=1$일 때,

x^2의 계수는 ${}_5C_0\times {}_nC_1=1\times n=n$ ⬅(상수항)×(x^2항)

(ii) $r=2,\ s=0$일 때,

x^2의 계수는 ${}_5C_2\times {}_nC_0=10\times 1=10$ ⬅(x^2항)×(상수항)

STEP Ⓒ **x^2의 계수가 20임을 이용하여 자연수 n 구하기**

(i), (ii)에서 $n+10=20$이므로 $n=10$

0326

STEP Ⓐ **전개식의 일반항 구하기**

$(x+y)^6$의 전개식의 일반항은 ${}_6C_rx^{6-r}y^r$

$\left(1+\dfrac{1}{xy}\right)^6$의 전개식의 일반항은 ${}_6C_s1^{6-s}\left(\dfrac{1}{xy}\right)^s={}_6C_sx^{-s}y^{-s}$

STEP Ⓑ **xy의 계수 구하기**

$(x+y)^6\left(1+\dfrac{1}{xy}\right)^6$의 전개식의 일반항은 ${}_6C_r\times {}_6C_sx^{6-r-s}y^{r-s}$

xy의 계수는 $6-r-s=1,\ r-s=1$이므로 $r=3,\ s=2$

따라서 xy의 계수는 ${}_6C_3\times {}_6C_2=20\times 15=300$

0327

STEP Ⓐ **전개식의 일반항 구하기**

$(x+1)^4$의 전개식의 일반항은

${}_4C_rx^{4-r}$ …… ㉠

$\left(x-\dfrac{1}{x}\right)^5$의 전개식의 일반항은

${}_5C_rx^{5-r}(-x^{-1})^r={}_5C_r(-1)^rx^{5-2r}$ …… ㉡

STEP Ⓑ **x^4의 계수 구하기**

이때 $(x+1)^4\left(x-\dfrac{1}{x}\right)^5$의 전개식에서 x^4항은 ㉠의 x^3항과 ㉡의 x항,

㉠의 x항과 ㉡의 x^3항이 각각 곱해질 때 나타난다.

(i) ㉠에서 x^3항은 $r=1$일 때이므로 그 계수는 ${}_4C_1=4$

㉡에서 x항은 $r=2$일 때이므로 그 계수는 ${}_5C_2=10$

즉 x^4항의 계수는 $4\times 10=40$

(ii) ㉠에서 x항은 $r=3$일 때이므로 그 계수는 ${}_4C_3=4$

㉡에서 x^3항은 $r=1$일 때이므로 그 계수는 $(-1){}_5C_1=-5$

즉 x^4항의 계수는 $4\times(-5)=-20$

(i), (ii)에서 구하는 x^4항의 계수는 $40-20=20$

내/신/연/계/ 출제문항 153

$\left(x^2-\frac{1}{x}\right)^2(x-2)^5$의 전개식에서 x의 계수는?

① 88 ② 92 ③ 96
④ 100 ⑤ 104

STEP Ⓐ x의 계수가 나오는 경우 구하기

$\left(x^2-\frac{1}{x}\right)^2=x^4-2x+\frac{1}{x^2}$이므로

$\left(x^2-\frac{1}{x}\right)^2(x-2)^5$의 전개식에서 x의 개수는

다항식 $(x-2)^5$의 전개식에서 상수항과 x^3의 계수에 각각 -2와 1을 곱한 값의 합이다.

STEP Ⓑ 이항정리의 일반항을 이용하여 x의 계수 구하기

$(x-2)^5$의 전개식에서 일반항은

${}_5C_r x^r(-2)^{5-r}$ $(r=0, 1, \cdots, 5)$이므로 구하는 값은

$(-2)\times{}_5C_0\times(-2)^5+1\times{}_5C_3\times(-2)^2=104$

 ⑤

0328

 ②

STEP Ⓐ 전개식의 일반항 구하기

$\left(x+\frac{a}{x^2}\right)^4$의 전개식에서 일반항은

${}_4C_r x^{4-r}\left(\frac{a}{x^2}\right)^r={}_4C_r a^r x^{4-r}x^{-2r}={}_4C_r a^r x^{4-3r}$ …… ㉠

STEP Ⓑ x^3의 계수가 7임을 이용하여 a의 값 구하기

$\left(x^2-\frac{1}{x}\right)\left(x+\frac{a}{x^2}\right)^4=x^2\left(x+\frac{a}{x^2}\right)^4-\frac{1}{x}\left(x+\frac{a}{x^2}\right)^4$

이므로 전개식에서 x^3의 계수는 다음과 같다.

(i) x^2의 계수 1과 $\left(x+\frac{a}{x^2}\right)^4$에서 x의 계수와의 곱일 때,

㉠에서 x의 계수는 $4-3r=1$, 즉 $r=1$일 때,

x^3의 계수는 $1\times{}_4C_1a^1=4a$

(ii) $\frac{1}{x}$의 계수 -1과 $\left(x+\frac{a}{x^2}\right)^4$에서 x^4의 계수와의 곱일 때,

㉠에서 x^4의 계수는 $4-3r=4$, 즉 $r=0$일 때,

x^3의 계수는 $(-1)\times{}_4C_0a^0=-1$

(i), (ii)에서 x^3의 계수가 7이므로 $4a+(-1)=7$

따라서 $a=2$

내/신/연/계/ 출제문항 154

$\left(x-\frac{3}{x}\right)^2\left(x^2-\frac{2}{x^2}\right)^6$의 전개식에서 x^2의 계수는?

① 350 ② 360 ③ 370
④ 380 ⑤ 390

STEP Ⓐ 전개식의 일반항 구하기

$\left(x-\frac{3}{x}\right)^2=x^2-6+\frac{9}{x^2}$이므로

주어진 식에서 x^2의 계수는 $\left(x^2-\frac{2}{x^2}\right)^6$의 전개식에서

상수항, x^2의 계수, x^4의 계수에 각각 1, -6, 9를 곱하여 더하면 된다.

$\left(x^2-\frac{2}{x^2}\right)^6$의 전개식에서 일반항은

${}_6C_r(x^2)^{6-r}\left(-\frac{2}{x^2}\right)^r={}_6C_r(-2)^r x^{12-4r}$

STEP Ⓑ 전개식에서 x^2의 계수 구하기

(i) $\left(x^2-\frac{2}{x^2}\right)^6$의 전개식에서 상수항은 $12-4r=0$, 즉 $r=3$일 때이므로

상수항은 ${}_6C_3(-2)^3=20\times(-8)=-160$

(ii) $\left(x^2-\frac{2}{x^2}\right)^6$의 전개식에서 x^2항은 $12-4r=2$, 즉 $r=\frac{5}{2}$이므로

존재하지 않는다.

(iii) $\left(x^2-\frac{2}{x^2}\right)^6$의 전개식에서 x^4항은 $12-4r=4$, 즉 $r=2$일 때이므로

x^4의 계수는 ${}_6C_2(-2)^2=15\times4=60$

따라서 $\left(x-\frac{3}{x}\right)^2\left(x^2-\frac{2}{x^2}\right)^6$의 전개식에서 x^2의 계수는

$1\times(-160)+9\times60=380$

 ④

0329

 ②

STEP Ⓐ 파스칼 삼각형을 이용하여 구하기

파스칼 삼각형에서 각 행에서 이웃하는 두 수의 합은 두 수의 아래쪽 중앙에 있는 수와 같으므로 ${}_nC_r+{}_nC_{r+1}={}_{n+1}C_{r+1}$이 성립한다.

즉 ${}_{n+1}C_{r+1}={}_8C_4$이므로 $n=7$, $r=3$

따라서 $nr=7\times3=21$

0330

 ④

STEP Ⓐ 조합의 성질을 이용하여 구하기

파스칼 삼각형을 이용하면

${}_{n-1}C_{r-1}+{}_{n-1}C_r={}_nC_r$이므로

${}_3C_1+{}_3C_2+{}_4C_3+{}_5C_4={}_4C_2+{}_4C_3+{}_5C_4={}_5C_3+{}_5C_4={}_6C_4={}_6C_2=15$

0331

 ⑤

STEP Ⓐ 조합의 성질을 이용하여 구하기

파스칼 삼각형을 이용하면

${}_{n-1}C_{r-1}+{}_{n-1}C_r={}_nC_r$이므로

${}_3C_1+{}_4C_2+{}_5C_3+{}_6C_4+{}_7C_5+{}_8C_6+{}_9C_7$

$={}_3C_0+{}_3C_1+{}_4C_2+{}_5C_2+{}_6C_4+{}_7C_5+{}_8C_6+{}_9C_7-{}_3C_0$

$={}_4C_1+{}_4C_2+{}_5C_3+{}_6C_4+{}_7C_5+{}_8C_6+{}_9C_7-1$

$={}_5C_2+{}_5C_3+{}_6C_4+{}_7C_5+{}_8C_6+{}_9C_7-1$

$={}_6C_3+{}_6C_4+{}_7C_5+{}_8C_6+{}_9C_7-1$

$={}_7C_4+{}_7C_5+{}_8C_6+{}_9C_7-1$

$={}_8C_5+{}_8C_6+{}_9C_7-1$

$={}_9C_6+{}_9C_7-1$

$={}_{10}C_7-1$

$=120-1=119$

참고 하키스틱 패턴

${}_2C_0+{}_3C_1+{}_4C_2+\cdots+{}_9C_7-{}_2C_0={}_{10}C_7-{}_2C_0=120-1=119$

Ⅰ 경우의 수

내/신/연/계/ 출제문항 155

다음 파스칼의 삼각형을 이용하여

$${}_{2}C_{2}+{}_{3}C_{2}+{}_{4}C_{2}+\cdots+{}_{10}C_{2}$$

의 값과 같은 것은?

$$1$$
$${}_{1}C_{0}\quad {}_{1}C_{1}$$
$${}_{2}C_{0}\quad {}_{2}C_{1}\quad {}_{2}C_{2}$$
$${}_{3}C_{0}\quad {}_{3}C_{1}\quad {}_{3}C_{2}\quad {}_{3}C_{3}$$
$$\vdots$$
$${}_{10}C_{0}\quad {}_{10}C_{1}\quad \cdots\cdots\cdots\quad {}_{10}C_{9}\quad {}_{10}C_{10}$$

① ${}_{11}C_{2}$　② ${}_{11}C_{4}$　③ ${}_{11}C_{6}$
④ ${}_{11}C_{8}$　⑤ ${}_{11}C_{10}$

STEP A 파스칼 삼각형을 이용하여 구하기

${}_{2}C_{2}={}_{3}C_{3}$이고 ${}_{n-1}C_{r-1}+{}_{n-1}C_{r}={}_{n}C_{r}$이므로

${}_{2}C_{2}+{}_{3}C_{2}+{}_{4}C_{2}+\cdots+{}_{10}C_{2}$

$={}_{3}C_{3}+{}_{3}C_{2}+{}_{4}C_{2}+\cdots+{}_{10}C_{2}$

$={}_{4}C_{3}+{}_{4}C_{2}+\cdots+{}_{10}C_{2}$

$={}_{5}C_{3}+{}_{5}C_{2}+\cdots+{}_{10}C_{2}$

$\vdots$

$={}_{10}C_{3}+{}_{10}C_{2}$

$={}_{11}C_{3}={}_{11}C_{8}\,(\because {}_{n}C_{r}={}_{n}C_{n-r})$

정답 ④

참고 파스칼의 삼각형을 이용하면 다음과 같이 빠르게 계산할 수 있다.

$$1$$
$${}_{1}C_{0}\ {}_{1}C_{1}$$
$${}_{2}C_{0}\ {}_{2}C_{1}\ {}_{2}C_{2}$$
$${}_{3}C_{0}\ {}_{3}C_{1}\ {}_{3}C_{2}\ {}_{3}C_{3}$$
$${}_{4}C_{0}\ {}_{4}C_{1}\ {}_{4}C_{2}\ {}_{4}C_{3}\ {}_{4}C_{4}$$
$${}_{5}C_{0}\ {}_{5}C_{1}\ {}_{5}C_{2}\ {}_{5}C_{3}\ {}_{5}C_{4}\ {}_{5}C_{5}$$
$$\vdots$$
$${}_{10}C_{0}\ {}_{10}C_{1}\ {}_{10}C_{2}\ {}_{10}C_{3}\ \cdots\quad {}_{10}C_{10}$$
$${}_{11}C_{0}\ {}_{11}C_{1}\ {}_{11}C_{2}\ {}_{11}C_{3}\ {}_{11}C_{4}\ \cdots\quad {}_{11}C_{11}$$

0332

정답 ⑤

STEP A ${}_{1}C_{0}={}_{2}C_{0}={}_{3}C_{0}=\cdots={}_{n}C_{0}=1$, ${}_{n-1}C_{r-1}+{}_{n-1}C_{r}={}_{n}C_{r}$ 임을 이용하여 구하기

${}_{n}C_{r-1}+{}_{n}C_{r}={}_{n+1}C_{r}$이고 ${}_{2}C_{0}={}_{3}C_{0}$이므로

${}_{2}C_{0}+{}_{3}C_{1}+{}_{4}C_{2}+{}_{5}C_{3}+{}_{6}C_{4}+{}_{7}C_{5}$

$={}_{3}C_{0}+{}_{3}C_{1}+{}_{4}C_{2}+{}_{5}C_{3}+{}_{6}C_{4}+{}_{7}C_{5}$

$={}_{4}C_{1}+{}_{4}C_{2}+{}_{5}C_{3}+{}_{6}C_{4}+{}_{7}C_{5}$

$={}_{5}C_{2}+{}_{5}C_{3}+{}_{6}C_{4}+{}_{7}C_{5}$

$={}_{6}C_{3}+{}_{6}C_{4}+{}_{7}C_{5}$

$={}_{7}C_{4}+{}_{7}C_{5}$

$={}_{8}C_{5}={}_{8}C_{3}=56$

따라서 $n=8$, $k=56$이므로 $n+k=64$

다른풀이 파스칼의 삼각형의 하키스틱 패턴을 이용하여 풀이하기

파스칼의 삼각형의 하키스틱 패턴에 의하여

${}_{2}C_{0}+{}_{3}C_{1}+{}_{4}C_{2}+{}_{5}C_{3}+{}_{6}C_{4}+{}_{7}C_{5}={}_{8}C_{5}={}_{8}C_{3}=56$

$${}_{1}C_{0}\ {}_{1}C_{1}$$
$${}_{2}C_{0}\ {}_{2}C_{1}\ {}_{2}C_{2}$$
$${}_{3}C_{0}\ {}_{3}C_{1}\ {}_{3}C_{2}\ {}_{3}C_{3}$$
$${}_{4}C_{0}\ {}_{4}C_{1}\ {}_{4}C_{2}\ {}_{4}C_{3}\ {}_{4}C_{4}$$
$$\cdots$$
$${}_{7}C_{0}\ {}_{7}C_{1}\ \cdots\ {}_{7}C_{5}\ {}_{7}C_{6}\ {}_{7}C_{7}$$
$${}_{8}C_{0}\ {}_{8}C_{1}\ \cdots\ {}_{8}C_{5}\ {}_{8}C_{6}\ {}_{8}C_{7}\ {}_{8}C_{8}$$

따라서 $n=8$, $k=56$이므로 $n+k=64$

내/신/연/계/ 출제문항 156

다음 등식을 만족시키는 상수 k, n에 대하여 $n+k$의 값은?

$${}_{1}C_{0}+{}_{2}C_{1}+{}_{3}C_{2}+{}_{4}C_{3}={}_{n}C_{3}=k$$

① 5　② 8　③ 10
④ 12　⑤ 15

STEP A ${}_{1}C_{0}={}_{2}C_{0}={}_{3}C_{0}=\cdots={}_{n}C_{0}=1$, ${}_{n-1}C_{r-1}+{}_{n-1}C_{r}={}_{n}C_{r}$ 임을 이용하여 구하기

${}_{n-1}C_{r-1}+{}_{n-1}C_{r}={}_{n}C_{r}\,(1\le r<n)$임을 이용하여
2개의 항끼리 간단히 묶는다.

${}_{1}C_{0}+{}_{2}C_{1}+{}_{3}C_{2}+{}_{4}C_{3}=({}_{2}C_{0}+{}_{2}C_{1})+{}_{3}C_{2}+{}_{4}C_{3}$ ← ${}_{1}C_{0}={}_{2}C_{0}$

$=({}_{3}C_{1}+{}_{3}C_{2})+{}_{4}C_{3}$

$={}_{4}C_{2}+{}_{4}C_{3}$

$={}_{5}C_{3}=10$

따라서 $n=5$, $k=10$이므로 $n+k=15$

다른풀이 파스칼의 삼각형의 하키스틱 패턴을 이용하여 풀이하기

파스칼의 삼각형의 하키스틱 패턴에 의하여

${}_{1}C_{0}+{}_{2}C_{1}+{}_{3}C_{2}+{}_{4}C_{3}={}_{5}C_{3}=10$

$$1$$
$${}_{1}C_{0}\ {}_{1}C_{1}$$
$${}_{2}C_{0}\ {}_{2}C_{1}\ {}_{2}C_{2}$$
$${}_{3}C_{0}\ {}_{3}C_{1}\ {}_{3}C_{2}\ {}_{3}C_{3}$$
$${}_{4}C_{0}\ {}_{4}C_{1}\ {}_{4}C_{2}\ {}_{4}C_{3}\ {}_{4}C_{4}$$
$${}_{5}C_{0}\ {}_{5}C_{1}\ {}_{5}C_{2}\ {}_{5}C_{3}\ {}_{5}C_{4}\ {}_{5}C_{5}$$

따라서 $n=5$, $k=10$이므로 $n+k=15$

정답 ⑤

0333

정답 ②

STEP Ⓐ 조합의 성질을 이용하여 구하기

${}_{n-1}C_{r-1}+{}_{n-1}C_r={}_nC_r$임을 이용하여 2개의 항끼리 간단히 묶는다.

$$\begin{aligned}{}_3C_0+{}_4C_1+{}_5C_2+\cdots+{}_{14}C_{11}+{}_{15}C_{12}&=({}_3C_0+{}_4C_1)+{}_5C_2+\cdots+{}_{14}C_{11}+{}_{15}C_{12}\\&=({}_5C_1+{}_5C_2)+{}_6C_3+\cdots+{}_{14}C_{11}+{}_{15}C_{12}\\&=({}_6C_2+{}_6C_3)+{}_7C_4+\cdots+{}_{14}C_{11}+{}_{15}C_{12}\\&\ \vdots\\&=({}_{14}C_{10}+{}_{14}C_{11})+{}_{15}C_{12}\\&={}_{15}C_{11}+{}_{15}C_{12}\\&={}_{16}C_{12}={}_{16}C_4\end{aligned}$$

따라서 $n=16$

다른풀이 파스칼의 삼각형의 하키스틱 패턴을 이용하여 풀이하기

파스칼의 삼각형의 하키스틱 패턴에 의하여

${}_3C_0+{}_4C_1+{}_5C_2+\cdots+{}_{14}C_{11}+{}_{15}C_{12}={}_{16}C_{12}={}_{16}C_4$

${}_2C_0$ $\cdots$

${}_3C_0$ ${}_3C_1$ $\cdots$

${}_4C_0$ ${}_4C_1$ ${}_4C_2$ $\cdots$

${}_5C_0$ ${}_5C_1$ ${}_5C_2$ ${}_5C_3$ $\cdots$

$\cdots$

${}_{15}C_0$ ${}_{15}C_1$ $\cdots$ ${}_{15}C_{12}$ ${}_{15}C_{13}$ $\cdots$

${}_{16}C_0$ ${}_{16}C_1$ $\cdots$ ${}_{16}C_{12}$ ${}_{16}C_{13}$ ${}_{16}C_{14}$ $\cdots$

따라서 $n=16$

0334

정답 ④

STEP Ⓐ 조합의 성질을 이용하여 구하기

${}_{n-1}C_{r-1}+{}_{n-1}C_r={}_nC_r$임을 이용하여 2개의 항끼리 간단히 묶는다.

${}_2C_2={}_3C_3$이므로

$$\begin{aligned}{}_2C_2+{}_3C_2+{}_4C_2+\cdots+{}_{15}C_2&=({}_3C_3+{}_3C_2)+{}_4C_2+\cdots+{}_{15}C_2\\&=({}_4C_3+{}_4C_2)+{}_5C_2+\cdots+{}_{15}C_2\\&=({}_5C_3+{}_5C_2)+{}_6C_2+\cdots+{}_{15}C_2\\&\ \vdots\\&={}_{15}C_3+{}_{15}C_2={}_{16}C_3\\&=560\end{aligned}$$

따라서 $n=16$, $r=3$, $k=560$이므로 $n+r+k=16+3+560=579$

다른풀이 파스칼의 삼각형의 하키스틱 패턴을 이용하여 풀이하기

파스칼의 삼각형의 하키스틱 패턴에 의하여

${}_2C_2+{}_3C_2+{}_4C_2+\cdots+{}_{15}C_2={}_{16}C_3=560$

${}_1C_0$ ${}_1C_1$

${}_2C_0$ ${}_2C_1$ ${}_2C_2$

${}_3C_0$ ${}_3C_1$ ${}_3C_2$ ${}_3C_3$

${}_4C_0$ ${}_4C_1$ ${}_4C_2$ ${}_4C_3$ ${}_4C_4$

$\cdots$

${}_{15}C_0$ ${}_{15}C_1$ ${}_{15}C_2$ $\cdots$ ${}_{15}C_{14}$ ${}_{15}C_{15}$

${}_{16}C_0$ ${}_{16}C_1$ ${}_{16}C_2$ ${}_{16}C_3$ $\cdots$ ${}_{16}C_{15}$ ${}_{16}C_{16}$

따라서 $n=16$, $r=3$, $k=560$이므로 $n+r+k=16+3+560=579$

내신연계 출제문항 157

다음 등식을 만족시키는 상수 k, n에 대하여 $n+k$의 값은?

$${}_3C_3+{}_4C_3+{}_5C_3+\cdots+{}_9C_3+{}_{10}C_3={}_nC_4=k$$

① 320　② 331　③ 341
④ 351　⑤ 361

STEP Ⓐ 조합의 성질을 이용하여 구하기

파스칼의 삼각형에서 ${}_nC_{r-1}+{}_nC_r={}_{n+1}C_r$이고 ${}_3C_3={}_4C_4$이므로

$$\begin{aligned}{}_3C_3+{}_4C_3+{}_5C_3+\cdots+{}_9C_3+{}_{10}C_3&={}_4C_4+{}_4C_3+{}_5C_3+\cdots+{}_9C_3+{}_{10}C_3\\&={}_5C_4+{}_5C_3+\cdots+{}_9C_3+{}_{10}C_3\\&\ \vdots\\&={}_{10}C_4+{}_{10}C_3\\&={}_{11}C_4=330\end{aligned}$$

따라서 $n=11$, $k=330$이므로 $n+k=341$

정답 ③

0335

정답 ③

STEP Ⓐ ${}_{n-1}C_{r-1}+{}_{n-1}C_r={}_nC_r$임을 이용하여 구하기

$$\begin{aligned}{}_4H_0+{}_4H_1+{}_4H_2+{}_4H_3+\cdots+{}_4H_9&={}_3C_0+{}_4C_1+{}_5C_2+{}_6C_3+\cdots+{}_{12}C_9\\&={}_4C_0+{}_4C_1+{}_5C_2+{}_6C_3+\cdots+{}_{12}C_9\\&={}_5C_1+{}_5C_2+{}_6C_3+\cdots+{}_{12}C_9\\&={}_6C_2+{}_6C_3+\cdots+{}_{12}C_9\\&\ \vdots\\&={}_{12}C_8+{}_{12}C_9\\&={}_{13}C_9={}_{13}C_4\end{aligned}$$

다른풀이 파스칼의 삼각형의 하키스틱 패턴을 이용하여 풀이하기

하키스틱 패턴에 의하여

${}_3C_0+{}_4C_1+{}_5C_2+{}_6C_3+\cdots+{}_{12}C_9={}_{13}C_4$

내신연계 출제문항 158

파스칼의 삼각형을 이용하여

$${}_3H_0+{}_3H_1+{}_3H_2+\cdots+{}_3H_6$$

의 값을 구하면?

① 13　② 24　③ 36
④ 52　⑤ 84

STEP Ⓐ ${}_{n-1}C_{r-1}+{}_{n-1}C_r={}_nC_r$임을 이용하여 구하기

$$\begin{aligned}{}_3H_0+{}_3H_1+{}_3H_2+\cdots+{}_3H_6&={}_2C_0+{}_3C_1+{}_4C_2+\cdots+{}_8C_6\\&={}_3C_0+{}_3C_1+{}_4C_2+\cdots+{}_8C_6\\&={}_9C_6=84\end{aligned}$$

정답 ⑤

0336

정답 ⑤

STEP Ⓐ 파스칼의 삼각형의 하키스틱 패턴을 이용하기

$$\begin{aligned}\sum_{k=0}^{6}({}_{6+k}C_k+{}_{6+k}C_6)&=\sum_{k=0}^{6}({}_{6+k}C_k+{}_{6+k}C_k)\\&=2\sum_{k=0}^{6}{}_{6+k}C_k\\&=2({}_6C_0+{}_7C_1+{}_8C_2+\cdots+{}_{12}C_6)\\&=2({}_7C_0+{}_7C_1+{}_8C_2+\cdots+{}_{12}C_6)\\&=2({}_8C_1+{}_8C_2+\cdots+{}_{12}C_6)\\&=\cdots=2({}_{12}C_5+{}_{12}C_6)\\&=2\times{}_{13}C_6\\&={}_{13}C_6+{}_{13}C_6\\&={}_{13}C_6+{}_{13}C_7={}_{14}C_7\end{aligned}$$

0337

 정답 ④

STEP Ⓐ **파스칼의 삼각형의 하키스틱 패턴을 이용하기**

(i) ${}_{1}C_{1}+{}_{2}C_{2}+{}_{3}C_{3}+\cdots+{}_{10}C_{10}={}_{11}C_{10}-1=11-1=10$

(ii) ${}_{1}C_{0}+{}_{2}C_{1}+{}_{3}C_{2}+\cdots+{}_{10}C_{9}={}_{11}C_{9}={}_{11}C_{2}=55$

STEP Ⓑ **색칠한 부분의 수의 합 구하기**

(i), (ii)에서 어두운 부분의 수의 합은 $10+55=65$

다른풀이 ${}_{n-1}C_{r}+{}_{n-1}C_{r-1}={}_{n}C_{r}$을 이용하여 풀이하기

$({}_{1}C_{0}+{}_{1}C_{1})+({}_{2}C_{1}+{}_{2}C_{2})+({}_{3}C_{2}+{}_{3}C_{3})+\cdots+({}_{10}C_{9}+{}_{10}C_{10})$

$={}_{2}C_{1}+{}_{3}C_{2}+{}_{4}C_{3}+{}_{5}C_{4}+\cdots+{}_{11}C_{10}$

$={}_{12}C_{10}-1$

$={}_{12}C_{2}-1$

$=\dfrac{12\cdot 11}{2}-1$

$=66-1=65$

내/신/연/계/ 출제문항 159

다음의 파스칼의 삼각형에서 색칠한 부분의 모든 수들의 합은?

1

${}_{1}C_{0}\ {}_{1}C_{1}$

${}_{2}C_{0}\ {}_{2}C_{1}\ {}_{2}C_{2}$

${}_{3}C_{0}\ {}_{3}C_{1}\ {}_{3}C_{2}\ {}_{3}C_{3}$

${}_{4}C_{0}\ {}_{4}C_{1}\ {}_{4}C_{2}\ {}_{4}C_{3}\ {}_{4}C_{4}$

$\vdots$

${}_{10}C_{0}\ {}_{10}C_{1}\ \cdots\ {}_{10}C_{7}\ {}_{10}C_{8}\ {}_{10}C_{9}\ {}_{10}C_{10}$

$\vdots$

① 124 ② 136 ③ 196
④ 228 ⑤ 336

STEP Ⓐ **파스칼의 삼각형의 하키스틱 패턴을 이용하기**

(i) ${}_{2}C_{0}+{}_{3}C_{1}+{}_{4}C_{2}+\cdots+{}_{10}C_{8}={}_{11}C_{8}$

(ii) ${}_{1}C_{0}+{}_{2}C_{1}+{}_{3}C_{2}+\cdots+{}_{10}C_{9}={}_{11}C_{9}$에서

${}_{2}C_{1}+{}_{3}C_{2}+\cdots+{}_{10}C_{9}={}_{11}C_{9}-{}_{1}C_{0}$

(iii) $1+{}_{1}C_{1}+{}_{2}C_{2}+{}_{3}C_{3}+\cdots+{}_{10}C_{10}={}_{11}C_{10}$에서

${}_{2}C_{2}+{}_{3}C_{3}+\cdots+{}_{10}C_{0}={}_{11}C_{10}-1-1$

STEP Ⓑ **어두운 부분의 합 구하기**

(i)~(iii)에서 어두운 부분의 합은

${}_{11}C_{8}+({}_{11}C_{9}-1)+({}_{11}C_{10}-2)=165+(55-1)+(11-2)=228$ 정답 ④

0338

 정답 ⑤

STEP Ⓐ **파스칼의 삼각형의 행의 합 패턴을 이용하여 계산하기**

그림의 삼각형 안에 있는 수를 한 행씩 계산해보면 다음과 같다.

${}_{2}C_{1}=2$

${}_{3}C_{1}+{}_{3}C_{2}=({}_{3}C_{0}+{}_{3}C_{1}+{}_{3}C_{2}+{}_{3}C_{3})-{}_{3}C_{0}-{}_{3}C_{3}=2^{3}-2$

${}_{4}C_{1}+{}_{4}C_{2}+{}_{4}C_{3}=({}_{4}C_{0}+{}_{4}C_{1}+{}_{4}C_{2}+{}_{4}C_{3}+{}_{4}C_{4})-{}_{4}C_{0}-{}_{4}C_{4}=2^{4}-2$

${}_{5}C_{1}+{}_{5}C_{2}+{}_{5}C_{3}+{}_{5}C_{4}=({}_{5}C_{0}+{}_{5}C_{1}+{}_{5}C_{2}+{}_{5}C_{3}+{}_{5}C_{4}+{}_{5}C_{5})-{}_{5}C_{0}-{}_{5}C_{5}$

$=2^{5}-2$

${}_{6}C_{1}+{}_{6}C_{2}+{}_{6}C_{3}+{}_{6}C_{4}+{}_{6}C_{5}=2^{6}-2$

따라서 삼각형 안에 있는 모든 수들의 합은

$2+(2^{3}-2)+(2^{4}-2)+(2^{5}-2)+(2^{6}-2)=(2+2^{3}+2^{4}+2^{5}+2^{6})+(-2)\times 4$

$=114$

다른풀이 파스칼의 삼각형의 하키스틱 패턴을 이용하여 풀이하기

파스칼의 삼각형을 이용하면 다음과 같이 빠르게 계산할 수 있다.

${}_{1}C_{0}\ {}_{1}C_{1}$

${}_{2}C_{0}\ {}_{2}C_{1}\ {}_{2}C_{2}$

${}_{3}C_{0}\ {}_{3}C_{1}\ {}_{3}C_{2}\ {}_{3}C_{3}$

${}_{4}C_{0}\ {}_{4}C_{1}\ {}_{4}C_{2}\ {}_{4}C_{3}\ {}_{4}C_{4}$

${}_{5}C_{0}\ {}_{5}C_{1}\ {}_{5}C_{2}\ {}_{5}C_{3}\ {}_{5}C_{4}\ {}_{5}C_{5}$

${}_{6}C_{0}\ {}_{6}C_{1}\ {}_{6}C_{2}\ {}_{6}C_{3}\ {}_{6}C_{4}\ {}_{6}C_{5}\ {}_{6}C_{6}$

${}_{7}C_{0}\ {}_{7}C_{1}\ {}_{7}C_{2}\ {}_{7}C_{3}\ {}_{7}C_{4}\ {}_{7}C_{5}\ {}_{7}C_{6}\ {}_{7}C_{7}$

삼각형 안의 수만 더해야 하므로 제일 긴 식을 먼저 정리하면 다음과 같다.

${}_{1}C_{1}+{}_{2}C_{1}+\cdots+{}_{6}C_{1}={}_{7}C_{2}$에서 ${}_{1}C_{1}$은 제외시켜야 하므로

${}_{2}C_{1}+{}_{3}C_{1}+{}_{4}C_{1}+{}_{5}C_{1}+{}_{6}C_{1}={}_{7}C_{2}-{}_{1}C_{1}$

같은 방법으로 모두 정리하여 삼각형 안의 수들의 합을 구할 수도 있다.

$({}_{7}C_{2}-{}_{1}C_{1})+({}_{7}C_{3}-{}_{2}C_{2})+({}_{7}C_{4}-{}_{3}C_{3})+({}_{7}C_{5}-{}_{4}C_{4})+{}_{6}C_{5}$

$=(21-1)+(35-1)+(35-1)+(21-1)+6$

$=114$

내/신/연/계/ 출제문항 160

다음 그림과 같은 파스칼의 삼각형에서 색칠한 부분의 모든 수들의 합은?

1

${}_{1}C_{0}\ {}_{1}C_{1}$

${}_{2}C_{0}\ {}_{2}C_{1}\ {}_{2}C_{2}$

${}_{3}C_{0}\ {}_{3}C_{1}\ {}_{3}C_{2}\ {}_{3}C_{3}$

${}_{4}C_{0}\ {}_{4}C_{1}\ {}_{4}C_{2}\ {}_{4}C_{3}\ {}_{4}C_{4}$

${}_{5}C_{0}\ {}_{5}C_{1}\ {}_{5}C_{2}\ {}_{5}C_{3}\ {}_{5}C_{4}\ {}_{5}C_{5}$

$\cdots$

${}_{9}C_{0}\ {}_{9}C_{1}\ {}_{9}C_{2}\ \cdots\ {}_{9}C_{7}\ {}_{9}C_{8}\ {}_{9}C_{9}$

① 914 ② 915 ③ 916
④ 917 ⑤ 918

STEP Ⓐ **파스칼의 삼각형의 행의 합 패턴을 이용하여 계산하기**

그림의 삼각형 안에 있는 수를 한 행씩 계산해보면 다음과 같다.

${}_{4}C_{2}=6$

${}_{5}C_{2}+{}_{5}C_{3}=({}_{5}C_{0}+{}_{5}C_{1}+{}_{5}C_{2}+{}_{5}C_{3}+{}_{5}C_{4}+{}_{5}C_{5})-{}_{5}C_{0}-{}_{5}C_{1}-{}_{5}C_{4}-{}_{5}C_{5}$

$=2^{5}-(2+10)$

${}_{6}C_{2}+{}_{6}C_{3}+{}_{6}C_{4}=({}_{6}C_{0}+{}_{6}C_{1}+{}_{6}C_{2}+{}_{6}C_{3}+{}_{6}C_{4}+{}_{6}C_{5}+{}_{6}C_{6})$

$-{}_{6}C_{0}-{}_{6}C_{1}-{}_{6}C_{5}-{}_{6}C_{6}$

$=2^{6}-(2+12)$

${}_{7}C_{2}+{}_{7}C_{3}+{}_{7}C_{4}+{}_{7}C_{5}=2^{7}-(2+14)$

${}_{8}C_{2}+{}_{8}C_{3}+{}_{8}C_{4}+{}_{8}C_{5}+{}_{8}C_{6}=2^{8}-(2+16)$

${}_{9}C_{2}+{}_{9}C_{3}+{}_{9}C_{4}+{}_{9}C_{5}+{}_{9}C_{6}+{}_{9}C_{7}=2^{9}-(2+18)$

STEP Ⓑ **삼각형 안에 있는 모든 수들의 합 구하기**

따라서 삼각형 안에 있는 모든 수들의 합은

$=6+(2^{5}-12)+(2^{6}-14)+(2^{7}-16)+(2^{8}-18)+(2^{9}-20)$

$=6+20+50+110+240+492=918$

다른풀이 등비수열의 합을 이용하여 풀이하기

STEP Ⓐ **파스칼의 삼각형에 적힌 모든 수들의 합 구하기**

주어진 파스칼의 삼각형에 적힌 모든 수들의 합은

$1+2+2^{2}+2^{3}+\cdots+2^{9}=\dfrac{2^{10}-1}{2-1}=1023$

STEP Ⓑ **하키스틱 패턴을 이용하여 구하기**

이때 다음 그림과 같이 (가), (나), (다), (라)의 수의 합은

각각 10, 45, 45, 10이고 1, ${}_{1}C_{0}$, ${}_{1}C_{1}$, ${}_{2}C_{1}$은 두 부분에 공통으로 속해 있다.

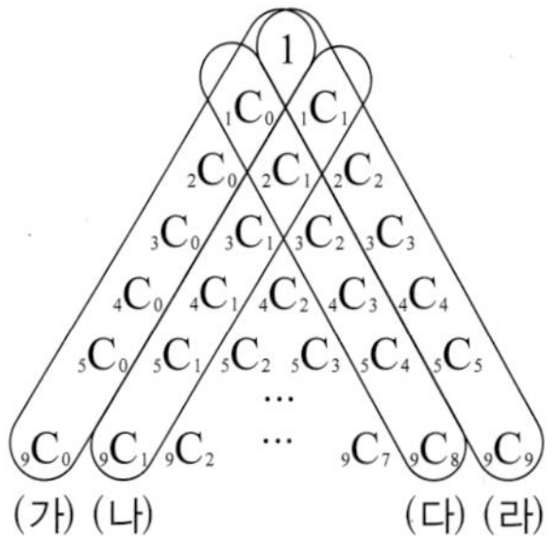

따라서 색칠한 부분의 모든 수들의 합은

$1023-\{10+45+45+10-(1+{}_1C_0+{}_1C_1+{}_2C_1)\}=1023-105=918$

다른풀이 파스칼의 삼각형의 하키스틱 패턴을 이용하여 풀이하기

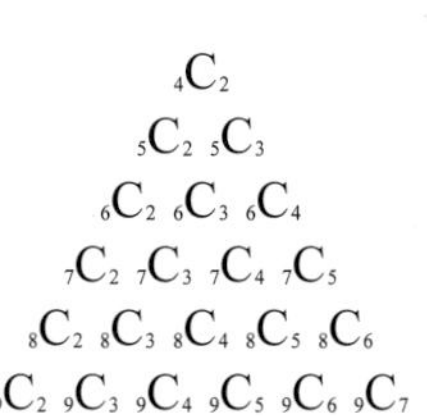

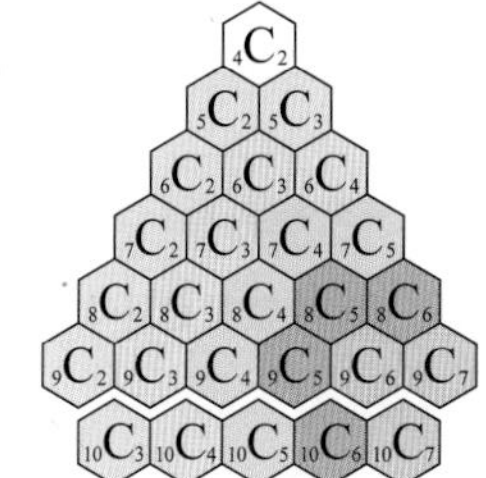

위의 그림과 같이 색칠한 부분을 살펴보면

$${}_5C_2+{}_5C_3+{}_6C_2+{}_7C_2+{}_8C_2+{}_9C_2={}_6C_3+{}_6C_2+{}_7C_2+{}_8C_2+{}_9C_2$$
$$={}_7C_3+{}_7C_2+{}_8C_2+{}_8C_2+{}_9C_2$$
$$={}_8C_3+{}_8C_2+{}_9C_2$$
$$={}_9C_3+{}_9C_2={}_{10}C_3$$

위와 같은 방법으로 나머지 부분을 계산하면

${}_6C_3+{}_6C_4+{}_7C_3+{}_8C_3+{}_9C_3={}_{10}C_4$

${}_7C_4+{}_7C_5+{}_8C_4+{}_9C_4={}_{10}C_5$

${}_8C_5+{}_8C_6+{}_9C_5={}_{10}C_6$

${}_9C_6+{}_9C_7={}_{10}C_7$

따라서 구하는 합은 ${}_4C_2+{}_{10}C_3+{}_{10}C_4+{}_{10}C_5+{}_{10}C_6+{}_{10}C_7$

$$={}_4C_2+2({}_{10}C_3+{}_{10}C_4)+{}_{10}C_5$$
$$=6+2(120+210)+252=918$$

 정답 ⑤

0339

 정답 ①

STEP A 등비수열의 합을 이용하여 정리하기

${}_mC_m+{}_{m+1}C_m+{}_{m+2}C_m+\cdots+{}_nC_m$은 다항식

$(1+x)^m+(1+x)^{m+1}+(1+x)^{m+2}+\cdots+(1+x)^n$

$=\dfrac{(1+x)^m\{(1+x)^{n-m+1}-1\}}{(1+x)-1}$

$=\boxed{\dfrac{(1+x)^{n+1}-(1+x)^m}{x}}$

의 전개식에서 x^m의 계수이므로

STEP B 조합의 성질을 이용하여 계산하기

$(1+x)^{n+1}$의 전개식에서 x^{m+1}의 계수와 같다.

${}_mC_m+{}_{m+1}C_m+{}_{m+2}C_m+\cdots+{}_nC_m=\boxed{{}_{n+1}C_{m+1}}$

$\therefore$ (가) $\dfrac{(1+x)^{n+1}-(1+x)^m}{x}$, (나) ${}_{n+1}C_{m+1}$

0340

 정답 ③

STEP A $(1+x)^n$의 전개식에서 x^2의 계수 구하기

$n\ge2$일 때, $(1+x)^n$의 전개식에서 x^2의 계수가 ${}_nC_2$이므로

$(1+x)+(1+x)^2+\cdots+(1+x)^{10}$의 전개식에서 x^2의 계수는

${}_2C_2+{}_3C_2+{}_4C_2+\cdots+{}_{10}C_2$

STEP B 파스칼의 삼각형의 성질을 이용하여 구하기

${}_2C_2={}_3C_3$이므로 주어진 식의 전개식에서 x^2의 계수는

$${}_2C_2+{}_3C_2+{}_4C_2+\cdots+{}_{10}C_2=({}_3C_3+{}_3C_2)+{}_4C_2+\cdots+{}_{10}C_2$$
$$=({}_4C_3+{}_4C_2)+{}_5C_2+\cdots+{}_{10}C_2$$
$$=({}_5C_3+{}_5C_2)+{}_6C_2+\cdots+{}_{10}C_2$$
$$\vdots$$
$$={}_{10}C_3+{}_{10}C_2$$
$$={}_{11}C_3=165$$

다른풀이 등비수열의 합을 이용하여 풀이하기

주어진 식은 첫째항이 $(1+x)$이고

공비가 $(1+x)$인 등비수열의 첫째항부터 제 10항까지의 합이므로

$(1+x)+(1+x)^2+\cdots+(1+x)^{10}=\dfrac{(1+x)^{11}-(1+x)}{x}$

이때 x^2의 계수는 $(1+x)^{11}$의 전개식에서 x^3의 계수와 같고

$(1+x)^{11}$의 전개식에서 x^3의 계수는 ${}_{11}C_3$

따라서 x^2의 계수는 ${}_{11}C_3=165$

내/신/연/계/ 출제문항 161

$(x+1)+(x+1)^2+(x+1)^3+(x+1)^4+\cdots+(x+1)^{12}$의 전개식에서 x^3의 계수는?

① 713 ② 715 ③ 717
④ 719 ⑤ 721

STEP A $(1+x)^n$의 전개식에서 x^3의 계수 구하기

$(1+x)^n$의 전개식의 일반항은 ${}_nC_rx^r$

$(1+x)+(1+x)^2+(1+x)^3+\cdots+(1+x)^{12}$의 전개식에서 x^3의 계수는

${}_3C_3+{}_4C_3+{}_5C_3+{}_6C_3+\cdots+{}_{12}C_3$

STEP B 파스칼의 삼각형의 성질을 이용하여 구하기

따라서 ${}_3C_3={}_4C_4$이므로 주어진 식의 전개식에서 x^3의 계수는

$${}_3C_3+{}_4C_3+{}_5C_3+{}_6C_3+\cdots+{}_{12}C_3={}_4C_4+{}_4C_3+{}_5C_3+{}_6C_3+\cdots+{}_{12}C_3$$
$$={}_5C_4+{}_5C_3+{}_6C_3+\cdots+{}_{12}C_3$$
$$={}_6C_4+{}_6C_3+\cdots+{}_{12}C_3$$
$$\vdots$$
$$={}_{12}C_4+{}_{12}C_3$$
$$={}_{13}C_4=715$$

다른풀이 등비수열의 합을 이용하여 풀이하기

STEP A 등비수열의 합의 공식을 이용하기

주어진 식의 첫째항 $1+x$, 공비가 $1+x$, 항의 개수가 12인 등비수열의 합이므로

$S=\dfrac{(1+x)\{(1+x)^{12}-1\}}{(1+x)-1}=\dfrac{(1+x)^{13}-(1+x)}{x}$

STEP B 이항정리를 이용하여 x^3의 계수 구하기

위의 식에서 분모가 x이므로 구하는 x^3항의 계수는

$(1+x)^{13}$의 전개식에서 x^4의 계수와 같다.

$(1+x)^{13}$의 전개식의 일반항은 ${}_{13}C_rx^r$에서 x^4의 항은 $r=4$

따라서 구하는 계수는 ${}_{13}C_4=715$

 정답 ②

0341

정답 ③

STEP Ⓐ $(1+x)^n$의 전개식에서 x^2의 계수 구하기

a_2는 $(1+x)^2+(1+x)^3+(1+x)^4+\cdots+(1+x)^{10}$의 전개식에서 x^2의 계수이다.

$(1+x)^2$의 전개식에서 x^2의 계수는 ${}_2C_2$,

$(1+x)^3$의 전개식에서 x^2의 계수는 ${}_3C_2$,

$\vdots$

$(1+x)^{10}$의 전개식에서 x^2의 계수는 ${}_{10}C_2$

STEP Ⓑ 파스칼의 삼각형의 성질을 이용하여 구하기

$a_2={}_2C_2+{}_3C_2+{}_4C_2+{}_5C_2+\cdots+{}_{10}C_2$

$=({}_3C_3+{}_3C_2)+{}_4C_2+{}_5C_2+\cdots+{}_{10}C_2$ 

$=({}_4C_3+{}_4C_2)+{}_5C_2+\cdots+{}_{10}C_2$

$=({}_5C_3+{}_5C_2)+\cdots+{}_{10}C_2$

$\vdots$

$={}_{10}C_3+{}_{10}C_2$

$={}_{11}C_3=165$

0342

정답 ④

STEP Ⓐ $(2x+1)^n$의 일반항을 이용하여 x^3의 계수 구하기

$n\geq 3$일 때, $(2x+1)^n$의 전개식에서 x^3항은

${}_nC_3(2x)^3=8{}_nC_3x^3$이므로 x^3의 계수는 $8{}_nC_3$

STEP Ⓑ 조합의 성질을 이용하여 계산하기

따라서 주어진 식의 전개식에서 x^3의 계수는

$\sum_{n=3}^{6}8{}_nC_3=8({}_3C_3+{}_4C_3+{}_5C_3+{}_6C_3)$

$=8({}_4C_4+{}_4C_3+{}_5C_3+{}_6C_3)$

$=8({}_5C_4+{}_5C_3+{}_6C_3)=8({}_6C_4+{}_6C_3)$

$=8\times{}_7C_4$

$=8\times 35=280$

다른풀이 등비수열의 합을 이용하여 풀이하기

STEP Ⓐ 등비수열의 합을 이용하여 정리하기

$$\sum_{n=1}^{6}(2x+1)^n=\frac{(2x+1)\{(2x+1)^6-1\}}{2x+1-1}$$
$$=\frac{(2x+1)^7-(2x+1)}{2x}$$

이므로 주어진 식의 전개식에서 x^3의 계수는

$\frac{1}{2}(2x+1)^7$의 전개식에서 x^4의 계수와 같다.

STEP Ⓑ $(2x+1)^7$의 전개식의 일반항을 이용하여 구하기

$(2x+1)^7=(1+2x)^7$의 전개식의 일반항은 ${}_7C_r(2x)^r$

따라서 x^4의 계수는 $\frac{1}{2}\times{}_7C_4\times 2^4=280$

0343

정답 ⑤

STEP Ⓐ $(1+x^2)^n$의 전개식에서 x^4의 계수 구하기

$(1+x^2)^n$의 전개식에서 일반항은 ${}_nC_rx^{2r}$이므로

x^4의 항은 $2r=4$ $\therefore r=2$

x^4의 계수는 ${}_nC_2$

STEP Ⓑ 조합의 성질을 이용하여 계산하기

따라서 주어진 식의 전개식에서 x^4의 계수는

${}_2C_2+{}_3C_2+{}_4C_2+\cdots+{}_9C_2$

$={}_3C_3+{}_3C_2+{}_4C_2+\cdots+{}_9C_2$

$={}_4C_3+{}_4C_2+\cdots+{}_9C_2$

$\vdots$

$={}_9C_3+{}_9C_2$

$={}_{10}C_3=120$

다른풀이 등비수열의 합을 이용하여 풀이하기

STEP Ⓐ 등비수열의 합을 이용하여 정리하기

$$(x^2+1)+(x^2+1)^2+\cdots+(x^2+1)^9=\frac{(x^2+1)\{(x^2+1)^9-1\}}{x^2+1-1}$$
$$=\frac{(x^2+1)^{10}-(x^2+1)}{x^2}$$

이므로 $(x^2+1)^{10}$에서 x^6의 계수와 같다.

STEP Ⓑ $(1+x^2)^{10}$의 전개식의 일반항을 이용하여 구하기

따라서 $(x^2+1)^{10}=(1+x^2)^{10}$의 전개식의 일반항은 ${}_{10}C_rx^{2r}$이고

x의 계수는 $r=3$일 때, ${}_{10}C_3=120$

내신연계 출제문항 162

다항식

$$(2x^3+1)+(2x^3+1)^2+(2x^3+1)^3+\cdots+(2x^3+1)^9$$

의 전개식에서 x^3의 계수는?

① 88 ② 90 ③ 92
④ 94 ⑤ 96

STEP Ⓐ 다항식의 전개식의 일반항을 구하고 지수법칙을 이용하여 간단히 정리하기

$(2x^3+1)^n=(1+2x^3)^n$이므로 $(2x^3+1)^n$의 전개식의 일반항은

${}_nC_r(2x^3)^r={}_nC_r\times 2^r\times x^{3r}$

x^3항은 $r=1$일 때이므로 x^3의 계수는 ${}_nC_1\times 2=2n$

STEP Ⓑ 이항정리를 이용하여 x^3의 계수 구하기

따라서 $(2x^3+1)+(2x^3+1)^2+(2x^3+1)^3+\cdots+(2x^3+1)^9$의 전개식에서 x^3의 계수는

$2\times 1+2\times 2+2\times 3+\cdots+2\times 9=2(1+2+3+\cdots+9)=2\times 45=90$

다른풀이 등비수열의 합을 이용하여 풀이하기

$x\neq 0$일 때,

$(2x^3+1)+(2x^3+1)^2+(2x^3+1)^3+\cdots+(2x^3+1)^9$

$$=\frac{(2x^3+1)\{(2x^3+1)^9-1\}}{(2x^3+1)-1}$$
$$=\frac{(2x^3+1)^{10}-(2x^3+1)}{2x^3}$$

이므로 주어진 식의 전개식에서 x^3의 계수는

$\frac{1}{2}(2x^3+1)^{10}$의 전개식에서 x^6의 계수와 같다.

따라서 구하는 x^3의 계수는 $\frac{1}{2}\times{}_{10}C_2\times 2^2=90$

정답 ②

0344

정답 ②

STEP Ⓐ $(1+2x)^n$의 일반항을 이용하여 계수 나타내기

$x^2(1+2x)+x^2(1+2x)^2+\cdots+x^2(1+2x)^{10}$의 전개식에서
x^5의 계수는 x^2이 모두 곱해져 있으므로
$(1+2x)^3$, $(1+2x)^4$, $(1+2x)^5$ $\cdots$, $(1+2x)^{10}$의 각각의 전개식의 x^3의 계수를 더하면 된다.
즉 $2^3{}_3C_3+2^3{}_4C_3+2^3{}_5C_3+2^3{}_6C_3+\cdots+2^3{}_{10}C_3$의 값과 같다.

STEP Ⓑ 파스칼의 삼각형의 성질을 이용하여 구하기

따라서 ${}_{n-1}C_{r-1}+{}_{n-1}C_r={}_nC_r$이고 ${}_3C_3={}_4C_4$를 이용하여 정리하면

$$\begin{aligned}&2^3{}_3C_3+2^3{}_4C_3+2^3{}_5C_3+2^3{}_6C_3+\cdots+2^3{}_{10}C_3\\&=2^3({}_3C_3+{}_4C_3+{}_5C_3+{}_6C_3+\cdots+{}_{10}C_3)\\&=2^3({}_4C_4+{}_4C_3+{}_5C_3+{}_6C_3+\cdots+{}_{10}C_3)\\&=2^3({}_5C_4+{}_5C_3+{}_6C_3+\cdots+{}_{10}C_3)\\&\quad\vdots\\&=2^3({}_{10}C_4+{}_{10}C_3)\\&=2^3{}_{11}C_4\end{aligned}$$

파스칼의 삼각형을 이용하면 다음과 같이 빠르게 계산할 수 있다.

$$\begin{array}{c}\cdots\ {}_3C_2\ {}_3C_3\\ \cdots\ {}_4C_2\ {}_4C_3\ {}_4C_4\\ \cdots\ {}_5C_2\ {}_5C_3\ {}_5C_4\ {}_5C_5\\ \vdots\\ \cdots\ {}_9C_2\ {}_9C_3\ {}_9C_4\ {}_9C_5\ \cdots\\ \cdots\ {}_{10}C_2\ {}_{10}C_3\ {}_{10}C_4\ {}_{10}C_5\ \cdots\\ \cdots\ {}_{11}C_3\ {}_{11}C_4\ {}_{11}C_5\ {}_{11}C_6\ \cdots\end{array}$$

$\therefore {}_3C_3+{}_4C_3+{}_5C_3+{}_6C_3+\cdots+{}_{10}C_3={}_{11}C_4$

내/신/연/계/ 출제문항 163

3 이상의 자연수 n에 대하여 다항식 $(1+x^2)^n$의 전개식에서 x^6의 계수를 a_n이라 할 때, $\sum_{n=3}^{8} a_n$의 값은?

① 122 ② 124 ③ 126
④ 128 ⑤ 130

STEP Ⓐ $(1+x^2)^n$의 전개식에서 x^6의 계수 구하기

$(1+x^2)^n\,(n\geq 3)$의 전개식에서 일반항은 ${}_nC_rx^{2r}$이므로
x^6의 항은 $2r=6$ $\quad\therefore r=3$
x^6의 계수는 $a_n={}_nC_3$

STEP Ⓑ 파스칼의 삼각형의 성질을 이용하여 구하기

$$\begin{aligned}\text{따라서 }\sum_{n=3}^{8}a_n&=\sum_{n=3}^{8}{}_nC_3\\&={}_3C_3+{}_4C_3+{}_5C_3+{}_6C_3+{}_7C_3+{}_8C_3\\&={}_4C_4+{}_4C_3+{}_5C_3+{}_6C_3+{}_7C_3+{}_8C_3\\&={}_5C_4+{}_5C_3+{}_6C_3+{}_7C_3+{}_8C_3\\&={}_6C_4+{}_6C_3+{}_7C_3+{}_8C_3\\&={}_7C_4+{}_7C_3+{}_8C_3\\&={}_8C_4+{}_8C_3\\&={}_9C_4\\&=126\end{aligned}$$

정답 ③

0345

정답 ⑤

STEP Ⓐ $(1+x)^n$의 일반항을 이용하여 x^9의 계수 구하기

$n\geq 9$일 때, $(1+x)^n$의 전개식에서 x^9의 계수는 ${}_nC_9$

STEP Ⓑ 조합의 성질을 이용하여 식 정리하기

$1+(1+x)+(1+x)^2+\cdots+(1+x)^{100}$의 전개식에서 x^9의 계수는

${}_9C_9+{}_{10}C_9+{}_{11}C_9+\cdots+{}_{100}C_9$ $\cdots\cdots$ ㄹ [참]
$={}_{10}C_{10}+{}_{10}C_9+{}_{11}C_9+\cdots+{}_{100}C_9$
$={}_{11}C_{10}+{}_{11}C_9+{}_{12}C_9+\cdots+{}_{100}C_9$
$={}_{12}C_{10}+{}_{12}C_9+{}_{13}C_9+\cdots+{}_{100}C_9$
$\vdots$
$={}_{100}C_{10}+{}_{100}C_9$ $\cdots\cdots$ ㄴ [참]
$={}_{101}C_{10}$ $\cdots\cdots$ ㄱ [참]
또, ${}_{101}C_{10}={}_{101}C_{101-10}={}_{101}C_{91}$ $\cdots\cdots$ ㄷ [참]
따라서 x^9의 계수와 같은 것은 ㄱ, ㄴ, ㄷ, ㄹ이다.

0346

정답 ②

STEP Ⓐ $x-1$을 치환하여 식을 변형하기

$f(x-1)=x+x^2+\cdots+x^{12}$에서 $x-1=t$로 놓으면
$f(t)=(t+1)+(t+1)^2+\cdots+(t+1)^{12}$
$t=x$를 대입하면
$f(x)=(x+1)+(x+1)^2+\cdots+(x+1)^{12}$

STEP Ⓑ 파스칼의 삼각형의 성질을 이용하여 구하기

따라서 $(1+x)+(1+x)^2+(1+x)^3+\cdots+(1+x)^{12}$의 전개식에서 x^{10}의 계수는
${}_{10}C_{10}+{}_{11}C_{10}+{}_{12}C_{10}$
$={}_{11}C_{11}+{}_{11}C_{10}+{}_{12}C_{10}$ ← ${}_{10}C_{10}={}_{11}C_{11}$
$={}_{12}C_{11}+{}_{12}C_{10}$
$={}_{13}C_{11}$
$={}_{13}C_2=78$

다른풀이 등비수열의 합을 이용하여 풀이하기

STEP Ⓐ 등비수열의 합으로 나타내기

$f(x-1)=x+x^2+\cdots+x^{12}$에서 $x-1=t$로 놓으면
$f(t)=(t+1)+(t+1)^2+\cdots+(t+1)^{12}$
$=\dfrac{(t+1)\{(t+1)^{12}-1\}}{(t+1)-1}=\dfrac{(t+1)^{13}-(t+1)}{t}$
$\therefore f(x)=\dfrac{(x+1)^{13}-(x+1)}{x}$

STEP Ⓑ $(1+x)^{13}$의 일반항을 이용하여 구하기

이때 a_{10}은 $f(x)$의 x^{10}의 계수이므로 $(x+1)^{13}=(1+x)^{13}$의 전개식에서 x^{11}의 계수와 같으므로 $a_{10}={}_{13}C_{11}={}_{13}C_2=78$

0347

정답 ①

STEP Ⓐ $(1+x)^{2n}$의 전개식에서 x^n의 계수 구하는 빈칸추론 하기

$(1+x)^n={}_nC_0+{}_nC_1x+{}_nC_2x^2+\cdots+{}_nC_nx^n$이고
$(1+x)^{2n}=(1+x)^n(1+x)^n$이므로 $(1+x)^{2n}$의 전개식에서 x^n의 계수는
${}_nC_0\times{}_nC_n+{}_nC_1\times{}_nC_{n-1}+\cdots+{}_nC_n\times{}_nC_0$
이때 ${}_nC_{n-r}=\boxed{{}_nC_r}$이므로 위의 식은
${}_nC_0^{\,2}+{}_nC_1^{\,2}+{}_nC_2^{\,2}+\cdots+{}_nC_n^{\,2}$으로 쓸 수 있다.
그런데 $(1+x)^{2n}$의 전개식에서 x^n의 계수는 $\boxed{{}_{2n}C_n}$이므로
${}_nC_0^{\,2}+{}_nC_1^{\,2}+{}_nC_2^{\,2}+\cdots+{}_nC_n^{\,2}=\boxed{{}_{2n}C_n}$

0348

정답 ③

STEP Ⓐ n항의 모든 수의 제곱의 합 추론하기

$1^2=1$

$1^2+1^2=2={}_2C_1$

$1^2+2^2+1^2=6={}_4C_2$

$1^2+3^2+3^2+1^2=20={}_6C_3$

$1^2+4^2+6^2+4^2+1^2=\boxed{70}$

1
1 1
1 2 1
1 3 3 1
1 4 6 4 1
1 5 10 10 5 1
1 6 15 20 15 6 1
1 7 21 35 35 21 7 1
1 8 28 56 70 56 28 8 1

STEP Ⓑ $({}_nC_0)^2+({}_nC_1)^2+({}_nC_2)^2+\cdots+({}_nC_n)^2={}_{2n}C_n$을 이용하여 구하기

1번째, 2번째, 3번째, 4번째, 5번째 행에 있는 모든 수의 제곱의 합은 각각 1번째, 3번째, 5번째, 7번째, 9번째 행의 가운데 있는 수와 같다.
따라서 7번째 행에 있는 모든 수의 제곱의 합은
13번째 행의 가운데 있는 수 ${}_{12}C_6$으로 추측할 수 있다.
즉 $({}_6C_0)^2+({}_6C_1)^2+({}_6C_2)^2+\cdots+({}_6C_6)^2={}_{\boxed{12}}C_{\boxed{6}}$
따라서 $a=70$, $b=12$, $c=6$이므로 $a+b+c=88$

0349

STEP Ⓐ $(1+x)^{10}(1+x)^{10}$각 식을 전개하였을 때, x^{10}의 계수 구하기

$(1+x)^{10}={}_{10}C_0+{}_{10}C_1x+{}_{10}C_2x^2+\cdots+{}_{10}C_{10}x^{10}$

$(x+1)^{10}={}_{10}C_0x^{10}+{}_{10}C_1x^9+{}_{10}C_2x^8+\cdots+{}_{10}C_{10}$이므로

$(1+x)^{10}(1+x)^{10}=(1+x)^{10}(x+1)^{10}$

$=({}_{10}C_0+{}_{10}C_1x+{}_{10}C_2x^2+\cdots+{}_{10}C_{10}x^{10})$

$\times({}_{10}C_0x^{10}+{}_{10}C_1x^9+{}_{10}C_2x^8+\cdots+{}_{10}C_{10})$

이 전개식에서 x^{10}의 계수는 다음과 같다.

${}_{10}C_0\times{}_{10}C_0+{}_{10}C_1\times{}_{10}C_1+{}_{10}C_2\times{}_{10}C_2+\cdots+{}_{10}C_{10}\times{}_{10}C_{10}$

$=({}_{10}C_0)^2+({}_{10}C_1)^2+({}_{10}C_2)^2+\cdots+({}_{10}C_{10})^2$

STEP Ⓑ $(1+x)^{20}$의 전개식에서 x^{10}의 계수 구하기

$(1+x)^{10}(1+x)^{10}=(1+x)^{20}$이므로

$(1+x)^{20}$의 전개식에서 x^{10}의 계수는 ${}_{20}C_{10}$

$({}_{10}C_0)^2+({}_{10}C_1)^2+({}_{10}C_2)^2+\cdots+({}_{10}C_{10})^2={}_{20}C_{10}$

따라서 $n=20$, $k=10$이므로 $n+k=20+10=30$

내신연계 출제문항 164

$({}_5C_0)^2+({}_5C_1)^2+({}_5C_2)^2+\cdots+({}_5C_5)^2={}_nC_k$일 때, $n+k$의 값은?

① 10 ② 15 ③ 20
④ 25 ⑤ 30

STEP Ⓐ $(1+x)^5(1+x)^5$각 식을 전개하였을 때, x^5의 계수 구하기

$(1+x)^5(1+x)^5=(1+x)^{10}$ …… ㉠

에서 좌변의 각 식을 전개하였을 때, x^5의 계수를 구하면

${}_5C_0\times{}_5C_5+{}_5C_1\times{}_5C_4+{}_5C_2\times{}_5C_3+\cdots+{}_5C_5\times{}_5C_0$

$=({}_5C_0)^2+({}_5C_1)^2+({}_5C_2)^2+\cdots+({}_5C_5)^2$

STEP Ⓑ $(1+x)^{10}$의 전개식에서 x^5의 계수 구하기

㉠의 우변 $(1+x)^{10}$의 전개식에서 x^5의 계수는 ${}_{10}C_5$이므로

$({}_5C_0)^2+({}_5C_1)^2+({}_5C_2)^2+\cdots+({}_5C_5)^2={}_{10}C_5$

따라서 $n=10$, $k=5$이므로 $n+k=15$

정답 ②

0350

정답 ③

STEP Ⓐ $(1+x)^{12}(1+x)^{12}$각 식을 전개하였을 때, x^{12}의 계수 구하기

조건 (가)에서

$(1+x)^{12}(1+x)^{12}=(1+x)^{24}$ …… ㉠

에서 좌변의 각 식을 전개하였을 때, x^{12}의 계수를 구하면

${}_{12}C_0\times{}_{12}C_{12}+{}_{12}C_1\times{}_{12}C_{11}+\cdots+{}_{12}C_{12}\times{}_{12}C_{12}$

$=({}_{12}C_0)^2+({}_{12}C_1)^2+({}_{12}C_2)^2+\cdots+({}_{12}C_{12})^2$

STEP Ⓑ $(1+x)^{24}$의 전개식에서 x^{12}의 계수 구하기

㉠의 우변 $(1+x)^{24}$의 전개식에서 x^{12}의 계수는 ${}_{24}C_{12}$

따라서 $({}_{12}C_0)^2+({}_{12}C_1)^2+({}_{12}C_2)^2+\cdots+({}_{12}C_{12})^2={}_{24}C_{12}$

0351

STEP Ⓐ $(1-x)^{12}(1+x)^{12}$각 식을 전개하였을 때, x^{12}의 계수 구하기

$(1-x)^{12}(1+x)^{12}=(1-x^2)^{12}$ …… ㉠

에서 좌변의 각 식을 전개하였을 때, x^{12}의 계수를 구하면

${}_{12}C_0\times{}_{12}C_{12}-{}_{12}C_1\times{}_{12}C_{11}+{}_{12}C_2\times{}_{12}C_{10}-\cdots+{}_{12}C_{12}\times{}_{12}C_0$

$=({}_{12}C_0)^2-({}_{12}C_1)^2+({}_{12}C_2)^2-\cdots+({}_{12}C_{12})^2$

STEP Ⓑ $(1-x^2)^{12}$의 전개식에서 x^{12}의 계수 구하기

㉠의 우변 $(1-x^2)^{12}$의 전개식에서 x^{12}의 계수는

${}_{12}C_6\times1^6(-x^2)^6={}_{12}C_6x^{12}$

따라서 $({}_{12}C_0)^2-({}_{12}C_1)^2+({}_{12}C_2)^2-\cdots+({}_{12}C_{12})^2={}_{12}C_6$

다른풀이 $(1-x)^{12}(1+x)^{12}$의 전개식을 이용하여 풀이하기

$({}_{12}C_0)^2-({}_{12}C_1)^2+({}_{12}C_2)^2-\cdots+({}_{12}C_{12})^2$

$={}_{12}C_0\times{}_{12}C_{12}-{}_{12}C_1\times{}_{12}C_{11}+{}_{12}C_2\times{}_{12}C_{10}-\cdots+{}_{12}C_{12}\times{}_{12}C_0$

위의 식은 $(1-x)^{12}(1+x)^{12}$의 전개식에서 x^{12}의 계수와 같다.

즉 $(1-x)^{12}(1+x)^{12}$의 전개식에서 x^{12}의 계수이므로

${}_{12}C_6\times1^6(-x^2)^6={}_{12}C_6x^{12}$

따라서 구하는 값은 ${}_{12}C_6$

0352

STEP Ⓐ $(1+x)^{15}(1+x)^{20}$각 식을 전개하였을 때, x^{10}의 계수 구하기

$(1+x)^{15}(1+x)^{20}=(1+x)^{35}$ …… ㉠

에서 좌변의 각 식을 전개하였을 때, x^{10}의 계수를 구하면

${}_{15}C_0\times{}_{20}C_{10}+{}_{15}C_1\times{}_{20}C_9+{}_{15}C_2\times{}_{20}C_8+\cdots+{}_{15}C_{10}\times{}_{20}C_0$

STEP Ⓑ $(1+x)^{35}$의 전개식에서 x^{10}의 계수 구하기

㉠의 우변 $(1+x)^{35}$의 전개식에서 x^{10}의 계수는 ${}_{35}C_{10}$이므로

${}_{15}C_0\times{}_{20}C_{10}+{}_{15}C_1\times{}_{20}C_9+{}_{15}C_2\times{}_{20}C_8+\cdots+{}_{15}C_{10}\times{}_{20}C_0$

$=\sum_{r=0}^{10}{}_{15}C_r\cdot{}_{20}C_{10-r}$

$={}_{35}C_{10}$

따라서 $n=35$

내/신/연/계/ 출제문항 165

$\sum_{r=0}^{8} {}_{15}C_r \cdot {}_{20}C_{8-r} = {}_{n}C_8$일 때, n의 값은?

① 24 ② 27 ③ 30
④ 35 ⑤ 47

STEP Ⓐ $(1+x)^{15}(1+x)^{20}$ 각 식을 전개하였을 때, x^8의 계수 구하기

$(1+x)^{15}(1+x)^{20}=(1+x)^{35}$ …… ㉠

에서 좌변의 각 식을 전개하였을 때, x^8의 계수를 구하면

${}_{15}C_0 \times {}_{20}C_8 + {}_{15}C_1 \times {}_{20}C_7 + {}_{15}C_2 \times {}_{20}C_6 + \cdots + {}_{15}C_8 \times {}_{20}C_0$

STEP Ⓑ $(1+x)^{35}$의 전개식에서 x^8의 계수 구하기

㉠의 우변 $(1+x)^{35}$의 전개식에서 x^{10}의 계수는 ${}_{35}C_8$이므로

${}_{15}C_0 \times {}_{20}C_8 + {}_{15}C_1 \times {}_{20}C_7 + {}_{15}C_2 \times {}_{20}C_6 + \cdots + {}_{15}C_8 \times {}_{20}C_0$

$= \sum_{r=0}^{8} {}_{15}C_r \cdot {}_{20}C_{10-r}$

$= {}_{35}C_8$

따라서 $n=35$

정답 ④

0353

정답 ③

STEP Ⓐ 이항계수의 성질을 이용하기

${}_{n}C_1 + {}_{n}C_2 + {}_{n}C_3 + \cdots + {}_{n}C_n = 2^n - {}_{n}C_0 = 2^n - 1$이므로

$1000 < 2^n - 1 < 2000$에서 $1001 < 2^n < 2001$

STEP Ⓑ n에 자연수를 대입하여 부등식을 만족시키는 자연수 n의 값 찾기

따라서 $2^9=512$, $2^{10}=1024$, $2^{11}=2048$이므로 $n=10$

내/신/연/계/ 출제문항 166

부등식

$$200 < {}_{n}C_0 + {}_{n}C_1 + {}_{n}C_2 + \cdots {}_{n}C_n < 1000$$

을 만족시키는 모든 자연수 n의 값의 합은?

① 13 ② 15 ③ 17
④ 19 ⑤ 21

STEP Ⓐ 이항계수의 성질을 이용하기

$(1+x)^n = {}_{n}C_0 + {}_{n}C_1 x + {}_{n}C_2 x^2 + \cdots + {}_{n}C_n x^n$

$x=1$일 때, ${}_{n}C_0 + {}_{n}C_1 + {}_{n}C_2 + \cdots + {}_{n}C_n = 2^n$

즉 $200 < 2^n < 1000$

STEP Ⓑ n에 자연수를 대입하여 부등식을 만족시키는 자연수 n의 값 찾기

$n=7$일 때, $2^7=128$

$n=8$일 때, $2^8=256$

$n=9$일 때, $2^9=512$

$n=10$일 때, $2^{10}=1024$

부등식을 만족시키는 자연수 n의 값은 8, 9

따라서 구하는 값은 $8+9=17$

정답 ③

0354

정답 ④

STEP Ⓐ 이항계수의 성질을 이용하기

${}_{99}C_r = {}_{99}C_{99-r}$이므로

${}_{99}C_0 + {}_{99}C_1 + {}_{99}C_2 + \cdots + {}_{99}C_{48} + {}_{99}C_{49} = {}_{99}C_{99} + {}_{99}C_{98} + {}_{99}C_{97} + \cdots + {}_{99}C_{51} + {}_{99}C_{50}$

${}_{99}C_0 + {}_{99}C_1 + {}_{99}C_2 + \cdots + {}_{99}C_{99} = 2^{99}$이므로

${}_{99}C_0 + {}_{99}C_1 + {}_{99}C_2 + \cdots + {}_{99}C_{48} + {}_{99}C_{49} = \frac{1}{2} \times 2^{99} = 2^{98}$

0355

정답 ③

STEP Ⓐ 이항계수의 성질을 이용하기

$N = {}_{11}C_2 + {}_{11}C_4 + {}_{11}C_6 + {}_{11}C_8 + {}_{11}C_{10}$

$= ({}_{11}C_0 + {}_{11}C_2 + {}_{11}C_4 + {}_{11}C_6 + {}_{11}C_8 + {}_{11}C_{10}) - {}_{11}C_0$

$= 2^{11-1} - 1 = 2^{10} - 1$

STEP Ⓑ 양의 약수의 개수 구하기

$2^{10} - 1 = (2^5-1)(2^5+1)$

$= 31 \times 33$

$= 31 \times 3 \times 11$

따라서 N의 양의 약수의 개수는 $2 \times 2 \times 2 = 8$

0356

정답 ①

STEP Ⓐ 이항계수의 성질을 이용하기

${}_{2n}C_1 + {}_{2n}C_3 + {}_{2n}C_5 + \cdots + {}_{2n}C_{2n-3} + {}_{2n}C_{2n-1} = 2^{2n-1}$이므로 $2^{2n-1} = 512 = 2^9$

따라서 $2n-1=9$이므로 $n=5$

내/신/연/계/ 출제문항 167

자연수 n에 대하여 $f(n) = \sum_{k=1}^{n} {}_{2n}C_{2k-1}$일 때,

$$10 \le \log_4 f(n) \le 30$$

을 만족시키는 모든 자연수 n의 값의 합은?

① 360 ② 380 ③ 410
④ 430 ⑤ 450

STEP Ⓐ 이항계수의 성질을 이용하여 $\sum_{k=1}^{n} {}_{2n}C_{2k-1}$의 값 구하기

$f(n) = \sum_{k=1}^{n} {}_{2n}C_{2k-1} = {}_{2n}C_1 + {}_{2n}C_3 + {}_{2n}C_5 + \cdots + {}_{2n}C_{2n-3} + {}_{2n}C_{2n-1} = 2^{2n-1}$

STEP Ⓑ 자연수 n의 합 구하기

$\log_4 f(n) = \log_4 2^{2n-1} = \log_{2^2} 2^{2n-1} = \frac{1}{2}(2n-1)$

$10 \le \log_4 f(n) \le 30$에서 $10 \le \frac{1}{2}(2n-1) \le 30$

$\therefore \frac{21}{2} \le n \le \frac{61}{2}$

따라서 자연수 n의 값은 11, 12, 13, ⋯, 30이므로 그 합은

$11+12+13+\cdots+30 = \frac{20(11+30)}{2} = 410$

정답 ③

0357

 ②

STEP A 이항계수의 성질을 이용하기

$_{19}C_{10}+_{19}C_{11}+_{19}C_{12}+\cdots+_{19}C_{19}$
$=_{19}C_{9}+_{19}C_{8}+_{19}C_{7}+\cdots+_{19}C_{0}$
$=2^{19-1}=2^{18}$

STEP B 구하는 값 구하기

따라서 $\log_2(_{19}C_{10}+_{19}C_{11}+_{19}C_{12}+\cdots+_{19}C_{19})=\log_2 2^{18}=18$

내/신/연/계/ 출제문항 168

$\log_2(_{15}C_0+_{15}C_1+_{15}C_2+\cdots+_{15}C_7)$의 값은?

① 12 ② 13 ③ 14
④ 15 ⑤ 16

STEP A 이항계수의 성질을 이용하기

$_{15}C_0+_{15}C_1+_{15}C_2+\cdots+_{15}C_{15}=2^{15}$이고
$_{15}C_0=_{15}C_{15}$, $_{15}C_1=_{15}C_{14}$, $\cdots$, $_{15}C_7=_{15}C_8$이므로
$_{15}C_0+_{15}C_1+_{15}C_2+\cdots+_{15}C_7=\frac{1}{2}\times 2^{15}=2^{14}$

STEP B 구하는 값 구하기

따라서 $\log_2(_{15}C_0+_{15}C_1+_{15}C_2+\cdots+_{15}C_7)=\log_2 2^{14}=14$

 ③

0358

 ①

STEP A 이항계수의 성질을 이용하기

(i) $_{21}C_0+_{21}C_1+_{21}C_2+\cdots+_{21}C_{21}=2^{21}$이므로

$_{21}C_0+_{21}C_1+_{21}C_2+\cdots+_{21}C_{10}=\frac{2^{21}}{2}=2^{20}$

$\therefore \log_2(_{21}C_0+_{21}C_1+_{21}C_2+\cdots+_{21}C_{10})=\log_2 2^{20}=20$

(ii) $_{97}C_0+_{97}C_1+_{97}C_2+\cdots+_{97}C_{97}=2^{97}$에서

$_{97}C_1+_{97}C_3+_{97}C_5+\cdots+_{97}C_{97}=_{97}C_0+_{97}C_2+_{97}C_4+\cdots+_{97}C_{96}$이므로

$_{97}C_1+_{97}C_3+_{97}C_5+\cdots+_{97}C_{97}=\frac{2^{97}}{2}=2^{96}$

$\therefore \log_8(_{97}C_1+_{97}C_3+_{97}C_5+\cdots+_{97}C_{97})=\log_{2^3} 2^{96}=\frac{96}{3}=32$

(i), (ii)에서 $20+32=52$

0359

 ⑤

STEP A $_{2k}C_1+_{2k}C_3+_{2k}C_5+\cdots+_{2k}C_{2k-1}=2^{2k-1}$임을 구하기

$(1+x)^{2k}$의 전개식에서 $x=1$을 대입하면

$_{2k}C_0+_{2k}C_1+_{2k}C_2+\cdots+_{2k}C_r+\cdots+_{2k}C_{2k}=2^{2k}$ …… ㉠

$x=-1$을 대입하면

$_{2k}C_0-_{2k}C_1+_{2k}C_2-\cdots+(-1)^r{}_{2k}C_r+\cdots+_{2k}C_{2k}=0$ …… ㉡

(㉠−㉡)÷2에서 $_{2k}C_1+_{2k}C_3+_{2k}C_5+\cdots+_{2k}C_{2k-1}=2^{2k-1}$

STEP B 등비수열의 합 구하기

따라서 $f(5)=\sum_{k=1}^{5}(_{2k}C_1+_{2k}C_3+_{2k}C_5+\cdots+_{2k}C_{2k-1})$

$=\sum_{k=1}^{5}2^{2k-1}=2+2^3+2^5+2^7+2^9$

$=\frac{2\{(2^2)^5-1\}}{2^2-1}=682$

내/신/연/계/ 출제문항 169

자연수 n에 대하여 $f(n)=\sum_{k=1}^{n}(_{2k}C_2+_{2k}C_4+\cdots+_{2k}C_{2k})$일 때,
$f(4)$의 값은?

① 112 ② 134 ③ 166
④ 254 ⑤ 312

STEP A $_{2k}C_1+_{2k}C_3+_{2k}C_5+\cdots+_{2k}C_{2k-1}=2^{2k-1}$임을 구하기

$(1+x)^{2k}$의 전개식에서 $x=1$을 대입하면

$_{2k}C_0+_{2k}C_1+_{2k}C_2+\cdots+_{2k}C_r+\cdots+_{2k}C_{2k}=2^{2k}$ …… ㉠

$x=-1$을 대입하면

$_{2k}C_0-_{2k}C_1+_{2k}C_2-\cdots+(-1)^r{}_{2k}C_r+\cdots+_{2k}C_{2k}=0$ …… ㉡

(㉠+㉡)÷2에서 $_{2k}C_0+_{2k}C_2+_{2k}C_4+\cdots+_{2k}C_{2k}=2^{2k-1}$

$\therefore {}_{2k}C_2+_{2k}C_4+\cdots+_{2k}C_{2k}=2^{2k-1}-1$

STEP B 등비수열의 합 구하기

따라서 $f(4)=\sum_{k=1}^{4}(_{2k}C_2+_{2k}C_4+_{2k}C_6+\cdots+_{2k}C_{2k})$

$=\sum_{k=1}^{4}(2^{2k-1}-1)$

$=\frac{2(4^4-1)}{4-1}-4=166$

 ③

0360

 ②

STEP A $_nC_0+_nC_1+\cdots+_nC_n=(1+1)^n=2^n$임을 이용하기

$_nC_1+_nC_2+_nC_3+\cdots+_nC_n=(_nC_0+_nC_1+_nC_2+\cdots+_nC_n)-_nC_0$
$=2^n-1$

STEP B 2^n-1이 3의 배수가 되는 경우 구하기

위의 식에 $n=1, 2, 3, \cdots$을 차례대로 대입하면
$2^1-1=1$, $2^2-1=3$, $2^3-1=7$, $2^4-1=15$, $\cdots$
2^n-1이 3의 배수가 되기 위해서는 2^n을 3으로 나누었을 때,
나머지가 1인 수이어야 한다.
2^n은 n이 홀수일 때, 3으로 나누면 나머지가 2이고 n이 짝수일 때,
3으로 나누면 나머지가 1이므로 2^n-1이 3의 배수가 되려면 n이 짝수이면
된다.
따라서 2^2, 2^4, 2^6, $\cdots$, 2^{50}이 3으로 나누었을 때, 나머지가 1인 수이므로
구하는 n의 개수는 25

증명 $n=2k$(k는 자연수)라 하면

$2^n-1=2^{2k}-1=4^k-1$
$=(4-1)(4^{k-1}+4^{k-2}+\cdots+4+1)$
$=3(4^{k-1}+4^{k-2}+\cdots+4+1)$

따라서 n이 짝수이면 2^n-1은 3의 배수이다.

내/신/연/계/ 출제문항 170

100 이하의 자연수 n 중에서 $\sum_{k=1}^{n} {}_{n}C_{k}$의 값이 7의 배수가 되도록 하는 n의 개수는?

① 16 ② 22 ③ 27
④ 33 ⑤ 36

STEP A ${}_{n}C_{0}+{}_{n}C_{1}+{}_{n}C_{2}+\cdots+{}_{n}C_{n}=2^{n}$을 이용하여 정리하기

${}_{n}C_{0}+{}_{n}C_{1}+{}_{n}C_{2}+\cdots+{}_{n}C_{n}=2^{n}$이므로

$\sum_{k=1}^{n} {}_{n}C_{k}={}_{n}C_{1}+{}_{n}C_{2}+\cdots+{}_{n}C_{n}=2^{n}-1$

STEP B 7의 배수가 되도록 하는 50 이하의 자연수 n의 개수 구하기

자연수를 1부터 차례로 n에 대입하여 7의 배수를 찾아보면 다음과 같다.

$n=1$일 때, $2^{1}-1=1$이므로 7로 나눈 나머지가 1이다.
$n=2$일 때, $2^{2}-1=3$이므로 7로 나눈 나머지가 3이다.
$n=3$일 때, $2^{3}-1=7$이므로 7로 나눈 나머지가 0이다.
$n=4$일 때, $2^{4}-1=15$이므로 7로 나눈 나머지가 1이다.
$n=5$일 때, $2^{5}-1=31$이므로 7로 나눈 나머지가 3이다.
$n=6$일 때, $2^{6}-1=63$이므로 7로 나눈 나머지가 0이다.
⋮
$n=9$일 때, $2^{9}-1=511$이므로 7로 나눈 나머지가 0이다.
⋮

따라서 100 이하의 자연수 중 $2^{n}-1$이 7의 배수가 되는 자연수 n은 3의 배수이므로 33개이다.

 ④

0361

 ④

STEP A 이항계수의 성질을 이용하여 [보기]의 참, 거짓 판단하기

ㄱ. ${}_{n}C_{0}+{}_{n}C_{1}+{}_{n}C_{2}+\cdots+{}_{n}C_{n}=2^{n}$이므로 ${}_{8}C_{0}+{}_{8}C_{1}+{}_{8}C_{2}+\cdots+{}_{8}C_{8}=2^{8}$
이지만 ${}_{8}C_{1}+{}_{8}C_{2}+{}_{8}C_{3}+\cdots+{}_{8}C_{8}=2^{8}-1$ [거짓]

ㄴ. ${}_{15}C_{0}+{}_{15}C_{1}+{}_{15}C_{2}+\cdots+{}_{15}C_{7}$
$=\frac{1}{2}({}_{15}C_{0}+{}_{15}C_{1}+{}_{15}C_{2}+\cdots+{}_{15}C_{7}+{}_{15}C_{8}+\cdots+{}_{15}C_{15})$
$=\frac{1}{2}\times 2^{15}=2^{14}$ [참]

ㄷ. ${}_{n-1}C_{r-1}+{}_{n-1}C_{r}={}_{n}C_{r}$이므로 ${}_{9}C_{5}+{}_{9}C_{6}={}_{10}C_{6}={}_{10}C_{4}$ [참]

따라서 옳은 것은 ㄴ, ㄷ이다.

내/신/연/계/ 출제문항 171

이항계수의 성질 중 다음 [보기]에서 옳은 것만을 있는 대로 고른 것은?

ㄱ. ${}_{15}C_{0}-{}_{15}C_{1}+{}_{15}C_{2}-\cdots-{}_{15}C_{15}=0$
ㄴ. ${}_{6}C_{0}+{}_{6}C_{2}+{}_{6}C_{4}+{}_{6}C_{6}={}_{6}C_{1}+{}_{6}C_{3}+{}_{6}C_{5}$
ㄷ. ${}_{7}C_{4}+{}_{7}C_{5}={}_{8}C_{3}$

① ㄱ ② ㄴ ③ ㄱ, ㄴ
④ ㄴ, ㄷ ⑤ ㄱ, ㄴ, ㄷ

STEP A 이항계수의 성질을 이용하여 [보기]의 참, 거짓 판단하기

ㄱ. ${}_{n}C_{0}-{}_{n}C_{1}+{}_{n}C_{2}-{}_{n}C_{3}+{}_{n}C_{4}-\cdots+(-1)^{n}{}_{n}C_{n}=0$이므로
${}_{15}C_{0}-{}_{15}C_{1}+{}_{15}C_{2}-\cdots-{}_{15}C_{15}=0$ [참]

ㄴ. ${}_{6}C_{0}-{}_{6}C_{1}+{}_{6}C_{2}-{}_{6}C_{3}+{}_{6}C_{4}-{}_{6}C_{5}+{}_{6}C_{6}=0$이므로
${}_{6}C_{0}+{}_{6}C_{2}+{}_{6}C_{4}+{}_{6}C_{6}={}_{6}C_{1}+{}_{6}C_{3}+{}_{6}C_{5}$ [참]

ㄷ. ${}_{n-1}C_{r-1}+{}_{n-1}C_{r}={}_{n}C_{r}$이므로 ${}_{7}C_{4}+{}_{7}C_{5}={}_{8}C_{5}={}_{8}C_{3}$ [참]

따라서 옳은 것은 ㄱ, ㄴ, ㄷ이다.

정답 ⑤

0362

 ④

STEP A 이항계수의 성질을 이용하여 [보기]의 참, 거짓 판단하기

ㄱ. ${}_{12}C_{0}+{}_{12}C_{1}+{}_{12}C_{2}+{}_{12}C_{3}+\cdots+{}_{12}C_{12}=2^{12}$이므로
${}_{12}C_{1}+{}_{12}C_{2}+{}_{12}C_{3}+\cdots+{}_{12}C_{12}=2^{12}-1$ [거짓]

ㄴ. ${}_{n}C_{0}-{}_{n}C_{1}+{}_{n}C_{2}-{}_{n}C_{3}+{}_{n}C_{4}-\cdots+(-1)^{n}{}_{n}C_{n}=0$이므로
${}_{6}C_{0}-{}_{6}C_{1}+{}_{6}C_{2}-{}_{6}C_{3}+{}_{6}C_{4}-{}_{6}C_{5}+{}_{6}C_{6}=0$ [참]

ㄷ. ${}_{11}C_{0}+{}_{11}C_{1}+{}_{11}C_{2}+{}_{11}C_{3}+{}_{11}C_{4}+{}_{11}C_{5}$
$=\frac{1}{2}({}_{11}C_{0}+{}_{11}C_{1}+\cdots+{}_{11}C_{5}+{}_{11}C_{6}+\cdots+{}_{11}C_{11})$
$=\frac{1}{2}\times 2^{11}=2^{10}$
${}_{11}C_{1}+{}_{11}C_{3}+{}_{11}C_{5}+{}_{11}C_{7}+{}_{11}C_{9}+{}_{11}C_{11}=2^{11-1}=2^{10}$이므로
${}_{11}C_{0}+{}_{11}C_{1}+{}_{11}C_{2}+{}_{11}C_{3}+{}_{11}C_{4}+{}_{11}C_{5}$
$={}_{11}C_{1}+{}_{11}C_{3}+{}_{11}C_{5}+{}_{11}C_{7}+{}_{11}C_{9}+{}_{11}C_{11}$ [참]

ㄹ. $(1+x)^{5}={}_{5}C_{0}+{}_{5}C_{1}x+{}_{5}C_{2}x^{2}+\cdots+{}_{5}C_{5}x^{5}$
주어진 식은 위의 전개식에 $x=4$를 대입한 것과 같으므로
$(1+4)^{5}={}_{5}C_{0}+{}_{5}C_{1}\times 4+{}_{5}C_{2}\times 4^{2}+\cdots+{}_{5}C_{5}\times 4^{5}$
즉 ${}_{5}C_{0}+{}_{5}C_{1}\times 4+{}_{5}C_{2}\times 4^{2}+\cdots+{}_{5}C_{5}\times 4^{5}=5^{5}$ [참]

따라서 옳은 것은 ㄴ, ㄷ, ㄹ이다.

내/신/연/계/ 출제문항 172

다음 조건 (가), (나), (다)를 만족하는 자연수 n의 값을 각각 α, β, γ라 할 때, $\alpha+\beta+\gamma$의 값은?

(가) ${}_{n}C_{0}+{}_{n}C_{1}+{}_{n}C_{2}+\cdots+{}_{n}C_{n}=128$
(나) ${}_{9}C_{0}+{}_{9}C_{2}+{}_{9}C_{4}+{}_{9}C_{6}+{}_{9}C_{8}=2^{n}$
(다) ${}_{n}C_{0}+3{}_{n}C_{1}+3^{2}{}_{n}C_{2}+3^{3}{}_{n}C_{3}+\cdots+3^{n}{}_{n}C_{n}=2^{20}$

① 10 ② 15 ③ 20
④ 25 ⑤ 30

STEP A 이항계수의 성질을 이용하여 α, β, γ의 값 구하기

조건 (가)에서
${}_{n}C_{0}+{}_{n}C_{1}+{}_{n}C_{2}+\cdots+{}_{n}C_{n}=2^{n}$이므로
${}_{n}C_{0}+{}_{n}C_{1}+{}_{n}C_{2}+\cdots+{}_{n}C_{n}=2^{n}=128$
이때 $2^{n}=18=2^{7}$이므로 $n=7$
즉 $\alpha=7$

조건 (나)에서
${}_{n}C_{0}+{}_{n}C_{2}+{}_{n}C_{4}+\cdots+{}_{n}C_{n}=2^{n-1}$($n$은 짝수)이므로
${}_{9}C_{0}+{}_{9}C_{2}+{}_{9}C_{4}+{}_{9}C_{6}+{}_{9}C_{8}=2^{9-1}=2^{8}$
즉 $\beta=8$

조건 (다)에서
$(1+x)^{n}={}_{n}C_{0}+{}_{n}C_{1}x+{}_{n}C_{2}x^{2}+\cdots+{}_{n}C_{n}x^{n}$
주어진 식은 위의 전개식에 $x=3$을 대입한 것과 같으므로
$(1+3)^{n}={}_{n}C_{0}+3{}_{n}C_{1}x+3^{2}{}_{n}C_{2}+3^{3}{}_{n}C_{3}+\cdots+3^{n}{}_{n}C_{n}$
이때 $4^{n}=2^{20}$, $2^{2n}=2^{20}$에서 $2n=20$이므로 $n=10$
즉 $\gamma=10$

STEP B $\alpha+\beta+\gamma$ 값 구하기

따라서 $\alpha+\beta+\gamma=7+8+10=25$

 ④

0363

 ⑤

STEP A 여러 가지 이항계수의 성질을 이용하여 구하기

조건 (가)에서

${}_{10}C_0+{}_{10}C_1+{}_{10}C_2+\cdots+{}_{10}C_{10}=2^{10}$이고 ${}_{10}C_0=1$, ${}_{10}C_{10}=1$이므로

${}_{10}C_1+{}_{10}C_2+\cdots+{}_{10}C_8+{}_{10}C_9=2^{10}-2=1022$

조건 (나)에서

${}_5H_0+{}_5H_1+{}_5H_2+{}_5H_3+{}_5H_4+{}_5H_5$

$={}_4C_0+{}_5C_1+{}_6C_2+{}_7C_3+{}_8C_4+{}_9C_5$

$={}_5C_0+{}_5C_1+{}_6C_2+{}_7C_3+{}_8C_4+{}_9C_5$

이때 ${}_nC_r+{}_nC_{r+1}={}_{n+1}C_{r+1}$이므로 구하는 식의 값은 ${}_{10}C_5=252$

조건 (다)에서

${}_nC_1+2\times{}_nC_2+3\times{}_nC_3+\cdots+n\times{}_nC_n=n\times2^{n-1}\,(n\geq2)$이므로

${}_{10}C_1+2\times{}_{10}C_2+3\times{}_{10}C_3+\cdots+10\times{}_{10}C_{10}=10\times2^9=5120$

STEP B $\alpha+\beta+\gamma$ 값 구하기

따라서 $\alpha+\beta+\gamma=1022+252+5120=6394$

${}_nC_1+2\times{}_nC_2+3\times{}_nC_3+\cdots+n\times{}_nC_n=n\times2^{n-1}\,(n\geq2)$

증명 $r\times{}_nC_r=n\times{}_{n-1}C_{r-1}$이므로

${}_nC_1+2\times{}_nC_2+3\times{}_nC_3+\cdots+n\times{}_nC_n$

$=n\times{}_{n-1}C_0+n\times{}_{n-1}C_1+n\times{}_{n-1}C_2+\cdots+n\times{}_{n-1}C_{n-1}$

$=n\times({}_{n-1}C_0+{}_{n-1}C_1+{}_{n-1}C_2+\cdots+{}_{n-1}C_{n-1})$

$=n\times2^{n-1}$

0364

 ④

STEP A 사진을 찍는 경우를 조합을 이용하여 구하기

6명의 학생 중 1명만 사진을 찍는 경우의 수는 ${}_6C_1$

6명의 학생 중 2명이 사진을 찍는 경우의 수는 ${}_6C_2$

⋮

6명의 학생 전원이 사진을 찍는 경우의 수는 ${}_6C_6$

STEP B 이항계수의 성질을 이용하여 값을 구하기

따라서 구하는 경우의 수는 ${}_6C_1+{}_6C_2+{}_6C_3+{}_6C_4+{}_6C_5+{}_6C_6=2^6-1=63$

다른풀이 중복순열을 이용하여 풀이하기

매번 구성원을 다르게 하기 위해서는 각 구성원이 사전에 포함될 것인지의 여부를 정하면 된다.

따라서 $2\times2\times2\times2\times2\times2={}_2\Pi_6=64$

이때 적어도 한 명은 포함되어야 하므로 $64-1=63$

0365

 ①

STEP A 6명 이상으로 구성된 대표팀을 만드는 경우를 조합을 이용하여 구하기

6명 이상으로 구성된 대표팀을 만드는 경우의 수는

${}_{11}C_6+{}_{11}C_7+{}_{11}C_8+{}_{11}C_9+{}_{11}C_{10}+{}_{11}C_{11}$

STEP B 이항계수의 성질을 이용하여 값을 구하기

${}_{11}C_0+{}_{11}C_1+{}_{11}C_2+\cdots+{}_{11}C_{11}=2^{11}$이고

${}_{11}C_0+{}_{11}C_1+{}_{11}C_2+\cdots+{}_{11}C_5={}_{11}C_6+{}_{11}C_7+{}_{11}C_8+\cdots+{}_{11}C_{11}$이므로

${}_{11}C_6+{}_{11}C_7+{}_{11}C_8+{}_{11}C_9+{}_{11}C_{10}+{}_{11}C_{11}=\frac{1}{2}\times2^{11}=2^{10}=1024$

내신연계 출제문항 173

서로 다른 색상의 색연필 31자루 중에서 16자루 이상을 택하여 그림을 색칠하려고 한다. 이때 색연필을 택하는 경우의 수는?

① 2^{15} ② 2^{28} ③ 2^{30}
④ 2^{32} ⑤ 2^{31}

STEP A 31자루에서 16자루 이상을 선택하는 경우의 수의 식 세우기

서로 다른 색상의 색연필 31자루에서 16자루 이상을 선택하는 경우의 수는

${}_{31}C_{16}+{}_{31}C_{17}+{}_{31}C_{18}+\cdots+{}_{31}C_{31}$

STEP B 이항계수의 성질을 이용하여 값을 구하기

이때 ${}_{31}C_0+{}_{31}C_1+{}_{31}C_2+\cdots+{}_{31}C_{15}={}_{31}C_{31}+{}_{31}C_{30}+{}_{31}C_{29}+\cdots+{}_{31}C_{16}$이고

${}_{31}C_0+{}_{31}C_1+{}_{31}C_2+\cdots+{}_{31}C_{31}=2^{31}$

따라서 ${}_{31}C_{16}+{}_{31}C_{17}+{}_{31}C_{18}+\cdots+{}_{31}C_{31}=\frac{1}{2}\cdot2^{31}=2^{30}$

 ③

0366

 ③

STEP A 8명 이상 뽑는 경우를 조합을 이용하여 구하기

15명의 학생 중 봉사활동에 참여할 학생을 8명 이상 뽑는 경우의 수는

${}_{15}C_8+{}_{15}C_9+\cdots+{}_{15}C_{15}$

STEP B 이항계수의 성질을 이용하여 값을 구하기

${}_{15}C_0+{}_{15}C_1+{}_{15}C_2+\cdots+{}_{15}C_{15}=2^{15}$이고

${}_{15}C_0={}_{15}C_{15}$, ${}_{15}C_1={}_{15}C_{14}$, ${}_{15}C_2={}_{15}C_{13}$, $\cdots$, ${}_{15}C_7={}_{15}C_8$이므로

${}_{15}C_8+{}_{15}C_9+\cdots+{}_{15}C_{15}=2^{15-1}=2^{14}$

내신연계 출제문항 174

서로 다른 색상의 색연필 21자루에서 11자루 이상을 선택하여 그림을 색칠하려고 한다. 이때 색연필을 선택하는 방법의 수는?

① 2^{10} ② 2^{11} ③ 2^{12}
④ 2^{20} ⑤ 2^{21}

STEP A 11자루 이상을 선택하는 경우를 조합을 이용하여 구하기

서로 다른 색상의 색연필 21자루에서 11자루 이상을 선택하는 방법의 수는

${}_{21}C_{11}+{}_{21}C_{12}+{}_{21}C_{13}+\cdots+{}_{21}C_{21}$

STEP B 이항계수의 성질을 이용하여 값을 구하기

${}_{21}C_0+{}_{21}C_1+{}_{21}C_2+\cdots+{}_{21}C_{10}={}_{21}C_{21}+{}_{21}C_{20}+{}_{21}C_{19}+\cdots+{}_{21}C_{11}$이고

${}_{21}C_0+{}_{21}C_1+{}_{21}C_2+\cdots+{}_{21}C_{21}=2^{21}$이므로

${}_{21}C_{11}+{}_{21}C_{12}+{}_{21}C_{13}+\cdots+{}_{21}C_{21}=\frac{1}{2}\times2^{21}=2^{20}$

 ④

0367

 ③

STEP A 초콜릿의 개수가 짝수인 경우의 수 구하기

서로 다른 종류의 초콜릿 10개 중에서 $r\,(r=2,\ 4,\ 6,\ 8,\ 10)$개를 택하고 나머지 $(12-r)$개는 사탕을 택하면 된다.

따라서 구하는 경우의 수는 ${}_{10}C_2+{}_{10}C_4+{}_{10}C_6+{}_{10}C_8+{}_{10}C_{10}$

$=({}_{10}C_0+{}_{10}C_2+{}_{10}C_4+{}_{10}C_6+{}_{10}C_8+{}_{10}C_{10})-1$

$=2^9-1$

$=511$

0368

정답 ②

STEP Ⓐ $f(n)={}_6\mathrm{H}_n$임을 이용하여 식 세우기

$f(n)={}_6\mathrm{H}_n$이므로

$f(1)+f(2)+f(3)+f(4)+f(5)+f(6)={}_6\mathrm{H}_1+{}_6\mathrm{H}_2+{}_6\mathrm{H}_3+{}_6\mathrm{H}_4+{}_6\mathrm{H}_5+{}_6\mathrm{H}_6$

STEP Ⓑ 파스칼의 삼각형의 성질을 이용하여 구하기

$${}_6\mathrm{H}_1+{}_6\mathrm{H}_2+{}_6\mathrm{H}_3+{}_6\mathrm{H}_4+{}_6\mathrm{H}_5+{}_6\mathrm{H}_6$$
$$={}_6\mathrm{C}_1+{}_7\mathrm{C}_2+{}_8\mathrm{C}_3+{}_9\mathrm{C}_4+{}_{10}\mathrm{C}_5+{}_{11}\mathrm{C}_6$$
$$=({}_6\mathrm{C}_0+{}_6\mathrm{C}_1)+{}_7\mathrm{C}_2+{}_8\mathrm{C}_3+{}_9\mathrm{C}_4+{}_{10}\mathrm{C}_5+{}_{11}\mathrm{C}_6-1$$
$$=({}_7\mathrm{C}_1+{}_7\mathrm{C}_2)+{}_8\mathrm{C}_3+{}_9\mathrm{C}_4+{}_{10}\mathrm{C}_5+{}_{11}\mathrm{C}_6-1$$
$$=({}_8\mathrm{C}_2+{}_8\mathrm{C}_3)+{}_9\mathrm{C}_4+{}_{10}\mathrm{C}_5+{}_{11}\mathrm{C}_6-1$$
$$=({}_9\mathrm{C}_3+{}_9\mathrm{C}_4)+{}_{10}\mathrm{C}_5+{}_{11}\mathrm{C}_6-1$$
$$=({}_{10}\mathrm{C}_4+{}_{10}\mathrm{C}_5)+{}_{11}\mathrm{C}_6-1$$
$$=({}_{11}\mathrm{C}_5+{}_{11}\mathrm{C}_6)-1$$
$$={}_{12}\mathrm{C}_6-1$$
$$=924-1=923$$

파스칼의 삼각형

① ${}_n\mathrm{C}_n+{}_{n+1}\mathrm{C}_n+{}_{n+2}\mathrm{C}_n+\cdots+{}_{n+m}\mathrm{C}_n={}_{n+m+1}\mathrm{C}_{n+1}$

② ${}_6\mathrm{C}_1+{}_7\mathrm{C}_2+{}_8\mathrm{C}_3+{}_9\mathrm{C}_4+{}_{10}\mathrm{C}_5+{}_{11}\mathrm{C}_6$
$={}_6\mathrm{C}_5+{}_7\mathrm{C}_5+{}_8\mathrm{C}_5+{}_9\mathrm{C}_5+{}_{10}\mathrm{C}_5+{}_{11}\mathrm{C}_5$
$={}_5\mathrm{C}_5+{}_6\mathrm{C}_5+{}_7\mathrm{C}_5+{}_8\mathrm{C}_5+{}_9\mathrm{C}_5+{}_{10}\mathrm{C}_5+{}_{11}\mathrm{C}_5-{}_5\mathrm{C}_5$
$={}_{12}\mathrm{C}_6-1$

내/신/연/계/ 출제문항 175

빨간색, 파란색, 노란색 색연필이 있다. 각 색의 색연필을 적어도 하나씩 포함하여 15개 이하의 색연필을 선택하는 경우의 수는? (단, 각 색의 색연필은 15개 이상씩 있고, 같은 색의 색연필은 서로 구별이 되지 않는다.)

① 255 ② 355 ③ 455 ④ 655 ⑤ 766

STEP Ⓐ 색연필을 선택하는 경우의 수 구하기

각 색의 색연필이 적어도 하나씩 포함되므로 구하는 방법의 수는
3개의 색 중에서 중복을 허용하여 0개, 1개, 2개, $\cdots$, 12개를 뽑는 경우의 수와 같다.
구하는 경우의 수는
${}_3\mathrm{H}_0+{}_3\mathrm{H}_1+{}_3\mathrm{H}_2+\cdots+{}_3\mathrm{H}_{12}$

STEP Ⓑ 이항계수의 성질을 이용하여 값을 구하기

$${}_3\mathrm{H}_0+{}_3\mathrm{H}_1+{}_3\mathrm{H}_2+\cdots+{}_3\mathrm{H}_{12}$$
$$={}_{3+0-1}\mathrm{C}_0+{}_{3+1-1}\mathrm{C}_1+{}_{3+2-1}\mathrm{C}_2+\cdots+{}_{3+12-1}\mathrm{C}_{12}$$
$$={}_2\mathrm{C}_0+{}_3\mathrm{C}_1+{}_4\mathrm{C}_2+{}_5\mathrm{C}_3+\cdots+{}_{14}\mathrm{C}_{12}$$
$$={}_2\mathrm{C}_2+{}_3\mathrm{C}_2+{}_4\mathrm{C}_2+{}_5\mathrm{C}_2+\cdots+{}_{14}\mathrm{C}_2$$
$$=\frac{1}{2}(2\times1+3\times2+4\times3+5\times4+\cdots+14\times13)$$
$$=\frac{1}{2}\sum_{k=1}^{13}(k+1)k=\frac{1}{2}\sum_{k=1}^{13}(k^2+k)$$
$$=\frac{1}{2}\left(\frac{13\cdot14\cdot27}{6}+\frac{13\cdot14}{2}\right)$$
$$=\frac{1}{2}(819+91)$$
$$=455$$

정답 ③

참고 하키스틱에 의하여
${}_2\mathrm{C}_0+{}_3\mathrm{C}_1+{}_4\mathrm{C}_2+{}_5\mathrm{C}_3+\cdots+{}_{14}\mathrm{C}_{12}={}_{15}\mathrm{C}_{12}={}_{15}\mathrm{C}_3=455$

0369

정답 ③

STEP Ⓐ 원소의 개수가 짝수인 부분집합의 개수를 조합을 이용하여 구하기

집합 A의 부분집합 중 원소의 개수가 n인 것의 개수는
${}_{10}\mathrm{C}_n\,(0\le n\le10)$이므로 $f(n)={}_{10}\mathrm{C}_n$이라 하면
집합 A의 부분집합 중 원소의 개수가 짝수인 것의 개수는
$f(2)+f(4)+f(6)+\cdots+f(10)$ (공집합 제외)

STEP Ⓑ 이항계수의 성질을 이용하여 값을 구하기

$$f(2)+f(4)+f(6)+\cdots+f(10)={}_{10}\mathrm{C}_2+{}_{10}\mathrm{C}_4+{}_{10}\mathrm{C}_6+\cdots+{}_{10}\mathrm{C}_{10}$$
$$=({}_{10}\mathrm{C}_0+{}_{10}\mathrm{C}_2+{}_{10}\mathrm{C}_4+{}_{10}\mathrm{C}_6+\cdots+{}_{10}\mathrm{C}_{10})-{}_{10}\mathrm{C}_0$$
$$=2^{10-1}-1=2^9-1=511$$

내/신/연/계/ 출제문항 176

서로 다른 10개의 과일 중에서 홀수개의 과일을 택하여 하나의 바구니에 담는 경우의 수는?

① 64 ② 256 ③ 512 ④ 1024 ⑤ 2048

STEP Ⓐ 집합의 개수가 홀수인 부분집합의 개수를 조합을 이용하여 구하기

과일의 개수가 1개인 부분집합의 개수는 ${}_{10}\mathrm{C}_1$
과일의 개수가 3개인 부분집합의 개수는 ${}_{10}\mathrm{C}_3$
⋮
과일의 개수가 9개인 부분집합의 개수는 ${}_{10}\mathrm{C}_9$

STEP Ⓑ 이항계수의 성질을 이용하여 값을 구하기

서로 다른 10개의 과일 중에서 홀수개의 과일을 택하여 하나의 바구니에 담는 경우의 수는 ${}_{10}\mathrm{C}_1+{}_{10}\mathrm{C}_3+{}_{10}\mathrm{C}_5+{}_{10}\mathrm{C}_7+{}_{10}\mathrm{C}_9=2^9=512$

정답 ③

0370

정답 ②

STEP Ⓐ 부분집합의 개수를 조합을 이용하여 구하기

$f(n)$은 a_1을 제외한 나머지 9개에서 $(n-1)$개를 택하는 조합이므로
$f(n)={}_9\mathrm{C}_{n-1}$

STEP Ⓑ 이항계수의 성질을 이용하여 값을 구하기

따라서 $f(2)+f(4)+f(6)+f(8)+f(10)={}_9\mathrm{C}_1+{}_9\mathrm{C}_3+{}_9\mathrm{C}_5+{}_9\mathrm{C}_7+{}_9\mathrm{C}_9$
$=2^{9-1}=2^8=256$

0371

정답 ⑤

STEP Ⓐ 원소의 개수가 홀수인 부분집합의 개수 구하기

집합 A의 부분집합 중 두 원소 1, 2를 모두 포함하고 원소의 개수가 홀수인 부분집합의 개수는 집합 $\{3, 4, 5, \cdots, 25\}$의 부분집합 중 원소의 개수가 홀수인 부분집합의 개수와 같다.

원소의 개수가 3개인 부분집합의 개수 ${}_{23}\mathrm{C}_1$ ← 1, 2를 모두 포함
원소의 개수가 5개인 부분집합의 개수 ${}_{23}\mathrm{C}_3$ ← 1, 2를 모두 포함
원소의 개수가 7개인 부분집합의 개수 ${}_{23}\mathrm{C}_5$ ← 1, 2를 모두 포함
⋮
원소의 개수가 25개인 부분집합의 개수 ${}_{23}\mathrm{C}_{23}$ ← 1, 2를 모두 포함

STEP Ⓑ 이항계수의 성질을 이용하여 값을 구하기

따라서 두 원소 1, 2를 모두 포함하고 원소의 개수가 홀수인 부분집합의 개수는
${}_{23}\mathrm{C}_1+{}_{23}\mathrm{C}_3+{}_{23}\mathrm{C}_5+\cdots+{}_{23}\mathrm{C}_{21}+{}_{23}\mathrm{C}_{23}=2^{23-1}=2^{22}$

내/신/연/계/ 출제문항 177

집합 $X=\{1, 2, 3, \cdots, 20\}$의 부분집합 중 두 원소 1, 3을 모두 포함하고 원소의 개수가 짝수인 부분집합의 개수는?

① 2^{11}　　② 2^{15}　　③ 2^{17}
④ 2^{19}　　⑤ 2^{20}

STEP Ⓐ **원소의 개수가 홀수인 부분집합의 개수 구하기**

집합 A의 부분집합 중 두 원소 1, 3을 모두 포함하고 원소의 개수가 짝수인 부분집합의 개수는 집합 $\{2, 4, 5, 6, \cdots, 20\}$의 부분집합 중 원소의 개수가 짝수인 부분집합의 개수와 같다.

원소의 개수가 2개인 부분집합의 개수 ${}_{18}C_0$　⇐ 1, 3를 모두 포함
원소의 개수가 4개인 부분집합의 개수 ${}_{18}C_2$　⇐ 1, 3를 모두 포함
원소의 개수가 6개인 부분집합의 개수 ${}_{18}C_4$　⇐ 1, 3를 모두 포함
⋮
원소의 개수가 18개인 부분집합의 개수 ${}_{18}C_{18}$　⇐ 1, 3를 모두 포함

STEP Ⓑ **이항계수의 성질을 이용하여 값을 구하기**

따라서 두 원소 1, 3을 모두 포함하고 원소의 개수가 짝수인 부분집합의 개수는

${}_{18}C_0+{}_{18}C_2+{}_{18}C_4+\cdots+{}_{18}C_{16}+{}_{18}C_{18}=2^{18-1}=2^{17}$

정답 ③

0372

정답 ④

STEP Ⓐ **$A\subset B$를 만족시키도록 두 집합 A, B를 정하는 경우의 수**

$n(B)=k(0\le k\le 10$, k는 정수)일 때,
집합 B의 개수는 ${}_{10}C_k$,
그 각각에 대하여 집합 A의 개수는 2^k이므로
두 집합 A, B를 정하는 경우의 수는 ${}_{10}C_k\times 2^k$

STEP Ⓑ **이항계수의 성질을 이용하여 값을 구하기**

따라서 두 집합 A, B를 정하는 모든 경우의 수는

${}_{10}C_0\times 2^0+{}_{10}C_1\times 2^1+{}_{10}C_2\times 2^2+\cdots+{}_{10}C_{10}\times 2^{10}$
$={}_{10}C_0\times 1^{10}\times 2^0+{}_{10}C_1\times 1^9\times 2^1+{}_{10}C_2\times 1^8\times 2^2+\cdots+{}_{10}C_{10}\times 1^0\times 2^{10}$
$=(1+2)^{10}$
$=3^{10}$

다른풀이 중복순열을 이용하여 풀이하기

원소 10개가 집합 U의 원소는 A, $B-A$, B^C

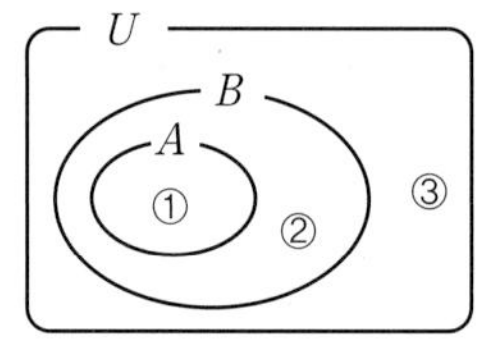

즉 ①, ②, ③의 세 집합 중에서 하나에 속하고
각 경우에 A, B가 하나씩 정해지므로 구하는 순서쌍 (A, B)의 개수는
${}_3\Pi_{10}=3^{10}$

내/신/연/계/ 출제문항 178

전체집합 $U=\{1, 2, 3, 4, 5, 6\}$의 두 부분집합 A, B에 대하여
$A\subset B$
를 만족하는 순서쌍 (A, B)의 개수는?

① 243　　② 324　　③ 686
④ 729　　⑤ 972

STEP Ⓐ **$A\subset B$를 만족시키도록 두 집합 A, B를 정하는 경우의 수 구하기**

$n(B)=k(0\le k\le 6$, k는 정수)일 때,
집합 B의 개수는 ${}_6C_k$,
그 각각에 대하여 집합 A의 개수는 2^k이므로
두 집합 A, B를 정하는 경우의 수는 ${}_6C_k\times 2^k$

STEP Ⓑ **이항계수의 성질을 이용하여 값을 구하기**

두 집합 A, B를 정하는 모든 경우의 수는

${}_6C_0\times 2^0+{}_6C_1\times 2^1+{}_6C_2\times 2^2+\cdots+{}_6C_6\times 2^6$
$={}_6C_0\times 1^6\times 2^0+{}_6C_1\times 1^5\times 2^1+{}_6C_2\times 1^4\times 2^2+\cdots+{}_6C_6\times 1^0\times 2^6$
$=(1+2)^6$
$=3^6=729$

다른풀이 필요한 항들만 전개하여 풀이하기

STEP Ⓐ **$A\subset B$를 만족시키도록 두 집합 A, B를 정하는 경우의 수 구하기**

집합 A가 $\varnothing$인 경우
$A\subset B$이므로 순서쌍 (A, B)의 개수는 ${}_6C_0\times 2^6$　⇐ 집합 B의 개수 2^6
집합 A의 원소가 1개인 경우
$A\subset B$이므로 순서쌍 (A, B)의 개수는 ${}_6C_1\times 2^5$　⇐ 집합 B의 개수 2^5
집합 A의 원소가 2개인 경우
$A\subset B$이므로 순서쌍 (A, B)의 개수는 ${}_6C_2\times 2^4$　⇐ 집합 B의 개수 2^4
집합 A의 원소가 3개인 경우
$A\subset B$이므로 순서쌍 (A, B)의 개수는 ${}_6C_3\times 2^3$　⇐ 집합 B의 개수 2^3
집합 A의 원소가 4개인 경우
$A\subset B$이므로 순서쌍 (A, B)의 개수는 ${}_6C_4\times 2^2$　⇐ 집합 B의 개수 2^2
집합 A의 원소가 5개인 경우
$A\subset B$이므로 순서쌍 (A, B)의 개수는 ${}_6C_5\times 2^1$　⇐ 집합 B의 개수 2^1
집합 A의 원소가 6개인 경우
$A\subset B$이므로 순서쌍 (A, B)의 개수는 ${}_6C_6\times 2^0$　⇐ 집합 B의 개수 2^0

STEP Ⓑ **이항정리를 이용하여 값을 구하기**

따라서 구하는 순서쌍 (A, B)의 개수는 이항 정리에 의하여

${}_6C_0\times 2^6+{}_6C_1\times 2^5+{}_6C_2\times 2^4+{}_6C_3\times 2^3+{}_6C_4\times 2^2+{}_6C_5\times 2^1+{}_6C_6\times 2^0$
$=(1+2)^6$
$=3^6=729$

다른풀이 중복순열을 이용하여 풀이하기

원소 6개가 집합 U의 원소는 A, $B-A$, B^C의 세 집합 중에서 하나에 속하고 각 경우에 A, B가 하나씩 정해지므로 구하는 순서쌍 (A, B)의 개수는 ${}_3\Pi_6=3^6=729$

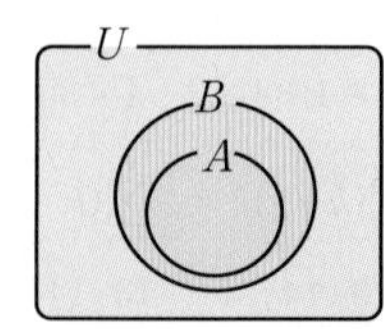

정답 ④

0373

정답 ②

STEP Ⓐ $A \subset B$를 만족시키도록 공집합이 아닌 두 집합 A, B를 정하는 경우의 수 구하기

$n(B)=k(1 \le k \le 5)$일 때, 집합 B의 경우의 수는 ${}_5C_k$이고
그 각각에 대하여 집합 A의 경우의 수는 2^k-1

STEP Ⓑ 이항계수의 성질을 이용하여 값을 구하기

즉 공집합이 아닌 두 부분집합 A, B에 대하여 $A \subset B$를 만족시키는
경우의 수는

$${}_5C_1 \times (2^1-1)+{}_5C_2 \times (2^2-1)+{}_5C_3 \times (2^3-1)$$
$$+{}_5C_4 \times (2^4-1)+{}_5C_5 \times (2^5-1)$$
$$=({}_5C_1 \times 2^1+{}_5C_2 \times 2^2+{}_5C_3 \times 2^3+{}_5C_4 \times 2^4+{}_5C_5 \times 2^5)$$
$$-({}_5C_1+{}_5C_2+{}_5C_3+{}_5C_4+{}_5C_5)$$
$$=({}_5C_0 \times 2^0+{}_5C_1 \times 2^1+{}_5C_2 \times 2^2+{}_5C_3 \times 2^3+{}_5C_4 \times 2^4+{}_5C_5 \times 2^5)$$
$$-({}_5C_0+{}_5C_1+{}_5C_2+{}_5C_3+{}_5C_4+{}_5C_5)$$
$$=(1+2)^5-2^5$$
$$=243-32$$
$$=211$$

참고
① $({}_5C_0+{}_5C_1 \times 2^1+{}_5C_2 \times 2^2+\cdots+{}_5C_5 \times 2^5)-{}_5C_0=(1+2)^5-1=242$
② $({}_5C_0+{}_5C_1+{}_5C_2+\cdots+{}_5C_5)-{}_5C_0=2^5-1=31$

다른풀이 중복순열을 이용하여 풀이하기

원소 5개가 ①, ②, ③ 중 1개를 선택하는
경우의 수와 같으므로
${}_3\Pi_5=3^5=243$
A가 $\varnothing$인 경우 ②, ③ 중 하나를 선택하는
경우의 수와 같으므로 ${}_2\Pi_5=2^5=32$
따라서 구하는 경우의 수는 $243-32=211$

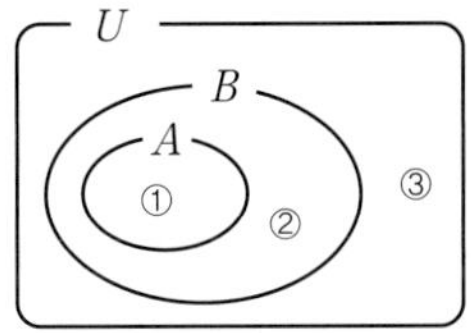

0374

정답 ③

STEP Ⓐ 이항정리의 전개식을 활용하여 구하기

$(1+x)^6={}_6C_0+{}_6C_1x+{}_6C_2x^2+\cdots+{}_6C_6x^6$
주어진 식은 위의 전개식에 $x=3$을 대입한 것과 같으므로
$${}_6C_0+3{}_6C_1+3^2{}_6C_2+3^3{}_6C_3+3^4{}_6C_4+3^5{}_6C_5+3^6{}_6C_6$$
$$=(1+3)^6$$
$$=4^6=2^{12}$$

0375

정답 ②

STEP Ⓐ 이항정리의 전개식을 활용하여 구하기

$(1+x)^{20}={}_{20}C_0+{}_{20}C_1x+{}_{20}C_2x^2+\cdots+{}_{20}C_{20}x^{20}$
주어진 식은 위의 전개식에 $x=2$를 대입한 것과 같으므로
$(1+2)^{20}={}_{20}C_0+2{}_{20}C_1+2^2{}_{20}C_2+2^3{}_{20}C_3+\cdots+2^{20}{}_{20}C_{20}$
즉 $a=\sum_{r=0}^{20} 2^r{}_{20}C_r=(1+2)^{20}=3^{20}$

STEP Ⓑ $\log_{\frac{1}{3}}a$의 값 구하기

따라서 $\log_{\frac{1}{3}}a=\log_{3^{-1}}3^{20}=-20$

내신연계 출제문항 179

$\log_9({}_{10}C_0+2{}_{10}C_1+2^2{}_{10}C_2+\cdots+2^{10}{}_{10}C_{10})$의 값은?

① 4 ② 5 ③ 9
④ 10 ⑤ 11

STEP Ⓐ 이항정리의 전개식을 활용하여 구하기

이항정리를 이용하여 $(1+2)^{10}$을 전개하면
${}_{10}C_0+2{}_{10}C_1+2^2{}_{10}C_2+\cdots+2^{10}{}_{10}C_{10}=(1+2)^{10}=3^{10}$
따라서 $\log_9 3^{10}=\log_9 9^5=5$

정답 ②

0376

정답 ④

STEP Ⓐ 이항정리의 전개식을 활용하여 구하기

이항정리를 이용하여 $(1+x)^{10}$을 전개하면
$(1+x)^{10}={}_{10}C_0+{}_{10}C_1x+{}_{10}C_2x^2+\cdots+{}_{10}C_{10}x^{10}$이므로
이 식에 $x=3$을 대입하면
$$4^{10}=(1+3)^{10}$$
$$={}_{10}C_0+{}_{10}C_1 \times 3+{}_{10}C_2 \times 3^2+\cdots+{}_{10}C_{10} \times 3^{10}$$

STEP Ⓑ 약수의 개수 구하기

따라서 $4^{10}=2^{20}$이므로 구하는 약수의 개수는 $(20+1)=21$

0377

정답 ②

STEP Ⓐ 이항정리의 전개식을 활용하여 구하기

$(a+b)^n={}_nC_0a^n+{}_nC_1a^{n-1}b+{}_nC_2a^{n-2}b^2+\cdots+{}_nC_ra^{n-r}b^r+\cdots+{}_nC_nb^n$
위의 등식에 $n=20$, $a=\frac{4}{5}$, $b=\frac{1}{5}$을 대입하면
$$\left(\frac{4}{5}+\frac{1}{5}\right)^{20}={}_{20}C_0\left(\frac{4}{5}\right)^{20}+f(1)+f(2)+\cdots+f(19)+{}_{20}C_{20}\left(\frac{1}{5}\right)^{20} \quad \cdots\cdots ㉠$$
또, $n=20$, $a=\frac{4}{5}$, $b=-\frac{1}{5}$을 대입하면
$$\left(\frac{4}{5}-\frac{1}{5}\right)^{20}={}_{20}C_0\left(\frac{4}{5}\right)^{20}-f(1)+f(2)-\cdots-f(19)+{}_{20}C_{20}\left(\frac{1}{5}\right)^{20} \quad \cdots\cdots ㉡$$
㉠－㉡을 하면
$$1-\left(\frac{3}{5}\right)^{20}=2\{f(1)+f(3)+\cdots+f(19)\}$$
이므로 구하는 식의 값은 $\frac{1}{2} \times \left\{1-\left(\frac{3}{5}\right)^{20}\right\}$

STEP Ⓑ ab의 값 구하기

따라서 $a=\frac{1}{2}$, $b=20$이므로 $ab=\frac{1}{2} \times 20=10$

0378

정답 ④

STEP A $r{}_nC_r=n{}_{n-1}C_{r-1}$ 임을 유도하는 과정의 빈칸 추론하기

$r{}_nC_r=\boxed{n}{}_{n-1}C_{r-1}$에서

$r\times\frac{n!}{(n-r)!r!}=n\times\frac{(n-1)!}{(n-r)!(r-1)!}$

$\frac{n!}{(n-r)!r!}=n\times\frac{(n-1)!}{(n-r)!r!}$이므로

$\frac{n!}{(n-r)!r!}=\boxed{n}\times\frac{(n-1)!}{(n-r)!r!}$

$r{}_nC_r=n{}_{n-1}C_{r-1}$이므로

${}_nC_1+2{}_nC_2+3{}_nC_3+\cdots+n{}_nC_n$

$=n{}_{n-1}C_0+n{}_{n-1}C_1+n{}_{n-1}C_2+\cdots+n{}_{n-1}C_{n-1}$

$=\boxed{n}({}_{n-1}C_0+{}_{n-1}C_1+{}_{n-1}C_2+\cdots+{}_{n-1}C_{n-1})$

$=n\times(1+1)^{n-1}$

$=n\times2^{n-1}$

따라서 (가) : n, (나) : $n\times2^{n-1}$

0379

정답 ③

STEP A 미분을 이용하여 전개식 정리하기

$(1+x)^{20}={}_{20}C_0+{}_{20}C_1x+{}_{20}C_2x^2+\cdots+{}_{20}C_{20}x^{20}$

등식의 양변을 x에 대하여 미분하면

$20(1+x)^{19}={}_{20}C_1+2\times{}_{20}C_2x+3\times{}_{20}C_3x^2+\cdots+20\times{}_{20}C_{20}x^{19}$

따라서 위의 식의 양변에 $x=1$을 대입하면

$20\times2^{19}={}_{20}C_1+2\times{}_{20}C_2+3\times{}_{20}C_3+\cdots+20\times{}_{20}C_{20}$이므로 구하는 값은 20×2^{19}

$r\cdot{}_nC_r=n\cdot{}_{n-1}C_{r-1}$ 임을 이용하면

$\sum_{k=1}^{20}k{}_{20}C_k=\sum_{k=1}^{20}20{}_{19}C_{k-1}=20\cdot2^{19}$

내신연계 출제문항 180

등식

$${}_8C_1+2{}_8C_2+3{}_8C_3+\cdots+8{}_8C_8=m\cdot2^n$$

을 만족하는 m, n에 대하여 $m+n$의 값은? (단, m은 홀수, n은 정수)

① 10 ② 11 ③ 13
④ 21 ⑤ 36

STEP A 미분을 이용하여 전개식 정리하기

$(1+x)^8={}_8C_0+{}_8C_1x+{}_8C_2x^2+{}_8C_3x^3+\cdots+{}_8C_8x^8$

양변을 x에 대하여 미분하면

$8(1+x)^7={}_8C_1+2{}_8C_2x+3{}_8C_3x^2+\cdots+8{}_8C_8x^7$

양변에 1을 대입하면

$8\times2^7={}_8C_1+2{}_8C_2+3{}_8C_3+\cdots+8{}_8C_8$

이때 $8\cdot2^7=2^{10}$이므로 $m=1$, $n=10$

따라서 $m+n=11$

다른풀이 조합의 성질을 이용하여 풀이하기

$A={}_8C_1+2{}_8C_2+3{}_8C_3+\cdots+8{}_8C_8$ …… ㉠

${}_8C_r={}_8C_{8-r}$이므로

$A={}_8C_7+2{}_8C_6+3{}_8C_5+\cdots+8{}_8C_0$ …… ㉡

㉠+㉡에서 $2A=8({}_8C_0+{}_8C_1+{}_8C_2+\cdots+{}_8C_8)=8\times2^8$

$\therefore A=4\times2^8=2^{10}$

따라서 $m=1$, $n=10$

정답 ②

0380

정답 ④

STEP A 이항정리의 전개식을 활용하여 구하기

이항정리를 이용하여 $(1+x)^{31}$을 전개하면

$(1+x)^{31}={}_{31}C_0+{}_{31}C_1x+{}_{31}C_2x^2+\cdots+{}_{31}C_{31}x^{31}$

이 식에 $x=\boxed{30}$을 대입하면

$31^{31}={}_{31}C_0+{}_{31}C_1\times30+{}_{31}C_2\times30^2+\cdots+{}_{31}C_{31}\times30^{31}$

이때 $\boxed{3}$째 항부터는 모두 900으로 나누어떨어지므로

31^{31}을 900으로 나눈 나머지는

${}_{31}C_0+{}_{31}C_1\times30=1+31\times30=\boxed{931}$을 900으로 나눈 나머지와 같으므로

구하는 나머지는 $\boxed{31}$이다.

STEP B $a+b+c+d$의 값 구하기

즉 $a=30$, $b=3$, $c=931$, $d=31$이므로 $a+b+c+d=995$

0381

정답 ⑤

STEP A 이항정리의 전개식을 활용하여 구하기

이항정리를 이용하여 $(1+x)^{11}$을 전개하면

$(1+x)^{11}={}_{11}C_0+{}_{11}C_1x+{}_{11}C_2x^2+\cdots+{}_{11}C_{11}x^{11}$ …… ㉠

㉠에 $x=20$을 이 식에 대입하면

$21^{11}=(1+20)^{11}={}_{11}C_0+{}_{11}C_1\times20+{}_{11}C_2\times20^2+\cdots+{}_{11}C_{11}\times20^{11}$

STEP B 전개한 각 항이 40의 배수인지 확인하기

이때 ${}_{11}C_2\times20^2+\cdots+{}_{11}C_{11}\times20^{11}$은 모두 40으로 나누어떨어진다.

STEP C 21^{11}을 40으로 나눈 나머지 구하기

21^{11}을 40으로 나눈 나머지는

${}_{11}C_0+{}_{11}C_1\times20=1+11\times20=221$을 40으로 나눈 나머지와 같다.

따라서 $221=40\times5+21$이므로 구하는 나머지는 21이다.

내신연계 출제문항 181

이항정리를 이용하여 9^{20}을 16으로 나눈 나머지는?

① 1 ② 2 ③ 4
④ 8 ⑤ 12

STEP A $9^{20}=(8+1)^{20}$으로 변형하여 이항정리를 이용하기

$9^{20}=(8+1)^{20}={}_{20}C_08^{20}+{}_{20}C_18^{19}+\cdots+{}_{20}C_{18}8^2+{}_{20}C_{19}8+{}_{20}C_{20}$

STEP B 전개한 각 항이 16의 배수인지 확인하기

이때 ${}_{20}C_08^{20}+{}_{20}C_18^{19}+\cdots+{}_{20}C_{18}8^2$은 16의 배수이다.

STEP C 9^{20}을 16으로 나눈 나머지 구하기

따라서 ${}_{20}C_{19}8+{}_{20}C_{20}={}_{20}C_18+1=20\times8+1=16\times10+1$이므로

9^{20}을 16으로 나눈 나머지는 1

정답 ①

0382

정답 ②

STEP Ⓐ $11^{11}=(1+10)^{11}$**으로 변형하여 이항정리를 이용하기**

$11^{11}=(1+10)^{11}$이므로 이항정리에 의하여

$(1+10)^{11}={}_{11}C_0+{}_{11}C_1\cdot10+{}_{11}C_2\cdot10^2+{}_{11}C_3\cdot10^3+\cdots+{}_{11}C_{11}10^{11}$

$=1+11\cdot10+55\cdot10^2+10^3({}_{11}C_3+{}_{11}C_4\cdot10+\cdots+{}_{11}C_{11}\cdot10^8)$

위의 전개식에서 1, $11\cdot10$, $55\cdot10^2$을 제외한 항은 모두 10^3의 배수이므로 백의 자리의 숫자, 십의 자리의 숫자, 일의 자리의 숫자는 $1+11\cdot10+55\cdot10^2$만 계산하여 구한다.

STEP Ⓑ lmn**의 값 구하기**

$1+110+5500=5611$이므로

11^{11}의 백의 자리 숫자는 6, 십의 자리 숫자는 1, 일의 자리 숫자는 1

따라서 $l=6$, $m=1$, $n=1$이므로 $lmn=6$

내신연계 출제문항 182

11^{13}의 백의 자리, 십의 자리, 일의 자리의 숫자를 각각 a, b, c라고 할 때, $a+b+c$의 값은?

① 13 ② 14 ③ 15
④ 16 ⑤ 17

STEP Ⓐ $11^{13}=(10+1)^{13}$**으로 변형하여 이항정리를 이용하기**

$11^{13}=(10+1)^{13}$

$={}_{13}C_0+{}_{13}C_1\times10+{}_{13}C_2\times10^2+{}_{13}C_3\times10^3+\cdots+{}_{13}C_{13}\times10^{13}$

위의 전개식에서 ${}_{13}C_0, {}_{13}C_1\times10$, ${}_{13}C_2\times10^2$을 제외한 항은 모두 1000의 배수이므로 백의 자리의 숫자, 십의 자리의 숫자, 일의 자리의 숫자는 ${}_{13}C_0+{}_{13}C_1\times10+{}_{13}C_2\times10^2$만 계산하여 구할 수 있다.

즉 $1+130+7800=7931$

STEP Ⓑ $a+b+c$**의 값 구하기**

따라서 $a=9$, $b=3$, $c=1$이므로 $a+b+c=9+3+1=13$ 정답 ①

내신연계 출제문항 183

다음 조건을 만족하는 상수 p, q에 대하여 $p+q$의 값은?

(가) 11^{10}을 100으로 나눈 나머지 p를 구한다.
(나) 11^{17}의 백의 자리의 숫자를 a, 십의 자리의 숫자를 b, 일의 자리의 숫자를 c라 할 때, $a+b+c$의 값은 q이다.

① 14 ② 15 ③ 16
④ 21 ⑤ 57

STEP Ⓐ **나머지** p**의 값 구하기**

이항정리를 이용하여 $(1+x)^{10}$을 전개하면

$(1+x)^{10}={}_{10}C_0+{}_{10}C_1x+{}_{10}C_2x^2+\cdots+{}_{10}C_{10}x^{10}$이므로

이 식에 $x=10$을 대입하면

$11^{10}=(1+10)^{10}$

$={}_{10}C_0+{}_{10}C_1\cdot10+{}_{10}C_2\cdot10^2+\cdots+{}_{10}C_{10}\cdot10^{10}$

$=1+10\cdot10+10^2({}_{10}C_2+{}_{10}C_3\cdot10+\cdots+{}_{10}C_{10}\cdot10^8)$

이때 $10^2({}_{10}C_2+{}_{10}C_3\cdot10+\cdots+{}_{10}C_{10}\cdot10^8)$은 모두 100으로 나누어떨어진다.

11^{10}을 100으로 나눈 나머지는 $1+100=101$을 100으로 나눈 나머지와 같다.

따라서 구하는 나머지는 1이다.

STEP Ⓑ $a+b+c$**의 값 구하기**

이항정리를 이용하여 $(1+10)^{17}$을 전개하면

$11^{17}=(1+10)^{17}$

$={}_{17}C_0+{}_{17}C_1 10^1+{}_{17}C_2 10^2+{}_{17}C_3 10^3+\cdots+{}_{17}C_{17}10^{17}$

이므로 네 번째 항부터는 천의 자리 이상의 수이다.

${}_{17}C_0+{}_{17}C_1\times10+{}_{17}C_2\times10^2=1+170+13600=13771$

백의 자리의 수 $a=7$, 십의 자리의 수 $b=7$, 일의 자리의 수 $c=1$이므로

$a+b+c=7+7+1=15$

STEP Ⓒ $p+q$**의 값 구하기**

따라서 $p=1$, $q=15$이므로 $p+q=1+15=16$ 정답 ③

0383

정답 ②

STEP Ⓐ **나머지** p**의 값 구하기**

$11^{15}=(10+1)^{15}$

$={}_{15}C_0 10^{15}+{}_{15}C_1 10^{14}+{}_{15}C_2 10^{13}+\cdots+{}_{15}C_{14}10+{}_{15}C_{15}$

이때 ${}_{15}C_0 10^{15}+{}_{15}C_1 10^{14}+{}_{15}C_2 10^{13}+\cdots+{}_{15}C_{13}10^2$는 100으로 나누어 떨어지므로 11^{15}을 100으로 나누었을 때의 나머지는 ${}_{15}C_{14}10+{}_{15}C_{15}$를 100으로 나누었을 때의 나머지와 같다.

즉 ${}_{15}C_{14}10+{}_{15}C_{15}=151$이므로

11^{15}을 100으로 나누었을 때의 나머지는 $p=51$

STEP Ⓑ $a+b+c$**의 값 구하기**

$11^{13}=(10+1)^{13}$

$={}_{13}C_0+{}_{13}C_1\times10+{}_{13}C_2\times10^2+{}_{13}C_3\times10^3+\cdots+{}_{13}C_{13}\times10^{13}$

위의 전개식에서 ${}_{13}C_0, {}_{13}C_1\times10$, ${}_{13}C_2\times10^2$을 제외한 항은 모두 1000의 배수이므로 백의 자리의 숫자, 십의 자리의 숫자, 일의 자리의 숫자는 ${}_{13}C_0+{}_{13}C_1\times10+{}_{13}C_2\times10^2$만 계산하여 구할 수 있다.

즉 $1+130+7800=7931$

즉 $a=9$, $b=3$, $c=1$이므로 $a+b+c=9+3+1=13$

STEP Ⓒ $p+q$**의 값 구하기**

따라서 $p=51$, $q=13$이므로 $p+q=51+13=64$

0384

정답 ②

STEP Ⓐ **오늘부터 7일 후는 오늘과 같은 요일임을 이용하기**

$8^{11}=(7+1)^{11}$

$={}_{11}C_0 7^{11}+{}_{11}C_1 7^{10}+\cdots+{}_{11}C_{10}7+{}_{11}C_{11}$

$=7({}_{11}C_0 7^{10}+{}_{11}C_1 7^9+\cdots+{}_{11}C_{10})+{}_{11}C_{11}$

이므로 8^{11}을 7로 나눈 나머지는 1

따라서 어느 월요일로부터 8^{11}일이 지난날은 화요일이다.

0385

정답 해설참조

1단계 각 회원이 1곳에만 기표할 때, 나올 수 있는 경우의 수를 구한다. ◀ 40%

무기명 투표이므로 구분이 되지 않는 10장의 투표용지에 후보를 적는 경우의 수와 같다.
즉 서로 다른 세 곳 중에서 중복을 허용하여 10개를 택하는 경우의 수와 같다.
$_{3}H_{10}={}_{3+10-1}C_{10}={}_{12}C_{10}={}_{12}C_{2}=66$

2단계 각 회원이 2곳에 기표할 때, 나올 수 있는 경우의 수를 구한다. ◀ 40%

2곳에 투표를 한다는 것은 1곳에는 투표하지 않는다는 것을 의미하므로
각 표당 투표 받지 못한 곳의 경우의 수를 세는 것과 같다.
즉 3곳 중 중복을 허락하여 10개를 택하는 경우의 수이므로
$_{3}H_{10}={}_{3+10-1}C_{10}={}_{12}C_{10}={}_{12}C_{2}=66$

3단계 1단계와 2단계의 결과를 비교하여라. ◀ 20%

즉 1단계와 2단계의 결과는 같다.

0386

정답 해설참조

1단계 음이 아닌 정수해의 개수를 구한다. ◀ 20%

방정식 $x+y+z=9$의 음이 아닌 정수해의 개수는 3개의 문자 x, y, z 중 9개를 택하는 중복조합의 수와 같으므로
$_{3}H_{9}={}_{3+9-1}C_{9}={}_{11}C_{9}={}_{11}C_{2}=55$

2단계 양의 정수해의 개수를 구한다. ◀ 20%

$x=1+a,\ y=1+b,\ z=1+c$ (a, b, c는 음이 아닌 정수)
로 놓으면
$x+y+z=(1+a)+(1+b)+(1+c)=9$
$\therefore\ a+b+c=6$
방정식 $x+y+z=9$의 양의 정수해의 개수는 방정식 $a+b+c=6$의 음이 아닌 정수해의 개수와 같다.
따라서 방정식 $a+b+c=6$의 음이 아닌 정수해의 개수는
3개의 문자 a, b, c 중에서 6개를 택하는 중복조합의 수와 같으므로
$_{3}H_{6}={}_{3+6-1}C_{6}={}_{8}C_{6}={}_{8}C_{2}=28$

3단계 x, y, z가 모두 홀수인 정수해의 개수를 구한다. ◀ 30%

x, y, z는 홀수이므로
$x=2a+1,\ y=2b+1,\ z=2c+1$ (a, b, c는 음이 아닌 정수)
로 놓으면
$x+y+z=(2a+1)+(2b+1)+(2c+1)=9$에서
$2a+2b+2c=6,\ a+b+c=3$
따라서 방정식 $x+y+z=9$를 만족시키는 홀수 x, y, z의 순서쌍의 개수는
방정식 $a+b+c=3$을 만족시키는 음이 아닌 정수 a, b, c의 순서쌍 (a, b, c)의 개수와 같으므로
$_{3}H_{3}={}_{3+3-1}C_{3}={}_{5}C_{3}={}_{5}C_{2}=10$

4단계 $x\ge1,\ y\ge2,\ z\ge3$인 정수해의 개수를 구한다. ◀ 30%

방정식 $x+y+z=9\ (x\ge1,\ y\ge2,\ z\ge3)$에서
$x=a+1,\ y=b+2,\ z=c+3$ (a, b, c는 음이 아닌 정수)
로 놓으면
$x+y+z=(a+1)+(b+2)+(c+3)=9$
$\therefore\ a+b+c=3$
따라서 방정식 $a+b+c=3$의 음이 아닌 정수해의 개수는
3개의 문자 a, b, c 중에서 3개를 택하는 중복조합의 수와 같으므로
$_{3}H_{3}={}_{3+3-1}C_{3}={}_{5}C_{3}={}_{5}C_{2}=10$

0387

정답 해설참조

1단계 방정식 $a+b+c=8$을 만족시키는 음이 아닌 정수 a, b, c의 순서쌍 (a, b, c)의 개수를 구한다. ◀ 40%

방정식 $a+b+c=8$을 만족시키는 음이 아닌 정수 a, b, c의 순서쌍의 개수는
$_{3}H_{8}={}_{10}C_{8}={}_{10}C_{2}=45$

2단계 방정식 $a+b+c=8$을 만족시키는 짝수인 정수 a, b, c의 순서쌍 (a, b, c)의 개수를 구한다. (단, 0은 짝수로 본다.) ◀ 40%

a, b, c가 모두 짝수 또는 0이므로
$a=2a',\ b=2b',\ c=2c'$으로 놓으면
$a+b+c=2a'+2b'+2c'=8$에서 $a'+b'+c'=4$
즉 방정식 $a+b+c=8$을 만족시키는 짝수 또는 0인 a, b, c의 순서쌍의 개수는 방정식 $a'+b'+c'=4$를 만족시키는 음이 아닌 정수 a', b', c'의 순서쌍의 개수와 같으므로 $_{3}H_{4}={}_{6}C_{4}={}_{6}C_{2}=15$

3단계 적어도 하나가 홀수인 순서쌍의 개수를 구한다. ◀ 20%

a, b, c 중 적어도 하나가 홀수인 순서쌍의 개수는
방정식 $a+b+c=8$을 만족시키는 음이 아닌 정수 a, b, c의 모든 순서쌍의 개수에서 a, b, c가 모두 짝수 또는 0인 순서쌍의 개수를 뺀 것과 같다.
따라서 적어도 하나가 홀수인 순서쌍의 개수는 $45-15=30$

0388

정답 해설참조

1단계 방정식 $x+y+z=13$의 양의 정수 x, y, z의 순서쌍의 개수를 구한다. ◀ 30%

$x=a+1,\ y=b+1,\ z=c+1$ (단, a, b, c는 음이 아닌 정수)
로 놓으면
방정식 $x+y+z=13$에서 $(a+1)+(b+1)+(c+1)=13$
$\therefore\ a+b+c=10$ …… ㉠
방정식 ㉠을 만족시키는 음이 아닌 정수 a, b, c의 순서쌍 (a, b, c)의 개수는
세 문자 (a, b, c) 중에서 10개를 택하는 중복조합의 수와 같으므로
$_{3}H_{10}={}_{3+10-1}C_{10}={}_{12}C_{10}={}_{12}C_{2}=66$

2단계 방정식 $x+y+z=13$의 양의 정수 중에서 x, y, z가 모두 홀수인 순서쌍 (x, y, z)의 개수를 구한다. ◀ 40%

$x=2p+1,\ y=2q+1,\ z=2r+1$ (단, p, q, r은 음이 아닌 정수)
로 놓으면
방정식 $x+y+z=13$에서 $(2p+1)+(2q+1)+(2r+1)=13$
$\therefore\ p+q+r=5$ …… ㉡
방정식 ㉡을 만족시키는 음이 아닌 정수 p, q, r의 순서쌍 (p, q, r)의 개수는
세 문자 p, q, r 중에서 5개를 택하는 중복조합의 수와 같으므로
$_{3}H_{5}={}_{3+5-1}C_{5}={}_{7}C_{5}={}_{7}C_{2}=21$

3단계 xyz의 값이 짝수인 순서쌍 (x, y, z)의 개수를 구한다. ◀ 30%

xyz의 값이 짝수인 것의 개수는 $66-21=45$

0389

정답 해설참조

조건에 따라 정의역의 각각의 원소가 대응될 수 있는 Y의 원소가 어떤 것들인지 살펴본다.

1단계 X에서 Y로의 함수는 모두 몇 개인지 구한다. ◀ 25%

정의역의 원소 1, 2, 3 각각에 대하여 공역의 원소 4, 5, 6, 7이 대응될 수 있으므로 X에서 Y로의 함수의 개수는 ${}_4\Pi_3=4\times4\times4=64$

2단계 집합 X의 두 원소 x_1, x_2에 대하여 $x_1\neq x_2$이면 $f(x_1)\neq f(x_2)$인 함수의 개수를 구한다. ◀ 25%

X에서 Y로의 함수를 $f(x)$라고 하면
정의역의 원소 1에 대응할 수 있는 공역의 원소는 4, 5, 6, 7로 4개
정의역의 원소 2에 대응할 수 있는 공역의 원소는 $f(1)$을 제외한 3개
정의역의 원소 3에 대응할 수 있는 공역의 원소는 $f(1)$, $f(2)$를 제외한 2개
따라서 X에서 Y로의 일대일함수의 개수는 $4\times3\times2={}_4P_3=24$

3단계 집합 X의 두 원소 x_1, x_2에 대하여 $x_1<x_2$이면 $f(x_1)<f(x_2)$인 함수의 개수를 구한다. ◀ 25%

주어진 조건에 의하여 $f(1)<f(2)<f(3)$이므로 $f(1)$, $f(2)$, $f(3)$의 값은 Y의 원소 4, 5, 6, 7 중에서 3개를 택하여 크기순으로 대응시키면 된다.
즉 함수 f의 개수는 서로 다른 4개에서 3개를 택하는 조합의 수와 같으므로 ${}_4C_3=4$

다른풀이 같은 것이 있는 순열의 수로 풀이하기

주어진 조건을 만족하는 함수의 개수는 공역의 원소 중 정의역의 원소에 대응된 원소를 a, 대응되지 않은 원소를 b라 하면
$aaab$를 나열하는 방법의 수와 같으므로 $\frac{4!}{3!}=4$

4단계 집합 X의 두 원소 x_1, x_2에 대하여 $x_1<x_2$이면 $f(x_1)\leq f(x_2)$인 함수의 개수를 구한다. ◀ 25%

주어진 조건에 의하여 $f(1)\leq f(2)\leq f(3)$이므로
$f(1)$, $f(2)$, $f(3)$의 값은 Y의 원소 4, 5, 6, 7 중에서 중복을 허용하여 3개를 택하여 크기순으로 대응시키면 된다.
즉 함수 f의 개수는 서로 다른 4개에서 3개를 택하는 중복조합의 수와 같으므로 ${}_4H_3={}_{4+3-1}C_3={}_6C_3=20$

0390

정답 해설참조

1단계 4명의 학생 A, B, C, D가 받는 펜의 수를 각각 a, b, c, d라 고 할 때, 조건에 맞는 방정식을 세운다. ◀ 20%

$a+b+c+d=12$ (단, a, b, c, d는 음이 아닌 정수)

2단계 나누어 주는 모든 방법의 수를 구한다. ◀ 30%

12개의 펜을 4명의 학생에게 중복을 허용하여 나누어 줄 수 있으므로
구하는 모든 방법의 수는 ${}_4H_{12}={}_{4+12-1}C_{12}={}_{15}C_{12}={}_{15}C_3=455$

3단계 각 학생에게 적어도 2개씩 펜을 나누어 주는 모든 방법의 수를 구한다. ◀ 50%

각 학생에게 먼저 펜을 2개씩 나누어 주고
나머지 4개의 펜을 4명의 학생에게 나누어 주면 된다.
따라서 구하는 모든 방법의 수는 ${}_4H_4={}_{4+4-1}C_4={}_7C_4={}_7C_3=35$

다른풀이 방정식의 음이 아닌 정수해의 개수를 이용하여 풀이하기

$a+b+c+d=12$ (단, $a\geq2$, $b\geq2$, $c\geq2$, $d\geq2$)인 정수해의 개수이므로
$a=a'+2$, $b=b'+2$, $c=c'+2$, $d=d'+2$ (a', b', c', d'은 음이 아닌 정수)로 놓으면
$a+b+c+d=(a'+2)+(b'+2)+(c'+2)+(d'+2)=12$
$\therefore a'+b'+c'+d'=4$
따라서 음이 아닌 정수해의 개수는 ${}_4H_4={}_{4+4-1}C_4={}_7C_4={}_7C_3=35$

0391

정답 해설참조

1단계 위의 (가), (나), (다), (라)에 알맞은 수를 구한다. ◀ 50%

1. 똑같은 상자 3개를 모두 사용하는 경우
모든 상자에 각각 공을 하나씩 넣은 후에 남은 공 2개를 똑같은 상자 3개에 모두 나누어 담는 경우의 수와 같으므로 가능한 방법은 다음의 [2]가지이다.
(1개, 1개, 3개) 또는 (1개, 2개, 2개)

2. 똑같은 상자 3개 중에서 일부만 사용해도 되는 경우
사용하는 상자가 1개, 2개, 3개인 경우에 따라 나누어 담는 방법을 구하면 가능한 방법은 다음의 [5]가지이다.
(ⅰ) 상자 1개 사용 ⇒ (0개, 0개, 5개)
(ⅱ) 상자 2개 사용 ⇒ (0개, 1개, 4개), (0개, 2개, 3개)
(ⅲ) 상자 3개 사용 ⇒ (1개, 1개, 3개), (1개, 2개, 2개)

3. 서로 다른 상자 3개를 모두 사용하는 경우
모든 상자에 각각 공을 하나씩 넣은 후에 남은 공 2개를 서로 다른 상자 3개에 모두 나누어 담는 경우의 수와 같으므로 가능한 방법은 다음의 [6]가지이다.
${}_3H_2={}_{3+2-1}C_2={}_4C_2=6$

4. 서로 다른 상자 3개 중에서 일부만 사용해도 되는 경우
공 5개를 서로 다른 3개의 상자에 모두 나누어 담는 경우의 수와 같으므로 가능한 방법은 다음의 [21]가지이다.
${}_3H_5={}_{3+5-1}C_5={}_7C_5={}_7C_2=21$

2단계 다음 각 경우에 똑같은 공 5개를 똑같은 상자 2개와 다른 상자 1개에 모두 나누어 담는 방법이 몇 가지인지 구한다. ◀ 50%

똑같은 상자 2개를 A, A라 하고 다른 상자 1개를 B라 할 때,
A, A, B에 담는 공의 개수가 각각 p, q, r인 것을 (p, q, r)로 나타내기로 하면 가능한 방법은 다음과 같다.
(1) 상자 3개를 모두 사용하는 경우
(1, 1, 3), (2, 1, 2), (2, 2, 1), (3, 1, 1)
즉 가능한 방법은 4가지이다.
(2) 상자를 일부만 사용하는 경우
(0, 0, 5), (1, 0, 4), (1, 1, 3), (2, 0, 3),
(2, 1, 2), (3, 0, 2), (2, 2, 1), (3, 1, 1),
(4, 0, 1), (3, 2, 0), (4, 1, 0), (5, 0, 0)
즉 가능한 방법은 12가지이다.

0392

정답 해설참조

1단계 양수 a의 값을 구한다. ◀ 50%

$\left(\frac{x}{a}+\frac{a}{x}\right)^{10}$의 전개식에서 10개의 인수 $\left(\frac{x}{a}+\frac{a}{x}\right)$ 중 6개에서 $\frac{x}{a}$를 택하고
4개에서 $\frac{a}{x}$를 택한 항은 ${}_{10}C_6\left(\frac{x}{a}\right)^6\left(\frac{a}{x}\right)^4=\frac{210}{a^2}x^2$
즉 $\frac{210}{a^2}=420$이므로 $a^2=\frac{1}{2}$
이때 $a>0$이므로 $a=\frac{\sqrt{2}}{2}$

2단계 $\frac{1}{x^4}$의 계수를 구한다. ◀ 50%

$\left(\frac{x}{a}+\frac{a}{x}\right)^{10}$의 전개식에서 10개의 인수 $\left(\frac{x}{a}+\frac{a}{x}\right)$ 중 3개에서 $\frac{x}{a}$를 택하고
7개에서 $\frac{a}{x}$를 택한 항은 ${}_{10}C_3\left(\frac{x}{a}\right)^3\left(\frac{a}{x}\right)^7=120a^4\frac{1}{x^4}$
이때 $a=\frac{\sqrt{2}}{2}$이므로 $\frac{1}{x^4}$의 계수는 $120a^4=120\times\left(\frac{\sqrt{2}}{2}\right)^4=30$

0393

정답 해설참조

1단계	$\left(x^5-\frac{2}{x^2}\right)^n$의 전개식의 일반항을 구한다.	◀ 30%

$\left(x^5-\frac{2}{x^2}\right)^n$의 전개식의 일반항은

${}_nC_r(x^5)^{n-r}\left(-\frac{2}{x^2}\right)^r={}_nC_r(-2)^r x^{5n-7r}$

2단계	상수항이 존재하도록 자연수 n을 r에 대한 식으로 나타낸다.	◀ 20%

상수항이 존재하려면 $5n-7r=0$일 때이므로 $n=\frac{7}{5}r$

3단계	최솟값 m의 값을 구한다.	◀ 20%

이때 5와 7은 서로소이므로 r은 5의 배수이고 $r=5$일 때,
n의 최솟값을 갖는다. ⬅ n은 7의 배수이고 r는 5의 배수이다.
즉 n의 최솟값은 $m=7$

4단계	상수항 k의 값을 구한다.	◀ 20%

그때의 상수항은 $k={}_7C_5\times(-2)^5=21\times(-32)=-672$

5단계	$m+k$의 값을 구한다.	◀ 10%

$m+k=7+(-672)=-665$

0394

정답 해설참조

1단계	$(2x+1)^3$의 전개식과 $\left(x+\frac{3}{x}\right)^6$의 전개식에서 일반항을 구한다.	◀ 40%

$(2x+1)^3=8x^3+12x^2+6x+1$

$\left(x+\frac{3}{x}\right)^6$의 전개식의 일반항은 ${}_6C_r x^{6-r}\left(\frac{3}{x}\right)^r={}_6C_r\times3^r\times x^{6-2r}$

2단계	$(2x+1)^3\left(x+\frac{3}{x}\right)^6$의 전개식에서 x^5이 되는 경우를 구한다.	◀ 40%

$(2x+1)^3\left(x+\frac{3}{x}\right)^6$의 전개식에서 x^5이 되는 경우는

$x^3\times x^2=x^2\times x^3=x\times x^4=1\times x^5$

$6-2r=2$에서 $r=2$

$6-2r=3$을 만족시키는 정수 r은 없다.

$6-2r=4$에서 $r=1$

$6-2r=5$를 만족시키는 정수 r은 없다.

즉 $r=2$일 때, $8x^3\times{}_6C_2\times3^2\times x^2=1080x^5$

$r=1$일 때, $6x\times{}_6C_1\times3\times x^4=108x^5$

3단계	x^5의 계수를 구한다.	◀ 20%

따라서 x^5의 계수는 $1080+108=1188$

0395

정답 해설참조

1단계	$(1+x)^{10}(1+x)^{10}$에서 x^{10}의 계수가 $({}_{10}C_0)^2+({}_{10}C_1)^2+({}_{10}C_2)^2+\cdots+({}_{10}C_{10})^2$임을 서술한다.	◀ 50%

$(1+x)^{10}={}_{10}C_0+{}_{10}C_1x+{}_{10}C_2x^2+\cdots+{}_{10}C_{10}x^{10}$

$(x+1)^{10}={}_{10}C_0x^{10}+{}_{10}C_1x^9+{}_{10}C_3x^8+\cdots+{}_{10}C_{10}$이므로

$(1+x)^{10}(1+x)^{10}=(1+x)^{10}(x+1)^{10}$

$=({}_{10}C_0+{}_{10}C_1x+{}_{10}C_2x^2+\cdots+{}_{10}C_{10}x^{10})$

$\times({}_{10}C_0x^{10}+{}_{10}C_1x^9+{}_{10}C_2x^8+\cdots+{}_{10}C_{10})$

이 전개식에서 x^{10}의 계수는 다음과 같다.

${}_{10}C_0\times{}_{10}C_0+{}_{10}C_1\times{}_{10}C_1+{}_{10}C_2\times{}_{10}C_2+\cdots+{}_{10}C_{10}\times{}_{10}C_{10}$

$=({}_{10}C_0)^2+({}_{10}C_1)^2+({}_{10}C_2)^2+\cdots+({}_{10}C_{10})^2$

2단계	$({}_{10}C_0)^2+({}_{10}C_1)^2+({}_{10}C_2)^2+\cdots+({}_{10}C_{10})^2$의 값을 ${}_nC_r$꼴로 서술한다.	◀ 50%

$(1+x)^{10}(1+x)^{10}=(1+x)^{20}$이므로

$(1+x)^{20}$의 전개식에서 x^{10}의 계수는 ${}_{20}C_{10}$

따라서 $({}_{10}C_0)^2+({}_{10}C_1)^2+({}_{10}C_2)^2+\cdots+({}_{10}C_{10})^2={}_{20}C_{10}$

0396

정답 해설참조

2단계	$(1+x)+(1+x)^2+(1+x)^3+\cdots+(1+x)^{10}$의 전개식에서 x^2의 계수를 조합의 수로 나타낸다.	◀ 30%

$n\geq2$일 때, $(1+x)^n$의 전개식에서 x^2의 계수는 ${}_nC_2$

$1+(1+x)+(1+x)^2+\cdots+(1+x)^{10}$의 전개식에서 x^2의 계수는

${}_2C_2+{}_3C_2+{}_4C_2+\cdots+{}_{10}C_2$

2단계	이항계수를 정리한 아래 파스칼의 삼각형에 1단계에서 구한 수들을 표시한다.	◀ 30%

1 1
1 2 1
1 3 3 1
1 4 6 4 1
1 5 10 10 5 1
1 6 15 20 15 6 1
1 7 21 35 35 21 7 1
1 8 28 56 70 56 28 8 1
1 9 36 84 126 126 84 36 9 1
1 10 45 120 210 252 210 120 45 10 1

3단계	2단계의 결과를 이용하여 x^2의 계수를 구한다.	◀ 40%

${}_2C_2={}_3C_3$이고 ${}_{n-1}C_{r-1}+{}_{n-1}C_r={}_nC_r$이므로

${}_2C_2+{}_3C_2+{}_4C_2+\cdots+{}_{10}C_2$

$={}_3C_3+{}_3C_2+{}_4C_2+\cdots+{}_{10}C_2$

$={}_4C_3+{}_4C_2+\cdots+{}_{10}C_2$

$={}_5C_3+{}_5C_2+\cdots+{}_{10}C_2$

$\vdots$

$={}_{10}C_3+{}_{10}C_2$

$={}_{11}C_3=165$

참고 파스칼의 삼각형을 이용하면 다음과 같이 빠르게 계산할 수 있다.

1
${}_1C_0$ ${}_1C_1$
${}_2C_0$ ${}_2C_1$ ${}_2C_2$
${}_3C_0$ ${}_3C_1$ ${}_3C_2$ ${}_3C_3$
${}_4C_0$ ${}_4C_1$ ${}_4C_2$ ${}_4C_3$ ${}_4C_4$
${}_5C_0$ ${}_5C_1$ ${}_5C_2$ ${}_5C_3$ ${}_5C_4$ ${}_5C_5$
⋰
${}_{10}C_0$ ${}_{10}C_1$ ${}_{10}C_2$ ${}_{10}C_3$ $\cdots$ ${}_{10}C_{10}$
${}_{11}C_0$ ${}_{11}C_1$ ${}_{11}C_2$ ${}_{11}C_3$ ${}_{11}C_4$ $\cdots$ ${}_{11}C_{11}$

0397

정답 해설참조

1단계 서로 다른 홀수개의 재료를 피자 한 판에 추가하는 경우의 수를 구한다. ◀ 50%

$_9C_1+{}_9C_3+{}_9C_5+{}_9C_7+{}_9C_9=2^8=256$

2단계 서로 다른 네 개 이하의 재료를 피자 한 판에 추가하는 경우의 수를 구한다. (단, 재료를 추가하지 않을 수 있다.) ◀ 50%

$_9C_0+{}_9C_1+{}_9C_2+{}_9C_3+{}_9C_4=2^8=256$

0398

정답 해설참조

1단계 집합 A의 부분집합의 개수를 구한다. ◀ 20%

집합 A의 부분집합은 원소의 개수가 0인 경우부터 10인 경우까지 있으므로

$_{10}C_0+{}_{10}C_1+{}_{10}C_2+\cdots+{}_{10}C_{10}=2^{10}=1024$

2단계 집합 A의 부분집합 원소의 개수가 홀수인 집합의 개수를 구한다. ◀ 40%

집합 A의 부분집합 중 원소의 개수가 홀수인 집합은 원소의 개수가 1, 3, 5, 7, 9이므로 $_{10}C_1+{}_{10}C_3+{}_{10}C_5+{}_{10}C_7+{}_{10}C_9=2^9=512$

3단계 집합 A의 부분집합 중에서 원소의 개수가 짝수인 집합의 개수를 구한다. (단, 부분집합 중 공집합은 제외시킨다.) ◀ 40%

집합 A의 부분집합 중 원소의 개수가 짝수인 집합은 원소의 개수가 2, 4, 6, 8, 10이므로

$_{10}C_2+{}_{10}C_4+{}_{10}C_6+{}_{10}C_8+{}_{10}C_{10}$

$=({}_{10}C_0+{}_{10}C_2+{}_{10}C_4+{}_{10}C_6+{}_{10}C_6+{}_{10}C_{10})-{}_{10}C_0$

$=2^{10-1}-1$

$=2^9-1=511$

0399

정답 해설참조

1단계 $\sum_{n=1}^{10}\left(\sum_{m=1}^{n}{}_nC_m\right)$의 값을 구한다. ◀ 50%

$\sum_{m=1}^{n}{}_nC_m={}_nC_1+{}_nC_2+{}_nC_3+\cdots+{}_nC_n=2^n-1$

$_nC_m={}_nC_1+{}_nC_2+{}_nC_3+\cdots+{}_nC_n=2^n-1$이므로

$$\sum_{n=1}^{10}\left(\sum_{m=1}^{n}{}_nC_m\right)=\sum_{n=1}^{10}(2^n-1)=\sum_{n=1}^{10}2^n-\sum_{n=1}^{10}1$$

$$=\frac{2(2^{10}-1)}{2-1}-10$$

$$=2^{11}-12=2036$$

2단계 $\sum_{i=0}^{n}\left(\sum_{j=0}^{i}{}_iC_j\right)=63$을 만족하는 n의 값을 구한다. ◀ 50%

$\sum_{j=0}^{i}{}_iC_j={}_iC_0+{}_iC_1+{}_iC_2+{}_iC_3+\cdots+{}_iC_i=2^i$

$_iC_j={}_iC_0+{}_iC_1+{}_iC_2+{}_iC_3+\cdots+{}_iC_i=2^i$이므로

$$\sum_{i=0}^{n}\left(\sum_{j=0}^{i}{}_iC_j\right)=\sum_{i=0}^{n}2^i=\frac{2^{n+1}-1}{2-1}=2^{n+1}-1$$

이때 $2^{n+1}-1=63$, $2^{n+1}=64$ $\quad\therefore n=5$

0400

정답 해설참조

1단계 31^8을 $(30+1)^8$으로 변형한 후 이항정리를 이용하여 전개한다. ◀ 40%

이항정리를 이용하여 $(30+1)^8$을 전개하면

$(30+1)^8={}_8C_0\times30^8+{}_8C_1\times30^7+{}_8C_2\times30^6+\cdots+{}_8C_7\times30+{}_8C_8$

2단계 1단계에서 전개한 각 항이 60의 배수인지 알아본다. ◀ 20%

$_8C_0\times30^8+{}_8C_1\times30^7+{}_8C_2\times30^6+\cdots+{}_8C_7\times30$은

60으로 나누어 떨어진다.

즉 마지막 항을 제외하고 모두 60의 배수이다.

3단계 2단계의 결과를 이용하여 31^8을 60으로 나누었을 때의 나머지를 구하다. ◀ 40%

따라서 31^8을 60으로 나누었을 때의 나머지는 $_8C_8=1$

0401

정답 해설참조

1단계 이항정리를 이용하여 식 $(14-1)^{20}$을 전개한다. ◀ 40%

$$(14-1)^{20}={}_{20}C_0\times14^{20}+{}_{20}C_1\times14^{19}\times(-1)^1+{}_{20}C_2\times14^{18}\times(-1)^2+\cdots$$
$$+{}_{20}C_2\times14^{18}\times(-1)^2+\cdots+{}_{20}C_{20}\times(-1)^{20}$$
$$={}_{20}C_0\times14^{20}-{}_{20}C_1\times14^{19}+{}_{20}C_2\times14^{18}-\cdots+{}_{20}C_{20}$$

2단계 $13^{20}=(14-1)^{20}$임을 이용하여 13^{20}을 7로 나누었을 때의 나머지를 구한다. ◀ 40%

1단계의 우변에서 14는 7의 배수이므로

$_{20}C_{20}$ 항을 제외한 모든 항은 7로 나누어 떨어진다.

즉 13^{20}을 7로 나눴을 때의 나머지는 $_{20}C_{20}$을 7로 나누었을 때의 나머지와 같다.

이때 $_{20}C_{20}=1$이므로 나머지는 1이다.

3단계 어느 월요일로부터 13^{20}일 후의 요일을 구한다. ◀ 20%

어느 월요일로부터 13^{20}일 후는 1일 후와 요일이 같으므로 화요일이다.

0402

 32

STEP A 조건 (가)를 만족하는 중복조합의 경우의 수 구하기

방정식 $a+b+c=7$을 만족시키는 음이 아닌 정수해의 순서쌍 (a, b, c)의 개수는 ${}_3H_7={}_9C_7={}_9C_2=36$

STEP B $2^a \times 4^b$은 8의 배수가 아닌 순서쌍 (a, b)의 경우의 수 구하기

조건 (나)에서 $2^a \times 4^b=2^{a+2b}=8k$ (단, k는 자연수)
이므로 $a+2b \ge 3$
이때 조건 (나)를 만족시키지 않는 경우는 $a+2b<3$을 만족해야 하므로
$b=0$일 때, $a=0$ 또는 $a=1$ 또는 $a=2$
$b=1$일 때, $a=0$
즉 순서쌍은 $(0, 0)$, $(0, 1)$, $(1, 0)$, $(2, 0)$의 4가지이다.

STEP C 여사건을 이용하여 경우의 수 구하기

따라서 구하는 순서쌍의 개수는 $36-4=32$

다른풀이 직접 중복조합을 이용하여 풀이하기

조건 (가)에서 $a+b+c=7$이고
조건 (나)에서 $a+2b \ge 3$을 동시에 만족하는 음이 아닌 정수 a, b, c의 모든 순서쌍 (a, b, c)는 b를 기준으로 분류하면

(i) $b=2$일 때, $a+c=5$이므로 순서쌍 (a, b, c)의 개수는 ${}_2H_5={}_6C_5=6$
$b=3$일 때, $a+c=4$이므로 순서쌍 (a, b, c)의 개수는 ${}_2H_4={}_5C_4=5$
$b=4$일 때, $a+c=3$이므로 순서쌍 (a, b, c)의 개수는 ${}_2H_3={}_4C_3=4$
$b=5$일 때, $a+c=2$이므로 순서쌍 (a, b, c)의 개수는 ${}_2H_2={}_3C_2=3$
$b=6$일 때, $a+c=1$이므로 순서쌍 (a, b, c)의 개수는 ${}_2H_1={}_2C_1=2$
$b=7$일 때, $a+c=0$이므로 순서쌍 (a, b, c)의 개수는 ${}_2H_0={}_2C_0=1$

(ii) $b=1$일 때, $a \ge 1$이고 $a+c=6$을 만족한다.
이때 $a=a'+1$ (단, a'는 음이 아닌 정수)이라 하면
$a+c=6$에서 $a'+c=5$를 만족하는 순서쌍 (a, b, c)의 개수는
${}_2H_5={}_6C_5=6$

(iii) $b=0$일 때, $a \ge 3$이고 $a+c=7$을 만족한다.
이때 $a=a''+3$ (단, a''는 음이 아닌 정수)이라 하면
$a+c=7$에서 $a''+c=4$를 만족하는 순서쌍 (a, b, c)의 개수는
${}_2H_4={}_5C_4=5$

(i)~(iii)에서 조건을 만족하는 순서쌍 (a, b, c)의 개수는
$(6+5+4+3+2+1)+6+5=21+11=32$

다른풀이 직접 중복조합을 이용하여 풀이하기

조건 (나)에서 $2^a \times 4^b=2^{a+2b}$이고
이 수가 8의 배수이어야 하므로 $a+2b \ge 3$

(i) $b=0$일 때, $a \ge 3$이어야 하므로
조건 (가)에서 $a=a'+3$ (a'은 음이 아닌 정수)
로 놓으면 $a+b+c=(a'+3)+c=7$, $a'+c=4$
즉 순서쌍 (a, b, c)의 개수는 ${}_2H_4={}_{2+4-1}C_4={}_5C_4={}_5C_1=5$

(ii) $b=1$일 때, $a \ge 1$이어야 하므로
조건 (가)에서 $a=a'+1$ (a'은 음이 아닌 정수)
로 놓으면 $a+b+c=(a'+1)+1+c=7$, $a'+c=5$
즉 순서쌍 (a, b, c)의 개수는 ${}_2H_5={}_{2+5-1}C_5={}_6C_5={}_6C_1=6$

(iii) $b \ge 2$일 때, $a \ge 0$이면 되므로
조건 (가)에서 $b=b'+2$ (b'는 음이 아닌 정수)
로 놓으면 $a+b+c=a+(b'+2)+c=7$, $a+b'+c=5$
즉 순서쌍 (a, b, c)의 개수는 ${}_3H_5={}_{3+5-1}C_5={}_7C_5={}_7C_2=21$

(i)~(iii)에서 구하는 순서쌍의 개수는 $5+6+21=32$

0403

정답 126

STEP A 주어진 방정식을 만족시키는 순서쌍의 조건 구하기

$a \times b \times c=10^5=2^5 \times 5^5$이므로
$a=2^{x_1} \times 5^{y_1}$, $b=2^{x_2} \times 5^{y_2}$, $c=2^{x_3} \times 5^{y_3}$이라 하자.
a, b, c가 짝수이므로
x_1, x_2, x_3은 자연수이고 y_1, y_2, y_3은 음이 아닌 정수이다.

STEP B 방정식의 정수해의 개수 구하기

방정식 $x_1+x_2+x_3=5$의 양의 정수해의 개수는
$x_1=x'+1$, $x_2=y'+1$, $x_3=z'+1$라 하면
$x'+y'+z'=2$의 음이 아닌 정수해의 개수와 같으므로 ${}_3H_2={}_4C_2=6$
방정식 $y_1+y_2+y_3=5$의 음이 아닌 정수해의 개수는 ${}_3H_5={}_7C_5=21$
따라서 조건을 만족시키는 모든 순서쌍 (a, b, c)의 개수는 $6 \times 21=126$

0404

 43

STEP A 빨간 공을 택하는 경우로 나누어 경우의 수 구하기

(i) 빨간 공을 택하지 않는 경우
노란 공, 파란 공, 검은 공 중에서 5개의 공을 택해야 하므로
서로 다른 3개에서 5개를 택하는 중복조합의 수를 구하면
${}_3H_5={}_{3+5-1}C_5={}_7C_5={}_7C_2=21$ …… ㉠
이때 노란 공, 파란 공, 검은 공이 각각 4개씩이므로
㉠에서 같은 색의 공을 5개 택하는 3가지 경우는 제외해야 한다.
즉 이 경우의 수는 $21-3=18$

(ii) 빨간 공을 1개 택하는 경우
노란 공, 파란 공, 검은 공 중에서 4개의 공을 택해야 하므로
이 경우의 수는 서로 다른 3개에서 4개를 택하는 중복조합의 수와 같다.
즉 이 경우의 수는 ${}_3H_4={}_{3+4-1}C_4={}_6C_4={}_6C_2=15$

(iii) 빨간 공을 2개 택하는 경우
노란 공, 파란 공, 검은 공 중에서 3개의 공을 택해야 하므로
이 경우의 수는 서로 다른 3개에서 3개를 택하는 중복조합의 수와 같다.
즉 이 경우의 수는 ${}_3H_3={}_{3+3-1}C_3={}_5C_3={}_5C_2=10$

STEP B 구하는 경우의 수 구하기

(i)~(iii)에 의하여 구하는 경우의 수는 $18+15+10=43$

0405

 114

STEP A 중복조합을 이용하여 조건을 만족시키는 경우의 수 구하기

(i) 검은색 볼펜 1자루를 선택하는 경우
이때 파란색 볼펜과 빨간색 볼펜을 합쳐서 4자루를 선택한다.
우선 검은 색 볼펜 1자루를 받는 사람을 결정하는 경우의 수는
${}_2C_1=2$이고 파란색 볼펜과 빨간색 볼펜 4자루를 선택하여 나누어 주는 경우의 수를 구하면 다음과 같다.

파란색 볼펜	빨간색 볼펜	두 명에게 나누어주는 경우의 수
4	0	${}_2H_4={}_5C_4=5$
3	1	${}_2H_3 \times {}_2H_1={}_4C_3 \times {}_2C_1=8$
2	2	${}_2H_2 \times {}_2H_2={}_3C_3 \times {}_3C_2=9$
1	3	${}_2H_1 \times {}_2H_3={}_2C_1 \times {}_4C_3=8$
0	4	${}_2H_4={}_5C_4=5$

즉 검은색 볼펜 1자루를 선택하는 경우의 수는 $2(5+8+9+8+5)=70$

(ii) 검은색 볼펜을 선택하지 않는 경우
이때, 파란색 볼펜과 빨간색 볼펜을 합쳐서 5자루를 선택한다.
파란색 볼펜과 빨간색 볼펜 5자루를 선택하여 나누어 주는 경우의 수를 구하면 다음과 같다.

파란색 볼펜	빨간색 볼펜	두 명에게 나누어주는 경우의 수
4	1	${}_2H_4\times{}_2H_1={}_5C_4\times{}_2C_1=10$
3	2	${}_2H_3\times{}_2H_2={}_4C_3\times{}_3C_2=12$
2	3	${}_2H_2\times{}_2H_3={}_3C_2\times{}_4C_3=12$
1	4	${}_2H_1\times{}_2H_4={}_2C_1\times{}_5C_4=10$

즉 검은색 볼펜을 선택하지 않는 경우의 수는 $10+12+12+10=44$

(ⅰ), (ⅱ)에서 구하는 경우의 수는 $70+44=114$

다른풀이 자루를 선택하는 경우를 나누어서 풀이하기

STEP Ⓐ 중복조합을 이용하여 조건을 만족시키는 경우의 수 구하기

검은색 볼펜 1자루, 파란색 볼펜 4자루, 빨간색 볼펜 4자루 중에서 5자루를 선택하고 2명에게 나누어 주는 경우의 수는 다음과 같다.

(ⅰ) $(0,\ 4,\ 1)$, $(1,\ 4,\ 0)$, $(1,\ 0,\ 4)$, $(0,\ 1,\ 4)$로 뽑은 경우
같은 색깔 4개의 볼펜을 2명에게 나누어 주고 남은 1개의 볼펜을 2명 중 한 명에게 나누어 주는 경우의 수 ${}_2H_4\times2\times4=40$

(ⅱ) $(0,\ 3,\ 2)$, $(0,\ 2,\ 3)$으로 뽑은 경우
같은 색깔 3개의 볼펜을 2명에게 나누어 주고 다른 같은 색깔 2개의 볼펜을 2명에게 나누어 주는 경우의 수 ${}_2H_3\times{}_2H_2\times2=24$

(ⅲ) $(1,\ 3,\ 1)$, $(1,\ 1,\ 3)$으로 뽑은 경우
같은 색깔 3개의 볼펜을 2명에게 나누어 주고 다른 각각의 색깔 1개의 볼펜을 2명에게 나누어 주는 경우의 수 ${}_2H_3\times2\times2\times2=32$

(ⅳ) $(1,\ 2,\ 2)$로 뽑은 경우
같은 색깔 2개의 볼펜을 2명에게 나누어 주고 다른 색깔 2개의 볼펜을 2명에게 나누어 주고 마지막 남은 1개의 볼펜을 2명에게 나누어 주는 경우의 수 ${}_2H_2\times{}_2H_2\times2=18$

(ⅰ)~(ⅳ)에 의하여 $40+24+32+18=114$

0406

정답 56

STEP Ⓐ 중복조합을 이용하여 경우의 수 구하기

$a_1\le a_2\le a_3\le a_4\le a_5$를 만족시키는 경우의 수는
1, 2, 3, 4, 5, 6에서 5개를 택하는 중복조합의 수와 같으므로
${}_6H_5={}_{6+5-1}C_5={}_{10}C_5=252$

STEP Ⓑ 포함과 배제의 원리를 이용하여 여사건의 경우의 수 구하기

$a_1\le a_2=a_3\le a_4\le a_5$와 $a_1\le a_2\le a_3\le a_4=a_5$인 경우의 수는
1, 2, 3, 4, 5, 6에서 4개를 택하는 중복조합의 수와 같으므로
$2\times{}_6H_4=2\times{}_{6+4-1}C_4=2\times{}_9C_4=2\times126=252$
또한, $a_1\le a_2=a_3\le a_4=a_5$인 경우의 수는
1, 2, 3, 4, 5, 6에서 3개를 택하는 중복조합의 수와 같으므로
${}_6H_3={}_{6+3-1}C_3={}_8C_3=56$

STEP Ⓒ 구하는 경우의 수 구하기

따라서 $a_1\le a_2<a_3\le a_4<a_5$인 경우의 수는
${}_6H_5-({}_6H_4+{}_6H_4-{}_6H_3)=252-(252-56)=56$

다른풀이 부등식을 변형하여 구하기

STEP Ⓐ 주어진 부등식을 등호가 없는 부등식으로 변형하기

$a_1\le a_2$이므로 $a_1\le a_2+1$
마찬가지로 $a_3\le a_4$이므로 $a_3<a_4+1$
즉 $a_1<a_2+1<a_3+1<a_4+2<a_5+2$
$x_2=a_2+1$, $x_3=a_3+1$, $x_4=a_4+2$, $x_5=a_5+2$라 하면
$1\le a_1<x_2<x_3<x_4<x_5\le8\,(\because a_5\le6)$

STEP Ⓑ 조합을 이용하여 경우의 수 구하기

따라서 $(a_1,\ a_2,\ a_3,\ a_4,\ a_5)$는 $(a_1,\ x_2,\ x_3,\ x_4,\ x_5)$와 일대일 대응을 이루므로 $(a_1,\ x_2,\ x_3,\ x_4,\ x_5)$의 경우의 수는 1부터 8까지의 자연수 중 5개를 뽑는 것과 같으므로 ${}_8C_5={}_8C_3=56$

0407

정답 84

STEP Ⓐ 중복조합의 경우의 수 구하기

조건 (가)에서 $x_{n+1}-x_n\ge2$이므로 $x_{n+1}\ge x_n+2$
$x_2\ge x_1+2$, $x_3\ge x_2+2$, …… ㉠
x_1는 음이 아닌 정수이므로 $x_1\ge0$ …… ㉡
조건 (나)에서 $x_3\le10$ …… ㉢
㉠, ㉡, ㉢을 연립하면 $4\le x_1+4\le x_2+2\le x_3\le10$
이때 $(x_1,\ x_2,\ x_3)$의 순서쌍의 개수는 $(x_1+4,\ x_2+2,\ x_3)$의 순서쌍의 개수와 같다.
$(x_1+4,\ x_2+2,\ x_3)$의 순서쌍의 개수는 4, 5, 6, …, 10의 7개의 자연수 중 중복을 허락하여 3개를 선택하는 중복조합의 수와 같다.
따라서 구하는 순서쌍의 개수는 ${}_7H_3={}_9C_3=\dfrac{9\times8\times7}{3\times2\times1}=84$

다른풀이 중복조합을 이용하여 풀이하기

조건 (가)에 의하여 $x_1\le x_2-2$, $x_2\le x_3-2$이고
조건 (나)에 의하여 $x_3\le10$이므로 $0\le x_1\le x_2-2\le x_3-4\le6$
이때 $x_2-2=x_2'$, $x_3-4=x_3'$이라 하면
$0\le x_1\le x_2'\le x_3'\le6$ …… ㉠
이고 주어진 조건을 만족시키는 음이 아닌 정수 x_1, x_2, x_3의 모든 순서쌍 $(x_1,\ x_2,\ x_3)$의 개수는 ㉠을 만족시키는 음이 아닌 정수 x_1, x_2', x_3'의 모든 순서쌍 $(x_1,\ x_2',\ x_3')$의 개수와 같다.
따라서 구하는 순서쌍의 개수는 0, 1, 2, …, 6의 7개에서 중복을 허락하여 3개를 택하는 중복조합의 수와 같으므로 ${}_7H_3={}_{7+3-1}C_3={}_9C_3=\dfrac{9\times8\times7}{3\times2\times1}=84$

다른풀이 조합을 이용하여 풀이하기

조건 (가)에서 $x_{n+1}-x_n\ge2$이므로 $x_{n+1}\ge x_n+2$
$x_2\ge x_1+2$, $x_3\ge x_2+2$이므로 음이 아닌 정수 x_1, x_2, x_3은 이웃하지 않게 정한다.

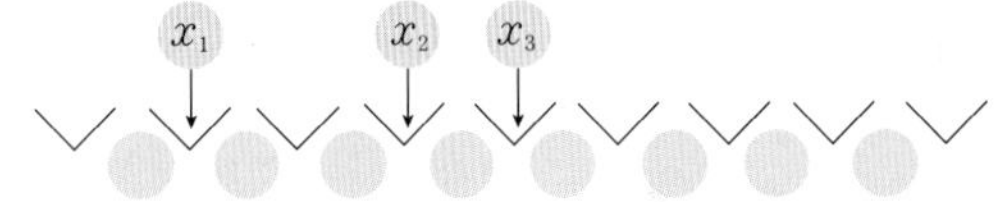

(예) $x_1=2$, $x_2=5$, $x_3=7$

11개의 돌 중에서 먼저 3개의 돌을 제외한 8개의 돌에 순서를 부여하여 나열하고 그 사이사이 9개 지점에서 3개를 택하여 나열하면 되므로 ${}_9C_3=84$

0408

정답 285

STEP Ⓐ 중복조합을 이용하여 두 규칙 (가)와 (나)를 모두 만족시키는 경우의 수 구하기

세 명의 학생 A, B, C에게 같은 종류의 사탕을 나누어 주는 개수를 각각 a, b, c라 하면
조건 (가)에서 A에게 사탕 1개 이상 나누어 주는 경우의 수
$a+b+c=6\,(a\ge1,\ b\ge0,\ c\ge0$인 정수$)$
이므로 $a=a'+1$라 하면
$a'+b+c=5\,(a'\ge0,\ b\ge0,\ c\ge0$인 정수$)$인 정수해의 개수는
${}_3H_5={}_7C_5={}_7C_2=21$ …… ㉠
조건 (나)에서 세 명의 학생 A, B, C에게 같은 종류의 초콜릿을 나누어 주는 개수를 각각 x, y, z라 하면
B에게 초콜릿 1개 이상 나누어 주는 경우의 수
$x+y+z=5\,(x\ge0,\ y\ge1,\ z\ge0$인 정수$)$
이므로 $y=y'+1$라 하면
$x+y'+z=4\,(x\ge0,\ y'\ge0,\ z\ge0$인 정수$)$인 정수해의 개수는
${}_3H_4={}_6C_4={}_6C_2=15$ …… ㉡
두 규칙 (가), (나)를 모두 만족하는 경우의 수는 ㉠, ㉡에서 $21\times15=315$

STEP B **규칙 (다)를 만족하는 사건의 여사건을 이용하기**

> 조건 (다)에서 학생 C가 사탕이나 초콜릿을 적어도 1개 받아야 하므로
> 여사건인 학생 C가 사탕과 초콜릿을 받지 못하는 경우의 수를 빼면 된다.

규칙 (다)를 만족시키는 사건의 여사건은
학생 C가 받는 사탕의 개수와 초콜릿의 개수가 모두 0인 사건이다.
⬅ $c=0$, $z=0$인 경우
즉 $c+z=0$이므로 C가 0개 받는 경우의 수를 구하면
A, B에게 사탕을 나누어 주는데 A에게 사탕 1개 이상 나누어 주는 경우의 수
$a'+b=5(a'\geq 0,\ b\geq 0$인 정수)인 정수해의 개수는
${}_2H_5={}_6C_5={}_6C_1=6$ …… ⓒ
A, B에게 초콜릿을 나누어 주는데 B에게 초콜릿 1개 이상 나누어 주는
경우의 수 $x+y'=4(x\geq 0,\ y'\geq 0$인 정수)인 정수해의 개수는
${}_2H_4={}_5C_4={}_5C_1=5$ …… ⓓ
그러므로 ⓒ, ⓓ에서 규칙 (다)를 만족시키는 여사건의 경우의 수는 $6\times 5=30$

STEP C **세 규칙 (가), (나), (다)를 만족시키는 경우의 수 구하기**

따라서 구하는 경우의 수는 $315-30=285$

0409

정답 ③

STEP A **이항정리를 이용하여 $(1+x)^{2n-1}$에서 x^{n-1}의 계수 구하기**

등식 $(1+x)^{2n-1}=(1+x)^{n-1}(1+x)^n$의 좌변에서
x^{n-1}의 계수는 $\boxed{{}_{2n-1}C_{n-1}}$이고
(*)을 이용하여 우변에서 x^{n-1}의 계수를 구하면
$(1+x)^{n-1}$의 전개식에서 x^{k-1}의 계수와
$(1+x)^n$의 전개식에서 x^{n-k}의 계수의 곱이므로
$\sum_{k=1}^{n}({}_{n-1}C_{k-1}\times \boxed{{}_nC_{n-k}})$이다.
따라서 $\boxed{{}_{2n-1}C_{n-1}}=\sum_{k=1}^{n}({}_{n-1}C_{k-1}\times \boxed{{}_nC_{n-k}})$이다.

STEP B **${}_nC_r=\dfrac{n!}{r!(n-r)!}$임을 이용하기**

한편 $1\leq k\leq n$일 때, $k\times {}_nC_k=n\times {}_{n-1}C_{k-1}$이므로

$$\begin{aligned}\sum_{k=1}^{n}k({}_nC_k)^2&=\sum_{k=1}^{n}(k\times {}_nC_k\times {}_nC_k)\\&=\sum_{k=1}^{n}(n\times {}_{n-1}C_{k-1}\times {}_nC_k)\\&=\sum_{k=1}^{n}(n\times {}_{n-1}C_{k-1}\times \boxed{{}_nC_{n-k}})\\&=n\times\sum_{k=1}^{n}({}_{n-1}C_{k-1}\times \boxed{{}_nC_{n-k}})\\&=n\times {}_{2n-1}C_{n-1}\\&=n\times\frac{(2n-1)!}{(n-1)!n!}\\&=\frac{n}{2}\times\frac{(2n)!}{n!n!}\\&=\left(\boxed{\frac{n}{2}\times {}_{2n}C_n}\right)\end{aligned}$$

0410

정답 ③

STEP A **중복조합을 이용하여 음이 아닌 정수해의 개수 구하기**

음이 아닌 정수 $a,\ b,\ c,\ d$가 $2a+2b+c+d=2n$을 만족시키려면
음이 아닌 정수 k에 대하여 $c+d=2k$이어야 한다.
$c+d=2k$인 경우는

> (1) 음이 아닌 정수 k_1, k_2에 대하여 $c=2k_1$, $d=2k_2$인 경우이거나
> (2) 음이 아닌 정수 k_3, k_4에 대하여 $c=2k_3+1$, $d=2k_4+1$인 경우이다.

(1) $c=2k_1$, $d=2k_2$인 경우
$2a+2b+c+d=2n$을 만족시키는 음이 아닌 정수 $a,\ b,\ c,\ d$의
모든 순서쌍 $(a,\ b,\ c,\ d)$의 개수는 $2a+2b+c+d=2n$에 대입하면
$2a+2b+2k_1+2k_2=2n$에서 양변을 2로 나누면
$a+b+k_1+k_2=n$
이 식을 만족시키는 음이 아닌 정수 $a,\ b,\ k_1,\ k_2$의
모든 순서쌍 $(a,\ b,\ k_1,\ k_2)$의 개수와 같으므로
${}_4H_n={}_{n+3}C_n=\boxed{{}_{n+3}C_3}$

(2) $c=2k_3+1$, $d=2k_4+1$인 경우
$2a+2b+c+d=2n$을 만족시키는 음이 아닌 정수 $a,\ b,\ c,\ d$의
모든 순서쌍 $(a,\ b,\ c,\ d)$의 개수는 $2a+2b+c+d=2n$에 대입하면
$2a+2b+2k_3+2k_4=2n-2$에서 양변을 2로 나누면
$a+b+k_3+k_4=n-1$
이 식을 만족시키는 음이 아닌 정수 $a,\ b,\ k_3,\ k_4$의
모든 순서쌍 $(a,\ b,\ k_3,\ k_4)$의 개수와 같으므로
${}_4H_{n-1}={}_{n+2}C_{n-1}=\boxed{{}_{n+2}C_3}$

(1), (2)에 의하여 $2a+2b+c+d=2n$을 만족시키는 음이 아닌 정수
$a,\ b,\ c,\ d$의 모든 순서쌍 $(a,\ b,\ c,\ d)$의 개수 a_n은
$a_n=\boxed{{}_{n+3}C_3}+\boxed{{}_{n+2}C_3}$
이다. 자연수 m에 대하여 $\sum_{n=1}^{m}\boxed{{}_{n+2}C_3}={}_{m+3}C_4$이므로

$$\begin{aligned}\sum_{n=1}^{8}a_n&=\sum_{n=1}^{8}{}_{n+3}C_3+\sum_{n=1}^{8}{}_{n+2}C_3\\&=({}_{12}C_4-1)+{}_{11}C_4\\&=\frac{12\cdot 11\cdot 10\cdot 9}{4\cdot 3\cdot 2\cdot 1}-1+\frac{11\cdot 10\cdot 9\cdot 8}{4\cdot 3\cdot 2\cdot 1}\\&=330+(495-1)\\&=\boxed{824}\end{aligned}$$

> **[파스칼의 삼각형의 원리]**
> $\sum_{n=1}^{m}{}_{n+2}C_3={}_3C_3+{}_4C_3+{}_5C_3+\cdots+{}_{m+2}C_3={}_{m+3}C_4$
> 마찬가지 방법으로
> $\sum_{n=1}^{m}{}_{n+3}C_3={}_4C_3+{}_5C_3+\cdots+{}_{m+3}C_3={}_{m+4}C_4-{}_3C_3={}_{m+4}C_4-1$
> $\therefore \sum_{n=1}^{m}a_n={}_{m+3}C_4+{}_{m+4}C_4-1$

STEP B **$f(6)+g(5)+r$의 값 구하기**

$f(n)={}_4H_n={}_{n+3}C_n={}_{n+3}C_3$
$g(n)={}_4H_{n-1}={}_{n+2}C_{n-1}={}_{n+2}C_3$이므로
$f(6)={}_9C_3=\dfrac{9\cdot 8\cdot 7}{3\cdot 2\cdot 1}=84$
$g(5)={}_7C_3=\dfrac{7\cdot 6\cdot 5}{3\cdot 2\cdot 1}=35$
따라서 $f(6)+g(5)+r=84+35+824=943$

11 확률

MAPL ; SYNERGY

01 STEP 1 내신정복기출유형 확률의 뜻과 활용

0411

 ④

STEP Ⓐ **시행과 사건의 빈칸추론 하기**

주사위나 동전을 던지는 것과 같이 같은 조건에서 여러 번 반복할 수 있고 그 결과가 우연에 의하여 좌우되는 실험이나 관찰을 [시행]이라 한다.
그리고 어떤 [시행]에서 일어날 수 있는 모든 경우의 집합을 [표본공간]이라 하고, 그 부분집합을 [사건]이라 한다.
이때 [표본공간]의 부분집합 중에서 한 개의 원소로 이뤄진 집합을 [근원사건]이라 한다.
따라서 (가) : 시행, (나) : 표본공간, (다) : 사건, (라) : 근원사건

0412

 ③

STEP Ⓐ **주어진 조건에 따라 각각의 사건을 집합으로 나타내기**

$A=\{3, 6, 9, 12\}$, $B=\{2, 3, 5, 7, 11\}$, $C=\{1, 2, 4, 8\}$

STEP Ⓑ **각 사건을 비교하여 서로 배반인 사건 찾기**

ㄱ. $A\cap C=\varnothing$이므로 사건 A와 사건 C는 배반이다.
ㄴ. $A\cap B=\{3\}$, $B\cap C=\{2\}$, $(A\cap B)\cap(B\cap C)=\varnothing$이므로 $A\cap B$와 $B\cap C$는 서로 배반사건이다.
ㄷ. $A\cup B=\{2, 3, 5, 6, 7, 9, 11, 12\}$, $B^c=\{1, 4, 6, 8, 9, 10, 12\}$, $(A\cup B)\cap B^c=\{6, 9, 12\}$이므로 $A\cup B$와 B^c는 배반사건이 아니다.
따라서 서로 배반사건인 것은 ㄱ, ㄴ이다.

0413

 ④

STEP Ⓐ **표본공간 S의 사건 A의 여사건에 대하여 $A\cap A^c=\varnothing$, $A\cup A^c=S$임을 이용하여 구하기**

사건 A와 배반인 사건은 사건 A^c의 부분집합이고
사건 B와 배반인 사건은 사건 B^c의 부분집합이다.
사건 C는 두 사건 A, B와 모두 배반사건이므로 $A^c\cap B^c$의 부분집합이다.

STEP Ⓑ **$C=A^c\cap B^c$을 만족하는 사건 C의 원소의 합의 최댓값 구하기**

표본공간 $S=\{1, 2, 3, 4, 5, 6, 7, 8\}$
$A=\{x\,|\,x$는 6의 약수$\}=\{1, 2, 3, 6\}$, $B=\{2, 3, 7\}$
이때 $A^c=\{4, 5, 7, 8\}$, $B^c=\{1, 4, 5, 6, 8\}$이므로
$A^c\cap B^c=\{4, 5, 8\}$
사건 $A^c\cap B^c$의 부분집합 중 모든 원소의 합이 최대인 사건 C는 $C=\{4, 5, 8\}$일 때이다.
따라서 사건 C의 모든 원소의 합의 최댓값은 $4+5+8=17$

내신연계 출제문항 184

1부터 7까지의 자연수가 각각 하나씩 적혀 있는 7개의 공이 들어 있는 주머니에서 한 개의 공을 꺼낼 때, 소수가 적힌 공이 나오는 사건을 A, 짝수가 적힌 공이 나오는 사건을 B라고 할 때, 사건 C가 두 사건 A^c, B와 모두 배반일 때, 사건 C의 모든 원소의 합의 최댓값은? (단, A^c은 A의 여사건이다.)

① 13 ② 14 ③ 15
④ 16 ⑤ 17

STEP Ⓐ **사건 A^c과 배반인 사건은 사건 A의 부분집합임을 이용하여 구하기**

사건 A^c와 배반인 사건은 사건 A의 부분집합이고
사건 B와 배반인 사건은 사건 B^c의 부분집합이다.
사건 C는 두 사건 A^c, B와 모두 배반사건이므로 $A\cap B^c$의 부분집합이다.

STEP Ⓑ **$C=A\cap B^c$을 만족하는 사건 C의 원소의 합의 최댓값 구하기**

표본공간 $S=\{1, 2, 3, 4, 5, 6, 7\}$
$A=\{2, 3, 5, 7\}$, $B=\{2, 4, 6\}$, $B^c=\{1, 3, 5, 7\}$
사건 $A\cap B^c$의 부분집합 중 모든 원소의 합이 최대인 사건 C는 $A\cap B^c=\{3, 5, 7\}$일 때이다.
따라서 사건 C의 모든 원소의 합의 최댓값은 $3+5+7=15$  ③

0414

 ⑤

STEP Ⓐ **$0<\mathrm{P}(B)<\mathrm{P}(A)$를 만족시키는 사건 A, B의 경우의 수 구하기**

두 사건 A, B가 서로 배반사건이고 $0<\mathrm{P}(B)<\mathrm{P}(A)$를 만족하려면
사건 B의 원소의 개수가 1, 2인 경우이다.
(i) B의 근원사건의 수가 한 개인 경우
A의 근원사건의 수는 B의 근원사건을 제외하고 두 개 이상이어야 하므로
${}_5\mathrm{C}_1\times({}_4\mathrm{C}_2+{}_4\mathrm{C}_3+{}_4\mathrm{C}_4)=55$
(ii) B의 근원사건의 수가 두 개인 경우
A의 근원사건의 수는 B의 근원사건의 수를 제외하고 세 개 이상이어야 하므로 ${}_5\mathrm{C}_2\times{}_3\mathrm{C}_3=10$
(i), (ii)에서 $55+10=65$

내신연계 출제문항 185

표본공간 $S=\{1, 2, 3, 4, 5, 6\}$의 부분집합인 두 사건 A, B가 서로 배반사건이고

$$0<\mathrm{P}(A)<\mathrm{P}(B)$$

가 되도록 두 사건 A, B를 선택하는 방법의 수는?

① 156 ② 160 ③ 180
④ 210 ⑤ 231

STEP Ⓐ **$0<\mathrm{P}(A)<\mathrm{P}(B)$를 만족시키는 사건 A, B의 경우의 수 구하기**

두 사건 A, B가 서로 배반사건이고 $0<\mathrm{P}(A)<\mathrm{P}(B)$를 만족하려면
사건 A의 원소의 개수가 1, 2인 경우이다.
(i) A의 근원사건의 수가 한 개인 경우
B의 근원사건의 수는 A의 근원사건을 제외하고 두 개 이상이어야 하므로
${}_6\mathrm{C}_1\times({}_5\mathrm{C}_2+{}_5\mathrm{C}_3+{}_5\mathrm{C}_4+{}_5\mathrm{C}_5)=156$
(ii) A의 근원사건의 수가 두 개인 경우
B의 근원사건의 수는 A의 근원사건을 제외하고 세 개 이상이어야 하므로
${}_6\mathrm{C}_2\times({}_4\mathrm{C}_3+{}_4\mathrm{C}_4)=75$
따라서 구하는 방법의 수는 $156+75=231$  ⑤

0415

 ①

STEP A **모든 경우의 수 구하기**

서로 다른 두 개의 주사위를 던질 때, 나오는 모든 경우의 수는 $6 \times 6 = 36$

STEP B **두 눈의 수의 합이 4 이하인 확률 구하기**

(ⅰ) 두 눈의 합이 4인 경우

$(1, 3), (2, 2), (3, 1)$의 3가지

(ⅱ) 두 눈의 합이 3인 경우

$(1, 2), (2, 1)$의 2가지

(ⅲ) 두 눈의 합이 2인 경우

$(1, 1)$의 1가지

(ⅰ)~(ⅲ)에서 두 눈의 수의 합이 4 이하인 경우의 수는 $3+2+1=6$

따라서 구하는 확률은 $\frac{6}{36}=\frac{1}{6}$

0416

 ⑤

STEP A **모든 경우의 수 구하기**

서로 다른 두 개의 정사면체를 던질 때, 나오는 모든 경우의 수는
$4 \times 4 = 16$

STEP B **합이 5 이상일 확률 구하기**

(ⅰ) 밑면에 적혀 있는 수의 합이 5인 경우는

$(1, 4), (2, 3), (3, 2), (4, 1)$의 4가지

(ⅱ) 밑면에 적혀 있는 수의 합이 6인 경우는

$(2, 4), (3, 3), (4, 2)$의 3가지

(ⅲ) 밑면에 적혀 있는 수의 합이 7인 경우는

$(3, 4), (4, 3)$의 2가지

(ⅳ) 밑면에 적혀 있는 수의 합이 8인 경우는

$(4, 4)$의 1가지

(ⅰ)~(ⅳ)에서 밑면에 적혀 있는 수의 합이 5이상인 경우의 수는
$4+3+2+1=10$

따라서 구하는 확률은 $\frac{10}{16}=\frac{5}{8}$

0417

 ②

STEP A **모든 경우의 수 구하기**

한 개의 주사위를 두 번 던질 때, 나오는 모든 경우의 수는
$6 \times 6 = 36$

STEP B **두 눈의 수의 곱이 홀수일 확률 구하기**

나오는 두 눈의 수의 곱이 홀수이기 위해서는 두 눈이 모두 홀수이어야 하므로 경우의 수는 $3 \times 3 = 9$

따라서 구하는 확률은 $\frac{9}{36}=\frac{1}{4}$

내신연계 출제문항 186

서로 다른 두 개의 주사위를 던지는 시행에서 두 눈의 수의 곱이 소수일 확률은?

① 0　② $\frac{1}{6}$　③ $\frac{1}{3}$　④ $\frac{1}{2}$　⑤ 1

STEP A **모든 경우의 수 구하기**

서로 다른 두 개의 주사위를 던질 때, 나오는 모든 경우의 수는 $6 \times 6 = 36$

STEP B **두 수의 곱이 소수인 확률 구하기**

1부터 6까지 자연수 중에서 두 수를 선택하여 곱해서 소수가 되는 경우는
$(1, 2), (2, 1), (1, 3), (3, 1), (1, 5), (5, 1)$의 6

모든 경우의 수가 36가지이므로 구하는 확률은 $\frac{6}{36}=\frac{1}{6}$

정답 ②

0418

 ⑤

STEP A **모든 경우의 수 구하기**

서로 다른 두 개의 주사위를 던질 때, 나오는 모든 경우의 수는 $6 \times 6 = 36$

STEP B **나온 눈의 수의 약수일 확률 구하기**

(ⅰ) 1은 모든 수의 약수이므로 순서쌍은

$(1, 1), (1, 2), (1, 3), (1, 4), (1, 5), (1, 6)$

$(2, 1), (3, 1), (4, 1), (5, 1), (6, 1)$의 11가지

(ⅱ) 2는 2, 4, 6의 약수이므로

$(2, 2), (2, 4), (2, 6), (4, 2), (6, 2)$의 5가지

(ⅲ) 3은 3, 6의 약수이므로 순서쌍은

$(3, 3), (3, 6), (6, 3)$의 3가지

(ⅳ) 4, 5, 6은 각각 4, 5, 6의 약수이므로 순서쌍은

$(4, 4), (5, 5), (6, 6)$의 3가지

(ⅰ)~(ⅳ)에서 한 눈의 수가 다른 눈의 수의 약수인 경우의 수는
$11+5+3+3=22$

따라서 구하는 확률은 $\frac{22}{36}=\frac{11}{18}$

0419

 ③

STEP A **모든 경우의 수 구하기**

한 개의 주사위를 2번 던질 때, 일어나는 모든 경우의 수는 순서쌍 (a, b)의 개수이므로 $6 \times 6 = 36$

STEP B $i^a+i^b=0$**인 확률 구하기**

$i^1=i^5=i$, $i^2=i^6=-1$, $i^3=-i$, $i^4=1$이므로

$i^a+i^b=0$ …… ㉠

이때 ㉠을 만족시키는 순서쌍 (a, b)는

$(1, 3), (2, 4), (3, 1), (3, 5), (4, 2), (4, 6), (5, 3), (6, 4)$이므로 8가지이다.

따라서 구하는 확률은 $\frac{8}{36}=\frac{2}{9}$

내신연계 출제문항 187

한 개의 주사위를 두 번 던질 때, 나오는 눈의 수를 차례로 m, n이라 하자. $i^m \times (-1)^n$의 값이 -1이 될 확률은? (단, $i=\sqrt{-1}$)

① $\frac{1}{6}$ ② $\frac{1}{5}$ ③ $\frac{1}{4}$
④ $\frac{1}{3}$ ⑤ $\frac{1}{2}$

STEP Ⓐ **모든 경우의 수 구하기**

주사위를 두 번 던질 때, 나오는 모든 경우의 수는 $6\times6=36$

STEP Ⓑ **$i^m \times (-1)^n=-1$을 만족하는 경우의 수 구하기**

$i^m \times (-1)^n=-1$에서
$n=1$이면 $i^m=1$에서 $m=4$
$n=2$이면 $i^m=-1$에서 $m=2$ 또는 $m=6$
$n=3$이면 $i^m=1$에서 $m=4$
$n=4$이면 $i^m=-1$에서 $m=2$ 또는 $m=6$
$n=5$이면 $i^m=1$에서 $m=4$
$n=6$이면 $i^m=-1$에서 $m=2$ 또는 $m=6$

STEP Ⓒ **확률 구하기**

그러므로 $i^m \times (-1)^n=-1$이 되는 경우의 수는 $1+2+1+2+1+2=9$

따라서 구하는 확률은 $\frac{9}{36}=\frac{1}{4}$

 ③

0420

 ④

STEP Ⓐ **모든 경우의 수 구하기**

주사위를 두 번 던져 나오는 모든 경우의 수는 $6\times6=36$

STEP Ⓑ **복소수의 성질을 이용하여 경우의 수 구하기**

$i^m \cdot (-i)^n=(-1)^n \cdot i^{m+n}=1$이기 위해서는
n이 짝수이면서 $m+n$이 4의 배수이거나
n이 홀수이면서 $m+n$이 4의 배수가 아닌 짝수이어야 한다.
이때 순서쌍 (m, n)은 다음과 같이 분류한다.

(ⅰ) n이 짝수이면서 $m+n$이 4의 배수인 경우
$(-1)^n \times i^{m+n}=i^{m+n}=1$
n이 짝수이고 $m+n=4, 8, 12$인 경우 순서쌍 (n, m)으로 가능한 것은
$(2, 2), (2, 6), (4, 4), (6, 2), (6, 6)$의 5

(ⅱ) n이 홀수이면서 $m+n$이 4의 배수가 아닌 짝수인 경우
$(-1)^n \times i^{m+n}=(-1)\times i^{m+n}=1$
n이 홀수이고 $m+n=2, 6, 10$인 경우 순서쌍 (n, m)으로 가능한 것은
$(1, 1), (1, 5), (3, 3), (5, 1), (5, 5)$의 5

(ⅰ), (ⅱ)에서 $i^m \cdot (-i)^n$의 값이 1이 되는 경우의 수는 $5+5=10$

STEP Ⓒ **확률 구하기**

따라서 구하는 확률은 $\frac{10}{36}=\frac{5}{18}$

0421

 ⑤

STEP Ⓐ **모든 경우의 수 구하기**

한 개의 주사위를 두 번 던질 때, 나오는 모든 경우의 수는 $6\times6=36$

STEP Ⓑ **$ax+b=0$이 -2보다 큰 실근을 가질 확률 구하기**

$x=-\frac{b}{a}$이므로 $-\frac{b}{a}>-2$, $b<2a$를 만족시키는 순서쌍 (a, b)는
$a=1$일 때, $b=1$
$a=2$일 때, $b=1, 2, 3$
$a=3$일 때, $b=1, 2, 3, 4, 5$
$a=4$일 때, $b=1, 2, 3, 4, 5, 6$
$a=5$일 때, $b=1, 2, 3, 4, 5, 6$
$a=6$일 때, $b=1, 2, 3, 4, 5, 6$
이므로 경우의 수는 $1+3+5+6+6+6=27$
따라서 구하는 확률은 $\frac{27}{36}=\frac{3}{4}$

0422

 ②

STEP Ⓐ **모든 경우의 수 구하기**

한 개의 주사위를 두 번 던질 때, 나올 수 있는 모든 경우의 수는 $6\times6=36$

STEP Ⓑ **$3x^2+ax+b=0$이 서로 다른 두 실근을 가질 확률 구하기**

이차방정식 $3x^2+ax+b=0$이 서로 다른 두 실근을 가지려면
판별식 $D>0$이어야 하므로
$D=a^2-12b>0$에서 $a^2>12b$ …… ㉠
이때 ㉠을 만족시키는 순서쌍 (a, b)는
$(4, 1), (5, 1), (5, 2), (6, 1), (6, 2)$의 5가지이다.
따라서 구하는 확률은 $\frac{5}{36}$

내신연계 출제문항 188

한 개의 주사위를 2번 던져 첫 번째 나온 눈의 수를 a, 두 번째 나온 눈의 수를 b라고 할 때, x에 관한 이차방정식

$$x^2+ax+ab=0$$

이 서로 다른 실근을 가질 확률은?

① $\frac{1}{18}$ ② $\frac{1}{12}$ ③ $\frac{1}{9}$
④ $\frac{1}{6}$ ⑤ $\frac{1}{4}$

STEP Ⓐ **모든 경우의 수 구하기**

한 개의 주사위를 두 번 던질 때, 나올 수 있는 모든 경우의 수는 $6\times6=36$

STEP Ⓑ **$x^2+ax+ab=0$이 서로 다른 두 실근을 가질 확률 구하기**

이차방정식 $x^2+ax+ab=0$이 서로 다른 두 실근을 가지려면
판별식 $D>0$이어야 하므로
$D=a^2-4ab>0$에서 $a>4b$ ($\because a>0$) …… ㉠
이때 ㉠을 만족시키는 순서쌍 (a, b)는 $(5, 1), (6, 1)$의 2가지이다.
따라서 구하는 확률은 $\frac{2}{36}=\frac{1}{18}$

 ①

실근일 확률은 다음과 같다.
$D=a^2-4ab\geq0$에서 $a\geq4b$ ($\because a>0$)
순서쌍의 개수는 $(4, 1), (5, 1), (6, 1)$의 3개이므로 구하는 확률은 $\frac{3}{36}=\frac{1}{12}$

0423

정답 ⑤

STEP A 모든 경우의 수 구하기

서로 다른 두 개의 주사위를 동시에 던질 때, 일어날 수 있는 모든 경우의 수는 $6\times6=36$

STEP B $x^2+2ax+b=0$이 허근을 가질 확률 구하기

이차방정식 $x^2+2ax+b=0$이 허근을 가지려면 판별식 $\mathrm{D}<0$이어야 하므로

$\dfrac{\mathrm{D}}{4}=a^2-b<0$에서 $a^2<b$ …… ㉠

이때 ㉠을 만족시키는 순서쌍 (a, b)는

$a=1$일 때, $b=2, 3, 4, 5, 6$이고

$a=2$일 때, $b=5, 6$이므로 7가지이다.

따라서 구하는 확률은 $\dfrac{7}{36}$

내/신/연/계/ 출제문항 189

한 개의 주사위를 2번 던질 때, 첫 번째 나오는 눈의 수를 a,
두 번째 나오는 눈의 수를 b라 하자.
이차방정식 $x^2+2ax+b=0$이 실근을 가질 확률은?

① $\dfrac{1}{12}$ ② $\dfrac{5}{36}$ ③ $\dfrac{7}{36}$
④ $\dfrac{19}{36}$ ⑤ $\dfrac{29}{36}$

STEP A 모든 경우의 수 구하기

한 개의 주사위를 두 번 던질 때, 일어날 수 있는 모든 경우의 수는 $6\times6=36$

STEP B $x^2+2ax+b=0$이 실근을 가질 확률 구하기

이차방정식 $x^2+2ax+b=0$이 실근을 가지려면 판별식 $\mathrm{D}\geq0$이어야 하므로

$\dfrac{\mathrm{D}}{4}=a^2-b\geq0$에서 $a^2\geq b$ …… ㉠

이때 ㉠을 만족시키는 순서쌍 (a, b)는

$a=1$일 때, $b=1$

$a=2$일 때, $b=1, 2, 3, 4$

$a\geq3$일 때, $b=1, 2, 3, 4, 5, 6$

이므로 경우의 수는 $1+4+6+6+6+6=29$

따라서 구하는 확률은 $\dfrac{29}{36}$

정답 ⑤

0424

정답 ④

STEP A 모든 경우의 수 구하기

10개의 구슬이 들어 있는 주머니에서 임의로 한 개의 구슬을 꺼내는 경우의 수는 ${}_{10}\mathrm{C}_1=10$

STEP B 주어진 직선과 곡선이 만나는 경우의 자연수 m의 개수 구하기

직선 $y=m(1\leq m\leq10)$과 포물선 $y=-x^2+5x-\dfrac{3}{4}$이 만나려면

이차방정식 $m=-x^2+5x-\dfrac{3}{4}$

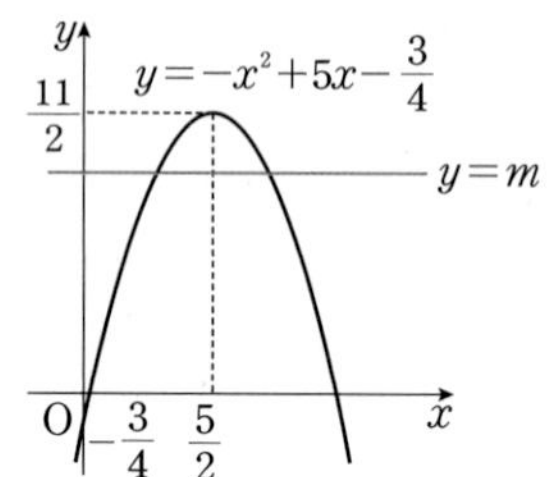

즉 $x^2-5x+m+\dfrac{3}{4}=0$에서 실근 x의 값이 존재하므로

판별식 $\mathrm{D}=(-5)^2-4\left(m+\dfrac{3}{4}\right)\geq0$, $-4m+22\geq0$

이때 $m\leq\dfrac{11}{2}$이므로 자연수 $m=1, 2, 3, 4, 5$

STEP C 확률 구하기

따라서 구슬에 적힌 수가 $1, 2, 3, 4, 5$일 때, 주어진 직선과 포물선이 만나므로 구하는 확률은 $\dfrac{5}{10}=\dfrac{1}{2}$

0425

정답 ②

STEP A 모든 경우의 수 구하기

서로 다른 두 개의 주사위를 던질 때, 일어날 수 있는 모든 경우의 수는 $6\times6=36$

STEP B 곡선과 직선이 서로 다른 두 점에서 만날 확률 구하기

곡선 $y=x^2+ax+b$와 직선 $y=x-1$이 서로 다른 두 점에서 만나려면

방정식 $x^2+ax+b=x-1$

즉 $x^2+(a-1)x+b+1=0$이 서로 다른 두 실근을 가져야 한다.

즉 이차방정식 $x^2+(a-1)x+b+1=0$의 판별식을 D라 하면

$\mathrm{D}>0$이어야 하므로 $\mathrm{D}=(a-1)^2-4(b+1)>0$에서

$(a-1)^2>4(b+1)$ …… ㉠

이때 ㉠을 만족시키는 순서쌍 (a, b)는 $4(b+1)\geq8$이므로 $a\geq4$이어야 한다.

$a=4$일 때, $b=1$

$a=5$일 때, $b=1, 2$

$a=6$일 때, $b=1, 2, 3, 4, 5$

이므로 경우의 수는 $1+2+5=8$

따라서 구하는 확률은 $\dfrac{8}{36}=\dfrac{2}{9}$

내/신/연/계/ 출제문항 190

한 개의 주사위를 2번 던져서 나오는 눈의 수를 차례로 a, b라 할 때,
곡선 $y=x^2$과 직선 $y=ax-b$가 서로 다른 두 점에서 만날 확률은?

① $\dfrac{5}{12}$ ② $\dfrac{4}{9}$ ③ $\dfrac{17}{36}$
④ $\dfrac{1}{2}$ ⑤ $\dfrac{19}{36}$

STEP A 모든 경우의 수 구하기

한 개의 주사위를 2번 던져서 나온 눈의 수 a, b의 모든 순서쌍 (a, b)의 개수는 $6\times6=36$

STEP B 곡선과 직선이 서로 다른 두 점에서 만날 확률 구하기

곡선 $y=x^2$과 직선 $y=ax-b$가 서로 다른 두 점에서 만나려면

방정식 $x^2=ax-b$, 즉 $x^2-ax+b=0$이 서로 다른 두 실근을 가져야 한다.

즉 이차방정식 $x^2-ax+b=0$의 판별식을 D라 하면

$\mathrm{D}>0$이어야 하므로 $\mathrm{D}=a^2-4b>0$에서 $a^2>4b$ …… ㉠

이때 ㉠을 만족시키는 순서쌍 (a, b)는

$b=1$일 때, $a=3, 4, 5, 6$

$b=2$일 때, $a=3, 4, 5, 6$

$b=3$일 때, $a=4, 5, 6$

$b=4$일 때, $a=5, 6$

$b=5$일 때, $a=5, 6$

$b=6$일 때, $a=5, 6$

이므로 경우의 수는 $4+4+3+2+2+2=17$

따라서 구하는 확률은 $\dfrac{17}{36}$

정답 ③

0426

정답 ④

STEP Ⓐ **모든 경우의 수 구하기**

서로 다른 두 개의 주사위를 던질 때, 일어날 수 있는 모든 경우의 수는
$6\times6=36$

STEP Ⓑ **모든 실수 x에서 $f(x)\geq g(x)$을 만족하는 확률 구하기**

$x^2+2ax+b\geq 2x-1$에서 $x^2+2(a-1)x+b+1\geq 0$
이 부등식이 모든 실수 x에 대하여 성립하려면
이차방정식 $x^2+2(a-1)x+b+1=0$이 중근과 허근을 가져야 하므로
판별식을 D라 하면 $D\leq 0$이어야 한다.

$\frac{D}{4}=(a-1)^2-(b+1)\leq 0$

$\therefore (a-1)^2\leq b+1$ …… ㉠

이때 ㉠을 만족시키는 순서쌍 (a, b)는
$a=1$일 때, $b=1, 2, 3, 4, 5, 6$
$a=2$일 때, $b=1, 2, 3, 4, 5, 6$
$a=3$일 때, $b=3, 4, 5, 6$
이므로 경우의 수는 $6+6+4=16$
따라서 구하는 확률은 $\frac{16}{36}=\frac{4}{9}$

내/신/연/계/ 출제문항 191

한 개의 주사위를 두 번 던져 나온 눈의 수를 차례로 a, b라고 하자.
함수 f, g가

$$f(x)=x^2+2ax+4b,\ g(x)=4x+3b$$

일 때, 모든 실수 x에 대하여 $f(x)>g(x)$일 확률은?

① $\frac{1}{4}$ ② $\frac{1}{3}$ ③ $\frac{1}{2}$
④ $\frac{2}{3}$ ⑤ $\frac{5}{9}$

STEP Ⓐ **모든 경우의 수 구하기**

한 개의 주사위를 2번 던질 때, 일어날 수 있는 모든 경우의 수는
$6\times6=36$
$f(x)>g(x)$

STEP Ⓑ **모든 실수 x에서 을 만족하는 확률 구하기**

$x^2+2ax+4b>4x+3b$에서 $x^2+2(a-2)x+b>0$
모든 실수 x에 대하여 이차부등식 $x^2+2(a-2)x+b>0$이 성립하려면
이차방정식 $x^2+2(a-2)x+b=0$이 허근을 가져야 하므로
판별식을 D라 하면 $D<0$이어야 한다.
$D=4(a-2)^2-4b<0$
$\therefore (a-2)^2<b$ …… ㉠
이때 ㉠을 만족시키는 순서쌍 (a, b)는
$a=1$일 때, $b=2, 3, 4, 5, 6$
$a=2$일 때, $b=1, 2, 3, 4, 5, 6$
$a=3$일 때, $b=2, 3, 4, 5, 6$
$a=4$일 때, $b=5, 6$
이므로 경우의 수는 $5+6+5+2=18$
따라서 구하는 확률은 $\frac{18}{36}=\frac{1}{2}$

정답 ③

0427

정답 ②

STEP Ⓐ **모든 경우의 수 구하기**

한 개의 주사위를 세 번 던질 때, 일어날 수 있는 모든 경우의 수는
$6\times6\times6=6^3$

STEP Ⓑ **곡선이 x축에 접할 확률 구하기**

이차함수 $f(x)=ax^2+2bx+c$에 대하여 함수 $y=f(x)$의 그래프가
x축과 접해야 하므로 이차방정식 $ax^2+2bx+c=0$이 중근을 가지려면
판별식 $D=0$이어야 하므로
$\frac{D}{4}=b^2-ac=0$에서 $b^2=ac$ …… ㉠
이때 ㉠을 만족시키는 순서쌍 (a, b, c)는
$(1, 1, 1)$
$(1, 2, 4), (2, 2, 2), (4, 2, 1)$
$(3, 3, 3)$
$(4, 4, 4)$
$(5, 5, 5)$
$(6, 6, 6)$
이므로 8가지
따라서 구하는 확률은 $\frac{8}{6^3}=\frac{1}{27}$

0428

정답 ⑤

STEP Ⓐ **모든 경우의 수 구하기**

서로 다른 주사위 3개를 동시에 던질 때, 나오는 모든 경우의 수는
$6\times6\times6=6^3$

STEP Ⓑ **삼차함수가 극값을 가질 조건 구하기**

$f(x)=x^3+ax^2+bx+c$가 극값을 갖기 위해서는
$f'(x)=3x^2+2ax+b$에 대하여
방정식 $3x^2+2ax+b=0$이 서로 다른 두 실근을 가져야 한다.
이차방정식 $3x^2+2ax+b=0$의 판별식을 D라 하면
$D>0$이어야 한다.
$\frac{D}{4}=a^2-3b>0$에서 $a^2>3b$ …… ㉠
이때 ㉠을 만족시키는 순서쌍 (a, b)는
$a=2$일 때, $b=1$
$a=3$일 때, $b=1, 2$
$a=4$일 때, $b=1, 2, 3, 4, 5$
$a=5$일 때, $b=1, 2, 3, 4, 5, 6$
$a=6$일 때, $b=1, 2, 3, 4, 5, 6$
이때 c는 모든 주사위의 눈의 수가 가능하므로 6가지
이므로 경우의 수는 $(1+2+5+6+6)\times6=120$
따라서 구하는 확률은 $\frac{120}{6^3}=\frac{5}{9}$

0429

정답 ④

STEP Ⓐ **모든 경우의 수 구하기**

한 개의 주사위를 두 번 던져 나오는 모든 경우의 수는 $6\times6=36$

STEP Ⓑ **$f(a)f(b)<0$이 성립하는 경우의 수를 구하여 확률 구하기**

이차함수 $f(x)=x^2-7x+10$에서
$f(x)=(x-2)(x-5)$의 그래프는
오른쪽 그림과 같다.

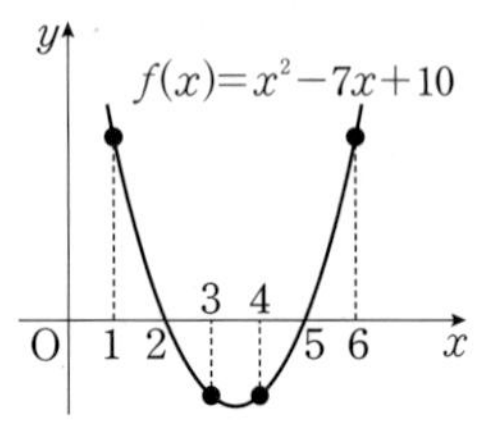

이때 $f(1)=4>0,\ f(6)=4>0,\ f(2)=0,\ f(5)=0,\ f(3)=-2<0,$
$f(4)=-2<0$이므로 $f(a)f(b)<0$을 만족시키는 순서쌍 $(a,\ b)$는
$(1,\ 3),\ (1,\ 4),\ (3,\ 1),\ (4,\ 1),\ (6,\ 3),\ (6,\ 4),\ (3,\ 6),\ (4,\ 6)$으로 8가지

따라서 구하는 확률은 $\frac{8}{36}=\frac{2}{9}$

$f(a)f(b)<0$이려면 $f(a)$와 $f(b)$의 부호가 다르므로
$f(a)>0,\ f(b)<0$인 경우 $2\times2=4$
$f(a)<0,\ f(b)>0$인 경우 $2\times2=4$
즉 $f(a)f(b)<0$인 경우의 수는 $4+4=8$

내/신/연/계/ 출제문항 192

한 개의 주사위를 두 번 던질 때, 나온 눈의 수를 차례로 $a,\ b$라 하자.
이차함수 $f(x)=x^2-5x+6$에 대하여

$$f(a)f(b)=0$$

이 성립할 확률은?

① $\frac{1}{9}$ ② $\frac{2}{9}$ ③ $\frac{1}{3}$
④ $\frac{4}{9}$ ⑤ $\frac{5}{9}$

STEP Ⓐ **모든 경우의 수 구하기**

한 개의 주사위를 두 번 던질 때, 일어날 수 있는 모든 경우의 수는 $6\times6=36$

STEP Ⓑ **$f(a)f(b)\neq0$을 만족하는 확률 구하기**

$f(a)f(b)=0$을 만족시키는 사건을 A라 하면
사건 A의 여사건 A^C은 $f(a)f(b)\neq0$, 즉 $f(a)\neq0$이고 $f(b)\neq0$
이때 $f(a)=a^2-5a+6=(a-2)(a-3)\neq0$
$f(b)=b^2-5b+6=(b-2)(b-3)\neq0$이므로
$a,\ b$의 값은 각각 $1,\ 4,\ 5,\ 6$ 중 하나이어야 한다.
즉 $f(a)\neq0$이고 $f(b)\neq0$을 만족시키는 순서쌍 $(a,\ b)$의 개수는
$4\times4=16$이므로 $\mathrm{P}(A^C)=\frac{16}{36}=\frac{4}{9}$

따라서 구하는 확률은 $\mathrm{P}(A)=1-\mathrm{P}(A^C)=1-\frac{4}{9}=\frac{5}{9}$

다른풀이 확률의 덧셈정리를 이용하여 풀이하기

$f(a)=0$인 사건을 A, $f(b)=0$인 사건을 B라 하면 구하는 확률은 $\mathrm{P}(A\cup B)$
$f(a)=a^2-5a+6=(a-2)(a-3)=0$에서 $a=2$ 또는 $a=3$
즉 $f(a)=0$을 만족시키는 순서쌍 $(a,\ b)$의 개수는
$2\times6=12$이므로 $\mathrm{P}(A)=\frac{12}{6^2}=\frac{1}{3}$
같은 방법으로 $\mathrm{P}(B)=\frac{1}{3}$
한편 $f(a)=f(b)=0$을 만족시키는 순서쌍 $(a,\ b)$의 개수는 $2\times2=4$
$\therefore\ \mathrm{P}(A\cap B)=\frac{4}{36}=\frac{1}{9}$

따라서 $\mathrm{P}(A\cup B)=\mathrm{P}(A)+\mathrm{P}(B)-\mathrm{P}(A\cap B)=\frac{1}{3}+\frac{1}{3}-\frac{1}{9}=\frac{5}{9}$ 정답 ⑤

0430

정답 ④

STEP Ⓐ **모든 경우의 수 구하기**

주사위를 세 번 던져서 나오는 모든 경우의 수는 $6\times6\times6=216$

STEP Ⓑ **a를 기준으로 $a<b-2\leq c$를 만족시킬 확률 구하기**

$a<b-2\leq c$ …… ㉠
이때 ㉠을 만족시키는 순서쌍 $(a,\ b,\ c)$는 $b,\ c$가 될 수 있는 경우의 수를 구해보면
$a=1$일 때, $b=4$이면 c는 $2,\ 3,\ 4,\ 5,\ 6$
$a=1$일 때, $b=5$이면 c는 $3,\ 4,\ 5,\ 6$
$a=1$일 때, $b=6$이면 c는 $4,\ 5,\ 6$
$a=2$일 때, $b=5$이면 c는 $3,\ 4,\ 5,\ 6$
$a=2$일 때, $b=6$이면 c는 $4,\ 5,\ 6$
$a=3$일 때, $b=6$이면 c는 $4,\ 5,\ 6$
이므로 경우의 수는 $5+4+3+4+3+3=22$
따라서 구하는 확률은 $\frac{22}{216}=\frac{11}{108}$

다른풀이 b를 기준으로 확률 풀이하기

$a<b-2\leq c$를 만족시키는 경우의 수는
$b=1,\ 2,\ 3$일 때는 $a<b-2\leq c$를 만족하는 경우가 없다.
$b=4$일 때, $a<2\leq c$이므로 $a=1$이고 $c=2,\ 3,\ 4,\ 5,\ 6$에서 $1\times5=5$
$b=5$일 때, $a<3\leq c$이므로 $a=1,\ 2$이고 $c=3,\ 4,\ 5,\ 6$에서 $2\times4=8$
$b=6$일 때, $a<4\leq c$이므로 $a=1,\ 2,\ 3$이고 $c=4,\ 5,\ 6$에서 $3\times3=9$
즉 $a<b-2\leq c$를 만족시키는 경우의 수는 $5+8+9=22$
따라서 구하는 확률은 $\frac{22}{216}=\frac{11}{108}$

0431

정답 ②

STEP Ⓐ **모든 경우의 수 구하기**

주사위를 세 번 던져서 나오는 모든 경우의 수는 $6\times6\times6=216$

STEP Ⓑ **$a>b$이고 $a>c$를 만족하는 확률 구하기**

$a>b,\ a>c$를 만족하는 경우의 수는 다음 표와 같다.

a	$a>b$인 b의 주사위의 눈	$a>c$인 c의 주사위의 눈
1	만족하지 않음	만족하지 않음
2	1	1
3	1, 2	1, 2
4	1, 2, 3	1, 2, 3
5	1, 2, 3, 4	1, 2, 3, 4
6	1, 2, 3, 4, 5	1, 2, 3, 4, 5

$a=2$일 때, 순서쌍 $(b,\ c)$의 개수는 1×1
$a=3$일 때, 순서쌍 $(b,\ c)$의 개수는 2×2
$a=4$일 때, 순서쌍 $(b,\ c)$의 개수는 3×3
$a=5$일 때, 순서쌍 $(b,\ c)$의 개수는 4×4
$a=6$일 때, 순서쌍 $(b,\ c)$의 개수는 5×5
즉 $a>b$이고 $a>c$인 사건의 경우의 수는
$1^2+2^2+3^2+4^2+5^2=55$ ⬅ $\sum_{k=1}^{5}k^2=\frac{5\times6\times11}{6}=55$
따라서 구하는 확률은 $\frac{55}{216}$

다른풀이 조합을 이용하여 경우의 수 구하기

전체 경우의 수는 $6^3=216$

$a>b$이고 $a>c$인 경우의 수는 $a>b>c$, $a>c>b$, $a>b=c$인 세 가지 경우로 나눌 수 있다.

(ⅰ) $a>b>c$를 만족하는 경우의 수는 ${}_6C_3=\frac{6\times5\times4}{3\times2\times1}=20$

(ⅱ) $a>c>b$를 만족하는 경우의 수는 ${}_6C_3=\frac{6\times5\times4}{3\times2\times1}=20$

(ⅲ) $a>b=c$를 만족하는 경우의 수는 ${}_6C_2=\frac{6\times5}{2\times1}=15$

이때 경우의 수는 $20+20+15=55$

따라서 구하는 확률은 $\frac{55}{216}$

내신연계 출제문항 193

한 개의 주사위를 3번 던져서 나온 눈의 수를 차례로 a, b, c라 할 때,

$$ab<bc$$

가 성립할 확률은?

① $\frac{5}{24}$ ② $\frac{5}{18}$ ③ $\frac{25}{72}$
④ $\frac{5}{12}$ ⑤ $\frac{35}{72}$

STEP Ⓐ 모든 경우의 수 구하기

한 개의 주사위를 3번 던질 때, 일어날 수 있는 경우의 수는 $6\times6\times6=216$

STEP Ⓑ $ab<bc$를 만족하는 확률 구하기

$ab<bc$에서 $b>0$이므로 $a<c$가 성립하는 경우의 수는
1, 2, 3, 4, 5, 6 중에서 서로 다른 두 수를 뽑아 작은 수부터 차례대로 a, c에 대응시키는 경우의 수와 같으므로 ${}_6C_2=15$이고 그 각각의 경우에 대하여 b는 1, 2, 3, 4, 5, 6이 가능하므로 6가지

따라서 구하는 확률은 $\frac{15\times6}{6^3}=\frac{5}{12}$

정답 ④

0432

정답 ⑤

STEP Ⓐ 순열을 이용하여 각 조건을 만족하는 확률 구하기

조건 (가)에서 A, B가 이웃하여 서게 될 확률은 $p_1=\frac{4!\times2!}{5!}=\frac{2}{5}$

조건 (나)에서 양 끝에 A, B를 세우고 그 사이에 나머지 3명을 일렬로 세우는 경우의 수는 $3!$

이때 A, B가 서로 자리를 바꾸는 경우의 수는 $2!$

즉 A, B가 양 끝에 서게 되는 경우의 수는 $3!\times2!$

이므로 구하는 확률은 $p_2=\frac{3!\times2!}{5!}=\frac{1}{10}$

조건 (다)에서 A, B를 제외한 3명의 학생 중 한 명을 뽑아 A와 B 사이에 세우고 이들 3명을 묶어서 한 명으로 생각하여 나머지 2명과 함께 일렬로 세우는 경우이고,

이때 A와 B가 위치를 바꿀 수 있으므로 구하는 경우의 수는 ${}_3C_1\times3!\times2!$

이므로 확률은 $p_3=\frac{{}_3C_1\times3!\times2!}{5!}=\frac{3}{10}$

STEP Ⓑ $p_1+p_2+p_3$의 값 구하기

따라서 $p_1+p_2+p_3=\frac{2}{5}+\frac{1}{10}+\frac{3}{10}=\frac{8}{10}=\frac{4}{5}$

내신연계 출제문항 194

A와 B를 포함한 6명의 학생을 일렬로 세울 때, 다음 조건을 만족하는 확률을 각각 p_1, p_2, p_3라 할 때, $p_1+p_2+p_3$의 값은?

> (가) A가 가장 왼쪽에 서게 될 확률
> (나) A, B가 이웃하여 서게 될 확률
> (다) A와 B 사이에 한 사람이 있을 확률

① $\frac{14}{15}$ ② $\frac{23}{30}$ ③ $\frac{7}{15}$
④ $\frac{7}{30}$ ⑤ $\frac{2}{30}$

STEP Ⓐ 순열을 이용하여 각 조건을 만족하는 확률 구하기

조건 (가)에서 A가 가장 왼쪽에 서게 될 확률은 $p_1=\frac{5!}{6!}=\frac{1}{6}$

조건 (나)에서 A, B가 이웃하여 서게 될 확률은 $p_2=\frac{5!\times2!}{6!}=\frac{1}{3}$

조건 (다)에서 A, B를 제외한 4명의 학생 중 한 명을 뽑아 A와 B 사이에 세우고 이들 3명을 묶어서 한 명으로 생각하여 나머지 3명과 함께 일렬로 세우는 경우이고,

이때 A와 B가 위치를 바꿀 수 있으므로 구하는 경우의 수는 ${}_4C_1\times4!\times2!$

이므로 확률은 $p_3=\frac{{}_4C_1\times4!\times2!}{6!}=\frac{4}{15}$

STEP Ⓑ $p_1+p_2+p_3$의 값 구하기

따라서 $p_1+p_2+p_3=\frac{1}{6}+\frac{1}{3}+\frac{4}{15}=\frac{23}{30}$

정답 ②

0433

정답 ⑤

STEP Ⓐ 모든 경우의 수 구하기

8명의 학생이 일렬로 서는 경우의 수는 $8!$

STEP Ⓑ 특정한 원소가 이웃하게 서는 경우의 수 이용하기

여학생 4명, 남학생 4명이 번갈아 가며 서는 경우의 수는 $4!\times4!\times2$

따라서 구하는 확률은 $\frac{4!\times4!\times2}{8!}=\frac{1}{35}$

0434

정답 ①

STEP Ⓐ 모든 경우의 수 구하기

7개의 공을 일렬로 나열하는 경우의 수는 $7!$

STEP Ⓑ 짝수가 적힌 공과 홀수가 적힌 공이 번갈아 나오게 나열될 확률 구하기

짝수가 적힌 공과 홀수가 적힌 공이 번갈아 나오게 나열되는 경우는 짝수가 적힌 공이 3개, 홀수가 적힌 공이 4개이므로 다음과 같다.

홀

따라서 짝수가 적힌 공과 홀수가 적힌 공이 번갈아 나오게 나열하는 경우의 수는 $4!\times3!$이므로 구하는 확률은 $\frac{4!\times3!}{7!}=\frac{1}{35}$

내신연계 출제문항 195

어느 병원에서 임의로 남학생 3명과 여학생 4명이 시력검사를 하는 순서를 정할 때, 남학생과 여학생이 번갈아 시력검사를 할 확률은?

① $\frac{1}{35}$ ② $\frac{1}{24}$ ③ $\frac{1}{12}$
④ $\frac{1}{8}$ ⑤ $\frac{1}{6}$

STEP Ⓐ **모든 경우의 수 구하기**

남학생 3명과 여학생 4명이 검사받는 경우의 수는 $7!$

STEP Ⓑ **남학생, 여학생이 번갈아 검사할 확률 구하기**

남학생이 3명, 여학생이 4명이므로 번갈아 시력검사를 할 경우는 다음과 같다.

따라서 남학생과 여학생이 번갈아 시력검사를 할 경우의 수는 $4! \times 3!$이므로

구하는 확률은 $\frac{4! \times 3!}{7!} = \frac{1}{35}$  ①

0435

 ④

STEP Ⓐ **모든 경우의 수 구하기**

6명의 학생 A, B, C, D, E, F를 일렬로 세우는 경우의 수는 $6! = 720$

STEP Ⓑ **A와 E 사이에 2명의 학생이 오는 확률 구하기**

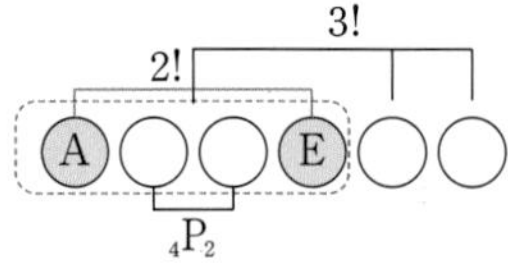

A○○E를 한 학생으로 생각하여 3명을 일렬로 나열하는 경우의 수는 $3!$
A와 E 사이에 2명의 학생을 일렬로 나열하는 경우의 수는 $_4P_2 = 12$
A와 E가 자리를 바꾸는 경우의 수는 $2!$
이므로 A와 E 사이에 2명의 학생이 오는 경우의 수는 $3! \times {_4P_2} \times 2! = 144$

따라서 구하는 확률은 $\frac{144}{720} = \frac{1}{5}$

내신연계 출제문항 196

8개의 문자 P, O, R, T, U, G, A, L을 일렬로 나열할 때, P와 O 사이에 2개의 문자가 들어갈 확률은?

① $\frac{1}{14}$ ② $\frac{3}{28}$ ③ $\frac{1}{7}$
④ $\frac{5}{28}$ ⑤ $\frac{3}{14}$

STEP Ⓐ **모든 경우의 수 구하기**

P, O, R, T, U, G, A, L의 8개의 문자를 일렬로 나열하는 전체 경우의 수는 $8!$

STEP Ⓑ **P와 O 사이에 2개의 문자가 오는 확률 구하기**

P와 O 사이에 2개의 문자를 나열하는 경우의 수는 $_6P_2$
각각의 경우에 'P, □, □, O'와 나머지 4개의 문자를 나열하는 경우의 수는 $5!$
P와 O가 서로 자리를 바꾸는 경우의 수는 $2!$
이므로 P와 O 사이에 2개의 문자를 들어가는 경우의 수는 $_6P_2 \times 5! \times 2!$

따라서 구하는 확률은 $\frac{_6P_2 \times 5! \times 2!}{8!} = \frac{5}{28}$  ④

0436

 ①

STEP Ⓐ **모든 경우의 수 구하기**

키가 작은 사람부터 차례로 a_1, a_2, a_3, a_4라 할 때,
네 사람을 일렬로 세우는 경우의 수는 $4! = 24$

STEP Ⓑ **세 번째 오는 사람에 대한 각 경우의 수 구하기**

앞에서 세 번째 사람이 자신과 이웃한 두 사람보다 키가 작은 경우는 다음과 같다.

(ⅰ) 앞에서 세 번째에 a_1이 나오는 경우 ← $\square\square a_1 \square$
세 번째 사람이 키가 제일 작으므로 나머지 세 사람을 일렬로 세우는 경우의 수는 $3! = 6$

(ⅱ) 앞에서 세 번째에 a_2가 나오는 경우 ← $a_1 \square a_2 \square$
이웃한 두 사람이 다 커야 하므로 앞에서 첫 번째 자리는 키가 제일 작은 사람이 a_2 좌우에 a_3, a_4가 서야 하는 경우의 수는 $2! = 2$

(ⅰ), (ⅱ)에서 구하는 확률은 $\frac{6+2}{24} = \frac{1}{3}$

다른풀이 배반사건을 이용하여 풀이하기

STEP Ⓐ **앞에서 세 번째 사람이 자신과 이웃한 두 사람보다 키가 작은 경우 구하기**

(ⅰ) 앞에서 세 번째에 a_1이 나오는 사건을 A
세 번째 사람이 키가 제일 작으므로 나머지 세 사람을 일렬로 세우는 경우의 수는 $3!$이므로 구하는 확률은 $P(A) = \frac{3!}{4!} = \frac{1}{4}$

(ⅱ) 앞에서 세 번째에 a_2가 나오는 사건을 B
이웃한 두 사람이 다 커야 하므로 앞에서 첫 번째 자리는 키가 제일 작은 사람이 a_2 좌우에 a_3, a_4이 서야 하는 경우의 수는 $2!$이므로
구하는 확률은 $P(B) = \frac{2!}{4!} = \frac{1}{12}$

(ⅰ), (ⅱ)에서 두 사건 A, B는 서로 배반사건이므로 구하는 확률은
$P(A \cup B) = P(A) + P(B) = \frac{1}{4} + \frac{1}{12} = \frac{1}{3}$

내신연계 출제문항 197

생일이 서로 다른 5명의 사람이 있다. 이들을 임의로 일렬로 세울 때, 두 번째 사람이 자신과 이웃한 두 사람보다 생일이 빠를 확률은?

① $\frac{1}{10}$ ② $\frac{1}{5}$ ③ $\frac{1}{4}$
④ $\frac{3}{10}$ ⑤ $\frac{1}{3}$

STEP Ⓐ **모든 경우의 수 구하기**

다섯 사람을 생일이 빠른 순서대로 a, b, c, d, e라고 하자.
이들을 일렬로 세우는 방법의 수는 $5! = 120$

STEP Ⓑ **두 번째 오는 사람에 대한 각 경우의 수를 구하여 확률 구하기**

(ⅰ) 두 번째에 a가 오는 경우는 $\square a \square\square\square$이므로
a의 양 옆에는 b, c, d, e가 오더라도 성립하므로 $4! = 24$

(ⅱ) 두 번째에 b가 오는 경우는 $\square b \square\square\square$이므로
b의 양옆에는 c, d, e가 오면 되므로 $_3P_2 \times 2! = 12$

(ⅱ) 두 번째에 c가 오는 경우는 $\square c \square\square\square$이므로
c의 양옆에는 d, e가 오면 되므로 $2! \times 2! = 4$

(ⅰ)~(ⅲ)에서 두 번째 사람이 자신과 이웃한 두 사람보다 생일이 빠른 경우의 수는 $24+12+4=40$

따라서 구하는 확률은 $\frac{40}{120} = \frac{1}{3}$  ⑤

참고 두 번째에 d가 서는 경우 d보다 생일이 느린 사람은 e뿐이므로 조건을 만족시키지 않는다.
두 번째에 e가 서는 경우 e보다 생일이 느린 사람은 없으므로 조건을 만족시키지 않는다.

0437

정답 ④

STEP Ⓐ **모든 경우의 수 구하기**

1부터 5까지의 자연수가 하나씩 적힌 5장의 카드를 일렬로 나열하는 경우의 수는 $5!$

STEP Ⓑ **짝수가 적힌 카드끼리는 서로 이웃하지 않게 나열하는 경우의 수 구하기**

홀수 1, 3, 5가 적힌 세 장의 카드를 일렬로 나열하는 경우의 수는 $3!$
이 각각에 대하여 나열된 세 장의 카드 사이의 두 곳과 양 끝의 네 곳 중 두 곳을 선택하여 짝수 2, 4가 적힌 카드를 나열하는 경우의 수는 ${}_4P_2$

STEP Ⓒ **확률 구하기**

따라서 구하는 확률은 $\frac{3! \times {}_4P_2}{5!}=\frac{3}{5}$

내신연계 출제문항 198

힙합가수 5명, 발라드 가수 3명이 한명씩 차례로 공연을 한다. 임의로 공연 순서를 정할 때, 발라드 가수 3명 중 어떤 2명도 연속해서 공연하지 않도록 순서가 정해질 확률은?

① $\frac{9}{28}$ ② $\frac{5}{14}$ ③ $\frac{11}{28}$
④ $\frac{3}{7}$ ⑤ $\frac{13}{28}$

STEP Ⓐ **8명이 공연 순서를 정하는 경우의 수 구하기**

8명이 공연 순서를 정하는 경우의 수는 $8!$

STEP Ⓑ **발라드 가수 3명 중 어떤 2명도 연속해서 공연하지 않도록 순서를 정하는 경우의 수 구하기**

발라드 가수 3명중 어떤 2명도 연속해서 공연하지 않도록 순서를 정하는 경우의 수는

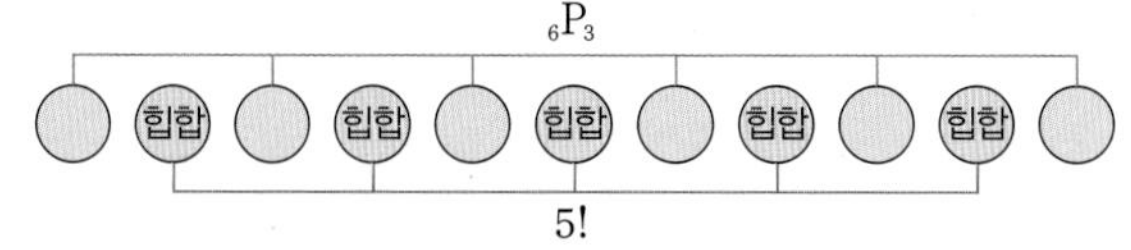

위와 같이 힙합 가수 5명을 일렬로 세우고, 여섯 군데의  중에서 세 곳을 택하여 발라드 가수 3명을 일렬로 세우는 경우의 수와 같으므로 $5! \times {}_6P_3$

STEP Ⓒ **확률 구하기**

따라서 구하는 확률은 $\frac{5! \times {}_6P_3}{8!}=\frac{5}{14}$

정답 ②

0438

정답 ①

STEP Ⓐ **모든 경우의 수 구하기**

여섯 사람이 좌석에 앉는 방법의 수는 $6!$

STEP Ⓑ **A, B가 서로 이웃하여 앉는 경우의 수 구하기**

A와 B가 서로 이웃하게 앉는 경우는
A와 B가 (A_1, A_2), (A_2, A_1), (B_1, B_2), (B_2, B_1) 중 하나에 앉고
각 경우에 대해 A, B를 제외한 나머지 네 사람이 A와 B가 앉은 좌석을 제외한 4개의 좌석에 앉는 것이므로 A와 B가 서로 옆 좌석에 앉는 경우의 수는 $4 \times 4!$

STEP Ⓒ **확률 구하기**

따라서 구하는 확률은 $\frac{4 \times 4!}{6!}=\frac{2}{15}$

내신연계 출제문항 199

혜성이와 아라를 포함한 영화 감상 동아리 회원 6명이 영화를 보기 위하여 예매한 표의 좌석 배치도는 다음 그림과 같다.

6명의 회원이 임의로 표를 받아 해당하는 좌석에 앉을 때, 혜성이와 아라가 이웃하여 앉게 될 확률은? (단, 통로에 의해 인접하는 경우는 이웃하지 않은 것으로 본다.)

① $\frac{2}{15}$ ② $\frac{4}{15}$ ③ $\frac{7}{15}$
④ $\frac{11}{15}$ ⑤ $\frac{13}{15}$

STEP Ⓐ **모든 경우의 수 구하기**

여섯 사람이 좌석에 앉는 방법의 수는 $6!$

STEP Ⓑ **혜성이와 아라가 서로 이웃하게 앉는 경우의 수 구하기**

혜성이와 아라가 서로 이웃하게 앉는 경우는
혜성이와 아라가 (D1, D2), (D2, D3), (D4, D5), (D5, D6) 하나에 앉고
각 경우에 대해 혜성이와 아라를 제외한 나머지 네 사람이 나머지 4개의 좌석에 앉는 것이므로 혜성이와 아라가 서로 이웃하게 옆좌석에 앉는 경우의 수는 $4 \times 2! \times 4!$

STEP Ⓒ **확률 구하기**

따라서 구하는 확률은 $\frac{4 \times 2! \times 4!}{6!}=\frac{4}{15}$

정답 ②

0439

정답 ③

STEP Ⓐ **모든 경우의 수 구하기**

7명이 임의로 자리를 정하여 앉는 경우의 수는 $7!$

STEP Ⓑ **특정한 원소가 이웃하게 있는 경우의 수를 이용하여 확률 구하기**

A, B가 서로 이웃하여 앉는 경우는
맨 앞줄에 앉을 때 1가지
두 번째 줄에 앉을 때 2가지
세 번째 줄에 앉을 때 1가지
이므로 이웃하게 앉는 경우의 수는 $2+1+1=4$
각각 서로 자릴 바꿔 앉는 경우는 $2!$가지씩이므로 구하는 경우의 수는 $4 \times 2! \times 5!$
따라서 구하는 확률은 $\frac{4 \times 2! \times 5!}{7!}=\frac{4}{21}$

0440

STEP A 모든 경우의 수를 이용하여 n의 값 구하기

남학생 n명과 여학생 4명의 $(n+4)$명이 일렬로 산행을 하는 경우의 수는 $(n+4)!=8!$이므로 $n=4$

STEP B 특정한 원소가 이웃하게 있는 경우의 수를 이용하여 확률 구하기

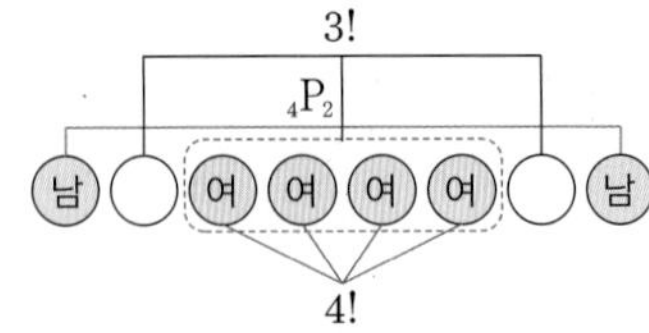

양 끝에 남학생이 오는 경우의 수는 $_4P_2=4\times3=12$이고
여학생 4명이 서로 이웃하게 서는 경우의 수는 4!이고
서로 이웃하는 여학생 4명을 한 묶음으로 생각하고, 남은 남학생 2명을 일렬로 세우는 경우의 수는 3명을 일렬로 세우는 경우의 수와 같으므로 3!
따라서 구하는 확률은 $\dfrac{12\times3!\times4!}{8!}=\dfrac{3}{70}$

0441

STEP A 모든 경우의 수 구하기

8개의 문자를 일렬로 나열하는 경우의 수는 8!

STEP B M, A는 서로 이웃하고 E, S는 서로 이웃하지 않을 확률 구하기

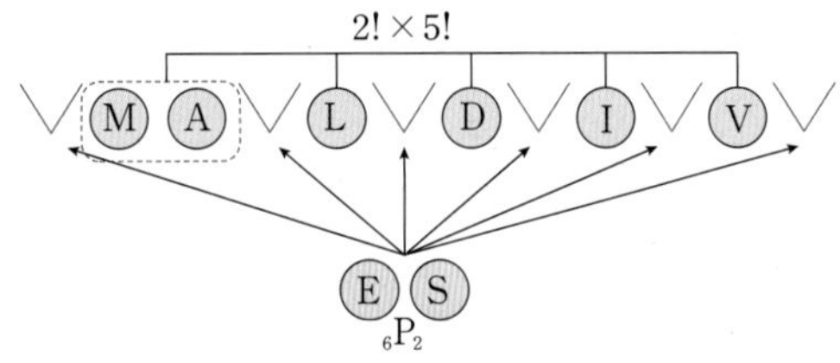

M, A를 이웃하도록 하여 MA와 L, D, I, V를 나열하는 경우의 수는 $2!\times5!$
이때 나열한 문자 사이 4곳과 양 끝 2곳을 합쳐서 6곳 중에서 2곳에 E, S를 나열하는 경우의 수는 $_6P_2=6\times5=30$
이므로 경우의 수는 $5!\times2!\times30$
따라서 구하는 확률은 $\dfrac{5!\times2\times30}{8!}=\dfrac{5}{28}$

내신연계 출제문항 200

신발의 사이즈가 서로 다른 4명의 학생이 있다.
4명이 신고 있는 신발 4켤레, 즉 총 8개의 신발을 임의로 일렬로 나열할 때, 사이즈가 가장 큰 신발은 서로 이웃하고 사이즈가 가장 작은 신발은 서로 이웃하지 않을 확률은? (단, 각 학생의 왼발과 오른발의 신발 사이즈는 서로 같다.)

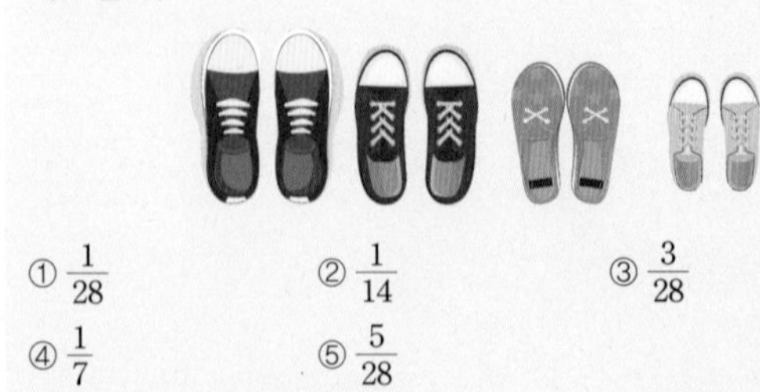

① $\dfrac{1}{28}$　② $\dfrac{1}{14}$　③ $\dfrac{3}{28}$
④ $\dfrac{1}{7}$　⑤ $\dfrac{5}{28}$

STEP A 전체 경우의 수 구하기

신발의 사이즈가 큰 것부터 4켤레의 신발을 Aa, Bb, Cc, Dd라 하면
8개의 신발을 일렬로 나열하는 경우의 수는 8!

STEP B 사이즈가 가장 큰 신발은 서로 이웃하고 사이즈가 가장 작은 신발은 서로 이웃하지 않을 경우의 수 구하기

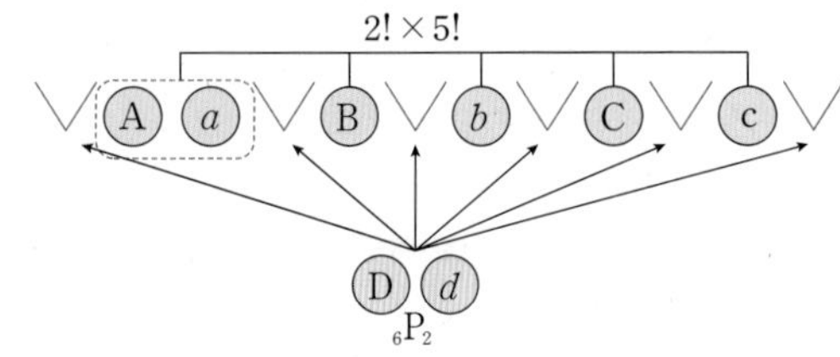

A와 a를 이웃하도록 하여 Aa와 B, b, C, c를 나열하는 경우의 수는 $5!\times2!$
이때 나열한 신발의 사이 4곳과 양 끝 2곳을 합쳐서 6곳 중에서
2곳에 D와 d를 나열하는 경우의 수는 $_6P_2=6\times5=30$
이므로 경우의 수는 $5!\times2!\times30$

STEP C 확률 구하기

따라서 구하는 확률은 $\dfrac{5!\times2\times30}{8!}=\dfrac{5}{28}$

0442

STEP A 모든 경우의 수 구하기

7개의 문자 U, K, R, A, I, N, E를 일렬로 세우는 경우의 수는 7!

STEP B U, K, R 중 2개의 문자만 이웃하는 확률 구하기

U, K, R 중 2개의 문자만 이웃하는 경우는 다음과 같다.
U, K가 서로 이웃하는 경우

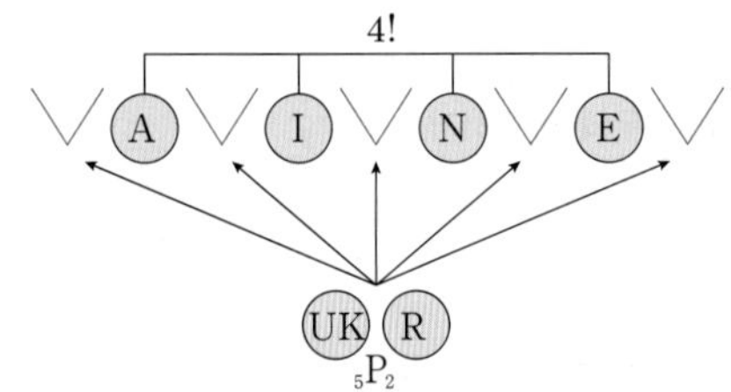

R을 제외한 나머지 4개 A, I, N, E를 먼저 배열하는 경우의 수는 4!
그 양 끝 사이사이 (∨)에 UK묶음과 R을 배열하는 경우의 수는 $_5P_2$
이때 U, K, R 중 서로 이웃할 2개를 택하여 배열하는 경우의 수는 $_3P_2$
이므로 U, K, R 중 2개만 서로 이웃하는 경우의 수는 $4!\times{}_5P_2\times{}_3P_2$
따라서 구하는 확률은 $\dfrac{4!\times{}_5P_2\times{}_3P_2}{7!}=\dfrac{4}{7}$

0443

STEP A 모든 경우의 수 구하기

3명의 학생을 8개의 의자 중에서 임의로 택한 서로 다른 3개의 의자에 1명씩 배정하는 경우의 수는 $_8P_3=8\times7\times6=336$

STEP B 어떤 두 명의 학생도 이웃하지 않게 앉을 확률 구하기

어떤 2명의 학생도 이웃한 의자에 앉지 않는 경우는 학생이 배정되지 않는 의자 5개를 나열하고, 5개의 양 끝과 사이인 6개의 공간 중에서 서로 다른 3개를 택하여 학생 3명을 배정하면 된다.
그 경우의 수는 $_6P_3=6\times5\times4=120$

사이사이 6개에서 3개를 나열하는 경우의 수 $_6P_3$

따라서 구하는 확률은 $\dfrac{120}{336}=\dfrac{5}{14}$

내/신/연/계/ 출제문항 201

그림과 같이 15개의 자리가 있는 일자형의 놀이기구에 5명이 타려고 할 때, 5명이 어느 누구와도 서로 이웃하지 않게 탈 확률은?

① $\frac{1}{26}$ ② $\frac{1}{13}$ ③ $\frac{3}{26}$
④ $\frac{2}{13}$ ⑤ $\frac{5}{26}$

STEP Ⓐ **모든 경우의 수 구하기**

5명이 일자형 놀이기구에 타는 모든 경우의 수는 15개의 자리 중에서 서로 다른 5개를 뽑아서 5명이 앉을 자리를 정해주면 되므로 ${}_{15}P_5$

STEP Ⓑ **빈자리를 먼저 배열하고 사람을 배열하는 경우의 수 구하기**

5명이 어느 누구와도 서로 이웃하지 않게 타는 경우의 수는
5명이 앉을 5개의 자리를 제외한 빈자리 10개 사이사이 9개의 자리 및 양끝 2개의 자리를 포함한 11개의 자리에 5명이 앉는 방법의 수이므로 ${}_{11}P_5$와 같다.

따라서 구하는 확률은 $\frac{{}_{11}P_5}{{}_{15}P_5}=\frac{11\cdot10\cdot9\cdot8\cdot7}{15\cdot14\cdot13\cdot12\cdot11}=\frac{2}{13}$

다른풀이 중복조합을 이용하여 풀이하기

STEP Ⓐ **사람과 빈자리를 먼저 배열하기**

5명을 각각 A, B, C, D, E라 하면
5명의 순서를 배열하는 경우의 수는 5!
어느 누구와도 이웃하지 않아야 하므로 각 사람들 사이에 빈자리는 반드시 있어야 한다.
즉 그림과 같이 배치할 수 있다.

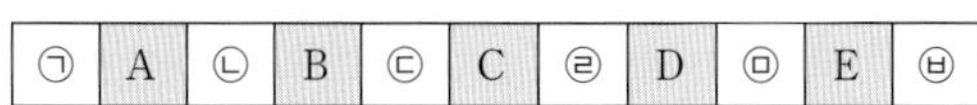

㉠	A	㉡	B	㉢	C	㉣	D	㉤	E	㉥

STEP Ⓑ **중복조합을 이용하여 경우의 수 구하기**

㉠, ㉡, ㉢, ㉣, ㉤, ㉥에 각각 a, b, c, d, e, f개의 빈자리가 있다고 하면
$a+b+c+d+e+f=10$ (단, a, f는 음이 아닌 정수 b, c, d, e는 자연수)
이때 $b'=b-1$, $c'=c-1$, $d'=d-1$, $e'=e-1$이라 하면
$a+b'+c'+d'+e'+f=6$ (단, a, b', c', d', e', f는 음이 아닌 정수)
방정식의 정수해의 개수는 ${}_6H_6={}_{11}C_6$
따라서 구하는 확률은 $\frac{5!\times{}_{11}C_6}{{}_{15}P_5}=\frac{2}{13}$ 정답 ④

0444

정답 ②

STEP Ⓐ **모든 경우의 수 구하기**

6명이 8개의 좌석 중 임의로 6개를 선택하여 앉는 경우의 수는 ${}_8P_6$

STEP Ⓑ **부부끼리 이웃하는 경우의 수 구하기**

이때 부부끼리 같은 열에 이웃하여 앉는 경우는 다음과 같다.
(i) 세 쌍의 부부가 아래 그림과 같이 4쌍의 이웃한 좌석(빨간 선) 중 세 개를 택한 후 부부끼리는 같은 열에 이웃하여 앉는 경우의 수는
${}_4P_3\times2^3=4\times3\times2\times2^3=2^6\times3$

[2열] / [1열]

(ii) 세 쌍의 부부가 아래 그림과 같이 3쌍의 이웃한 좌석(빨간 선) 중 세 개를 택한 후 부부끼리는 같은 열에 이웃하여 앉는 경우의 수는
${}_3P_3\times2^3\times2=3\times2\times1\times2^3\times2=2^5\times3$

[2열] / [1열] 또는 [2열] / [1열]

STEP Ⓒ **확률 구하기**

(i), (ii)에서 구하는 확률은 $\frac{2^6\times3+2^5\times3}{{}_8P_6}=\frac{2^5\times3^2}{8\times7\times6\times5\times4\times3}=\frac{1}{70}$

0445

정답 ②

STEP Ⓐ **모든 경우의 수 구하기**

숫자 1, 2, 3, 4, 5, 6, 7이 하나씩 적혀 있는 7장의 카드를 일렬로 나열하는 경우의 수는 7!

STEP Ⓑ **조건을 만족하는 경우의 수 구하기**

(i) 4, 5를 이웃하여 나열하지 않는 경우
4의 양 옆에 5를 제외한 4보다 큰 숫자를 나열해야 한다.
이는 6, 7이 적혀 있는 경우이므로 나열하는 경우는 2가지
5의 양 옆에 4를 제외한 5보다 작은 숫자를 나열해야 한다.
이는 1, 2, 3이 적혀 있는 경우이므로 나열하는 경우는
${}_3C_2\times2!=6$가지
이 각각에 대하여 이들 각각을 한 묶음씩 두 묶음으로 생각하고
나머지 숫자 1개를 포함하여 일렬로 나열하는 경우의 수는 $3!=6$
즉 구하는 경우의 수는 $2\times6\times3!=72$

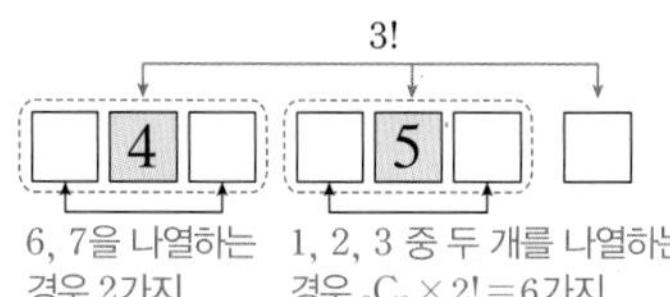

(ii) 4, 5를 이웃하여 나열하는 경우
4의 양쪽 옆에 5와 6, 7 중 하나를 나열하고, 5의 양쪽 옆에 4와 1, 2, 3 중 하나를 나열하여야 한다.
4와 5의 자리를 바꾸는 경우의 수는 2!
이 각각에 대하여 4, 5를 한 묶음으로 생각하고
양쪽 옆에 숫자 6, 7 중 하나와 1, 2, 3 중 하나를 나열하는 경우의 수는
${}_2C_1\times{}_3C_1=6$가지
이 각각에 대하여 다시 이들을 한 묶음으로 생각하고
나머지 숫자 3개를 함께 나열하는 경우의 수는 4!
즉 구하는 경우의 수는 $2!\times6\times4!=288$

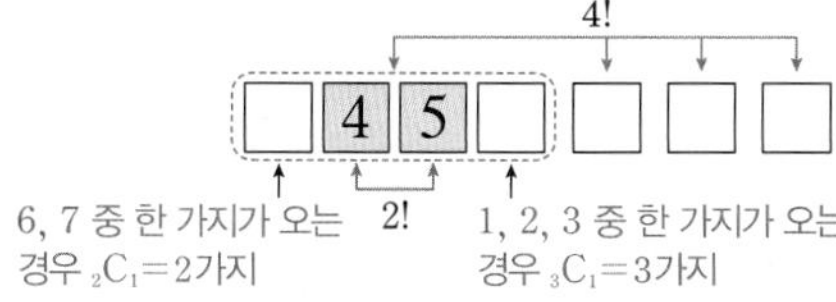

(i), (ii)에서 조건을 만족하는 경우의 수는 $72+288=360$

STEP Ⓒ **확률 구하기**

따라서 구하는 확률은 $\frac{360}{7!}=\frac{360}{5040}=\frac{1}{14}$

내신연계 출제문항 202

A, B, C, D의 4개의 문자와 1, 2, 3, 4의 4개의 숫자가 있다.
이 8개의 문자와 숫자를 한 번씩 모두 사용하여 임의로 일렬로 나열할 때, 다음 조건을 만족시킬 확률은?

(가) 문자 A의 양쪽 옆에 숫자를 나열한다.
(나) 숫자 1의 양쪽 옆에 문자를 나열한다.

① $\frac{3}{40}$ ② $\frac{1}{10}$ ③ $\frac{1}{8}$ ④ $\frac{3}{20}$ ⑤ $\frac{7}{40}$

STEP Ⓐ **모든 경우의 수 구하기**

서로 다른 8개의 문자와 숫자를 일렬로 나열하는 경우의 수는 $8!$

STEP Ⓑ **조건을 만족하는 경우의 수 구하기**

(ⅰ) 문자 A와 숫자 1을 이웃하여 나열하지 않는 경우
문자 A의 양쪽 옆에 숫자 1을 제외한 숫자를 나열하고,
숫자 1의 양쪽 옆에 문자 A를 제외한 문자를 나열해야 한다.
문자 A의 양쪽 옆에 숫자 1을 제외한 숫자를 나열하는 경우의 수는
$_3C_2\times2!=6$
이 각각에 대하여 숫자 1의 양쪽 옆에 문자 A를 제외한 문자를 나열하는 경우의 수는 $_3C_2\times2!=6$
이 각각에 대하여 이들 각각을 한 묶음씩 두 묶음으로 생각하고
나머지 숫자 1개, 문자 1개와 함께 일렬로 나열하는 경우의 수는 $4!$
즉 구하는 경우의 수는 $6\times6\times4!=36\times4!$

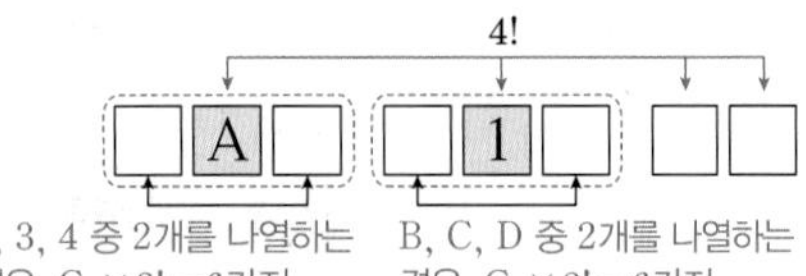

(ⅱ) 문자 A와 숫자 1을 이웃하여 나열하는 경우
문자 A의 양쪽 옆에 1과 세 숫자 2, 3, 4 중 하나의 숫자를 나열하고,
숫자 1의 양쪽 옆에 A와 세 문자 B, C, D 중 하나의 문자를 나열해야 한다. 문자 A에 이웃하여 숫자 1을 나열하는 경우의 수는 $2!$
이 각각에 대하여 문자 A와 숫자 1을 한 묶음으로 생각하여 양쪽 옆에 숫자 1개, 문자 1개를 나열하는 경우의 수는 $_3C_1\times{}_3C_1=9$
이 각각에 대하여 다시 이들을 한 묶음으로 생각하고 나머지 숫자 2개, 문자 2개와 함께 일렬로 나열하는 경우의 수는 $5!$
즉 구하는 경우의 수는 $2!\times9\times5!=90\times4!$

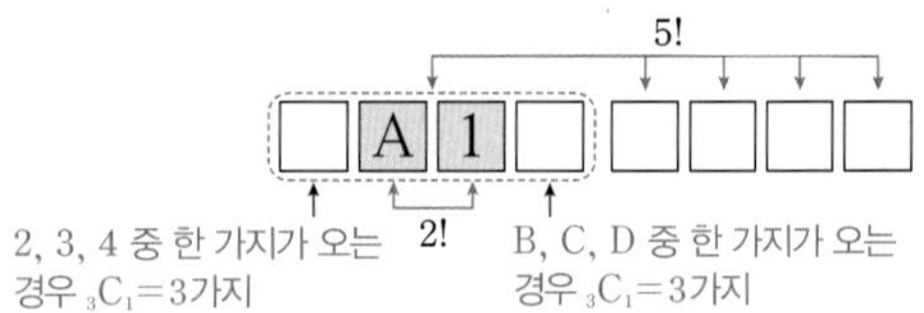

STEP Ⓒ **확률 구하기**

(ⅰ), (ⅱ)에서 구하는 확률은

$$\frac{36\times4!+90\times4!}{8!}=\frac{(36+90)\times4!}{8!}=\frac{126}{8\times7\times6\times5}=\frac{3}{40}$$

정답 ①

0446

정답 ③

STEP Ⓐ **모든 경우의 수 구하기**

1, 2, 3, 4, 5 중에서 임의로 서로 다른 3개의 수를 선택하여 만들 수 있는 세 자리의 자연수의 개수는 $_5P_3$

STEP Ⓑ **세 자리 자연수가 홀수인 경우의 수 구하기**

이 중 홀수가 되는 경우는 일의 자리의 숫자가 홀수 1, 3, 5 중 하나인 경우이므로 홀수인 자연수의 개수는 $3\times{}_4P_2$

STEP Ⓒ **확률 구하기**

따라서 구하는 확률은 $\frac{3\times{}_4P_2}{_5P_3}=\frac{3\times4\times3}{5\times4\times3}=\frac{3}{5}$

서로 다른 3개의 수를 선택하여 만든 세 자리의 자연수 중 일의 자리의 숫자가 1, 2, 3, 4, 5인 자연수의 개수는 서로 같다.
세 자리의 자연수가 홀수인 경우는 일의 자리의 숫자가 홀수인 경우이므로
구하는 확률은 $\frac{3}{5}$

내신연계 출제문항 203

1부터 5까지의 자연수가 하나씩 적힌 5장의 카드가 있다.
이 5장의 카드를 한 줄로 나열하여 다섯 자리 자연수를 만들 때,
이 수가 짝수일 확률은?

① $\frac{2}{5}$ ② $\frac{1}{2}$ ③ $\frac{3}{5}$ ④ $\frac{7}{10}$ ⑤ $\frac{4}{5}$

STEP Ⓐ **모든 경우의 수 구하기**

다섯 장의 카드를 일렬로 나열하는 경우의 수는 $5!$

STEP Ⓑ **다섯 자리 수가 짝수일 확률 구하기**

그 다섯 자리 수가 짝수이기 위해서는 끝자리 수가 짝수이어야 한다.
끝자리에 짝수 카드를 배열하는 경우의 수는 $_2C_1=2$
나머지 네 장의 카드를 배열하는 경우의 수는 $4!$
이므로 짝수의 경우의 수는 $2\times4!$
따라서 구하는 확률은 $\frac{2\times4!}{5!}=\frac{2}{5}$

정답 ①

0447

정답 ②

STEP Ⓐ **모든 경우의 수 구하기**

5개의 숫자에서 서로 다른 두 개를 임의로 뽑아 배열하는 경우의 수는
$_5P_2=20$

STEP Ⓑ **㉠이 ㉡의 약수인 경우의 수를 이용하여 확률 구하기**

$\frac{㉡}{㉠}$이 자연수인 경우는 ㉠이 ㉡의 약수인 경우이므로
(ⅰ) ㉡=4일 때, ㉠=2
(ⅱ) ㉡=6일 때, ㉠=2, 3
(ⅰ), (ⅱ)에서 ㉠이 ㉡의 약수인 경우의 수는 $1+2=3$
따라서 구하는 확률은 $\frac{3}{20}$

0448 정답 ②

STEP Ⓐ **모든 경우의 수 구하기**

숫자 0이 백의 자리에 올 수 없으므로 숫자 0, 1, 2, 3, 4, 5 중에서 서로 다른 3개의 숫자를 일렬로 나열하여 만들 수 있는 세 자리 자연수의 개수는
$5\times{}_5P_2=5\times5\times4=100$

STEP Ⓑ **340보다 큰 짝수가 되는 확률 구하기**

이때 340보다 큰 짝수가 되는 경우는 다음과 같이 세 가지가 있다.
(ⅰ) 백의 자리가 3인 경우
  34□, 35□의 꼴이므로 342, 350, 352, 354로 4개
(ⅱ) 백의 자리가 4인 경우
  4□0, 4□2의 꼴이므로 각각 4개씩 총 8개
(ⅲ) 백의 자리가 5인 경우
  5□0, 5□2, 5□4의 꼴이므로 각각 4개씩 총 12개
(ⅰ)~(ⅲ)에서 340보다 큰 짝수가 되는 경우의 수는 $4+8+12=24$
따라서 구하는 확률은 $p=\frac{24}{100}=\frac{6}{25}$이므로 $25p=6$

내/신/연/계/ 출제문항 204

네 개의 숫자 0, 1, 2, 3이 각각 하나씩 적혀 있는 4장의 카드가 있다.
이 카드를 한 줄로 나열하여 네 자리의 정수를 만들 때,
이 정수가 3100보다 클 확률은?

① $\frac{1}{8}$　② $\frac{1}{6}$　③ $\frac{2}{9}$
④ $\frac{1}{4}$　⑤ $\frac{1}{3}$

STEP Ⓐ **모든 경우의 수 구하기**

숫자 0이 천의 자리에 올 수 없으므로 숫자 0, 1, 2, 3 중에서
서로 다른 4개의 숫자를 사용하여 만들 수 있는 네 자리의 자연수의 개수는
$3\times{}_3P_3=18$

STEP Ⓑ **3100보다 큰 경우의 수를 이용하여 확률 구하기**

네 자리의 정수 중에서 3100보다 큰 수는 31□□, 32□□의 꼴인 수이므로
3100보다 큰 정수를 만드는 경우의 수는 ${}_2P_2+{}_2P_2=4$
따라서 구하는 확률은 $\frac{4}{18}=\frac{2}{9}$ 정답 ③

0449 정답 ③

STEP Ⓐ **모든 경우의 수 구하기**

숫자 0이 천의 자리에 올 수 없으므로 숫자 0, 1, 2, 3, 4 중에서
서로 다른 4개의 숫자를 사용하여 만들 수 있는 네 자리의 자연수의 개수는
$4\times{}_4P_3$

STEP Ⓑ **천의 자리의 수가 백의 자리의 수보다 클 확률 구하기**

네 자리의 자연수의 천의 자리의 수가 백의 자리의 수보다 크므로
0, 1, 2, 3, 4 중에서 서로 다른 두 수를 택하여 큰 수를 천의 자리에,
작은 수를 백의 자리에 놓는 경우의 수는 ${}_5C_2$
이 각각에 대하여 천의 자리와 백의 자리에 사용한 두 수를 제외한 나머지
세 수 중에서 십의 자리와 일의 자리에 올 서로 다른 두 수를 택하여 나열하는
경우의 수는 ${}_3P_2$
그러므로 천의 자리의 수가 백의 자리의 수보다 큰 네 자리의 자연수의 개수는
${}_5C_2\times{}_3P_2$
따라서 구하는 확률은 $\frac{{}_5C_2\times{}_3P_2}{4\times{}_4P_3}=\frac{5}{8}$

0450 정답 ⑤

STEP Ⓐ **모든 경우의 수 구하기**

네 개의 숫자 1, 2, 3, 4로 세 자리 자연수를 만드는 경우의 수는
${}_4P_3=24$

STEP Ⓑ **세 자리 자연수가 3의 배수인 경우의 수를 이용하여 확률 구하기**

이때 세 자리 자연수가 3의 배수이려면 각 자리의 숫자의 합이 3의 배수이어야 한다.
(ⅰ) 각 자리의 숫자가 1, 2, 3인 경우
  세 자리 자연수는 $3!=6$
(ⅱ) 각 자리의 숫자가 2, 3, 4인 경우
  세 자리 자연수는 $3!=6$
(ⅰ), (ⅱ)에서 세 자리 자연수가 3의 배수인 경우의 수는 $6+6=12$
따라서 구하는 확률은 $\frac{12}{24}=\frac{1}{2}$

0451 정답 ①

STEP Ⓐ **모든 경우의 수 구하기**

1부터 9까지의 자연수 중에서 임의로 서로 다른 4개의 수를 선택하여
네 자리의 자연수를 만드는 경우의 수는 ${}_9P_4=9\times8\times7\times6$

STEP Ⓑ **백의 자리 수와 십의 자리 수의 합이 짝수인 경우의 수 구하기**

백의 자리의 수와 십의 자리의 수의 합이 짝수인 경우는
두 수 모두 짝수일 때와 모두 홀수일 때이다.
(ⅰ) 두 수 모두 짝수인 경우
  짝수 2, 4, 6, 8의 4개에서 2개를 선택하고
  나머지 7개에서 2개를 선택하여 나열하는 경우의 수는
  ${}_4P_2\times{}_7P_2=4\times3\times7\times6$
(ⅱ) 두 수 모두 홀수인 경우
  홀수 1, 3, 5, 7, 9의 5개 중에서 2개를 선택하고
  나머지 7개의 수 중 2개를 선택하여 나열하는 경우의 수는
  ${}_5P_2\times{}_7P_2=5\times4\times7\times6$
(ⅰ), (ⅱ)에서 백의 자리의 수와 십의 자리의 수의 합이 짝수가 되는 경우의 수는 $4\times3\times7\times6+5\times4\times7\times6$

STEP Ⓒ **확률 구하기**

따라서 구하는 확률은 $\frac{4\times3\times7\times6+5\times4\times7\times6}{9\times8\times7\times6}=\frac{4}{9}$

내신연계 출제문항 205

1, 2, 3, 4, 5, 6의 숫자가 각각 하나씩 적혀 있는 6장의 카드 중에서 세 장의 카드를 동시에 뽑아 임의로 일렬로 배열한다. 일렬로 배열된 세 장의 카드에 적혀 있는 숫자를 차례로 a, b, c라고 할 때, $ab+c$의 값이 짝수가 될 확률은?

① $\frac{1}{5}$　② $\frac{1}{4}$　③ $\frac{2}{5}$
④ $\frac{11}{20}$　⑤ $\frac{17}{20}$

STEP Ⓐ **모든 경우의 수 구하기**

6장의 카드 중에서 세 장의 카드를 뽑아 일렬로 배열하는 경우의 수는 ${}_6P_3=120$

STEP Ⓑ **$ab+c$가 짝수인 경우의 수를 이용하여 확률 구하기**

$ab+c$가 짝수가 되도록 하는 a, b, c의 순서쌍 (a, b, c)는
(짝수, 짝수, 짝수)인 경우 $3!=6$
(짝수, 홀수, 짝수)인 경우 ${}_3P_2\times{}_3P_1=18$
(홀수, 짝수, 짝수)인 경우 ${}_3P_1\times{}_3P_2=18$
(홀수, 홀수, 홀수)인 경우 $3!=6$
이므로 $ab+c$가 짝수가 되도록 하는 경우의 수는 $6+18+18+6=48$
따라서 구하는 확률은 $\frac{48}{120}=\frac{2}{5}$  정답 ③

0452

 정답 ①

STEP Ⓐ **모든 경우의 수 구하기**

4개의 상자에 4개의 공을 하나씩 넣는 경우의 수는 $4!=24$

STEP Ⓑ **상자에 적힌 번호와 상자 안에 넣은 공에 적힌 번호가 어느 하나도 일치하지 않을 확률 구하기**

이 중에서 상자에 적힌 번호와 상자 안에 넣은 공에 적힌 번호가 모두 일치하지 않는 경우는 오른쪽과 같이 9가지이다.
따라서 구하는 확률은 $\frac{9}{24}=\frac{3}{8}$

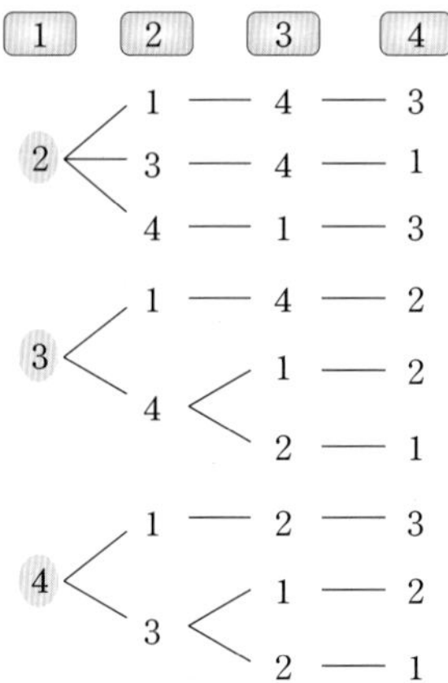

내신연계 출제문항 206

4명의 수험생의 수험표를 섞어서 임의로 한 장씩 나누어 줄 때, 4명 모두 다른 사람의 수험표를 받을 확률은?

① $\frac{3}{8}$　② $\frac{2}{3}$　③ $\frac{3}{4}$
④ $\frac{5}{6}$　⑤ $\frac{7}{30}$

STEP Ⓐ **모든 경우의 수 구하기**

4개의 수험표를 4명의 수험생에게 나누어 주는 방법의 수는 $4!=24$

STEP Ⓑ **4명 모두 다른 사람의 수험표를 받을 확률 구하기**

4명 모두 다른 사람의 수험표를 받는 경우의 수는 오른쪽과 같이 9가지이다.
따라서 구하는 확률은 $\frac{9}{24}=\frac{3}{8}$

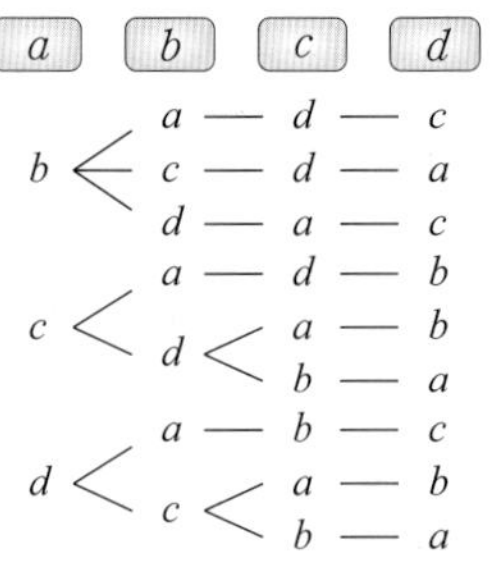

정답 ①

0453

 정답 ⑤

STEP Ⓐ **모든 경우의 수 구하기**

5장의 답안지를 일렬로 나열하는 경우의 수는 $5!=5\times4\times3\times2\times1=120$

STEP Ⓑ **4명 모두 다른 사람의 답안지를 뽑는 확률 구하기**

강인이를 제외한 나머지 학생을 A, B, C, D라 하고
학생 A가 학생 B의 답안지를 뽑았을 경우를 표로 나타내 보면

학생	A	B	C	D
뽑은 답안지	B의 답안지	A의 답안지	D의 답안지	C의 답안지
		C의 답안지	D의 답안지	A의 답안지
		D의 답안지	A의 답안지	C의 답안지

학생 A가 C, D의 답안지를 뽑는 경우도 마찬가지로 3가지씩이므로
$3\times3=9$
따라서 구하는 확률은 $\frac{9}{120}=\frac{3}{40}$이므로 $p+q=40+3=43$

내신연계 출제문항 207

회장, 부회장을 포함한 6명의 학생이 쪽지시험을 본 후, 6장의 답안지를 섞은 다음에 임의로 하나씩 뽑는다. 회장과 부회장은 답안지를 서로 바꾸고, 나머지 4명은 다른 학생의 답안지를 뽑을 확률이 $\frac{q}{p}$이다.
이때 $p+q$의 값은? (단, p, q는 서로소인 자연수)

① 81　② 83　③ 85
④ 87　⑤ 89

STEP Ⓐ **모든 경우의 수 구하기**

회장, 부회장을 포함한 6명의 학생을 나열하는 경우의 수는 $6!$

STEP Ⓑ **4명이 서로 다른 답안지를 선택할 확률 구하기**

4명이 서로 다른 사람의 답안지를 선택할 경우의 수는
A, B, C, D의 답안지를 a, b, c, d라고 하자.
A가 b를 갖게 되었을 때, 네 학생이 자신의 답안지를 갖지 않는 경우는 다음 표와 같이 3가지이다.

학생	A	B	C	D
답안지	b	a	d	c
	b	c	d	a
	b	d	a	c

또, A가 c 또는 d를 갖게 될 때도 각각 3가지의 경우가 생기므로
서로 다른 답안지를 갖는 방법의 수는 $3\cdot3=9$
따라서 구하는 확률은 $\frac{9}{6!}=\frac{1}{80}$이므로 $p+q=80+1=81$  정답 ①

0454

정답 ④

STEP A 주어진 조건을 만족하는 수형도를 이용하여 확률 구하기

전체 경우의 수는 $4!=24$이고
모임에 참가한 사람을 각각 A, B, C, D라 하고
각각의 모자를 a, b, c, d라 하면

(i) 모두 자신의 모자를 쓰지 못한 경우의 수는 9가지이므로
구하는 확률은 $\frac{9}{24}$

(ii) 한 사람만 자신의 모자를 쓰는 경우

모자	A	B	C	D
쓴모자	a	c	d	b
		d	b	c

다음은 A만 자신의 모자를 쓴 경우 2가지이다.
이때 4명이 각각 같은 경우가 존재하므로 구하는 확률은 $\frac{8}{24}$

(i), (ii)에서 구하는 확률은 $\frac{9}{24}+\frac{8}{24}=\frac{17}{24}$

STEP B $p+q$의 값 구하기

따라서 $p+q=24+17=41$

0455

STEP A 모든 경우의 수 구하기

면접을 마치고 다 같이 돌아와 6명이 한 줄로 다시 앉는 경우의 수는
$6!=720$

STEP B 처음 자리와 같은 자리에 앉은 학생이 3명만 있을 확률 구하기

처음 자리와 같은 자리에 앉을 3명을 선택하는 경우의 수는 ${}_6C_3=20$
나머지 3명이 모두 처음 자리와 다른 자리에 앉는 경우의 수는 2가지
그러므로 처음 자리와 같은 자리에 앉은 학생이 3명만 있는 경우의 수는
$20\times2=40$

따라서 구하는 확률은 $\frac{40}{720}=\frac{1}{18}$

3명이 모두 처음 자리와 다른 자리에 앉는 경우의 수는 3명을
A, B, C라 하고 처음 앉아 있던 자리를 각각 1, 2, 3이라 하면

1	2	3
B	C	A
C	A	B

0456

정답 ②

STEP A 모든 경우의 수 구하기

수험생 5명을 일렬로 세우는 방법의 수는 $5!$가지이다.

STEP B 5명 모두 다른 사람의 수험표를 받을 확률 구하기

이중에서 5명 모두가 다른 사람의
수험표를 받은 경우의 수는
수험생 5명을 1, 2, 3, 4, 5라 하여
오른쪽과 같은 수형도를 그려보면
1에 2를 대응시킬 때 11가지 있고,
1에 3, 4, 5를 대응시킬 때에도
각각 11가지씩 있으므로
$11\times4=44$

따라서 구하는 확률은 $\frac{44}{5!}=\frac{11}{30}$

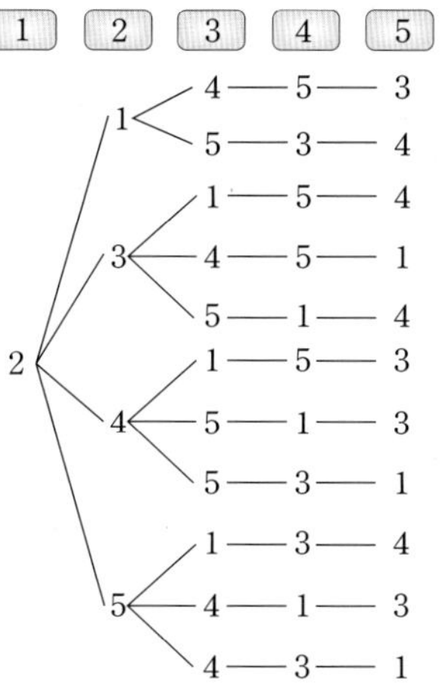

0457

STEP A 모든 경우의 수 구하기

A, B를 포함한 6명이 원형의 탁자에 일정한 간격을 두고 앉는 경우의 수는
$(6-1)!=5!=120$

STEP B A, B가 이웃하여 6명이 원형의 탁자에 앉는 확률 구하기

A, B가 이웃하여 6명이 원형의 탁자에 일정한 간격을 두고 앉는 경우의 수는
$2!\times(5-1)!=2!\times4!=48$

따라서 구하는 확률은 $\frac{48}{120}=\frac{2}{5}$

0458

STEP A 모든 경우의 수 구하기

5명의 가족이 원탁에 둘러앉는 방법의 수는
$(5-1)!=4!=24$

STEP B 부모가 서로 이웃하지 않을 확률 구하기

부모가 서로 이웃하지 않게 앉은 경우는 자녀 3명을 원형으로 배열하고
그 사이사이에 부모를 앉게 하는 경우
$(3-1)!\times{}_3P_2=12$

따라서 구하는 확률은 $\frac{12}{24}=\frac{1}{2}$

다른풀이 여사건을 이용하여 풀이하기

5명의 가족이 원탁에 둘러앉는 방법의 수는 $(5-1)!=4!=24$
이때 부모가 서로 이웃하는 경우는 부모를 한 묶음으로 보고 배열한 다음
부모의 자리가 바뀌는 경우를 곱하면 되므로 $(4-1)!\times2=3!\times2=12$
부모가 이웃하여 앉을 확률이 $\frac{12}{24}=\frac{1}{2}$이므로 부모가 서로 이웃하지 않게 앉을
확률은 $1-\frac{1}{2}=\frac{1}{2}$

내/신/연/계/ 출제문항 208

오른쪽 그림과 같이 6등분한 정육각형에빨강, 주황, 노랑, 초록, 파랑, 보라의 6가지 색을 모두 사용하여 임의로 칠할 때, 빨간색과 파란색을 이웃하지 않게 칠할 확률은?

① $\frac{1}{3}$ ② $\frac{2}{5}$

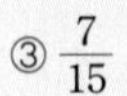
③ $\frac{7}{15}$ ④ $\frac{8}{15}$

⑤ $\frac{3}{5}$

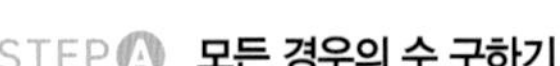
STEP A 모든 경우의 수 구하기

정육각형에 6가지 색을 칠하는 경우의 수는 원순열이므로 $(6-1)!=5!$

STEP B 빨간색과 파란색을 이웃하지 않게 칠하는 경우의 수 구하기

빨간색과 파란색을 이웃하지 않게 칠하는 경우의 수는
먼저 나머지 이웃해도 되는 네 개의 색을 먼저 원순열을 배열한 후
그 사이사이에 빨간색과 파란색을 배열하면 되므로 그 경우의 수는
$(4-1)!\times{}_4P_2=3!\times4\times3$

STEP C 경우의 수를 이용하여 확률 구하기

따라서 구하고자 하는 확률은 $\frac{3!\times4\times3}{5!}=\frac{3}{5}$

 ⑤

0459

 ④

STEP A 모든 경우의 수 구하기

8명이 원탁에 앉는 경우의 수는 $(8-1)!=7!$

STEP B 여학생끼리 이웃하지 않을 확률 구하기

남학생 5명이 원탁에 둘러앉는 경우의 수는 $(5-1)!=4!$이고
남학생 5명 사이사이에 여학생을 앉히는 경우의 수는 ${}_5P_3$이므로
여학생끼리는 서로 이웃하지 않게 앉는 경우의 수는 $4!\times{}_5P_3$

따라서 구하는 확률은 $\frac{4!\times{}_5P_3}{7!}=\frac{2}{7}$

내/신/연/계/ 출제문항 209

조부모와 부모 그리고 세 자녀로 이루어진 7명의 대가족이 원 모양의 탁자에 임의로 둘러앉을 때, 세 자녀 중 어느 둘도 이웃하여 앉지 않을 확률은?

① $\frac{1}{5}$ ② $\frac{1}{4}$ ③ $\frac{1}{3}$
④ $\frac{2}{7}$ ⑤ $\frac{1}{2}$

STEP A 모든 경우의 수 구하기

7명이 원탁에 앉는 경우의 수는 $(7-1)!=6!=720$

STEP B 세 자녀 중 어느 둘도 이웃하지 않을 확률 구하기

조부모와 부모 4명이 원탁에 둘러앉는 경우의 수는 $(4-1)!=3!$이고
조부모와 부모 4명 사이사이에 세 자녀를 앉히는 경우의 수는 ${}_4P_3$이므로
세 자녀끼리는 서로 이웃하지 않게 앉는 경우의 수는 $3!\times{}_4P_3=144$

따라서 구하는 확률은 $\frac{144}{720}=\frac{1}{5}$

 ①

0460

 ④

STEP A 모든 경우의 수 구하기

8명이 원탁에 둘러앉은 경우의 수는 $(8-1)!=7!$

STEP B 원순열을 이용하여 주어진 조건을 만족하는 확률 구하기

오른쪽 그림과 같이 A, G가 마주 보고 앉을 때, 남은 6개의 자리 중에서 이웃한 2개의 자리를 택하는 방법이 4가지, B와 C가 자리를 바꾸는 방법이 2가지이고 남은 4개의 자리에 D, E, F, H가 이웃하여 앉는 방법이 4!가지므로 B, C가 이웃하여 앉는 경우의 수는 $4\times2\times4!$

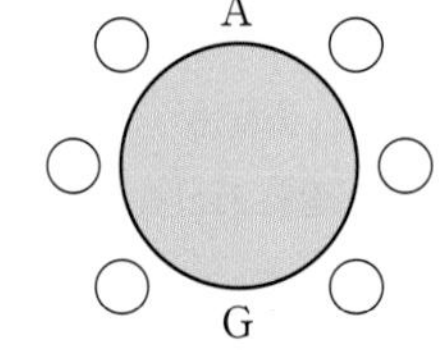

따라서 구하는 확률은 $\frac{4\times2\times4!}{7!}=\frac{4}{105}$

0461

 ①

STEP A 전체 경우의 수 구하기

6개의 숫자를 원형으로 나열하는 방법의 수는 $(6-1)!=5!=120$

STEP B 홀수와 짝수를 번갈아 가며 원형으로 나열할 확률 구하기

홀수 1, 3, 5를 원형으로 나열하는 방법의 수는 $(3-1)!=2!=2$
홀수 사이사이의 3개의 자리에 짝수 3개를 나열하는 방법의 수는 $3!=6$
이므로 홀수와 짝수를 번갈아 가며 원형으로 나열하는 경우의 수는 $2\times6=12$

따라서 구하는 확률은 $\frac{12}{120}=\frac{1}{10}$

내/신/연/계/ 출제문항 210

어느 응원단의 남자와 여자 각각 3명이 임의로 원 모양의 동작을 만들려고 할 때, 남자와 여자가 교대로 위치할 확률은?
(단, 회전하여 일치하는 것은 같은 것으로 본다.)

① $\frac{1}{10}$ ② $\frac{1}{5}$ ③ $\frac{1}{2}$
④ $\frac{2}{3}$ ⑤ $\frac{4}{5}$

STEP A 모든 경우의 수 구하기

6명이 원 모양을 만드는 경우의 수는 $(6-1)!=5!$

STEP B 남자와 여자를 번갈아 가며 원형으로 나열할 확률 구하기

남자 3명, 여자 3명이 교대로 위치하는 경우의 수는 $(3-1)!\times3!=2!\times3!$

따라서 구하는 확률은 $\frac{2!\times3!}{5!}=\frac{1}{10}$

 ①

0462

 ③

STEP A 모든 경우의 수 구하기

서로 다른 8가지의 색을 회전판에 칠하는 전체 경우의 수는 $(8-1)!=7!$

STEP B 파란색의 맞은편에 노란색을 칠하게 될 확률 구하기

파란색의 맞은편에 노란색을 칠하는 경우의 수는
한 영역에 파란색을 칠하면 맞은편에 노란색을 칠하면 되므로
서로 다른 7개를 원형으로 배열하는 원순열의 수와 같다.
$(7-1)!=6!$

따라서 구하는 확률은 $\frac{6!}{7!}=\frac{1}{7}$

내/신/연/계/ 출제문항 211

A, B를 포함한 서로 다른 6가지의 색을 모두 사용하여 오른쪽 그림과 같이 원의 내부의 6칸을 칠할 때, 가운데 칸을 제외한 나머지 칸에 A, B가 이웃하여 칠할 확률은?

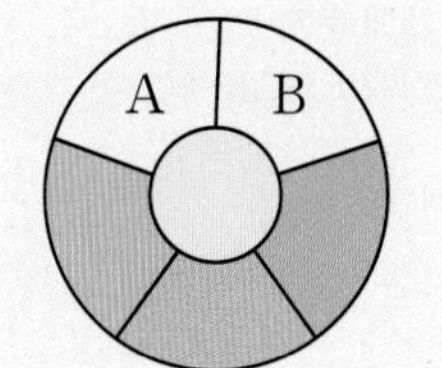

① $\frac{1}{3}$　② $\frac{1}{2}$
③ $\frac{2}{3}$　④ $\frac{3}{7}$
⑤ $\frac{4}{5}$

STEP Ⓐ **모든 경우의 수 구하기**

가운데 칸에 한 가지 색을 칠하는 경우의 수는 ${}_6C_1=6$
나머지 칸에 5가지 색을 칠하는 경우의 수는 $(5-1)!=4!$
원의 내부에 6가지 색을 칠하는 경우의 수는 $6\times4!$

STEP Ⓑ **A, B를 이웃하여 칠하는 경우의 수 구하기**

A, B를 제외한 나머지 4가지 색 중에서 한 가지를 가운데 칸에 칠하는 경우의 수는 4이고 A, B를 한가지로 생각하면 가운데 칸을 제외한 나머지 칸에 4가지 색을 칠하는 경우의 수는 $(4-1)!=3!$
A, B의 자리를 바꾸는 경우의 수가 2!이므로 가운데 칸을 제외한 나머지 칸에 A, B를 이웃하여 칠하는 경우의 수는 $4\times3!\times2!$

STEP Ⓒ **확률 구하기**

따라서 구하는 확률은 $\frac{4\times3!\times2!}{6\times4!}=\frac{1}{3}$

 정답 ①

0463

 정답 ②

STEP Ⓐ **모든 경우의 수 구하기**

편지 3통을 우체통 4개 중 하나에 각각 넣는 경우의 수는 ${}_4\Pi_3=4^3$

STEP Ⓑ **편지 3통을 서로 다른 우체통에 넣는 확률 구하기**

이 중 편지 3통을 서로 다른 우체통에 넣는 경우의 수는 ${}_4P_3=24$
따라서 구하는 확률은 $\frac{24}{64}=\frac{3}{8}$

0464

 정답 ④

STEP Ⓐ **모든 경우의 수 구하기**

네 종류의 사탕을 태희와 지현이에게 하나씩 나누어 주는 경우의 수는
${}_4\Pi_2=4^2=16$

STEP Ⓑ **두 사람에게 서로 다른 사탕을 나누어 주는 확률 구하기**

태희와 지현이에게 서로 다른 사탕을 나누어 주는 경우의 수는
${}_4P_2=4\times3=12$
따라서 구하고자 하는 확률은 $\frac{12}{16}=\frac{3}{4}$

0465

 정답 ④

STEP Ⓐ **모든 경우의 수 구하기**

천의 자리에는 0이 올 수 없으므로 0, 1, 2, 3, 4를 중복을 허락하여 만들 수 있는 모든 네 자리의 자연수의 개수는 $4\times{}_5\Pi_3=4\times5^3$

STEP Ⓑ **짝수일 확률 구하기**

네 자리의 정수가 짝수이려면 일의 자리 수가 0, 2, 4 중 하나이고
천의 자리의 수로 가능한 숫자는 0을 제외한 4가지, 백의 자리, 십의 자리의 수로 가능한 숫자는 각각 5가지이므로 짝수의 개수는
$3\times4\times{}_5\Pi_2=3\times4\times5^2$
따라서 구하는 확률은 $\frac{3\times4\times5^2}{4\times5^3}=\frac{3}{5}$

내/신/연/계/ 출제문항 212

1, 2, 3, 4, 5의 다섯 개의 숫자에서 중복을 허락하여 네 자리의 정수를 만들 때, 그 수가 짝수일 확률을 구하여라.

① $\frac{1}{3}$　② $\frac{2}{5}$　③ $\frac{1}{2}$
④ $\frac{3}{7}$　⑤ $\frac{2}{3}$

STEP Ⓐ **모든 경우의 수 구하기**

1, 2, 3, 4, 5의 다섯 개의 숫자에서 중복을 허락하여 만든 네 자리의 정수의 개수는 ${}_5\Pi_4=5^4$

STEP Ⓑ **짝수일 확률 구하기**

네 자리의 자연수가 짝수이려면 일의 자리 수가 2, 4 중 하나이고
천의 자리의 수로 가능한 숫자는 5가지, 백의 자리, 십의 자리의 수로 가능한 숫자는 각각 5가지이므로 짝수의 개수는 ${}_5\Pi_3\times2=5^3\times2$
따라서 구하는 확률은 $\frac{5^3\times2}{5^4}=\frac{2}{5}$

 정답 ②

0466

 정답 ⑤

STEP Ⓐ **전체 경우의 수 구하기**

세 학생이 5일 중 각자 하루를 선택하는 전체 경우의 수는 ${}_5\Pi_3=5^3$

STEP Ⓑ **세 학생 모두 다른 날에 수영장에 갈 확률 구하기**

이 세 학생이 같은 날에 수영장에 가는 사람이 없기 위해서는 세 학생 모두 다른 날에 가야 하므로 세 학생이 5일 중 서로 다른 3일을 선택하는 경우의 수는
${}_5P_3=5\times4\times3$
따라서 구하는 확률은 $\frac{5\times4\times3}{5^3}=\frac{12}{25}$

내/신/연/계/ 출제문항 213

세 학생 민영, 예빈, 준혁을 포함한 5명의 학생을 각각 1반부터 4반까지 4개의 반 중에서 1개 반에 임의로 배정할 때, 세 학생 민영, 예빈, 준혁을 모두 서로 다른 반에 배정할 확률은?

① $\frac{3}{8}$　② $\frac{1}{2}$　③ $\frac{5}{8}$
④ $\frac{3}{4}$　⑤ $\frac{4}{5}$

STEP Ⓐ **모든 경우의 수 구하기**

세 학생 민영, 예빈, 준혁을 포함한 5명의 학생을 각각 4개의 반에 배정하는 경우의 수는 ${}_4\Pi_5=4^5$

STEP Ⓑ **민영, 예빈, 준혁을 모두 서로 다른 반에 배정하는 확률 구하기**

세 학생 민영, 예빈, 준혁을 모두 서로 다른 반에 배정하는 경우의 수는
${}_4P_3\times{}_4\Pi_2={}_4P_3\times4^2$
따라서 구하는 확률은 $\frac{{}_4P_3\times4^2}{4^5}=\frac{3}{8}$

 정답 ①

0467

STEP Ⓐ **모든 경우의 수 구하기**

서로 다른 5개에서 중복을 허용하여 3개를 택하는 전체 경우의 수는
${}_5\Pi_3=5^3=125$

STEP Ⓑ **$a+bc$의 값이 짝수일 확률 구하기**

1, 2, 3, 4, 5 중 짝수는 2, 4의 2개, 홀수는 1, 3, 5의 3개이므로
$a+bc$의 값이 짝수인 경우는 다음과 같다.

(i) a와 bc가 모두 홀수인 경우
　a, b, c가 모두 홀수이어야 하므로 이 경우의 수는 $3^3=27$

(ii) a와 bc가 모두 짝수인 경우
　a가 짝수이므로 2가지
　b, c가 모두 홀수인 경우를 제외해야 하므로 $5^2-3^2=16$가지
　이 경우의 수는 $2\times16=32$

(i), (ii)에서 $a+bc$의 값이 짝수인 경우의 수는 $27+32=59$

따라서 구하는 확률은 $\frac{59}{125}$

0468

STEP Ⓐ **주어진 조건을 만족하는 경우의 수를 이용하여 확률 구하기**

1, 2, 3을 중복을 허용하여 만든 세 자리의 자연수는 $3^3=27$

STEP Ⓑ **그 수가 3의 배수일 확률 구하기**

이 중에서 3의 배수는 각 자리의 수의 합이 3의 배수인 수이다.
각 자리의 수의 합이 3인 경우 (1, 1, 1)이므로 경우의 수는 1
합이 6인 경우 (1, 2, 3), (2, 2, 2)이므로 경우의 수는 $3!+1=7$
합이 9인 경우 (3, 3, 3)이므로 경우의 수는 1
즉 합이 3의 배수인 경우의 수는 $1+7+1=9$
따라서 구하는 확률은 $\frac{9}{27}=\frac{1}{3}$

0469

STEP Ⓐ **경우의 수를 이용하여 확률 구하기**

여섯 개의 문자 C, H, A, N, C, E를 모두 일렬로 나열하는 경우의 수는 $\frac{6!}{2!}$

STEP Ⓑ **양 끝에 모음이 올 확률 구하기**

양 끝에 모음 A, E가 오는 경우의 수는 $2!$

나머지 문자 C, C, N, H를 나열하는 경우의 수는 $\frac{4!}{2!}$

따라서 구하고자 하는 확률은 $\dfrac{2!\times\frac{4!}{2!}}{\frac{6!}{2!}}=\frac{1}{15}$

내/신/연/계/ 출제문항 214

7개의 문자 H, E, E, M, A, N, G를 일렬로 나열할 때,
양 끝에 자음이 위치할 확률은?

① $\frac{1}{6}$　② $\frac{1}{5}$　③ $\frac{1}{4}$
④ $\frac{2}{7}$　⑤ $\frac{1}{2}$

STEP Ⓐ **모든 경우의 수 구하기**

7개의 문자 H, E, E, M, A, N, G를 일렬로 나열하는 경우의 수는 $\frac{7!}{2!}$

STEP Ⓑ **양 끝에 자음이 오는 경우의 수를 구하여 확률 구하기**

양 끝에 자음이 위치할 방법의 수는 ${}_4P_2$이고

나머지 5개의 문자를 나열하는 경우의 수는 $\frac{5!}{2!}$이므로

양 끝에 자음이 오는 경우의 수는 ${}_4P_2\times\frac{5!}{2!}$

따라서 구하는 확률은 $\dfrac{{}_4P_2\times\frac{5!}{2!}}{\frac{7!}{2!}}=\frac{2}{7}$

0470

STEP Ⓐ **모든 경우의 수 구하기**

A, A, A, B, B, C의 문자가 하나씩 적혀 있는 6장의 카드를 일렬로 나열하는
경우의 수는 $\frac{6!}{3!2!}=60$

STEP Ⓑ **양 끝 모두에 A가 적힌 카드가 나오게 하는 경우의 수 구하기**

양 끝 모두에는 A가 적힌 카드가 나와야 하므로 A, B, B, C가 적혀 있는
4장의 카드를 A, A가 적혀 있는 2장의 카드 사이에 나열해야 한다.

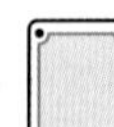

이때 카드를 나열하는 경우의 수는 $\frac{4!}{2!}=12$

STEP Ⓒ **확률 구하기**

따라서 구하는 확률은 $\frac{12}{60}=\frac{1}{5}$

0471

STEP Ⓐ **모든 경우의 수 구하기**

O, T, T, A, W, A의 6개의 문자를 일렬로 나열하는 경우의 수는
$\frac{6!}{2!2!}=180$

STEP Ⓑ **모음끼리 이웃할 확률 구하기**

모음끼리 이웃하는 경우의 수는
O, A, A를 한 묶음으로 보고 나열한 후
O, A, A가 서로 자리를 바꾸는 경우의 수를 곱하면 되므로 $\frac{4!}{2!}\times\frac{3!}{2!}=36$

따라서 구하는 확률은 $\frac{36}{180}=\frac{1}{5}$

0472

정답 ①

STEP A **모든 경우의 수 구하기**

F, I, N, L, A, N, D의 7개의 문자를 일렬로 나열하는 경우의 수는 $\frac{7!}{2!}=2520$

STEP B **순서가 정해진 확률 구하기**

F, L, D를 이 순서대로 나열하는 경우의 수는
F, L, D의 순서가 정해져 있으므로 F, L, D를 모두 X로 바꾸어 생각하여
X, I, N, X, A, N, X의 7개의 문자를 일렬로 나열한 후
첫 번째, 두 번째, 세 번째 X를 각각 F, L, D로 바꾸면 되므로 $\frac{7!}{2!3!}=420$

따라서 구하는 확률은 $\frac{420}{2520}=\frac{1}{6}$

0473

①

STEP A **모든 경우의 수 구하기**

6명이 발표 순서를 정하는 전체 경우의 수는 $6!=720$

STEP B **순서가 정해진 확률 구하기**

이때 F가 A와 B보다 먼저 발표할 경우는
F, A, B 또는 F, B, A순으로 서는 2가지가 있다.
즉 A, B, F를 같은 것으로 보고 6명을 일렬로 세우는 경우의 수는 $\frac{6!}{3!}$이므로
F가 A와 B보다 먼저 서는 경우의 수는 $2\times\frac{6!}{3!}=240$

따라서 구하는 확률은 $\frac{240}{720}=\frac{1}{3}$

내신연계 출제문항 215

학교축제의 노래자랑 프로그램 참가자는 A, B, C를 포함하여 모두 6명이다. 임의로 이 6명이 노래를 부르는 순서를 정할 때, A와 B가 모두 C보다 먼저 노래를 부를 확률은?

① $\frac{1}{4}$ ② $\frac{1}{3}$ ③ $\frac{1}{2}$
④ $\frac{2}{3}$ ⑤ $\frac{3}{4}$

STEP A **모든 경우의 수 구하기**

6명이 노래를 부르는 순서를 정하는 경우의 수는 $6!=720$

STEP B **순서가 정해진 확률 구하기**

A와 B가 모두 C보다 앞에 오도록 하는 경우는 A, B, C 또는 B, A, C의 2가지이고 A, B, C를 같은 것으로 보고 6명을 일렬로 세우는 경우의 수는 $\frac{6!}{3!}$이므로 A와 B가 모두 C보다 앞에 오는 경우의 수는 $2\times\frac{6!}{3!}=240$

따라서 구하는 확률은 $\frac{240}{720}=\frac{1}{3}$

다른풀이 조합을 이용하여 구하기

노래를 부르는 순서를 차례로 [1], [2], [3], [4], [5], [6]이라 하면
이 6개 중에서 3개를 택하는 경우의 수는 ${}_6C_3=20$
이때 선택된 3개에 A와 B가 모두 C보다 앞에 오도록 A, B, C를 배치하는 경우는 A, B, C와 B, A, C의 2가지
나머지 3명이 노래를 부르는 순서를 정하는 경우의 수는 $3!=6$
그러므로 임의로 6명이 노래를 부르는 순서를 정할 때,
A와 B가 모두 C보다 먼저 노래를 부르는 경우의 수는 $20\times2\times6=240$

따라서 구하는 확률은 $\frac{240}{720}=\frac{1}{3}$

②

0474

정답 ②

STEP A **모든 경우의 수 구하기**

서로 다른 5개의 문자카드를 일렬로 나열하는 경우의 수는 5!

STEP B **순서가 정해진 순열의 수 구하기**

주어진 조건을 만족시키도록 3개의 문자 A, B, C를 나열하는 경우는
A, B, C 또는 A, C, B의 순서로 나열하는 경우이다.
A, B, C의 순서로 나열하는 사건을 A,
A, C, B의 순서로 나열하는 사건을 B라 하자.
문자 A, B, C를 모두 같은 문자카드로 취급하여 5개의 문자카드를 나열한 후
조건에 맞게 문자카드 A, B, C를 같은 문자로 취급한 자리에 배열하면 되므로

사건 A, B가 일어날 확률은 각각 $\frac{\frac{5!}{3!}}{5!}=\frac{1}{3!}=\frac{1}{6}$

STEP C **배반사건을 이용하여 확률 구하기**

따라서 구하는 확률은 두 사건 A, B가 서로 배반사건이므로
확률의 덧셈정리에 의하여 $\mathrm{P}(A\cup B)=\mathrm{P}(A)+\mathrm{P}(B)=\frac{1}{6}+\frac{1}{6}=\frac{1}{3}$

0475

②

STEP A **모든 경우의 수 구하기**

7대의 자동차 중 4대를 뽑아 순서를 정하는 전체 경우의 수는 ${}_7P_4=840$

STEP B **H가 B보다 먼저 달리는 확률 구하기**

4대의 자동차에 H와 B가 포함되면 나머지 2대의 자동차를 뽑는 경우의 수는
${}_5C_2=10$
뽑힌 4대의 자동차의 순서를 정하는 경우의 수는
H가 B보다 먼저 달려야 하므로 $\frac{4!}{2!}=12$
따라서 H가 B보다 먼저 달리는 경우의 수는 $10\times12=120$이므로
구하는 확률은 $\frac{120}{840}=\frac{1}{7}$

0476

⑤

STEP A **모든 경우의 수 구하기**

A지점에서 B지점까지 최단 거리로 가는 경우의 수는 $\frac{9!}{5!4!}=126$

STEP B **P지점을 거쳐서 갈 확률 구하기**

A지점에서 출발하여 P지점을 지나 B지점까지 최단거리로 가는 경우의 수는
$\frac{4!}{2!2!}\times\frac{5!}{3!2!}=60$

따라서 구하는 확률은 $\frac{60}{126}=\frac{10}{21}$

0477

 ②

STEP Ⓐ 모든 경우의 수 구하기

게임을 세 번 시행했을 때, 나오는 경우의 수는 ${}_5\Pi_3=5^3=125$

STEP Ⓑ 점수의 곱이 5일 확률 구하기

점수의 곱이 5인 경우는 1, 1, 5가 나오는 경우이므로

경우의 수는 $\frac{3!}{2!}=3$

따라서 구하는 확률은 $\frac{3}{125}$이므로 $p=125$, $q=3$ $\therefore$ $p+q=125+3=128$

0478

 ③

STEP Ⓐ 모든 경우의 수 구하기

한 개의 주사위를 네 번 던질 때, 나오는 눈의 수는 6^4

STEP Ⓑ $a\times b\times c\times d=12$인 확률 구하기

$a\times b\times c\times d=12=2^2\times 3$이므로 1의 개수에 따라 다음 경우로 나눈다.

(ⅰ) 1이 2개일 때,

12가 나올 수 있는 수의 순서쌍 (a, b, c, d)는

$(1, 1, 2, 6)$, $(1, 1, 3, 4)$이므로 경우의 수는 $2\times\frac{4!}{2!}=24$

(ⅱ) 1이 1개일 때,

12가 나올 수 있는 수의 순서쌍 (a, b, c, d)는

$(1, 2, 2, 3)$이므로 경우의 수는 $\frac{4!}{2!}=12$

(ⅰ), (ⅱ)에서 $a\times b\times c\times d=12$인 a, b, c, d을 정하는 경우의 수는

$24+12=36$

따라서 구하는 확률은 $\frac{36}{6^4}=\frac{1}{36}$

다른풀이 중복조합을 이용하여 풀이하기

$abcd=12=2^2\times 3^1$

$a=2^{a_1}3^{a_2}$, $b=2^{b_1}3^{b_2}$, $c=2^{c_1}3^{c_2}$, $d=2^{d_1}3^{d_2}$

(단, a_1, a_2, b_1, b_2, c_1, c_2, d_1, d_2는 음이 아닌 정수)라 하면

$a_1+b_1+c_1+d_1=2$, $a_2+b_2+c_2+d_2=1$이므로

${}_4H_2\times{}_4H_1={}_5C_2\times{}_4C_1=10\times 4=40$

그런데 a, b, c, d는 주사위의 눈이 12가 될 수 없다.

a, b, c, d 중 어느 하나가 12이고 나머지 세 수가 1인 경우의 수는 4

이때 기대하는 경우의 수는 $40-4=36$

따라서 구하는 확률은 $\frac{36}{6^4}=\frac{1}{36}$

0479

 ①

STEP Ⓐ 모든 경우의 수 구하기

100부터 999까지의 자연수의 개수는 900이다.

STEP Ⓑ 각 자리의 숫자들의 합이 7일 확률 구하기

각 자리 수의 합이 7이 되는 수의 경우의 수를 다음과 같이 포함되는 0의 개수로 분류하여 구한다.

(ⅰ) 0의 개수가 두 개인 경우

700으로 1가지

(ⅱ) 0의 개수가 한 개인 경우

각 자리 수의 합이 7이 되는 수는 016, 025, 034로 세 가지이고

각각 나열하는 경우의 수는 첫 번째 자리에 0이 올 수 없으므로

$3!-2!=4$

즉 조건을 만족하는 정수의 개수는 $3\times 4=12$

(ⅲ) 0을 포함하지 않는 경우

각 자리수의 합이 7이 되는 수는 같은 수를 포함하는 경우인

115, 223, 331의 세 가지이고

이 세 수를 일렬로 나열하는 경우의 수는 각각 $\frac{3!}{2!}=3$

서로 다른 세 수의 경우는 124로 한 가지이고 나열하는 경우의 수는 $3!$

즉 조건을 만족하는 정수의 개수는 $3\times 3+6=15$

(ⅰ)~(ⅲ)에서 조건을 만족하는 모든 정수의 개수는 $1+12+15=28$

따라서 구하는 확률은 $\frac{28}{900}=\frac{7}{225}$

0480

 ④

STEP Ⓐ 모든 경우의 수 구하기

세 명이 가위 바위 보를 할 때, 전체 경우의 수는 ${}_3\Pi_3=3^3=27$

STEP Ⓑ A만 이기는 확률 p 구하기

A만 이기는 경우는 다음과 같이 3가지이므로 구하는 확률은 $p=\frac{3}{27}=\frac{1}{9}$

A	B	C
가위	보	보
바위	가위	가위
보	바위	바위

STEP Ⓒ 어느 한 명도 이기지 못할 확률 q 구하기

어느 한 명도 이기지 못하는 경우는 다음과 같다.

(ⅰ) 세 학생이 모두 같은 것을 내는 경우는 3가지

(ⅱ) 세 학생이 모두 다른 것을 내는 경우는 $3!=6$가지

(ⅰ), (ⅱ)에서 어느 한 명도 이기지 못하는 경우의 수는 $3+6=9$

이므로 구하는 확률은 $q=\frac{9}{27}=\frac{1}{3}$

따라서 $p+q=\frac{1}{9}+\frac{1}{3}=\frac{4}{9}$

0481

 ①

STEP Ⓐ 모든 경우의 수 구하기

세 명이 가위 바위 보를 할 때, 나오는 모든 경우의 수는 ${}_3\Pi_3=3^3=27$

STEP Ⓑ 한 명만 승자가 될 확률 구하기

첫 번째 시행에서 A가 승자인 경우는 다음과 같이 $\frac{3!}{2!}=3$가지이다.

A	B	C
가위	보	보
바위	가위	가위
보	바위	바위

마찬가지로 B, C가 승자인 경우도 각각 3가지씩이므로

첫 번째 시행에서 한 명의 승자가 결정되는 경우의 수는 $3\times 3=9$

따라서 구하는 확률은 $\frac{9}{27}=\frac{1}{3}$

다른풀이 조합을 이용하여 풀이하기

세 명이 가위 바위 보를 할 때, 나오는 모든 경우의 수는 ${}_3\Pi_3=3^3=27$

이기는 한 명이 가위 바위 보 중에서 어느 하나를 냈을 때,

나머지 두 명이 내는 것은 정해져 있으므로 첫 번째 시행에서 한 명의 승자가 결정되는 경우의 수는 ${}_3C_1\times{}_3C_1=3\times 3=9$

따라서 구하는 확률은 $\frac{9}{27}=\frac{1}{3}$

내신연계 출제문항 216

이번 주 청소 담당인 종석, 민우, 우빈이는 쓰레기통을 비울 한 명을 가위 바위 보를 하여 진 사람으로 정하려고 한다. 이때 가위 바위 보를 한 번 하여 쓰레기통을 비울 한 명이 결정될 확률은?

① $\frac{5}{6}$ ② $\frac{3}{4}$ ③ $\frac{2}{3}$
④ $\frac{1}{2}$ ⑤ $\frac{1}{3}$

STEP Ⓐ **세 사람이 가위 바위 보를 하는 경우의 수 구하기**

종석, 민우, 우빈이가 가위 바위 보를 하는 경우의 수는 ${}_3\Pi_3=3^3=27$

STEP Ⓑ **가위 바위 보를 하여 한 명만 지는 확률 구하기**

진 사람 한 명을 정하는 방법의 수는 ${}_3C_1$이고
진 사람 한 명이 가위 바위 보 중에서 어느 하나를 냈을 때,
나머지 두 사람이 내는 것은 정해져 있으므로 한 명만 지는 방법의 수는
${}_3C_1 3=9$

따라서 구하는 확률은 $\frac{9}{27}=\frac{1}{3}$

정답 ⑤

0482

정답 ④

STEP Ⓐ **모든 경우의 수 구하기**

네 명의 학생이 가위 바위 보를 할 때, 나타나는 모든 경우의 수는
${}_3\Pi_4=3^4=81$

STEP Ⓑ **A만 이기는 확률 p 구하기**

A만 이기는 경우는 다음과 같이 3가지이므로
구하는 확률은 $p=\frac{3}{81}=\frac{1}{27}$

A	B	C	D
가위	보	보	보
바위	가위	가위	가위
보	바위	바위	바위

STEP Ⓒ **어느 한 명도 이기지 못할 확률 q 구하기**

(i) 네 명 모두 같은 것을 내는 경우
(가위, 가위, 가위, 가위), (바위, 바위, 바위, 바위), (보, 보, 보, 보)의 3가지이다.
(ii) 세 명이 서로 다른 것을 내는 경우
(가위, 가위, 바위 보), (바위, 바위, 가위, 보), (보, 보, 가위, 바위)의 3가지이고 각각 일렬로 나열하는 경우의 수는 $\frac{4!}{2!}\times 3=36$

(i), (ii)에서 승부가 나지 않는 경우의 수는 $3+36=39$
이므로 승부가 나지 않을 확률은 $q=\frac{39}{81}=\frac{13}{27}$

따라서 구하는 확률은 $p+q=\frac{1}{27}+\frac{13}{27}=\frac{14}{27}$

0483

정답 ③

STEP Ⓐ **모든 경우의 수를 구하기**

네 명의 학생이 가위 바위 보를 할 때, 생기는 모든 경우의 수는
${}_3\Pi_4=3^4=81$

STEP Ⓑ **한 학생만 이기는 경우를 생각하여 그 확률을 구하기**

A가 이기는 경우는 다음과 같이 $\frac{3!}{2!}=3$가지이다.

A	B	C	D
가위	보	보	보
바위	가위	가위	가위
보	바위	바위	바위

마찬가지로 B, C, D가 승자인 경우도 각각 3가지씩이므로
한 명의 승자가 결정되는 경우의 수는 $4\times 3=12$
따라서 구하는 확률은 $\frac{12}{81}=\frac{4}{27}$

다른풀이 조합을 이용하여 풀이하기

네 명의 학생이 가위 바위 보를 할 때, 이기는 사람이 한 명인 경우의 수는
네 사람 중 이기는 사람을 한 명 뽑고, 이 사람이 가위 바위 보 중 하나를 선택하는 경우의 수와 같다.
즉 네 명의 학생이 가위 바위 보를 할 때, 이기는 사람이 한 명인 경우의 수는
${}_4C_1\times {}_3C_1=4\times 3=12$
따라서 구하는 확률은 $\frac{12}{81}=\frac{4}{27}$

0484

정답 ⑤

STEP Ⓐ **모든 경우의 수를 구하기**

4명이 가위 바위 보를 할 때, 나타나는 모든 경우의 수는 ${}_3\Pi_4=3^4=81$

STEP Ⓑ **두 명이 이기는 확률을 구하기**

이기는 사람은 네 명 중 두 명이 이기고 각각의 가위 바위 보를 나열하는 경우
(가위, 가위, 보, 보), (바위, 바위, 가위, 가위), (보, 보, 바위, 바위)의
3가지이고 각각 일렬로 나열하는 경우의 수는
$\frac{4!}{2!2!}\times 3=18$
따라서 두 명만 이기는 확률은 $\frac{18}{81}=\frac{2}{9}$

다른풀이 조합을 이용하여 풀이하기

두 명이 이기고 두 명이 지는 경우의 수는
네 명의 학생 중 가위 바위 보에서 이기는 2명을 택하는 경우의 수는
${}_4C_2=6$
이 6가지의 각 경우에 대하여 이기는 사람이 낼 것과 지는 사람이 낼 것을 정하는 경우의 수는
(가위, 가위, 보, 보), (바위, 바위, 가위, 가위), (보, 보, 바위, 바위)의
3가지이다.
즉 네 명의 학생 중 2명이 이기고 2명이 지는 경우의 수는 $6\times 3=18$
따라서 두 명만 이기는 확률은 $\frac{18}{81}=\frac{2}{9}$

0485

 정답 ⑤

STEP A 두 번째의 가위 바위 보에서 1명의 우승자가 결정될 확률 구하기

(i) 첫 번째 가위 바위 보에서 2명의 승자가 결정되고
두 번째 가위 바위 보에서 1명의 승자가 결정되는 확률은

$$\frac{{}_3C_2\times3}{3^3}\times\frac{{}_2C_1\times3}{3^2}=\frac{1}{3}\times\frac{2}{3}=\frac{2}{9}$$

(ii) 첫 번째 가위 바위 보에서 승자가 생기지 않고
두 번째 가위 바위 보에서 1명의 승자가 결정되는 확률은

$$\frac{3+3!}{3^3}\times\frac{{}_3C_1\times3}{3^3}=\frac{1}{3}\times\frac{1}{3}=\frac{1}{9}$$

(i), (ii)에서의 두 사건은 서로 배반사건이므로 구하는 확률은 $\frac{2}{9}+\frac{1}{9}=\frac{1}{3}$

(i) 첫 번째 가위 바위 보에서 승자가 2명 생기는 경우의 수는
3명 중에서 승자 2명을 정하고, 가위 바위 보 중 어느 한가지로
이기는 경우이므로 경우의 수는 ${}_3C_2\times3=9$

(ii) 첫 번째 가위 바위 보에서 승자가 생기지 않는 경우의 수는
세 사람이 모두 가위 바위 보를 같이 내는 경우이거나
세 사람이 모두 서로 다르게 내는 경우이므로 경우의 수는 3+3!

0486

 정답 ③

STEP A 모든 경우의 수 구하기

7개의 볼펜 중에서 2개의 볼펜을 꺼내는 모든 경우의 수는 ${}_7C_2=21$

STEP B 꺼낸 볼펜의 색이 다른 확률 구하기

꺼낸 볼펜의 색이 다를 경우의 수는 ${}_3C_1\times{}_4C_1=12$

따라서 구하는 확률은 $\frac{12}{21}=\frac{4}{7}$

내/신/연/계/ 출제문항 217

흰 공 3개, 검은 공 2개가 들어 있는 주머니에서 임의로 2개의 공을 꺼낼 때, 2개의 공이 서로 다른 색일 확률은?

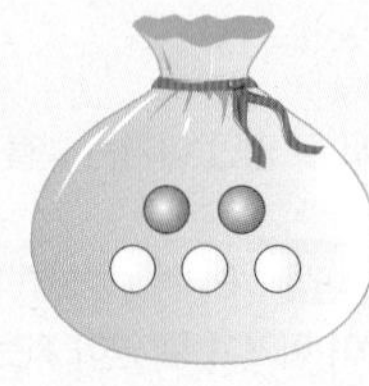

 ① $\frac{1}{5}$　② $\frac{2}{5}$

 ③ $\frac{3}{5}$　④ $\frac{3}{10}$

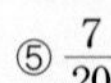 ⑤ $\frac{7}{20}$

STEP A 전체 경우의 수 구하기

흰 공 3개, 검은 공 2개가 들어 있는 주머니에서 2개를 꺼낼 때,
경우의 수는 ${}_5C_2$

STEP B 2개의 공이 서로 다른 색일 경우의 수 구하기

이 중 흰 공 1개, 검은 공 1개를 꺼낼 때,
경우의 수는 ${}_3C_1\times{}_2C_1$

STEP C 확률 구하기

따라서 구하는 확률은 $\frac{{}_3C_1\times{}_2C_1}{{}_5C_2}=\frac{3}{5}$

 정답 ③

0487

 정답 ③

STEP A 전체 경우의 수 구하기

흰 공 3개, 검은 공 4개가 들어 있는 주머니에서 임의로 네 개의 공을 동시에 꺼내는 경우의 수는 ${}_7C_4=35$

STEP B 흰 공 2개와 검은 공 2개가 나올 확률 구하기

흰 공 2개와 검은 공 2개를 꺼내는 경우의 수는 ${}_3C_2\times{}_4C_2=3\times6=18$

따라서 구하는 확률은 $\frac{18}{35}$

내/신/연/계/ 출제문항 218

주머니에 흰 구슬 4개와 검은 구슬 5개가 들어 있다. 이 주머니에서 임의로 4개의 구슬을 동시에 꺼낼 때, 흰 구슬 2개와 검은 구슬 2개가 나올 확률은?

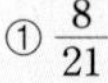 ① $\frac{8}{21}$　② $\frac{3}{7}$

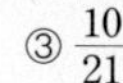 ③ $\frac{10}{21}$　④ $\frac{11}{21}$

 ⑤ $\frac{4}{7}$

STEP A 전체 경우의 수 구하기

흰 구슬 4개와 검은 구슬 5개 중에서 4개의 구슬을 동시에 꺼내는 경우의 수는
${}_9C_4=126$

STEP B 흰 구슬 2개와 검은 구슬 2개를 꺼내는 경우의 수 구하기

흰 구슬 2개와 검은 구슬 2개를 꺼내는 경우의 수는 ${}_4C_2\times{}_5C_2=60$

따라서 구하는 확률은 $\frac{60}{126}=\frac{10}{21}$

 정답 ③

0488

 정답 ⑤

STEP A 모든 경우의 수 구하기

8개의 동전 중에서 2개를 택하는 방법의 수는 ${}_8C_2=28$

STEP B 앞면과 뒷면의 개수가 처음과 같을 확률 구하기

2개의 동전을 뒤집었을 때, 앞면과 뒷면의 개수가 처음과 같으려면
앞면 한 개, 뒷면 한 개를 택해야 하므로 그 경우의 수는 ${}_5C_1\times{}_3C_1=15$

따라서 구하는 확률은 $\frac{{}_5C_1\times{}_3C_1}{{}_8C_2}=\frac{15}{28}$

내/신/연/계/ 출제문항 219

7개의 카드를 모두 뒷면이 나타나도록 책상 위에 늘어놓았다. 이 중 3개를 임의로 뒤집어 놓은 후 다시 7개 중에서 임의로 3개를 뽑아 뒤집어 놓을 때, 뒷면이 보이는 카드가 5장이 될 확률은?

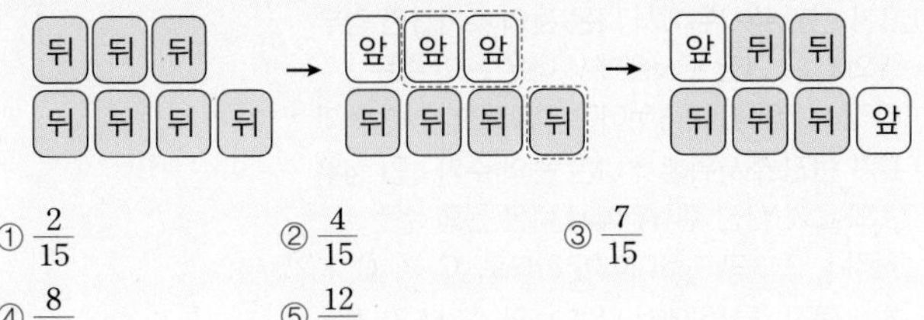

① $\frac{2}{15}$ ② $\frac{4}{15}$ ③ $\frac{7}{15}$
④ $\frac{8}{35}$ ⑤ $\frac{12}{35}$

STEP A 모든 경우의 수 구하기

카드 7장 중에서 뒤집을 3장을 택하는 전체 경우의 수는 ${}_7C_3$

STEP B 임의로 3장의 카드를 뒤집을 때, 뒷면이 보이는 카드가 5장이 될 확률 구하기

3장을 뒤집은 후 뒷면이 보이는 카드가 5장이려면

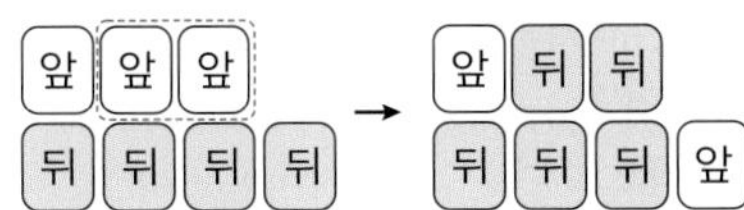

위의 그림과 같이 앞면이 보이는 카드에서 2장,
뒷면이 보이는 카드에서 1장을 택하여 뒤집어야 한다.
앞면이 보이는 카드 3장 중에서 2장을 택하는 경우의 수는 ${}_3C_2=3$
뒷면이 보이는 카드 4장 중에서 1장을 택하는 경우의 수는 ${}_4C_1=4$
즉 3장을 뒤집은 후 뒷면이 보이는 카드가 5장인 경우의 수는 $3\times4=12$
따라서 구하는 확률은 $\frac{12}{{}_7C_3}=\frac{12}{35}$

정답 ⑤

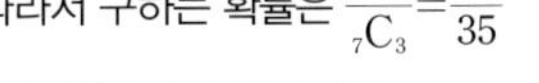
참고 (ⅰ) 앞면이 보이는 카드 3장을 뒤집는 경우

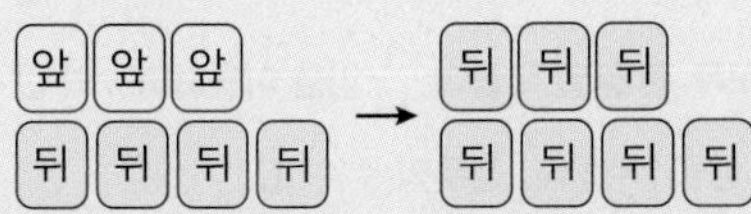

이때는 뒷면이 보이는 카드가 7장이므로 조건을 만족시키지 않는다.

(ⅱ) 앞면이 보이는 카드 1장, 뒷면이 보이는 카드 2장을 뒤집는 경우

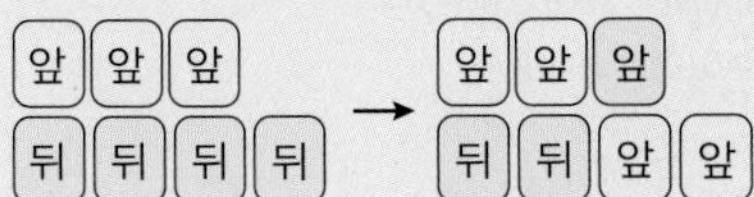

이때는 뒷면이 보이는 카드가 3장이므로 조건을 만족시키지 않는다.

(ⅲ) 뒷면이 보이는 카드 3장을 뒤집는 경우

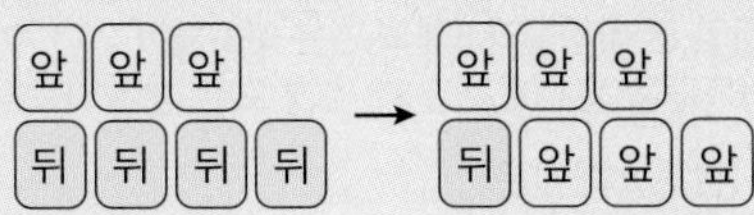

이때는 뒷면이 보이는 카드가 1장이므로 조건을 만족시키지 않는다.

0489

정답 ④

STEP A 모든 경우의 수 구하기

10개의 공 중에서 3개를 꺼내는 경우의 수는 ${}_{10}C_3=120$

STEP B 주어진 조건을 만족하는 경우의 수를 이용하여 확률 구하기

공을 바꿔 넣은 상자에서 빨간 공의 개수가 파란 공의 개수보다 많지 않게 되는 경우는 다음과 같다.
(ⅰ) 빨간 공 2개, 파란 공 1개를 꺼내는 경우의 수는 ${}_6C_2\times{}_4C_1=60$
(ⅱ) 빨간 공만 3개를 꺼내는 경우의 수는 ${}_6C_3=20$
(ⅰ), (ⅱ)에서 구하는 경우의 수는 $60+20=80$

따라서 구하는 확률은 $\frac{80}{120}=\frac{2}{3}$

내/신/연/계/ 출제문항 220

백합 4송이, 장미 4송이가 들어있는 꽃다발에서 임의로 꽃 4송이를 꺼낼 때, 백합이 장미보다 많을 확률은?

① $\frac{13}{70}$ ② $\frac{7}{35}$ ③ $\frac{3}{14}$
④ $\frac{17}{70}$ ⑤ $\frac{8}{35}$

STEP A 모든 경우의 수 구하기

8송이 중에서 4송이를 꺼내는 경우의 수는 ${}_8C_4=70$

STEP B 임의로 뽑은 4송이의 꽃 중 백합이 장미보다 많을 확률 구하기

(ⅰ) 백합 4송이를 꺼내는 경우의 수는 ${}_4C_4=1$
(ⅱ) 백합 3송이, 장미 1송이를 꺼내는 경우의 수는 ${}_4C_3\times{}_4C_1=16$
(ⅰ), (ⅱ)에서 백합을 장미보다 많이 꺼내는 경우의 수는 $1+16=17$
따라서 구하는 확률은 $\frac{17}{70}$

정답 ④

0490

정답 ①

STEP A 꺼낸 공의 개수가 8인 경우 이해하기

꺼낸 공의 개수가 8이 되는 경우는
7번째까지 7개의 공을 꺼낸 결과 검은 공이 5개, 흰 공이 2개 나오고
8번째에 검은 공을 꺼내면 된다.

STEP B 곱의 법칙을 이용하여 확률 구하기

(ⅰ) 10개의 공에서 7개의 공을 꺼내는 경우의 수는 ${}_{10}C_7={}_{10}C_3=120$
검은 공이 5개, 흰 공이 2개 나오는 경우의 수는 ${}_6C_5\times{}_4C_2=6\times6=36$
이때 확률은 $\frac{36}{120}=\frac{3}{10}$
(ⅱ) 8번째에 검은 공을 꺼내는 확률은 $\frac{1}{3}$
(ⅰ), (ⅱ)에서 구하는 확률은 $\frac{3}{10}\times\frac{1}{3}=\frac{1}{10}$

0491

정답 ①

STEP A 모든 경우의 수 구하기

10개의 공 중에서 4개의 공을 꺼내는 경우의 수는 ${}_{10}C_4=210$

STEP B 임의로 꺼낸 4개의 공에 적힌 번호의 최댓값이 8일 확률 구하기

이 중에서 8이 적힌 공이 최댓값이 되는 경우는
1에서 7까지 적힌 공 중에서 3개, 8이 적힌 공 1개를 꺼내는 경우이므로
${}_7C_3=35$
따라서 구하는 확률은 $\frac{35}{210}=\frac{1}{6}$

Ⅱ 확률

내/신/연/계/ 출제문항 221

1부터 10까지의 자연수 중에서 임의로 서로 다른 3개의 수를 뽑을 때, 가장 큰 수가 7일 확률은?

① $\frac{1}{8}$　② $\frac{1}{6}$　③ $\frac{1}{5}$
④ $\frac{1}{4}$　⑤ $\frac{1}{3}$

STEP A 모든 경우의 수 구하기

10개의 수 중에서 3개의 수를 뽑는 경우의 수는 ${}_{10}C_3=120$

STEP B 임의로 뽑은 3개의 수 중 가장 큰 수가 7일 확률 구하기

이 중에서 7이 가장 큰 수가 되는 경우는
1에서 6까지의 수 중에서 2개와 7을 뽑는 경우이므로 ${}_6C_2=15$

따라서 구하는 확률은 $\frac{15}{120}=\frac{1}{8}$

 ①

0492

 ③

STEP A 모든 경우의 수 구하기

10개의 공 중에서 3개의 공을 꺼내는 경우의 수는 ${}_{10}C_3=120$

STEP B 꺼낸 공에 적힌 숫자 중 두 번째로 큰 수가 6일 확률 구하기

이때 꺼낸 공에 적힌 숫자를 작은 것부터 배열한 것을 a, 6, b라 하면
$a\le5$, $b\ge7$이어야 하므로 그 경우의 수는 ${}_5C_1\times{}_4C_1=5\times4=20$

⬅ 두 번째로 작은 수가 6인 경우의 수는 1, 2, 3, 4, 5 중에서 1개를 뽑고 7, 8, 9, 10 중에서 1개의 수를 뽑는 경우의 수와 같으므로 ${}_5C_1\times{}_4C_1$

따라서 구하는 확률은 $\frac{20}{120}=\frac{1}{6}$

내/신/연/계/ 출제문항 222

1부터 10까지의 자연수가 하나씩 적혀 있는 10개의 공이 들어있는 주머니가 있다. 이 주머니에서 임의로 6개의 공을 꺼낼 때, 꺼낸 공에 적힌 숫자 중 두 번째로 작은 수가 3일 확률은?

① $\frac{1}{12}$　② $\frac{1}{6}$　③ $\frac{1}{4}$
④ $\frac{1}{3}$　⑤ $\frac{1}{2}$

STEP A 모든 경우의 수 구하기

10개의 공 중에서 6개의 공을 꺼내는 경우의 수는 ${}_{10}C_6={}_{10}C_4=210$

STEP B 꺼낸 공에 적힌 숫자 중 두 번째로 작은 수가 3일 확률 구하기

이때 꺼낸 공에 적힌 숫자를 작은 것부터 배열한 것을 a, 3, b, c, d, e라 하면
$a\le2$, $4\le b<c<d<e$이어야 하므로 그 경우의 수는
${}_2C_1\times{}_7C_4={}_2C_1\times{}_7C_3=2\times35=70$

⬅ 두 번째로 작은 수가 3인 경우의 수는 1, 2 중에서 1개를 뽑고 4, 5, 6, ⋯, 10 중에서 4개의 수를 뽑는 경우의 수와 같으므로 ${}_2C_1\times{}_7C_4$

따라서 구하는 확률은 $\frac{70}{210}=\frac{1}{3}$

 ④

0493

 ③

STEP A 모든 경우의 수 구하기

세 명의 학생 A, B, C가 차례로 한 개의 주사위를 한 번씩 던져서 각자 나온 눈의 수의 경우의 수는 $6\times6\times6=216$

STEP B B가 놓은 말이 A와 C가 놓은 말 사이에 있는 확률 구하기

(i) B가 던진 주사위에서 나온 눈의 수가 2인 경우
A와 C가 던진 주사위에서 나온 눈의 수는
각각 1과 3, 4, 5, 6이어야 하므로 $1\times{}_4C_1\times2!=8$

(ii) B가 던진 주사위에서 나온 눈의 수가 3인 경우
A와 C가 던진 주사위에서 나온 눈의 수는
각각 1, 2와 4, 5, 6이어야 하므로 $2\times{}_3C_1\times2!=12$

(iii) B가 던진 주사위에서 나온 눈의 수가 4인 경우
A와 C가 던진 주사위에서 나온 눈의 수는
각각 1, 2, 3과 5, 6이어야 하므로 ${}_3C_1\times{}_2C_1\times2!=12$

(iv) B가 던진 주사위에서 나온 눈의 수가 5인 경우
A와 C가 던진 주사위에서 나온 눈의 수는
각각 1, 2, 3, 4와 6이어야 하므로 ${}_4C_1\times1\times2!=8$

(i)~(iv)에서 B가 놓은 말이 A와 C가 놓은 말 사이에 있는 경우의 수는
$8+12+12+8=40$

따라서 구하는 확률은 $\frac{40}{216}=\frac{5}{27}$

다른풀이 조합을 이용하여 풀이하기

세 명의 학생 A, B, C가 주사위를 던져서 나온 눈의 수를
각각 a_1, a_2, a_3이라 하면
$1\le a_1<a_2<a_3\le6$ 또는 $1\le a_3<a_2<a_1\le6$
이므로 구하는 확률은 $\frac{2\times{}_6C_3}{6^3}=\frac{5}{27}$

0494

 ③

STEP A 모든 경우의 수 구하기

상자 속에 흰 공 n개와 파란 공 2개에서 2개를 꺼낼 때, ${}_{n+2}C_2$

STEP B 2개 모두 흰 공일 확률이 $\frac{3}{10}$임을 이용하여 n의 값 구하기

이때 2개 모두 흰 공을 꺼낼 때, 경우의 수는 ${}_nC_2$

구하는 확률은 $\frac{{}_nC_2}{{}_{n+2}C_2}=\frac{n(n-1)}{(n+2)(n+1)}=\frac{3}{10}$이므로
$7n^2-19n-6=0$, $(7n+2)(n-3)=0$
따라서 n이 자연수이므로 $n=3$

내/신/연/계/ 출제문항 223

주머니 속에 n개의 흰 바둑돌과 3개의 검은 바둑돌이 있다. 이 주머니에서 임의로 2개의 바둑돌을 동시에 꺼낼 때, 2개 모두 검은 바둑돌일 확률이 $\frac{1}{12}$이다. 이때 자연수 n의 값은?

① 4　② 5　③ 6
④ 7　⑤ 8

STEP A 3개의 검은 바둑돌 중에서 2개를 꺼내는 경우의 수 구하기

$n+3$개의 바둑돌 중에서 2개를 꺼내는 경우의 수는 ${}_{n+3}C_2=\frac{(n+3)(n+2)}{2}$
3개의 검은 바둑돌 중에서 2개를 꺼내는 경우의 수는 ${}_3C_2=3$

STEP B 확률이 $\frac{1}{12}$일 때, 자연수 n의 값 구하기

즉 구하는 확률은 $\frac{6}{(n+3)(n+2)}=\frac{1}{12}$이므로
$n^2+5n-66=0$, $(n+11)(n-6)=0$
따라서 n이 자연수이므로 $n=6$

 ③

0495

정답 ⑤

STEP A 모든 경우의 수 구하기

16개의 공에서 2개를 뽑는 경우의 수는 ${}_{16}\mathrm{C}_2=120$

STEP B 서로 다른 공이 뽑힐 확률이 $\frac{2}{5}$임을 이용하여 검은 공의 개수 구하기

검은 공을 n개라 하면 흰 공의 개수는 $16-n$
서로 다른 공을 1개씩 뽑는 경우의 수는 ${}_n\mathrm{C}_1\times{}_{16-n}\mathrm{C}_1=n(16-n)$

이므로 그 확률은 $\frac{n(16-n)}{120}$

즉 구하는 확률은 $\frac{n(16-n)}{120}=\frac{2}{5}$이므로

$n^2-16n+48=0,\ (n-4)(n-12)=0$

$\therefore\ n=4$ 또는 $n=12$

따라서 검은 공의 수가 흰 공보다 크므로 검은 공의 개수는 12

내신연계 출제문항 224

10명의 학생으로 이루어진 모임에서 대표 2명을 뽑을 때, 남학생과 여학생이 1명씩 뽑힐 확률은 $\frac{8}{15}$이다. 이때 10명의 학생 중에서 여학생의 수는? (단, 여학생이 남학생보다 많다.)

① 3 ② 4 ③ 5
④ 6 ⑤ 7

STEP A 모든 경우의 수 구하기

10명 중에서 2명을 뽑는 경우의 수는 ${}_{10}\mathrm{C}_2=45$

STEP B 확률이 $\frac{8}{15}$일 때, 자연수 x의 값 구하기

여학생의 수를 x명이라고 하면 남학생의 수는 $(10-x)$명이다.
이때 주어진 조건에 의하여 $x>10-x$
$\therefore\ x>5$
대표 2명을 뽑을 때, 남학생과 여학생이 1명씩 뽑힐 확률은

$\frac{{}_x\mathrm{C}_1\cdot{}_{10-x}\mathrm{C}_1}{{}_{10}\mathrm{C}_2}=\frac{x(10-x)}{45}=\frac{8}{15}$

$x(10-x)=24,\ x^2-10x+24=0$

따라서 $x>5$이므로 $x=6$, 즉 구하는 여학생의 수는 6 

0496

STEP A 모든 경우의 수 구하기

$n+4$개의 공 중에서 2개의 공을 꺼내는 경우의 수는 ${}_{n+4}\mathrm{C}_2$

STEP B 모두 흰 공일 확률은 모두 파란공일 확률의 6배임을 이용하여 n의 값 구하기

주머니에서 임의로 두 개의 공을 동시에 꺼낼 때,
꺼낸 두 개의 공이 모두 흰 공인 사건을 A,

모두 파란 공인 사건을 B라 하면

$\mathrm{P}(A)=\frac{{}_n\mathrm{C}_2}{{}_{n+4}\mathrm{C}_2},\ \mathrm{P}(B)=\frac{{}_4\mathrm{C}_2}{{}_{n+4}\mathrm{C}_2}$

이때 $\mathrm{P}(A)=6\mathrm{P}(B)$이므로 $\frac{{}_n\mathrm{C}_2}{{}_{n+4}\mathrm{C}_2}=6\times\frac{{}_4\mathrm{C}_2}{{}_{n+4}\mathrm{C}_2},\ {}_n\mathrm{C}_2=6\times6$

따라서 $n(n-1)=72$이므로 $n=9$

0497

STEP A 모든 경우의 수 구하기

주머니에서 임의로 3개의 공을 동시에 꺼내는 경우의 수는 ${}_9\mathrm{C}_3=84$

STEP B 임의로 뽑은 3개의 공의 합이 짝수일 확률 구하기

주머니에서 꺼낸 3개의 공에 적혀 있는 세 수의 합이 짝수인 경우는 (홀수, 홀수, 짝수), (짝수, 짝수, 짝수)의 두 가지 경우이다.

(i) (홀수, 홀수, 짝수)인 경우
1, 3, 5, 7, 9가 적힌 공 중에서 두 개를 꺼내고
2, 4, 6, 8이 적힌 공 중에서 하나를 꺼내면 되므로 경우의 수는
${}_5\mathrm{C}_2\times{}_4\mathrm{C}_1=\frac{5\times4}{2\times1}\times4=40$

(ii) (짝수, 짝수, 짝수)인 경우
2, 4, 6, 8이 적힌 공 중에서 세 개를 꺼내면 되므로 경우의 수는
${}_4\mathrm{C}_3=4$

(i), (ii)에서 세 수의 합이 짝수가 되는 경우의 수는 $40+4=44$

따라서 구하는 확률은 $\frac{44}{84}=\frac{11}{21}$

내신연계 출제문항 225

1, 2, 3, 4, 5, 6, 7의 자연수가 하나씩 적혀 있는 7장의 카드 중에서 임의로 4장의 카드를 동시에 뽑을 때, 카드에 적힌 수의 합이 홀수가 될 확률은?

① $\frac{3}{7}$ ② $\frac{16}{35}$ ③ $\frac{17}{35}$
④ $\frac{5}{7}$ ⑤ $\frac{1}{3}$

STEP A 전체 경우의 수 구하기

7장의 카드 중에서 임의로 4장의 카드를 동시에 뽑는 모든 경우의 수는
${}_7\mathrm{C}_4={}_7\mathrm{C}_3=35$

STEP B 임의로 뽑은 4장의 카드의 합이 홀수일 확률 구하기

1부터 7까지의 자연수 중 홀수는 4개, 짝수는 3개이므로
이 중 카드에 적힌 수의 합이 홀수가 되는 경우는

(i) 홀수 1개, 짝수 3개인 경우
${}_4\mathrm{C}_1\times{}_3\mathrm{C}_3=4$

(ii) 홀수 3개, 짝수 1개인 경우
${}_4\mathrm{C}_3\times{}_3\mathrm{C}_1=12$

(i), (ii)에서 세 수의 합이 홀수가 되는 경우의 수는 $4+12=16$

따라서 구하는 확률은 $\frac{16}{35}$ 

0498

STEP A 전체 경우의 수 구하기

7개의 구슬이 들어 있는 주머니에서 임의로 2개의 구슬을 꺼내는 경우의 수는
${}_7\mathrm{C}_2=21$

STEP B 꺼낸 구슬에 적힌 두 자연수가 서로소인 경우의 수 구하기

이때 꺼낸 구슬에 적힌 두 자연수가 서로소인 경우는
(2, 3), (2, 5), (2, 7), (3, 4), (3, 5), (3, 7), (3, 8), (4, 5), (4, 7), (5, 6), (5, 7), (5, 8), (6, 7), (7, 8)의 14가지이다.

따라서 구하는 확률은 $\frac{14}{21}=\frac{2}{3}$

0499

정답 ④

STEP Ⓐ 분할을 이용하여 모든 경우의 수 구하기

6명을 2명씩 3팀으로 나누는 경우의 수는 ${}_6C_2 \times {}_4C_2 \times {}_2C_2 \times \frac{1}{3!}=15$

STEP Ⓑ 분할을 이용하여 주어진 조건을 만족하는 경우의 수 구하기

남학생만으로 구성된 팀이 생기는 경우는 남학생 중에서 2명을 택하여 한 팀을 구성하고 남은 4명으로 2명씩 나누어 2팀을 구성한 경우이므로

${}_3C_2 \times {}_4C_2 \times {}_2C_2 \times \frac{1}{2!}=9$

STEP Ⓒ 확률 구하기

따라서 구하는 확률은 $\frac{9}{15}=\frac{3}{5}$

내신연계 출제문항 226

아시아 3개국과 유럽 3개국이 있다. 6개국을 임의로 2개국씩 짝지어 3개의 그룹으로 나눌 때, 한 개의 그룹은 아시아 국가만으로 이루어질 확률은?

① $\frac{1}{5}$ ② $\frac{2}{5}$ ③ $\frac{3}{5}$
④ $\frac{4}{5}$ ⑤ $\frac{5}{6}$

STEP Ⓐ 분할을 이용하여 전체 경우의 수 구하기

6개국을 2개국씩 3개의 그룹으로 나누는 경우의 수는

${}_6C_2 \times {}_4C_2 \times {}_2C_2 \times \frac{1}{3!}=15$

STEP Ⓑ 분할을 이용하여 주어진 조건을 만족하는 경우의 수 구하기

한 개의 그룹이 아시아 국가만으로 이루어지는 경우는
각 그룹이 아시아 2개국, 아시아 1개국과 유럽 1개국, 유럽 2개국으로 구성한 경우이므로 ${}_3C_2 \times {}_4C_2 \times {}_2C_2 \times \frac{1}{2!}=9$

STEP Ⓒ 확률 구하기

따라서 구하는 확률은 $\frac{9}{15}=\frac{3}{5}$

③

0500

①

STEP Ⓐ 분할을 이용하여 전체 경우의 수 구하기

6명을 3명씩 2팀으로 나누는 경우의 수는 ${}_6C_3 \times {}_3C_3 \times \frac{1}{2!}=10$

STEP Ⓑ 분할을 이용하여 주어진 조건을 만족하는 경우의 수 구하기

A와 C는 같은 팀에 속하고,
B와 D는 다른 팀에 속하게 되는 경우의 수는
(A, C, B), (D, E, F)와 (A, C, D), (B, E, F)의 2가지이다.

STEP Ⓒ 확률 구하기

따라서 구하는 확률은 $\frac{2}{10}=\frac{1}{5}$

0501

③

STEP Ⓐ 분할을 이용하여 전체 경우의 수 구하기

6명을 2명씩 3개의 조로 만드는 경우의 수는

${}_6C_2 \times {}_4C_2 \times {}_2C_2 \times \frac{1}{3!}=15$

STEP Ⓑ 분할을 이용하여 주어진 조건을 만족하는 경우의 수 구하기

3개의 조가 모두 남자 1명, 여자 1명으로 이루어진 조가 되는 경우의 수는 남자 3명과 여자 3명을 일대일로 대응시키는 경우의 수와 같으므로

$3!=6$

따라서 구하는 확률은 $\frac{6}{15}=\frac{2}{5}$

0502

⑤

STEP Ⓐ 분할을 이용하여 모든 경우의 수 구하기

9명의 학생을 임의로 3명씩 3개의 조로 나누는 경우의 수는

${}_9C_3 \times {}_6C_3 \times {}_3C_3 \times \frac{1}{3!}=280$

STEP Ⓑ 분할을 이용하여 주어진 조건을 만족하는 경우의 수 구하기

축구공을 가진 4명의 학생이 각 조에 적어도 1명씩 포함되도록 조를 나누는 경우는 3개의 조에 축구공을 가진 학생이 각각 2명, 1명, 1명 포함되는 경우이다.
축구공을 가진 학생을 2명, 1명, 1명으로 나눈 후
남은 5명을 세 조에 각각 1명, 2명, 2명 배정하면 되므로 경우의 수는

$\left({}_4C_2 \times {}_2C_1 \times {}_1C_1 \times \frac{1}{2!}\right) \times {}_5C_1 \times {}_4C_2 \times {}_2C_2=180$

따라서 구하는 확률은 $\frac{180}{280}=\frac{9}{14}$

0503

④

STEP Ⓐ 분할을 이용하여 모든 경우의 수 구하기

8명을 2명씩 짝을 지어 조를 만드는 전체 경우의 수는

${}_8C_2 \times {}_6C_2 \times {}_4C_2 \times {}_2C_2 \times \frac{1}{4!}=105$

STEP Ⓑ 남자 1명과 여자 1명으로 이뤄진 조가 2개일 확률 구하기

이 중 남자 1명과 여자 1명으로 이뤄진 조가 2개인 경우는 다음과 같다.

{남, 여}, {남, 여}, {남, 남}, {여, 여}

이때 남자 1명과 여자 1명으로 이루어진 2개 조에 각각 들어갈 남자 2명을 고르는 경우의 수는 ${}_4C_2$, 여자 2명을 고르는 경우의 수는 ${}_4C_2$
그리고 이 4명을 남자 1명, 여자 1명으로 이루어진 2개의 조로 나누는 경우는 2가지이다. ⬅ (남1, 여1),(남2, 여2) / (남1, 여2), (남2, 여1)의 2가지이다.
이때 나머지 남자 2명, 여자 2명을 동성끼리 이루어진 2개의 조로 나누는 경우는 1가지이므로 구하는 경우의 수는 ${}_4C_2 \times {}_4C_2 \times 2 \times 1=72$

따라서 구하는 경우의 수는 $\frac{72}{105}=\frac{24}{35}$

다른풀이 분할을 이용하여 풀이하기

8명을 2명씩 짝을 지어 조를 만드는 전체 경우의 수는

${}_8C_2 \times {}_6C_2 \times {}_4C_2 \times {}_2C_2 \times \frac{1}{4!}=105$

이 중 남자 1명과 여자 1명으로 이뤄진 조가 2개인 경우는 다음과 같다.

{남, 여}, {남, 여}, {남, 남}, {여, 여}

남자를 1명, 1명, 2명으로 나누는 경우의 수는 ${}_4C_1 \times {}_3C_1 \times {}_2C_2 \times \frac{1}{2!}=6$

여자를 1명, 1명, 2명으로 나누는 경우의 수는 ${}_4C_1 \times {}_3C_1 \times {}_2C_2 \times \frac{1}{2!}=6$

이때 각각의 경우에 남자 1명, 여자 1명인 2개의 조를 만드는 경우의 수는 2
⬅ (남1, 여1),(남2, 여2) / (남1, 여2), (남2, 여1)의 2가지이다.
이므로 남자 1명과 여자 1명으로 이뤄진 조가 2개인 경우의 수는
$6 \times 6 \times 2=72$

따라서 구하는 확률은 $\frac{72}{105}=\frac{24}{35}$

다른풀이 여사건을 이용하여 풀이하기

8명을 2명씩 짝을 지어 조를 만드는 전체 경우의 수는

${}_8C_2\times{}_6C_2\times{}_4C_2\times{}_4C_2\times\frac{1}{4!}=105$

남자 1명과 여자 1명으로 이뤄진 조가 2개인 사건의 여사건은
남자는 남자끼리, 여자는 여자끼리 조를 이루거나 모든 조가 남자와 여자로 이뤄지는 사건이다.

(ⅰ) {남, 남}, {남, 남}, {여, 여}, {여, 여}인 경우
  남자를 2명, 2명으로 나누는 경우의 수는 ${}_4C_2\times{}_2C_2\times\frac{1}{2!}=3$
  여자를 2명, 2명으로 나누는 경우의 수는 ${}_4C_2\times{}_2C_2\times\frac{1}{2!}=3$
  즉 남자는 남자끼리, 여자는 여자끼리 조를 이루는 경우의 수는
  $3\times3=9$

(ⅱ) {남, 여}, {남, 여}, {남, 여}, {남, 여}인 경우
  남자와 여자를 1명씩 짝을 짓는 경우의 수는 ${}_4P_4=24$

(ⅰ), (ⅱ)에서 여사건의 확률이 $\frac{9+24}{105}=\frac{11}{35}$이므로 구하는 확률은

$1-\frac{11}{35}=\frac{24}{35}$

내/신/연/계/ 출제문항 227

어느 학급에서 번호가 1번부터 8번까지인 8명의 학생을 임의로 4명씩 두 모둠으로 나눌 때, 각 모둠에 속한 네 학생의 번호의 합이 모두 짝수일 확률은?

① $\frac{3}{7}$ ② $\frac{18}{35}$ ③ $\frac{19}{35}$
④ $\frac{4}{7}$ ⑤ $\frac{23}{35}$

STEP Ⓐ 분할을 이용하여 모든 경우의 수 구하기

8명의 학생을 4명씩 두 모둠으로 나누는 경우의 수는 ${}_8C_4\times{}_4C_4\times\frac{1}{2!}=35$

STEP Ⓑ 네 학생의 번호의 합이 모두 짝수일 확률 구하기

1부터 8까지의 자연수에는 홀수 4개와 짝수 4개가 있다.
각 모둠에 속한 네 학생의 번호의 합이 모두 짝수인 경우는 다음과 같다.

(ⅰ) 각 모둠에 번호가 홀수인 학생이 2명, 번호가 짝수인 학생이 2명이 있는 경우
  이 경우의 수는 $({}_4C_2\times{}_4C_2)\times({}_2C_2\times{}_2C_2)\times\frac{1}{2!}=18$

(ⅱ) 번호가 홀수인 학생이 4명인 모둠과 번호가 짝수인 학생이 4명인 모둠이 있는 경우
  이 경우의 수는 1

(ⅰ), (ⅱ)에서 구하는 확률은 $\frac{18+1}{35}=\frac{19}{35}$

 ③

0504

 ④

STEP Ⓐ 모든 경우의 수 구하기

집합 $A=\{1, 2, 3, 4, 5\}$의 부분집합의 개수는 2^5

STEP Ⓑ 집합 A의 부분집합의 원소가 3개이고 1이 포함될 확률 구하기

A의 부분집합 중에서 원소의 개수가 3개이고 원소 1을 가진 것의 개수는 A의 원소 중에서 1을 제외한 두 원소를 선택하는 경우이므로 경우의 수는 ${}_4C_2=6$

따라서 구하는 확률은 $\frac{6}{32}=\frac{3}{16}$

내/신/연/계/ 출제문항 228

집합 $A=\{1, 2, 3, 4, 5, 6\}$의 부분집합 중에서 한 개를 택할 때,
그 집합의 원소가 3개이고 5를 원소로 가질 확률은?

① $\frac{1}{32}$ ② $\frac{3}{32}$ ③ $\frac{5}{32}$
④ $\frac{3}{16}$ ⑤ $\frac{5}{18}$

STEP Ⓐ 집합 A의 부분집합의 개수 구하기

집합 $A=\{1, 2, 3, 4, 5, 6\}$의 부분집합의 개수는 2^6

STEP Ⓑ 집합 A의 부분집합의 원소가 3개이고 5를 원소로 가지는 확률 구하기

원소가 3개이고 5를 원소로 가지는 부분집합의 개수는 $\{1, 2, 3, 4, 6\}$의 원소가 2개인 부분집합의 개수와 같으므로 ${}_5C_2=10$

따라서 구하는 확률은 $\frac{10}{64}=\frac{5}{32}$

 ③

0505

 ⑤

STEP Ⓐ 모든 경우의 수 구하기

A의 부분집합 중 원소의 개수가 4인 부분집합의 개수는 ${}_6C_4=15$

STEP Ⓑ 짝수의 원소가 2개인 부분집합을 뽑을 확률 구하기

짝수인 원소가 2개인 부분집합의 개수는 짝수 2, 4, 6의 3개 중 두 개를 뽑고 나머지는 홀수 1, 3, 5에서 2개를 뽑는 경우의 수와 같으므로 ${}_3C_2\times{}_3C_2=9$

따라서 구하는 확률은 $\frac{9}{15}=\frac{3}{5}$

0506

 ④

STEP Ⓐ 모든 경우의 수 구하기

집합 $A=\{1, 2, 3\}$의 부분집합의 개수는 $2^3=8$이므로
집합 A의 부분집합 중에서 임의로 서로 다른 두 집합을 동시에 택하는 경우의 수는 ${}_8C_2=28$

STEP Ⓑ 두 집합이 서로소인 확률 구하기

이때 택한 두 집합이 서로소인 경우는 다음과 같이 두 가지가 있다.

(ⅰ) 두 집합 중 한 집합이 공집합인 경우
  두 집합 중 한 집합이 공집합이면 나머지 집합에 관계없이 두 집합은 서로소이므로 경우의 수는 7

(ⅱ) 두 집합 모두 공집합이 아닌 경우
  집합 $\{1\}$과 서로소인 부분집합은 집합 $\{2\}$, $\{3\}$, $\{2, 3\}$의 3가지
  집합 $\{2\}$와 서로소인 부분집합은 중복되는 경우를 제외하면
  집합 $\{3\}$, $\{1, 3\}$의 2가지
  집합 $\{3\}$과 서로소인 부분집합은 중복되는 경우를 제외하면
  집합 $\{1, 2\}$의 1가지
  그러므로 경우의 수는 $3+2+1=6$

(ⅰ), (ⅱ)에서 택한 두 집합이 서로소인 경우의 수는 $7+6=13$

따라서 구하는 확률은 $\frac{13}{28}$

0507

 ④

STEP A 모든 경우의 수 구하기

집합 $A=\{a, b, c\}$의 공집합이 아닌 부분집합의 개수는 $2^3-1=7$
이므로 서로 다른 두 부분집합 A, B를 정하는 경우의 수는 ${}_7C_2=21$

STEP B $A \subset B$일 확률 구하기

두 집합 A, B에 대하여 $A \subset B$인 경우는 다음과 같다.

(ⅰ) $n(B)=3$인 경우 ⬅ $B=\{a, b, c\}$
원소의 개수가 3개인 집합 B를 만들 수 있는 경우의 수는 ${}_3C_3=1$
집합 A는 집합 B의 부분집합 중 $A=B$와 공집합을 제외한 것이므로
$2^3-2=6$
즉 구하는 경우의 수는 $1 \times 6=6$

(ⅱ) $n(B)=2$인 경우 ⬅ $B=\{a, b\}$ 또는 $B=\{a, c\}$ 또는 $B=\{b, c\}$
원소의 개수가 2개인 집합 B를 만들 수 있는 경우의 수는 ${}_3C_2=3$
집합 A의 개수는 집합 B의 부분집합 중 $A=B$와 공집합을 제외한 것
이므로 $2^2-2=2$
즉 구하는 경우의 수는 $3 \times 2=6$

(ⅰ), (ⅱ)에서 $A \subset B$를 만족시키는 집합 A, B의 개수는 $6+6=12$이므로

구하는 확률은 $\frac{12}{21}=\frac{4}{7}$

다른풀이 $A \subset B$이고 $A \neq B$를 만족하는 원소의 개수를 이용하여 풀이하기

STEP A 모든 경우의 수 구하기

집합 $A=\{a, b, c\}$의 공집합이 아닌 부분집합의 개수는 7
이 중에서 서로 다른 두 집합을 택하는 경우의 수는 ${}_7C_2=21$

STEP B 하나가 다른 하나의 진부분집합이 될 확률 구하기

택한 두 부분집합 중에서 하나가 다른 하나의 진부분집합이 되는 경우의 수는
그 중 한 부분집합의 원소의 개수에 따라 각각 다음과 같다.

(ⅰ) 원소의 개수가 1인 경우
그 집합의 공집합이 아닌 진부분집합이 없으므로 경우의 수는 0

(ⅱ) 원소의 개수가 2인 경우
그 집합의 부분집합의 개수는 ${}_3C_2=3$
이때 공집합이 아닌 진부분집합의 개수는 각각 2이므로
구하는 경우의 수는 $3 \times 2=6$

(ⅲ) 원소의 개수가 3인 경우
그 집합의 부분집합의 개수는 1
이때 공집합이 아닌 진부분집합의 개수는 6이므로
구하는 경우의 수는 $1 \times 6=6$

(ⅰ)~(ⅲ)에서 하나가 다른 하나의 진부분집합이 되는 모든 경우의 수는
$6+6=12$

따라서 구하는 확률은 $\frac{12}{21}=\frac{4}{7}$

내신연계 출제문항 229

집합 $U=\{1, 2, 3\}$의 공집합이 아닌 모든 부분집합 중에서 임의로 서로 다른 두 부분집합 A, B를 택할 때, $A \subset B$일 확률은?

① $\frac{5}{21}$ ② $\frac{2}{7}$ ③ $\frac{1}{3}$
④ $\frac{8}{21}$ ⑤ $\frac{3}{7}$

STEP A 모든 경우의 수 구하기

집합 $U=\{1, 2, 3\}$의 공집합이 아닌 부분집합의 개수는 $2^3-1=7$이므로
서로 다른 두 부분집합 A, B를 정하는 경우의 수는 ${}_7P_2=7 \times 6=42$

STEP B $A \subset B$일 확률 구하기

두 집합 A, B에 대하여 $A \subset B$인 경우는 다음과 같다.

(ⅰ) $n(B)=3$인 경우 ⬅ $B=\{1, 2, 3\}$
원소의 개수가 3개인 집합 B를 만들 수 있는 경우의 수는 ${}_3C_3=1$
집합 A는 집합 B의 부분집합 중 $A=B$와 공집합을 제외한 것이므로
$2^3-2=6$
즉 구하는 경우의 수는 $1 \times 6=6$

(ⅱ) $n(B)=2$인 경우 ⬅ $B=\{1, 2\}$ 또는 $B=\{2, 3\}$ 또는 $B=\{1, 3\}$
원소의 개수가 2개인 집합 B를 만들 수 있는 경우의 수는 ${}_3C_2=3$
집합 A의 개수는 집합 B의 부분집합 중 $A=B$와 공집합을 제외한 것
이므로 $2^2-2=2$
즉 구하는 경우의 수는 $3 \times 2=6$

(ⅰ), (ⅱ)에서 $A \subset B$를 만족시키는 집합 A, B의 개수는 $6+6=12$이므로

구하는 확률은 $\frac{12}{42}=\frac{2}{7}$

다른풀이 $A \subset B$이고 $A \neq B$를 만족하는 원소의 개수를 이용하여 풀이하기

공집합이 아닌 두 부분집합 A, B의 원소의 개수를 각각 a, b라 하면
$A \subset B$이고 $A \neq B$이므로 $1 \leq a \leq b \leq 3$이어야 한다.

(ⅰ) $a=1$, $b=2$인 경우
집합 U의 원소 1, 2, 3 중 1개를 택해 집합 A의 원소로 하고
남은 2개의 원소 중 1개를 택해 집합 $B-A$의 원소로 하는 경우의 수는
${}_3C_1 \times {}_2C_1=6$

(ⅱ) $a=1$, $b=3$인 경우
집합 U의 원소 1, 2, 3 중 1개를 택해 집합 A의 원소로 하고
$B=U$로 하는 경우의 수는 ${}_3C_1 \times 1=3$

(ⅲ) $a=2$, $b=3$인 경우
집합 U의 원소 1, 2, 3 중 2개를 택해 집합 A의 원소로 하고
$B=U$로 하는 경우의 수는 ${}_3C_2 \times 1=3$

(ⅰ)~(ⅲ)에서 구하는 확률은 $\frac{6+3+3}{42}=\frac{2}{7}$

 ②

0508

 ③

STEP A 모든 경우의 수 구하기

집합 $\{a, b, c\}$의 부분집합의 개수는 $2^3=8$이므로
두 집합 A, B를 택하는 경우의 수는 ${}_8P_2=56$

STEP B $A \subset B$일 확률 구하기

두 집합 A, B에 대하여 $A \subset B$인 경우는 다음과 같다.

(ⅰ) $n(B)=3$인 경우 ⬅ $B=\{a, b, c\}$
원소의 개수가 3개인 집합 B를 만들 수 있는 경우의 수는 ${}_3C_3=1$
집합 A는 집합 B의 부분집합 중 $A=B$를 제외한 것이므로
$2^3-1=7$
즉 구하는 경우의 수는 $1 \times 7=7$

(ⅱ) $n(B)=2$인 경우 ⬅ $B=\{a, b\}$ 또는 $B=\{a, c\}$ 또는 $B=\{b, c\}$
원소의 개수가 2개인 집합 B를 만들 수 있는 경우의 수는 ${}_3C_2=3$
집합 A의 개수는 집합 B의 부분집합 중 $A=B$를 제외한 것이므로
$2^2-1=3$
즉 구하는 경우의 수는 $3 \times 3=9$

(ⅲ) $n(B)=1$인 경우 ⬅ $B=\{a\}$ 또는 $B=\{b\}$ 또는 $B=\{c\}$
원소의 개수가 1개인 집합 B를 만들 수 있는 경우의 수는 ${}_3C_1=3$
집합 A의 개수는 집합 B의 부분집합 중 $A=B$를 제외한 것이므로
$2^1-1=1$
즉 구하는 경우의 수는 $3 \times 1=3$

(ⅰ)~(ⅲ)에서 $A \subset B(A \neq B)$를 만족시키는 집합 A, B의 개수는

$7+9+3=19$이므로 구하는 확률은 $\frac{19}{56}$

0509

정답 ④

STEP Ⓐ 모든 경우의 수 구하기

집합 $A=\{1, 2, 3, 4\}$의 부분집합의 개수는 $2^4=16$이고
이 중에서 임의로 서로 다른 두 집합을 택하는 경우의 수는 ${}_{16}C_2=120$

STEP Ⓑ 한 집합이 다른 집합의 부분집합이 될 확률 구하기

이때 부분집합 중에서 선택한 서로 다른 두 집합을 P, $Q(P\neq Q)$라 하면
$P\subset Q$인 경우는 다음과 같다.

(ⅰ) $n(Q)=4$인 경우
원소의 개수가 4인 집합 Q를 만들 수 있는 경우의 수는 ${}_4C_4=1$
집합 P는 집합 Q의 부분집합 중 $P=Q$를 제외한 것이므로 $2^4-1=15$
즉 구하는 경우의 수는 $1\times15=15$

(ⅱ) $n(Q)=3$인 경우
원소의 개수가 3인 집합 Q를 만들 수 있는 경우의 수는 ${}_4C_3=4$
집합 P는 집합 Q의 부분집합 중 $P=Q$를 제외한 것이므로 $2^3-1=7$
즉 구하는 경우의 수는 $4\times7=28$

(ⅲ) $n(Q)=2$인 경우
원소의 개수가 2인 집합 Q를 만들 수 있는 경우의 수는 ${}_4C_2=6$
집합 P는 집합 Q의 부분집합 중 $P=Q$를 제외한 것이므로 $2^2-1=3$
즉 구하는 경우의 수는 $6\times3=18$

(ⅳ) $n(Q)=1$인 경우
원소의 개수가 1인 집합 Q를 만들 수 있는 경우의 수는 ${}_4C_1=4$
집합 P는 집합 Q의 부분집합 중 $P=Q$를 제외한 것이므로 $2-1=1$
즉 구하는 경우의 수는 $4\times1=4$

(ⅰ)~(ⅳ)에서 $P\subset Q(P\neq Q)$인 경우의 수는 $15+28+18+4=65$이므로
구하는 확률은 $\frac{65}{120}=\frac{13}{24}$

다른풀이 집합 P의 원소의 개수에 따라 풀이하기

(ⅰ) $n(P)=0$인 경우
집합 P의 개수는 1이고, 이때 집합 Q의 개수는 2^4-1이므로
순서쌍 (P, Q)의 개수는 $1\times(2^4-1)=15$

(ⅱ) $n(P)=1$인 경우
집합 P의 개수는 ${}_4C_1$이고, 이때 집합 Q의 개수는 $2^{4-1}-1$이므로
순서쌍 (P, Q)의 개수는 ${}_4C_1\times(2^{4-1}-1)=28$

(ⅲ) $n(P)=2$인 경우
집합 P의 개수는 ${}_4C_2$이고, 이때 집합 Q의 개수는 $2^{4-2}-1$이므로
순서쌍 (P, Q)의 개수는 ${}_4C_2\times(2^{4-2}-1)=18$

(ⅳ) $n(P)=3$인 경우
집합 P의 개수는 ${}_4C_3$이고, 이때 집합 Q의 개수는 $2^{4-3}-1$이므로
순서쌍 (P, Q)의 개수는 ${}_4C_3\times(2^{4-3}-1)=4$

(ⅰ)~(ⅲ)에서 순서쌍 (P, Q)의 개수는 $15+28+18+4=65$이므로
구하는 확률은 $\frac{65}{120}=\frac{13}{24}$

다른풀이 벤 다이어그램을 이용하여 풀이하기

집합 A의 부분집합 중 두 개를 P, $Q(P\subset Q)$라 하면
집합 A는 세 집합 P, $Q-P$, $A-Q$로 분할된다.
집합 A의 4개의 원소는 각각 3개의 집합 P, $Q-P$, $A-Q$ 중 어느 하나에 속하므로 순서쌍 (P, Q)의 개수는 ${}_3\Pi_4=81$

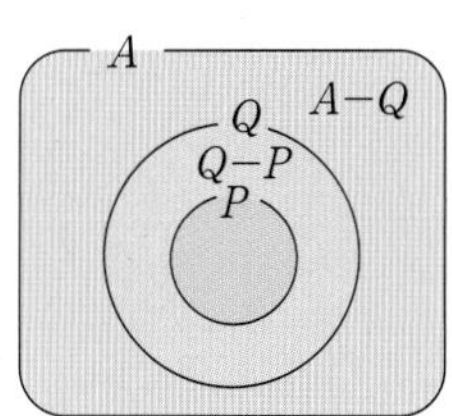

이 중 $P=Q$인 경우
즉 집합 A의 4개의 원소가 각각 2개의 집합 P, $A-Q$ 중 어느 하나에만 속하는 순서쌍 (P, Q)의 개수는 ${}_2\Pi_4=16$

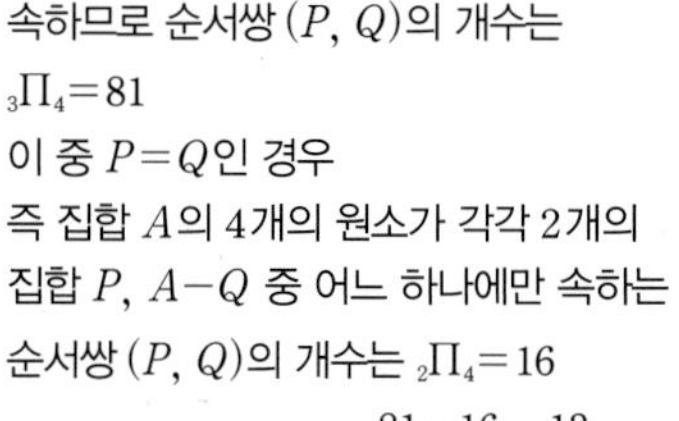

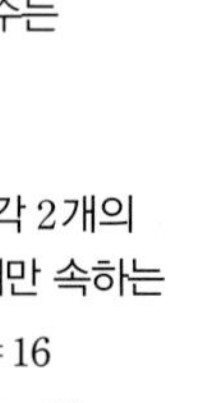

따라서 구하는 확률은 $\frac{81-16}{120}=\frac{13}{24}$

+α 원소의 개수가 k인 부분집합 P의 개수는 ${}_4C_k$이고,
이때 집합 P의 모든 원소를 반드시 포함하는 집합 Q의 개수는 $2^{4-k}-1$
이므로 $P\subset Q$인 서로 다른 두 집합 P, Q의 순서쌍 (P, Q)의 개수는
$\sum_{k=0}^{4}\{{}_4C_k\times(2^{4-k}-1)\}=1\times15+4\times7+6\times3+4\times1=65$
따라서 구하는 확률은 $\frac{65}{120}=\frac{13}{24}$

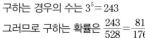

내/신/연/계/ 출제문항 230

집합 $A=\{1, 2, 3, 4, 5\}$의 서로 다른 모든 부분집합 중에서 중복을 허락하여 임의로 2개를 택할 때, 한 집합이 다른 집합의 부분집합일 확률은 $\frac{q}{p}$이다. $p+q$의 값은? (단, p와 q는 서로소인 자연수이다.)

① 182 ② 215 ③ 235
④ 257 ⑤ 267

STEP Ⓐ 모든 경우의 수 구하기

집합 $A=\{1, 2, 3, 4, 5\}$의 부분집합의 개수는 $2^5=32$이므로
부분집합 중에서 중복을 허락하여 2개를 선택하는 경우의 수는
${}_{32}H_2={}_{32+2-1}C_2={}_{33}C_2=528$

STEP Ⓑ 한 집합이 다른 집합의 부분집합이 될 경우의 수 구하기

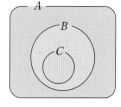

이때 한 집합이 다른 집합의 부분집합이 되는 경우의 수는 오른쪽 그림과 같은 벤 다이어그램의 세 영역 C, $B-C$, $A-B$에서 원소 1, 2, 3, 4, 5의 위치를 정하는 경우의 수와 같다.
원소 1의 위치를 정하는 경우의 수는 3이고 원소 2, 3, 4, 5도 마찬가지이므로
구하는 경우의 수는 $3^5=243$

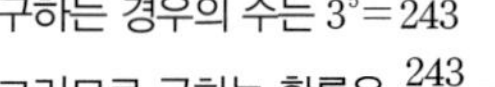

그러므로 구하는 확률은 $\frac{243}{528}=\frac{81}{176}$
따라서 $p=176$, $q=81$이므로 $p+q=176+81=257$

정답 ④

0510

정답 ③

STEP Ⓐ 모든 경우의 수 구하기

한 개의 주사위를 2번 던져서 나오는 경우의 수는 $6\times6=36$

STEP Ⓑ 처음에 나온 눈의 수가 두 번째 나온 눈의 수보다 클 확률 구하기

이 중 처음에 나온 눈의 수가 두 번째 나온 눈의 수보다 큰 경우는
1에서 6까지의 수 중 2개를 선택하는 조합의 수 ${}_6C_2=15$와 같다.
따라서 구하는 확률은 $\frac{15}{36}=\frac{5}{12}$

Ⅱ 확률

0511

정답 ⑤

STEP Ⓐ **모든 경우의 수 구하기**

먼저 갑이 2개의 주사위를 던지고 나중에 을이 1개의 주사위를 던질 때,
나오는 경우의 수는 $6^2 \times 6 = 216$

STEP Ⓑ **조합을 이용하여 조건을 만족하는 경우의 수 구하기**

갑이 던진 주사위의 눈의 수를 각각 a, b라고 하고
을이 던진 주사위의 눈의 수를 c라고 하면
을이 이기는 경우는 $a < c < b$ 또는 $b < c < a$일 때이다.
이때 서로 다른 세 수를 택한 후 부등식을 만족하도록 a, b, c를 정하면 되므로
을이 이기는 경우의 수는 $2 \times {}_6C_3 = 40$

따라서 구하는 확률은 $\frac{40}{216} = \frac{5}{27}$

0512

 ④

STEP Ⓐ **모든 경우의 수 구하기**

한 개의 주사위를 3번 던질 때, 일어날 수 있는 경우의 수는 6^3

STEP Ⓑ **$ab < bc$일 확률 구하기**

$ab < bc$에서 $b > 0$이므로 $a < c$가 성립하는 경우의 수는
1, 2, 3, 4, 5, 6 중에서 서로 다른 두 수를 뽑아 작은 수부터 차례대로 a, c에 대응시키는 경우의 수와 같으므로 ${}_6C_2 = 15$이고
그 각각의 경우에 대하여 b는 1, 2, 3, 4, 5, 6이 될 수 있다.

따라서 구하는 확률은 $\frac{15 \times 6}{6^3} = \frac{5}{12}$

0513

 ③

STEP Ⓐ **모든 경우의 수 구하기**

1, 2, 3, 4, 5에서 a_1, a_2, a_3, a_4의 값을 정하는 경우의 수는 $5 \times 5 \times 5 \times 5 = 5^4$

STEP Ⓑ **$a_1 < a_2 < a_3 < a_4$를 만족하는 확률 구하기**

$a_1 < a_2 < a_3 < a_4$를 만족시키는 순서쌍 (a_1, a_2, a_3, a_4)의 개수는 서로 다른 5장의 카드 중 4장을 뽑은 경우의 수이므로 ${}_5C_4 = 5$

따라서 구하는 확률은 $\frac{5}{5^4} = \frac{1}{5^3} = \frac{q}{p}$이므로 $p + q = 126$

내신연계 출제문항 231

1부터 5까지의 자연수가 각각 하나씩 적힌 5개의 공이 들어 있는 상자가 있다. 이 상자에서 임의로 하나의 공을 꺼내어 숫자를 확인하고 다시 넣는 과정을 세 번 반복할 때, 공에 적힌 숫자를 차례로 a, b, c라고 하면 $a > b > c$일 확률은?

① $\frac{1}{25}$　② $\frac{2}{25}$　③ $\frac{3}{25}$
④ $\frac{4}{25}$　⑤ $\frac{1}{5}$

STEP Ⓐ **모든 경우의 수 구하기**

1, 2, 3, 4, 5에서 a, b, c의 값을 정하는 경우의 수는 $5 \times 5 \times 5 = 125$

STEP Ⓑ **조합을 이용하여 $a > b > c$를 만족하는 확률 구하기**

공에 적힌 숫자가 $a > b > c$인 경우의 수는
5개의 수에서 3개를 뽑아 크기순으로 나열하는 경우의 수이므로 ${}_5C_3 = 10$

따라서 구하는 확률은 $\frac{10}{125} = \frac{2}{25}$

 ②

0514

정답 ③

STEP Ⓐ **모든 경우의 수 구하기**

0, 1, 2, 3, 4를 중복 사용하여 만들 수 있는 네 자리 자연수는
$4 \times 5 \times 5 \times 5 = 500$

STEP Ⓑ **$a_3 = 3$, $a_3 = 4$일 때의 경우의 수를 각각 구하기**

$a_1 \neq 0$이므로
$a_1 < a_2 < a_3$에서 a_3은 3 또는 4이므로 경우는 다음과 같다.

(ⅰ) $a_3 = 3$인 경우
$a_1 < a_2 < a_3$이므로
$a_1 = 1$, $a_2 = 2$이고 a_4는 0, 1, 2 중 한 가지이므로 $1 \times {}_3C_1 = 3$

(ⅱ) $a_3 = 4$인 경우
a_1, a_2의 값은 1, 2, 3 중에서 2개를 고르면 되므로 ${}_3C_2 = 3$
a_4의 값은 0, 1, 2, 3 중에서 1개를 고르면 되므로 ${}_4C_1 = 4$
즉 $3 \times 4 = 12$

(ⅰ), (ⅱ)에서 구하는 경우의 수는 $3 + 12 = 15$

STEP Ⓒ **확률 구하기**

따라서 구하는 확률은 $\frac{15}{500} = \frac{3}{100}$이므로 $p + q = 103$

중복을 허락하여 만들 수 있는 네 자리 자연수 중에서 천의 자리에 0이 오는 경우의 수는 천의 자리를 제외한 세 자리의 수에 다섯 개의 숫자를 중복하여 선택하는 경우의 수 ${}_5\Pi_3 = 5^3$과 같으므로
${}_5\Pi_4 - {}_5\Pi_3 = 625 - 125 = 500$

0515

 ①

STEP Ⓐ **모든 경우의 수 구하기**

1, 1, 2, 3, 4의 숫자가 하나씩 적혀 있는 5개의 공이 들어 있는 주머니에서 임의로 4개의 공을 꺼내어 임의로 나열하는 전체 경우의 수는 두 개의 1을 다르게 보고 구하면 5개 중 4개를 일렬로 나열하는 경우의 수이므로
${}_5P_4 = 5 \times 4 \times 3 \times 2 = 120$

STEP Ⓑ **$a \leq b \leq c \leq d$일 경우를 1이 적힌 공의 개수에 따라 구하기**

(ⅰ) 1이 적힌 공이 1개 일 때, $a \leq b \leq c \leq d$인 경우
2개의 1을 다르게 보고 1개를 선택하고 나머지 2, 3, 4가 적힌 공을 모두 뽑아 작은 순서로 배열하는 경우의 수는
${}_2C_1 \times {}_3C_3 = 2$

(ⅱ) 1이 적힌 공이 2개 일 때, $a \leq b \leq c \leq d$인 경우
2개의 1을 다르게 보고 2개를 선택하고 나머지 2, 3, 4가 적힌 공에서 2개를 뽑아 작은 순서로 배열하는 경우의 수는
${}_2C_2 \times {}_3C_2 \times 2! = 6$

(ⅰ), (ⅱ)에서 구하는 경우의 수는 $2 + 6 = 8$

STEP Ⓒ **확률 구하기**

따라서 구하는 확률은 $\frac{8}{120} = \frac{1}{15}$

내신연계 출제문항 232

주머니에 1부터 5까지의 자연수가 각각 하나씩 적혀 있는 5개의 구슬이 들어 있다. 이 주머니에서 임의로 1개의 구슬을 꺼내어 숫자를 확인한 후 다시 넣는 시행을 4번 반복할 때, k번째에 꺼낸 구슬에 적혀 있는 숫자를 $a_k(k=1,\ 2,\ 3,\ 4)$라 하자. $a_1 \le a_2 \le a_3 \le a_4$가 될 확률이 $\frac{q}{p}$일 때, $p+q$의 값은? (단, p와 q는 서로소인 자연수이다.)

① 112 ② 117 ③ 121
④ 126 ⑤ 139

STEP Ⓐ **모든 경우의 수 구하기**

1, 2, 3, 4, 5에서 a_1, a_2, a_3, a_4의 값을 정하는 경우의 수는
$5\times5\times5\times5=625$

STEP Ⓑ **중복 조합을 이용하여 $a_1 \le a_2 \le a_3 \le a_4$를 만족하는 확률 구하기**

이때 $a_1 \le a_2 \le a_3 \le a_4$가 되는 경우의 수는 ${}_5\mathrm{H}_4={}_8\mathrm{C}_4=70$이므로
구하는 확률은 $\frac{70}{625}=\frac{14}{125}$
따라서 $p=125$, $q=14$이므로 $p+q=125+14=139$

정답 ⑤

0516

정답 ⑤

STEP Ⓐ **조합을 이용하여 만들 수 있는 삼각형의 수 구하기**

6개의 점 중에서 3개를 택하는 전체 경우의 수는 ${}_6\mathrm{C}_3$

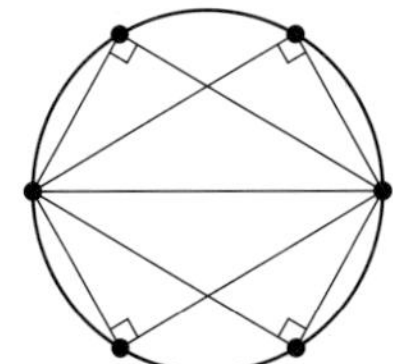

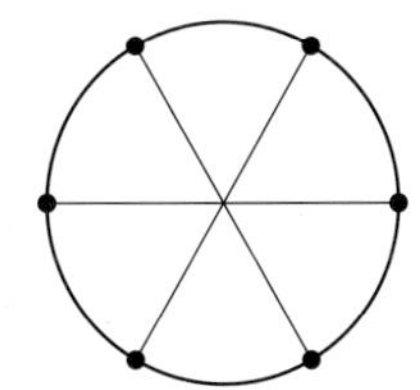

STEP Ⓑ **주어진 6개의 점에서 원의 지름을 택하여 직각삼각형이 되는 확률 구하기**

이때 택한 두 점을 연결한 선분이 주어진 원의 지름일 때 만들 수 있는 직각삼각형의 개수는 4이고 택한 두 점을 연결한 선분이 주어진 원의 지름인 경우의 수는 3이므로 3개의 점을 택하여 만들 수 있는 직각삼각형의 개수는 $4\times3=12$
따라서 구하는 확률은 $\frac{12}{{}_6\mathrm{C}_3}=\frac{3}{5}$

0517

정답 ②

STEP Ⓐ **조합을 이용하여 만들 수 있는 삼각형의 수 구하기**

8개의 점 중에서 3개를 택하는 전체 경우의 수는 ${}_8\mathrm{C}_3$

STEP Ⓑ **삼각형이 직각삼각형이 될 확률 구하기**

정다각형은 원에 내접하므로 정팔각형도 원에 내접한다.

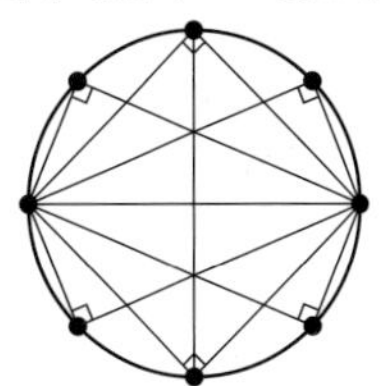

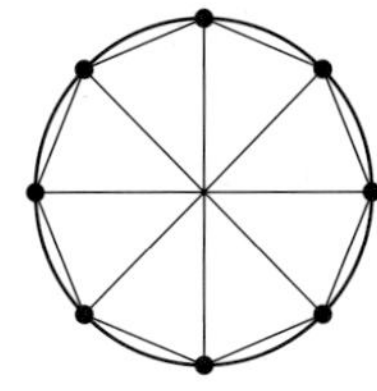

이때 택한 두 점을 연결한 선분이 원의 지름일 때 만들 수 있는 직각삼각형의 개수는 6이고 택한 두 점을 연결한 선분이 원의 지름인 경우는 4이므로
3개의 점을 택하여 만들 수 있는 직각삼각형의 개수는 $6\times4=24$
따라서 구하는 확률은 $\frac{24}{{}_8\mathrm{C}_3}=\frac{3}{7}$

0518

정답 ④

STEP Ⓐ **모든 삼각형의 개수 구하기**

8개의 점 중에서 3개의 점을 택하는 경우의 수는 ${}_8\mathrm{C}_3=56$
이때, 지름 위의 3개의 점을 택하는 경우의 수는 1이므로
8개의 점 중에서 세 점을 꼭짓점으로 하는 삼각형을 만드는 전체 경우의 수는
$56-1=55$

STEP Ⓑ **세 점을 택하여 만들어진 삼각형이 직각삼각형이 확률 구하기**

세 점을 택하여 만들어진 삼각형이 직각삼각형인 경우는 다음과 같다.
(ⅰ) 지름의 양 끝점 A, B를 뽑고 점 O를 제외한 5개의 점 중에 1개의 점을 뽑는 경우의 수는 ${}_5\mathrm{C}_1=5$

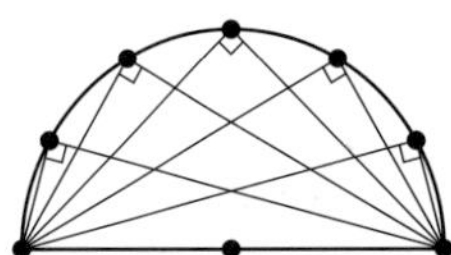

(ⅱ) 점 O를 뽑고 그림과 같이 직각삼각형이 되도록 나머지 2개의 점을 택하는 경우의 수는 4

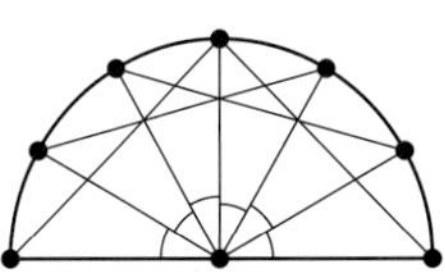

(ⅰ), (ⅱ)에서 직각삼각형인 경우의 수는 $5+4=9$
따라서 구하는 확률은 $\frac{9}{55}$이므로 $p=55$, $q=9$ $\quad\therefore\ p+q=64$

0519

정답 ⑤

STEP Ⓐ **모든 경우의 수 구하기**

서로 다른 7개의 점에서 3개를 택하는 경우의 수는 ${}_7\mathrm{C}_3=35$

STEP Ⓑ **삼각형이 만들어지지 않을 확률 구하기**

삼각형이 만들어질 사건을 A라 하면
A^C는 삼각형이 만들어지지 않는 사건이다.
이때 삼각형이 만들어지지 않으려면 지름 위의 4개의 점 중에서 3개의 점을 택해야 하므로 $\mathrm{P}(A^C)=\frac{{}_4\mathrm{C}_3}{{}_7\mathrm{C}_3}=\frac{4}{35}$

STEP Ⓒ **여사건을 이용하여 확률 구하기**

따라서 구하는 확률은 $\mathrm{P}(A)=1-\mathrm{P}(A^C)=1-\frac{4}{35}=\frac{31}{35}$

0520

정답 ②

STEP A 모든 경우의 수 구하기

10개의 점 중에서 3개의 점을 택하는 전체 경우의 수는 ${}_{10}C_3=120$

STEP B 이등변삼각형이 되는 확률 구하기

오른쪽 그림과 같이 원 위의 한 점을 이등변삼각형의 꼭지각에 해당하는 점으로 택할 때, 만들어지는 이등변삼각형은 다음 그림과 같이 4개이고 꼭지각에 해당하는 점으로 가능한 것이 10개이므로 세 점을 택하여 만들 수 있는 이등변삼각형의 개수는 $4\times10=40$

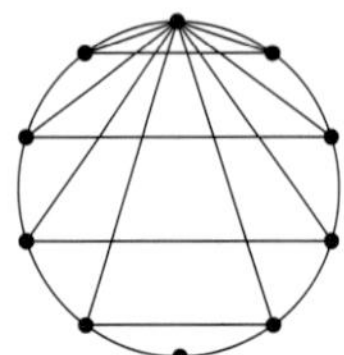

따라서 구하는 확률은 $\dfrac{40}{120}=\dfrac{1}{3}$

내신연계 출제문항 233

원 위에 일정한 간격으로 10개의 점이 놓여 있다. 이 중 세 개의 점을 연결하여 삼각형을 만들 때, 이 삼각형이 둔각삼각형일 확률은?

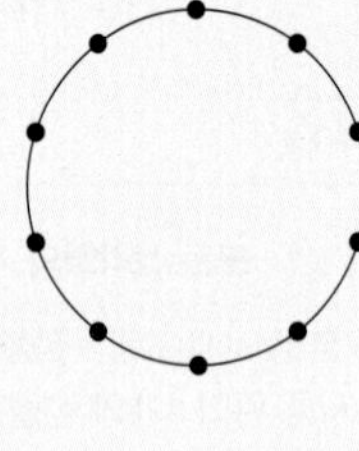

① $\dfrac{29}{60}$ ② $\dfrac{49}{120}$

③ $\dfrac{1}{2}$ ④ $\dfrac{59}{120}$

⑤ $\dfrac{37}{60}$

STEP A 전체 삼각형의 개수 구하기

오른쪽 그림과 같이 10개의 점을 P_1, P_2, $\cdots$, P_{10}이라 하면 세 개의 점을 연결하여 만들 수 있는 삼각형의 수는 ${}_{10}C_3=120$

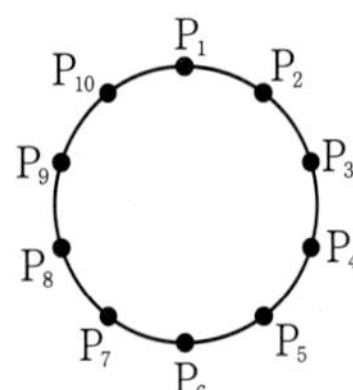

STEP B 둔각삼각형이 되는 확률 구하기

(i) 이웃한 3개의 점으로 둔각인 이등변삼각형이 만들어 지는 경우

$\angle P_1$, $\angle P_2$, $\angle P_3$, $\cdots$, $\angle P_{10}$이 각각 둔각인 삼각형이므로 둔각삼각형의 개수는 10이다.

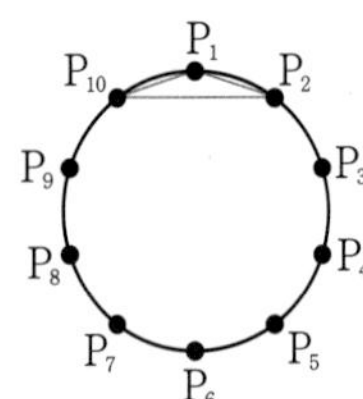

(ii) 이웃하지 않는 3개의 점으로 둔각인 이등변삼각형이 만들어지는 경우

$\angle P_1$, $\angle P_2$, $\angle P_3$, $\cdots$, $\angle P_{10}$이 각각 둔각인 삼각형의 개수는 10이다.

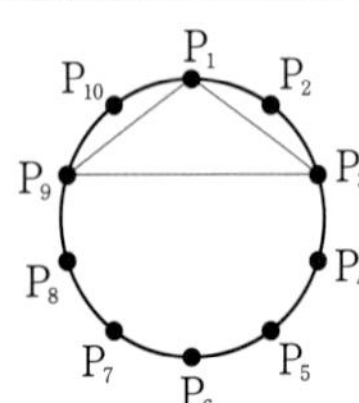

(iii) 이웃한 2개의 점과 이웃하지 않는 한 점으로 만들어지는 경우

선분 P_1P_2를 한 변으로 하는 둔각삼각형의 개수는 4이다.
마찬가지로 선분 P_2P_3, P_3P_4, $\cdots$, $P_{10}P_1$을 한 변으로 하는 둔각삼각형의 개수도 각각 4가지이므로 이 경우의 둔각삼각형의 개수는 $4\times10=40$

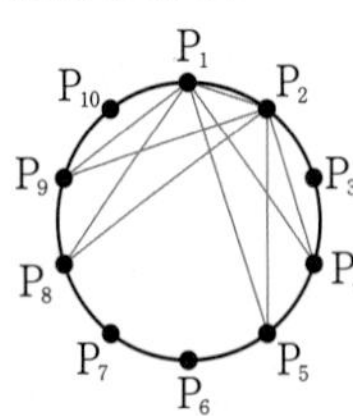

(i)~(iii)에서 구하는 경우의 수는 $10+10+40=60$

따라서 구하려는 확률은 $\dfrac{60}{120}=\dfrac{1}{2}$

정답 ③

0521

정답 ①

STEP A 모든 경우의 수 구하기

5개의 카드 중 a, b를 결정하는 모든 경우의 수는 ${}_5P_2=5\times4=20$

STEP B 둔각삼각형이 되기 위한 조건을 이용하여 확률 구하기

먼저 삼각형이 되기 위한 조건을 구하면 $2a>b$

둔각삼각형이 되기 위한 조건은 $2a^2<b^2$

a, b는 자연수이므로 두 식을 연립하면 $2a^2<b^2<4a^2$

(i) $a=1$일 때, $2<b^2<4$를 만족하는 자연수 b는 존재하지 않는다.

(ii) $a=2$일 때, $8<b^2<16$을 만족하는 자연수 b는 3으로 1가지 경우이다.

(iii) $a=3$일 때, $18<b^2<36$을 만족하는 자연수 b는 5로 1가지 경우이다.

(iv) $a\geq4$인 경우는 만족하는 b가 존재하지 않는다.

(i)~(iv)에서 둔각삼각형인 경우의 수는 2가지이다.

따라서 구하는 확률은 $\dfrac{2}{20}=\dfrac{1}{10}$

0522

정답 ⑤

STEP A 모든 경우의 수 구하기

전체 7개의 점 중에서 3개를 택하는 경우의 수는 ${}_7C_3=35$

STEP B 삼각형이 되기 위한 확률 구하기

(i) 직선 l 위의 점에서 2개, 직선 m 위의 점에서 1개를 택하는 경우의 수는 ${}_3C_2\times{}_4C_1=12$

(ii) 직선 m 위의 점에서 2개, 직선 l 위의 점에서 1개를 택하는 경우의 수는 ${}_4C_2\times{}_3C_1=18$

(i), (ii)에서 $12+18=30$

따라서 구하는 확률은 $\dfrac{30}{35}=\dfrac{6}{7}$

다른풀이 여사건을 이용하여 풀이하기

여사건을 이용하여 확률을 구하면 $1-\dfrac{{}_3C_3+{}_4C_3}{{}_7C_3}=\dfrac{6}{7}$

0523

정답 ⑤

STEP A 모든 경우의 수 구하기

두 점을 택하는 모든 방법의 수는 ${}_{16}C_2=120$

STEP B 두 점의 거리가 $\sqrt{2}$일 때와 $2\sqrt{2}$일 때의 경우의 수 구하기

(i) 거리가 $\sqrt{2}$인 경우의 수는 한 변의 길이가 1인 정사각형 9개에 각각 2개씩 있으므로 $9\times2=18$

(ii) 거리가 $2\sqrt{2}$인 경우의 수는 한 변의 길이가 2인 정사각형 4개에 각각 2개씩 있으므로 $4\times2=8$

STEP C 확률 구하기

따라서 (i)의 경우의 확률 a와 (ii)의 경우의 확률 b는 각각

$a=\dfrac{18}{120}$, $b=\dfrac{8}{120}$이므로 $\dfrac{a}{b}=\dfrac{\frac{18}{120}}{\frac{8}{120}}=\dfrac{18}{8}=\dfrac{9}{4}$

내신연계 출제문항 234

오른쪽 그림과 같이 한 변의 길이가 1인 정사각형 16개를 연결하여 25개의 교점을 만들었다. 이 중에서 임의로 2개의 점을 택할 때, 두 점을 이은 선분의 길이가 $\sqrt{5}$가 될 확률은?

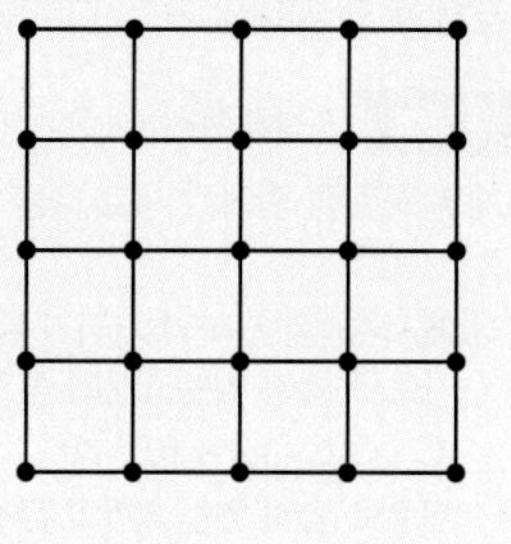

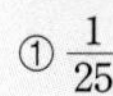
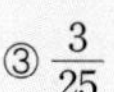
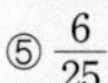

① $\frac{1}{25}$ ② $\frac{2}{25}$ ③ $\frac{3}{25}$ ④ $\frac{4}{25}$ ⑤ $\frac{6}{25}$

STEP A **전체 경우의 수 구하기**

25개의 꼭짓점 중에서 2개를 택하는 방법의 수는 ${}_{25}C_2=300$

STEP B **두 점 사이의 거리가 $\sqrt{5}$인 확률 구하기**

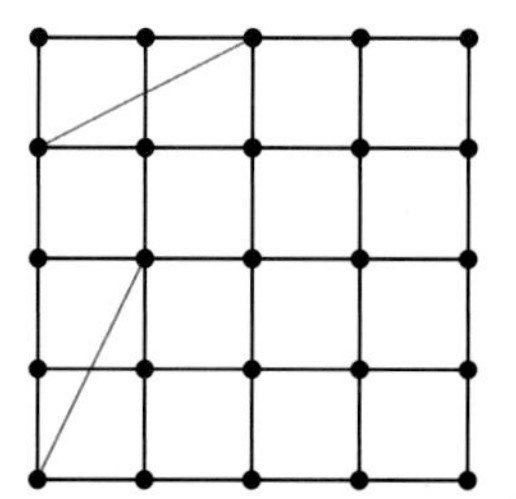

오른쪽 그림과 같이 두 점 사이의 거리가 $\sqrt{5}$가 되는 것은 다음과 같다.

(i) 가로의 길이가 2, 세로의 길이가 1이 되는 두 점을 택하면 되므로 경우의 수는 $3\times4\times2=24$

(ii) 가로의 길이가 1, 세로의 길이가 2인 두 점을 택하면 되므로 경우의 수는 $4\times3\times2\times=24$

(i), (ii)에서 두 점 사이의 거리가 $\sqrt{5}$가 되는 경우의 수는 $24+24=48$

따라서 구하는 확률은 $\frac{48}{300}=\frac{4}{25}$

정답 ④

내신연계 출제문항 235

오른쪽 그림과 같이 한 변의 길이가 1인 한 변의 길이가 1인 정육각형의 꼭짓점의 위치에 놓인 6개의 점 중에서 임의로 2개를 택하여 선분을 그을 때, 선분의 길이가 1보다 클 확률는?

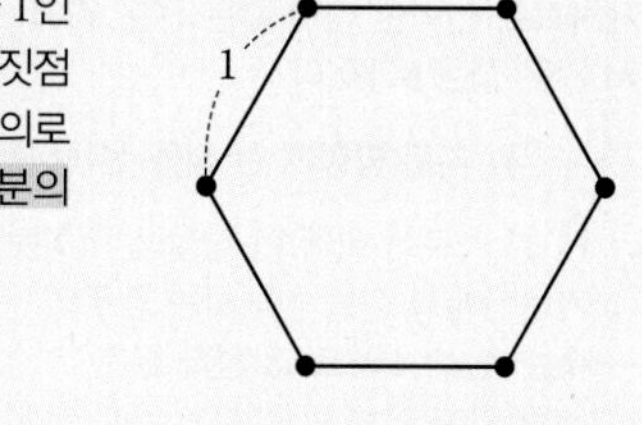

① $\frac{3}{7}$ ② $\frac{2}{5}$ ③ $\frac{3}{5}$ ④ $\frac{5}{7}$ ⑤ $\frac{2}{3}$

STEP A **여사건의 확률을 이용하여 $P(A^C)$ 구하기**

2개의 점을 택하여 선분을 그을 때,
선분의 길이가 1 이하인 사건을 A라고 하자.
2개의 점을 택하여 그을 수 있는 선분의 수는 ${}_6C_2=15$
이 중에서 길이가 1 이하인 선분의 수는 6이므로
$P(A)=\frac{6}{15}=\frac{2}{5}$

따라서 선분의 길이가 1보다 클 확률은 $P(A^C)=1-P(A)=1-\frac{2}{5}=\frac{3}{5}$

정답 ③

0524

정답 ②

STEP A **모든 경우의 수 구하기**

서로 다른 16개의 점 중에서 임의로 3개의 점을 택하는 삼각형을 만들 수 있는 모든 경우의 수는 ${}_{16}C_3=560$

STEP B **여사건을 이용하여 삼각형이 될 확률 구하기**

이때 택한 3개의 점으로 삼각형을 만들 수 없는 사건은 A^C이다.
(i) 가로로 3개의 점을 택하는 경우의 수는 ${}_4C_3\times4=16$
(ii) 세로로 3개의 점을 택하는 경우의 수는 ${}_4C_3\times4=16$
(iii) 대각선으로 3개의 점을 택하는 경우의 수는 ${}_4C_3\times2+4=12$
(i)~(iii)에서 경우의 수는 $n(A^C)=16+16+12=44$
따라서 구하는 확률은 $P(A)=1-P(A^C)=1-\frac{44}{560}=\frac{129}{140}$
$p=140$, $q=129$이므로 $p+q=269$

0525

정답 ③

STEP A **모든 경우의 수 구하기**

6개의 꼭짓점에서 임의로 서로 다른 두 점을 선택하는 경우의 수는 ${}_6C_2=15$

STEP B **여사건의 확률을 이용하여 $P(A^C)$ 구하기**

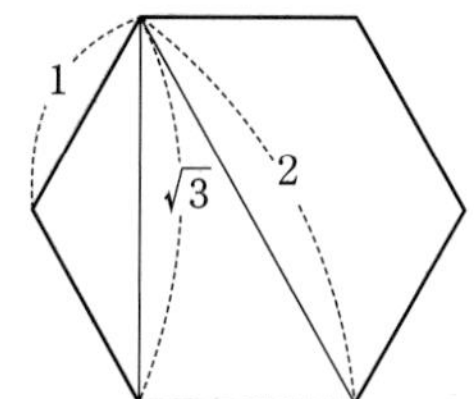

오른쪽 그림에서 서로 다른 두 점 사이의 거리는 1, $\sqrt{3}$, 2이므로 두 점 사이의 거리가 유리수가 될 확률은 무리수가 되지 않을 확률과 같다.
두 점을 선택했을 때, 이 두 점 사이의 거리가 $\sqrt{3}$인 사건을 A라고 하면

$n(A)=6$이므로 $P(A)=\frac{6}{15}=\frac{2}{5}$

따라서 구하는 확률은 $P(A^C)=1-P(A)=1-\frac{2}{5}=\frac{3}{5}$

0526

정답 ③

STEP A **모든 경우의 수 구하기**

12개의 꼭짓점 중에서 서로 다른 2개의 점을 선택하는 경우의 수는 ${}_{12}C_2=66$

STEP B **선분의 길이가 유리수인 확률 구하기**

선분의 길이가 무리수인 사건을 A라 하면
선분의 길이가 유리수인 사건은 A^C이므로
(i) 두 점을 연결한 선분의 길이가 1이 되는 경우의 수는
$3\times3+2\times4=17$
이때의 확률은 $\frac{17}{66}$
(ii) 두 점을 연결한 선분의 길이가 2가 되는 경우의 수는
$2\times3+1\times4=10$
이때의 확률은 $\frac{10}{66}$
(iii) 두 점을 연결한 선분의 길이가 3이 되는 경우의 수는
$1\times3=3$
이때의 확률은 $\frac{3}{66}$

STEP C **여사건을 이용하여 확률 구하기**

(i)~(iii)에서 선분의 길이가 유리수인 확률은
$P(A^C)=\frac{17}{66}+\frac{10}{66}+\frac{3}{66}=\frac{30}{66}=\frac{5}{11}$
즉 구하는 확률은 $P(A)=1-P(A^C)=1-\frac{5}{11}=\frac{6}{11}$
따라서 $a=6$, $b=11$이므로 $a+b=6+11=17$

선분의 길이가 유리수가 되려면 한 선분 위에 있는 두 개의 점을 선택해야 한다. 가로선 세 개에는 각각 4개의 점이 있고 세로선 네 개에는 각각 3개의 점이 있으므로 선분의 길이가 유리수가 되는 경우의 수는
${}_4C_2\times3+{}_3C_2\times4=18+12=30$

다른풀이 여사건의 확률을 이용하지 않고 직접 구하는 풀이하기

STEP A **한 변의 길이가 무리수가 되는 경우 구하기**

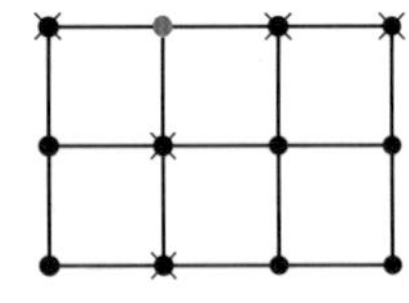

한 변의 길이가 무리수가 되려면 두 점이 같은 선분 위에 있으면 안 된다.
한 점을 선택했을 때, 선택한 점과 같은 선분 위에는 항상 다섯 개의 점이 존재하므로 선택한 점과 같은 선분 위에 있지 않은 점은 6개이다.

STEP B **가로 방향에 한 점을 선택하는 경우, 무리수인 경우의 수 구하기**

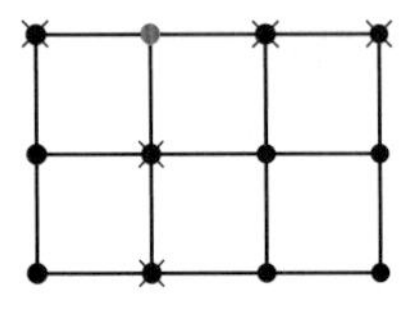

(i) 맨 위 가로선 위에 한 점을 선택하는 경우
가로선에서 점을 선택하는 경우의 수는 ${}_4C_1=4$이고 그 점과 같은 선분 위에 있지 않은 점은 6개 존재하므로 만족하는 경우의 수는
$4\times6=24$

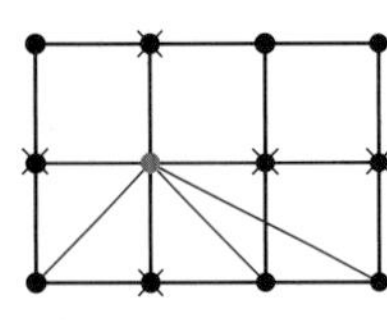

(ii) 중간 가로선 위에 한 점을 선택하는 경우
맨 아래 가로선 위의 점과 연결했을 때, 무리수가 되는 경우만 생각하면 되므로 경우의 수는
${}_4C_1\times3=12$

(iii) 맨 아래 가로선 위에 한 점을 선택하는 경우
(i), (ii)에 모두 포함되어 있다.

(i)~(iii)에서 구하는 경우의 수는 $24+12=36$

따라서 구하는 확률은 $\frac{36}{{}_{12}C_2}=\frac{36}{66}=\frac{6}{11}$

선분의 길이가 무리수인 경우를 구한다.
12개의 꼭짓점 각각에 대하여 선택할 수 있는 꼭짓점이 6개이고
연결한 선분은 2개씩 중복되므로 $\frac{12\times6}{2}=36$
따라서 구하는 확률은 $\frac{36}{{}_{12}C_2}=\frac{6}{11}$

내신연계 출제문항 236

그림과 같이 한 변의 길이가 1인 정사각형 8개가 서로 붙어 있는 도형이 있다. 정사각형들의 15개의 꼭짓점 중에서 임의로 서로 다른 2개의 점을 선택할 때, 선택한 두 점 사이의 거리가 무리수일 확률은?

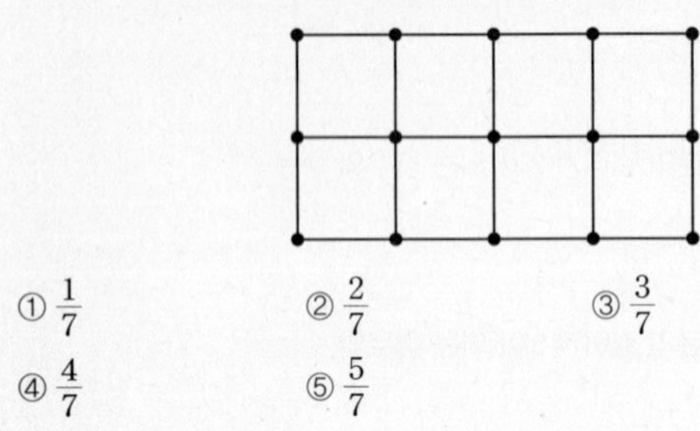

① $\frac{1}{7}$ ② $\frac{2}{7}$ ③ $\frac{3}{7}$
④ $\frac{4}{7}$ ⑤ $\frac{5}{7}$

STEP A **전체 경우의 수 구하기**

15개의 꼭짓점 중에서 서로 다른 2개의 점을 선택하는 경우의 수는
${}_{15}C_2=105$

STEP B **선분의 길이가 유리수인 경우의 수 구하기**

두 점 사이의 거리가 1이 되는 경우의 수는 $4\times3+2\times5=22$
두 점 사이의 거리가 2가 되는 경우의 수는 $3\times3+1\times5=14$
두 점 사이의 거리가 3이 되는 경우의 수는 $2\times3=6$
두 점 사이의 거리가 4가 되는 경우의 수는 3
즉 두 점 사이의 거리가 유리수일 확률은 $\frac{22+14+6+3}{105}=\frac{45}{105}=\frac{3}{7}$

STEP C **여사건의 확률 구하기**

따라서 두 점 사이의 거리가 무리수일 확률은 $1-\frac{3}{7}=\frac{4}{7}$

다른풀이 조합을 이용하여 풀이하기

15개의 꼭짓점 중에서 서로 다른 2개의 점을 선택하는 경우의 수는
${}_{15}C_2=105$
이 중에서 두 점 사이의 거리가 유리수인 경우는 다음과 같다.
(i) 가로로 놓여 있는 5개의 점 중에서 서로 다른 2개의 점을 선택하는 경우
${}_3C_1\times{}_5C_2=3\times10=30$
(ii) 세로로 놓여 있는 3개의 점 중에서 서로 다른 2개의 점을 선택하는 경우
${}_5C_1\times{}_3C_2=5\times3=15$
(i), (ii)에서 두 점 사이의 거리가 유리수일 확률은 $\frac{30+15}{105}=\frac{45}{105}=\frac{3}{7}$
따라서 두 점 사이의 거리가 무리수일 확률은 $1-\frac{3}{7}=\frac{4}{7}$  정답 ④

0527

 정답 ⑤

STEP A **주어진 사건의 여사건 구하기**

선택된 두 점 사이의 거리가 1보다 큰 사건을 A라 하면
A^C은 선택된 두 점 사이의 거리가 1보다 작거나 같은 사건이다.

STEP B **여사건을 이용하여 확률 구하기**

12개의 꼭짓점 중에서 서로 다른 2개의 점을 선택하는 경우의 수는
${}_{12}C_2=66$
이 중에서 두 점 사이의 거리가 1보다 작거나 같은 경우는 다음과 같다.
(i) 가로로 놓여 있는 4개의 점 중에서 두 점 사이의 거리가 1보다 작거나 같은 점을 선택하는 경우는 $3\times3=9$
(ii) 세로로 놓여 있는 3개의 점 중에서 두 점 사이의 거리가 1보다 작거나 같은 점을 선택하는 경우 $4\times2=8$
(i), (ii)에서 두 점 사이의 거리가 1보다 작거나 같은 확률은 $\frac{9+8}{66}=\frac{17}{66}$
따라서 두 점 사이의 거리가 1보다 큰 확률은 $P(A)=1-P(A^C)=1-\frac{17}{66}=\frac{49}{66}$

0528

 정답 ④

STEP A **모든 경우의 수 구하기**

정육면체의 8개의 꼭짓점 중에서 서로 다른 세 꼭짓점을 임의로 선택하여 선택한 세 꼭짓점을 연결하면 삼각형을 만들 수 있다.
이렇게 하여 만들 수 있는 삼각형은 직각삼각형 또는 정삼각형뿐이다.
서로 다른 세 꼭짓점을 임의로 선택하여 만든 삼각형이 직각삼각형이 되는 사건을 A라 하면 서로 다른 세 꼭짓점을 임의로 선택하여 만든 삼각형이 정삼각형이 되는 사건은 A^C이다.
8개의 꼭짓점 중에서 서로 다른 세 꼭짓점을 임의로 선택하여 만들 수 있는 모든 삼각형의 개수는 ${}_8C_3=56$

STEP B **직각삼각형일 확률 구하기**

한편 56개의 삼각형 중에서 다음 그림과 같은 정삼각형의 개수는 8이다.

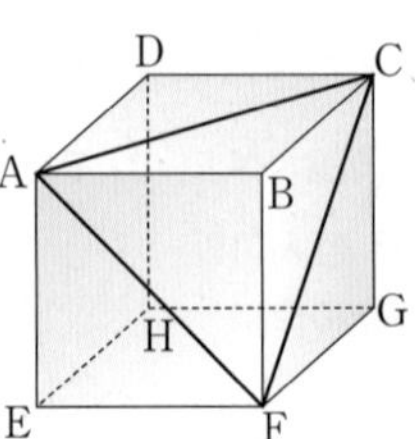

즉 $P(A^C)=\frac{8}{56}=\frac{1}{7}$
따라서 $P(A)=1-P(A^C)=1-\frac{1}{7}=\frac{6}{7}$

다른풀이 여사건의 확률을 이용하지 않고 직접 구하는 풀이하기

8개의 꼭짓점 중에서 서로 다른 세 꼭짓점을 임의로 선택하여 만들 수 있는 모든 삼각형의 개수는 ${}_8C_3=56$

정육면체의 8개의 꼭짓점 중에서 서로 다른 세 꼭짓점을 임의로 선택하여 직각삼각형을 만들 수 있는 경우는

[그림 1]과 같은 정사각형의 4개의 꼭짓점 중에서 3개의 꼭짓점을 선택하여 직각이등변삼각형을 만들거나

[그림 2]와 같은 직사각형의 4개의 꼭짓점 중에서 3개의 꼭짓점을 선택하여 세 변의 길이가 모두 다른 직각삼각형을 만드는 경우이다.

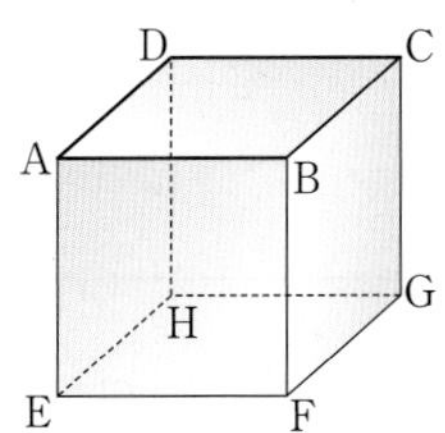

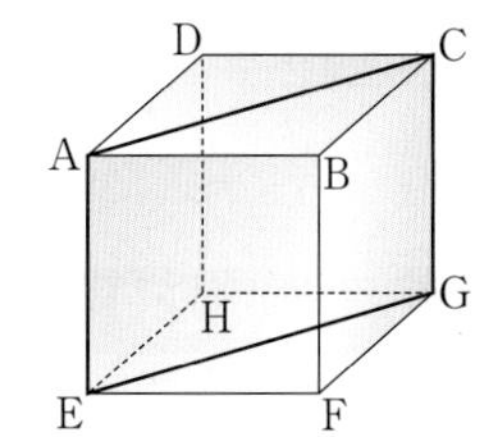

정육면체에서 [그림 1]과 같은 정사각형은 6개가 있고 그 각각에 대하여 ${}_4C_3$개의 직각이등변삼각형을 만들 수 있으므로

만들 수 있는 직각이등변삼각형의 개수는

$6\times{}_4C_3=6\times4=24$ …… ㉠

정육면체에서 [그림 2]와 같은 직사각형은 6개가 있고 그 각각에 대하여 ${}_4C_3$개의 세 변의 길이가 모두 다른 직각삼각형을 만들 수 있으므로

세 변의 길이가 모두 다른 직각삼각형의 개수는

$6\times{}_4C_3=6\times4=24$ …… ㉡

㉠, ㉡에서 만들 수 있는 직각삼각형의 개수는 $24+24=48$

따라서 구하는 확률은 $\frac{48}{56}=\frac{6}{7}$

0529

STEP Ⓐ 모든 경우의 수 구하기

방정식 $x+y+z=8$의 음이 아닌 정수인 해의 개수는

${}_3H_8={}_{3+8-1}C_8={}_{10}C_8={}_{10}C_2=45$

STEP Ⓑ y의 값이 2인 확률 구하기

y의 값이 2인 경우는 $x+z=6$의 음이 아닌 정수해의 개수를 구하면 되므로

${}_2H_6={}_7C_6=7$

따라서 구하는 확률은 $\frac{7}{45}$

0530

STEP Ⓐ 모든 경우의 수 구하기

한 개의 주사위를 3번 던질 때, 전체 경우의 수는 6^3

STEP Ⓑ $a+b+c=7$을 만족시키는 자연수의 해일 확률 구하기

이때 $a+b+c=7$을 만족시키는 자연수의 해 $(a,\ b,\ c)$의 개수는

${}_3H_{7-3}={}_3H_4={}_6C_4=15$

따라서 구하는 확률은 $\frac{15}{6^3}=\frac{5}{72}$

0531

STEP Ⓐ 모든 경우의 수 구하기

3종류의 풍선에서 10개의 풍선을 고르는 방법은

${}_3H_{10}={}_{3+10-1}C_{10}={}_{12}C_2=66$

STEP Ⓑ 모든 색깔의 풍선이 적어도 1개씩 포함되는 경우의 수 구하기

빨간색, 파란색, 노란색 풍선이 적어도 1개씩 포함되는 경우의 수는

빨간색, 파란색, 노란색 풍선을 하나씩 고른 다음 나머지 7개를 고르면 되므로

${}_3H_7={}_{3+7-1}C_7={}_9C_2=36$

STEP Ⓒ 확률 구하기

따라서 구하는 확률은 $\frac{36}{66}=\frac{6}{11}$

내신연계 출제문항 237

똑같은 태블릿 10개를 세 명의 학생에게 나누어 줄 때, 모든 학생이 적어도 2개의 태블릿을 받을 확률은?

① $\frac{2}{11}$ ② $\frac{14}{55}$ ③ $\frac{3}{22}$

④ $\frac{5}{22}$ ⑤ $\frac{4}{11}$

STEP Ⓐ 모든 경우의 수 구하기

10개의 태블릿을 3명의 학생에게 나누어 주는 경우의 수는

${}_3H_{10}={}_{3+10-1}C_{10}={}_{12}C_2=66$

STEP Ⓑ 모든 학생이 적어도 2개의 태블릿을 받는 경우의 수 구하기

각 학생에게 적어도 2개의 태블릿을 나누어 주는 경우의 수는

모든 학생에게 태블릿을 2개씩 먼저 나누어 주고 남은 4개의 태블릿을 3명의 학생에게 나누어 주면 되므로 ${}_3H_4={}_{3+4-1}C_4={}_6C_2=15$

STEP Ⓒ 확률 구하기

따라서 구하는 확률은 $\frac{{}_6C_2}{{}_{12}C_2}=\frac{5}{22}$

0532

STEP Ⓐ 모든 경우의 수 구하기

한 개의 주사위를 4번 던질 때, 전체 경우의 수는 6^4

STEP Ⓑ $a\le b<c\le d$인 확률 구하기

$a\le b<c\le d$를 만족시키는 사건의 경우의 수는

$a\le b\le c\le d$인 경우의 수에서 $a\le b=c\le d$인 경우의 수를 빼면 된다.

(ⅰ) $a\le b\le c\le d$인 경우의 수는 ${}_6H_4={}_{6+4-1}C_4={}_9C_4=126$

(ⅱ) $a\le b=c\le d$인 경우의 수는 ${}_6H_3={}_{6+3-1}C_3={}_8C_3=56$

(ⅰ), (ⅱ)에서 $a\le b<c\le d$를 만족시키는 사건의 경우의 수는

$126-56=70$

따라서 구하는 확률은 $\frac{70}{6^4}=\frac{35}{648}$

다른풀이 조합을 이용하여 풀이하기

한 개의 주사위를 4번 던질 때, 전체 경우의 수는 6^4

$a\le b<c\le d$를 만족시키는 사건의 경우의 수는

(ⅰ) $a<b<c<d$인 경우의 수 ${}_6C_4=15$

(ⅱ) $a=b<c<d$인 경우의 수 ${}_6C_3=20$

(ⅲ) $a<b<c=d$인 경우의 수 ${}_6C_3=20$

(ⅳ) $a=b<c=d$인 경우의 수 ${}_6C_2=15$

(ⅰ)~(ⅳ)에서 $a\le b<c\le d$를 만족시키는 사건의 경우의 수는

$15+20+20+15=70$이므로 구하는 확률은 $\frac{70}{6^4}=\frac{35}{648}$

0533

정답 ②

STEP A **모든 경우의 수 구하기**

세 자리의 자연수의 개수는 100부터 999까지 900이므로
한 개를 택하는 경우의 수는 900

STEP B **각 자리에 있는 세 수의 합이 10인 확률 구하기**

백의 자리, 십의 자리, 일의 자리의 수를 각각 a, b, c라 하면
각 자리에 있는 세 수의 합이 10인 사건은 $a+b+c=10$인 사건이다.
백의 자리에는 0이 올 수 없으므로 a는 $1 \le a \le 9$인 자연수이고
b, c는 9 이하의 음이 아닌 정수이다.

$a=a'+1$이라 하면

$a+b+c=10$에서 $a'+b+c=9$ …… ㉠

(단, a'은 음이 아닌 8 이하의 정수이고 b, c는 음이 아닌 9 이하의 정수)

구하는 자연수의 개수는 방정식 ㉠을 만족시키는 모든 순서쌍 (a', b, c)의 개수와 같으므로 서로 다른 3개에서 중복을 허락하여 9개를 택하는 중복조합의 수에서 순서쌍 (a', b, c)가 $(9, 0, 0)$인 경우의 수 1을 빼면 된다.

${}_3H_9-1={}_{3+9-1}C_9-1={}_{11}C_9-1={}_{11}C_2-1=54$

따라서 구하는 확률은 $\frac{54}{900}=\frac{3}{50}$

내/신/연/계/ 출제문항 238

101부터 300까지의 자연수가 하나씩 적혀있는 200장의 카드에서 임의로 한 장을 뽑을 때, 뽑힌 카드에 적힌 수의 각 자리의 숫자의 합이 9인 확률이 $\frac{p}{q}$일 때, $p+q$의 값은? (단, p, q는 서로소인 자연수)

① 211 ② 215 ③ 217
④ 219 ⑤ 220

STEP A **모든 경우의 수 구하기**

200장의 카드에서 한 장을 뽑는 경우의 수는 200

STEP B **각 자리에 있는 세 수의 합이 9인 확률 구하기**

이때 백의 자리, 십의 자리, 일의 자리의 수를 각각 a, b, c라 하면
$a+b+c=9$가 되는 경우는

(ⅰ) $a=1$인 경우
$b+c=8$ (단, b, c는 음이 아닌 정수) …… ㉠
방정식 ㉠을 만족시키는 음이 아닌 정수해의 개수는
${}_2H_8={}_{2+8-1}C_8={}_9C_8={}_9C_1=9$

(ⅱ) $a=2$인 경우
$b+c=7$ (단, b, c는 음이 아닌 정수) …… ㉡
방정식 ㉡을 만족시키는 음이 아닌 정수해의 개수는
${}_2H_7={}_{2+7-1}C_7={}_8C_7={}_8C_1=8$

(ⅰ), (ⅱ)에서 $a+b+c=9$를 만족시키는 경우의 수는 $9+8=17$

따라서 구하는 확률은 $\frac{17}{200}$이므로 $p=17$, $q=200$

$\therefore$ $p+q=17+200=217$

정답 ③

0534

정답 ③

STEP A **모든 함수의 개수 구하기**

집합 $X=\{a, b, c\}$에서 집합 $Y=\{1, 3, 5, 7\}$로의 함수의 개수는
${}_4\Pi_3=4^3=64$

STEP B **일대일함수일 확률 구하기**

함수가 일대일함수가 되는 경우의 수는 ${}_4P_3=4\times3\times2=24$

따라서 구하는 확률은 $\frac{24}{64}=\frac{3}{8}$

0535

정답 ②

STEP A **모든 함수의 개수 구하기**

집합 A에서 집합 B로의 함수 f의 개수는 ${}_2\Pi_3=2^3=8$

STEP B **$f(a)+f(b)+f(c)=7$을 만족하는 확률 구하기**

$7=2+2+3$이므로 a, b, c의 함숫값 중 2개는 2이고 한 개는 3

그러므로 조건을 만족하는 함수의 개수는 ${}_3C_2=3$ $\left(\text{또는 } \frac{3!}{2!}=3\right)$

따라서 구하는 확률은 $\frac{3}{8}$

내/신/연/계/ 출제문항 239

두 집합 $A=\{a, b, c\}$, $B=\{1, 2\}$에 대하여 집합 A에서 B로의 함수 f를 만들 때, 이 함수가

$$f(a)+f(b)+f(c)=5$$

를 만족시킬 확률은?

① $\frac{1}{4}$ ② $\frac{3}{8}$ ③ $\frac{2}{7}$
④ $\frac{3}{7}$ ⑤ $\frac{4}{7}$

STEP A **모든 경우의 수 구하기**

집합 A에서 B로의 함수 f의 개수는 ${}_2\Pi_3=2^3=8$

STEP B **$f(a)+f(b)+f(c)=5$를 만족하는 확률 구하기**

$f(a)+f(b)+f(c)=5$를 만족시키는 함수 f의 개수는
$1+2+2=5$에서 1, 2, 2를 일렬로 나열하는 경우의 수와 같으므로 $\frac{3!}{2!}=3$

따라서 구하는 확률은 $\frac{3}{8}$

정답 ②

0536

정답 ⑤

STEP A **모든 함수의 개수 구하기**

집합 X에서 Y로의 함수의 개수는 ${}_4\Pi_4=4^4=256$

STEP B **$f(1)\times f(2)\times f(3)=f(4)$를 만족하는 확률 구하기**

(ⅰ) $f(4)=1$인 경우
$(f(1), f(2), f(3))=(1, 1, 1)$뿐이므로 경우의 수는 1

(ⅱ) $f(4)=2$인 경우
$(f(1), f(2), f(3))$의 경우의 수는
1, 1, 2를 나열하는 경우의 수와 같으므로 $\frac{3!}{2!}=3$

(ⅲ) $f(4)=4$인 경우
$(f(1), f(2), f(3))$의 경우의 수는
1, 2, 2와 1, 1, 4를 나열하는 경우의 수와 같으므로 $\frac{3!}{2!}\times2=6$

(ⅳ) $f(4)=8$인 경우
$(f(1), f(2), f(3))$의 경우의 수는
1, 1, 8과 1, 2, 4와 2, 2, 2를 나열하는 경우의 수와 같으므로
$\frac{3!}{2!}+3!+1=10$

(ⅰ)~(ⅳ)에서 구하는 경우의 수는 $1+3+6+10=20$

따라서 구하는 확률은 $\frac{20}{256}=\frac{5}{64}$

내신연계 출제문항 240

집합 $X=\{1, 2, 3, 4\}$에 대하여 집합 X에서 X로의 함수 f 중에서 임의로 선택한 한 함수가

$$f(1)f(2)f(3)f(4)=8$$

을 만족시키는 함수일 확률은?

① $\frac{1}{32}$ ② $\frac{1}{16}$ ③ $\frac{1}{8}$
④ $\frac{5}{64}$ ⑤ $\frac{3}{32}$

STEP Ⓐ **모든 함수의 개수 구하기**

집합 X에서 X로의 함수의 개수는 ${}_4\Pi_4=4^4=256$

STEP Ⓑ **$f(1)f(2)f(3)f(4)=8$을 만족하는 확률 구하기**

$f(1)f(2)f(3)f(4)=8=2^3$에서 $8=1\times1\times2\times4=1\times2\times2\times2$ 이므로 각각의 경우 함수 f의 개수는 다음과 같다.

(ⅰ) 순서쌍 $(f(1), f(2), f(3), f(4))$의 개수는
1, 1, 2, 4를 일렬로 나열하는 경우의 수와 같으므로
함수 f의 개수는 $\frac{4!}{2!}=12$

(ⅱ) 순서쌍 $(f(1), f(2), f(3), f(4))$의 개수는
1, 2, 2, 2를 일렬로 나열하는 경우의 수와 같으므로
함수 f의 개수는 $\frac{4!}{3!}=4$

(ⅰ), (ⅱ)에서 함수 f의 개수는 $12+4=16$

따라서 구하는 확률은 $\frac{16}{4^4}=\frac{1}{16}$

 ②

0537

 ⑤

STEP Ⓐ **모든 함수의 개수 구하기**

집합 X에서 집합 Y로의 함수 f의 개수는 ${}_5\Pi_4=5^4=625$

STEP Ⓑ **$a<b$이면 $f(a)\le f(b)$일 확률 구하기**

(ⅰ) $f(3)=3$이므로 경우의 수
조건 (가), (나)에 의해 $1\le f(1)\le f(2)\le 3$을 만족해야 하므로
$f(1)$, $f(2)$는 1, 2, 3에서 중복하여 2개를 뽑은 경우의 수는
${}_3H_2={}_{3+2-1}C_2={}_4C_2=6$

(ⅱ) $f(4)$가 가질 수 있는 값의 경우의 수
조건 (가), (나)에 의해 $3\le f(4)\le 5$를 만족해야 하므로
$f(4)$는 3, 4, 5에 대응하는 경우의 수는 3

(ⅰ), (ⅱ)에서 $6\times3=18$

따라서 구하는 확률은 $\frac{18}{625}$

0538

 ②

STEP Ⓐ **모든 함수의 개수 구하기**

X에서 X로의 함수의 개수는 ${}_3\Pi_4=3^4=81$

STEP Ⓑ **함수의 치역이 $\{1, 2\}$인 확률 구하기**

치역이 $\{1, 2\}$인 함수의 개수는
$\{1, 1, 1, 2\}$, $\{1, 1, 2, 2\}$, $\{1, 2, 2, 2\}$를 각각 일렬로 나열하는 경우의 수의 합과 같으므로 $\frac{4!}{3!}+\frac{4!}{2!2!}+\frac{4!}{3!}=4+6+4=14$

따라서 구하는 확률은 $\frac{14}{81}$

다른풀이 중복순열을 이용하여 풀이하기

모든 함수의 개수는 ${}_3\Pi_4=3^4=81$
치역이 $\{1, 2\}$인 함수의 개수는 ${}_2\Pi_4-2=14$
따라서 구하는 확률은 $\frac{14}{81}$

0539

 ②

STEP Ⓐ **모든 함수의 개수 구하기**

집합 $X=\{a, b, c\}$에서 집합 $Y=\{1, 2, 3, 4, 5\}$로의 함수의 개수는 ${}_5\Pi_3=5^3$

STEP Ⓑ **$f(a)<f(b)<f(c)$일 확률 구하기**

$f(a)$, $f(b)$, $f(c)$로 가능한 것은 1, 2, 3, 4, 5로 각각 5개씩이므로
이때 $f(a)<f(b)<f(c)$를 만족시키는 함수 f의 개수는
1, 2, 3, 4, 5에서 3개를 택하는 경우의 수와 같으므로 ${}_5C_3$

따라서 구하는 확률은 $\frac{{}_5C_3}{5^3}=\frac{2}{25}$

1, 2, 3, 4, 5에서 2, 3, 5의 3개를 택했을 경우
$f(a)<f(b)<f(c)$를 만족시키기 위해서는
$f(a)=2$, $f(b)=3$, $f(c)=5$로 단 하나의 함수가 정해진다.
따라서 구하는 함수 f의 개수는 1, 2, 3, 4, 5에서 3개를 택하는 경우의 수인 ${}_5C_3$과 같다.

0540

 ①

STEP Ⓐ **모든 함수의 개수 구하기**

X에서 X로의 함수의 개수는 $4^4=256$

STEP Ⓑ **$f(1)\le f(2)<f(3)\le f(4)$인 경우의 수 구하기**

$f(1)\le f(2)<f(3)\le f(4)$를 만족시키는 경우는 다음과 같다.

(ⅰ) $f(1)<f(2)<f(3)<f(4)$인 경우
집합 X의 네 원소를 작은 수부터 차례로 대응시키면 되므로 1가지

(ⅱ) $f(1)=f(2)<f(3)<f(4)$인 경우
집합 X의 네 원소 중에서 세 원소를 택한 후 작은 수부터 차례로 대응시키면 되므로 ${}_4C_3=4$가지

(ⅲ) $f(1)<f(2)<f(3)=f(4)$인 경우
집합 X의 네 원소 중에서 세 원소를 택한 후 작은 수부터 차례로 대응시키면 되므로 ${}_4C_3=4$가지

(ⅳ) $f(1)=f(2)<f(3)=f(4)$인 경우
집합 X의 네 원소 중에서 두 원소를 택한 후 작은 수부터 차례로 대응시키면 되므로 ${}_4C_2=6$가지

$f(1)\le f(2)<f(3)\le f(4)$인 경우의 수는
$f(1)\le f(2)\le f(3)\le f(4)$인 경우의 수에서
$f(1)\le f(2)=f(3)\le f(4)$인 경우의 수를 빼면 된다.
즉 ${}_4H_4-{}_4H_3={}_7C_4-{}_6C_3=35-20=15$

STEP Ⓒ **구하는 확률 구하기**

(ⅰ)~(ⅳ)에 의하여 조건을 만족시키는 경우의 수는
$1+4+4+6=15$이므로 구하는 확률은 $\frac{15}{256}$

내신연계 출제문항 241

오른쪽 그림과 같이 1부터 6까지의 자연수가 적힌 원반 모양의 과녁에 화살을 4번 던져서 맞힌 수를 차례로 a, b, c, d라고 할 때, $a \le b < c \le d$가 성립할 확률은?

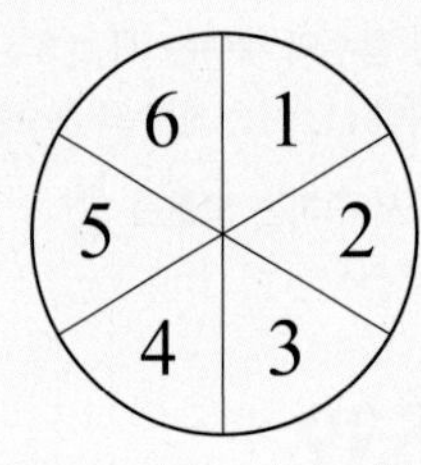

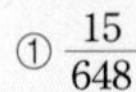

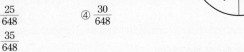

① $\frac{15}{648}$ ② $\frac{20}{648}$
③ $\frac{25}{648}$ ④ $\frac{30}{648}$
⑤ $\frac{35}{648}$

STEP Ⓐ **모든 경우의 수 구하기**

원반 모양의 과녁에 화살을 4번 던져서 맞힌 수 a, b, c, d의 순서쌍 (a, b, c, d)의 모든 개수는 ${}_6\Pi_4 = 6^4$

STEP Ⓑ **각 사건의 확률을 이용하여 구하기**

$a \le b < c \le d$를 만족시키는 각 경우에 대한 확률은

(ⅰ) $a < b < c < d$인 경우의 확률은 $\frac{{}_6C_4}{6^4}$

(ⅱ) $a = b < c < d$인 경우의 확률은 $\frac{{}_6C_3}{6^4}$

(ⅲ) $a < b < c = d$인 경우의 확률은 $\frac{{}_6C_3}{6^4}$

(ⅳ) $a = b < c = d$인 경우의 확률은 $\frac{{}_6C_2}{6^4}$

(ⅰ)~(ⅳ)의 경우는 배반사건이다.

따라서 구하는 확률은 $\frac{{}_6C_4}{6^4} + \frac{{}_6C_3}{6^4} + \frac{{}_6C_3}{6^4} + \frac{{}_6C_2}{6^4} = \frac{35}{648}$

다른풀이 중복조합을 이용하여 확률 구하기

사건 $1 \le a \le b < c \le d \le 6$의 경우의 수는

$1 \le a \le b \le c \le d \le 6$에서

$1 \le a \le b = c \le d \le 6$인 경우를 제외하면 되므로

${}_6H_4 - {}_6H_3 = {}_9C_4 - {}_8C_3 = 70$

따라서 구하는 확률은 $\frac{70}{6^4} = \frac{35}{648}$

정답 ⑤

0541

정답 ④

STEP Ⓐ **X에서 Y로의 함수의 개수 구하기**

집합 $X = \{1, 2, 3, 4, 5\}$에서 집합 $Y = \{1, 2, 3\}$로의 함수의 개수는

${}_3\Pi_5 = 3^5 = 243$

STEP Ⓑ **조건을 만족하는 확률 구하기**

집합 X의 원소 중에서 소수는 2, 3, 5이고

집합 Y의 원소 중에서 소수는 2, 3이므로

$f(2)$, $f(3)$, $f(5)$를 정하는 경우의 수는 ${}_2\Pi_3 = 2^3 = 8$이고

$f(1)$, $f(4)$를 정하는 경우의 수가 ${}_3\Pi_2 = 3^2 = 9$이므로

조건을 만족시키는 함수의 개수는 $8 \times 9 = 72$

따라서 구하는 확률은 $\frac{72}{243} = \frac{8}{27}$

0542

정답 ⑤

STEP Ⓐ **모든 경우의 수 구하기**

집합 X에서 집합 X로의 함수의 개수는 $5 \times 5 \times 5 \times 5 \times 5 = 5^5$

STEP Ⓑ **조건을 만족하는 확률 구하기**

조건 (나)에서 $f(a) = a$인 a의 개수가 3이므로 a를 선택하는 경우의 수는

${}_5C_3 = 10$

이 중 한 경우를 $f(1) = 1$, $f(2) = 2$, $f(3) = 3$이라 하면

$f(4) \ne 4$, $f(5) \ne 5$이고

조건 (가)에서 함수 f의 치역의 원소의 개수가 4이므로

$f(4) = 1$ 또는 $f(4) = 2$ 또는 $f(4) = 3$일 때, $f(5) = 4$

$f(5) = 1$ 또는 $f(5) = 2$ 또는 $f(5) = 3$일 때, $f(4) = 5$

이므로 $3 \times 2 = 6$가지

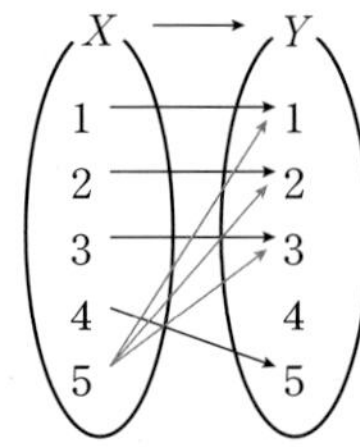

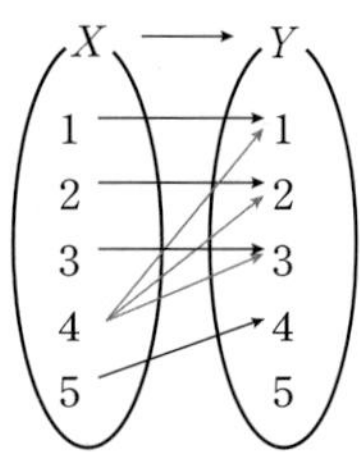

즉 구하는 함수의 개수는 ${}_5C_3 \times 6 = 60$

따라서 구하는 확률은 $\frac{60}{5^5} = \frac{12}{625}$이므로 $p + q = 625 + 12 = 637$

내신연계 출제문항 242

집합 $A = \{1, 2, 3, 4, 5\}$에서 집합 $B = \{1, 2, 3, 4, 5, 6, 7\}$로의 일대일 함수 중에서 임의로 하나를 선택할 때, 선택한 함수 f가 다음 조건을 만족시킬 확률은?

$a \in A$에 대하여 $f(a) = a$인 a의 개수는 3이다.

① $\frac{1}{72}$ ② $\frac{1}{36}$ ③ $\frac{1}{24}$
④ $\frac{1}{18}$ ⑤ $\frac{5}{72}$

STEP Ⓐ **모든 경우의 수 구하기**

집합 A에서 집합 B로의 일대일함수의 개수는 집합 B의 원소 7개에서 5개를 택하여 순서대로 나열하는 경우의 수와 같으므로

${}_7P_5 = 7 \times 6 \times 5 \times 4 \times 3$

STEP Ⓑ **$f(a) = a$인 a의 개수가 3인 확률 구하기**

$a \in A$에 대하여 $f(a) = a$인 a의 개수가 3임을 만족시키는 집합 A의 원소를 택하는 경우의 수는 ${}_5C_3$

이때 $a = 1, 2, 3$에 대하여 $f(a) = a$라 하면

4, 5에 대응하는 값은 다음과 같이 7가지의 경우가 있게 된다.

$f(4) = 5$일 때, $f(5) = 4, 6, 7$

$f(4) = 6$일 때, $f(5) = 4, 7$

$f(4) = 7$일 때, $f(5) = 4, 6$

따라서 구하는 확률은 $\frac{{}_5C_3 \times 7}{{}_7P_5} = \frac{1}{36}$

정답 ②

0543
정답 ④

STEP Ⓐ **[보기]의 참, 거짓 판단하기**

ㄱ. 표본공간 S가 일어날 가능성이 모두 같은 정도로 기대되는 n개의 근원사건으로 이루어져 있고 사건 A가 r개의 근원사건으로 이루어져 있으면
사건 A가 일어날 수학적 확률 $\mathrm{P}(A)$는 $\mathrm{P}(A)=\frac{r}{n}$ [참]

ㄴ. 어떤 시행을 n번 반복할 때, 사건 A가 r_n번 일어난다고 하면
이때 상대도수 $\frac{r_n}{n}$이 일정한 값 p에 가까워진다. ⬅ 시행횟수 n이 한 없이 커질 때,
이 p를 사건 A의 통계적 확률이라고 한다. [거짓]

ㄷ. 표본공간 S의 임의의 사건 A에 대하여 $0 \le \mathrm{P}(A) \le 1$
$\mathrm{P}(S)=1$, $\mathrm{P}(\varnothing)=0$ [참]

따라서 옳은 것은 ㄱ, ㄷ이다.

0544

정답 ③

STEP Ⓐ **통계적 확률을 이용하여 출루횟수 구하기**

타석에 400번 들어갈 때, x번 출루하였다고 하면
출루율이 0.285이므로 $\frac{x}{400}=0.285$, $x=114$
따라서 타석에 400번 들어갈 때, 114번 출루할 수 있을 것으로 추측된다.

내신연계 출제문항 243

야구에서 n타수 중 r개의 안타를 친 선수의 타율은 $\frac{r}{n}$이라고 한다.
현재까지 32타수에 나와 타율이 0.25인 선수가 앞으로 48타수에 더 나와 타율이 0.3이 되게 하기 위해서는 몇 개의 안타를 더 쳐야 하는가?

① 10 ② 12 ③ 14
④ 16 ⑤ 18

STEP Ⓐ **통계적 확률을 이용하여 구하기**

현재까지 32타수에 나와 친 안타의 개수를 x라 하면
$\frac{x}{32}=0.25$, $x=0.25\times32=8$
타율이 0.3이 되기 위해 앞으로 더 쳐야 할 안타의 개수를 y라 하면
$\frac{8+y}{80}=0.3$을 만족해야 한다.
$8+y=0.3\times80=24$
따라서 $y=16$

정답 ④

0545
정답 ②

STEP Ⓐ **통계적 확률을 이용하여 구하기**

주머니 속에 흰 공이 n개 들어 있다고 하면
6개의 공 중에서 2개의 공을 꺼낼 때, 2개 모두 흰 공일 확률은 $\frac{1}{5}$이므로
$\frac{{}_n\mathrm{C}_2}{{}_6\mathrm{C}_2}=\frac{1}{5}$
${}_n\mathrm{C}_2=\frac{1}{5}\times{}_6\mathrm{C}_2=\frac{1}{5}\times15=3$, $\frac{n(n-1)}{2}=3$
$\therefore n=3$
따라서 주머니 속에 흰 공이 3개 있다고 볼 수 있다.

내신연계 출제문항 244

빨간 구슬과 파란 구슬이 모두 7개 들어 있는 주머니에서 2개의 구슬을 꺼내 색을 확인하고 다시 넣는 시행을 여러 번 반복하였더니 7번에 한 번 꼴로 2개가 모두 빨간 구슬이었다. 이때 주머니 속에는 몇 개의 빨간 구슬이 들어 있는가?

① 2 ② 3 ③ 4
④ 5 ⑤ 6

STEP Ⓐ **통계적 확률을 이용하여 구하기**

주머니 속에 빨간 구슬이 n개 들어 있다고 하면
7개의 구슬 중에서 2개의 공을 꺼낼 때,
2개 모두 빨간 구슬일 확률은 $\frac{1}{7}$
$\frac{{}_n\mathrm{C}_2}{{}_7\mathrm{C}_2}=\frac{1}{7}$, $n(n-1)=6$, $n>0$이므로 $n=3$
따라서 주머니 속에 빨간 구슬이 3개 들어 있다고 볼 수 있다. 정답 ②

STEP 1 내신정복기출유형

02 확률의 덧셈정리

0546

 ④

STEP A 확률의 기본 성질을 이용하여 [보기]의 참, 거짓 판단하기

① 반드시 일어나는 전사건 S에 대하여 $\mathrm{P}(S)=1$이다. [참]

② 절대로 일어나지 않는 공사건 $\varnothing$에 대하여 $\mathrm{P}(\varnothing)=0$이다. [참]

③ 임의의 사건 A에 대하여 $0\le \mathrm{P}(A)\le 1$이다. [참]

④ 반례 $S=\{1, 2, 3, 4, 5\}$, $A=\{1, 2, 3, 5\}$, $B=\{4, 5\}$라 하면

$A\cup B=S$이지만 $\mathrm{P}(A)+\mathrm{P}(B)=\frac{4}{5}+\frac{2}{5}=\frac{6}{5}\ne 1$ [거짓]

⑤ $0\le \mathrm{P}(A)\le 1$, $0\le \mathrm{P}(B)\le 1$이므로 $0\le \mathrm{P}(A)+\mathrm{P}(B)\le 2$ [참]

따라서 옳지 않은 것은 ④이다.

0547

 ③

STEP A 확률의 기본 성질을 이용하여 [보기]의 참, 거짓 판단하기

ㄱ. $\mathrm{P}(S)=1$, $\mathrm{P}(\varnothing)=0$이므로 $\mathrm{P}(S)+\mathrm{P}(\varnothing)=1$ [참]

ㄴ. $0\le \mathrm{P}(A)\le 1$, $\mathrm{P}(S)=1$이므로 $\mathrm{P}(A)\le \mathrm{P}(S)$ [참]

ㄷ. $0\le \mathrm{P}(A)\le 1$, $0\le \mathrm{P}(B)\le 1$이므로 $0\le \mathrm{P}(A)+\mathrm{P}(B)\le 2$ [거짓]

따라서 옳은 것은 ㄱ, ㄴ이다.

0548

 ①

STEP A 확률의 기본 성질을 이용하여 [보기]의 참, 거짓 판단하기

ㄱ. $A\cap B=\varnothing$이므로 $A\subset B^c$이다.

즉 $C\subset A\subset B^c$에서 $B\cap C=\varnothing$이므로

사건 B, C는 서로 배반사건이다. [참]

ㄴ. 반례 $S=\{1, 2, 3, 4, 5, 6\}$, $A=\{1, 2\}$, $B=\{3\}$, $C=\{1\}$일 때,

$B\cup C=\{1, 3\}$이므로 $B\cup C\ne S$ [거짓]

ㄷ. 반례 $S=\{1, 2, 3, 4, 5, 6\}$, $A=\{1, 2\}$, $B=\{3\}$라 하면

$A^c=\{3, 4, 5, 6\}$이므로 사건 A의 여사건이 B인 것은 아니다. [거짓]

따라서 옳은 것은 ㄱ이다.

0549

 ②

STEP A 확률의 기본 성질을 이용하여 [보기]의 참, 거짓 판단하기

ㄱ. $\varnothing\subset A\cup B\subset S$이므로 $0\le \mathrm{P}(A\cup B)\le 1$이다. [참]

ㄴ. $\mathrm{P}(A\cup A^c)=\mathrm{P}(A)+\mathrm{P}(A^c)-\mathrm{P}(A\cap A^c)$에서

$\mathrm{P}(A\cup A^c)=\mathrm{P}(S)=1$, $\mathrm{P}(A\cap A^c)=\mathrm{P}(\varnothing)=0$이므로

$\mathrm{P}(A)+\mathrm{P}(A^c)=1$ [참]

ㄷ. 반례 $S=\{1, 2, 3\}$, $A=\{1, 2\}$, $B=\{1\}$이면

$\mathrm{P}(A)+\mathrm{P}(B)=1$이지만 $A\cap B=\{1\}$이므로

A와 B는 서로 배반사건이 아니다. [거짓]

ㄹ. 반례 $S=\{1, 2, 3, 4\}$, $A=\{1, 2, 3\}$, $B=\{3, 4\}$이면

$A\cup B=S$이지만 $\mathrm{P}(A)+\mathrm{P}(B)=\frac{5}{4}\ne 1$이다. [거짓]

따라서 항상 옳은 것은 ㄱ, ㄴ이다.

내신연계 출제문항 245

표본공간이 S인 어떤 시행의 두 사건 A, B에 대하여 [보기]에서 옳은 것만을 있는 대로 고른 것은? (단, A^c은 A의 여사건이다.)

ㄱ. $\mathrm{P}(A\cup B)=1$이면 A는 B의 여사건이다.
ㄴ. $1\le \mathrm{P}(S)+\mathrm{P}(\varnothing)+\mathrm{P}(A)+\mathrm{P}(B)\le 3$
ㄷ. A와 B가 서로 배반사건이면 $0\le \mathrm{P}(A)+\mathrm{P}(B)\le 1$이다.
ㄹ. $\mathrm{P}(A)+\mathrm{P}(B)=1$이면 A와 B는 서로 배반사건이다.

① ㄴ　② ㄱ, ㄴ　③ ㄴ, ㄷ　④ ㄴ, ㄷ, ㄹ　⑤ ㄱ, ㄴ, ㄷ, ㄹ

STEP A 확률의 기본 성질을 이용하여 [보기]의 참, 거짓 판단하기

ㄱ. 반례 $S=\{1, 2, 3\}$이고 $A=\{1, 2\}$, $B=\{2, 3\}$일 때,

$A\cup B=\{1, 2, 3\}=S$이므로 $P(A\cup B)=1$이지만

A는 B의 여사건이 아니다. [거짓]

ㄴ. $0\le \mathrm{P}(A)\le 1$, $0\le \mathrm{P}(B)\le 1$이므로 $0\le \mathrm{P}(A)+\mathrm{P}(B)\le 2$

이때 $\mathrm{P}(S)=1$, $\mathrm{P}(\varnothing)=0$이므로

$1\le \mathrm{P}(S)+\mathrm{P}(\varnothing)+\mathrm{P}(A)+\mathrm{P}(B)\le 3$ [참]

ㄷ. A와 B가 서로 배반사건이면 $\mathrm{P}(A\cup B)=\mathrm{P}(A)+\mathrm{P}(B)$이므로

$0\le \mathrm{P}(A)+\mathrm{P}(B)\le 1$이다. [참]

ㄹ. 반례 $S=\{1, 2, 3\}$이고 $A=\{1\}$, $B=\{1, 2\}$일 때,

$\mathrm{P}(A)+\mathrm{P}(B)=\frac{1}{3}+\frac{2}{3}=1$이지만 $A\cap B=\{1\}$이므로

A와 B는 서로 배반사건이 아니다. [거짓]

따라서 옳은 것은 ㄴ, ㄷ이다.  ③

0550

 ②

STEP A 확률의 기본 성질을 이용하여 [보기]의 참, 거짓 판단하기

ㄱ. $A\subset B$이면 $n(A)\le n(B)$이고

$\frac{n(A)}{n(S)}\le\frac{n(B)}{n(S)}$이므로 $\mathrm{P}(A)\le \mathrm{P}(B)$ [참]

ㄴ. $\mathrm{P}(A\cup B)=\mathrm{P}(A)+\mathrm{P}(B)-\mathrm{P}(A\cap B)$이므로

$\mathrm{P}(A\cup B)\le \mathrm{P}(A)+\mathrm{P}(B)$ [참]

ㄷ. $0\le \mathrm{P}(A)\le 1$, $0\le \mathrm{P}(B)\le 1$이므로

$0\le \mathrm{P}(A)+\mathrm{P}(B)\le 2$ [거짓]

ㄹ. 반례 $S=\{1, 2, 3\}$이고 $A=\{1, 2\}$, $B=\{2, 3\}$일 때,

$A\cup B=\{1, 2, 3\}=S$이므로 $P(A\cup B)=1$이지만

A는 B의 여사건이 아니다. [거짓]

따라서 옳은 것은 ㄱ, ㄴ이다.

내신연계 출제문항 246

어떤 시행에서 표본공간을 S, S의 부분집합인 서로 다른 두 사건을 A, B라 할 때, 다음 [보기] 중 옳은 것을 모두 고른 것은?

ㄱ. $\mathrm{P}(A)=0$이면 $\mathrm{P}(B)\ne 0$
ㄴ. $\mathrm{P}(A)+\mathrm{P}(B)=1$이면 A와 B는 배반사건이다.
ㄷ. $0<\mathrm{P}(A)+\mathrm{P}(B)<2$
ㄹ. $A\subset B$이면 $\mathrm{P}(A)<\mathrm{P}(B)$

① ㄴ　② ㄱ, ㄴ　③ ㄱ, ㄷ, ㄹ　④ ㄴ, ㄷ, ㄹ　⑤ ㄱ, ㄴ, ㄷ, ㄹ

STEP A **확률의 기본 성질을 이용하여 [보기]의 참, 거짓 판단하기**

ㄱ. $\mathrm{P}(A)=0$이면 A는 공사건이고 A와 B는 서로 다른 사건이므로 $\mathrm{P}(B)\neq 0$이다. [참]

ㄴ. **반례** 한 개의 주사위를 던지는 시행에서 소수의 눈이 나오는 사건을 A, 홀수의 눈이 나오는 사건을 B라 하면

$\mathrm{P}(A)=\frac{1}{2}$, $\mathrm{P}(B)=\frac{1}{2}$이므로 $\mathrm{P}(A)+\mathrm{P}(B)=1$이지만

$A\cap B=\{3, 5\}\neq\varnothing$이므로 A와 B는 배반사건이 아니다. [거짓]

ㄷ. $0\le \mathrm{P}(A)\le 1$, $0\le \mathrm{P}(B)\le 1$이므로 $0\le \mathrm{P}(A)+\mathrm{P}(B)\le 2$

그런데 A와 B는 서로 다른 사건이므로

$\mathrm{P}(A)$와 $\mathrm{P}(B)$는 동시에 0 또는 동시에 1이 될 수 없다.

$\therefore\ 0<\mathrm{P}(A)+\mathrm{P}(B)<2$ [참]

ㄹ. 서로 다른 두 사건 A, B에 대하여 $A\subset B$이면 $n(A)<n(B)$이고

$\frac{n(A)}{n(S)}<\frac{n(B)}{n(S)}$이므로 $\mathrm{P}(A)<\mathrm{P}(B)$ [참]

따라서 옳은 것은 ㄱ, ㄷ, ㄹ이다.

 ③

0551

 ④

STEP A **각 조건을 만족하는 확률 구하기**

파란 공이 나오는 사건은 공사건이므로 $p=0$

빨간 공이 나오는 사건은 전사건이므로 $q=1$

따라서 $p+q=0+1=1$

0552

 ③

STEP A **[보기]에서 공사건인 사건 구하기**

ㄱ. 10의 약수는 1, 2, 5, 10이므로 $A=\{1, 5\}$

ㄴ. 짝수는 2, 4, 6, 8, 10, …이므로 $B=\varnothing$

ㄷ. 6의 배수는 6, 12, 18, …이므로 $C=\varnothing$

ㄹ. 24의 약수는 1, 2, 3, 4, 6, 8, 12, 24이므로 $D=\{1, 3\}$

따라서 절대로 일어나지 않는 사건은 ㄴ, ㄷ이다.

0553

 ⑤

STEP A **빈칸 채우기**

다섯 개의 수 2, 4, 5, 6, 8 중에서 임의로 서로 다른 세 수를 동시에 택할 때, 세 수의 곱이 n의 배수일 확률은 $f(n)$이고

서로 다른 세 수를 동시에 택할 때, 항상 짝수가 2개 이상 포함되므로

$f(4)=\boxed{1}$

세 수의 곱이 5의 배수이려면 5를 반드시 택해야 하므로

$f(5)=\frac{{}_4\mathrm{C}_{\boxed{2}}}{{}_5\mathrm{C}_2}=\frac{\boxed{3}}{5}$ ⇐ 나머지 2, 4, 6, 8에서 2개를 택한다.

세 수의 곱이 7의 배수이려면 7이 포함되어야 하므로

$f(7)=\boxed{0}$ ⇐ 7이 없다.

따라서 $f(4)+f(5)+f(7)=\boxed{\frac{8}{5}}$

$\therefore\ a=1,\ b=2,\ c=3,\ d=0,\ e=\frac{8}{5}$

$a+b+c+d+e=1+2+3+0+\frac{8}{5}=\frac{38}{5}$

0554

 ⑤

STEP A $\mathrm{P}(A\cup B)=\mathrm{P}(A)+\mathrm{P}(B)-\mathrm{P}(A\cap B)$**를 이용하여 구하기**

$\mathrm{P}(A)+\mathrm{P}(B)=\frac{7}{9}$, $\mathrm{P}(A\cap B)=\frac{2}{9}$이므로

$\mathrm{P}(A\cup B)=\mathrm{P}(A)+\mathrm{P}(B)-\mathrm{P}(A\cap B)$

$=\frac{7}{9}-\frac{2}{9}=\frac{5}{9}$

0555

 ②

STEP A $\mathrm{P}(A\cap B)=\mathrm{P}(A)+\mathrm{P}(B)-\mathrm{P}(A\cup B)$**를 이용하여 구하기**

$\mathrm{P}(A\cap B)=\mathrm{P}(A)+\mathrm{P}(B)-\mathrm{P}(A\cup B)$

$=0.4+0.3-0.65$

$=0.05$

이므로

$\mathrm{P}(A-B)=\mathrm{P}(A)-\mathrm{P}(A\cap B)=0.4-0.05=0.35$

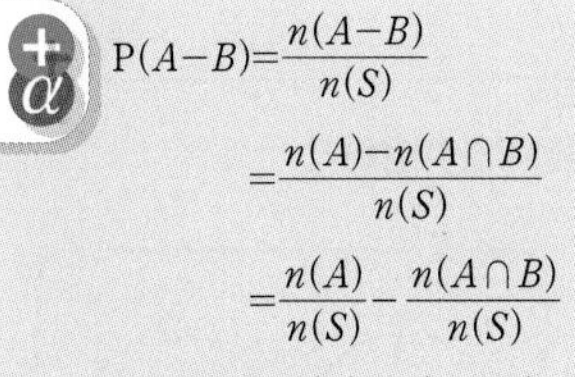

$+\alpha$ $\mathrm{P}(A-B)=\frac{n(A-B)}{n(S)}$

$=\frac{n(A)-n(A\cap B)}{n(S)}$

$=\frac{n(A)}{n(S)}-\frac{n(A\cap B)}{n(S)}$

$=\mathrm{P}(A)-\mathrm{P}(A\cap B)$

0556

 ①

STEP A $\mathrm{P}(A\cup B)=\mathrm{P}(A)+\mathrm{P}(B)-\mathrm{P}(A\cap B)$**를 이용하여 구하기**

$\mathrm{P}(A\cap B)=\frac{2}{3}\mathrm{P}(A)=\frac{2}{5}\mathrm{P}(B)$에서

$\mathrm{P}(A)=\frac{3}{2}\mathrm{P}(A\cap B)$, $\mathrm{P}(B)=\frac{5}{2}\mathrm{P}(A\cap B)$이므로

$\mathrm{P}(A\cup B)=\mathrm{P}(A)+\mathrm{P}(B)-\mathrm{P}(A\cap B)$

$=\frac{3}{2}\mathrm{P}(A\cap B)+\frac{5}{2}\mathrm{P}(A\cap B)-\mathrm{P}(A\cap B)$

$=3\mathrm{P}(A\cap B)$

STEP B $\frac{\mathrm{P}(A\cup B)}{\mathrm{P}(A\cap B)}$**의 값 구하기**

따라서 $\frac{\mathrm{P}(A\cup B)}{\mathrm{P}(A\cap B)}=\frac{3\mathrm{P}(A\cap B)}{\mathrm{P}(A\cap B)}=3$

0557

 ①

STEP A **배반사건인 경우의 확률의 덧셈정리를 이용하기**

두 사건 A, B가 서로 배반사건이므로 $A\cap B=\varnothing$

$\mathrm{P}(A\cap B^c)=\mathrm{P}(A)-\mathrm{P}(A\cap B)=\mathrm{P}(A)=\frac{1}{5}$ ⇐ $A\cap B^c=A-(A\cap B)=A$

$\mathrm{P}(A^c\cap B)=\mathrm{P}(B)-\mathrm{P}(A\cap B)=\mathrm{P}(B)=\frac{1}{4}$ ⇐ $A^c\cap B=B-(A\cap B)=B$

STEP B $\mathrm{P}(A\cup B)=\mathrm{P}(A)+\mathrm{P}(B)$**를 이용하여 구하기**

따라서 $\mathrm{P}(A\cup B)=\mathrm{P}(A)+\mathrm{P}(B)=\frac{1}{5}+\frac{1}{4}=\frac{9}{20}$

내/신/연/계/ 출제문항 247

두 사건 A, B는 서로 배반사건이고

$$P(A\cap B^c)=0.4,\ P(A^c\cap B)=0.3$$

일 때, $P(A\cup B)$는?

① 0.4　② 0.5　③ 0.6
④ 0.7　⑤ 0.8

STEP A 배반사건인 경우의 확률의 덧셈정리를 이용하기

$A\cap B=\varnothing$이므로

$A\cap B^c=A-B=A,\ A^c\cap B=B-A=B$

$P(A\cap B^c)=P(A)=0.4,\ P(A^c\cap B)=P(B)=0.3$

STEP B $P(A\cup B)=P(A)+P(B)$를 이용하여 구하기

따라서 $P(A\cup B)=P(A)+P(B)=0.4+0.3=0.7$

 ④

0558

 ⑤

STEP A 배반사건인 경우의 확률의 덧셈정리를 이용하기

두 사건 A, B가 서로 배반이므로

$P(A\cap B)=0$

따라서 $P(A^c\cap B)=P(B)-P(A\cap B)$

$=P(B)=\frac{2}{3}$

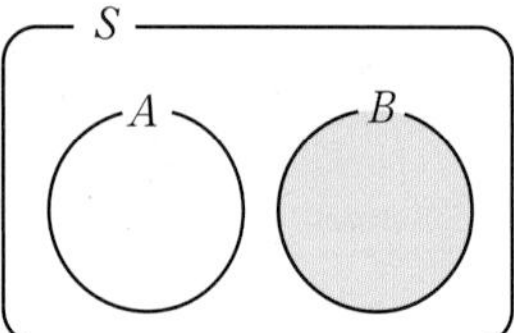

0559

 ②

STEP A 배반사건인 경우의 확률의 덧셈정리를 이용하여 $P(A)$ 구하기

두 사건 A, B는 서로 배반사건이므로

$P(A\cup B)=1$에서

$P(A\cup B)=P(A)+P(B)=1$ …… ㉠

이때 $3P(B)=1$이므로 $P(B)=\frac{1}{3}$

따라서 ㉠에서 $P(A)=1-P(B)=1-\frac{1}{3}=\frac{2}{3}$

내/신/연/계/ 출제문항 248

두 사건 A와 B는 서로 배반사건이고

$$P(A\cup B)=4P(B)=1$$

일 때, $P(A)$의 값은?

① $\frac{1}{4}$　② $\frac{3}{8}$　③ $\frac{1}{2}$
④ $\frac{5}{8}$　⑤ $\frac{3}{4}$

STEP A 두 사건이 배반사건이므로 $P(A\cap B)=0$임을 이용하여 구하기

두 사건 A와 B가 서로 배반사건이므로 $P(A\cap B)=0$

$P(A\cup B)=P(A)+P(B)$이므로

$P(A\cup B)=4P(B)=1$에서 $P(A)+P(B)=4P(B)=1$

$\therefore P(B)=\frac{1}{4}$

따라서 $P(A)=3P(B)=3\times\frac{1}{4}=\frac{3}{4}$

다른풀이 벤 다이어그램을 이용하여 풀이하기

$P(A\cup B)=4P(B)=1$을 그림으로 나타내면 다음 그림과 같다.

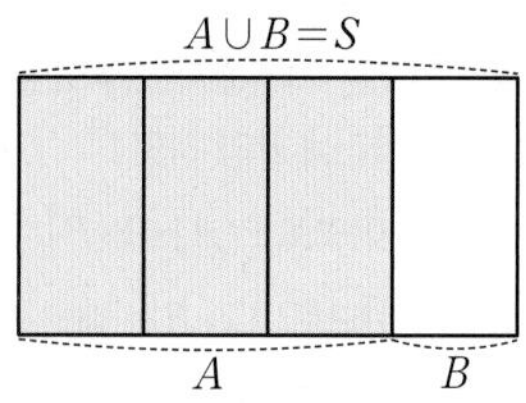

$\therefore P(A)=\frac{3}{4}$

 ⑤

0560

 ⑤

STEP A 확률의 덧셈정리를 이용하여 $P(A)$의 최댓값 구하기

$A\cap B=\varnothing$이므로 $P(A\cap B)=0$

이때 $P(A\cup B)=\frac{4}{5}=P(A)+P(B)$이고 $\frac{1}{2}\le P(B)\le\frac{2}{3}$이므로

$\frac{4}{5}-\frac{2}{3}\le P(A)=\frac{4}{5}-P(B)\le\frac{4}{5}-\frac{1}{2}$

$\frac{2}{15}\le P(A)\le\frac{3}{10}$

따라서 확률 $P(A)$의 최댓값은 $\frac{3}{10}$

내/신/연/계/ 출제문항 249

두 사건 A, B는 서로 배반사건이고

$$P(A\cup B)=\frac{4}{5},\ \frac{1}{5}\le P(B)\le\frac{3}{5}$$

일 때, $P(A)$의 최댓값은?

① $\frac{1}{5}$　② $\frac{3}{10}$　③ $\frac{2}{5}$
④ $\frac{3}{5}$　⑤ $\frac{4}{5}$

STEP A 확률의 덧셈정리를 이용하여 $P(A)$의 최댓값 구하기

두 사건 A, B가 서로 배반사건이므로

$P(A)+P(B)=\frac{4}{5},\ P(B)=\frac{4}{5}-P(A)$

$\frac{1}{5}\le\frac{4}{5}-P(A)\le\frac{3}{5}$에서 $\frac{1}{5}\le P(A)\le\frac{3}{5}$

따라서 $P(A)$의 최댓값은 $\frac{3}{5}$

 ④

0561

 ⑤

STEP A 주어진 조건을 이용하여 $P(A)$ 구하기

$P(A)=P(A^c)=1-P(A)$이므로 $P(A)=\frac{1}{2}$

STEP B 확률의 덧셈정리를 이용하여 $P(A\cup B)$ 구하기

따라서 두 사건 A와 B가 배반사건이므로

$P(A\cup B)=P(A)+P(B)=\frac{1}{2}+\frac{1}{3}=\frac{5}{6}$

내/신/연/계/ 출제문항 250

두 사건 A, B가 서로 배반사건이고

$$P(A)P(A^c)=\frac{1}{4},\ P(A\cup B)=\frac{2}{3}$$

일 때, $P(B)$의 값은?

① $\frac{1}{6}$ ② $\frac{1}{5}$ ③ $\frac{1}{3}$
④ $\frac{7}{12}$ ⑤ $\frac{2}{3}$

STEP Ⓐ $P(A^c)=1-P(A)$를 이용하여 구하기

$P(A)P(A^c)=P(A)\{1-P(A)\}=\frac{1}{4}$이므로 $P(A)=\frac{1}{2}$

STEP Ⓑ 확률의 덧셈정리를 이용하여 $P(B)$ 구하기

두 사건 A, B가 서로 배반사건이므로 $P(A\cap B)=0$
확률의 덧셈정리에 의하여
$P(A\cup B)=P(A)+P(B)=\frac{1}{2}+P(B)=\frac{2}{3}$

따라서 $P(B)=\frac{1}{6}$

정답 ①

0562

정답 ①

STEP Ⓐ $P(A^c\cap B^c)=1-P(A\cup B)$임을 이용하여 구하기

$P(A^c\cap B^c)=P\{(A\cup B)^c\}=1-P(A\cup B)=\frac{1}{10}$이므로

$P(A\cup B)=\frac{9}{10}$

STEP Ⓑ $P(A\cup B)=P(A)+P(B)$를 이용하여 구하기

두 사건 A, B가 서로 배반사건이므로 확률의 덧셈정리에 의하여

$P(A\cup B)=P(A)+P(B)=\frac{1}{5}+P(B)=\frac{9}{10}$

따라서 $P(B)=\frac{9}{10}-\frac{1}{5}=\frac{7}{10}$

내/신/연/계/ 출제문항 251

서로 배반인 두 사건 A, B에 대하여

$$P(A)=\frac{2}{5},\ P(A^c\cap B^c)=\frac{1}{5}$$

일 때, $P(B)$의 값은? (단, A^c은 A의 여사건이다.)

① $\frac{1}{5}$ ② $\frac{2}{5}$ ③ $\frac{3}{5}$
④ $\frac{7}{10}$ ⑤ $\frac{9}{10}$

STEP Ⓐ $P(A^c\cap B^c)=1-P(A\cup B)$임을 이용하여 구하기

$P(A^c\cap B^c)=P\{(A\cup B)^c\}=1-P(A\cup B)=\frac{1}{5}$

$P(A\cup B)=\frac{4}{5}$

STEP Ⓑ $P(A\cup B)=P(A)+P(B)$를 이용하여 구하기

두 사건 A, B가 서로 배반사건이므로 확률의 덧셈정리에 의하여

$P(A\cup B)=P(A)+P(B)=\frac{2}{5}+P(B)=\frac{4}{5}$

따라서 $P(B)=\frac{4}{5}-\frac{2}{5}=\frac{2}{5}$

정답 ②

0563

정답 ⑤

STEP Ⓐ $P(A\cup B)=P(A)+P(A^c\cap B)$를 이용하여 구하기

$P(A^c)=\frac{1}{3}$이므로 $P(A)=1-P(A^c)=1-\frac{1}{3}=\frac{2}{3}$

두 사건 A와 B가 서로 배반사건이므로 $P(A\cap B)=0$에서

$P(A^c\cap B)=P(B)-P(A\cap B)=P(B)=\frac{1}{4}$

따라서 $P(A\cup B)=P(A)+P(B)=\frac{2}{3}+\frac{1}{4}=\frac{11}{12}$

참고
$P(A^c\cap B^c)=P(A^c)-P(A^c\cap B)=\frac{1}{3}-\frac{1}{4}=\frac{1}{12}$
$P(A\cup B)=1-P(A^c\cap B^c)=1-\frac{1}{12}=\frac{11}{12}$

0564

정답 ②

STEP Ⓐ A와 B^c이 서로 배반사건임을 이용하여 $P(B)$ 구하기

두 사건 A와 B^c이 서로 배반사건이므로
$A\cap B^c=\varnothing$
즉 $A\subset B$이므로 $B=A\cup(A^c\cap B)$
이때
A와 $A^c\cap B$는 서로 배반사건이므로
$P(B)=P(A)+P(A^c\cap B)=\frac{1}{3}+\frac{1}{6}=\frac{1}{2}$

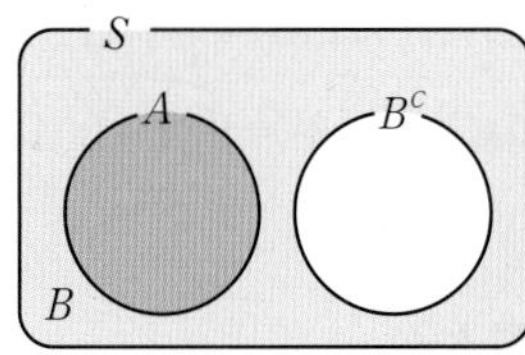

내/신/연/계/ 출제문항 252

두 사건 A, B에 대하여 A와 B^c은 서로 배반사건이고

$$3P(A)=P(B)=\frac{2}{5}$$

일 때, $P(A^c\cap B)$의 값은? (단, A^c은 A의 여사건이다.)

① $\frac{2}{15}$ ② $\frac{1}{5}$ ③ $\frac{4}{15}$
④ $\frac{1}{3}$ ⑤ $\frac{2}{5}$

STEP Ⓐ 사건 A^c과 B가 배반사건임을 이용하여 $P(A^c\cup B)$ 구하기

$P(B)=\frac{2}{5}$에서 $P(B^c)=1-P(B)=1-\frac{2}{5}=\frac{3}{5}$

$3P(A)=\frac{2}{5}$에서 $P(A)=\frac{2}{15}$

이때 A와 B^c가 서로 배반사건이므로
$P(A\cap B^c)=0$
$P(A\cup B^c)=P(A)+P(B^c)-P(A\cap B^c)$

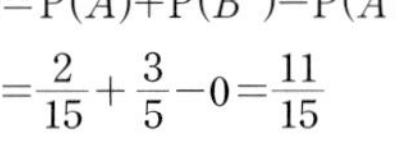
$=\frac{2}{15}+\frac{3}{5}-0=\frac{11}{15}$

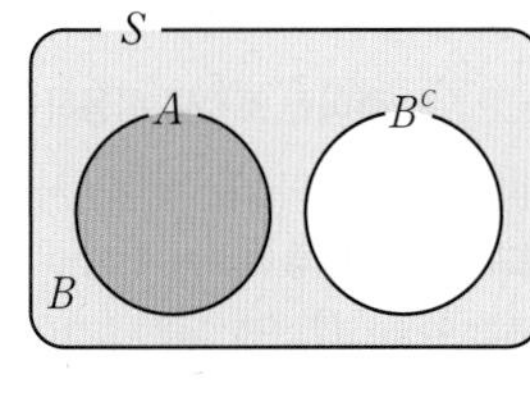

STEP Ⓑ 드모르간의 법칙을 이용하여 $P(A^c\cap B)$ 구하기

따라서 $P(A^c\cap B)=P((A\cup B^c)^c)=1-P(A\cup B^c)=1-\frac{11}{15}=\frac{4}{15}$

다른풀이 A와 B^c가 서로 배반사건이면 $A\subset B$임을 이용하여 풀이하기

A와 B^c가 서로 배반사건이므로
$P(A\cap B^c)=0$
즉 사건 A와 B의 포함관계는 $A\subset B$
이때 $3P(A)=P(B)=\frac{2}{5}$에서

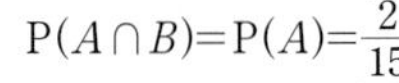
$P(A\cap B)=P(A)=\frac{2}{15}$

따라서 $P(A^c\cap B)=P(B)-P(A\cap B)=P(B)-P(A)=\frac{2}{5}-\frac{2}{15}=\frac{4}{15}$

정답 ③

0565

정답 ②

STEP Ⓐ **사건 A^c과 B가 배반사건임을 이용하여 $\mathrm{P}(A^c \cup B)$ 구하기**

$\mathrm{P}(A)=\frac{3}{5}$에서 $\mathrm{P}(A^c)=1-\mathrm{P}(A)=1-\frac{3}{5}=\frac{2}{5}$

$2\mathrm{P}(B)=\frac{3}{5}$에서 $\mathrm{P}(B)=\frac{3}{10}$

이때 A^c과 B가 서로 배반사건이므로

$\mathrm{P}(A^c \cap B)=0$

$\mathrm{P}(A^c \cup B)=\mathrm{P}(A^c)+\mathrm{P}(B)-\mathrm{P}(A^c \cap B)$

$=\frac{2}{5}+\frac{3}{10}-0=\frac{7}{10}$

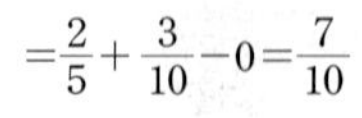

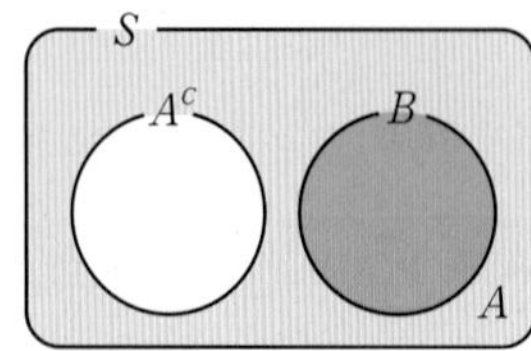

STEP Ⓑ **$\mathrm{P}(A \cap B^c)$ 구하기**

따라서 $\mathrm{P}(A \cap B^c)=1-\mathrm{P}(A^c \cup B)=1-\frac{7}{10}=\frac{3}{10}$

다른풀이 A^c과 B가 서로 배반사건이면 $B \subset A$임을 이용하여 풀이하기

A^c과 B가 서로 배반사건이므로 $P(A^c \cap B)=0$

즉 사건 A와 B의 포함관계는 $B \subset A$

이때 $\mathrm{P}(A)=2\mathrm{P}(B)=\frac{3}{5}$에서 $\mathrm{P}(A \cap B)=\mathrm{P}(B)=\frac{3}{10}$

따라서 $\mathrm{P}(A \cap B^c)=\mathrm{P}(A)-\mathrm{P}(A \cap B)=\mathrm{P}(A)-\mathrm{P}(B)=\frac{3}{5}-\frac{3}{10}=\frac{3}{10}$

0566

 ②

STEP Ⓐ **사건 A^c과 B가 배반사건임을 이용하여 $\mathrm{P}(B)$ 구하기**

A^c과 B가 서로 배반사건이므로

$P(A^c \cap B)=0$

즉 사건 A와 B의 포함관계는 $B \subset A$

$\mathrm{P}(A \cap B^c)=\mathrm{P}(A)-\mathrm{P}(A \cap B)=\frac{2}{7}$에서

$\frac{1}{2}-\mathrm{P}(A \cap B)=\frac{2}{7}$

$\therefore \mathrm{P}(A \cap B)=\frac{3}{14}$

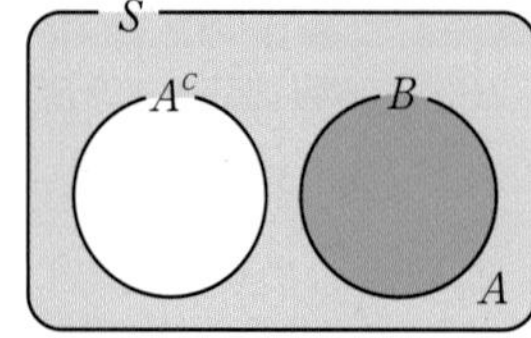

따라서 $\mathrm{P}(B)=\mathrm{P}(A \cap B)=\frac{3}{14}$

0567

 ①

STEP Ⓐ **주어진 조건을 이용하여 각 사건의 확률 구하기**

코미디 영화를 좋아하는 학생인 사건을 A,

공상과학 영화를 좋아하는 학생인 사건을 B라 하면

$\mathrm{P}(A)=\frac{2}{5}$, $\mathrm{P}(B)=\frac{3}{10}$, $\mathrm{P}(A \cup B)=\frac{3}{5}$

STEP Ⓑ **확률의 덧셈정리를 이용하여 $\mathrm{P}(A \cap B)$ 구하기**

따라서 구하는 확률은 $\mathrm{P}(A \cap B)=\mathrm{P}(A)+\mathrm{P}(B)-\mathrm{P}(A \cup B)=\frac{1}{10}$

내/신/연/계/ 출제문항 253

어느 커피숍을 방문한 손님의 $\frac{3}{4}$은 음료수를 주문하고, $\frac{1}{4}$은 빵을 주문하고, $\frac{7}{8}$은 음료수 또는 빵을 주문한다고 한다. 이 커피숍을 방문한 손님 중 한 명을 임의로 택할 때, 이 손님이 음료수와 빵을 모두 주문한 손님일 확률은?

① $\frac{1}{8}$ ② $\frac{1}{6}$ ③ $\frac{1}{5}$

④ $\frac{1}{4}$ ⑤ $\frac{2}{3}$

STEP Ⓐ **각 사건의 확률 구하기**

손님이 음료수를 주문하는 사건을 A,

빵을 주문하는 사건을 B라 하면

$\mathrm{P}(A)=\frac{3}{4}$, $\mathrm{P}(B)=\frac{1}{4}$, $\mathrm{P}(A \cup B)=\frac{7}{8}$

STEP Ⓑ **확률의 덧셈정리를 이용하여 $\mathrm{P}(A \cap B)$ 구하기**

따라서 구하는 확률은

$\mathrm{P}(A \cap B)=\mathrm{P}(A)+\mathrm{P}(B)-\mathrm{P}(A \cup B)=\frac{3}{4}+\frac{1}{4}-\frac{7}{8}=\frac{1}{8}$

 ①

0568

 ②

STEP Ⓐ **주어진 조건을 이용하여 각 사건의 확률 구하기**

이 학급의 학생 중에서 임의로 한 명을 택할 때,

이 학생이 야구 경기를 관람한 경험이 있는 학생인 사건을 A,

축구 경기를 관람한 경험이 있는 학생인 사건을 B라 하면

$\mathrm{P}(A)=\frac{12}{36}$, $\mathrm{P}(B)=\frac{19}{36}$, $\mathrm{P}(A \cup B)=\frac{20}{36}$

STEP Ⓑ **$\mathrm{P}(A \cap B)=\mathrm{P}(A)+\mathrm{P}(B)-\mathrm{P}(A \cup B)$을 이용하여 구하기**

따라서 $\mathrm{P}(A \cap B)=\mathrm{P}(A)+\mathrm{P}(B)-\mathrm{P}(A \cup B)=\frac{12}{36}+\frac{19}{36}-\frac{20}{36}=\frac{11}{36}$

내/신/연/계/ 출제문항 254

희철이네 반 학생 32명을 대상으로 통학할 때의 교통수단을 조사하였더니 버스를 이용하는 학생이 20명, 지하철을 이용하는 학생이 13명, 버스와 지하철을 모두 이용하는 학생이 5명이었다. 이 반 학생 중에서 임의로 한 명의 학생을 뽑을 때, 이 학생이 버스 또는 지하철을 이용하여 통학하는 학생일 확률은?

① $\frac{1}{5}$ ② $\frac{1}{4}$ ③ $\frac{1}{3}$

④ $\frac{17}{20}$ ⑤ $\frac{7}{8}$

STEP Ⓐ **주어진 조건을 이용하여 각 사건의 확률 구하기**

희철이 반 학생 32명 중에서 임의로 한 명을 선택할 때,

그 학생이 버스를 이용하는 학생일 사건을 A,

지하철을 이용하는 학생일 사건을 B라 하면

$n(A)=20$, $n(B)=13$, $n(A \cap B)=5$

STEP Ⓑ **$n(A \cup B)=n(A)+n(B)-n(A \cap B)$를 이용하여 $\mathrm{P}(A \cup B)$ 구하기**

이 반 학생 중에서 임의로 한 명의 학생을 뽑을 때,

이 학생이 버스 또는 지하철을 이용하여 통학하는 학생일 사건 $A \cup B$는

$n(A \cup B)=n(A)+n(B)-n(A \cap B)=20+13-5=28$

따라서 구하는 확률은 $\frac{28}{32}=\frac{7}{8}$

 ⑤

0569

정답 ④

STEP Ⓐ **주어진 조건을 이용하여 각 사건의 확률 구하기**

이 마을에서 임의로 한 집을 택할 때, 그 집에서 개를 기를 사건을 A,
고양이를 기를 사건을 B라 하면
$n(A)=0.6\times120=72$, $n(B)=0.45\times120=54$, $n(A\cap B)=24$
$\mathrm{P}(A)=\frac{72}{120}=\frac{3}{5}$, $\mathrm{P}(B)=\frac{54}{120}=\frac{9}{20}$, $\mathrm{P}(A\cap B)=\frac{1}{5}$

STEP Ⓑ **$\mathrm{P}(A\cup B)=\mathrm{P}(A)+\mathrm{P}(B)-\mathrm{P}(A\cap B)$을 이용하여 구하기**

그 집에서 개 또는 고양이를 기를 사건 $A\cup B$에 대하여
$\mathrm{P}(A\cup B)=\mathrm{P}(A)+\mathrm{P}(B)-\mathrm{P}(A\cap B)=\frac{3}{5}+\frac{9}{20}-\frac{1}{5}=\frac{17}{20}$

0570

 ③

STEP Ⓐ **주어진 조건을 이용하여 각 사건의 확률 구하기**

소수가 적힌 카드를 뽑는 사건을 A,
6의 약수가 적힌 카드를 뽑는 사건을 B라 하면
$\mathrm{P}(A)=\frac{4}{10}$, $\mathrm{P}(B)=\frac{4}{10}$, $\mathrm{P}(A\cap B)=\frac{2}{10}$

STEP Ⓑ **확률의 덧셈정리를 이용하여 $\mathrm{P}(A\cup B)$ 구하기**

따라서 구하는 확률은
$\mathrm{P}(A\cup B)=\mathrm{P}(A)+\mathrm{P}(B)-\mathrm{P}(A\cap B)=\frac{4}{10}+\frac{4}{10}-\frac{2}{10}=\frac{6}{10}=\frac{3}{5}$

0571

 ③

STEP Ⓐ **주어진 조건을 이용하여 각 사건의 확률 구하기**

카드에 적힌 수가 6의 배수인 사건을 A, 8의 배수인 사건을 B라 하면
$n(A)=8$, $n(B)=6$이고
카드에 적힌 수가 6의 배수이면서 8의 배수인 사건은 24의 배수인 사건이므로
$n(A\cap B)=2$
즉 $\mathrm{P}(A)=\frac{8}{52}=\frac{2}{13}$, $\mathrm{P}(B)=\frac{6}{52}=\frac{3}{26}$, $\mathrm{P}(A\cap B)=\frac{2}{52}=\frac{1}{26}$

STEP Ⓑ **확률의 덧셈정리를 이용하여 $\mathrm{P}(A\cup B)$ 구하기**

따라서 구하는 확률은
$\mathrm{P}(A\cup B)=\mathrm{P}(A)+\mathrm{P}(B)-\mathrm{P}(A\cap B)=\frac{2}{13}+\frac{3}{26}-\frac{1}{26}=\frac{3}{13}$

내신연계 출제문항 255

1부터 30까지의 자연수가 각각 하나씩 적힌 30장의 카드 중에서 임의로 한 장의 카드를 뽑을 때, 카드에 적힌 수가 4의 배수이거나 6의 배수일 확률은?

① $\frac{1}{4}$　② $\frac{1}{3}$　③ $\frac{1}{2}$
④ $\frac{2}{3}$　⑤ $\frac{3}{4}$

STEP Ⓐ **주어진 조건을 이용하여 각 사건의 확률 구하기**

카드에 적힌 수가 4의 배수인 사건을 A, 6의 배수인 사건을 B라 하면
$A\cap B$는 12의 배수인 사건이다.
$n(A)=7$, $n(B)=5$, $n(A\cap B)=2$이므로
$\mathrm{P}(A)=\frac{7}{30}$, $\mathrm{P}(B)=\frac{5}{30}=\frac{1}{6}$, $\mathrm{P}(A\cap B)=\frac{2}{30}=\frac{1}{15}$

STEP Ⓑ **$\mathrm{P}(A\cup B)=\mathrm{P}(A)+\mathrm{P}(B)-\mathrm{P}(A\cap B)$을 이용하여 구하기**

따라서 구하는 확률은
$\mathrm{P}(A\cup B)=\mathrm{P}(A)+\mathrm{P}(B)-\mathrm{P}(A\cap B)=\frac{7}{30}+\frac{1}{6}-\frac{1}{15}=\frac{1}{3}$

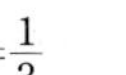 ②

0572

 ④

STEP Ⓐ **경우의 수를 이용하여 각 사건의 확률 구하기**

민호가 가장 먼저 발표하는 사건을 A,
민호와 동원이가 연속하여 발표하는 사건을 B라 하면
$\mathrm{P}(A)=\frac{1\times3!}{4!}=\frac{1}{4}$, $\mathrm{P}(B)=\frac{3!\times2!}{4!}=\frac{1}{2}$
이때 $A\cap B$는 민호가 가장 먼저 발표하고 동원이가 두 번째로 발표하는 사건이므로 $\mathrm{P}(A\cap B)=\frac{1\times1\times2!}{4!}=\frac{1}{12}$

STEP Ⓑ **$\mathrm{P}(A\cup B)=\mathrm{P}(A)+\mathrm{P}(B)-\mathrm{P}(A\cap B)$을 이용하여 구하기**

따라서 구하는 확률은
$\mathrm{P}(A\cup B)=\mathrm{P}(A)+\mathrm{P}(B)-\mathrm{P}(A\cap B)=\frac{1}{4}+\frac{1}{2}-\frac{1}{12}=\frac{8}{12}=\frac{2}{3}$

0573

 ④

STEP Ⓐ **모든 경우의 수 구하기**

한 개의 주사위를 두 번 던질 때, 일어날 수 있는 모든 경우의 수는 6^2

STEP Ⓑ **$a>b$ 또는 $a+b=7$일 확률 구하기**

$a>b$인 사건을 A, $a+b=7$인 사건을 B라 하면
구하는 확률은 사건 $A\cup B$가 일어날 확률이다.
사건 A가 일어나는 경우의 수는 1, 2, 3, 4, 5, 6에서
서로 다른 두 수를 택하는 조합의 수와 같으므로 사건 A가 일어날 확률은
$\mathrm{P}(A)=\frac{{}_6\mathrm{C}_2}{6^2}=\frac{5}{12}$
사건 B가 일어나는 경우를 a, b의 순서쌍 (a, b)로 나타내면
$(1, 6)$, $(2, 5)$, $(3, 4)$, $(4, 3)$, $(5, 2)$, $(6, 1)$의 6가지이므로
사건 B가 일어날 확률은
$\mathrm{P}(B)=\frac{6}{6^2}=\frac{1}{6}$
사건 $A\cap B$가 일어나는 경우는 $(4, 3)$, $(5, 2)$, $(6, 1)$의 3가지이므로
두 사건 A, B가 동시에 일어날 확률은
$\mathrm{P}(A\cap B)=\frac{3}{6^2}=\frac{1}{12}$

STEP Ⓒ **확률의 덧셈정리에 의하여 구하기**

따라서 구하는 확률은 확률의 덧셈정리에 의하여
$\mathrm{P}(A\cup B)=\mathrm{P}(A)+\mathrm{P}(B)-\mathrm{P}(A\cap B)=\frac{5}{12}+\frac{1}{6}-\frac{1}{12}=\frac{1}{2}$

내/신/연/계/ 출제문항 256

한 개의 주사위를 두 번 던져서 나오는 눈의 수를 차례로 a, b라고 하자. 두 수 a, b가

$$a+b=9 \text{ 또는 } ab \geq 20$$

을 만족시킬 확률은?

① $\frac{1}{18}$　② $\frac{1}{9}$　③ $\frac{5}{18}$　④ $\frac{1}{4}$　⑤ $\frac{7}{8}$

STEP Ⓐ 각 사건의 확률 구하기

한 개의 주사위를 두 번 던질 때, 모든 경우의 수는 $6^2=36$

한 개의 주사위를 두 번 던져서 나오는 눈의 수가 a, b일 때,

$a+b=9$인 사건을 A, $ab \geq 20$인 사건을 B라 하면

$a+b=9$인 경우는 $(3, 6)$, $(4, 5)$, $(5, 4)$, $(6, 3)$이므로 $n(A)=4$

$ab \geq 20$인 경우는

$(4, 5)$, $(4, 6)$, $(5, 4)$, $(5, 5)$, $(5, 6)$, $(6, 4)$, $(6, 5)$, $(6, 6)$이므로 $n(B)=8$

$a+b=9$, $ab \geq 20$을 동시에 만족하는 사건 $A\cap B$는 $(4, 5)$, $(5, 4)$이므로

$n(A\cap B)=2$

STEP Ⓑ $\mathrm{P}(A\cup B)=\mathrm{P}(A)+\mathrm{P}(B)-\mathrm{P}(A\cap B)$을 이용하여 구하기

따라서 구하고자 하는 확률은

$\mathrm{P}(A\cup B)=\mathrm{P}(A)+\mathrm{P}(B)-\mathrm{P}(A\cap B)=\frac{1}{9}+\frac{2}{9}-\frac{1}{18}=\frac{5}{18}$

 ③

0574

 ②

STEP Ⓐ 모든 경우의 수 구하기

한 개의 주사위를 두 번 던져서 나오는 눈의 수의 순서쌍을 (a, b)라 하면

전체 경우의 수는 $6\times 6=36$

STEP Ⓑ $|a-3|+|b-3|=2$와 $a=b$인 경우의 수 구하기

$|a-3|+|b-3|=2$를 만족하는 경우을 사건 A라 하면

$(1, 3)$, $(2, 2)$, $(2, 4)$, $(3, 1)$, $(3, 5)$, $(4, 2)$, $(4, 4)$, $(5, 3)$의 8가지이므로

$\mathrm{P}(A)=\frac{8}{36}$

$a=b$를 만족하는 경우를 사건 B라 하면

$(1, 1)$, $(2, 2)$, $(3, 3)$, $(4, 4)$, $(5, 5)$, $(6, 6)$의 6가지이므로 $\mathrm{P}(B)=\frac{6}{36}$

사건 $A\cap B$가 일어나는 경우는 $(2, 2)$, $(4, 4)$이므로 $\mathrm{P}(A\cap B)=\frac{2}{36}$

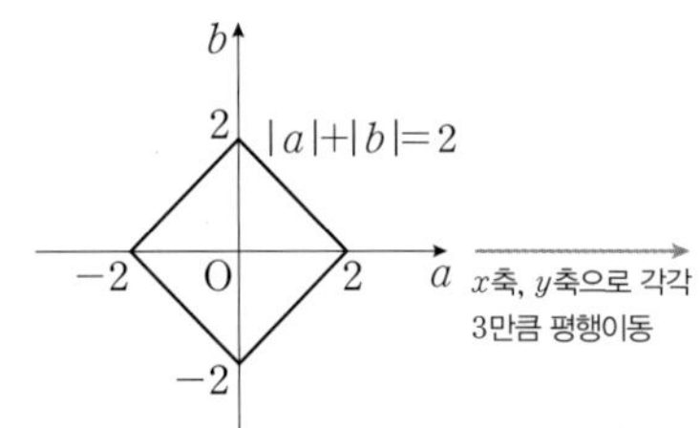

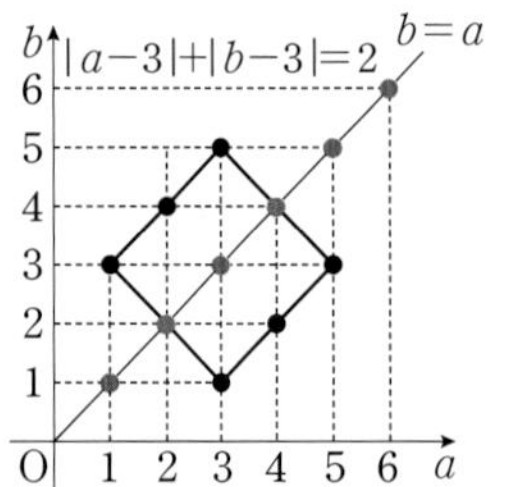

STEP Ⓒ $\mathrm{P}(A\cup B)=\mathrm{P}(A)+\mathrm{P}(B)-\mathrm{P}(A\cap B)$을 이용하여 구하기

따라서 확률의 덧셈정리에 의하여

$\mathrm{P}(A\cup B)=\mathrm{P}(A)+\mathrm{P}(B)-\mathrm{P}(A\cap B)=\frac{8}{36}+\frac{6}{36}-\frac{2}{36}=\frac{1}{3}$

$|a-3|+|b-3|=2$를 만족하는 경우의 수

$a=1$일 때, $b=3$

$a=2$일 때, $b=2$, 4

$a=3$일 때, $b=1$, 5

$a=5$일 때, $b=3$

이므로 8가지

0575

 ①

STEP Ⓐ x에 대한 이차방정식의 해 구하기

$10x^2-7nx+n^2=0$에서 $(2x-n)(5x-n)=0$이므로

$x=\frac{n}{2}$ 또는 $x=\frac{n}{5}$

STEP Ⓑ 정수해가 존재하기 위한 각각의 확률 구하기

이때 정수해가 존재하려면 n이 2의 배수 또는 5의 배수이어야 한다.

n이 2의 배수인 사건을 A, 5의 배수인 사건을 B라고 하면

$A\cap B$는 10의 배수인 사건이므로

$\mathrm{P}(A)=\frac{1}{2}$, $\mathrm{P}(B)=\frac{1}{5}$, $\mathrm{P}(A\cap B)=\frac{1}{10}$

STEP Ⓒ $\mathrm{P}(A\cup B)=\mathrm{P}(A)+\mathrm{P}(B)-\mathrm{P}(A\cap B)$을 이용하여 구하기

따라서 정수해가 존재할 확률은

$\mathrm{P}(A\cup B)=\mathrm{P}(A)+\mathrm{P}(B)-\mathrm{P}(A\cap B)=\frac{1}{2}+\frac{1}{5}-\frac{1}{10}=\frac{3}{5}$

내/신/연/계/ 출제문항 257

$|n|\leq 20$인 모든 정수 n에 대하여 x에 대한 이차방정식

$$10x^2+3nx-n^2=0$$

의 근이 정수일 확률은?

① $\frac{9}{41}$　② $\frac{17}{41}$　③ $\frac{25}{41}$　④ $\frac{49}{81}$　⑤ $\frac{37}{41}$

STEP Ⓐ 모든 경우의 수 구하기

$|n|\leq 20$인 정수 n의 개수는 41이므로

이차방정식 한 개를 택하는 모든 경우의 수는 41이다.

STEP Ⓑ x에 대한 이차방정식의 해 구하기

$10x^2+3nx-n^2=0$, $(5x-n)(2x+n)=0$이므로

$x=-\frac{n}{2}$ 또는 $x=\frac{n}{5}$

STEP Ⓒ 정수해가 존재하기 위한 각각의 확률 구하기

이때 정수해가 존재하려면 n이 2의 배수 또는 5의 배수이어야 한다.

n이 2의 배수인 사건을 A, 5의 배수인 사건을 B라고 하면

$A\cap B$는 10의 배수인 사건이므로

(ⅰ) $n=2k$ (k는 정수)를 만족시키는 경우

$|2k|\leq 20$, $|k|\leq 10$에서 정수 k의 개수는 21

⬅ $n\in\{-20, -18, -16, \cdots, 16, 18, 20\}$

$\therefore \mathrm{P}(A)=\frac{21}{41}$

(ⅱ) $n=5k$ (k는 정수)를 만족시키는 경우

$|5k|\leq 20$, $|k|\leq 4$에서 정수 k의 개수는 9

⬅ $n\in\{-20, -15, -10, \cdots, 10, 15, 20\}$

$\therefore \mathrm{P}(B)=\frac{9}{41}$

(ⅲ) $n=10k$ (k는 정수)를 만족시키는 경우

$|10k|\leq 20$, $|k|\leq 2$에서 정수 k의 개수는 5

⬅ $n\in\{-20, -10, 0, 10, 20\}$

$\therefore \mathrm{P}(A\cap B)=\frac{5}{41}$

STEP Ⓓ $\mathrm{P}(A\cup B)=\mathrm{P}(A)+\mathrm{P}(B)-\mathrm{P}(A\cap B)$을 이용하여 구하기

(ⅰ)~(ⅲ)에서 정수해가 존재할 확률은

$\mathrm{P}(A\cup B)=\mathrm{P}(A)+\mathrm{P}(B)-\mathrm{P}(A\cap B)=\frac{21}{41}+\frac{9}{41}-\frac{5}{41}=\frac{25}{41}$

 ③

0576

정답 ④

STEP A 모든 경우의 수 구하기

집합 $A=\{1, 2, 3, 4\}$에서 집합 $B=\{1, 2, 3\}$으로의 모든 함수 f의 개수는

${}_3\Pi_4=3^4=81$

STEP B 순열과 조합을 이용하여 주어진 조건에 맞는 함수의 개수 구하기

$f(1)\geq 2$인 사건을 A, 치역이 B인 사건을 B라 하면

구하는 확률은 $\mathrm{P}(A\cup B)$이다.

$f(1)\geq 2$인 함수의 개수는 $2\times 3^3=54$

이므로 $\mathrm{P}(A)=\frac{54}{81}$ …… ㉠

치역이 B인 함수 f의 개수는 정의역을 원소의 개수가 2, 1, 1인 세 개의 집합으로 나눈 후 집합 B에 일대일대응을 시키면 되므로 경우의 수는

${}_4C_2\times{}_2C_1\times{}_1C_1\times\frac{1}{2!}\times 3!=36$

이므로 $\mathrm{P}(B)=\frac{36}{81}$ …… ㉡

사건 $A\cap B$가 일어나는 개수는

$f(1)=2$이고 치역이 B인 함수 f의 개수는 다음 두 가지 경우로 나누어 생각할 수 있다.

(ⅰ) $a\neq 1$인 a에 대하여 $f(a)=2$인 a가 존재하는 경우

$3!=6$

(ⅱ) $a\neq 1$인 모든 a에 대하여 $f(a)\neq 2$인 경우

${}_3C_2\times 2!=6$

(ⅰ), (ⅱ)에서 $f(1)=2$이고 치역이 B인 함수 f의 개수는 $6+6=12$

한편 $f(1)=3$이고 치역이 B인 함수의 개수도 12개이므로

$\mathrm{P}(A\cap B)=\frac{12+12}{81}=\frac{24}{81}$ …… ㉢

STEP C 확률의 덧셈정리를 이용하여 구하기

㉠, ㉡, ㉢에서 확률의 덧셈정리에 의하여

$\mathrm{P}(A\cup B)=\mathrm{P}(A)+\mathrm{P}(B)-\mathrm{P}(A\cap B)$

$=\frac{54}{81}+\frac{36}{81}-\frac{24}{81}=\frac{66}{81}=\frac{22}{27}$

다른풀이 치역이 B가 되는 경우를 조합을 이용하여 풀이하기

STEP A 모든 경우의 수 구하기

집합 $A=\{1, 2, 3, 4\}$에서 집합 $B=\{1, 2, 3\}$으로의 모든 함수 f의 개수는

${}_3\Pi_4=3^4=81$

STEP B 순열과 조합을 이용하여 주어진 조건에 맞는 함수의 개수 구하기

$f(1)\geq 2$인 사건을 A, 치역이 B인 사건을 B라 하면

구하는 확률은 $\mathrm{P}(A\cup B)$이다.

$f(1)\geq 2$인 경우

함수의 개수는 $2\times 3^3=54$이므로 $\mathrm{P}(A)=\frac{54}{81}$  …… ㉠

함수의 치역이 B가 되는 경우

모든 함수의 개수에서 치역의 원소의 개수가 1개이거나 2개인 경우를 빼면 된다.

(ⅰ) 치역의 원소의 개수가 1개인 경우

상수함수 이므로 3가지

(ⅱ) 치역의 원소의 개수가 2개인 경우

집합 B의 원소 중 2개를 택하여 빠짐없이 대응하도록 하면 되므로

${}_3C_2\times(2^4-2)$

(ⅰ), (ⅱ)에서 치역이 B가 되는 경우

$3^4-\{3+{}_3C_2\times(2^4-2)\}=36$이므로 $\mathrm{P}(B)=\frac{36}{81}$ …… ㉡

$f(1)\geq 2$이고 함수의 치역이 B인 경우

다음 두 가지 경우로 나누어 생각할 수 있다.

(ⅲ) $f(1)=2$이고 치역이 B인 경우의 수

$3^3-\{3+{}_2C_1\times(2^3-2)\}=12$

(ⅳ) $f(1)=3$이고 치역이 B인 경우의 수

$3^3-\{3+{}_2C_1\times(2^3-2)\}=12$

(ⅲ), (ⅳ)에서 $f(1)\geq 2$이고 함수의 치역이 B인 경우의 수는 $12+12=24$

이므로 $\mathrm{P}(A\cap B)=\frac{12+12}{81}=\frac{24}{81}$ …… ㉢

STEP C 확률의 덧셈정리를 이용하여 구하기

따라서 ㉠, ㉡, ㉢에서 확률의 덧셈정리에 의하여

$\mathrm{P}(A\cup B)=\mathrm{P}(A)+\mathrm{P}(B)-\mathrm{P}(A\cap B)$

$=\frac{54}{81}+\frac{36}{81}-\frac{24}{81}=\frac{66}{81}=\frac{22}{27}$

다른풀이 여사건을 이용하여 풀이하기

STEP A 모든 경우의 수 구하기

집합 $A=\{1, 2, 3, 4\}$에서 집합 $B=\{1, 2, 3\}$으로의 모든 함수 f의 개수는

${}_3\Pi_4=3^4=81$

STEP B 여사건의 확률 구하기

$f(1)<2$이고 치역이 B가 아닌 경우는

(ⅰ) $f(1)=1$이고 치역의 원소가 1개인 경우

치역이 $\{1\}$이어야 하므로 경우의 수는 1가지

집합 A의 모든 원소가 집합 B의 원소 1에 대응하므로

(ⅱ) $f(1)=1$이고 치역의 원소가 2개인 경우

즉 치역이 $\{1, 2\}$, $\{1, 3\}$이어야 하므로 경우의 수는

$2\times(2^3-1)=14$가지

따라서 구하는 확률은 $1-\frac{1+14}{81}=\frac{66}{81}=\frac{22}{27}$

내/신/연/계/ 출제문항 258

두 집합 $X=\{1, 2, 3, 4\}$, $Y=\{1, 2, 3, 4, 5, 6\}$에 대하여 X에서 Y로의 함수 중에서 임의로 택한 한 함수를 f라 할 때,

$f(1)=2$ 또는 $f(2)=3$

일 확률은?

① $\frac{5}{18}$ ② $\frac{11}{36}$ ③ $\frac{1}{3}$

④ $\frac{13}{36}$ ⑤ $\frac{7}{18}$

STEP A 모든 경우의 수 구하기

집합 $X=\{1, 2, 3, 4\}$에서

집합 $Y=\{1, 2, 3, 4, 5, 6\}$으로의 함수의 개수는 ${}_6\Pi_4=6^4$

STEP B $f(1)=2$, $f(2)=3$일 확률 구하기

(ⅰ) $f(1)=2$인 사건을 A라 하면 확률은

$\mathrm{P}(A)=\frac{{}_6\Pi_3}{{}_6\Pi_4}=\frac{6^3}{6^4}=\frac{1}{6}$

(ⅱ) $f(2)=3$인 사건을 B라 하면 확률은

$\mathrm{P}(B)=\frac{{}_6\Pi_3}{{}_6\Pi_4}=\frac{6^3}{6^4}=\frac{1}{6}$

(ⅲ) $f(1)=2$, $f(2)=3$인 사건은 $A\cap B$이므로

$\mathrm{P}(A\cap B)=\frac{{}_6\Pi_2}{{}_6\Pi_4}=\frac{6^2}{6^4}=\frac{1}{36}$

STEP C 확률의 덧셈정리를 이용하여 구하기

(ⅰ)~(ⅲ)에서 구하는 확률은 확률의 덧셈정리에 의하여

$\mathrm{P}(A\cup B)=\mathrm{P}(A)+\mathrm{P}(B)-\mathrm{P}(A\cap B)=\frac{1}{6}+\frac{1}{6}-\frac{1}{36}=\frac{11}{36}$

정답 ②

0577

정답 ③

STEP Ⓐ 각 사건의 확률 구하기

주머니에서 임의로 2개의 공을 동시에 꺼내는 경우의 수는 ${}_6\mathrm{C}_2=15$
꺼낸 공이 모두 파란 공인 사건을 A, 모두 빨간 공인 사건을 B라 하면

$\mathrm{P}(A)=\dfrac{{}_2\mathrm{C}_2}{{}_6\mathrm{C}_2}=\dfrac{1}{15}$, $\mathrm{P}(B)=\dfrac{{}_4\mathrm{C}_2}{{}_6\mathrm{C}_2}=\dfrac{6}{15}$

STEP Ⓑ 두 사건 A, B가 서로 배반임을 이용하여 $\mathrm{P}(A\cup B)$ 구하기

따라서 두 사건 A와 B는 서로 배반사건이므로 구하는 확률은

$\mathrm{P}(A\cup B)=\mathrm{P}(A)+\mathrm{P}(B)=\dfrac{1}{15}+\dfrac{6}{15}=\dfrac{7}{15}$

0578

정답 ④

STEP Ⓐ 각 사건의 확률 구하기

양말 12짝에서 2짝의 양말을 꺼내는 경우의 수는 ${}_{12}\mathrm{C}_2=66$
2짝의 양말이 모두 파란색일 사건을 A, 모두 노란색일 사건을 B라 하면

$\mathrm{P}(A)=\dfrac{{}_7\mathrm{C}_2}{{}_{12}\mathrm{C}_2}=\dfrac{21}{66}=\dfrac{7}{22}$, $\mathrm{P}(B)=\dfrac{{}_4\mathrm{C}_2}{{}_{12}\mathrm{C}_2}=\dfrac{6}{66}=\dfrac{1}{11}$

STEP Ⓑ 두 사건 A, B가 서로 배반임을 이용하여 $\mathrm{P}(A\cup B)$ 구하기

따라서 두 사건 A와 B는 서로 배반사건이므로 구하는 확률은

$\mathrm{P}(A\cup B)=\mathrm{P}(A)+\mathrm{P}(B)=\dfrac{7}{22}+\dfrac{1}{11}=\dfrac{9}{22}$

내신연계 출제문항 259

발명품 경진대회에 출전할 학교 대표 2명을 선발하는 대회에 1학년 학생 4명과 2학년 학생 6명이 참가하였다. 임의로 2명을 선발할 때, 2명이 같은 학년일 확률을 구하여라.

① $\dfrac{5}{27}$　② $\dfrac{2}{9}$　③ $\dfrac{7}{15}$
④ $\dfrac{8}{27}$　⑤ $\dfrac{1}{3}$

STEP Ⓐ 각 사건의 확률 구하기

10명에서 임의로 2명을 뽑는 경우의 수는 ${}_{10}\mathrm{C}_2=45$
대표 2명이 모두 1학년인 사건을 A, 모두 2학년인 사건을 B라 하면

$\mathrm{P}(A)=\dfrac{{}_4\mathrm{C}_2}{{}_{10}\mathrm{C}_2}=\dfrac{2}{15}$, $\mathrm{P}(B)=\dfrac{{}_6\mathrm{C}_2}{{}_{10}\mathrm{C}_2}=\dfrac{1}{3}$

STEP Ⓑ 두 사건 A, B가 서로 배반임을 이용하여 $\mathrm{P}(A\cup B)$ 구하기

따라서 두 사건 A, B는 서로 배반사건이므로 구하는 확률은

$\mathrm{P}(A\cup B)=\mathrm{P}(A)+\mathrm{P}(B)=\dfrac{2}{15}+\dfrac{1}{3}=\dfrac{7}{15}$

정답 ③

0579

정답 ①

STEP Ⓐ 각 사건의 확률 구하기

주머니에서 임의로 3개의 공을 동시에 꺼내는 경우의 수는 ${}_9\mathrm{C}_3=84$
3개의 공이 모두 흰 공인 사건을 A, 모두 빨간 공인 사건을 B라 하면

$\mathrm{P}(A)=\dfrac{{}_4\mathrm{C}_3}{{}_9\mathrm{C}_3}=\dfrac{4}{84}=\dfrac{1}{21}$, $\mathrm{P}(B)=\dfrac{{}_5\mathrm{C}_3}{{}_9\mathrm{C}_3}=\dfrac{10}{84}=\dfrac{5}{42}$

STEP Ⓑ 두 사건 A, B가 서로 배반임을 이용하여 $\mathrm{P}(A\cup B)$ 구하기

따라서 두 사건 A, B는 서로 배반사건이므로 구하는 확률은

$\mathrm{P}(A\cup B)=\mathrm{P}(A)+\mathrm{P}(B)=\dfrac{1}{21}+\dfrac{5}{42}=\dfrac{1}{6}$

0580

정답 ④

STEP Ⓐ 각 사건의 확률 구하기

주머니에 들어있는 검은 바둑돌의 개수를 n이라 하면
검은 바둑돌이 흰 바둑돌보다 많으므로 $n\geq 4$
7개의 바둑돌에서 2개의 바둑돌을 꺼내는 경우의 수는 ${}_7\mathrm{C}_2=21$
같은 색의 바둑돌을 꺼내는 경우는 다음과 같다.
두 개 모두 검은 바둑돌인 사건을 A,
두 개 모두 흰 바둑돌인 사건을 B라 하면

$\mathrm{P}(A)=\dfrac{{}_n\mathrm{C}_2}{{}_7\mathrm{C}_2}=\dfrac{n(n-1)}{42}$, $\mathrm{P}(B)=\dfrac{{}_{7-n}\mathrm{C}_2}{{}_7\mathrm{C}_2}=\dfrac{(7-n)(6-n)}{42}$

STEP Ⓑ 두 사건 A, B가 서로 배반임을 이용하여 $\mathrm{P}(A\cup B)$ 구하기

두 사건 A와 B는 서로 배반사건이므로 구하는 확률은

$\mathrm{P}(A\cup B)=\mathrm{P}(A)+\mathrm{P}(B)=\dfrac{n(n-1)}{42}+\dfrac{(7-n)(6-n)}{42}$

이때 $\dfrac{n(n-1)}{42}+\dfrac{(7-n)(6-n)}{42}=\dfrac{11}{21}$이므로

$\dfrac{n(n-1)+(7-n)(6-n)}{2}=11$

$2n^2-14n+20=0$, $n^2-7n+10=0$

$(n-2)(n-5)=0$

$\therefore n=2$ 또는 $n=5$

이때 $n\geq 4$이므로 $n=5$

따라서 검은 바둑돌의 개수는 5

내신연계 출제문항 260

남녀 합하여 36명인 반에서 청소 당번 2명을 제비뽑기로 뽑을 때, 2명이 모두 남학생이거나 여학생일 확률이 $\dfrac{1}{2}$이라고 한다.
이때 남학생은 모두 몇 명인가? (단, 남학생의 수는 15명보다 많다.)

① 16　② 18　③ 20
④ 21　⑤ 26

STEP Ⓐ 남학생 수를 n이라 하여 모두 남학생이거나 여학생일 확률 구하기

36명인 반에서 청소 당번 2명을 제비뽑기로 뽑는 경우의 수는 ${}_{36}\mathrm{C}_2$
36명 중 남학생을 n명, 여학생을 $36-n$명이라 하면

(ⅰ) 2명을 뽑을 때, 2명 모두 남학생일 사건을 A라 하면

$\mathrm{P}(A)=\dfrac{{}_n\mathrm{C}_2}{{}_{36}\mathrm{C}_2}$

(ⅱ) 2명을 뽑을 때, 2명 모두 여학생일 사건을 B라 하면

$\mathrm{P}(B)=\dfrac{{}_{36-n}\mathrm{C}_2}{{}_{36}\mathrm{C}_2}$

STEP Ⓑ 사건 A, B가 서로 배반임을 이용하여 $\mathrm{P}(A\cup B)$ 구하기

(ⅰ), (ⅱ)에서 두 사건 A, B는 배반사건이므로 구하는 확률은

$\mathrm{P}(A\cup B)=\mathrm{P}(A)+\mathrm{P}(B)=\dfrac{{}_n\mathrm{C}_2}{{}_{36}\mathrm{C}_2}+\dfrac{{}_{36-n}\mathrm{C}_2}{{}_{36}\mathrm{C}_2}=\dfrac{1}{2}$

$\dfrac{n(n-1)}{36\cdot 35}+\dfrac{(36-n)(35-n)}{36\cdot 35}=\dfrac{1}{2}$

$2n^2-72n+36\cdot 35=18\cdot 35$, $2n^2-72n+18\cdot 35=0$

$n^2-36n+21\cdot 15=0$, $(n-21)(n-15)=0$

$\therefore n=21$ ($\because n>15$)

따라서 남학생은 모두 21명이다.

정답 ④

0581

정답 ②

STEP A 각 사건의 확률 구하기

주머니에서 임의로 4개의 공을 동시에 꺼내는 모든 경우의 수는 ${}_{10}C_4=210$

(ⅰ) 흰 공의 개수가 3일 사건을 A라 하면
흰 공 3개, 빨간 공 1개를 꺼내는 경우의 수는
${}_6C_3\times{}_4C_1=20\times4=80$
이때 확률은 $P(A)=\frac{80}{210}=\frac{8}{21}$

(ⅱ) 흰 공의 개수가 4일 사건을 B라 하면
흰 공 6개에서 4개를 꺼내는 경우의 수는
${}_6C_4={}_6C_2=15$
이때 확률은 $P(B)=\frac{15}{210}=\frac{1}{14}$

STEP B 두 사건 A, B가 서로 배반임을 이용하여 $P(A\cup B)$ 구하기

(ⅰ), (ⅱ)에서 두 사건 A와 B는 서로 배반사건이므로 구하는 확률은
$P(A\cup B)=P(A)+P(B)=\frac{8}{21}+\frac{1}{14}=\frac{19}{42}$

내신연계 출제문항 261

파란 공 5개, 빨간 공 4개가 들어 있는 바구니에서 임의로 공 4개를 동시에 꺼낼 때, 파란공이 1개 이하로 나올 확률은?

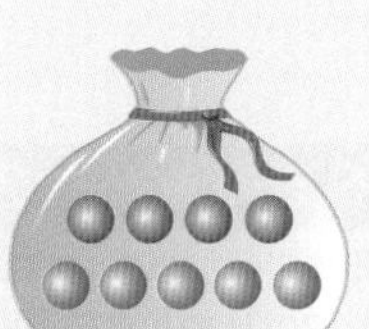

 ① $\frac{1}{8}$ 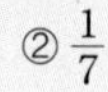 ② $\frac{1}{7}$
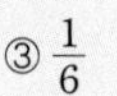 ③ $\frac{1}{6}$ 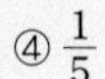 ④ $\frac{1}{5}$
 ⑤ $\frac{1}{4}$

STEP A 각 사건의 확률 구하기

파란 공이 1개 나오는 사건을 A,
파란 공이 나오지 않는 사건을 B라 하면
$P(A)=\frac{{}_5C_1\times{}_4C_3}{{}_9C_4}=\frac{10}{63}$, $P(B)=\frac{{}_5C_0\times{}_4C_4}{{}_9C_4}=\frac{1}{126}$

STEP B 두 사건 A, B가 서로 배반임을 이용하여 $P(A\cup B)$ 구하기

따라서 두 사건 A, B는 서로 배반사건이므로 구하는 확률은
$P(A\cup B)=P(A)+P(B)=\frac{10}{63}+\frac{1}{126}=\frac{1}{6}$

 정답 ③

0582

정답 ②

STEP A 각 사건의 확률 구하기

8개의 사탕 중에서 4개의 사탕을 꺼내는 경우의 수는 ${}_8C_4=70$
오렌지 맛 사탕이 3개 이상 나오는 사건을 A,
4개 모두 딸기 맛 사탕이 나올 사건을 B라 하면
$P(A)=\frac{{}_4C_3\times{}_4C_1}{{}_8C_4}+\frac{{}_4C_4}{{}_8C_4}=\frac{17}{70}$
← 오렌지 맛 사탕이 3개, 딸기 맛 사탕이 1개 오렌지 맛 사탕이 4개, 딸기 맛 사탕이 0개
$P(B)=\frac{{}_4C_4}{{}_8C_4}=\frac{1}{70}$
← 오렌지 맛 사탕이 0개, 딸기 맛 사탕이 4개

STEP B 두 사건 A, B가 서로 배반임을 이용하여 $P(A\cup B)$ 구하기

따라서 두 사건 A와 B는 서로 배반사건이므로 구하는 확률은
$P(A\cup B)=P(A)+P(B)=\frac{17}{70}+\frac{1}{70}=\frac{18}{70}=\frac{9}{35}$

0583

정답 ③

STEP A 각 사건의 확률 구하기

8개의 제비에서 4개를 뽑는 경우의 수는 ${}_8C_4=70$
당첨제비가 3개 이상 나오는 사건과 당첨제비가 아닌 것이 2개 나오는 경우는 다음과 같다.

(ⅰ) 당첨제비가 3개 또는 4개 나오는 경우를 사건 A라 하면
$P(A)=\frac{{}_4C_3\times{}_4C_1+{}_4C_4}{70}=\frac{17}{70}$

(ⅱ) 당첨제비가 아닌 것이 2개 나오는 경우를 사건 B라 하면
$P(B)=\frac{{}_4C_2\times{}_4C_2}{70}=\frac{36}{70}$

STEP B 두 사건 A, B가 서로 배반임을 이용하여 $P(A\cup B)$ 구하기

(ⅰ), (ⅱ)에서 두 사건 A, B는 서로 배반사건이므로 구하는 확률은
$P(A\cup B)=P(A)+P(B)=\frac{17}{70}+\frac{36}{70}=\frac{53}{70}$

0584

 정답 ③

STEP A 흰 콩이 검은 콩보다 많을 확률 구하기

주머니에서 임의로 6개의 콩을 동시에 꺼내는 모든 경우의 수는 ${}_{11}C_6={}_{11}C_5=462$
꺼낸 콩 중에서 흰 콩이 검은 콩보다 많은 경우는 다음과 같다.

(ⅰ) 흰 콩 5개, 검은 콩 1개를 꺼내는 사건을 A라 하면
$P(A)=\frac{{}_5C_5\times{}_6C_1}{{}_{11}C_6}=\frac{6}{462}$

(ⅱ) 흰 콩 4개, 검은 콩 2개를 꺼내는 사건을 B라 하면
$P(B)=\frac{{}_5C_4\times{}_6C_2}{{}_{11}C_6}=\frac{75}{462}$

STEP B 두 사건 A, B가 서로 배반임을 이용하여 $P(A\cup B)$ 구하기

(ⅰ), (ⅱ)에서 두 사건 A와 B는 서로 배반사건이므로 구하는 확률은
$P(A\cup B)=P(A)+P(B)=\frac{6}{462}+\frac{75}{462}=\frac{81}{462}=\frac{27}{154}$

내신연계 출제문항 262

흰 공 5개, 검은 공 4개가 들어있는 주머니가 있다. 이 주머니에서 임의로 4개의 공을 동시에 꺼낼 때, 흰 공을 검은 공보다 더 많이 꺼낼 확률은?

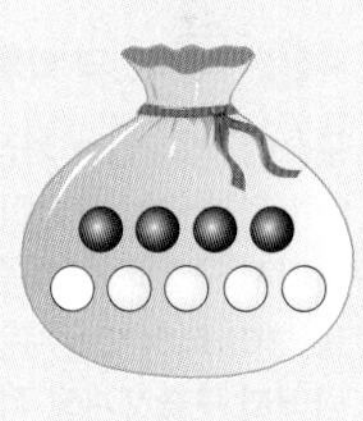

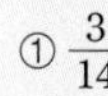 ① $\frac{3}{14}$ ② $\frac{2}{7}$
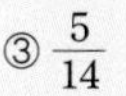 ③ $\frac{5}{14}$ ④ $\frac{3}{7}$
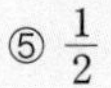 ⑤ $\frac{1}{2}$

STEP A 흰 공을 검은 공보다 더 많이 꺼낼 확률 구하기

9개의 공 중에서 4개의 공을 꺼내는 경우의 수는 ${}_9C_4=126$
흰 공을 검은 공보다 더 많이 꺼내는 경우는 다음과 같다.

(ⅰ) 흰 공 4개, 검은 공 0개를 꺼내는 사건을 A라 하면
$P(A)=\frac{{}_5C_4\times{}_4C_0}{{}_9C_4}=\frac{5}{126}$

(ⅱ) 흰 공 3개, 검은 공 1개를 꺼내는 사건을 B라 하면
$P(B)=\frac{{}_5C_3\times{}_4C_1}{{}_9C_4}=\frac{40}{126}=\frac{20}{63}$

STEP B 두 사건 A, B가 서로 배반임을 이용하여 $P(A\cup B)$ 구하기

(ⅰ), (ⅱ)에서 두 사건 A와 B는 서로 배반사건이므로 구하는 확률은
$P(A\cup B)=P(A)+P(B)=\frac{5}{126}+\frac{20}{63}=\frac{45}{126}=\frac{5}{14}$

 정답 ③

0585

정답 ②

STEP Ⓐ **모든 경우의 수 구하기**

12개의 구슬 중 2개의 구슬을 꺼내는 경우의 수는 ${}_{12}C_2=66$

STEP Ⓑ **각 사건의 경우의 수 구하기**

(ⅰ) 구슬에 적혀 있는 가장 큰 수가 4인 사건을 A라 하면
두 개 모두 4가 적혀 있는 경우의 수는 1
하나만 4가 적혀 있는 경우의 수는 ${}_2C_1\times{}_6C_1=12$이므로 $1+12=13$
이때의 확률은 $P(A)=\frac{13}{66}$

(ⅱ) 구슬에 적혀 있는 가장 큰 수가 5인 사건을 B라 하면
두 개 모두 5가 적혀 있는 경우의 수는 1
하나만 5가 적혀 있는 경우의 수는 ${}_2C_1\times{}_8C_1=16$이므로 $1+16=17$
이때의 확률은 $P(B)=\frac{17}{66}$

STEP Ⓒ **두 사건 A, B가 서로 배반임을 이용하여 $P(A\cup B)$ 구하기**

(ⅰ), (ⅱ)에서 두 사건 A, B는 서로 배반사건이므로 구하는 확률은
$P(A\cup B)=P(A)+P(B)=\frac{13}{66}+\frac{17}{66}=\frac{30}{66}=\frac{5}{11}$

내신연계 출제문항 263

주머니 안에 1부터 4까지의 수가 각각 적혀 있는 구슬이 2개씩 모두 8개 들어 있다. 이 중에서 3개의 구슬을 동시에 꺼낼 때, 구슬에 적혀 있는 가장 큰 수 가 3 또는 4일 확률은?

① $\frac{5}{14}$ ② $\frac{7}{14}$ ③ $\frac{9}{14}$ ④ $\frac{13}{14}$ ⑤ $\frac{13}{15}$

STEP Ⓐ **모든 경우의 수 구하기**

8개의 구슬 중 3개의 구슬을 꺼내는 경우의 수는 ${}_8C_3=56$

STEP Ⓑ **각 사건의 확률 구하기**

(ⅰ) 구슬에 적혀 있는 가장 큰 수가 3일 사건을 A라 하면
3이 적혀 있는 구슬이 2개 뽑힌 경우
나머지 구슬에 적힌 수가 1, 2 중 1개인 경우의 수는 ${}_4C_1=4$
또, 3이 적혀 있는 구슬이 1개 뽑힌 경우
나머지 구슬 2개에 적힌 수가 1 또는 2인 경우의 수는
${}_2C_1\times{}_4C_2=12$이므로 $4+12=16$
이때의 확률은 $P(A)=\frac{16}{56}$

(ⅱ) 구슬에 적혀 있는 가장 큰 수가 4일 사건을 B라 하면
4가 적혀 있는 구슬이 2개 뽑힌 경우
나머지 구슬에 적힌 수가 1, 2, 3 중 1개인 경우의 수는 ${}_6C_1=6$
또, 4가 적혀 있는 구슬이 1개 뽑힌 경우
나머지 구슬 2개에 적힌 수가 1 또는 2 또는 3인 경우의 수는
${}_2C_1\times{}_6C_2=30$이므로 $6+30=36$
이때의 확률은 $P(B)=\frac{36}{56}$

STEP Ⓒ **두 사건 A, B가 서로 배반임을 이용하여 $P(A\cup B)$ 구하기**

(ⅰ), (ⅱ)에서 두 사건 A, B는 서로 배반사건이므로 구하는 확률은
$P(A\cup B)=P(A)+P(B)=\frac{16}{56}+\frac{36}{56}=\frac{52}{56}=\frac{13}{14}$

0586

정답 ⑤

STEP Ⓐ **모든 경우의 수 구하기**

8개의 공에서 임의로 4개의 공을 선택하는 경우의 수는 ${}_8C_4=70$

STEP Ⓑ **4개의 공에 적혀 있는 수의 최댓값이 3일 확률 구하기**

4개의 공에 적혀 있는 수의 최댓값이 3일 때,

(ⅰ) 3이 적힌 공이 1개인 사건을 A라 하면
3이 적힌 공을 1개 선택하는 경우의 수는 ${}_2C_1$
1, 2가 적힌 공 중에서 3개를 선택하는 경우의 수는 ${}_5C_3$이므로
$P(A)=\frac{{}_2C_1\times{}_5C_3}{{}_8C_4}=\frac{2}{7}$

(ⅱ) 3이 적힌 공이 2개인 사건을 B라 하면
3이 적힌 공을 2개 선택하는 경우의 수는 ${}_2C_2$
1, 2가 적힌 공 중에서 2개를 선택하는 경우의 수는 ${}_5C_2$이므로
$P(B)=\frac{{}_2C_2\times{}_5C_2}{{}_8C_4}=\frac{1}{7}$

STEP Ⓒ **서로 배반사건임을 이용하여 구하기**

(ⅰ), (ⅱ)에서 두 사건 A와 B는 서로 배반사건이므로 확률의 덧셈정리에 의하여 구하는 확률은 $P(A\cup B)=P(A)+P(B)=\frac{2}{7}+\frac{1}{7}=\frac{3}{7}$

내신연계 출제문항 264

주머니 안에 1부터 6까지의 수가 각각 적혀 있는 공이 2개씩 모두 12개의 공이 들어 있다. 이 중 3개의 공을 임의로 꺼낼 때, 공에 적혀 있는 가장 큰 수가 5일 확률은?

① $\frac{1}{16}$ ② $\frac{1}{15}$ ③ $\frac{1}{41}$ ④ $\frac{16}{55}$ ⑤ $\frac{19}{57}$

STEP Ⓐ **모든 경우의 수 구하기**

12개의 공 중에서 3개를 꺼내는 방법의 수는 ${}_{12}C_3=220$

STEP Ⓑ **각 사건의 경우의 수를 이용하여 임의로 뽑은 3개의 공 중 가장 큰 수가 5일 확률 구하기**

3개의 공 중에서 공에 적혀 있는 가장 큰 수가 5가 되기 위해서는 5가 적힌 공이 1개 또는 2개가 들어 있어야 한다.

(ⅰ) 5가 적힌 공이 1개인 사건을 A라 하면
나머지 2개의 공은 1에서 4까지 적힌 공이 될 수 있으므로
그 경우의 수는 ${}_2C_1\times{}_8C_2=56$
$P(A)=\frac{56}{220}$

(ⅱ) 5가 적힌 공이 2개인 사건을 B라 하면
나머지 한 개의 공은 1에서 4까지 적힌 공이 될 수 있으므로
그 경우의 수는 ${}_2C_2\times{}_8C_1=8$
$P(B)=\frac{8}{220}$

STEP Ⓒ **두 사건 A, B가 서로 배반임을 이용하여 $P(A\cup B)$ 구하기**

(ⅰ), (ⅱ)에서 두 사건 A, B는 서로 배반사건이므로 구하는 확률은
$P(A\cup B)=P(A)+P(B)=\frac{56}{220}+\frac{8}{220}=\frac{64}{220}=\frac{16}{55}$

0587

정답 ①

STEP Ⓐ **2개의 공을 동시에 꺼낼 때, 공에 적힌 수의 최댓값이 12일 확률 구하기**

임의로 2개의 공을 동시에 꺼낼 때, 공에 적힌 수의 최댓값이 12이려면 임의로 꺼낸 2개의 공 중에 12가 적힌 공이 반드시 포함되어야 하므로

구하는 확률은 $\dfrac{{}_{11}\mathrm{C}_1}{{}_{12}\mathrm{C}_2}=\dfrac{1}{6}$

STEP Ⓑ **서로 배반사건임을 이용하여 구하기**

이 시행을 2번 했을 때, 공에 적힌 수의 최댓값이 12인 경우는 다음과 같다.
각 시행에서 12가 적힌 공이 포함되는 경우를 ○, 포함되지 않는 경우를 × 라 하자.

1회	2회	확률
○	○	$\dfrac{1}{6}\times\dfrac{1}{6}=\dfrac{1}{36}$
○	×	$\dfrac{1}{6}\times\left(1-\dfrac{1}{6}\right)=\dfrac{5}{36}$
×	○	$\left(1-\dfrac{1}{6}\right)\times\dfrac{1}{6}=\dfrac{5}{36}$

따라서 구하는 확률은 $\dfrac{1}{36}+\dfrac{5}{36}+\dfrac{5}{36}=\dfrac{11}{36}$

다른풀이 여사건을 이용하여 풀이하기

한 번의 시행에서 공에 적힌 수의 최댓값이 12가 아닐 확률은 $\dfrac{5}{6}$,

2번의 시행에서 공에 적힌 수의 최댓값이 12가 아닐 확률은 $\left(\dfrac{5}{6}\right)^2$

따라서 구하는 확률은 $1-\left(\dfrac{5}{6}\right)^2=\dfrac{11}{36}$

0588

정답 ①

STEP Ⓐ **각 사건의 확률 구하기**

서로 다른 두 개의 주사위를 동시에 던져 나오는 경우의 수는 $6\times6=36$
눈의 수의 합이 5인 사건을 A, 눈의 수의 차가 5인 사건을 B라 하면
$A=\{(1, 4), (2, 3), (3, 2), (4, 1)\}$, $B=\{(1, 6), (6, 1)\}$
$\mathrm{P}(A)=\dfrac{4}{36}=\dfrac{1}{9}$, $\mathrm{P}(B)=\dfrac{2}{36}=\dfrac{1}{18}$

STEP Ⓑ **두 사건 A, B가 서로 배반임을 이용하여 $\mathrm{P}(A\cup B)$ 구하기**

따라서 두 사건 A, B는 서로 배반 사건이므로 구하는 확률은
$\mathrm{P}(A\cup B)=\mathrm{P}(A)+\mathrm{P}(B)=\dfrac{1}{9}+\dfrac{1}{18}=\dfrac{1}{6}$

0589

정답 ③

STEP Ⓐ **각 사건의 확률 구하기**

서로 다른 두 개의 주사위를 동시에 던져 나오는 경우의 수는 $6\times6=36$
(i) 말이 부산에 도착하는 사건을 A라 하면
두 눈의 수의 합이 2 또는 12인 경우
$A=\{(1, 1), (6, 6)\}$이므로 $\mathrm{P}(A)=\dfrac{2}{36}=\dfrac{1}{18}$
(ii) 말이 서울에 도착하는 사건을 B라 하면
두 눈의 수의 합이 8인 경우
$B=\{(2, 6), (3, 5), (4, 4), (5, 3), (6, 2)\}$이므로 $\mathrm{P}(B)=\dfrac{5}{36}$

STEP Ⓑ **두 사건 A, B가 서로 배반임을 이용하여 $\mathrm{P}(A\cup B)$ 구하기**

(i), (ii)에서 두 사건 A, B는 서로 배반사건이므로 구하는 확률은
$\mathrm{P}(A\cup B)=\mathrm{P}(A)+\mathrm{P}(B)=\dfrac{1}{18}+\dfrac{5}{36}=\dfrac{7}{36}$

0590

정답 ④

STEP Ⓐ **모든 경우의 수**

한 개의 주사위를 세 번 던져 나온 눈의 수는 차례로 a, b, c이므로
$100a+10b+c$인 개수는 $6^3=216$

STEP Ⓑ **2의 배수이거나 5의 배수가 되는 경우의 수 구하기**

$100a+10b+c$가 2의 배수가 되는 사건 A는
c가 2 또는 4 또는 6인 경우이므로 $n(A)=6\times6\times3=108$
즉 $\mathrm{P}(A)=\dfrac{108}{216}=\dfrac{1}{2}$
$100a+10b+c$가 5의 배수가 되는 사건 B는
c가 5인 경우이므로 $n(B)=6\times6\times1=36$
즉 $\mathrm{P}(B)=\dfrac{36}{216}=\dfrac{1}{6}$

STEP Ⓒ **배반사건을 이용하여 확률 구하기**

따라서 A와 B는 서로 배반사건이므로 구하는 확률은
$\mathrm{P}(A\cup B)=\mathrm{P}(A)+\mathrm{P}(B)=\dfrac{1}{2}+\dfrac{1}{6}=\dfrac{2}{3}$

내/신/연/계/ 출제문항 265

1부터 9까지의 자연수가 각각 적힌 9장의 카드가 들어 있는 상자에서 임의로 4장의 카드를 꺼내 순서대로 나열하여 네 자리 수를 만들었다.
이때 이 수가 2의 배수이거나 5의 배수일 확률은?
(단, 꺼낸 카드는 다시 넣지 않는다.)

① $\dfrac{1}{9}$　② $\dfrac{4}{9}$　③ $\dfrac{5}{9}$
④ $\dfrac{2}{3}$　⑤ $\dfrac{2}{5}$

STEP Ⓐ **각 사건의 확률 구하기**

9장의 카드에서 임의로 서로 다른 4장을 뽑아 일렬로 나열하여 만들 수 있는 모든 네 자리 자연수의 개수는 ${}_9\mathrm{P}_4=9\times8\times7\times6$
2의 배수가 되려면 일의 자리 숫자가 2, 4, 6, 8이 되어야 하고
5의 배수가 되려면 일의 자리 숫자가 5가 되어야 한다.
(i) 네 자리의 자연수가 2의 배수가 되는 사건을 A라 하면
$\mathrm{P}(A)=\dfrac{{}_8\mathrm{P}_3\times4}{{}_9\mathrm{P}_4}=\dfrac{4}{9}$
(ii) 5의 배수가 되는 사건을 B라 하면
$\mathrm{P}(B)=\dfrac{{}_8\mathrm{P}_3\times1}{{}_9\mathrm{P}_4}=\dfrac{1}{9}$

STEP Ⓑ **두 사건 A, B가 서로 배반임을 이용하여 $\mathrm{P}(A\cup B)$ 구하기**

(i), (ii)에서 두 사건 A와 B는 서로 배반사건이므로 $\mathrm{P}(A\cap B)=0$
따라서 구하는 확률은 $\mathrm{P}(A\cup B)=\mathrm{P}(A)+\mathrm{P}(B)=\dfrac{4}{9}+\dfrac{1}{9}=\dfrac{5}{9}$

정답 ③

0591

정답 ④

STEP A 각 사건의 확률을 이용하여 구하기

6개의 좌석에 친구 6명을 배열하는 경우의 수는 $6!$

수진, 승환 두 사람이 같은 열의 이웃한 자리에 앉는 경우는 다음과 같다.

(ⅰ) F열 5번, F열 6번, F열 7번에 수진, 승환 두 사람이 같은 열의 이웃한 자리에 앉을 사건을 A라 하면

$\mathrm{P}(A)=\frac{2\times2\times4!}{6!}=\frac{2}{15}$

(ⅱ) G열 4번, G열 5번에 수진, 승환 두 사람이 같은 열의 이웃한 자리에 앉을 사건을 B라 하면

$\mathrm{P}(B)=\frac{2\times4!}{6!}=\frac{1}{15}$

STEP B 두 사건 A, B가 서로 배반임을 이용하여 $\mathrm{P}(A\cup B)$ 구하기

(ⅰ), (ⅱ)에서 두 사건 A와 B는 서로 배반사건이므로 구하는 확률은

$\mathrm{P}(A\cup B)=\mathrm{P}(A)+\mathrm{P}(B)=\frac{2}{15}+\frac{1}{15}=\frac{3}{15}=\frac{1}{5}$

내신연계 출제문항 266

희재와 동원이를 포함한 8명의 친구가 영화를 보기 위해 극장을 방문하여 오른쪽 그림과 같은 좌석의 영화표를 구매하였다. 영화표를 임의로 뽑아 좌석을 결정하기로 할 때, 희재와 동원이가 서로 이웃 하게 앉을 확률은? (단, 두 명이 같은 열의 바로 옆에 있을 때 이웃한 것으로 본다.)

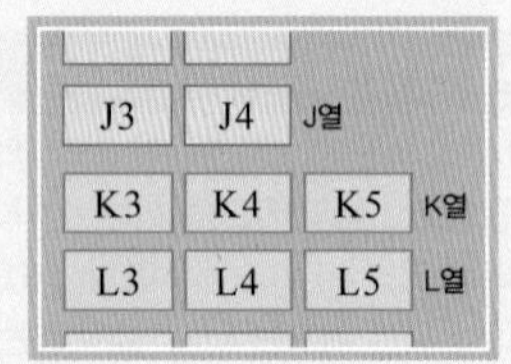

① $\frac{1}{28}$ ② $\frac{3}{28}$ ③ $\frac{5}{28}$
④ $\frac{3}{14}$ ⑤ $\frac{11}{13}$

STEP A 모든 경우의 수 구하기

8명의 친구가 좌석에 앉는 경우의 수는 $8!$

희재와 동원이가 서로 이웃하게 앉는 경우는

(J3, J4), (K3, K4), (K4, K5), (L3, L4), (L4, L5)의 5가지이고

서로 자리를 바꾸는 경우 2가지, 나머지 친구 6명이 좌석에 앉을 경우의 수는 $6!$이므로 경우의 수는 $5\times2!\times6!$

STEP B 구하는 확률 구하기

따라서 구하는 확률은 $\frac{5\times2!\times6!}{8!}=\frac{5}{28}$

정답 ③

0592

정답 ④

STEP A 각 사건의 확률 구하기

4명의 학생을 제비뽑기로 순서를 정하는 경우의 수는 $4!$

4명의 학생 중 승기가 가장 먼저 달리는 사건을 A라 하면

$\mathrm{P}(A)=\frac{3!}{4!}=\frac{1}{4}$

4명의 학생 중 승기가 민호보다 나중에 달리는 사건을 B라 하면

$\mathrm{P}(B)=\frac{\frac{4!}{2!}}{4!}=\frac{1}{2}$

STEP B 두 사건 A, B가 서로 배반임을 이용하여 $\mathrm{P}(A\cup B)$ 구하기

따라서 두 사건 A와 B는 서로 배반사건이므로 구하는 확률은

$\mathrm{P}(A\cup B)=\mathrm{P}(A)+\mathrm{P}(B)=\frac{1}{4}+\frac{1}{2}=\frac{3}{4}$

0593

정답 ④

STEP A 모든 경우의 수 구하기

5개의 숫자를 모두 사용하여 일렬로 나열하는 경우의 수는 $\frac{5!}{2!2!}=30$

이때 0이 만의 자리에 있도록 나열하는 경우의 수는 $\frac{4!}{2!2!}=6$이므로

5개의 숫자를 모두 사용하여 만든 다섯 자리의 자연수의 개수는 $30-6=24$

STEP B 다섯 자리의 자연수가 짝수인 확률 구하기

다섯 자리의 자연수가 짝수인 경우는 다음과 같다.

(ⅰ) 일의 자리가 0인 사건을 A라 하면

1, 1, 2, 2를 나열하는 경우의 수는

$\frac{4!}{2!2!}=6$이므로 $\mathrm{P}(A)=\frac{6}{24}=\frac{1}{4}$

(ⅱ) 일의 자리가 2인 사건을 B라 하면

0, 1, 1, 2를 나열하는 경우의 수가 $\frac{4!}{2!}=12$이고

0이 만의 자리에 있도록 일렬로 나열하는 경우의 수가

$\frac{3!}{2!}=3$이므로 $\mathrm{P}(B)=\frac{12-3}{24}=\frac{3}{8}$

STEP C 두 사건 A, B가 서로 배반임을 이용하여 $\mathrm{P}(A\cup B)$ 구하기

(ⅰ), (ⅱ)에서 두 사건 A와 B는 서로 배반사건이므로 확률의 덧셈정리에 의하여 구하는 확률은 $\mathrm{P}(A\cup B)=\mathrm{P}(A)+\mathrm{P}(B)=\frac{1}{4}+\frac{3}{8}=\frac{5}{8}$

내신연계 출제문항 267

5개의 숫자

0, 2, 3, 5, 6

중에서 서로 다른 3개의 숫자를 임의로 택하여 세 자리의 자연수를 만들 때, 이 자연수가 5의 배수일 확률은?

① $\frac{1}{4}$ ② $\frac{5}{16}$ ③ $\frac{3}{8}$
④ $\frac{7}{16}$ ⑤ $\frac{1}{2}$

STEP A 모든 경우의 수 구하기

숫자 0이 백의 자리에 올 수 없으므로 숫자 0, 2, 3, 5, 6 중에서 서로 다른 3개의 숫자를 한 번씩만 사용하여 만들 수 있는 세 자리의 자연수의 개수는

$4\times{}_4\mathrm{P}_2=48$

STEP B 세 자리의 자연수가 5의 배수일 확률 구하기

세 자리의 자연수가 5의 배수이려면 일의 자리의 수가 0 또는 5이어야한다.

일의 자리의 수가 0인 사건을 A, 일의 자리의 수가 5인 사건을 B라 하자.

(ⅰ) 일의 자리의 숫자가 0인 경우

0을 제외한 2, 3, 5, 6 중에서 두 수를 백의 자리와 십의 자리에 나열하는 경우의 수는 ${}_4\mathrm{P}_2$이므로 사건 A가 일어날 확률은

$\mathrm{P}(A)=\frac{12}{48}=\frac{1}{4}$

(ⅱ) 일의 자리의 숫자가 5인 경우

0이 백의 자리에 올 수 없으므로 2, 3, 6 중에서 하나를 백의 자리에 나열하고 백의 자리의 수와 5를 제외한 세 수 중 하나를 십의 자리에 나열하는 경우의 수는 3×3이므로 사건 B가 일어날 확률은

$\mathrm{P}(B)=\frac{9}{48}=\frac{3}{16}$

STEP C 두 사건 A, B가 서로 배반임을 이용하여 $\mathrm{P}(A\cup B)$ 구하기

(ⅰ), (ⅱ)에서 두 사건 A와 B는 서로 배반사건이므로 구하는 확률은

$\mathrm{P}(A\cup B)=\mathrm{P}(A)+\mathrm{P}(B)=\frac{1}{4}+\frac{3}{16}=\frac{7}{16}$

정답 ④

0594

정답 ③

STEP Ⓐ **모든 경우의 수 구하기**

1, 2, 2, 3, 3, 3의 6개의 숫자를 모두 사용하여 만들 수 있는 여섯 자리의 자연수의 개수는 $\frac{6!}{2!3!}=60$

STEP Ⓑ **여섯 자리의 자연수가 4의 배수인 확률 구하기**

이 여섯 자리의 자연수가 4의 배수인 경우는 다음과 같다.

(ⅰ) 십의 자리와 일의 자리의 수가 각각 1, 2인 사건을 A라 하면
나머지 네 자리에 2, 3, 3, 3을 일렬로 나열하는 경우의 수는
$\frac{4!}{3!}=4$이므로 $\mathrm{P}(A)=\frac{4}{60}=\frac{1}{15}$

(ⅱ) 십의 자리와 일의 자리의 수가 각각 3, 2인 사건을 B라 하면
나머지 네 자리에 1, 2, 3, 3을 일렬로 나열하는 경우의 수는
$\frac{4!}{2!}=12$이므로 $\mathrm{P}(B)=\frac{12}{60}=\frac{1}{5}$

STEP Ⓒ **두 사건 A, B가 서로 배반임을 이용하여 $\mathrm{P}(A\cup B)$ 구하기**

(ⅰ), (ⅱ)에서 두 사건 A, B는 서로 배반사건이므로 구하는 확률은

$\mathrm{P}(A\cup B)=\mathrm{P}(A)+\mathrm{P}(B)=\frac{1}{15}+\frac{1}{5}=\frac{4}{15}$

내신연계 출제문항 268

5장의 카드 중에서 임의로 서로 다른 3장의 카드를 뽑아 일렬로 나열하여 세 자리 자연수를 만들 때, 그 자연수가 4의 배수 또는 5의 배수가 될 확률을 p라 하자. $100p$의 값은?

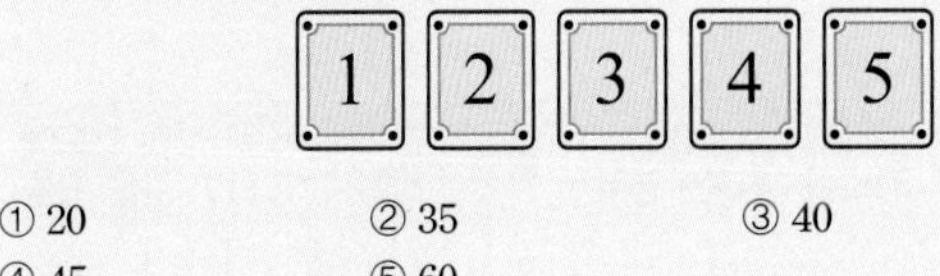

① 20 ② 35 ③ 40
④ 45 ⑤ 60

STEP Ⓐ **각 사건의 확률 구하기**

5장의 카드에서 임의로 서로 다른 3장을 뽑아 일렬로 나열하여 만들 수 있는 모든 세 자리 자연수의 개수는 ${}_5\mathrm{P}_3=5\times4\times3=60$

5장의 카드 중에서 임의로 서로 다른 3장을 뽑아 세 자리 자연수를 만들 때, 그 자연수가 4의 배수가 되는 사건을 A, 5의 배수가 되는 사건을 B라 하자.

(ⅰ) 세 자리 자연수가 4의 배수가 되는 경우는
□12, □24, □32, □52와 같이 마지막 두 자리의 수가 4의 배수이고
백의 자리 숫자에는 각각 십의 자리와 일의 자리에 쓰이지 않은 3장의 카드 중 1장을 뽑아 나열하는 경우이므로 $n(A)=4\times{}_3\mathrm{P}_1=4\times3=12$
$\mathrm{P}(A)=\frac{12}{60}=\frac{1}{5}$

(ⅱ) 세 자리 자연수가 5의 배수가 되는 경우는
□□5와 같이 일의 자리의 수가 5의 배수이고
백의 자리, 십의 자리 숫자에는 일의 자리에 쓰이지 않은 4장의 카드에서 2장을 뽑아 나열하는 경우이므로 $n(B)={}_4\mathrm{P}_2=4\times3=12$
$\mathrm{P}(B)=\frac{12}{60}=\frac{1}{5}$

STEP Ⓑ **두 사건 A, B가 서로 배반임을 이용하여 $\mathrm{P}(A\cup B)$ 구하기**

(ⅰ), (ⅱ)에서 두 사건 A, B는 서로 배반사건이므로 구하는 확률은

$p=\mathrm{P}(A\cup B)=\mathrm{P}(A)+\mathrm{P}(B)=\frac{1}{5}+\frac{1}{5}=\frac{2}{5}$

따라서 $100p=100\times\frac{2}{5}=40$

정답 ③

0595

정답 ⑤

STEP Ⓐ **모든 경우의 수 구하기**

정육면체의 8개의 꼭짓점 중에서 두 점을 택하는 경우의 수는 ${}_8\mathrm{C}_2=28$

STEP Ⓑ **각 사건의 확률 구하기**

두 꼭짓점 사이의 거리는 1, $\sqrt{2}$, $\sqrt{3}$ 중 하나이므로
두 점을 이은 선분의 길이가 $\sqrt{2}$ 이하인 경우는 길이가 1이거나 $\sqrt{2}$이다.
길이가 1일 사건을 A, $\sqrt{2}$일 사건을 B라고 하면

$\mathrm{P}(A)=\frac{4\times3}{28}=\frac{3}{7}$, $\mathrm{P}(B)=\frac{2\times6}{28}=\frac{3}{7}$

STEP Ⓒ **두 사건 A, B가 서로 배반임을 이용하여 $\mathrm{P}(A\cup B)$ 구하기**

이때 두 사건 A, B는 서로 배반사건이므로 구하는 확률은

$\mathrm{P}(A\cup B)=\mathrm{P}(A)+\mathrm{P}(B)=\frac{3}{7}+\frac{3}{7}=\frac{6}{7}$

내신연계 출제문항 269

오른쪽 그림과 같이 한 모서리의 길이가 1인 정육면체에서 임의로 서로 다른 두 꼭짓점을 택할 때, 두 점 사이의 거리가 $\sqrt{2}$ 또는 $\sqrt{3}$일 확률은?

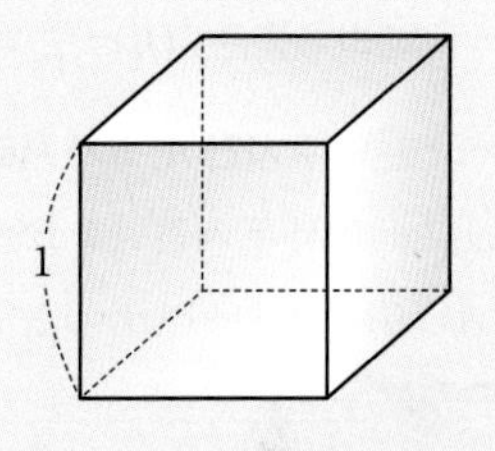

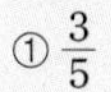
① $\frac{3}{5}$ ② $\frac{3}{7}$
③ $\frac{4}{7}$ ④ $\frac{1}{2}$
⑤ $\frac{6}{7}$

STEP Ⓐ **모든 경우의 수 구하기**

두 점 사이의 거리가 $\sqrt{2}$인 사건을 A, $\sqrt{3}$인 사건을 B라 하면
두 점 사이의 거리가 $\sqrt{2}$ 또는 $\sqrt{3}$인 사건은 $A\cup B$,
정육면체의 8개의 꼭짓점 중에서 서로 다른 두 꼭짓점을 택하는 방법의 수는 ${}_8\mathrm{C}_2=28$

STEP Ⓑ **두 점 사이의 거리가 $\sqrt{2}$, $\sqrt{3}$일 확률을 각각 구하기**

두 점 사이의 거리가 $\sqrt{2}$인 경우의 수는 정사각형의 대각선의 수가 같으므로 $6\times2=12$이고 두 점 사이의 거리가 $\sqrt{3}$인 경우의 수는 정육면체의 대각선의 수와 같으므로 4이다.

$\mathrm{P}(A)=\frac{12}{28}=\frac{3}{7}$, $\mathrm{P}(B)=\frac{4}{28}=\frac{1}{7}$

STEP Ⓒ **두 사건 A, B가 서로 배반임을 이용하여 $\mathrm{P}(A\cup B)$ 구하기**

이때 두 사건 A, B는 서로 배반사건이므로 구하는 확률은

$\mathrm{P}(A\cup B)=\mathrm{P}(A)+\mathrm{P}(B)=\frac{3}{7}+\frac{1}{7}=\frac{4}{7}$

다른풀이 여사건을 이용하여 풀이하기

STEP Ⓐ **모든 경우의 수 구하기**

정육면체의 8개의 꼭짓점 중에서 서로 다른 두 꼭짓점을 택하는 경우의 수는 ${}_8\mathrm{C}_2=28$

STEP Ⓑ **사건 A의 여사건 A^C에 대하여 $\mathrm{P}(A)=1-\mathrm{P}(A^C)$임을 이용하여 구하기**

두 점 사이의 거리가 $\sqrt{2}$ 이상인 사건을 A라 하면
A의 여사건 A^C는 두 점 사이의 거리가 $\sqrt{2}$ 미만, 즉 1인 사건이다.
이때 두 점 사이의 거리가 1인 경우의 수는 정육면체의 모서리의 수와 같으므로 12

$\mathrm{P}(A^C)=\frac{12}{28}=\frac{3}{7}$

따라서 구하는 확률은 $\mathrm{P}(A)=1-\mathrm{P}(A^C)=1-\frac{3}{7}=\frac{4}{7}$

정답 ③

0596

정답 ③

STEP A 모든 경우의 수 구하기

주머니에서 갑이 2장의 카드를 임의로 뽑고 을이 남은 2장의 카드 중에서 1장의 카드를 임의로 뽑는 방법의 수는 ${}_4C_2 \times {}_2C_1 = 12$

STEP B 갑이 뽑은 2장의 카드에 적힌 수의 곱이 을이 뽑은 카드에 적힌 수보다 작을 경우의 수 구하기

이때 갑이 뽑은 2장의 카드에 적힌 수의 곱을 a,
을이 뽑은 1장의 카드에 적힌 수를 b라 하면
$a < b$를 만족하는 경우는 다음과 같다.

(i) 을이 뽑은 한 장의 카드가 $b=3$일 때의 사건을 A라 하면
갑이 뽑은 2장의 카드에 적힌 수의 곱은
$a=2(=1\times 2)$이므로 경우의 수는 1
이때의 확률은 $\mathrm{P}(A)=\frac{1}{12}$

(ii) 을이 뽑은 한 장의 카드가 $b=4$일 때의 사건을 B라 하면
갑이 뽑은 2장의 카드에 적힌 수의 곱은
$a=2(=1\times 2)$ 또는 $a=3(=1\times 3)$이므로 경우의 수는 2
이때의 확률은 $\mathrm{P}(B)=\frac{2}{12}=\frac{1}{6}$

STEP C 두 사건 A, B가 서로 배반임을 이용하여 $\mathrm{P}(A\cup B)$ 구하기

(i), (ii)에서 두 사건 A와 B는 서로 배반사건이므로 구하는 확률은
$\mathrm{P}(A\cup B)=\mathrm{P}(A)+\mathrm{P}(B)=\frac{1}{12}+\frac{1}{6}=\frac{1}{4}$

참고

을이 뽑은 수	3	4	4
갑이 뽑은 수	1, 2	1, 2	1, 3

내/신/연/계/ 출제문항 270

주머니 안에 1, 2, 3, 4, 5의 숫자가 하나씩 적혀 있는 5장의 카드가 있다. 주머니에서 갑이 먼저 1장의 카드를 뽑은 후, 을이 남은 4장의 카드 중에서 2장의 카드를 뽑았다. 을이 뽑은 2장의 카드에 적힌 수의 합이 갑이 뽑은 1장의 카드에 적힌 수보다 작거나 같을 확률을 $\frac{q}{p}$라고 할 때, $p+q$의 값은? (단, p와 q는 서로소이다.)

① 35 ② 37 ③ 39
④ 41 ⑤ 43

STEP A 모든 경우의 수 구하기

나올 수 있는 모든 경우의 수는 ${}_5C_1 \times {}_4C_2 = 30$

STEP B 을이 뽑은 2장의 카드에 적힌 수의 합이 갑이 뽑은 1장의 카드에 적힌 수보다 작거나 같은 경우의 수 구하기

이때 두 장의 카드의 수의 합은 3 이상 9 이하이므로
갑이 1 또는 2를 뽑는 경우, 주어진 조건을 만족시키는 경우는 없다.
즉 을이 뽑는 2장의 카드의 수의 합이 갑이 3, 4, 5가 적힌 카드를 뽑는 경우의 수를 표로 만들면 다음과 같다.

갑	을
3	(1, 2) ⬅1가지
4	(1, 2), (1, 3) ⬅2가지
5	(1, 2), (1, 3), (1, 4), (2, 3) ⬅4가지

따라서 구하는 확률은 $\frac{1}{30}+\frac{2}{30}+\frac{4}{30}=\frac{7}{30}$이므로 $p+q=37$

②

0597

정답 ②

STEP A 모든 경우의 수 구하기

갑이 주머니 A에서 두 장의 카드를 꺼내고 을이 주머니 B에서 두 장의 카드를 꺼내는 경우의 수는 ${}_4C_2 \times {}_4C_2 = 36$

STEP B 갑이 가진 두 장의 카드에 적힌 수의 합과 을이 가진 두 장의 카드에 적힌 수의 합이 같은 경우의 수 구하기

갑이 가진 두 장의 카드에 적힌 수의 합과 을이 가진 두 장의 카드에 적힌 수의 합이 같은 경우는 다음과 같다.

(i) 갑과 을이 꺼낸 두 장의 카드에 적힌 숫자가 모두 같은 경우의 사건을 A라 하면
갑이 카드를 꺼내는 경우의 수는 ${}_4C_2=6$
을이 갑과 같은 카드를 꺼내는 경우의 수는 1
이때의 확률은 $\mathrm{P}(A)=\frac{6\times 1}{36}=\frac{1}{6}$

(ii) 갑과 을이 꺼낸 두 장의 카드에 적힌 숫자는 다르지만 합이 5인 경우의 사건을 B라 하면
갑이 1과 4가 적힌 카드를 꺼내고 을은 2와 3이 적힌 카드를 꺼내거나
갑이 2와 3이 적힌 카드를 꺼내고 을은 1과 4가 적힌 카드를 꺼낼 때,
경우의 수는 2
이때의 확률은 $\mathrm{P}(B)=\frac{2}{36}=\frac{1}{18}$

(i), (ii)에서 두 사건 A와 B는 서로 배반사건이므로 확률의 덧셈정리에 의하여 구하는 확률은 $\mathrm{P}(A\cup B)=\mathrm{P}(A)+\mathrm{P}(B)=\frac{1}{6}+\frac{1}{18}=\frac{2}{9}$
따라서 $p=9$, $q=2$이므로 $p+q=9+2=11$

다른풀이 직접 표를 이용하여 풀이하기

갑과 을이 각각의 주머니에서 두 장의 카드를 꺼내는 전체 경우의 수는 각각 ${}_4C_2=6$가지

갑이 두 장의 카드를 꺼내는 경우	을이 두 장의 카드를 꺼내는 경우	합	갑과 을이 두 장의 카드에 적힌 수의 합이 같을 확률
(1, 2)	(1, 2)	3	$\frac{1}{6}\times\frac{1}{6}=\frac{1}{36}$
(1, 3)	(1, 3)	4	$\frac{1}{6}\times\frac{1}{6}=\frac{1}{36}$
(1, 4)	(1, 4)	5	$\frac{2}{6}\times\frac{2}{6}=\frac{4}{36}$
(2, 3)	(2, 3)		
(2, 4)	(2, 4)	6	$\frac{1}{6}\times\frac{1}{6}=\frac{1}{36}$
(3, 4)	(3, 4)	7	$\frac{1}{6}\times\frac{1}{6}=\frac{1}{36}$
6가지	6가지		

따라서 갑이 가진 두 장의 카드에 적힌 수의 합과 을이 가진 두 장의 카드에 적힌 수의 합이 같을 확률은 $\frac{1}{36}+\frac{1}{36}+\frac{4}{36}+\frac{1}{36}+\frac{1}{36}=\frac{8}{36}=\frac{2}{9}$

0598

정답 ③

STEP A 각 사건의 확률 구하기

5개의 수 중에서 2개를 선택하는 경우의 수는 ${}_5C_2=10$

a, b가 모두 홀수인 사건을 A, a, b가 모두 짝수인 사건을 B라 하면

$\mathrm{P}(A)=\frac{{}_3C_2}{{}_5C_2}=\frac{3}{10}$, $\mathrm{P}(B)=\frac{{}_2C_2}{{}_5C_2}=\frac{1}{10}$

STEP B 두 사건 A, B가 서로 배반임을 이용하여 $\mathrm{P}(A\cup B)$ 구하기

따라서 두 사건 A, B는 서로 배반사건이므로 구하는 확률은

$\mathrm{P}(A\cup B)=\mathrm{P}(A)+\mathrm{P}(B)=\frac{3}{10}+\frac{1}{10}=\frac{4}{10}=0.4$

0599

정답 ⑤

STEP A 모든 경우의 수 구하기

9개의 공이 들어있는 주머니에서 임의로 3개의 공을 동시에 꺼내는 경우의 수는 ${}_9C_3=84$

STEP B 세 자리의 자연수의 합이 짝수가 되는 경우의 수 구하기

주머니에서 꺼낸 3개의 공에 적혀있는 세 수의 합이 짝수인 경우는 (홀수, 홀수, 짝수), (짝수, 짝수, 짝수)의 두 가지 경우이다.

3개의 공에 적혀 있는 세 수의 합이 짝수가 되는 경우는

(i) (홀수, 홀수, 짝수)인 사건을 A라 하면
1, 3, 5, 7, 9가 적힌 공 중에서 두 개를 꺼내고
2, 4, 6, 8이 적힌 공 중에서 하나를 꺼내면 되므로 경우의 수는
${}_5C_2\times{}_4C_1=40$

(ii) (짝수, 짝수, 짝수)인 사건을 B라 하면
2, 4, 6, 8이 적힌 공 중에서 세 개를 꺼내면 되므로 경우의 수는
${}_4C_3=4$

STEP C 두 사건 A, B가 서로 배반임을 이용하여 $\mathrm{P}(A\cup B)$ 구하기

(i), (ii)에 의해 두 사건 A, B는 서로 배반사건이므로 구하는 확률은

$\mathrm{P}(A\cup B)=\mathrm{P}(A)+\mathrm{P}(B)=\frac{{}_5C_2\times{}_4C_1}{{}_9C_3}+\frac{{}_4C_3}{{}_9C_3}=\frac{40}{84}+\frac{4}{84}=\frac{11}{21}$

내/신/연/계/ 출제문항 271

1부터 10까지의 자연수가 쓰여 있는 10장의 카드가 있다. 이 중에서 임의로 세 장의 카드를 택할 때, 이 카드에 쓰여 있는 세 수의 합이 홀수일 확률은?

① $\frac{1}{2}$ ② $\frac{1}{3}$ ③ $\frac{2}{3}$
④ $\frac{1}{4}$ ⑤ $\frac{3}{4}$

STEP A 각 사건의 확률 구하기

10장의 카드에서 3장의 카드를 택하는 경우의 수는 ${}_{10}C_3=120$

(홀수, 홀수, 홀수)인 경우의 사건을 A,

(홀수, 짝수, 짝수)인 경우의 사건을 B라 하면

$\mathrm{P}(A)=\frac{{}_5C_3}{{}_{10}C_3}=\frac{10}{120}$, $\mathrm{P}(B)=\frac{{}_5C_1\times{}_5C_2}{{}_{10}C_3}=\frac{50}{120}$

STEP B 두 사건 A, B가 서로 배반임을 이용하여 $\mathrm{P}(A\cup B)$ 구하기

이때 두 사건 A, B는 서로 배반사건이므로

$\mathrm{P}(A\cup B)=\mathrm{P}(A)+\mathrm{P}(B)=\frac{10}{120}+\frac{50}{120}=\frac{1}{2}$

정답 ①

0600

정답 ⑤

STEP A 각 사건의 확률 구하기

a와 b가 짝수이고 1부터 7까지의 자연수 중에서 짝수의 개수가 3개이므로 다음 두 가지로 나눌 수 있다.

(i) 선택한 수가 짝수 1개, 홀수 2개인 경우
이 사건을 A라 하면 $\mathrm{P}(A)=\frac{{}_3C_1\times{}_4C_2}{{}_7C_3}=\frac{18}{35}$

(ii) 선택한 수가 짝수 2개, 홀수 1개인 경우
이 사건을 B라 하면 $\mathrm{P}(B)=\frac{{}_3C_2\times{}_4C_1}{{}_7C_3}=\frac{12}{35}$

STEP B 두 사건 A, B가 서로 배반임을 이용하여 $\mathrm{P}(A\cup B)$ 구하기

(i), (ii)에 의해 두 사건 A, B는 서로 배반사건이므로 구하는 확률은

$\mathrm{P}(A\cup B)=\mathrm{P}(A)+\mathrm{P}(B)=\frac{18}{35}+\frac{12}{35}=\frac{6}{7}$

다른풀이 여사건을 이용하여 풀이하기

STEP A 모든 경우의 수 구하기

1부터 7까지의 자연수 중에서
홀수는 1, 3, 5, 7로 4가지, 짝수는 2, 4, 6으로 3가지이다.
전체 경우의 수는 1부터 7까지의 자연수 중 3개의 수를 뽑는 경우의 수이므로 ${}_7C_3=35$

STEP B 여사건의 경우의 수 구하기

선택된 3개의 수의 곱과 선택되지 않은 4개의 수의 곱이 모두 짝수이려면 선택된 3개의 수와 선택되지 않은 4개의 수 모두 적어도 하나의 짝수를 가져야 한다.

이 사건의 여사건은 선택된 3개의 수가 모두 홀수이거나 선택되지 않은 4개의 수 모두 홀수인 경우이다.

(i) 선택된 3개의 수가 모두 홀수인 경우의 확률
홀수 1, 3, 5, 7 중 3개의 수를 뽑는 경우가 ${}_4C_3=4$이므로
확률은 $\frac{4}{35}$

(ii) 선택되지 않은 4개의 수가 모두 홀수인 경우의 확률
홀수 1, 3, 5, 7 중 4개의 수를 뽑는 경우가 ${}_4C_4=1$이므로
확률은 $\frac{1}{35}$

(i), (ii)가 배반사건이므로 $\frac{4}{35}+\frac{1}{35}=\frac{5}{35}=\frac{1}{7}$

따라서 구하는 확률은 $1-\frac{1}{7}=\frac{6}{7}$

내신연계 출제문항 272

7개의 숫자

$1, 2, 3, 4, 5, 6, 7$

이 각각 하나씩 적혀 있는 7장의 카드 중에서 임의로 3장의 카드를 동시에 선택할 때, 선택된 3장의 카드에 적혀 있는 모든 수의 곱이 8로 나누어 떨어질 확률은?

① $\frac{1}{7}$ ② $\frac{6}{35}$ ③ $\frac{1}{5}$
④ $\frac{8}{35}$ ⑤ $\frac{9}{35}$

STEP A 모든 경우의 수 구하기

7장의 카드 중에서 임의로 3장의 카드를 동시에 선택하는 모든 경우의 수는 ${}_7C_3=35$

STEP B 모든 수의 곱이 8로 나누어 떨어지는 확률 구하기

선택된 3장의 카드에 적혀 있는 모든 수의 곱이 8로 나누어 떨어지는 경우는 다음과 같다.

(ⅰ) 2, 4의 카드 2장과 홀수의 카드 1장을 선택하는 사건을 A라 하면

$$\mathrm{P}(A)=\frac{{}_4C_1}{{}_7C_3}=\frac{4}{35}$$

(ⅱ) 4, 6의 카드 2장과 홀수의 카드 1장을 선택하는 사건을 B라 하면

$$\mathrm{P}(B)=\frac{{}_4C_1}{{}_7C_3}=\frac{4}{35}$$

(ⅲ) 2, 4, 6이 적혀 있는 카드 3장을 선택하는 사건을 C라 하면

$$\mathrm{P}(C)=\frac{1}{{}_7C_3}=\frac{1}{35}$$

STEP C 사건 A, B, C가 서로 배반임을 이용하여 $\mathrm{P}(A\cup B\cup C)$ 구하기

(ⅰ)~(ⅲ)에서 사건 A, B, C는 서로 배반사건이므로

$$\mathrm{P}(A\cup B\cup C)=\mathrm{P}(A)+\mathrm{P}(B)+\mathrm{P}(C)=\frac{4}{35}+\frac{4}{35}+\frac{1}{35}=\frac{9}{35}$$

 ⑤

0601

 ③

STEP A 각 사건의 확률 구하기

10명의 학생 중에서 2명을 선택하는 경우의 수는 ${}_{10}C_2=45$

공연할 학생 2명이 같은 학년의 학생이 되는 경우는 다음과 같다.

모두 1학년인 사건을 A,

모두 2학년인 사건을 B,

모두 3학년인 사건을 C라 하면

$$\mathrm{P}(A)=\frac{{}_4C_2}{{}_{10}C_2}=\frac{2}{15},\ \mathrm{P}(B)=\frac{{}_3C_2}{{}_{10}C_2}=\frac{1}{15},\ \mathrm{P}(C)=\frac{{}_3C_2}{{}_{10}C_2}=\frac{1}{15}$$

STEP B 세 사건 A, B, C가 서로 배반임을 이용하여 $\mathrm{P}(A\cup B\cup C)$ 구하기

따라서 세 사건 A, B, C는 서로 배반사건이므로 구하는 확률은

$$\mathrm{P}(A\cup B\cup C)=\mathrm{P}(A)+\mathrm{P}(B)+\mathrm{P}(C)=\frac{2}{15}+\frac{1}{15}+\frac{1}{15}=\frac{4}{15}$$

내신연계 출제문항 273

한국사람 4명, 중국사람 2명, 일본사람 3명 중에서 3명의 대표를 선발할 때, 3명의 대표가 모두 같은 나라의 사람일 확률은?

① $\frac{1}{84}$ ② $\frac{1}{34}$ ③ $\frac{5}{84}$
④ $\frac{7}{84}$ ⑤ $\frac{9}{84}$

STEP A 각 사건의 확률 구하기

9명 중에서 3명을 선택하는 경우의 수는 ${}_9C_3=84$

모두 한국 사람일 사건을 A,

모두 중국 사람일 사건을 B,

모두 일본 사람일 사건을 C라고 하면

$$\mathrm{P}(A)=\frac{{}_4C_3}{{}_9C_3}=\frac{4}{84},\ \mathrm{P}(B)=0,\ \mathrm{P}(C)=\frac{{}_3C_3}{{}_9C_3}=\frac{1}{84}$$

STEP B 사건 A, B, C가 서로 배반임을 이용하여 $\mathrm{P}(A\cup B\cup C)$ 구하기

이때 세 사건 A, B, C는 서로 배반사건이므로

$$\mathrm{P}(A\cup B\cup C)=\mathrm{P}(A)+\mathrm{P}(B)+\mathrm{P}(C)=\frac{4}{84}+0+\frac{1}{84}=\frac{5}{84}$$

 ③

0602

 ⑤

STEP A 세 가지 색깔의 공이 모두 포함되는 확률 구하기

전체 8개의 공 중에서 4개의 공을 꺼내는 경우의 수는 ${}_8C_4=70$

주머니에서 4개의 공을 꺼낼 때, 세 가지 색의 공이 모두 나오는 경우는 다음과 같다.

(ⅰ) 빨간 공 2개, 노란 공 1개, 파란 공 1개가 들어있는 사건 A

$$\mathrm{P}(A)=\frac{{}_3C_2\times{}_3C_1\times{}_2C_1}{{}_8C_4}=\frac{18}{70}$$

(ⅱ) 빨간 공 1개, 노란 공 2개, 파란 공 1개가 들어있는 사건 B

$$\mathrm{P}(B)=\frac{{}_3C_1\times{}_3C_2\times{}_2C_1}{{}_8C_4}=\frac{18}{70}$$

(ⅲ) 빨간 공 1개, 노란 공 1개, 파란 공 2개가 들어있는 사건 C

$$\mathrm{P}(C)=\frac{{}_3C_1\times{}_3C_1\times{}_2C_2}{{}_8C_4}=\frac{9}{70}$$

STEP B 사건 A, B, C가 서로 배반임을 이용하여 $\mathrm{P}(A\cup B\cup C)$ 구하기

(ⅰ)~(ⅲ)에서 세 사건 A, B, C는 서로 배반사건이므로

$$\mathrm{P}(A\cup B\cup C)=\mathrm{P}(A)+\mathrm{P}(B)+\mathrm{P}(C)=\frac{18}{70}+\frac{18}{70}+\frac{9}{70}=\frac{9}{14}$$

내신연계 출제문항 274

주머니 속에 흰 공 3개, 빨간 공 4개, 검은 공 2개가 들어 있다. 이 상자에서 임의로 4개의 공을 동시에 꺼낼 때, 세 가지 색깔의 공이 모두 포함될 확률은?

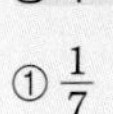
① $\frac{1}{7}$ ② $\frac{2}{7}$

③ $\frac{3}{7}$ ④ $\frac{4}{7}$

⑤ $\frac{5}{7}$

STEP Ⓐ **모든 경우의 수 구하기**

전체 9개의 공 중에서 4개의 공을 꺼내는 경우의 수는 ${}_9C_4=126$

STEP Ⓑ **세 가지 색깔의 공이 모두 포함되는 확률 구하기**

(i) 흰 공 2개, 빨간 공 1개, 검은 공 1개를 꺼낼 확률은 사건 A

$P(A)=\frac{{}_3C_2\times{}_4C_1\times{}_2C_1}{126}=\frac{4}{21}$

(ii) 흰 공 1개, 빨간 공 2개, 검은 공 1개를 꺼낼 확률은 사건 B

$P(B)=\frac{{}_3C_1\times{}_4C_2\times{}_2C_1}{126}=\frac{2}{7}$

(iii) 흰 공 1개, 빨간 공 1개, 검은 공 2개를 꺼낼 확률은 사건 C

$P(C)=\frac{{}_3C_1\times{}_4C_1\times{}_2C_2}{126}=\frac{2}{21}$

STEP Ⓒ **사건 A, B, C가 서로 배반임을 이용하여 $P(A\cup B\cup C)$ 구하기**

(i)~(iii)에서 세 사건 A, B, C는 서로 배반사건이므로

$P(A\cup B\cup C)=P(A)+P(B)+P(C)=\frac{4}{21}+\frac{2}{7}+\frac{2}{21}=\frac{4}{7}$

정답 ④

0603

정답 ②

STEP Ⓐ **모든 경우의 수 구하기**

임의로 3개의 공을 꺼내는 경우의 수는 ${}_9C_3=84$

STEP Ⓑ **$b\le 4$일 확률 구하기**

(i) $b=2$일 때, 사건을 A라 하면

a, c가 될 수 있는 경우의 수는 각각 ${}_1C_1$, ${}_7C_1$이므로

(a, b, c)가 될 수 있는 경우의 수는 ${}_1C_1\times{}_7C_1=7$

이때의 확률은 $P(A)=\frac{7}{84}=\frac{1}{12}$

(ii) $b=3$일 때, 사건을 B라 하면

a, c가 될 수 있는 경우의 수는 각각 ${}_2C_1$, ${}_6C_1$이므로

(a, b, c)가 될 수 있는 경우의 수는 ${}_2C_1\times{}_6C_1=12$

이때의 확률은 $P(B)=\frac{12}{84}=\frac{1}{7}$

(iii) $b=4$일 때, 사건을 C라 하면

a, c가 될 수 있는 경우의 수는 각각 ${}_3C_1$, ${}_5C_1$이므로

(a, b, c)가 될 수 있는 경우의 수는 ${}_3C_1\times{}_5C_1=15$

이때의 확률은 $P(C)=\frac{15}{84}=\frac{5}{28}$

STEP Ⓒ **사건 A, B, C가 서로 배반임을 이용하여 $P(A\cup B\cup C)$ 구하기**

(i)~(iii)에서 세 사건 A, B, C는 서로 배반사건이므로

$P(A\cup B\cup C)=P(A)+P(B)+P(C)=\frac{1}{12}+\frac{1}{7}+\frac{5}{28}=\frac{34}{84}=\frac{17}{42}$

0604

정답 ③

STEP Ⓐ **각 사건의 확률을 구하여 6개의 공의 합이 홀수일 확률 구하기**

12개의 공 중에서 임의로 6개의 공을 뽑는 경우의 수는 ${}_{12}C_6=924$

1부터 12까지의 자연수 중 홀수는 6개, 짝수는 6개이므로

공에 적힌 수의 합이 홀수이려면 홀수가 적힌 공이 홀수개 있어야 한다.

(i) 홀수가 적힌 공이 1개, 짝수가 적힌 공이 5개인 경우의 사건을 A라 하면

확률은 $P(A)=\frac{{}_6C_1\times{}_6C_5}{{}_{12}C_6}=\frac{36}{924}$

(ii) 홀수가 적힌 공이 3개, 짝수가 적힌 공이 3개인 경우의 사건을 B라 하면

확률은 $P(B)=\frac{{}_6C_3\times{}_6C_3}{{}_{12}C_6}=\frac{400}{924}$

(iii) 홀수가 적힌 공이 5개, 짝수가 적힌 공이 1개인 경우의 사건을 C라 하면

확률은 $P(C)=\frac{{}_6C_5\times{}_6C_1}{{}_{12}C_6}=\frac{36}{924}$

STEP Ⓑ **두 사건 A, B가 서로 배반임을 이용하여 $P(A\cup B)$ 구하기**

(i) ~(ii)에 의해 세사건 A, B, C는 서로 배반사건이므로 구하는 확률은

$P(A\cup B\cup C)=\frac{36}{924}+\frac{400}{924}+\frac{36}{924}=\frac{472}{924}=\frac{118}{231}$

따라서 $p=118$, $q=231$이므로 $p+q=349$

0605

정답 ①

STEP Ⓐ **주어진 상자를 3번 던져 나온 수 나타내기**

세 번 던져 나온 수를 차례로 (a, b, c)라 표시하면 첫 번째와 두 번째 나온 수의 합이 4이고 세 번째 나온 수가 홀수가 되는 경우의 확률은 다음과 같다.

전체 경우의 수는 6^3

1회	2회	3회
1	3	홀수
2	2	홀수
3	1	홀수

(i) (1, 3, 홀수)가 나오는 경우의 사건을 A라 하면

확률은 $P(A)=\frac{{}_3C_1\times{}_1C_1\times{}_4C_1}{6^3}=\frac{1}{18}$

(ii) (2, 2, 홀수)가 나오는 경우의 사건을 B라 하면

확률은 $P(B)=\frac{{}_2C_1\times{}_2C_1\times{}_4C_1}{6^3}=\frac{2}{27}$

(iii) (3, 1, 홀수)가 나오는 경우의 사건을 C라 하면

확률은 $P(C)=\frac{{}_1C_1\times{}_3C_1\times{}_4C_1}{6^3}=\frac{1}{18}$

STEP Ⓑ **세 사건이 서로 배반사건임을 이용하여 확률 구하기**

(i)~(iii)에서 세 사건 A, B, C는 서로 배반사건이므로

$P(A\cup B\cup C)=P(A)+P(B)+P(C)=\frac{1}{18}+\frac{2}{27}+\frac{1}{18}=\frac{5}{27}$

03 STEP 1 내신정복기출유형 여사건의 확률

0606

 ③

STEP Ⓐ **사건 A와 여사건 A^c가 서로 배반임을 이용하여 구하기**

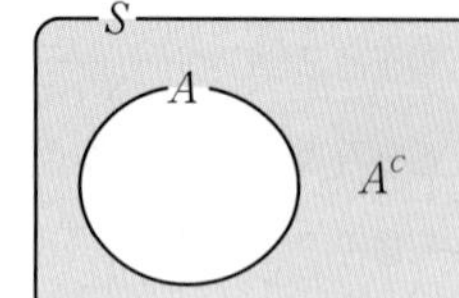

사건 A와 그 여사건 A^c는 서로 배반 사건이므로 확률의 덧셈정리에 의하여
$P(A\cup A^c)=P(A)+P(A^c)$이다.
그런데 $P(A\cup A^c)=P(S)=1$
이므로 $P(A)+P(A^c)=1$
즉 $P(A^c)=1-P(A)$가 성립한다.
따라서 알맞은 것은 (가) : 배반, (나) : A, (다) : 1

0607

 ④

STEP Ⓐ **확률의 덧셈정리를 이용하여 $P(A\cap B)$ 구하기**

$P(A\cap B)=P(A)+P(B)-P(A\cup B)=\frac{1}{3}+\frac{2}{5}-\frac{7}{12}=\frac{3}{20}$

STEP Ⓑ **여사건의 확률을 이용하여 $P(A^c\cup B^c)$ 구하기**

따라서 $P(A^c\cup B^c)=1-P(A\cap B)=1-\frac{3}{20}=\frac{17}{20}$

0608

 ②

STEP Ⓐ **$P(A\cup B)=P(A)+P(B)-P(A\cap B)$임을 이용하기**

$P(A\cup B)=P(A)+P(B)-P(A\cap B)$이므로

$\frac{1}{2}=\frac{1}{4}+P(B)-\frac{1}{6}$ $\therefore P(B)=\frac{5}{12}$

STEP Ⓑ **$P(B^c)=1-P(B)$임을 이용하기**

따라서 $P(B^c)=1-P(B)=\frac{7}{12}$

내/신/연/계/ 출제문항 275

두 사건 A, B에 대하여

$$P(A\cup B)=1,\ P(B)=\frac{1}{3},\ P(A\cap B)=\frac{1}{6}$$

일 때, $P(A^c)$의 값은? (단, A^c은 A의 여사건이다.)

① $\frac{1}{3}$ ② $\frac{1}{4}$ ③ $\frac{1}{5}$
④ $\frac{1}{6}$ ⑤ $\frac{1}{7}$

STEP Ⓐ **$P(A\cup B)=P(A)+P(B)-P(A\cap B)$임을 이용하기**

$P(A\cup B)=P(A)+P(B)-P(A\cap B)$에서

$1=P(A)+\frac{1}{3}-\frac{1}{6}$ $\therefore P(A)=\frac{5}{6}$

STEP Ⓑ **$P(A^c)=1-P(A)$임을 이용하기**

따라서 $P(A^c)=1-P(A)=1-\frac{5}{6}=\frac{1}{6}$

 ④

참고 $P(A\cup B)=1$이므로 $P(A^c)=P(B-A)=P(B)-P(A\cap B)=\frac{1}{3}-\frac{1}{6}=\frac{1}{6}$

0609

 ②

STEP Ⓐ **$P(A^c\cup B^c)=1-P(A\cap B)$임을 이용하기**

$P(A^c\cup B^c)=P((A\cap B)^c)=1-P(A\cap B)=\frac{4}{5}$

$\therefore P(A\cap B)=\frac{1}{5}$

STEP Ⓑ **$P(A\cap B^c)=P(A)-P(A\cap B)$임을 이용하여 $P(A)$ 구하기**

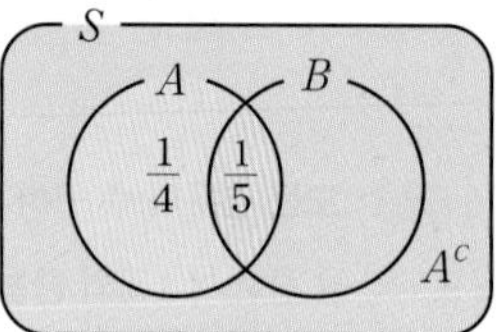

$P(A\cap B^c)=\frac{1}{4}$이므로

$P(A)=P(A\cap B)+P(A\cap B^c)$
$=\frac{1}{5}+\frac{1}{4}=\frac{9}{20}$

STEP Ⓒ **$P(A)$을 이용하여 $P(A^c)$ 구하기**

따라서 $P(A^c)=1-P(A)=1-\frac{9}{20}=\frac{11}{20}$

내/신/연/계/ 출제문항 276

두 사건 A, B에 대하여

$$P(A^c\cup B^c)=\frac{3}{5},\ P(A\cap B^c)=\frac{1}{4}$$

일 때, $P(A^c)$의 값은? (단, A^c은 A의 여사건이다.)

① $\frac{3}{10}$ ② $\frac{7}{20}$ ③ $\frac{2}{5}$
④ $\frac{9}{20}$ ⑤ $\frac{1}{2}$

STEP Ⓐ **$P(A^c\cup B^c)=1-P(A\cap B)$임을 이용하기**

$P(A^c\cup B^c)=P((A\cap B)^c)=1-P(A\cap B)=\frac{3}{5}$

$\therefore P(A\cap B)=\frac{2}{5}$

STEP Ⓑ **$P(A\cap B^c)=P(A)-P(A\cap B)$임을 이용하여 $P(A)$ 구하기**

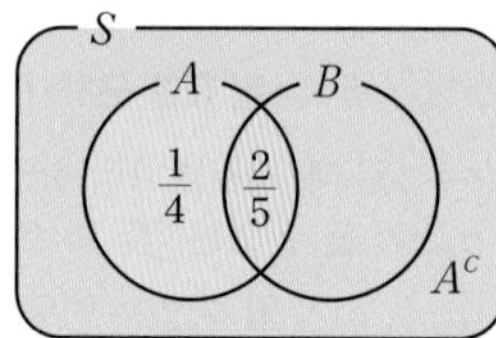

$P(A\cap B^c)=\frac{1}{4}$이므로

$P(A)=P(A\cap B)+P(A\cap B^c)$
$=\frac{2}{5}+\frac{1}{4}=\frac{13}{20}$

STEP Ⓒ **$P(A)$을 이용하여 $P(A^c)$ 구하기**

따라서 $P(A^c)=1-P(A)=1-\frac{13}{20}=\frac{7}{20}$

 ②

0610

정답 ②

STEP Ⓐ $P(A^c \cup B^c)=1-P(A \cap B)$**임을 이용하기**

$P(A^c \cup B^c)=P((A \cap B)^c)=1-P(A \cap B)=\frac{3}{4}$

$\therefore P(A \cap B)=\frac{1}{4}$

STEP Ⓑ $P(B \cap A^c)=P(B)-P(A \cap B)$**임을 이용하기**

$P(B \cap A^c)=\frac{1}{5}$이므로

$P(B)=P(A \cap B)+P(B \cap A^c)$

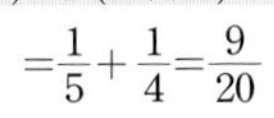

$=\frac{1}{5}+\frac{1}{4}=\frac{9}{20}$

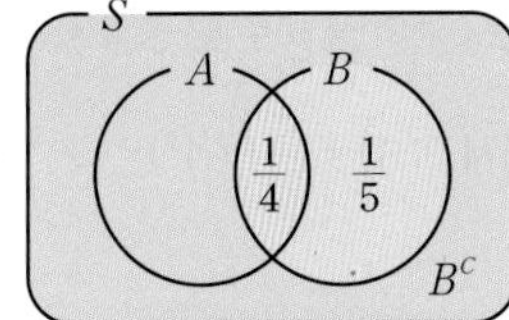

STEP Ⓒ $P(B^c)$ **구하기**

따라서 $P(B^c)=1-P(B)=\frac{11}{20}$

0611

②

STEP Ⓐ $P(A \cap B)+P(A \cap B^c)=P(A)$**을 이용하여 구하기**

두 사건 $A \cap B$, $A \cap B^c$은
서로 배반사건이므로
$P(A \cap B)+P(A \cap B^c)=P(A)$
⬅ $(A \cap B) \cup (A \cap B^c)=A$

따라서 $P(A)=\frac{2}{3}$, $P(A \cap B)=\frac{1}{4}$에서

$P(A \cap B^c)=P(A)-P(A \cap B)$

$=\frac{2}{3}-\frac{1}{4}=\frac{5}{12}$

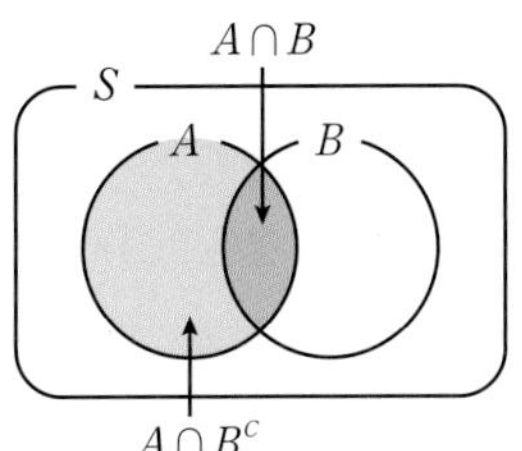

0612

④

STEP Ⓐ $P(A \cap B)+P(A \cap B^c)=P(A)$**을 이용하여 구하기**

$P(A)=P(A \cap B^c)+P(A \cap B)$에서

$P(A \cap B)=P(A)-P(A \cap B^c)$

$=\frac{1}{2}-\frac{1}{5}=\frac{3}{10}$

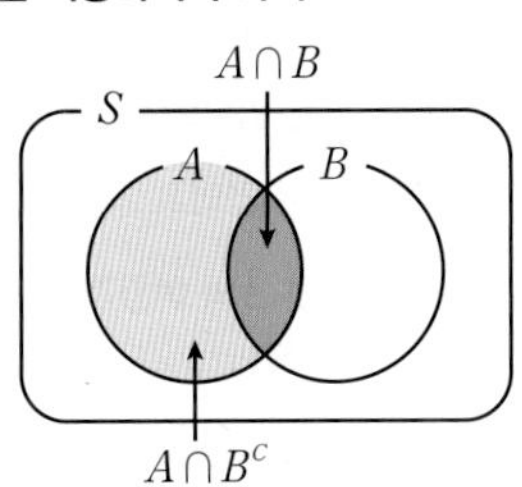

STEP Ⓑ $P(A^c \cup B^c)$**의 값 구하기**

따라서 $P(A^c \cup B^c)=1-P(A \cap B)=1-\frac{3}{10}=\frac{7}{10}$

내/신/연/계/ 출제문항 277

두 사건 A, B에 대하여

$$P(A)=\frac{3}{5},\ P(B)=\frac{3}{10},\ P(A \cup B)=\frac{7}{10}$$

일 때, $P(A^c \cup B^c)$의 값은? (단, A^c은 A의 여사건이다.)

① $\frac{7}{10}$　② $\frac{3}{4}$　③ $\frac{4}{5}$
④ $\frac{17}{20}$　⑤ $\frac{9}{10}$

STEP Ⓐ $P(A \cup B)=P(A)+P(B)-P(A \cap B)$**을 이용하여 구하기**

두 사건 A, B에 대하여 $P(A \cup B)=P(A)+P(B)-P(A \cap B)$

$P(A)=\frac{3}{5}$, $P(B)=\frac{3}{10}$, $P(A \cup B)=\frac{7}{10}$이므로

$\frac{7}{10}=\frac{3}{5}+\frac{3}{10}-P(A \cap B)$

$P(A \cap B)=\frac{1}{5}$

따라서 $P(A^c \cup B^c)$의 값은

$P(A^c \cup B^c)=1-P(A \cap B)=1-\frac{1}{5}=\frac{4}{5}$

정답 ③

0613

정답 ③

STEP Ⓐ $P(A \cap B^c)$**의 확률 구하기**

$P(A \cap B^c)=1-P(A^c \cup B)=1-\frac{2}{3}=\frac{1}{3}$

STEP Ⓑ $(A \cap B) \cup (A \cap B^c)=A$**임을 이용하여 구하기**

$A=(A \cap B) \cup (A \cap B^c)$이고
사건 $A \cap B$, $A \cap B^c$는
서로 배반사건이므로
$P(A)=P(A \cap B)+P(A \cap B^c)$

따라서 $P(A)=P(A \cap B)+P(A \cap B^c)$

$=\frac{1}{6}+\frac{1}{3}=\frac{1}{2}$

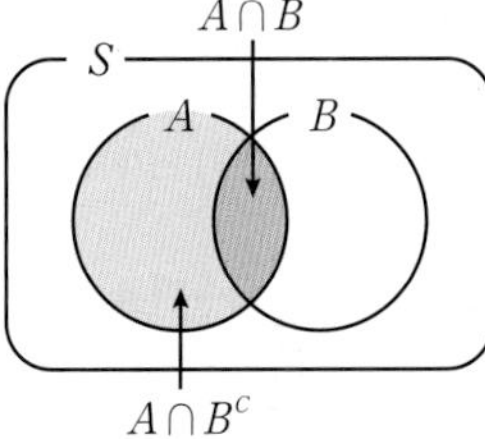

0614

②

STEP Ⓐ $P(A \cup B)=P(A)+P(A^c \cap B)$**을 이용하여 구하기**

$P(A^c)=\frac{2}{3}$이므로

$P(A)=1-\frac{2}{3}=\frac{1}{3}$

$A \cup B=A \cup (A^c \cap B)$이고

$A \cap (A^c \cap B)=\varnothing$이므로

$P(A \cup B)=P(A)+P(A^c \cap B)$

$=\frac{1}{3}+\frac{1}{4}=\frac{7}{12}$

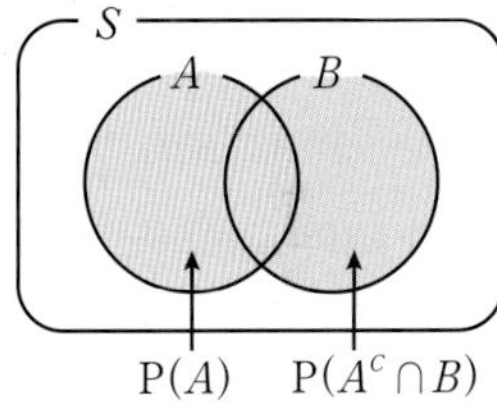

내/신/연/계/ 출제문항 278

두 사건 A, B에 대하여

$$P(A \cup B)=\frac{3}{4},\ P(A \cap B^c)=\frac{1}{6}$$

일 때, $P(B)$의 값은? (단, B^c은 B의 여사건이다.)

① $\frac{5}{12}$　② $\frac{1}{2}$　③ $\frac{7}{12}$
④ $\frac{2}{3}$　⑤ $\frac{3}{5}$

STEP Ⓐ $P(A \cup B)=P(A \cap B^c)+P(B)$**을 이용하여 구하기**

두 사건 A, B에 대하여 두 사건 $A \cap B^c$과 B는 서로 배반사건이고
그 합집합은 $A \cup B$이므로 $P(A \cup B)=P(A \cap B^c)+P(B)$에서

$\frac{3}{4}=\frac{1}{6}+P(B)$

따라서 $P(B)=\frac{3}{4}-\frac{1}{6}=\frac{7}{12}$

③

0615

정답 ①

STEP Ⓐ $P(A\cup B)=P(A)+P(A^c\cap B)$을 이용하여 구하기

$A\cup(A^c\cap B)=A\cup B$이고

$A\cap(A^c\cap B)=\varnothing$

$P(A\cup B)=P(A)+P(A^c\cap B)$

이므로

$P(A)=P(A\cup B)-P(A^c\cap B)$

$=\frac{3}{4}-\frac{2}{3}=\frac{1}{12}$

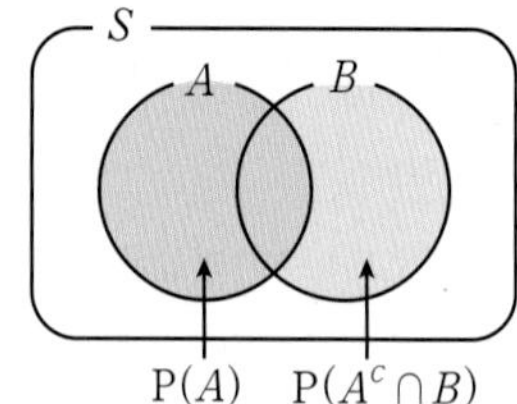

0616

정답 ②

STEP Ⓐ $P(A^c\cup B)=1-P(A\cap B^c)$을 이용하여 구하기

$P(A^c\cup B)=P((A\cap B^c)^c)=1-P(A\cap B^c)$ ······ ㉠

STEP Ⓑ $P(A)=P(A\cap B)+P(A\cap B^c)$을 이용하여 구하기

두 집합 $A\cap B$, $A\cap B^c$은 집합 A를 분할한 것이므로 표본공간을 S라고 하면 오른쪽 그림과 같다.

즉 $P(A)=P(A\cap B)+P(A\cap B^c)$

이므로

$P(A\cap B^c)=P(A)-P(A\cap B)$

$=\frac{2}{3}-\frac{1}{4}=\frac{5}{12}$

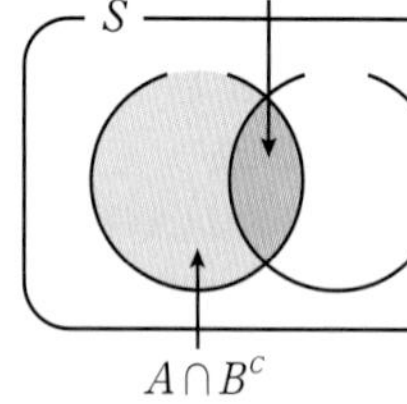

따라서 ㉠에서

$P(A^c\cup B)=1-P(A\cap B^c)=1-\frac{5}{12}=\frac{7}{12}$

내/신/연/계/ 출제문항 279

두 사건 A, B에 대하여

$$P(A\cap B^c)=\frac{1}{4},\ P(A^c\cap B^c)=\frac{1}{3}$$

일 때, $P(B)$의 값은? (단, A^c은 A의 여사건이다.)

① $\frac{1}{3}$ ② $\frac{5}{12}$ ③ $\frac{1}{2}$

④ $\frac{7}{12}$ ⑤ $\frac{2}{3}$

STEP Ⓐ $P(B)=P(A\cup B)-P(A\cap B^c)$을 이용하여 구하기

$P(A^c\cap B^c)=\frac{1}{3}$에서 $P((A\cup B)^c)=\frac{1}{3}$

$P(A\cup B)=1-P((A\cup B)^c)$

$=1-\frac{1}{3}=\frac{2}{3}$

따라서 $P(B)=P(A\cup B)-P(A\cap B^c)$

$=\frac{2}{3}-\frac{1}{4}=\frac{5}{12}$

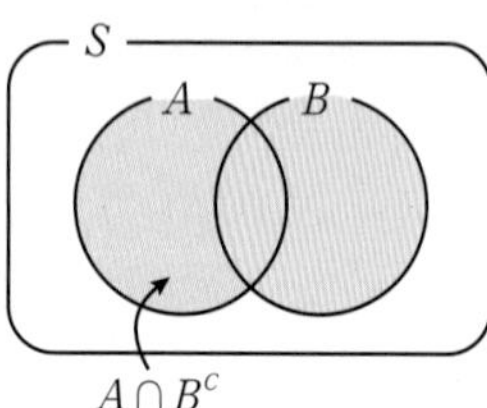

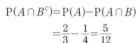

정답 ②

0617

정답 ⑤

STEP Ⓐ 모든 경우의 수 구하기

7개의 공 중에서 3개의 공을 꺼내는 경우의 수는 ${}_7C_3$

STEP Ⓑ 사건 A의 여사건 A^c에 대하여 $P(A)=1-P(A^c)$임을 이용하여 구하기

꺼낸 3개의 공 중에서 적어도 한 개가 검은 공인 사건을 A라 하면

A^c는 3개의 공 모두 흰 공일 사건이므로 확률은 $P(A^c)=\frac{{}_4C_3}{{}_7C_3}=\frac{4}{35}$

따라서 $P(A)=1-P(A^c)=1-\frac{{}_4C_3}{{}_7C_3}=1-\frac{4}{35}=\frac{31}{35}$

0618

정답 ③

STEP Ⓐ 모든 경우의 수 구하기

8명의 학생 중에서 임의로 2명을 뽑는 경우의 수는 ${}_8C_2$

STEP Ⓑ 사건 A의 여사건 A^c에 대하여 $P(A)=1-P(A^c)$임을 이용하여 구하기

흥민과 강인 중에서 적어도 한 명이 뽑힐 사건을 A라 하면

A^c은 흥민과 강인 2명이 모두 뽑히지 않는 사건이므로

$P(A^c)=\frac{{}_6C_2}{{}_8C_2}=\frac{15}{28}$

따라서 구하는 확률은 $P(A)=1-P(A^c)=1-\frac{15}{28}=\frac{13}{28}$

내/신/연/계/ 출제문항 280

어느 공장에서 생산한 15개의 전구 중에 불량품이 2개가 있다고 한다.
이 15개의 전구 중에서 임의로 2개를 동시에 뽑을 때,
적어도 한 개가 불량품일 확률은?

① $\frac{9}{35}$ ② $\frac{3}{5}$ ③ $\frac{13}{28}$

④ $\frac{26}{35}$ ⑤ $\frac{27}{35}$

STEP Ⓐ 모든 경우의 수 구하기

15개 전구 중에서 임의로 2개를 뽑는 경우의 수는 ${}_{15}C_2$

STEP Ⓑ 사건 A의 여사건 A^c에 대하여 $P(A)=1-P(A^c)$임을 이용하여 구하기

15개의 전구 중에서 임의로 2개를 동시에 뽑을 때,
적어도 한 개가 불량품일 사건을 A라 하면
여사건 A^c은 불량품이 한 개도 없을 사건이므로

$P(A^c)=\frac{{}_{13}C_2}{{}_{15}C_2}=\frac{26}{35}$

따라서 구하는 확률은 $P(A)=1-P(A^c)=1-\frac{26}{35}=\frac{9}{35}$

정답 ①

0619

정답 ⑤

STEP A 모든 경우의 수 구하기

8가지 원두 중에서 임의로 2가지를 뽑는 경우의 수는 ${}_8C_2$

STEP B 사건 A의 여사건 A^C에 대하여 $P(A)=1-P(A^C)$임을 이용하여 구하기

택한 원두 중에서 적어도 1가지는 케냐산인 사건을 A라고 하면
그 여사건 A^C은 2가지 모두 콜롬비아산인 사건이므로

$P(A^C)=\frac{{}_2C_2}{{}_8C_2}=\frac{1}{28}$

따라서 구하는 확률은 $P(A)=1-P(A^C)=\frac{27}{28}$

0620

정답 ①

STEP A 모든 경우의 수 구하기

10명의 탁구선수 중에서 임의로 3명을 뽑는 경우의 수는 ${}_{10}C_3$

STEP B 사건 A의 여사건 A^C에 대하여 $P(A)=1-P(A^C)$임을 이용하여 구하기

A, B, C 중 적어도 2명이 뽑히는 사건을 A라 하면
여사건 A^C는 A, B, C 중 어느 누구도 뽑히지 않거나 이들 세 명 중 한 명만 뽑히는 사건이다.
A, B, C 중 어느 누구도 뽑히지 않는 경우의 수는 ${}_7C_3$
A, B, C 중 한 명만 뽑히는 경우의 수는 ${}_3C_1\times{}_7C_2$이므로

$P(A^C)=\frac{{}_7C_3+{}_3C_1\times{}_7C_2}{{}_{10}C_3}=\frac{35+63}{120}=\frac{98}{120}$

따라서 구하는 확률은 $P(A)=1-P(A^C)=1-\frac{98}{120}=\frac{22}{120}=\frac{11}{60}$

다른풀이 배반사건을 이용하여 풀이하기

STEP A 모든 경우의 수 구하기

10명의 탁구선수 중에서 임의로 3명을 뽑는 경우의 수는 ${}_{10}C_3$

STEP B 배반사건을 이용하여 구하기

(i) A, B, C 중 2명을 뽑는 경우의 확률은 $\frac{{}_3C_2\times{}_7C_1}{{}_{10}C_3}=\frac{21}{120}$

(ii) A, B, C 3명을 뽑는 경우의 확률은 $\frac{{}_3C_3}{{}_{10}C_3}=\frac{1}{120}$

(i), (ii)가 서로 배반사건이므로 구하는 확률은 $\frac{21}{120}+\frac{1}{120}=\frac{22}{120}=\frac{11}{60}$

0621

정답 ⑤

STEP A 모든 경우의 수 구하기

전체 경찰관 9명 중에 3명을 선택하는 경우의 수는 ${}_9C_3=84$

STEP B 사건 A의 여사건 A^C에 대하여 $P(A)=1-P(A^C)$임을 이용하여 구하기

근무 조 A와 근무 조 B에서 적어도 1명씩 선택하는 사건을 A라 하면
그 여사건 A^C는 근무 조 A에서 3명을 선택하거나 근무 조 B에서 3명을 선택하는 사건이므로

$P(A^C)=\frac{{}_5C_3+{}_4C_3}{{}_9C_3}=\frac{10+4}{84}=\frac{1}{6}$

따라서 구하는 확률은 $P(A)=1-P(A^C)=1-\frac{1}{6}=\frac{5}{6}$

다른풀이 덧셈정리를 이용한 확률 구하기

선택된 3명이 모두 근무 조 A에 속하는 경우의 수는 ${}_5C_3={}_5C_2=10$
선택된 3명이 모두 근무 조 B에 속하는 경우의 수는 ${}_4C_3={}_4C_1=4$
이때 선택된 3명 중 근무 조 A와 B에서 적어도 한 명씩 선택되는 경우의 수는
$84-(10+4)=70$

따라서 구하는 확률은 $\frac{70}{84}=\frac{5}{6}$

다른풀이 배반사건을 이용하여 구하기

STEP A 모든 경우의 수 구하기

전체 경찰관 9명 중에 3명을 선택하는 경우의 수는 ${}_9C_3=84$

STEP B 근무 조 A와 근무 조 B에서 적어도 1명씩 선택하는 경우의 수 구하기

근무 조 A와 B에서 각각 적어도 한 명이 선택되는 경우는 다음 두 가지 경우가 있다.
(i) A에서 1명, B에서 2명이 선택되는 경우의 수는 ${}_5C_1\times{}_4C_2=5\times6=30$
(ii) A에서 2명, B에서 1명이 선택되는 경우의 수는 ${}_5C_2\times{}_4C_1=10\times4=40$
(i), (ii)에서 근무 조 A와 B에서 적어도 한 명씩 선택되는 경우의 수는
$30+40=70$

따라서 구하는 확률은 $\frac{70}{84}=\frac{5}{6}$

내/신/연/계/ 출제문항 281

남학생 3명, 여학생 4명중 임의로 3명의 임원을 동시에 선택할 때,
남학생과 여학생이 적어도 1명씩 포함될 확률은?
(단, 임원은 서로 구별하지 않는다.)

① $\frac{4}{5}$ ② $\frac{29}{35}$ ③ $\frac{6}{7}$
④ $\frac{31}{35}$ ⑤ $\frac{32}{35}$

STEP A 모든 경우의 수 구하기

학생 7명 중에 3명을 선택하는 경우의 수는 ${}_7C_3=35$

STEP B 사건 A의 여사건 A^C에 대하여 $P(A)=1-P(A^C)$임을 이용하여 구하기

남학생과 여학생이 적어도 1명씩 포함되는 사건을 A라 하면
그 여사건 A^C은 남학생 3명 또는 여학생 3명의 임원을 선택하는 사건이므로

$P(A^C)=\frac{{}_3C_3+{}_4C_3}{{}_7C_3}=\frac{1+4}{35}=\frac{1}{7}$

따라서 구하는 확률은 $P(A)=1-P(A^C)=1-\frac{1}{7}=\frac{6}{7}$

정답 ③

0622

정답 ⑤

STEP A 모든 경우의 수 구하기

네 사람이 세 음식 칼국수, 비빔밥, 라면 중에서 중복을 허락하여 하나의 음식을 선택하는 경우의 수는 ${}_3\Pi_4=3^4=81$

STEP B 사건 A의 여사건 A^C에 대하여 $P(A)=1-P(A^C)$임을 이용하여 구하기

적어도 한 명은 라면을 택하는 사건을 A라 하면
여사건 A^C은 4명 모두 칼국수나 비빔밥을 주문하는 사건이므로

$P(A^C)=\frac{{}_2\Pi_4}{{}_3\Pi_4}=\frac{16}{81}$ ← 4명 모두 칼국수나 비빔밥을 주문하는 경우의 수는 ${}_2\Pi_4=2^4=16$

따라서 적어도 한 명은 라면을 택하는 사건 A의 확률은

$P(A)=1-P(A^C)=1-\frac{16}{81}=\frac{65}{81}$

II 확률

0623

정답 ⑤

STEP A 모든 경우의 수 구하기

6명의 학생을 일렬로 세우는 경우의 수는 $6!$

STEP B 사건 A의 여사건 A^c에 대하여 $P(A)=1-P(A^c)$임을 이용하여 구하기

A, B, C 세 학생 중 적어도 두 학생이 이웃하게 서는 사건을 A라 하면

A^c는 A, B, C 세 학생이 서로 이웃하지 않을 사건이므로

A, B, C를 제외한 세 명을 일렬로 세운 후 그 세 명 사이와 양 끝에

A, B, C를 세우는 확률은 $P(A^c)=\frac{3!\times{}_4P_3}{6!}=\frac{1}{5}$

따라서 구하는 확률은 $P(A)=1-P(A^c)=1-\frac{1}{5}=\frac{4}{5}$

내신연계 출제문항 282

두 학생 A, B를 포함한 5명의 학생을 일렬로 세울 때, A와 B 사이에 적어도 한 명의 학생이 앉게 될 확률은?

① $\frac{1}{4}$ ② $\frac{2}{5}$ ③ $\frac{3}{5}$
④ $\frac{3}{4}$ ⑤ $\frac{4}{5}$

STEP A 모든 경우의 수 구하기

5명의 학생을 일렬로 세우는 경우의 수는 $5!$

STEP B 사건 A의 여사건 A^c에 대하여 $P(A)=1-P(A^c)$임을 이용하여 구하기

A와 B 사이에 적어도 한 명의 학생이 앉게 되는 사건을 A라 하면

A^c는 A와 B가 이웃하여 앉는 사건이므로 $P(A^c)=\frac{4!\times 2!}{5!}=\frac{2}{5}$

따라서 구하는 확률은 $P(A)=1-P(A^c)=1-\frac{2}{5}=\frac{3}{5}$  ③

0624

 ①

STEP A 모든 경우의 수 구하기

4월은 30일까지 있으므로 네 사람의 생일로 가능한 전체 경우의 수는 ${}_{30}\Pi_4$

STEP B 사건 A의 여사건 A^c에 대하여 $P(A)=1-P(A^c)$임을 이용하여 구하기

적어도 두 사람의 생일이 같은 사건을 A라 하면

여사건 A^c은 네 사람의 생일이 모두 다른 사건이다.

이때 네 사람의 생일이 모두 다른 경우의 수가 ${}_{30}P_4$이므로

$P(A^c)=\frac{{}_{30}P_4}{{}_{30}\Pi_4}=\frac{30\times 29\times 28\times 27}{30^4}=\frac{203}{250}$

따라서 구하는 확률은 $P(A)=1-P(A^c)=1-\frac{203}{250}=\frac{47}{250}$

내신연계 출제문항 283

9월에 태어난 3명의 학생 영웅, 영탁, 찬원 중에서 적어도 2명의 생일이 같을 확률은?

① $\frac{7}{30}$ ② $\frac{31}{125}$ ③ $\frac{22}{225}$
④ $\frac{101}{225}$ ⑤ $\frac{203}{225}$

STEP A 모든 경우의 수 구하기

9월은 30일까지 있으므로 세 사람의 생일로 가능한 전체 경우의 수는 ${}_{30}\Pi_3$

STEP B 사건 A의 여사건 A^c에 대하여 $P(A)=1-P(A^c)$임을 이용하여 구하기

적어도 두 사람의 생일이 같은 사건을 A라 하면

여사건 A^c은 세 사람의 생일이 모두 다른 사건이다.

이때 세 사람의 생일이 모두 다른 경우의 수가 ${}_{30}P_3$이므로

$P(A^c)=\frac{{}_{30}P_3}{{}_{30}\Pi_3}=\frac{30\times 29\times 28}{30^3}=\frac{203}{225}$

따라서 구하는 확률은 $P(A)=1-P(A^c)=1-\frac{203}{225}=\frac{22}{225}$  ③

0625

 ②

STEP A 모든 경우의 수 구하기

10개의 제비 중에서 2개를 꺼내는 경우의 수는 ${}_{10}C_2$

STEP B 사건 A의 여사건 A^c의 확률 $P(A^c)$ 구하기

적어도 한 개가 당첨 제비일 사건을 A라 하면

여사건 A^c은 모두 당첨 제비가 아닌 제비를 꺼내는 사건이므로

당첨 제비가 아닌 $(10-k)$개에서 2개를 꺼내는 경우의 수는 ${}_{10-k}C_2$

$P(A^c)=\frac{{}_{10-k}C_2}{{}_{10}C_2}=\frac{(10-k)(9-k)}{90}$

STEP C $P(A)=1-P(A^c)$을 이용하여 당첨 제비의 개수 구하기

이때 적어도 한 개가 당첨 제비일 확률이 $\frac{8}{15}$이므로

$P(A)=1-P(A^c)=1-\frac{(10-k)(9-k)}{90}=\frac{8}{15}$

즉 $\frac{(10-k)(9-k)}{90}=\frac{7}{15}$에서 $k^2-19k+48=0$, $(k-3)(k-16)=0$

따라서 $k<10$이므로 $k=3$

내신연계 출제문항 284

12개의 제비 중에 당첨 제비가 k개 들어 있다. 이 중에서 임의로 2개의 제비를 동시에 뽑을 때, 적어도 한 개가 당첨 제비일 확률이 $\frac{5}{11}$이다. k의 값은?

① 2 ② 3 ③ 4
④ 5 ⑤ 6

STEP A 모든 경우의 수 구하기

12개의 제비 중에서 2개를 꺼내는 경우의 수는 ${}_{12}C_2$

STEP B 사건 A의 여사건 A^c의 확률 $P(A^c)$ 구하기

적어도 한 개가 당첨 제비일 사건을 A라 하면

여사건 A^c은 모두 당첨 제비가 아닌 제비를 꺼내는 사건이므로

당첨 제비가 아닌 $(12-k)$개에서 2개를 꺼내는 경우의 수는 ${}_{12-k}C_2$

$P(A^c)=\frac{{}_{12-k}C_2}{{}_{12}C_2}=\frac{(12-k)(11-k)}{12\times 11}$

STEP C $P(A)=1-P(A^c)$을 이용하여 k의 값 구하기

적어도 한 개가 당첨 제비일 확률이 $\frac{5}{11}$이므로

$P(A)=1-P(A^c)=1-\frac{(12-k)(11-k)}{12\times 11}=\frac{5}{11}$

즉 $\frac{(12-k)(11-k)}{12\times 11}=\frac{6}{11}$에서 $k^2-23k+60=0$, $(k-20)(k-3)=0$

따라서 $k<12$이므로 $k=3$  ②

0626

정답 ①

STEP A 모든 경우의 수 구하기

$3+n$개의 볼펜 중에서 2개를 꺼내는 경우의 수는 ${}_{n+3}C_2$

STEP B 사건 A의 여사건 A^c의 확률 $P(A^c)$ 구하기

적어도 한 개는 파란 볼펜일 사건을 A라 하면
여사건 A^c은 두 개 모두 빨간 볼펜을 꺼내는 사건이므로

$P(A^c)=\frac{{}_3C_2}{{}_{n+3}C_2}=\frac{6}{(n+3)(n+2)}$

STEP C $P(A)=1-P(A^c)$을 이용하여 파란 볼펜의 개수 구하기

두 개의 볼펜을 동시에 꺼낼 때,
적어도 한 개는 파란 볼펜이 나올 확률이 $\frac{7}{10}$이므로

$P(A)=1-P(A^c)=1-\frac{6}{(n+3)(n+2)}=\frac{7}{10}$

즉 $\frac{6}{(n+3)(n+2)}=\frac{3}{10}$에서 $(n+3)(n+2)=20$

$n^2+5n-14=0$, $(n+7)(n-2)=0$

따라서 $n>0$이므로 $n=2$

내/신/연/계/ 출제문항 285

주머니에 흰 공 n개와 검은 공 3개가 들어 있다. 이 상자에서 임의로 2개의 공을 동시에 꺼낼 때, 흰 공이 적어도 한 개 이상 나올 확률이 $\frac{14}{15}$일 때, n의 값은?

① 3　② 4　③ 5
④ 6　⑤ 7

STEP A 모든 경우의 수 구하기

$n+3$개의 공 중에서 2개를 꺼내는 경우의 수는 ${}_{n+3}C_2$

STEP B 사건 A의 여사건 A^c의 확률 $P(A^c)$ 구하기

흰 공이 적어도 한 개 이상 나올 사건을 A라 하면
여사건 A^c은 2개 모두 검은 공이므로
검은 공 3개에서 2개를 꺼내는 경우의 수는 ${}_3C_2$

$P(A^c)=\frac{{}_3C_2}{{}_{n+3}C_2}=\frac{6}{(n+3)(n+2)}$

STEP C $P(A)=1-P(A^c)$을 이용하여 n의 값 구하기

적어도 한 개 이상이 흰 공일 확률이 $\frac{14}{15}$이므로

$P(A)=1-P(A^c)=1-\frac{6}{(n+3)(n+2)}=\frac{14}{15}$

즉 $\frac{6}{(n+3)(n+2)}=\frac{1}{15}$에서 $(n+3)(n+2)=90$

$n^2+5n-84=0$, $(n-7)(n+12)=0$

그런데 n은 자연수이므로 $n=7$
따라서 흰 공은 7개가 들어 있다.

정답 ⑤

0627

정답 ④

STEP A 모든 경우의 수 구하기

10개의 공 중에서 3개를 꺼내는 경우의 수는 ${}_{10}C_3=120$

STEP B 사건 A의 여사건 A^c의 확률 $P(A^c)$ 구하기

10개의 공 중에서 파란 공이 x개라 하자.
꺼낸 3개의 공 중 빨간 공을 적어도 1개 꺼낼 사건을 A라 하면
그 여사건 A^c은 3개의 공이 모두 파란 공일 사건이므로

$P(A^c)=\frac{{}_xC_3}{{}_{10}C_3}=\frac{x(x-1)(x-2)}{720}$

STEP C $P(A)=1-P(A^c)$을 이용하여 파란 공의 개수 구하기

3개의 공을 동시에 꺼낼 때,
빨간 공을 적어도 한 개 꺼낼 확률이 $\frac{5}{6}$이므로

$P(A)=1-P(A^c)=1-\frac{x(x-1)(x-2)}{720}=\frac{5}{6}$

즉 $\frac{x(x-1)(x-2)}{720}=\frac{1}{6}$에서 $x(x-1)(x-2)=120=6\times5\times4$

따라서 $x=6$이므로 주머니 속에 들어있는 파란 공의 개수는 6

0628

정답 ⑤

STEP A 모든 경우의 수 구하기

10개의 제품 중에서 임의로 3개의 제품을 택하여 검사하는 경우의 수는
${}_{10}C_3=120$

STEP B 사건 A의 여사건 A^c에 대하여 $P(A)=1-P(A^c)$임을 이용하여 구하기

불량품이 한 개 이하일 사건을 A라 하면
그 여사건 A^c은 불량품의 개수가 2개인 사건이다.
불량품의 개수가 2개인 사건의 경우의 수는 ${}_2C_2\times{}_8C_1=8$이므로

$P(A^c)=\frac{8}{120}=\frac{1}{15}$

따라서 구하는 확률은 $P(A)=1-P(A^c)=1-\frac{1}{15}=\frac{14}{15}$

0629

정답 ④

STEP A 모든 경우의 수 구하기

7개의 공 중에서 4개의 공을 꺼내는 경우의 수는 ${}_7C_4={}_7C_3=35$

STEP B 사건 A의 여사건 A^c에 대하여 $P(A)=1-P(A^c)$임을 이용하여 구하기

흰 공을 2개 이상 꺼내는 사건을 A라 하면
그 여사건 A^c은 흰 공을 1개, 검은 공 3개를 꺼내는 사건이다.
흰 공 1개, 검은 공 3개를 꺼내는 경우의 수는 ${}_4C_1\times{}_3C_3=4$

$P(A^c)=\frac{4}{35}$

따라서 구하는 확률은 $P(A)=1-P(A^c)=1-\frac{4}{35}=\frac{31}{35}$

0630

정답 ④

STEP A **모든 경우의 수 구하기**

주머니 속의 9개의 공에서 2개의 공을 택하는 경우의 수는 ${}_9C_2=36$

STEP B **사건 A의 여사건 A^c에 대하여 $P(A)=1-P(A^c)$임을 이용하여 구하기**

꺼낸 공에 적힌 두 수의 합은 2, 3, 4, 5, 6이다.
꺼낸 공에 적힌 두 수의 합이 4 이하일 사건을 A라 하면
여사건 A^c은 꺼낸 공에 적힌 두 수의 합이 5 또는 6인 사건이다.
꺼낸 공에 적힌 두 수의 합이 5 또는 6이려면 2, 3이 적힌 공을
한 개씩 꺼내거나 3이 적힌 공 2개를 꺼내야 하므로 이 경우의 수는
${}_2C_1\times{}_3C_1+{}_3C_2=6+3=9$

$P(A^c)=\frac{9}{36}=\frac{1}{4}$

따라서 구하는 확률은 $P(A)=1-P(A^c)=1-\frac{1}{4}=\frac{3}{4}$

0631

STEP A **모든 경우의 수 구하기**

10장의 카드에서 3장의 카드를 동시에 꺼내는 경우의 수는 ${}_{10}C_3$

STEP B **사건 A의 여사건 A^c에 대하여 $P(A)=1-P(A^c)$임을 이용하여 구하기**

꺼낸 카드에 적혀 있는 세 수의 최댓값이 6 이상인 사건을 A라 하면
여사건 A^c은 최댓값이 5 이하인 사건이므로 경우의 수는 ${}_5C_3$

$P(A^c)=\frac{{}_5C_3}{{}_{10}C_3}=\frac{10}{120}=\frac{1}{12}$

따라서 구하는 확률은 $P(A)=1-P(A^c)=1-\frac{1}{12}=\frac{11}{12}$

내신연계 출제문항 286

1부터 20까지의 자연수가 하나씩 적힌 20장의 카드 중에서 임의로 2장의 카드를 동시에 뽑을 때, 카드에 적힌 수의 최댓값이 11 이상일 확률은?

① $\frac{13}{19}$　② $\frac{27}{38}$　③ $\frac{14}{19}$
④ $\frac{29}{38}$　⑤ $\frac{15}{19}$

STEP A **모든 경우의 수 구하기**

20장의 카드에서 2장의 카드를 동시에 꺼내는 경우의 수는 ${}_{20}C_2$

STEP B **사건 A의 여사건 A^c에 대하여 $P(A)=1-P(A^c)$임을 이용하여 구하기**

카드에 적힌 수의 최댓값이 11 이상인 사건을 A라 하면
그 여사건 A^c은 카드에 적힌 수의 최댓값이 10 이하인 사건이므로
경우의 수는 ${}_{10}C_2$

$P(A^c)=\frac{{}_{10}C_2}{{}_{20}C_2}=\frac{9}{38}$

따라서 구하는 확률은 $P(A)=1-P(A^c)=1-\frac{9}{38}=\frac{29}{38}$

0632

정답 ③

STEP A **모든 경우의 수 구하기**

9개의 동전에서 3개의 동전을 꺼내는 경우의 수는 ${}_9C_3=84$

STEP B **사건 A의 여사건 A^c에 대하여 $P(A)=1-P(A^c)$임을 이용하여 구하기**

꺼낸 3개의 동전 금액의 합이 250원 이상일 사건을 A라 하면
그 여사건 A^c는 꺼낸 모든 동전 금액의 합이 250원 미만인 사건이므로
동전의 개수에 따라 나눠서 확률을 구한다.

(i) 50원짜리 동전이 3개일 확률은 $\frac{{}_3C_3}{{}_9C_3}=\boxed{\frac{1}{84}}$

(ii) 50원짜리 동전이 2개, 100원짜리 동전 1개일 확률은 $\frac{{}_3C_2\times{}_3C_1}{{}_9C_3}=\boxed{\frac{3}{28}}$

(i), (ii)에서 $P(A^c)=\frac{1}{84}+\frac{9}{84}=\frac{10}{84}=\boxed{\frac{5}{42}}$이므로 구하는 확률은

$P(A)=1-P(A^c)=1-\frac{5}{42}=\boxed{\frac{37}{42}}$

따라서 옳은 것은 (가) $\frac{1}{84}$, (나) $\frac{3}{28}$, (다) $\frac{5}{42}$, (라) $\frac{37}{42}$

내신연계 출제문항 287

10원, 50원, 100원짜리 동전이 각각 5개씩 모두 15개 들어 있는 지갑에서 임의로 3개의 동전을 동시에 꺼낼 때, 꺼낸 3개의 동전의 금액의 합이 100원 이상일 확률을 구하는 과정이다. (가)~(라)에 알맞은 수를 a, b, c, d라 할 때, $a+b+c+d$의 값은?

> 꺼낸 모든 동전의 금액의 합이 100원 이상인 사건을 A라고 하면
> A^c은 꺼낸 모든 동전의 금액의 합이 100원보다 작은 사건이다.
> (i) 꺼낸 동전이 10원, 10원, 10원일 확률은 [(가)]
> (ii) 꺼낸 동전이 10원, 10원, 50원일 확률은 [(나)]
> (i), (ii)에서 $P(A^c)=$[(다)]이므로 구하는 확률은
> $P(A)=1-P(A^c)=$[(라)]

① $\frac{79}{91}$　② $\frac{100}{91}$　③ $\frac{103}{91}$
④ $\frac{105}{91}$　⑤ $\frac{107}{91}$

STEP A **모든 경우의 수 구하기**

15개의 동전에서 3개의 동전을 꺼내는 경우의 수는 ${}_{15}C_3=455$

STEP B **사건 A의 여사건 A^c에 대하여 $P(A)=1-P(A^c)$임을 이용하여 구하기**

꺼낸 3개의 동전의 금액의 합이 100원 이상인 사건을 A라 하면
그 여사건 A^c는 금액의 합이 100원 미만인 사건이므로
동전의 개수에 따라 나눠서 확률을 구한다.

(i) 10원짜리 동전이 3개일 일 확률은 $\frac{{}_5C_3}{{}_{15}C_3}=\frac{10}{455}=\boxed{\frac{2}{91}}$

(ii) 10원짜리 동전이 2개, 50원짜리 동전 1개일 확률은

$\frac{{}_5C_2\times{}_5C_1}{{}_{15}C_3}=\frac{50}{455}=\boxed{\frac{10}{91}}$

(i), (ii)에서 $P(A^c)=\frac{2}{91}+\frac{10}{91}=\boxed{\frac{12}{91}}$이므로 구하는 확률은

$P(A)=1-P(A^c)=1-\frac{12}{91}=\boxed{\frac{79}{91}}$

따라서 $a=\frac{2}{91}$, $b=\frac{10}{91}$, $c=\frac{12}{91}$, $d=\frac{79}{91}$이므로

$a+b+c+d=\frac{2+10+12+79}{91}=\frac{103}{91}$

정답 ③

0633

정답 ④

STEP Ⓐ 모든 경우의 수 구하기

15장의 카드 중에서 임의로 두 장의 카드를 꺼내는 모든 경우의 수는 ${}_{15}C_2$

STEP Ⓑ 사건 A의 여사건 A^c에 대하여 $P(A)=1-P(A^c)$임을 이용하여 구하기

두 장의 카드에 적혀있는 두 수의 곱이 짝수인 사건을 A라 하면
그 여사건 A^c은 두 수의 곱이 홀수인 사건이다.
이때 두 수의 곱이 홀수가 되려면 두 수 모두 홀수이어야 하므로
이 경우의 수는 ${}_8C_2$

$P(A^c)=\frac{{}_8C_2}{{}_{15}C_2}=\frac{4}{15}$

따라서 구하는 확률은 $P(A)=1-P(A^c)=1-\frac{4}{15}=\frac{11}{15}$

내신연계 출제문항 288

1부터 20까지의 자연수가 각각 하나씩 적힌 20장의 카드 중에서 임의로 두 장의 카드를 뽑을 때, 카드에 적힌 두 수의 곱이 짝수일 확률은?

① $\frac{3}{38}$ ② $\frac{15}{38}$ ③ $\frac{4}{19}$
④ $\frac{21}{38}$ ⑤ $\frac{29}{38}$

STEP Ⓐ 모든 경우의 수 구하기

20장의 카드 중에서 임의로 두 장의 카드를 꺼내는 모든 경우의 수는 ${}_{20}C_2$

STEP Ⓑ 사건 A의 여사건 A^c에 대하여 $P(A)=1-P(A^c)$임을 이용하여 구하기

두 장의 카드에 적혀있는 두 수의 곱이 짝수인 사건을 A라 하면
여사건 A^c은 두 수의 곱이 홀수인 사건이다.
이때 두 수의 곱이 홀수가 되려면 두 수 모두 홀수이어야 하므로
이 경우의 수는 ${}_{10}C_2$

$P(A^c)=\frac{{}_{10}C_2}{{}_{20}C_2}=\frac{9}{38}$

따라서 구하는 확률은 $P(A)=1-P(A^c)=1-\frac{9}{38}=\frac{29}{38}$

정답 ⑤

0634

정답 ⑤

STEP Ⓐ 모든 경우의 수 구하기

10개의 공에서 임의로 3개의 공을 동시에 꺼내는 모든 경우의 수는 ${}_{10}C_3$

STEP Ⓑ 사건 A의 여사건 A^c에 대하여 $P(A)=1-P(A^c)$임을 이용하여 구하기

세 수의 곱이 짝수인 사건을 A라 하면
여사건 A^c은 세 수의 곱이 홀수인 사건이다.
이때 세 수의 곱이 홀수가 되려면 세 수 모두 홀수이어야 하므로
이 경우의 수는 ${}_5C_3$

$P(A^c)=\frac{{}_5C_3}{{}_{10}C_3}=\frac{10}{120}=\frac{1}{12}$

따라서 구하는 확률은 $P(A)=1-P(A^c)=1-\frac{1}{12}=\frac{11}{12}$

내신연계 출제문항 289

주머니에 1부터 8까지의 자연수가 각각 하나씩 적혀 있는 8개의 공이 들어 있다. 이 주머니에서 임의로 3개의 공을 동시에 꺼내어 공에 적힌 수를 모두 곱할 때, 그 곱이 짝수일 확률은?

① $\frac{23}{28}$ ② $\frac{6}{7}$ ③ $\frac{25}{28}$
④ $\frac{13}{14}$ ⑤ $\frac{27}{28}$

STEP Ⓐ 모든 경우의 수 구하기

8개의 공 중에서 3개의 공을 꺼내는 경우의 수는 ${}_8C_3=56$

STEP Ⓑ 사건 A의 여사건 A^c에 대하여 $P(A)=1-P(A^c)$임을 이용하여 구하기

세 수의 곱이 짝수인 사건을 A라 하면
여사건 A^c은 세 수의 곱이 홀수인 사건이다.
공에 적힌 수의 곱이 홀수가 되는 경우는 1, 3, 5, 7 중에서 3개를 뽑아 곱하는 경우이므로 이 경우의 수는 ${}_4C_3={}_4C_1=4$

$P(A^c)=\frac{4}{56}=\frac{1}{14}$

따라서 구하는 확률은 $P(A)=1-P(A^c)=1-\frac{1}{14}=\frac{13}{14}$

정답 ④

0635

정답 ⑤

STEP Ⓐ 모든 경우의 수 구하기

집합 X에서 집합 Y로의 일대일함수의 개수는 Y의 원소 5개 중에서
X의 원소에 대응시킬 3개의 원소를 택해 나열하는 경우의 수와 같으므로
${}_5P_3=5\times4\times3=60$

STEP Ⓑ 사건 A의 여사건 A^c에 대하여 $P(A)=1-P(A^c)$임을 이용하여 구하기

$f(1)\times f(2)\times f(3)$이 짝수인 사건을 A라 하면
그 여사건 A^c은 $f(1)\times f(2)\times f(3)$이 홀수인 사건이다.
$f(1)\times f(2)\times f(3)$이 홀수이려면 $f(1)$, $f(2)$, $f(3)$이 모두 홀수인 1, 3, 5 중 하나이어야 하므로 그 경우의 수는 $3!=6$

$P(A^c)=\frac{6}{60}=\frac{1}{10}$

따라서 구하는 확률은 $P(A)=1-P(A^c)=1-\frac{1}{10}=\frac{9}{10}$

내신연계 출제문항 290

집합 $X=\{1, 2, 3, 4\}$에 대하여 X에서 X로의 함수 중 임의로 하나를 택할 때, 이 함수가 치역의 모든 원소의 곱이 짝수인 확률은?

① $\frac{13}{16}$ ② $\frac{1}{4}$ ③ $\frac{11}{12}$
④ $\frac{15}{16}$ ⑤ $\frac{17}{18}$

STEP Ⓐ 모든 경우의 수 구하기

집합 X에서 집합 X로의 함수의 개수는 ${}_4\Pi_4=4^4$

STEP Ⓑ 사건 A의 여사건 A^c에 대하여 $P(A)=1-P(A^c)$임을 이용하여 구하기

X에서 X로의 함수 중 치역의 모든 원소의 곱이 짝수일 사건을 A라 하면
그 여사건 A^c은 치역의 모든 원소의 곱이 홀수인 사건이다.
$X=\{1, 2, 3, 4\}$에서 $\{1, 3\}$로의 함수의 개수이므로 이 경우의 수는 ${}_2\Pi_4=2^4$

$P(A^c)=\frac{2^4}{4^4}=\frac{1}{16}$

따라서 구하는 확률은 $P(A)=1-P(A^c)=1-\frac{1}{16}=\frac{15}{16}$

정답 ④

0636

정답 ①

STEP Ⓐ **모든 경우의 수 구하기**

6명의 학생이 6개의 의자에 앉는 경우의 수는 $6!$

STEP Ⓑ **사건 A의 여사건 A^c에 대하여 $\mathrm{P}(A)=1-\mathrm{P}(A^c)$임을 이용하여 구하기**

적어도 한 여학생이 좌석번호가 짝수인 의자에 앉는 사건을 A라 하면

그 여사건 A^c은 두 명의 여학생 모두 좌석 번호가 홀수인 의자에 앉는 사건

이므로 $\mathrm{P}(A^c)=\frac{{}_3\mathrm{P}_2\times 4!}{6!}=\frac{1}{5}$

← 홀수 1, 3, 5의 좌석 번호가 적힌 의자에 여학생 2명이 앉는 경우의 수는 ${}_3\mathrm{P}_2$

이 각각에 대하여 남은 4개의 의자에 남학생 4명이 앉는 경우의 수는 $4!$

따라서 구하는 확률은 $\mathrm{P}(A)=1-\mathrm{P}(A^c)=1-\frac{1}{5}=\frac{4}{5}$

0637

정답 ⑤

STEP Ⓐ **모든 경우의 수 구하기**

중복을 허락하여 만들 수 있는 세 자리의 자연수의 개수는 $5\times6\times6=180$

STEP Ⓑ **사건 A의 여사건 A^c에 대하여 $\mathrm{P}(A)=1-\mathrm{P}(A^c)$임을 이용하여 구하기**

각 자리에 있는 3개의 수 중 적어도 하나가 홀수인 사건을 A라 하면

그 여사건 A^c은 3개의 수가 모두 홀수가 아닌 사건이다.

$\mathrm{P}(A^c)=\frac{2\times3\times3}{180}=\frac{1}{10}$

← 사용된 3개의 수가 모두 짝수인 세 자리의 정수의 개수는 $2\times3\times3=18$

따라서 구하는 확률은 $\mathrm{P}(A)=1-\mathrm{P}(A^c)=1-\frac{1}{10}=\frac{9}{10}$

내/신/연/계/ 출제문항 291

주머니 속에 숫자 1, 2, 3, 4, 5, 6이 하나씩 적혀 있는 공 6개가 들어 있다. 이 주머니에서 임의로 3개의 공을 동시에 꺼낼 때, 3의 배수가 적혀 있는 공이 적어도 1개 포함될 확률은?

① $\frac{4}{5}$ ② $\frac{7}{10}$ ③ $\frac{3}{5}$
④ $\frac{1}{2}$ ⑤ $\frac{2}{5}$

STEP Ⓐ **모든 경우의 수 구하기**

6개의 공이 들어 있는 주머니에서 3개의 공을 동시에 꺼내는 경우의 수는 ${}_6\mathrm{C}_3$

STEP Ⓑ **여사건의 확률 구하기**

3의 배수가 적혀 있는 공이 적어도 1개 포함되는 사건을 A라 하면

그 여사건 A^c은 3의 배수가 적혀 있는 공이 하나도 없는 사건이므로

$\mathrm{P}(A^c)=\frac{{}_4\mathrm{C}_3}{{}_6\mathrm{C}_3}=\frac{1}{5}$

← 1, 2, 4, 5가 적혀 있는 4개의 공 중에서 3개의 공을 동시에 꺼내는 경우의 수는 ${}_4\mathrm{C}_3$

따라서 구하는 확률은 $\mathrm{P}(A)=1-\mathrm{P}(A^c)=1-\frac{1}{5}=\frac{4}{5}$

정답 ①

0638

정답 ⑤

STEP Ⓐ **모든 경우의 수 구하기**

서로 다른 두 개의 주사위를 동시에 던질 때, 두 눈의 수가 나오는 모든 경우의 수는 36

STEP Ⓑ **사건 A의 여사건 A^c에 대하여 $\mathrm{P}(A)=1-\mathrm{P}(A^c)$임을 이용하여 구하기**

두 눈의 수가 서로 다른 사건을 A라 하면

여사건 A^c은 두 눈의 수가 서로 같은 경우이고 그 사건의 경우의 수는 6

$\mathrm{P}(A^c)=\frac{6}{36}=\frac{1}{6}$

따라서 구하는 확률은 $\mathrm{P}(A)=1-\mathrm{P}(A^c)=1-\frac{1}{6}=\frac{5}{6}$

0639

정답 ④

STEP Ⓐ **모든 경우의 수 구하기**

A, B, C, D, E, F의 6개를 일렬로 세우는 경우의 수는 $6!=720$

STEP Ⓑ **사건 A의 여사건 A^c에 대하여 $\mathrm{P}(A)=1-\mathrm{P}(A^c)$임을 이용하여 구하기**

A와 B가 이웃하지 않을 사건을 A라 하면

그 여사건 A^c은 A와 B가 이웃하는 사건이다.

이때 A, B를 한 묶음으로 생각하고 서로 자리를 바꿀 수 있으므로

경우의 수가 $5!\times2=240$이고 $\mathrm{P}(A^c)=\frac{240}{720}=\frac{1}{3}$

따라서 구하는 확률은 $\mathrm{P}(A)=1-\mathrm{P}(A^c)=1-\frac{1}{3}=\frac{2}{3}$

내/신/연/계/ 출제문항 292

알파벳 T, R, A, V, E, L이 각각 적힌 6개의 블록을 일렬로 배열할 때, R, A가 적힌 블록이 이웃하지 않을 확률은?

① $\frac{1}{3}$ ② $\frac{3}{5}$ ③ $\frac{5}{6}$
④ $\frac{2}{3}$ ⑤ $\frac{1}{2}$

STEP Ⓐ **모든 경우의 수 구하기**

알파벳 T, R, A, V, E, L이 각각 적힌 6개의 블록을 일렬로 배열하는 경우의 수는 $6!$

STEP Ⓑ **사건 A의 여사건 A^c에 대하여 $\mathrm{P}(A)=1-\mathrm{P}(A^c)$임을 이용하여 구하기**

R, A가 적힌 블록이 이웃하지 않는 사건을 A라 하면

여사건 A^c은 R, A가 적힌 블록이 이웃하는 사건이고

이 사건의 경우의 수는 $5!\times2!$이고 $\mathrm{P}(A^c)=\frac{5!\times2!}{6!}=\frac{1}{3}$

따라서 구하는 확률은 $\mathrm{P}(A)=1-\mathrm{P}(A^c)=1-\frac{1}{3}=\frac{2}{3}$

정답 ④

0640

정답 ②

STEP Ⓐ **모든 경우의 수 구하기**

5명이 한 명씩 차례로 발표를 하는 경우의 수는 $5!$

STEP Ⓑ **사건 A의 여사건 A^c에 대하여 $\mathrm{P}(A)=1-\mathrm{P}(A^c)$임을 이용하여 구하기**

민호와 수영이의 순서가 연달아 있지 않는 사건을 A라 하면

그 여사건 A^c은 민호와 수영이가 연달아 발표하는 사건이고

그 경우의 수는 $4!\times2!$이고 $\mathrm{P}(A^c)=\dfrac{4!\times2!}{5!}=\dfrac{2}{5}$

따라서 구하는 확률은 $\mathrm{P}(A)=1-\mathrm{P}(A^c)=1-\dfrac{2}{5}=\dfrac{3}{5}$

0641

 ④

STEP Ⓐ **모든 경우의 수 구하기**

7명이 원 모양으로 서는 방법의 수는 $(7-1)!=6!$

STEP Ⓑ **사건 A의 여사건 A^c에 대하여 $\mathrm{P}(A)=1-\mathrm{P}(A^c)$임을 이용하여 구하기**

나연이와 지효가 서로 이웃하지 않을 사건을 A라고 하면

여사건 A^c는 나연이와 지효가 이웃할 사건이고

이 사건의 경우의 수는 $(6-1)!\times2!=5!\times2!$

$\mathrm{P}(A^c)=\dfrac{5!\times2!}{6!}=\dfrac{1}{3}$

따라서 구하는 확률은 $\mathrm{P}(A)=1-\mathrm{P}(A^c)=1-\dfrac{1}{3}=\dfrac{2}{3}$

내/신/연/계/ 출제문항 293

부모를 포함하여 여섯 명의 가족이 원탁에 둘러앉을 때, 부모가 이웃하지 않게 앉을 확률은?

① $\dfrac{1}{4}$　② $\dfrac{3}{4}$　③ $\dfrac{1}{3}$

④ $\dfrac{2}{5}$　⑤ $\dfrac{3}{5}$

STEP Ⓐ **모든 경우의 수 구하기**

여섯 명이 원탁에 둘러앉는 방법의 수는 $(6-1)!=5!$

STEP Ⓑ **사건 A의 여사건 A^c에 대하여 $\mathrm{P}(A)=1-\mathrm{P}(A^c)$임을 이용하여 구하기**

부모가 이웃하지 않게 앉는 사건을 A라 하면

그 여사건 A^c은 부모가 이웃하게 앉는 사건이므로

부모가 이웃하게 앉는 경우의 수는 $(5-1)!\times2!=4!\times2!$

$\mathrm{P}(A^c)=\dfrac{4!\times2!}{5!}=\dfrac{2}{5}$

STEP Ⓒ **여사건의 경우의 수를 이용하여 확률 구하기**

따라서 구하는 확률은 $\mathrm{P}(A)=1-\mathrm{P}(A^c)=1-\dfrac{2}{5}=\dfrac{3}{5}$

 ⑤

0642

정답 ④

STEP Ⓐ **모든 경우의 수 구하기**

L, O, V, E, L, Y에 들어 있는 6개의 문자를 일렬로 나열하는 경우의 수는

$\dfrac{6!}{2!}$

STEP Ⓑ **사건 A의 여사건 A^c에 대하여 $\mathrm{P}(A)=1-\mathrm{P}(A^c)$임을 이용하여 구하기**

같은 문자가 이웃하지 않을 사건을 A라 하면

여사건 A^c은 같은 문자끼리 이웃하는 사건이므로

2개의 L을 1개의 문자로 보고 나열하면 되므로 $5!$

$\mathrm{P}(A^c)=\dfrac{5!}{\frac{6!}{2!}}=\dfrac{1}{3}$

따라서 구하는 확률은 $\mathrm{P}(A)=1-\mathrm{P}(A^c)=1-\dfrac{1}{3}=\dfrac{2}{3}$

내/신/연/계/ 출제문항 294

여섯 개의 문자

T, E, N, N, I, S

에 들어 있는 6개의 문자를 일렬로 나열할 때, 같은 문자가 이웃하지 않을 확률은?

① $\dfrac{2}{5}$　② $\dfrac{3}{5}$　③ $\dfrac{2}{3}$

④ $\dfrac{4}{5}$　⑤ $\dfrac{7}{10}$

STEP Ⓐ **모든 경우의 수 구하기**

T, E, N, N, I, S에 들어 있는 6개의 문자를 일렬로 나열하는 경우의 수는

$\dfrac{6!}{2!}$

STEP Ⓑ **사건 A의 여사건 A^c에 대하여 $\mathrm{P}(A)=1-\mathrm{P}(A^c)$임을 이용하여 구하기**

같은 문자가 이웃하지 않을 사건을 A라 하면

여사건 A^c은 같은 문자끼리 이웃하는 사건이므로

2개의 N을 1개의 문자로 보고 나열하면 되므로 $5!$

$\mathrm{P}(A^c)=\dfrac{5!}{\frac{6!}{2!}}=\dfrac{1}{3}$

따라서 구하는 확률은 $\mathrm{P}(A)=1-\mathrm{P}(A^c)=1-\dfrac{1}{3}=\dfrac{2}{3}$

 ③

0643

 ⑤

STEP Ⓐ **전체 경우의 수 구하기**

I♡MAPL에 들어 있는 6개의 문자를 일렬로 나열하는 경우의 수는 $6!$

STEP Ⓑ **사건 A의 여사건 A^c에 대하여 $\mathrm{P}(A)=1-\mathrm{P}(A^c)$임을 이용하여 구하기**

기호 ♡가 맨 앞에 오지 않을 사건을 A라 하면

여사건 A^c은 기호 ♡가 맨 앞에 오는 사건이므로 경우의 수는 $5!$

$\mathrm{P}(A^c)=\dfrac{5!}{6!}=\dfrac{1}{6}$

따라서 기호 ♡가 맨 앞에 오지 않을 확률은 $\mathrm{P}(A)=1-\mathrm{P}(A^c)=1-\dfrac{1}{6}=\dfrac{5}{6}$

0644

정답 ⑤

STEP A 모든 경우의 수 구하기

다섯 개의 문자 a, b, c, d, d를 일렬로 나열하는 경우의 수는 $\frac{5!}{2!}=60$

STEP B 사건 A의 여사건 A^C에 대하여 $\mathrm{P}(A)=1-\mathrm{P}(A^C)$임을 이용하여 구하기

a가 b보다 왼쪽에 오거나 b가 c보다 왼쪽에 오도록 나열하는 사건을 A라 하면 사건 A의 여사건은 A^C은 a가 b보다 오른쪽에 오고 b가 c보다 오른쪽에 오도록 나열하는 사건이다.
즉 사건 A^C은 a, b, c의 순서가 정해져 있으므로 a, b, c를 모두 a로 생각하여 다섯 개의 문자 a, a, a, d, d를 일렬로 나열한 후,
첫 번째 a를 c로 바꾸고 두 번째 a를 b로 바꾸면 된다.
이때 a, a, a, d, d를 일렬로 나열하는 경우의 수는 $\frac{5!}{3!2!}=10$

$\mathrm{P}(A^C)=\frac{10}{60}=\frac{1}{6}$

따라서 구하는 확률은 $\mathrm{P}(A)=1-\mathrm{P}(A^C)=1-\frac{1}{6}=\frac{5}{6}$

내/신/연/계/ 출제문항 295

여섯 개의 숫자 1, 2, 3, 4, 4, 4를 임의로 일렬로 나열할 때 1이 2보다 왼쪽에 오거나 2가 3보다 왼쪽에 오도록 나열될 확률은?

① $\frac{7}{10}$　② $\frac{11}{15}$　③ $\frac{23}{30}$
④ $\frac{4}{5}$　⑤ $\frac{5}{6}$

STEP A 모든 경우의 수 구하기

여섯 개의 숫자 1, 2, 3, 4, 4, 4를 일렬로 나열하는 경우의 수는 $\frac{6!}{3!}=120$

STEP B 사건 A의 여사건 A^C에 대하여 $\mathrm{P}(A)=1-\mathrm{P}(A^C)$임을 이용하여 구하기

1이 2보다 왼쪽에 오거나 2가 3보다 왼쪽에 오도록 나열하는 사건을 A라 하면 사건 A의 여사건은 A^C은 1이 2보다 오른쪽에 오고 2가 3보다 오른쪽에 오도록 나열하는 사건이다.
즉 사건 A^C은 1, 2, 3의 순서가 정해져 있으므로 1, 2, 3을 모두 1로 생각하여 여섯 개의 숫자 1, 1, 1, 4, 4, 4를 일렬로 나열한 후,
첫 번째 1을 3으로 바꾸고 두 번째 1을 2로 바꾸면 된다.
이때 1, 1, 1, 4, 4, 4를 일렬로 나열하는 경우의 수는 $\frac{6!}{3!3!}=20$

이므로 $\mathrm{P}(A^C)=\frac{20}{120}=\frac{1}{6}$

따라서 구하는 확률은 $\mathrm{P}(A)=1-\mathrm{P}(A^C)=1-\frac{1}{6}=\frac{5}{6}$

정답 ⑤

0645

정답 ③

STEP A 모든 경우의 수 구하기

한 개의 주사위를 두 번 던져서 나오는 눈의 수의 경우의 수는 $6\times6=36$

STEP B 사건 A의 여사건 A^C에 대하여 $\mathrm{P}(A)=1-\mathrm{P}(A^C)$임을 이용하여 구하기

$a^2-4ab+4b^2>0$, $(a-2b)^2>0$이므로
$a\neq2b$를 만족하는 사건을 A라 할 때,
그 여사건은 A^C는 $a=2b$를 만족하는 사건이다.
$a=2b$를 만족하는 경우는 (2, 1), (4, 2), (6, 3)의 세 가지이므로
⬅ $a\neq2b$를 만족하는 경우의 수는 33가지

$\mathrm{P}(A^C)=\frac{3}{36}=\frac{1}{12}$

따라서 구하는 확률은 $\mathrm{P}(A)=1-\mathrm{P}(A^C)=1-\frac{1}{12}=\frac{11}{12}$

0646

정답 ③

STEP A 모든 경우의 수 구하기

집합 S의 부분집합 중 원소의 개수가 3인 집합의 개수는 ${}_{12}\mathrm{C}_3=220$

STEP B 사건 A의 여사건 A^C에 대하여 $\mathrm{P}(A)=1-\mathrm{P}(A^C)$임을 이용하여 구하기

원소의 개수가 3인 집합 S의 부분집합 중에서
임의로 한 개의 집합을 선택할 때, 선택한 집합의 어떤 원소 x에 대하여
부등식 $x^2-12x+32<0$을 만족시키는 사건을 A라 하자.
$x^2-12x+32<0$에서 $(x-4)(x-8)<0$, $4<x<8$이므로
$x=5$ 또는 $x=6$ 또는 $x=7$
즉 사건 A가 일어날 경우는
세 수 5, 6, 7 중에 적어도 하나가 선택된 집합의 원소이면 된다.
그 여사건 A^C의 경우의 수는 12 이하의 자연수 중 세 수 5, 6, 7을 제외한 9개의 수 중에서 3개를 선택하는 경우의 수는 ${}_9\mathrm{C}_3=84$

$\mathrm{P}(A^C)=\frac{84}{220}=\frac{21}{55}$

따라서 구하는 확률은 $\mathrm{P}(A)=1-\mathrm{P}(A^C)=1-\frac{21}{55}=\frac{34}{55}$

0647

정답 ⑤

STEP A 모든 경우의 수 구하기

4명이 자리를 임의로 정하는 경우의 수는 $4!$

STEP B 사건 A의 여사건 A^C에 대하여 $\mathrm{P}(A)=1-\mathrm{P}(A^C)$임을 이용하여 구하기

주현이와 승완이 중 적어도 한 사람이 자신이 처음 앉은 자리와 다른 자리에 앉는 사건을 A라고 하면
그 여사건 A^C은 주현이와 승완이 두 사람 모두 자신이 처음 앉은 자리에 앉는 사건이다.
주현이와 승완이 두 사람 모두 자신이 처음 앉은 자리에 앉는 경우의 수는 1이고 이때 남은 2개의 자리에 슬기와 예림이가 앉는 경우의 수는 $2!$이므로

$\mathrm{P}(A^C)=\frac{1\times2!}{4!}=\frac{1}{12}$

따라서 구하는 확률은 $\mathrm{P}(A)=1-\mathrm{P}(A^C)=1-\frac{1}{12}=\frac{11}{12}$

내신연계 출제문항 296

세 명의 학생이 각자 자신의 학생증을 상자 속에 넣고 섞은 후, 임의로 학생증을 하나씩 꺼낼 때, 자신의 학생증을 꺼낸 학생이 적어도 한 명일 확률은?

① $\frac{5}{8}$ ② $\frac{2}{3}$ ③ $\frac{17}{24}$
④ $\frac{3}{4}$ ⑤ $\frac{19}{24}$

STEP A 모든 경우의 수 구하기

세 명의 학생이 학생증을 꺼내는 모든 경우의 수는 $3!$

STEP B 사건 A의 여사건 A^c에 대하여 $\mathrm{P}(A)=1-\mathrm{P}(A^c)$임을 이용하여 구하기

자신의 학생증을 꺼낸 학생이 적어도 한 명인 사건을 A라 하면
그 여사건 A^c은 세 명의 학생 모두 다른 사람의 학생증을 꺼내는 사건이다.
수형도를 이용하여 세 명의 학생 모두 다른 사람의 학생증을 꺼내는 경우의 수를 구하면 2가지이므로 $\mathrm{P}(A^c)=\frac{2}{3!}=\frac{1}{3}$

따라서 구하는 확률은 $\mathrm{P}(A)=1-\mathrm{P}(A^c)=1-\frac{1}{3}=\frac{2}{3}$  ②

0648

 ⑤

STEP A 모든 경우의 수 구하기

P와 K가 각각 5일 중 2일을 택하여 휴가를 정하는 경우의 수는 ${}_5\mathrm{C}_2\times{}_5\mathrm{C}_2$

STEP B 사건 A의 여사건 A^c에 대하여 $\mathrm{P}(A)=1-\mathrm{P}(A^c)$임을 이용하여 구하기

2일의 휴가 날짜 중에서 겹치는 날이 있는 사건을 A라 하면
그 여사건 A^c는 겹치는 날이 없는 사건이다.
두 사람이 겹치는 날이 없도록 택하는 경우의 수는 ${}_5\mathrm{C}_2\times{}_3\mathrm{C}_2$

$\mathrm{P}(A^c)=\frac{{}_5\mathrm{C}_2\times{}_3\mathrm{C}_2}{{}_5\mathrm{C}_2\times{}_5\mathrm{C}_2}=\frac{3}{10}$

따라서 구하는 확률은 $\mathrm{P}(A)=1-\mathrm{P}(A^c)=1-\frac{3}{10}=\frac{7}{10}$

0649

 ④

STEP A 모든 경우의 수 구하기

6명이 6개의 의자에 앉는 전체 경우의 수는 $6!$

STEP B 여사건 A 또는 B가 처음 앉은 자리에 앉는 사건의 경우의 수 구하기

A, B가 모두 처음 앉았던 의자가 아닌 다른 의자에 앉는 사건을 A라 하면
그 여사건 A^c은 A 또는 B가 처음 앉았던 의자에 앉는 사건이다.
(i) A가 처음 앉았던 의자에 앉는 경우
 나머지 5명이 그 이외의 의자에 앉는 경우의 수는 $5!$
(ii) B가 처음 앉았던 의자에 앉는 경우
 나머지 5명이 그 이외의 의자에 앉는 경우의 수는 $5!$
(iii) A, B가 모두 처음 앉았던 의자에 앉는 경우
 나머지 4명이 그 이외의 의자에 앉는 경우의 수는 $4!$
(i)~(iii)에서 A 또는 B가 처음 앉았던 의자에 앉는 경우의 수는 $5!+5!-4!$

$\mathrm{P}(A^c)=\frac{5!+5!-4!}{6!}=\frac{3}{10}$

STEP C $\mathrm{P}(A)=1-\mathrm{P}(A^c)$을 이용하여 구하기

따라서 구하는 확률은 $\mathrm{P}(A)=1-\mathrm{P}(A^c)=1-\frac{3}{10}=\frac{7}{10}$

내신연계 출제문항 297

A, B를 포함한 6명의 학생에게 각자의 학생증을 받았다가 이들 6명의 학생에게 학생증을 임의로 1개씩 다시 돌려줄 때, A와 B가 모두 자신의 학생증을 돌려받지 못할 확률은?

① $\frac{3}{5}$ ② $\frac{19}{30}$ ③ $\frac{2}{3}$
④ $\frac{7}{10}$ ⑤ $\frac{11}{15}$

STEP A 모든 경우의 수 구하기

6명의 학생들이 학생증을 돌려받는 경우의 수는 $6!$

STEP B 여사건인 A 또는 B가 자신의 학생증을 돌려받는 사건의 경우의 수 구하기

A, B가 모두 자신의 학생증을 돌려받지 못할 사건을 A라 하면
여사건 A^c은 A 또는 B가 학생증을 돌려받을 사건이다.
(i) A가 자신의 학생증을 돌려받는 경우
 나머지 5명이 학생증을 받는 경우의 수는 $5!$
(ii) B가 자신의 학생증을 돌려받는 경우
 나머지 5명이 학생증을 받는 경우의 수는 $5!$
(iii) A, B가 자신의 학생증을 돌려받는 경우
 나머지 4명이 학생증을 받는 경우의 수는 $4!$
(i)~(iii)에서 A 또는 B가 학생증을 돌려받는 경우의 수는 $5!+5!-4!$

$\mathrm{P}(A^c)=\frac{5!+5!-4!}{6!}=\frac{3}{10}$

STEP C $\mathrm{P}(A)=1-\mathrm{P}(A^c)$을 이용하여 구하기

따라서 구하는 확률은 $\mathrm{P}(A)=1-\mathrm{P}(A^c)=1-\frac{3}{10}=\frac{7}{10}$

다른풀이 $\mathrm{P}(A^c\cap B^c)=\mathrm{P}((A\cup B)^c)$을 이용하여 풀이하기

A가 자신의 학생증을 돌려받을 사건을 A라 하면

$\mathrm{P}(A)=\frac{1}{6}$

B가 자신의 학생증을 돌려받을 사건을 B라 하면

$\mathrm{P}(B)=\frac{1}{6}$

A와 B가 모두 자신의 학생증을 돌려받는 사건은 $A\cap B$이므로

$\mathrm{P}(A\cap B)=\frac{4!}{6!}=\frac{1}{30}$

따라서 A 또는 B가 자신의 학생증을 돌려받을 확률은

$\mathrm{P}(A\cup B)=\mathrm{P}(A)+\mathrm{P}(B)-\mathrm{P}(A\cap B)=\frac{1}{6}+\frac{1}{6}-\frac{1}{30}=\frac{9}{30}=\frac{3}{10}$

이므로 A와 B가 모두 자신의 학생증을 돌려받지 못할 확률은

$\mathrm{P}(A^c\cap B^c)=\mathrm{P}((A\cup B)^c)=1-\mathrm{P}(A\cup B)=1-\frac{3}{10}=\frac{7}{10}$

다른풀이 배반사건을 이용하여 풀이하기

6명의 학생들이 학생증을 돌려받는 경우의 수는 $6!$
A와 B가 모두 자신의 학생증을 돌려받지 못하는 경우 중에
(i) A가 B의 학생증을 받는 경우
 B를 포함한 나머지 5명이 학생증을 받는 경우의 수는 $5!$
(ii) A가 B의 학생증을 받지 않는 경우
 A가 받을 수 있는 학생증의 경우의 수는 4
 B가 받을 수 있는 학생증의 경우의 수는 4
 나머지 4명이 학생증을 받는 경우의 수는 $4!$
(i), (ii)의 경우는 동시에 일어날 수 없으므로 구하는 확률은

$\frac{5!+(4\times4)\times4!}{6!}=\frac{7}{10}$  ④

0650

 ③

STEP Ⓐ **확률의 덧셈정리를 이용하여 $P(A \cup B)$ 구하기**

카드에 적힌 번호가 2의 배수인 사건을 A, 3의 배수인 사건을 B라 하면

$P(A \cup B)=P(A)+P(B)-P(A \cap B)=\frac{15}{30}+\frac{10}{30}-\frac{5}{30}=\frac{2}{3}$

STEP Ⓑ **$P(A^c \cap B^c)=1-P(A \cup B)$를 이용하여 구하기**

따라서 2의 배수도 3의 배수도 아닐 확률은

$P(A^c \cap B^c)=P((A \cup B)^c)=1-P(A \cup B)=1-\frac{2}{3}=\frac{1}{3}$

내/신/연/계/ 출제문항 298

1부터 30까지의 서로 다른 번호가 적힌 30장의 카드에서 한 장을 택할 때, 그 카드에 적힌 번호가 3의 배수도 5의 배수도 아닐 확률은?

① $\frac{1}{15}$ ② $\frac{1}{5}$ ③ $\frac{1}{3}$
④ $\frac{1}{2}$ ⑤ $\frac{8}{15}$

STEP Ⓐ **확률의 덧셈정리를 이용하여 $P(A \cup B)$ 구하기**

카드에 적힌 번호가 3의 배수인 사건을 A, 5의 배수인 사건을 B라 하면

$P(A)=\frac{10}{30}$, $P(B)=\frac{6}{30}$, $P(A \cap B)=\frac{2}{30}$

$P(A \cup B)=P(A)+P(B)-P(A \cap B)=\frac{10}{30}+\frac{6}{30}-\frac{2}{30}=\frac{7}{15}$

STEP Ⓑ **$P(A^c \cap B^c)=1-P(A \cup B)$를 이용하여 구하기**

따라서 카드에 적힌 번호가 3의 배수도 5의 배수도 아닐 확률은

$P(A^c \cap B^c)=1-P(A \cup B)=1-\frac{7}{15}=\frac{8}{15}$

 ⑤

0651

 ①

STEP Ⓐ **모든 경우의 수 구하기**

100개의 구슬 중에서 1개의 구슬을 꺼내는 전체 경우의 수는 100

STEP Ⓑ **여사건은 2의 배수 또는 3의 배수인 사건 구하기**

$6=2\times3$이므로 6과 서로소이기 위해서는 2와 3 모두에 서로소이어야 한다.
이때 2의 배수도 아니고 3의 배수도 아니어야 하므로
이 사건의 여사건은 2의 배수 또는 3의 배수인 사건이다.
상자에서 임의로 1개의 구슬을 꺼낼 때,
꺼낸 구슬에 적혀 있는 수가 2의 배수, 3의 배수일 사건을 각각 A, B라 하고
꺼낸 구슬에 적혀 있는 수가 6의 배수일 사건을 $A \cap B$라 하면

$P(A)=\frac{50}{100}$, $P(B)=\frac{33}{100}$, $P(A \cap B)=\frac{16}{100}$

즉 2의 배수 또는 3의 배수인 확률은

$P(A \cup B)=P(A)+P(B)-P(A \cap B)=\frac{50}{100}+\frac{33}{100}-\frac{16}{100}=\frac{67}{100}$

STEP Ⓒ **$P(A^c \cap B^c)=1-P(A \cup B)$을 이용하여 확률 구하기**

따라서 6과 서로소일 확률은 $P(A^c \cap B^c)=1-P(A \cup B)=1-\frac{67}{100}=\frac{33}{100}$

내/신/연/계/ 출제문항 299

1부터 100까지의 자연수가 각각 하나씩 적힌 100개의 공이 들어 있는 주머니에서 임의로 한 개의 공을 꺼낼 때, 공에 적힌 수가 10과 서로소일 확률은?

① $\frac{1}{10}$ ② $\frac{1}{5}$ ③ $\frac{2}{5}$
④ $\frac{3}{5}$ ⑤ $\frac{4}{5}$

STEP Ⓐ **모든 경우의 수 구하기**

100개의 공 중에서 1개의 공을 꺼내는 전체 경우의 수는 100

STEP Ⓑ **여사건은 2의 배수 또는 5의 배수인 사건 구하기**

$10=2\times5$이므로 10과 서로소이기 위해서는 2와 5 모두에 서로소이어야 한다.
이때 2의 배수도 아니고 5의 배수도 아니어야 하므로
이 사건의 여사건은 2의 배수 또는 5의 배수인 사건이다.
상자에서 임의로 1개의 공을 꺼낼 때,
꺼낸 공에 적혀 있는 수가 2의 배수, 5의 배수일 사건을 각각 A, B라 하고
꺼낸 공에 적혀 있는 수가 10의 배수일 사건을 $A \cap B$라 하면

$P(A)=\frac{50}{100}=\frac{1}{2}$, $P(B)=\frac{20}{100}=\frac{1}{5}$, $P(A \cap B)=\frac{10}{100}=\frac{1}{10}$

즉 2의 배수 또는 5의 배수인 확률은

$P(A \cup B)=P(A)+P(B)-P(A \cap B)=\frac{1}{2}+\frac{1}{5}-\frac{1}{10}=\frac{3}{5}$

STEP Ⓒ **$P(A^c \cap B^c)=1-P(A \cup B)$을 이용하여 확률 구하기**

따라서 10과 서로소일 확률은

$P(A^c \cap B^c)=1-P(A \cup B)=1-\frac{3}{5}=\frac{2}{5}$

 ③

0652

 ①

STEP Ⓐ **모든 경우의 수 구하기**

100개의 공 중에서 1개의 공을 꺼내는 모든 경우의 수는 100

STEP Ⓑ **여사건은 2의 배수 또는 3의 배수인 사건 구하기**

$72=2^3\times3^2$이므로 72와 서로소이기 위해서는 2와 3 모두와 서로소이어야 한다.
즉 2의 배수도 아니고 3의 배수도 아니어야 하므로
이 사건의 여사건은 2의 배수 또는 3의 배수인 사건이다.
상자에서 임의로 1개의 공을 꺼낼 때,
꺼낸 공에 적혀 있는 수가 2의 배수, 3의 배수일 사건을 각각 A, B라 하고
꺼낸 공에 적혀 있는 수가 6의 배수일 사건을 $A \cap B$라 하면

$P(A)=\frac{50}{100}$, $P(B)=\frac{33}{100}$, $P(A \cap B)=\frac{16}{100}$

즉 2의 배수 또는 3의 배수인 확률은

$P(A \cup B)=P(A)+P(B)-P(A \cap B)=\frac{50}{100}+\frac{33}{100}-\frac{16}{100}=\frac{67}{100}$

STEP Ⓒ **$P(A^c \cap B^c)=1-P(A \cup B)$을 이용하여 구하기**

따라서 꺼낸 공에 적혀 있는 수가 72와 서로소일 확률은

$P(A^c \cap B^c)=1-P(A \cup B)=1-\frac{67}{100}=\frac{33}{100}$

0653

 ③

STEP Ⓐ **모든 경우의 수 구하기**

세 개의 주사위를 동시에 던질 때, 나오는 모든 경우의 수는 6^3

STEP Ⓑ **세 수의 곱이 10의 배수가 아닌 조건 구하기**

세 개의 주사위를 던질 때, 나오는 눈의 수의 곱이 10의 배수인 사건의 여사건은 눈의 수의 곱이 2의 배수가 아니거나 5의 배수가 아닌 사건이다.

이때 수의 곱이 2의 배수가 아닐 사건을 A, 5의 배수가 아닐 사건을 B, 2의 배수도 아니고 5의 배수도 아닐 사건을 $A \cap B$라 하면

$\mathrm{P}(A)=\left(\frac{1}{2}\right)^3$, $\mathrm{P}(B)=\left(\frac{5}{6}\right)^3$, $\mathrm{P}(A \cap B)=\left(\frac{1}{3}\right)^3$

즉 2의 배수가 아니거나 5의 배수가 아닌 확률은

$\mathrm{P}(A \cup B)=\mathrm{P}(A)+\mathrm{P}(B)-\mathrm{P}(A \cap B)=\frac{1}{8}+\frac{125}{216}-\frac{1}{27}=\frac{144}{216}=\frac{2}{3}$

STEP Ⓒ $\mathrm{P}(A^c \cap B^c)=1-\mathrm{P}(A \cup B)$**을 이용하여 구하기**

따라서 구하는 확률은 $\mathrm{P}(A^c \cap B^c)=1-\mathrm{P}(A \cup B)=1-\frac{2}{3}=\frac{1}{3}$

0654

 ④

STEP Ⓐ **모든 경우의 수 구하기**

친구 A, B, C, D, E에게 각각 생일 초대 카드를 각 봉투에 넣는 모든 경우의 수는 $5!$

STEP Ⓑ **두 봉투에 모두 다른 사람에게 쓴 카드가 들어갈 조건 구하기**

친구 A의 이름이 적힌 봉투에 A의 카드가 들어가는 사건을 A,
친구 B의 이름이 적힌 봉투에 B의 카드가 들어가는 사건을 B라고 하면
A와 B의 이름이 적힌 봉투 각각에 A, B의 카드가 들어가는 사건을
$A \cap B$라 하면
A의 이름이 적힌 봉투에 A의 카드가 들어가는 사건의 확률은

$\mathrm{P}(A)=\frac{4!}{5!}=\frac{1}{5}$

B의 이름이 적힌 봉투에 B의 카드가 들어가는 사건의 확률은

$\mathrm{P}(B)=\frac{4!}{5!}=\frac{1}{5}$

A와 B의 이름이 적힌 봉투 각각에 A, B의 카드가 들어가는 확률은

$\mathrm{P}(A \cap B)=\frac{3!}{5!}=\frac{1}{20}$

즉 A와 B의 이름이 적혀 있는 두 봉투에 적어도 A, B의 카드가 들어있는 확률은

$\mathrm{P}(A \cup B)=\mathrm{P}(A)+\mathrm{P}(B)-\mathrm{P}(A \cap B)=\frac{1}{5}+\frac{1}{5}-\frac{1}{20}=\frac{7}{20}$

STEP Ⓒ $\mathrm{P}(A^c \cap B^c)=1-\mathrm{P}(A \cup B)$**을 이용하여 구하기**

따라서 구하는 확률은 $\mathrm{P}(A^c \cap B^c)=1-\mathrm{P}(A \cup B)=1-\frac{7}{20}=\frac{13}{20}$

0655

 ④

STEP Ⓐ **모든 경우의 수 구하기**

10개의 시계와 팔찌 중에서 3개를 동시에 꺼내는 경우의 수는 ${}_{10}\mathrm{C}_3$

STEP Ⓑ **사건 A의 여사건 A^c에 대하여 $\mathrm{P}(A)=1-\mathrm{P}(A^c)$임을 이용하여 구하기**

적어도 1개가 시계일 사건을 A, 적어도 1개가 하늘색일 사건을 B라 하자.
적어도 1개는 시계이고 적어도 1개는 하늘색일 사건을 $A \cap B$이라 하면
그 여사건 $A^c \cup B^c$은 3개가 모두 팔찌인 사건이거나 모두 노란색인 사건이므로

$\mathrm{P}(A^c)=\frac{{}_5\mathrm{C}_3}{{}_{10}\mathrm{C}_3}=\frac{1}{12}$, $\mathrm{P}(B^c)=\frac{{}_6\mathrm{C}_3}{{}_{10}\mathrm{C}_3}=\frac{1}{6}$, $\mathrm{P}(A^c \cap B^c)=\frac{{}_3\mathrm{C}_3}{{}_{10}\mathrm{C}_3}=\frac{1}{120}$

$\mathrm{P}(A^c \cup B^c)=\mathrm{P}(A^c)+\mathrm{P}(B^c)-\mathrm{P}(A^c \cap B^c)=\frac{1}{12}+\frac{1}{6}-\frac{1}{120}=\frac{29}{120}$

구하는 확률은 $\mathrm{P}(A \cap B)=1-\mathrm{P}(A^c \cup B^c)=1-\frac{29}{120}=\frac{91}{120}$

STEP Ⓒ $p+q$**의 값 구하기**

따라서 $p=91$, $q=120$이므로 $p+q=91+120=211$

0656

 ④

STEP Ⓐ **모든 경우의 수 구하기**

5장의 카드를 일렬로 나열하는 경우의 수는 $5!$

STEP Ⓑ **사건 A의 여사건 A^c에 대하여 $\mathrm{P}(A)=1-\mathrm{P}(A^c)$임을 이용하여 구하기**

첫 번째 또는 마지막에 홀수가 적혀 있는 카드가 있는 사건을 A라 하면
(홀수 □□□ 홀수), (짝수 □□□ 홀수), (홀수 □□□ 짝수)에서
그 여사건 A^c은 (짝수 □□□ 짝수)로 나열하는 사건이므로 확률은

$\mathrm{P}(A^c)=\frac{3! \times 2!}{5!}=\frac{1}{10}$ ⬅ 홀수 1, 3, 5의 카드 3장과 양끝에 짝수 2, 4를 배열하는 경우

따라서 구하는 확률은 $\mathrm{P}(A)=1-\mathrm{P}(A^c)=1-\frac{3! \times 2!}{5!}=\frac{9}{10}$

0657

 ②

STEP Ⓐ **모든 경우의 수 구하기**

6명의 학생이 봉사 활동 순번을 임의로 정하는 경우의 수는 $6!$

STEP Ⓑ **사건 A의 여사건 A^c에 대하여 $\mathrm{P}(A)=1-\mathrm{P}(A^c)$임을 이용하여 구하기**

첫째 날 또는 여섯째 날에 남학생이 봉사활동을 하게 될 사건을 A라 하면
여사건 A^c은 첫째 날과 여섯째 날 모두 여학생이 봉사활동을 하게 되는 사건이다.
첫째 날과 여섯째 날에 여학생이 봉사 활동을 하는 경우의 수는
첫째 날과 여섯째 날에 봉사활동을 할 여학생 2명을 뽑아서 순번을 정하고
나머지 네 명의 순번을 정하는 경우의 수는 ${}_4\mathrm{C}_2 \times 2! \times 4!$ ⬅ ${}_4\mathrm{P}_2 \times 4! = 288$

확률은 $\mathrm{P}(A^c)=\frac{{}_4\mathrm{C}_2 \times 2! \times 4!}{6!}=\frac{2}{5}$

따라서 구하는 확률은 $\mathrm{P}(A)=1-\mathrm{P}(A^c)=1-\frac{2}{5}=\frac{3}{5}$

다른풀이 확률의 곱셈정리를 이용하여 풀이하기

첫째 날 또는 여섯째 날에 남학생이 봉사활동을 하게 될 확률은
$1-$(첫째 날과 여섯째 날에 모두 여학생이 봉사활동을 할 확률)
로 구할 수 있다.

여학생 4명 중 첫째 날 봉사활동을 할 사람을 정할 확률은 $\frac{4}{6}$이고

남은 여학생 3명 중 여섯째 날에 봉사활동을 할 사람을 정할 확률은 $\frac{3}{5}$

즉 첫째 날 또는 여섯째 날 모두 여학생이 봉사활동을 하게 될 확률은

$\frac{4}{6} \times \frac{3}{5}=\frac{2}{5}$

따라서 구하는 확률은 $1-\frac{2}{5}=\frac{3}{5}$

다른풀이 $n(A \cup B)=n(A)+n(B)-n(A \cap B)$를 이용하여 풀이하기

6명의 학생이 봉사 활동 순번을 임의로 정하는 경우의 수는 $6!=720$
첫째 날에 남학생이 봉사활동을 하는 사건을 A,
여섯 째 날에 남학생이 봉사활동을 하는 사건을 B라 하면
조건을 만족하는 경우의 수는 $n(A \cup B)$
첫째 날에 남학생이 봉사활동을 하는 경우의 수는 $n(A)={}_2\mathrm{P}_1 \times 5!=240$
여섯 째 날에 남학생이 봉사활동을 하는 경우의 수는 $n(B)={}_2\mathrm{P}_1 \times 5!=240$
첫째 날과 여섯째 날 모두 남학생이 봉사활동을 하는 경우의 수는
$n(A \cap B)=2 \times 4!=48$
즉 $n(A \cup B)=n(A)+n(B)-n(A \cap B)=240+240-48=432$

따라서 구하는 확률은 $\mathrm{P}(A \cup B)=\frac{432}{720}=\frac{3}{5}$

0658

 ⑤

STEP A 모든 경우의 수 구하기

서로 다른 세 주사위를 던질 때, 나오는 모든 경우의 수는 6^3

STEP B 사건 A의 여사건 A^C에 대하여 $\mathrm{P}(A)=1-\mathrm{P}(A^C)$임을 이용하여 구하기

$a<b$ 또는 $b<c$인 사건을 A라 하면 그 여사건 A^C은 $a \ge b \ge c$인 사건이다.
이를 만족시키는 순서쌍 (a, b, c)의 개수는
1, 2, 3, 4, 5, 6 중 중복을 허락하여 3개를 택하는 경우의 수는
${}_6\mathrm{H}_3={}_8\mathrm{C}_3=56$이므로 $\mathrm{P}(A^C)=\frac{56}{6^3}=\frac{7}{27}$

따라서 구하는 확률은 $\mathrm{P}(A)=1-\mathrm{P}(A^C)=1-\frac{7}{27}=\frac{20}{27}$

0659

 ⑤

STEP A 중복조합을 이용하여 모든 경우의 수 구하기

방정식 $a+b+c=9$를 만족시키는 음이 아닌 정수 a, b, c의 순서쌍 (a, b, c)의 개수는 ${}_3\mathrm{H}_9={}_{11}\mathrm{C}_9={}_{11}\mathrm{C}_2=\frac{11\cdot10}{2\cdot1}=55$

STEP B 사건 A의 여사건 A^C에 대하여 $\mathrm{P}(A)=1-\mathrm{P}(A^C)$임을 이용하여 구하기

선택한 순서쌍 (a, b, c)가 $a<2$ 또는 $b<2$를 만족시킬 사건을 A라 하면
그 여사건 A^C은 $a \ge 2$이고 $b \ge 2$를 만족시키는 사건이다.
$a=a'+2$, $b=b'+2$로 놓으면 $(a'+2)+(b'+2)+c=9$에서
$a'+b'+c=5$이고 방정식 $a'+b'+c=5$를 만족시키는 음이 아닌 정수 a', b', c의 모든 순서쌍 (a', b', c)의 개수는 서로 다른 3개에서 중복을 허락하여 5개를 택하는 중복조합의 수와 같으므로 ${}_3\mathrm{H}_5={}_7\mathrm{C}_5={}_7\mathrm{C}_2=21$
$\mathrm{P}(A^C)=\frac{21}{55}$

구하는 확률은 $\mathrm{P}(A)=1-\mathrm{P}(A^C)=1-\frac{21}{55}=\frac{34}{55}$
따라서 $p=55$, $q=34$이므로 $p+q=55+34=89$

0660

 ④

STEP A 중복조합을 이용하여 모든 경우의 수 구하기

방정식 $x+y+z=10$을 만족시키는 음이 아닌 정수 x, y, z의 모든 순서쌍 (x, y, z)의 개수는 ${}_3\mathrm{H}_{10}={}_{3+10-1}\mathrm{C}_{10}={}_{12}\mathrm{C}_2=66$

STEP B 사건 A의 여사건 A^C에 대하여 $\mathrm{P}(A)=1-\mathrm{P}(A^C)$임을 이용하여 구하기

선택한 순서쌍 (x, y, z)가 $(x-y)(y-z)(z-x)\ne0$을 만족시킬 사건을 A라 하면
그 여사건 A^C은 $(x-y)(y-z)(z-x)=0$인 사건이다.
이 중에서 $(x-y)(y-z)(z-x)=0$이 성립하려면

(ⅰ) $x=y=z$인 경우
$x+y+z=3x=10$이므로 $x=y=z=\frac{10}{3}$
즉 정수가 아니므로 순서쌍이 될 수 없다.

(ⅱ) $x=y\ne z$인 경우 ⬅ x, y, z 중에서 오직 두 개만 서로 같을 수 있다.
$x+y+z=2x+z=10$이므로 가능한 순서쌍은
(0, 0, 10), (1, 1, 8), (2, 2, 6), (3, 3, 4), (4, 4, 2), (5, 5, 0)의 6개

(ⅲ) $y=z\ne x$인 경우 ⬅ x, y, z 중에서 오직 두 개만 서로 같을 수 있다.
$x+y+z=x+2y=10$이므로 가능한 순서쌍은
(0, 5, 5), (2, 4, 4), (4, 3, 3), (6, 2, 2), (8, 1, 1), (10, 0, 0)의 6개

(ⅳ) $z=x\ne y$인 경우
$x+y+z=y+2z=10$이므로 가능한 순서쌍은
(0, 10, 0), (4, 2, 4), (3, 4, 3), (2, 6, 2), (1, 8, 1), (5, 0, 5)의 6개

(ⅰ)~(ⅳ)에서 $(x-y)(y-z)(z-x)=0$을 만족시키는 순서쌍의 개수는
$6+6+6=18$ ⬅ ${}_3\mathrm{C}_2\times6=3\times6=18$
이므로 $\mathrm{P}(A^C)=\frac{18}{66}=\frac{3}{11}$

따라서 구하는 확률은 $\mathrm{P}(A)=1-\mathrm{P}(A^C)=1-\frac{3}{11}=\frac{8}{11}$이므로
$p+q=11+8=19$

내신연계 출제문항 300

방정식 $x+y+z=11$을 만족시키는 양의 정수 x, y, z의 모든 순서쌍 (x, y, z) 중에서 임의로 한 개를 택할 때, 선택한 순서쌍 (x, y, z)의 세 수의 곱 xyz가 짝수일 확률은 $\frac{q}{p}$이다. $p+q$의 값은?
(단, p와 q는 서로소인 자연수이다.)

① 4 ② 5 ③ 6
④ 7 ⑤ 8

STEP A 중복조합을 이용하여 전체 경우의 수 구하기

방정식 $x+y+z=11$을 만족시키는 양의 정수 x, y, z의 모든 순서쌍 (x, y, z)의 개수는
$x=a+1$, $y=b+1$, $z=c+1$ (단, a, b, c는 음이 아닌 정수)
라 하면 $(a+1)+(b+1)+(c+1)=11$에서 $a+b+c=8$을 만족하는 음 아닌 정수 a, b, c의 순서쌍 (a, b, c)의 개수와 같으므로
${}_3\mathrm{H}_8={}_{3+8-1}\mathrm{C}_8={}_{10}\mathrm{C}_8={}_{10}\mathrm{C}_2=45$

STEP B 여사건인 순서쌍의 곱 xyz가 홀수인 확률 구하기

순서쌍의 세 수의 곱 xyz가 짝수인 사건을 A라 하면
⬅ xyz가 짝수이기 위해서는 x, y, z 중 적어도 하나가 짝수이어야 한다.
여사건 A^C은 순서쌍의 세 수의 곱 xyz가 홀수인 사건이다.
⬅ x, y, z가 모두 홀수 이어야 한다.
방정식 $x+y+z=11$을 만족시키는 홀수 x, y, z의 모든 순서쌍 (x, y, z)의 개수는 $(2k+1)+(2l+1)+(2m+1)=11$에서
$k+l+m=4$를 만족시키는 음이 아닌 정수 k, l, m의 순서쌍 (k, l, m)의 개수와 같으므로 ${}_3\mathrm{H}_4={}_{3+4-1}\mathrm{C}_4={}_6\mathrm{C}_4={}_6\mathrm{C}_2=15$
즉 $\mathrm{P}(A^C)=\frac{15}{45}=\frac{1}{3}$

STEP C $\mathrm{P}(A)=1-\mathrm{P}(A^C)$을 이용하여 구하기

따라서 $\mathrm{P}(A)=1-\mathrm{P}(A^C)=1-\frac{1}{3}=\frac{2}{3}$이므로 $p+q=2+3=5$  ②

0661

정답 ④

STEP A **전체 경우의 수 구하기**

세 사람이 영화표를 구매하는 경우의 수는 ${}_5\Pi_3=5^3=125$

STEP B **여사건을 이용하여 확률 구하기**

세 사람 중 두 사람만 같은 상영관의 영화표를 구매하는 사건을 A라 하면
그 여사건 A^c은 세 사람이 모두 다른 상영관의 영화표를 구매하는 경우 또는
세 사람이 모두 같은 상영관의 영화표를 구매하는 사건이다.

(ⅰ) 세 사람이 모두 다른 상영관의 영화표를 구매하는 경우의 수는
${}_5P_3=5\times4\times3=60$
이므로 확률은 $\frac{60}{125}=\boxed{\frac{12}{25}}$

(ⅱ) 세 사람이 모두 같은 상영관의 영화표를 구매하는 경우의 수는
5이므로 확률은 $\frac{5}{125}=\boxed{\frac{1}{25}}$

(ⅰ), (ⅱ)에서 $P(A^c)=\frac{12}{25}+\frac{1}{25}=\boxed{\frac{13}{25}}$

구하는 확률은 $P(A)=1-P(A^c)=1-\frac{13}{25}=\boxed{\frac{12}{25}}$

따라서 (가) $\frac{12}{25}$, (나) $\frac{1}{25}$, (다) $\frac{13}{25}$, (라) $\frac{12}{25}$이므로 ④이다.

0662

STEP A **모든 경우의 수 구하기**

7명의 회원 중에서 3명을 택하는 경우의 수는 ${}_7C_3=35$

STEP B **사건 A의 여사건 A^c에 대하여 $P(A)=1-P(A^c)$임을 이용하여 구하기**

초대권을 받은 회원 중에서 남학생과 여학생이 모두 있는 사건을 A라 하면
그 여사건 A^c은 초대권을 받은 회원이 모두 남학생이거나 모두 여학생일 사건이다.

(ⅰ) 초대권을 받은 회원이 모두 남학생일 확률은
$\frac{{}_3C_3}{{}_7C_3}=\frac{1}{35}$

(ⅱ) 초대권을 받은 회원이 모두 여학생일 확률은
$\frac{{}_4C_3}{{}_7C_3}=\frac{4}{35}$

(ⅰ), (ⅱ)에서 $P(A^c)=\frac{1}{35}+\frac{4}{35}=\frac{5}{35}=\frac{1}{7}$

따라서 구하는 확률은 $P(A)=1-P(A^c)=1-\frac{1}{7}=\frac{6}{7}$

내신연계 출제문항 301

남학생 4명, 여학생 3명으로 구성된 방송부 동아리에서 TV프로그램 방청권 3장을 추첨하여 방송부원들에게 나누어 주기로 하였다.
당첨자 중에 남학생과 여학생이 섞여 있을 확률은?

① $\frac{2}{7}$　② $\frac{3}{7}$　③ $\frac{4}{7}$
④ $\frac{5}{7}$　⑤ $\frac{6}{7}$

STEP A **모든 경우의 수 구하기**

7명의 학생 중 3명을 뽑는 경우의 수는 ${}_7C_3=35$

STEP B **사건 A의 여사건 A^c에 대하여 $P(A)=1-P(A^c)$임을 이용하여 구하기**

당첨자 중에 남학생과 여학생이 섞여 있을 사건을 A라 하면
그 여사건 A^c은 당첨자 모두 남학생이거나 모두 여학생일 사건이다.

(ⅰ) 당첨자 3명이 모두 여자일 확률은 $\frac{{}_3C_3}{{}_7C_3}=\frac{1}{35}$

(ⅱ) 당첨자 3명이 모두 남자일 확률은 $\frac{{}_4C_3}{{}_7C_3}=\frac{4}{35}$

(ⅰ), (ⅱ)에서 $P(A^c)=\frac{1}{35}+\frac{4}{35}=\frac{5}{35}=\frac{1}{7}$

따라서 구하는 확률은 $P(A)=1-P(A^c)=1-\frac{1}{7}=\frac{6}{7}$　정답 ⑤

0663

STEP A **모든 경우의 수 구하기**

세 장의 카드를 던져 나오는 모든 경우의 수는 $2^3=8$

STEP B **사건 A의 여사건 A^c에 대하여 $P(A)=1-P(A^c)$임을 이용하여 구하기**

갑이 이기기 위해서는 세 장의 카드를 던져 펼쳐진 면의 문자를 비교하여
두 장의 카드의 문자가 같아야 하는 사건을 A라 하면
그 여사건 A^c은 펼쳐진 세 장의 카드의 문자가 모두 다른 경우이다.
펼쳐진 세 장의 카드의 문자가 모두 다른 경우는 a, b, c와 b, c, a의 두 가지 경우이다.

$P(A^c)=\frac{2}{8}=\frac{1}{4}$

따라서 구하는 확률은 $P(A)=1-P(A^c)=1-\frac{1}{4}=\frac{3}{4}$

0664

STEP A **모든 경우의 수 구하기**

한 개의 주사위를 세 번 던질 때 나오는 모든 경우의 수는 ${}_6\Pi_3=6^3=216$

STEP B **여사건의 확률을 이용하여 $P(A)$ 구하기**

$(a-b)(b-c)=0$인 사건을 A라 하면 ← $(a-b)(b-c)=0$이면 $a=b$ 또는 $b=c$
그 여사건 A^c은 $(a-b)(b-c)\neq0$인 사건이다.
즉 $(a-b)(b-c)\neq0$이려면 $a\neq b$이고 $b\neq c$이어야 하므로 $6\times5\times5=150$

$P(A^c)=\frac{150}{216}=\frac{25}{36}$

따라서 구하는 확률은 $P(A)=1-P(A^c)=1-\frac{25}{36}=\frac{11}{36}$

0665

STEP A **모든 경우의 수 구하기**

한 개의 주사위를 세 번 던질 때, 나오는 모든 경우의 수는
${}_6\Pi_3=6\times6\times6=216$

STEP B **사건 A의 여사건 A^c에 대하여 $P(A)=1-P(A^c)$임을 이용하여 구하기**

$(x-y)(y-z)(z-x)=0$인 사건을 A라 하면
그 여사건 A^c은 $(x-y)(y-z)(z-x)\neq0$인 사건이다.
즉 $x\neq y$이고 $y\neq z$이고 $z\neq x$이므로
세 주사위의 눈의 수가 모두 다른 사건이므로 그 경우의 수는
${}_6P_3=6\times5\times4=120$

$P(A^c)=\frac{120}{216}=\frac{5}{9}$

따라서 구하는 확률은 $P(A)=1-P(A^c)=1-\frac{5}{9}=\frac{4}{9}$

내신연계 출제문항 302

숫자 1, 2, 3, 4, 5가 하나씩 적혀 있는 5장의 카드가 들어있는 주머니에서 임의로 꺼낸 1장의 카드에 적혀 있는 수를 확인하고 다시 집어넣는 시행을 3회 반복할 때, 카드에 적혀 있는 수를 차례대로 x, y, z라 하자.
$(x-y)(y-z)(z-x)=0$일 확률은?

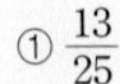

① $\frac{13}{25}$　　② $\frac{17}{25}$　　③ $\frac{19}{25}$
④ $\frac{21}{25}$　　⑤ $\frac{22}{25}$

STEP Ⓐ **전체 경우의 수 구하기**

1, 2, 3, 4, 5의 5장의 카드에서 임의로 1장을 꺼내 나온 눈의 수를 확인하고 다시 집어넣기를 3회 시행할 때, 일어날 수 있는 모든 경우의 수는
${}_5\Pi_3=5^3=125$

STEP Ⓑ **여사건인 $x\neq y$, $y\neq z$, $z\neq x$인 사건 구하기**

$(x-y)(y-z)(z-x)=0$인 사건을 A라 하면
그 여사건 A^C은 $(x-y)(y-z)(z-x)\neq 0$인 사건이다.
즉 $(x-y)(y-z)(z-x)\neq 0$이려면
$x\neq y$이고 $y\neq z$이고 $z\neq x$이어야 한다.
$x\neq y$이고 $y\neq z$이고 $z\neq x$일 때는 1부터 5까지의 5개의 자연수 중에서 서로 다른 3개의 수를 택하여 일렬로 나열하는 경우의 수와 같으므로
${}_5P_3=5\times4\times3=60$
$P(A^C)=\frac{60}{125}=\frac{12}{25}$
따라서 구하는 확률은 $P(A)=1-P(A^C)=1-\frac{12}{25}=\frac{13}{25}$

정답 ①

0666

정답 ④

STEP Ⓐ **모든 경우의 수 구하기**

서로 다른 세 개의 주사위를 동시에 던질 때, 나오는 모든 경우의 수는
${}_6\Pi_3=6\times6\times6=216$

STEP Ⓑ **사건 A의 여사건 A^C에 대하여 $P(A)=1-P(A^C)$임을 이용하여 구하기**

$(a-b)^2+(b-c)^2+(c-a)^2>0$인 사건을 A라 하면
그 여사건 A^C은 $(a-b)^2+(b-c)^2+(c-a)^2=0$인 사건이다.
즉 $a=b=c$이므로 주사위의 눈이 모두 같은 경우의 수는 6
$P(A^C)=\frac{6}{216}=\frac{1}{36}$
따라서 구하는 확률은 $P(A)=1-P(A^C)=1-\frac{1}{36}=\frac{35}{36}$

다른 표현 같은 문제
서로 다른 세 개의 주사위를 동시에 던졌을 때,
나온 눈을 차례로 a, b, c라고 하자.
이때 $a^2+b^2+c^2-ab-bc-ca>0$일 확률을 구하여라.

0667

정답 ④

STEP Ⓐ **모든 경우의 수 구하기**

8개의 꼭짓점 중에서 3개의 점을 택하는 경우의 수는 ${}_8C_3=56$

STEP Ⓑ **사건 A의 여사건 A^C에 대하여 $P(A)=1-P(A^C)$임을 이용하여 구하기**

3개의 점 중에서 2개의 점이 같은 모서리의 꼭짓점일 사건을 A라 하면
그 여사건 A^C은 3개의 점 중에서 어느 2개의 점도 같은 모서리의 꼭짓점이 아닐 사건이므로 이때 3개의 점을 택하는 경우는
네 점 A, C, F, H 또는 네 점 B, D, E, G 중에서 3개의 점을 택할 때이므로
그 경우의 수는 ${}_4C_3+{}_4C_3=8$
$P(A^C)=\frac{8}{56}=\frac{1}{7}$
따라서 구하는 확률은 $P(A)=1-P(A^C)=1-\frac{1}{7}=\frac{6}{7}$

0668

정답 ①

STEP Ⓐ **모든 경우의 수 구하기**

한 모서리의 길이가 1인 정육면체의 개수는 125

STEP Ⓑ **사건 A의 여사건 A^C에 대하여 $P(A)=1-P(A^C)$임을 이용하여 구하기**

적어도 한 면이 색칠되어져 있는 정육면체일 사건을 A라 하면
그 여사건 A^C은 어떤 면도 색칠되지 않은 것을 선택할 사건이므로
어떤 면도 색칠되지 않은 정육면체의 개수는 $3\times3\times4=36$
$P(A^C)=\frac{36}{125}$
따라서 구하는 확률은 $P(A)=1-P(A^C)=1-\frac{36}{125}=\frac{89}{125}$
$\therefore\ p+q=125+89=214$

참고 적어도 한 면이 색칠된 정육면체의 개수는 $5\times5+4\times(4\times4)=89$
따라서 확률은 $\frac{q}{p}=\frac{89}{125}$이므로 $p+q=214$

내신연계 출제문항 303

한 모서리의 길이가 3인 정육면체의 겉면을 빨간색으로 색칠한 후, 오른쪽 그림과 같이 한 모서리의 길이가 1인 정육면체 27개로 잘라 주머니에 넣었다. 이 주머니에서 임의로 작은 정육면체 한 개를 꺼낼 때, 2면 이상에 빨간색이 칠해져 있을 확률은?
(단, 정육면체 내부는 빨간색이 아니다.)

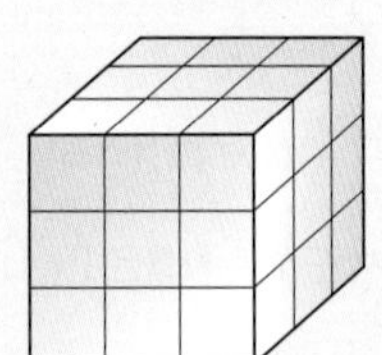

① $\frac{14}{27}$　　② $\frac{5}{9}$　　③ $\frac{16}{27}$
④ $\frac{2}{3}$　　⑤ $\frac{20}{27}$

STEP Ⓐ **모든 경우의 수 구하기**

한 모서리의 길이가 1인 정육면체의 개수는 27

STEP Ⓑ **사건 A의 여사건 A^C에 대하여 $P(A)=1-P(A^C)$임을 이용하여 구하기**

2면 이상에 빨간색이 칠해져 있을 사건을 A라 하면 그 여사건 A^C은 한 면만 빨간색이 칠해지거나 빨간색이 칠해지지 않은 사건이다.
이때 빨간색이 칠해지지 않은 것이 1개, 한 면만 빨간색이 칠해진 것은 6개이므로 $P(A^C)=\frac{1+6}{27}=\frac{7}{27}$
따라서 구하는 확률은 $P(A)=1-P(A^C)=1-\frac{7}{27}=\frac{20}{27}$

정답 ⑤

0669

정답 ⑤

STEP Ⓐ **전체 경우의 수 구하기**

서로 다른 4개의 공 중에서 중복을 허락하여 차례로 3개의 공을 꺼내는 경우의 수는 ${}_4\Pi_3=4^3$

STEP Ⓑ **사건 A의 여사건 A^c에 대하여 $\mathrm{P}(A)=1-\mathrm{P}(A^c)$임을 이용하여 구하기**

두 직선 $ax+by+1=0$, $cx+ay+1=0$이 오직 한 점에서 만나려면

두 직선의 기울기가 서로 달라야 하므로 $-\frac{a}{b}\neq-\frac{c}{a}$이어야 한다.

즉 $\frac{a}{b}\neq\frac{c}{a}$, $a^2\neq bc$ 인 사건을 A라 하면

그 여사건 A^c은 $a^2=bc$를 만족시키는 사건이다.

이때 $a^2=bc$를 만족시키는 a, b, c의 순서쌍 (a, b, c)는 다음과 같다.

(ⅰ) $a=1$일 때, $(1, 1, 1)$로 개수는 1

(ⅱ) $a=2$일 때, $(2, 1, 4)$, $(2, 2, 2)$, $(2, 4, 1)$로 개수는 3

(ⅲ) $a=3$일 때, $(3, 3, 3)$으로 개수는 1

(ⅳ) $a=4$일 때, $(4, 4, 4)$로 개수는 1

(ⅰ)~(ⅳ)에 의하여 $a^2=bc$를 만족시키는 a, b, c의 모든 순서쌍 (a, b, c)의 개수는 $1+3+1+1=6$이므로 $\mathrm{P}(A^c)=\frac{6}{4^3}=\frac{3}{32}$

따라서 구하는 확률은 $\mathrm{P}(A)=1-\mathrm{P}(A^c)=1-\frac{3}{32}=\frac{29}{32}$

0670

정답 ②

STEP Ⓐ **모든 경우의 수 구하기**

7개의 공을 임의로 일렬로 나열하는 경우의 수는 $7!$

STEP Ⓑ **사건 A의 여사건 A^c에 대하여 $\mathrm{P}(A)=1-\mathrm{P}(A^c)$임을 이용하여 구하기**

같은 숫자가 적혀 있는 공이 서로 이웃하지 않게 나열되는 사건을 A라 하면 그 여사건 A^c은 7개의 공을 임의로 일렬로 나열할 때, 같은 숫자가 적혀 있는 공이 서로 이웃하게 나열되는 사건이다.

4가 적혀 있는 흰 공과 4가 적혀 있는 검은 공을 하나의 공으로 생각하여 6개의 공을 일렬로 나열하는 경우의 수는 $6!$이고

이 각각에 대하여 4가 적혀 있는 흰 공과 4가 적혀 있는 검은 공이 서로 위치를 바꿀 수 있으므로 이때의 경우의 수는 $6!\times2!$

$\mathrm{P}(A^c)=\frac{6!\times2!}{7!}=\frac{2}{7}$

즉 구하는 확률은 $\mathrm{P}(A)=1-\mathrm{P}(A^c)=1-\frac{2}{7}=\frac{5}{7}$

따라서 $p=7$, $q=5$이므로 $p+q=7+5=12$

다른풀이 경우의 수를 이용하여 확률 구하기

7개의 공을 임의로 일렬로 나열하는 경우의 수는 $7!$

먼저 이웃해도 상관없는 5개의 공을 배열한다.

맨 앞과 맨 뒤, 그리고 사이사이에 나머지 2개의 공을 1개씩 배치하는 경우의 수는 $5!\times{}_6\mathrm{P}_2$

따라서 구하는 확률은 $\frac{5!\times{}_6\mathrm{P}_2}{7!}=\frac{5}{7}$

0671

정답 ⑤

STEP Ⓐ **전체 경우의 수 구하기**

12장의 카드 중 3장을 선택하는 경우의 수는

${}_{12}\mathrm{C}_3=220$가지 ⬅ 12장의 카드를 모두 다른 것으로 생각한다.

STEP Ⓑ **여사건인 선택한 3장의 카드에 적혀 있는 숫자가 모두 다른 사건 구하기**

선택한 카드 중 같은 숫자가 적혀 있는 카드가 2장 이상인 사건을 A라 하면

여사건 A^c은 선택한 3장의 카드에 적혀 있는 숫자가 모두 다른 경우이므로

1, 2, 3, 4 중에 3개의 숫자를 선택하는 경우의 수는 ${}_4\mathrm{C}_3=4$이고

선택한 세 숫자가 적힌 카드는 각각 3장씩 있으므로 1장씩 뽑는 경우의 수는

${}_3\mathrm{C}_1\times{}_3\mathrm{C}_1\times{}_3\mathrm{C}_1$

⬅ 예를 들면 카드에 적힌 수가 각각 1, 2, 3이라 하면
1이 적힌 카드를 선택하는 경우의 수는 ${}_3\mathrm{C}_1=3$가지
2가 적힌 카드와 3이 적힌 카드를 선택하는 경우의 수 또한 같은 방법으로 3가지씩이다.

즉 선택한 3장의 카드에 모두 다른 숫자가 적혀있는 확률은

$\mathrm{P}(A^c)=\frac{{}_4\mathrm{C}_3\times{}_3\mathrm{C}_1\times{}_3\mathrm{C}_1\times{}_3\mathrm{C}_1}{{}_{12}\mathrm{C}_3}=\frac{108}{220}=\frac{27}{55}$

STEP Ⓒ **$\mathrm{P}(A)=1-\mathrm{P}(A^c)$을 이용하여 구하기**

따라서 선택한 카드 중에 같은 숫자가 적혀 있는 카드가 2장 이상일 확률은

$\mathrm{P}(A)=1-\mathrm{P}(A^c)=1-\frac{27}{55}=\frac{28}{55}$

다른풀이 같은 숫자가 적혀 있는 카드의 개수에 따른 경우로 나누어 풀이하기

12장의 카드 중 3장을 선택하는 경우의 수는 ${}_{12}\mathrm{C}_3=220$가지

이때 선택한 3장의 카드 중 같은 숫자가 적혀 있는 카드가 몇 장인지에 따라 경우를 나누어 보면 다음과 같다.

(ⅰ) 같은 숫자가 적혀 있는 카드가 2장일 때,

같은 숫자가 적혀 있는 카드 2장에 적힐 수를 고르는 경우의 수는 ${}_4\mathrm{C}_1$

이 숫자가 적혀 있는 카드 3장 중 2장을 고르는 경우의 수는 ${}_3\mathrm{C}_2$

나머지 1장의 카드를 고르는 경우의 수는 ${}_9\mathrm{C}_1$

⬅ 같은 수가 적혀 있는 3장의 카드를 제외한 9장의 카드 중 하나를 고른 것

즉 이때의 확률은 $\frac{{}_4\mathrm{C}_1\times{}_3\mathrm{C}_2\times{}_9\mathrm{C}_1}{{}_{12}\mathrm{C}_2}=\frac{4\times3\times9}{220}=\frac{27}{55}$

(ⅱ) 같은 숫자가 적혀 있는 카드가 3장일 때,

같은 숫자가 적혀 있는 카드 3장에 적힐 수를 고르는 경우의 수는 ${}_4\mathrm{C}_1$

즉 이때의 확률은 $\frac{{}_4\mathrm{C}_1}{{}_{12}\mathrm{C}_2}=\frac{4}{220}=\frac{1}{55}$

(ⅰ), (ⅱ)에서 선택한 카드 중에 같은 숫자가 적혀 있는 카드가 2장 이상일 확률은 배반사건이므로 $\frac{27}{55}+\frac{1}{55}=\frac{28}{55}$

카드를 1장씩 순차적으로 꺼내는 시행을 3번(비복원추출)하는 것으로 생각하면 확률의 곱셈정리에 의하여 선택한 카드 3장에 적힌 숫자가

모두 다를 확률은 $\frac{12}{12}\times\frac{9}{11}\times\frac{6}{10}=\frac{27}{55}$

따라서 구하는 확률은 $1-\frac{27}{55}=\frac{28}{55}$

내신연계 출제문항 304

문자 A가 적혀 있는 카드 3장, 문자 B가 적혀 있는 카드 2장, 문자 C가 적혀 있는 카드 1장이 있다. 이와 같은 A, B, C 세 종류의 카드 6장을 임의로 일렬로 나열할 때, 적어도 한 종류의 카드는 2장 이상 연속으로 나열될 확률은? (단, 같은 문자가 적혀 있는 카드는 서로 구별하지 않는다.)

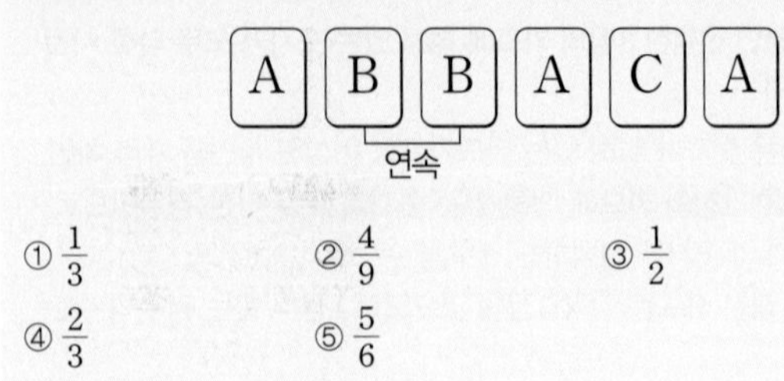

① $\frac{1}{3}$ ② $\frac{4}{9}$ ③ $\frac{1}{2}$

④ $\frac{2}{3}$ ⑤ $\frac{5}{6}$

STEP A 모든 경우의 수 구하기

문자 A가 적혀 있는 카드를 a, 문자 B가 적혀 있는 카드를 b, 문자 C가 적혀 있는 카드를 c라 하자.
a, a, a, b, b, c의 6개의 문자를 일렬로 나열하는 경우의 수는

$\frac{6!}{3!2!}=60$

STEP B 여사건을 이용하여 확률 구하기

적어도 한 종류의 카드가 2장 이상 연속하게 나열되는 사건을 X라 하면 그 여사건 X^c은 같은 종류의 카드끼리는 2장 이상 연속해서 나열되지 않는 것이다.
a, a, a를 ① a ② a ③ a ④와 같이 나열한 후
①, ②, ③, ④의 자리에 b, b, c를 놓는 경우의 수를 구한다.

(ⅰ) ②, ③에 각각 1개의 문자를 놓는 경우
②, ③에 각각 b, b를 놓으면
c는 ① 또는 ④에 놓을 수 있으므로 2가지
②, ③에 각각 b, c 또는 c, b를 놓으면
b는 ① 또는 ④에 놓을 수 있으므로 $2\times2=4$가지
즉 같은 종류의 카드끼리는 2장 이상 연속해서 나열되지 않는 경우의 수는 $2+4=6$가지

(ⅱ) ②, ③에 한 곳에는 2개의 문자, 다른 한 곳에는 1개의 문자를 넣는 경우
②에 bc 또는 cb를 놓으면
③에 b를 놓아야 하므로 2가지
③에 bc 또는 cb를 놓으면
②에 b를 놓아야 하므로 2가지
즉 같은 종류의 카드끼리는 2장 이상 연속해서 나열되지 않는 경우의 수는

$2+2=4$가지

(ⅰ), (ⅱ)에서 같은 종류의 카드끼리는 2장 이상 연속해서 나열되지 않는 경우의 수는 $6+4=10$이므로 $P(X^c)=\frac{10}{60}=\frac{1}{6}$

따라서 구하는 확률은 $P(X)=1-P(X^c)=1-\frac{1}{6}=\frac{5}{6}$ 정답 ⑤

STEP 2 서술형 기출유형

0672

정답 해설참조

1단계 남학생 2명이 서로 이웃할 확률을 구한다. ◀ 25%

남학생 2명과 여학생 3명을 일렬로 세우는 모든 경우의 수는 5!이다.
남학생 2명이 서로 이웃하는 경우의 수는 $4!\times2!$이므로
구하고자 하는 확률은 $\frac{4!\times2!}{5!}=\frac{2}{5}$

2단계 남학생 2명이 서로 이웃하지 않을 확률을 구한다. ◀ 25%

여학생 3명을 나열하는 경우의 수는 3!
이 각각에 대하여 나열된 사이와 양 끝의 네 곳 중 두 곳을 선택하여
남학생 2명을 나열하는 경우의 수는 ${}_4P_2$이므로
구하고자 하는 확률은 $\frac{3!\times{}_4P_2}{5!}=\frac{3}{5}$

3단계 여학생 3명이 연속으로 이웃할 확률을 구한다. ◀ 25%

여학생 3명이 연속으로 이웃하는 경우의 수는 $3!\times3!$이므로
구하고자 하는 확률은 $\frac{3!\times3!}{5!}=\frac{3}{10}$

4단계 여학생과 남학생이 교대로 서게 될 확률을 구한다. ◀ 25%

여학생과 남학생이 교대로 서는 경우는
여, 남, 여, 남, 여의 순으로 서는 경우밖에 없으므로 경우의 수는 $3!\times2!$
구하고자 하는 확률은 $\frac{3!\times2!}{5!}=\frac{1}{10}$

0673

정답 해설참조

1단계 여사건을 이용하지 않고 서술하여라. ◀ 50%

다섯 개의 좌석에 일렬로 앉은 경우의 수는 $5!=120$
자녀 3명이 일렬로 앉는 경우의 수는 $3!=6$
맨 앞과 마지막 그리고 3명의 자녀 사이 2곳, 총 4곳 중 2개를 선택하여
부모가 앉는 경우의 수는 ${}_4P_2=12$
따라서 구하는 확률은 $\frac{6\times12}{120}=\frac{3}{5}$

2단계 여사건을 이용하여 서술하여라. ◀ 50%

다섯 개의 좌석에 일렬로 앉은 경우의 수는 $5!=120$
부모가 서로 이웃하지 않는 사건을 A라고 하면
사건 A의 여사건 A^c은 부모가 서로 이웃하는 사건이다.
이때 $P(A^c)=\frac{4!\times2!}{5!}=\frac{2}{5}$이므로 $P(A)=1-P(A^c)=1-\frac{2}{5}=\frac{3}{5}$

참고 여사건을 이용하여 확률을 구하는 것이 편리하다.

0674

정답 해설참조

1단계 짝수가 될 확률을 구한다. ◀ 40%

5장의 카드 중에서 4장을 뽑아 네 자리의 자연수를 만드는 경우의 수는 ${}_5P_4=120$

이때 만든 자연수가 짝수가 되려면 일의 자리의 수가 짝수이어야 하므로

그 경우의 수는 ${}_2P_1\times{}_4P_3=48$

따라서 구하는 확률은 $\frac{48}{120}=\frac{2}{5}$

2단계 4200보다 클 확률을 구한다. ◀ 60%

5□□□인 경우의 수는 ${}_4P_3=24$

4 5□□인 경우의 수는 ${}_3P_2=6$

4 3□□인 경우의 수는 ${}_3P_2=6$

4 2□□인 경우의 수는 ${}_3P_2=6$

따라서 구하는 확률은 $\frac{24+6+6+6}{120}=\frac{42}{120}=\frac{7}{20}$

0675

정답 해설참조

1단계 적어도 1개가 흰 공일 확률을 구한다. ◀ 50%

11개의 공 중에서 임의로 2개의 공을 꺼내는 경우의 수는 ${}_{11}C_2=55$

꺼낸 2개의 공 중 적어도 1개가 흰 공인 사건을 A라 하면

2개의 공이 모두 검은 공인 사건은 A^C이므로

$P(A^C)=\frac{{}_6C_2}{{}_{11}C_2}=\frac{15}{55}=\frac{3}{11}$

따라서 구하는 확률은 $P(A)=1-P(A^C)=1-\frac{3}{11}=\frac{8}{11}$

2단계 검은 공이 1개 이상일 확률을 구한다. ◀ 50%

11개의 공 중에서 임의로 2개의 공을 꺼내는 경우의 수는 ${}_{11}C_2=55$

꺼낸 2개의 공 중 검은 공이 1개 이상인 사건을 B라 하면

2개의 공이 모두 흰 공인 사건은 B^C이므로

$P(B^C)=\frac{{}_5C_2}{{}_{11}C_2}=\frac{10}{55}=\frac{2}{11}$

따라서 구하는 확률은 $P(B)=1-P(B^C)=1-\frac{2}{11}=\frac{9}{11}$

0676

정답 해설참조

1단계 나온 눈의 수의 최솟값이 5일 확률을 구한다. ◀ 50%

서로 다른 세 개의 주사위를 던질 때, 전체 경우의 수는 6^3

나온 눈의 수의 최솟값이 5이려면

세 수의 눈의 수가 각각 5, 6 중 하나이므로 ${}_2\Pi_3=8$

이 중 (6, 6, 6)의 1가지 경우는 제외해야 하므로

나온 눈의 수의 최솟값이 5인 경우의 수는 $8-1=7$

따라서 구하는 확률은 $\frac{7}{6^3}=\frac{7}{216}$

2단계 나온 눈의 수의 최댓값이 5일 확률을 구한다. ◀ 50%

서로 다른 세 개의 주사위를 던질 때, 전체 경우의 수는 6^3

나온 눈의 수의 최댓값이 5이려면

세 눈의 수가 각각 1, 2, 3, 4, 5 중 하나이므로 ${}_5\Pi_3=125$

이 중 5의 눈이 나오지 않는,

즉 1, 2, 3, 4의 눈만 나오는 경우의 수 ${}_4\Pi_3=64$(가지) 경우는 제외해야 하므로

나온 눈의 수의 최댓값이 5인 경우의 수는 $125-64=61$

따라서 구하는 확률은 $\frac{61}{6^3}=\frac{61}{216}$

0677

정답 해설참조

1단계 20개의 탁구공에서 2개를 뽑는 전체 경우의 수를 구한다. ◀ 30%

20개의 탁구공에서 2개를 뽑는 전체 경우의 수는 ${}_{20}C_2=190$

2단계 2개 모두 주황색 탁구공일 확률을 이용하여 n에 관한 식으로 나타낸다. ◀ 40%

주황색 탁구공 n 중에서 2개를 뽑는 경우의 수는 ${}_nC_2=\frac{n(n-1)}{2}$

2개 모두 주황색 탁구공일 확률이 $\frac{1}{19}$이므로 $\frac{\frac{n(n-1)}{2}}{190}=\frac{1}{19}$

3단계 n의 값을 구한다. ◀ 30%

$\frac{n(n-1)}{2}=10$에서 $n^2-n-20=0$, $(n-5)(n+4)=0$

따라서 $n>0$이므로 $n=5$

0678

정답 해설참조

1단계 동아리 회원 10명 중에서 대표 2명을 뽑는 경우의 수를 구한다. ◀ 30%

동아리 회원 10명 중에서 대표 2명을 뽑는 경우의 수는 ${}_{10}C_2=45$

2단계 배반사건의 확률을 이용하여 A반의 학생을 구한다. ◀ 30%

A반과 B반의 학생 수를 각각 m, $10-m$이라 하자.

같은 반 학생이 뽑힐 사건

(ⅰ) A반에서 대표 2명을 뽑는 사건을 A라 하면

확률은 $P(A)=\frac{{}_mC_2}{45}=\frac{m(m-1)}{90}$

(ⅱ) B반에서 대표 2명을 뽑는 사건을 B라 하면

확률은 $P(B)=\frac{{}_{10-m}C_2}{45}=\frac{(10-m)(9-m)}{90}$

(ⅰ), (ⅱ)는 배반사건이므로 구하는 확률은

$P(A\cup B)=P(A)+P(B)=\frac{m(m-1)}{90}+\frac{(10-m)(9-m)}{90}$

$=\frac{2m^2-20m+90}{90}$

따라서 같은 반 학생이 뽑힐 확률이 $\frac{8}{15}$이므로

$\frac{2m^2-20m+90}{90}=\frac{8}{15}$에서 $m^2-10m+21=0$, $(m-3)(m-7)=0$

$\therefore m=3$ 또는 $m=7$

3단계 여사건의 확률을 이용하여 A반의 학생을 구한다. ◀ 30%

대표 2명을 뽑을 때, 같은 반 학생이 뽑힐 사건을 A라 하면

그 여사건 A^C는 A반에서 1명, B반에서 1명이 뽑힐 사건이므로

A반과 B반의 학생 수를 각각 m, $10-m$이라 하자.

이때 2명의 대표를 각각 A반과 B반에서 뽑는 경우의 수는

${}_mC_1\times{}_{10-m}C_1=m(10-m)$이므로

2명의 대표를 각각 A반과 B반에서 뽑을 확률은

$P(A^C)=\frac{m(10-m)}{45}$

따라서 같은 반 학생이 뽑힐 확률이 $\frac{8}{15}$이므로

$P(A)=1-P(A^C)=1-\frac{m(10-m)}{45}=\frac{8}{15}$

$\frac{m(10-m)}{45}=\frac{7}{15}$에서 $m^2-10m+21=0$, $(m-3)(m-7)=0$

$\therefore m=3$ 또는 $m=7$

4단계 A반과 B반의 학생 수의 차를 구한다. ◀ 10%

두 반의 학생 수는 각각 7, 3이므로 A반과 B반의 학생 수의 차는 4

0679
정답 해설참조

1단계 빨간 공의 개수를 n이라고 할 때, 이 상자에서 꺼낸 2개의 공이 모두 빨간 공일 수학적 확률을 구한다. ◀ 50%

6개의 공 중에서 2개를 꺼내는 모든 경우의 수는 ${}_6C_2$
이때 빨간 공 n개에서 2개의 공을 꺼내는 경우의 수는 ${}_nC_2$
즉 구하는 수학적 확률은 $\frac{{}_nC_2}{{}_6C_2}=\frac{n(n-1)}{30}$

2단계 시행횟수가 충분히 많아 수학적 확률과 통계적 확률이 같다고 가정하였을 때, n의 값을 구한다. ◀ 50%

10번에 4번꼴로 꺼낸 2개의 공이 모두 빨간 공이 나오므로
2개 모두 빨간 공인 통계적 확률이 $\frac{2}{5}$이다.
시행횟수가 충분히 많을 때, 수학적 확률과 통계적 확률이 같으므로
$\frac{n(n-1)}{30}=\frac{2}{5}$에서 $n(n-1)=12=4\times3$이므로 $n=4$

0680
정답 해설참조

1단계 두 개의 볼펜을 동시에 꺼내는 모든 경우의 수를 구한다. ◀ 20%

$n+3$개의 볼펜 중에서 2개를 꺼내는 경우의 수는 ${}_{n+3}C_2$

2단계 적어도 한 개는 파란 볼펜이 나오는 사건을 A라 할 때, 사건 A의 여사건 A^c의 확률 $P(A^c)$를 구한다. ◀ 30%

적어도 한 개는 파란 볼펜이 나오는 사건을 A라 하면
여사건 A^c은 두 개 모두 빨간 볼펜이 나오는 사건이다.
$P(A^c)=\frac{{}_3C_2}{{}_{n+3}C_2}=\frac{6}{(n+3)(n+2)}$

3단계 $P(A)=1-P(A^c)$을 이용하여 n의 값을 구한다. ◀ 50%

적어도 한 개는 파란 볼펜이 나올 확률이 $\frac{7}{10}$이므로
$P(A)=1-P(A^c)=1-\frac{6}{(n+3)(n+2)}=\frac{7}{10}$
즉 $\frac{6}{(n+3)(n+2)}=\frac{3}{10}$에서 $(n+3)(n+2)=20$, $n^2+5n-14=0$
$(n-2)(n+7)=0$
그런데 n은 자연수이므로 $n=2$
따라서 파란 볼펜은 2개가 들어 있다.

0681
정답 해설참조

1단계 흰 공을 2개 이상 꺼내는 사건을 A라 할 때, A^c의 의미를 서술한다. ◀ 30%

흰 공을 2개 이상 꺼내는 사건을 A라 하면
그 여사건 A^c는 흰 공을 1개 이거나 모두 검은 공을 꺼내는 사건이다.

2단계 $P(A^c)$를 구한다. ◀ 40%

(i) 흰 공 1개를 꺼내는 확률은 $\frac{{}_6C_1\times{}_4C_3}{{}_{10}C_4}=\frac{4}{35}$
(ii) 모두 검은 공을 꺼내는 확률은 $\frac{{}_4C_4}{{}_{10}C_4}=\frac{1}{210}$
(i), (ii)에서 $P(A^c)=\frac{4}{35}+\frac{1}{210}=\frac{5}{42}$

3단계 흰 공을 2개 이상 꺼내는 확률을 구한다. ◀ 30%

따라서 구하는 확률은 $P(A)=1-P(A^c)=1-\frac{5}{42}=\frac{37}{42}$

0682
정답 해설참조

방법1 여사건의 확률을 이용하여 구한다. ◀ 50%

STEP Ⓐ **모든 경우의 수 구하기**
한 개의 주사위를 세 번 던질 때, 나오는 모든 경우의 수는 ${}_6\Pi_3=6^3=216$

STEP Ⓑ **여사건의 확률을 이용하여 $P(A)$ 구하기**
$(a-b)(b-c)=0$인 사건을 A라 하면 ⬅ $(a-b)(b-c)=0$이면 $a=b$ 또는 $b=c$
그 여사건 A^c은 $(a-b)(b-c)\neq0$인 사건이다.
즉 $(a-b)(b-c)\neq0$이려면 $a\neq b$이고 $b\neq c$이어야 하므로
$6\times5\times5=150$
$P(A^c)=\frac{150}{216}=\boxed{\frac{25}{36}}$
따라서 구하는 확률은 $P(A)=1-P(A^c)=1-\frac{25}{36}=\boxed{\frac{11}{36}}$

방법2 확률의 덧셈정리를 이용하여 구한다. ◀ 50%

STEP Ⓐ **모든 경우의 수 구하기**
한 개의 주사위를 세 번 던질 때, 나오는 모든 경우의 수는 ${}_6\Pi_3=6^3=216$

STEP Ⓑ **덧셈정리를 이용하여 $P(A\cup B)$의 값 구하기**
$(a-b)(b-c)=0$이면
$a=b$ 또는 $b=c$이므로
$a=b$일 사건을 A, $b=c$일 사건을 B라고 하면
$P(A)=\frac{36}{216}=\boxed{\frac{1}{6}}$, $P(B)=\frac{36}{216}=\boxed{\frac{1}{6}}$, $P(A\cap B)=\frac{6}{216}=\boxed{\frac{1}{36}}$
따라서 $(a-b)(b-c)=0$일 확률은 $P(A\cup B)$이므로
$P(A\cup B)=P(A)+P(B)-P(A\cap B)$
$=\frac{1}{6}+\frac{1}{6}-\frac{1}{36}=\boxed{\frac{11}{36}}$
따라서 (가) $\frac{25}{36}$, (나) $\frac{11}{36}$, (다) $\frac{1}{6}$, (라) $\frac{1}{6}$, (마) $\frac{1}{36}$, (바) $\frac{11}{36}$

0683
정답 해설참조

1단계 $i^{m+n}=1$이 성립할 확률을 구한다. ◀ 40%

한 개의 주사위를 두 번 던질 때, 나오는 모든 눈의 경우의 수는 $6\times6=36$
$i^{m+n}=1$이 성립하려면 $m+n$은 $4k$ (k는 자연수)꼴이어야 하므로
$m+n=4$, $m+n=8$, $m+n=12$
그러므로 m, n의 순서쌍 (m, n)은
$(1, 3)$, $(2, 2)$, $(3, 1)$, $(2, 6)$, $(3, 5)$, $(4, 4)$, $(5, 3)$, $(6, 2)$, $(6, 6)$의
9개이므로 구하는 확률은 $\frac{9}{36}=\frac{1}{4}$

2단계 $i^m\cdot(-i)^n=1$이 성립할 확률을 구한다. ◀ 60%

$i^m\times(-i)^n=(-1)^n\times i^{m+n}=1$
n이 짝수이면서 $m+n$이 4의 배수이거나
n이 홀수이면서 $m+n$이 4의 배수가 아닌 짝수이어야 한다.
그러므로 만족하는 순서쌍 (m, n)은
(i) n이 짝수이면서 $m+n$이 4의 배수인 경우
n이 짝수이고 $m+n=4, 8, 12$인 경우는
$(2, 2)$, $(2, 6)$, $(4, 4)$, $(6, 2)$, $(6, 6)$의 5
(ii) n이 홀수이면서 $m+n$이 4의 배수가 아닌 짝수인 경우
n이 홀수이고 $m+n=2, 6, 10$인 경우는
$(1, 1)$, $(1, 5)$, $(3, 3)$, $(5, 1)$, $(5, 5)$의 5
따라서 구하는 확률은 $\frac{5+5}{36}=\frac{5}{18}$

0684

정답 해설참조

1단계	이 삼각형이 직각삼각형이 될 확률을 구한다.	◀ 30%

8개의 점 중에서 3개의 점을 선택하는 방법의 수는 ${}_8C_3=56$

그런데 직각삼각형이 되기 위해서는 오른쪽 그림과 같이 한 변이 원의 지름이 되어야 한다.

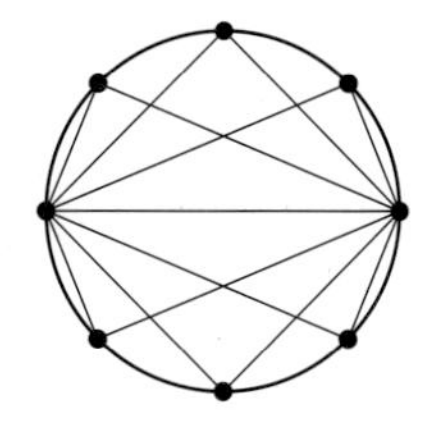

두 점을 이었을 때, 원의 지름이 되는 경우가 4가지이고 각각의 경우에 대하여 직각삼각형이 6개가 나올 수 있으므로

구하는 확률은 $\frac{4\times6}{56}=\frac{3}{7}$

2단계	이 삼각형이 이등변삼각형이 될 확률을 구한다.	◀ 30%

8개의 점 중에서 3개의 점을 택하는 전체 경우의 수는 ${}_8C_3=56$

오른쪽 그림과 같이 원 위의 한 점을 이등변삼각형의 꼭지각에 해당하는 점으로 택할때 만들어지는 이등변삼각형은 오른쪽 그림과 같이 3개이고, 꼭지각에 해당하는 점으로 가능한 것이 8개이므로 만들 수 있는 이등변삼각형의 개수는 $3\times8=24$

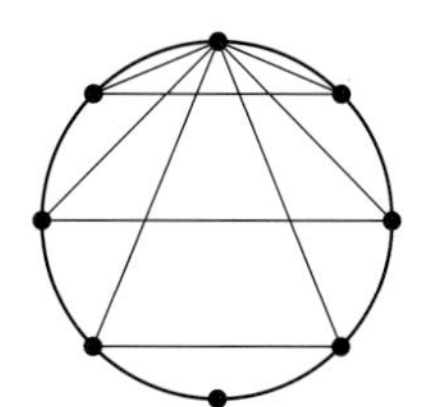

따라서 구하는 확률은 $\frac{24}{56}=\frac{3}{7}$

3단계	이 삼각형이 둔각삼각형이 될 확률을 구한다.	◀ 40%

8개의 점 중에서 3개의 점을 선택하는 방법의 수는 ${}_8C_3=56$

이 삼각형이 둔각삼각형이 되는 경우는 다음과 같다.

(ⅰ) 이웃한 3개의 점으로 둔각인 이등변삼각형이 만들어지는 경우

$\angle P_1$, $\angle P_2$, $\angle P_3$, $\cdots$, $\angle P_8$이 각각 둔각인 삼각형이므로 둔각삼각형의 개수는 8이다.

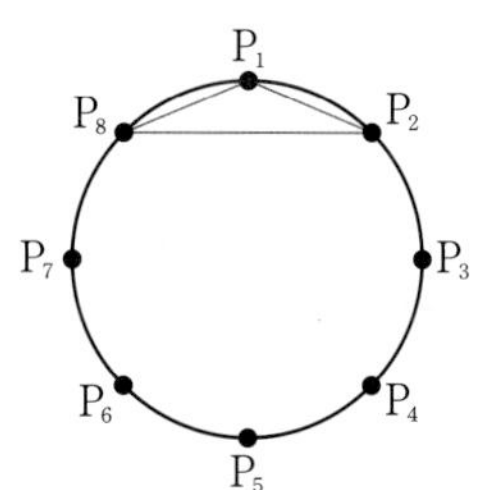

(ⅱ) 이웃한 2개의 점과 이웃하지 않는 한 점으로 만들어지는 경우

선분 P_1P_2를 한 변으로 하는 둔각삼각형의 개수는 2이다.

마찬가지로 선분 P_2P_3, P_3P_4, $\cdots$, P_8P_1을 한 변으로 하는 둔각삼각형의 개수도 각각 2가지이므로

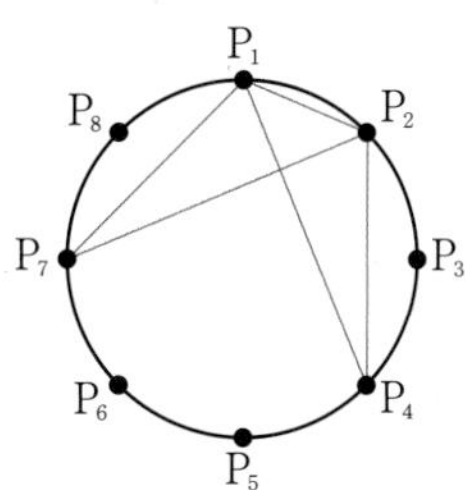

이 경우의 둔각삼각형의 개수는 $2\times8=16$

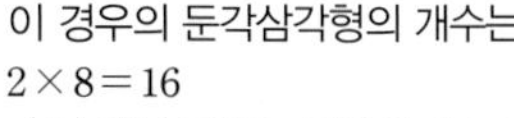

(ⅰ), (ⅱ)에서 구하는 경우의 수는 $8+16=24$

따라서 구하려는 확률은 $\frac{24}{56}=\frac{3}{7}$

0685

정답 해설참조

1단계	두 직선 l, m 위의 7개의 점 중에서 임의로 3개의 점을 택하여 모두 선분으로 이을 때, 삼각형이 될 확률을 구한다.	◀ 40%

7개의 점 중에서 3개의 점을 택하는 전체 경우의 수는 ${}_7C_3=35$

이때 한 직선 위의 3개의 점을 선분으로 연결한 것은 삼각형이 될 수 없다.

직선 l 위의 3개의 점을 택하는 경우의 수는 ${}_3C_3=1$

직선 m 위의 3개의 점을 택하는 경우의 수는 ${}_4C_3=4$이므로

삼각형이 되는 경우의 수는 $35-1-4=30$

따라서 구하는 확률은 $\frac{30}{35}=\frac{6}{7}$

2단계	두 직선 l, m 위의 7개의 점 중에서 3개의 점을 꼭짓점으로 하는 삼각형 중 임의로 하나를 택할 때, 택한 삼각형의 넓이가 1일 확률을 구한다.	◀ 60%

1단계에서 3개의 점을 택하여 삼각형을 만드는 전체 경우의 수는 30

이때 두 직선 l, m 사이의 거리, 즉 삼각형의 높이가 1이므로

삼각형의 넓이가 1이기 위해서는

$\frac{1}{2}\times$(밑변의 길이)$\times1=1$에서 밑변의 길이가 2이어야 한다.

(ⅰ) 직선 l 위에서 택한 밑변의 길이가 2인 경우

밑변을 만드는 두 점을 택하는 경우의 수는 1

직선 m에서 한 꼭짓점을 택하는 경우의 수는 4이므로

구하는 경우의 수는 $1\times4=4$

(ⅱ) 직선 m 위에서 택한 밑변의 길이가 2인 경우

밑변을 만드는 두 점을 택하는 경우의 수는 2

직선 l에서 한 꼭짓점을 택하는 경우의 수는 3이므로

구하는 경우의 수는 $2\times3=6$

(ⅰ), (ⅱ)에서 삼각형의 넓이가 1인 경우의 수는 $4+6=10$이므로

구하는 확률은 $\frac{10}{30}=\frac{1}{3}$

0686

정답 해설참조

1단계	0부터 9까지 10개의 숫자를 이용하여 만들 수 있는 서로 다른 비밀번호의 개수를 구한다.	◀ 30%

0부터 9까지의 10개의 숫자를 이용하여 만들 수 있는 서로 다른 비밀번호의 개수는 ${}_{10}\Pi_4=10^4$

2단계	서로 다른 3개의 숫자로 이루어진 비밀번호의 경우의 수를 구한다.	◀ 50%

10개의 숫자 중 비밀번호에 이용할 3개의 숫자를 택하는 경우의 수는 ${}_{10}C_3=120$

이 각각에 대하여 서로 다른 숫자 3개로 이루어진 비밀번호는 숫자 3개 중 1개의 숫자가 두 번 이용되므로 두 번 이용할 숫자를 택하는 경우의 수는 ${}_3C_1=3$

이 각각에 대하여 만들 수 있는 서로 다른 비밀번호는 같은 숫자 2개 a, a와 다른 숫자 2개 b, c를 나열하는 경우의 수만큼씩 있으므로

그 개수는 $\frac{4!}{2!}=12$이므로 경우의 수는 $120\times3\times12$

3단계	서로 다른 3개의 숫자로 이루어진 비밀번호일 확률을 구한다.	◀ 20%

따라서 구하는 확률은 $\frac{120\times3\times12}{10^4}=\frac{54}{125}$

0687

정답 해설참조

1단계	파란색 4번, 보라색 3번, 초록색 1번을 임의로 칠하는 경우의 수를 구한다.	◀ 20%

파란색 4번, 보라색 3번, 초록색 1번을 임의로 칠하는 경우의 수는

$\frac{8!}{4!3!}=280$

2단계	파란색으로 칠한 4개의 구역 사이사이와 맨 앞, 맨 뒤의 구역에 보라색 3번, 초록색 1번을 칠하는 방법의 수를 구한다.	◀ 60%

어떤 색도 연속하지 않기 위해서는 다음 그림과 같이 파란색으로 칠한 4개의 구역 사이사이와 맨 앞, 맨 뒤인 a, b, c, d, e 구역에 보라색 3번, 초록색 1번을 칠하는 경우로 생각할 수 있다.

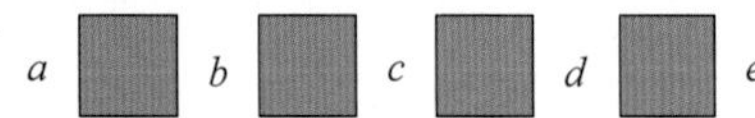

이때 a, b, c, d, e 구역에 보라색 3번, 초록색 1번을 칠하는 경우는 다음과 같이 생각할 수 있다.

(ⅰ) b, c, d 구역에 보라색 3번, 초록색 1번을 칠하는 경우
보라색을 b, c, d 구역에 각각 한 번씩 칠하고
초록색을 b, c, d 구역에서 보라색 앞, 뒤 중에서 정하는 경우의 수는
$3\times2=6$

(ⅱ) a, b, c, d 구역에 보라색 3번, 초록색 1번을 칠하는 경우
초록색을 a, b, c, d 구역 중에서 정하는 경우의 수는 4

(ⅲ) b, c, d, e 구역에 보라색 3번, 초록색 1번을 칠하는 경우
초록색을 b, c, d, e 구역 중에서 정하는 경우의 수는 4

(ⅰ)~(ⅲ)에서 어떤 색도 연속하지 않는 경우의 수는 $6+4+4=14$

3단계	어떤 색도 연속하여 칠하지 않을 확률을 구한다.	◀ 20%

어떤 색도 연속하여 칠하지 않을 확률은 $\frac{6+4+4}{280}=\frac{1}{20}$

0688

정답 해설참조

1단계	$d>2$일 때, d가 될 수 있는 값을 모두 찾는다.	◀ 20%

$d>2$일 때, 서로 다른 두 점 사이의 거리 d는
$d=\sqrt{5}$ 또는 $d=2\sqrt{2}$

2단계	1단계에서 찾은 d의 값이 될 확률을 각각 구한다.	◀ 50%

9개의 점 중에서 임의로 서로 다른 두 점을 택하는 경우의 수는 ${}_9C_2=36$
이때 두 점 사이의 거리가 $d=\sqrt{5}$일 사건을 A라 하면
$P(A)=\frac{2\times4}{{}_9C_2}=\frac{8}{36}=\frac{2}{9}$
두 점 사이의 거리가 $d=2\sqrt{2}$일 사건을 B라 하면
$P(B)=\frac{2}{{}_9C_2}=\frac{1}{18}$

3단계	확률의 덧셈정리를 이용하여 조건을 만족시키는 확률을 구한다.	◀ 30%

두 사건 A와 B는 서로 배반사건이므로 구하는 확률은
$P(A\cup B)=P(A)+P(B)=\frac{2}{9}+\frac{1}{18}=\frac{5}{18}$

STEP 3 행복한 1등급 문제

0689

정답 ④

STEP Ⓐ 여사건을 이용하여 삼각형 ABP가 예각삼각형일 확률 구하기

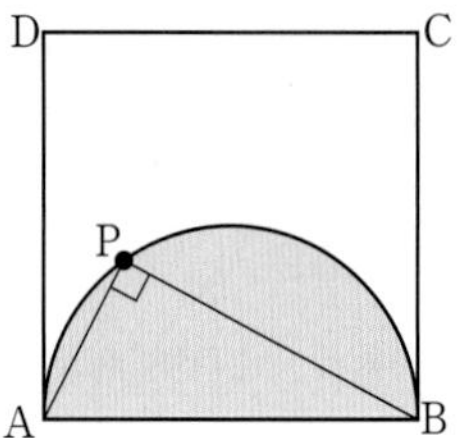

오른쪽 그림과 같이 $\overline{AB}$를 지름으로 하는 반원을 생각할 때, 점 P가 반원의 호 위에 있으면 △PAB는 직각삼각형이 되고 이 반원의 내부(색칠된 부분)에 점 P를 잡으면 △ABP는 둔각삼각형이 된다.
따라서 구하는 확률은
$1-\frac{\text{반원의 넓이}}{\square ABCD}=1-\frac{\pi}{8}$

내/신/연/계/ 출제문항 305

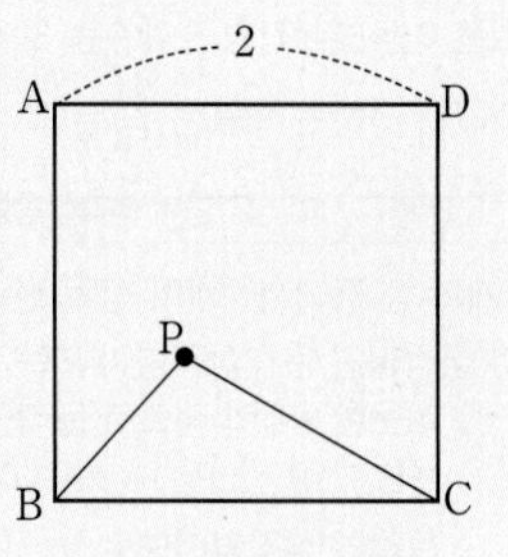

오른쪽 그림과 같은 한 변의 길이가 2인 정사각형 ABCD의 내부에 임의로 한 점 P를 잡을 때, 삼각형 PBC가 둔각삼각형일 확률은?

① $\frac{\pi}{6}$ ② $\frac{\pi}{8}$
③ $\frac{\pi}{10}$ ④ $\frac{\pi}{12}$
⑤ $\frac{\pi}{14}$

STEP Ⓐ 삼각형 PBC가 둔각삼각형이 되는 영역을 이용하여 확률 구하기

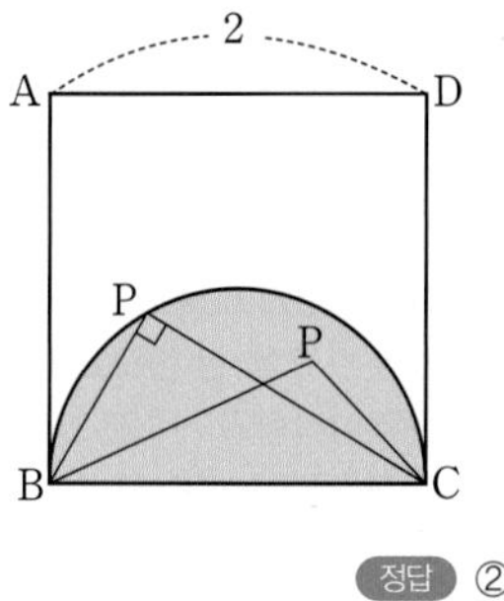

오른쪽 그림과 같이 점 P가 $\overline{BC}$를 지름으로 하는 반원 위에 있을 때, △PBC는 직각삼각형이 되므로 이 반원의 내부에 점 P를 잡으면 △PBC는 둔각삼각형이 된다.
따라서 구하는 확률은
$\frac{(\text{색칠한 부분의 넓이})}{\square ABCD}$
$=\frac{\pi\times1\times\frac{1}{2}}{4}=\frac{\pi}{8}$

정답 ②

0690

정답 154

STEP Ⓐ 모든 경우의 수 구하기

세 대의 차에 남은 좌석은 각각 1자리, 2자리, 3자리이고
A와 B를 포함한 6명이 5인승에 1명, 7인승에 2명, 9인승에 3명 배정되는 경우의 수는 ${}_6C_1\times{}_5C_2\times{}_3C_3=60$

STEP Ⓑ A, B가 같은 차에 배정되기 위해서 A, B가 7인승 또는 9인승 차에 배정되는 경우의 수 구하기

A와 B가 같은 차에 배정되기 위해서는 7인승 또는 9인승에 배정되는 경우

(ⅰ) A와 B를 7인승에 배정한 경우
나머지 4명의 회원이 5인승의 차에 1명, 9인승의 차에 3명 배정되는 경우의 수이므로 ${}_4C_1\times{}_3C_3=4$

(ⅱ) A와 B를 9인승에 배정한 경우
나머지 4명의 회원이 5인승의 차에 1명, 7인승의 차에 2명, 9인승의 차에 1명 배정되는 경우의 수이므로 ${}_4C_1\times{}_3C_2\times{}_1C_1=12$

(ⅰ), (ⅱ)에서 A, B가 같은 차에 배정하는 경우의 수가 $4+12=16$

STEP Ⓒ **확률 구하기**

따라서 구하는 확률은 $\frac{16}{60}=\frac{4}{15}$이므로 $p=15,\ q=4$

$\therefore\ 10p+q=10\times15+4=154$

다른풀이 A와 B가 앉을 자리에만 집중하여 풀이하기

STEP Ⓐ **모든 경우의 수 구하기**

남은 5인승 1자리, 7인승 2자리, 9인승 3자리의 총 6자리 중 A와 B가 앉을 2자리를 선택하는 전체 경우의 수는 ${}_6C_2=15$

STEP Ⓑ **A, B가 같은 차에 배정되기 위해서 A, B가 7인승 또는 9인승 차에 배정되는 경우의 수 구하기**

(ⅰ) 7인승 2자리를 선택하는 경우의 수는 ${}_2C_2=1$

(ⅱ) 9인승 2자리를 선택하는 경우의 수는 ${}_3C_2=3$

(ⅰ), (ⅱ)에서 구하는 경우의 수는 $1+3=4$

따라서 구하는 확률은 $\frac{4}{15}$이므로 $10p+q=10\times15+4=154$

다른풀이 A와 B가 앉을 자리를 확률로 풀이하기

현재 5인승에 4명, 7인승에 5명, 9인승에 6명이 타고 있으므로
A와 B가 같은 차에 배정되기 위해서는 7인승 또는 9인승에 배정되어야 한다.

(ⅰ) 7인승에 배정될 확률은 $\frac{2}{6}\times\frac{1}{5}=\frac{1}{15}$

(ⅱ) 9인승에 배정될 확률은 $\frac{3}{6}\times\frac{2}{5}=\frac{3}{15}$

(ⅰ), (ⅱ)에서 구하는 확률은 $\frac{1}{15}+\frac{3}{15}=\frac{4}{15}$

따라서 $10p+q=10\times15+4=154$

0691

정답 49

STEP Ⓐ **모든 경우의 수 구하기**

6개의 좌석에 6명의 학생이 한 명씩 임의로 앉는 경우의 수는 $6!=720$

STEP Ⓑ **조건을 만족하게 자리를 정하여 앉는 경우의 수 구하기**

조건을 만족하도록 6명의 학생을 E, (A, B), F, (C, D)의 순으로 자리를 정하여 앉히면 된다.

(ⅰ) 학생 E가 2열과 3열의 4자리 중 한 곳을 정하여 앉는 경우의 수는 ${}_4C_1=4$

(ⅱ) 두 학생 A, B가 E가 앉지 않은 열에 앉은 경우의 수는 ${}_2C_1\times2!=4$

(ⅲ) 학생 F가 학생 E, (A, B)가 앉지 않은 열의 2자리 중 한 곳을 정하여 앉는 경우의 수는 ${}_2C_1=2$

(ⅳ) 두 학생 C, D가 남은 자리에 앉는 경우의 수는 $2!=2$

(ⅰ)~(ⅳ)에서 조건을 만족하도록 앉는 경우의 수는 $4\times4\times2\times2=64$

STEP Ⓒ **확률 구하기**

즉 구하려는 확률은 $\frac{64}{720}=\frac{4}{45}$

따라서 $p=45,\ q=4$이므로 $p+q=45+4=49$

0692

정답 68

STEP Ⓐ **모든 경우의 수 구하기**

8명의 학생이 8개의 좌석에 배정되는 모든 경우의 수는 8!

STEP Ⓑ **적어도 2명의 남학생이 서로 이웃하게 배정될 사건의 여사건인 어느 남학생도 이웃하지 않게 배정하는 경우의 수 구하기**

이때 적어도 2명의 남학생이 서로 이웃하게 배정되는 사건을 A라 하면
A^C은 어느 남학생도 서로 이웃하게 배정되지 않는 사건이다.
이때 사건 A^C이 일어날 경우는 다음 두 가지이다.

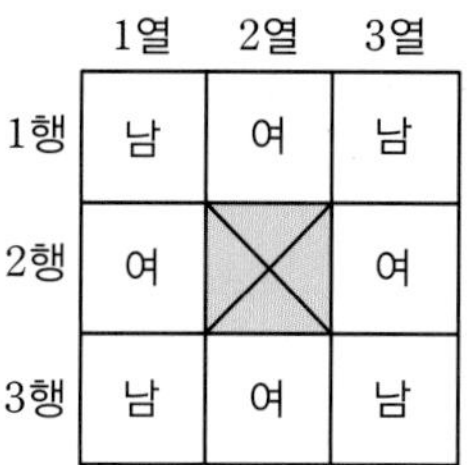

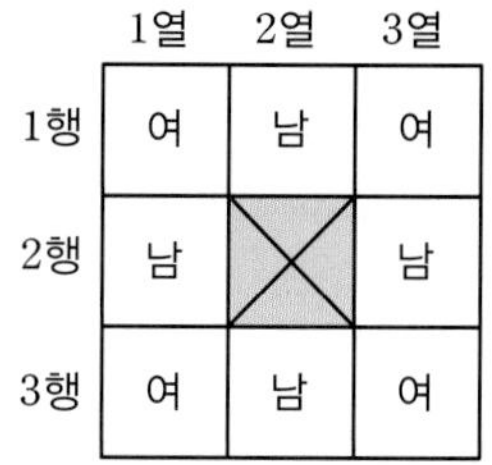

즉 여사건 A^C이 일어나는 경우의 수는 $4!\times4!\times2$

STEP Ⓒ **여사건을 이용하여 $70p$의 값 구하기**

$\therefore\ p=\mathrm{P}(A)=1-\mathrm{P}(A^C)=1-\frac{4!\times4!\times2}{8!}=1-\frac{1}{35}=\frac{34}{35}$

따라서 $70p=70\times\frac{34}{35}=68$

주의 문제의 그림을 보고 원순열로 풀이하면 안 된다.
왜냐하면 문제에서 좌석표는 행과 열이 구분되고
'회전하여 일치하는 것은 같은 것으로 본다.'
라는 조건이 주어지지 않았으므로 원순열로 생각하면 안 된다.

0693

정답 ①

STEP Ⓐ **주어진 조건을 만족하는 경우의 수 구하기**

조건 (가)를 만족하려면 $a,\ b,\ c$ 중 두 개는 짝수이고 1개는 홀수이거나
$a,\ b,\ c$ 모두 홀수이어야 한다.

(ⅰ) $a,\ b,\ c$ 중 두 개는 짝수, 1개는 홀수인 경우
1, 3, 5, 7, 9에서 1개,
2, 4, 6, 8에서 2개를 선택하는 경우이므로 ${}_5C_1\times{}_4C_2=30$
여기서 조건 (나)를 만족하려면
$a,\ b,\ c$ 중 적어도 하나는 3의 배수이어야 하므로 여사건을 이용한다.
즉 $a,\ b,\ c$ 모두 3의 배수가 아닌 경우는 ${}_3C_1\times{}_3C_2=3\times3=9$가지이므로
(가), (나)를 모두 만족하는 경우는 $30-9=21$

(ⅱ) $a,\ b,\ c$ 모두 홀수인 경우
1, 3, 5, 7, 9에서 3개를 선택하는 경우이므로 ${}_5C_3=10$
여기서 조건 (나)를 만족하려면
$a,\ b,\ c$ 중 적어도 하나는 3의 배수이어야 하므로 여사건을 이용한다.
즉 $a,\ b,\ c$ 모두 3의 배수가 아닌 경우는 ${}_3C_3=1$가지이므로
(가), (나)를 모두 만족하는 경우는 $10-1=9$

(ⅰ), (ⅱ)에 의하여 $21+9=30$

STEP Ⓑ **경우의 수를 이용하여 확률 구하기**

따라서 구하는 확률은 $\frac{30}{{}_9C_3}=\frac{30}{84}=\frac{5}{14}$

다른풀이 직접 구하여 풀이하기

$a<b<c$로 순서가 정해져 있기 때문에 주머니에서 임의로 3개의 공을
동시에 꺼내는 가짓수는 ${}_9C_3$
조건 (가)를 만족하는 경우는 (홀수, 짝수, 짝수), (홀수, 홀수, 홀수)인 경우이다.
조건 (나)를 만족하기 위해서는 적어도 한 개는 3의 배수가 적힌 공을 꺼내야 한다.

(i) 3의 배수 중 3이 적힌 공만 포함되는 경우의 수는

(홀수, 짝수, 짝수) ⇨ 3(가지)

(홀수, 홀수, 홀수) ⇨ 3(가지)

(ii) 3의 배수 중 6이 적힌 공만 포함되는 경우의 수는

(홀수, 짝수, 짝수) ⇨ 9(가지)

(iii) 3의 배수 중 9가 적힌 공만 포함되는 경우의 수는

(홀수, 짝수, 짝수) ⇨ 3(가지)

(홀수, 홀수, 홀수) ⇨ 3(가지)

(iv) 3의 배수 중 3, 6이 적힌 공만 포함되는 경우의 수는

(홀수, 짝수, 짝수) ⇨ 3(가지)

(v) 3의 배수 중 3, 9가 적힌 공만 포함되는 경우의 수는

(홀수, 홀수, 홀수) ⇨ 3(가지)

(vi) 3의 배수 중 6, 9가 적힌 공만 포함되는 경우의 수는

(홀수, 짝수, 짝수) ⇨ 3(가지)

(i)~(vi)에 의하여 30가지이므로 $\frac{30}{{}_9C_3}=\frac{30}{84}=\frac{5}{14}$

0694

정답 ①

STEP A 모든 경우의 수 구하기

9개의 공이 들어있는 주머니에서 임의로 4개의 공을 동시에 꺼내는 경우의 수는 ${}_9C_4=126$

STEP B 조건 (가), (나)를 만족하는 경우의 수 구하기

조건 (가)에서 $a+b+c+d$는 홀수이므로 가능한 경우는

a, b, c, d 중 홀수가 3개, 짝수가 1개 또는 홀수가 1개, 짝수가 3개 있는 경우이다.

(i) 홀수가 3개, 짝수가 1개인 경우

조건 (나)에서 $a\times b\times c\times d$는 15의 배수이고 $15=3\times 5$이므로

a, b, c, d 중 적어도 하나는 3의 배수이어야 하고 하나는 5이어야 한다.

즉 5를 제외한 수 중 홀수 2개, 짝수 1개를 뽑아야 하고

적어도 하나의 3의 배수를 뽑아야 한다.

따라서 여사건을 이용하여 경우의 수를 구하면

${}_4C_2\times{}_4C_1-{}_2C_2\times{}_3C_1=21$

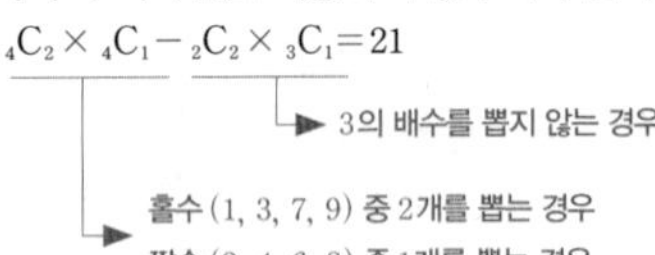

(ii) 홀수가 1개, 짝수가 3개인 경우

5를 제외한 수 중 짝수 3개를 뽑아야 하고 적어도 하나의 3의 배수를 뽑아야 한다.

따라서 여사건을 이용하여 경우의 수를 구하면

${}_4C_3-{}_3C_3=3$

→ 3의 배수인 6을 제외한 짝수 (2, 4, 8) 중 3개를 뽑는 경우

→ 짝수 (2, 4, 6, 8) 중 3개를 뽑는 경우

(i), (ii)에서 구하는 경우의 수는 $21+3=24$

STEP C 확률 구하기

따라서 구하는 확률은 $\frac{24}{126}=\frac{4}{21}$

0695

정답 ④

STEP A 각 사건의 확률 구하기

오른쪽과 같이 빈 의자를 고정했을 때, 아버지와 이웃한 옆 자리에 빈 의자가 있도록 5명의 가족이 앉는 사건을 A, 어머니와 이웃한 옆 자리에 빈 의자가 있도록 5명의 가족이 앉는 사건을 B라 하자.

$\mathrm{P}(A)=\frac{2!\times 4!}{5!}=\frac{2}{5}$

$\mathrm{P}(B)=\frac{2!\times 4!}{5!}=\frac{2}{5}$

$\mathrm{P}(A\cap B)=\frac{2!\times 3!}{5!}=\frac{1}{10}$

STEP B $\mathrm{P}(A\cup B)=\mathrm{P}(A)+\mathrm{P}(B)-\mathrm{P}(A\cap B)$임을 이용하여 구하기

따라서 구하는 확률은

$\mathrm{P}(A\cup B)=\mathrm{P}(A)+\mathrm{P}(B)-\mathrm{P}(A\cap B)=\frac{2}{5}+\frac{2}{5}-\frac{1}{10}=\frac{7}{10}$

다른풀이 여사건을 이용하여 풀이하기

빈 의자 양 옆의 의자에 두 자녀가 앉는 사건을 C라 하면

구하는 확률은 $\mathrm{P}(C^C)$이다.

빈 의자 양 옆의 의자에 두 자녀가 앉는 경우의 수는 ${}_3P_2$이고

그 각각에 대하여 빈 의자를 제외한 나머지 3개의 의자에 아버지, 어머니와 나머지 한 자녀가 앉는 경우의 수는 3!이므로

$\mathrm{P}(C^C)=1-\mathrm{P}(C)=1-\frac{{}_3P_2\times 3!}{5!}=1-\frac{3}{10}=\frac{7}{10}$

0696

정답 35

STEP A $n\cdot 4^{m-1}$이 홀수가 되는 모든 경우의 수 구하기

신호기가 총 4열이고 각 열에 전구가 3개 있으므로

n은 $1\le n\le 3$인 정수이고 m은 $1\le m\le 4$인 정수이다.

$n\cdot 4^{m-1}$이 홀수일 때, $m=1$, $n=1, 3$

그 이외에는 모두 짝수이다.

이때 12개의 전구 중 임의로 2개를 켤 때, 전체 경우의 수는 ${}_{12}C_2=66$

STEP B 사건 A의 여사건 A^C에 대하여 $\mathrm{P}(A)=1-\mathrm{P}(A^C)$임을 이용하여 구하기

전광판에 짝수가 나타나는 사건을 A라 하면

그 여사건 A^C은 전광판에 홀수가 나타나는 사건이므로

전광판에 홀수가 나타나려면 1열에서 전구 하나가 켜지고

나머지 열에서 전구 하나가 켜지면 되므로 그 확률은

$\mathrm{P}(A^C)=\frac{{}_3C_1\times{}_9C_1}{{}_{12}C_2}=\frac{27}{66}=\frac{9}{22}$

즉 구하는 확률은 $\mathrm{P}(A)=1-\mathrm{P}(A^C)=1-\frac{9}{22}=\frac{13}{22}$

따라서 $p=22$, $q=13$이므로 $p+q=35$

0697

정답 15

STEP A 모든 경우의 수 구하기

집합 A에서 A로의 모든 함수의 개수는 ${}_4\Pi_4=4^4=256$

STEP B 조건을 만족시키는 함수의 개수 구하기

조건을 만족시키는 함수의 개수는 조건 (가)에 의해 다음 네 가지 경우로 나누어 생각할 수 있다.

(i) $f(1)=f(2)=3$인 경우

조건 (나)를 만족시키기 위하여 치역의 원소의 개수가 3이 되어야 하므로 정의역의 원소 3, 4의 함숫값은 1, 2, 4 중에서 서로 다른 2개를 택하여 순서대로 짝지으면 된다.

이 경우의 수는 ${}_3C_2\times2!=6$ ⬅ ${}_3P_2=6$

(ii) $f(1)=f(2)=4$인 경우 ⬅ (i)과 마찬가지로 생각

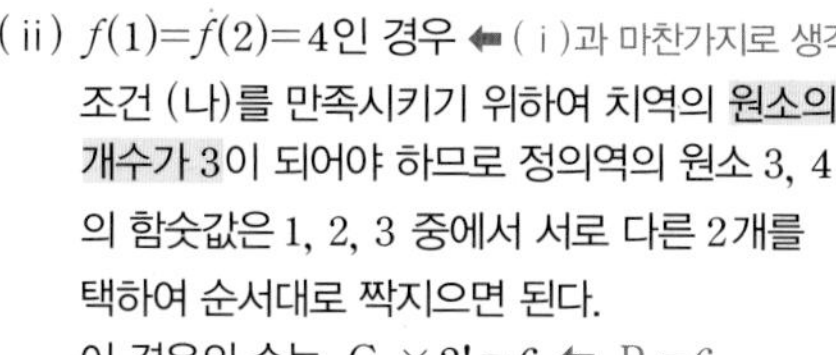

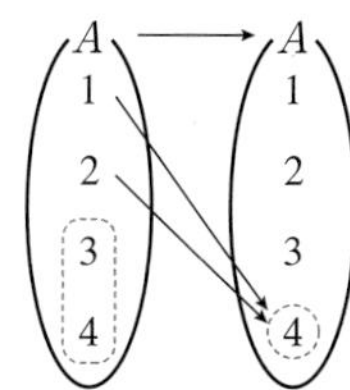

조건 (나)를 만족시키기 위하여 치역의 원소의 개수가 3이 되어야 하므로 정의역의 원소 3, 4의 함숫값은 1, 2, 3 중에서 서로 다른 2개를 택하여 순서대로 짝지으면 된다.

이 경우의 수는 ${}_3C_2\times2!=6$ ⬅ ${}_3P_2=6$

(iii) $f(1)=3$, $f(2)=4$인 경우

조건 (나)를 만족시키기 위하여 치역의 원소의 개수가 3이 되어야 하므로 다음 세 가지 경우로 나누어 생각할 수 있다.

㉠ $f(3)$의 값이 3 또는 4인 경우

$f(4)$의 값은 1 또는 2가 되어야 하므로

이 경우의 수는 $2\times2=4$

㉡ $f(4)$의 값이 3 또는 4인 경우

$f(3)$의 값은 1 또는 2가 되어야 하므로

이 경우의 수는 $2\times2=4$

㉢ $f(3)$, $f(4)$의 값이 모두 1이거나 2인 경우의 수는 2

㉠, ㉡, ㉢에서 이 경우의 수는 $4+4+2=10$

(iv) $f(1)=4$, $f(2)=3$인 경우 ⬅ (iii)과 마찬가지로 생각

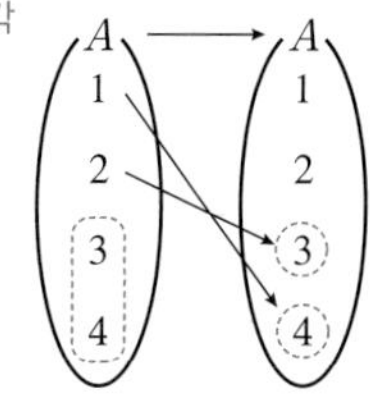

조건 (나)를 만족시키기 위하여 치역의 원소의 개수가 3이 되어야 하므로 다음 세 가지 경우로 나누어 생각할 수 있다.

㉠ $f(3)$의 값이 3 또는 4인 경우

$f(4)$의 값은 1 또는 2가 되어야 하므로

이 경우의 수는 $2\times2=4$

㉡ $f(4)$의 값이 3 또는 4인 경우

$f(3)$의 값은 1 또는 2가 되어야 하므로

이 경우의 수는 $2\times2=4$

㉢ $f(3)$, $f(4)$의 값이 모두 1이거나 2인 경우의 수는 2

㉠, ㉡, ㉢에서 이 경우의 수는 $4+4+2=10$

(i)~(iv)에 의해 조건을 만족시키는 함수의 개수는

$6+6+10+10=32$

STEP C $120p$의 값 구하기

따라서 $p=\frac{32}{256}=\frac{1}{8}$이므로 $120p=120\times\frac{1}{8}=15$

내신연계 출제문항 306

두 집합 $A=\{1, 2, 3, 4, 5, 6, 7\}$, $B=\{1, 2, 3, 4, 5\}$에 대하여 A에서 B로의 함수 f 중에서 다음 조건을 만족시키는 함수의 개수는?

> (가) $f(1)+f(3)=4$
> (나) 함수 f의 치역의 원소의 개수는 3이다.

① 2316 ② 2326 ③ 2336 ④ 2346 ⑤ 2356

STEP A 조건을 만족시키는 함수의 개수 구하기

(i) $f(1)=1$, $f(3)=3$ 또는 $f(1)=3$, $f(3)=1$인 경우

치역의 나머지 원소는 2, 4, 5 중 1개이어야 하므로

치역의 원소를 택하는 경우의 수는 ${}_3C_1=3$

이 각각에 대하여 2, 4, 5, 6, 7의 함숫값을 정하는 경우의 수는

2, 4, 5, 6, 7의 함숫값이 모두 1 또는 3이 되는 경우를 제외해야 하므로

${}_3\Pi_5-{}_2\Pi_5=243-32=211$

즉 이 경우의 수는 $2\times3\times211=1266$

(ii) $f(1)=f(3)=2$인 경우

치역의 나머지 원소는 1, 3, 4, 5 중 2개이어야 하므로

치역의 원소를 택하는 경우의 수는 ${}_4C_2=6$

택한 두 원소를 a, b라 할 때 치역이 $\{2, a, b\}$가 되도록

2, 4, 5, 6, 7의 함숫값을 정하는 경우의 수를 생각해 보자.

먼저 2, 4, 5, 6, 7의 함숫값을 2, a, b 중에서 택하는 경우의 수는

${}_3\Pi_5=243$

이 중에서

㉠ 치역이 $\{2, a\}$가 되는 경우의 수는 ${}_2\Pi_5-1=31$

㉡ 치역이 $\{2, b\}$가 되는 경우의 수는 ${}_2\Pi_5-1=31$

㉢ 치역이 $\{2\}$가 되는 경우의 수는 1가지

이므로 치역이 $\{2, a, b\}$가 되도록 2, 4, 5, 6, 7의 함숫값을 정하는

경우의 수는 $243-(31+31+1)=180$

즉 이 경우의 수는 $6\times180=1080$

(i), (ii)에 의하여 구하는 함수의 개수는 $1266+1080=2346$

정답 ④

0698

정답 22

STEP Ⓐ **전체 경우의 수 구하기**

$a_k(1 \le k \le 6)$를 순서쌍 $(a_1, a_2, a_3, a_4, a_5, a_6)$으로 나타내면

순서쌍의 개수는 1, 1, 2, 2, 3, 3을 한 줄로 배열하는 경우의 수와 같으므로

$\frac{6!}{2!2!2!}=90$

STEP Ⓑ **$m>n$인 경우의 수 구하기**

이때 $m>n$이기 위해서는 $a_1>a_4$ 또는 $a_1=a_4$, $a_2>a_5$이어야 한다.

(ⅰ) $a_1>a_4$인 순서쌍은

$(2, a_2, a_3, 1, a_5, a_6)$ 또는 $(3, a_2, a_3, 1, a_5, a_6)$ 또는

$(3, a_2, a_3, 2, a_5, a_6)$

이므로 그 개수는 $3\times\frac{4!}{2!}=36$

(ⅱ) $a_1=a_4$, $a_2>a_5$인 순서쌍은

$(1, 3, a_3, 1, 2, a_6)$ 또는 $(2, 3, a_3, 2, 1, a_6)$ 또는 $(3, 2, a_3, 3, 1, a_6)$

이므로 그 개수는 $3\times 2!=6$

a_1	a_2	a_3	a_4	a_5	a_6	$m>n$인 경우의 수
2			1			$\frac{4!}{2!}=12$
3			1			$\frac{4!}{2!}=12$
4			1			$\frac{4!}{2!}=12$
1	3		1	2		$2!=2$
2	3		2	1		$2!=2$
3	2		3	1		$2!=2$

STEP Ⓒ **확률을 구하여 $p+q$의 값 구하기**

(ⅰ), (ⅱ)에 의하여 구하는 확률은 $\frac{36+6}{90}=\frac{7}{15}$

따라서 $p=15$, $q=7$이므로 $p+q=22$

다른풀이 $m=n$인 사건을 이용하여 여사건의 확률로 풀이하기

m과 n이 만들어지는 전체 경우의 수는

1, 1, 2, 2, 3, 3을 한 줄로 배열하는 경우의 수와 같으므로

$\frac{6!}{2!\times 2!\times 2!}=90$

이때 $m=n$인 경우를 제외하면 $m>n$이거나 $m<n$이다.

즉 $m>n$인 경우의 수와 $m<n$인 경우의 수는 같으므로

$m=n$인 경우의 수를 먼저 구하자.

$m=n$이려면 $a_1=a_4$, $a_2=a_5$, $a_3=a_6$이어야 하므로

이 경우의 수는 $3!=6$

따라서 $m>n$인 경우의 수는 $\frac{90-6}{2}=42$

따라서 구하는 확률은 $\frac{42}{90}=\frac{7}{15}$이므로 $p+q=15+7=22$

$m=n$인 사건을 A라 하고 $m>n$인 사건을 B라 하면

$\mathrm{P}(B)=\frac{1}{2}\{1-\mathrm{P}(A)\}$이다.

이때 $m=n$인 확률은 $\mathrm{P}(A)=\frac{{}_2C_1\times{}_2C_1\times{}_2C_1\times 3!}{6!}=\frac{1}{15}$

따라서 $\mathrm{P}(B)=\frac{1}{2}\{1-\mathrm{P}(A)\}=\frac{1}{2}\left(1-\frac{1}{15}\right)=\frac{7}{15}$

0699

정답 ②

STEP Ⓐ **조합의 수를 이용하여 빈칸추론하기**

(ⅰ) $(x, y, z)=(6, 1, 2)$인 경우

공 12개가 들어있는 주머니에서 9개의 공을 꺼낼 때,

빨간색 공 6개, 파란 색 공 1개, 노란 색 공 2개를 꺼내는 경우이므로

$p=\frac{{}_6C_6\times{}_3C_1\times{}_3C_2}{{}_{12}C_9}=\boxed{\frac{9}{220}}$

(ⅱ) $(x, y, z)=(6, 2, 1)$인 경우

공 12개가 들어있는 주머니에서 9개의 공을 꺼낼 때,

빨간색 공 6개, 파란 색 공 2개, 노란 색 공 1개를 꺼내는 경우이므로

$p=\frac{{}_6C_6\times{}_3C_2\times{}_3C_1}{{}_{12}C_9}=\boxed{\frac{9}{220}}$

(ⅲ) $(x, y, z)=(6, 2, 2)$인 경우

9개의 공을 꺼낼 때까지 빨간색 공 5개, 파란색 공 2개, 노란색 공 2개가 나오고 10번째 시행에서 빨간색 공이 나오는 경우이므로

$q=\frac{{}_6C_5\times{}_3C_2\times{}_3C_2}{{}_{12}C_9}\times\frac{1}{3}=\frac{18}{220}=\boxed{\frac{9}{110}}$

따라서 $p+q=\frac{9}{220}+\frac{9}{110}=\frac{27}{220}$

04 조건부확률

STEP 1 내신정복기출유형

0700

정답 ⑤

STEP Ⓐ **조건부확률 $\mathrm{P}(A|B)$의 값 구하기**

$A\cap B=\{5\}$이므로 $\mathrm{P}(A|B)=\dfrac{n(A\cap B)}{n(B)}=\dfrac{1}{2}$

STEP Ⓑ **조건부확률 $\mathrm{P}(B|A)$의 값 구하기**

따라서 $\mathrm{P}(B|A)=\dfrac{n(A\cap B)}{n(A)}=\dfrac{1}{3}$이므로 $\mathrm{P}(A|B)+\mathrm{P}(B|A)=\dfrac{5}{6}$

0701

정답 ②

STEP Ⓐ **조건부확률을 이용하여 $\mathrm{P}(A\cap B)$의 값 구하기**

$\mathrm{P}(B|A)=\dfrac{n(A\cap B)}{n(A)}=\dfrac{1}{3}$

$\mathrm{P}(A\cap B)=\mathrm{P}(B|A)\times\mathrm{P}(A)=\dfrac{1}{3}\times\dfrac{3}{5}=\dfrac{1}{5}$

STEP Ⓑ **$n(A\cap B)$의 값 구하기**

$\mathrm{P}(A\cap B)=\dfrac{n(A\cap B)}{15}=\dfrac{1}{5}$

따라서 $n(A\cap B)=3$

0702

정답 ①

STEP Ⓐ **$\mathrm{P}(A)$, $\mathrm{P}(A\cap B)$의 값 구하기**

한 개의 주사위를 던졌을 때, 짝수의 눈이 나오는 사건을 A,
소수의 눈이 나오는 사건을 B라고 하면
$A=\{2, 4, 6\}, B=\{2, 3, 5\}$, $A\cap B=\{2\}$이므로
$\mathrm{P}(A)=\dfrac{3}{6}=\dfrac{1}{2}$, $\mathrm{P}(A\cap B)=\dfrac{1}{6}$

STEP Ⓑ **$\mathrm{P}(B|A)$의 값 구하기**

따라서 구하는 확률은 $\mathrm{P}(B|A)=\dfrac{\mathrm{P}(A\cap B)}{\mathrm{P}(A)}=\dfrac{\frac{1}{6}}{\frac{1}{2}}=\dfrac{1}{3}$

0703

정답 ②

STEP Ⓐ **$\mathrm{P}(A)$, $\mathrm{P}(A\cap B)$의 값 구하기**

6의 약수의 눈이 나오는 사건을 A, 홀수의 눈이 나오는 사건을 B라 하면
$A=\{1, 2, 3, 6\}$, $B=\{1, 3, 5\}$, $A\cap B=\{1, 3\}$
$\mathrm{P}(A)=\dfrac{4}{6}=\dfrac{2}{3}$, $\mathrm{P}(A\cap B)=\dfrac{2}{6}=\dfrac{1}{3}$

STEP Ⓑ **$\mathrm{P}(B|A)$의 값 구하기**

따라서 구하는 확률은 $\mathrm{P}(B|A)=\dfrac{\mathrm{P}(A\cap B)}{\mathrm{P}(A)}=\dfrac{\frac{1}{3}}{\frac{2}{3}}=\dfrac{1}{2}$

0704

정답 ③

STEP Ⓐ **$\mathrm{P}(A)$, $\mathrm{P}(A\cap B)$의 값 구하기**

홀수의 눈이 나오는 사건을 A, 소수일 사건을 B라 하면
$A=\{1, 3, 5, 7, 9\}$, $B=\{2, 3, 5, 7\}$, $A\cap B=\{3, 5, 7\}$
$\mathrm{P}(A)=\dfrac{5}{10}=\dfrac{1}{2}$, $\mathrm{P}(A\cap B)=\dfrac{3}{10}$

STEP Ⓑ **$\mathrm{P}(B|A)$의 값 구하기**

따라서 구하는 확률은 $\mathrm{P}(B|A)=\dfrac{\mathrm{P}(A\cap B)}{\mathrm{P}(A)}=\dfrac{\frac{3}{10}}{\frac{1}{2}}=\dfrac{3}{5}$

내/신/연/계/ 출제문항 307

1부터 9까지의 자연수가 각각 하나씩 적힌 9개의 공이 상자에 들어 있다. 이 상자에서 임의로 꺼낸 공에 적힌 수가 홀수일 때, 그 수가 10의 약수일 확률은?

① $\dfrac{2}{5}$　② $\dfrac{2}{7}$　③ $\dfrac{3}{5}$　④ $\dfrac{4}{5}$　⑤ $\dfrac{9}{10}$

STEP Ⓐ **$\mathrm{P}(A)$, $\mathrm{P}(A\cap B)$의 값 구하기**

공에 적힌 수가 홀수인 사건을 A, 10의 약수인 사건을 B라 하면
$A=\{1, 3, 5, 7, 9\}$, $B=\{1, 2, 5\}$이고 $A\cap B=\{1, 5\}$이므로
$\mathrm{P}(A)=\dfrac{5}{9}$, $\mathrm{P}(A\cap B)=\dfrac{2}{9}$

STEP Ⓑ **$\mathrm{P}(B|A)$의 값 구하기**

따라서 꺼낸 공에 적힌 수가 홀수일 때, 그 수가 10의 약수일 확률은
$\mathrm{P}(B|A)=\dfrac{\mathrm{P}(A\cap B)}{\mathrm{P}(A)}=\dfrac{2}{5}$

정답 ①

0705

정답 ⑤

STEP Ⓐ **$\mathrm{P}(A)$, $\mathrm{P}(A\cap B)$의 값 구하기**

꺼낸 공이 3의 배수가 적힌 공인 사건을 A, 빨간 공인 사건을 B라 하면
$A=\{3, 6, 9, 12\ 15\}$, $B=\{9, 10, 11, 12, 13, 14, 15\}$에서
$A\cap B=\{9, 12, 15\}$이므로 $\mathrm{P}(A)=\dfrac{5}{15}$, $\mathrm{P}(A\cap B)=\dfrac{3}{15}$

STEP Ⓑ **$\mathrm{P}(B|A)$의 값 구하기**

따라서 구하는 확률 $\mathrm{P}(B|A)=\dfrac{\mathrm{P}(A\cap B)}{\mathrm{P}(A)}=\dfrac{\frac{3}{15}}{\frac{5}{15}}=\dfrac{3}{5}$

0706

정답 ③

STEP A 모든 경우의 수 구하기

한 개의 주사위를 두 번 던지므로 전체 경우의 수는 $6\times6=36$

STEP B 주어진 조건의 각 사건의 확률 구하기

6의 눈이 한 번도 나오지 않을 사건을 A,
그 눈의 수의 합이 4의 배수일 사건을 B라 하면

$\mathrm{P}(A)=\frac{5}{6}\times\frac{5}{6}=\frac{25}{36}$ ⬅ 6의 눈이 나오지 않으면 1부터 5까지의 눈만 나오는 것

또, 그 눈의 수의 합이 4의 배수인 경우는 다음과 같다.

(ⅰ) 눈의 합이 4인 경우의 수
　(1, 3), (2, 2), (3, 1)의 3가지
(ⅱ) 눈의 합이 8인 경우
　(3, 5), (4, 4), (5, 3)의 3가지 ⬅ (2, 6), (6, 2)제외
(ⅲ) 눈의 합이 12인 경우의 수
　(6, 6)이므로 제외

(ⅰ), (ⅱ)에 의하여 6의 눈이 한 번도 나오지 않으면서 그 눈의 합이 4의 배수가 될 확률은 $\mathrm{P}(A\cap B)=\frac{3+3}{36}=\frac{1}{6}$

STEP C $\mathrm{P}(B|A)$의 값 구하기

따라서 구하는 확률은 $\mathrm{P}(B|A)=\frac{\mathrm{P}(A\cap B)}{\mathrm{P}(A)}=\frac{\frac{1}{6}}{\frac{25}{36}}=\frac{6}{25}$

내/신/연/계/ 출제문항 308

서로 다른 두 개의 주사위를 동시에 던져서 나온 두 눈의 수의 합이 6 이하일 때, 두 눈의 수가 모두 홀수일 확률은?

① $\frac{1}{3}$　② $\frac{2}{5}$　③ $\frac{7}{15}$
④ $\frac{8}{15}$　⑤ $\frac{3}{5}$

STEP A 모든 경우의 수 구하기

한 개의 주사위를 두 번 던지므로 전체 경우의 수는 $6\times6=36$

STEP B $\mathrm{P}(A)$, $\mathrm{P}(A\cap B)$의 값 구하기

서로 다른 두 개의 주사위를 동시에 던져서 나온 두 눈의 수의 합이 6 이하인 사건을 A, 서로 다른 두 개의 주사위를 동시에 던져서 나온 두 눈의 수가 모두 홀수인 사건을 B라 하면
서로 다른 두 개의 주사위를 동시에 던져서 나온 두 눈의 수의 합이 6 이하인 경우는
(1, 1), (1, 2), (1, 3), (1, 4), (1, 5),
(2, 1), (2, 2), (2, 3), (2, 4),
(3, 1), (3, 2), (3, 3),
(4, 1), (4, 2),
(5, 1)의 15가지이므로 $\mathrm{P}(A)=\frac{15}{36}$
이때 서로 다른 두 개의 주사위를 동시에 던져서 나온 두 눈의 수의 합이 6 이하이고 모두 홀수인 경우는
(1, 1), (1, 3), (1, 5), (3, 1), (3, 3), (5, 1)의 6가지이므로
$\mathrm{P}(A\cap B)=\frac{6}{36}$

STEP C 조건부확률 $\mathrm{P}(B|A)$의 값 구하기

따라서 $\mathrm{P}(B|A)=\frac{\mathrm{P}(A\cap B)}{\mathrm{P}(A)}=\frac{\frac{6}{36}}{\frac{15}{36}}=\frac{6}{15}=\frac{2}{5}$

정답 ②

0707

정답 ③

STEP A 모든 경우의 수 구하기

한 개의 주사위를 두 번 던지므로 전체 경우의 수는 $6\times6=36$

STEP B $\mathrm{P}(A)$, $\mathrm{P}(A\cap B)$의 값 구하기

$a+b$가 4의 배수인 사건을 A, ab가 4의 배수인 사건을 B라 하면
$a+b$가 4의 배수인 a, b의 순서쌍 (a, b)는
(1, 3), (2, 2), (3, 1), (2, 6), (3, 5), (4, 4), (5, 3), (6, 2), (6, 6)의
9개이므로 $\mathrm{P}(A)=\frac{9}{36}=\frac{1}{4}$
이때 $a+b$가 4의 배수이고 ab도 4의 배수인 a, b의 순서쌍 (a, b)는
(2, 2), (2, 6), (4, 4), (6, 2), (6, 6)의 5개이므로 $\mathrm{P}(A\cap B)=\frac{5}{36}$

STEP C $\mathrm{P}(B|A)$의 값 구하기

따라서 $\mathrm{P}(B|A)=\frac{\mathrm{P}(A\cap B)}{\mathrm{P}(A)}=\frac{\frac{5}{36}}{\frac{1}{4}}=\frac{5}{9}$

내/신/연/계/ 출제문항 309

한 개의 주사위를 두 번 던질 때, 나오는 눈의 수를 차례로 a, b라 하자.
두 수의 곱 ab가 6의 배수일 때, 이 두 수의 합 $a+b$가 7일 확률은?

① $\frac{1}{5}$　② $\frac{7}{30}$　③ $\frac{4}{15}$
④ $\frac{3}{10}$　⑤ $\frac{1}{3}$

STEP A 모든 경우의 수 구하기

한 개의 주사위를 두 번 던지므로 전체 경우의 수는 $6\times6=36$

STEP B $\mathrm{P}(A)$, $\mathrm{P}(A\cap B)$의 값 구하기

ab가 6의 배수인 사건을 A, 두 수의 합 $a+b=7$인 사건을 B라 하자.
ab가 6의 배수가 되는 경우는 6, 12, 18, 24, 30, 36이므로
$ab=6$인 경우 순서쌍 (a, b)는 (1, 6), (6, 1), (2, 3), (3, 2)이므로 4가지
$ab=12$인 경우 순서쌍 (a, b)는 (2, 6), (6, 2), (3, 4), (4, 3)이므로 4가지
$ab=18$인 경우 순서쌍 (a, b)는 (3, 6), (6, 3)이므로 2가지
$ab=24$인 경우 순서쌍 (a, b)는 (4, 6), (6, 4)이므로 2가지
$ab=30$인 경우 순서쌍 (a, b)는 (5, 6), (6, 5)이므로 2가지
$ab=36$인 경우 순서쌍 (a, b)는 (6, 6)이므로 1가지
즉 ab가 6의 배수가 되는 순서쌍의 개수는 $4+4+2+2+2+1=15$
ab가 6의 배수인 경우의 확률은 $\mathrm{P}(A)=\frac{6+9}{36}=\frac{5}{12}$
이때 $a+b=7$인 경우는 (3, 4), (4, 3), (1, 6), (6, 1)으로 4가지이므로
$\mathrm{P}(A\cap B)=\frac{4}{36}=\frac{1}{9}$

STEP C $\mathrm{P}(B|A)$의 값 구하기

따라서 구하는 확률은 $\mathrm{P}(B|A)=\frac{\mathrm{P}(A\cap B)}{\mathrm{P}(A)}=\frac{\frac{1}{9}}{\frac{5}{12}}=\frac{4}{15}$

다른풀이 6이 포함될 때와 포함되지 않을 때를 이용하여 조건부확률 풀이하기

두 수의 곱 ab가 6의 배수일 때의 순서쌍을 구해보면
(ⅰ) a, b 중 6이 포함된 순서쌍 (a, b)
　$a=6$일 때, $b=1, 2, 3, 4, 5, 6$의 6가지
　$b=6$일 때, $a=1, 2, 3, 4, 5, 6$의 6가지
　$a=6$, $b=6$일 때, 1가지
　즉 ab가 6의 배수인 순서쌍의 수는 $6+6-1=11$

(ii) a, b 중 6이 포함되지 않는 순서쌍 (a, b)

$(2, 3)$, $(3, 2)$, $(3, 4)$, $(4, 3)$으로 4가지

(i), (ii)에서 ab가 6의 배수인 경우의 수는 $11+4=15$

이들 중 두 수의 합 $a+b=7$일 경우는 $(1, 6)$, $(6, 1)$, $(3, 4)$, $(4, 3)$로 4가지이므로 구하는 확률은 $\frac{4}{15}$

정답 ③

0708

STEP A 모든 경우의 수 구하기

주머니 A, B에서 각각 1장의 카드를 꺼내는 경우의 수는

${}_5C_1 \times {}_3C_1 = 5 \times 3 = 15$

STEP B $P(A)$, $P(A \cap B)$의 값 구하기

꺼낸 2장의 카드에 적힌 두 수의 합이 홀수일 사건을 A,

주머니 A에서 꺼낸 카드에 적힌 수가 홀수일 사건을 B라 하면

주머니 A, B에서 꺼낸 2장의 카드에 적힌 두 수의 합이 홀수인 경우

$(1, 6)$, $(1, 8)$, $(2, 7)$, $(3, 6)$, $(3, 8)$, $(4, 7)$, $(5, 6)$, $(5, 8)$의 8가지이므로

$P(A)=\frac{8}{15}$

이때 주머니 A에서 꺼낸 카드에 적힌 수가 홀수인 경우는

$(1, 6)$, $(1, 8)$, $(3, 6)$, $(3, 8)$, $(5, 6)$, $(5, 8)$의 6가지이므로 $P(A \cap B)=\frac{6}{15}$

STEP C $P(B|A)$의 값 구하기

따라서 구하는 확률은 $P(B|A)=\frac{P(A \cap B)}{P(A)}=\frac{\frac{6}{15}}{\frac{8}{15}}=\frac{6}{8}=\frac{3}{4}$

0709

STEP A 모든 경우의 수 구하기

한 개의 주사위를 두 번 던지므로 전체 경우의 수는 $6 \times 6=36$

STEP B $P(A)$, $P(A \cap B)$의 값 구하기

이차방정식 $x^2+ax+b=0$이 허근을 가지는 사건을 A,

a가 홀수인 사건을 B라 하자.

$x^2+ax+b=0$이 허근을 가지려면 이 이차방정식의 판별식 D가

$D=a^2-4b<0$이어야 하므로 $a^2<4b$

이때 $b \le 6$이므로 $a^2<24$

a는 1, 2, 3, 4 중의 하나이다.

(i) $a=1$일 때,

b는 1, 2, 3, 4, 5, 6이므로 경우의 수는 6

(ii) $a=2$일 때,

b는 2, 3, 4, 5, 6이므로 경우의 수는 5

(iii) $a=3$일 때,

b는 3, 4, 5, 6이므로 경우의 수는 4

(iv) $a=4$일 때,

b는 5, 6이므로 경우의 수는 2

(i)~(iv)에서 $n(A)=6+5+4+2=17$

주어진 이차방정식이 허근을 가지고 a가 홀수인 사건은 $A \cap B$이므로

(i), (iii)에서 $n(A \cap B)=10$

$P(A)=\frac{17}{36}$, $P(A \cap B)=\frac{10}{36}=\frac{5}{18}$

STEP C $P(B|A)$의 값 구하기

따라서 구하는 확률은 $P(B|A)=\frac{P(A \cap B)}{P(A)}=\frac{\frac{5}{18}}{\frac{17}{36}}=\frac{10}{17}$

0710

STEP A 모든 경우의 수 구하기

1부터 10까지의 자연수 중에서 임의로 서로 다른 3개의 수를 선택하는 경우의 수는 ${}_{10}C_3=120$

STEP B 세 수의 곱이 짝수가 될 확률 구하기

세 수의 곱이 짝수일 사건을 A라 할 때,

세 수의 곱이 짝수일 확률은 전체에서 홀수가 나올 확률을 제외하면 되므로

$P(A)=1-\frac{{}_5C_3}{{}_{10}C_3}=1-\frac{10}{120}=\frac{110}{120}$

STEP C 세 수의 곱이 짝수이며 그 합이 3의 배수일 확률 구하기

세 수의 합이 의 3배수인 사건을 B라 할 때,

3으로 나눈 나머지를 1부터 10까지의 자연수를 분류하면

나머지가 0인 수는 $(3, 6, 9)$

나머지가 1인 수는 $(1, 4, 7, 10)$

나머지가 2인 수는 $(2, 5, 8)$

여기에서 세 수의 합이 3의 배수가 되려면

나머지의 순서쌍이 $(0, 0, 0)$, $(1, 1, 1)$, $(2, 2, 2)$, $(0, 1, 2)$이어야 하므로

각 경우의 수는 $1+{}_4C_3+1+({}_4C_1 \times {}_3C_1 \times {}_3C_1)=42$

여기에서 세 수의 곱이 홀수가 되는 경우는 제외되므로

세 수의 곱이 홀수인 경우는 나머지가 $(0, 1, 2)$인 경우

나머지가 1인 수 중 1, 7, 나머지가 2인 수 중에서 5,

나머지가 0인 수 중에서 3, 9에서 선택되어야 하므로 $2 \times 1 \times 2=4$

이므로 $n(A \cap B)=42-4=38$

$\therefore P(A \cap B)=\frac{38}{120}$

STEP D $P(B|A)$의 값 구하기

따라서 구하는 확률은 $P(B|A)=\frac{P(A \cap B)}{P(A)}=\frac{\frac{38}{120}}{\frac{110}{120}}=\frac{19}{55}$

내신연계 출제문항 310

서로 다른 두 개의 주사위를 동시에 던져서 나온 두 눈의 수의 곱이 짝수일 때, 나온 두 눈의 수의 합이 6 또는 8일 확률은?

① $\frac{2}{27}$ ② $\frac{5}{27}$ ③ $\frac{8}{27}$

④ $\frac{11}{27}$ ⑤ $\frac{14}{27}$

STEP A 모든 경우의 수 구하기

한 개의 주사위를 두 번 던지므로 전체 경우의 수는 $6 \times 6=36$

STEP B $P(A)$, $P(A \cap B)$의 값 구하기

두 눈의 수의 곱이 짝수인 사건을 A,

두 수의 합이 6 또는 8인 사건을 B라 하면

두 눈의 수의 곱이 짝수인 경우의 수는 전체 경우에서

홀수만 나온 경우를 뺀 것이므로 $36-9=27$

이 중 짝수를 포함한 두 수의 합이 6 또는 8인 경우의 수는

$(2, 4)$, $(2, 6)$, $(4, 2)$, $(4, 4)$, $(6, 2)$인 5가지

$P(A)=\frac{27}{36}$, $P(A \cap B)=\frac{5}{36}$

STEP C $P(B|A)$의 값 구하기

따라서 구하는 확률은 $P(B|A)=\frac{P(A \cap B)}{P(A)}=\frac{5}{27}$

0711

정답 ①

STEP Ⓐ **모든 경우의 수 구하기**

5개의 연필에서 2개의 연필을 꺼내는 경우의 수는 ${}_5\mathrm{C}_2=10$

STEP Ⓑ **$\mathrm{P}(A)$, $\mathrm{P}(A\cap B)$의 값 구하기**

주머니에서 동시에 꺼낸 두 연필이 같은 종류의 연필인 사건을 A,
두 연필이 모두 4B연필인 사건을 B라 하면
두 연필이 같은 종류의 연필인 경우는
두 연필이 모두 HB연필이거나 4B연필인 경우로 나뉜다.
두 연필이 모두 HB연필인 경우의 수는 ${}_2\mathrm{C}_2=1$
두 연필이 모두 4B연필인 경우의 수는 ${}_3\mathrm{C}_2=3$
이므로 $\mathrm{P}(A)=\dfrac{1+3}{10}=\dfrac{2}{5}$

이때 이 연필이 모두 4B연필인 경우의 수가 3이므로 확률은 $\mathrm{P}(A\cap B)=\dfrac{3}{10}$

STEP Ⓒ **$\mathrm{P}(B|A)$의 값 구하기**

따라서 구하는 확률은 $\mathrm{P}(B|A)=\dfrac{\mathrm{P}(A\cap B)}{\mathrm{P}(A)}=\dfrac{\frac{3}{10}}{\frac{2}{5}}=\dfrac{3}{4}$

0712

정답 ②

STEP Ⓐ **모든 경우의 수 구하기**

10개의 제비에서 2개의 제비를 꺼내는 경우의 수는 ${}_{10}\mathrm{C}_2=45$

STEP Ⓑ **$\mathrm{P}(A)$, $\mathrm{P}(A\cap B)$의 값 구하기**

뽑은 2개의 제비 중 한 개가 당첨 제비인 사건을 A,
제비가 1등 당첨 제비일 사건을 B라 하면
임의로 뽑은 2개의 제비 중 한 개가 당첨 제비인 경우는
그 당첨 제비가 1등인 경우와 2등인 경우로 나뉜다.
1등 당첨 제비를 포함하여 뽑는 경우의 수는 ${}_1\mathrm{C}_1\times{}_7\mathrm{C}_1=7$
2등 당첨 제비를 포함하여 뽑는 경우의 수는 ${}_2\mathrm{C}_1\times{}_7\mathrm{C}_1=14$
이므로 $\mathrm{P}(A)=\dfrac{7+14}{45}=\dfrac{21}{45}$

이때 그 제비가 1등 당첨 제비일 확률은 $\mathrm{P}(A\cap B)=\dfrac{7}{45}$

STEP Ⓒ **$\mathrm{P}(B|A)$의 값 구하기**

따라서 구하는 확률은 $\mathrm{P}(B|A)=\dfrac{\mathrm{P}(A\cap B)}{\mathrm{P}(A)}=\dfrac{\frac{7}{45}}{\frac{21}{45}}=\dfrac{7}{21}=\dfrac{1}{3}$

내신연계 출제문항 311

1등 당첨 제비 2개와 2등 당첨 제비 4개를 포함한 10개의 제비가 들어있는 추첨함에서 임의로 2개의 제비를 동시에 뽑았더니 당첨 제비가 나왔을 때, 그 제비 중에서 1등 당첨 제비가 있을 확률은?

① $\dfrac{4}{15}$ ② $\dfrac{17}{39}$ ③ $\dfrac{17}{45}$
④ $\dfrac{3}{10}$ ⑤ $\dfrac{13}{15}$

STEP Ⓐ **모든 경우의 수 구하기**

10개의 제비에서 2개의 제비를 꺼내는 경우의 수는 ${}_{10}\mathrm{C}_2=45$

STEP Ⓑ **$\mathrm{P}(A)$, $\mathrm{P}(A\cap B)$의 값 구하기**

당첨 제비인 사건을 A, 제비가 1등 당첨 제비일 사건을 B라 하면
임의로 뽑은 2개의 제비 중 당첨 제비가 있는 경우는
그 당첨 제비가 1개인 경우와 2개인 경우로 나뉜다.
당첨 제비가 1개 뽑히는 경우의 수는 ${}_6\mathrm{C}_1\times{}_4\mathrm{C}_1=24$
당첨 제비가 2개 뽑히는 경우의 수는 ${}_6\mathrm{C}_2\times{}_4\mathrm{C}_0=15$
이므로 $\mathrm{P}(A)=\dfrac{24+15}{45}=\dfrac{39}{45}$ …… ㉠
이때 1등 당첨 제비가 1개 또는 2개 뽑히는 확률은
$\mathrm{P}(A\cap B)=\dfrac{{}_2\mathrm{C}_1\times{}_8\mathrm{C}_1+{}_2\mathrm{C}_2\times{}_8\mathrm{C}_0}{{}_{10}\mathrm{C}_2}=\dfrac{17}{45}$ …… ㉡

STEP Ⓒ **$\mathrm{P}(B|A)$의 값 구하기**

따라서 ㉠, ㉡에서 구하는 확률은 $\mathrm{P}(B|A)=\dfrac{\mathrm{P}(A\cap B)}{\mathrm{P}(A)}=\dfrac{\frac{17}{45}}{\frac{39}{45}}=\dfrac{17}{39}$ 정답 ②

0713

정답 ④

STEP Ⓐ **모든 경우의 수 구하기**

5장의 카드 중에서 임의로 2장 뽑는 경우의 수는 ${}_5\mathrm{C}_2=10$

STEP Ⓑ **$\mathrm{P}(A)$, $\mathrm{P}(A\cap B)$의 값 구하기**

두 장의 카드에 적힌 수의 합이 짝수인 사건을 A,
두 장의 카드에 적힌 수가 모두 홀수인 사건을 B라 하자.
이때 두 장의 카드에 적힌 수의 합이 짝수인 경우의 수는
⬅ 두 수가 모두 짝수이거나 두 수가 모두 홀수인 경우가 있다.
두 수가 모두 짝수인 경우의 수는 ${}_2\mathrm{C}_2=1$
두 수가 모두 홀수인 경우의 수는 ${}_3\mathrm{C}_2=3$
이므로 $\mathrm{P}(A)=\dfrac{1+3}{10}=\dfrac{4}{10}$, $\mathrm{P}(A\cap B)=\dfrac{3}{10}$

STEP Ⓒ **$\mathrm{P}(B|A)$의 값 구하기**

따라서 구하는 확률은 $\mathrm{P}(B|A)=\dfrac{\mathrm{P}(A\cap B)}{\mathrm{P}(A)}=\dfrac{\frac{3}{10}}{\frac{4}{10}}=\dfrac{3}{4}$

0714

정답 ④

STEP Ⓐ **모든 경우의 수 구하기**

10개의 공에서 2개의 공을 꺼내는 경우의 수는 ${}_{10}\mathrm{C}_2=45$

STEP Ⓑ **$\mathrm{P}(A)$, $\mathrm{P}(A\cap B)$의 값 구하기**

주머니 속에서 임의로 두 개의 공을 꺼낼 때,
3이 적힌 공이 나오는 사건을 A, 다른 색의 공이 나오는 사건을 B라 하면
$A\cap B$는 3이 적힌 노란 공과 파란 공을 각각 1개씩 꺼내는 사건이므로
$\mathrm{P}(A)=\dfrac{{}_6\mathrm{C}_2}{{}_{10}\mathrm{C}_2}=\dfrac{1}{3}$, $\mathrm{P}(A\cap B)=\dfrac{{}_3\mathrm{C}_1\times{}_3\mathrm{C}_1}{{}_{10}\mathrm{C}_2}=\dfrac{1}{5}$

STEP Ⓒ **$\mathrm{P}(B|A)$의 값 구하기**

따라서 구하는 확률은 $\mathrm{P}(B|A)=\dfrac{\mathrm{P}(A\cap B)}{\mathrm{P}(A)}=\dfrac{\frac{1}{5}}{\frac{1}{3}}=\dfrac{3}{5}$

0715

정답 ④

STEP Ⓐ **모든 경우의 수 구하기**

7개의 구슬에서 임의로 2개의 구슬을 동시에 꺼내는 경우의 수는 ${}_7C_2$

STEP Ⓑ $P(A)$, $P(A\cap B)$**의 값 구하기**

주머니에서 임의로 2개의 구슬을 동시에 꺼낼 때,

구슬에 적힌 두 수의 곱이 홀수인 사건을 A,

두 구슬의 색이 서로 다른 사건을 B라 하면

두 수의 곱이 홀수가 되려면 1, 3, 5, 7에서 2개가 선택되어야 하므로

$P(A)=\dfrac{{}_4C_2}{{}_7C_2}=\dfrac{2}{7}$ …… ㉠

$P(A\cap B)$는 1 또는 3이 적혀 있는 빨간 구슬에서 한 개,

5 또는 7이 적혀 있는 파란 구슬에서 한 개가 뽑힐 확률이므로

$P(A\cap B)=\dfrac{{}_2C_1\times{}_2C_1}{{}_7C_2}=\dfrac{4}{21}$ …… ㉡

STEP Ⓒ **조건부확률** $P(B|A)$**의 값 구하기**

따라서 ㉠, ㉡에서 구하는 확률은 $P(B|A)=\dfrac{P(A\cap B)}{P(A)}=\dfrac{\frac{4}{21}}{\frac{2}{7}}=\dfrac{2}{3}$

내/신/연/계/ 출제문항 312

흰 공 3개에는 1, 2, 3의 숫자를 하나씩 적고, 검은 공 3개에는 4, 5, 6의 숫자를 하나씩 적어 주머니에 넣은 후 임의로 2개의 공을 동시에 꺼냈다. 주머니에서 꺼낸 2개의 공에 적힌 숫자의 합이 소수일 때, 꺼낸 2개의 공의 색이 같을 확률은?

① $\dfrac{2}{7}$ ② $\dfrac{5}{14}$ ③ $\dfrac{3}{7}$
④ $\dfrac{1}{2}$ ⑤ $\dfrac{4}{7}$

STEP Ⓐ **모든 경우의 수 구하기**

6개의 공이 들어 있는 주머니에서 임의로 2개의 공을 동시에 꺼내는 경우의 수는 ${}_6C_2=15$

STEP Ⓑ $P(A)$, $P(A\cap B)$**의 값 구하기**

꺼낸 2개의 공에 적힌 숫자의 합이 소수인 사건을 A라 하자.

이때 꺼낸 2개의 공에 적힌 숫자를 a, $b(a<b)$라 하고 순서쌍 (a, b)로 나타내면 사건 A는 다음과 같이 네 가지로 나누어 생각할 수 있다.

(ⅰ) $a+b=3$일 때, (①, ②)
(ⅱ) $a+b=5$일 때, (①, ❹), (②, ③)
(ⅲ) $a+b=7$일 때, (①, ❻), (②, ❺), (③, ❹)
(ⅳ) $a+b=11$일 때, (❺, ❻)

(ⅰ)~(ⅳ)에서 $P(A)=\dfrac{7}{15}$ …… ㉠

(ⅰ)~(ⅳ)에서 꺼낸 2개의 공의 색이 같은 경우는 (①, ②), (②, ③) (❺, ❻)의 3가지이므로 주머니에서 꺼낸 두 개의 공이 같은 색인 사건을 B라 하면

$P(A\cap B)=\dfrac{3}{15}$ …… ㉡

STEP Ⓒ $P(B|A)$**의 값 구하기**

따라서 ㉠, ㉡에서 구하는 확률은 $P(B|A)=\dfrac{P(A\cap B)}{P(A)}=\dfrac{\frac{3}{15}}{\frac{7}{15}}=\dfrac{3}{7}$ 정답 ③

$n(A)=1+2+3+1=7$, $n(A\cap B)=3$이므로 $P(B|A)=\dfrac{n(A\cap B)}{n(A)}=\dfrac{3}{7}$

0716

정답 ⑤

STEP Ⓐ **모든 경우의 수 구하기**

8개의 공에서 3개의 공을 꺼내는 모든 경우의 수는 ${}_8C_3=56$

STEP Ⓑ $P(A)$, $P(A\cap B)$**의 값 구하기**

$a+b+c$가 짝수인 사건을 A, a가 홀수인 사건을 B라 하면

사건 A는 세 수 a, b, c가 모두 짝수이거나 하나만 짝수인 사건이다.

세 수 a, b, c가 모두 짝수인 경우의 수는 ${}_4C_3=4$

하나만 짝수인 경우의 수는 ${}_4C_1\times{}_4C_2=24$

이므로 $P(A)=\dfrac{4+24}{56}=\dfrac{1}{2}$ …… ㉠

STEP Ⓒ a**가 홀수일 확률 구하기**

사건 $A\cap B$는 $a+b+c$가 짝수이면서 a가 1, 3, 5 중 하나인 사건이다.

$a=1$인 경우의 수는 ${}_3C_1\times{}_4C_1=12$

$a=3$인 경우의 수는 ${}_2C_1\times{}_3C_1=6$

$a=5$인 경우의 수는 ${}_1C_1\times{}_2C_1=2$

이므로 $P(A\cap B)=\dfrac{12+6+2}{56}=\dfrac{5}{14}$ …… ㉡

STEP Ⓓ $P(B|A)$**의 값 구하기**

따라서 ㉠, ㉡에서 구하는 확률은 $P(B|A)=\dfrac{P(A\cap B)}{P(A)}=\dfrac{\frac{5}{14}}{\frac{1}{2}}=\dfrac{5}{7}$

내/신/연/계/ 출제문항 313

주머니에 1, 2, 3, 4, 5, 6의 숫자가 하나씩 적혀 있는 6개의 공이 들어 있다. 이 주머니에서 임의로 3개의 공을 차례로 꺼낸다.
꺼낸 3개의 공에 적힌 수의 곱이 짝수일 때, 첫 번째로 꺼낸 공에 적힌 수가 홀수이었을 확률은 $\dfrac{q}{p}$이다. $p+q$의 값은? (단, 꺼낸 공은 다시 넣지 않고, p와 q는 서로소인 자연수이다.)

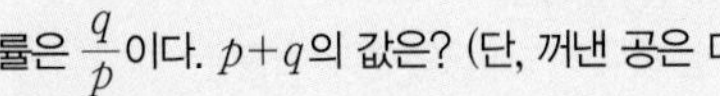
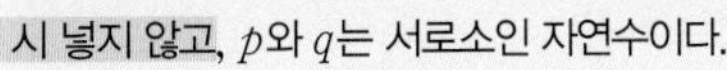

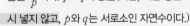

① 24 ② 26 ③ 28
④ 30 ⑤ 32

STEP Ⓐ $P(A)$, $P(A\cap B)$**의 값 구하기**

꺼낸 3개의 공에 적힌 수의 곱이 짝수일 사건을 A,

첫 번째로 꺼낸 공에 적힌 수가 홀수일 사건을 B라 하면

꺼낸 3개의 공에 적힌 수의 곱이 짝수이려면 3개의 공에 적힌 수 중 적어도 하나가 짝수이면 되므로 꺼낸 3개의 공에 적힌 수의 곱이 짝수일 확률은

$P(A)=1-$(꺼낸 3개의 공에 적힌 수의 곱이 홀수일 확률)

$=1-\dfrac{3}{6}\times\dfrac{2}{5}\times\dfrac{1}{4}=\dfrac{19}{20}$ …… ㉠

이때 꺼낸 3개의 공에 적힌 수의 곱이 짝수이고 첫 번째로 꺼낸 공에 적힌 수가 홀수인 경우

(ⅰ) 홀수, 홀수, 짝수인 확률은 $\dfrac{3}{6}\times\dfrac{2}{5}\times\dfrac{3}{4}=\dfrac{3}{20}$

(ⅱ) 홀수, 짝수, 홀수인 확률은 $\dfrac{3}{6}\times\dfrac{3}{5}\times\dfrac{2}{4}=\dfrac{3}{20}$

(ⅲ) 홀수, 짝수, 짝수인 확률은 $\dfrac{3}{6}\times\dfrac{3}{5}\times\dfrac{2}{4}=\dfrac{3}{20}$

(ⅰ)~(ⅲ)에서 첫 번째로 꺼낸 공에 적힌 수가 홀수이었을 확률은

$P(A\cap B)=\dfrac{3}{20}+\dfrac{3}{20}+\dfrac{3}{20}=\dfrac{9}{20}$ …… ㉡

STEP Ⓑ $P(B|A)$**의 값 구하기**

㉠, ㉡에서 구하는 확률은 $P(B|A)=\dfrac{P(A\cap B)}{P(A)}=\dfrac{\frac{9}{20}}{\frac{19}{20}}=\dfrac{9}{19}$

따라서 $p=19$, $q=9$이므로 $p+q=28$ 정답 ③

0717

정답 ②

STEP Ⓐ **모든 경우의 수 구하기**

9개의 공 중에서 4개의 공을 동시에 꺼내는 경우의 수는 ${}_9C_4=126$

STEP Ⓑ **$P(A)$, $P(A\cap B)$의 값 구하기**

꺼낸 4개의 공에 적혀 있는 자연수 중에서 두 번째로 큰 수가 7인 사건을 A,
세 번째로 큰 수가 5인 사건을 B라 하면 구하는 확률은 $P(B|A)$이다.
꺼낸 4개의 공에 적혀 있는 자연수 중에서 두 번째로 큰 수가 7이려면
7이 적혀 있는 공, 1, 2, 3, 4, 5, 6이 적혀 있는 공 중에서 2개의 공, 8, 9가 적혀 있는 공 중에서 1개의 공을 꺼내면 되므로 이 경우의 수는 ${}_6C_2\times{}_2C_1=30$

이때의 확률은 $P(A)=\frac{30}{126}=\frac{15}{63}$ …… ㉠

꺼낸 4개의 공에 적혀있는 자연수 중에서 두 번째로 큰 수가 7이고
세 번째로 큰 수가 5이려면 5, 7이 적혀 있는 2개의 공, 1, 2, 3, 4가 적혀 있는 공 중에서 1개의 공, 8, 9이 적혀 있는 공 중에서 1개의 공을 꺼내면 되므로
이 경우의 수는 ${}_4C_1\times{}_2C_1=8$

이때의 확률은 $P(A\cap B)=\frac{8}{126}=\frac{4}{63}$ …… ㉡

STEP Ⓒ **$P(B|A)$의 값 구하기**

따라서 ㉠, ㉡에서 구하는 확률은 $P(B|A)=\frac{P(A\cap B)}{P(A)}=\frac{\frac{4}{63}}{\frac{15}{63}}=\frac{4}{15}$

0718

STEP Ⓐ **$P(A)$, $P(A\cap B)$의 값 구하기**

주사위를 던져 얻은 점수가 5점 이상인 사건을 A,
주사위를 한 번만 던지는 사건을 B라 하면
주사위를 던져 얻은 점수가 5점 이상일 확률은

(ⅰ) 주사위를 한 번 던져 나오는 눈의 수가 5이상인 경우 확률은
$\frac{2}{6}=\frac{1}{3}$

(ⅱ) 주사위를 한 번 던져 나오는 눈의 수가 5보다 작고
주사위를 한 번 더 던져 눈의 수가 5 이상인 경우 확률은
$\frac{2}{3}\times\frac{1}{3}=\frac{2}{9}$

(ⅰ), (ⅱ)에서 구하는 확률은 $P(A)=\frac{1}{3}+\frac{2}{9}=\frac{5}{9}$ …… ㉠

이때 주사위를 한 번만 던져 얻은 점수가 5점 이상인 확률은
$P(A\cap B)=\frac{2}{6}=\frac{1}{3}$ …… ㉡

STEP Ⓑ **$P(B|A)$의 값 구하기**

따라서 ㉠, ㉡에서 구하는 확률은 $P(B|A)=\frac{P(A\cap B)}{P(A)}=\frac{\frac{1}{3}}{\frac{5}{9}}=\frac{3}{5}$

내신연계 출제문항 314

1부터 10까지의 자연수가 하나씩 적혀 있는 10개의 공이 주머니에 들어있다. 이 주머니에서 철수, 영희, 은지 순서로 공을 임의로 한 개씩 꺼내기로 하였다. 철수가 꺼낸 공에 적혀 있는 수가 6일 때, 남은 두 사람이 꺼낸 공에 적혀 있는 수가 하나는 6보다 크고 다른 하나는 6보다 작을 확률은?
(단, 꺼낸 공은 다시 넣지 않는다.)

① $\frac{1}{9}$　② $\frac{2}{9}$　③ $\frac{1}{3}$
④ $\frac{4}{9}$　⑤ $\frac{5}{9}$

STEP Ⓐ **$P(A)$, $P(A\cap B)$의 값 구하기**

철수가 꺼낸 공에 적혀있는 수가 6인 사건을 A라 하면
$P(A)=\frac{1}{10}$

남은 두 사람이 꺼낸 공에 적혀있는 수가 하나는 6보다 크고 다른 하나는 6보다 작은 사건을 B라 하면

(ⅰ) 철수가 6번 공일 때,
영희가 6보다 작은 공, 은지가 6보다 큰 공을 꺼낼 확률은
$\frac{1}{10}\times\frac{5}{9}\times\frac{4}{8}=\frac{1}{36}$

(ⅱ) 철수가 6번 공일 때,
영희가 6보다 큰 공, 은지가 6보다 작은 공을 꺼낼 확률은
$\frac{1}{10}\times\frac{4}{9}\times\frac{5}{8}=\frac{1}{36}$

(ⅰ), (ⅱ)에서 구하는 확률은 $P(A\cap B)=\frac{1}{36}+\frac{1}{36}=\frac{1}{18}$

STEP Ⓑ **$P(B|A)$의 값 구하기**

따라서 구하는 확률은 $P(B|A)=\frac{P(A\cap B)}{P(A)}=\frac{\frac{1}{18}}{\frac{1}{10}}=\frac{5}{9}$

정답 ⑤

0719

정답 ⑤

STEP Ⓐ **모든 경우의 수 구하기**

A, B가 주문한 것의 모든 경우의 수는 ${}_5C_1\times{}_5C_1=25$

STEP Ⓑ **$P(A)$, $P(A\cap B)$의 값 구하기**

A, B가 주문한 것이 서로 다른 사건을 A,
A, B가 주문한 것이 모두 아이스크림인 사건을 B라 하자.

$P(A)=\frac{5\times4}{25}=\frac{20}{25}$ ⬅ ${}_5C_1\times{}_4C_1$

$P(A\cap B)=\frac{2\times1}{25}=\frac{2}{25}$ ⬅ ${}_2C_1\times{}_1C_1$

STEP Ⓒ **$P(B|A)$의 값 구하기**

따라서 구하는 확률은 $P(B|A)=\frac{P(A\cap B)}{P(A)}=\frac{\frac{2}{25}}{\frac{20}{25}}=\frac{1}{10}$

다른풀이 수학적 확률을 이용하여 풀이하기

두 학생 A, B가 주문하는 것이 서로 다른 경우는 A가 5개 중 하나를 고르고
B는 A가 고른 하나를 뺀 4개 중에서 하나를 고르므로 $5\times4=20$
이때 두 학생 A, B가 2가지의 아이스크림에서 서로 다른 것을 주문하는 경우의 수는 $2\times1=2$
따라서 A, B가 주문한 것이 서로 다를 때, A, B가 주문한 것이 모두 아이스크림일 확률은 $\frac{2}{20}=\frac{1}{10}$

0720

STEP Ⓐ **$P(A)$, $P(A\cap B)$의 값 구하기**

A 또는 B가 반장으로 뽑히는 사건을 A,
C가 부반장이 되는 사건을 B라 하면
$P(A)=\frac{1}{4}+\frac{1}{4}=\frac{1}{2}$, $P(A\cap B)=\frac{1}{4}\times\frac{1}{3}+\frac{1}{4}\times\frac{1}{3}=\frac{1}{6}$
⬅ A가 반장, C가 부반장 또는 B가 반장, C가 부반장

STEP Ⓑ **$P(B|A)$의 값 구하기**

따라서 구하는 확률은 $P(B|A)=\frac{P(A\cap B)}{P(A)}=\frac{\frac{1}{6}}{\frac{1}{2}}=\frac{1}{3}$

다른풀이 조합으로 풀이하기

A 또는 B가 반장으로 뽑히는 경우의 수는 ${}_2C_1=2$이고
반장을 뽑고 나면 나머지 3명 중 한 명이 부반장이 되어야 하므로
부반장을 뽑는 경우의 수는 ${}_3C_1=3$
즉 A 또는 B를 반장으로 뽑고 부반장을 뽑는 경우의 수는 $2\times3=6$
A 또는 B가 반장으로 뽑혔을 때, C가 부반장이 되는 경우는
(A, C), (B, C)로 2가지가 있으므로 구하는 확률은 $\frac{2}{6}=\frac{1}{3}$

내/신/연/계/ 출제문항 315

A, B, C, D, E, F 여섯 명으로 구성된 어느 수학 동아리에서 회장과 부회장을 각각 1명씩 뽑으려고 한다. A 또는 B가 회장으로 뽑혔을 때, F가 부회장으로 뽑힐 확률은?

① $\frac{1}{2}$ ② $\frac{1}{3}$ ③ $\frac{1}{4}$
④ $\frac{1}{5}$ ⑤ $\frac{1}{6}$

STEP Ⓐ $P(A)$, $P(A\cap B)$의 값 구하기

A 또는 B가 회장으로 뽑히는 사건을 A,
F가 부회장으로 뽑히는 사건을 B이라 하면
$P(A)=\frac{2}{6}=\frac{1}{3}$, $P(A\cap B)=\frac{2}{{}_6P_2}=\frac{1}{15}$

STEP Ⓑ $P(B|A)$의 값 구하기

따라서 $P(B|A)=\frac{P(A\cap B)}{P(A)}=\frac{\frac{1}{15}}{\frac{1}{3}}=\frac{1}{5}$

다른풀이 배반사건을 이용하여 풀이하기

A, B 두 명 중 한 명을 뽑고 남은 5명 중 한 명이 F를 뽑는 경우이므로
A가 회장으로 뽑히고 남은 B, C, D, E, F 중 F를 뽑을 확률은
$\frac{1}{2}\times\frac{1}{5}=\frac{1}{10}$
마찬가지로 B가 회장으로 뽑히고 나머지 5명 중 한 명이 F를 뽑는 확률도
$\frac{1}{2}\times\frac{1}{5}=\frac{1}{10}$
따라서 구하는 확률은 $\frac{1}{10}+\frac{1}{10}=\frac{1}{5}$

 ④

0721

 ②

STEP Ⓐ 모든 경우의 수 구하기

37개의 점 중에서 서로 다른 두 점을 선택하는 경우의 수는 ${}_{37}C_2$

STEP Ⓑ $P(A)$, $P(A\cap B)$의 값 구하기

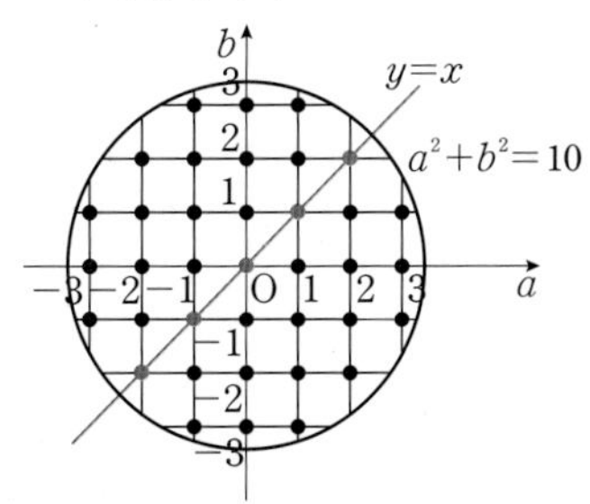

두 점이 모두 직선 $y=x$위에 있을 사건을 A,
두 점의 x좌표가 모두 양수일 사건을 B라고 하면
주어진 조건을 모두 만족시키고 직선 $y=x$ 위에 있는 점들의 집합은
$\{(-2, -2), (-1, -1), (0, 0), (1, 1), (2, 2)\}$
이므로 $P(A)=\frac{{}_5C_2}{{}_{37}C_2}$, $P(A\cap B)=\frac{{}_2C_2}{{}_{37}C_2}$

STEP Ⓒ $P(B|A)$의 값 구하기

구하는 확률은 $P(B|A)=\frac{P(A\cap B)}{P(A)}=\frac{\frac{{}_2C_2}{{}_{37}C_2}}{\frac{{}_5C_2}{{}_{37}C_2}}=\frac{1}{10}$

따라서 $p=10$, $q=1$이므로 $p+q=11$

다른풀이 $n(A)$, $n(A\cap B)$의 값을 이용하여 풀이하기

STEP Ⓐ $n(A)$, $n(A\cap B)$의 값 구하기

두 점이 모두 직선 $y=x$위에 있을 사건을 A,
두 점의 x좌표가 모두 양수일 사건을 B라고 하면
주어진 조건을 모두 만족시키고 직선 $y=x$ 위에 있는 점들의 집합은
$\{(-2, -2), (-1, -1), (0, 0), (1, 1), (2, 2)\}$
이므로 $n(A)={}_5C_2=10$, $n(A\cap B)={}_2C_2=1$

STEP Ⓑ $P(B|A)$의 값 구하기

구하는 확률은 $P(B|A)=\frac{P(A\cap B)}{P(A)}=\frac{n(A\cap B)}{n(A)}=\frac{1}{10}$
따라서 $p=10$, $q=1$이므로 $p+q=11$

내/신/연/계/ 출제문항 316

다음 조건을 만족시키는 좌표평면 위의 점 (a, b) 중에서 임의로 서로 다른 두 점을 선택한다. 선택된 두 점의 y좌표가 같을 때, 이 두 점의 y좌표가 2일 확률은?

(가) a, b는 정수이다. (나) $0<b<4-\frac{a^2}{4}$

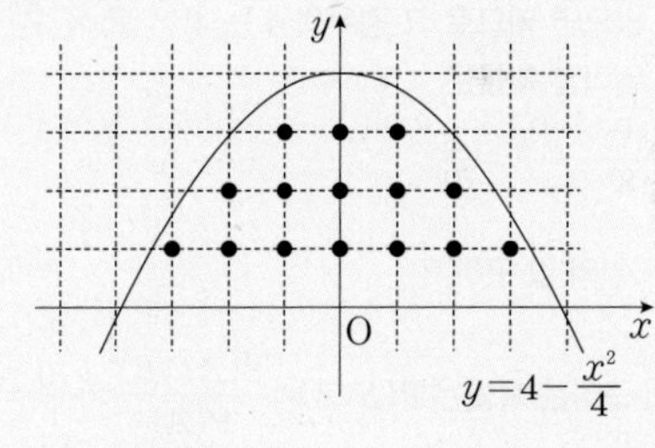

① $\frac{4}{17}$ ② $\frac{5}{17}$ ③ $\frac{6}{17}$
④ $\frac{7}{17}$ ⑤ $\frac{8}{17}$

STEP Ⓐ 모든 경우의 수 구하기

15개의 점 중에서 서로 다른 두 점을 선택하는 경우의 수는 ${}_{15}C_2=105$

STEP Ⓑ $P(A)$, $P(A\cap B)$의 값 구하기

선택된 두 점의 y좌표가 같은 사건을 A,
선택된 두 점의 y좌표가 2인 사건을 B라고 하면
y좌표가 1인 두 점을 선택하는 방법의 수는 ${}_7C_2=21$
y좌표가 2인 두 점을 선택하는 방법의 수는 ${}_5C_2=10$
y좌표가 3인 두 점을 선택하는 방법의 수는 ${}_3C_2=3$
$P(A)=\frac{21+10+3}{105}=\frac{34}{105}$, $P(A\cap B)=\frac{10}{105}$

STEP Ⓒ $P(B|A)$의 값 구하기

따라서 구하는 확률은 $P(B|A)=\frac{P(A\cap B)}{P(A)}=\frac{\frac{10}{105}}{\frac{34}{105}}=\frac{5}{17}$

다른풀이 직접 구하여 풀이하기

y좌표가 1인 점이 7개, y좌표가 2인 점이 5개, y좌표가 3인 점이 3개이다.
두 점의 y좌표가 같은 경우는 각각 ${}_7C_2$, ${}_5C_2$, ${}_3C_2$

따라서 구하는 확률은 $\dfrac{{}_5C_2}{{}_7C_2+{}_5C_2+{}_3C_2}=\dfrac{10}{21+10+3}=\dfrac{10}{34}=\dfrac{5}{17}$ 정답 ②

0722

 ④

STEP Ⓐ **모든 경우의 수 구하기**

8명의 학생이 임의로 좌석에 앉는 경우의 수는 $8!$

STEP Ⓑ **$P(A)$, $P(A\cap B)$의 값 구하기**

여학생끼리는 어느 두 명도 이웃한 좌석에 앉지 않은 사건을 A,
남학생 두 명이 이웃한 좌석에 앉는 사건을 B라 하자.
이때 사건 A가 일어나는 경우는 다음 그림과 같이 남학생을 먼저 일렬로 나열한 후

∨ 남 ∨ 남 ∨ 남 ∨ 남 ∨

양 끝과 그 사이사이의 5곳 중 4곳에 여학생 4명이 앉으면 되므로
그 경우의 수는 $4!\times{}_5P_4$
즉 사건 A가 일어날 확률은

$P(A)=\dfrac{4!\times{}_5P_4}{8!}=\dfrac{1}{14}$ …… ㉠

또, 여학생끼리는 어느 두 명도 이웃한 좌석에 앉지 않고
남학생 두 명은 이웃한 좌석에 앉는 사건은 $A\cap B$이다.
이때 사건 $A\cap B$가 일어나는 경우는 다음 그림과 같이 남학생을 먼저 일렬로 나열한 후

양 끝에 여학생 두 명이 앉고, 남학생 사이사이의 3곳 중 2곳에 나머지 두 명의 여학생이 앉으면 되므로 그 경우의 수는 $4!\times{}_4P_2\times{}_3P_2$
즉 사건 $A\cap B$가 일어날 확률은

$P(A\cap B)=\dfrac{4!\times{}_4P_2\times{}_3P_2}{8!}=\dfrac{3}{70}$ …… ㉡

STEP Ⓒ **$P(B|A)$의 값 구하기**

따라서 ㉠, ㉡에서 구하는 확률은 $P(B|A)=\dfrac{P(A\cap B)}{P(A)}=\dfrac{\frac{3}{70}}{\frac{1}{14}}=\dfrac{3}{5}$

내/신/연/계/ 출제문항 317

세 학생 a, b, c가 포함된 8명의 학생이 그림과 같이 두 줄로 배열된 8개의 의자에 임의로 앉으려고 한다. a와 b가 같은 줄에 앉을 때, a와 c가 같은 줄에서 서로 이웃하여 앉을 확률은? (단, 의자는 같은 간격으로 배열되어 있다.)

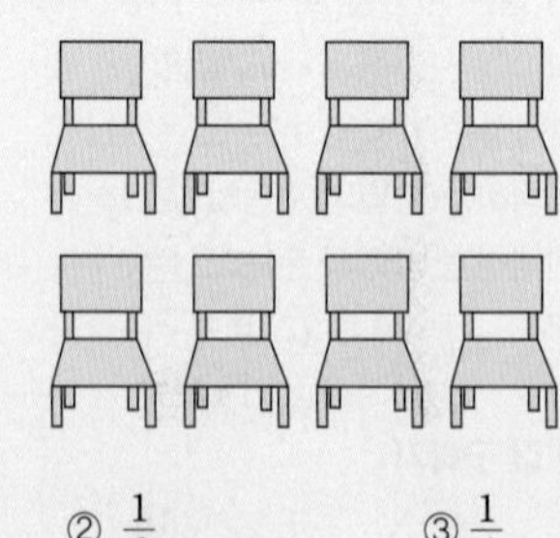

① $\dfrac{1}{12}$ ② $\dfrac{1}{6}$ ③ $\dfrac{1}{4}$
④ $\dfrac{1}{3}$ ⑤ $\dfrac{5}{12}$

STEP Ⓐ **모든 경우의 수 구하기**

8명의 학생이 8개의 의자에 앉는 경우의 수는 $8!$

STEP Ⓑ **$P(A)$, $P(A\cap B)$의 값 구하기**

a와 b가 같은 줄에 앉는 사건을 A, a와 c가 같은 줄에서 서로 이웃하여 앉는 사건을 B라 하면 a와 b가 같은 줄에 앉을 확률은
a, b가 같이 앉을 줄을 선택하는 경우의 수가 2,
선택한 줄에서 a, b가 앉는 경우의 수가 ${}_4P_2$,
나머지 6명의 학생이 남아 있는 6개의 의자에 앉는 경우의 수가 $6!$이므로

$P(A)=\dfrac{2\times{}_4P_2\times6!}{8!}=\dfrac{3}{7}$ …… ㉠

a와 b가 같은 줄에 앉고 a와 c가 같은 줄에서 서로 이웃하여 앉을 확률은
a, b, c가 같이 앉을 줄을 선택하는 경우의 수가 2,
선택한 줄에서 a와 c를 한 묶음으로 생각하여 b와 한 줄에 앉는 경우의 수가 ${}_3P_2$
a와 c가 서로 바꿔 앉는 경우의 수가 $2!$,
나머지 5명의 학생이 남아 있는 5개의 의자에 앉는 경우의 수는 $5!$이므로

$P(A\cap B)=\dfrac{2\times{}_3P_2\times2!\times5!}{8!}=\dfrac{1}{14}$ …… ㉡

STEP Ⓒ **$P(B|A)$의 값 구하기**

따라서 ㉠, ㉡에서 구하는 확률은 $P(B|A)=\dfrac{P(A\cap B)}{P(A)}=\dfrac{\frac{1}{14}}{\frac{3}{7}}=\dfrac{1}{6}$ 정답 ②

0723

 ①

STEP Ⓐ **주어진 표를 이용하여 $P(A)$, $P(A\cap B)$의 값 구하기**

임의로 뽑은 한 명의 학생이 여학생인 사건을 A,
A동아리 소속인 사건을 B라 하면
주어진 표에서 $P(A)=\dfrac{2}{5}$, $P(A\cap B)=\dfrac{4}{25}$

STEP Ⓑ **$P(B|A)$의 값 구하기**

따라서 구하는 확률은 $P(B|A)=\dfrac{P(A\cap B)}{P(A)}=\dfrac{\frac{4}{25}}{\frac{2}{5}}=\dfrac{2}{5}$

0724

 ④

STEP Ⓐ **주어진 표를 이용하여 $P(A)$, $P(A\cap B)$의 값 구하기**

대답한 사람이 여학생인 사건을 A,
정기적인 봉사활동을 하고 있는 사건을 B라 하면

$P(A)=\dfrac{50}{100}=\dfrac{1}{2}$, $P(A\cap B)=\dfrac{28}{100}=\dfrac{7}{25}$

STEP Ⓑ **$P(B|A)$의 값 구하기**

따라서 구하는 확률은 $P(B|A)=\dfrac{P(A\cap B)}{P(A)}=\dfrac{\frac{7}{25}}{\frac{1}{2}}=\dfrac{14}{25}$

내/신/연/계/ 출제문항 318

다음 표는 어느 회사 전체 직원 229명의 주요 통근 수단과 통근 거리를 조사한 것이다.

통근 거리 \ 통근 수단	대중교통	자가용	합계
15km 미만	45	52	97
15km 이상	83	49	132
계	128	101	229

이 회사에서 임의로 선택된 직원의 통근 거리가 15km 이상일 때, 그 직원의 주요 통근 수단이 대중교통일 확률은?

① $\frac{83}{229}$ ② $\frac{128}{229}$ ③ $\frac{132}{229}$
④ $\frac{83}{128}$ ⑤ $\frac{83}{132}$

STEP Ⓐ **주어진 표를 이용하여** $\mathrm{P}(A)$, $\mathrm{P}(A\cap B)$**의 값 구하기**

임의로 선택된 직원의 통근 거리가 15km 이상일 사건을 A,
통근 수단이 대중교통일 사건을 B라 하면

$\mathrm{P}(A)=\frac{132}{229}$, $\mathrm{P}(A\cap B)=\frac{83}{229}$

STEP Ⓑ $\mathrm{P}(B|A)$**의 값 구하기**

따라서 구하는 확률은 $\mathrm{P}(B|A)=\frac{\mathrm{P}(A\cap B)}{\mathrm{P}(A)}=\frac{\frac{83}{229}}{\frac{132}{229}}=\frac{83}{132}$  정답 ⑤

0725

 정답 ①

STEP Ⓐ **주어진 표를 이용하여** $\mathrm{P}(A)$, $\mathrm{P}(A\cap B)$**의 값 구하기**

이 조사에 참여한 학생 200명 중에서 임의로 선택한 1명이 생태연구를 선택한 학생인 사건을 A, 여학생인 사건을 B라 하면

구하는 확률은 $\mathrm{P}(B|A)$

주어진 표에서 $\mathrm{P}(A)=\frac{110}{200}=\frac{11}{20}$, $\mathrm{P}(A\cap B)=\frac{50}{200}=\frac{1}{4}$

STEP Ⓑ $\mathrm{P}(B|A)$**의 값 구하기**

따라서 구하는 확률은 $\mathrm{P}(B|A)=\frac{\mathrm{P}(A\cap B)}{\mathrm{P}(A)}=\frac{\frac{1}{4}}{\frac{11}{20}}=\frac{5}{11}$

0726

 정답 ⑤

STEP Ⓐ **주어진 표를 이용하여** $\mathrm{P}(A)$, $\mathrm{P}(A\cap B)$**의 값 구하기**

임의로 선택한 한 개의 공이 검은색일 사건을 A,
공에 적혀 있는 수가 짝수일 사건을 B라 하자.

주어진 표에서 $\mathrm{P}(A)=\frac{9}{14}$, $\mathrm{P}(A\cap B)=\frac{4}{14}$

STEP Ⓑ $\mathrm{P}(B|A)$**의 값 구하기**

따라서 $\mathrm{P}(B|A)=\frac{\mathrm{P}(A\cap B)}{\mathrm{P}(A)}=\frac{\frac{4}{14}}{\frac{9}{14}}=\frac{4}{9}$

0727

정답 ③

STEP Ⓐ **주어진 표를 이용하여** $\mathrm{P}(A)$, $\mathrm{P}(A\cap B)$**의 값 구하기**

'적성에 맞는다.' 라고 대답하는 사건을 A,
대학생이 여자일 사건을 B라 하면
구하는 확률은 $\mathrm{P}(B|A)$

주어진 표에서 $\mathrm{P}(A)=\frac{360}{500}$, $\mathrm{P}(A\cap B)=\frac{160}{500}$

STEP Ⓑ $\mathrm{P}(B|A)$**의 값 구하기**

따라서 구하는 확률은 $\mathrm{P}(B|A)=\frac{\mathrm{P}(A\cap B)}{\mathrm{P}(A)}=\frac{\frac{160}{500}}{\frac{360}{500}}=\frac{160}{360}=\frac{4}{9}$

0728

 정답 ⑤

STEP Ⓐ **주어진 표를 이용하여** $\mathrm{P}(A)$, $\mathrm{P}(A\cap B)$**의 값 구하기**

128명의 학생 중에서 임의로 선택한 한 명이 남학생인 사건을 A,
이 학생이 2부에 참석한 학생인 사건을 B라 하면

$\mathrm{P}(A)=\frac{70}{128}$, $\mathrm{P}(A\cap B)=\frac{32}{128}$

STEP Ⓑ $\mathrm{P}(B|A)$**의 값 구하기**

따라서 구하는 확률은 $\mathrm{P}(B|A)=\frac{\mathrm{P}(A\cap B)}{\mathrm{P}(A)}=\frac{\frac{32}{128}}{\frac{70}{128}}=\frac{32}{70}=\frac{16}{35}$

0729

 정답 ⑤

STEP Ⓐ **주어진 표를 이용하여** $\mathrm{P}(A)$, $\mathrm{P}(A\cap B)$**의 값 구하기**

인공지능으로 고양이 사진으로 인식되는 사건을 A,
고양이 사진을 입력한 사건을 B라 하자.
인공지능 시스템에 의해 고양이 사진으로 인식된 사진일 때,
이 사진이 고양이 사진일 확률이므로 $\mathrm{P}(B|A)$

주어진 표에서 $\mathrm{P}(A)=\frac{36}{80}$, $\mathrm{P}(A\cap B)=\frac{32}{80}$

STEP Ⓑ $\mathrm{P}(B|A)$**의 값 구하기**

따라서 $\mathrm{P}(B|A)=\frac{\mathrm{P}(A\cap B)}{\mathrm{P}(A)}=\frac{\frac{32}{80}}{\frac{36}{80}}=\frac{32}{36}=\frac{8}{9}$

내/신/연/계/ 출제문항 319

어느 고등학교 전체 학생 500명을 대상으로 지역 A와 지역 B에 대한 국토 문화 탐방 희망 여부를 조사한 결과는 다음과 같다.

(단위 : 명)

지역 B \ 지역 A	희망함	희망하지 않음	합계
희망함	140	310	450
희망하지 않음	40	10	50
합계	180	320	500

이 고등학교 학생 중에서 임의로 선택한 1명이 지역 A를 희망한 학생일 때, 이 학생이 지역 B도 희망한 학생일 확률은?

① $\frac{19}{45}$　② $\frac{23}{45}$　③ $\frac{3}{5}$　④ $\frac{31}{45}$　⑤ $\frac{7}{9}$

STEP Ⓐ **주어진 표를 이용하여 $\mathrm{P}(A)$, $\mathrm{P}(A\cap B)$의 값 구하기**

임의로 1명을 선택했을 때, 지역 A를 희망한 학생일 사건을 A, 지역 B를 희망한 학생일 사건을 B라 하면 구하는 확률은 $\mathrm{P}(B|A)$

주어진 표에서 $\mathrm{P}(A)=\frac{180}{500}$, $\mathrm{P}(A\cap B)=\frac{140}{500}$

STEP Ⓑ **$\mathrm{P}(B|A)$의 값 구하기**

따라서 구하는 확률은 $\mathrm{P}(B|A)=\frac{\mathrm{P}(A\cap B)}{\mathrm{P}(A)}=\frac{\frac{140}{500}}{\frac{180}{500}}=\frac{140}{180}=\frac{7}{9}$

 ⑤

0730

 ⑤

STEP Ⓐ **정보를 이용하여 주어진 표 완성하기**

주어진 표를 완성하면 다음과 같다.

예상 \ 결과	이겼다	졌다	계
이길 것이다.	70	28	98
질 것이다.	30	34	64
계	100	62	162

토론토 블루제이스가 진 경기 수는 62이고
그 중 토론토 블루제이스가 질 것으로 예상한 경기의 수는 34이다.

STEP Ⓑ **주어진 표를 이용하여 $\mathrm{P}(A)$, $\mathrm{P}(A\cap B)$의 값 구하기**

토론토 블루제이스가 진 경기 중 임의로 한 경기를 선택하는 사건 A, 토론토 블루제이스가 질 것으로 예상했을 사건을 B라 하면

$\mathrm{P}(A)=\frac{62}{162}$, $\mathrm{P}(A\cap B)=\frac{34}{162}$

STEP Ⓒ **$\mathrm{P}(B|A)$의 값 구하기**

따라서 구하는 확률은 $\mathrm{P}(B|A)=\frac{\mathrm{P}(A\cap B)}{\mathrm{P}(A)}=\frac{\frac{34}{162}}{\frac{62}{162}}=\frac{34}{62}=\frac{17}{31}$

0731

 ③

STEP Ⓐ **주어진 표를 이용하여 $\mathrm{P}(A)$, $\mathrm{P}(A\cap B)$의 값 구하기**

5명 중 임의로 뽑힌 한 학생이 만두를 선택한 학생일 사건을 A, 쫄면을 선택한 학생일 사건을 B라 하자.

주어진 표에서 $\mathrm{P}(A)=\frac{4}{5}$, $\mathrm{P}(A\cap B)=\frac{2}{5}$

STEP Ⓑ **$\mathrm{P}(B|A)$의 값 구하기**

따라서 구하는 확률은 $\mathrm{P}(B|A)=\frac{\mathrm{P}(A\cap B)}{\mathrm{P}(A)}=\frac{\frac{2}{5}}{\frac{4}{5}}=\frac{1}{2}$

내/신/연/계/ 출제문항 320

6명의 학생 A, B, C, D, E, F가 마을 탐구, 문화체험, 생태연구, 스포츠 레저의 4가지 체험활동 중에서 서로 다른 활동을 2개 이상 선택하였는데 그 결과가 다음 표와 같았다.

구분	A	B	C	D	E	F
마을탐구	○	○		○		○
문화체험	○		○		○	
생태연구		○	○	○		○
스포츠레저	○			○	○	○

이 6명의 학생 중에서 임의로 뽑은 1명이 마을 탐구를 선택했을 때, 이 학생이 스포츠레저도 선택했을 확률은?

① $\frac{1}{6}$　② $\frac{1}{3}$　③ $\frac{1}{2}$　④ $\frac{2}{3}$　⑤ $\frac{3}{4}$

STEP Ⓐ **주어진 표를 이용하여 $\mathrm{P}(A)$, $\mathrm{P}(A\cap B)$의 값 구하기**

6명의 학생 중에서 임의로 1명을 뽑았을 때,
마을 탐구를 선택한 학생이 뽑히는 사건을 A,
스포츠레저를 선택한 학생이 뽑히는 사건을 B이라 하면
구하는 확률은 $\mathrm{P}(B|A)$

주어진 표에서 $\mathrm{P}(A)=\frac{4}{6}$, $\mathrm{P}(A\cap B)=\frac{3}{6}$

STEP Ⓑ **$\mathrm{P}(B|A)$의 값 구하기**

따라서 구하는 확률은 $\mathrm{P}(B|A)=\frac{\mathrm{P}(A\cap B)}{\mathrm{P}(A)}=\frac{\frac{3}{6}}{\frac{4}{6}}=\frac{3}{4}$

 ⑤

0732

 ⑤

STEP Ⓐ **주어진 표를 이용하여 $\mathrm{P}(A)$, $\mathrm{P}(A\cap B)$의 값 구하기**

참가한 회원 50명 중에서 임의로 선택한 한 명이 여성인 사건을 A, 마라톤에서 완주하였을 사건을 B라 하면

주어진 표에서 $\mathrm{P}(A)=\frac{9+6}{50}$, $\mathrm{P}(A\cap B)=\frac{9}{50}$

STEP Ⓑ **$\mathrm{P}(B|A)$의 값 구하기**

따라서 구하는 확률은 $p=\mathrm{P}(B|A)=\frac{\mathrm{P}(A\cap B)}{\mathrm{P}(A)}=\frac{\frac{9}{50}}{\frac{15}{50}}=\frac{9}{15}=\frac{3}{5}$

$\therefore 100p=100\cdot\frac{3}{5}=60$

0733

정답 ③

STEP Ⓐ **표를 이용하여 확률 p_1, p_2 구하기**

임의로 한 명을 선택할 때, A를 먹은 사람일 사건을 X,
식중독에 걸린 사람일 사건을 Y라 하면 주어진 표에서

$\mathrm{P}(X)=\frac{50}{300}$, $\mathrm{P}(X^C)=\frac{250}{300}$, $\mathrm{P}(X\cap Y)=\frac{22}{300}$, $\mathrm{P}(X^C\cap Y)=\frac{24}{300}$

STEP Ⓑ **$\frac{p_1}{p_2}$ 구하기**

$$p_1=\mathrm{P}(Y|X)=\frac{\mathrm{P}(X\cap Y)}{\mathrm{P}(X)}=\frac{\frac{22}{300}}{\frac{50}{300}}=\frac{22}{50}$$

$$p_2=\mathrm{P}(Y|X^C)=\frac{\mathrm{P}(X^C\cap Y)}{\mathrm{P}(X^C)}=\frac{\frac{24}{300}}{\frac{250}{300}}=\frac{24}{250}$$

따라서 $\frac{p_1}{p_2}=\frac{\frac{22}{50}}{\frac{24}{250}}=\frac{55}{12}$

내/신/연/계/ 출제문항 321

어느 학교의 독후감 쓰기 대회에 1, 2학년 학생 50명이 참가하였다.
이 대회에 참가한 학생은 다음 두 주제 중 하나를 반드시 골라야 하고,
각 학생이 고른 주제별 인원수는 표와 같다.

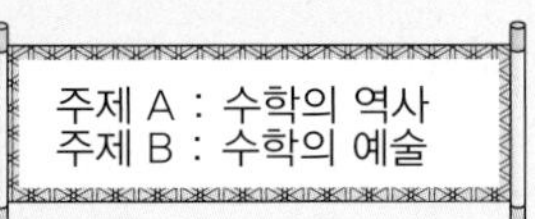

주제 A : 수학의 역사
주제 B : 수학의 예술

(단위 : 명)

구분	1학년	2학년	합계
주제 A	8	12	20
주제 B	16	14	30
합계	24	26	50

이 대회에 참가한 학생 50명 중에서 임의로 선택한 1명이 1학년 학생일 때, 이 학생이 주제 B를 고른 학생일 확률을 p_1이라 하고, 이 대회에 참가한 학생 50명 중에서 임의로 선택한 1명이 주제 B를 고른 학생일 때, 이 학생이 1학년 학생일 확률을 p_2라 하자. $\frac{p_2}{p_1}$의 값은?

① $\frac{1}{2}$　② $\frac{3}{5}$　③ $\frac{4}{5}$
④ $\frac{3}{2}$　⑤ $\frac{7}{4}$

STEP Ⓐ **주어진 각각의 확률 구하기**

대회에 참가한 학생 50명 중에서 임의로 1명을 선택하였을 때, 그 학생이 1학년 학생인 사건을 X, 그 학생이 주제 B를 고른 학생인 사건을 Y라 하면

$\mathrm{P}(X)=\frac{24}{50}$, $\mathrm{P}(Y)=\frac{30}{50}$, $\mathrm{P}(X\cap Y)=\frac{16}{50}$

STEP Ⓑ **$\frac{p_1}{p_2}$ 구하기**

$$p_1=\mathrm{P}(Y|X)=\frac{\mathrm{P}(X\cap Y)}{\mathrm{P}(X)}=\frac{\frac{16}{50}}{\frac{24}{50}}=\frac{16}{24}=\frac{2}{3}$$

$$p_2=\mathrm{P}(X|Y)=\frac{\mathrm{P}(X\cap Y)}{\mathrm{P}(Y)}=\frac{\frac{16}{50}}{\frac{30}{50}}=\frac{16}{30}=\frac{8}{15}$$

따라서 $\frac{p_2}{p_1}=\frac{\frac{8}{15}}{\frac{2}{3}}=\frac{4}{5}$

정답 ③

0734

정답 ③

STEP Ⓐ **영화 A, B를 모두 관람한 학생의 수 구하기**

남학생 전체가 150명,
영화 A를 관람한 남학생이 120명, 영화 B를 관람한 남학생이 90명이므로
두 영화 A, B를 모두 관람한 남학생의 수는 $120+90-150=60$
여학생 전체가 120명,
영화 A를 관람한 여학생이 100명, 영화 B를 관람한 여학생이 60명이므로
두 영화 A, B를 모두 관람한 여학생의 수는
$100+60-120=40$ …… ㉠
즉 두 영화 A, B를 모두 관람한 학생의 수는
$60+40=100$ …… ㉡

STEP Ⓑ **$\mathrm{P}(B|A)$의 값 구하기**

전체 학생 중에서 임의로 1명을 뽑았을 때, 두 영화 A, B를 모두 관람한 학생이 뽑히는 사건을 A라 하고, 여학생이 뽑히는 사건을 B라 하면
구하는 확률은 $\mathrm{P}(B|A)$

㉠, ㉡에 의하여 $\mathrm{P}(A)=\frac{100}{270}$, $\mathrm{P}(A\cap B)=\frac{40}{270}$

따라서 구하는 확률은 $\mathrm{P}(B|A)=\frac{\mathrm{P}(A\cap B)}{\mathrm{P}(A)}=\frac{\frac{40}{270}}{\frac{100}{270}}=\frac{2}{5}$

0735

정답 ③

STEP Ⓐ **$\mathrm{P}(A)$, $\mathrm{P}(A\cap B)$의 값 구하기**

스노보드를 타 본 적이 있는 학생을 택하는 사건을 A,
남학생을 택하는 사건을 B라 하면
$\mathrm{P}(A)=0.3$, $\mathrm{P}(A\cap B)=0.12$

STEP Ⓑ **$\mathrm{P}(B|A)$의 값 구하기**

따라서 구하는 확률은 $\mathrm{P}(B|A)=\frac{\mathrm{P}(A\cap B)}{\mathrm{P}(A)}=\frac{0.12}{0.3}=0.4$

내/신/연/계/ 출제문항 322

어느 동아리에서 회원의 혈액형을 조사하였더니 A형인 회원은 전체의 45%이고 A형인 남자 회원은 전체의 36%이었다. A형 회원 중에서 1명을 뽑을 때, 이 회원이 남자일 확률은?

① 0　② $\frac{1}{5}$　③ $\frac{2}{5}$
④ $\frac{3}{5}$　⑤ $\frac{4}{5}$

STEP Ⓐ **$\mathrm{P}(A)$, $\mathrm{P}(A\cap B)$의 값 구하기**

혈액형이 A형인 사건을 A, 남자인 사건을 B라 하면
$\mathrm{P}(A)=0.45$, $\mathrm{P}(A\cap B)=0.36$

STEP Ⓑ **$\mathrm{P}(B|A)$의 값 구하기**

따라서 구하는 확률은 $\mathrm{P}(B|A)=\frac{\mathrm{P}(A\cap B)}{\mathrm{P}(A)}=\frac{0.36}{0.45}=\frac{4}{5}$

정답 ⑤

0736

정답 ⑤

STEP A 조건을 만족하는 표 완성하기

조건부확률을 이용하여 실생활 문제를 해결한다.

구분	남학생	여학생	계
전통문화 체험	130	90	220
수학 체험	100	80	180
계	230	170	400

STEP B $\mathrm{P}(A)$, $\mathrm{P}(A\cap B)$의 값 구하기

이 학교 학생 400명 중에서 임의로 한 학생을 선택하였을 때,
수학 체험을 희망한 학생일 사건을 A라 하고 여학생일 사건을 B라 하면

$\mathrm{P}(A)=\frac{180}{400}$, $\mathrm{P}(A\cap B)=\frac{80}{400}$

STEP C $\mathrm{P}(B|A)$의 값 구하기

따라서 구하는 확률은 $\mathrm{P}(B|A)=\frac{(A\cap B)}{\mathrm{P}(A)}=\frac{\frac{80}{400}}{\frac{180}{400}}=\frac{4}{9}$

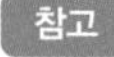

수학 체험을 희망하는 학생 수는 $100+80=180$
수학 체험을 희망하는 여학생 수는 80
따라서 구하는 확률은 $\frac{80}{180}=\frac{4}{9}$

0737

STEP A 조건을 만족하는 표 완성하기

남학생 12명 중에서 제네시스팀에 속한 남학생이 8명이므로
벤틀리팀에 속한 남학생은 4명이다.
또 여학생 8명 중에서 벤틀리 팀에 속한 여학생이 5명이므로
제네시스팀에 속한 여학생은 3명이다.
이것을 표로 나타내면 다음과 같다.

(단위 : 명)

구분	벤틀리	제네시스	계
남학생	4	8	12
여학생	5	3	8
계	9	11	20

STEP B $\mathrm{P}(A)$, $\mathrm{P}(A\cap B)$의 값 구하기

이 동아리 학생 20명 중에서 임의로 한 명을 뽑았을 때,
벤틀리팀에 속한 학생인 사건을 A, 남학생인 사건을 B라 하면

구하는 확률은 $\mathrm{P}(B|A)$

$\mathrm{P}(A)=\frac{9}{20}$, $\mathrm{P}(A\cap B)=\frac{4}{20}=\frac{1}{5}$

STEP C $\mathrm{P}(B|A)$의 값 구하기

따라서 구하는 확률은 $\mathrm{P}(B|A)=\frac{\mathrm{P}(A\cap B)}{\mathrm{P}(A)}=\frac{\frac{1}{5}}{\frac{9}{20}}=\frac{4}{9}$

참고 따라서 $n(A)=9$, $n(A\cap B)=4$이므로 $\mathrm{P}(B|A)=\frac{n(A\cap B)}{n(A)}=\frac{4}{9}$

내신연계 출제문항 323

어느 전자 우편 사이트는 '스팸메일 (spammail)차단' 기능을 사용하면
광고성 우편 중에서 96%를 차단하지만, 정상 우편도 2%차단한다고 한다.
이 기능을 이용하여 광고성 우편 100통과 정상 우편 100통을 검사하였다.
이 중에서 임의로 뽑은 한 통의 우편이 차단된 우편이었을 때, 이 우편이
광고성 우편일 확률은?

① $\frac{1}{50}$ ② $\frac{2}{51}$ ③ $\frac{14}{25}$
④ $\frac{46}{49}$ ⑤ $\frac{48}{49}$

STEP A 주어진 상황을 표로 나타내기

광고성 우편 100통 중에서 차단된 우편은 96통이고 정상 우편 100통 중에서
차단된 우편은 2통이므로 차단된 우편은 모두 98통이다.

구분	차단	통과	합계
광고성 우표	96	4	100
정상우편	2	98	100
합계	98	102	200

STEP B $\mathrm{P}(A)$, $\mathrm{P}(A\cap B)$의 값 구하기

임의로 한 통의 우편을 뽑았을 때,
차단된 우편인 사건을 A, 광고성 우편인 사건을 B라 하면

$\mathrm{P}(A)=\frac{98}{200}$, $\mathrm{P}(A\cap B)=\frac{96}{200}$

STEP C $\mathrm{P}(B|A)$의 값 구하기

따라서 구하는 확률은 $\mathrm{P}(B|A)=\frac{\mathrm{P}(A\cap B)}{\mathrm{P}(A)}=\frac{\frac{96}{200}}{\frac{98}{200}}=\frac{96}{98}=\frac{48}{49}$

0738

STEP A 주어진 상황을 표로 나타내기

남학생과 여학생의 비율이 $3:2$이므로 남학생을 $3a$, 여학생을 $2a$라 하면
조건 (가), (나)를 만족하는 표를 나타내면 다음과 같다.

구분	안경착용	안경 미착용	합계
남학생	$\frac{3}{4}\cdot 3a=\frac{9}{4}a$	$\frac{1}{4}\cdot 3a=\frac{3}{4}a$	$3a$
여학생	$\frac{5}{4}a$	$\frac{3}{4}a$	$2a$
합계	$\frac{7}{2}a$	$\frac{3}{2}a$	$5a$

STEP B $\mathrm{P}(A)$, $\mathrm{P}(A\cap B)$의 값 구하기

안경을 착용한 학생일 사건을 A,
학생 한 명을 택할 때, 남학생인 사건을 B라 하면

$\mathrm{P}(A)=\frac{\frac{7}{2}a}{5a}=\frac{7}{10}$, $\mathrm{P}(A\cap B)=\frac{\frac{9}{4}a}{5a}=\frac{9}{20}$

STEP C $\mathrm{P}(B|A)$의 값 구하기

따라서 구하는 확률은 $\mathrm{P}(B|A)=\frac{\mathrm{P}(A\cap B)}{\mathrm{P}(A)}=\frac{\frac{9}{20}}{\frac{7}{10}}=\frac{9}{14}$

0739

정답 ③

STEP Ⓐ 주어진 상황을 표로 나타내기

등산학교 A에 속해 있는 회원 20명의 50%가 여자이므로
등산학교 A의 남자와 여자는 10명씩이다.
또한, 이 산악회의 여자회원 수를 n명이라 하면
등산학교 B에 속해 있는 여자회원 수는 $0.6n$명이다.
즉 회원 60명을 두 등산학교 A, B와 남자, 여자로 나눠 표로 나타내면
다음과 같다.

(단위 : 명)

구분	등산학교 A	등산학교 B	합계
남자	10		
여자	10	$0.6n$	n
합계	20	40	60

STEP Ⓑ $\mathrm{P}(A)$, $\mathrm{P}(A\cap B)$의 값 구하기

$10+0.6n=n$에서 $n=25$이므로 표를 정리하면 다음과 같다.

(단위 : 명)

구분	등산학교 A	등산학교 B	합계
남자	10	25	35
여자	10	15	25
합계	20	40	60

임의로 택한 회원이 등산학교 B에 속해 있는 사건을 A,
남자일 사건을 B라 하면

$\mathrm{P}(A)=\frac{40}{60}$, $\mathrm{P}(A\cap B)=\frac{25}{60}$

STEP Ⓒ $\mathrm{P}(B|A)$의 값 구하기

따라서 구하는 확률은 $\mathrm{P}(B|A)=\frac{\mathrm{P}(A\cap B)}{\mathrm{P}(A)}=\frac{\frac{25}{60}}{\frac{40}{60}}=\frac{5}{8}$

이 산악회의 회원 60명 중에서 임의로 선택한 한 명이 등산학교 B에 속해 있을 때, 이 회원이 여자일 확률은 $\frac{\frac{15}{60}}{\frac{40}{60}}=\frac{3}{8}$

내신연계 출제문항 324

어느 동호회의 전체 회원은 320명이고, 각 회원은 현 회장의 연임에 대한 찬성, 반대 중 하나만 선택하였다. 이 동호회의 회원 중 현 회장의 연임에 찬성한 남자 회원과 여자 회원의 비율은 3:2이고, 반대한 남자 회원과 여자 회원의 비율은 2:1이다. 이 동호회의 회원 중 임의로 뽑은 1명이 여자 회원일 때, 이 회원이 현 회장의 연임에 반대한 회원일 확률이 $\frac{1}{3}$이다.
이 동호회의 남자 회원의 수는?

① 160 ② 180 ③ 200
④ 220 ⑤ 240

STEP Ⓐ 주어진 상황을 표로 나타내기

이 동호회의 회원 중 현 회장의 연임에 찬성한 남자 회원과 여자 회원의 비율은 3:2이고 반대한 남자 회원과 여자 회원의 비율은 2:1이므로
두 자연수 a, b에 대하여 표로 나타내면 다음과 같다.

(단위 : 명)

구분	남자	여자	합계
찬성	$3a$	$2a$	$5a$
반대	$2b$	b	$3b$
합계	$3a+2b$	$2a+b$	320

STEP Ⓑ $\mathrm{P}(Y|X)=\frac{1}{3}$임을 이용하여 남자회원 수 구하기

이때 $5a+3b=320$ …… ㉠
이 동호회의 회원 중 임의로 뽑은 1명이 여자 회원일 때,
이 회원이 현 회장의 연임에 반대한 회원일 확률이 $\frac{1}{3}$이므로
여자 회원인 사건을 X, 반대한 회원일 사건을 Y라 하면

$\mathrm{P}(X)=\frac{2a+b}{320}$, $\mathrm{P}(X\cap Y)=\frac{b}{320}$

즉 $\mathrm{P}(Y|X)=\frac{\mathrm{P}(X\cap Y)}{\mathrm{P}(X)}=\frac{\frac{b}{320}}{\frac{2a+b}{320}}=\frac{1}{3}$

이므로 $a=b$ …… ㉡
㉠, ㉡에서 $a=40$, $b=40$
따라서 이 동호회의 남자 회원의 수는 $3a+2b=120+80=200$ 정답 ③

0740

정답 ②

STEP Ⓐ $\mathrm{P}(A)$, $\mathrm{P}(A\cap B)$의 값 구하기

테니스 동아리의 전체 회원 수는 $43+x$,
임의로 뽑은 한 명이 여자 회원인 사건을 A,
F라켓을 선호할 사건을 B라 하면

$\mathrm{P}(A)=\frac{x+25}{43+x}$, $\mathrm{P}(A\cap B)=\frac{x}{43+x}$

STEP Ⓑ $\mathrm{P}(B|A)$의 값이 $\frac{1}{6}$임을 이용하여 x의 값 구하기

$\mathrm{P}(B|A)=\frac{\mathrm{P}(A\cap B)}{\mathrm{P}(A)}=\frac{\frac{x}{43+x}}{\frac{x+25}{43+x}}=\frac{x}{x+25}$

따라서 $\frac{x}{x+25}=\frac{1}{6}$이므로 $6x=x+25$ $\therefore x=5$

내신연계 출제문항 325

오른쪽 표는 어느 동아리 회원들의 축구와 야구의 선호도를 조사한 것이다. 전체 동아리 회원 중에서 임의의 뽑은 한 명이 남자였을 때, 이 회원이 축구를 선호할 확률은 $\frac{2}{3}$라고 한다. 이때 x의 값은?
(단, 각 회원은 한 종목에만 선호도를 나타낼 수 있다.)

구분	남	여
축구	x	8
야구	15	7

① 20 ② 23 ③ 27
④ 30 ⑤ 38

STEP Ⓐ $\mathrm{P}(A)$, $\mathrm{P}(A\cap B)$의 값 구하기

전체 동아리 회원 수는 $15+7+8+x=30+x$
남자일 사건을 A, 축구를 좋아할 사건을 B라 하면

$\mathrm{P}(A)=\frac{x+15}{x+30}$, $\mathrm{P}(A\cap B)=\frac{x}{x+30}$

STEP Ⓑ $\mathrm{P}(B|A)$의 값이 $\frac{2}{3}$임을 이용하여 x의 값 구하기

$\mathrm{P}(B|A)=\frac{\mathrm{P}(A\cap B)}{\mathrm{P}(A)}=\frac{\frac{x}{x+30}}{\frac{x+15}{x+30}}=\frac{x}{x+15}$

따라서 $\frac{x}{x+15}=\frac{2}{3}$이므로 $3x=2x+30$ $\therefore x=30$ 정답 ④

0741

정답 ⑤

STEP Ⓐ a의 값 구하기

주어진 표에 의하면 '불만족' 이라고 평가한 직원이 40이므로
$12+2a=40 \quad \therefore a=14$
주어진 표를 완성하면 다음과 같다.

(단위 : 명)

구분	만족	불만족	합계
남자	118	12	130
여자	42	28	70
합계	160	40	200

STEP Ⓑ $P(A)$, $P(A\cap B)$의 값 구하기

이 회사 직원 중에서 임의로 선택된 한 직원이 남자일 사건을 A,
신제품에 대하여 '만족' 이라고 평가한 직원일 사건을 B라 하면
$P(A)=\frac{130}{200}$, $P(A\cap B)=\frac{118}{200}$

STEP Ⓒ $P(B|A)$의 값 구하기

따라서 구하는 확률은 $P(B|A)=\frac{P(A\cap B)}{P(A)}=\frac{\frac{118}{200}}{\frac{130}{200}}=\frac{59}{65}$

내/신/연/계/ 출제문항 326

다음 표는 어느 고등학교 전체 학생 300명의 온라인 수업에 대한 학생별, 수업 도구에 대한 조사한 결과의 일부가 다음 표와 같다.

구분	노트북	스마트폰	합계
여학생	a		100
남학생		$2a$	200
합계	$200-a$		300

이 학교에서 임의로 택한 한 명이 남학생일 때, 그 학생이 노트북으로 온라인 수업을 들을 확률이 $\frac{3}{4}$이다. 이 학교에서 임의로 택한 한 명의 학생이 스마트폰으로 수업을 들을 때, 그 학생이 여학생일 확률은?

① 0.3 ② 0.4 ③ 0.5
④ 0.6 ⑤ 0.7

STEP Ⓐ 주어진 상황을 이용하여 표 완성하기

구분	노트북	스마트폰	합계
여학생	a	$100-a$	100
남학생	$200-2a$	$2a$	200
합계	$200-a$	$100+a$	300

STEP Ⓑ $P(B|A)$의 값이 $\frac{3}{4}$임을 이용하여 a의 값 구하기

주어진 표에서 남학생은 200명이고
이 중에서 노트북으로 수업을 들은 학생은 $200-2a$명이므로
$\frac{200-2a}{200}=\frac{3}{4}$에서 $a=25$

구분	노트북	스마트폰	합계
여학생	25	75	100
남학생	150	50	200
합계	175	125	300

STEP Ⓒ 표를 이용하여 조건부확률 구하기

따라서 스마트폰으로 수업을 들은 학생은 125명이고 이 중에서 여학생은 75명이므로 구하는 확률은 $\frac{75}{125}=\frac{3}{5}=0.6$

 ④

0742

정답 ①

STEP Ⓐ 표에서 $a+b$의 값 구하기

전체 학생 수가 400명이므로 $a+80+150+b=400$
즉 $a+b=170$ …… ㉠

STEP Ⓑ $P(A)$, $P(A\cap B)$의 값 구하기

수업에 참가 신청한 학생 중 임의로 뽑은 한 명의 학생이 온라인수업을 신청한 학생일 사건을 A, 1학년인 사건을 B라 하면
$P(A)=\frac{a+150}{400}$, $P(A\cap B)=\frac{a}{400}$

STEP Ⓒ $P(B|A)$의 값이 $\frac{4}{9}$임을 이용하여 x의 값 구하기

$P(B|A)=\frac{P(A\cap B)}{P(A)}=\frac{\frac{a}{400}}{\frac{a+150}{400}}=\frac{a}{a+150}=\frac{4}{9}$

$9a=4(a+150)$에서 $a=120$
㉠에서 $b=170-a=170-120=50$
따라서 $a-b=120-50=70$

내/신/연/계/ 출제문항 327

휴대 전화의 메인 보드 또는 액정 화면 고장으로 서비스 센터에 접수된 200건에 대하여 접수 시기를 품질보증 기간 이내, 이후로 구분한 결과는 다음과 같다.

(단위 : 건)

구분	메인보드 고장	액정화면 고장	합계
기간 이내	90	50	140
기간 이후	a	b	60

접수된 200건 중에서 임의로 선택한 1건이 액정 화면 고장 건일 때, 이 건의 접수 시기가 품질보증 기간 이내일 확률이 $\frac{2}{3}$이다. $a-b$의 값은?
(단, 메인 보드와 액정 화면 둘 다 고장인 경우는 고려하지 않는다.)

① 5 ② 8 ③ 10
④ 12 ⑤ 14

STEP Ⓐ $P(A)$, $P(A\cap B)$의 값 구하기

서비스센터에 액정화면 고장으로 접수되는 사건을 A,
접수시기가 품질보증 기간 이내인 사건을 B라 하면
$P(A)=\frac{50+b}{200}$, $P(A\cap B)=\frac{50}{200}$

STEP Ⓑ $P(B|A)$의 값이 $\frac{2}{3}$임을 이용하여 $a-b$의 값 구하기

$P(B|A)=\frac{P(A\cap B)}{P(A)}=\frac{\frac{50}{200}}{\frac{50+b}{200}}=\frac{50}{50+b}$

$\frac{50}{50+b}=\frac{2}{3} \quad \therefore b=25$
또한, 주어진 표에서 $a+b=60$이므로 $a=60-25=35$
따라서 $a-b=35-25=10$

다른풀이 확률이 $\frac{2}{3}$임을 이용하여 풀이하기

액정 화면 고장은 $(b+50)$건이고
액정화면 고장 건 중 품질보증기간 이내인 것은 50건이므로
$\frac{50}{b+50}=\frac{2}{3} \quad \therefore b=25$
$a+b=60$이므로 $a=35$
따라서 $a-b=35-25=10$

 ③

0743

정답 ④

STEP Ⓐ **주어진 상황을 표로 나타내기**

미적분 수업을 받는 남학생이 120명이므로
확률과 통계 수업을 받는 남학생은 60명이고
확률과 통계 수업을 받는 여학생의 수를 a라 하면
다음 표와 같이 정리할 수 있다.

구분	확률과 통계	미적분	합계
남학생	60	120	180
여학생	a	$220-a$	220
합계	$60+a$	$340-a$	400

STEP Ⓑ **$\mathrm{P}(A)$, $\mathrm{P}(A\cap B)$의 값 구하기**

선택한 한 학생이 확률과 통계 수업을 받는 학생일 사건을 A,
학생이 여학생일 사건을 B라 하면

$\mathrm{P}(A)=\dfrac{a+60}{400}$, $\mathrm{P}(A\cap B)=\dfrac{a}{400}$

STEP Ⓒ **$\mathrm{P}(B|A)$의 값이 $\dfrac{4}{7}$임을 이용하여 a의 값 구하기**

$$\mathrm{P}(B|A)=\frac{\mathrm{P}(A\cap B)}{\mathrm{P}(A)}=\frac{\frac{a}{400}}{\frac{a+60}{400}}=\frac{a}{a+60}$$

이때 $\dfrac{a}{a+60}=\dfrac{4}{7}$, $7a=4a+240$ $\quad\therefore a=80$

따라서 확률과 통계 수업을 받는 여학생이 80명이므로 미적분 수업을 받는 여학생은 140명이다.

내/신/연/계/ 출제문항 328

어느 학교의 전체 학생은 360명이고, 각 학생은 체험 학습 A, 체험 학습 B 중 하나를 선택하였다. 이 학교의 학생 중 체험 학습 A를 선택한 학생은 남학생 90명과 여학생 70명이다. 이 학교의 학생 중 임의로 뽑은 1명의 학생이 체험 학습 B를 선택한 학생일 때, 이 학생이 남학생일 확률은 $\dfrac{2}{5}$이다.
이 학교의 여학생의 수는?

① 180 ② 185 ③ 190
④ 195 ⑤ 200

STEP Ⓐ **주어진 상황을 표로 나타내기**

체험학습 A를 선택한 학생은 남학생 90명과 여학생 70명이므로
체험학습 B를 선택한 학생 중 남학생의 수를 a, 여학생의 수를 b라 하고
표로 나타내면 다음과 같다.

구분	남자	여자	계
체험학습 A	90	70	160
체험학습 B	a	b	200
계	$90+a$	$70+b$	360

이때 $a+b=360-160=200$ $\quad\cdots\cdots$ ㉠

STEP Ⓑ **$\mathrm{P}(A)$, $\mathrm{P}(A\cap B)$의 값 구하기**

체험학습 B를 선택할 사건을 A, 남학생일 사건을 B라 하면

$\mathrm{P}(A)=\dfrac{200}{360}$, $\mathrm{P}(A\cap B)=\dfrac{a}{300}$

STEP Ⓒ **$\mathrm{P}(B|A)$의 값이 $\dfrac{2}{5}$임을 이용하여 a의 값 구하기**

이 학교의 학생 중 임의로 뽑은 1명의 학생이 체험학습 B를 선택한 학생일 때,
이 학생이 남학생일 확률이 $\dfrac{2}{5}$이므로 $\mathrm{P}(B|A)=\dfrac{\mathrm{P}(A\cap B)}{\mathrm{P}(A)}=\dfrac{\frac{a}{360}}{\frac{200}{360}}=\dfrac{a}{200}$

$\dfrac{a}{200}=\dfrac{2}{5}$이므로 $a=80$

이것을 ㉠에 대입하면 $b=120$
따라서 이 학교의 여학생의 수는 $70+b=70+120=190$

정답 ③

0744

정답 ⑤

STEP Ⓐ **주어진 상황을 이용하여 표 만들기**

상담을 받은 1학년 학생을 x명이라 하면
다음 표와 같이 정리할 수 있다.

(단위 : 명)

구분	1학년	2학년	합계
남학생	$0.4x$	$0.3(30-x)$	$0.1x+9$
여학생	$0.6x$	$0.7(30-x)$	$-0.1x+21$
합계	x	$30-x$	30

STEP Ⓑ **$\mathrm{P}(A)$, $\mathrm{P}(A\cap B)$의 값 구하기**

남학생인 사건을 A, 임의로 뽑은 1명이 1학년인 사건을 B라 하면

$\mathrm{P}(A)=\dfrac{0.1x+9}{30}$, $\mathrm{P}(A\cap B)=\dfrac{0.4x}{30}$

STEP Ⓒ **$\mathrm{P}(B|A)$의 값이 $\dfrac{2}{5}$임을 이용하여 x의 값 구하기**

$$\mathrm{P}(B|A)=\frac{\mathrm{P}(A\cap B)}{\mathrm{P}(A)}=\frac{\frac{0.4x}{30}}{\frac{0.1x+9}{30}}=\frac{0.4x}{0.1x+9}=\frac{2}{5}$$

$2x=0.2x+18$에서 $x=10$
따라서 $x=10$이므로 1학년 학생은 10명이다.

0745

정답 ②

STEP Ⓐ **주어진 상황을 표로 나타내기**

축구를 선택한 남학생을 a명이라 하면
축구를 선택한 남학생일 확률이 $\dfrac{2}{5}=\dfrac{a}{100}$이므로
축구를 선택한 남학생의 수는 $a=40$(명)
이 학교 전체 학생을 여학생과 남학생, 축구를 선택한 학생과 야구를 선택한 학생으로 나누어 표로 나타내면 다음과 같다.

구분	남학생	여학생	합계
축구선택	40	30	70
야구선택	20	10	30
계	60	40	100

STEP Ⓑ **$\mathrm{P}(A)$, $\mathrm{P}(A\cap B)$의 값 구하기**

학생이 야구를 선택한 사건을 A, 여학생인 사건을 B라 하면

$\mathrm{P}(A)=\dfrac{30}{100}$, $\mathrm{P}(A\cap B)=\dfrac{10}{100}$

STEP Ⓒ **$\mathrm{P}(B|A)$의 값 구하기**

따라서 구하는 확률은 $\mathrm{P}(B|A)=\dfrac{\mathrm{P}(A\cap B)}{\mathrm{P}(A)}=\dfrac{\frac{10}{100}}{\frac{30}{100}}=\dfrac{1}{3}$

내신연계 출제문항 329

어느 학교의 전체 학생은 200명이고 이 중 남학생은 120명, 여학생은 80명이다. 이 학교의 학생들을 대상으로 운동과 영화 감상 중 선호하는 것 하나를 조사한 결과 운동을 선호하는 학생이 60%이었고 나머지 학생들은 모두 영화 감상을 선호하였다.

이 학교의 학생 중 임의로 뽑은 한 명의 학생이 운동을 선호하는 학생일 때, 이 학생이 남학생일 확률이 $\frac{2}{3}$이다. 이 학교의 학생 중 임의로 뽑은 한 명의 학생이 여학생일 때, 이 학생이 영화 감상을 선호할 확률은 $\frac{q}{p}$이다.

$p+q$의 값은? (단, p와 q는 서로소인 자연수이다.)

① 3　② 5　③ 7
④ 9　⑤ 11

STEP Ⓐ **주어진 상황을 이용하여 표 완성하기**

운동을 선호하는 학생이 120명이므로
운동을 선호하는 남학생의 수를 x라 하면
$\frac{x}{120}=\frac{2}{3}$에서 $x=80$
이때 조건을 표로 나타내면 다음과 같다.

(단위 : 명)

구분	남학생	여학생	합계
운동	80	40	$200\times0.6=120$
영화감상	40	40	80
합계	120	80	200

STEP Ⓑ **$\mathrm{P}(A)$, $\mathrm{P}(A\cap B)$의 값 구하기**

여학생일 사건을 A, 영화감상을 선호할 사건을 B라 하면
$\mathrm{P}(A)=\frac{80}{200}$, $\mathrm{P}(A\cap B)=\frac{40}{200}$

STEP Ⓒ **$\mathrm{P}(B|A)$의 값 구하기**

즉 구하는 확률은 $\mathrm{P}(B|A)=\frac{\mathrm{P}(A\cap B)}{\mathrm{P}(A)}=\frac{\frac{40}{200}}{\frac{80}{200}}=\frac{1}{2}$

따라서 $p=2$, $q=1$이므로 $p+q=3$

다른풀이 조건부 확률의 성질을 이용하여 풀이하기

학생들 중 임의로 한 명을 뽑을 때,
남학생인 사건을 A, 운동을 선호하는 학생인 사건을 B라 하자.
이때 $\mathrm{P}(A)=\frac{120}{200}=\frac{3}{5}$, $\mathrm{P}(B)=\frac{60}{100}=\frac{3}{5}$
이 학교의 학생 중 임의로 뽑은 한 명의 학생이 운동을 선호하는 학생일 때,
이 학생이 남학생일 확률은
$\mathrm{P}(A|B)=\frac{\mathrm{P}(A\cap B)}{\mathrm{P}(B)}=\frac{2}{3}$에서 $\mathrm{P}(A\cap B)=\frac{2}{3}\mathrm{P}(B)=\frac{2}{3}\times\frac{3}{5}=\frac{2}{5}$
이 학교의 학생 중 임의로 뽑은 한 명의 학생이 여학생일 때,
이 학생이 영화 감상을 선호할 확률은 $\mathrm{P}(B^c|A^c)$이고
$\mathrm{P}(A^c)=1-\mathrm{P}(A)=1-\frac{3}{5}=\frac{2}{5}$

$$\begin{aligned}\mathrm{P}(A^c\cap B^c)&=1-\mathrm{P}(A\cup B)\\&=1-\{\mathrm{P}(A)+\mathrm{P}(B)-\mathrm{P}(A\cap B)\}\\&=1-\left(\frac{3}{5}+\frac{3}{5}-\frac{2}{5}\right)=\frac{1}{5}\end{aligned}$$

이므로 $\mathrm{P}(B^c|A^c)=\frac{\mathrm{P}(A^c\cap B^c)}{\mathrm{P}(A^c)}=\frac{\frac{1}{5}}{\frac{2}{5}}=\frac{1}{2}$

따라서 $p=2$, $q=1$이므로 $p+q=3$

정답 ①

0746

정답 ②

STEP Ⓐ **주어진 조건을 표로 나타내기**

직원 60명을 두 부서 A, B와 남자, 여자로 나누어 표로 나타내면 다음과 같다.

구분	A부서	B부서	계
남자	10		
여자	10	$0.6n$	n
계	20	40	60

여성 직원의 수를 n이라 하면
B부서에 속해있는 여성 직원의 수는 $0.6n$이므로
$n=10+0.6n$에서 $n=25$

STEP Ⓑ **조건부확률 구하기**

구분	A부서	B부서	계
남자	10	25	35
여자	10	15	25
계	20	40	60

임의로 택한 직원이 B부서인 사건을 E, 여성 직원인 사건을 F라 하면
회사의 직원 60명 중에서 임의로 선택한 한 명이 B부서에 속해 있을 때,
이 직원이 여성일 확률은

$$\mathrm{P}(F|E)=\frac{\mathrm{P}(E\cap F)}{\mathrm{P}(E)}=\frac{\frac{0.6n}{60}}{\frac{40}{60}}=\frac{\frac{15}{60}}{\frac{40}{60}}=\frac{15}{40}=\frac{3}{8}$$

따라서 $p=\frac{3}{8}$이므로 $80p=80\times\frac{3}{8}=30$

0747

정답 ⑤

STEP Ⓐ **주어진 상황을 이용하여 표 완성하기**

확률과 통계를 선택한 여학생의 수를 x라 하면
이 반 학생이 30명이므로 $\frac{x}{30}=\frac{1}{6}$에서 $x=5$
미적분을 선택한 학생이 18명이므로
미적분을 선택한 남학생의 수를 y라 하면
$\frac{y}{18}=\frac{2}{3}$에서 $y=12$
이때 조건을 표로 나타내면 다음과 같다.

(단위 : 명)

구분	남학생	여학생	합계
미적분	12	6	18
확률과 통계	7	5	12
합계	19	11	30

STEP Ⓑ **$\mathrm{P}(A)$, $\mathrm{P}(A\cap B)$의 값 구하기**

남학생일 사건을 A, 확률과 통계를 선택할 사건을 B라 하면
$\mathrm{P}(A)=\frac{19}{30}$, $\mathrm{P}(A\cap B)=\frac{7}{30}$

STEP Ⓒ **$\mathrm{P}(B|A)$의 값 구하기**

즉 구하는 확률은 $\mathrm{P}(B|A)=\frac{\mathrm{P}(A\cap B)}{\mathrm{P}(A)}=\frac{\frac{7}{30}}{\frac{19}{30}}=\frac{7}{19}$

따라서 $p=19$, $q=7$이므로 $p+q=26$

0748

정답 ③

STEP Ⓐ 주어진 상황을 이용하여 표 만들기

A검색대를 통과한 여학생 수를 x라 하면
B검색대를 통과한 여학생 수는 $7-x$이고
각 검색대를 통과한 학생 수는 다음 표와 같다.

구분	남학생	여학생	계
A 검사대	4	x	$4+x$
B 검사대	3	$7-x$	$10-x$
계	7	7	14

STEP Ⓑ 조건부확률을 이용하여 p, q의 값 구하기

A검색대를 통과할 사건을 A, B검색대를 통과할 사건을 B라 하면
여학생 중에서 한 명을 선택할 때,
이 학생이 A검색대를 통과한 여학생일 확률은
$p=\mathrm{P}(A|\text{여})=\dfrac{x}{7}$
B검색대를 통과한 학생 중에서 한 학생을 임의로 선택할 때,
이 학생이 남학생일 확률은
$q=\mathrm{P}(\text{남}|B)=\dfrac{3}{3+(7-x)}=\dfrac{3}{10-x}$

STEP Ⓒ x의 값 구하기

$p=q$이므로 $\dfrac{x}{7}=\dfrac{3}{10-x}$
$x(10-x)=21,\ x^2-10x+21=0$
$(x-3)(x-7)=0$
$\therefore\ x=3$ 또는 $x=7$
이때 각 검색대로 적어도 1명의 여학생이 통과하므로 $1\le x\le 6$이어야 한다.
$\therefore\ x=3$
따라서 A검색대를 통과한 여학생은 3명이다.

0749

STEP Ⓐ 30대가 차지하는 비율이 12%임을 이용하여 $a-b$의 값 구하기

도서관 이용자 300명 중에서 30대가 차지하는 비율이 12%이므로
그 수는 $300\times0.12=36$
즉 $(60-a)+b=36$이므로 $a-b=24$ ...... ㉠

STEP Ⓑ 조건부확률을 이용하여 a, b의 값 구하기

도서관 이용자 300명 중에서 임의로 선택한 1명이 남성일 사건을 A,
20대인 사건을 B, 30대인 사건을 C라 하자.
또한, 이용자 300명 중에서 임의로 선택한 1명이 남성일 때,
이 이용자가 20대일 확률과 임의로 선택한 1명이 여성일 때,
이 이용자가 30대일 확률이 서로 같으므로

$\mathrm{P}(B|A)=\mathrm{P}(C|A^c)$에서

$\dfrac{\mathrm{P}(A\cap B)}{\mathrm{P}(A)}=\dfrac{\mathrm{P}(A^c\cap C)}{\mathrm{P}(A^c)}$

$\dfrac{\frac{a}{300}}{\frac{200}{300}}=\dfrac{\frac{b}{300}}{1-\frac{200}{300}},\ \dfrac{a}{200}=\dfrac{b}{100}$

$a=2b$ ...... ㉡
따라서 ㉠, ㉡에서 $a=48,\ b=24$이므로 $a+b=72$

내신연계 출제문항 330

다음 표는 어느 과학관에서 300명의 관람객을 대상으로 연령대와 성별을 조사한 것이다.

구분	19세 이하	20대	30대	40세 이상	합계
남자	100	a	40	$60-a$	200
여자	35	$45-b$	20	b	100

300명 중에서 임의로 택한 1명이 남자일 때, 그 관람객이 20대일 확률과 300명 중에서 임의로 택한 1명이 여자일 때, 그 관람객이 40세 이상일 확률이 서로 같다. 300명의 관람객 중에서 40세 이상이 차지하는 비율이 12%일 때, $a+b$의 값은? (단, a, b는 상수)

① 72　② 74　③ 76
④ 78　⑤ 80

STEP Ⓐ 40대 이상이 차지하는 비율이 12%임을 이용하여 $a-b$의 값 구하기

40세 이상이 차지하는 비율이 12%이므로 그 수는 $300\times0.12=36$
즉 $(60-a)+b=36$이므로 $a-b=24$ ...... ㉠

STEP Ⓑ 조건부확률을 이용하여 a, b의 값 구하기

임의로 택한 1명이 남자인 사건을 A, 40세 이상인 사건을 B,
20대인 사건을 C라 하자.
또, $\mathrm{P}(C|A)=\mathrm{P}(B|A^c)$이므로

$\dfrac{\mathrm{P}(A\cap C)}{\mathrm{P}(A)}=\dfrac{\mathrm{P}(A^c\cap B)}{\mathrm{P}(A^c)},\ \dfrac{\frac{a}{300}}{\frac{200}{300}}=\dfrac{\frac{b}{300}}{1-\frac{200}{300}}$

즉 $a=2b$ ...... ㉡
㉠, ㉡에서 $a=48,\ b=24$
따라서 $a+b=72$

정답 ①

0750

STEP Ⓐ $\mathrm{P}(A\cap B)=\mathrm{P}(A)\mathrm{P}(B|A)$를 이용하여 구하기

첫 번째에 꺼낸 구슬이 흰 구슬인 사건을 A,
두 번째에 꺼낸 구슬이 흰 구슬인 사건을 B라 하면
$\mathrm{P}(A)=\dfrac{5}{8},\ \mathrm{P}(B|A)=\dfrac{4}{7}$
따라서 2개가 모두 흰 구슬일 사건은 $A\cap B$이므로 구하는 확률은
$\mathrm{P}(A\cap B)=\mathrm{P}(A)\mathrm{P}(B|A)=\dfrac{5}{8}\times\dfrac{4}{7}=\dfrac{5}{14}$

0751

STEP Ⓐ $\mathrm{P}(A\cap B)=\mathrm{P}(A)\mathrm{P}(B|A)$를 이용하여 구하기

첫 번째에 유찬이가 당첨 제비를 뽑을 사건을 A,
두 번째에 연서가 당첨 제비를 뽑을 사건을 B라 하면
$\mathrm{P}(A)=\dfrac{4}{10},\ \mathrm{P}(B|A)=\dfrac{3}{9}$
따라서 유찬이와 연서가 모두 당첨 제비를 뽑을 사건은 $A\cap B$이므로
구하는 확률은 $\mathrm{P}(A\cap B)=\mathrm{P}(A)\mathrm{P}(B|A)=\dfrac{4}{10}\times\dfrac{3}{9}=\dfrac{2}{15}$

0752

 ③

STEP Ⓐ $P(A\cap B)=P(A)P(B|A)$**를 이용하여 구하기**

첫 번째에 파란 공이 나오는 사건을 A,
두 번째에 노란 공이 나오는 사건을 B라 하면

$P(A)=\frac{n}{n+5}$, $P(B|A)=\frac{5}{n+4}$

$P(A\cap B)=P(A)P(B|A)=\frac{n}{n+5}\times\frac{5}{n+4}=\frac{5n}{(n+5)(n+4)}$

STEP Ⓑ n**의 값 구하기**

첫 번째는 파란 공, 두 번째는 노란 공이 나올 확률이 $\frac{1}{6}$이므로

$\frac{5n}{(n+5)(n+4)}=\frac{1}{6}$, $(n+5)(n+4)=30n$

$n^2-21n+20=0$, $(n-1)(n-20)=0$

$\therefore n=1$ 또는 $n=20$

따라서 모든 n의 값의 합은 $1+20=21$

내/신/연/계/ 출제문항 331

흰 공 4개와 검은 공 n개가 들어있는 주머니에서 한 개의 공을 꺼내고,
이 공을 주머니에 다시 넣지 않고, 다시 한 개의 공을 꺼낸다.
첫 번째는 흰 공, 두 번째는 검은 공이 나올 확률이 $\frac{1}{5}$일 때, n의 값은?
(단, $n>1$)

① 8 ② 10 ③ 12
④ 14 ⑤ 16

STEP Ⓐ $P(A\cap B)=P(A)P(B|A)$**를 이용하여 구하기**

첫 번째에 흰 공이 나올 사건을 A,
두 번째에 검은 공이 나올 사건을 B라 하면

$P(A\cap B)=P(A)P(B|A)=\frac{4}{n+4}\times\frac{n}{n+3}=\frac{4n}{(n+4)(n+3)}$

STEP Ⓑ n**의 값 구하기**

첫 번째는 흰 공, 두 번째는 검은 공이 나올 확률이 $\frac{1}{5}$이므로

$\frac{4n}{(n+4)(n+3)}=\frac{1}{5}$, $n^2-13n+12=0$

$(n-1)(n-12)=0$

따라서 $n=12(\because n>1)$

 ③

0753

 ①

STEP Ⓐ $P(A\cap B)=P(A)P(B|A)$**를 이용하여 구하기**

이 회사의 사원 중에서 임의로 한 명을 뽑을 때,
그 사람이 일주일에 3회 이상 운동을 하는 사건을 A,
남자일 사건을 B라 하자.

$P(A)=0.5$, $P(B|A)=1-0.6=0.4$

⬅ 여자의 비율은 60%이므로 남자의 비율은 그 중 40%이다.

따라서 구하는 확률은 $P(A\cap B)=P(A)P(B|A)=0.5\times0.4=0.2=\frac{1}{5}$

내/신/연/계/ 출제문항 332

9개의 삼각김밥 중에서 6개에는 참치가 들어있고, 3개에는 불고기가 들어 있다. 이 중에서 임의로 삼각김밥을 한 개씩 두 번 고를 때, 처음에는 불고기가 들어 있는 삼각김밥을 고르고, 나중에는 참치가 들어있는 삼각김밥을 고를 확률은? (단, 한 번 고른 삼각김밥은 다시 고르지 않는다.)

① $\frac{1}{12}$ ② $\frac{1}{6}$ ③ $\frac{1}{4}$
④ $\frac{5}{12}$ ⑤ $\frac{3}{4}$

STEP Ⓐ $P(A\cap B)=P(A)P(B|A)$**를 이용하여 구하기**

처음에 불고기가 들어있는 삼각김밥을 고르는 사건을 A,
나중에 참치가 들어 있는 삼각김밥을 고르는 사건을 B라 하면

$P(A)=\frac{3}{9}=\frac{1}{3}$, $P(B|A)=\frac{6}{8}=\frac{3}{4}$

따라서 구하는 확률은 $P(A\cap B)=P(A)P(B|A)=\frac{1}{3}\times\frac{3}{4}=\frac{1}{4}$

 ③

0754

 ③

STEP Ⓐ $P(A\cap B)=P(A)P(B|A)$**를 이용하여 구하기**

다섯 번째에서 꺼내는 것이 중단되려면 네 번째까지 당첨제비를 1개 꺼내고
다섯 번째에서 당첨제비를 꺼내면 된다.
네 번째까지 당첨제비를 1개 꺼내는 사건을 A,
다섯 번째에 당첨제비를 꺼내는 사건을 B라 하면

$P(A)=\frac{{}_2C_1\times{}_8C_3}{{}_{10}C_4}=\frac{8}{15}$, $P(B|A)=\frac{1}{6}$

따라서 구하는 확률은 $P(A\cap B)=P(A)P(B|A)=\frac{8}{15}\times\frac{1}{6}=\frac{4}{45}$

0755

 ②

STEP Ⓐ **확률의 곱셈정리를 이용하여 주어진 확률 구하기**

수지가 당첨 제비를 뽑는 사건을 A, 민호가 당첨 제비를 뽑는 사건을 B라 하면

(i) 수지가 당첨 제비를 꺼내고 민호도 당첨 제비를 꺼내는 확률은

$P(A\cap B)=P(A)P(B|A)=\frac{3}{10}\times\frac{2}{9}=\frac{1}{15}$

(ii) 수지가 당첨 제비를 꺼내지 않고 민호가 당첨 제비를 꺼내는 확률은

$P(A^c\cap B)=P(A^c)P(B|A^c)=\frac{7}{10}\times\frac{3}{9}=\frac{7}{30}$

STEP Ⓑ **배반사건을 이용하여 확률 구하기**

(i), (ii)가 서로 배반사건이므로 민호가 당첨 제비를 뽑은 확률은

$P(B)=P(A\cap B)+P(A^c\cap B)=\frac{1}{15}+\frac{7}{30}=\frac{3}{10}$

내/신/연/계/ 출제문항 333

K팝 경영대회에 참석한 남학생 3명과 여학생 5명이 한 명씩 발표를 한다.
임의로 발표 순서를 정할 때, 두 번째로 발표하는 학생이 남학생으로 정해질 확률은?

① $\frac{15}{56}$ ② $\frac{9}{28}$ ③ $\frac{3}{8}$
④ $\frac{3}{7}$ ⑤ $\frac{27}{56}$

STEP Ⓐ **확률의 곱셈정리를 이용하여 주어진 확률 구하기**

첫 번째 발표자가 남학생일 사건을 A,
두 번째 발표자가 남학생일 사건을 B라 하면

(ⅰ) 첫 번째 발표자와 두 번째 발표자가 모두 남학생으로 정해질 확률은

$$\mathrm{P}(A\cap B)=\mathrm{P}(A)\times\mathrm{P}(B|A)=\frac{3}{8}\times\frac{2}{7}=\frac{3}{28}$$

(ⅱ) 첫 번째 발표자가 여학생이고 두 번째 발표자가 남학생으로 정해질 확률은

$$\mathrm{P}(A^c\cap B)=\mathrm{P}(A^c)\times\mathrm{P}(B|A^c)=\frac{5}{8}\times\frac{3}{7}=\frac{15}{56}$$

STEP B **배반사건을 이용하여 확률 구하기**

(ⅰ), (ⅱ)는 서로 배반사건이므로 구하는 확률은

$\mathrm{P}(B)=\mathrm{P}(A\cap B)+\mathrm{P}(A^c\cap B)=\frac{3}{28}+\frac{15}{56}=\frac{21}{56}=\frac{3}{8}$  ③

0756

 ⑤

STEP A **A가 이길 확률 구하기**

(ⅰ) A가 첫 번째에 빨간 공을 꺼낼 확률은 $\frac{2}{5}$

(ⅱ) A가 세 번째에 빨간 공을 꺼낼 확률은 $\frac{3}{5}\times\frac{2}{4}\times\frac{2}{3}=\frac{1}{5}$

STEP B **배반사건을 이용하여 확률 구하기**

(ⅰ), (ⅱ)에서 서로 배반사건이므로 구하는 확률은 $\frac{2}{5}+\frac{1}{5}=\frac{3}{5}$

내신연계 출제문항 334

주머니 속에 3개의 제비가 들어 있고, 그 중 1개가 당첨 제비이다. 이 주머니에서 A, B 두 사람이 A부터 시작하여 A와 B가 교대로 제비를 하나씩 뽑을 때, A가 당첨 제비를 뽑을 확률은? (단, 꺼낸 제비는 다시 넣지 않는다.)

① $\frac{1}{6}$ ② $\frac{1}{3}$ ③ $\frac{1}{2}$
④ $\frac{2}{3}$ ⑤ $\frac{5}{6}$

STEP A **A가 당첨 제비를 뽑을 확률 구하기**

(ⅰ) A가 첫 번째에 당첨 제비를 뽑을 확률은 $\frac{1}{3}$

(ⅱ) A가 세 번째에 당첨 제비를 뽑을 확률은 $\frac{2}{3}\times\frac{1}{2}\times1=\frac{1}{3}$

STEP B **배반사건을 이용하여 확률 구하기**

(ⅰ), (ⅱ)에서 서로 배반사건이므로 구하는 확률은 $\frac{1}{3}+\frac{1}{3}=\frac{2}{3}$  ④

0757

 ②

STEP A **흰 공 2개가 확률 구하기**

주머니 A, B를 각각 선택하는 사건을 A, B,
흰 공 2개를 꺼내는 사건을 E라 하자.

(ⅰ) 주머니 A를 선택하고, 주머니 A에서 흰 공 2개를 꺼낸 경우

$$\mathrm{P}(A\cap E)=\mathrm{P}(A)\mathrm{P}(E|A)=\frac{1}{2}\times\frac{{}_3\mathrm{C}_2}{{}_6\mathrm{C}_2}=\frac{1}{10}$$

(ⅱ) 주머니 B를 선택하고, 주머니 B에서 흰 공 2개를 꺼낸 경우

$$\mathrm{P}(B\cap E)=\mathrm{P}(B)\mathrm{P}(E|B)=\frac{1}{2}\times\frac{{}_2\mathrm{C}_2}{{}_6\mathrm{C}_2}=\frac{1}{30}$$

STEP B **두 사건이 배반사건임을 이용하여 구하기**

(ⅰ), (ⅱ)에서 서로 배반사건이므로

$$\mathrm{P}(E)=\mathrm{P}(A\cap E)+\mathrm{P}(B\cap E)=\frac{1}{10}+\frac{1}{30}=\frac{2}{15}$$

0758

정답 ③

STEP A **검은 바둑돌을 꺼낼 확률 구하기**

주머니 A에서 흰 바둑돌을 꺼낼 사건을 A,
주머니 B에서 검은 바둑돌을 꺼낼 사건을 B라 하면

(ⅰ) 주머니 A에서 흰 바둑돌을 꺼내고 주머니 B에서 검은 바둑돌을 꺼낼 확률은 $\mathrm{P}(A\cap B)=\mathrm{P}(A)\mathrm{P}(B|A)=\frac{2}{3}\times\frac{2}{5}=\frac{4}{15}$

(ⅱ) 주머니 A에서 검은 바둑돌을 꺼내고 주머니 B에서 검은 바둑돌을 꺼낼 확률은 $\mathrm{P}(A^c\cap B)=\mathrm{P}(A^c)\times\mathrm{P}(B|A^c)=\frac{1}{3}\times\frac{3}{5}=\frac{1}{5}$

STEP B **두 사건이 배반사건임을 이용하여 구하기**

(ⅰ), (ⅱ)에서 서로 배반사건이므로 구하는 확률은

$$\mathrm{P}(B)=\mathrm{P}(A\cap B)+\mathrm{P}(A^c\cap B)=\frac{4}{15}+\frac{1}{5}=\frac{7}{15}$$

내신연계 출제문항 335

그림과 같이 상자 A에는 흰 공 4개와 검은 공 2개가 들어있고, 상자 B에는 흰 공 2개와 검은 공 2개가 들어 있다.

A
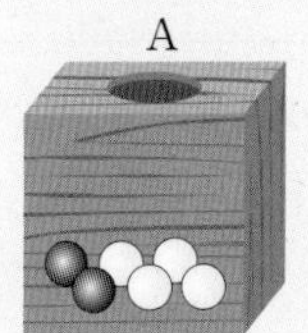
B
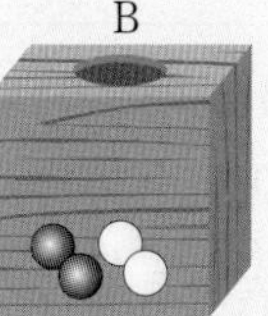

상자 A에서 임의로 1개의 공을 꺼내어 상자 B에 넣은 다음 상자 B에서 임의로 1개의 공을 꺼낼 때, 꺼낸 1개의 공이 흰 공일 확률은?

① $\frac{1}{3}$ ② $\frac{2}{5}$ ③ $\frac{7}{15}$
④ $\frac{8}{15}$ ⑤ $\frac{3}{5}$

STEP A **흰 공을 꺼낼 확률 구하기**

상자 A에서 흰 공을 꺼낼 사건을 A,
상자 B에서 검은 공을 꺼낼 사건을 B라 하면

(ⅰ) 상자 A에서 흰 공을 꺼내고 상자 B에서 흰 공을 꺼낼 확률은

$$\mathrm{P}(A\cap B)=\mathrm{P}(A)\mathrm{P}(B|A)=\frac{4}{6}\times\frac{3}{5}=\frac{2}{5}$$

(ⅱ) 상자 A에서 검은 공을 꺼내고 상자 B에서 흰 공을 꺼낼 확률은

$$\mathrm{P}(A^c\cap B)=\mathrm{P}(A^c)\times\mathrm{P}(B|A^c)=\frac{2}{6}\times\frac{2}{5}=\frac{2}{15}$$

STEP B **두 사건이 배반사건임을 이용하여 구하기**

(ⅰ), (ⅱ)에서 서로 배반사건이므로 구하는 확률은

$\mathrm{P}(B)=\mathrm{P}(A\cap B)+\mathrm{P}(A^c\cap B)=\frac{2}{5}+\frac{2}{15}=\frac{8}{15}$  ④

0759

정답 ②

STEP A 주머니 B에서 흰 공 두 개를 꺼낼 확률 구하기

주머니 A에서 흰 공을 꺼내는 사건을 A,
주머니 B에서 두 개 모두 흰 공을 꺼내는 사건을 B라 하자.

(ⅰ) 주머니 A에서 흰 공을 꺼내어 주머니 B에 넣은 후
다시 주머니 B에서 2개 모두 흰 공을 꺼낼 확률은

$$\mathrm{P}(A\cap B)=\mathrm{P}(A)\mathrm{P}(B|A)=\frac{3}{4}\times\frac{{}_3\mathrm{C}_2}{{}_6\mathrm{C}_2}=\frac{3}{20}$$

(ⅱ) 주머니 A에서 검은 공을 꺼내어 주머니 B에 넣은 후
다시 주머니 B에서 2개 모두 흰 공을 꺼낼 확률은

$$\mathrm{P}(A^c\cap B)=\mathrm{P}(A^c)\mathrm{P}(B|A^c)=\frac{1}{4}\times\frac{{}_2\mathrm{C}_2}{{}_6\mathrm{C}_2}=\frac{1}{60}$$

STEP B 배반사건인 확률 구하기

(ⅰ), (ⅱ)에서 서로 배반사건이므로 구하는 확률은

$$\mathrm{P}(B)=\mathrm{P}(A\cap B)+\mathrm{P}(A^c\cap B)=\frac{3}{20}+\frac{1}{60}=\frac{1}{6}$$

0760

 ④

STEP A B봉투에 빨간 카드가 1장 들어 있을 확률 구하기

(ⅰ) A봉투에서 빨간 카드 1장과 노란 카드 1장을 꺼내는 경우
그 확률은 $\frac{{}_5\mathrm{C}_1\times{}_3\mathrm{C}_1}{{}_8\mathrm{C}_2}=\frac{15}{28}$

(ⅱ) A봉투에서 노란 카드 2장을 꺼낸 후 다시 꺼낼 때,
빨간 카드 1장과 노란 카드 1장을 꺼내는 경우
그 확률은 $\frac{{}_3\mathrm{C}_2}{{}_8\mathrm{C}_2}\times\frac{{}_5\mathrm{C}_1\times{}_1\mathrm{C}_1}{{}_6\mathrm{C}_2}=\frac{1}{28}$

STEP B 두 사건이 배반사건임을 이용하여 구하기

(ⅰ), (ⅱ)에서 서로 배반사건이므로 구하는 확률은 $\frac{15}{28}+\frac{1}{28}=\frac{4}{7}$

0761

 ④

STEP A 곱셈정리를 이용하여 빨간 공 1개를 꺼낼 확률 구하기

정사면체를 던져서 바닥에 닿는 면에 적혀 있는 수가 2인 사건을 A,
주머니에서 빨간 공 1개를 꺼내는 사건을 B라 하면

(ⅰ) 정사면체를 던져서 바닥에 닿는 면에 적혀 있는 수가 2일 확률은
$\mathrm{P}(A)=\frac{1}{4}$
주머니에서 2개의 공을 꺼낼 때, 흰 공 1개, 빨간 공 1개를 꺼낼 확률은
$\mathrm{P}(B|A)=\frac{{}_4\mathrm{C}_1\times{}_2\mathrm{C}_1}{{}_6\mathrm{C}_2}=\frac{4\times2}{15}=\frac{8}{15}$
즉 $\mathrm{P}(A\cap B)=\mathrm{P}(A)\mathrm{P}(B|A)=\frac{1}{4}\times\frac{8}{15}=\frac{2}{15}$

(ⅱ) 정사면체를 던져서 바닥에 닿는 면에 적혀 있는 수가 3일 확률은
$\mathrm{P}(A^c)=\frac{3}{4}$
주머니에서 3개의 공을 꺼낼 때, 흰 공 2개, 빨간 공 1개를 꺼낼 확률은
$\mathrm{P}(B|A^c)=\frac{{}_4\mathrm{C}_2\times{}_2\mathrm{C}_1}{{}_6\mathrm{C}_3}=\frac{6\times2}{20}=\frac{3}{5}$
즉 $\mathrm{P}(A^c\cap B)=\mathrm{P}(A^c)\mathrm{P}(B|A^c)=\frac{3}{4}\times\frac{3}{5}=\frac{9}{20}$

STEP B 두 사건이 배반사건임을 이용하여 구하기

(ⅰ), (ⅱ)가 서로 배반사건이므로 구하는 확률은

$$\mathrm{P}(B)=\mathrm{P}(A\cap B)+\mathrm{P}(A^c\cap B)=\frac{2}{15}+\frac{9}{20}=\frac{7}{12}$$

0762

정답 ②

STEP A 주머니 B에 처음 들어 있던 흰 구슬의 개수를 x라 하고 확률 구하기

주머니 A에서 흰 구슬을 꺼낼 사건 A,
주머니 A에서 검은 구슬을 꺼낼 사건 B,
주머니 B에서 흰 구슬을 꺼내는 사건을 E라 하면
주머니 B에서 흰 구슬의 개수를 x라 하면 검은 구슬은 $(10-x)$개이다.

(ⅰ) 주머니 A에서 흰 구슬을 꺼내고 B에서 흰 구슬을 꺼낼 확률은
$\mathrm{P}(A\cap E)=\mathrm{P}(A)\mathrm{P}(E|A)=\frac{2}{5}\times\frac{x+1}{11}=\frac{2x+2}{55}$
← 주머니 A에서 흰 구슬을 주머니 B에 집어넣었을 때,
주머니 B에는 흰 구슬이 $(x+1)$개, 검은 구슬이 $(10-x)$개 들어 있다.

(ⅱ) 주머니 A에서 검은 구슬을 꺼내고 주머니 B에서 흰 구슬을 꺼낼 확률은
$\mathrm{P}(B\cap E)=\mathrm{P}(B)\mathrm{P}(E|B)=\frac{3}{5}\times\frac{x}{11}=\frac{3x}{55}$
← 주머니 A에서 검은 구슬을 주머니 B에 집어넣었을 때,
주머니 B에는 흰 구슬이 x개, 검은 구슬이 $(11-x)$개 들어 있다.

STEP B 배반사건을 이용하여 흰 구슬의 개수 구하기

주머니 B에서 한 개의 구슬을 꺼낼 때,
그것이 흰 구슬일 확률이 $\frac{2}{5}$이므로

$\mathrm{P}(E)=\mathrm{P}(A\cap E)+\mathrm{P}(B\cap E)=\frac{2x+2}{55}+\frac{3x}{55}=\frac{5x+2}{55}$

$\frac{5x+2}{55}=\frac{2}{5}$, $5x+2=22$

$\therefore x=4$

따라서 주머니 B에 처음 들어 있던 흰 구슬의 개수는 4

0763

 ⑤

STEP A 꺼낸 공에 적힌 모든 수의 곱이 짝수일 확률 구하기

한 개의 주사위를 던져서 3의 배수의 눈이 나오는 사건을 A,
주머니에서 꺼낸 공에 적힌 모든 수의 곱이 짝수인 사건을 B라 하면

(ⅰ) 한 개의 주사위를 던져서 3의 배수의 눈이 나오는 경우
$\mathrm{P}(A)=\frac{1}{3}$
주머니에서 꺼낸 3개의 공에 적힌 모든 수의 곱이 짝수이려면
3개의 공에 적힌 수가 모두 홀수인 경우를 제외하면 되므로
$\mathrm{P}(B|A)=1-\frac{{}_3\mathrm{C}_3}{{}_5\mathrm{C}_3}=1-\frac{1}{10}=\frac{9}{10}$
$\mathrm{P}(A\cap B)=\mathrm{P}(A)\times\mathrm{P}(B|A)=\frac{1}{3}\times\frac{9}{10}=\frac{3}{10}$

(ⅱ) 한 개의 주사위를 던져서 3의 배수의 눈이 나오지 않는 경우
$\mathrm{P}(A^c)=\frac{2}{3}$
주머니에서 꺼낸 2개의 공에 적힌 수의 곱이 짝수이려면
2개의 공에 적힌 수가 모두 홀수인 경우를 제외하면 되므로
$\mathrm{P}(B|A^c)=1-\frac{{}_3\mathrm{C}_2}{{}_5\mathrm{C}_2}=1-\frac{3}{10}=\frac{7}{10}$
$\mathrm{P}(A^c\cap B)=\mathrm{P}(A^c)\times\mathrm{P}(B|A^c)=\frac{2}{3}\times\frac{7}{10}=\frac{7}{15}$

STEP B 두 사건이 배반사건임을 이용하여 구하기

(ⅰ), (ⅱ)가 서로 배반사건이므로 구하는 확률은

$$\mathrm{P}(B)=\mathrm{P}(A\cap B)+\mathrm{P}(A^c\cap B)=\frac{3}{10}+\frac{7}{15}=\frac{23}{30}$$

내신연계 출제문항 336

주머니 속에는 숫자 1, 2, 3이 하나씩 적힌 공이 각각 3개, 2개, 1개가 들어 있다.
한 개의 주사위를 한 번 던져 3의 배수의 눈이 나오면 이 주머니에서 임의로 2개의 공을 동시에 꺼내고, 3의 배수의 눈이 나오지 않으면 이 주머니에서 임의로 3개의 공을 동시에 꺼낼 때, 꺼낸 공에 적힌 수의 합이 짝수일 확률은?

① $\frac{1}{9}$　② $\frac{2}{9}$　③ $\frac{1}{3}$
④ $\frac{4}{9}$　⑤ $\frac{5}{9}$

STEP A 꺼낸 3개의 공에 적혀 있는 수의 합이 짝수일 확률 구하기

주사위에서 3의 배수의 눈이 나오는 사건을 A,
꺼낸 공에 적힌 수의 합이 짝수일 사건을 B라 하면
다음 각 경우로 나눌 수 있다.

(i) 주사위를 던져 3의 배수의 눈이 나오는 경우
꺼낸 2개의 공에 적힌 수의 합이 짝수이려면
홀수가 2개 나오거나 짝수가 2개 나와야 하므로

$$\mathrm{P}(A\cap B)=\mathrm{P}(A)\mathrm{P}(B|A)=\frac{2}{6}\times\frac{{}_4\mathrm{C}_2+{}_2\mathrm{C}_2}{{}_6\mathrm{C}_2}=\frac{1}{3}\times\frac{7}{15}=\frac{7}{45}$$

(ii) 주사위를 던져 3의 배수의 눈이 나오지 않는 경우
꺼낸 3개의 공에 적힌 수의 합이 짝수이려면
홀수가 2개, 짝수가 1개 나와야 하므로

$$\mathrm{P}(A^c\cap B)=\mathrm{P}(A^c)\mathrm{P}(B|A^c)=\frac{4}{6}\times\frac{{}_4\mathrm{C}_2\times{}_2\mathrm{C}_1}{{}_6\mathrm{C}_3}=\frac{2}{3}\times\frac{3}{5}=\frac{2}{5}$$

STEP B 배반사건을 이용하여 구하기

(i), (ii)에서 구하는 확률은

$$\mathrm{P}(B)=\mathrm{P}(A\cap B)+\mathrm{P}(A^c\cap B)=\frac{7}{45}+\frac{2}{5}=\frac{5}{9}$$

 ⑤

0764

 ④

STEP A 확률의 곱셈정리를 이용하여 꺼낸 공이 흰 공일 확률 구하기

처음 꺼낸 공이 검은 공일 사건을 A,
두 번째 꺼낸 공이 흰 공일 사건을 B라 하면

(i) 처음 꺼낸 공이 검은 공일 확률은 $\mathrm{P}(A)=\frac{2}{5}$
검은 공을 하나 추가하여 주머니 속에 넣으면
이제 주머니 속에 검은 공 3개와 흰 공 3개가 들어 있게 되므로
여기서 흰 공을 꺼낼 확률은

$$\mathrm{P}(B|A)=\frac{3}{6}=\frac{1}{2}$$

$$\therefore\ \mathrm{P}(A\cap B)=\mathrm{P}(A)\mathrm{P}(B|A)=\frac{2}{5}\times\frac{1}{2}=\frac{1}{5}$$

(ii) 처음 꺼낸 공이 흰 공일 확률은 $\mathrm{P}(A^c)=\frac{3}{5}$
흰 공을 하나 추가하여 주머니 속에 넣으면
이제 주머니 속에 검은 공 2개와 흰 공 4개가 들어 있게 되므로
여기서 흰 공을 꺼낼 확률은

$$\mathrm{P}(B|A^c)=\frac{4}{6}=\frac{2}{3}$$

$$\therefore\ \mathrm{P}(A^c\cap B)=\mathrm{P}(A^c)\mathrm{P}(B|A^c)=\frac{3}{5}\times\frac{2}{3}=\frac{2}{5}$$

STEP B 두 사건이 배반사건임을 이용하여 구하기

(i), (ii)에서 서로 배반사건이므로 구하는 확률은

$$\mathrm{P}(A)=\mathrm{P}(A\cap B)+\mathrm{P}(A^c\cap B)=\frac{1}{5}+\frac{2}{5}=\frac{3}{5}$$

0765

정답 ⑤

STEP A 주머니 A에서 임의로 꺼낸 공의 색을 기준으로 나누기

두 주머니 A, B에 들어있는 공을 모두 다른 공으로 보고 조합을 이용하여 경우를 나누어 확률을 구하면 다음과 같다.
주머니 B에서 임의로 1개의 공을 꺼내는 사건을 E라 하면

(i) 주머니 A에서 흰 공 1개를 꺼내는 경우의 사건을 A,
이때 주머니 B에는 흰 공이 3개, 검은 공이 3개가 있으므로
주머니 B에서 꺼낸 것이 흰 공일 확률은

$$\mathrm{P}(A\cap E)=\mathrm{P}(A)\mathrm{P}(E|A)=\frac{{}_2\mathrm{C}_1}{{}_5\mathrm{C}_1}\times\frac{{}_3\mathrm{C}_1}{{}_6\mathrm{C}_1}=\frac{2}{5}\times\frac{3}{6}=\frac{1}{5}$$

(ii) 주머니 A에서 검은 공 1개를 꺼내는 경우의 사건을 B,
이때 주머니 B에는 흰 공이 1개, 검은 공이 5개가 있으므로
주머니 B에서 꺼낸 것이 흰 공일 확률은

$$\mathrm{P}(B\cap E)=\mathrm{P}(B)\mathrm{P}(E|B)=\frac{{}_3\mathrm{C}_1}{{}_5\mathrm{C}_1}\times\frac{{}_1\mathrm{C}_1}{{}_6\mathrm{C}_1}=\frac{3}{5}\times\frac{1}{6}=\frac{1}{10}$$

STEP B 배반사건의 확률 구하기

(i), (ii)에서 A와 B는 배반사건이므로 구하는 확률은

$$\mathrm{P}(E)=\mathrm{P}(A\cap E)+\mathrm{P}(B\cap E)=\frac{1}{5}+\frac{1}{10}=\frac{3}{10}$$

0766

 ⑤

STEP A 확률의 곱셈정리를 이용하여 검은색 공이 2개일 확률 구하기

처음 꺼낸 공이 흰 공일 사건을 A,
8개의 공에서 검은색 공 2개를 뽑는 사건을 B라 하면

(i) 흰색 공을 꺼내고 8개의 공에서 2개가 검은 공일 확률은

$$\mathrm{P}(A\cap B)=\mathrm{P}(A)\mathrm{P}(B|A)=\frac{2}{7}\times\frac{{}_5\mathrm{C}_2}{{}_8\mathrm{C}_2}=\frac{5}{49}$$

(ii) 검은 공을 꺼내고 8개의 공에서 2개가 검은 공일 확률은

$$\mathrm{P}(A^c\cap B)=\mathrm{P}(A^c)\mathrm{P}(B|A^c)=\frac{5}{7}\times\frac{{}_6\mathrm{C}_2}{{}_8\mathrm{C}_2}=\frac{75}{196}$$

STEP B 두 사건이 배반사건임을 이용하여 구하기

(i), (ii)에서 서로 배반사건 이므로 구하는 확률은

$$\mathrm{P}(B)=\mathrm{P}(A\cap B)+\mathrm{P}(A^c\cap B)=\frac{5}{49}+\frac{75}{196}=\frac{95}{196}$$

내/신/연/계/ 출제문항 337

흰 공 3개와 검은 공 2개가 들어 있는 주머니가 있다. 이 주머니에서 임의로 1개의 공을 꺼내어 꺼낸 공이 흰 공이면 꺼낸 흰 공 대신 1개의 검은 공을 넣고, 꺼낸 공이 검은 공이면 꺼낸 검은 공 대신 1개의 흰 공을 주머니에 넣는다. 다시 이 주머니에서 임의로 2개의 공을 동시에 꺼낼 때, 꺼낸 2개의 공이 모두 흰 공일 확률은?

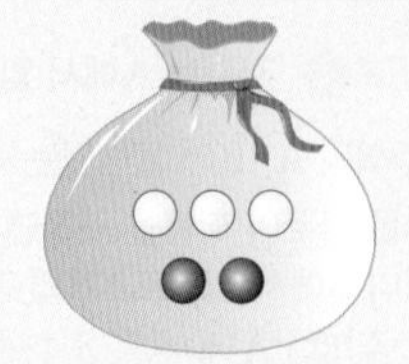

① $\frac{1}{4}$ ② $\frac{3}{10}$ ③ $\frac{7}{20}$
④ $\frac{2}{5}$ ⑤ $\frac{9}{20}$

STEP A 확률의 곱셈정리를 이용하여 흰색 공 2개일 확률 구하기

주머니에서 임의로 1개의 공을 꺼낼 때, 꺼낸 공이 흰 공인 사건을 A,
다시 이 주머니에서 임의로 2개의 공을 동시에 꺼낼 때, 꺼낸 공 2개가 모두 흰 공인 사건을 B라 하자.

(i) 주머니에서 꺼낸 1개의 공이 흰 공일 확률은

$P(A)=\frac{3}{5}$

주머니에는 흰 공 2개와 검은 공 3개가 들어 있게 되므로

$P(B|A)=\frac{{}_2C_2}{{}_5C_2}=\frac{1}{10}$

즉 $P(A\cap B)=P(A)P(B|A)=\frac{3}{5}\times\frac{1}{10}=\frac{3}{50}$

(ii) 주머니에서 꺼낸 1개의 공이 검은 공일 확률은

$P(A^c)=1-P(A)=1-\frac{3}{5}=\frac{2}{5}$

주머니에는 흰 공 4개와 검은 공 1개가 들어 있게 되므로

$P(B|A^c)=\frac{{}_4C_2}{{}_5C_2}=\frac{3}{5}$

즉 $P(A^c\cap B)=P(A^c)P(B|A^c)=\frac{2}{5}\times\frac{3}{5}=\frac{6}{25}$

STEP B 두 사건이 배반사건임을 이용하여 구하기

(i), (ii)에서 서로 배반사건이므로 구하는 확률은

$P(B)=P(A\cap B)+P(A^c\cap B)=\frac{3}{50}+\frac{6}{25}=\frac{3}{10}$

정답 ②

0767

정답 ④

STEP A 상자 A에서 임의로 꺼낸 공 2개를 기준으로 나누기

상자 A에서 임의로 2개의 공을 꺼낼 때,
꺼낼 수 있는 공의 조합은
(빨간 공, 빨간 공), (빨간 공, 검은 공), (검은 공, 검은 공)
세 가지이지만 상자 A에서 빨간 공 2개를 꺼낸 경우 [실행1]에 따라 빨간 공 2개를 상자 B에 넣으므로 문제의 조건을 만족할 수 없다.

STEP B 상자 B에 있는 빨간 공의 개수가 1개일 확률 구하기

(i) 주머니 A에서 빨간 공 1개, 검은 공 1개를 꺼낸 경우

$\frac{{}_3C_1\times{}_5C_1}{{}_8C_2}=\frac{15}{28}$ ⬅ [실행1]에 따라 빨간 공 1개, 검은 공 1개를 주머니 B에 넣으므로 주머니 B에 있는 빨간 공의 개수가 1이 된다.

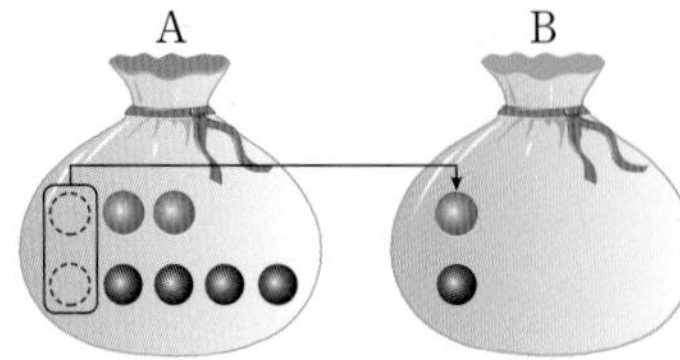

(ii) 주머니 A에서 검은 공 2개를 꺼낸 후
빨간 공 1개, 검은 공 1개를 추가로 꺼낸 경우

$\frac{{}_5C_2}{{}_8C_2}\times\frac{{}_3C_1\times{}_3C_1}{{}_6C_2}=\frac{5}{14}\times\frac{3}{5}=\frac{3}{14}$

⬅ [실행2]를 해야 하므로 꺼낸 검은 공 2개를 주머니 B에 넣고
주머니 A에 있는 빨간 공 3개, 검은 공 3개에서 주머니 B에 있는 빨간 공의 개수가 1이려면 주머니 A에서 2개의 공을 더 꺼낼 때, 빨간 공 1개, 검은 공 1개를 꺼내야 한다.

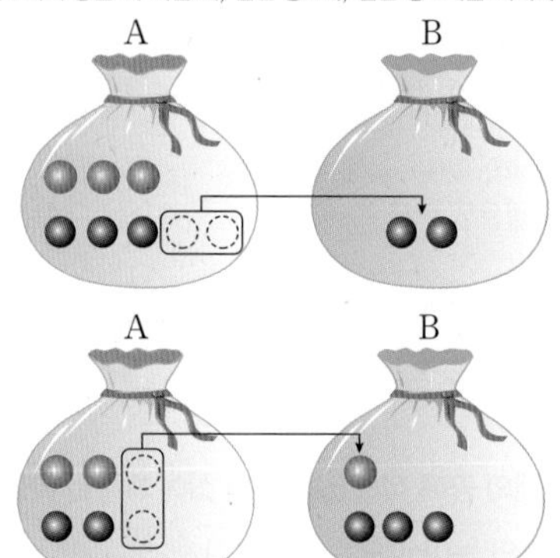

STEP C 배반사건의 확률 구하기

(i), (ii)에 의하여 서로 배반사건이므로 구하는 확률은 $\frac{15}{28}+\frac{3}{14}=\frac{21}{28}=\frac{3}{4}$

내/신/연/계/ 출제문항 338

주머니 A에는 흰 공 1개, 검은 공 3개가 들어 있고, 주머니 B에는 흰 공 1개, 검은 공 2개가 들어 있다. 다음과 같이 [1단계]부터 [3단계]까지 실행할 때, [3단계]에서 흰 공이 나올 확률은?

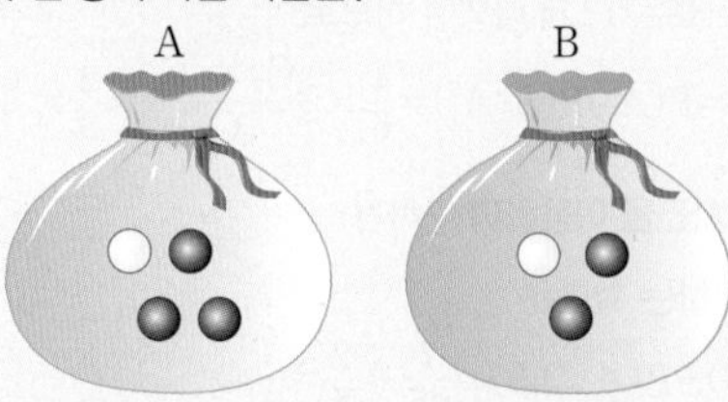

> [1단계] 주머니 A에서 임의로 한 개의 공을 꺼내어 주머니 B에 넣는다.
> [2단계] 주머니 B에서 임의로 한 개의 공을 꺼내어 주머니 A에 넣는다.
> [3단계] 주머니 A에서 임의로 한 개의 공을 꺼낸다.

① $\frac{15}{64}$ ② $\frac{1}{4}$ ③ $\frac{17}{64}$
④ $\frac{9}{32}$ ⑤ $\frac{19}{64}$

STEP A 확률의 곱셈정리를 이용하여 [3단계]에서 흰 공이 나올 확률 구하기

[3단계]에서 흰 공이 나올 확률은 다음과 같다.

(i) [1단계]의 주머니 A에서 흰 공을 꺼내고 [2단계]의 주머니 B에서 흰 공을 꺼내는 경우

$\frac{1}{4}\times\frac{2}{4}\times\frac{1}{4}=\frac{1}{32}$

(ii) [1단계]의 주머니 A에서 흰 공을 꺼내고 [2단계]의 주머니 B에서 검은 공을 꺼내는 경우

$\frac{1}{4}\times\frac{2}{4}\times\frac{0}{4}=0$

(iii) [1단계]의 주머니 A에서 검은 공을 꺼내고 [2단계]의 주머니 B에서 흰 공을 꺼내는 경우

$\frac{3}{4}\times\frac{1}{4}\times\frac{2}{4}=\frac{3}{32}$

(iv) [1단계]의 주머니 A에서 검은 공을 꺼내고 [2단계]의 주머니 B에서 검은 공을 꺼내는 경우

$\frac{3}{4}\times\frac{3}{4}\times\frac{1}{4}=\frac{9}{64}$

STEP B 배반사건의 확률 구하기

(i)~(iv)는 서로 배반사건이므로 구하는 확률은

$\frac{1}{32}+0+\frac{3}{32}+\frac{9}{64}=\frac{17}{64}$

정답 ③

0768

정답 ⑤

STEP Ⓐ **확률의 곱셈정리를 이용하여 곱이 홀수일 확률 구하기**

처음 꺼낸 공에 1이 적혀 있는 사건을 A, 주머니에서 다시 꺼낸 3개의 공에 적혀 있는 수의 곱이 홀수인 사건을 B라 하자.

(ⅰ) 처음 꺼낸 공이 1이 적혀 있는 공일 확률은 $\mathrm{P}(A)=\frac{4}{7}$

1이 적혀 있는 공을 1개 추가하여 주머니에 넣으면 주머니에는 1이 적혀 있는 공 5개와 2가 적혀 있는 공 3개가 들어있게 된다.
이때 꺼낸 3개의 공에 적혀 있는 수의 곱이 홀수이려면 1이 적혀 있는 공 3개를 동시에 꺼내야 하므로 이 확률은 $\mathrm{P}(B|A)=\frac{{}_5\mathrm{C}_3}{{}_8\mathrm{C}_3}=\frac{10}{56}=\frac{5}{28}$

즉 $\mathrm{P}(A\cap B)=\mathrm{P}(A)\mathrm{P}(B|A)=\frac{4}{7}\times\frac{5}{28}=\frac{5}{49}$

(ⅱ) 처음 꺼낸 공이 2가 적혀 있는 공일 확률은 $\mathrm{P}(A^C)=\frac{3}{7}$

2가 적혀 있는 공을 2개 추가하여 주머니에 넣으면 주머니에는 1이 적혀 있는 공 4개와 2가 적혀 있는 공 5개가 들어있게 된다.
이때 꺼낸 3개의 공에 적혀 있는 수의 곱이 홀수이려면 1이 적혀 있는 공 3개를 동시에 꺼내야 하므로 이 확률은 $\mathrm{P}(B|A^C)=\frac{{}_4\mathrm{C}_3}{{}_9\mathrm{C}_3}=\frac{4}{84}=\frac{1}{21}$

즉 $\mathrm{P}(A^C\cap B)=\mathrm{P}(A^C)\mathrm{P}(B|A^C)=\frac{3}{7}\times\frac{1}{21}=\frac{1}{49}$

STEP Ⓑ **배반사건을 이용하여 구하기**

(ⅰ), (ⅱ)에 의하여 서로 배반사건이므로 구하는 확률은
$\mathrm{P}(B)=\mathrm{P}(A\cap B)+\mathrm{P}(A^C\cap B)=\frac{5}{49}+\frac{1}{49}=\frac{6}{49}$

내/신/연/계/ 출제문항 339

상자 A에는 숫자 1, 2, 3, 4가 하나씩 적혀 있는 4개의 공이 들어 있고, 상자 B에는 숫자 5, 6, 7, 8, 9가 하나씩 적혀 있는 5개의 공이 들어 있다. 갑이 두 상자 A, B에서 각각 임의로 공을 한 개씩 꺼낸 후, 을이 두 상자 A, B에서 각각 임의로 공을 한 개씩 꺼낸다. 갑이 꺼낸 공에 적혀 있는 두 수의 합과 을이 꺼낸 공에 적혀 있는 두 수의 합이 모두 짝수일 확률은? (단, 꺼낸 공은 다시 넣지 않는다.)

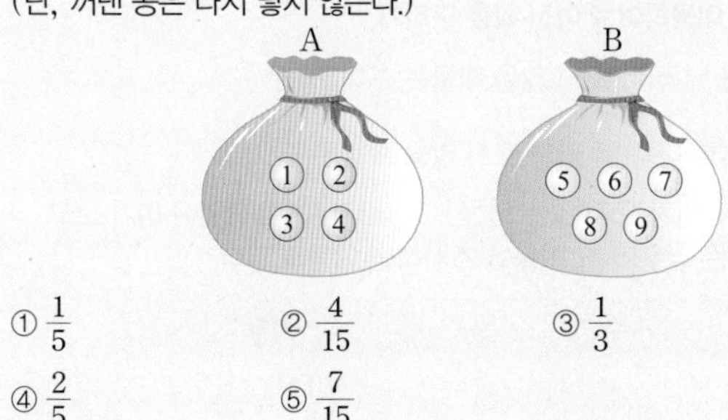

① $\frac{1}{5}$　② $\frac{4}{15}$　③ $\frac{1}{3}$
④ $\frac{2}{5}$　⑤ $\frac{7}{15}$

STEP Ⓐ **갑과 을이 꺼낸 두 수의 합이 짝수인 확률 구하기**

갑이 꺼낸 공에 적혀 있는 두 수의 합이 짝수이므로 구하는 경우는 다음 두 가지로 나눌 수 있다.

(ⅰ) 갑이 꺼낸 공에 적혀 있는 두 수가 모두 짝수인 경우
갑이 모두 짝수가 적혀 있는 공을 꺼내고 을은 모두 짝수가 적혀 있거나 모두 홀수가 적혀 있는 공을 꺼내는 경우이고 이 확률은
$\frac{2}{4}\times\frac{2}{5}\times\left(\frac{1}{3}\times\frac{1}{4}+\frac{2}{3}\times\frac{3}{4}\right)=\frac{1}{5}\times\left(\frac{1}{12}+\frac{1}{2}\right)=\frac{7}{60}$

(ⅱ) 갑이 꺼낸 공에 적혀 있는 두 수가 모두 홀수인 경우
갑이 모두 홀수가 적혀 있는 공을 꺼내고 을은 모두 짝수가 적혀 있거나 모두 홀수가 적혀 있는 공을 꺼내는 경우이고 이 확률은
$\frac{2}{4}\times\frac{3}{5}\times\left(\frac{2}{3}\times\frac{2}{4}+\frac{1}{3}\times\frac{2}{4}\right)=\frac{3}{10}\times\left(\frac{1}{3}+\frac{1}{6}\right)=\frac{3}{20}$

STEP Ⓑ **배반사건인 확률 구하기**

(ⅰ), (ⅱ)에서 서로 배반사건이므로 구하는 확률은
$\frac{7}{60}+\frac{3}{20}=\frac{16}{60}=\frac{4}{15}$

정답 ②

0769

정답 ④

STEP Ⓐ **주어진 정보로 $\mathrm{P}(A)$, $\mathrm{P}(B|A)$, $\mathrm{P}(B|A^C)$ 구하기**

오늘 비가 오는 사건을 A, 하루의 매출 목표액을 달성하는 사건을 B라 하면
$\mathrm{P}(A)=0.6$, $\mathrm{P}(B|A)=0.9$, $\mathrm{P}(B|A^C)=0.3$

STEP Ⓑ **확률의 곱셈정리를 이용하여 $\mathrm{P}(B)$ 구하기**

따라서 오늘 하루의 매출 목표액을 달성할 확률은
$\mathrm{P}(B)=\mathrm{P}(A\cap B)+\mathrm{P}(A^C\cap B)$
$=\mathrm{P}(A)\mathrm{P}(B|A)+\mathrm{P}(A^C)\mathrm{P}(B|A^C)$
$=0.6\times0.9+(1-0.6)\times0.3=0.66$

확률

0770

정답 ③

STEP Ⓐ **확률의 곱셈정리를 이용하여 판매 목표액을 달성할 확률 구하기**

(ⅰ) 내년 여름의 평균 기온이 예년보다 높은 경우 판매 목표액을 달성할 확률은 $0.4\times0.8=0.32$

(ⅱ) 내년 여름의 평균 기온이 예년과 비슷한 경우 판매 목표액을 달성할 확률은 $0.5\times0.6=0.3$

(ⅲ) 내년 여름의 평균 기온이 예년보다 낮은 경우 판매 목표액을 달성할 확률은 $0.1\times0.3=0.03$

STEP Ⓑ **배반사건임을 이용하여 확률 구하기**

(ⅰ)~(ⅲ)에서 세 사건은 배반사건이므로 구하는 확률은
$0.32+0.3+0.03=0.65$

내/신/연/계/ 출제문항 340

어느 회사의 연간 아이스크림 판매량은 그 해 여름의 평균 기온에 크게 좌우된다. 과거의 자료에 따르면 한 해의 판매 목표액을 달성할 확률은 그해 여름의 평균 기온이 예년보다 높을 경우에 0.7, 예년과 비슷할 경우에 0.5, 예년보다 낮을 경우에 0.3이다.
일기 예보에 따르면 내년 여름의 평균 기온이 예년보다 높을 확률이 0.3, 예년과 비슷할 확률이 0.5, 예년보다 낮을 확률이 0.2, 이 회사가 내년에 목표액을 달성할 확률은?

① 0.52　② 0.54　③ 0.56
④ 0.62　⑤ 0.65

STEP Ⓐ **확률의 곱셈정리를 이용하여 판매 목표액을 달성할 확률 구하기**

(ⅰ) 내년 여름의 평균 기온이 예년보다 높고 판매목표액을 달성할 확률은 $0.3\times0.7=0.21$

(ⅱ) 내년 여름의 평균 기온이 예년과 비슷하고 판매 목표액을 달성할 확률은 $0.5\times0.5=0.25$

(ⅲ) 내년 여름의 평균 기온이 예년보다 낮고 판매목표액을 달성할 확률은 $0.2\times0.3=0.06$

STEP Ⓑ **배반사건임을 이용하여 확률 구하기**

(ⅰ)~(ⅲ)에 의하여 구하는 확률은 $0.21+0.25+0.06=0.52$

정답 ①

0771

 ②

STEP Ⓐ **주어진 정보로 $P(A)$, $P(B|A)$, $P(B|A^c)$ 구하기**

K고등학교 축구팀이 전국 체육 대회에 출전하는 사건을 A,
H고등학교 축구팀이 우승하는 사건을 B라 하면
$P(A)=0.3$, $P(B|A)=0.4$, $P(B|A^c)=0.6$

STEP Ⓑ **확률의 곱셈정리를 이용하여 $P(B)$ 구하기**

따라서 구하는 확률은
$P(B)=P(A\cap B)+P(A^c\cap B)$
$=P(A)P(B|A)+P(A^c)P(B|A^c)$
$=0.3\times0.4+(1-0.3)\times0.6=0.54$

내/신/연/계/ 출제문항 341

A고등학교 배드민턴 팀이 전국대회에 출전하여 우승할 확률은 맞수인 B고등학교 배드민턴 팀의 출전여부에 따라 달라진다고 한다.
A고등학교 배드민턴 팀의 우승 확률은 B고등학교 배드민턴팀이 출전하는 경우에는 30%, 출전하지 않는 경우에는 70%라고 한다. B고등학교 배드민턴 팀이 이번 대회에 출전할 확률이 60%라고 할 때, A고등학교 배드민턴 팀이 전국대회에서 우승할 확률은?

① 0.46　② 0.48　③ 0.52
④ 0.56　⑤ 0.62

STEP Ⓐ **주어진 정보로 $P(B)$, $P(A|B)$, $P(A|B^c)$ 구하기**

B고등학교 배드민턴 팀이 출전하는 사건을 B,
A고등학교 배드민턴 팀이 우승하는 사건을 A라 하면
$P(B)=0.6$, $P(A|B)=0.3$, $P(A|B^c)=0.7$

STEP Ⓑ **확률의 곱셈정리를 이용하여 $P(B)$ 구하기**

따라서 구하는 확률은
$P(A)=P(A\cap B)+P(A\cap B^c)$
$=P(B)P(A|B)+P(B^c)P(A|B^c)$
$=0.6\times0.3+0.4\times0.7=0.46$

 ①

0772

 ④

STEP Ⓐ **주어진 정보로 $P(A)$, $P(B|A)$, $P(B|A^c)$ 구하기**

화요일에 비가 오는 사건을 A, 수요일에 비가 오는 사건을 B라고 하면
$P(A)=0.6$, $P(B|A)=0.6$, $P(B|A^c)=0.25$

STEP Ⓑ **배반사건을 이용하여 확률 구하기**

$P(A\cap B)=P(A)P(B|A)=0.6\times0.6=0.36$
$P(A^c\cap B)=P(A^c)P(B|A^c)=0.4\times0.25=0.1$
따라서 구하는 확률은 $P(B)=P(A\cap B)+P(A^c\cap B)=0.36+0.1=0.46$

다른풀이 표를 이용하여 주어진 확률 구하기

비가 온 날의 다음 날 비가 올 확률은 0.6이고
비가 오지 않은 날의 다음 날 비가 올 확률은 0.25
비가 오는 날을 ○, 비가 오지 않는 날을 ×로 나타내어 월요일에 비가 오고 수요일이 비가 오는 경우와 그 확률을 조사하면 다음과 같다.

월	화	수	확률
○	○	○	$0.6\times0.6=0.36$
○	×	○	$0.4\times0.25=0.1$

따라서 사건이 서로 배반사건이므로 구하는 확률은 $0.36+0.1=0.46$

내/신/연/계/ 출제문항 342

어느 지역에서 장마철 날씨를 조사한 결과 비가 온 날의 다음 날에 비가 올 확률은 0.6이고, 비가 오지 않은 날의 다음 날에 비가 올 확률은 0.3이었다. 장마철의 어느 수요일에 비가 왔을 때, 그 주 금요일에도 비가 올 확률은?

① 0.38　② 0.42　③ 0.46
④ 0.48　⑤ 0.52

STEP Ⓐ **주어진 정보로 $P(A)$, $P(B|A)$, $P(B|A^c)$ 구하기**

목요일에 비가 오는 사건을 A, 금요일에 비가 오는 사건을 B라 하면
목요일에 비가 오지 않는 사건은 A^c이므로
$P(A)=0.6$, $P(A^c)=0.4$, $P(B|A)=0.6$, $P(B|A^c)=0.3$

STEP Ⓑ **배반사건을 이용하여 확률 구하기**

$P(A\cap B)=P(A)P(B|A)=0.6\times0.6=0.36$
$P(A^c\cap B)=P(A^c)P(B|A^c)=0.4\times0.3=0.12$
따라서 구하는 확률은 $P(B)=P(A\cap B)+P(A^c\cap B)=0.36+0.12=0.48$

다른풀이 표를 이용하여 주어진 확률 구하기

비가 온 날의 다음 날 비가 올 확률은 0.6이고
비가 오지 않은 날의 다음 날 비가 올 확률은 0.3
비가 오는 날을 ○, 비가 오지 않는 날을 ×로 나타내어 수요일에 비가 오고 금요일이 비가 오는 경우와 그 확률을 조사하면 다음과 같다.

수	목	금	확률
○	○	○	$0.6\times0.6=0.36$
○	×	○	$0.4\times0.3=0.12$

따라서 사건이 서로 배반사건이므로 구하는 확률은 $0.36+0.12=0.48$

 ④

0773

 ④

STEP Ⓐ **표를 이용하여 주어진 확률 구하기**

비가 온 날의 다음 날 비가 오지 않을 확률은 $\frac{2}{3}$이고
비가 오지 않은 날의 다음 날 비가 오지 않을 확률은 $\frac{3}{4}$
비가 오는 날을 ○, 비가 오지 않는 날을 ×로 나타내어 월요일에 비가 오고 목요일에 비가 오는 경우와 그 확률을 조사하면 다음과 같다.

월	화	수	목	확률
○	○	○	○	$\left(\frac{1}{3}\right)^3=\frac{1}{27}$
○	○	×	○	$\frac{1}{3}\times\frac{2}{3}\times\frac{1}{4}=\frac{1}{18}$
○	×	○	○	$\frac{2}{3}\times\frac{1}{4}\times\frac{1}{3}=\frac{1}{18}$
○	×	×	○	$\frac{2}{3}\times\frac{3}{4}\times\frac{1}{4}=\frac{1}{8}$

STEP Ⓑ **배반사건을 이용하여 확률 구하기**

따라서 이 네 사건은 서로 배반 사건이므로 구하는 확률은
$\frac{1}{27}+\frac{1}{18}+\frac{1}{18}+\frac{1}{8}=\frac{8+12+12+27}{216}=\frac{59}{216}$

0774

정답 ④

STEP Ⓐ **확률의 곱셈정리를 이용하여 불량품일 확률 구하기**

두 기계 A, B에서 생산된 제품을 택하는 사건을 각각 A, B라 하고 불량품을 택하는 사건을 E라고 하자.

$\mathrm{P}(A)=\frac{6}{10}=\frac{3}{5}$, $\mathrm{P}(B)=\frac{4}{10}=\frac{2}{5}$, $\mathrm{P}(E|A)=\frac{3}{100}$, $\mathrm{P}(E|B)=\frac{1}{100}$

이므로

(ⅰ) A기계에서 만든 제품 중 불량품일 확률은

$$\mathrm{P}(A\cap E)=\mathrm{P}(A)\mathrm{P}(E|A)=\frac{3}{5}\times\frac{3}{100}=\frac{9}{500}$$

(ⅱ) B기계에서 만든 제품 중 불량품일 확률은

$$\mathrm{P}(B\cap E)=\mathrm{P}(B)\mathrm{P}(E|B)=\frac{2}{5}\times\frac{1}{100}=\frac{2}{500}$$

(ⅰ), (ⅱ)가 서로 배반사건이므로 불량품일 확률은

$$\mathrm{P}(E)=\mathrm{P}(A\cap E)+\mathrm{P}(B\cap E)=\frac{11}{500}$$

STEP Ⓑ $\mathrm{P}(A|E)$ **구하기**

따라서 구하는 확률은 $\mathrm{P}(A|E)=\frac{\mathrm{P}(A\cap E)}{\mathrm{P}(E)}=\frac{\frac{9}{500}}{\frac{11}{500}}=\frac{9}{11}$

다른풀이 표를 이용하여 조건부확률 구하기

전체 제품의 개수를 500개로 놓으면 다음 표와 같다.

구분	정상품	불량품	합계
기계 A	291	$300\cdot\frac{3}{100}=9$	300
기계 B	198	$200\cdot\frac{1}{100}=2$	200
합계	498	11	500

한 개를 뽑았더니 불량품이었을 때, 그것이 기계 A에서 만들어진 것일 확률은

$$\mathrm{P}(A|E)=\frac{n(A\cap E)}{n(E)}=\frac{9}{11}$$

0775

정답 ⑤

STEP Ⓐ **확률의 곱셈정리를 이용하여 조건부확률 구하기**

타이어가 A회사 타이어일 사건을 A, B회사 타이어일 사건을 B, 불량품인 사건을 E라 하면

(ⅰ) A회사 타이어 중에서 불량품일 확률은

$$\mathrm{P}(A\cap E)=\mathrm{P}(A)\mathrm{P}(E|A)=\frac{3}{7}\times\frac{1}{100}=\frac{3}{700}$$

(ⅱ) B회사 타이어 중에서 불량품일 확률은

$$\mathrm{P}(B\cap E)=\mathrm{P}(B)\mathrm{P}(E|B)=\frac{4}{7}\times\frac{2}{100}=\frac{8}{700}$$

(ⅰ), (ⅱ)로부터 불량품일 확률은

$$\mathrm{P}(E)=\mathrm{P}(A\cap E)+\mathrm{P}(B\cap E)=\frac{3}{700}+\frac{8}{700}=\frac{11}{700}$$

STEP Ⓑ $\mathrm{P}(B|E)$ **구하기**

따라서 구하는 확률은 $\mathrm{P}(B|E)=\frac{\mathrm{P}(B\cap E)}{\mathrm{P}(E)}=\frac{\frac{8}{700}}{\frac{11}{700}}=\frac{8}{11}$

0776

정답 ④

STEP Ⓐ **확률의 곱셈정리를 이용하여 조건부확률 구하기**

감귤이 두 농장 A, B에서 생산된 사건을 각각 A, B, 무게가 잘못 분류된 감귤인 사건을 E라 하자.

$\mathrm{P}(A)=\frac{3}{5}$, $\mathrm{P}(E|A)=\frac{2}{100}=\frac{1}{50}$, $\mathrm{P}(B)=\frac{2}{5}$, $\mathrm{P}(E|B)=\frac{3}{100}$

이때 A농장에서 생산된 감귤이 무게가 잘못 분류된 사건은 $A\cap E$이고 B농장에서 생산된 감귤이 무게가 잘못 분류된 사건은 $B\cap E$이므로

(ⅰ) $\mathrm{P}(A\cap E)=\mathrm{P}(A)\mathrm{P}(E|A)=\frac{3}{5}\times\frac{1}{50}=\frac{3}{250}$

(ⅱ) $\mathrm{P}(B\cap E)=\mathrm{P}(B)\mathrm{P}(E|B)=\frac{2}{5}\times\frac{3}{100}=\frac{3}{250}$

(ⅰ), (ⅱ)가 배반사건이므로 꺼낸 감귤이 무게가 잘못 분류된 감귤일 확률은

$$\mathrm{P}(E)=\mathrm{P}(A\cap E)+\mathrm{P}(B\cap E)=\frac{3}{250}+\frac{3}{250}=\frac{3}{125}$$

STEP Ⓑ **조건부 확률 구하기**

따라서 구하는 확률은 $\mathrm{P}(A|E)=\frac{\mathrm{P}(A\cap E)}{\mathrm{P}(E)}=\frac{\frac{3}{250}}{\frac{3}{125}}=\frac{1}{2}$

0777

정답 ②

STEP Ⓐ **확률의 곱셈정리를 이용한 확률 구하기**

산악회 회원 중 기혼일 사건을 E, 임의로 뽑은 한 명이 남성일 사건을 A, 여성일 사건을 B라 하자.

(ⅰ) 남성 산악회원 중 기혼일 확률은

$$\mathrm{P}(A\cap E)=\mathrm{P}(A)\mathrm{P}(E|A)=\frac{6}{10}\times\frac{5}{10}=\frac{30}{100}$$

(ⅱ) 여성 산악회원 중 기혼일 확률은

$$\mathrm{P}(B\cap E)=\mathrm{P}(B)\mathrm{P}(E|B)=\frac{4}{10}\times\frac{4}{10}=\frac{16}{100}$$

(ⅰ), (ⅱ)가 서로 배반사건이므로 기혼일 확률은

$$\mathrm{P}(E)=\mathrm{P}(A\cap E)+\mathrm{P}(B\cap E)=\frac{30}{100}+\frac{16}{100}=\frac{46}{100}$$

STEP Ⓑ $\mathrm{P}(B|E)$ **구하기**

따라서 구하는 확률은 $\mathrm{P}(B|E)=\frac{\mathrm{P}(B\cap E)}{\mathrm{P}(E)}=\frac{\frac{16}{100}}{\frac{46}{100}}=\frac{8}{23}$

다른풀이 표를 이용한 조건부확률 구하기

산악회 전체 회원 수가 100명이라고 가정하고 주어진 조건을 표로 나타내면 다음과 같다.

구분	남성	여성	계
기혼	$60\times0.5=30$	$40\times0.4=16$	46
미혼	$60\times0.5=30$	$40\times0.6=24$	54
계	60	40	100

이 산악회의 회원 중에서 임의로 뽑은 한 명이 기혼일 때, 이 회원이 여성일 확률은 $\mathrm{P}(B|E)=\frac{16}{46}=\frac{8}{23}$

내/신/연/계/ 출제문항 343

남학생이 전체 학생의 60%인 어느 고등학교의 전체 학생들에게 선택과목 확률과 통계, 미적분 중에서 하나만 반드시 선택하도록 하였더니 남학생 중 60%가 확률과 통계를 선택하였고, 여학생 중 70%가 확률과 통계를 선택하였다고 한다. 이 학교 전체 학생 중에서 임의로 뽑은 한 학생이 확률과 통계를 선택한 학생일 때, 이 학생이 여학생일 확률은?

① $\frac{5}{16}$　② $\frac{3}{8}$　③ $\frac{7}{16}$
④ $\frac{1}{2}$　⑤ $\frac{9}{16}$

STEP A **확률의 곱셈정리를 이용하여 확률과 통계를 선택할 확률 구하기**

남학생인 사건을 A, 여학생인 사건을 B,
확률과 통계를 선택하는 사건을 E라 하면
(i) 남학생 중에서 확률과 통계를 선택하는 확률은
　$\mathrm{P}(A\cap E)=\mathrm{P}(A)\mathrm{P}(E|A)=0.6\times0.6=0.36$
(ii) 여학생 중에서 확률과 통계를 선택하는 확률은
　$\mathrm{P}(B\cap E)=\mathrm{P}(B)\mathrm{P}(E|B)=0.4\times0.7=0.28$
(i), (ii)가 서로 배반사건이므로 확률과 통계를 선택하는 확률은
$\mathrm{P}(E)=\mathrm{P}(A\cap E)+\mathrm{P}(B\cap E)=0.36+0.28=0.64$

STEP B $\mathrm{P}(B|E)$ **구하기**

따라서 구하는 확률은 $\mathrm{P}(B|E)=\frac{\mathrm{P}(B\cap E)}{\mathrm{P}(E)}=\frac{0.28}{0.64}=\frac{7}{16}$

 ③

참고

구분	여학생 B	남학생 A	계
확률과 통계 선택 E	0.28	0.36	0.64
미적분 선택 A^c	0.12	0.24	0.36
계	0.4	0.6	1

0778

 ②

STEP A **확률의 곱셈정리를 이용하여 조건부확률 구하기**

남자 승객일 사건을 A, 여자 승객일 사건을 B,
A메뉴를 선택할 사건을 E라 하면
(i) 남자승객 중에서 A메뉴를 선택할 확률은
　$\mathrm{P}(A\cap E)=\mathrm{P}(A)\mathrm{P}(E|A)=\frac{200}{300}\times\frac{60}{100}=\frac{2}{5}$
(ii) 여자승객 중에서 A메뉴를 선택할 확률은
　$\mathrm{P}(B\cap E)=\mathrm{P}(B)\mathrm{P}(E|B)=\frac{100}{300}\times\frac{40}{100}=\frac{2}{15}$
(i), (ii)로부터 A메뉴를 선택할 확률은
$\mathrm{P}(E)=\mathrm{P}(A\cap E)+\mathrm{P}(B\cap E)=\frac{2}{5}+\frac{2}{15}=\frac{8}{15}$

STEP B $\mathrm{P}(A|E)$ **구하기**

따라서 구하는 확률은 $\mathrm{P}(A|E)=\frac{\mathrm{P}(A\cap E)}{\mathrm{P}(E)}=\frac{\frac{2}{5}}{\frac{8}{15}}=\frac{3}{4}$

0779

 ①

STEP A **확률의 곱셈정리를 이용하여 안경을 착용한 학생일 확률 구하기**

집단 A에 속한 학생일 사건을 A, 집단 B에 속한 학생일 사건을 B,
안경을 착용하는 확률을 E라 하면
(i) A집단에 속하면서 안경을 착용한 학생일 확률은
　$\mathrm{P}(A\cap E)=\mathrm{P}(A)\mathrm{P}(E|A)=\frac{6}{10}\times\frac{7}{10}=\frac{42}{100}$
(ii) B집단에 속하면서 안경을 착용한 학생일 확률은
　$\mathrm{P}(B\cap E)=\mathrm{P}(B)\mathrm{P}(E|B)=\frac{4}{10}\times\frac{4}{10}=\frac{16}{100}$
(i), (ii)로부터 안경을 착용하는 확률을 E라 하면
$\mathrm{P}(E)=\mathrm{P}(A\cap E)+\mathrm{P}(B\cap E)=\frac{42}{100}+\frac{16}{100}=\frac{58}{100}$

STEP B $\mathrm{P}(A|E)$ **구하기**

구하는 확률은 $\mathrm{P}(A|E)=\frac{\mathrm{P}(A\cap E)}{\mathrm{P}(E)}=\frac{42}{58}=\frac{21}{29}$
따라서 $p+q=29+21=50$

다른풀이 표를 이용하여 조건부확률 구하기

어느 학교 100명의 학생을 대상으로 1일 컴퓨터 사용 시간을 조사하면 다음 표와 같다.

구분	1시간 이상인 집단 A	1시간 미만인 집단 B	합계
안경착용	42	16	58
안경미착용	18	24	42
계	60	40	100

임의로 선택한 한 학생이 안경을 착용하고 있었을 때,
이 학생이 A집단에 속할 확률은 $\mathrm{P}(A|E)=\frac{n(A\cap E)}{n(E)}=\frac{42}{58}=\frac{21}{29}$
따라서 $p+q=29+21=50$

내/신/연/계/ 출제문항 344

휴대 전화를 사용하는 청소년의 40%가 A회사의 제품을 60%가 B회사의 제품을 사용하고 A, B회사의 제품을 사용하는 청소년 중 60%, 50%가 각각 5G서비스를 사용한다.
임의로 뽑은 한 명의 청소년이 5G서비스를 사용하였을 때, 그 청소년이 A회사의 제품을 사용할 확률은?

① $\frac{1}{9}$　② $\frac{2}{9}$　③ $\frac{3}{9}$
④ $\frac{4}{9}$　⑤ $\frac{5}{9}$

STEP A **확률의 곱셈정리를 이용하여 조건부확률 구하기**

청소년이 A회사의 제품을 사용하는 사건을 A,
B회사의 제품을 사용하는 사건을 B,
5G서비스를 사용하는 사건을 E라고 하자.
(i) A회사의 제품을 사용하는 학생이 5G서비스를 사용하는 확률은
　$\mathrm{P}(A\cap E)=\mathrm{P}(A)\mathrm{P}(E|A)=0.4\times0.6=0.24$
(ii) B 회사의 제품을 사용하는 학생이 5G서비스를 사용하는 확률은
　$\mathrm{P}(B\cap E)=\mathrm{P}(B)\mathrm{P}(E|B)=0.6\times0.5=0.3$
(i), (ii)에서 5G서비스를 사용하는 확률은
$\mathrm{P}(E)=\mathrm{P}(A\cap E)+\mathrm{P}(B\cap E)=0.24+0.3=0.54$

STEP B $\mathrm{P}(A|E)$ **구하기**

따라서 구하는 확률은 $\mathrm{P}(A|E)=\frac{\mathrm{P}(A\cap E)}{\mathrm{P}(E)}=\frac{0.24}{0.54}=\frac{4}{9}$

다른풀이 표를 이용하여 조건부확률 구하기

	A 회사	B 회사	제품의 개수
5G 사용	24	30	54
5G 사용안함	16	30	46
계	40	60	100

휴대 전화를 사용하는 청소년을 100명이라 하면
임의로 뽑은 한 명의 청소년이 5G서비스를 사용하였을 때,
그 청소년이 A회사의 제품을 사용할 확률은
$P(A|E)=\dfrac{n(A\cap E)}{n(E)}=\dfrac{24}{54}=\dfrac{4}{9}$  ④

0780

 ⑤

STEP Ⓐ **확률의 곱셈정리를 이용하여 조건부확률 구하기**

자전거로 등교한 학생을 택하는 사건을 A,
걸어서 등교하는 사건을 B,
지각한 학생을 택하는 사건을 E라 하면
$P(A)=\dfrac{40}{100}=\dfrac{2}{5}$, $P(B)=\dfrac{60}{100}=\dfrac{3}{5}$, $P(E|A)=\dfrac{1}{15}$, $P(E|B)=\dfrac{1}{20}$
(ⅰ) 자전거로 등교한 학생이 지각할 확률은
$P(A\cap E)=P(A)P(E|A)=\dfrac{2}{5}\times\dfrac{1}{15}=\dfrac{2}{75}$
(ⅱ) 걸어서 등교한 학생이 지각할 확률은
$P(B\cap E)=P(B)P(E|B)=\dfrac{3}{5}\times\dfrac{1}{20}=\dfrac{3}{100}$
(ⅰ), (ⅱ)로부터 지각할 확률을 E라 하면
$P(E)=P(A\cap E)+P(B\cap E)=\dfrac{2}{75}+\dfrac{3}{100}=\dfrac{17}{300}$

STEP Ⓑ **$P(A|E)$ 구하기**

따라서 구하는 확률은 $P(A|E)=\dfrac{P(A\cap E)}{P(E)}=\dfrac{\frac{2}{75}}{\frac{17}{300}}=\dfrac{8}{17}$

다른풀이 표를 이용하여 조건부확률 구하기

송이네 학교 학생 수를 300명으로 놓으면 다음 표와 같다.

구분	자전거	걸어서	합계
지각한 학생	$120\cdot\dfrac{1}{15}=8$	$180\cdot\dfrac{1}{20}=9$	17
지각하지 않은 학생	112	171	283
합계	120	180	300

따라서 임의로 택한 한 명이 지각한 학생일 때,
그 학생이 자전거로 등교하였을 확률은 $P(E|A)=\dfrac{n(A\cap E)}{n(A)}=\dfrac{8}{17}$

내신연계 출제문항 345

어느 학교 전체 학생의 60%는 버스로, 나머지 40%는 걸어서 등교하였다. 버스로 등교한 학생의 $\dfrac{1}{20}$이 지각하였고, 걸어서 등교한 학생의 $\dfrac{1}{15}$이 지각하였다. 이 학교 전체 학생 중 임의로 선택한 1명의 학생이 지각하였을 때, 이 학생이 버스로 등교하였을 확률은?

① $\dfrac{3}{7}$ ② $\dfrac{9}{20}$ ③ $\dfrac{9}{19}$ ④ $\dfrac{1}{2}$ ⑤ $\dfrac{9}{17}$

STEP Ⓐ **확률의 곱셈정리를 이용한 확률 구하기**

선택한 한 학생이 지각하는 사건을 E,
학생이 버스로 등교하는 사건을 A,
걸어서 등교하는 사건을 B라 하자.
(ⅰ) 버스로 등교하는 학생이 지각할 확률은
$P(A\cap E)=P(A)\cdot P(E|A)=\dfrac{6}{10}\times\dfrac{1}{20}=\dfrac{3}{100}$
(ⅱ) 걸어서 등교하는 학생이 지각할 확률은
$P(B\cap E)=P(B)\cdot P(E|B)=\dfrac{4}{10}\times\dfrac{1}{15}=\dfrac{4}{150}$
(ⅰ), (ⅱ)로부터 지각할 확률은
$P(E)=P(A\cap E)+P(B\cap E)=\dfrac{3}{100}+\dfrac{4}{150}=\dfrac{17}{300}$

STEP Ⓑ **조건부확률 구하기**

따라서 구하는 확률은 $P(A|E)=\dfrac{P(A\cap E)}{P(E)}=\dfrac{\frac{3}{100}}{\frac{17}{300}}=\dfrac{9}{17}$

다른풀이 표를 이용한 조건부확률 구하기

이 학교의 전체 학생 수를 300이라 하고 주어진 조건의 표는 다음과 같다.

구분	지각 등교	정상 등교	계(명)
버스	$180\cdot\dfrac{1}{20}=9$	171	180
도보	$120\cdot\dfrac{1}{15}=8$	112	120
계(명)	17	283	300

따라서 이 학교 전체 학생 중 임의로 선택한 1명의 학생이 지각하였을 때,
이 학생이 버스로 등교하였을 확률은 $\dfrac{9}{17}$  ⑤

0781

 ①

STEP Ⓐ **주어진 상황을 사건 A, B, E로 나타내기**

철수가 받은 전자우편의 '여행'이라는 단어를 포함한 사건을 A,
'여행' 이라는 단어를 포함하지 않은 사건을 B, 광고인 사건을 E라 하면
구하는 확률은 $P(A|E)$이다.

STEP Ⓑ **확률의 곱셈정리를 이용하여 철수가 받은 한 전자우편이 광고일 확률 구하기**

(ⅰ) 전자우편이 '여행' 을 포함하는 광고일 확률은
$P(A\cap E)=P(A)P(E|A)=0.1\times0.5=0.05$
(ⅱ) 전자우편이 '여행' 을 포함하지 않은 광고일 확률은
$P(B\cap E)=P(B)P(E|B)=(1-0.1)\times0.2=0.18$
(ⅰ), (ⅱ)이 서로 배반사건이므로 전자우편이 광고일 확률은
$P(E)=P(A\cap E)+P(B\cap E)=0.05+0.18=0.23$

STEP Ⓒ **조건부확률 구하기**

따라서 구하는 확률은 $P(A|E)=\dfrac{P(A\cap E)}{P(E)}=\dfrac{0.05}{0.23}=\dfrac{5}{23}$

다른풀이 확률표를 이용하여 조건부확률 구하기

구분	'여행' 이란 단어를 포함한 확률	'여행' 이란 단어를 포함하지 않을 전자우편의 수	계
광고의 수	$0.1\cdot0.5=0.05$	$0.9\cdot0.2=0.18$	23
광고가 아닐 수	$0.1\cdot0.5=0.05$	$0.9\cdot0.8=0.72$	77
계	0.1	0.9	100

따라서 철수가 받은 한 전자우편이 광고일 때, 이 전자우편이 '여행' 을 포함한 확률은 $\dfrac{0.05}{0.23}=\dfrac{5}{23}$

다른풀이 경우의 수표를 이용하여 조건부확률 구하기

전자우편을 100통이 된다고 하고 표로 나타내면 다음과 같다.

구분	'여행' 이란 단어를 포함한 전자우편의 수	'여행' 이란 단어를 포함하지 않을 전자우편의 수	계
광고의 수	5	18	23
광고가 아닐 수	5	72	77
계	10	90	100

따라서 철수가 받은 전자우편이 광고일 때, 이 전자우편이 '여행' 을 포함한 확률은 $\frac{5}{23}$

내신연계 출제문항 346

선우가 받은 전자 우편의 10%는 '쿠폰' 이라는 단어를 포함한다.
'쿠폰' 이라는 단어를 포함한 전자우편의 70%가 광고이고, '쿠폰' 이라는 단어를 포함하지 않는 전자 우편의 20%가 광고이다. 선우가 받은 한 전자우편이 광고일 때, 이 전자 우편이 '쿠폰' 이라는 단어를 포함할 확률은?

① $\frac{1}{5}$ ② $\frac{6}{25}$ ③ $\frac{7}{25}$
④ $\frac{2}{5}$ ⑤ $\frac{18}{25}$

STEP Ⓐ 확률의 곱셈정리를 이용하여 선우가 받은 한 전자우편이 광고일 확률 구하기

받은 전자 우편이 '쿠폰' 이라는 단어를 포함할 사건을 A,
'쿠폰' 이라는 단어를 포함하지 않는 사건을 B, 광고일 사건을 E라 하면
구하는 확률은 $\mathrm{P}(A|E)$이다.

(ⅰ) 전자우편이 '쿠폰' 을 포함하는 광고일 확률은
$\mathrm{P}(A\cap E)=\mathrm{P}(A)\mathrm{P}(E|A)=0.1\times0.7=0.07$

(ⅱ) 전자우편이 '쿠폰' 을 포함하지 않은 광고일 확률은
$\mathrm{P}(B\cap E)=\mathrm{P}(B)\mathrm{P}(E|B)=(1-0.1)\times0.2=0.18$

(ⅰ), (ⅱ)이 서로 배반사건이므로 전자 우편이 광고일 확률은
$\mathrm{P}(E)=\mathrm{P}(A\cap E)+\mathrm{P}(B\cap E)=0.07+0.18=0.25$

STEP Ⓑ 조건부확률 구하기

따라서 구하는 확률은 $\mathrm{P}(A|E)=\frac{\mathrm{P}(A\cap E)}{\mathrm{P}(E)}=\frac{0.07}{0.25}=\frac{7}{25}$

 ③

0782

정답 ②

STEP Ⓐ T팀이 승리하는 확률 구하기

S선수가 경기에 출전하는 사건을 A, T팀이 승리하는 사건을 B라 하자.

(ⅰ) S선수가 경기에 출전하여 T팀이 승리하는 확률은
$\mathrm{P}(A\cap B)=\mathrm{P}(A)\mathrm{P}(B|A)=\frac{3}{5}\times\frac{2}{3}=\frac{2}{5}$
← $\mathrm{P}(A)=\frac{3}{5}$, $\mathrm{P}(B|A)=\frac{2}{3}$

(ⅱ) S선수가 경기에 출전하지 않고 T팀이 승리하는 확률은
$\mathrm{P}(A^c\cap B)=\mathrm{P}(A^c)\mathrm{P}(B|A^c)=\frac{2}{5}\times\frac{1}{4}=\frac{1}{10}$
← $\mathrm{P}(A^c)=1-\mathrm{P}(A)=1-\frac{3}{5}=\frac{2}{5}$, $\mathrm{P}(B^c|A^c)=\frac{3}{4}$

(ⅰ), (ⅱ)이 서로 배반사건이므로 T팀이 승리하는 확률은
$\mathrm{P}(B)=\mathrm{P}(A\cap B)+\mathrm{P}(A^c\cap B)=\frac{2}{5}+\frac{1}{10}=\frac{1}{2}$

STEP Ⓑ 조건부확률 구하기

따라서 구하는 확률은 $\mathrm{P}(A|B)=\frac{\mathrm{P}(A\cap B)}{\mathrm{P}(B)}=\frac{\frac{2}{5}}{\frac{1}{2}}=\frac{4}{5}$

0783

 ④

STEP Ⓐ 확률의 곱셈정리를 이용하여 조건부확률 구하기

남학생일 사건을 A, 여학생일 사건을 B,
수학 동아리에 가입한 사건을 E라 하자.
남학생의 수를 x라 하고 여학생의 수는 y로 놓으면
$x+y=320$ …… ㉠

(ⅰ) 남학생 중에서 수학 동아리에 가입할 확률은
$\mathrm{P}(A\cap E)=\mathrm{P}(A)\mathrm{P}(E|A)=\frac{x}{320}\times\frac{6}{10}=\frac{6x}{3200}$

(ⅱ) 여학생 중에서 수학 동아리에 가입할 확률은
$\mathrm{P}(B\cap E)=\mathrm{P}(B)\mathrm{P}(E|B)=\frac{y}{320}\times\frac{5}{10}=\frac{5y}{3200}$

(ⅰ), (ⅱ)로부터 수학 동아리에 가입한 확률은
$\mathrm{P}(E)=\mathrm{P}(A\cap E)+\mathrm{P}(B\cap E)=\frac{6x}{3200}+\frac{5y}{3200}=\frac{6x+5y}{3200}$

STEP Ⓑ $p_1=2p_2$임을 이용하여 남학생 수 구하기

$p_1=\mathrm{P}(A|E)=\frac{\mathrm{P}(A\cap E)}{\mathrm{P}(E)}=\frac{6x}{6x+5y}$

$p_2=\mathrm{P}(B|E)=\frac{\mathrm{P}(B\cap E)}{\mathrm{P}(E)}=\frac{5y}{6x+5y}$

$p_1=2p_2$이므로

$\frac{6x}{6x+5y}=\frac{10y}{6x+5y}$, $6x=10y$, $y=\frac{3}{5}x$

㉠에서 $x+y=320$이므로 $x+\frac{3}{5}x=\frac{8}{5}x=320$

따라서 $x=200$이므로 남학생 수는 200

다른풀이 표를 이용한 조건부확률 구하기

STEP Ⓐ 표를 이용하여 정리하기

남학생의 수를 x라 하고
여학생의 수는 y로 놓으면 $x+y=320$

구분	수학동아리 가입	수학동아리 미가입	계
남학생	$0.6x$	$0.4x$	x
여학생	$0.5y$	$0.5y$	y
계	$0.6x+0.5y$	$0.4x+0.5y$	320

수학동아리에 가입한 학생 중 임의로 1명을 선택할 때,
이 학생이 남학생일 확률은 $p_1=\frac{0.6x}{0.6x+0.5y}$
수학동아리에 가입한 학생 중 임의로 1명을 선택할 때,
이 학생이 여학생일 확률은 $p_2=\frac{0.5y}{0.6x+0.5y}$

STEP Ⓑ $p_1=2p_2$임을 이용하여 남학생 수 구하기

이때 $p_1=2p_2$이므로

$\frac{0.6x}{0.6x+0.5y}=\frac{y}{0.6x+0.5y}$, $0.6x=y$, $y=\frac{3}{5}x$

이때 $x+y=320$이므로 $x+\frac{3}{5}x=\frac{8}{5}x=320$

따라서 $x=200$이므로 남학생 수는 200

0784

정답 ③

STEP Ⓐ **확률의 곱셈정리를 이용하여 확률 구하기**

점심에 한식을 선택하는 사건을 A, 점심에 양식을 선택하는 사건을 B,
저녁에 양식을 선택하는 사건을 E라 하면

$\mathrm{P}(A)=\frac{60}{100}=\frac{3}{5}$, $\mathrm{P}(E|A)=1-\frac{30}{100}=\frac{7}{10}$

$\mathrm{P}(B)=1-\frac{3}{5}=\frac{2}{5}$, $\mathrm{P}(E|B)=\frac{25}{100}=\frac{1}{4}$

(ⅰ) 점심에 한식을 선택한 학생 중에서 저녁에 양식을 선택할 확률은

$\mathrm{P}(A\cap E)=\mathrm{P}(A)\mathrm{P}(E|A)=\frac{3}{5}\times\frac{7}{10}=\frac{21}{50}$

(ⅱ) 점심에 양식을 선택한 학생 중에서 저녁에 양식을 선택할 확률은

$\mathrm{P}(B\cap E)=\mathrm{P}(B)\mathrm{P}(E|B)=\frac{2}{5}\times\frac{1}{4}=\frac{1}{10}$

(ⅰ), (ⅱ)가 배반사건이므로 저녁에 양식을 선택할 확률은

$\mathrm{P}(E)=\mathrm{P}(A\cap E)+\mathrm{P}(B\cap E)=\frac{21}{50}+\frac{1}{10}=\frac{26}{50}$

STEP Ⓑ **조건부확률 구하기**

따라서 구하는 확률은 $\mathrm{P}(A|E)=\frac{\mathrm{P}(A\cap E)}{\mathrm{P}(E)}=\frac{\frac{21}{50}}{\frac{26}{50}}=\frac{21}{26}$

$\therefore\ p+q=26+21=47$

다른풀이 표를 이용하여 풀이하기

고등학교 전체 학생을 100명이라 하면 조건을 만족하는 표는 다음과 같다.

구분	점심	저녁	
양식	40	양식	$40-\frac{1}{4}=10$
		한식	$40-\frac{3}{4}=30$
한식	60	양식	$60-\frac{7}{10}=42$
		한식	$60-\frac{3}{10}=18$

이 고등학교 학생 중에서 임의로 선택한 한 명이 저녁에 양식을 선택한 학생일 때, 이 학생이 점심에 한식을 선택했을 확률은 $\frac{42}{10+42}=\frac{21}{26}$

내신연계 출제문항 347

어떤 고등학교 학생회장 선거에 갑과 을, 두 명의 후보가 출마했다.
갑과 을의 선거운동 시작 전 지지율은 각각 70%, 30%이었으나 선거 운동 후 갑을 지지하던 학생 중 60%가 을에게 투표하여 을이 57%의 득표율로 당선되었다. 투표 후 을에게 투표한 학생 중 한 명을 선택했을 때, 이 학생이 선거운동 시작 전에도 을 후보를 지지하던 학생일 확률은?
(단, 기권과 무효표는 없다.)

① $\frac{3}{19}$ ② $\frac{4}{19}$ ③ $\frac{5}{19}$
④ $\frac{6}{19}$ ⑤ $\frac{7}{19}$

STEP Ⓐ **확률의 곱셈정리를 이용하여 확률 구하기**

을에게 투표한 사건을 E, 갑을 지지하는 사건을 A,
을을 지지하는 사건을 B라 하자.

(ⅰ) 갑을 지지하던 학생 중 을에게 투표할 확률은

$\mathrm{P}(A\cap E)=\mathrm{P}(A)\mathrm{P}(E|A)=\frac{7}{10}\times\frac{6}{10}=\frac{42}{100}$

(ⅱ) 을을 지지하던 학생 중 을에게 투표할 확률은

$\mathrm{P}(B\cap E)=\mathrm{P}(B)\mathrm{P}(E|B)=\frac{3}{10}\times\frac{5}{10}=\frac{15}{100}$ ⬅ 을의 득표율 57%

(ⅰ), (ⅱ)이 서로 배반사건이므로 을에게 투표할 확률은

$\mathrm{P}(E)=\mathrm{P}(A\cap E)+\mathrm{P}(B\cap E)=\frac{42}{100}+\frac{15}{100}=\frac{57}{100}$

STEP Ⓑ **조건부확률 구하기**

따라서 구하는 확률은 $\mathrm{P}(B|E)=\frac{\mathrm{P}(B\cap E)}{\mathrm{P}(E)}=\frac{\frac{15}{100}}{\frac{57}{100}}=\frac{5}{19}$

다른풀이 표를 이용한 조건부확률 구하기

투표 전 \ 투표 결과	갑에게 투표	을에게 투표
갑 지지	0.28	0.42
을 지지	0.15	0.15
계	0.43	0.57

을에게 투표한 학생이 선택된 사건을 E,
투표 전과 후에 을을 지지한 학생이 선택된 사건을 A라 하면
구하고자 하는 확률은

$\mathrm{P}(A|E)=\frac{\mathrm{P}(A\cap E)}{\mathrm{P}(E)}=\frac{0.15}{0.42+0.15}=\frac{5}{19}$

 ③

0785

정답 ⑤

STEP Ⓐ **확률의 곱셈정리를 이용하여 확률 구하기**

상자 A, B를 택하는 사건을 각각 A, B라 하고
흰 공 1개, 검은 공 1개가 나오는 사건은 E라 하면

(ⅰ) 상자 A를 택하여 흰 공 1개, 검은 공 1개가 나오는 확률은

$\mathrm{P}(A\cap E)=\mathrm{P}(A)\mathrm{P}(E|A)=\frac{1}{2}\times\frac{{}_2\mathrm{C}_1\times{}_4\mathrm{C}_1}{{}_6\mathrm{C}_2}=\frac{4}{15}$

(ⅱ) 상자 B를 택하여 흰 공 1개, 검은 공 1개가 나오는 확률은

$\mathrm{P}(B\cap E)=\mathrm{P}(B)\mathrm{P}(E|B)=\frac{1}{2}\times\frac{{}_3\mathrm{C}_1\times{}_2\mathrm{C}_1}{{}_5\mathrm{C}_2}=\frac{3}{10}$

(ⅰ), (ⅱ)가 배반사건이므로 흰 공 1개, 검은 공 1개가 나오는 확률은

$\mathrm{P}(E)=\mathrm{P}(A\cap E)+\mathrm{P}(B\cap E)=\frac{4}{15}+\frac{3}{10}=\frac{17}{30}$

STEP Ⓑ **조건부확률 구하기**

따라서 구하는 확률은 $\mathrm{P}(A|E)=\frac{\mathrm{P}(A\cap E)}{\mathrm{P}(E)}=\frac{\frac{4}{15}}{\frac{17}{30}}=\frac{8}{17}$

0786

 ⑤

STEP Ⓐ **확률의 곱셈정리를 이용하여 확률 구하기**

갑이 당첨권을 뽑는 사건을 A, 을이 당첨권을 뽑는 사건을 B라 하면

(ⅰ) 갑이 당첨권을 뽑고 을도 당첨권을 뽑을 확률은

$\mathrm{P}(A\cap B)=\mathrm{P}(A)\mathrm{P}(B|A)=\frac{5}{20}\cdot\frac{4}{19}=\frac{4}{76}$

(ⅱ) 갑이 당첨권을 뽑지 못하고 을이 당첨권을 뽑을 확률은

$\mathrm{P}(A^c\cap B)=\mathrm{P}(A^c)\mathrm{P}(B|A^c)=\frac{15}{20}\cdot\frac{5}{19}=\frac{15}{76}$

(ⅰ), (ⅱ)에서 을이 당첨을 뽑을 확률은

$\mathrm{P}(B)=\mathrm{P}(A\cap B)+\mathrm{P}(A^c\cap B)=\frac{4}{76}+\frac{15}{76}=\frac{19}{76}$

STEP Ⓑ **조건부확률 구하기**

따라서 구하는 확률은 $\mathrm{P}(A|B)=\frac{\mathrm{P}(A\cap B)}{\mathrm{P}(B)}=\frac{\frac{4}{76}}{\frac{19}{76}}=\frac{4}{19}$

0787

정답 ②

STEP A 두 상자 A, B중 임의로 선택한 하나의 상자에서 공을 1개 꺼냈더니 검은 공이 나올 확률 구하기

A상자를 선택하는 사건을 A, B상자를 선택하는 사건을 B,
꺼낸 공이 검은 공일 사건을 E라 하면

(i) 상자 A를 선택하고 공을 1개 꺼냈더니 검은 공이 나올 확률은

$$P(A\cap E)=P(A)P(E|A)=\frac{1}{2}\times\frac{{}_2C_1}{{}_4C_1}=\frac{1}{2}\times\frac{2}{4}=\frac{1}{4}$$

(ii) 상자 B를 선택하고 공을 1개 꺼냈더니 검은 공이 나올 확률은

$$P(B\cap E)=P(B)P(E|B)=\frac{1}{2}\times\frac{{}_1C_1}{{}_4C_1}=\frac{1}{2}\times\frac{1}{4}=\frac{1}{8}$$

(i), (ii)에서 $P(E)=P(A\cap E)+P(B\cap E)=\frac{1}{4}+\frac{1}{8}=\frac{3}{8}$

STEP B 조건부 확률을 이용하여 $p+q$의 값 구하기

하나의 검은 공을 꺼낸 후 남은 공이 모두 흰 공이라는 것은 꺼낸 상자가 B이므로 구하고자 하는 확률은 조건부 확률에서 $P(B|E)=\frac{P(B\cap E)}{P(E)}=\frac{\frac{1}{8}}{\frac{3}{8}}=\frac{1}{3}$

따라서 $p+q=3+1=4$

0788

 ③

STEP A 수지가 검은 공을 꺼낼 확률 구하기

민규가 흰 공을 꺼내는 사건을 A, 수지가 검은 공을 꺼내는 사건을 B라 하면

(i) 민규가 흰 공을 꺼내고, 수지가 검은 공을 꺼낼 확률은

$$P(A\cap B)=P(A)P(B|A)=\frac{2}{6}\times\frac{4}{5}=\frac{4}{15}$$

(ii) 민규가 검은 공을 꺼내고, 수지도 검은 공을 꺼낼 확률은

$$P(A^c\cap B)=P(A^c)P(B|A^c)=\frac{4}{6}\times\frac{3}{5}=\frac{2}{5}$$

(i), (ii)가 배반사건이므로 수지가 검은 공을 꺼내는 확률은

$$P(B)=P(A\cap B)+P(A^c\cap B)=\frac{4}{15}+\frac{2}{5}=\frac{10}{15}=\frac{2}{3}$$

STEP B 조건부 확률 구하기

따라서 구하는 확률은 $P(A|B)=\frac{P(A\cap B)}{P(B)}=\frac{\frac{4}{15}}{\frac{2}{3}}=\frac{2}{5}$

내/신/연/계/ 출제문항 348

주머니 안에 흰 공 3개와 검은 공 2개가 들어 있다. 명수가 임의로 공 한 개를 꺼낸 후, 주현이가 남은 공 4개 중에서 임의로 한 개를 꺼냈다. 주현이가 꺼낸 공이 흰 공이었을 때, 명수가 꺼낸 공도 흰 공이었을 확률은?

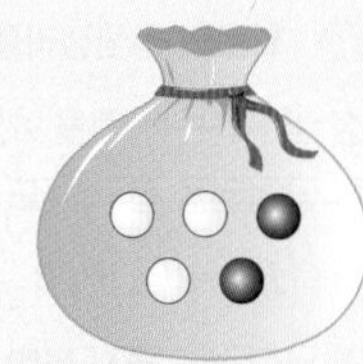

① $\frac{1}{2}$ ② $\frac{1}{3}$ ③ $\frac{1}{4}$
④ $\frac{2}{5}$ ⑤ $\frac{1}{6}$

STEP A 확률의 곱셈정리를 이용하여 확률 구하기

명수가 흰 공을 꺼내는 사건을 A, 주현이가 흰 공을 꺼내는 사건을 B라 하면

(i) 명수가 흰 공을 꺼내고 주현이가 흰 공을 꺼내는 확률은

$$P(A\cap B)=P(A)P(B|A)=\frac{3}{5}\times\frac{2}{4}=\frac{3}{10}$$

(ii) 명수가 검은 공을 꺼내고 주현이가 흰 공을 꺼내는 확률은

$$P(A^c\cap B)=P(A^c)P(B|A^c)=\frac{2}{5}\times\frac{3}{4}=\frac{3}{10}$$

(i), (ii)에서 주현이가 꺼낸 공이 흰 공이었을 확률은

$$P(B)=P(A\cap B)+P(A^c\cap B)=\frac{3}{10}+\frac{3}{10}=\frac{6}{10}$$

STEP B 조건부확률 구하기

따라서 구하는 확률 $P(A|B)=\frac{P(A\cap B)}{P(B)}=\frac{\frac{3}{10}}{\frac{6}{10}}=\frac{1}{2}$

정답 ①

0789

 ①

STEP A 확률의 곱셈정리를 이용하여 확률 구하기

상자 A, B를 택하는 사건을 각각 A, B, 파란 구슬이 나오는 사건은 E라고 하면

(i) 상자 A를 택하여 파란 구슬이 나오는 확률은

$$P(A\cap E)=P(A)P(E|A)=\frac{1}{2}\times\frac{{}_3C_2}{{}_6C_2}=\frac{1}{10}$$

(ii) 상자 B를 택하여 파란 구슬이 나오는 확률은

$$P(B\cap E)=P(B)P(E|B)=\frac{1}{2}\times\frac{{}_4C_2}{{}_6C_2}=\frac{2}{10}$$

(i), (ii)가 배반사건이므로 파란 구슬이 나오는 확률은

$$P(E)=P(A\cap E)+P(B\cap E)=\frac{1}{10}+\frac{2}{10}=\frac{3}{10}$$

STEP B 조건부확률 구하기

따라서 구하는 확률은 $P(A|E)=\frac{P(A\cap E)}{P(E)}=\frac{\frac{1}{10}}{\frac{3}{10}}=\frac{1}{3}$

내/신/연/계/ 출제문항 349

A주머니에는 검은 바둑돌 3개가 들어 있고, B주머니에는 검은 바둑돌 2개와 흰 바둑돌 2개가 들어있다. 두 주머니 A, B 중에서 임의로 택한 하나의 주머니에서 동시에 꺼낸 2개의 바둑돌이 모두 검은 색일 때, 택한 주머니가 B일 확률은?

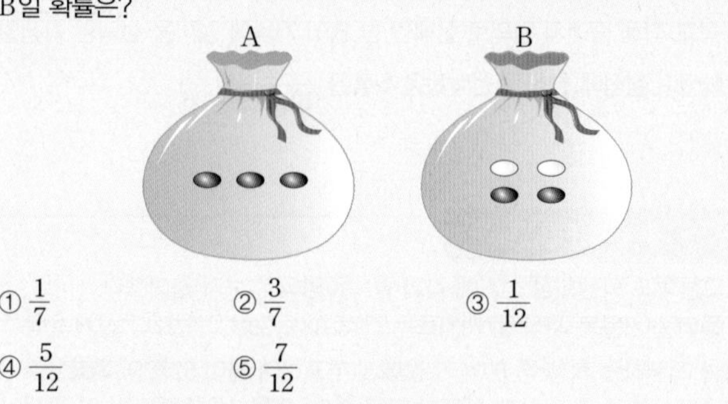

① $\frac{1}{7}$ ② $\frac{3}{7}$ ③ $\frac{1}{12}$
④ $\frac{5}{12}$ ⑤ $\frac{7}{12}$

STEP A 확률의 곱셈정리를 이용하여 확률 구하기

A주머니를 택하는 사건을 A, B주머니를 택하는 사건을 B,
꺼낸 바둑돌이 모두 검은 색일 사건을 E라고 하면

(i) A주머니를 택하여 꺼낸 2개가 검은 바둑돌일 확률은

$$P(A\cap E)=P(A)P(E|A)=\frac{1}{2}\times 1=\frac{1}{2}$$

(ii) B주머니를 택하여 꺼낸 2개가 검은 바둑돌일 확률은

$$P(B\cap E)=P(B)P(E|B)=\frac{1}{2}\times\frac{{}_2C_2}{{}_4C_2}=\frac{1}{12}$$

(i), (ii)가 배반사건이므로 2개가 검은 바둑돌일 확률은

$$P(E)=P(A\cap E)+P(B\cap E)=\frac{1}{2}+\frac{1}{12}=\frac{7}{12}$$

STEP B 조건부확률 구하기

따라서 구하는 확률은 $P(B|E)=\frac{P(B\cap E)}{P(E)}=\frac{\frac{1}{12}}{\frac{7}{12}}=\frac{1}{7}$

 ①

0790

정답 ④

STEP Ⓐ **확률의 곱셈정리를 이용하여 확률 구하기**

빨간 공이 나오는 사건을 A, 2가 적힌 공이 나오는 사건을 B라고 하자.

(ⅰ) 빨간 공에서 2가 적힌 공이 나오는 확률은

$P(A\cap B)=P(A)P(B|A)=\frac{3}{7}\times\frac{2}{3}=\frac{2}{7}$

(ⅱ) 노란 공에서 2가 적힌 공이 나오는 확률은

$P(A^c\cap B)=P(A^c)P(B|A^c)=\frac{4}{7}\times\frac{1}{4}=\frac{1}{7}$

(ⅰ), (ⅱ)가 배반사건이므로 2가 적힌 공이 나오는 확률은

$P(B)=P(A\cap B)+P(A^c\cap B)=\frac{2}{7}+\frac{1}{7}=\frac{3}{7}$

STEP Ⓑ **조건부확률 구하기**

따라서 구하는 확률은 $P(A|B)=\frac{P(A\cap B)}{P(B)}=\frac{\frac{2}{7}}{\frac{3}{7}}=\frac{2}{3}$

0791

정답 ⑤

STEP Ⓐ **흰 공이 3개 나올 확률 구하기**

주머니 A에서 흰 공 2개를 꺼내는 사건을 C,
주머니 A에서 흰 공 1개, 검은 공 1개를 꺼내는 사건을 D,
흰 공이 3개 나오는 사건을 E라 하면

(ⅰ) 주머니 A에서 흰 공 2개, 주머니 B에서 흰 공 1개, 검은 공 1개를 꺼내는 확률은 $P(C\cap E)=P(C)P(E|C)=\frac{{}_2C_2}{{}_6C_2}\times\frac{{}_3C_1\times{}_2C_1}{{}_5C_2}=\frac{1}{15}\times\frac{6}{10}=\frac{1}{25}$

(ⅱ) 주머니 A에서 흰 공 1개, 검은 공 1개, 주머니 B에서 흰 공 2개를 꺼내는 확률은 $P(D\cap E)=P(D)P(E|D)=\frac{{}_2C_1\times{}_4C_1}{{}_6C_2}\times\frac{{}_3C_2}{{}_5C_2}=\frac{8}{15}\times\frac{3}{10}=\frac{4}{25}$

(ⅰ), (ⅱ)가 배반사건이므로 흰 공이 3개 나올 확률은

$P(E)=P(C\cap E)+P(D\cap E)=\frac{1}{25}+\frac{4}{25}=\frac{1}{5}$

STEP Ⓑ **조건부 확률 구하기**

따라서 구하는 확률은 $P(D|E)=\frac{P(D\cap E)}{P(E)}=\frac{\frac{4}{25}}{\frac{1}{5}}=\frac{4}{5}$

내/신/연/계/ 출제문항 350

주머니 A에는 흰 공 1개, 검은 공 2개가 들어 있고, 주머니 B에는 흰 공 2개, 검은 공 3개가 들어 있다. 주머니 A와 B에서 임의로 각각 하나의 공을 꺼내었더니, 흰 공이 1개, 검은 공이 1개이었을 때, 그 흰 공이 주머니 B에서 나왔을 확률은?

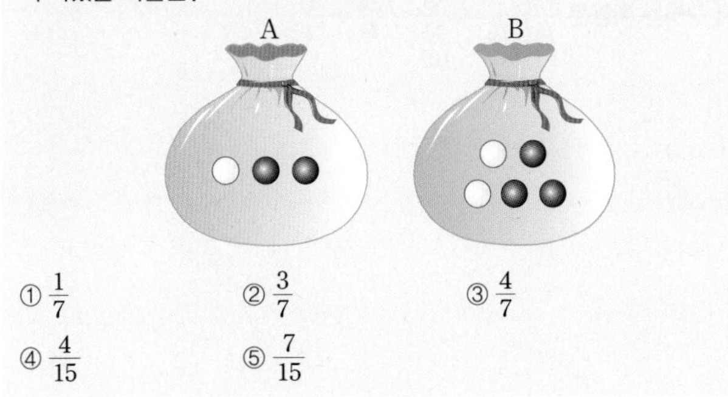

① $\frac{1}{7}$ ② $\frac{3}{7}$ ③ $\frac{4}{7}$
④ $\frac{4}{15}$ ⑤ $\frac{7}{15}$

STEP Ⓐ **확률의 곱셈정리를 이용하여 확률 구하기**

주머니 A에서 흰 공 1개를 꺼낼 사건을 C,
주머니 A에서 검은 공 1개를 꺼낼 사건을 D,
흰 공이 1개, 검은 공이 1개이었을 때 사건을 E라 하면

(ⅰ) 주머니 A에서 흰 공 1개, 주머니 B에서 검은 공 1개일 확률은

$P(C\cap E)=P(C)P(E|C)=\frac{1}{3}\times\frac{3}{5}=\frac{1}{5}$

(ⅱ) 주머니 A에서 검은 공 1개, 주머니 B에서 흰 공 1개일 확률은

$P(D\cap E)=P(D)P(E|D)=\frac{2}{3}\times\frac{2}{5}=\frac{4}{15}$

(ⅰ), (ⅱ)가 배반사건이므로 흰 공이 1개, 검은 공이 1개이었을 때, 확률은

$P(E)=P(C\cap E)+P(D\cap E)=\frac{1}{5}+\frac{4}{15}=\frac{7}{15}$

STEP Ⓑ **조건부확률 구하기**

따라서 구하는 확률은 $P(D|E)=\frac{P(D\cap E)}{P(E)}=\frac{\frac{4}{15}}{\frac{7}{15}}=\frac{4}{7}$

정답 ③

0792

정답 ④

STEP Ⓐ **확률의 곱셈정리를 이용하여 확률 구하기**

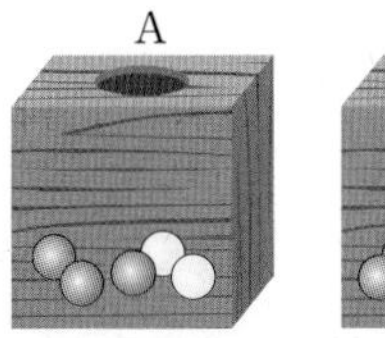

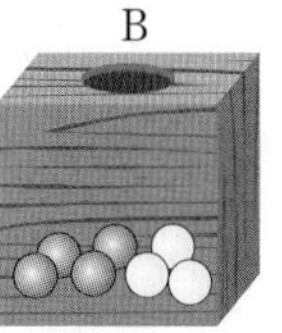

상자 A를 선택하는 사건을 A, 상자 B를 선택하는 사건을 B,
꺼낸 2개의 공의 색깔이 서로 같은 사건을 E라 하면

(ⅰ) 동전의 앞면이 나오면 상자 A를 선택하고 흰 공 2개 또는 검은 공 2개를 꺼낼 확률은 $P(A\cap E)=P(A)P(E|A)=\frac{1}{2}\times\frac{{}_2C_2+{}_3C_2}{{}_5C_2}=\frac{1}{5}$

(ⅱ) 동전의 뒷면이 나오면 상자 B를 선택하고 흰 공 2개 또는 검은 공 2개를 꺼낼 확률은 $P(B\cap E)=P(B)P(E|B)=\frac{1}{2}\times\frac{{}_3C_2+{}_4C_2}{{}_7C_2}=\frac{3}{14}$

(ⅰ), (ⅱ)가 배반사건이므로 2개의 공의 색깔이 서로 같을 확률은

$P(E)=P(A\cap E)+P(B\cap E)=\frac{1}{5}+\frac{3}{14}=\frac{29}{70}$

STEP Ⓑ **조건부 확률 구하기**

따라서 $P(A|E)=\frac{P(A\cap E)}{P(E)}=\frac{\frac{1}{5}}{\frac{29}{70}}=\frac{14}{29}$

0793

정답 ⑤

STEP Ⓐ **갑이 꺼낸 흰 공의 개수가 을이 꺼낸 흰 공의 개수보다 많을 확률 구하기**

갑이 꺼낸 흰 공의 개수가 을이 꺼낸 흰 공의 개수보다 많은 사건을 A,
을이 꺼낸 공이 모두 검은 공인 사건을 B라 하자.
갑이 꺼낸 흰 공의 개수가 을이 꺼낸 흰 공의 개수보다 많으려면

(ⅰ) 갑이 꺼낸 흰 공이 2개이고 을이 꺼낸 흰 공이 1개일 확률은

$\frac{{}_3C_2}{{}_5C_2}\times\frac{{}_1C_1\times{}_2C_1}{{}_3C_2}=\frac{3}{10}\times\frac{2}{3}=\frac{1}{5}$

(ⅱ) 갑이 꺼낸 흰 공이 2개이고 을이 꺼낸 검은 공이 2개일 확률은

$\frac{{}_3C_2}{{}_5C_2}\times\frac{{}_2C_2}{{}_3C_2}=\frac{3}{10}\times\frac{1}{3}=\frac{1}{10}$ ⬅ 을이 꺼낸 흰 공이 없을 확률

(ⅰ), (ⅱ)가 배반사건이므로 갑이 꺼낸 흰 공의 개수가 을이 꺼낸 흰 공의 개수보다 많을 확률은 $P(A)=\frac{1}{5}+\frac{1}{10}=\frac{3}{10}$

STEP Ⓑ **조건부확률 구하기**

따라서 $P(B|A)=\frac{P(A\cap B)}{P(A)}=\frac{\frac{1}{10}}{\frac{3}{10}}=\frac{1}{3}$ ⬅ 8$P(A\cap B)=\frac{{}_3C_2}{{}_5C_2}\times\frac{{}_2C_2}{{}_3C_2}=\frac{3}{10}\times\frac{1}{3}=\frac{1}{10}$

0794

정답 ④

STEP A 확률의 곱셈정리를 이용하여 확률 구하기

상자 A에서 노란 공을 뽑는 사건을 A, 빨간 공을 뽑는 사건을 B,
상자 B에서 노란 공을 뽑는 사건을 E라 하면

(ⅰ) 상자 A에서 노란 공을 뽑고, 상자 B에서 노란 공을 뽑는 확률은

$$\mathrm{P}(A\cap E)=\mathrm{P}(A)\mathrm{P}(E|A)=\frac{2}{7}\times\frac{1}{2}=\frac{1}{7}$$

(ⅱ) 상자 A에서 빨간 공을 뽑고, 상자 B에서 노란 공을 뽑는 확률은

$$\mathrm{P}(B\cap E)=\mathrm{P}(B)\mathrm{P}(E|B)=\frac{5}{7}\times\frac{3}{8}=\frac{15}{56}$$

(ⅰ), (ⅱ)가 배반사건이므로 상자 B에서 노란 공을 뽑는 확률은

$$\mathrm{P}(B)=\mathrm{P}(A\cap E)+\mathrm{P}(B\cap E)=\frac{1}{7}+\frac{15}{56}=\frac{23}{56}$$

STEP B 조건부확률 구하기

따라서 구하는 확률은 $\mathrm{P}(A|E)=\dfrac{\mathrm{P}(A\cap E)}{P(E)}=\dfrac{\frac{1}{7}}{\frac{23}{56}}=\dfrac{8}{23}$

내신연계 출제문항 351

A주머니에 흰 공 2개, 검은 공 5개 그리고 B주머니에 흰 공 3개, 검은 공 4개가 들어 있다. A주머니에서 한 개의 공을 임의로 꺼내어 B주머니에 넣은 다음 다시 B주머니에서 하나의 공을 꺼내기로 한다.
B에서 꺼낸 공이 흰 공일 때, A에서 B로 옮겨진 공이 흰 공이었을 확률은 $\dfrac{q}{p}$이다. $p+q$의 값은? (단, p와 q는 서로소인 자연수이다.)

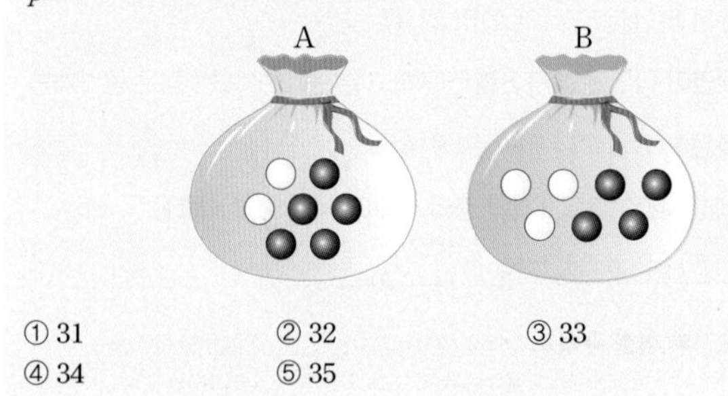

① 31 ② 32 ③ 33
④ 34 ⑤ 35

STEP A 확률의 곱셈정리를 이용하여 확률 구하기

주머니 A에서 흰 공을 꺼낼 사건을 A, 검은 공을 꺼낼 사건을 B,
B주머니에서 꺼낸 공이 흰 공인 사건을 E라 하면

(ⅰ) A주머니에서 흰 공을 꺼내고 B주머니에서 흰 공을 꺼낼 확률은

$$\mathrm{P}(A\cap E)=\mathrm{P}(A)\mathrm{P}(E|A)=\frac{2}{7}\times\frac{1}{2}=\frac{1}{7}$$

(ⅱ) A주머니에서 검은 공을 꺼내고 B주머니에서 흰 공을 꺼낼 확률은

$$\mathrm{P}(B\cap E)=\mathrm{P}(B)\mathrm{P}(E|B)=\frac{5}{7}\times\frac{3}{8}=\frac{15}{56}$$

(ⅰ), (ⅱ)가 배반사건이므로 주머니B에서 꺼낸 공이 흰 공일 확률은

$$\mathrm{P}(E)=\mathrm{P}(A\cap E)+\mathrm{P}(B\cap E)=\frac{1}{7}+\frac{15}{56}=\frac{23}{56}$$

STEP B 조건부확률 구하기

즉 구하는 확률은 $\mathrm{P}(A|E)=\dfrac{\mathrm{P}(A\cap E)}{\mathrm{P}(E)}=\dfrac{\frac{1}{7}}{\frac{23}{56}}=\dfrac{8}{23}$

따라서 $p=23$, $q=8$이므로 $p+q=31$

 ①

0795

정답 ②

STEP A 확률의 곱셈정리를 이용하여 확률 구하기

첫 번째에 흰 구슬을 뽑는 사건을 A,
두 번째에 흰 구슬을 뽑는 사건을 B라 하면
구하는 확률은 $\mathrm{P}(A|B)$

(ⅰ) 첫 번째에 흰 구슬을 꺼낸 경우 흰 구슬 2개를 더 넣으므로
상자 안에는 흰 구슬 5개, 파란 구슬 4개가 들어 있게 된다.

$$\mathrm{P}(A\cap B)=P(A)P(B|A)=\frac{3}{7}\times\frac{5}{9}=\frac{5}{21}$$

(ⅱ) 첫 번째에 파란 구슬을 꺼낸 경우 파란 구슬 2개를 더 넣으므로
상자 안에는 흰 구슬 3개, 파란 구슬 6개가 들어 있게 된다.

$$\mathrm{P}(A^{c}\cap B)=\mathrm{P}(A^{c})\mathrm{P}(B|A^{c})=\frac{4}{7}\times\frac{3}{9}=\frac{4}{21}$$

(ⅰ), (ⅱ)가 배반사건이므로 두 번째에 흰 구슬을 뽑는 확률은

$$\mathrm{P}(B)=\mathrm{P}(A\cap B)+\mathrm{P}(A^{c}\cap B)=\frac{9}{21}$$

STEP B 조건부확률 구하기

따라서 구하는 확률은 $\mathrm{P}(A|B)=\dfrac{\mathrm{P}(A\cap B)}{\mathrm{P}(B)}=\dfrac{\frac{5}{21}}{\frac{9}{21}}=\dfrac{5}{9}$

0796

 ①

STEP A 확률의 곱셈정리를 이용하여 확률 구하기

두 주머니에 있는 검은 공의 개수가 서로 같아질 사건을 E라 하면
주머니 A에서 검은 공은 줄고 흰 공은 늘어나야 하므로
다음의 두 가지 경우가 있다.

(ⅰ) 주머니 A에서 검은 공 2개 꺼내고 주머니 B에서
흰 공 1개, 검은 공 1개를 가져오는 경우의 확률은

$$p_1=\frac{{}_4\mathrm{C}_2}{{}_6\mathrm{C}_2}\times\frac{{}_4\mathrm{C}_1\times{}_4\mathrm{C}_1}{{}_8\mathrm{C}_2}=\frac{8}{35}$$

(ⅱ) 주머니 A에서 흰 공 1개, 검은 공 1개를 꺼내고
주머니 B에서 흰 공 2개를 가져오는 경우의 확률은

$$p_2=\frac{{}_2\mathrm{C}_1\times{}_4\mathrm{C}_1}{{}_6\mathrm{C}_2}\times\frac{{}_5\mathrm{C}_2}{{}_8\mathrm{C}_2}=\frac{4}{21}$$

(ⅲ) 주머니 A에서 흰 공 2개를 꺼내는 경우
이때 주머니 A의 검은 공이 주머니 B의 검은 공보다 많으므로
시행을 마친 후 두 주머니에 있는 검은 공의 개수가 같아질 수 없다.

(ⅰ), (ⅱ)에서 두 주머니에 있는 검은 공의 개수가 서로 같아질 확률은

$$P(E)=p_1+p_2=\frac{8}{35}+\frac{4}{21}=\frac{44}{105}$$

STEP B 조건부 확률 구하기

따라서 구하는 확률은 $\dfrac{p_1}{p_1+p_2}=\dfrac{\frac{8}{35}}{\frac{44}{105}}=\dfrac{24}{44}=\dfrac{6}{11}$

0797

정답 ⑤

STEP A 확률의 곱셈정리를 이용하여 두 자루 모두 초록 색연필일 확률 구하기

주머니 A에서 주머니 B로 옮겨진 두 자루의 색연필이 모두 파란 색연필인 사건을 A, 파란, 초록색연필 각각 1자루인 사건을 B,
초록색연필 2자루인 사건을 C,
주머니 B에서 꺼낸 2자루가 모두 초록 색연필인 사건을 E라 하면

(ⅰ) 주머니 A에서 파란 색연필 2개를 꺼내고
주머니 B에서 초록 색연필 2개를 꺼낼 확률은

$$\mathrm{P}(A\cap E)=\mathrm{P}(A)\mathrm{P}(E|A)=\frac{{}_2\mathrm{C}_2}{{}_6\mathrm{C}_2}\times\frac{{}_3\mathrm{C}_2}{{}_{10}\mathrm{C}_2}=\frac{1}{225}$$

(ⅱ) 주머니 A에서 초록, 파란 색연필 각각 1개를 꺼내고
주머니 B에서 초록 색연필 2개를 꺼낼 확률은

$$\mathrm{P}(B\cap E)=\mathrm{P}(B)\mathrm{P}(E|A)=\frac{{}_2\mathrm{C}_1\times{}_4\mathrm{C}_1}{{}_6\mathrm{C}_2}\times\frac{{}_4\mathrm{C}_2}{{}_{10}\mathrm{C}_2}=\frac{16}{225}$$

(ⅲ) 주머니 A에서 초록 색연필 2개를 꺼내고
주머니 B에서 초록 색연필 2개를 꺼낼 확률은

$$\mathrm{P}(C\cap E)=\mathrm{P}(C)\mathrm{P}(E|C)=\frac{{}_4\mathrm{C}_2}{{}_6\mathrm{C}_2}\times\frac{{}_5\mathrm{C}_2}{{}_{10}\mathrm{C}_2}=\frac{4}{45}$$

(ⅰ), (ⅱ)가 배반사건이므로 초록 색연필일 확률은

$$\mathrm{P}(E)=\mathrm{P}(A\cap E)+\mathrm{P}(B\cap E)+\mathrm{P}(C\cap E)=\frac{1}{225}+\frac{16}{225}+\frac{4}{45}=\frac{37}{225}$$

STEP B 조건부 확률 구하기

따라서 구하는 확률은 $\mathrm{P}(C|E)=\dfrac{\mathrm{P}(C\cap E)}{\mathrm{P}(E)}=\dfrac{\frac{4}{45}}{\frac{37}{225}}=\dfrac{20}{37}$

0798

STEP A 확률의 곱셈정리를 이용하여 실제로 비가 오는 확률 구하기

우산을 가지고 나가는 사건을 A, 비가 오는 사건을 E라고 하면

(ⅰ) 비가 온다고 예보하는 날에 실제로 비가 오는 확률은

$$\mathrm{P}(A\cap E)=\mathrm{P}(A)\mathrm{P}(E|A)=\frac{10}{30}\cdot\frac{9}{10}=\frac{3}{10}$$

(ⅱ) 비가 오지 않는다고 예보하는 날에 실제로 비가 오는 확률은

$$\mathrm{P}(A^c\cap E)=\mathrm{P}(A^c)\mathrm{P}(E|A^c)=\frac{20}{30}\cdot\frac{3}{20}=\frac{1}{10}$$

(ⅰ), (ⅱ)가 배반사건이므로 실제로 비가 오는 확률은

$$\mathrm{P}(E)=\mathrm{P}(A\cap E)+\mathrm{P}(A^c\cap E)=\frac{3}{10}+\frac{1}{10}=\frac{4}{10}$$

STEP B 조건부 확률 구하기

따라서 구하는 확률은 $\mathrm{P}(A|E)=\dfrac{\mathrm{P}(A\cap E)}{\mathrm{P}(E)}=\dfrac{\frac{3}{10}}{\frac{4}{10}}=\dfrac{3}{4}$

0799

STEP A 확률의 곱셈정리를 이용하여 모자를 두고 온 확률 구하기

현아가 모자를 세 장소 A, B, C을 방문한 사건을 각각 A, B, C,
모자를 두고 온 사건을 E라고 하면

(ⅰ) 장소 A에 두고 왔을 확률은 $\mathrm{P}(A\cap E)=\dfrac{1}{4}$

(ⅱ) 장소 A에 두지 않고, 장소 B에 두고 왔을 확률은

$$\mathrm{P}(B\cap E)=\frac{3}{4}\times\frac{1}{4}=\frac{3}{16}$$

(ⅲ) 장소 A, B에 두지 않고, 장소 C에 두고 왔을 확률은

$$\mathrm{P}(C\cap E)=\frac{3}{4}\times\frac{3}{4}\times\frac{1}{4}=\frac{9}{64}$$

(ⅰ), (ⅱ)가 배반사건이므로 모자를 두고 온 확률은

$$\mathrm{P}(E)=\mathrm{P}(A\cap E)+\mathrm{P}(B\cap E)+\mathrm{P}(C\cap E)=\frac{1}{4}+\frac{3}{16}+\frac{9}{64}=\frac{37}{64}$$

STEP B 조건부 확률 구하기

즉 구하는 확률은 $\mathrm{P}(B|E)=\dfrac{\mathrm{P}(B\cap E)}{\mathrm{P}(E)}=\dfrac{\frac{3}{16}}{\frac{37}{64}}=\dfrac{12}{37}$

따라서 $p=37$, $q=12$이므로 $p+q=49$

0800

STEP A 확률의 곱셈정리를 이용하여 모자를 두고 온 확률 구하기

모자를 A, B, C 세 집을 방문한 사건을 각각 A, B, C라 하고
모자를 두고 온 사건을 E라고 하면

(ⅰ) 장소 A에 두고 왔을 확률은 $\mathrm{P}(A\cap E)=\dfrac{1}{5}$

(ⅱ) 장소 A에 두지 않고 장소 B에 두고 왔을 확률은

$$\mathrm{P}(B\cap E)=\frac{4}{5}\times\frac{1}{5}=\frac{4}{25}$$

(ⅲ) 장소 A, B에 두지 않고 장소 C에 두고 왔을 확률은

$$\mathrm{P}(C\cap E)=\frac{4}{5}\times\frac{4}{5}\times\frac{1}{5}=\frac{16}{125}$$

(ⅰ), (ⅱ)가 배반사건이므로 모자를 두고 온 확률은

$$\mathrm{P}(E)=\mathrm{P}(A\cap E)+\mathrm{P}(B\cap E)+\mathrm{P}(C\cap E)=\frac{1}{5}+\frac{4}{25}+\frac{16}{125}=\frac{61}{125}$$

STEP B 조건부 확률 구하기

따라서 구하는 확률은 $\mathrm{P}(C|E)=\dfrac{\mathrm{P}(C\cap E)}{\mathrm{P}(E)}=\dfrac{\frac{16}{125}}{\frac{61}{125}}=\dfrac{16}{61}$

내신연계 출제문항 352

5회에 1회 꼴로 우산을 잃어버리는 K군이 오전에 비가 오고 오후에 갠 어느 날 도서관, 분식점, 학원 세 곳을 차례대로 방문하고 집에 와서 우산을 잃어버린 것을 알았다. 분식점에서 우산을 잃어버렸을 확률은?

① $\dfrac{9}{25}$ ② $\dfrac{19}{27}$ ③ $\dfrac{15}{61}$

④ $\dfrac{16}{61}$ ⑤ $\dfrac{20}{61}$

STEP A 확률의 곱셈정리를 이용하여 우산을 두고 온 확률 구하기

도서관, 분식점, 학원 세 곳을 방문하는 사건을 각각 A, B, C라 하고
우산을 잃어버리는 사건을 E라고 하면 구하는 확률은

(ⅰ) 도서관에 두고 왔을 확률은 $\mathrm{P}(A\cap E)=\dfrac{1}{5}$

(ⅱ) 도서관에 두지 않고 분식점에 두고 왔을 확률은

$$\mathrm{P}(B\cap E)=\frac{4}{5}\times\frac{1}{5}=\frac{4}{25}$$

(ⅲ) 도서관, 분식점에 두지 않고 학원에 두고 왔을 확률은

$$\mathrm{P}(C\cap E)=\frac{4}{5}\times\frac{4}{5}\times\frac{1}{5}=\frac{16}{125}$$

(ⅰ), (ⅱ)가 배반사건이므로 우산을 두고 온 확률은

$$\mathrm{P}(E)=\mathrm{P}(A\cap E)+\mathrm{P}(B\cap E)+\mathrm{P}(C\cap E)=\frac{1}{5}+\frac{4}{25}+\frac{16}{125}=\frac{61}{125}$$

STEP B 조건부 확률 구하기

따라서 구하는 확률은 $\mathrm{P}(B|E)=\dfrac{\mathrm{P}(B\cap E)}{\mathrm{P}(E)}=\dfrac{\frac{4}{25}}{\frac{61}{125}}=\dfrac{20}{61}$

0801

정답 ④

STEP A 확률의 곱셈정리를 이용하여 흰 공이라 대답할 확률 구하기

흰 공을 꺼내는 사건을 A, 검은 공을 꺼내는 사건을 B,
흰 공이라고 대답하는 사건을 E라고 하면

(ⅰ) 흰 공을 꺼내고 흰 공이라 대답할 확률은

$$\mathrm{P}(A\cap E)=\mathrm{P}(A)\mathrm{P}(E|A)=\frac{3}{5}\times\frac{7}{10}=\frac{21}{50}$$

(ⅱ) 검은 공을 꺼내고 흰 공이라 대답할 확률은

$$\mathrm{P}(B\cap E)=\mathrm{P}(B)\mathrm{P}(E|B)=\frac{2}{5}\times\frac{3}{10}=\frac{6}{50}$$

(ⅰ), (ⅱ)가 배반사건이므로 흰 공이라고 대답하는 확률은

$$\mathrm{P}(E)=\mathrm{P}(A\cap E)+\mathrm{P}(B\cap E)=\frac{21}{50}+\frac{6}{50}=\frac{27}{50}$$

STEP B 조건부 확률 구하기

따라서 구하는 확률은 $\mathrm{P}(A|E)=\dfrac{\mathrm{P}(A\cap E)}{\mathrm{P}(E)}=\dfrac{\frac{21}{50}}{\frac{27}{50}}=\dfrac{7}{9}$

0802

 ⑤

STEP A 확률의 곱셈정리를 이용하여 거짓말 탐지기가 거짓이라 판단할 확률 구하기

어떤 사람이 한 말이 거짓말인 사건을 A, 참말인 사건을 B,
거짓말 탐지기가 거짓이라고 판단할 사건을 E라 하면

(ⅰ) 거짓말을 하고 거짓말 탐지기가 거짓이라 판단할 확률은

$$\mathrm{P}(A\cap E)=\mathrm{P}(A)\mathrm{P}(E|A)=\frac{2}{10}\times\frac{9}{10}=\frac{18}{100}$$ ⬅ $\mathrm{P}(A)=0.2=\frac{2}{10}$

(ⅱ) 참말을 하고 거짓말 탐지기가 거짓이라 판단할 확률은

$$\mathrm{P}(B\cap E)=\mathrm{P}(B)\mathrm{P}(E|B)=\frac{8}{10}\times\frac{1}{10}=\frac{8}{100}$$ ⬅ $\mathrm{P}(B)=0.8=\frac{8}{10}$

(ⅰ), (ⅱ)가 배반사건이므로 거짓말 탐지기가 거짓이라 판단할 확률은

$$\mathrm{P}(E)=\mathrm{P}(A\cap E)+\mathrm{P}(B\cap E)=\frac{18}{100}+\frac{8}{100}=\frac{26}{100}$$

STEP B 조건부 확률 구하기

따라서 구하는 확률은 $\mathrm{P}(A|E)=\dfrac{\mathrm{P}(A\cap E)}{\mathrm{P}(E)}=\dfrac{\frac{18}{100}}{\frac{26}{100}}=\dfrac{9}{13}$

내/신/연/계/ 출제문항 353

거짓말을 했을 때 거짓이라고 판단하고, 참말을 했을 때, 참이라고 판단할 확률이 80%인 거짓말 탐지기가 있다. 어떤 용의자가 말한 10개의 문장 중에서 9개는 거짓이고 1개는 참이다.
용의자가 말한 문장 중에서 임의로 뽑은 한 문장에 대하여 거짓말 탐지기가 거짓이라고 판단하였을 때, 실제로 용의자가 거짓말을 하였을 확률은?

① $\dfrac{35}{37}$ ② $\dfrac{36}{37}$ ③ $\dfrac{35}{47}$
④ $\dfrac{36}{47}$ ⑤ $\dfrac{23}{60}$

STEP A 확률의 곱셈정리를 이용하여 거짓말 탐지기가 거짓이라 판단할 확률 구하기

용의자가 말한 문장이 거짓말인 사건을 A, 참말인 사건을 B라 하면
거짓말 탐지기가 거짓이라고 판단할 사건을 E라 하면

(ⅰ) 거짓말을 하고 거짓말 탐지기가 거짓이라 판단할 확률은

$$\mathrm{P}(A\cap E)=\mathrm{P}(A)\mathrm{P}(E|A)=\frac{9}{10}\times\frac{8}{10}=\frac{72}{100}$$

(ⅱ) 참말을 하고 거짓말 탐지기가 거짓이라 판단할 확률은

$$\mathrm{P}(B\cap E)=\mathrm{P}(B)\mathrm{P}(E|B)=\frac{1}{10}\times\frac{2}{10}=\frac{2}{100}$$

(ⅰ), (ⅱ)가 배반사건이므로 거짓말 탐지기가 거짓이라 판단할 확률은

$$\mathrm{P}(E)=\mathrm{P}(A\cap E)+\mathrm{P}(B\cap E)=\frac{72}{100}+\frac{2}{100}=\frac{74}{100}$$

STEP B 조건부 확률 구하기

따라서 구하는 확률은 $\mathrm{P}(A|E)=\dfrac{\mathrm{P}(A\cap E)}{\mathrm{P}(E)}=\dfrac{\frac{72}{100}}{\frac{74}{100}}=\dfrac{36}{37}$

 ②

0803

 ①

STEP A 확률의 곱셈정리를 이용하여 진품으로 감별할 확률 구하기

보석이 진품인 시건을 A, 보석감별사기 보석을 진품으로 감별하는 사건을 E라 하면

(ⅰ) 보석이 진품이고 진품으로 감별할 확률은

$$\mathrm{P}(A\cap E)=\mathrm{P}(A)\mathrm{P}(E|A)=0.8\times0.98=0.784$$

(ⅱ) 보석이 가품이고 진품으로 감별할 확률은

$$\mathrm{P}(A^c\cap E)=\mathrm{P}(A^c)\mathrm{P}(E|A^c)=0.2\times0.03=0.006$$

(ⅰ), (ⅱ)가 배반사건이므로 진품으로 감별할 확률은

$$\mathrm{P}(E)=\mathrm{P}(A\cap E)+\mathrm{P}(A^c\cap E)=0.784+0.006=0.79$$

STEP B 조건부 확률 구하기

즉 구하는 확률은 $\mathrm{P}(A^c|E)=\dfrac{\mathrm{P}(A^c\cap E)}{\mathrm{P}(E)}=\dfrac{0.006}{0.79}=\dfrac{3}{395}$

따라서 $p=395$, $q=3$이므로 $p+q=398$

내/신/연/계/ 출제문항 354

어느 보석 감정사가 진품을 진품으로 감정할 확률이 0.9, 모조품을 모조품으로 감정할 확률이 0.8이다.
이 보석 감정사가 진품과 모조품이 7:3으로 섞여 있는 보석 더미에서 임의로 한 개를 골라 모조품으로 판정하였을 때, 그 제품이 모조품일 확률은?

① $\dfrac{13}{31}$ ② $\dfrac{15}{31}$ ③ $\dfrac{17}{31}$
④ $\dfrac{19}{31}$ ⑤ $\dfrac{24}{31}$

STEP A 확률의 곱셈정리를 이용하여 모조품으로 판정할 확률 구하기

보석 감정사가 모조품을 고르는 사건을 A,
모조품으로 판정하는 사건을 E라 하면 구하는 확률은

(ⅰ) 모조품을 모조품으로 판정할 확률은

$$\mathrm{P}(A\cap E)=\mathrm{P}(A)\times\mathrm{P}(E|A)=0.3\times0.8=0.24$$

(ⅱ) 진품을 모조품으로 판정할 확률은

$$\mathrm{P}(A^c\cap E)=\mathrm{P}(A^c)\times\mathrm{P}(E|A^c)=0.7\times0.1=0.07$$

(ⅰ), (ⅱ)가 배반사건이므로 모조품으로 판정할 확률은

$$\mathrm{P}(E)=\mathrm{P}(A\cap E)+\mathrm{P}(A^c\cap E)=0.24+0.07=0.31$$

STEP B 조건부 확률 구하기

따라서 구하는 확률은 $\mathrm{P}(A|E)=\dfrac{\mathrm{P}(A\cap E)}{\mathrm{P}(E)}=\dfrac{0.3\times0.8}{0.31}=\dfrac{24}{31}$

 ⑤

0804

정답 ①

STEP Ⓐ 확률의 곱셈정리를 이용하여 암컷으로 판정할 확률 구하기

병아리가 실제로 암컷일 사건을 A,

감별사가 병아리를 암컷으로 판정하는 사건을 B라 하면 $\mathrm{P}(A)=0.4$

(ⅰ) 암컷을 암컷으로 판정할 확률은

$\mathrm{P}(A\cap B)=\mathrm{P}(A)\times \mathrm{P}(B|A)=0.4\times 0.98=0.392$

(ⅱ) 수컷을 암컷으로 판정할 확률은

$\mathrm{P}(A^{c}\cap B)=\mathrm{P}(A^{c})\times \mathrm{P}(B|A^{c})=0.6\times 0.04=0.024$

(ⅰ), (ⅱ)가 배반사건이므로 암컷으로 판정할 확률은

$\mathrm{P}(B)=\mathrm{P}(A\cap B)+\mathrm{P}(A^{c}\cap B)=0.392+0.024=0.416$

STEP Ⓑ 조건부 확률 구하기

따라서 구하는 확률은 $\mathrm{P}(A^{c}|B)=\dfrac{\mathrm{P}(A^{c}\cap B)}{\mathrm{P}(B)}=\dfrac{0.6\times 0.04}{0.416}=\dfrac{0.024}{0.416}=\dfrac{3}{52}$

0805

STEP Ⓐ 확률의 곱셈정리를 이용하여 암에 걸렸다고 진단할 확률 구하기

실제로 암에 걸린 사람일 사건을 A,

이 의사가 진찰한 사람 중 암에 걸렸다고 진단할 사건을 E라 하면

(ⅰ) 암에 걸린 사람을 암에 걸렸다고 진단할 확률은

$\mathrm{P}(A\cap E)=\mathrm{P}(A)\times \mathrm{P}(E|A)=\dfrac{100}{500}\times\dfrac{98}{100}=\dfrac{98}{500}=\dfrac{49}{250}$

(ⅱ) 암에 걸리지 않은 사람을 암에 걸렸다고 진단할 확률은

$\mathrm{P}(A^{c}\cap E)=\mathrm{P}(A^{c})\times \mathrm{P}(E|A^{c})=\dfrac{400}{500}\times\dfrac{6}{100}=\dfrac{24}{500}=\dfrac{12}{250}$

(ⅰ), (ⅱ)가 배반사건이므로 암에 걸렸다고 진단할 확률은

$\mathrm{P}(E)=\mathrm{P}(A\cap E)+\mathrm{P}(A^{c}\cap E)=\dfrac{49}{250}+\dfrac{12}{250}=\dfrac{61}{250}$

STEP Ⓑ 조건부 확률 구하기

따라서 구하는 확률은 $\mathrm{P}(A|E)=\dfrac{\mathrm{P}(A\cap E)}{\mathrm{P}(E)}=\dfrac{\frac{49}{250}}{\frac{61}{250}}=\dfrac{49}{61}$

이 문제는 주어진 상황을 표로 나타내면 다음과 같다.

실제 \ 진단결과	양○	양×
양○	$\frac{1}{5}\times\frac{98}{100}$	$\frac{1}{5}\times\frac{2}{100}$
양×	$\frac{4}{5}\times\frac{6}{100}$	$\frac{4}{5}\times\frac{94}{100}$
합계	$\frac{1}{5}\times\frac{98}{100}+\frac{4}{5}\times\frac{6}{100}$	$\frac{1}{5}\times\frac{98}{100}+\frac{4}{5}\times\frac{94}{100}$

내신연계 출제문항 355

어느 보안 전문회사에서 바이러스 감염 여부를 진단하는 프로그램을 개발하였다. 그 진단 프로그램은 바이러스에 감염된 컴퓨터를 감염되었다고 진단할 확률이 94%이고, 바이러스에 감염되지 않은 컴퓨터를 감염되지 않았다고 진단할 확률이 98%이다. 실제로 바이러스에 감염된 컴퓨터 200대와 바이러스에 감염되지 않은 컴퓨터 300대에 대해 이 진단 프로그램으로 바이러스 감염 여부를 검사하려고 한다. 이 500대의 컴퓨터 중 임의로 한 대를 택하여 이 진단 프로그램으로 감염 여부를 검사하였더니 바이러스에 감염되었다고 진단하였을 때, 이 컴퓨터가 실제로 감염된 컴퓨터일 확률은?

① $\dfrac{94}{97}$　② $\dfrac{92}{97}$　③ $\dfrac{90}{97}$　④ $\dfrac{47}{49}$　⑤ $\dfrac{47}{50}$

STEP Ⓐ 주어진 상황을 사건 A, E로 나타내기

실제로 바이러스에 걸린 사건을 A,

바이러스에 감염되었다고 진단할 사건을 E라 하면 구하는 확률은 $\mathrm{P}(A|E)$

STEP Ⓑ 확률의 곱셈정리를 이용하여 바이러스에 감염되었다고 진단할 확률 구하기

(ⅰ) 프로그램이 바이러스에 감염된 컴퓨터를 감염되었다고 진단할 확률은

$\mathrm{P}(A\cap E)=\mathrm{P}(A)\mathrm{P}(E|A)=\dfrac{200}{500}\times\dfrac{94}{100}=\dfrac{188}{500}$

⬅ 실제로 바이러스에 감염된 컴퓨터일 확률은 $\frac{200}{500}$,
바이러스에 감염된 컴퓨터를 감염되었다고 진단할 확률은 $\frac{94}{100}$

(ⅱ) 바이러스에 감염되지 않은 컴퓨터를 감염되었다고 진단할 확률은

$\mathrm{P}(A^{c}\cap E)=\mathrm{P}(A^{c})\mathrm{P}(E|A^{c})=\dfrac{300}{500}\times\dfrac{2}{100}=\dfrac{6}{500}$

⬅ 실제로 바이러스에 감염되지 않은 컴퓨터일 확률은 $\frac{300}{500}$,
바이러스에 감염되지 않은 컴퓨터를 감염되었다고 진단할 확률은 $1-\frac{98}{100}=\frac{2}{100}$

(ⅰ), (ⅱ)가 서로 배반사건이므로 바이러스에 감염되었다고 진단할 확률은

$\mathrm{P}(E)=\mathrm{P}(A\cap E)+\mathrm{P}(A^{c}\cap E)=\dfrac{188}{500}+\dfrac{6}{500}=\dfrac{194}{500}$

STEP Ⓒ 조건부확률 구하기

따라서 구하는 확률은 $\mathrm{P}(A|E)=\dfrac{\mathrm{P}(A\cap E)}{\mathrm{P}(E)}=\dfrac{\frac{188}{500}}{\frac{194}{500}}=\dfrac{188}{194}=\dfrac{94}{97}$　정답 ①

0806

STEP Ⓐ 확률의 곱셈정리를 이용하여 거짓말 탐지기가 거짓이라 판단할 확률 구하기

이 지점을 지나는 차량이 과속인 사건을 A,

과속 단속 카메라가 과속이라고 판단하는 사건을 E라 하면

(ⅰ) 차량이 과속하고 단속 카메라가 과속이라고 판단할 확률은

$\mathrm{P}(A\cap E)=\mathrm{P}(A)\mathrm{P}(E|A)=0.05\times 0.98=0.049$

(ⅱ) 차량이 과속하지 않고 단속 카메라가 과속이라고 판단할 확률은

$\mathrm{P}(A^{c}\cap E)=\mathrm{P}(A^{c})\mathrm{P}(E|A^{c})=0.95\times 0.02=0.019$

(ⅰ), (ⅱ)가 배반사건이므로 단속 카메라가 과속이라 판단할 확률은

$\mathrm{P}(E)=\mathrm{P}(A\cap E)+\mathrm{P}(A^{c}\cap E)=0.049+0.019=0.068$

STEP Ⓑ 조건부 확률 구하기

따라서 구하는 확률은 $\mathrm{P}(A|E)=\dfrac{\mathrm{P}(A\cap E)}{\mathrm{P}(E)}=\dfrac{0.049}{0.068}=\dfrac{49}{68}$

0807

STEP Ⓐ 확률의 곱셈정리를 이용하여 목격자가 동양인이라고 진술할 확률 구하기

실제 범인이 각각 백인, 흑인, 동양인일 사건을 A, B, C라 하고

목격자가 동양인이라고 진술할 사건을 E라 하면

(ⅰ) 범인이 백인인데 목격자가 동양인이라고 진술할 확률은

$\mathrm{P}(A\cap E)=\mathrm{P}(A)\mathrm{P}(E|A)=\dfrac{8}{10}\times 0.1=0.8\times 0.1=0.08$

(ⅱ) 범인이 흑인인데 목격자가 동양인이라고 진술할 확률은

$\mathrm{P}(B\cap E)=\mathrm{P}(B)\mathrm{P}(E|B)=\dfrac{1}{10}\times 0.1=0.1\times 0.1=0.01$

(ⅲ) 범인이 동양인인데 목격자가 동양인이라고 진술할 확률은

$\mathrm{P}(C\cap E)=\mathrm{P}(C)\mathrm{P}(E|C)=\dfrac{1}{10}\times 0.9=0.1\times 0.9=0.09$

(ⅰ), (ⅱ)가 배반사건이므로 목격자가 동양인이라고 진술할 확률은

$\mathrm{P}(E)=\mathrm{P}(A\cap E)+\mathrm{P}(B\cap E)+\mathrm{P}(C\cap E)=0.08+0.01+0.09=0.18$

STEP Ⓑ 조건부 확률 구하기

따라서 목격자가 동양인이라고 진술한 범인이 실제로 동양인일 확률은

$\mathrm{P}(C|E)=\dfrac{\mathrm{P}(C\cap E)}{\mathrm{P}(E)}=\dfrac{0.09}{0.18}=\dfrac{1}{2}$

05 STEP 1 내신정복기출유형 사건의 독립과 종속

0808

 ④

STEP Ⓐ **각 사건을 구하기**

표본공간 $\{1, 2, 3, 4, 5, 6\}$이고

$A=\{1, 3, 5\}$, $B=\{2, 3, 5\}$, $C=\{5, 6\}$

$A\cap B=\{3, 5\}$, $B\cap C=\{5\}$, $A\cap C=\{5\}$

STEP Ⓑ **$\mathrm{P}(A\cap B)=\mathrm{P}(A)\mathrm{P}(B)$이면 A, B는 서로 독립임을 이용하기**

ㄱ. $\mathrm{P}(A)=\frac{1}{2}$, $\mathrm{P}(B)=\frac{1}{2}$, $\mathrm{P}(A\cap B)=\frac{1}{3}$이므로 $\mathrm{P}(A\cap B)\neq\mathrm{P}(A)\mathrm{P}(B)$

즉 A와 B는 서로 종속이다.

ㄴ. $\mathrm{P}(B)=\frac{1}{2}$, $\mathrm{P}(C)=\frac{1}{3}$, $\mathrm{P}(B\cap C)=\frac{1}{6}$이므로 $\mathrm{P}(B\cap C)=\mathrm{P}(B)\mathrm{P}(C)$

즉 B와 C는 서로 독립이다.

ㄷ. $\mathrm{P}(A)=\frac{1}{2}$, $\mathrm{P}(C)=\frac{1}{3}$, $\mathrm{P}(A\cap C)=\frac{1}{6}$이므로 $\mathrm{P}(A\cap C)=\mathrm{P}(A)\mathrm{P}(C)$

즉 A와 C는 서로 독립이다.

따라서 서로 독립인 것은 ㄴ, ㄷ이다.

0809

 ③

STEP Ⓐ **각 사건의 원소와 확률 구하기**

표본공간 $\{1, 2, 3, 4, 5, 6, 7, 8, 9, 10\}$이고

$A=\{1, 3, 5, 7, 9\}$, $B=\{2, 3, 5, 7\}$, $C=\{1, 2, 3, 6\}$이므로

$A\cap B=\{3, 5, 7\}$, $B\cap C=\{2, 3\}$, $A\cap C=\{1, 3\}$

STEP Ⓑ **$\mathrm{P}(A\cap B)=\mathrm{P}(A)\mathrm{P}(B)$이면 A, B는 서로 독립임을 이용하기**

ㄱ. $\mathrm{P}(A)=\frac{1}{2}$, $\mathrm{P}(B)=\frac{2}{5}$, $\mathrm{P}(A\cap B)=\frac{3}{10}$이므로 $\mathrm{P}(A\cap B)\neq\mathrm{P}(A)\mathrm{P}(B)$

즉 A와 B는 서로 종속이다.

ㄴ. $\mathrm{P}(B)=\frac{2}{5}$, $\mathrm{P}(C)=\frac{2}{5}$, $\mathrm{P}(B\cap C)=\frac{1}{5}$이므로 $\mathrm{P}(B\cap C)\neq\mathrm{P}(B)\mathrm{P}(C)$

즉 B와 C는 서로 종속이다.

ㄷ. $\mathrm{P}(A)=\frac{1}{2}$, $\mathrm{P}(C)=\frac{2}{5}$, $\mathrm{P}(A\cap C)=\frac{1}{5}$이므로 $\mathrm{P}(A\cap C)=\mathrm{P}(A)\mathrm{P}(C)$

즉 A와 C는 서로 독립이다.

따라서 서로 독립인 것은 ㄷ이다.

내신연계 출제문항 356

1부터 10까지의 숫자가 적힌 10장의 카드에서 한 장을 뽑을 때, 짝수의 눈이 나오는 사건을 A라 하자. 다음 [보기] 중 사건 A와 서로 독립인 사건을 모두 고른 것은?

> B : 6의 약수의 눈이 나오는 사건
> C : 3 또는 4의 눈이 나오는 사건
> D : 5의 배수의 눈이 나오는 사건

① B ② C ③ D
④ C, D ⑤ B, C, D

STEP Ⓐ **각 사건의 원소와 확률 구하기**

표본공간 $\{1, 2, 3, 4, 5, 6, 7, 8, 9, 10\}$이고

$A=\{2, 4, 6, 8, 10\}$, $B=\{1, 2, 3, 6\}$, $C=\{3, 4\}$, $D=\{5, 10\}$이므로

$A\cap B=\{2, 6\}$, $A\cap C=\{4\}$, $A\cap D=\{10\}$

STEP Ⓑ **$\mathrm{P}(A\cap B)=\mathrm{P}(A)\mathrm{P}(B)$이면 A, B는 서로 독립임을 이용하기**

(ⅰ) $\mathrm{P}(A)=\frac{1}{2}$, $\mathrm{P}(B)=\frac{2}{5}$, $\mathrm{P}(A\cap B)=\frac{1}{5}$이므로 $\mathrm{P}(A\cap B)=\mathrm{P}(A)\mathrm{P}(B)$

즉 A와 B는 서로 독립이다.

(ⅱ) $\mathrm{P}(A)=\frac{1}{2}$, $\mathrm{P}(C)=\frac{1}{5}$, $\mathrm{P}(A\cap C)=\frac{1}{10}$이므로 $\mathrm{P}(A)\mathrm{P}(C)=\mathrm{P}(A\cap C)$

즉 A와 C는 서로 독립이다.

(ⅲ) $\mathrm{P}(A)=\frac{1}{2}$, $\mathrm{P}(D)=\frac{1}{5}$, $\mathrm{P}(A\cap D)=\frac{1}{10}$이므로 $\mathrm{P}(A)\mathrm{P}(D)=\mathrm{P}(A\cap D)$

즉 A와 D는 서로 독립이다.

따라서 사건 A와 서로 독립인 사건은 B, C, D이다. 정답 ⑤

0810

 ②

STEP Ⓐ **각 사건의 원소와 확률 구하기**

표본공간 $\{1, 2, 3, 4, 5, 6, 7, 8, 9, 10\}$이고

$A=\{2, 4, 6, 8, 10\}$, $B=\{2, 3, 5, 7\}$, $C=\{1, 2, 5, 10\}$이므로

$\mathrm{P}(A)=\frac{5}{10}=\frac{1}{2}$, $\mathrm{P}(B)=\frac{4}{10}=\frac{2}{5}$, $\mathrm{P}(C)=\frac{4}{10}=\frac{2}{5}$

STEP Ⓑ **$\mathrm{P}(A\cap B)=\mathrm{P}(A)\mathrm{P}(B)$를 이용하여 사건의 독립, 종속 판별하기**

ㄱ. $A\cap B=\{2\}$이므로 두 사건 A, B는 배반사건이 아니다. [거짓]

ㄴ. $A\cap C=\{2, 10\}$이므로

$\mathrm{P}(A\cap C)=\frac{2}{10}=\frac{1}{5}$, $\mathrm{P}(A)\mathrm{P}(C)=\frac{1}{2}\times\frac{2}{5}=\frac{1}{5}$

$\mathrm{P}(A\cap C)=\mathrm{P}(A)\mathrm{P}(C)$이므로 두 사건 A, C는 서로 독립이다. [참]

ㄷ. $B\cap C=\{2, 5\}$이므로

$\mathrm{P}(B\cap C)=\frac{2}{10}=\frac{1}{5}$, $\mathrm{P}(B)\mathrm{P}(C)=\frac{2}{5}\times\frac{2}{5}=\frac{4}{25}$

$\mathrm{P}(B\cap C)\neq\mathrm{P}(B)\mathrm{P}(C)$이므로 두 사건 B, C는 서로 종속이다. [거짓]

따라서 옳은 것은 ㄴ이다.

내신연계 출제문항 357

1에서 30까지의 자연수 중에서 1개의 수를 임의로 선택할 때, 홀수의 눈이 나오는 사건을 A, 2의 배수의 눈이 나오는 사건을 B, 3의 배수의 눈이 나오는 사건을 C라 하자. 다음 [보기] 중 옳은 것은?

> ㄱ. A와 B는 서로 배반이다.
> ㄴ. A와 B는 서로 종속이다.
> ㄷ. B와 C는 서로 독립이다.
> ㄹ. A와 C는 서로 독립이다.

① ㄱ, ㄷ ② ㄴ, ㄹ ③ ㄱ, ㄴ, ㄷ
④ ㄴ, ㄷ, ㄹ ⑤ ㄱ, ㄴ, ㄷ, ㄹ

STEP Ⓐ **각 사건의 원소와 확률 구하기**

$A=\{1, 3, 5, \cdots, 29\}$, $B=\{2, 4, 6, \cdots, 30\}$, $C=\{3, 6, 9, \cdots, 30\}$

이므로 $\mathrm{P}(A)=\frac{15}{30}=\frac{1}{2}$, $\mathrm{P}(B)=\frac{15}{30}=\frac{1}{2}$, $\mathrm{P}(C)=\frac{10}{30}=\frac{1}{3}$

$\mathrm{P}(A\cap B)=0$, $\mathrm{P}(B\cap C)=\frac{5}{30}=\frac{1}{6}$, $\mathrm{P}(A\cap C)=\frac{5}{30}=\frac{1}{6}$

STEP Ⓑ **사건의 독립과 종속의 성질을 이용하여 참, 거짓 판단하기**

ㄱ. $A\cap B=\varnothing$이므로 A와 B는 서로 배반이다. [참]

ㄴ. $A\cap B=\varnothing$에서 $\mathrm{P}(A\cap B)=0$, $\mathrm{P}(A)\mathrm{P}(B)=\frac{1}{2}\times\frac{1}{2}=\frac{1}{4}$

$\mathrm{P}(A\cap B)\neq\mathrm{P}(A)\mathrm{P}(B)$이므로 A, B는 종속이다. [참]

ㄷ. $B\cap C=\{6, 12, 18, 24, 30\}$에서

$\mathrm{P}(B\cap C)=\frac{5}{30}=\frac{1}{6}$, $\mathrm{P}(B)\mathrm{P}(C)=\frac{1}{2}\times\frac{1}{3}=\frac{1}{6}$

$\mathrm{P}(B\cap C)=\mathrm{P}(B)\mathrm{P}(C)$이므로 B, C는 서로 독립이다. [참]

ㄹ. $A\cap C=\{3, 9, 15, 21, 27\}$에서

$P(A\cap C)=\frac{5}{30}=\frac{1}{6}$, $P(A)P(C)=\frac{1}{2}\times\frac{1}{3}=\frac{1}{6}$

$P(A\cap C)=P(A)P(C)$이므로 A와 C는 서로 독립이다. [참]

따라서 옳은 것은 ㄱ, ㄴ, ㄷ, ㄹ이다.  ⑤

0811

정답 ③

STEP A $n(A)$, $n(B)$, $n(C)$ 구하기

한 개의 주사위를 두 번 던질 때 나오는 모든 경우의 수는 36

4의 약수가 $\{1, 2, 4\}$이므로 $n(A)=3\times6=18$

짝수가 $\{2, 4, 6\}$이므로 $n(B)=3^2=9$

눈의 합이 7인 경우는 $\{1, 6\}$, $\{2, 5\}$, $\{3, 4\}$, $\{4, 3\}$, $\{5, 2\}$, $\{6, 1\}$이므로

$n(C)=6$

STEP B $n(A\cap B)$, $n(B\cap C)$, $n(C\cap A)$ 구하기

$n(A\cap B)=6$ ← 첫 번째에 $\{2, 4\}$, 두 번째에 $\{2, 4, 6\}$인 경우

$n(B\cap C)=0$

$n(C\cap A)=3$ ← $\{1, 6\}$, $\{2, 5\}$, $\{4, 3\}$인 경우

STEP C $P(A\cap B)=P(A)P(B)$이면 A, B는 서로 독립임을 이용하기

ㄱ. $P(A)=\frac{18}{36}=\frac{1}{2}$, $P(B)=\frac{9}{36}=\frac{1}{4}$, $P(A\cap B)=\frac{6}{36}=\frac{1}{6}$이므로

$P(A\cap B)\neq P(A)P(B)$, 즉 A와 B는 서로 종속이다.

ㄴ. $P(B)=\frac{1}{4}$, $P(C)=\frac{6}{36}=\frac{1}{6}$, $P(B\cap C)=0$이므로

$P(B\cap C)\neq P(B)P(C)$

즉 B와 C는 서로 종속이다. ← B와 C는 배반사건

ㄷ. $P(A)=\frac{1}{2}$, $P(C)=\frac{1}{6}$, $P(A\cap C)=\frac{3}{36}=\frac{1}{12}$이므로

$P(A\cap C)=P(A)P(C)$, 즉 A와 C는 서로 독립이다.

따라서 서로 독립인 것은 ㄷ이다.

0812

 ③

STEP A 각 사건의 확률 구하기

$A=\{6, 13, 20, 27\}$, $B=\{1, 8, 15, 22, 29\}$, $C=\{5, 10, 15, 20, 25, 30\}$

$A\cap B=\varnothing$, $B\cap C=\{15\}$, $C\cap A=\{20\}$

STEP B $P(A\cap B)=P(A)P(B)$를 이용하여 서로 독립인 사건 찾기

ㄱ. $P(A\cap B)=0$이므로 두 사건 A, B는 서로 배반이다. [참]

ㄴ. $P(B)=\frac{5}{30}=\frac{1}{6}$, $P(C)=\frac{6}{30}=\frac{1}{5}$, $P(B\cap C)=\frac{1}{30}$이므로

$P(B\cap C)=P(B)P(C)$

즉 두 사건 B, C는 서로 독립이다. [참]

ㄷ. $P(A)=\frac{4}{30}=\frac{2}{15}$, $P(C)=\frac{6}{30}=\frac{1}{5}$, $P(C\cap A)=\frac{1}{30}$이므로

$P(A\cap C)\neq P(A)P(C)$

즉 두 사건 A, C는 서로 종속이다. [거짓]

따라서 옳은 것은 ㄱ, ㄴ이다.

0813

 ③

STEP A 각 사건의 확률 구하기

앞면을 H, 뒷면을 T라 하면

$A=\{(H, H, H), (H, H, T), (H, T, H), (H, T, T)\}$

$B=\{(H, H, H), (H, H, T), (T, H, H), (T, H, T)\}$

$C=\{(H, H, T), (T, H, H)\}$

$A\cap B=\{(H, H, H), (H, H, T)\}$

$B\cap C=\{(H, H, T), (T, H, H)\}$

$A\cap C=\{(H, H, T)\}$이므로

$P(A)=\frac{4}{8}=\frac{1}{2}$, $P(B)=\frac{4}{8}=\frac{1}{2}$, $P(C)=\frac{2}{8}=\frac{1}{4}$,

$P(A\cap B)=\frac{2}{8}=\frac{1}{4}$, $P(B\cap C)=\frac{2}{8}=\frac{1}{4}$, $P(A\cap C)=\frac{1}{8}$

STEP B 사건의 독립과 종속의 성질을 이용하여 참, 거짓 판단하기

ㄱ. $P(A\cap B)=P(A)P(B)$이므로 두 사건 A, B는 서로 독립이다. [참]

ㄴ. $P(A\cap C)=P(A)P(C)$이므로 두 사건 A, C는 서로 독립이다. [거짓]

ㄷ. 두 사건 B, C는 동시에 일어날 수 있으므로 서로 배반사건이 아니다. [거짓]

ㄹ. $P(B\cap C)\neq P(B)P(C)$이므로 두 사건 B, C는 서로 종속이다. [참]

따라서 옳은 것은 ㄱ, ㄹ이다.

0814

 ③

STEP A 사건의 독립과 종속의 성질을 이용하여 참, 거짓 판단하기

ㄱ. $A_3=\{3, 6, 9\}$, $A_4=\{4, 8\}$에서 $A_3\cap A_4=\varnothing$이므로

A_3과 A_4는 서로 배반사건이다. [참]

ㄴ. $A_2=\{2, 4, 6, 8, 10\}$에서 $A_2\cap A_4=\{4, 8\}$이므로

$P(A_4|A_2)=\frac{P(A_2\cap A_4)}{P(A_2)}=\frac{n(A_2\cap A_4)}{n(A_2)}=\frac{2}{5}$ [거짓]

ㄷ. $A_5=\{5, 10\}$에서 $A_2\cap A_5=\{10\}$이므로

$P(A_2\cap A_5)=\frac{1}{10}$, $P(A_2)P(A_5)=\frac{5}{10}\times\frac{2}{10}=\frac{1}{10}$

$P(A_2\cap A_5)=P(A_2)P(A_5)$

즉 A_2와 A_5는 서로 독립이다. [참]

따라서 옳은 것은 ㄱ, ㄷ이다.

내신연계 출제문항 358

3개의 동전을 동시에 던질 때, 앞면이 나오는 동전이 1개 이하인 사건을 A,
동전 3개가 모두 같은 면이 나오는 사건을 B라고 하자.
다음 [보기] 중 옳은 것은?

> ㄱ. $P(A)=\frac{1}{2}$
>
> ㄴ. $P(A\cap B)=\frac{1}{8}$
>
> ㄷ. 사건 A와 사건 B는 서로 독립이다.

① ㄱ　② ㄴ　③ ㄱ, ㄴ
④ ㄴ, ㄷ　⑤ ㄱ, ㄴ, ㄷ

STEP A 각 사건의 확률 구하기

앞면을 H, 뒷면을 T라 하면

$A=\{(H, T, T), (T, H, T), (T, T, H), (T, T, T)\}$

$B=\{(H, H, H), (T, T, T)\}$

$A\cap B=\{(T, T, T)\}$

STEP B 사건의 독립과 종속의 성질을 이용하여 참, 거짓 판단하기

ㄱ. $P(A)=\frac{4}{8}=\frac{1}{2}$ [참]

> 참고　독립시행의 확률을 이용하면
> 3개의 동전을 동시에 던질 때,
> 앞면이 나오는 동전이 1개 이하인 사건이 A이므로
> $P(A)={}_3C_0\left(\frac{1}{2}\right)^3+{}_3C_1\left(\frac{1}{2}\right)^3=\frac{1}{2}$ [참]

ㄴ. 앞면이 나오는 동전이 1개 이하인 사건 A와 동전 3개가 모두 같은 면이 나오는 사건 B의 $A\cap B$는 3개의 동전이 모두 뒷면이 나오면 되므로

$P(A\cap B)=\frac{1}{8}$ [참]

ㄷ. $\mathrm{P}(A)=\frac{4}{8}=\frac{1}{2}$, $\mathrm{P}(B)=\frac{2}{8}=\frac{1}{4}$, $\mathrm{P}(A\cap B)=\frac{1}{8}$이고

$\mathrm{P}(A\cap B)=\mathrm{P}(A)\mathrm{P}(B)$이므로 두 사건 A와 B는 독립이다. [참]

> **참고** 독립시행의 확률을 이용하면
> $\mathrm{P}(B)={}_3\mathrm{C}_0\left(\frac{1}{2}\right)^3+{}_3\mathrm{C}_3\left(\frac{1}{2}\right)^3=\frac{1}{4}$이므로
> $\mathrm{P}(A\cap B)=\mathrm{P}(A)\mathrm{P}(B)=\frac{1}{8}$
> 두 사건 A와 B는 독립이다. [참]

따라서 옳은 것은 ㄱ, ㄴ, ㄷ이다.  ⑤

0815

 ③

STEP A $\mathrm{P}(A)$ **구하기**

ㄱ. 두 개의 공에 적혀 있는 수의 합이 짝수일 확률은

(ⅰ) (짝수)+(짝수)일 때,

짝수가 적힌 5개의 공에서 2개를 뽑을 확률은 $\frac{{}_5\mathrm{C}_2}{{}_{10}\mathrm{C}_2}=\frac{2}{9}$

(ⅱ) (홀수)+(홀수)일 때,

홀수가 적힌 5개의 공에서 2개를 뽑을 확률은 $\frac{{}_5\mathrm{C}_2}{{}_{10}\mathrm{C}_2}=\frac{2}{9}$

(ⅰ), (ⅱ)는 서로 배반사건이므로 $\mathrm{P}(A)=\frac{2}{9}+\frac{2}{9}=\frac{4}{9}$ [참]

STEP B 각 확률을 구하여 조건부확률 구하기

ㄴ. 서로 같은 색인 두 개의 공에 적혀 있는 수의 합이 짝수일 확률은

구분	흰 공	검은 공
홀수	1, 3 …… ㉠	5, 7, 9 …… ㉡
짝수	2, 4 …… ㉢	6, 8, 10 …… ㉣

㉠에서 2개의 공을 뽑을 확률은 $\frac{{}_2\mathrm{C}_2}{{}_{10}\mathrm{C}_2}=\frac{1}{45}$

㉡에서 2개의 공을 뽑을 확률은 $\frac{{}_3\mathrm{C}_2}{{}_{10}\mathrm{C}_2}=\frac{1}{15}$

㉢에서 2개의 공을 뽑을 확률은 $\frac{{}_2\mathrm{C}_2}{{}_{10}\mathrm{C}_2}=\frac{1}{45}$

㉣에서 2개의 공을 뽑을 확률은 $\frac{{}_3\mathrm{C}_2}{{}_{10}\mathrm{C}_2}=\frac{1}{15}$

각각은 서로 배반사건이므로 $\mathrm{P}(A\cap B)=\frac{1}{45}+\frac{1}{15}+\frac{1}{45}+\frac{1}{15}=\frac{8}{45}$

$\therefore \mathrm{P}(B|A)=\frac{\mathrm{P}(A\cap B)}{\mathrm{P}(A)}=\frac{\frac{8}{45}}{\frac{4}{9}}=\frac{2}{5}$ [참]

ㄷ. 두 개의 공이 같은 색일 확률은

(ⅰ) 흰 공 4개에서 2개를 뽑을 확률은 $\frac{{}_4\mathrm{C}_2}{{}_{10}\mathrm{C}_2}=\frac{2}{15}$

(ⅱ) 검은 공 6개에서 2개를 뽑을 확률은 $\frac{{}_6\mathrm{C}_2}{{}_{10}\mathrm{C}_2}=\frac{1}{3}$

(ⅰ), (ⅱ)는 서로 배반사건이므로 $\mathrm{P}(B)=\frac{2}{15}+\frac{1}{3}=\frac{7}{15}$

이때 ㄴ에서 $\mathrm{P}(B)\neq\mathrm{P}(B|A)$이므로 두 사건 A, B는 서로 종속이다. [거짓]

따라서 옳은 것은 ㄱ, ㄴ이다.

0816

 ⑤

STEP A $\mathrm{P}(A)$, $\mathrm{P}(A^c)$, $\mathrm{P}(B)$, $\mathrm{P}(B^c)$**의 값을 각각 구하기**

$\mathrm{P}(A)=\frac{70}{100}=\frac{7}{10}$, $\mathrm{P}(A^c)=\frac{30}{100}=\frac{3}{10}$,

$\mathrm{P}(B)=\frac{60}{100}=\frac{3}{5}$, $\mathrm{P}(B^c)=\frac{40}{100}=\frac{2}{5}$

STEP B $\mathrm{P}(A\cap B)=\mathrm{P}(A)\mathrm{P}(B)$**를 만족하는 것 구하기**

ㄱ. $\mathrm{P}(A\cap B)=\frac{42}{100}=\frac{21}{50}$, $\mathrm{P}(A)\mathrm{P}(B)=\frac{7}{10}\times\frac{3}{5}=\frac{21}{50}$

$\mathrm{P}(A\cap B)=\mathrm{P}(A)\mathrm{P}(B)$이므로 A와 B은 서로 독립이다. [참]

ㄴ. $\mathrm{P}(B|A)=\frac{\mathrm{P}(A\cap B)}{\mathrm{P}(A)}=\frac{\frac{21}{50}}{\frac{7}{10}}=\frac{3}{5}$ [참]

ㄷ. $\mathrm{P}(A\cap B^c)=\frac{28}{100}=\frac{7}{25}$, $\mathrm{P}(A)\mathrm{P}(B^c)=\frac{7}{10}\times\frac{2}{5}=\frac{7}{25}$

$\mathrm{P}(A\cap B^c)=\mathrm{P}(A)\mathrm{P}(B^c)$이므로 A와 B^c은 서로 독립이다. [참]

ㄷ. $\mathrm{P}(A^c\cap B^c)=\frac{12}{100}=\frac{3}{25}$, $\mathrm{P}(A^c)\mathrm{P}(B^c)=\frac{3}{10}\times\frac{2}{5}=\frac{3}{25}$

$\mathrm{P}(A^c\cap B^c)=\mathrm{P}(A^c)\mathrm{P}(B^c)$이므로 A^c와 B^c은 서로 독립이다. [참]

따라서 서로 독립인 것끼리 짝지어진 것은 ㄱ, ㄴ, ㄷ, ㄹ이다.

0817

 ②

STEP A $\mathrm{P}(A)$, $\mathrm{P}(B)$ **구하기**

이차방정식 $f(x)=0$의 해는 $x=3$ 또는 $x=4$

첫 번째 던져서 나오는 주사위의 눈의 수를 a라 할 때,

$f(a)=0$인 값이 $a=3$ 또는 $a=4$가 되는 사건을 A라 하면

$\mathrm{P}(A)=\frac{2}{6}=\boxed{\frac{1}{3}}$

두 번째 던져서 나오는 주사위의 눈의 수를 b라 할 때,

$f(b)=0$인 값이 $b=3$ 또는 $b=4$가 되는 사건을 B라 하면

$\mathrm{P}(B)=\frac{2}{6}=\boxed{\frac{1}{3}}$

STEP B 두 사건 A**와** B**는 서로 독립임을 이용하여 구하기**

구하는 확률 $\mathrm{P}(A\cup B)$는 $\mathrm{P}(A)+\mathrm{P}(B)-\mathrm{P}(A\cap B)$이고

두 사건 A와 B는 서로 독립이므로

$\mathrm{P}(A\cap B)=\mathrm{P}(A)\mathrm{P}(B)=\frac{1}{3}\times\frac{1}{3}=\boxed{\frac{1}{9}}$

STEP C 확률의 덧셈정리를 이용하여 $\mathrm{P}(A\cup B)$**의 값 구하기**

$\mathrm{P}(A\cup B)=\mathrm{P}(A)+\mathrm{P}(B)-\mathrm{P}(A\cap B)=\frac{1}{3}+\frac{1}{3}-\frac{1}{9}=\boxed{\frac{5}{9}}$

따라서 (가), (나), (다)에 알맞은 수는 각각 $\frac{1}{3}$, $\frac{1}{9}$, $\frac{5}{9}$이므로

$m\times n\times k=\frac{1}{3}\times\frac{1}{9}\times\frac{5}{9}=\frac{5}{243}$

0818

정답 ④

STEP Ⓐ 두 사건의 확률 구하기

A_k는 k번째 자리에 k 이하의 자연수 중 하나가 적힌 카드가 놓여 있고,
k번째 자리를 제외한 7개의 자리에 나머지 7장의 카드가 놓여 있는 사건이므로

$\mathrm{P}(A_k)=\dfrac{k\times 7!}{8!}=\boxed{\dfrac{k}{8}}$이다.

$A_m\cap A_n\ (m<n)$은
m번째 자리에 m 이하의 자연수 중 하나가 적힌 카드가 놓여 있고,
n번째 자리에 n 이하의 자연수 중 m번째 자리에 놓인 수가 아닌 자연수가 적힌 카드가 놓여 있고, m번째와 n번째 자리를 제외한 6개의 자리에 나머지 6장의 카드가 놓여 있는 사건이므로

$\mathrm{P}(A_m\cap A_n)=\dfrac{m\times(n-1)\times 6!}{8!}=\boxed{\dfrac{m(n-1)}{56}}$이다.

STEP Ⓑ 두 사건 A_m과 A_n이 서로 독립임을 이용하여 n의 값 구하기

한편 두 사건 A_m과 A_n이 서로 독립이기 위해서는
$\mathrm{P}(A_m\cap A_n)=\mathrm{P}(A_m)\mathrm{P}(A_n)$을 만족시켜야 한다.

즉 $\dfrac{m(n-1)}{56}=\dfrac{m}{8}\times\dfrac{n}{8}$이므로 $8(n-1)=7n\quad\therefore n=8$

이때 $m=1, 2, 3, \cdots, 7$

따라서 두 사건 A_m과 A_n이 서로 독립이 되도록 하는 m, n의 모든 순서쌍 (m, n)은 $(1, 8), (2, 8), (3, 8), \cdots, (7, 8)$이고 그 개수는 $\boxed{7}$이다.

STEP Ⓒ $p\times q\times r$의 값 구하기

(가)에 알맞은 식은 $\dfrac{k}{8}$이므로 $p=\dfrac{4}{8}=\dfrac{1}{2}$

(나)에 알맞은 식은 $\dfrac{m(n-1)}{56}$이므로 $q=\dfrac{3(5-1)}{56}=\dfrac{3}{14}$

(다)에 알맞은 수는 7이므로 $r=7$

따라서 $p\times q\times r=\dfrac{1}{2}\times\dfrac{3}{14}\times 7=\dfrac{3}{4}$

0819

정답 ①

STEP Ⓐ 두 사건 A, B가 서로 독립이면 두 사건 A^c과 B^c도 서로 독립임을 보이는 빈칸추론 구하기

A, B가 서로 독립이므로 $\mathrm{P}(A\cap B)=\mathrm{P}(A)\mathrm{P}(B)$

$\mathrm{P}(A^c\cap B^c)=1-\boxed{\mathrm{P}(A\cup B)}$
$=1-\{\mathrm{P}(A)+\mathrm{P}(B)-\mathrm{P}(A\cap B)\}$
$=1-\mathrm{P}(A)-\mathrm{P}(B)+\mathrm{P}(A)\mathrm{P}(B)$ ⬅ 두 사건 A, B가 독립
$=1-\mathrm{P}(A)-\mathrm{P}(B)\{1-\mathrm{P}(A)\}$
$=\{1-\mathrm{P}(A)\}\{1-\mathrm{P}(B)\}$
$=\boxed{\mathrm{P}(A^c)\mathrm{P}(B^c)}$

$\therefore \mathrm{P}(A^c\cap B^c)=\boxed{\mathrm{P}(A^c)\mathrm{P}(B^c)}$

따라서 A^c와 B^c는 서로 $\boxed{\text{독립}}$이다.

0820

정답 ③

STEP Ⓐ 독립사건의 필요충분조건을 이용하여 참, 거짓 판단하기

ㄱ. A와 B가 서로 독립이면 A^c와 B도 서로 독립이므로
$\mathrm{P}(A^c|B)=\dfrac{\mathrm{P}(A^c\cap B)}{\mathrm{P}(B)}=\dfrac{\mathrm{P}(A^c)\mathrm{P}(B)}{\mathrm{P}(B)}=\mathrm{P}(A^c)=1-\mathrm{P}(A)$ [참]

ㄴ. $\mathrm{P}(A\cup B)=\mathrm{P}(A)+\mathrm{P}(B)-\mathrm{P}(A\cap B)$
$=\mathrm{P}(A)+\mathrm{P}(B)-\mathrm{P}(A)\mathrm{P}(B)$ [거짓]

ㄷ. $\mathrm{P}(A)\mathrm{P}(B)+\mathrm{P}(A^c)\mathrm{P}(B)=\mathrm{P}(\mathrm{B})\{\mathrm{P}(A)+\mathrm{P}(A^c)\}=\mathrm{P}(B)$ [참]

따라서 옳은 것은 ㄱ, ㄷ이다.

0821

정답 ④

STEP Ⓐ 독립의 성질을 이용하여 참, 거짓 판단하기

① $\mathrm{P}(B)=\mathrm{P}(A\cap B)+\mathrm{P}(A^c\cap B)$
$\mathrm{P}(A^c\cap B)=\mathrm{P}(B)-\mathrm{P}(A\cap B)$
$=\mathrm{P}(B)-\mathrm{P}(A)\mathrm{P}(B)$
$=\mathrm{P}(B)\{1-\mathrm{P}(A)\}$
$=\mathrm{P}(A^c)\mathrm{P}(B)$ [참]

② $\mathrm{P}(A^c)\mathrm{P}(B^c)=\{1-\mathrm{P}(A)\}\{1-\mathrm{P}(B)\}$
$=1-\mathrm{P}(A)-\mathrm{P}(B)+\mathrm{P}(A)\mathrm{P}(B)$
$=1-\{\mathrm{P}(A)+\mathrm{P}(B)-\mathrm{P}(A\cap B)\}$
$=1-\mathrm{P}(A\cup B)$
$=\mathrm{P}((A\cup B)^c)$
$=\mathrm{P}(A^c\cap B^c)$ [참]

③ $A\cap B=\varnothing$이면 $B\subset A^c$이므로 $A^c\cap B=B$
$\therefore \mathrm{P}(A^c|B)=\dfrac{\mathrm{P}(A^c\cap B)}{\mathrm{P}(B)}=\dfrac{\mathrm{P}(B)}{\mathrm{P}(B)}=1$ [참]

④ A와 B가 독립이면 $\mathrm{P}(B|A)=\mathrm{P}(B)$, $\mathrm{P}(A|B)=\mathrm{P}(A)$이고
일반적으로 $\mathrm{P}(A)=\mathrm{P}(B)$가 성립하지 않는다. [거짓]

⑤ $1-\mathrm{P}(A|B)=1-\dfrac{\mathrm{P}(A\cap B)}{\mathrm{P}(B)}=\dfrac{\mathrm{P}(B)-\mathrm{P}(A)\mathrm{P}(B)}{\mathrm{P}(B)}$
$=1-\mathrm{P}(A)=\mathrm{P}(A^c)$
그리고 A와 B가 독립이면 $\mathrm{P}(A^c|B)=\mathrm{P}(A^c)$ [참]

따라서 옳지 않은 것은 ④이다.

내/신/연/계/ 출제문항 359

$\mathrm{P}(A)>0$, $\mathrm{P}(B)>0$인 두 사건 A, B에 대하여 다음 중 옳지 않은 것은?

① A와 B가 독립이면 $\mathrm{P}(B|A^c)=\mathrm{P}(B)$
② $A=B^c$이면 A, B는 서로 배반사건이다.
③ A와 B가 독립이면 $\mathrm{P}(A^c|B)=1-\mathrm{P}(A|B)$이다.
④ A와 B가 독립이면 $\mathrm{P}(A\cap B^c)=\mathrm{P}(A)\{1-\mathrm{P}(B)\}$이다.
⑤ A와 B가 독립이면 $\mathrm{P}(A)+\mathrm{P}(B)=1$

STEP Ⓐ 독립의 성질을 이용하여 참, 거짓 판단하기

① A와 B가 서로 독립이면 A^c와 B도 서로 독립이므로
$\mathrm{P}(B|A^c)=\dfrac{\mathrm{P}(A^c\cap B)}{\mathrm{P}(A^c)}=\dfrac{\mathrm{P}(A^c)\mathrm{P}(B)}{\mathrm{P}(A^c)}=\mathrm{P}(B)$ [참]

② $A=B^c$이면 $A\cap B=B^c\cap B=\varnothing$이므로 A, B는 서로 배반사건이다. [참]

③ A와 B가 서로 독립이면 A^c와 B도 서로 독립이므로
$\mathrm{P}(A^c|B)=\dfrac{\mathrm{P}(A^c\cap B)}{\mathrm{P}(B)}=\dfrac{\mathrm{P}(A^c)\mathrm{P}(B)}{\mathrm{P}(B)}=\mathrm{P}(A^c)=1-\mathrm{P}(A)$ [참]

④ 두 사건 A, B가 서로 독립이므로 두 사건 A와 B^c도 서로 독립이다.
$\mathrm{P}(A\cap B^c)=\mathrm{P}(A)\mathrm{P}(B^c)=\mathrm{P}(A)\{1-\mathrm{P}(B)\}$ [참]

⑤ **반례** $S=\{1, 2\}$, $A=\{1, 2\}$, $B=\{1\}$에서
$A\cap B=\{1\}$이므로 $\mathrm{P}(A\cap B)=\dfrac{1}{2}$, $\mathrm{P}(A)\mathrm{P}(B)=1\times\dfrac{1}{2}=\dfrac{1}{2}$
즉 $\mathrm{P}(A\cap B)=\mathrm{P}(A)\mathrm{P}(B)$이므로 두 사건 A, B는 서로 독립이지만
$\mathrm{P}(A)+\mathrm{P}(B)=1+\dfrac{1}{2}=\dfrac{3}{2}\neq 1$이므로 거짓이다.

따라서 옳지 않은 것은 ⑤이다.

정답 ⑤

0822

정답 ⑤

STEP A 사건의 독립과 종속의 성질을 이용하여 참, 거짓 판단하기

① $\mathrm{P}(A\cap B^c)=\mathrm{P}(A)-\mathrm{P}(A\cap B)$이고 두 사건 A, B는 서로 독립이므로
$\mathrm{P}(A\cap B)=\mathrm{P}(A)\mathrm{P}(B)$에서 $\mathrm{P}(A\cap B^c)=\mathrm{P}(A)-\mathrm{P}(A)\mathrm{P}(B)$ [참]

② 두 사건 A, B가 서로 독립이므로 두 사건 A^c, B도 서로 독립이다.
$\mathrm{P}(A|B)=\mathrm{P}(A)$, $\mathrm{P}(A^c|B)=\mathrm{P}(A^c)$
즉 $\mathrm{P}(A|B)=\mathrm{P}(A)=1-\mathrm{P}(A^c)=1-\mathrm{P}(A^c|B)$ [참]

③ 두 사건 A, B가 서로 독립이므로
$\mathrm{P}(A\cup B)=\mathrm{P}(A)+\mathrm{P}(B)-\mathrm{P}(A\cap B)$
$=\mathrm{P}(A)+\mathrm{P}(B)-\mathrm{P}(A)\mathrm{P}(B)$
이때 $\mathrm{P}(A\cup B)=1$이면 $1=\mathrm{P}(A)+\mathrm{P}(B)-\mathrm{P}(A)\mathrm{P}(B)$
$\{\mathrm{P}(A)-1\}\{\mathrm{P}(B)-1\}=0$
즉 $\mathrm{P}(A)=1$ 또는 $\mathrm{P}(B)=1$이다. [참]

④ 두 사건 A, B가 서로 독립이므로 두 사건 A^c과 B^c도 서로 독립이다.
$\{1-\mathrm{P}(A)\}\{1-\mathrm{P}(B)\}=\mathrm{P}(A^c)\mathrm{P}(B^c)$
$=\mathrm{P}(A^c\cap B^c)$
$=\mathrm{P}((A\cup B)^c)$
$=1-\mathrm{P}(A\cup B)$
이므로 참이다.

⑤ A와 B가 독립이고 $\mathrm{P}(A\cup B)=1$이므로
$\mathrm{P}(A\cup B)=\mathrm{P}(A)+\mathrm{P}(B)-\mathrm{P}(A\cap B)$에서
$1=\mathrm{P}(A)+\mathrm{P}(B)-\mathrm{P}(A)\mathrm{P}(B)$
$\{\mathrm{P}(A)-1\}\{\mathrm{P}(B)-1\}=0$
$\therefore\ \mathrm{P}(A)=1$ 또는 $\mathrm{P}(B)=1$
이때 B가 A의 여사건이 되려면
$\mathrm{P}(A)=1$, $\mathrm{P}(B)=0$ 또는 $\mathrm{P}(A)=0$, $\mathrm{P}(B)=1$이어야 하는데
즉 주어진 조건에서 $\mathrm{P}(A)\neq 0$, $\mathrm{P}(B)\neq 0$이므로
B는 A의 여사건이 될 수 없다. [거짓]

따라서 옳지 않은 것은 ⑤이다.

내신연계 출제문항 360

두 사건 A, B에 대하여 A와 B가 서로 독립일 때, 다음 중 옳지 않은 것은? (단, $\mathrm{P}(A)>0$, $\mathrm{P}(B)>0$)

① $\mathrm{P}(A|B)=\mathrm{P}(A)$
② $\mathrm{P}(B|A^c)=\mathrm{P}(B)$
③ $\mathrm{P}(B^c|A^c)=\mathrm{P}(B^c)$
④ $\mathrm{P}(B^c|A)=\mathrm{P}(B)$
⑤ $\mathrm{P}(A\cap B^c)=\mathrm{P}(A)\{1-\mathrm{P}(B)\}$

STEP A 독립의 성질을 이용하여 참, 거짓 판단하기

두 사건 A와 B가 서로 독립이므로
$\mathrm{P}(A\cap B)=\mathrm{P}(A)\mathrm{P}(B)$

① $\mathrm{P}(A|B)=\dfrac{\mathrm{P}(A\cap B)}{\mathrm{P}(B)}=\dfrac{\mathrm{P}(A)\mathrm{P}(B)}{\mathrm{P}(B)}=\mathrm{P}(A)$ [참]

② $\mathrm{P}(B|A^c)=\dfrac{\mathrm{P}(B\cap A^c)}{\mathrm{P}(A^c)}$
$=\dfrac{\mathrm{P}(B)-\mathrm{P}(A\cap B)}{1-\mathrm{P}(A)}$
$=\dfrac{\mathrm{P}(B)-\mathrm{P}(A)\mathrm{P}(B)}{1-\mathrm{P}(A)}$
$=\dfrac{\mathrm{P}(B)\{1-\mathrm{P}(A)\}}{1-\mathrm{P}(A)}$
$=\mathrm{P}(B)$ [참]

③ $\mathrm{P}(B^c|A^c)=\dfrac{\mathrm{P}(B^c\cap A^c)}{\mathrm{P}(A^c)}=\dfrac{1-\mathrm{P}(A\cup B)}{1-\mathrm{P}(A)}$
$=\dfrac{1-\{\mathrm{P}(A)+\mathrm{P}(B)-\mathrm{P}(A\cap B)\}}{1-\mathrm{P}(A)}$
$=\dfrac{1-\mathrm{P}(A)-\mathrm{P}(B)+\mathrm{P}(A\cap B)}{1-\mathrm{P}(A)}$
$=\dfrac{1-\mathrm{P}(A)-\mathrm{P}(B)+\mathrm{P}(A)\mathrm{P}(B)}{1-\mathrm{P}(A)}$
$=\dfrac{\{1-\mathrm{P}(A)\}-\mathrm{P}(B)\{1-\mathrm{P}(A)\}}{1-\mathrm{P}(A)}$
$=\dfrac{\{1-\mathrm{P}(B)\}\{1-\mathrm{P}(A)\}}{1-\mathrm{P}(A)}$
$=1-\mathrm{P}(B)=\mathrm{P}(B^c)$ [참]

④ $\mathrm{P}(B^c|A)=\dfrac{\mathrm{P}(B^c\cap A)}{\mathrm{P}(A)}=\dfrac{\mathrm{P}(A)-\mathrm{P}(A\cap B)}{\mathrm{P}(A)}$
$=\dfrac{\mathrm{P}(A)-\mathrm{P}(A)\mathrm{P}(B)}{\mathrm{P}(A)}=1-\mathrm{P}(B)=\mathrm{P}(B^c)$ [거짓]

⑤ 두 사건 A, B가 서로 독립이므로 두 사건 A와 B^c도 서로 독립이다.
$\mathrm{P}(A\cap B^c)=\mathrm{P}(A)\mathrm{P}(B^c)=\mathrm{P}(A)\{1-\mathrm{P}(B)\}$ [참]

따라서 옳지 않은 것은 ④이다.

정답 ④

0823

정답 ④

STEP A 배반사건과 독립사건의 빈칸추론하기

증명

A, B가 서로 배반사건이면 $\mathrm{P}(A\cap B)=$ [0] 이다.
그런데 $\mathrm{P}(A)>0$, $\mathrm{P}(B)>0$이므로 $\mathrm{P}(A)\mathrm{P}(B)>0$이다.
따라서
[$\mathrm{P}(A\cap B)$] $\neq$ [$\mathrm{P}(A)\mathrm{P}(B)$]
이므로 A, B는 서로 [독립] 이 아니다.
즉 두 사건 A, B는 서로 배반사건이면 A, B는 서로 종속이다.

따라서 (가) 0, (나) $\mathrm{P}(A\cap B)$, (다) $\mathrm{P}(A)\mathrm{P}(B)$, (라) 독립

0824

STEP A 배반사건과 독립사건의 참, 거짓 판단하기

확률이 0이 아닌 두 사건 A, B에 대하여

① 서로 종속인 두 사건은 배반사건이 아니다.
$\mathrm{P}(A\cap B)=0$인 두 사건은 $\mathrm{P}(A\cap B)\neq\mathrm{P}(A)\mathrm{P}(B)$이므로 종속사건이다.
그런데 두 사건은 배반사건이다. [거짓]

② 서로 독립인 두 사건은 배반사건이다.
두 사건 A, B가 서로 독립 사건이면 $\mathrm{P}(A\cap B)=\mathrm{P}(A)\mathrm{P}(B)$를 만족하고
$\mathrm{P}(A)\neq 0$, $\mathrm{P}(B)\neq 0$이므로 $\mathrm{P}(A\cap B)\neq 0$ [거짓]

③ 서로 배반인 두 사건은 종속사건이다.
두 사건 A, B가 서로 배반사건이면 $\mathrm{P}(A\cap B)=0$이므로
$\mathrm{P}(A\cap B)\neq\mathrm{P}(A)\mathrm{P}(B)\neq 0$
따라서 두 사건은 서로 종속사건이다. [참]

④ 서로 배반이 아닌 두 사건은 독립사건이다.
반례 $\mathrm{P}(A)=\dfrac{1}{2}$, $\mathrm{P}(B)=\dfrac{1}{3}$, $\mathrm{P}(A\cap B)=\dfrac{1}{4}$을 만족하는 두 사건은
서로 배반사건이 아니지만 서로 종속사건이다. [거짓]

⑤ 어떤 사건과 그 여사건은 독립사건이다.
$\mathrm{P}(A\cap A^c)=0$이므로 사건 A와 A^c은 서로 종속사건이다. [거짓]

따라서 옳은 것은 ③이다.

내/신/연/계/ 출제문항 361

$P(A) \neq 0$, $P(B) \neq 0$인 두 사건 A, B에 대하여 다음 중 옳지 않은 것은?

① A와 B가 서로 독립이면 $P(B|A)=P(B)$이다.
② $P(A|B)=P(A)$와 $P(A\cap B)=P(A)P(B)$는 필요충분조건이다.
③ $P(B|A)=0$이면 A, B는 종속사건이다.
④ A와 B가 서로 배반이면 A와 B가 서로 종속이다.
⑤ A와 B가 서로 독립이면 A와 B가 서로 배반이다.

STEP Ⓐ **배반사건과 독립사건의 참, 거짓 판단하기**

① $P(B|A)=P(B)$이면 A와 B가 서로 독립이다. [참]
② $P(A|B)=P(A)$와 $P(A\cap B)=P(A)P(B)$는 필요충분조건이다. [참]
③ $P(B|A)=0$이면 $P(A\cap B)=P(A)P(B|A)=0$
A, B는 배반사건이므로 A와 B가 서로 종속이다. [참]
④ A와 B가 서로 배반이면 $A\cap B=\varnothing$이므로 $P(A\cap B)=0$
이때 조건에서 $P(A)\neq 0$, $P(B)\neq 0$이므로 $P(A)P(B)\neq 0$
즉 $P(A\cap B)\neq P(A)P(B)$이므로 A와 B가 서로 종속이다. [참]
⑤ **반례** $S=\{1, 2\}$, $A=\{1, 2\}$, $B=\{1\}$에서 $A\cap B=\{1\}$이므로
$A\cap B=\frac{1}{2}$, $P(A)P(B)=1\times\frac{1}{2}=\frac{1}{2}$
즉 $P(A\cap B)=P(A)P(B)$이므로
A와 B는 서로 독립이지만 배반은 아니다. [거짓]

따라서 옳지 않은 것은 ⑤이다.  정답 ⑤

0825

 정답 ④

STEP Ⓐ **사건의 독립과 종속의 성질을 이용하여 참, 거짓 판단하기**

ㄱ. **반례** $P(A)=\frac{1}{2}$, $P(B)=\frac{1}{3}$, $P(A\cap B)=\frac{1}{6}$일 때,
사건 A, B는 서로 독립이므로
$P(A)=P(A|B)$, $P(B)=P(B|A)$
$\therefore P(A|B)\neq P(B|A)$ [거짓]
ㄴ. A, B가 배반사건이므로 $P(A\cup B)=P(A)+P(B)$
확률의 정의에 의해 $0<P(A)+P(B)=P(A\cup B)\leq 1$ [참]
ㄷ. A, B가 배반사건이고 $P(A\cup B)=1$이면 $P(A)+P(B)=1$
즉 $P(A)=1-P(B)$이므로 B는 A의 여사건이다. [참]
ㄹ. 두 사건 A와 B가 서로 배반이면
$A\cap B=\varnothing$이므로 $P(A\cap B)=0$
조건에서 $P(A)\neq 0$, $P(B)\neq 0$이므로 $P(A)P(B)\neq 0$
$\therefore P(A\cap B)\neq P(A)P(B)$
즉 두 사건 A와 B는 서로 종속이다. [거짓]
반례 주사위를 던져서 홀수의 눈이 나오는 사건을 A,
짝수의 눈이 나오는 사건을 B라고 하면
$A=\{1, 3, 5\}$, $B=\{2, 4, 6\}$, $A\cap B=\varnothing$
이므로 두 사건 A, B는 서로 배반사건이다.
한편 $P(A\cap B)=0$이고 $P(A)P(B)=\frac{1}{2}\times\frac{1}{2}=\frac{1}{4}$
즉 $P(A\cap B)\neq P(A)P(B)$이므로 두 사건 A, B는 서로 독립이 아니다.

따라서 옳은 것은 ㄴ, ㄷ이다.

내/신/연/계/ 출제문항 362

$P(A)>0$, $P(B)>0$인 임의의 두 사건 A, B에 대하여 다음 [보기] 중 옳은 것을 모두 고른 것은?

> ㄱ. A, B가 서로 독립이면 $P(B|A^c)=P(B)$이다.
> ㄴ. $A=B^c$이면 A, B는 서로 배반사건이다.
> ㄷ. A, B가 서로 독립이면 $P(A|B)=P(B|A)$이다.

① ㄴ ② ㄷ ③ ㄱ, ㄴ
④ ㄱ, ㄷ ⑤ ㄴ, ㄷ

STEP Ⓐ **사건의 독립과 종속의 성질을 이용하여 참, 거짓 판단하기**

ㄱ. A, B가 서로 독립이면 A^c와 B도 서로 독립이므로
$P(B|A^c)=\frac{P(A^c\cap B)}{P(A^c)}=\frac{P(A^c)P(B)}{P(A^c)}=P(B)$ [참]
ㄴ. $A=B^c$이면 $A\cap B=B^c\cap B=\varnothing$이므로 A, B는 서로 배반사건이다. [참]
ㄷ. A, B가 서로 독립이면 $P(A|B)=P(A)$, $P(B|A)=P(B)$이므로
$P(A|B)\neq P(B|A)$이다. [거짓]

따라서 옳은 것은 ㄱ, ㄴ 이다.  정답 ③

0826

 정답 ③

STEP Ⓐ **사건의 독립과 종속의 성질을 이용하여 참, 거짓 판단하기**

ㄱ. 두 사건 A, B가 서로 독립이므로
$P(B|A)=P(B)$, $P(B^c|A)=P(B^c)$이고 $P(B)=1-P(B^c)$이므로
$P(B|A)=1-P(B^c|A)$가 성립한다. [참]
ㄴ. 두 사건 A, B가 서로 배반사건이면 $P(A\cap B)=0$이므로
$P(A\cup B)=P(A)+P(B)-P(A\cap B)=P(A)+P(B)$
그런데 $0<P(A\cup B)\leq 1$이므로 $0<P(A)+P(B)\leq 1$ [참]
ㄷ. 두 사건 A, B가 서로 배반사건이면 $A\cap B=\varnothing$이므로
$P(A\cap B)=0$
이때 $P(A)\neq 0$, $P(B)\neq 0$에서 $P(A)P(B)>0$이므로
$P(A\cap B)\neq P(A)P(B)$에서 두 사건 A, B는 서로 독립이 아니다. [거짓]

따라서 옳은 것은 ㄱ, ㄴ이다.

0827

 정답 ③

STEP Ⓐ **사건의 독립과 종속의 성질을 이용하여 참, 거짓 판단하기**

ㄱ. $P(A|B^c)=\frac{P(A\cap B^c)}{P(B^c)}=0$에서
$P(A\cap B^c)=0$이므로 $A\subset B$
$\therefore P(A\cap B)=P(A)$
$P(A|B)P(B)=\frac{P(A\cap B)}{P(B)}P(B)=P(A)$ [참]
ㄴ. **반례** 주사위를 한 번 던지는 시행에서 소수의 눈이 나오는 사건을 A,
3의 배수의 눈이 나오는 사건을 B라 하면
사건 A와 B는 서로 독립이지만 배반은 아니다. [거짓]
ㄷ. 사건 A와 B가 서로 독립이므로 사건 A와 B^c도 서로 독립이다.
$P(A|B)=P(A|B^c)=P(A)$이므로 $P(A|B)+P(A|B^c)=2P(A)$ [참]

따라서 옳은 것은 ㄱ, ㄷ이다.

0828

 ④

STEP A **사건의 독립과 종속의 성질을 이용하여 참, 거짓 판단하기**

ㄱ. A와 B가 서로 배반사건이면 $P(A \cap B)=0$이므로

$P(B|A)=\dfrac{P(A \cap B)}{P(A)}=0$, $P(A|B)=\dfrac{P(A \cap B)}{P(B)}=0$ [참]

ㄴ. $P(A^c|B)=\dfrac{P(A^c \cap B)}{P(B)}=0$이면 $P(A^c \cap B)=0$이므로

$B \subset A$이다.

즉 A와 B는 배반사건이 아니다. [거짓]

ㄷ. $0<P(A|B)<P(B|A)$에서

$0<\dfrac{P(A \cap B)}{P(B)}<\dfrac{P(A \cap B)}{P(A)}$이므로 $P(A)<P(B)$ [참]

ㄹ. $P(B|A)+P(B^c|A)=\dfrac{P(A \cap B)}{P(A)}+\dfrac{P(A \cap B^c)}{P(A)}$

$=\dfrac{P(A \cap B)+P(A \cap B^c)}{P(A)}$

$=\dfrac{P(A)}{P(A)}=1$ [참]

따라서 옳은 것은 ㄱ, ㄷ, ㄹ이다.

내/신/연/계/ 출제문항 363

표본공간 S의 부분집합 A, B에 대하여 다음 [보기] 중 옳은 것을 모두 고른 것은? (단, $P(A) \neq 0$, $P(B) \neq 0$)

> ㄱ. A, B가 서로 독립이면 $P(A^c \cap B)=\{1-P(A)\}P(B)$
> ㄴ. $P(B|A)=0$이면 A, B는 배반사건이다.
> ㄷ. A, B가 서로 독립이고 $P(A \cup B)=1$이면 B는 A의 여사건이다.

① ㄱ ② ㄱ, ㄴ ③ ㄱ, ㄷ
④ ㄴ, ㄷ ⑤ ㄱ, ㄴ, ㄷ

STEP A **사건의 독립과 종속의 성질을 이용하여 참, 거짓 판단하기**

ㄱ. A, B가 서로 독립이면 A^c, B도 서로 독립이므로

$P(A^c \cap B)=P(A^c)P(B)=\{1-P(A)\}P(B)$ [참]

ㄴ. $P(B|A)=0$이면 $P(A \cap B)=P(A)P(B|A)=0$

A, B는 배반사건이다. [참]

ㄷ. A와 B가 독립이고 $P(A \cup B)=1$이므로

$P(A \cup B)=P(A)+P(B)-P(A \cap B)$에서

$1=P(A)+P(B)-P(A)P(B)$, $\{P(A)-1\}\{P(B)-1\}=0$

$P(A)=1$ 또는 $P(B)=1$

이때 B가 A의 여사건이 되려면 $P(A)=1$, $P(B)=0$ 또는

$P(A)=0$, $P(B)=1$이어야 하는데 주어진 조건에서

$P(A) \neq 0$, $P(B) \neq 0$이므로 B는 A의 여사건이 될 수 없다. [거짓]

따라서 옳은 것은 ㄱ, ㄴ이다.  ②

0829

 ③

STEP A **$P(A \cap B)=P(A)P(B)$를 이용하여 a의 값 구하기**

재직연수가 10년 미만일 사건을 A, 조직 개편안에 찬성할 사건을 B라 하면

두 사건 A, B가 서로 독립일 필요충분조건은 $P(A \cap B)=P(A)P(B)$

$P(A)=\dfrac{1}{3}$, $P(B)=\dfrac{5}{12}$, $P(A \cap B)=\dfrac{a}{360}$이므로 $\dfrac{a}{360}=\dfrac{1}{3} \times \dfrac{5}{12}$

따라서 $a=50$

다른풀이 $P(A|B)=P(A)$를 이용하여 a의 값 구하기

재직연수가 10년 미만일 사건을 A, 조직 개편안에 찬성할 사건을 B라 하면

두 사건 A, B가 서로 독립일 필요충분조건은 $P(A|B)=P(A)$이므로

$P(A)=\dfrac{1}{3}$, $P(A|B)=\dfrac{a}{150}$에서 $\dfrac{1}{3}=\dfrac{a}{150}$

따라서 $a=50$

0830

 ②

STEP A **$P(A \cap B)=P(A)P(B)$를 이용하여 a의 값 구하기**

두 사건 A, B가 서로 독립이므로 $P(A \cap B)=P(A)P(B)$

$\dfrac{20}{80+a}=\dfrac{60}{80+a} \times \dfrac{20+a}{80+a}$에서 $20(80+a)=60(20+a)$

$80+a=60+3a$ $\therefore 2a=20$

따라서 $a=10$

서로 독립인 사건에서는 비율이 동일하다.

즉 남성 중 겨울왕국의 비율과 여성 중 겨울왕국의 비율이 동일하다.

구분	겨울왕국	기생충
남성	40	20
여성	20	a

이때 선택된 영화가 겨울왕국인 사건 A와 여학생인 사건 B가 서로 독립이므로 $40:20=20:a$ $\therefore a=10$

0831

 ⑤

STEP A **표에서 $P(A)$, $P(B)$, $P(A \cap B)$의 확률 구하기**

분류된 직원들의 인원을 표로 나타내면 다음과 같다.

구분	남성	여성	계
기혼	6	36	42
미혼	20	x	$20+x$
계	26	$36+x$	$62+x$

직원이 남성인 경우를 사건 A, 미혼인 경우를 사건 B라 하면

$P(A)=\dfrac{26}{62+x}$, $P(B)=\dfrac{20+x}{62+x}$, $P(A \cap B)=\dfrac{20}{62+x}$

STEP B **$P(A \cap B)=P(A)P(B)$를 이용하여 x의 값 구하기**

두 사건 A, B가 서로 독립이므로 $P(A \cap B)=P(A)P(B)$

$\dfrac{20}{62+x}=\dfrac{26}{62+x} \times \dfrac{20+x}{62+x}$

양변에 $(62+x)^2$을 곱하면 $20(62+x)=26(20+x)$ $\therefore 3x=360$

따라서 $x=120$

다른풀이 $P(A|B)=P(A)$를 이용하여 풀이하기

두 사건 A, B가 독립이므로 $P(B|A)=P(B)$

$\dfrac{20}{26}=\dfrac{10}{13}=\dfrac{20+x}{62+x}$에서 $620+10x=260+13x$이므로 $3x=360$

따라서 $x=120$

서로 독립인 사건에서는 비율이 동일하다.

즉 기혼자 중 남성의 비율과 미혼자 중 남성의 비율이 동일하다.

분류된 직원들의 인원을 표로 나타내면 다음과 같다.

구분	기혼	미혼
남성	6	20
여성	36	x

이때 선택된 직원이 남성인 사건 A와 미혼인 사건 B가 서로 독립이므로

$6:20=36:x$ $\therefore x=120$

내/신/연/계/ 출제문항 364

유찬이네 반은 안경을 쓴 남학생 15명, 안경을 안 쓴 남학생 3명, 안경을 쓴 여학생 10명, 안경을 안 쓴 여학생 x명으로 구성되어 있다. 유찬이네 반 학생 중에서 임의로 한 명을 뽑을 때, 뽑힌 학생이 남학생인 사건을 A, 안경을 쓴 학생인 사건을 B라고 하자. 두 사건 A, B가 서로 독립일 때, x의 값은?

① 2 ② 4 ③ 6
④ 8 ⑤ 10

STEP Ⓐ **확률 $\mathrm{P}(A)$, $\mathrm{P}(B)$, $\mathrm{P}(A\cap B)$ 구하기**

뽑힌 학생이 남학생인 사건을 A, 안경을 쓴 학생인 사건을 B,
유찬이네 반 전체학생을 표본공간 S라 하면

(단위 : 명)

구분	안경을 씀	안경을 안 씀	계
남학생	15	3	18
여학생	10	x	$10+x$
계	25	$3+x$	$28+x$

$\mathrm{P}(A)=\dfrac{n(A)}{n(S)}=\dfrac{18}{28+x}$, $\mathrm{P}(B)=\dfrac{n(B)}{n(S)}=\dfrac{25}{28+x}$

사건 $A\cap B$는 남학생이고 안경을 쓴 학생일 사건이므로

$\mathrm{P}(A\cap B)=\dfrac{n(A\cap B)}{n(S)}=\dfrac{15}{28+x}$

STEP Ⓑ $\mathrm{P}(A\cap B)=\mathrm{P}(A)\mathrm{P}(B)$**를 이용하여 x의 값 구하기**

두 사건 A, B가 서로 독립일 필요충분조건은 $\mathrm{P}(A\cap B)=\mathrm{P}(A)\mathrm{P}(B)$이므로

$\dfrac{15}{28+x}=\dfrac{18}{28+x}\times\dfrac{25}{28+x}$

따라서 $3(28+x)=90$에서 $x=2$

다른풀이 $\mathrm{P}(A|B)=\mathrm{P}(A)$를 이용하여 풀이하기

뽑힌 학생이 남학생인 사건을 A, 안경을 쓴 학생인 사건을 B,

$\mathrm{P}(A)=\dfrac{18}{28+x}$, $\mathrm{P}(A|B)=\dfrac{15}{25}=\dfrac{3}{5}$

이때 두 사건 A, B가 서로 독립이므로 $\mathrm{P}(A|B)=\mathrm{P}(A)$가 성립한다.

따라서 $\dfrac{18}{28+x}=\dfrac{3}{5}$이므로 $x=2$

정답 ①

서로 독립인 사건에서는 비율이 동일하다.

(단위 : 명)

구분	안경을 씀	안경을 안 씀	계
남학생	15	3	18
여학생	10	x	$10+x$
계	25	$3+x$	$28+x$

선택된 학생이 남학생인 사건을 A, 안경을 쓴 학생인 사건을 B라 하면
두 사건이 서로 독립이므로 $15:3=10:x$
따라서 $15x=30$이므로 $x=2$

0832

정답 ③

STEP Ⓐ $\mathrm{P}(A\cap B)=\mathrm{P}(A)\mathrm{P}(B)$**를 이용하여 x의 값 구하기**

점심 시간 중 도서관 이용 경험이 있는 여학생 수를 x라고 하면

구분	남학생	여학생	합계
이용한 경험이 있음	30	x	$30+x$
이용한 경험이 없음	20	10	30
합계	50	$10+x$	$60+x$

조사한 학생 중에서 임의로 택한 1명이 남학생인 사건을 A,
도서관 이용 경험이 있는 학생인 사건을 B라 하면

$\mathrm{P}(A\cap B)=\mathrm{P}(A)\mathrm{P}(B)$이므로 $\dfrac{30}{60+x}=\dfrac{50}{60+x}\times\dfrac{30+x}{60+x}$

$3(60+x)=5(30+x)$이므로 $2x=30$ $\quad\therefore x=15$

따라서 점심시간 중 도서관 이용 경험이 있는 여학생 수는 15이다.

$+\alpha$ 서로 독립인 사건에서는 비율이 동일하다.

구분	남학생	여학생
이용한 경험이 있음	30	x
이용한 경험이 없음	20	10

선택된 학생이 남학생인 사건을 A, 도서관 이용경험이 있는 사건을 B라 하면
두 사건이 서로 독립이므로 $30:20=x:10$
따라서 $20x=300$이므로 $x=15$

내/신/연/계/ 출제문항 365

어떤 학급의 전체 학생 36명을 대상으로 체육대회 단체복 착용에 대한 찬성, 반대를 묻는 투표를 실시하였다. 이 학급에서 남학생은 16명이고, 단체복 착용에 찬성한 학생은 27명이다. 이 학급의 학생 중에서 임의로 선택한 1명이 남학생인 사건과 단체복 착용에 찬성하는 학생인 사건이 서로 독립일 때, 이 학급의 학생 중에서 단체복 착용에 반대하는 여학생의 수는?
(단, 모든 학생들이 기권 없이 찬성과 반대 중 한 가지에 투표하였다.)

① 4 ② 5 ③ 6
④ 7 ⑤ 8

STEP Ⓐ $\mathrm{P}(A\cap B)=\mathrm{P}(A)\mathrm{P}(B)$**를 이용하여 x의 값 구하기**

이 학급의 학생 중에서 임의로 선택한 1명이 남학생인 사건을 A,
단체복 착용에 찬성하는 학생인 사건을 B라 하고,
$n(A\cap B)=x$라 하여 주어진 조건을 표로 나타내면 다음과 같다.

구분	찬성 (B)	반대 (B^C)	합계
남학생 (A)	x	$16-x$	16
여학생 (A^C)	$27-x$	$x-7$	20
합계	27	9	36

$\mathrm{P}(A)=\dfrac{16}{36}=\dfrac{4}{9}$, $\mathrm{P}(B)=\dfrac{27}{36}=\dfrac{3}{4}$, $\mathrm{P}(A\cap B)=\dfrac{x}{36}$

이때 두 사건 A, B가 서로 독립이므로 $\mathrm{P}(A\cap B)=\mathrm{P}(A)\mathrm{P}(B)$

$\dfrac{x}{36}=\dfrac{4}{9}\times\dfrac{3}{4}$, $x=12$

따라서 단체복 착용에 반대하는 여학생의 수는 $x-7=12-7=5$

정답 ②

0833

정답 ③

STEP Ⓐ **표에서 $\mathrm{P}(A)$, $\mathrm{P}(B)$, $\mathrm{P}(A\cap B)$의 확률 구하기**

2학년 남학생의 수를 x라 할 때
주어진 조건의 내용을 다음 표와 같이 나타내면 다음과 같다.

구분	남학생 수	여학생 수	합계
1학년	30	50	80
2학년	x	$100-x$	100
3학년	50	70	120
합계	$80+x$	$220-x$	300

2학년일 사건을 A, 남학생일 사건을 B라 하면

$\mathrm{P}(A)=\dfrac{100}{300}=\dfrac{1}{3}$, $\mathrm{P}(B)=\dfrac{80+x}{300}$

STEP Ⓑ $\mathrm{P}(A\cap B)=\mathrm{P}(A)\mathrm{P}(B)$**를 이용하여 x의 값 구하기**

그런데 두 사건 A, B는 서로 독립이므로 $\mathrm{P}(A\cap B)=\mathrm{P}(A)\mathrm{P}(B)$

$\dfrac{x}{300}=\dfrac{1}{3}\times\dfrac{80+x}{300}$에서 $3x=80+x$

따라서 $x=40$

0834

정답 ③

STEP A $P(A\cap B)=P(A)P(B)$를 이용하여 a, b의 값 구하기

학생이 선택되는 사건을 A,

방과 후 자율학습에 반대하는 사람이 선택되는 사건을 B라 하면

$P(A)=\frac{80}{200}=\frac{2}{5}$, $P(B)=\frac{60+b}{200}$, $P(A\cap B)=\frac{b}{200}$

그런데 두 사건 A, B는 서로 독립이므로

$P(A\cap B)=P(A)P(B)$에서 $\frac{b}{200}=\frac{2}{5}\times\frac{60+b}{200}$

$5b=120+2b \quad \therefore b=40$

따라서 $a+b=80$이므로 $2a-b=80-40=40$

0835

STEP A $P(A)$, $P(B)$ 구하기

'짝수의 눈이 나온다.' 라는 사건을 A,

'빨간색을 칠한 면이 나온다.' 라는 사건을 B라 하면

$P(A)=\frac{1}{2}$, $P(B)=\frac{k}{6}$

사건 A와 B가 서로 독립이므로

$P(A\cap B)=P(A)P(B)$에서 $P(A\cap B)=\frac{1}{2}\times\frac{k}{6}=\frac{k}{12}$

즉 사건 $A\cap B$는 짝수의 눈이 나오고 빨간색을 칠한 면이 나오는 사건이다.

$k=1$일 때, 짝수의 눈이 나오고 빨간색을 칠한 면이 1까지이므로 $P(A\cap B)=0$

$k=2$일 때, 짝수의 눈이 나오고 빨간색을 칠한 면이 2까지이므로 $P(A\cap B)=\frac{1}{6}$

$k=3$일 때, 짝수의 눈이 나오고 빨간색을 칠한 면이 3까지이므로 $P(A\cap B)=\frac{1}{6}$

$k=4$일 때, 짝수의 눈이 나오고 빨간색을 칠한 면이 4까지이므로 $P(A\cap B)=\frac{1}{3}$

$k=5$일 때, 짝수의 눈이 나오고 빨간색을 칠한 면이 5까지이므로 $P(A\cap B)=\frac{1}{3}$

STEP B $P(A\cap B)=P(A)P(B)$를 만족하는 k 구하기

k의 값에 따른 확률을 구하여 표로 나타내면 다음과 같다.

k	1	2	3	4	5
$P(A)$	$\frac{1}{2}$	$\frac{1}{2}$	$\frac{1}{2}$	$\frac{1}{2}$	$\frac{1}{2}$
$P(B)$	$\frac{1}{6}$	$\frac{1}{3}$	$\frac{1}{2}$	$\frac{2}{3}$	$\frac{5}{6}$
$P(A)P(B)$	$\frac{1}{12}$	$\frac{1}{6}$	$\frac{1}{4}$	$\frac{1}{3}$	$\frac{5}{12}$
$P(A\cap B)$	0	$\frac{1}{6}$	$\frac{1}{6}$	$\frac{1}{3}$	$\frac{1}{3}$

두 사건 A, B가 서로 독립이므로 $P(A\cap B)=P(A)P(B)$를 만족할 때,

이를 만족하는 상수 k의 값은 2, 4이므로 모든 k의 값의 합은 $2+4=6$

다른풀이 k를 짝수, 홀수의 경우로 나누어 풀이하기

(i) $k(1\le k\le 5)$가 홀수일 때,

$P(A\cap B)=\frac{\frac{k-1}{2}}{6}=\frac{k-1}{12}$

$P(A\cap B)=P(A)P(B)$, 곧 $\frac{1}{2}\times\frac{k}{6}=\frac{k-1}{12}$을 만족하는 홀수 k는 없다.

(ii) $k(1\le k\le 5)$가 짝수일 때,

$P(A\cap B)=\frac{\frac{k}{2}}{6}=\frac{k}{12}$

$P(A\cap B)=P(A)P(B)$, 곧 $\frac{1}{2}\times\frac{k}{6}=\frac{k}{12}$를 만족하는 짝수 k는 2, 4

따라서 A와 B가 독립이 되는 k의 값들의 합은 $2+4=6$

0836

정답 ②

STEP A 독립사건을 이용한 미지수 구하기

8개의 공 중 흰 공이 나오는 사건이 A이므로 $P(A)=\frac{k}{8}$

8개의 공 중 홀수가 적힌 공이 나오는 사건이 B이므로

$P(B)=\frac{4}{8}=\frac{1}{2} \quad \therefore P(A)P(B)=\frac{k}{16}$

사건 $A\cap B$는 8개의 공 중 흰 공이면서 홀수가 적힌 공이 나오는 사건이다.

$k=1$일 때, 흰 공 1개이고 홀수가 1개이므로 $P(A\cap B)=\frac{1}{8}$

$k=2$일 때, 흰 공 2개이고 홀수가 1개이므로 $P(A\cap B)=\frac{1}{8}$

$k=3$일 때, 흰 공 3개이고 홀수가 2개이므로 $P(A\cap B)=\frac{2}{8}$

$k=4$일 때, 흰 공 4개이고 홀수가 2개이므로 $P(A\cap B)=\frac{2}{8}$

$k=5$일 때, 흰 공 5개이고 홀수가 3개이므로 $P(A\cap B)=\frac{3}{8}$

$k=6$일 때, 흰 공 6개이고 홀수가 3개이므로 $P(A\cap B)=\frac{3}{8}$

$k=7$일 때, 흰 공 7개이고 홀수가 4개이므로 $P(A\cap B)=\frac{4}{8}$

STEP B $P(A\cap B)=P(A)P(B)$를 만족하는 k 구하기

k의 값에 따른 확률을 구하여 표로 나타내면 다음과 같다.

k	1	2	3	4	5	6	7
$P(A)$	$\frac{1}{8}$	$\frac{1}{4}$	$\frac{3}{8}$	$\frac{1}{2}$	$\frac{5}{8}$	$\frac{3}{4}$	$\frac{7}{8}$
$P(B)$	$\frac{1}{2}$	$\frac{1}{2}$	$\frac{1}{2}$	$\frac{1}{2}$	$\frac{1}{2}$	$\frac{1}{2}$	$\frac{1}{2}$
$P(A)P(B)$	$\frac{1}{16}$	$\frac{1}{8}$	$\frac{3}{16}$	$\frac{1}{4}$	$\frac{5}{16}$	$\frac{3}{8}$	$\frac{7}{16}$
$P(A\cap B)$	$\frac{1}{8}$	$\frac{1}{8}$	$\frac{2}{8}$	$\frac{1}{4}$	$\frac{3}{8}$	$\frac{3}{8}$	$\frac{4}{8}$

두 사건 A, B가 서로 독립이므로 $P(A\cap B)=P(A)P(B)$를 만족할 때,

이를 만족하는 상수 k의 값은 2, 4, 6이므로 모든 k의 값의 합은 $2+4+6=12$

0837

STEP A $P(A\cap B)=P(A)P(B)$를 만족하는 a의 관계식 구하기

두 사건 A와 B가 서로 독립이어야 하므로

$P(A\cap B)=P(A)P(B)$ …… ㉠

이때 사건 A는 2 이상 4 이하의 눈이 나오는 사건이므로

$A=\{2, 3, 4\}$에서 $P(A)=\frac{1}{2}$

또, 사건 B는 $a(1\le a\le 6)$ 이하의 눈이 나오는 사건이므로 $P(B)=\frac{a}{6}$

㉠에서 $P(A\cap B)=\frac{1}{2}\times\frac{a}{6}=\frac{k}{6}$ (k는 6 이하의 음 아닌 정수)라 하면

$\frac{k}{6}=\frac{1}{2}\times\frac{a}{6} \quad \therefore a=2k$

STEP B $P(A\cap B)=P(A)P(B)$를 만족하는 a의 값 구하기

a가 자연수이고 k는 음이 아닌 정수이므로 다음 각 경우로 나눌 수 있다.

(i) $k=1$일 때, $a=2$이므로

이때 $A=\{2, 3, 4\}$, $B=\{1, 2\}$이므로 $P(A)P(B)=\frac{1}{2}\times\frac{1}{3}=\frac{1}{6}$

$P(A\cap B)=\frac{1}{6}$

그러므로 $a=2$일 때, ㉠을 만족시킨다.

(ii) $k=2$일 때, $a=4$이므로

이때 $A=\{2, 3, 4\}$, $B=\{1, 2, 3, 4\}$이므로 $P(A)P(B)=\frac{1}{2}\times\frac{2}{3}=\frac{1}{3}$

$P(A\cap B)=\frac{3}{6}=\frac{1}{2}$

그러므로 $a=4$일 때, ㉠을 만족시키지 않는다.

(iii) $k=3$일 때, $a=6$이므로

이때 $A=\{2, 3, 4\}$, $B=\{1, 2, 3, 4, 5, 6\}$이므로

$\mathrm{P}(A)\mathrm{P}(B)=\frac{1}{2}\times\frac{6}{6}=\frac{1}{2}$, $\mathrm{P}(A\cap B)=\frac{3}{6}=\frac{1}{2}$

그러므로 $a=6$일 때, ㉠을 만족시킨다.

(i)~(iii)에서 모든 a의 값의 합은 $2+6=8$

내/신/연/계/ 출제문항 366

20개의 자연수 1, 2, 3, …, 20 중에서 임의로 1개를 택하는 시행에서 소수가 나오는 사건을 A라 하고, 20보다 작은 자연수 n에 대하여 n 이하의 수가 나오는 사건을 B_n이라 하자. A와 B_n이 서로 독립이 되도록 하는 모든 n의 값의 합은?

① 10 ② 15 ③ 20
④ 25 ⑤ 30

STEP Ⓐ 두 사건의 확률 구하기

소수가 나오는 사건이 A이므로 $A=\{2, 3, 5, 7, 11, 13, 17, 19\}$

$\mathrm{P}(A)=\frac{8}{20}=\frac{2}{5}$

20보다 작은 자연수 n에 대하여 n 이하의 수가 나오는 사건이 B_n이므로

$B_n=\{1, 2, 3, \cdots, n\}$

$\mathrm{P}(B_n)=\frac{n}{20}$

STEP Ⓑ $\mathrm{P}(A\cap B_n)=\mathrm{P}(A)\mathrm{P}(B_n)$를 만족하는 n 구하기

20보다 작은 자연수 n에 대하여 두 사건 A와 B_n이 서로 독립이려면

$\mathrm{P}(A\cap B_n)=\mathrm{P}(A)\mathrm{P}(B_n)$이어야 한다.

$n(A\cap B_n)=k$라 하면

$\frac{k}{20}=\frac{2}{5}\times\frac{n}{20}$이므로 $k=\frac{2}{5}n$ …… ㉠

이때 k는 자연수이므로 n은 5의 배수이다.

(i) $n=5$일 때, $A\cap B_n=\{2, 3, 5\}$에서 $k=2$이므로 ㉠을 만족시키지 않는다.

(ii) $n=10$일 때, $A\cap B_n=\{2, 3, 5, 7\}$에서 $k=4$이므로 ㉠을 만족시킨다.

(iii) $n=15$일 때, $A\cap B_n=\{2, 3, 5, 7, 11, 13\}$에서 $k=6$이므로 ㉠을 만족시킨다.

(i)~(iii)에서 두 사건 A와 B_n이 서로 독립이 되도록 하는 n의 값은 10, 15이므로 구하는 모든 n의 값의 합은 $10+15=25$

 ④

0838

 ②

STEP Ⓐ 두 사건의 확률 구하기

한 개의 주사위를 한 번 던질 때, 홀수의 눈이 나오는 사건이 A,

$A=\{1, 3, 5\}$이므로 $\mathrm{P}(A)=\frac{1}{2}$

6 이하의 자연수 m에 대하여 m의 약수의 눈이 나오는 사건이 B이다.

STEP Ⓑ 두 사건이 서로 독립이 되도록 하는 모든 m의 값의 합 구하기

(i) $m=1$일 때, $B=\{1\}$이므로 $A\cap B=\{1\}$, $\mathrm{P}(B)=\frac{1}{6}$, $\mathrm{P}(A\cap B)=\frac{1}{6}$

이때 $\mathrm{P}(A\cap B)\neq\mathrm{P}(A)\mathrm{P}(B)$이므로 두 사건 A와 B는 서로 독립이 아니다.

(ii) $m=2$일 때, $B=\{1, 2\}$이므로

$A\cap B=\{1\}$, $\mathrm{P}(B)=\frac{1}{3}$, $\mathrm{P}(A\cap B)=\frac{1}{6}$

이때 $\mathrm{P}(A\cap B)=\mathrm{P}(A)\mathrm{P}(B)$이므로 두 사건 A와 B는 서로 독립이다.

(iii) $m=3$일 때, $B=\{1, 3\}$이므로

$A\cap B=\{1, 3\}$, $\mathrm{P}(B)=\frac{1}{3}$, $\mathrm{P}(A\cap B)=\frac{1}{3}$

즉 $\mathrm{P}(A\cap B)\neq\mathrm{P}(A)\mathrm{P}(B)$이므로 두 사건 A와 B는 서로 독립이 아니다.

(iv) $m=4$일 때, $B=\{1, 2, 4\}$이므로

$A\cap B=\{1\}$, $\mathrm{P}(B)=\frac{1}{2}$, $\mathrm{P}(A\cap B)=\frac{1}{6}$

즉 $\mathrm{P}(A\cap B)\neq\mathrm{P}(A)\mathrm{P}(B)$이므로 두 사건 A와 B는 서로 독립이 아니다.

(v) $m=5$일 때, $B=\{1,5\}$이므로

$A\cap B=\{1, 5\}$, $\mathrm{P}(B)=\frac{1}{3}$, $\mathrm{P}(A\cap B)=\frac{1}{3}$

즉 $\mathrm{P}(A\cap B)\neq\mathrm{P}(A)\mathrm{P}(B)$이므로 두 사건 A와 B는 서로 독립이 아니다.

(vi) $m=6$일 때, $B=\{1, 2, 3, 6\}$이므로

$A\cap B=\{1, 3\}$, $\mathrm{P}(B)=\frac{2}{3}$, $\mathrm{P}(A\cap B)=\frac{1}{3}$

즉 $\mathrm{P}(A\cap B)=\mathrm{P}(A)\mathrm{P}(B)$이므로 두 사건 A와 B는 서로 독립이다.

따라서 (ii), (vi)에서 모든 m의 값의 합은 $2+6=8$

내/신/연/계/ 출제문항 367

주머니에 1부터 12까지의 자연수가 각각 하나씩 적힌 12장의 카드가 들어 있다. 주머니에서 임의로 한 장의 카드를 꺼낼 때, 10 이하의 소수가 나오는 사건을 A, k의 약수가 나오는 사건을 B라 하자.

두 사건 A와 B가 서로 독립 이 되도록 하는 모든 k의 값의 합은?

(단, k는 12 이하의 자연수이고, 카드에 적힌 수는 모두 다르다.)

① 4 ② 9 ③ 16
④ 25 ⑤ 36

STEP Ⓐ 독립사건을 이용한 미지수 구하기

사건 $A=\{2, 3, 5, 7\}$이므로 $\mathrm{P}(A)=\frac{4}{12}=\frac{1}{3}$

사건 A와 B가 서로 독립이므로 $\mathrm{P}(A\cap B)=\mathrm{P}(A)\mathrm{P}(B)$에서

$\mathrm{P}(A\cap B)=\frac{1}{3}\mathrm{P}(B)$

즉 사건 $A\cap B$는 10 이하의 소수이면서 k의 약수가 나오는 사건이다.

$k=1$일 때, 소수이면서 1의 약수이므로 $\mathrm{P}(A\cap B)=0$

$k=2$일 때, 소수이면서 2의 약수이므로 $\mathrm{P}(A\cap B)=\frac{1}{12}$

$k=3$일 때, 소수이면서 3의 약수이므로 $\mathrm{P}(A\cap B)=\frac{1}{12}$

$k=4$일 때, 소수이면서 4의 약수이므로 $\mathrm{P}(A\cap B)=\frac{1}{12}$

$k=5$일 때, 소수이면서 5의 약수이므로 $\mathrm{P}(A\cap B)=\frac{1}{12}$

$k=6$일 때, 소수이면서 6의 약수이므로 $\mathrm{P}(A\cap B)=\frac{1}{6}$

$k=7$일 때, 소수이면서 7의 약수이므로 $\mathrm{P}(A\cap B)=\frac{1}{12}$

$k=8$일 때, 소수이면서 8의 약수이므로 $\mathrm{P}(A\cap B)=\frac{1}{12}$

$k=9$일 때, 소수이면서 9의 약수이므로 $\mathrm{P}(A\cap B)=\frac{1}{12}$

$k=10$일 때, 소수이면서 10의 약수이므로 $\mathrm{P}(A\cap B)=\frac{1}{6}$

$k=11$일 때, 소수이면서 11의 약수이므로 $\mathrm{P}(A\cap B)=0$

$k=12$일 때, 소수이면서 12의 약수이므로 $\mathrm{P}(A\cap B)=\frac{1}{6}$

STEP Ⓑ $\mathrm{P}(A\cap B)=\mathrm{P}(A)\mathrm{P}(B)$를 만족하는 k 구하기

k의 값에 따른 확률을 구하여 표로 나타내면 다음과 같다.

k	4	9	12
$\mathrm{P}(A)$	$\frac{1}{3}$	$\frac{1}{3}$	$\frac{1}{3}$
$\mathrm{P}(B)$	$\frac{1}{4}$	$\frac{1}{4}$	$\frac{1}{2}$
$\mathrm{P}(A)\mathrm{P}(B)$	$\frac{1}{12}$	$\frac{1}{12}$	$\frac{1}{6}$
$\mathrm{P}(A\cap B)$	$\frac{1}{12}$	$\frac{1}{12}$	$\frac{1}{6}$

두 사건 A, B가 서로 독립이므로 $\mathrm{P}(A\cap B)=\mathrm{P}(A)\mathrm{P}(B)$를 만족할 때, 이를 만족하는 상수 k의 값은 4, 9, 12이므로 모든 k의 값의 합은 $4+9+12=25$

다른풀이 $n(A\cap B)$를 이용하여 풀이하기

사건 $A=\{2, 3, 5, 7\}$이므로 $\mathrm{P}(A)=\frac{4}{12}=\frac{1}{3}$

사건 A와 B가 서로 독립이므로 $\mathrm{P}(A)=\mathrm{P}(A|B)=\frac{\mathrm{P}(A\cap B)}{\mathrm{P}(B)}=\frac{1}{3}$

(ⅰ) $n(A\cap B)=1$인 경우 $n(\mathrm{B})=3$이어야 한다.
어떤 자연수 k의 약수의 개수가 3이려면 k의 약수가 2, 3, 5, 7 중 하나를 포함해야 하므로 주어진 조건을 만족시키는 k는 4, 9이다.

(ⅱ) $n(A\cap B)=2$인 경우 $n(\mathrm{B})=6$이어야 한다.
$n(B)=6$을 만족시키는 k는 12뿐이므로 $k=12$일 때, $A\cap B=\{2, 3\}$이 되어 주어진 조건을 만족시킨다.

(ⅰ), (ⅱ)에서 $k=4, 9, 12$이므로 모든 k의 값의 합은 25  ④

0839

 ③

STEP Ⓐ 독립사건을 이용한 미지수 구하기

한 개의 주사위를 두 번 던질 때, 나오는 모든 경우의 수는 $6\times6=36$

이때 $n(A)=1\times6=6$이므로 $\mathrm{P}(A)=\frac{6}{36}=\frac{1}{6}$

두 사건 A와 B_k가 서로 독립이므로

$\mathrm{P}(A\cap B_k)=\mathrm{P}(A)\mathrm{P}(B_k)$에서 $\mathrm{P}(A\cap B_k)=\frac{1}{6}\mathrm{P}(B_k)$ …… ㉠

즉 사건 $A\cap B_k$는 첫 번째에 나오는 눈의 수가 4이고 두 눈의 수의 합이 k인 사건이다.

이때 k는 5 이상의 자연수이므로

$k=5$일 때, 첫 번째에 나오는 눈의 수가 4이고 두 눈의 수의 합이 5이므로

$\mathrm{P}(A\cap B_5)=\frac{1}{36}$ ← $A\cap B_5=\{(4, 1)\}$

$k=6$일 때, 첫 번째에 나오는 눈의 수가 4이고 두 눈의 수의 합이 6이므로

$\mathrm{P}(A\cap B_6)=\frac{1}{36}$ ← $A\cap B_6=\{(4, 2)\}$

$k=7$일 때, 첫 번째에 나오는 눈의 수가 4이고 두 눈의 수의 합이 7이므로

$\mathrm{P}(A\cap B_7)=\frac{1}{36}$ ← $A\cap B_7=\{(4, 3)\}$

$k=8$일 때, 첫 번째에 나오는 눈의 수가 4이고 두 눈의 수의 합이 8이므로

$\mathrm{P}(A\cap B_8)=\frac{1}{36}$ ← $A\cap B_8=\{(4, 4)\}$

$k=9$일 때, 첫 번째에 나오는 눈의 수가 4이고 두 눈의 수의 합이 9이므로

$\mathrm{P}(A\cap B_9)=\frac{1}{36}$ ← $A\cap B_9=\{(4, 5)\}$

$k=10$일 때, 첫 번째에 나오는 눈의 수가 4이고 두 눈의 수의 합이 10이므로

$\mathrm{P}(A\cap B_{10})=\frac{1}{36}$ ← $A\cap B_{10}=\{(4, 6)\}$

STEP Ⓑ $\mathrm{P}(A\cap B_k)=\mathrm{P}(A)\mathrm{P}(B_k)$를 만족하는 k 구하기

즉 $\mathrm{P}(A\cap B_k)=\frac{1}{36}$이므로 ㉠에서 $\mathrm{P}(A\cap B_k)=\frac{1}{6}\mathrm{P}(B_k)$

$\frac{1}{36}=\frac{1}{6}\mathrm{P}(B_k)$ $\quad\therefore \mathrm{P}(B_k)=\frac{1}{6}$

$\mathrm{P}(B_k)=\frac{1}{6}=\frac{6}{36}$이므로 $n(B_k)=6$

따라서 두 개의 주사위에서 나오는 눈의 수의 합이 k인 원소의 개수가 6을 만족하려면 $B_7=\{(1, 6), (2, 5), (3, 4), (4, 3), (5, 2), (6, 1)\}$

따라서 구하는 k의 값은 7

0840

 ⑤

STEP Ⓐ 독립사건을 이용하여 $n(A\cap B)$의 값 구하기

표본공간 $S=\{1, 2, 3, 4, \cdots, 10\}$이고 $A=\{1, 3, 5, 7, 9\}$이므로

$\mathrm{P}(A)=\frac{5}{10}=\frac{1}{2}$

조건 (가)에서 두 사건 A, B가 서로 독립이므로

$\mathrm{P}(A\cap B)=\mathrm{P}(A)\mathrm{P}(B)=\frac{1}{2}\times\frac{1}{5}=\frac{1}{10}$

$\therefore n(A\cap B)=1$ …… ㉠

STEP Ⓑ 주어진 조건으로 사건 B의 개수 구하기

조건 (나)에서 $\mathrm{P}(B)=\frac{1}{5}=\frac{2}{10}$이므로

$n(B)=2$ ← 사건 B의 원소의 개수는 2이다. …… ㉡

㉠, ㉡을 동시에 만족하는 사건 B는

두 사건 $A=\{1, 3, 5, 7, 9\}$, $A^C=\{2, 4, 6, 8, 10\}$에서

각각 한 개의 원소를 택하면 된다.

따라서 구하는 사건 B의 개수는 ${}_5\mathrm{C}_1\times{}_5\mathrm{C}_1=5\times5=25$

0841

 ②

STEP Ⓐ A와 X가 서로 독립임을 이용하여 $n(X)$의 값 구하기

모든 근원사건의 확률은 같으므로

표본공간 $S=\{1, 2, 3, \cdots, 12\}$이고 $A=\{4, 8, 12\}$이므로

$\mathrm{P}(A)=\frac{3}{12}=\frac{1}{4}$

조건 (나)에서 사건 X가 $n(A\cap X)=2$이므로 $\mathrm{P}(A\cap X)=\frac{2}{12}=\frac{1}{6}$

두 사건 A, X가 서로 독립이므로 $\mathrm{P}(A\cap X)=\mathrm{P}(A)\mathrm{P}(X)$

$\frac{1}{4}\mathrm{P}(X)=\frac{1}{6}$ $\quad\therefore \mathrm{P}(X)=\frac{4}{6}=\frac{8}{12}$

즉 $n(X)=8$ ← 사건 X의 원소의 개수는 8이다.

STEP Ⓑ 사건 X의 개수 구하기

$n(A\cap X)=2$와 $n(X)=8$을 만족하는 사건 X의 개수는

사건 $A=\{4, 8, 12\}$의 원소 중에서 2개이고

여사건 $A^C=\{1, 2, 3, 5, 6, 7, 9, 10, 11\}$의 원소 중에서 6개를 택하면 된다.

따라서 사건 X의 개수는 ${}_3\mathrm{C}_2\times{}_9\mathrm{C}_6=252$

내/신/연/계/ 출제문항 368

표본공간 $S=\{x|1\le x\le 16,\ x$는 자연수$\}$와 사건 $A=\{4, 8, 12, 16\}$에 대하여

사건 A와 독립이고 $n(A\cap X)=3$

인 사건 X의 개수는?

① 840 ② 860 ③ 880
④ 890 ⑤ 900

STEP Ⓐ A와 B가 서로 독립임을 이용하여 $n(X)$의 값 구하기

표본공간 $S=\{x|1\le x\le 16,\ x$는 자연수$\}$이고

$A=\{4, 8, 12, 16\}$이므로 $\mathrm{P}(A)=\frac{4}{16}=\frac{1}{4}$

사건 X가 $n(A\cap X)=3$이므로 $\mathrm{P}(A\cap X)=\frac{3}{16}$

사건 A와 사건 X가 서로 독립이므로 $\mathrm{P}(A\cap X)=\mathrm{P}(A)\mathrm{P}(X)$

$\frac{1}{4}\mathrm{P}(X)=\frac{3}{16}$ $\quad\therefore \mathrm{P}(X)=\frac{12}{16}$

즉 $n(X)=12$ ← 사건 X의 원소의 개수는 12이다.

STEP Ⓑ 조건에 맞는 사건 X의 개수 구하기

$n(A\cap X)=3$과 $n(X)=12$를 만족하는 사건 X의 개수는

사건 $A=\{4, 8, 12, 16\}$과 공통된 원소가 3개이고

9개는 사건 A의 여사건의 원소로 이루어진 집합의 개수와 같다.

따라서 사건 X의 개수는 ${}_4\mathrm{C}_3\times{}_{12}\mathrm{C}_9={}_4\mathrm{C}_1\times{}_{12}\mathrm{C}_3=880$  ③

0842

정답 ④

STEP Ⓐ A와 B가 서로 독립임을 이용하여 $n(B)$의 값 구하기

표본공간 $S=\{1, 2, 3, 4, 5, 6, 7, 8\}$이고 $A=\{1, 2, 3, 4\}$이므로

$\mathrm{P}(A)=\frac{4}{8}=\frac{1}{2}$

두 사건 A, B가 서로 독립이므로 $\mathrm{P}(A\cap B)=\mathrm{P}(A)\mathrm{P}(B)$

$\frac{1}{4}=\frac{1}{2}\mathrm{P}(B) \quad \therefore \mathrm{P}(B)=\frac{1}{2}$

이때 $\mathrm{P}(B)=\frac{1}{2}=\frac{4}{8}$이므로 $n(B)=4$ …… ㉠

⬅ 사건 B의 원소의 개수는 4이다.

STEP Ⓑ 사건 B의 개수 구하기

조건 (나)에서

$\mathrm{P}(A\cap B)=\frac{1}{4}=\frac{2}{8}$이므로 $n(A\cap B)=2$ …… ㉡

㉠, ㉡에서 사건 B는 $A=\{1, 2, 3, 4\}$의 원소 중에서 2개이고

여사건 $A^{C}=\{5, 6, 7, 8\}$의 원소 중에서 2개를 택하면 된다.

따라서 사건 B의 개수는 ${}_{4}\mathrm{C}_{2}\times{}_{4}\mathrm{C}_{2}=36$

내/신/연/계/ 출제문항 369

한 개의 주사위를 던질 때, 사건 $A=\{1, 2, 3, 4\}$에 대하여 다음 조건을 만족시키는 사건 B의 개수는?

(가) $\mathrm{P}(A\cap B)=\frac{1}{3}$
(나) 두 사건 A, B는 서로 독립이다.

① 4 ② 6 ③ 8
④ 10 ⑤ 12

STEP Ⓐ A와 B가 서로 독립임을 이용하여 $n(B)$, $n(A\cap B)$의 값 구하기

표본공간 $S=\{1, 2, 3, 4, 5, 6\}$이고 $A=\{1, 2, 3, 4\}$이므로

$\mathrm{P}(A)=\frac{4}{6}=\frac{2}{3}$

조건 (가)에서 $\mathrm{P}(A\cap B)=\frac{1}{3}=\frac{2}{6}$이므로

$n(A\cap B)=2$ …… ㉠

조건 (나)에서 두 사건 A, B는 서로 독립이므로

$\mathrm{P}(A\cap B)=\mathrm{P}(A)\mathrm{P}(B)=\frac{2}{3}\mathrm{P}(B)=\frac{1}{3}$에서 $\mathrm{P}(B)=\frac{1}{2}=\frac{3}{6}$

즉 $n(B)=3$ ⬅ 사건 B의 원소의 개수는 3이다. …… ㉡

STEP Ⓑ 사건 B의 개수 구하기

㉠, ㉡에서 사건 B의 원소의 개수는 3이고

그 중 2개는 사건 $A\cap B$의 원소이므로

사건 B는 사건 $A=\{1, 2, 3, 4\}$에서 두 개의 원소를 택하고

$A^{C}=\{5, 6\}$에서 한 개의 원소를 택하면 된다.

따라서 구하는 사건 B의 개수는 ${}_{4}\mathrm{C}_{2}\times{}_{2}\mathrm{C}_{1}=6\times2=12$

0843

정답 ⑤

STEP Ⓐ A와 B가 서로 독립임을 이용하여 $n(A\cap B)$의 값 구하기

표본공간 $S=\{1, 2, 3, 4, 5, 6\}$이고 $A=\{3, 6\}$이므로

$\mathrm{P}(A)=\frac{2}{6}=\frac{1}{3}$

이때 사건 A의 원소의 개수가 2개이므로

$A\cap B$의 원소의 개수는 0개 또는 1개 또는 2개

STEP Ⓑ 사건 B의 개수 구하기

(ⅰ) $n(A\cap B)=0$일 때, 즉 $\mathrm{P}(A\cap B)=0$인 경우

두 사건 A, B가 서로 독립이므로

$\mathrm{P}(A\cap B)=\mathrm{P}(A)\mathrm{P}(B)$에서 $\mathrm{P}(B)=0$ [모순]

(ⅱ) $n(A\cap B)=1$일 때, 즉 $\mathrm{P}(A\cap B)=\frac{1}{6}$인 경우

두 사건 A, B가 서로 독립이므로

$\mathrm{P}(A\cap B)=\mathrm{P}(A)\mathrm{P}(B)$에서 $\frac{1}{6}=\frac{1}{3}\mathrm{P}(B) \quad \therefore \mathrm{P}(B)=\frac{1}{2}=\frac{3}{6}$

즉 $n(B)=3$ ⬅ 사건 B의 원소의 개수는 3이다.

사건 B는 사건 $A=\{3, 6\}$에서 한 개의 원소를 택하고

$A^{C}=\{1, 2, 4, 5\}$에서 2개의 원소를 택하면 된다.

사건 B의 개수는 ${}_{2}\mathrm{C}_{1}\times{}_{4}\mathrm{C}_{2}=12$

(ⅲ) $n(A\cap B)=2$일 때, 즉 $\mathrm{P}(A\cap B)=\frac{1}{3}$인 경우

두 사건 A, B가 서로 독립이므로

$\mathrm{P}(A\cap B)=\mathrm{P}(A)\mathrm{P}(B)$에서 $\frac{1}{3}=\frac{1}{3}\mathrm{P}(B) \quad \therefore \mathrm{P}(B)=1$ [모순]

(ⅰ)~(ⅲ)에서 구하는 사건 B의 개수는 12

0844

STEP Ⓐ $n(A^{C})$, $n(A)$ 구하기

시행의 결과로 나올 수 있는 표본공간을 S라 하면

$S=\{x|x$는 10 이하의 자연수$\}$, $n(S)=10$

$A=\{2, 4, 6, 8, 10\}$, $n(A)=5$

$A^{C}=\{1, 3, 5, 7, 9\}$, $n(A^{C})=5$

STEP Ⓑ A와 B가 서로 독립임을 이용하여 $n(B)$, $n(A\cap B)$의 값 구하기

$\mathrm{P}(A\cup B)=\mathrm{P}(A)+\mathrm{P}(B)-\mathrm{P}(A\cap B)$에서

$\mathrm{P}(A\cup B)=\mathrm{P}(A)+\mathrm{P}(B)-\mathrm{P}(A)\mathrm{P}(B)$ ⬅ 두 사건 A와 B가 서로 독립

$n(S)=10$, $n(A\cup B)=7$, $n(A)=5$이므로

$\frac{7}{10}=\frac{5}{10}+\frac{n(B)}{10}-\frac{5}{10}\times\frac{n(B)}{10}$

$\frac{1}{5}=\frac{n(B)}{20} \quad \therefore n(B)=4$ ⬅ 사건 B의 원소의 개수는 4이다. …… ㉠

조건 (가)에서

두 사건 A, B는 서로 독립이므로 $\mathrm{P}(A\cap B)=\mathrm{P}(A)\mathrm{P}(B)$에서

$\frac{n(A\cap B)}{10}=\frac{5}{10}\times\frac{4}{10}$이므로 $n(A\cap B)=2$ …… ㉡

STEP Ⓒ 사건 B의 개수 구하기

㉠, ㉡을 동시에 만족하는 사건 B는

두 사건 $A=\{2, 4, 6, 8, 10\}$, $A^{C}=\{1, 3, 5, 7, 9\}$의 원소를 각각 2개씩 포함하여야 한다.

따라서 구하는 사건 B의 개수는 ${}_{5}\mathrm{C}_{2}\times{}_{5}\mathrm{C}_{2}=10\times10=100$

0845

STEP Ⓐ 확률의 덧셈정리를 이용하여 $\mathrm{P}(A\cap B)$ 구하기

확률의 덧셈정리에 의하여

$\mathrm{P}(A\cup B)=\mathrm{P}(A)+\mathrm{P}(B)-\mathrm{P}(A\cap B)$에서

$\mathrm{P}(A\cap B)=\mathrm{P}(A)+\mathrm{P}(B)-\mathrm{P}(A\cup B)=\frac{5}{9}+\frac{1}{3}-\frac{2}{3}=\frac{2}{9}$

STEP Ⓑ 조건부확률 구하기

따라서 $\mathrm{P}(B|A)=\frac{\mathrm{P}(A\cap B)}{\mathrm{P}(A)}=\frac{\frac{2}{9}}{\frac{5}{9}}=\frac{2}{5}$

0846

정답 ④

STEP Ⓐ **확률의 곱셈정리를 이용하여 $\mathrm{P}(A \cap B)$ 구하기**

$\mathrm{P}(A|B)=\dfrac{\mathrm{P}(A\cap B)}{\mathrm{P}(B)}$에서 $\mathrm{P}(A\cap B)=\mathrm{P}(B)\mathrm{P}(A|B)=\dfrac{4}{5}\times\dfrac{1}{4}=\dfrac{1}{5}$

STEP Ⓑ **조건부확률 구하기**

따라서 $\mathrm{P}(B|A)=\dfrac{\mathrm{P}(A\cap B)}{\mathrm{P}(A)}=\dfrac{\frac{1}{5}}{\frac{3}{5}}=\dfrac{1}{3}$

내/신/연/계/ 출제문항 370

두 사건 A, B에 대하여

$$\mathrm{P}(A)=0.4,\ \mathrm{P}(B)=0.5,\ \mathrm{P}(B|A)=0.3$$

일 때, $\mathrm{P}(A|B)$의 값은?

① 0.12 ② 0.15 ③ 0.2
④ 0.24 ⑤ 0.26

STEP Ⓐ **확률의 곱셈정리를 이용하여 확률 구하기**

$\mathrm{P}(B|A)=\dfrac{\mathrm{P}(A\cap B)}{\mathrm{P}(A)}$에서 $\mathrm{P}(A\cap B)=\mathrm{P}(A)\mathrm{P}(B|A)=0.4\times0.3=0.12$

STEP Ⓑ **조건부확률 구하기**

따라서 $\mathrm{P}(A|B)=\dfrac{\mathrm{P}(A\cap B)}{\mathrm{P}(B)}=\dfrac{0.12}{0.5}=0.24$

정답 ④

0847

정답 ②

STEP Ⓐ **확률의 곱셈정리를 이용하기**

$\mathrm{P}(A|B)=\dfrac{\mathrm{P}(A\cap B)}{\mathrm{P}(B)}$에서 $\mathrm{P}(A\cap B)=\mathrm{P}(B)\mathrm{P}(A|B)=\dfrac{1}{6}\mathrm{P}(B)$

STEP Ⓑ **확률의 덧셈정리를 이용하여 $\mathrm{P}(B)$의 값 구하기**

확률의 덧셈정리에 의하여

$\mathrm{P}(A\cup B)=\mathrm{P}(A)+\mathrm{P}(B)-\mathrm{P}(A\cap B)$

$\dfrac{3}{4}=\dfrac{1}{2}+\mathrm{P}(B)-\dfrac{1}{6}\mathrm{P}(B)$

따라서 $\mathrm{P}(B)=\dfrac{3}{10}$

0848

정답 ③

STEP Ⓐ **확률의 곱셈정리를 이용하여 $\mathrm{P}(A\cup B)$ 구하기**

$\mathrm{P}(A\cap B)=\mathrm{P}(A)\mathrm{P}(B|A)=\dfrac{1}{3}\times\dfrac{2}{5}=\dfrac{2}{15}$

$\mathrm{P}(A^c\cap B^c)=1-\mathrm{P}(A\cup B)=\dfrac{1}{3}$

$\therefore\ \mathrm{P}(A\cup B)=\dfrac{2}{3}$

STEP Ⓑ **확률의 덧셈정리를 이용하여 $\mathrm{P}(B)$ 구하기**

확률의 덧셈정리에 의하여

$\mathrm{P}(A\cup B)=\mathrm{P}(A)+\mathrm{P}(B)-\mathrm{P}(A\cap B)$이므로 $\dfrac{2}{3}=\dfrac{1}{3}+\mathrm{P}(B)-\dfrac{2}{15}$

따라서 $\mathrm{P}(B)=\dfrac{1}{3}+\dfrac{2}{15}=\dfrac{7}{15}$

0849

정답 ③

STEP Ⓐ **확률의 덧셈정리를 이용하여 $\mathrm{P}(A\cap B)$ 구하기**

$\mathrm{P}(A^c\cap B^c)=\mathrm{P}((A\cup B)^c)=1-\mathrm{P}(A\cup B)=\dfrac{1}{6}$

$\therefore\ \mathrm{P}(A\cup B)=\dfrac{5}{6}$

한편 $\mathrm{P}(A\cup B)=\mathrm{P}(A)+\mathrm{P}(B)-\mathrm{P}(A\cap B)$에서

$\mathrm{P}(A\cap B)=\mathrm{P}(A)+\mathrm{P}(B)-\mathrm{P}(A\cup B)=\dfrac{1}{2}+\dfrac{2}{3}-\dfrac{5}{6}=\dfrac{1}{3}$

STEP Ⓑ **조건부확률 구하기**

따라서 $\mathrm{P}(A|B)=\dfrac{\mathrm{P}(A\cap B)}{\mathrm{P}(B)}=\dfrac{\frac{1}{3}}{\frac{2}{3}}=\dfrac{1}{2}$

내/신/연/계/ 출제문항 371

두 사건 A, B에 대하여

$$\mathrm{P}(A^c)=0.3,\ \mathrm{P}(B^c)=0.6,\ \mathrm{P}(A^c\cap B^c)=0.2$$

일 때, $\mathrm{P}(A|B)$은?

① $\dfrac{1}{4}$ ② $\dfrac{3}{4}$ ③ $\dfrac{3}{5}$
④ $\dfrac{4}{5}$ ⑤ $\dfrac{5}{6}$

STEP Ⓐ **여사건의 확률을 이용하여 $\mathrm{P}(A)$, $\mathrm{P}(B)$, $\mathrm{P}(A\cup B)$ 구하기**

$\mathrm{P}(A)=1-\mathrm{P}(A^c)=1-0.3=0.7$

$\mathrm{P}(B)=1-\mathrm{P}(B^c)=1-0.6=0.4$

$\mathrm{P}(A\cup B)=1-\mathrm{P}(A^c\cap B^c)=0.8$

STEP Ⓑ **확률의 덧셈정리를 이용하여 $\mathrm{P}(A\cap B)$ 구하기**

$\mathrm{P}(A\cap B)=\mathrm{P}(A)+\mathrm{P}(B)-\mathrm{P}(A\cup B)$
$=0.7+0.4-0.8=0.3$

STEP Ⓒ **조건부확률 구하기**

따라서 $\mathrm{P}(A|B)=\dfrac{\mathrm{P}(A\cap B)}{\mathrm{P}(B)}=\dfrac{0.3}{0.4}=\dfrac{3}{4}$

정답 ②

0850

정답 ⑤

STEP Ⓐ **여사건의 확률을 이용하여 $\mathrm{P}(A\cup B)$ 구하기**

$\mathrm{P}(A^c\cap B^c)=\mathrm{P}((A\cup B)^c)=1-\mathrm{P}(A\cup B)=\dfrac{3}{10}$에서 $\mathrm{P}(A\cup B)=\dfrac{7}{10}$

STEP Ⓑ **확률의 곱셈정리, 덧셈정리를 이용하여 $\mathrm{P}(A\cap B)$ 구하기**

또한, $\mathrm{P}(A\cap B)=\mathrm{P}(A)\mathrm{P}(B|A)$이므로 확률의 덧셈정리에 의하여

$\mathrm{P}(A\cup B)=\mathrm{P}(A)+\mathrm{P}(B)-\mathrm{P}(A)\mathrm{P}(B|A)$

$\dfrac{7}{10}=\dfrac{1}{2}+\mathrm{P}(B)-\dfrac{1}{2}\times\dfrac{3}{5}$

$\therefore\ \mathrm{P}(B)=\dfrac{5}{10}$

이때 $\mathrm{P}(A\cap B)=\mathrm{P}(A)\mathrm{P}(B|A)=\dfrac{1}{2}\times\dfrac{3}{5}=\dfrac{3}{10}$

STEP Ⓒ **조건부확률 구하기**

따라서 $\mathrm{P}(A|B)=\dfrac{\mathrm{P}(A\cap B)}{\mathrm{P}(B)}=\dfrac{\frac{3}{10}}{\frac{5}{10}}=\dfrac{3}{5}$

내신연계 출제문항 372

사건 A, B에 대하여

$$P(A)=\frac{3}{5},\ P(A\cup B)=\frac{9}{10},\ P(B|A)=\frac{1}{3}$$

일 때, $P(A|B)$의 값은?

① $\frac{1}{5}$ ② $\frac{1}{3}$ ③ $\frac{2}{5}$
④ $\frac{3}{5}$ ⑤ $\frac{2}{3}$

STEP Ⓐ 확률의 곱셈정리를 이용하여 $P(A\cap B)$ 구하기

$P(A\cap B)=P(A)P(B|A)=\frac{3}{5}\times\frac{1}{3}=\frac{1}{5}$

STEP Ⓑ 확률의 덧셈정리를 이용하여 $P(B)$ 구하기

확률의 덧셈정리에서 $P(A\cup B)=P(A)+P(B)-P(A\cap B)$이므로

$\frac{9}{10}=\frac{3}{5}+P(B)-\frac{1}{5}$

$\therefore P(B)=\frac{1}{2}$

STEP Ⓒ 조건부확률 구하기

따라서 $P(A|B)=\dfrac{P(A\cap B)}{P(B)}=\dfrac{\frac{1}{5}}{\frac{1}{2}}=\frac{2}{5}$ 정답 ③

0851

정답 ③

STEP Ⓐ 확률의 덧셈정리를 이용하여 $P(A\cup B)$ 구하기

$P(B^c)=1-P(B)=1-0.6=0.4$이고

확률의 덧셈정리에 의하여

$P(A\cup B)=P(A)+P(B)-P(A\cap B)=0.5+0.6-0.2=0.9$

$P(A^c\cap B^c)=P((A\cup B)^c)=1-P(A\cup B)=1-0.9=0.1$

STEP Ⓑ 조건부확률 구하기

따라서 $P(A^c|B^c)=\dfrac{P(A^c\cap B^c)}{P(B^c)}=\dfrac{1-P(A\cup B)}{1-P(B)}=\dfrac{0.1}{0.4}=0.25$

0852

정답 ④

STEP Ⓐ 확률의 덧셈정리를 이용하여 $P(A^c\cap B^c)$의 값 구하기

$P(B)=1-P(B^c)=1-\frac{3}{10}=\frac{7}{10}$이므로

$P(A\cup B)=P(A)+P(B)-P(A\cap B)=\frac{2}{5}+\frac{7}{10}-\frac{1}{5}=\frac{9}{10}$

$P(A^c\cap B^c)=P((A\cup B)^c)=1-P(A\cup B)=1-\frac{9}{10}=\frac{1}{10}$

STEP Ⓑ $P(A^c|B^c)$의 값 구하기

따라서 $P(A^c|B^c)=\dfrac{P(A^c\cap B^c)}{P(B^c)}=\dfrac{\frac{1}{10}}{\frac{3}{10}}=\frac{1}{3}$

내신연계 출제문항 373

두 사건 A, B에 대하여

$$P(A)=\frac{7}{10},\ P(A\cup B)=\frac{9}{10}$$

일 때, $P(B^c|A^c)$의 값은? (단, A^c은 A의 여사건이다.)

① $\frac{1}{6}$ ② $\frac{1}{5}$ ③ $\frac{1}{4}$
④ $\frac{1}{3}$ ⑤ $\frac{1}{2}$

STEP Ⓐ 여사건의 확률을 이용하여 $P(A^c)$, $P(A^c\cap B^c)$ 구하기

$P(A^c)=1-P(A)=1-\frac{7}{10}=\frac{3}{10}$

$P(A^c\cap B^c)=P((A\cup B)^c)=1-P(A\cup B)=1-\frac{9}{10}=\frac{1}{10}$

STEP Ⓑ $P(B^c|A^c)$의 값 구하기

따라서 $P(B^c|A^c)=\dfrac{P(A^c\cap B^c)}{P(A^c)}=\dfrac{\frac{1}{10}}{\frac{3}{10}}=\frac{1}{3}$ 정답 ④

0853

정답 ①

STEP Ⓐ 조건부확률을 이용하여 주어진 확률 구하기

$$\begin{aligned}P(A|B)+P(B|A)&=\frac{P(A\cap B)}{P(B)}+\frac{P(A\cap B)}{P(A)}\\&=\left\{\frac{1}{P(B)}+\frac{1}{P(A)}\right\}P(A\cap B)\\&=(3+2)P(A\cap B)\\&=5P(A\cap B)=\frac{5}{6}\end{aligned}$$

따라서 $P(A\cap B)=\frac{1}{6}$

내신연계 출제문항 374

두 사건 A, B가 다음 조건을 만족시킨다.

(가) $P(A)=\frac{1}{3}$, $P(B)=\frac{1}{2}$
(나) $P(A|B)+P(B|A)=\frac{10}{7}$

$P(A\cap B)$의 값은?

① $\frac{2}{21}$ ② $\frac{1}{7}$ ③ $\frac{4}{21}$
④ $\frac{5}{21}$ ⑤ $\frac{2}{7}$

STEP Ⓐ 조건부확률을 이용하여 주어진 확률 구하기

$$\begin{aligned}P(A|B)+P(B|A)&=\frac{P(A\cap B)}{P(B)}+\frac{P(A\cap B)}{P(A)}\\&=2P(A\cap B)+3P(A\cap B)\quad\Leftarrow P(A)=\tfrac{1}{3},\ P(B)=\tfrac{1}{2}\\&=5P(A\cap B)=\frac{10}{7}\end{aligned}$$

따라서 $P(A\cap B)=\frac{2}{7}$ 정답 ⑤

Ⅱ 확률

0854

 ③

STEP Ⓐ **조건부확률을 이용하여 주어진 확률 구하기**

$$\mathrm{P}(A|B)+\mathrm{P}(B|A)=\frac{\mathrm{P}(A\cap B)}{\mathrm{P}(B)}+\frac{\mathrm{P}(A\cap B)}{\mathrm{P}(A)}$$

$$=\left\{\frac{1}{\mathrm{P}(B)}+\frac{1}{\mathrm{P}(A)}\right\}\mathrm{P}(A\cap B)$$

$$=\left(\frac{5}{2}+\frac{3}{2}\right)\mathrm{P}(A\cap B)$$

$$=4\mathrm{P}(A\cap B)=\frac{3}{2}$$

따라서 $\mathrm{P}(A\cap B)=\frac{3}{8}$

0855

 ③

STEP Ⓐ **조건부확률을 이용하여 주어진 확률 구하기**

$\mathrm{P}(B|A)=\frac{\mathrm{P}(A\cap B)}{\mathrm{P}(A)}=\frac{1}{3}$에서 $\mathrm{P}(A)=3\mathrm{P}(A\cap B)$

$\mathrm{P}(A|B)=\frac{\mathrm{P}(A\cap B)}{\mathrm{P}(B)}=\frac{1}{2}$에서 $\mathrm{P}(B)=2\mathrm{P}(A\cap B)$

STEP Ⓑ **$\mathrm{P}(A)+\mathrm{P}(B)=\mathrm{P}(A\cup B)+\mathrm{P}(A\cap B)$임을 이용하여 구하기**

$\mathrm{P}(A\cup B)=\mathrm{P}(A)+\mathrm{P}(B)-\mathrm{P}(A\cap B)$에서

$\frac{2}{3}=3\mathrm{P}(A\cap B)+2\mathrm{P}(A\cap B)-\mathrm{P}(A\cap B)$

$\frac{2}{3}=4\mathrm{P}(A\cap B)$

따라서 $\mathrm{P}(A\cap B)=\frac{1}{6}$이므로

$\mathrm{P}(A)+\mathrm{P}(B)=\mathrm{P}(A\cup B)+\mathrm{P}(A\cap B)=\frac{2}{3}+\frac{1}{6}=\frac{5}{6}$

0856

 ⑤

STEP Ⓐ **$\mathrm{P}(A)=\mathrm{P}(A\cap B)+\mathrm{P}(A\cap B^c)$을 이용하여 $\mathrm{P}(A\cap B)$ 구하기**

$\mathrm{P}(A)=\mathrm{P}(A\cap B)+\mathrm{P}(A\cap B^c)$이므로

$\mathrm{P}(A\cap B)=\mathrm{P}(A)-\mathrm{P}(A\cap B^c)=\frac{13}{16}-\frac{1}{4}=\frac{9}{16}$

STEP Ⓑ **조건부확률 구하기**

따라서 $\mathrm{P}(B|A)=\frac{\mathrm{P}(A\cap B)}{\mathrm{P}(A)}=\frac{\frac{9}{16}}{\frac{13}{16}}=\frac{9}{13}$

0857

 ⑤

STEP Ⓐ **$\mathrm{P}(A\cap B^c)=\mathrm{P}(A)-\mathrm{P}(A\cap B)$을 이용하여 구하기**

$\mathrm{P}(A)=\frac{1}{3}$, $\mathrm{P}(A\cap B)=\frac{1}{8}$이므로

$\mathrm{P}(A\cap B^c)=\mathrm{P}(A)-\mathrm{P}(A\cap B)=\frac{1}{3}-\frac{1}{8}=\frac{5}{24}$

STEP Ⓑ **조건부확률 구하기**

따라서 $\mathrm{P}(B^c|A)=\frac{\mathrm{P}(A\cap B^c)}{\mathrm{P}(A)}=\frac{\mathrm{P}(A)-\mathrm{P}(A\cap B)}{\mathrm{P}(A)}=\frac{\frac{5}{24}}{\frac{1}{3}}=\frac{5}{8}$

내/신/연/계/ 출제문항 375

두 사건 A, B에 대하여

$$\mathrm{P}(A)=\frac{1}{2},\ \mathrm{P}(B)=\frac{1}{3},\ \mathrm{P}(A\cap B)=\frac{1}{12}$$

일 때, $\mathrm{P}(B|A^c)$의 값은? (단, A^c은 A의 여사건이다.)

① $\frac{1}{6}$ ② $\frac{1}{4}$ ③ $\frac{1}{3}$
④ $\frac{5}{12}$ ⑤ $\frac{1}{2}$

STEP Ⓐ **$\mathrm{P}(A^c\cap B)=\mathrm{P}(B)-\mathrm{P}(A\cap B)$을 이용하여 구하기**

$\mathrm{P}(A^c)=1-\mathrm{P}(A)=1-\frac{1}{2}=\frac{1}{2}$

$\mathrm{P}(A^c\cap B)=\mathrm{P}(B)-\mathrm{P}(A\cap B)=\frac{1}{3}-\frac{1}{12}=\frac{1}{4}$

STEP Ⓑ **조건부확률 구하기**

따라서 $\mathrm{P}(B|A^c)=\frac{\mathrm{P}(A^c\cap B)}{\mathrm{P}(A^c)}=\frac{\mathrm{P}(B)-\mathrm{P}(A\cap B)}{1-\mathrm{P}(A)}=\frac{\frac{1}{4}}{\frac{1}{2}}=\frac{1}{2}$

 ⑤

0858

 ③

STEP Ⓐ **확률의 곱셈정리를 이용하여 $\mathrm{P}(A\cap B)$ 구하기**

확률의 곱셈정리에 의하여

$\mathrm{P}(A\cap B)=\mathrm{P}(A)\mathrm{P}(B|A)=\frac{1}{2}\times\frac{1}{6}=\frac{1}{12}$

STEP Ⓑ **$\mathrm{P}(A\cap B^c)=\mathrm{P}(A)-\mathrm{P}(A\cap B)$을 이용하여 구하기**

$\mathrm{P}(A\cap B^c)=\mathrm{P}(A)-\mathrm{P}(A\cap B)=\frac{1}{2}-\frac{1}{12}=\frac{5}{12}$

따라서 $\mathrm{P}(A|B^c)=\frac{\mathrm{P}(A\cap B^c)}{\mathrm{P}(B^c)}=\frac{\frac{5}{12}}{\frac{2}{3}}=\frac{5}{8}$

내/신/연/계/ 출제문항 376

두 사건 A, B에 대하여

$$\mathrm{P}(A)=\frac{2}{3},\ \mathrm{P}(B^c)=\frac{3}{4},\ \mathrm{P}(B|A)=\frac{1}{6}$$

일 때, $\mathrm{P}(A^c|B)$의 값은? (단, A^c은 A의 여사건이다.)

① $\frac{1}{3}$ ② $\frac{4}{9}$ ③ $\frac{5}{9}$
④ $\frac{2}{3}$ ⑤ $\frac{7}{9}$

STEP Ⓐ **확률의 곱셈정리를 이용하여 $\mathrm{P}(A\cap B)$ 구하기**

$\mathrm{P}(B|A)=\frac{\mathrm{P}(A\cap B)}{\mathrm{P}(A)}$에서 $\mathrm{P}(A\cap B)=\mathrm{P}(A)\mathrm{P}(B|A)=\frac{2}{3}\times\frac{1}{6}=\frac{1}{9}$

$\mathrm{P}(B^c)=\frac{3}{4}$이므로 $\mathrm{P}(B)=1-\mathrm{P}(B^c)=1-\frac{3}{4}=\frac{1}{4}$

STEP Ⓑ **$\mathrm{P}(A^c\cap B)=\mathrm{P}(B)-\mathrm{P}(A\cap B)$를 이용하여 구하기**

$\mathrm{P}(A^c\cap B)=\mathrm{P}(B)-\mathrm{P}(A\cap B)=\frac{1}{4}-\frac{1}{9}=\frac{5}{36}$

따라서 $\mathrm{P}(A^c|B)=\frac{\mathrm{P}(A^c\cap B)}{\mathrm{P}(B)}=\frac{\frac{5}{36}}{\frac{1}{4}}=\frac{5}{9}$

 ③

0859

정답 ③

STEP Ⓐ **확률의 곱셈정리를 이용하여 $\mathrm{P}(A\cap B)$ 구하기**

$\mathrm{P}(A\cap B)=\mathrm{P}(B)\mathrm{P}(A|B)=\frac{1}{2}\times\frac{3}{5}=\frac{3}{10}$

$\mathrm{P}(A^c)=1-\mathrm{P}(A)=1-\frac{2}{5}=\frac{3}{5}$

STEP Ⓑ **$\mathrm{P}(A^c\cap B)=\mathrm{P}(B)-\mathrm{P}(A\cap B)$를 이용하여 구하기**

$\mathrm{P}(A^c\cap B)=\mathrm{P}(B)-\mathrm{P}(A\cap B)=\frac{1}{2}-\frac{3}{10}=\frac{1}{5}$

따라서 $\mathrm{P}(B|A^c)=\dfrac{\mathrm{P}(B\cap A^c)}{\mathrm{P}(A^c)}=\dfrac{\frac{1}{5}}{\frac{3}{5}}=\frac{1}{3}$

내/신/연/계/ 출제문항 377

두 사건 A, B에 대하여

$$\mathrm{P}(A)=\frac{2}{5},\ \mathrm{P}(B)=\frac{2}{3},\ \mathrm{P}(B|A)=\frac{5}{6}$$

일 때, $\mathrm{P}(A|B^c)$의 값은?

① $\frac{1}{5}$　② $\frac{1}{4}$　③ $\frac{1}{3}$
④ $\frac{1}{2}$　⑤ $\frac{2}{3}$

STEP Ⓐ **확률의 곱셈정리를 이용하여 $\mathrm{P}(A\cap B)$ 구하기**

$\mathrm{P}(A\cap B)=\mathrm{P}(A)\mathrm{P}(B|A)=\frac{2}{5}\times\frac{5}{6}=\frac{1}{3}$

$\mathrm{P}(B^c)=1-\mathrm{P}(B)=1-\frac{2}{3}=\frac{1}{3}$

STEP Ⓑ **$\mathrm{P}(A\cap B^c)=\mathrm{P}(A)-\mathrm{P}(A\cap B)$을 이용하여 구하기**

이때 $\mathrm{P}(A)=\mathrm{P}(A\cap B)+\mathrm{P}(A\cap B^c)$이므로 $\frac{2}{5}=\frac{1}{3}+\mathrm{P}(A\cap B^c)$

$\therefore\ \mathrm{P}(A\cap B^c)=\frac{1}{15}$

따라서 구하는 확률은 $\mathrm{P}(A|B^c)=\dfrac{\mathrm{P}(A\cap B^c)}{\mathrm{P}(B^c)}=\dfrac{\frac{1}{15}}{\frac{1}{3}}=\frac{1}{5}$

정답 ①

0860

정답 ①

STEP Ⓐ **$\mathrm{P}(A\cap B^c)=\mathrm{P}(A)-\mathrm{P}(A\cap B)=\mathrm{P}(A\cup B)-\mathrm{P}(B)$임을 이용하기**

$\mathrm{P}(A|B^c)=\dfrac{\mathrm{P}(A\cap B^c)}{\mathrm{P}(B^c)}$이므로

$\mathrm{P}(A\cap B^c)=\mathrm{P}(A)-\mathrm{P}(A\cap B)=\mathrm{P}(A\cup B)-\mathrm{P}(B)=\frac{5}{8}-\frac{1}{4}=\frac{3}{8}$

$\mathrm{P}(B^c)=1-\mathrm{P}(B)=\frac{3}{4}$

STEP Ⓑ **조건부확률을 계산하기**

따라서 $\mathrm{P}(A|B^c)=\dfrac{\mathrm{P}(A\cap B^c)}{\mathrm{P}(B^c)}=\dfrac{\frac{3}{8}}{\frac{3}{4}}=\frac{1}{2}$

0861

정답 ①

STEP Ⓐ **배반사건을 이용하여 $\mathrm{P}(A\cap B^c)$ 구하기**

두 사건 A, B가 서로 배반사건이므로 $\mathrm{P}(A\cap B)=0$

$\mathrm{P}(A\cap B^c)=\mathrm{P}(A)-\mathrm{P}(A\cap B)=\frac{1}{4}-0=\frac{1}{4}$

STEP Ⓑ **조건부확률 구하기**

따라서 $\mathrm{P}(A|B^c)=\dfrac{\mathrm{P}(A\cap B^c)}{\mathrm{P}(B^c)}=\dfrac{\mathrm{P}(A)}{1-\mathrm{P}(B)}=\dfrac{\frac{1}{4}}{1-\frac{1}{3}}=\dfrac{\frac{1}{4}}{\frac{2}{3}}=\frac{3}{8}$

내/신/연/계/ 출제문항 378

두 사건 A, B가 서로 배반이고

$$\mathrm{P}(A)=\frac{1}{5},\ \mathrm{P}(B)=\frac{2}{3}$$

일 때, $\mathrm{P}(B|A^c)$은? (단, A^c은 A의 여사건이다.)

① $\frac{5}{6}$　② $\frac{2}{5}$　③ $\frac{1}{4}$
④ $\frac{1}{3}$　⑤ $\frac{1}{2}$

STEP Ⓐ **배반사건을 이용하여 $\mathrm{P}(B\cap A^c)$ 구하기**

A, B가 배반사건이므로 $A\cap B=\varnothing$

$B\subset A^c$이므로 $B\cap A^c=B$

$\mathrm{P}(A^c\cap B)=\mathrm{P}(B)=\frac{2}{3}$

STEP Ⓑ **조건부확률 구하기**

따라서 $\mathrm{P}(B|A^c)=\dfrac{\mathrm{P}(B\cap A^c)}{\mathrm{P}(A^c)}=\dfrac{\mathrm{P}(B)}{1-\mathrm{P}(A)}=\dfrac{\frac{2}{3}}{1-\frac{1}{5}}=\dfrac{\frac{2}{3}}{\frac{4}{5}}=\frac{5}{6}$

다른풀이 $\mathrm{P}(A^c\cap B)=\mathrm{P}(B)-\mathrm{P}(A\cap B)$을 이용하여 풀이하기

두 사건 A, B가 서로 배반사건이므로 $\mathrm{P}(A\cap B)=0$

$\mathrm{P}(A^c\cap B)=\mathrm{P}(B)-\mathrm{P}(A\cap B)=\frac{2}{3}-0=\frac{2}{3}$

$\mathrm{P}(B|A^c)=\dfrac{\mathrm{P}(B\cap A^c)}{\mathrm{P}(A^c)}=\dfrac{\mathrm{P}(B)}{1-\mathrm{P}(A)}=\dfrac{\frac{2}{3}}{\frac{4}{5}}=\frac{5}{6}$

정답 ①

0862

정답 ①

STEP Ⓐ **A, B가 독립이면 $\mathrm{P}(A\cap B)=\mathrm{P}(A)\mathrm{P}(B)$임을 이용하여 $\mathrm{P}(B)$ 구하기**

두 사건 A와 B는 서로 독립이므로

$\mathrm{P}(A\cap B)=\mathrm{P}(A)\mathrm{P}(B)$에서 $\frac{1}{9}=\frac{2}{3}\mathrm{P}(B)$

따라서 $\mathrm{P}(B)=\frac{1}{6}$

0863

 ②

STEP Ⓐ 여사건의 성질을 이용하여 구하기

$\mathrm{P}(A^c)=1-\mathrm{P}(A)=\frac{2}{3}$

STEP Ⓑ 독립사건의 성질을 이용하여 구하기

두 사건 A, B가 서로 독립이므로

$\frac{2}{3}=7\mathrm{P}(A\cap B)=7\mathrm{P}(A)\mathrm{P}(B)=7\times\frac{1}{3}\times\mathrm{P}(B)$

따라서 $\mathrm{P}(B)=\frac{2}{7}$

내/신/연/계/ 출제문항 379

두 사건 A, B가 서로 독립이고

$$\mathrm{P}(A)=\mathrm{P}(B^c)=\frac{1}{3}$$

일 때, $\mathrm{P}(A\cap B)$의 값은? (단, B^c은 B의 여사건이다.)

① $\frac{1}{8}$　② $\frac{1}{5}$　③ $\frac{2}{9}$
④ $\frac{1}{3}$　⑤ $\frac{4}{9}$

STEP Ⓐ 독립사건을 이용하여 $\mathrm{P}(A\cap B)$ 구하기

$\mathrm{P}(A)=\mathrm{P}(B^c)=\frac{1}{3}$이므로 $\mathrm{P}(B)=\frac{2}{3}$

두 사건 A, B가 서로 독립이므로 $\mathrm{P}(A\cap B)=\mathrm{P}(A)\mathrm{P}(B)=\frac{1}{3}\times\frac{2}{3}=\frac{2}{9}$

 ③

0864

 ②

STEP Ⓐ 독립사건의 필요충분조건에 의하여 A, B^c도 독립임을 확인하기

두 사건 A, B가 서로 독립이면 A와 B^c도 서로 독립이다.

STEP Ⓑ 독립사건을 이용하여 $\mathrm{P}(A\cap B^c)$ 구하기

$\mathrm{P}(A)=\frac{1}{2}$, $\mathrm{P}(B^c)=1-\mathrm{P}(B)=\frac{2}{3}$

따라서 $\mathrm{P}(A\cap B^c)=\mathrm{P}(A)\mathrm{P}(B^c)=\frac{1}{3}$

0865

 ②

STEP Ⓐ $\mathrm{P}(A)=\mathrm{P}(A\cap B)+\mathrm{P}(A\cap B^c)$을 이용하여 구하기

$\mathrm{P}(A)=\mathrm{P}(A\cap B)+\mathrm{P}(A\cap B^c)$이므로 $\mathrm{P}(A)=\frac{1}{8}+\frac{3}{8}=\frac{1}{2}$

STEP Ⓑ 독립사건의 성질을 이용하여 구하기

두 사건 A, B는 서로 독립이므로

$\mathrm{P}(A\cap B)=\mathrm{P}(A)\mathrm{P}(B)$에서 $\frac{1}{8}=\frac{1}{2}\times\mathrm{P}(B)$

따라서 $\mathrm{P}(B)=\frac{1}{4}$

0866

 ①

STEP Ⓐ $\mathrm{P}(A\cap B)=\mathrm{P}(A)\mathrm{P}(B)$을 이용하여 $\mathrm{P}(B)$ 구하기

두 사건 A, B가 서로 독립이므로 $\mathrm{P}(A\cap B)=\mathrm{P}(A)\mathrm{P}(B)=\frac{1}{6}$, $\frac{1}{6}=\frac{1}{4}\mathrm{P}(B)$

$\therefore\ \mathrm{P}(B)=\frac{2}{3}$

STEP Ⓑ 확률의 덧셈정리를 이용하여 $\mathrm{P}(A\cup B)$ 구하기

따라서 $\mathrm{P}(A\cup B)=\mathrm{P}(A)+\mathrm{P}(B)-\mathrm{P}(A\cap B)=\frac{1}{4}+\frac{2}{3}-\frac{1}{6}=\frac{3}{4}$

내/신/연/계/ 출제문항 380

두 사건 A와 B가 독립이고

$$\mathrm{P}(B)=\frac{3}{5},\ \mathrm{P}(A\cup B)=\frac{4}{5}$$

일 때, $\mathrm{P}(A\cap B)$의 값은?

① $\frac{2}{3}$　② $\frac{3}{10}$　③ $\frac{4}{5}$
④ $\frac{13}{15}$　⑤ $\frac{14}{15}$

STEP Ⓐ 확률의 덧셈정리를 이용하여 $\mathrm{P}(A)$의 값 구하기

두 사건 A와 B가 독립이므로

$\mathrm{P}(A\cup B)=\mathrm{P}(A)+\mathrm{P}(B)-\mathrm{P}(A\cap B)=\mathrm{P}(A)+\mathrm{P}(B)-\mathrm{P}(A)\mathrm{P}(B)$

$\frac{4}{5}=\mathrm{P}(A)+\frac{3}{5}-\frac{3}{5}\mathrm{P}(A)$, $\frac{2}{5}\mathrm{P}(A)=\frac{1}{5}$

$\therefore\ \mathrm{P}(A)=\frac{1}{2}$

STEP Ⓑ $\mathrm{P}(A\cap B)$ 구하기

따라서 두 사건 A, B가 독립이므로

$\mathrm{P}(A\cap B)=\mathrm{P}(A)\mathrm{P}(B)=\frac{1}{2}\times\frac{3}{5}=\frac{3}{10}$

정답 ②

0867

 ②

STEP Ⓐ A, B가 독립이면 $\mathrm{P}(A\cap B)=\mathrm{P}(A)\mathrm{P}(B)$임을 이용하기

두 사건 A와 B는 서로 독립이므로 $\mathrm{P}(A\cap B)=\mathrm{P}(A)\mathrm{P}(B)$

STEP Ⓑ $\mathrm{P}(B)$ 구하기

$\mathrm{P}(A\cup B)=\mathrm{P}(A)+\mathrm{P}(B)-\mathrm{P}(A\cap B)=\mathrm{P}(A)+\mathrm{P}(B)-\mathrm{P}(A)\mathrm{P}(B)$이므로

$\frac{7}{9}=\frac{2}{3}+\mathrm{P}(B)-\frac{2}{3}\mathrm{P}(B)$, $\frac{1}{3}\mathrm{P}(B)=\frac{1}{9}$

따라서 $\mathrm{P}(B)=\frac{1}{3}$

내/신/연/계/ 출제문항 381

두 사건 A, B가 서로 독립이고

$$\mathrm{P}(A)=\frac{2}{3},\ \mathrm{P}(A\cup B)=\frac{5}{6}$$

일 때, $\mathrm{P}(B)$의 값은?

① $\frac{1}{3}$　② $\frac{5}{12}$　③ $\frac{1}{2}$
④ $\frac{7}{12}$　⑤ $\frac{2}{3}$

STEP Ⓐ A, B가 독립이면 $\mathrm{P}(A\cap B)=\mathrm{P}(A)\mathrm{P}(B)$임을 이용하기

두 사건 A, B가 독립이므로 $\mathrm{P}(A\cap B)=\mathrm{P}(A)\mathrm{P}(B)$

STEP Ⓑ $\mathrm{P}(A\cup B)=\frac{5}{6}$에서 $\mathrm{P}(B)$의 값 구하기

$\mathrm{P}(A\cup B)=\mathrm{P}(A)+\mathrm{P}(B)-\mathrm{P}(A\cap B)=\mathrm{P}(A)+\mathrm{P}(B)-\mathrm{P}(A)\mathrm{P}(B)$이므로

$\frac{5}{6}=\frac{2}{3}+\mathrm{P}(B)-\frac{2}{3}\mathrm{P}(\mathrm{B})$

따라서 $\frac{1}{3}\mathrm{P}(B)=\frac{1}{6}$에서 $\mathrm{P}(B)=\frac{1}{2}$

 ③

0868

정답 ①

STEP A A, B**가 독립이면** $\mathrm{P}(A\cap B)=\mathrm{P}(A)\mathrm{P}(B)$**임을 이용하기**

두 사건 A, B가 서로 독립이므로 $\mathrm{P}(A\cap B)=\mathrm{P}(A)\mathrm{P}(B)$

이때 $\mathrm{P}(A)=\frac{1}{2}$이므로 $\mathrm{P}(A^c)=1-\mathrm{P}(A)=\frac{1}{2}$

STEP B A, B**가 독립이면** A^c, B**도 독립임을 이용하기**

두 사건 A, B가 서로 독립일 때, A^c과 B도 서로 독립이므로

$\mathrm{P}(A^c\cap B)=\mathrm{P}(A^c)\mathrm{P}(B)=\frac{1}{2}\mathrm{P}(B)=\frac{1}{3}$

$\therefore\ \mathrm{P}(B)=\frac{2}{3}$

STEP C 확률의 덧셈정리를 이용하여 $\mathrm{P}(A^c\cap B^c)$ **구하기**

따라서 구하는 확률은 $\mathrm{P}(A^c\cap B^c)=1-\mathrm{P}(A\cup B)$

$=1-\{\mathrm{P}(A)+\mathrm{P}(B)-\mathrm{P}(A\cap B)\}$

$=1-\left(\frac{1}{2}+\frac{2}{3}-\frac{1}{3}\right)=\frac{1}{6}$

0869

 ③

STEP A 독립사건을 이용하여 $\mathrm{P}(A\cap B)$**의 값 구하기**

두 사건 A, B가 서로 독립이므로 $\mathrm{P}(A)\mathrm{P}(B)=\mathrm{P}(A\cap B)=\frac{1}{8}$

STEP B 확률의 덧셈정리를 이용하여 $\mathrm{P}(A)$**의 값 구하기**

$\mathrm{P}(A\cup B)=\mathrm{P}(A)+\mathrm{P}(B)-\mathrm{P}(A\cap B)=\frac{5}{8}$에서 $\mathrm{P}(A)+\mathrm{P}(B)=\frac{3}{4}$

$\mathrm{P}(B)=\frac{3}{4}-\mathrm{P}(A)$이므로 $\mathrm{P}(A)\left\{\frac{3}{4}-\mathrm{P}(A)\right\}=\frac{1}{8}$

$8\{\mathrm{P}(A)\}^2-6\mathrm{P}(A)+1=0$

$\{4\mathrm{P}(A)-1\}\{2\mathrm{P}(A)-1\}=0$

따라서 $\mathrm{P}(A)>\mathrm{P}(B)$이므로 $\mathrm{P}(A)=\frac{1}{2}$

0870

 ②

STEP A A, B**가 독립이면** $\mathrm{P}(A\cap B)=\mathrm{P}(A)\mathrm{P}(B)$**임을 이용하기**

$\mathrm{P}(A)=x$라 하면

$4\mathrm{P}(A)=3\mathrm{P}(B)$에서 $\mathrm{P}(B)=\frac{4}{3}x$

이때 확률의 기본성질에 따라 $0\le x\le\frac{3}{4}$

사건 A와 B가 서로 독립이므로

$\mathrm{P}(A\cap B)=\mathrm{P}(A)\mathrm{P}(B)=x\times\frac{4}{3}x=\frac{4}{3}x^2$

STEP B 확률의 덧셈정리를 이용하여 $\mathrm{P}(A)$**의 값 구하기**

확률의 덧셈정리에서

$\mathrm{P}(A\cup B)=\mathrm{P}(A)+\mathrm{P}(B)-\mathrm{P}(A\cap B)$이므로

$\frac{5}{6}=x+\frac{4}{3}x-\frac{4}{3}x^2$, $8x^2-14x+5=0$

$(4x-5)(2x-1)=0$

이때 $0\le x\le\frac{3}{4}$이므로 $x=\frac{1}{2}$

따라서 $\mathrm{P}(A)=\frac{1}{2}$

0871

 ②

STEP A 사건 A, B**가 독립임을 이용하여** $\mathrm{P}(A)$, $\mathrm{P}(B)$**에 대한 연립방정식 세우기**

두 사건 A, B가 서로 독립이므로

$\mathrm{P}(A^c\cap B)=\mathrm{P}(A^c)\mathrm{P}(B)=\{1-\mathrm{P}(A)\}\mathrm{P}(B)$

$\mathrm{P}(A^c\cap B^c)=\mathrm{P}(A^c)\mathrm{P}(B^c)=\{1-\mathrm{P}(A)\}\{1-\mathrm{P}(B)\}$

이때 $\mathrm{P}(A)=x$, $\mathrm{P}(B)=y$라 하면

$(1-x)y=\frac{1}{2}$ …… ㉠

$(1-x)(1-y)=\frac{1}{6}$ …… ㉡

STEP B $\mathrm{P}(A)+\mathrm{P}(B)$ **구하기**

㉠, ㉡에서 $x=\mathrm{P}(A)=\frac{1}{3}$, $y=\mathrm{P}(B)=\frac{3}{4}$이므로

$\mathrm{P}(A)+\mathrm{P}(B)=\frac{1}{3}+\frac{3}{4}=\frac{13}{12}$

따라서 $p=13$, $q=12$이므로 $p+q=25$

다른풀이 독립의 성질을 이용하여 풀이하기

두 사건 A, B가 서로 독립이면 사건 A^c와 B, 사건 A^c와 B^c도 서로 독립이다.

$\mathrm{P}(A^c\cap B)=\mathrm{P}(A^c)\mathrm{P}(B)=\frac{1}{2}$ …… ㉠

$\mathrm{P}(A^c\cap B^c)=\mathrm{P}(A^c)\mathrm{P}(B^c)=\frac{1}{6}$ …… ㉡

㉠+㉡을 하면 $\mathrm{P}(A^c)\{\mathrm{P}(B)+\mathrm{P}(B^c)\}=\frac{1}{2}+\frac{1}{6}=\frac{2}{3}$

$\therefore\ \mathrm{P}(A^c)=\frac{2}{3}$ ← $\mathrm{P}(B)+\mathrm{P}(B^c)=1$

$\mathrm{P}(A)=1-\mathrm{P}(A^c)=1-\frac{2}{3}=\frac{1}{3}$

이때 ㉠에서 $\mathrm{P}(A^c\cap B)=\mathrm{P}(A^c)\mathrm{P}(B)=\frac{2}{3}\mathrm{P}(B)=\frac{1}{2}$

$\therefore\ \mathrm{P}(B)=\frac{3}{4}$

따라서 $\mathrm{P}(A)+\mathrm{P}(B)=\frac{1}{3}+\frac{3}{4}=\frac{13}{12}$

0872

 ④

STEP A $\mathrm{P}(B)=\mathrm{P}(A^c\cap B)+\mathrm{P}(A\cap B)$**을 이용하기**

$\mathrm{P}(A^c\cap B)=\frac{1}{3}$, $\mathrm{P}(A\cap B)=\frac{1}{6}$이므로

$\mathrm{P}(B)=\mathrm{P}(A^c\cap B)+\mathrm{P}(A\cap B)=\frac{1}{3}+\frac{1}{6}=\frac{1}{2}$

STEP B A, B**가 독립임을 이용하여** $\mathrm{P}(A)$**의 값 구하기**

또, 두 사건 A와 B가 독립이므로 $\mathrm{P}(A\cap B)=\frac{1}{6}$에서 $\mathrm{P}(A)\mathrm{P}(B)=\frac{1}{6}$

$\frac{1}{2}\mathrm{P}(A)=\frac{1}{6}$ $\quad\therefore\ \mathrm{P}(A)=\frac{1}{3}$

STEP C $\mathrm{P}(A^c\cup B)=1-\mathrm{P}(A\cap B^c)$**을 이용하여 구하기**

따라서 두 사건 A와 B가 서로 독립이면 두 사건 A와 B^c도 서로 독립이므로

$\mathrm{P}(A^c\cup B)=1-\mathrm{P}(A\cap B^c)$

$=1-\mathrm{P}(A)\mathrm{P}(B^c)$

$=1-\mathrm{P}(A)\{1-\mathrm{P}(B)\}$

$=1-\frac{1}{3}\times\frac{1}{2}=\frac{5}{6}$

0873

정답 ⑤

STEP A 두 사건 A, B가 서로 독립임을 이용하기

두 사건 A, B가 서로 독립이므로

$\mathrm{P}(A\cap B)=\mathrm{P}(A)\mathrm{P}(B)$

$$\begin{aligned}\mathrm{P}(A\cup B)&=\mathrm{P}(A)+\mathrm{P}(B)-\mathrm{P}(A\cap B)\\&=\mathrm{P}(A)+\mathrm{P}(B)-\mathrm{P}(A)\mathrm{P}(B)\\&=\mathrm{P}(A)+\mathrm{P}(B)-\frac{1}{4}=k-\frac{1}{4}\end{aligned}$$

$\therefore\ \mathrm{P}(A)+\mathrm{P}(B)=k$

STEP B 산술평균과 기하평균의 관계를 이용하여 k의 최솟값 구하기

$0<\mathrm{P}(A)\le 1$, $0<\mathrm{P}(B)\le 1$이므로 산술평균과 기하평균의 관계에 의하여

$k=\mathrm{P}(A)+\mathrm{P}(B)\ge 2\sqrt{\mathrm{P}(A)\mathrm{P}(B)}=2\sqrt{\frac{1}{4}}=1$

따라서 실수 k의 최솟값은 1

다른풀이 직선과 곡선이 접할 때, 판별식 $\mathrm{D}=0$임을 이용하여 풀이하기

$\mathrm{P}(A)=a$, $\mathrm{P}(B)=b$라 하면

$0<a\le 1$, $0<b\le 1$

A와 B가 서로 독립이므로 $\mathrm{P}(A\cap B)=\mathrm{P}(A)\mathrm{P}(B)=ab$

이때 $ab=\frac{1}{4}$이므로 $b=\frac{1}{4a}$ …… ㉠

또한, $\mathrm{P}(A\cup B)=\mathrm{P}(A)+\mathrm{P}(B)-\mathrm{P}(A\cap B)=k-\frac{1}{4}$이므로 $a+b=k$

$b=-a+k$ …… ㉡

이때 실수 k는 다음 그림과 같이 ㉠, ㉡의 그래프가 접할 때, 최솟값을 가지므로

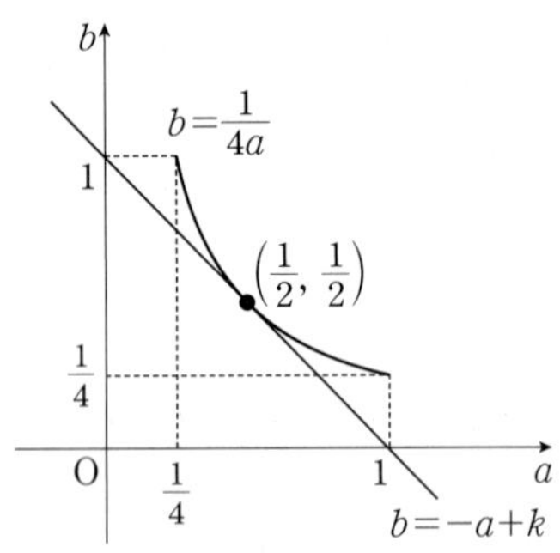

$\frac{1}{4a}=-a+k$, $4a^2-4ak+1=0$

이차방정식의 판별식을 D라 하면

$\frac{\mathrm{D}}{4}=4k^2-4=0$

$(k+1)(k-1)=0$

$\therefore\ k=1\ (\because k\ge 0)$

따라서 실수 k의 최솟값은 1

0874

 ②

STEP A A, B가 독립이면 $\mathrm{P}(A\cap B)=\mathrm{P}(A)\mathrm{P}(B)$임을 이용하기

두 사건 A, B가 서로 독립이므로 $\mathrm{P}(A\cap B)=\mathrm{P}(A)\mathrm{P}(B)=\frac{1}{2}\mathrm{P}(B)$

또한, $\mathrm{P}(A\cup B)=\mathrm{P}(A)+\mathrm{P}(B)-\mathrm{P}(A\cap B)$에서

$\frac{2}{3}=\frac{1}{2}+\mathrm{P}(B)-\frac{1}{2}\mathrm{P}(B)$

$\therefore\ \mathrm{P}(B)=\frac{1}{3}$

STEP B $\mathrm{P}(B|A)$의 값 구하기

따라서 A, B가 서로 독립이므로 $\mathrm{P}(B|A)=\mathrm{P}(B)=\frac{1}{3}$

0875

정답 ⑤

STEP A A, B가 독립이면 $\mathrm{P}(B|A)=\mathrm{P}(B)$임을 이용하기

두 사건 A와 B는 서로 독립이므로 $\mathrm{P}(B|A)=\mathrm{P}(\mathrm{B})=\frac{2}{3}$

STEP B $\mathrm{P}(A\cup B)$ 구하기

따라서
$$\begin{aligned}\mathrm{P}(A\cup B)&=\mathrm{P}(A)+\mathrm{P}(B)-\mathrm{P}(A\cap B)\\&=\mathrm{P}(A)+\mathrm{P}(B)-\mathrm{P}(A)\mathrm{P}(B)\\&=\frac{3}{8}+\frac{2}{3}-\frac{1}{4}=\frac{19}{24}\end{aligned}$$

0876

 ②

STEP A A, B가 독립이면 $\mathrm{P}(B|A)=\mathrm{P}(B)$임을 이용하기

두 사건 A와 B는 서로 독립이므로 $\mathrm{P}(B|A)=\mathrm{P}(\mathrm{B})=\frac{2}{5}$

STEP B $\mathrm{P}(A\cup B)$ 구하기

A와 B 중에서 적어도 한 사건이 일어날 확률은 $\mathrm{P}(A\cup B)$이므로

$\mathrm{P}(A\cup B)=\mathrm{P}(A)+\mathrm{P}(B)-\mathrm{P}(A\cap B)$

이때 두 사건 A, B가 독립이므로

$\mathrm{P}(A\cup B)=\mathrm{P}(A)+\mathrm{P}(B)-\mathrm{P}(A)\mathrm{P}(B)=\frac{1}{4}+\frac{2}{5}-\frac{1}{4}\times\frac{2}{5}=\frac{11}{20}$

0877

 ②

STEP A A, B가 독립이면 A, B^c도 독립임을 이용하기

두 사건 A와 B가 서로 독립이므로 $\mathrm{P}(A|B)=\mathrm{P}(A)$

그러므로 $\mathrm{P}(A|B)=\frac{1}{2}$에서 $\mathrm{P}(A)=\frac{1}{2}$

또, 두 사건 A와 B가 서로 독립이면 두 사건 A와 B^c도 서로 독립이므로

$\mathrm{P}(B^c|A)=\mathrm{P}(B^c)$

그러므로 $\mathrm{P}(B^c|A)=\frac{1}{3}$에서 $\mathrm{P}(B^c)=\frac{1}{3}$

$1-\mathrm{P}(B)=\frac{1}{3}\quad\therefore\ \mathrm{P}(B)=\frac{2}{3}$

STEP B A, B가 독립이면 $\mathrm{P}(A\cap B)=\mathrm{P}(A)\mathrm{P}(B)$임을 이용하기

따라서 두 사건 A와 B가 서로 독립이므로

$\mathrm{P}(A\cap B)=\mathrm{P}(A)\mathrm{P}(B)=\frac{1}{2}\times\frac{2}{3}=\frac{1}{3}$

0878

 ⑤

STEP A A, B가 독립이면 $\mathrm{P}(A|B)=\mathrm{P}(A)$임을 이용하기

두 사건 A, B가 서로 독립이므로 $\mathrm{P}(A|B)=\mathrm{P}(A)=\frac{1}{3}$

STEP B 독립사건을 이용하여 $\mathrm{P}(B^c)$의 값 구하기

두 사건 A, B가 서로 독립이므로 두 사건 A, B^c도 서로 독립이다.

$\mathrm{P}(A\cap B^c)=\mathrm{P}(A)\mathrm{P}(B^c)=\frac{1}{12}$

$\frac{1}{3}\mathrm{P}(B^c)=\frac{1}{12}\quad\therefore\ \mathrm{P}(B^c)=\frac{1}{4}$

STEP C 여사건의 확률을 이용하여 $\mathrm{P}(B)$ 구하기

따라서 $\mathrm{P}(B)=1-\mathrm{P}(B^c)=1-\frac{1}{4}=\frac{3}{4}$

내신연계 출제문항 382

두 사건 A, B가 서로 독립이고

$$P(A^c|B)=\frac{1}{4},\ P(A\cap B^c)+P(A^c\cap B)=\frac{2}{3}$$

일 때, $P(B^c|A)$의 값은? (단, A^c은 A의 여사건이다.)

① $\frac{1}{6}$　② $\frac{1}{3}$　③ $\frac{1}{2}$

④ $\frac{2}{3}$　⑤ $\frac{5}{6}$

STEP A **두 사건 A, B가 서로 독립임을 이용하여 $P(A)$ 구하기**

두 사건 A, B가 서로 독립이므로

$P(A^c|B)=P(A^c)=\frac{1}{4}$, $P(A)=1-P(A^c)=\frac{3}{4}$

STEP B **$P(B)$ 구하기**

두 사건 A와 B^c, A^c과 B도 서로 독립이므로

$$\begin{aligned}P(A\cap B^c)+P(A^c\cap B)&=P(A)P(B^c)+P(A^c)P(B)\\&=\frac{3}{4}\times\{1-P(B)\}+\frac{1}{4}\times P(B)\\&=\frac{3}{4}-\frac{1}{2}P(B)\\&=\frac{2}{3}\end{aligned}$$

$\therefore P(B)=\frac{1}{6}$

STEP C **$P(B^c|A)$의 값 구하기**

따라서 $P(B^c|A)=P(B^c)=1-P(B)=1-\frac{1}{6}=\frac{5}{6}$

 ⑤

0879

 ②

STEP A **A, B가 독립이면 $P(A|B)=P(A)$임을 이용하기**

두 사건 A, B가 서로 독립이므로 $P(A|B)=P(A)=\frac{3}{10}$

STEP B **확률의 덧셈정리와 독립사건을 이용하여 $P(B)$의 값 구하기**

$$\begin{aligned}P(A\cup B)&=P(A)+P(B)-P(A\cap B)\\&=P(A)+P(B)-P(A)P(B)\\&=\frac{4}{5}\end{aligned}$$

에서 $P(B)=x$라 하면

$\frac{3}{10}+x-\frac{3}{10}x=\frac{4}{5}$

$\frac{7}{10}x=\frac{1}{2}$　$\therefore x=\frac{5}{7}$

STEP C **$P(B^c)=1-P(B)$를 이용하여 구하기**

따라서 $P(B^c)=1-P(B)=1-\frac{5}{7}=\frac{2}{7}$

내신연계 출제문항 383

두 사건 A, B가 서로 독립이고

$$P(A)=\frac{1}{4},\ P(A\cup B)=\frac{1}{2}$$

일 때, $P(B^c|A)$의 값은? (단, B^c은 B의 여사건이다.)

① $\frac{1}{6}$　② $\frac{1}{3}$　③ $\frac{1}{2}$

④ $\frac{2}{3}$　⑤ $\frac{5}{6}$

STEP A **확률의 덧셈정리와 독립사건을 이용하여 $P(B)$의 값 구하기**

두 사건 A, B가 독립이므로

$$\begin{aligned}P(A\cup B)&=P(A)+P(B)-P(A\cap B)\\&=P(A)+P(B)-P(A)P(B)\\&=\frac{1}{4}+P(B)-\frac{1}{4}P(B)\\&=\frac{1}{2}\end{aligned}$$

$\therefore P(B)=\frac{1}{3}$

STEP B **독립의 성질 이용하여 $P(B^c|A)$ 구하기**

따라서 $P(B^c|A)=P(B^c)=1-P(B)=1-\frac{1}{3}=\frac{2}{3}$

정답 ④

0880

 ⑤

STEP A **여사건을 이용하여 $P(A)$의 값 구하기**

$P(A^c)=\frac{2}{3}$에서 $P(A)=1-P(A^c)=1-\frac{2}{3}=\frac{1}{3}$

STEP B **독립을 이용하여 $P(B|A^c)$의 값 구하기**

두 사건 A, B가 서로 독립이므로 $P(A\cap B)=P(A)P(B)$에서

$\frac{1}{4}=\frac{1}{3}P(B)$　$\therefore P(B)=\frac{3}{4}$

STEP C **$P(A^c\cap B)=P(B)-P(A\cap B)$을 이용하여 구하기**

$P(A^c\cap B)=P(B)-P(A\cap B)=\frac{3}{4}-\frac{1}{4}=\frac{1}{2}$

따라서 $P(B|A^c)=\dfrac{P(B\cap A^c)}{P(A^c)}=\dfrac{\frac{1}{2}}{\frac{2}{3}}=\frac{3}{4}$

다른풀이 $P(B|A^c)=P(B)$을 이용하여 풀이하기

$P(A^c)=\frac{2}{3}$에서 $P(A)=1-\frac{2}{3}=\frac{1}{3}$

두 사건 A, B가 서로 독립이므로 $P(A\cap B)=P(A)P(B)$에서

$\frac{1}{4}=\frac{1}{3}P(B)$　$\therefore P(B)=\frac{3}{4}$

두 사건 A, B가 서로 독립이면 두 사건 A^c과 B도 서로 독립이므로

$P(B|A^c)=P(B)=\frac{3}{4}$

0881

 ②

STEP A **조건부확률의 정의에 의하여 $P(A\cap B)$ 구하기**

ㄱ. $\begin{aligned}P(A|B)+P(B|A)&=\frac{P(A\cap B)}{P(B)}+\frac{P(A\cap B)}{P(A)}\\&=5P(A\cap B)+2P(A\cap B)\\&=7P(A\cap B)\end{aligned}$

이때 $7P(A\cap B)=\frac{7}{5}$이므로 $P(A\cap B)=\frac{1}{5}$

ㄴ. $P(A\cap B)=P(B)=\frac{1}{5}$이므로 $A\cap B=B$

즉 $B\subset A$

STEP B **A, B가 독립이면 $P(A\cap B)=P(A)P(B)$임을 이용하기**

ㄷ. $P(A)P(B)=\frac{1}{2}\times\frac{1}{5}=\frac{1}{10}$이므로 $P(A\cap B)\neq P(A)P(B)$

즉 A와 B는 서로 독립이 아니다.

따라서 옳은 것은 ㄱ, ㄴ이다.

0882

정답 ①

STEP Ⓐ 두 사건 A, B가 독립임을 이용하여 곱셈정리 정리하기

두 사건 A, B가 서로 독립이므로 $\mathrm{P}(B|A)=\mathrm{P}(B)$

즉 $\mathrm{P}(A)=\mathrm{P}(B)$ ...... ㉠

두 사건 A, B가 서로 독립이므로

$\mathrm{P}(A\cup B)=\mathrm{P}(A)+\mathrm{P}(B)-\mathrm{P}(A\cap B)$

$=\mathrm{P}(A)+\mathrm{P}(B)-\mathrm{P}(A)\mathrm{P}(B)$

$=\frac{5}{9}$ ...... ㉡

STEP Ⓑ $\mathrm{P}(A\cap B)=\mathrm{P}(A)\mathrm{P}(B)$의 값 구하기

㉠, ㉡에서 $2\mathrm{P}(A)-\{\mathrm{P}(A)\}^2=\frac{5}{9}$

$9\{\mathrm{P}(A)\}^2-18\mathrm{P}(A)+5=0$, $\{3\mathrm{P}(A)-1\}\{3\mathrm{P}(A)-5\}=0$

$0<\mathrm{P}(A)<1$이므로 $\mathrm{P}(A)=\frac{1}{3}$

$\therefore \mathrm{P}(B)=\mathrm{P}(A)=\frac{1}{3}$

따라서 $\mathrm{P}(A\cap B)=\mathrm{P}(A)\mathrm{P}(B)=\frac{1}{3}\times\frac{1}{3}=\frac{1}{9}$

내/신/연/계/ 출제문항 384

사건 A, B가 서로 독립이고

$$\mathrm{P}(A^c\cap B)=\frac{1}{4},\ \mathrm{P}(A^c|B)-\mathrm{P}(B|A^c)=\frac{5}{12}$$

일 때, $\mathrm{P}(B)$의 값은? (단, A^c은 A의 여사건이다.)

① $\frac{1}{12}$ ② $\frac{1}{6}$ ③ $\frac{1}{4}$
④ $\frac{1}{3}$ ⑤ $\frac{5}{12}$

STEP Ⓐ 두 사건 A, B가 서로 독립임을 이용하여 $\mathrm{P}(B)$의 값 구하기

두 사건 A, B가 서로 독립이므로 두 사건 A^c, B도 서로 독립이다.

$\mathrm{P}(A^c\cap B)=\mathrm{P}(A^c)\mathrm{P}(B)=\frac{1}{4}$ ...... ㉠

$\mathrm{P}(A^c|B)-\mathrm{P}(B|A^c)=\frac{5}{12}$에서 $\mathrm{P}(A^c)-\mathrm{P}(B)=\frac{5}{12}$

$\mathrm{P}(A^c)=\frac{5}{12}+\mathrm{P}(B)$를 ㉠에 대입하면

$\left\{\frac{5}{12}+\mathrm{P}(B)\right\}\mathrm{P}(B)=\frac{1}{4}$

$12\{\mathrm{P}(B)\}^2+5\mathrm{P}(B)-3=0$, $\{3\mathrm{P}(B)-1\}\{4\mathrm{P}(B)+3\}=0$

따라서 $\mathrm{P}(B)>0$이므로 $\mathrm{P}(B)=\frac{1}{3}$

정답 ④

0883

정답 ②

STEP Ⓐ A, B가 독립사건임을 이용하여 $\mathrm{P}(B)$의 값 구하기

A, B는 서로 독립이므로 $\mathrm{P}(A\cap B)=\mathrm{P}(A)\mathrm{P}(B)=0.5\mathrm{P}(B)=0.3$

$\therefore \mathrm{P}(B)=\frac{3}{5}=0.6$

STEP Ⓑ B, C가 서로 배반사건임을 이용하여 $\mathrm{P}(C)$의 값 구하기

B, C는 서로 배반사건이므로 $\mathrm{P}(B\cup C)=\mathrm{P}(B)+\mathrm{P}(C)=0.8$

따라서 $0.6+\mathrm{P}(C)=0.8$이므로 $\mathrm{P}(C)=0.2$

0884

정답 ④

STEP Ⓐ A, C가 독립사건임을 이용하여 $\mathrm{P}(A)$의 값 구하기

$\mathrm{P}(C^c)=1-\mathrm{P}(C)=\frac{1}{2}$이므로 $\mathrm{P}(C)=\frac{1}{2}$ ...... ㉠

두 사건 A와 C는 서로 독립이므로 $\mathrm{P}(A\cap C)=\mathrm{P}(A)\mathrm{P}(C)=\frac{1}{5}$

㉠에서 $\mathrm{P}(A)\times\frac{1}{2}=\frac{1}{5}$ $\therefore \mathrm{P}(A)=\frac{2}{5}$ ...... ㉡

STEP Ⓑ A, B가 서로 배반사건임을 이용하여 $\mathrm{P}(B)$의 값 구하기

두 사건 A와 B는 서로 배반사건이므로 $\mathrm{P}(A\cap B)=0$

$\mathrm{P}(A\cup B)=\mathrm{P}(A)+\mathrm{P}(B)=\frac{2}{3}$이고 ㉡에서 $\frac{2}{5}+\mathrm{P}(B)=\frac{2}{3}$

따라서 $\mathrm{P}(B)=\frac{4}{15}$

내/신/연/계/ 출제문항 385

세 사건 A, B, C에 대하여 A와 B는 배반사건이고 A와 C는 서로 독립이다.

$$\mathrm{P}(A\cup B)=\frac{3}{4},\ \mathrm{P}(A\cap C)=\frac{1}{3},\ \mathrm{P}(C)=\frac{1}{2}$$

일 때, $\mathrm{P}(B)$의 값은?

① $\frac{1}{12}$ ② $\frac{3}{7}$ ③ $\frac{1}{2}$
④ $\frac{4}{15}$ ⑤ $\frac{5}{16}$

STEP Ⓐ A, C가 독립사건임을 이용하여 $\mathrm{P}(A)$의 값 구하기

두 사건 A, C가 서로 독립사건이므로 $\mathrm{P}(A\cap C)=\mathrm{P}(A)\mathrm{P}(C)$

$\frac{1}{3}=\mathrm{P}(A)\times\frac{1}{2}$ $\therefore \mathrm{P}(A)=\frac{2}{3}$

STEP Ⓑ A, B가 서로 배반사건임을 이용하여 $\mathrm{P}(B)$의 값 구하기

두 사건 A, B가 서로 배반사건이므로 $\mathrm{P}(A\cap B)=0$

$\mathrm{P}(A\cup B)=\mathrm{P}(A)+\mathrm{P}(B)$에서 $\frac{3}{4}=\frac{2}{3}+\mathrm{P}(B)$

따라서 $\mathrm{P}(B)=\frac{1}{12}$

정답 ①

0885

정답 ②

STEP Ⓐ 두 사건 A ,B가 서로 독립임을 이용하여 확률의 덧셈정리 구하기

두 사건 A, B가 서로 독립이므로 $\mathrm{P}(A\cap B)=\mathrm{P}(A)\mathrm{P}(B)$에서

$\mathrm{P}(A\cup B)=\mathrm{P}(A)+\mathrm{P}(B)-\mathrm{P}(A\cap B)$

$=\mathrm{P}(A)+\mathrm{P}(B)-\mathrm{P}(A)\mathrm{P}(B)$

$=0.6$ ...... ㉠

STEP Ⓑ 두 사건 A, B가 서로 배반사건임을 이용하여 $\mathrm{P}(A)+\mathrm{P}(B)$, $\mathrm{P}(A)\mathrm{P}(B)$의 값 구하기

이때 두 사건 A, B를 서로 배반사건으로 잘못 생각하였다면

$\mathrm{P}(A\cup B)=\mathrm{P}(A)+\mathrm{P}(B)$로 생각한 것이므로

$\mathrm{P}(A)+\mathrm{P}(B)=0.7$ ...... ㉡

㉠, ㉡에서 $\mathrm{P}(A)\mathrm{P}(B)=0.1$ ...... ㉢

STEP Ⓒ 다항식의 덧셈정리를 이용하여 구하기

따라서 ㉡, ㉢에서

$|\mathrm{P}(A)-\mathrm{P}(B)|=\sqrt{\{\mathrm{P}(A)+\mathrm{P}(B)\}^2-4\mathrm{P}(A)\mathrm{P}(B)}$ ⬅ $(a-b)^2=(a+b)^2-4ab$

$=\sqrt{0.7^2-0.4}=0.3$

내신연계 출제문항 386

서로 독립인 두 사건 A와 B에 대하여 갑은 두 사건이 서로 독립이라고 생각하여 $\mathrm{P}(A\cup B)=0.7$의 값을 얻었고, 을은 두 사건이 서로 배반이라고 잘못 생각하여 $\mathrm{P}(A\cup B)=0.9$의 값을 얻었다. $|\mathrm{P}(A)-\mathrm{P}(B)|$의 값은?

① 0.1 ② 0.2 ③ 0.3
④ 0.4 ⑤ 0.5

STEP Ⓐ 두 사건 A, B가 서로 독립임을 이용하여 확률의 덧셈정리 구하기

갑은 두 사건 A와 B가 서로 독립이라고 생각하였으므로

$$\begin{aligned}\mathrm{P}(A\cup B)&=\mathrm{P}(A)+\mathrm{P}(B)-\mathrm{P}(A\cap B)\\&=\mathrm{P}(A)+\mathrm{P}(B)-\mathrm{P}(A)\mathrm{P}(B)\\&=0.7 \quad \cdots\cdots \text{㉠}\end{aligned}$$

STEP Ⓑ 두 사건 A, B가 서로 배반사건임을 이용하여 $\mathrm{P}(A)+\mathrm{P}(B)$, $\mathrm{P}(A)\mathrm{P}(B)$의 값 구하기

을은 두 사건 A와 B가 서로 배반이라고 생각하였으므로

$\mathrm{P}(A\cup B)=\mathrm{P}(A)+\mathrm{P}(B)=0.9 \quad \cdots\cdots$ ㉡

㉡을 ㉠에 대입하면

$0.9-\mathrm{P}(A)\mathrm{P}(B)=0.7 \quad \therefore \mathrm{P}(A)\mathrm{P}(B)=0.2$

STEP Ⓒ 다항식의 덧셈정리를 이용하여 구하기

$\{\mathrm{P}(A)-\mathrm{P}(B)\}^2=\{\mathrm{P}(A)+\mathrm{P}(B)\}^2-4\times\mathrm{P}(A)\mathrm{P}(B)$

$(0.9)^2-4\times0.2=0.01$

따라서 $|\mathrm{P}(A)-\mathrm{P}(B)|=0.1$  정답 ①

0886

 정답 ①

STEP Ⓐ 두 사건의 확률 구하기

한 개의 주사위를 한 번 던져서 소수의 눈이 나오는 사건을 A라 하고
한 개의 동전을 한 번 던져서 앞면이 나오는 사건을 B라 하면
구하는 확률은 $\mathrm{P}(A\cap B)$

$\mathrm{P}(A)=\dfrac{3}{6}=\dfrac{1}{2}$, $\mathrm{P}(B)=\dfrac{1}{2}$

STEP Ⓑ 두 사건 A, B가 독립임을 이용하기

따라서 두 사건 A, B가 서로 독립이므로 $\mathrm{P}(A\cap B)=\mathrm{P}(A)\mathrm{P}(B)=\dfrac{1}{2}\times\dfrac{1}{2}=\dfrac{1}{4}$

0887

 정답 ①

STEP Ⓐ 두 사건 A, B는 서로 독립이므로 A와 B^c, A^c과 B도 서로 독립임을 이용하여 확률 구하기

학생 A가 공연을 관람할 사건을 A, 학생 B가 공연을 관람할 사건을 B라 할 때,
두 사건 A, B는 서로 독립이므로 A와 B^c, A^c과 B도 서로 독립이다.

(ⅰ) A만 공연을 관람할 확률은

$\mathrm{P}(A\cap B^c)=\mathrm{P}(A)\mathrm{P}(B^c)=\dfrac{1}{7}\times\left(1-\dfrac{2}{5}\right)=\dfrac{3}{35}$

(ⅱ) B만 공연을 관람할 확률은

$\mathrm{P}(A^c\cap B)=\mathrm{P}(A^c)\mathrm{P}(B)=\left(1-\dfrac{1}{7}\right)\times\dfrac{2}{5}=\dfrac{12}{35}$

STEP Ⓑ 배반사건을 이용하여 확률 구하기

(ⅰ), (ⅱ)는 서로 배반사건이므로 구하는 확률은 $\dfrac{3}{35}+\dfrac{12}{35}=\dfrac{15}{35}=\dfrac{3}{7}$

내신연계 출제문항 387

어느 노래 경연에 참가한 지민이와 진수가 예선을 통과할 확률이 각각 0.8, 0.6이라고 한다.
지민이와 진수가 각각 예선을 통과하는 사건이 서로 독립일 때, 2명 중에서 1명만 예선을 통과할 확률은?

① 0.25 ② 0.375 ③ 0.44
④ 0.6 ⑤ 0.75

STEP Ⓐ 두 사건 A, B는 서로 독립이므로 A와 B^c, A^c과 B도 서로 독립임을 이용하여 확률 구하기

지민이가 예선을 통과할 사건을 A, 진수가 예선을 통과할 사건을 B라 할 때,
두 사건 A, B는 서로 독립이므로 A와 B^c, A^c과 B도 서로 독립이다.
2명 중에서 1명만 예선을 통과할 확률은

(ⅰ) 지민이만 예선을 통과할 확률은

$\mathrm{P}(A\cap B^c)=\mathrm{P}(A)\mathrm{P}(B^c)=0.8\times(1-0.6)=0.32$

(ⅱ) 진수만 예선을 통과할 확률은

$\mathrm{P}(A^c\cap B)=\mathrm{P}(A^c)\mathrm{P}(B)=(1-0.8)\times0.6=0.12$

STEP Ⓑ 배반사건을 이용하여 확률 구하기

(ⅰ), (ⅱ)는 서로 배반사건이므로 구하는 확률은 $0.32+0.12=0.44$  정답 ③

0888

 정답 ③

STEP Ⓐ 두 사건 A, B는 서로 독립이므로 A와 B^c, A^c과 B도 서로 독립임을 이용하여 확률 구하기

승부차기에서 축구선수 A가 성공할 사건을 A,
축구선수 B가 성공할 사건을 B, 축구선수 C가 성공할 사건을 C라 하면
두 사건 A, B, C는 서로 독립이다.

(ⅰ) A, B만 성공할 확률은

$\mathrm{P}(A\cap B\cap C^c)=\dfrac{4}{5}\times\dfrac{3}{4}\times\left(1-\dfrac{7}{10}\right)=\dfrac{9}{50}$

(ⅱ) A, C만 성공할 확률은

$\mathrm{P}(A\cap B^c\cap C)=\dfrac{4}{5}\times\left(1-\dfrac{3}{4}\right)\times\dfrac{7}{10}=\dfrac{7}{50}$

(ⅲ) B, C만 성공할 확률은

$\mathrm{P}(A^c\cap B\cap C)=\left(1-\dfrac{4}{5}\right)\times\dfrac{3}{4}\times\dfrac{7}{10}=\dfrac{21}{200}$

STEP Ⓑ 배반사건을 이용하여 확률 구하기

(ⅰ), (ⅱ)는 서로 배반사건이므로 구하는 확률은

$\dfrac{9}{50}+\dfrac{7}{50}+\dfrac{21}{200}=\dfrac{36+28+21}{200}=\dfrac{85}{200}=\dfrac{17}{40}$

내신연계 출제문항 388

승부차기를 성공할 확률이 각각 0.6, 0.8인 두 축구선수 강인, 흥민이가 한 번씩 승부차기를 할 때, 둘 중 한 명만 성공할 확률은?

① 0.12　② 0.32　③ 0.44
④ 0.46　⑤ 0.52

STEP A 두 사건 A, B는 서로 독립이므로 A와 B^c, A^c과 B도 서로 독립임을 이용하여 확률 구하기

승부차기에서 강인이가 성공할 사건을 A,
흥민이가 성공할 사건을 B라 하면
두 사건 A, B는 서로 독립이므로 A와 B^c, A^c과 B도 서로 독립이다.

(i) 강인이만 성공할 확률은
$\mathrm{P}(A\cap B^c)=\mathrm{P}(A)\mathrm{P}(B^c)=0.6\times0.2=0.12$

(ii) 흥민이만 성공할 확률은
$\mathrm{P}(A^c\cap B)=\mathrm{P}(A^c)\mathrm{P}(B)=0.4\times0.8=0.32$

STEP B 배반사건을 이용하여 확률 구하기

(i), (ii)는 서로 배반사건이므로 구하는 확률은 $0.12+0.32=0.44$  ③

0889

 ③

STEP A 모든 경우의 수 구하기

A, B 두 사람이 주사위를 한 번씩 던질 때, 나오는 모든 경우의 수는
$6\times6=36$

STEP B 두 사건 A, B는 서로 독립임을 이용하여 확률 구하기

첫 번째 시행의 사건을 A, 두 번째 시행의 사건을 B라 하면
첫 번째 시행에서 A와 B의 눈의 수가 같은 경우의 수는 6이므로
$\mathrm{P}(A)=\frac{6}{36}=\frac{1}{6}$
두 번째 시행에서 B의 눈의 수가 A의 눈의 수보다 큰 경우의 수는
1부터 6까지의 자연수 중에서 서로 다른 2개를 선택하는 경우의 수와 같으므로
${}_6\mathrm{C}_2=15$이므로 $\mathrm{P}(B)=\frac{15}{36}=\frac{5}{12}$
따라서 구하는 확률은 $\mathrm{P}(A\cap B)=\mathrm{P}(A)\mathrm{P}(B)=\frac{1}{6}\times\frac{5}{12}=\frac{5}{72}$

0890

 ③

STEP A 관람객 투표와 심사위원의 점수의 합이 70점이 되는 경우의 확률을 각각 구하기

철수가 받는 관람객 투표 점수와 심사위원 점수의 합이 70점이 되는 경우는
관람객 투표 점수를 받는 사건과 심사위원 점수를 받는 사건이 서로 독립이므로
각각의 경우의 확률은 다음과 같다.

(i) 관람객 투표 점수 A(40), 심사위원 점수 C(30)인 경우의 확률은
$\frac{1}{2}\times\frac{1}{6}=\frac{1}{12}$

(ii) 관람객 투표 점수 B(30), 심사위원 점수 B(40)인 경우의 확률은
$\frac{1}{3}\times\frac{1}{3}=\frac{1}{9}$

(iii) 관람객 투표 점수 C(20), 심사위원 점수 A(50)인 경우의 확률은
$\frac{1}{6}\times\frac{1}{2}=\frac{1}{12}$

STEP B 확률 구하기

따라서 구하는 확률은 $\frac{1}{12}+\frac{1}{9}+\frac{1}{12}=\frac{5}{18}$

+α 두 점수의 합이 70점이 되는 경우는 다음과 같다.

관람객 투표	심사위원
점수 A(40)	점수 C(30)
점수 B(30)	점수 B(40)
점수 C(20)	점수 A(50)

내신연계 출제문항 389

민호가 참가한 가요 대회에서는 음정과 리듬 두 가지 항목을 심사하고,
각 항목에서 받을 수 있는 등급에 대한 점수는 다음 표와 같다.
민호가 각 항목에서 점수 A를 받을 확률은 $\frac{1}{6}$, 점수 B를 받을 확률은 $\frac{1}{3}$,
점수 C를 받을 확률은 $\frac{1}{2}$이다. 민호가 받은 두 항목의 점수의 합이 7일 확률을 $\frac{q}{p}$라고 할 때, $p+q$의 값은? (단, p, q는 서로소인 자연수이다.)

구분	점수 A	점수 B	점수 C
음정	4	3	2
리듬	5	4	3

① 18　② 19　③ 20
④ 21　⑤ 23

STEP A 경우를 나누어 독립임을 이용하여 각 확률 구하기

민호가 받은 두 항목의 점수의 합이 7인 경우는
음정 점수를 받는 사건과 리듬 점수를 받는 사건이 서로 독립이므로
각각의 경우의 확률은 다음과 같다.

(i) (A, C)인 경우의 확률은 $\frac{1}{6}\times\frac{1}{2}=\frac{1}{12}$

(ii) (B, B)인 경우의 확률은 $\frac{1}{3}\times\frac{1}{3}=\frac{1}{9}$

(iii) (C, A)인 경우의 확률은 $\frac{1}{2}\times\frac{1}{6}=\frac{1}{12}$

STEP B $p+q$의 값 구하기

(i)~(iii)가 서로 배반사건이므로 구하는 확률은 $\frac{1}{12}+\frac{1}{9}+\frac{1}{12}=\frac{5}{18}$
따라서 $p=18$, $q=5$이므로 $p+q=18+5=23$  ⑤

0891

 ⑤

STEP A 독립의 성질을 이용하여 주어진 확률 구하기

갑이 20년 후까지 살아 있을 사건을 A, 을이 20년 후까지 살아 있을 사건을
B라 하면 $A^c\cap B^c$는 갑과 을이 모두 20년 후에 살아 있지 못할 사건이다.
또한, A와 B는 독립이므로 A^c과 B^c도 독립이다.

STEP B 여사건의 확률 구하기

따라서 $\mathrm{P}(A^c\cap B^c)=\mathrm{P}(A^c)\mathrm{P}(B^c)=\{1-\mathrm{P}(\mathrm{A})\}\{1-\mathrm{P}(\mathrm{B})\}$
$=(1-0.7)\times(1-0.8)$
$=0.3\times0.2=0.06$

0892

정답 ④

STEP Ⓐ 독립사건을 이용하여 $\mathrm{P}(A\cap B)$ 구하기

부품 A가 고장 나는 사건을 A, 부품 B가 고장 나는 사건을 B라 하면
이 기계가 작동하는 사건은 두 부품이 모두 고장 나는 사건의 여사건이다.
이때 부품 A와 B는 독립적으로 작동하므로 두 부품이 모두 고장 날 확률은

$\mathrm{P}(A\cap B)=\mathrm{P}(A)\mathrm{P}(B)=\frac{3}{11}\times\frac{1}{12}=\frac{1}{44}$

STEP Ⓑ 여사건의 확률 구하기

따라서 구하는 확률은 $1-\mathrm{P}(A\cap B)=1-\frac{1}{44}=\frac{43}{44}$

내/신/연/계/ 출제문항 390

독립적으로 작동하는 두 개의 부품 A, B로 구성된 오른쪽 그림과 같은 기계가 있다. 두 개의 부품 중 적어도 하나가 작동하면 이 기계가 작동을 한다고 한다.
부품 A, B가 각각 고장 날 확률이 0.2, 0.3일 때, 이 기계가 작동할 확률은?

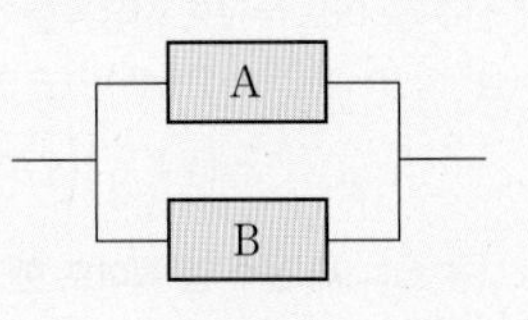

① 0.72 ② 0.81 ③ 0.94
④ 0.95 ⑤ 0.97

STEP Ⓐ 독립인 사건에서 $\mathrm{P}(A\cap B)=\mathrm{P}(A)\mathrm{P}(B)$임을 이용하기

부품 A가 고장 나는 사건을 A, 부품 B가 고장 나는 사건을 B라고 할 때,
기계가 작동할 확률은 $1-\mathrm{P}(A\cap B)$
이때 부품 A와 B는 독립적으로 작동하므로
$\mathrm{P}(A\cap B)=\mathrm{P}(A)\mathrm{P}(B)=0.2\times 0.3=0.06$

STEP Ⓑ $1-\mathrm{P}(A\cap B)$ 구하기

따라서 구하는 확률은 $1-0.06=0.94$

정답 ③

0893

정답 ⑤

STEP Ⓐ 두 사건 A, B가 서로 독립이면 A^c, B^c도 독립임을 이용하기

양궁선수 P가 10점 과녁에 맞힐 사건을 A,
양궁선수 Q가 10점 과녁에 맞힐 사건을 B라 하면
두 사건 A, B는 서로 독립이므로 A^c와 B^c도 서로 독립이다.
양궁선수 P, Q가 모두 10점 과녁에 맞히지 못할 확률은

$\mathrm{P}(A^c\cap B^c)=\mathrm{P}(A^c)\mathrm{P}(B^c)$
$=\{1-\mathrm{P}(A)\}\{1-\mathrm{P}(B)\}$
$=(1-0.9)\times(1-0.8)=0.02$

STEP Ⓑ 여사건의 확률 구하기

따라서 적어도 한 선수가 10점 과녁에 맞힐 확률은
$1-\mathrm{P}(A^c\cap B^c)=1-0.02=0.98$

다른풀이 확률의 덧셈정리를 이용하여 풀이하기

적어도 한 선수가 10점 과녁에 맞힐 사건은 $A\cup B$이다.
이때 두 사건 A, B는 서로 독립이므로
$\mathrm{P}(A\cap B)=\mathrm{P}(A)\mathrm{P}(B)=0.9\times 0.8=0.72$
따라서 구하는 확률은
$\mathrm{P}(A\cup B)=\mathrm{P}(A)+\mathrm{P}(B)-\mathrm{P}(A\cap B)=0.9+0.8-0.72=0.98$

내/신/연/계/ 출제문항 391

승부차기 성공률이 각각 80%, 60%인 병현이와 지훈이가 차례로 승부차기를 한 번씩만 할 때, 적어도 한 명이 승부차기에 성공할 확률은?
(단, 병현이와 지훈이가 각각 승부차기에 성공하는 사건은 서로 독립이다.)

① 0.08 ② 0.48 ③ 0.92
④ 0.94 ⑤ 0.98

STEP Ⓐ 두 사건 A, B가 서로 독립이면 A^c, B^c도 독립임을 이용하기

병현이가 승부차기에 성공할 사건을 A,
지훈이가 승부차기에 성공할 사건을 B라 하면
두 사건 A, B는 서로 독립이므로 A^c와 B^c도 서로 독립이다.
두 선수 병현, 지훈이가 모두 승부차기에 성공 하지 못할 확률은

$\mathrm{P}(A^c\cap B^c)=\mathrm{P}(A^c)\mathrm{P}(B^c)$
$=\{1-\mathrm{P}(A)\}\{1-\mathrm{P}(B)\}$
$=(1-0.8)\times(1-0.6)=0.08$

STEP Ⓑ 여사건의 확률 구하기

따라서 적어도 한 명이 승부차기에 성공할 확률은
$1-\mathrm{P}(A^c\cap B^c)=1-0.08=0.92$

다른풀이 확률의 덧셈정리를 이용하여 풀이하기

적어도 한 명이 승부차기에 성공할 사건은 $A\cup B$이다.
이때 두 사건 A, B는 서로 독립이므로
$\mathrm{P}(A\cap B)=\mathrm{P}(A)\mathrm{P}(B)=0.8\times 0.6=0.48$
따라서 구하는 확률은
$\mathrm{P}(A\cup B)=\mathrm{P}(A)+\mathrm{P}(B)-\mathrm{P}(A\cap B)=0.8+0.6-0.48=0.92$

정답 ③

0894

정답 ④

STEP Ⓐ 두 사건 A, B가 서로 독립이면 A^c, B^c도 독립임을 이용하기

두 농장 P, Q에서 생산된 배 중에서 각각 임의로 1개의 배를 선택하여 당도를 측정할 때, 두 농장 P, Q에서 선택된 배의 당도가 13브릭스 이상일 사건을 각각 A, B라 하면 확률은

$\mathrm{P}(A)=\frac{1}{4}$, $\mathrm{P}(B)=\frac{2}{5}$

이때 두 농장 P, Q에서 선택된 배의 당도가 모두 13브릭스 미만일 사건은 $A^c\cap B^c$이고, 두 사건 A^c, B^c이 서로 독립이므로

$\mathrm{P}(A^c\cap B^c)=\mathrm{P}(A^c)\mathrm{P}(B^c)$
$=\{1-\mathrm{P}(A)\}\{1-\mathrm{P}(B)\}$
$=\left(1-\frac{1}{4}\right)\times\left(1-\frac{2}{5}\right)=\frac{9}{20}$

STEP Ⓑ 여사건의 확률 구하기

따라서 구하는 확률은 $1-\mathrm{P}(A^c\cap B^c)=1-\frac{9}{20}=\frac{11}{20}$

다른풀이 확률의 덧셈정리를 이용하여 풀이하기

적어도 한 농장에서 선택된 배의 당도가 13브릭스 이상일 사건은 $A\cup B$이다.
이때 두 사건 A, B는 서로 독립이므로
$\mathrm{P}(A\cap B)=\mathrm{P}(A)\mathrm{P}(B)=\frac{1}{4}\times\frac{2}{5}=\frac{1}{10}$
따라서 구하는 확률은
$\mathrm{P}(A\cup B)=\mathrm{P}(A)+\mathrm{P}(B)-\mathrm{P}(A\cap B)=\frac{1}{4}+\frac{2}{5}-\frac{1}{10}=\frac{11}{20}$

0895

정답 ②

STEP Ⓐ **두 선수 중 어느 누구도 페널티킥에 성공하지 못할 확률을 p에 대한 식으로 나타내기**

두 명의 축구선수 동국, 정환이가 페널티킥을 성공하는 사건을 각각 A, B라 하면
두 사건 A, B는 서로 독립이므로 A^c와 B^c도 서로 독립이다.
두 선수 중 어느 누구도 페널티킥을 성공하지 못할 확률은
$\mathrm{P}(A^c\cap B^c)=\mathrm{P}(A^c)\mathrm{P}(B^c)=\left(1-\frac{2}{3}\right)(1-p)=\frac{1}{3}(1-p)$

STEP Ⓑ **두 선수 중 적어도 한 명이 페널티킥에 성공할 확률을 p에 대한 식으로 나타내기**

두 선수 중 적어도 한 명이 페널티킥에 성공할 확률은
$1-\mathrm{P}(A^c\cap B^c)=1-\frac{1}{3}(1-p)=\frac{2}{3}+\frac{p}{3}$

STEP Ⓒ **p의 값 구하기**

따라서 $\frac{2}{3}+\frac{p}{3}=\frac{11}{12}$이므로 $\frac{p}{3}=\frac{1}{4}$ $\quad\therefore p=\frac{3}{4}$

다른풀이 확률의 덧셈정리를 이용하여 풀이하기

적어도 한 명이 페널티킥에 성공할 사건은 $A\cup B$이다.
이때 두 사건 A, B는 서로 독립이므로
$\mathrm{P}(A\cap B)=\mathrm{P}(A)\mathrm{P}(B)=\frac{2}{3}\times p=\frac{2}{3}p$
구하는 확률은
$\mathrm{P}(A\cup B)=\mathrm{P}(A)+\mathrm{P}(B)-\mathrm{P}(A\cap B)=\frac{2}{3}+p-\frac{2}{3}p=\frac{2}{3}+\frac{p}{3}$
따라서 $\frac{2}{3}+\frac{p}{3}=\frac{11}{12}$이므로 $\frac{p}{3}=\frac{1}{4}$ $\quad\therefore p=\frac{3}{4}$

내/신/연/계/ 출제문항 392

세 농구 선수 갑, 을, 병이 자유투를 던져 성공할 확률은 각각 $\frac{1}{3}$, $\frac{2}{5}$, p이다.
세 선수가 자유투를 한 번씩 던져 적어도 한 사람이 성공할 확률이 $\frac{9}{10}$일 때, p의 값은?

① $\frac{2}{3}$ ② $\frac{3}{4}$ ③ $\frac{4}{5}$
④ $\frac{5}{6}$ ⑤ $\frac{6}{7}$

STEP Ⓐ **세 선수 중 어느 누구도 자유투를 성공하지 못할 확률을 p에 대한 식으로 나타내기**

세 농구 선수 갑, 을, 병이 자유투를 성공하는 사건을 각각 A, B, C라 하면
세 사건 A, B, C는 서로 독립이므로 A^c, B^c, C^c도 서로 독립이다.
세 선수 중 어느 누구도 자유투를 성공하지 못할 확률은
$\mathrm{P}(A^c\cap B^c\cap C^c)=\mathrm{P}(A^c)\mathrm{P}(B^c)\mathrm{P}(C^c)$
$=\left(1-\frac{1}{3}\right)\left(1-\frac{2}{5}\right)(1-p)=\frac{2}{5}(1-p)$

STEP Ⓑ **세 선수 중 적어도 한 명이 자유투에 성공할 확률을 p에 대한 식으로 나타내기**

세 선수 중 적어도 한 명이 자유투에 성공할 확률은
$1-\mathrm{P}(A^c\cap B^c\cap C^c)=1-\frac{2}{5}(1-p)=\frac{3}{5}+\frac{2p}{5}$

STEP Ⓒ **p의 값 구하기**

따라서 $\frac{3}{5}+\frac{2p}{5}=\frac{9}{10}$이므로 $\frac{2p}{5}=\frac{3}{10}$ $\quad\therefore p=\frac{3}{4}$

정답 ②

0896

STEP Ⓐ **여사건을 이용하여 미지수 p 구하기**

적어도 한 사람은 10점 과녁을 맞힐 사건을 A라 하면
그 여사건 A^c는 세 선수가 모두 10점 과녁을 맞히지 못할 사건이므로
$\mathrm{P}(A^c)=\left(1-\frac{4}{5}\right)\left(1-\frac{3}{5}\right)(1-p)=\frac{2}{25}(1-p)$
이때 적어도 한 사람은 10점 과녁에 맞힐 확률은
$\mathrm{P}(A)=1-\mathrm{P}(A^c)=1-\frac{2}{25}(1-p)=\frac{119}{125}$, $1-p=\frac{3}{5}$
따라서 $p=\frac{2}{5}$이므로 $100p=100\cdot\frac{2}{5}=40$

0897

STEP Ⓐ **5번째까지의 검사에서 1개의 불량품이 나올 확률 구하기**

5번째까지의 검사에서 1개의 불량품이 나올 확률은 $\frac{{}_8\mathrm{C}_4\times{}_2\mathrm{C}_1}{{}_{10}\mathrm{C}_5}=\frac{5}{9}$

STEP Ⓑ **6번째 검사에서 불량품이 나올 확률 구하기**

이때 6번째 검사에서 불량품이 나올 확률은 $\frac{1}{5}$
따라서 구하는 확률은 $\frac{5}{9}\times\frac{1}{5}=\frac{1}{9}$

다른풀이 표를 이용하여 풀이하기

여섯 번째 검사에서 검사를 끝내려면
다섯 번째까지의 검사 중에 1개의 불량품이 발견되고
여섯 번째 검사에서 불량품 1개가 발견되면 된다.
검사 결과 정상품을 ○, 불량품을 ⊗라고 하면

1	2	3	4	5	확률
⊗	○	○	○	○	$\frac{2}{10}\times\frac{8}{9}\times\frac{7}{8}\times\frac{6}{7}\times\frac{5}{6}=\frac{1}{9}$
○	⊗	○	○	○	$\frac{8}{10}\times\frac{2}{9}\times\frac{7}{8}\times\frac{6}{7}\times\frac{5}{6}=\frac{1}{9}$
○	○	⊗	○	○	$\frac{8}{10}\times\frac{7}{9}\times\frac{2}{8}\times\frac{6}{7}\times\frac{5}{6}=\frac{1}{9}$
○	○	○	⊗	○	$\frac{8}{10}\times\frac{7}{9}\times\frac{6}{8}\times\frac{2}{7}\times\frac{5}{6}=\frac{1}{9}$
○	○	○	○	⊗	$\frac{8}{10}\times\frac{7}{9}\times\frac{6}{8}\times\frac{5}{7}\times\frac{2}{6}=\frac{1}{9}$

따라서 구하는 확률은 $\frac{1}{9}\times5\times\frac{1}{5}=\frac{1}{9}$

0898

정답 ④

STEP Ⓐ **각 사건이 독립임을 이용하여 확률 구하기**

매회 시행에서

영역 A에 색을 칠하게 될 확률은 $\frac{3}{4}$

영역 B에 색을 칠하게 될 확률은 $\frac{1}{4}$

이때 3번째에 마칠 확률을 구하면

(ⅰ) AAB의 순서로 칠하게 되는 경우

$\frac{3}{4}\times\frac{3}{4}\times\frac{1}{4}=\frac{9}{64}$

(ⅱ) BBA의 순서로 칠하게 되는 경우

$\frac{1}{4}\times\frac{1}{4}\times\frac{3}{4}=\frac{3}{64}$

STEP Ⓑ **확률의 배반사건을 이용하여 주어진 확률 구하기**

(ⅰ), (ⅱ)는 서로 배반사건이므로 구하는 확률은 $\frac{9}{64}+\frac{3}{64}=\frac{3}{16}$

따라서 $p=16$, $q=3$ 이므로 $p+q=19$

0899

 ③

STEP Ⓐ $\mathrm{P}(A)$, $\mathrm{P}(B)$, $\mathrm{P}(A\cap B)$ **구하기**

스위치 S_1, S_2를 통하여 전류가 흐르는 사건을 A,

스위치 S_1, S_3, S_4를 통하여 전류가 흐르는 사건을 B라고 하면

$\mathrm{P}(A)=\frac{1}{2}\times\frac{1}{2}=\frac{1}{4}$

$\mathrm{P}(B)=\frac{1}{2}\times\frac{1}{2}\times\frac{1}{2}=\frac{1}{8}$

$\mathrm{P}(A\cap B)=\frac{1}{2}\times\frac{1}{2}\times\frac{1}{2}\times\frac{1}{2}=\frac{1}{16}$

STEP Ⓑ **확률의 덧셈정리를 이용하여 주어진 확률 구하기**

따라서 구하는 확률은

$\mathrm{P}(A\cup B)=\mathrm{P}(A)+\mathrm{P}(B)-\mathrm{P}(A\cap B)=\frac{1}{4}+\frac{1}{8}-\frac{1}{16}=\frac{5}{16}$

내/신/연/계/ 출제문항 393

그림과 같이 회로에서 네 개의 스위치 a, b, c, d는 독립적으로 작동되며 닫혀 있을 확률은 각각 0.2, 0.3, 0.4, 0.5이다.
이때 P에서 Q로 전류가 흐를 확률은?

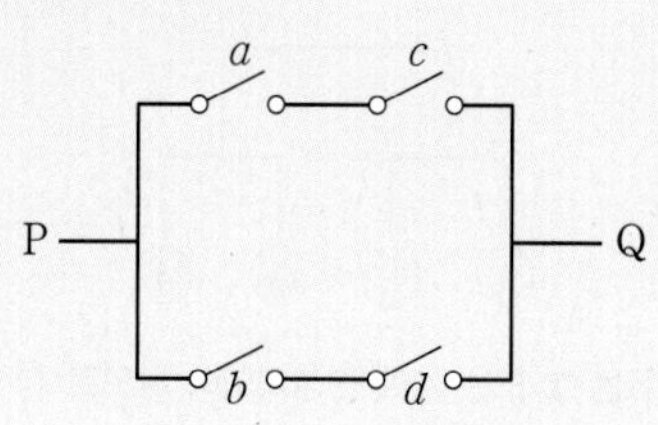

① 0.218 ② 0.281 ③ 0.294
④ 0.295 ⑤ 0.297

STEP Ⓐ **독립임을 이용하여** $\mathrm{P}(A)$, $\mathrm{P}(B)$, $\mathrm{P}(A\cap B)$ **구하기**

P에서 Q로 전류가 흐르는 경우는

$\mathrm{P}\rightarrow a\rightarrow c\rightarrow\mathrm{Q}$ 또는 $\mathrm{P}\rightarrow b\rightarrow d\rightarrow\mathrm{Q}$

전류가 $\mathrm{P}\rightarrow a\rightarrow c\rightarrow\mathrm{Q}$로 흐르는 사건을 A,

전류가 $\mathrm{P}\rightarrow b\rightarrow d\rightarrow\mathrm{Q}$로 흐르는 사건을 B라고 하면

$\mathrm{P}(A)=0.2\times0.4=0.08$, $\mathrm{P}(B)=0.3\times0.5=0.15$

이때 스위치가 모두 닫혀 있는 경우는 $A\cap B$이고

두 사건 A, B는 서로 독립이므로 $\mathrm{P}(A\cap B)=0.08\times0.15=0.012$

STEP Ⓑ **확률의 덧셈정리를 이용하여 주어진 확률 구하기**

따라서 구하는 확률은

$\mathrm{P}(A\cup B)=\mathrm{P}(A)+\mathrm{P}(B)-\mathrm{P}(A\cap B)=0.08+0.15-0.012=0.218$

 ①

0900

 ③

STEP Ⓐ **물이 흐르지 않는 사건을 단계별로 나누어 계산하기**

다음 그림과 같이 개설되어 있는 수로의 수문 X에서 물을 흘려보낼 때,
수문 Y로 물이 흐르는 사건을 A라 하면
A^c은 물이 흐르지 않는 사건, 즉 수문 A와 B가 동시에 닫혀있거나
수문 C와 D가 동시에 닫혀 있는 사건이다.

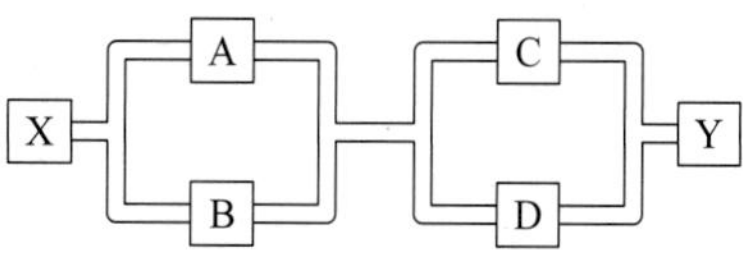

수문 A, B, C, D가 닫혀 있을 확률은 각각 $\frac{1}{2}$, $\frac{2}{3}$, $\frac{1}{2}$, $\frac{1}{3}$이고

수문 A와 B가 동시에 닫혀 있는 사건을 B,

수문 C와 D가 동시에 닫혀 있는 사건을 C라 하면

수로의 수문은 독립적으로 작동하므로

$\mathrm{P}(B)=\frac{1}{2}\times\frac{2}{3}=\frac{1}{3}$, $\mathrm{P}(C)=\frac{1}{2}\times\frac{1}{3}=\frac{1}{6}$,

$\mathrm{P}(B\cap C)=\mathrm{P}(B)\mathrm{P}(C)=\frac{1}{3}\times\frac{1}{6}=\frac{1}{18}$

$\therefore\ \mathrm{P}(B\cup C)=\mathrm{P}(B)+\mathrm{P}(C)-\mathrm{P}(B\cap C)=\frac{1}{3}+\frac{1}{6}-\frac{1}{18}=\frac{4}{9}$

STEP Ⓑ **여사건을 이용하여 확률 구하기**

즉 수문 A와 B가 동시에 닫혀있거나 수문 C와 D가 동시에 닫혀있을 확률은

$\mathrm{P}(A^c)=\mathrm{P}(B\cup C)=\frac{4}{9}$

따라서 구하는 확률은 $\mathrm{P}(A)=1-\mathrm{P}(A^c)=1-\frac{4}{9}=\frac{5}{9}$

0901

①

STEP A **A가 B와 서로 다른 조에 편성되는 확률 구하기**

A와 B가 결승전에서 만나기 위해서는 서로 다른 조에 편성되어야 한다.

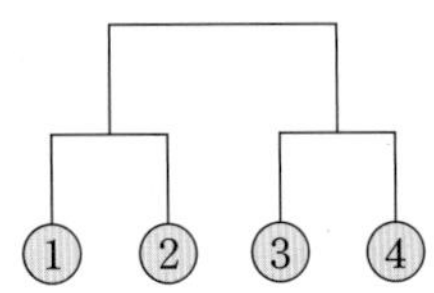

A가 ①에 편성되면 B는 ③ 또는 ④에 편성되어야 하므로 경우의 수는 2가지

C, D가 나머지에 편성되는 경우의 수는 2가지이므로 경우의 수는 $2\times2=4$가지

A가 ①, ②, ③, ④에 편성되는 경우의 수는 $4\times4=16$

대진표가 편성되는 모든 경우의 수는 $4!$이므로

A, B가 서로 다른 조에 편성될 확률은 $\frac{16}{4!}=\frac{2}{3}$

STEP B **A와 B가 결승전에서 만날 확률 구하기**

1차전에서 A, B가 각각 C 또는 D를 이겨야 하므로 구하고자 하는 확률은

$\frac{2}{3}\times\frac{2}{3}\times\frac{1}{2}=\frac{2}{9}$

0902

⑤

STEP A **1반과 2반이 축구시합을 하는 각 사건의 확률 구하기**

1반과 2반이 배구 시합을 하는 경우는 다음과 같다.

(ⅰ) 1반, 2반이 준결승에서 만나는 경우

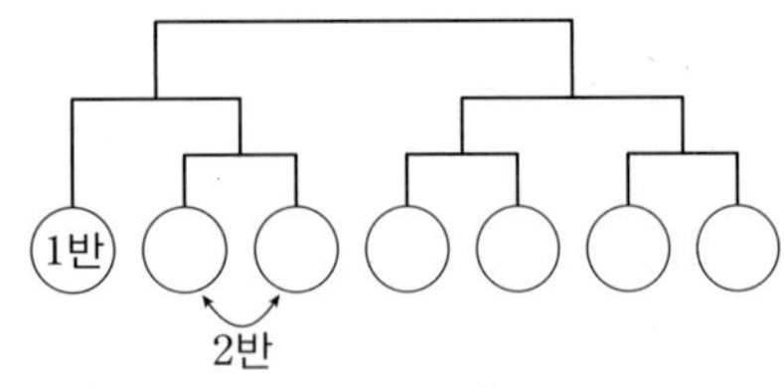

2반이 그림의 대진표에 들어갈 확률은 $\frac{2}{6}=\frac{1}{3}$

2반이 1차전에서 이길 확률은 $\frac{1}{2}$이므로

이때의 확률은 $\frac{1}{3}\times\frac{1}{2}=\frac{1}{6}$

(ⅱ) 1반, 2반이 결승에서 만나는 경우

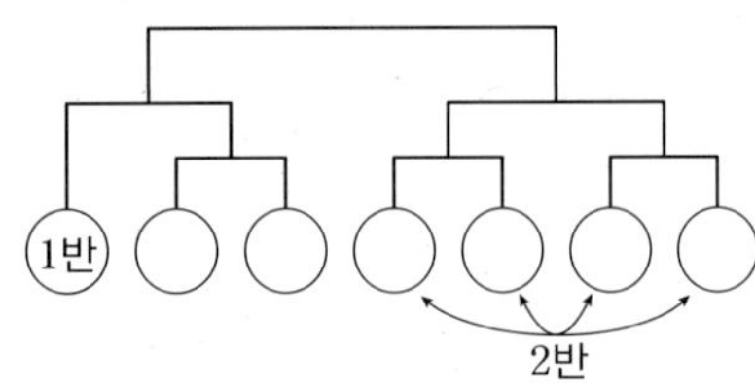

2반이 그림의 대진표에 들어갈 확률은 $\frac{4}{6}=\frac{2}{3}$

2반이 1차전에서 이길 확률은 $\frac{1}{2}$

2반이 준결승에서 이길 확률은 $\frac{1}{2}$

1반이 준결승에서 이길 확률은 $\frac{1}{2}$이므로

이때의 확률은 $\frac{2}{3}\times\frac{1}{2}\times\frac{1}{2}\times\frac{1}{2}=\frac{1}{12}$

STEP B **배반사건임을 이용하여 확률 구하기**

(ⅰ), (ⅱ)는 서로 배반사건이므로 구하는 확률은 $\frac{1}{6}+\frac{1}{12}=\frac{1}{4}$

내신연계 출제문항 394

농구대회에 A, B, C, D, E, F 6개 팀이 토너먼트 방식으로 경기를 한다. A팀은 부전승으로 결정되어 있다. 그림과 같이 대진표를 만들어 시합을 할 때, A팀과 B팀이 시합을 할 확률은? (단, 모든 팀이 시합에서 이길 확률은 모두 $\frac{1}{2}$이고 기권하는 팀은 없다.)

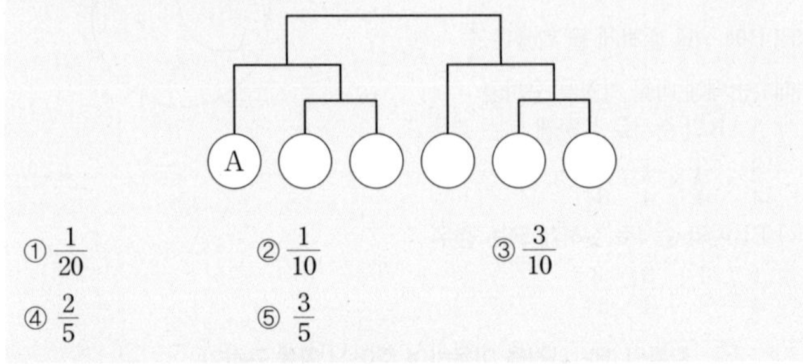

① $\frac{1}{20}$ ② $\frac{1}{10}$ ③ $\frac{3}{10}$

④ $\frac{2}{5}$ ⑤ $\frac{3}{5}$

STEP A **A팀과 B팀이 농구시합을 하는 각 사건의 확률 구하기**

A팀과 B팀이 시합을 하는 경우를 분류하면 다음과 같다.

(ⅰ) A팀과 B팀이 준결승에서 만나는 경우의 확률은 $\frac{2}{5}\times\frac{1}{2}=\frac{1}{5}$

(ⅱ) A팀과 B팀이 결승에서 만나는 경우

B팀이 부전승으로 결승에서 만나는 확률은 A팀이 준결승에서 이기고 B팀 준결승에서 이겨야 하므로 구하는 확률은 $\frac{1}{5}\times\frac{1}{2}\times\frac{1}{2}=\frac{1}{20}$

B팀이 1차전부터 결승에서 만나는 확률은 A팀이 준결승에서 이기고 B팀 1차전과 준결승에서 이겨야 하므로 구하는 확률은

$\frac{2}{5}\times\frac{1}{2}\times\frac{1}{2}\times\frac{1}{2}=\frac{1}{20}$

STEP B **배반사건임을 이용하여 확률 구하기**

(ⅰ), (ⅱ)에서 두 사건이 배반사건이므로 $\frac{1}{5}+\frac{2}{20}=\frac{3}{10}$

③

0903

④

STEP A **A가 부전승으로 올라가 우승할 조건 구하기**

A는 부전승으로 올라가 우승하는 경우는 다음과 같다.

A는 부전승으로 올라갈 확률은 $\frac{1}{3}$

(ⅰ) A는 부전승으로 올라가고 B가 C를 이기고 A가 B를 이길 확률

A는 부전승으로 올라갈 확률은

$\frac{1}{3}$이므로 $\frac{1}{3}\times\frac{3}{4}\times\frac{1}{2}=\frac{1}{8}$

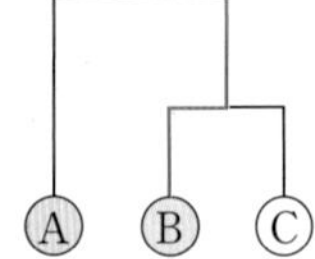

(ⅱ) A는 부전승으로 올라가고 C가 B를 이기고 A가 C를 이길 확률

A는 부전승으로 올라갈 확률은

$\frac{1}{3}$이므로 $\frac{1}{3}\times\frac{1}{4}\times\frac{3}{4}=\frac{1}{16}$

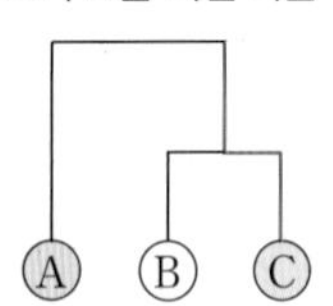

STEP B **주어진 두 사건이 서로 배반임을 이용하여 구하기**

(ⅰ), (ⅱ)의 두 사건 서로 배반사건이므로 구하는 확률은 $\frac{1}{8}+\frac{1}{16}=\frac{3}{16}$

0904

정답 ④

STEP A **A가 부전승으로 올라가 우승할 각 사건의 확률 구하기**

A가 부전승으로 결승에 진출했으므로
결승전에 B가 올라오는 경우와 C가 올라오는 경우로 나누어 생각한다.

(i) 결승전에 B가 올라오는 경우
B가 C를 이길 확률이 0.7
A가 B를 이길 확률이 0.5이므로
A가 우승할 확률은 $0.7\times0.5=0.35$

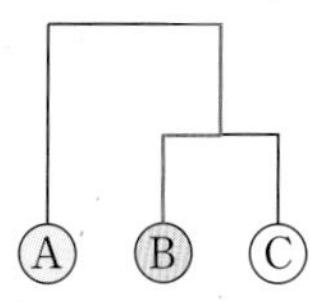

(ii) 결승전에 C가 올라오는 경우
C가 B를 이길 확률이 $1-0.7=0.3$
A가 C를 이길 확률이 $1-0.6=0.4$이므로
A가 우승할 확률은 $0.3\times0.4=0.12$

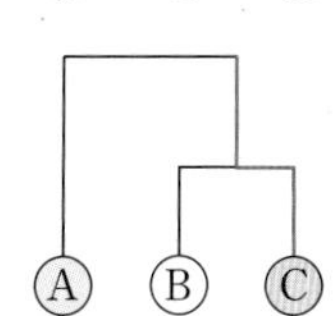

STEP B **주어진 두 사건이 서로 배반임을 이용하여 구하기**

(i), (ii)의 두 사건 서로 배반사건이므로 구하는 확률은 $0.35+0.12=0.47$

내신연계 출제문항 395

세 팀 A, B, C가 경기를 할 때, A팀이 B팀을 이길 확률은 0.6, B팀이 C팀을 이길 확률은 0.25, C팀이 A팀을 이길 확률은 0.5이고 서로 비기는 경우는 없다고 한다. 오른쪽 그림과 같이 대진표에서 A팀이 부전승했다고 할 때, A팀이 우승할 확률은?

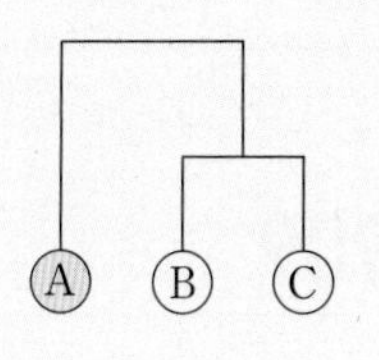

① 0.515 ② 0.525 ③ 0.535
④ 0.545 ⑤ 0.555

STEP A **A가 부전승으로 올라가 우승할 각 사건의 확률 구하기**

A가 부전승으로 결승에 진출했으므로 A팀이 우승할 확률은 다음과 같다.

(i) 결승전에서 A팀이 B팀을 이길 확률
B팀이 C팀을 이길 확률은 0.25,
A팀이 B팀을 이길 확률은 0.6이므로
이때의 확률은 $0.25\times0.6=0.15$

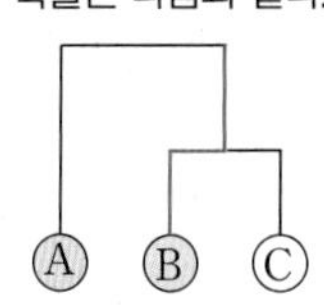

(ii) 결승전에서 A팀이 C팀을 이길 확률
C팀이 B팀을 이길 확률은 $1-0.25=0.75$,
A팀이 C팀을 이길 확률은 $1-0.5=0.5$
이므로
이때의 확률은 $0.75\times0.5=0.375$

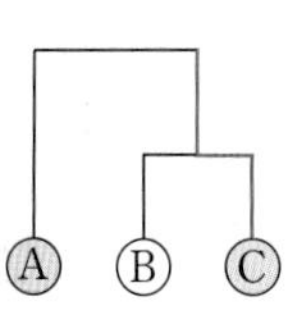

STEP B **주어진 두 사건이 서로 배반임을 이용하여 구하기**

(i), (ii)는 서로 배반사건이므로 구하는 확률은 $0.15+0.375=0.525$

정답 ②

0905

정답 ⑤

STEP A **A가 우승할 각 사건의 확률 구하기**

(i) A가 (다)에 배정되고 결승에서 B와 만나는 경우
B가 C를 이길 확률이 $\frac{3}{4}$,
A가 B를 이길 확률이 $\frac{1}{2}$이므로
A가 우승할 확률은 $\frac{1}{3}\times\left(\frac{3}{4}\times\frac{1}{2}\right)=\frac{1}{8}$

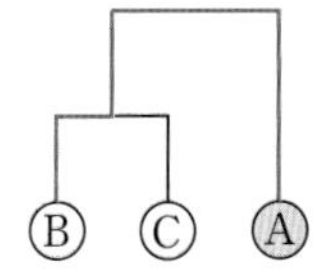

(ii) A가 (다)에 배정되고 결승에서 C와 만나는 경우
C가 B를 이길 확률이 $\frac{1}{4}$,
A가 C를 이길 확률이 $\frac{3}{4}$이므로
A가 우승할 확률은 $\frac{1}{3}\times\left(\frac{1}{4}\times\frac{3}{4}\right)=\frac{1}{16}$

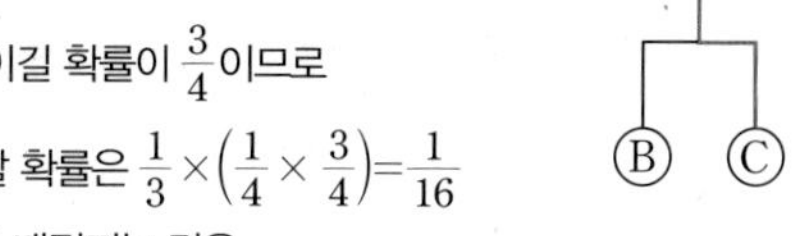

(iii) B가 (다)에 배정되는 경우
A가 C를 이길 확률이 $\frac{3}{4}$,
A가 B를 이길 확률이 $\frac{1}{2}$이므로
A가 우승할 확률은 $\frac{1}{3}\times\left(\frac{3}{4}\times\frac{1}{2}\right)=\frac{1}{8}$

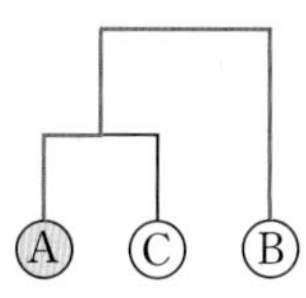

(iv) C가 (다)에 배정되는 경우
A가 B를 이길 확률이 $\frac{1}{2}$,
A가 C를 이길 확률이 $\frac{3}{4}$이므로
A가 우승할 확률은 $\frac{1}{3}\times\left(\frac{1}{2}\times\frac{3}{4}\right)=\frac{1}{8}$

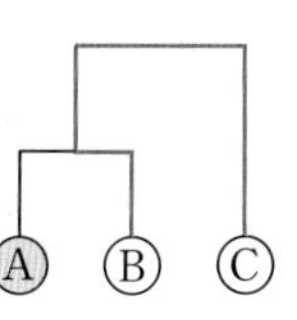

STEP B **각 사건이 서로 배반임을 이용하여 확률 구하기**

(i)~(iv)는 서로 배반사건이므로 구하는 확률은 $\frac{1}{8}+\frac{1}{16}+\frac{1}{8}+\frac{1}{8}=\frac{7}{16}$

내신연계 출제문항 396

탁구 시합에서 A가 B를 이길 확률은 $\frac{1}{3}$, B가 C를 이길 확률은 $\frac{2}{5}$, C가 A를 이길 확률은 $\frac{1}{2}$이다.
오른쪽 대진표와 같이 승자 진출전 방식으로 탁구시합을 할 때, C가 우승할 확률은?
(단, A, B, C가 각각 대진표의 세 자리에 배정될 확률은 같고, 비기는 경우는 없다.)

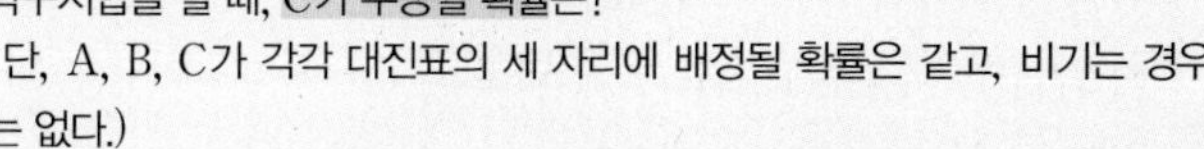

① $\frac{1}{18}$ ② $\frac{1}{16}$ ③ $\frac{1}{12}$
④ $\frac{1}{6}$ ⑤ $\frac{7}{18}$

STEP A **상황에 따라 C가 우승할 확률 구하기**

오른쪽 그림과 같이 대진표의 각 자리를
1, ◇, ◇라고 하자.

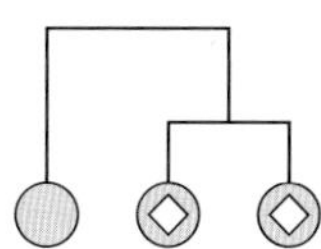

(i) C가 1에 배정되고 결승에서 A와 만나서 C가 우승할 확률은
$\frac{1}{3}\times\left(\frac{1}{3}\times\frac{1}{2}\right)=\frac{1}{18}$

(ii) C가 1에 배정되고 결승에서 B와 만나서 C가 우승할 확률은
$\frac{1}{3}\times\left(\frac{2}{3}\times\frac{3}{5}\right)=\frac{2}{15}$

(iii) A가 1에 배정되고 결승에서 C가 우승할 확률은
$\frac{1}{3}\times\left(\frac{3}{5}\times\frac{1}{2}\right)=\frac{1}{10}$

(iv) B가 1에 배정되고 결승에서 C가 우승할 확률은
$\frac{1}{3}\times\left(\frac{1}{2}\times\frac{3}{5}\right)=\frac{1}{10}$

STEP B **각 사건이 서로 배반임을 이용하여 확률 구하기**

(i)~(iv)는 서로 배반사건이므로 구하는 확률은
$\frac{1}{18}+\frac{2}{15}+\frac{1}{10}+\frac{1}{10}=\frac{7}{18}$

정답 ⑤

0906

정답 ⑤

STEP A A와 B가 첫 번째 대진에서 만나지 않을 확률 구하기

먼저 A와 B가 결승에서 만나려면 첫 번째 대진에서 만나지 않아야 하므로
A가 주머니에서 1이 적힌 카드를 꺼내면 B는 3 또는 4가 적힌 카드를
꺼내야 하므로 B가 꺼내는 경우의 수는 2가지이고
C, D가 각각 카드를 꺼내는 방법도 2가지이므로 경우의 수는 $2\times2=4$
A가 2, 3, 4가 적힌 카드를 꺼내는 경우도 마찬가지이므로
첫 번째 대진에서 만나지 않을 확률은 $\frac{16}{4!}=\frac{2}{3}$

STEP B A와 B가 결승에서 만날 확률 구하기

첫 번째 대진에서 만나지 않았을 때, A가 결승에 진출할 확률이 $\frac{2}{3}$
B가 결승에 진출할 확률이 $\frac{1}{2}$이므로 A, B가 모두 결승에 진출할 확률은
$\frac{2}{3}\times\frac{1}{2}=\frac{1}{3}$
따라서 A와 B가 결승에서 만날 확률은 $\frac{2}{3}\times\frac{1}{3}=\frac{2}{9}$

0907

STEP A 우승할 확률 구하기

이 축구팀이 2승, 3승으로 우승할 수 있게 배정되는 사건을 각각 A, B, 우승하는 사건을 V라 하면

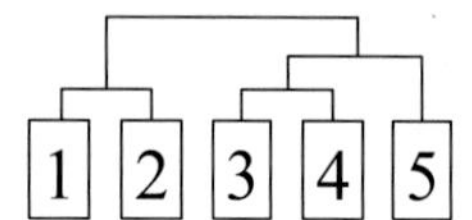

(i) 이 축구팀이 2승하여 우승할 확률은
이 축구팀이 1, 2, 5의 위치에 배정되어야 하므로
$\mathrm{P}(A\cap V)=\mathrm{P}(A)\mathrm{P}(V|A)=\frac{3}{5}\times\left(\frac{1}{2}\right)^2=\frac{3}{20}$

(ii) 이 축구팀이 3승하여 우승할 확률은
이 축구팀이 3, 4의 위치에 배정되어야 하므로
$\mathrm{P}(B\cap V)=\mathrm{P}(B)\mathrm{P}(V|B)=\frac{2}{5}\times\left(\frac{1}{2}\right)^3=\frac{1}{20}$

(i), (ii)가 배반사건이므로 이 축구팀이 우승할 확률은
$\mathrm{P}(V)=\mathrm{P}(A\cap V)+\mathrm{P}(B\cap V)=\frac{3}{20}+\frac{1}{20}=\frac{1}{5}$

STEP B $\mathrm{P}(A|V)$의 값 구하기

따라서 구하는 확률은 $\mathrm{P}(A|V)=\frac{\mathrm{P}(A\cap V)}{\mathrm{P}(V)}=\frac{\frac{3}{20}}{\frac{1}{5}}=\frac{3}{4}$

0908

STEP A 주어진 정보를 이용하여 표 완성하기

준영이가 네 번째 게임에서 우승하기 위해서는 세 번째 게임과 네 번째 게임을 이겨야 한다.
또, 두 번째 게임에서도 이겼다면 세 번째 게임에서 끝나므로 두 번째 게임에서는 져야 한다.
그리고 첫 번째 게임에서도 준영이가 졌다면 두 번째 게임까지 민지가 2번 연속으로 이긴 것이 되므로 첫 번째 게임에서는 준영이가 이겨야 한다.
즉 다음 표와 같이 승부가 이루어져야 한다.

첫 번째	두 번째	세 번째	네 번째
○	⊗	○	○

STEP B 확률 구하기

따라서 구하는 확률은 $\frac{2}{3}\times\frac{1}{3}\times\frac{2}{3}\times\frac{2}{3}=\frac{8}{81}$

내신연계 출제문항 397

철수와 영희는 볼링 시합에서 두 게임을 연속하여 이기는 사람이 우승하기로 하였다. 매 게임마다 철수가 영희를 이길 확률이 $\frac{2}{3}$라고 할 때, 다섯 번째 게임에서 철수가 우승할 확률은 $\frac{q}{p}$이다. $p+q$의 값은?
(단, p와 q는 서로소인 자연수이고 비기는 경우는 없다.)

① 243 ② 251 ③ 253
④ 261 ⑤ 263

STEP A 첫 세트에서 A가 이긴 후 나머지 세트의 경우로 나누어 확률 구하기

철수가 이긴 게임을 ○, 진 게임을 ⊗로 나타날 때,
다섯 번째 게임에서 철수가 우승하는 경우는 다음과 같다.

	1세트	2세트	3세트	4세트	5세트
승자	⊗	○	⊗	○	○

철수가 영희를 이길 확률이 $\frac{2}{3}$이므로 철수가 영희에게 질 확률이 $\frac{1}{3}$
구하는 확률은 $\frac{1}{3}\times\frac{2}{3}\times\frac{1}{3}\times\frac{2}{3}\times\frac{2}{3}=\frac{8}{243}$이므로 $p=243$, $q=8$
따라서 $p+q=243+8=251$

0909

STEP A 첫 세트에서 A가 이긴 후 나머지 세트의 경우로 나누어 확률 구하기

첫 세트에서 A가 이겼으므로
A가 두 번째 세트에서 이기거나 두 세트 더 이기면 승리하므로
(i) 두 번째 세트에서 A가 이기는 확률은 $\frac{1}{3}$
(ii) 두 번째 세트에서 B가, 세 번째와 네 번째 세트에서 A가 이기는 확률은
$\frac{2}{3}\times\frac{1}{3}\times\frac{1}{3}=\frac{2}{27}$
(iii) 두 번째와 네 번째 세트에서 B가, 세 번째와 다섯 번째 세트에서 A가 이기는 확률은 $\frac{2}{3}\times\frac{1}{3}\times\frac{2}{3}\times\frac{1}{3}=\frac{4}{81}$

STEP B 배반사건의 확률 구하기

(i)~(iii)에서 A가 승리할 확률은 $\frac{1}{3}+\frac{2}{27}+\frac{4}{81}=\frac{37}{81}$
따라서 $p=81$, $q=37$이므로 $p+q=118$

다른풀이 표를 이용하여 풀이하기

STEP A 표를 이용하여 주어진 확률 구하기

각 세트에서 A가 이기는 것을 ○, B가 이기는 것을 ⊗라 하면
A가 승리하는 경우와 그 확률은 다음과 같다.

1세트	2세트	3세트	4세트	5세트	확률
○	○				$\frac{1}{3}$
○	⊗	○	○		$\frac{2}{3}\times\frac{1}{3}\times\frac{1}{3}$
○	⊗	○	⊗	○	$\frac{2}{3}\times\frac{1}{3}\times\frac{2}{3}\times\frac{1}{3}$

STEP B $p+q$의 값 구하기

따라서 A가 승리할 확률은 $\frac{1}{3}+\frac{2}{3^3}+\frac{4}{3^4}=\frac{27+6+4}{81}=\frac{37}{81}$
$\therefore\ p+q=81+37=118$

내신연계 출제문항 398

A, B 두 사람이 탁구 시합을 하는데 먼저 세 세트를 이긴 사람이 승리한다고 한다. A는 어떤 세트를 이겼을 때 그 다음 세트도 이길 확률이 $\frac{2}{3}$이고, 어떤 세트를 졌을 때 그 다음 세트도 질 확률이 $\frac{3}{4}$이다. 첫 세트에서 A가 이겼을 때, 이 시합에서 A가 승리할 확률은? (단, 각 세트에서 무승부는 없다.)

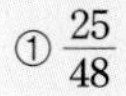

① $\frac{25}{48}$ ② $\frac{9}{16}$ ③ $\frac{29}{48}$
④ $\frac{31}{48}$ ⑤ $\frac{11}{16}$

STEP A A가 세 세트를 이길 확률 구하기

A가 탁구 시합에서 승리하는 경우는
A가 3승, 3승 1패, 3승 2패로 승리하는 경우의 3가지가 있다.

(ⅰ) A가 3승으로 승리하는 경우
A가 2번째, 3번째 세트를 모두 이기면 되므로 이 경우의 확률은
$\frac{2}{3}\times\frac{2}{3}=\frac{4}{9}$

(ⅱ) A가 3승 1패로 승리하는 경우
A가 2번째, 3번째, 4번째 세트를
승리 → 패배 → 승리할 확률은 $\frac{2}{3}\times\frac{1}{3}\times\frac{1}{4}=\frac{1}{18}$
패배 → 승리 → 승리할 확률은 $\frac{1}{3}\times\frac{1}{4}\times\frac{2}{3}=\frac{1}{18}$
이 경우의 확률은 $\frac{1}{18}+\frac{1}{18}=\frac{1}{9}$

(ⅲ) A가 3승 2패로 승리하는 경우
A가 2번째, 3번째, 4번째, 5번째 세트를
승리 → 패배 → 패배 → 승리할 확률은 $\frac{2}{3}\times\frac{1}{3}\times\frac{3}{4}\times\frac{1}{4}=\frac{1}{24}$
패배 → 승리 → 패배 → 승리할 확률은 $\frac{1}{3}\times\frac{1}{4}\times\frac{1}{3}\times\frac{1}{4}=\frac{1}{144}$
패배 → 패배 → 승리 → 승리할 확률은 $\frac{1}{3}\times\frac{3}{4}\times\frac{1}{4}\times\frac{2}{3}=\frac{1}{24}$
이 경우의 확률은 $\frac{1}{24}+\frac{1}{144}+\frac{1}{24}=\frac{13}{144}$

STEP B 배반사건의 확률 구하기

(ⅰ)~(ⅲ)에서 구하는 확률은 $\frac{4}{9}+\frac{1}{9}+\frac{13}{144}=\frac{31}{48}$  정답 ④

STEP 2 서술형 기출유형

0910 정답 해설참조

1단계 $P(A\cap B)$을 구한다. ◀ 20%

확률의 곱셈정리에 의하여
$P(A\cap B)=P(B)P(A|B)$에서 $P(A\cap B)=\frac{1}{4}\times\frac{1}{3}$
$\therefore P(A\cap B)=\frac{1}{12}$

2단계 $P(B|A)$을 구한다. ◀ 20%

$$P(B|A)=\frac{P(A\cap B)}{P(A)}=\frac{\frac{1}{12}}{\frac{1}{3}}=\frac{1}{4}$$

3단계 $P(A^c\cap B^c)$을 구한다. ◀ 30%

$P(A\cap B)=\frac{1}{12}$이므로 확률의 덧셈정리에 의하여
$P(A\cup B)=P(A)+P(B)-P(A\cap B)=\frac{1}{3}+\frac{1}{4}-\frac{1}{12}=\frac{1}{2}$
$\therefore P(A^c\cap B^c)=P((A\cup B)^c)=1-P(A\cup B)=1-\frac{1}{2}=\frac{1}{2}$

4단계 $P(A^c|B^c)$을 구한다. ◀ 30%

$P(B^c)=1-P(B)=1-\frac{1}{4}=\frac{3}{4}$이므로 $P(A^c|B^c)=\frac{P(A^c\cap B^c)}{P(B^c)}=\frac{\frac{1}{2}}{\frac{3}{4}}=\frac{2}{3}$

0911 정답 해설참조

1단계 두 사람 모두 당첨 제비를 뽑을 확률을 구한다. ◀ 20%

송이가 당첨 제비를 뽑을 사건 A, 준기가 당첨 제비를 뽑을 사건을 B라 하면
송이가 당첨 제비를 뽑았을 때, 남아 있는 9개의 제비 중 당첨 제비는 2개이므로
준기가 당첨 제비를 뽑을 확률은 $P(B|A)=\frac{2}{9}$
송이가 당첨 제비를 뽑지 않았을 때, 남아 있는 9개의 제비 중 당첨 제비는 3개이므로 준기가 당첨 제비를 뽑을 확률은 $P(B|A^c)=\frac{3}{9}$
두 사람 모두 당첨 제비를 뽑을 확률
송이가 당첨 제비를 뽑고, 준기가 당첨 제비를 뽑을 확률은
$P(A\cap B)=P(A)P(B|A)=\frac{3}{10}\times\frac{2}{9}=\frac{1}{15}$

2단계 송이만 당첨 제비를 뽑을 확률을 구한다. ◀ 20%

송이는 당첨 제비를 뽑고, 준기가 당첨 제비를 뽑지 않을 확률은
$P(A\cap B^c)=P(A)P(B^c|A)=\frac{3}{10}\times\frac{7}{9}=\frac{7}{30}$

3단계 준기만 당첨 제비를 뽑을 확률을 구한다. ◀ 20%

송이는 당첨 제비를 뽑지 않고, 준기가 당첨 제비를 뽑을 확률은
$P(A^c\cap B)=P(A^c)P(B|A^c)=\frac{7}{10}\times\frac{3}{9}=\frac{7}{30}$

4단계 준기가 당첨 제비를 뽑을 확률을 구한다. ◀ 20%

준기가 당첨 제비를 뽑을 확률은
(ⅰ) 송이가 당첨 제비를 뽑고, 준기도 당첨 제비를 뽑을 확률은
$P(A\cap B)=P(A)P(B|A)=\frac{3}{10}\times\frac{2}{9}=\frac{1}{15}$
(ⅱ) 송이가 당첨 제비를 뽑지 않고, 준기가 당첨 제비를 뽑을 확률은
$P(A^c\cap B)=P(A^c)P(B|A^c)=\frac{7}{10}\times\frac{3}{9}=\frac{7}{30}$
(ⅰ), (ⅱ)가 서로 배반사건이므로 준기가 당첨 제비를 뽑을 확률은
$$P(B)=P(A\cap B)+P(A^c\cap B)=P(A)P(B|A)+P(A^c)P(B|A^c)$$
$$=\frac{1}{15}+\frac{7}{30}=\frac{3}{10}$$

5단계	두 사람 중 한 명만 당첨 제비를 뽑을 확률을 구한다.	◀ 20%

두 사람 중 한 명만 당첨 제비를 뽑을 확률은

(i) 송이만 당첨 제비를 뽑을 확률은 $\frac{7}{30}$ ⬅[2단계]

(ii) 준기만 당첨 제비를 뽑을 확률은 $\frac{7}{30}$ ⬅[3단계]

(i), (ii)가 서로 배반사건이므로 두 사람 중 한 명만 당첨 제비를 뽑을 확률은

$\frac{7}{30}+\frac{7}{30}=\frac{7}{15}$

0912

정답 해설참조

1단계	승민이가 당첨 제비를 뽑을 확률을 구한다.	◀ 20%

승민이와 희찬이가 당첨 제비를 뽑는 사건을 각각 A, B라 하자.

승민이가 당첨 제비를 뽑을 확률은 $\mathrm{P}(A)=\frac{4}{20}=\frac{1}{5}$

2단계	희찬이가 당첨 제비를 뽑을 확률을 구한다.	◀ 50%

희찬이가 당첨 제비를 뽑을 확률 $\mathrm{P}(B)$는

(i) 승민이가 당첨 제비를 뽑고 희찬이가 당첨 제비를 뽑는 확률은

$\mathrm{P}(A\cap B)=\mathrm{P}(A)\mathrm{P}(B|A)=\frac{1}{5}\times\frac{3}{19}=\frac{3}{95}$

(ii) 승민이가 당첨 제비를 뽑지 않고 희찬이가 당첨 제비를 뽑는 확률은

$\mathrm{P}(A^c\cap B)=\mathrm{P}(A^c)\mathrm{P}(B|A^c)=\frac{4}{5}\times\frac{4}{19}=\frac{16}{95}$

(i), (ii)에서 서로 배반사건이므로

$\mathrm{P}(B)=\mathrm{P}(A\cap B)+\mathrm{P}(A^c\cap B)=\frac{3}{95}+\frac{16}{95}=\frac{1}{5}$

3단계	1단계, 2단계 결과를 비교하여 승민이와 희찬이 중 누가 더 유리한지 설명한다.	◀ 30%

따라서 $\mathrm{P}(A)=\mathrm{P}(B)=\frac{1}{5}$이므로 승민이와 희찬이가 뽑는 순서에 관계없이 당첨 제비를 뽑을 확률은 $\frac{1}{5}$로 같다.

0913

정답 해설참조

1단계	처음에 꺼낸 공을 다시 집어넣는 경우	◀ 40%

민우가 흰 공을 꺼낼 확률은 $\frac{2}{10}=\frac{1}{5}$

수지가 흰 공을 꺼낼 확률은 $\frac{2}{10}=\frac{1}{5}$

2단계	처음에 꺼낸 공을 다시 집어넣지 않는 경우	◀ 40%

민우가 흰 공을 꺼낼 확률은 $\frac{2}{10}=\frac{1}{5}$

수지가 흰 공을 꺼낼 확률은 $\frac{2}{10}\times\frac{1}{9}+\frac{8}{10}\times\frac{2}{9}=\frac{1}{5}$

3단계	1, 2단계에서의 결과를 비교하여 뽑을 확률을 비교한다.	◀ 20%

민우와 수지가 복원과 비복원으로 꺼내나, 꺼내는 순서에 관계없이 확률은 같다.

0914

정답 해설참조

1단계	표의 나머지 부분을 완성한다.	◀ 20%

(단위 : 개)

구분	상자 A	상자 B
흰 구슬	a	$100-2a$
검은 구슬	$100-a$	$2a$
합계	100	100

2단계	두 상자에서 같은 색의 구슬이 나올 사건을 A라 할 때, $\mathrm{P}(A)$의 값을 구한다.	◀ 30%

두 상자에서 같은 색의 구슬이 나올 사건을 A라 하면

두 상자 A, B에서

(i) 꺼낸 구슬이 모두 흰색일 확률은 $\frac{a}{100}\times\frac{100-2a}{100}$

(ii) 구슬이 모두 검은색일 확률은 $\frac{100-a}{100}\times\frac{2a}{100}$

(i), (ii)에서 $\mathrm{P}(A)=\frac{a}{100}\times\frac{100-2a}{100}+\frac{100-a}{100}\times\frac{2a}{100}=\frac{300a-4a^2}{10000}$

3단계	두 상자에서 모두 흰 색의 구슬이 나오는 사건을 B라 할 때, $\mathrm{P}(A\cap B)$의 값을 구한다.	◀ 20%

두 상자에서 모두 흰 색의 구슬이 나오는 사건을 B라 하면

$\mathrm{P}(A\cap B)=\frac{a}{100}\times\frac{100-2a}{100}=\frac{100a-2a^2}{10000}$

4단계	$\mathrm{P}(B|A)$의 확률이 $\frac{2}{9}$임을 이용하여 a를 구한다.	◀ 30%

즉 두 상자 A, B에서 꺼낸 구슬이 모두 같은 색일 때,

그 색이 흰색일 확률이 $\frac{2}{9}$이므로

$$\mathrm{P}(B|A)=\frac{\mathrm{P}(A\cap B)}{\mathrm{P}(A)}=\frac{\frac{a(100-2a)}{10000}}{\frac{300a-4a^2}{10000}}=\frac{100a-2a^2}{300a-4a^2}=\frac{2}{9}$$

$900a-18a^2=600a-8a^2$

$10a^2-300a=0$, $a^2-30a=0$, $a(a-30)=0$

따라서 a가 자연수이므로 $a=30$

0915

정답 해설참조

1단계	흰 공이 적어도 한 번 나올 확률 p_1을 구한다.	◀ 40%

주머니에서 처음 꺼낸 공이 흰 공인 사건을 A,

두 번째 꺼낸 공이 흰 공인 사건을 B라 하자.

두 사건 A와 B가 서로 독립이므로 두 사건 A^c과 B^c도 서로 독립이다.

즉 두 번 모두 검은 공이 나올 확률은

$\mathrm{P}(A^c\cap B^c)=\mathrm{P}(A^c)\times\mathrm{P}(B^c)=\frac{3}{8}\times\frac{3}{8}=\frac{9}{64}$

이므로 $p_1=1-\mathrm{P}(A^c\cap B^c)=1-\frac{9}{64}=\frac{55}{64}$

2단계	흰 공이 한 번만 나올 확률을 p_2를 구한다.	◀ 40%

두 사건 A와 B가 서로 독립이므로

두 사건 A와 B^c이 서로 독립이고 두 사건 A^c과 B도 서로 독립이다.

$$\begin{aligned}\text{즉 } p_2&=\mathrm{P}(A\cap B^c)+\mathrm{P}(A^c\cap B)\\&=\mathrm{P}(A)\mathrm{P}(B^c)+\mathrm{P}(A^c)\mathrm{P}(B)\\&=\frac{5}{8}\times\frac{3}{8}+\frac{3}{8}\times\frac{5}{8}=\frac{15}{32}\end{aligned}$$

3단계	p_1+p_2의 값을 구한다.	◀ 20%

(i), (ii)에 의하여 $p_1+p_2=\frac{55}{64}+\frac{15}{32}=\frac{85}{64}$

0916

정답 해설참조

1단계	고등학교 3학년 학생 중에서 A과목을 선택한 학생일 사건을 A, B과목을 선택한 학생일 사건을 B, C과목을 선택할 사건을 C라 할 때, $P(A)$, $P(B)$, $P(C\|A)$, $P(C\|B)$의 확률을 각각 구한다.	◀ 30%

$P(A)=\frac{40}{100}=\frac{2}{5}$, $P(B)=\frac{60}{100}=\frac{3}{5}$,

$P(C|A)=\frac{50}{100}=\frac{1}{2}$, $P(C|B)=\frac{20}{100}=\frac{1}{5}$

2단계	어느 고등학교 3학년 학생 중 C과목을 선택할 확률을 구한다.	◀ 40%

(i) A과목을 선택한 학생 중 C과목을 선택할 확률은

$P(A\cap C)=P(A)P(C|A)=\frac{2}{5}\times\frac{1}{2}=\frac{1}{5}$

(ii) B과목을 선택한 학생 중 C과목을 선택할 확률은

$P(B\cap C)=P(B)P(C|B)=\frac{3}{5}\times\frac{1}{5}=\frac{3}{25}$

(i), (ii)이 서로 배반사건이므로 C과목을 선택할 확률은

$P(C)=P(A\cap C)+P(B\cap C)=\frac{1}{5}+\frac{3}{25}=\frac{8}{25}$

3단계	임의로 한 명을 뽑아 조사하였더니 C과목을 선택하였을 때, 이 학생이 A과목도 선택하였을 확률을 구한다.	◀ 30%

따라서 구하는 확률은 $P(A|C)=\frac{P(A\cap C)}{P(C)}=\frac{\frac{1}{5}}{\frac{8}{25}}=\frac{5}{8}$

0917

정답 해설참조

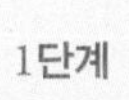

1단계	찾은 후기가 여자가 작성한 후기인 사건을 A, 남자가 작성한 후기인 사건을 B, 단어 '싸다'가 포함된 후기인 사건을 E라 할 때, $P(A)$, $P(B)$, $P(E\|A)$, $P(E\|B)$의 확률을 각각 구한다.	◀ 30%

$P(A)=0.6$, $P(B)=1-0.6=0.4$

$P(E|A)=0.6$, $P(E|B)=0.5$

2단계	수지가 '싸다'가 포함된 후기를 찾을 확률을 구한다.	◀ 40%

(i) 여자가 작성한 후기에 '싸다'가 포함될 확률은

$P(A\cap E)=P(A)P(E|A)=0.6\times0.6=0.36$

(ii) 남자가 작성한 후기에 '싸다'가 포함될 확률은

$P(B\cap E)=P(B)P(E|B)=(1-0.6)\times0.5=0.2$

(i), (ii)이 서로 배반사건이므로 '싸다'가 포함될 확률은

$P(E)=P(A\cap E)+P(B\cap E)=0.36+0.2=0.56$

3단계	수지가 '싸다'가 포함된 후기를 찾았을 때, 이 후기가 여자가 작성한 후기일 확률을 구한다.	◀ 30%

따라서 구하는 확률은 $P(A|E)=\frac{P(A\cap E)}{P(E)}=\frac{0.36}{0.56}=\frac{9}{14}$

0918

정답 해설참조

1단계	주어진 문제의 관계를 이용하여 아래 그림의 (가)~(라)에 알맞은 것을 써넣는다.	◀ 40%

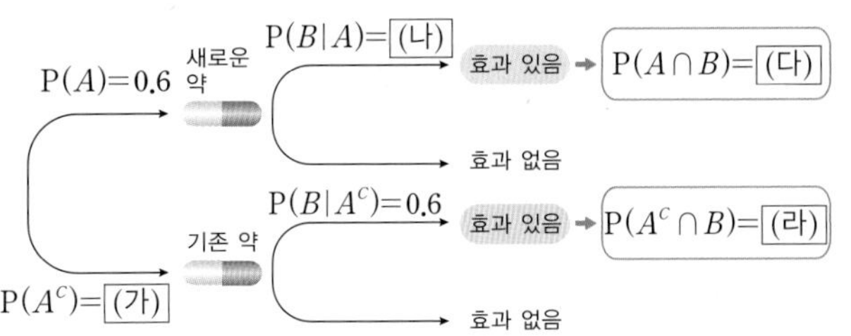

(가) 0.4 (나) 0.8 (다) 0.48 (라) 0.24

2단계	임상 시험 참가자 중에서 임의로 택한 한 명이 진통 완화 효과를 본 참가자일 확률을 구한다.	◀ 30%

$P(B)=P(A\cap B)+P(A^c\cap B)=0.48+0.24=0.72$

3단계	임상 시험 참가자 중에서 임의로 택한 한명이 진통 완화 효과를 보았을 때, 그 참가자가 새로운 진통제를 복용한 참가자일 확률을 구한다.	◀ 30%

$P(A|B)=\frac{P(A\cap B)}{P(B)}=\frac{0.48}{0.72}=\frac{2}{3}$

다른풀이 표를 이용하여 구하기

구분	새로운 진통제 복용	기존 진통제 복용	합계
효과 있음	0.48	0.24	0.72
효과 없음	0.12	0.16	0.28
합계	0.6	0.4	1

따라서 구하는 확률은 $\frac{0.48}{0.72}=\frac{2}{3}$

0919

정답 해설참조

1단계	두 사건 A, B^c도 서로 독립이다.	◀ 40%

두 사건 A, B가 서로 독립이므로

$P(A\cap B)=P(A)P(B)$ ...... ㉠

$P(A\cap B^c)=P(A)-P(A\cap B)$

$=P(A)-P(A)P(B)$ ($\because$ ㉠)

$=P(A)\{1-P(B)\}=P(A)P(B^c)$

따라서 두 사건 A, B^c도 서로 독립이다.

2단계	두 사건 A^c, B^c도 서로 독립이다.	◀ 60%

두 사건 A, B가 서로 독립이므로

$P(A\cap B)=P(A)P(B)$ ...... ㉠

$P(A^c\cap B^c)=P((A\cup B)^c)$

$=1-P(A\cup B)$

$=1-\{P(A)+P(B)-P(A\cap B)\}$

$=1-P(A)-P(B)+P(A)P(B)$ ($\because$ ㉠)

$=1-P(A)-P(B)\{1-P(A)\}$

$=\{1-P(A)\}\{1-P(B)\}=P(A^c)P(B^c)$

따라서 두 사건 A^c, B^c도 서로 독립이다.

II 확률

0920

정답 해설참조

1단계	주어진 문제의 관계를 이용하여 아래 그림의 (가)~(라)에 알맞은 것을 써넣는다.	◀ 40%

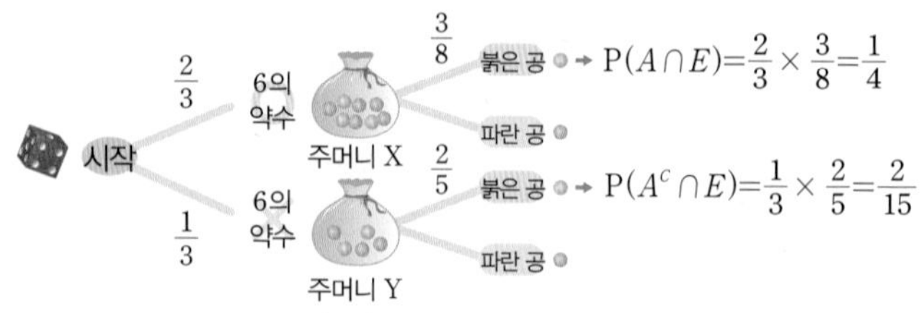

2단계	꺼낸 공이 붉은 공일 때, 확률을 구한다.	◀ 30%

붉은 공을 꺼낼 확률은

$\mathrm{P}(E)=\mathrm{P}(A\cap E)+\mathrm{P}(A^c\cap E)=\frac{1}{4}+\frac{2}{15}=\frac{23}{60}$

3단계	꺼낸 공이 붉은 공일 때, 이 공이 주머니 X에서 나왔을 확률을 구한다.	◀ 30%

6의 약수의 눈이 나오고 붉은 공을 꺼낼 확률은 $\mathrm{P}(A\cap E)=\frac{1}{4}$

따라서 구하는 확률은 $\mathrm{P}(A|E)=\frac{\mathrm{P}(A\cap E)}{\mathrm{P}(E)}=\frac{\frac{1}{4}}{\frac{23}{60}}=\frac{15}{23}$

0921

정답 해설참조

1단계	임의로 한 개를 택한 부품이 불량품일 확률을 구한다.	◀ 60%

부품이 두 공장 A, B에서 생산된 사건을 A, B, 불량품인 사건을 E라 하자.

(ⅰ) A공장에서 생산된 부품이 불량품일 확률은

$\mathrm{P}(A\cap E)=\mathrm{P}(A)\mathrm{P}(E|A)=0.4\times 0.01=0.004$

(ⅱ) B공장에서 생산된 부품이 불량품일 확률은

$\mathrm{P}(B\cap E)=\mathrm{P}(B)\mathrm{P}(E|B)=0.6\times 0.02=0.012$

(ⅰ), (ⅱ)로부터 불량품일 확률은 $\mathrm{P}(E)=\mathrm{P}(A\cap E)+\mathrm{P}(B\cap E)=0.016$

2단계	임의로 한 개를 택한 부품이 불량품일 때, 그 부품이 A공장에서 생산되었을 확률을 구한다.	◀ 40%

따라서 구하는 확률은 $\mathrm{P}(A|E)=\frac{\mathrm{P}(A\cap E)}{\mathrm{P}(E)}=\frac{0.004}{0.016}=0.25$

0922

정답 해설참조

1단계	그 아동이 ADHD가 있고, 전문가가 정확하게 진단할 확률을 구한다.	◀ 20%

그 아동이 ADHD가 있을 사건을 A,
전문가가 정확하게 진단할 사건을 E라 하면

$\mathrm{P}(A\cap E)=\mathrm{P}(A)\mathrm{P}(E|A)=0.07\times 0.8=0.056$

2단계	그 아동이 ADHD가 없고, 전문가가 정확하게 진단할 확률을 구한다.	◀ 20%

$\mathrm{P}(A^c\cap E)=\mathrm{P}(A^c)\mathrm{P}(E|A^c)=0.93\times 0.7=0.651$

3단계	전문가가 그 아동을 정확하게 진단할 확률을 구한다.	◀ 30%

1, 2단계에서 각각 배반사건이므로
전문가가 그 아동을 정확하게 진단할 확률은

$\mathrm{P}(E)=\mathrm{P}(A\cap E)+\mathrm{P}(A^c\cap E)=0.056+0.651=0.707$

4단계	전문가가 그 아동을 정확하게 진단할 때, 그 아동이 ADHD가 있을 확률을 구한다.	◀ 30%

$\mathrm{P}(A|E)=\frac{\mathrm{P}(A\cap E)}{\mathrm{P}(E)}=\frac{0.056}{0.707}=\frac{56}{707}=\frac{8}{101}$

0923

정답 해설참조

1단계	치매에 걸리지 않은 사람을 치매라 진단할 확률을 구한다.	◀ 20%

치매에 걸리지 않은 사람을 치매가 아니라고 진단할 확률은 0.9이므로
치매에 걸리지 않은 사람을 치매라 진단할 확률은 $1-0.9=0.1$

2단계	1000명 중 어떤 사람이 치매에 걸렸다고 진단을 받을 확률을 구한다.	◀ 50%

치매에 걸린 사건 A, 치매에 걸렸다고 진단 받을 사건 B라 하면

(ⅰ) 실제로 치매에 걸린 사람 중 치매에 걸렸다고 진단 받을 확률은

$\mathrm{P}(A\cap B)=\frac{100}{1000}\times\frac{95}{100}=\frac{95}{1000}$

(ⅱ) 실제로 치매에 걸리지 않은 사람 중 치매에 걸렸다고 진단 받을 확률은

$\mathrm{P}(A^c\cap B)=\frac{900}{1000}\times\frac{1}{10}=\frac{90}{1000}$

(ⅰ), (ⅱ)가 배반사건이므로 치매에 걸렸다고 진단을 받을 확률은

$\mathrm{P}(B)=\mathrm{P}(A\cap B)+\mathrm{P}(A^c\cap B)=\frac{95}{1000}+\frac{90}{1000}=\frac{185}{1000}$

3단계	1000명 중 어떤 사람이 치매에 걸렸다고 진단을 받았을 때, 그 사람이 실제로는 치매에 걸리지 않았을 확률을 구한다.	◀ 30%

$\mathrm{P}(A^c|B)=\frac{\mathrm{P}(A^c\cap B)}{\mathrm{P}(B)}=\frac{\frac{90}{1000}}{\frac{185}{1000}}=\frac{90}{185}=\frac{18}{37}$

0924

정답 해설참조

1단계	$\mathrm{P}(A)$, $\mathrm{P}(B)$의 값을 구한다.	◀ 30%

표본공간 $\{1, 2, 3, 4, 5, 6, 7, 8, 9, 10\}$이고

$A=\{2, 4, 6, 8, 10\}$, $B=\{5, 10\}$이므로

$\mathrm{P}(A)=\frac{5}{10}=\frac{1}{2}$, $\mathrm{P}(B)=\frac{2}{10}=\frac{1}{5}$

2단계	$\mathrm{P}(A\cap B)$의 값을 구한다.	◀ 30%

$A\cap B=\{10\}$이므로 $\mathrm{P}(A\cap B)=\frac{1}{10}$

3단계	독립인지 종속인지 조사한다.	◀ 40%

$\mathrm{P}(A)\mathrm{P}(B)=\frac{1}{2}\times\frac{1}{5}=\frac{1}{10}$이고

$\mathrm{P}(A\cap B)=\frac{1}{10}$이므로 $\mathrm{P}(A\cap B)=\mathrm{P}(A)\mathrm{P}(B)$

따라서 A와 B는 서로 독립이다.

0925

정답 해설참조

1단계	주민 600명 중에서 임의로 한 명을 택할 때, 그 사람이 A드라마를 시청한 사람인 사건을 A, 여자인 사건을 B라 하고 $\mathrm{P}(A)$, $\mathrm{P}(B)$, $\mathrm{P}(A\cap B)$의 값을 구한다.	◀ 30%

주민 600명 중에서 임의로 한 명을 택할 때,
그 사람이 A드라마를 시청한 사람인 사건을 A, 여자인 사건을 B라 하면

$\mathrm{P}(A)=\frac{400}{600}=\frac{2}{3}$, $\mathrm{P}(B)=\frac{360}{600}=\frac{3}{5}$, $\mathrm{P}(A\cap B)=\frac{c}{600}$

2단계	두 사건 A, B가 서로 독립임을 이용하여 상수 c를 구한다.	◀ 50%

$\mathrm{P}(A\cap B)=\mathrm{P}(A)\mathrm{P}(B)$에서

$\frac{c}{600}=\frac{2}{3}\times\frac{3}{5}\quad\therefore c=240$

3단계	표에서 a, b, c, d값을 각각 구한다.	◀ 20%

따라서 $a=160$, $b=80$, $c=240$, $d=120$

0926

정답 해설참조

1단계	두 사건 A와 B_n이 일어날 확률을 각각 구한다.	◀ 30%

A는 9장의 카드 중에서 3의 배수가 적혀 있는 카드를 뽑는 사건이므로

$A=\{3, 6, 9\}$, $A^c=\{1, 2, 4, 5, 7, 8\}$, $\mathrm{P}(A^c)=\frac{6}{9}=\frac{2}{3}$

5이하의 자연수 n에 대하여 사건 B_n은 n, $n+3$, $n+4$가 적혀 있는 카드를 뽑는 사건이므로

$B_n=\{n, n+3, n+4\}$, $\mathrm{P}(B_n)=\frac{3}{9}=\frac{1}{3}$ (단, $n=1, 2, 3, 4, 5$)

2단계	두 사건 A^c과 B_n이 서로 독립임을 이용하여 $\mathrm{P}(A^c\cap B_n)$을 구하여 $n(A^c\cap B_n)$의 값을 구한다.	◀ 30%

사건 A^c과 사건 B_n이 서로 독립이려면

$\mathrm{P}(A^c\cap B_n)=\mathrm{P}(A^c)\mathrm{P}(B_n)=\frac{2}{3}\times\frac{1}{3}=\frac{2}{9}$

즉 집합 $A^c\cap B_n$의 원소의 개수가 2이어야 한다.

3단계	$n=1, 2, 3, 4, 5$일 때, 2단계를 만족하는 모든 n의 값의 합을 구한다.	◀ 40%

$n=1$일 때,
$B_1=\{1, 4, 5\}$에서 $A^c\cap B_1=\{1, 4, 5\}$이므로 $n(A^c\cap B_1)=3$
$n=2$일 때,
$B_2=\{2, 5, 6\}$에서 $A^c\cap B_2=\{2, 5\}$이므로 $n(A^c\cap B_2)=2$
$n=3$일 때,
$B_3=\{3, 6, 7\}$에서 $A^c\cap B_3=\{7\}$이므로 $n(A^c\cap B_3)=1$
$n=4$일 때,
$B_4=\{4, 7, 8\}$에서 $A^c\cap B_4=\{4, 7, 8\}$이므로 $n(A^c\cap B_4)=3$
$n=5$일 때,
$B_5=\{5, 8, 9\}$에서 $A^c\cap B_5=\{5, 8\}$이므로 $n(A^c\cap B_5)=2$
따라서 구하는 자연수 n의 값은 2, 5이므로 그 합은 $2+5=7$

0927

정답 해설참조

1단계	택한 사람이 질병 B에 걸린 사람일 확률을 구한다.	◀ 30%

전체 인원 500명 중 질병 B에 걸린 사람이 124명이므로

구하는 확률은 $\frac{124}{500}=\frac{31}{125}$

2단계	택한 사람이 음식 A를 매주 한 번 이상 먹는 사람일 때, 이 사람이 질병 B에 걸린 사람일 확률을 구한다.	◀ 30%

음식 A를 매주 한 번 이상 먹는 인원 152명 중 질병 B에 걸린 사람이 12명이므로 구하는 확률은 $\frac{12}{152}=\frac{3}{38}$

3단계	위 1, 2단계에서 음식 A를 매주 한 번 이상 먹는 것이 질병 B에 걸릴 확률에 영향을 끼친다고 볼 수 있는지 서술한다.	◀ 40%

1, 2단계에서 확률을 $\mathrm{P}(B)=\frac{31}{125}$, $\mathrm{P}(B|A)=\frac{3}{38}$이라 하면

$\mathrm{P}(B|A)\neq\mathrm{P}(B)$이므로 두 사건은 서로 종속,
즉 영향을 끼친다고 볼 수 있다.

0928

정답 해설참조

STEP A 빈칸추론하기

다음 그림과 같이 각 스위치를 $a\sim g$라고 하자.

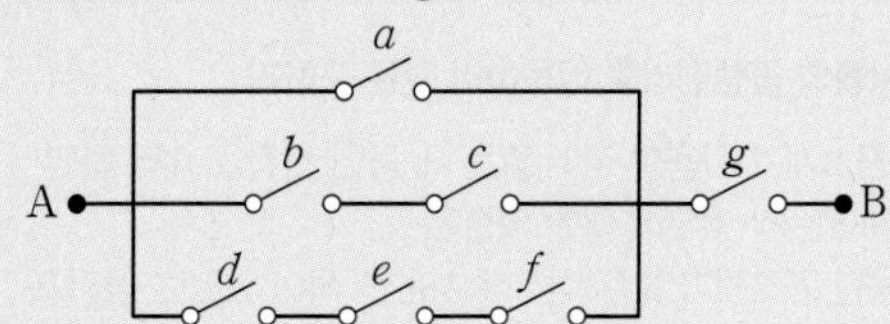

전류가 흐르지 않는 경우는 (ⅰ), (ⅱ)의 두 가지이다.
(ⅰ) g스위치가 OFF일 때
(ⅱ) ① g스위치가 ON이면서 a스위치가 OFF이고,
② b, c스위치 중 적어도 하나가 OFF이고,
③ d, e, f스위치 중 적어도 하나가 OFF일 때이다.

이때
(ⅰ) g스위치가 OFF일 확률은 $\frac{1}{2}$
(ⅱ) ① g스위치가 ON일 확률은 $\frac{1}{2}$, a 스위치가 OFF일 확률은 $\frac{1}{2}$
② b, c스위치 중 적어도 하나가 OFF일 확률은
$1-\frac{1}{2}\times\frac{1}{2}=\boxed{\frac{3}{4}}$
③ d, e, f 중 적어도 하나가 OFF일 확률은
$1-\frac{1}{2}\times\frac{1}{2}\times\frac{1}{2}=\boxed{\frac{7}{8}}$
①, ②, ③에서 전류가 흐르지 않는 확률은
$\frac{1}{2}\times\frac{1}{2}\times\frac{3}{4}\times\frac{7}{8}=\boxed{\frac{21}{128}}$
(ⅰ), (ⅱ)에서 A가 B로 전류가 흐르지 않을 확률은 $\frac{1}{2}+\frac{21}{128}=\boxed{\frac{85}{128}}$
따라서 구하는 확률은 $1-\boxed{\frac{85}{128}}=\boxed{\frac{43}{128}}$

따라서 (가) $\frac{3}{4}$, (나) $\frac{7}{8}$, (다) $\frac{21}{128}$, (라) $\frac{85}{128}$, (마) $\frac{43}{128}$

다른풀이 포함과 배제의 원리를 이용하여 풀이하기

STEP A A에서 B로 전류가 흐를 확률 구하기

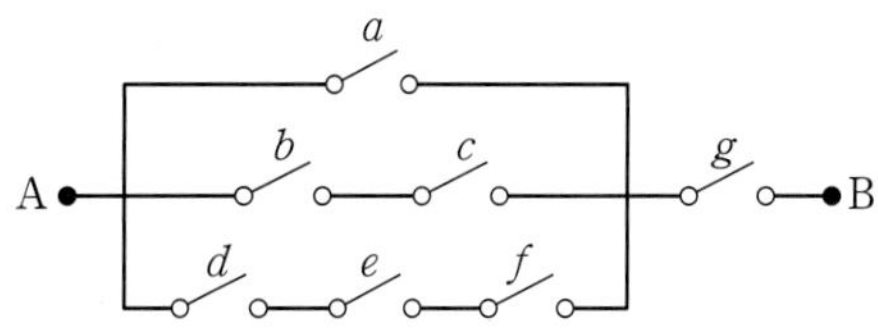

a스위치가 ON인 사건을 A,
b, c스위치가 동시에 ON인 사건을 B,
d, e, f스위치가 동시에 ON인 사건을 C라 하면
A에서 B로 전류가 흐를 확률은 $\mathrm{P}(A\cup B\cup C)\times\frac{1}{2}$

STEP B 포함과 배제의 원리에 의하여 $\mathrm{P}(A\cup B\cup C)$의 값 구하기

사건 A, B, C는 모두 독립이고

$\mathrm{P}(A)=\frac{1}{2}$, $\mathrm{P}(B)=\frac{1}{2}\times\frac{1}{2}=\frac{1}{4}$, $\mathrm{P}(C)=\frac{1}{2}\times\frac{1}{2}\times\frac{1}{2}=\frac{1}{8}$이므로

$$\begin{aligned}\mathrm{P}(A\cup B\cup C)&=\mathrm{P}(A)+\mathrm{P}(B)+\mathrm{P}(C)\\&\quad-\mathrm{P}(A\cap B)-\mathrm{P}(B\cap C)-\mathrm{P}(C\cap A)+\mathrm{P}(A\cap B\cap C)\\&=\frac{1}{2}+\frac{1}{4}+\frac{1}{8}-\frac{1}{2}\times\frac{1}{4}-\frac{1}{4}\times\frac{1}{8}-\frac{1}{8}\times\frac{1}{2}+\frac{1}{2}\times\frac{1}{4}\times\frac{1}{8}\\&=\frac{43}{64}\end{aligned}$$

따라서 구하는 확률은 $\frac{43}{64}\times\frac{1}{2}=\frac{43}{128}$

0929

정답 163

STEP Ⓐ **확률의 곱셈정리를 이용하여 확률 구하기**

다음 날 꺼낸 공 2개가 사용한 적이 없는 새 공인 사건을 A라 하면
사건 A가 일어나는 각 경우에 대한 확률은

(ⅰ) 전날 사용한 공 2개가 모두 이전에 사용한 적이 있었던 공이고
다음 날 꺼낸 공 2개가 모두 새 공인 경우

$\dfrac{{}_4C_2}{{}_{10}C_2}\times\dfrac{{}_6C_2}{{}_{10}C_2}=\dfrac{2}{45}$

(ⅱ) 전날 사용한 공 중 1개만 이전에 사용한 적이 있었던 공이고
다음 날 꺼낸 공 2개가 모두 새 공인 경우

$\dfrac{{}_4C_1\times{}_6C_1}{{}_{10}C_2}\times\dfrac{{}_5C_2}{{}_{10}C_2}=\dfrac{16}{135}$

(ⅲ) 전날 사용한 공 2개가 모두 이전에 사용한 적이 없었던 새 공이고
다음 날 꺼낸 공 2개가 모두 새 공인 경우

$\dfrac{{}_6C_2}{{}_{10}C_2}\times\dfrac{{}_4C_2}{{}_{10}C_2}=\dfrac{2}{45}$

STEP Ⓑ **확률의 덧셈정리를 이용하여 확률 구하기**

따라서 구하는 확률은 $P(A)=\dfrac{2}{45}+\dfrac{16}{135}+\dfrac{2}{45}=\dfrac{28}{135}$이므로 $p+q=163$

0930

정답 23

STEP Ⓐ **여사건의 확률을 이용하여 주어진 확률 구하기**

첫 번째 숫자가 서로 다를 사건을 A, 두 번째 숫자가 같을 사건을 B라 하면
첫 번째 숫자가 같을 확률은
(철수, 영희) : (1, 1), (2, 2), (3, 3), (4, 4), (5, 5)의 5가지이므로

$5\times\left(\dfrac{1}{5}\right)^2=\dfrac{1}{5}$

즉 첫 번째 숫자가 다를 확률은 $P(A)=1-\dfrac{1}{5}=\dfrac{4}{5}$

STEP Ⓑ **두 번째 숫자가 같을 확률 구하기**

첫 번째 숫자가 다를 경우 남은 4개의 숫자에서 같은 수는 3개뿐이므로
두 번째 숫자가 같을 확률은 $P(B)=3\times\dfrac{1}{4}\times\dfrac{1}{4}=\dfrac{3}{16}$

STEP Ⓒ **두 사건 A, B는 서로 독립임을 이용하여 확률 구하기**

따라서 구하는 확률은 $P(A\cap B)=P(A)P(B)=\dfrac{4}{5}\times\dfrac{3}{16}=\dfrac{3}{20}$이므로
$p+q=3+20=23$

다른풀이 철수를 기준으로 각 사건의 확률을 구하는 풀이하기

STEP Ⓐ **곱셈정리를 이용하여 확률 구하기**

철수가 주머니 A에서 어느 한 숫자를 선택하고
영희가 주머니 B에서 그와 다른 숫자를 선택할 확률은

${}_5C_1\times\dfrac{1}{5}\times\dfrac{4}{5}=\dfrac{4}{5}$

철수는 두 사람이 꺼낸 첫 번째 숫자 2개를 제외한 나머지 3개의 숫자 중에서
한 개를 선택하고 영희는 그와 같은 숫자를 선택해야 하므로

그 확률은 $\dfrac{3}{4}\times\dfrac{1}{4}=\dfrac{3}{16}$

따라서 구하는 확률은 $\dfrac{4}{5}\times\dfrac{3}{16}=\dfrac{3}{20}$

내/신/연/계/ 출제문항 399

두 개의 주머니 A, B에 1, 2, 3, 4, 5의 숫자가 하나씩 적힌 5개의 공이 각각
들어 있다. 효주는 A주머니에서, 소영이는 B주머니에서 각자 공을 하나씩
꺼내어 공에 적힌 숫자를 확인하는 시행을 한다.
효주와 소영이가 첫 번째 시행과 두 번째 시행에서 꺼낸 공에 적힌 숫자가
두 시행 모두 서로 같을 확률을 $\dfrac{q}{p}$(p, q는 서로소인 자연수)라고 할 때,
$p+q$의 값을 구하여라. (단, 꺼낸 공은 다시 넣지 않는다.)

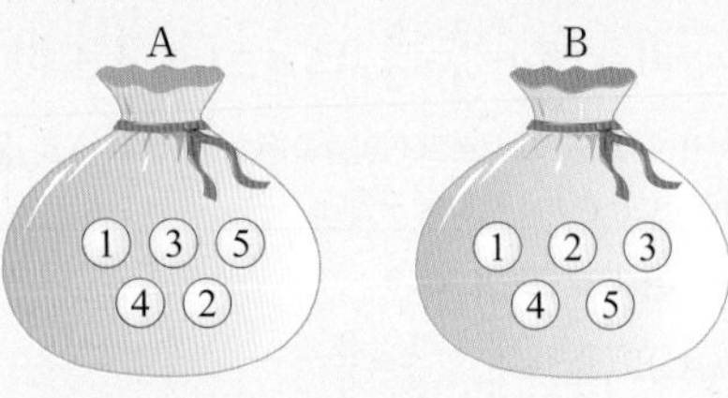

STEP Ⓐ **확률의 곱셈정리를 이용하여 확률 구하기**

첫 번째 시행에서 꺼낸 공에 적힌 숫자가 서로 같은 경우는
(1, 1), (2, 2), (3, 3), (4, 4), (5, 5)이고 그 확률은

$5\times\dfrac{1}{5}\times\dfrac{1}{5}=\dfrac{1}{5}$

첫 번째 시행에서 꺼낸 공에 적힌 숫자가 서로 같았을 때,
두 번째 시행에서 꺼낸 공에 적힌 숫자가 서로 같을 확률은

$4\times\dfrac{1}{4}\times\dfrac{1}{4}=\dfrac{1}{4}$

STEP Ⓑ **$p+q$의 값 구하기**

따라서 구하는 확률은 $\dfrac{1}{5}\times\dfrac{1}{4}=\dfrac{1}{20}$이므로 $p+q=20+1=21$

정답 21

0931

정답 202

STEP Ⓐ **흰색 탁구공과 빨간색 탁구공이 각각 4개씩이 되는 확률 구하기**

갑이 주머니 A에서 꺼낸 3개의 탁구공을 주머니 B에 넣고
을이 주머니 B에서 꺼낸 2개의 탁구공을 주머니 A에 넣었을 때,
갑과 을이 꺼낸 탁구공 중에 모두 빨간색 탁구공이 포함되어 두 주머니 A, B에
들어 있는 흰색 탁구공과 빨간색 탁구공이 각각 4개씩이 되는 경우와 그 확률은
다음과 같다.

(ⅰ) 갑과 을이 모두 빨간색 탁구공을 1개 꺼낸 경우
주머니 A에서 흰색 탁구공 2개와 빨간색 탁구공 1개를 꺼내고,
주머니 B에서 흰색 탁구공 1개와 빨간색 탁구공 1개를 꺼냈으므로 확률은

$\dfrac{{}_5C_2\times{}_4C_1}{{}_9C_3}\times\dfrac{{}_3C_1\times{}_4C_1}{{}_7C_2}=\dfrac{10\times4}{84}\times\dfrac{3\times4}{21}=\dfrac{40}{147}$

(ⅱ) 갑과 을이 모두 빨간색 탁구공을 2개 꺼낸 경우
주머니 A에서 흰색 탁구공 1개와 빨간색 탁구공 2개를 꺼내고,
주머니 B에서 빨간색 탁구공 2개를 꺼냈으므로 확률은

$\dfrac{{}_5C_1\times{}_4C_2}{{}_9C_3}\times\dfrac{{}_4C_2}{{}_7C_2}=\dfrac{5\times6}{84}\times\dfrac{6}{21}=\dfrac{5}{49}$

STEP Ⓑ **배반사건인 확률 구하기**

(ⅰ), (ⅱ)에서 구하는 확률은 $\dfrac{40}{147}+\dfrac{5}{49}=\dfrac{55}{147}$
따라서 $p=147$, $q=55$이므로 $p+q=147+55=202$

0932

정답 ⑤

STEP Ⓐ **조건부확률의 정의에 따라 [보기]의 참, 거짓 판단하기**

ㄱ. 갑이 당첨제비를 뽑을 확률 $\mathrm{P(A)}=\frac{2}{5}$

을이 당첨제비를 뽑을 경우

(ⅰ) 갑이 당첨제비를 뽑은 다음 을이 당첨제비를 뽑는 확률은

$\mathrm{P}(A\cap B)=\frac{2}{5}\times\frac{1}{4}=\frac{1}{10}$

(ⅱ) 갑이 당첨제비를 뽑지 않은 다음 을이 당첨제비를 뽑는 확률은

$\mathrm{P}(A^c\cap B)=\frac{3}{5}\times\frac{2}{4}=\frac{3}{10}$

(ⅰ), (ⅱ)에서 $\mathrm{P}(B)=\mathrm{P}(A\cap B)+\mathrm{P}(A^c\cap B)=\frac{2}{5}\times\frac{1}{4}+\frac{3}{5}\times\frac{2}{4}=\frac{2}{5}$

$\therefore \mathrm{P}(A)=\mathrm{P(B)}$ [참]

ㄴ. $\mathrm{P}(B|A)=\frac{\mathrm{P}(A\cap B)}{\mathrm{P}(A)}=\frac{\frac{1}{10}}{\frac{2}{5}}=\frac{1}{4}$, $\mathrm{P}(B|A^c)=\frac{\mathrm{P}(A^c\cap B)}{\mathrm{P}(A^c)}=\frac{\frac{3}{10}}{\frac{3}{5}}=\frac{1}{2}$

$\therefore \mathrm{P}(B|A)<\mathrm{P}(B|A^c)$ [거짓]

ㄷ. $\mathrm{P}(B|A)=\frac{\mathrm{P}(A\cap B)}{\mathrm{P}(A)}=\frac{\frac{1}{10}}{\frac{2}{5}}=\frac{1}{4}$, $\mathrm{P}(A|B)=\frac{\mathrm{P}(B\cap A)}{\mathrm{P}(B)}=\frac{\frac{1}{10}}{\frac{2}{5}}=\frac{1}{4}$

$\therefore \mathrm{P}(B|A)=\mathrm{P}(A|B)$ [참]

따라서 옳은 것은 ㄱ, ㄷ이다.

0933

STEP Ⓐ **확률의 곱셈정리를 이용하여 확률 구하기**

이 학교의 학생 중에서 임의로 한 명을 선택할 때,

이 학생이 K자격증을 가지고 있지 않은 사건을 A, 여학생인 사건을 B라 하면

$\mathrm{P}(A)=\frac{3}{10}$, $\mathrm{P}(B)=\frac{3}{5}$

임의로 선택한 한 학생이 K자격증을 갖고 있는 남학생인 사건은

$A^c\cap B^c$이므로 $\mathrm{P}(A^c\cap B^c)=\frac{1}{5}$

이때 $\mathrm{P}(A^c\cap B^c)=\mathrm{P}((A\cup B)^c)=1-\mathrm{P}(A\cup B)$이므로

$\mathrm{P}(A\cup B)=1-\mathrm{P}(A^c\cap B^c)=1-\frac{1}{5}=\frac{4}{5}$

$\mathrm{P}(A\cap B)=\mathrm{P}(A)+\mathrm{P}(B)-\mathrm{P}(A\cup B)=\frac{3}{10}+\frac{3}{5}-\frac{4}{5}=\frac{1}{10}$

STEP Ⓑ **조건부확률 구하기**

따라서 선택한 학생이 K자격증을 가지고 있지 않을 때, 이 학생이 여학생일

확률은 $\mathrm{P}(B|A)=\frac{\mathrm{P}(A\cap B)}{\mathrm{P}(A)}=\frac{\frac{1}{10}}{\frac{3}{10}}=\frac{1}{3}$

다른풀이 표를 이용한 조건부확률 구하기

전체 학생 수를 100명으로 놓으면 남학생 수와 여학생 수가 2 : 3이므로

남학생 수 40명, 여학생 수는 60명이고 전체 학생의 70%가 K자격증을

가지므로 70명이 가진다. 학생 수를 표로 나타내면 다음과 같다.

(단위 : 명)

구분	남학생	여학생	계
K자격증 소지자	a	b	70
K자격증 미소지자	c	d	30
합계	40	60	100

이때 임의로 한 명을 선택할 때, 이 학생이 K자격증을 가지고 있는 남학생일

확률이 $\frac{1}{5}$이므로 $\frac{a}{100}=\frac{1}{5}$ $\therefore a=20$

그런데 $a+b=70$이므로 $b=50$

$a+c=40$에서 $c=20$이고 $c+d=30$에서 $d=10$

(단위 : 명)

구분	남학생	여학생	계
K자격증 소지자	20	50	70
K자격증 미소지자	20	10	30

따라서 임의로 선택한 학생이 K자격증을 가지고 있지 않을 때,

이 학생이 여학생일 확률은 $\frac{10}{30}=\frac{1}{3}$

0934

정답 97

STEP Ⓐ **확률의 곱셈정리를 이용하여 흰 공이라 대답할 확률 구하기**

주머니에서 공 한 개를 꺼낼 때, 흰 공일 사건을 A, 검은 공을 사건을 B,

태희는 흰 공, 병만이는 검은 공이라 대답할 사건을 E라 하면

(ⅰ) 흰 공을 꺼내고 태희는 흰 공, 병만이는 검은 공이라 대답할 확률은

$\mathrm{P}(A\cap E)=\mathrm{P}(A)\mathrm{P}(E|A)=\frac{3}{8}\times\frac{7}{10}\times\frac{1}{10}=\frac{21}{800}$

(ⅱ) 검은 공을 꺼내고 태희는 흰 공, 병만이는 검은 공이라 대답할 확률은

$\mathrm{P}(B\cap E)=\mathrm{P}(B)\mathrm{P}(E|B)=\frac{5}{8}\times\frac{3}{10}\times\frac{9}{10}=\frac{135}{800}$

(ⅰ), (ⅱ)가 배반사건이므로 태희는 흰 공, 병만이는 검은 공이라 대답할 확률은

$\mathrm{P}(E)=\mathrm{P}(A\cap E)+\mathrm{P}(B\cap E)=\frac{21}{800}+\frac{135}{800}=\frac{156}{800}$

STEP Ⓑ **조건부확률 구하기**

즉 구하는 확률은 $\mathrm{P}(B|E)=\frac{\mathrm{P}(B\cap E)}{\mathrm{P}(E)}=\frac{\frac{135}{800}}{\frac{156}{800}}=\frac{135}{156}=\frac{45}{52}$

따라서 $p+q=52+45=97$

0935

STEP Ⓐ **확률의 곱셈정리를 이용하여 A가 우승할 확률 구하기**

A팀이 우승하는 상황과 경기의 수는 다음과 같다.

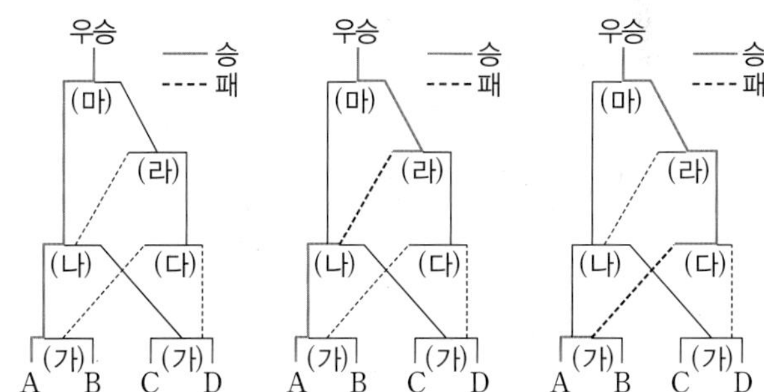

(ⅰ) (가)에서 이기고 (나)에서 이기고 (마)에서 이기는 경우

$\frac{1}{2}\times\frac{1}{2}\times\frac{1}{2}=\frac{1}{8}$

(ⅱ) (가)에서 이기고 (나)에서 지고 (라)에서 이기고 (마)에서 이기는 경우

$\frac{1}{2}\times\frac{1}{2}\times\frac{1}{2}\times\frac{1}{2}=\frac{1}{16}$

(ⅲ) (가)에서 지고 (다)에서 이기고 (라)에서 이기고 (마)에서 이기는 경우

$\frac{1}{2}\times\frac{1}{2}\times\frac{1}{2}\times\frac{1}{2}=\frac{1}{16}$

즉 (ⅰ)~(ⅲ)에서 A팀이 우승하는 확률은 $\mathrm{P}(A)=\frac{1}{8}+\frac{1}{16}+\frac{1}{16}=\frac{4}{16}$

STEP Ⓑ **$\mathrm{P}(B|A)$ 구하기**

또한, A팀이 (가)에서 이겼을 사건을 B라 하면 A팀이 우승했을 때,

A팀이 (가)에서 이겼을 확률은 $\mathrm{P}(B|A)=\frac{\frac{3}{16}}{\frac{1}{8}+\frac{1}{16}+\frac{1}{16}}=\frac{3}{4}$

따라서 $p+q=4+3=7$

0936

정답 17

STEP Ⓐ **모든 경우의 수 구하기**

주머니에 있는 8개의 공 중에서 4개의 공을 임의로 꺼내는 경우의 수는
${}_8C_4=70$

STEP Ⓑ **꺼낸 공에 적혀 있는 수가 같은 것이 있는 경우의 수 구하기**

이때 꺼낸 공에 적혀있는 수가 같은 사건을 A,
꺼낸 공 중 검은 공이 2개인 사건을 B라 하면
꺼낸 공에 적혀 있는 수가 같은 경우는 3이 적힌 공이 두 개 또는 4가 적힌 공이 두 개 또는 3, 3, 4, 4가 적힌 공이 나오는 경우이다.

(ⅰ) 흰색 3, 검은색 3이 적힌 공이 두 개 나오는 경우
나머지 여섯 개의 공 중에서 두 개의 공을 꺼내면 되므로 경우의 수는
${}_6C_2=15$

(ⅱ) 흰색 4, 검은색 4가 적힌 공이 두 개 나오는 경우
나머지 여섯 개의 공 중에서 두 개의 공을 꺼내면 되므로 경우의 수는
${}_6C_2=15$

(ⅲ) 흰색 3, 검은색 3과 흰색 4, 검은색 4가 적힌 공이 나오는 경우
이때 경우의 수는 1가지

(ⅰ)~(ⅲ)에서 꺼낸 공에 같은 수가 적힌 경우의 수는 $15+15-1=29$

$\therefore \mathrm{P}(A)=\frac{29}{70}$

STEP Ⓒ **같은 숫자가 적힌 공이 2개이면서 검은 공이 2개인 경우의 수 구하기**

위의 (ⅰ)의 경우
3이 적힌 공이 두 개 나온 경우 중 검은 공이 두 개인 경우는 나머지 검은 공 3개 중 1개, 흰색 공 3개 중에서 1개를 고르면 되므로
그 경우의 수는 ${}_3C_1\times{}_3C_1=9$이고

$_3C_1\times{}_3C_1-1$

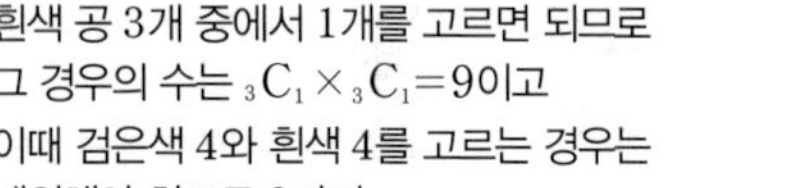

이때 검은색 4와 흰색 4를 고르는 경우는 제외해야 하므로 8가지

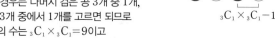

(ⅱ)의 경우
4가 적힌 공이 두 개 나온 경우 중 검은 공이 두 개인 경우는 나머지 검은 공 3개 중 1개, 흰색 공 3개 중에서 1개를 고르면 되므로
그 경우의 수는 ${}_3C_1\times{}_3C_1=9$이고
이때 검은색 3과 흰색 3을 고르는 경우는 제외해야 하므로 8가지

$_3C_1\times{}_3C_1-1$

(ⅲ)의 경우
흰색 3, 검은색 3과 흰색 4, 검은색 4가 적힌 공이 나오는 경우도 조건을 만족하므로 1가지
같은 숫자가 적힌 공이 2개이면서 검은 공이 2개인 경우의 수 $8+8+1=17$

$\therefore \mathrm{P}(A\cap B)=\frac{17}{70}$

STEP Ⓓ **조건부 확률 구하기**

따라서 구하는 확률은 $p=\mathrm{P}(B|A)=\frac{\mathrm{P}(A\cap B)}{\mathrm{P}(A)}=\frac{\frac{17}{70}}{\frac{29}{70}}=\frac{17}{29}$

$\therefore 29p=17$

다른풀이 여사건을 이용하여 풀이하기

STEP Ⓐ **모든 경우의 수 구하기**

주머니에 있는 8개의 공중에서 4개의 공을 임의로 꺼내는 경우의 수는
${}_8C_4=70$

STEP Ⓑ **꺼낸 공에 적혀 있는 수가 같은 것이 있는 경우의 수 구하기**

꺼낸 공에 적혀 있는 수가 같은 경우는
3이 적힌 공이 두 개 또는 4가 적힌 공이 두 개 또는 3, 3, 4, 4가 적힌 공이 나오는 경우이다.
3이 적힌 공이 두 개 나오는 경우는 나머지 여섯 개의 공 중에서 두 개의 공을 꺼낼 때 4가 적힌 공 두 개가 나오는 경우를 빼면 되므로
${}_6C_2-1=15-1=14$

즉 꺼낸 공에 적혀 있는 수가 같은 경우의 수는 $14\times2+1=29$

STEP Ⓒ **같은 숫자가 적힌 공이 2개이면서 검은 공이 2개인 경우의 수 구하기**

또한, 3이 적힌 공이 두 개 나온 경우 중 검은 공이 두 개인 경우는
나머지 검은 공 중 4가 적힌 공을 제외한 두 개의 공 중 한 개를 꺼내고
흰 공 3개 중에서 한 개를 꺼내거나 나머지 검은 공 중 4가 적힌 공을 꺼내고
흰색 공 중 4를 제외한 두 개의 공 중에서 한 개의 공을 꺼내면 되므로
${}_2C_1\times{}_3C_1+1\times{}_2C_1=6+2=8$
즉 꺼낸 공에 적혀 있는 수가 같으면서 검은 공의 개수가 두 개인 경우의 수는
$2\times8+1=17$

STEP Ⓓ **조건부 확률 구하기**

이때 꺼낸 공에 적혀있는 수가 같은 사건을 A, 꺼낸 공 중 검은 공이 2개인 사건을 B라 하면 $p=\mathrm{P}(B|A)=\frac{\mathrm{P}(A\cap B)}{\mathrm{P}(A)}=\frac{\frac{17}{70}}{\frac{29}{70}}=\frac{17}{29}$

$\therefore 29p=17$

독립시행의 확률

0937

 ③

STEP Ⓐ **5의 약수의 눈이 한 번 나올 확률 p_1 구하기**

한 개의 주사위를 던져서 5의 약수의 눈이 나올 확률은 $\frac{1}{3}$

한 개의 주사위를 세 번 던졌을 때, 5의 약수의 눈이 한 번 나올 확률은

$p_1={}_3C_1\left(\frac{1}{3}\right)^1\left(\frac{2}{3}\right)^2$

STEP Ⓑ **5의 약수의 눈이 두 번 나올 확률 p_2 구하기**

5의 약수의 눈이 두 번 나올 확률은 $p_2={}_3C_2\left(\frac{1}{3}\right)^2\left(\frac{2}{3}\right)^1$

STEP Ⓒ **$\frac{p_2}{p_1}$값 구하기**

따라서 $\frac{p_2}{p_1}=\frac{{}_3C_2\left(\frac{1}{3}\right)^2\left(\frac{2}{3}\right)^1}{{}_3C_1\left(\frac{1}{3}\right)^1\left(\frac{2}{3}\right)^2}=\frac{1}{2}$

내/신/연/계/ 출제문항 400

한 개의 주사위를 4번 던질 때, 6의 약수의 눈이 2번 나올 확률을 p_1이라 하고, 한 개의 동전을 3번 던질 때, 동전의 앞면이 2번 나올 확률을 p_2라 할 때, $\frac{1}{p_1p_2}$의 값은?

① $\frac{1}{9}$ ② $\frac{1}{3}$ ③ $\frac{1}{4}$
④ 3 ⑤ 9

STEP Ⓐ **6의 약수의 눈이 2번 나올 확률 p_1 구하기**

주사위를 던질 때, 6의 약수의 눈이 나올 확률이 $\frac{2}{3}$이고 매 시행이 독립이므로

4번의 시행에서 6의 약수의 눈이 2번 나올 확률은 $p_1={}_4C_2\left(\frac{2}{3}\right)^2\left(\frac{1}{3}\right)^2=\frac{8}{27}$

STEP Ⓑ **앞면이 2번 나올 확률 p_2 구하기**

동전을 던질 때, 앞면이 나올 확률이 $\frac{1}{2}$이고 매 시행이 독립이므로

3번의 시행에서 앞면이 2번 나올 확률은 $p_2={}_3C_2\left(\frac{1}{2}\right)^2\left(\frac{1}{2}\right)=\frac{3}{8}$

STEP Ⓒ **p_1p_2값 구하기**

따라서 $p_1p_2=\frac{8}{27}\times\frac{3}{8}=\frac{3}{27}=\frac{1}{9}$이므로 $\frac{1}{p_1p_2}=9$

 ⑤

0938

 ⑤

STEP Ⓐ **4개의 수의 합이 5인 독립시행의 확률 구하기**

상자에서 임의로 한 장의 카드를 꺼낼 때, 1이 적혀 있는 카드가 나올 확률은 $\frac{3}{4}$, 2가 적혀 있는 카드가 나올 확률은 $\frac{1}{4}$이다.

4번의 시행에서 꺼낸 카드에 적혀 있는 수의 합이 5가 되기 위해서는 1이 적혀 있는 카드가 3번, 2가 적혀 있는 카드가 1번 나와야 한다.

따라서 구하는 확률은 ${}_4C_3\left(\frac{3}{4}\right)^3\left(\frac{1}{4}\right)^1=\frac{27}{64}$

0939

정답 ②

STEP Ⓐ **주사위를 한 번 던질 때, 1과 소수의 눈이 나올 확률 구하기**

주사위를 한 번 던질 때, 1의 눈이 나올 확률은 $\frac{1}{6}$이고

소수의 눈이 나올 확률은 $\frac{3}{6}=\frac{1}{2}$

STEP Ⓑ **6번 던져 나온 수들의 곱이 소수가 될 확률 p 구하기**

주사위를 6번 던져 나온 6개의 눈의 수의 곱이 소수가 되려면 6번 중 1의 눈이 5번, 소수의 눈이 1번 나와야 하므로 구하는 확률 p는

$p={}_6C_5\left(\frac{1}{6}\right)^5\left(\frac{1}{2}\right)^1={}_6C_1\left(\frac{1}{6}\right)^5\left(\frac{1}{2}\right)^1=\frac{1}{2\cdot6^4}$

따라서 $6^4p=6^4\times\frac{1}{2\cdot6^4}=\frac{1}{2}$

0940

 ②

STEP Ⓐ **한 가지 사건의 독립시행의 확률 구하기**

학생이 한 문제를 맞힐 확률은 $\frac{2}{3}$, 틀릴 확률은 $\frac{1}{3}$

(ⅰ) 4문제 중 3문제를 맞힐 확률은 ${}_4C_3\left(\frac{2}{3}\right)^3\left(\frac{1}{3}\right)=\frac{32}{81}$

(ⅱ) 4문제 중 4문제를 맞힐 확률은 ${}_4C_4\left(\frac{2}{3}\right)^4=\frac{16}{81}$

(ⅰ), (ⅱ)에서 시험에서 합격할 확률은 $\frac{32}{81}+\frac{16}{81}=\frac{48}{81}=\frac{16}{27}$

내/신/연/계/ 출제문항 401

5문제 중에서 4문제 이상을 맞히면 합격하는 시험이 있다.
각 문제를 맞힐 확률이 $\frac{1}{2}$인 학생이 이 시험에 합격할 확률은?

① $\frac{3}{16}$ ② $\frac{5}{16}$ ③ $\frac{3}{8}$
④ $\frac{7}{16}$ ⑤ $\frac{9}{16}$

STEP Ⓐ **한 가지 사건의 독립시행의 확률 구하기**

이 시험에 합격하는 경우는 4문제를 맞히거나 5문제를 맞히면 된다.

(ⅰ) 4문제를 맞히는 확률은 ${}_5C_4\left(\frac{1}{2}\right)^4\left(\frac{1}{2}\right)=\frac{5}{32}$

(ⅱ) 5문제를 맞히는 확률은 ${}_5C_5\left(\frac{1}{2}\right)^5=\frac{1}{32}$

(ⅰ), (ⅱ)에서 시험에 합격할 확률은 $\frac{5}{32}+\frac{1}{32}=\frac{6}{32}=\frac{3}{16}$

정답 ①

0941

 ③

STEP Ⓐ **원이 x축과 만날 확률 구하기**

원의 중심의 y좌표가 4이므로 $k\geq4$일 때, 원이 x축과 만난다.

$\mathrm{P}(A)=\frac{3}{6}=\frac{1}{2}$

STEP Ⓑ **한 가지 사건의 독립시행의 확률 구하기**

따라서 한 개의 주사위를 8회 던질 때, 사건 A가 2회 일어날 확률은

${}_8C_2\left(\frac{1}{2}\right)^2\left(\frac{1}{2}\right)^6=\frac{7}{64}$

내신연계 출제문항 402

한 개의 주사위를 던져서 나온 눈의 수를 k라 할 때, 좌표평면에서
원 $(x-4)^2+(y-5)^2=k^2$이 x축과 만나는 사건을 A라 하자.
한 개의 주사위를 5회 던질 때, 사건 A가 3회 일어날 확률은?

① $\frac{38}{243}$ ② $\frac{13}{81}$ ③ $\frac{40}{243}$
④ $\frac{41}{243}$ ⑤ $\frac{14}{81}$

STEP Ⓐ **원이 x축과 만날 확률 구하기**

원의 중심의 y좌표가 5이므로 $k \geq 5$일 때, 원이 x축과 만난다.

$\therefore \mathrm{P}(A)=\frac{2}{6}=\frac{1}{3}$

STEP Ⓑ **한 가지 사건의 독립시행의 확률 구하기**

따라서 구하는 확률은 5번의 독립시행에서 확률이 $\frac{1}{3}$인 사건이 3번 일어날 확률이므로 ${}_5\mathrm{C}_3\left(\frac{1}{3}\right)^3\left(\frac{2}{3}\right)^2=\frac{40}{243}$

 ③

0942

 ②

STEP Ⓐ **증가버튼을 누른 횟수 구하기**

두 버튼을 누를 확률은 각각 $\frac{1}{2}$이고 여섯 번 중에서 다시 채널 50이 나오려면 채널증가 버튼과 채널 감소버튼을 누른 횟수가 같아야 한다.
여섯 번 중에서 3번은 채널 증가 버튼을 누르고 3번은 채널 감소 버튼을 눌러야 한다.

STEP Ⓑ **독립시행의 확률을 이용하여 확률 구하기**

따라서 구하는 확률은 독립시행의 정리에 의해 ${}_6\mathrm{C}_3\left(\frac{1}{2}\right)^3\left(\frac{1}{2}\right)^3=\frac{20}{2^6}=\frac{5}{16}$

다른풀이 순열로 풀이하기

∧, ∨ 중 중복을 허락하여 6개를 임의로 나열하는 경우의 수는 ${}_2\Pi_6=2^6$

이때 ∧ 3개, ∨ 3개를 나열하는 경우의 수는 $\frac{6!}{3!3!}=20$

따라서 구하는 확률은 $\frac{5\times4}{2^6}=\frac{5}{16}$

0943

 ①

STEP Ⓐ **조건을 만족하는 3의 배수의 눈이 나오는 개수 구하기**

1개의 주사위를 던질 때, 3의 배수의 눈이 나올 확률은 $\frac{2}{6}=\frac{1}{3}$이고

3의 배수가 아닌 눈이 나올 확률은 $\frac{4}{6}=\frac{2}{3}$이다.

4개의 주사위를 동시에 던질 때 3의 배수의 눈이 나온 주사위의 개수를 m이라 하면 3의 배수가 아닌 눈이 나온 주사위의 개수는 $4-m$이므로
$m>4-m$에서 $m>2$
이때 m은 4 이하의 자연수이므로 $m=3$ 또는 $m=4$

STEP Ⓑ **독립시행의 확률을 이용하여 확률 구하기**

따라서 구하는 확률은 ${}_4\mathrm{C}_3\left(\frac{1}{3}\right)^3\left(\frac{2}{3}\right)^1+{}_4\mathrm{C}_4\left(\frac{1}{3}\right)^4=\frac{8}{3^4}+\frac{1}{3^4}=\frac{9}{3^4}=\frac{1}{9}$이므로

$9p=9\times\frac{1}{9}=1$

0944

 ③

STEP Ⓐ **독립시행의 확률을 이용하여 구하기**

주머니에서 임의로 공을 한 개 꺼낼 때,
흰 공이 나올 확률은 $\frac{2}{3}$, 검은 공이 나올 확률은 $\frac{1}{3}$
시행을 6번 한 후 멈추려면 5번째까지 흰 공이 4번, 검은 공이 1번 나오고 6번째 시행에서 검은 공이 나오면 되므로 구하는 확률은
${}_5\mathrm{C}_4\left(\frac{2}{3}\right)^4\left(\frac{1}{3}\right)^1\times\frac{1}{3}=\frac{80}{729}$

STEP Ⓑ **$p+q$의 값 구하기**

따라서 $p=729$, $q=80$이므로 $p+q=809$

0945

 ①

STEP Ⓐ **4회 안타를 치는 경우와 3회 안타를 치는 경우로 나누기**

4회 안타를 치는 경우와 3회 안타를 치는 경우로 나누어 생각하자.

(ⅰ) 4회 안타를 치는 경우
투수 A, 투수 B와의 4회의 대결에서 모두 안타를 치는 경우이므로
그 확률은 $\left(\frac{1}{3}\right)^2\left(\frac{1}{4}\right)^2=\frac{1}{144}$

(ⅱ) 3회 안타를 치는 경우
투수 A, 투수 B와의 대결에서 각각 2회, 1회 안타를 칠 확률은
$\left(\frac{1}{3}\right)^2\times{}_2\mathrm{C}_1\left(\frac{1}{4}\right)\left(\frac{3}{4}\right)=\frac{1}{24}$이고
투수 A, 투수 B와의 대결에서 각각 1회, 2회 안타를 칠 확률은
${}_2\mathrm{C}_1\left(\frac{1}{3}\right)\left(\frac{2}{3}\right)\times\left(\frac{1}{4}\right)^2=\frac{1}{36}$이므로
두 투수와의 대결에서 3회 안타를 칠 확률은 $\frac{1}{24}+\frac{1}{36}=\frac{5}{72}$

STEP Ⓑ **3회 이상 안타를 칠 확률 구하기**

(ⅰ), (ⅱ)에서 야구 선수가 3회 이상 안타를 칠 확률은 $\frac{1}{144}+\frac{5}{72}=\frac{11}{144}$

따라서 $p+q=155$

내신연계 출제문항 403

어떤 야구 선수가 상대팀의 투수 A와 대결할 때, 안타를 칠 확률은 0.2이고, 투수 B와 대결할 때 안타를 칠 확률은 0.25이다.
한 경기에서 이 선수가 투수 A와 2회 대결한 후 투수 B와 1회 대결한다면 3회의 대결 중 2회 이상 안타를 칠 확률은?

① 0.10 ② 0.12 ③ 0.14
④ 0.15 ⑤ 0.16

STEP Ⓐ **투수 A, B와 각각 대결했을 때, 2회 이상 안타를 칠 경우 나누기**

한 경기에서 이 선수가 투수 A와 2회 대결한 후,
투수 B와 1회 대결한다면 3회의 대결 중 2회 이상 안타를 칠 경우는

(ⅰ) 투수 A에게 2회 안타를 칠 확률은
${}_2\mathrm{C}_2\left(\frac{1}{5}\right)^2\frac{3}{4}=\frac{3}{100}$

(ⅱ) 투수 A에게 1회 안타, 투수 B에게 1회 안타를 칠 확률은
${}_2\mathrm{C}_1\left(\frac{1}{5}\right)\left(\frac{4}{5}\right)\times\frac{1}{4}=\frac{8}{100}$

(ⅲ) 투수 A에게 2회 안타, 투수 B에게 1회 안타를 칠 확률은
${}_2\mathrm{C}_2\left(\frac{1}{5}\right)^2\times\frac{1}{4}=\frac{1}{100}$

STEP Ⓑ **2회 이상 안타를 칠 확률 구하기**

(ⅰ)~(ⅲ)에서 구하는 확률은 $\frac{3}{100}+\frac{8}{100}+\frac{1}{100}=\frac{12}{100}=0.12$

다른풀이 표를 이용하여 확률 구하기

타자가 안타를 치는 경우를 ○, 못치는 경우를 ×라 하면
3회의 대결 중 2회 이상 안타를 치는 경우의 확률은 다음의 표와 같다.

A	A	B	확률
○	○	×	$\frac{1}{5}\times\frac{1}{5}\times\frac{3}{4}=0.03$
○	×	○	$\frac{1}{5}\times\frac{4}{5}\times\frac{1}{4}=0.04$
×	○	○	$\frac{1}{5}\times\frac{1}{5}\times\frac{3}{4}=0.03$
○	○	○	$\frac{1}{5}\times\frac{1}{5}\times\frac{3}{4}=0.03$
계			0.12

 ②

0946

 ②

STEP A 승부차기를 해서 4 : 4로 승부가 나지 않을 확률 구하기

처음에 A조의 선수 5명 중 4명만 성공할 확률은
${}_5C_4\times(0.8)^4\times(0.2)=0.8^4$
마찬가지로 B조의 선수 5명 중 4명만 성공할 확률도
${}_5C_4\times(0.8)^4\times(0.2)=0.8^4$

STEP B 추가로 1명이 더 승부차기 하는 확률 구하기

그 후에 A조는 승부차기에 성공하고 B조는 승부차기에 실패할 확률은
0.8×0.2

STEP C 곱셈정리를 이용하여 확률 구하기

따라서 구하는 확률은 $0.8^4\times0.8^4\times0.8\times0.2=0.2\times0.8^9$

내신연계 출제문항 404

A와 B 두 팀이 축구 경기에서 연장전까지 0 : 0으로 승부를 가리지 못하여 승부차기를 하였다. 각 팀당 5명의 선수가 A팀부터 시작하여 1명씩 교대로 승부차기를 할 때, B팀이 5 : 4로 이길 확률은?
(단, 각 선수의 승부차기는 독립시행이고 성공할 확률은 0.8이다.)

① 0.2×0.8^8　② 0.8^8　③ 0.2×0.8^9
④ 0.8^9　⑤ 0.8^{10}

STEP A 한 가지 사건의 독립시행의 확률 구하기

각 선수가 승부차기를 성공할 확률은 0.8, 승부차기를 실패할 확률은 0.2
이때 B팀이 5 : 4로 이기려면 A팀은 5명의 선수 중 4명만 성공하고
B팀은 5명의 선수 모두가 성공해야 한다.
(ⅰ) A팀 5명의 선수 중에서 4명만이 골을 성공시킬 확률은
${}_5C_4\times(0.8)^4\times(0.2)^1=0.8^4$
(ⅱ) B팀 5명이 전부 골을 넣을 확률은
${}_5C_5\times(0.8)^5=0.8^5$
(ⅰ), (ⅱ)에서 구하는 확률은 $0.8^4\times0.8^5=0.8^9$

 ④

0947

 ④

STEP A 독립시행의 확률을 이용하여 금액의 합이 200원일 확률 구하기

금액의 합이 200이려면 다음 2가지 경우가 있다.
(ⅰ) 50원짜리 동전 3개 중 2개가 앞면, 1개가 뒷면이고
100원짜리 동전 2개 중 1개가 앞면이고 1개가 뒷면인 경우
${}_3C_2\left(\frac{1}{2}\right)^2\left(\frac{1}{2}\right)^1\times{}_2C_1\left(\frac{1}{2}\right)^1\left(\frac{1}{2}\right)^1=\frac{3}{2^3}\times\frac{1}{2}=\frac{3}{16}$
(ⅱ) 50원짜리 동전 3개가 모두 뒷면이고
100원짜리 동전 2개가 모두 앞면인 경우
${}_3C_0\left(\frac{1}{2}\right)^0\left(\frac{1}{2}\right)^3\times{}_2C_2\left(\frac{1}{2}\right)^2\left(\frac{1}{2}\right)^0=\frac{1}{2^3}\times\frac{1}{2^2}=\frac{1}{32}$

STEP B 배반사건을 이용하여 구하기

(ⅰ), (ⅱ)가 각각 배반사건이므로 구하는 확률은 $\frac{3}{16}+\frac{1}{32}=\frac{7}{32}$

내신연계 출제문항 405

어느 인터넷 사이트에서 회원을 대상으로 행운권 추첨행사를 하고 있다. 행운권에 당첨될 확률은 $\frac{1}{5}$이고 당첨되는 경우에는 회원 점수가 500점, 당첨되지 않은 경우에는 100점이 올라간다. 가은이가 행운권 추첨에 3회 참여할 때, 회원 점수가 1000점 이상 올라갈 확률은? (단, 행운권을 추첨하는 시행은 서로 독립이다.)

① $\frac{12}{125}$　② $\frac{13}{125}$　③ $\frac{14}{125}$
④ $\frac{3}{25}$　⑤ $\frac{4}{25}$

STEP A 독립시행의 확률을 이용하여 회원점수가 1000점 이상일 확률 구하기

회원점수가 1000점 이상 올라가려면 행운권에 2번 또는 3번 당첨되어야 한다.
(ⅰ) 2번 당첨될 확률은 ${}_3C_2\left(\frac{1}{5}\right)^2\left(\frac{4}{5}\right)^1=\frac{12}{125}$
(ⅱ) 3번 당첨될 확률은 ${}_3C_3\left(\frac{1}{5}\right)^3=\frac{1}{125}$

STEP B 배반사건을 이용하여 구하기

(ⅰ), (ⅱ)가 각각 배반사건이므로 구하는 확률은 $\frac{12}{125}+\frac{1}{125}=\frac{13}{125}$

 ②

0948

정답 ④

STEP A $f'(p)=0$인 p의 값 구하기

$f(p)={}_3C_2p^2(1-p)=3p^2(1-p)=3p^2-3p^3$이므로
$f'(p)=-9p^2+6p=-3p(3p-2)$
$f'(p)=0$에서 $p=0$ 또는 $p=\frac{2}{3}$

STEP B $f(p)$의 증가와 감소를 표로 나타내기

$0\le p\le1$에서 $f(p)$의 증가와 감소를 표로 나타내면 다음과 같다.

p	0	…	$\frac{2}{3}$	…	1
$f'(p)$	0	+	0	−	
$f(p)$		↗	극대	↘	

함수 $f(p)$는 $p=\frac{2}{3}$에서 극대이면서 최대이다.

따라서 구하는 p의 값은 $\frac{2}{3}$

0949

정답 ③

STEP A 독립시행을 이용하여 앞면이 한 번 나올 확률 구하기

주사위의 홀수의 눈이 나올 확률은 $\frac{1}{2}$, 동전의 앞면이 나올 확률은 $\frac{1}{2}$이다.

(ⅰ) 주사위의 홀수의 눈이 나오는 경우
동전을 3번 던져 앞면이 한 번 나올 확률은
$\frac{1}{2}\times{}_3\mathrm{C}_1\left(\frac{1}{2}\right)^1\left(\frac{1}{2}\right)^2=\frac{3}{16}$

(ⅱ) 주사위의 짝수의 눈이 나오는 경우
동전을 2번 던져 앞면이 한 번 나올 확률은
$\frac{1}{2}\times{}_2\mathrm{C}_1\left(\frac{1}{2}\right)^1\left(\frac{1}{2}\right)^1=\frac{1}{4}$

STEP B 동전 앞면이 한 번 나올 확률 구하기

(ⅰ), (ⅱ)가 배반사건이므로 구하는 확률은 $\frac{3}{16}+\frac{1}{4}=\frac{7}{16}$

0950

 ③

STEP A 독립시행을 이용하여 앞면이 한 번 나올 확률 구하기

주사위 1개를 던져서 나오는 눈의 수가 6의 약수인 경우는 1, 2, 3, 6이므로

나올 확률은 $\frac{4}{6}=\frac{2}{3}$

(ⅰ) 주사위를 1개 던져 6의 약수가 나오는 경우
동전 3개를 동시에 던져 앞면이 한 번 나올 확률은
$\frac{2}{3}\times{}_3\mathrm{C}_1\left(\frac{1}{2}\right)^1\left(\frac{1}{2}\right)^2=\frac{1}{4}$

(ⅱ) 주사위를 1개 던져 6의 약수가 아닌 눈이 나오는 경우
동전 2개를 동시에 던져 앞면이 한 번 나올 확률은
$\frac{1}{3}\times{}_2\mathrm{C}_1\left(\frac{1}{2}\right)^1\left(\frac{1}{2}\right)^1=\frac{1}{6}$

STEP B 배반사건을 이용하여 구하기

(ⅰ), (ⅱ)가 배반사건이므로 구하는 확률은 $\frac{1}{4}+\frac{1}{6}=\frac{5}{12}$

내신연계 출제문항 406

한 개의 주사위를 한 번 던져서 3의 배수의 눈이 나오면 한 개의 동전을 3번 던지고 3의 배수가 아닌 눈이 나오면 한 개의 동전을 2번 던질 때, 동전의 앞면이 2번 이상 나올 확률은?

① $\frac{1}{6}$ ② $\frac{1}{4}$ ③ $\frac{1}{3}$
④ $\frac{5}{12}$ ⑤ $\frac{1}{2}$

STEP A 독립시행을 이용하여 확률 구하기

한 개의 주사위를 던져 3의 배수의 눈이 나올 확률은 $\frac{1}{3}$,

3의 배수가 아닌 눈이 나올 확률은 $\frac{2}{3}$, 동전의 앞면이 나올 확률은 $\frac{1}{2}$이다.

(ⅰ) 한 개의 주사위를 던져 3의 배수의 눈이 나오는 경우
동전을 3번 던져서 앞면이 2번 이상 나올 확률은
$\frac{1}{3}\left\{{}_3\mathrm{C}_2\left(\frac{1}{2}\right)^2\left(\frac{1}{2}\right)^1+{}_3\mathrm{C}_3\left(\frac{1}{2}\right)^3\left(\frac{1}{2}\right)^0\right\}=\frac{1}{3}\left(\frac{3}{8}+\frac{1}{8}\right)=\frac{1}{6}$

(ⅱ) 한 개의 주사위를 던져 3의 배수가 아닌 눈이 나오는 경우
동전을 2번 던져서 앞면이 2번 이상 나올 확률은
$\frac{2}{3}\times{}_2\mathrm{C}_2\left(\frac{1}{2}\right)^2=\frac{2}{3}\times\frac{1}{4}=\frac{1}{6}$

STEP B 배반사건을 이용하여 구하기

(ⅰ), (ⅱ)가 배반사건이므로 구하는 확률은 $\frac{1}{6}+\frac{1}{6}=\frac{1}{3}$

정답 ③

0951

정답 ④

STEP A 동전의 앞면이 3번 나올 확률 구하기

1부터 10까지의 자연수 중 한 개의 공을 꺼낼 때,

홀수가 적힌 공이 나올 확률은 $\frac{5}{10}=\frac{1}{2}$

짝수가 적힌 공이 나올 확률은 $\frac{5}{10}=\frac{1}{2}$

(ⅰ) 홀수가 적힌 공을 꺼내고, 동전을 4번 던져서 앞면이 3번 나올 확률은
$\frac{1}{2}\times{}_4\mathrm{C}_3\left(\frac{1}{2}\right)^3\left(\frac{1}{2}\right)=\frac{4}{32}=\frac{1}{8}$

(ⅱ) 짝수가 적힌 공을 꺼내고, 동전을 5번 던져서 앞면이 3번 나올 확률은
$\frac{1}{2}\times{}_5\mathrm{C}_3\left(\frac{1}{2}\right)^3\left(\frac{1}{2}\right)^2=\frac{5}{32}$

STEP B 배반사건을 이용하여 구하기

(ⅰ), (ⅱ)가 배반사건이므로 동전의 앞면이 3번 나올 확률은 $\frac{1}{8}+\frac{5}{32}=\frac{9}{32}$

내신연계 출제문항 407

상자에 1부터 10까지의 자연수가 하나씩 적혀 있는 10개의 공이 들어있다. 이 상자에서 임의로 한 개의 공을 꺼낼 때, 소수가 적힌 공이 나오면 동전을 3번 던지고, 그 이외의 수이면 동전을 4번 던질 때, 동전의 뒷면이 3번 나올 확률은?

① $\frac{3}{16}$ ② $\frac{7}{32}$ ③ $\frac{1}{5}$
④ $\frac{9}{32}$ ⑤ $\frac{5}{16}$

STEP A 동전의 뒷면이 3번 나올 확률 구하기

1부터 10까지의 자연수 중 한 개의 공을 꺼낼 때,

소수가 적힌 공이 나올 확률은 $\frac{4}{10}=\frac{2}{5}$

소수가 아닌 공이 나올 확률은 $\frac{3}{5}$이고

동전을 1번 던질 때, 뒷면이 나올 확률은 $\frac{1}{2}$이다.

(ⅰ) 소수가 적힌 공을 꺼내고, 동전을 3번 던져서 뒷면이 3번 나올 확률은
$\frac{2}{5}\times{}_3\mathrm{C}_3\left(\frac{1}{2}\right)^3\left(\frac{1}{2}\right)^0=\frac{1}{20}$

(ⅱ) 소수가 아닌 수가 적힌 공을 꺼내고, 동전을 4번 던져서 뒷면이 3번 나올 확률은
$\frac{3}{5}\times{}_4\mathrm{C}_3\left(\frac{1}{2}\right)^3\left(\frac{1}{2}\right)=\frac{3}{20}$

STEP B 배반사건을 이용하여 구하기

(ⅰ), (ⅱ)가 배반사건이므로 동전의 뒷면이 3번 나올 확률은
$\frac{1}{20}+\frac{3}{20}=\frac{1}{5}$

 ③

0952

정답 ①

STEP Ⓐ 꺼낸 2개의 공의 색이 다르거나 같을 확률 각각 구하기

꺼낸 2개의 공의 색이 서로 다를 확률은 $\frac{{}_4C_1 \times {}_3C_1}{{}_7C_2}=\frac{4}{7}$

꺼낸 2개의 공의 색이 서로 같을 확률은

1−(꺼낸 2개의 공의 색이 서로 다를 확률) $=1-\frac{4}{7}=\frac{3}{7}$

⬅ $\frac{{}_4C_2}{{}_7C_2}+\frac{{}_3C_2}{{}_7C_2}=\frac{6}{21}+\frac{3}{21}=\frac{3}{7}$

(ⅰ) 꺼낸 2개의 공의 색이 서로 다를 경우

1개의 동전을 3번 던져 앞면이 2번 나올 확률은

$\frac{4}{7}\times{}_3C_2\left(\frac{1}{2}\right)^2\left(\frac{1}{2}\right)^1=\frac{4}{7}\times\frac{3}{8}=\frac{3}{14}$

(ⅱ) 꺼낸 2개의 공의 색이 서로 같을 경우

1개의 동전을 2번 던져 앞면이 2번 나올 확률은

$\frac{3}{7}\times{}_2C_2\left(\frac{1}{2}\right)^2=\frac{3}{7}\times\frac{1}{4}=\frac{3}{28}$

STEP Ⓑ 배반사건을 이용하여 확률 구하기

(ⅰ), (ⅱ)가 서로 배반사건이므로 구하는 확률은 $\frac{3}{14}+\frac{3}{28}=\frac{9}{28}$

내/신/연/계/ 출제문항 408

흰 공 2개, 검은 공 2개가 들어있는 주머니에서 1개의 공을 꺼내어 그것이 흰 공이면 동전을 3회 던지고 검은 공이면 동전을 4회 던질 때, 앞면이 3회 나올 확률은? (단, 동전의 앞면과 뒷면이 나올 확률은 같다.)

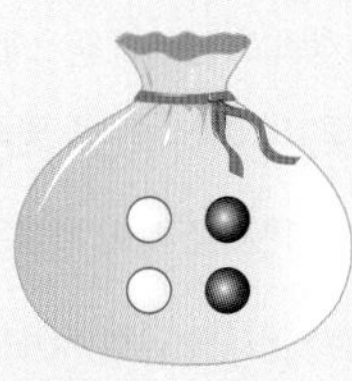

① $\frac{3}{16}$ ② $\frac{5}{16}$ ③ $\frac{7}{16}$
④ $\frac{9}{16}$ ⑤ $\frac{11}{16}$

STEP Ⓐ 독립시행을 이용하여 앞면이 3회 나올 확률 구하기

주머니에서 흰 공 1개를 꺼내는 확률은 $\frac{2}{4}=\frac{1}{2}$

(ⅰ) 흰 공을 꺼내고 동전을 3회 던져 앞면이 3회 나올 확률은

$\frac{1}{2}\times{}_3C_3\left(\frac{1}{2}\right)^3\left(\frac{1}{2}\right)^0=\frac{1}{16}$

(ⅱ) 검은 공을 꺼내고 동전을 4회 던져 앞면이 3회 나올 확률은

$\frac{1}{2}\times{}_4C_3\left(\frac{1}{2}\right)^3\left(\frac{1}{2}\right)^1=\frac{1}{8}$

STEP Ⓑ 배반사건을 이용하여 확률 구하기

(ⅰ), (ⅱ)가 서로 배반사건이므로 구하는 확률은 $\frac{1}{16}+\frac{1}{8}=\frac{3}{16}$

정답 ①

0953

정답 ④

STEP Ⓐ 주사위 눈의 수와 동전 앞면의 개수를 k라 두고 각 확률 구하기

주사위를 던져서 나온 눈의 수	앞면이 나온 동전의 개수	확률
1	1	$\frac{1}{6}\times{}_6C_1\left(\frac{1}{2}\right)\left(\frac{1}{2}\right)^5$
2	2	$\frac{1}{6}\times{}_6C_2\left(\frac{1}{2}\right)^2\left(\frac{1}{2}\right)^4$
3	3	$\frac{1}{6}\times{}_6C_3\left(\frac{1}{2}\right)^3\left(\frac{1}{2}\right)^3$
4	4	$\frac{1}{6}\times{}_6C_4\left(\frac{1}{2}\right)^4\left(\frac{1}{2}\right)^2$
5	5	$\frac{1}{6}\times{}_6C_5\left(\frac{1}{2}\right)^5\left(\frac{1}{2}\right)^1$
6	6	$\frac{1}{6}\times{}_6C_6\left(\frac{1}{2}\right)^6$

따라서 구하는 확률은

$\frac{1}{6}\times\left(\frac{1}{2}\right)^6({}_6C_1+{}_6C_2+{}_6C_3+{}_6C_4+{}_6C_5+{}_6C_6)=\frac{1}{6\times2^6}\times(2^6-1)=\frac{21}{128}$

⬅ ${}_6C_1+{}_6C_2+{}_6C_3+{}_6C_4+{}_6C_5+{}_6C_6=2^6-1$

참고 ${}_nC_0+{}_nC_1+{}_nC_2+\cdots+{}_nC_n=2^n$

내/신/연/계/ 출제문항 409

주사위 1개와 동전 6개를 동시에 던질 때, 나온 주사위의 눈의 수와 앞면이 나온 동전의 개수가 서로 같을 확률은?

① $\frac{21}{128}$ ② $\frac{1}{6}$ ③ $\frac{11}{64}$
④ $\frac{25}{128}$ ⑤ $\frac{15}{64}$

STEP Ⓐ 주사위 눈의 수와 동전 앞면의 개수를 k라 두고 각 확률 구하기

주사위 1개를 던져 나온 눈의 수가 $k(k=1,\ 2,\ \cdots,\ 6)$일 확률은 $\frac{1}{6}$이고

동전 6개를 던져 앞면이 나온 동전이 $k(k=1,\ 2,\ \cdots,\ 6)$개일 확률은

${}_6C_k\left(\frac{1}{2}\right)^k\left(\frac{1}{2}\right)^{6-k}$

주사위 1개와 동전 6개를 동시에 던질 때, 주사위의 눈과 동전의 개수는 모두 6개씩이므로 나온 주사위의 눈의 수와 앞면이 나온 동전의 개수가 같은 총 경우의 수는 6

STEP Ⓑ 이항계수의 성질을 이용하여 구하기

따라서 나온 주사위의 눈의 수와 앞면이 나온 동전의 개수가 서로 같을 확률은

$$\begin{aligned}\sum_{k=1}^{6}\frac{1}{6}\times{}_6C_k\left(\frac{1}{2}\right)^k\left(\frac{1}{2}\right)^{6-k}&=\frac{1}{6}\left(\frac{1}{2}\right)^6\sum_{k=1}^{6}{}_6C_k\\&=\frac{1}{6}\left(\frac{1}{2}\right)^6\times({}_6C_1+{}_6C_2+{}_6C_3+{}_6C_4+{}_6C_5+{}_6C_6)\\&=\frac{1}{6}\left(\frac{1}{2}\right)^6\times(2^6-{}_6C_0)\\&=\frac{1}{6}\left(\frac{1}{2}\right)^6\times(64-1)\\&=\frac{21}{128}\end{aligned}$$

정답 ①

0954

 ②

STEP A 환자가 완치될 확률 구하기

한 명의 환자가 1단계 치료에서 성공하는 사건을 A,
2단계 치료에서 성공하는 사건을 B라 하면

$\mathrm{P}(A)=\frac{1}{2}$, $\mathrm{P}(B)=\frac{2}{3}$

이 환자가 완치된 것으로 판단될 확률은 1단계, 2단계 치료에서 모두 성공할 확률이고 두 사건 A, B는 서로 독립이므로

$\mathrm{P}(A\cap B)=\mathrm{P}(A)\mathrm{P}(B)=\frac{1}{2}\times\frac{2}{3}=\frac{1}{3}$

STEP B 독립시행의 확률을 이용하여 구하기

따라서 4명의 환자 중 완치된 것으로 판단된 환자가 2명일 확률은 4번의 독립시행에서 확률이 $\frac{1}{3}$인 사건이 2번 일어날 확률이므로 ${}_4\mathrm{C}_2\left(\frac{1}{3}\right)^2\left(\frac{2}{3}\right)^2=\frac{8}{27}$

0955

 ①

STEP A A대학교에 합격할 확률 구하기

A대학교에 합격하려면 수시모집에서 합격하거나 수시모집에서 불합격하고 정시모집에서 합격해야 한다.

이때 수시모집 합격확률은 $\frac{1}{2}$, 정시모집 합격확률은 $\frac{1}{3}$이므로

한 학생이 A대학교에 합격할 확률은 $\frac{1}{2}+\left(1-\frac{1}{2}\right)\times\frac{1}{3}=\frac{1}{2}+\frac{1}{6}=\frac{4}{6}=\frac{2}{3}$

STEP B 독립시행의 확률을 이용하여 합격할 확률 구하기

따라서 고등학생 3명의 합격여부는 독립시행이므로 3명 중 2명이 합격할 확률은 ${}_3\mathrm{C}_2\left(\frac{2}{3}\right)^2\left(\frac{1}{3}\right)=\frac{4}{9}$

다른풀이 3명 중 2명이 수시 또는 정시모집에 합격하는 경우 확률 구하기

(ⅰ) 수시모집에 2명, 정시모집에 0명이 합격할 확률은

$${}_3\mathrm{C}_2\left(\frac{1}{2}\right)^2\left(1-\frac{1}{2}\right)\left(1-\frac{1}{3}\right)=\frac{1}{4}$$

(ⅱ) 수시모집에 1명, 정시모집에 1명이 합격할 확률은

$${}_3\mathrm{C}_1\left(\frac{1}{2}\right)^1\left(1-\frac{1}{2}\right)^2\times{}_2\mathrm{C}_1\left(\frac{1}{3}\right)^1\left(1-\frac{1}{3}\right)^1=\frac{1}{6}$$

(ⅲ) 수시모집에 0명, 정시모집에 2명이 합격할 확률은

$${}_3\mathrm{C}_0\left(\frac{1}{2}\right)^0\left(1-\frac{1}{2}\right)^3\times{}_3\mathrm{C}_2\left(\frac{1}{3}\right)^2\left(1-\frac{1}{3}\right)^1=\frac{1}{36}$$

(ⅰ), (ⅱ)가 서로 배반사건이므로 구하는 확률은 $\frac{1}{4}+\frac{1}{6}+\frac{1}{36}=\frac{16}{36}=\frac{4}{9}$

0956

 ②

STEP A 갑이 이길 확률 구하기

갑이 이길 확률을 p라 하면 을이 이길 확률은 $1-p$이다.

두 번의 게임에서 갑이 한 번은 이기고 한 번은 질 확률이 $\frac{8}{25}$이므로

${}_2\mathrm{C}_1p(1-p)=\frac{8}{25}$에서 $p(1-p)=\frac{4}{25}=\frac{1}{5}\times\frac{4}{5}$

이때 갑이 이길 확률이 을이 이길 확률보다 작으므로 $p=\frac{1}{5}$ ⬅ $p<1-p$

STEP B 독립시행의 확률 구하기

갑이 네 번의 시합에서 세 번 이상 이기는 경우는

(ⅰ) 갑이 네 번의 시합에서 세 번 이길 확률은 ${}_4\mathrm{C}_3\left(\frac{1}{5}\right)^3\left(\frac{4}{5}\right)=\frac{16}{625}$

(ⅱ) 갑이 네 번의 시합에서 네 번 이길 확률은 ${}_4\mathrm{C}_4\left(\frac{1}{5}\right)^4=\frac{1}{625}$

STEP C 배반사건의 확률 구하기

(ⅰ), (ⅱ)가 서로 배반사건이므로 구하는 확률은 $\frac{16}{625}+\frac{1}{625}=\frac{17}{625}$

내/신/연/계/ 출제문항 410

철수는 3개의 예선문제 결과에 따라 1개의 찬스문제가 주어지는 퀴즈대회에 참가하는데, 찬스문제는 예선문제를 2개 맞히고 1개 틀린 경우만 주어진다. 3개의 예선문제를 모두 맞히거나 찬스문제를 맞혀야 예선을 통과한다. 각각의 예선문제를 맞힐 확률이 $\frac{1}{3}$이고, 찬스문제를 맞힐 확률이 $\frac{1}{4}$일 때, 예선을 통과할 확률은?

① $\frac{5}{54}$ ② $\frac{1}{9}$ ③ $\frac{7}{54}$
④ $\frac{4}{27}$ ⑤ $\frac{1}{6}$

STEP A 독립시행의 확률을 이용하여 예선을 통과할 확률 구하기

철수가 예선을 통과할 수 있는 경우는 3개의 예선문제를 모두 맞힌 경우 3개의 예선문제 중 2개를 맞히고 찬스문제를 맞히는 경우이다.

(ⅰ) 3개의 예선문제를 모두 맞히는 경우

각각의 예선문제를 맞히는 확률이 $\frac{1}{3}$이므로

3개의 예선문제를 모두 맞힐 확률은 ${}_3\mathrm{C}_3\left(\frac{1}{3}\right)^3=\frac{1}{27}$

(ⅱ) 3개의 예선문제 중 2개를 맞히고 찬스문제를 맞히는 경우

각각의 예선문제를 맞히지 못할 확률은 $1-\frac{1}{3}=\frac{2}{3}$이고

찬스문제를 맞힐 확률은 $\frac{1}{4}$이므로 3개의 예선문제 중 2개를 맞히고

찬스문제를 맞힐 확률은 ${}_3\mathrm{C}_2\left(\frac{1}{3}\right)^2\left(\frac{2}{3}\right)\times\frac{1}{4}=\frac{1}{18}$

STEP B 배반사건을 이용하여 확률 구하기

(ⅰ), (ⅱ)가 서로 배반사건이므로 구하는 확률은 $\frac{1}{27}+\frac{1}{18}=\frac{5}{54}$  ①

0957

 ③

STEP A 한 번의 시행에서 팀이 결정될 확률 구하기

한 번의 시행에서 3명,

3명으로 팀이 결정될 확률은 ${}_6\mathrm{C}_3\left(\frac{1}{2}\right)^3\left(\frac{1}{2}\right)^3=\frac{5}{16}$

STEP B 2번 이하의 시행으로 팀이 결정될 확률 구하기

(ⅰ) 첫 번째 시행에서 팀이 결정될 확률은 $\frac{5}{16}$

(ⅱ) 두 번째 시행에서 팀이 결정될 확률은 $\left(1-\frac{5}{16}\right)\times\frac{5}{16}=\frac{55}{256}$

STEP C 배반사건의 확률 구하기

(ⅰ), (ⅱ)가 서로 배반사건이므로 구하는 확률은 $\frac{5}{16}+\frac{55}{256}=\frac{135}{256}$

따라서 $p=256$, $q=135$이므로 $p+q=256+135=391$

내신연계 출제문항 411

네 명이 동전을 한 개씩 동시에 던져서 다음과 같은 방법으로 두 명씩 두 개조로 나누려고 한다.

> (가) 앞면과 뒷면이 각각 두 개씩 나오면 같은 면이 나온 사람끼리 같은 조가 된다.
> (나) 앞면과 뒷면의 개수가 다르면 앞면과 뒷면의 개수가 같게 나올 때까지 네 명 모두 동전을 다시 던진다.

이와 같은 방법으로 네 명을 두 개조로 나눌 때, 동전을 두 번씩 던지게 될 확률이 $\frac{q}{p}$(p, q는 서로소인 자연수)일 때, $p+q$의 값은?

① 64　② 70　③ 74
④ 79　⑤ 81

STEP Ⓐ **앞면과 뒷면이 각각 2개씩 나올 확률 구하기**

4개의 동전을 던질 때, 앞면과 뒷면이 각각 2개씩 나올 확률은

${}_4C_2\left(\frac{1}{2}\right)^2\left(\frac{1}{2}\right)^2=\frac{3}{8}$

한편 한 번의 시행에서 네 명이 두 개조로 나누어지지 않을 확률은

여사건의 확률에 의하여 $1-\frac{3}{8}=\frac{5}{8}$

STEP Ⓑ **독립시행의 확률 구하기**

두 번째 시행에서 네 명이 두 개조로 나뉘게 될 경우는
첫 번째 시행에서 앞면과 뒷면의 개수가 다르고
두 번째 시행에서 앞면과 뒷면이 각각 두 개씩 나오면 되므로 확률은

$\frac{5}{8}\times\frac{3}{8}=\frac{15}{64}$

따라서 $p=64$, $q=15$이므로 $p+q=79$

 정답 ④

0958

 정답 ⑤

STEP Ⓐ **독립시행의 확률을 이용하여 구하기**

선수가 10점 과녁을 맞힐 확률이 $\frac{3}{4}$이고

적어도 한 발은 10점 과녁에 맞힐 사건을 A라 하면

그 여사건 A^C는 3발 모두 10점 과녁을 맞히지 못할 사건이므로

$P(A^C)={}_3C_0\left(\frac{3}{4}\right)^0\left(\frac{1}{4}\right)^3=\frac{1}{64}$

STEP Ⓑ **여사건의 확률 구하기**

따라서 구하는 확률은 $P(A)=1-P(A^C)=1-\frac{1}{64}=\frac{63}{64}$

0959

 정답 ⑤

STEP Ⓐ **독립시행의 확률 구하기**

이 축구 선수가 페널티킥을 한 번 시도할 때, 성공할 확률은 $\frac{2}{3}$이다.

이 축구 선수가 4번의 페널티킥에서 적어도 한 골을 넣을 사건을 A라 하면

그 여사건 A^C은 4번 모두 한 골도 넣지 않을 사건이므로

$P(A^C)={}_4C_0\left(\frac{2}{3}\right)^0\left(\frac{1}{3}\right)^4=\frac{1}{81}$

STEP Ⓑ **여사건의 확률 구하기**

따라서 구하는 확률은 $P(A)=1-P(A^C)=1-\frac{1}{81}=\frac{80}{81}$

내신연계 출제문항 412

어느 야구 선수가 8번 타석에 서면 2번의 안타를 친다.
이 야구 선수가 타석에 3번 섰을 때, 적어도 1번 이상 안타를 칠 확률은?

① $\frac{37}{64}$　② $\frac{25}{32}$　③ $\frac{13}{16}$
④ $\frac{27}{32}$　⑤ $\frac{57}{64}$

STEP Ⓐ **독립시행의 확률 구하기**

야구 선수가 안타를 칠 확률은 $\frac{1}{4}$이고

적어도 1번 이상 안타를 칠 사건을 A라 하면

그 여사건 A^C는 세 타석 모두 안타를 못 칠 사건이므로

$P(A^C)={}_3C_0\left(\frac{1}{4}\right)^0\left(\frac{3}{4}\right)^3=\frac{27}{64}$

STEP Ⓑ **여사건의 확률 구하기**

따라서 구하는 확률은 $P(A)=1-P(A^C)=1-\frac{27}{64}=\frac{37}{64}$

 정답 ①

0960

 정답 ④

STEP Ⓐ **독립시행의 확률 구하기**

2개의 주사위를 1번 던져서 (6, 6)이 나오지 않을 확률은 $\frac{35}{36}$이고

서로 다른 2개의 주사위를 24번 던져서 적어도 1번 (6, 6)이 나올 사건을

A라 하면 그 여사건 A^C는 (6, 6)이 1번도 나오지 않을 사건이므로

$P(A^C)={}_{24}C_{24}\times\left(\frac{35}{36}\right)^{24}\times\left(\frac{1}{36}\right)^0=0.509$

STEP Ⓑ **여사건의 확률 구하기**

따라서 구하는 확률은 $P(A)=1-P(A^C)=1-0.509=0.491$

0961

 정답 ⑤

STEP Ⓐ **독립시행의 확률 구하기**

주사위를 5번 던져서 나온 다섯 눈의 수의 곱이 짝수인 사건을 A라 하면

그 여사건 A^C은 나온 다섯 눈의 수의 곱이 홀수인 사건이므로

$P(A^C)={}_5C_5\left(\frac{1}{2}\right)^5=\frac{1}{32}$

STEP Ⓑ **여사건의 확률을 이용하여 구하기**

따라서 구하는 확률은 $P(A)=1-P(A^C)=1-\frac{1}{32}=\frac{31}{32}$

0962

 정답 ①

STEP Ⓐ **독립시행의 확률 구하기**

주사위를 한 번 던져서 3의 배수가 나오는 확률은 $\frac{2}{6}=\frac{1}{3}$ ⬅ 3, 6이 나오는 경우

주사위를 세 번 던져 나온 눈의 수의 곱이 3의 배수인 사건을 A라 하면

즉 사건 A는 주사위를 세 번 던져 3의 배수가 1번 이상 나오면 된다.

여사건 A^C은 주사위를 세 번 던져 3의 배수가 한 번도 나오지 않는 사건이므로

$P(A^C)={}_3C_0\left(\frac{1}{3}\right)^0\left(\frac{2}{3}\right)^3=\frac{8}{27}$

STEP Ⓑ **여사건의 확률을 이용하여 구하기**

따라서 구하는 확률은 $P(A)=1-P(A^C)=1-{}_3C_0\left(\frac{1}{3}\right)^0\left(\frac{2}{3}\right)^3=1-\frac{8}{27}=\frac{19}{27}$

다른풀이 3의 배수가 1번 이상일 확률 구하기

STEP A 독립시행의 확률 구하기

주사위를 세 번 던져서 나온 눈의 수 중에서 3의 배수가 1번 이상일 확률은

(ⅰ) 3의 배수가 1번 나오는 경우의 확률은

$${}_{3}C_{1}\left(\frac{1}{3}\right)^{1}\left(\frac{2}{3}\right)^{2}=\frac{4}{9}$$

(ⅱ) 3의 배수가 2번 나오는 경우의 확률은

$${}_{3}C_{2}\left(\frac{1}{3}\right)^{2}\left(\frac{2}{3}\right)^{1}=\frac{2}{9}$$

(ⅲ) 3의 배수가 3번 나오는 경우의 확률은

$${}_{3}C_{3}\left(\frac{1}{3}\right)^{3}\left(\frac{2}{3}\right)^{0}=\frac{1}{27}$$

STEP B 배반사건을 이용하여 확률 구하기

(ⅰ), (ⅱ)가 서로 배반사건이므로 구하는 확률은 $\frac{4}{9}+\frac{2}{9}+\frac{1}{27}=\frac{19}{27}$

내신연계 출제문항 413

한 개의 주사위를 세 번 던졌을 때, 나오는 눈의 수의 최댓값이 6이 될 확률은?

① $\frac{91}{216}$ ② $\frac{103}{216}$ ③ $\frac{125}{216}$

④ $\frac{211}{216}$ ⑤ $\frac{23}{72}$

STEP A 독립시행의 확률 구하기

주사위를 한 번 던져서 6의 눈이 나오는 확률은 $\frac{1}{6}$,

주사위를 세 번 던져 나온 눈의 수의 최댓값이 6인 사건을 A라 하면

즉 사건 A는 주사위를 세 번 던져 6의 눈이 적어도 한 번 이상 나오면 된다.

여사건 A^{C}은 주사위를 세 번 던져 6의 눈이 한 번도 나오지 않는 사건이므로

$\mathrm{P}(A^{C})={}_{3}C_{0}\left(\frac{1}{6}\right)^{0}\left(\frac{5}{6}\right)^{3}=\frac{125}{216}$

STEP B 여사건의 확률을 이용하여 구하기

따라서 구하는 확률은 $\mathrm{P}(A)=1-\mathrm{P}(A^{C})=1-\frac{125}{216}=\frac{91}{216}$

다른풀이 6의 눈이 1번 이상일 확률 구하기

STEP A 독립시행의 확률 구하기

주사위를 세 번 던져서 나온 눈의 수 중에서 6이 1번 이상일 확률은

(ⅰ) 6의 눈의 수가 1번 나오는 경우의 확률은

$${}_{3}C_{1}\left(\frac{1}{6}\right)^{1}\left(\frac{5}{6}\right)^{2}=\frac{75}{216}$$

(ⅱ) 6의 눈의 수가 2번 나오는 경우의 확률은

$${}_{3}C_{2}\left(\frac{1}{6}\right)^{2}\left(\frac{5}{6}\right)^{1}=\frac{15}{216}$$

(ⅲ) 6의 눈의 수가 3번 나오는 경우의 확률은

$${}_{3}C_{3}\left(\frac{1}{6}\right)^{3}\left(\frac{5}{6}\right)^{0}=\frac{1}{216}$$

STEP B 배반사건을 이용하여 확률 구하기

(ⅰ), (ⅱ)가 서로 배반사건이므로 구하는 확률은

$\frac{75}{216}+\frac{15}{216}+\frac{1}{216}=\frac{91}{216}$

정답 ①

0963

정답 ③

STEP A 독립시행의 확률 구하기

어떤 한 부부가 주문한 음식이 같을 확률은 $\frac{1}{3}$, 다를 확률은 $\frac{2}{3}$이다.

8명이 각각 3가지 메뉴 중 임의로 한 가지씩을 주문했을 때,

4쌍의 부부 중 주문한 음식이 같은 쌍이 적어도 2쌍일 사건을 A라 하면

그 여사건 A^{C}은 4쌍의 부부 중 주문한 음식이 같은 쌍이 한 쌍 이하일 사건

이므로 여사건의 확률은 다음과 같다.

(ⅰ) 주문한 음식이 같은 부부가 한 쌍도 없을 확률은

$${}_{4}C_{0}\left(\frac{1}{3}\right)^{0}\left(\frac{2}{3}\right)^{4}=\frac{16}{81}$$

(ⅱ) 주문한 음식이 같은 부부가 한 쌍일 확률은

$${}_{4}C_{1}\left(\frac{1}{3}\right)^{1}\left(\frac{2}{3}\right)^{3}=\frac{32}{81}$$

(ⅰ), (ⅱ)가 서로 배반사건이므로 $\mathrm{P}(A)=\frac{16}{81}+\frac{32}{81}=\frac{48}{81}=\frac{16}{27}$

STEP B 여사건의 확률 구하기

(ⅰ), (ⅱ)에서 구하는 확률은 $\mathrm{P}(A)=1-\mathrm{P}(A^{C})=1-\frac{16}{27}=\frac{11}{27}$

0964

정답 ③

STEP A 독립시행의 확률 구하기

A팀이 이길 확률은 $\frac{2}{3}$이다.

A팀이 4차전에서 우승하려면 3차전까지 2번 이기고 4차전에서 이겨야 한다.

따라서 구하는 확률은 ${}_{3}C_{2}\left(\frac{2}{3}\right)^{2}\left(\frac{1}{3}\right)^{1}\times\frac{2}{3}=\frac{8}{27}$

내신연계 출제문항 414

5전 3선승제인 어느 탁구 대회에서 결승전에 진출한 두 선수 정화, 재현의 경기에서 정화가 재현을 이길 확률이 $\frac{2}{3}$일 때, 5번째 경기에서 정화가 우승할 확률은? (단, 무승부인 경우는 없다.)

① $\frac{1}{9}$ ② $\frac{4}{27}$ ③ $\frac{16}{81}$

④ $\frac{2}{9}$ ⑤ $\frac{14}{27}$

STEP A 독립시행의 확률 구하기

정화가 이길 확률은 $\frac{2}{3}$이다.

정화가 5번째 경기에서 우승하려면 4번째 경기까지 정화가 2번 이기고

5번째 경기에서도 이겨야 한다.

따라서 구하는 확률은 ${}_{4}C_{2}\left(\frac{2}{3}\right)^{2}\left(\frac{1}{3}\right)^{2}\times\frac{2}{3}=\frac{16}{81}$

정답 ③

0965

정답 ④

STEP A A팀이 4승 2패로 이길 확률 구하기

A팀이 B팀을 이길 확률은 $\frac{2}{3}$, A팀이 4승 2패로 이기는 확률은

A팀이 5번째 경기까지 3승 2패를 하고 6번째 경기에서 이겨야 하므로

${}_{5}C_{3}\left(\frac{2}{3}\right)^{3}\left(\frac{1}{3}\right)^{2}\times\frac{2}{3}=\frac{160}{729}$

0966

정답 ③

STEP A **5명 모두 경기하기 전에 우승이 결정될 확률 구하기**

5명 모두 경기하기 전에 우승이 결정되는 경우는
세 번째, 네 번째 경기에서 우승하는 경우다.

(ⅰ) 세 번째 경기에서 우승이 결정되는 경우
처음 3명이 모두 경기에서 이길 확률은 ${}_3C_3\left(\frac{1}{3}\right)^3=\frac{1}{27}$

(ⅱ) 네 번째 경기에서 우승이 결정되는 경우
처음 3명 중 2명이 이기고 네 번째 경기에서 이길 확률은
$${}_3C_2\left(\frac{1}{3}\right)^2\left(\frac{2}{3}\right)\times\frac{1}{3}=\frac{2}{27}$$

STEP B **배반사건을 이용하여 확률 구하기**

(ⅰ), (ⅱ)가 서로 배반사건이므로 구하는 확률은 $\frac{1}{27}+\frac{2}{27}=\frac{1}{9}$

0967

정답 ⑤

STEP A **독립시행의 확률을 이용하여 각각 우승할 확률 구하기**

4번째 경기에서 우승자가 결정되려면 3번째 경기까지 2승 1패이어야 하고
4번째 경기를 이겨야 한다.

수지와 영희가 각 경기에서 서로를 이길 확률은 각각 $\frac{1}{3}$, $\frac{2}{3}$이다.

(ⅰ) 수지가 우승하는 경우
수지가 3번째 경기까지 2승 1패를 기록하고 4번째 경기에서 이길 확률은
$${}_3C_2\left(\frac{1}{3}\right)^2\left(\frac{2}{3}\right)\times\frac{1}{3}=\frac{2}{27}$$

(ⅱ) 영희가 우승하는 경우
영희가 3번째 경기까지 2승 1패를 기록하고 4번째 경기에서 이길 확률은
$${}_3C_2\left(\frac{2}{3}\right)^2\left(\frac{1}{3}\right)\times\frac{2}{3}=\frac{8}{27}$$

STEP B **배반사건을 이용하여 확률 구하기**

(ⅰ), (ⅱ)가 서로 배반사건이므로 구하는 확률 $\frac{2}{27}+\frac{8}{27}=\frac{10}{27}$

내신연계 출제문항 415

페더러와 나달이 테니스 시합을 하는데, 먼저 3세트를 이기면 시합이 끝난다고 한다. 세트마다 페더러가 나달을 이길 확률이 $\frac{1}{3}$일 때, 5세트에서 시합이 끝날 확률은?

① $\frac{1}{9}$　② $\frac{4}{27}$　③ $\frac{8}{27}$
④ $\frac{1}{3}$　⑤ $\frac{10}{27}$

STEP A **독립시행의 확률을 이용하여 각각 우승할 확률 구하기**

5세트에서 시합이 끝나려면 4세트까지 2승 2패이고 5세트에서 이겨야 한다.

페더러와 나달이 각 경기에서 서로를 이길 확률은 각각 $\frac{1}{3}$, $\frac{2}{3}$

(ⅰ) 페더러가 우승하는 경우
페더러가 4세트까지 2승 2패이고 5세트에서 이길 확률은
$${}_4C_2\left(\frac{1}{3}\right)^2\left(\frac{2}{3}\right)^2\times\frac{1}{3}=\frac{24}{243}=\frac{8}{81}$$

(ⅱ) 나달이 우승하는 경우
나달이 4세트까지 2승 2패이고 5세트에서 이길 확률은
$${}_4C_2\left(\frac{1}{3}\right)^2\left(\frac{2}{3}\right)^2\times\frac{2}{3}=\frac{48}{243}=\frac{16}{81}$$

STEP B **배반사건을 이용하여 확률 구하기**

(ⅰ), (ⅱ)가 서로 배반사건이므로 구하는 확률은
$\frac{8}{81}+\frac{16}{81}=\frac{24}{81}=\frac{8}{27}$

정답 ③

0968

정답 ③

STEP A **독립시행의 확률을 이용하여 각각 이길 확률 구하기**

다섯 번째 가위 바위 보에서 음식 메뉴가 정해지려면
네 번째 가위 바위 보까지 각각 두 번씩 이기고 다섯 번째 이기면 된다.

두 학생 A, B가 각각 이길 확률은 $\frac{1}{2}$

(ⅰ) 학생 A가 이길 확률은
$${}_4C_2\left(\frac{1}{2}\right)^2\left(\frac{1}{2}\right)^2\times\frac{1}{2}=\frac{3}{16}$$

(ⅱ) 학생 B가 이길 확률은
$${}_4C_2\left(\frac{1}{2}\right)^2\left(\frac{1}{2}\right)^2\times\frac{1}{2}=\frac{3}{16}$$

STEP B **배반사건을 이용하여 확률 구하기**

(ⅰ), (ⅱ)는 서로 배반사건이므로 구하는 확률은 $\frac{3}{16}+\frac{3}{16}=\frac{3}{8}$

네 번째 가위 바위 보까지 학생 A와 학생 B가 각각 두 번씩 이기면
다섯 번째 가위 바위 보에서 누가 이기더라도 음식 메뉴는 정해지므로
구하는 확률은 4번의 독립시행에서 확률이 $\frac{1}{2}$인 사건이 2번 일어날 확률이다.

$\therefore {}_4C_2\left(\frac{1}{2}\right)^2\left(\frac{1}{2}\right)^2=\frac{3}{8}$

0969

정답 ⑤

STEP A **A팀이 우승하는 경우에 대한 확률 구하기**

A팀이 B팀을 이길 확률은 $\frac{1}{2}$

(ⅰ) A팀이 세 번째 경연에서 최종 우승을 하는 경우
A팀이 두 번째 세 번째에서 모두 이기는 확률은
$${}_2C_2\left(\frac{1}{2}\right)^2=\frac{1}{4}$$

(ⅱ) A팀이 네 번째 경연에서 최종 우승을 하는 경우
세 번째 경연까지 A팀이 한 번 이기고 네 번째 경연에서 이기는 확률은
$${}_2C_1\left(\frac{1}{2}\right)^1\left(\frac{1}{2}\right)^1\times\frac{1}{2}=\frac{1}{4}$$

(ⅲ) A팀이 다섯 번째 경연에서 최종 우승을 하는 경우
네 번째 경연까지 A팀이 한 번 이기고 다섯 번째 경연에서 이기는 확률은
$${}_3C_1\left(\frac{1}{2}\right)^1\left(\frac{1}{2}\right)^2\times\frac{1}{2}=\frac{3}{16}$$

STEP B **배반사건을 이용하여 확률 구하기**

(ⅰ)~(ⅲ)가 서로 배반사건이므로 구하는 확률은 $\frac{1}{4}+\frac{1}{4}+\frac{3}{16}=\frac{11}{16}$

내/신/연/계/ 출제문항 416

A, B 두 팀이 출전한 어느 대회는 5번의 경기를 하여 먼저 3번 이기는 팀이 우승을 한다. A팀이 한 경기에서 B팀을 이길 확률은 $\frac{3}{5}$이고, 첫 번째 경기에서 A팀이 이겼을 때, 이 대회에서 A팀이 우승할 확률은?

① $\frac{509}{625}$ ② $\frac{513}{625}$ ③ $\frac{517}{625}$
④ $\frac{521}{625}$ ⑤ $\frac{21}{25}$

STEP A 독립시행의 확률을 이용하여 A가 최종 우승하는 경우의 확률 구하기

A팀이 우승하는 경우는 연속으로 2승을 하거나 1승 1패 후 이기는 경우, 1승 2패 후 이기는 경우이다.

(i) A팀이 연속으로 2승하는 경우의 확률은 ${}_2C_2\left(\frac{3}{5}\right)^2=\frac{9}{25}$

(ii) A팀이 1승 1패 후 이기는 경우의 확률은 ${}_2C_1\left(\frac{3}{5}\right)\left(\frac{2}{5}\right)\times\frac{3}{5}=\frac{36}{125}$

(iii) A팀이 1승 2패 후 이기는 경우의 확률은 ${}_3C_1\left(\frac{3}{5}\right)\left(\frac{2}{5}\right)^2\times\frac{3}{5}=\frac{108}{625}$

STEP B 배반사건을 이용하여 확률 구하기

(i)~(iii)가 서로 배반사건이므로 구하는 확률은 $\frac{9}{25}+\frac{36}{125}+\frac{108}{625}=\frac{513}{625}$

 ②

0970

 ⑤

STEP A 독립시행의 확률을 이용하여 A팀이 우승할 확률 구하기

A팀이 B팀을 이길 확률은 $\frac{1}{3}$,

A팀이 우승하는 각 경우에 대한 확률은 다음과 같다.

(i) 3세트에서 A팀이 우승할 확률은

$\left(\frac{1}{3}\right)^3=\frac{1}{27}$ ⬅ 1, 2, 3세트를 계속 이기는 경우

(ii) 4세트에서 A팀이 우승할 확률은

${}_3C_2\left(\frac{1}{3}\right)^2\left(\frac{2}{3}\right)\times\frac{1}{3}=\frac{2}{27}$ ⬅ 3세트 중 두 세트를 이기고 4세트를 이기는 경우

(iii) 5세트에서 A팀이 우승할 확률은

${}_4C_2\left(\frac{1}{3}\right)^2\left(\frac{2}{3}\right)^2\times\frac{1}{3}=\frac{8}{81}$ ⬅ 4세트 중 두 세트를 이기고 5세트를 이기는 경우

STEP B 배반사건을 이용하여 확률 구하기

(i)~(iii)가 서로 배반사건이므로 구하는 확률은 $\frac{1}{27}+\frac{2}{27}+\frac{8}{81}=\frac{17}{81}$

0971

 ⑤

STEP A 독립시행의 확률을 이용하여 A팀이 우승할 확률 구하기

A팀이 B팀을 이길 확률은 $\frac{1}{2}$,

A팀이 우승하는 각 경우에 대한 확률은 다음과 같다.

(i) 5번째에 A팀이 우승할 확률은

${}_2C_2\left(\frac{1}{2}\right)^2=\frac{1}{4}$ ⬅ A팀이 4번째, 5번째 경기를 모두 이기는 경우

(ii) 6번째에 A팀이 우승할 확률은

${}_2C_1\left(\frac{1}{2}\right)\left(\frac{1}{2}\right)\times\frac{1}{2}=\frac{1}{4}$ ⬅ A팀이 5번째까지 1승 1패를 하고 6번째 경기에서 이기는 경우

(iii) 7번째에 A팀이 우승할 확률은

${}_3C_1\left(\frac{1}{2}\right)\left(\frac{1}{2}\right)^2\times\frac{1}{2}=\frac{3}{16}$ ⬅ A팀이 6번째까지 1승 2패를 하고 7번째 경기에서 이기는 경우

STEP B 배반사건을 이용하여 확률 구하기

(i)~(iii)가 서로 배반사건이므로 구하는 확률은 $\frac{1}{4}+\frac{1}{4}+\frac{3}{16}=\frac{11}{16}$

내/신/연/계/ 출제문항 417

프로야구 한국시리즈에 진출한 두 팀 A, B는 7번의 경기 중 먼저 4번 이기는 팀이 우승을 한다. 3번의 경기가 끝난 결과 A팀이 1승 2패로 뒤져 있다. A팀이 한 경기에서 B팀을 이길 확률이 $\frac{2}{3}$일 때, 한국 시리즈에서 A팀이 우승할 확률은? (단, 비기는 경우는 없다.)

① $\frac{13}{27}$ ② $\frac{14}{27}$ ③ $\frac{5}{9}$
④ $\frac{16}{27}$ ⑤ $\frac{17}{27}$

STEP A 독립시행의 확률을 이용하여 A팀이 우승할 확률 구하기

A팀이 B팀을 이길 확률은 $\frac{2}{3}$, A팀이 우승하는 경우는 연속으로 3승을 거두거나 2승 1패를 거둔 후 마지막 경기에서 이기는 경우이다.

(i) 6번째에 A팀이 우승하는 경우

A팀이 연속으로 3승을 거둘 확률은 ${}_3C_3\left(\frac{2}{3}\right)^3\left(\frac{1}{3}\right)^0=\frac{8}{27}$

(ii) 7번째에 A팀이 우승하는 경우

A팀이 2승 1패를 거둔 후 마지막 경기에서 이길 확률은

${}_3C_2\left(\frac{2}{3}\right)^2\left(\frac{1}{3}\right)^1\times\frac{2}{3}=\frac{8}{27}$

STEP B 배반사건을 이용하여 확률 구하기

(i), (ii)가 서로 배반사건이므로 구하는 확률은 $\frac{8}{27}+\frac{8}{27}=\frac{16}{27}$  ④

0972

 ②

STEP A 독립시행의 확률을 이용하여 A팀이 우승할 확률 구하기

A팀이 B팀을 이길 확률은 $\frac{1}{2}$,

B팀이 우승하는 경우의 확률은 각각 다음과 같다.

(i) 4번의 경기를 연속하여 모두 이기는 경우

${}_4C_4\left(\frac{1}{2}\right)^4=\frac{1}{16}$

(ii) 4번의 경기에서 3승 1패를 하고 마지막 경기를 이기는 경우

${}_4C_3\left(\frac{1}{2}\right)^3\left(\frac{1}{2}\right)^1\times\frac{1}{2}=\frac{1}{8}$

STEP B 배반사건을 이용하여 확률 구하기

(i), (ii)가 서로 배반사건이므로 B팀이 우승할 확률은 $\frac{1}{16}+\frac{1}{8}=\frac{3}{16}$

0973

 ③

STEP A 한 가지 사건의 독립시행의 확률 구하기

걸이 나오는 경우는 네 개의 윷짝 중 한 개는 둥근면이 나오고 나머지 세 개는 평평한 면이 나와야 하므로 독립시행의 확률에 의하여

${}_4C_1\left(\frac{2}{5}\right)^1\left(\frac{3}{5}\right)^3=\frac{216}{625}$

0974
정답 ④

STEP A **확률 p의 값 구하기**

한 개의 윷짝을 던져서 윷짝의 둥근 면이 나올 확률을 p라고 하자.
윷짝 4개를 던져서 '모' 가 나올 확률은 ${}_4C_4p^4$
이때 '모' 가 나올 확률이 $0.0256=\dfrac{4^4}{10^4}=\left(\dfrac{2}{5}\right)^4$ 이므로
$p^4=\left(\dfrac{2}{5}\right)^4$에서 $p=\dfrac{2}{5}$

STEP B **한 가지 사건의 독립시행의 확률 구하기**

따라서 '개' 이 나올 확률은 ${}_4C_2\left(\dfrac{2}{5}\right)^2\left(\dfrac{3}{5}\right)^2=\dfrac{216}{625}$

0975

STEP A **등이 1번, 배가 3번 나올 확률과 등이 2번, 배가 2번 나올 확률이 같음을 이용하여 등이 나올 확률 구하기**

주어진 윷가락 1개를 던지는 시행에서 등이 나올 확률을 p라 하면
배가 나올 확률은 $(1-p)$이고
조건에서 $p>0,\ 1-p>0$이므로 $0<p<1$
이 윷가락 1개를 4번 던지는 독립시행에서 등이 1번, 배가 3번 나올 확률은
${}_4C_1p(1-p)^3$ …… ㉠
이 윷가락 1개를 4번 던지는 독립시행에서 등이 2번, 배가 2번 나올 확률은
${}_4C_2p^2(1-p)^2$ …… ㉡
㉠과 ㉡이 서로 같으므로 ${}_4C_1p(1-p)^3={}_4C_2p^2(1-p)^2$
$4(1-p)=6p \quad \therefore\ p=\dfrac{2}{5}$

STEP B **윷가락 1개를 4번 던져 등이 3번, 배가 1번 나올 확률 구하기**

따라서 윷가락 1개를 4번 던지는 독립시행에서 등이 3번, 배가 1번 나올 확률은
${}_4C_3\left(\dfrac{2}{5}\right)^3\left(\dfrac{3}{5}\right)^1=\dfrac{96}{625}$

0976

STEP A **확률 p의 값 구하기**

한 개의 윷짝에서 겉면이 나올 확률은 p, 안쪽 면이 나올 확률이 $1-p$이고
개가 나올 확률은 걸이 나올 확률의 2배이므로
${}_4C_2p^2(1-p)^2=2{}_4C_1p(1-p)^3,\ 6p=8(1-p)$
$\therefore\ p=\dfrac{4}{7}$

STEP B **도가 나올 확률과 걸이 나올 확률을 이용하여 k의 값 구하기**

이때 도가 나올 확률은 걸이 나올 확률의 k배이므로
${}_4C_3p^3(1-p)^1=k{}_4C_1p(1-p)^3$
$p^2=k(1-p)^2,\ k=\dfrac{p^2}{(1-p)^2}=\dfrac{16}{9}$
따라서 $9k=16$

0977
정답 ④

STEP A **독립시행의 확률을 이용하여 앞면이 한 번 나올 확률 구하기**

수지가 동전을 2개 던져서 앞면이 1개 나오는 사건을 A,
2개 나오는 사건을 B라 하고
국진이가 동전을 던져서 앞면이 1개 나오는 사건을 E라 하면
수지가 동전 2개를 던질 때, 앞면의 개수에 대하여
다음 두 가지 경우로 나누어 정리한다.
(i) 수지가 동전 2개를 던져서 앞면이 1개 나오고
국진이가 동전을 한 번 던져서 앞면이 한 개 나올 확률은
$\mathrm{P}(A\cap E)=\mathrm{P}(A)\mathrm{P}(E|A)={}_2C_1\left(\dfrac{1}{2}\right)\left(\dfrac{1}{2}\right)\times\dfrac{1}{2}=\dfrac{1}{4}$
(ii) 수지가 동전 2개를 던져서 앞면이 2개 나오고
국진이가 동전을 두 번 던져서 앞면이 한 개 나올 확률은
$\mathrm{P}(B\cap E)=\mathrm{P}(B)\mathrm{P}(E|B)={}_2C_2\left(\dfrac{1}{2}\right)^2\times{}_2C_1\left(\dfrac{1}{2}\right)\left(\dfrac{1}{2}\right)=\dfrac{1}{8}$
(i), (ii)이 배반사건이므로 국진이가 앞면이 1개 나올 확률은
$\mathrm{P}(E)=\mathrm{P}(A\cap E)+\mathrm{P}(B\cap E)=\dfrac{1}{4}+\dfrac{1}{8}=\dfrac{3}{8}$

STEP B **조건부확률 구하기**

따라서 구하는 확률은 $\mathrm{P}(B|E)=\dfrac{\mathrm{P}(B\cap E)}{\mathrm{P}(E)}=\dfrac{\frac{1}{8}}{\frac{3}{8}}=\dfrac{1}{3}$

0978

STEP A **동전의 앞면이 나온 횟수와 뒷면이 나온 횟수가 같은 경우 구하기**

서로 다른 2개의 주사위를 던져 두 눈의 수가 같을 사건을 A,
다를 사건을 B,
동전의 앞면이 나온 횟수와 뒷면이 나온 횟수가 같은 사건을 E라 하면
서로 다른 2개의 주사위를 던져 두 눈의 수가 같을 확률은 $\dfrac{6}{36}=\dfrac{1}{6}$이고
두 눈의 수가 다를 확률은 $\dfrac{30}{36}=\dfrac{5}{6}$
동전의 앞면이 나온 횟수와 뒷면이 나온 횟수가 같은 확률은
(i) 서로 다른 2개의 주사위를 던져 나온 눈의 수가 같으면
동전을 4번 던졌을 때,
앞면과 뒷면이 각각 2번씩 나올 확률은
$\mathrm{P}(A\cap E)=\mathrm{P}(A)\mathrm{P}(E|A)=\dfrac{1}{6}\times{}_4C_2\left(\dfrac{1}{2}\right)^2\left(\dfrac{1}{2}\right)^2=\dfrac{1}{6}\times\dfrac{3}{8}=\dfrac{1}{16}$
(ii) 서로 다른 2개의 주사위를 던져 나온 눈의 수가 다르면
동전을 2번 던졌을 때,
앞면과 뒷면이 각각 1번씩 나올 확률은
$\mathrm{P}(B\cap E)=\mathrm{P}(B)\mathrm{P}(E|B)=\dfrac{5}{6}\times{}_2C_1\left(\dfrac{1}{2}\right)^2=\dfrac{5}{6}\times\dfrac{1}{2}=\dfrac{5}{12}$
(i), (ii)이 배반사건이므로 동전의 앞면이 나온 횟수와 뒷면이 나온 횟수가
같을 확률은 $\mathrm{P}(E)=\mathrm{P}(A\cap E)+\mathrm{P}(B\cap E)=\dfrac{1}{16}+\dfrac{5}{12}=\dfrac{23}{48}$

STEP B **조건부확률 구하기**

따라서 구하는 확률은 $\mathrm{P}(A|E)=\dfrac{\mathrm{P}(A\cap E)}{\mathrm{P}(E)}=\dfrac{\frac{1}{16}}{\frac{23}{48}}=\dfrac{3}{23}$

내신연계 출제문항 418

주사위 1개를 던져서 홀수의 눈이 나오면 동전 1개를 2번 던지고, 짝수의 눈이 나오면 동전 1개를 4번 던진다. 주사위 1개를 1번 던진 후 그 결과에 따라 동전을 던진다. 동전의 앞면이 2번 나올 때, 주사위를 던져 짝수 눈이 나오는 확률은?

① $\frac{3}{16}$　　② $\frac{5}{16}$　　③ $\frac{7}{16}$
④ $\frac{2}{5}$　　⑤ $\frac{3}{5}$

STEP Ⓐ 주사위의 눈이 홀수일 때와 짝수일 때로 분리하여 구하기

주사위 1개를 던져서 홀수의 눈이 나오는 사건을 A,
동전의 앞면이 2번 나오는 사건을 E라 하면

(ⅰ) 주사위의 홀수의 눈이 나오는 경우
동전을 2번 던져 앞면이 2번 나올 확률은
$\mathrm{P}(A\cap E)=\mathrm{P}(A)\mathrm{P}(E|A)=\frac{1}{2}\times{}_2\mathrm{C}_2\left(\frac{1}{2}\right)^2\left(\frac{1}{2}\right)^0=\frac{1}{8}$

(ⅱ) 주사위의 짝수의 눈이 나오는 경우
동전을 4번 던져 앞면이 2번 나올 확률은
$\mathrm{P}(A^c\cap E)=\mathrm{P}(A^c)\mathrm{P}(E|A^c)=\frac{1}{2}\times{}_4\mathrm{C}_2\left(\frac{1}{2}\right)^2\left(\frac{1}{2}\right)^2=\frac{3}{16}$

STEP Ⓑ 동전 앞면이 두 번 나올 확률 구하기

(ⅰ), (ⅱ)가 배반사건이므로 앞면이 2번 나올 확률은
$\mathrm{P}(E)=\mathrm{P}(A)\mathrm{P}(E|A)+\mathrm{P}(A^c)\mathrm{P}(E|A^c)=\frac{1}{8}+\frac{3}{16}=\frac{5}{16}$

STEP Ⓒ 조건부확률 구하기

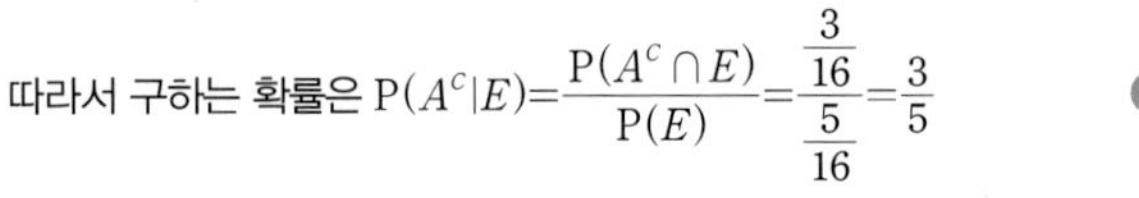

따라서 구하는 확률은 $\mathrm{P}(A^c|E)=\frac{\mathrm{P}(A^c\cap E)}{\mathrm{P}(E)}=\frac{\frac{3}{16}}{\frac{5}{16}}=\frac{3}{5}$　정답 ⑤

0979

정답 ②

STEP Ⓐ 독립시행을 이용하여 앞면이 두 번 나올 확률 구하기

주사위를 던져서 6의 약수가 나올 사건을 A,
동전의 앞면이 2번 나오는 사건을 E라 하면
주사위 1개를 던져서 나오는 눈의 수가 6의 약수인 경우는 1, 2, 3, 6이므로
나올 확률은 $\frac{4}{6}=\frac{2}{3}$

(ⅰ) 주사위를 1개 던져 6의 약수가 나오는 경우
동전 3개를 동시에 던져 앞면이 두 번 나올 확률은
$\mathrm{P}(A\cap E)=\mathrm{P}(A)\mathrm{P}(E|A)=\frac{2}{3}\times{}_3\mathrm{C}_2\left(\frac{1}{2}\right)^2\left(\frac{1}{2}\right)^1=\frac{1}{4}$

(ⅱ) 주사위를 1개 던져 6의 약수가 아닌 눈이 나오는 경우
동전 2개를 동시에 던져 앞면이 두 번 나올 확률은
$\mathrm{P}(A^c\cap E)=\mathrm{P}(A^c)\mathrm{P}(E|A^c)=\frac{1}{3}\times{}_2\mathrm{C}_2\left(\frac{1}{2}\right)^2=\frac{1}{12}$

STEP Ⓑ 동전 앞면이 두 번 나올 확률 구하기

(ⅰ), (ⅱ)가 배반사건이므로 앞면이 2번 나올 확률은
$\mathrm{P}(E)=\mathrm{P}(A)\mathrm{P}(E|A)+\mathrm{P}(A^c)\mathrm{P}(E|A^c)=\frac{1}{4}+\frac{1}{12}=\frac{1}{3}$

STEP Ⓒ 조건부확률 구하기

따라서 구하는 확률은 $\mathrm{P}(A|E)=\frac{\mathrm{P}(A\cap E)}{\mathrm{P}(E)}=\frac{\frac{1}{4}}{\frac{1}{3}}=\frac{3}{4}$

내신연계 출제문항 419

주머니에 1, 2, 3, 4의 숫자가 하나씩 적혀 있는 4개의 공이 들어 있다. 이 주머니에서 임의로 2개의 공을 동시에 꺼낼 때, 꺼낸 공에 적혀 있는 숫자의 합이 소수이면 1개의 동전을 2번 던지고, 소수가 아니면 1개의 동전을 3번 던진다. 동전의 앞면이 2번 나왔을 때, 꺼낸 2개의 공에 적혀 있는 숫자의 합이 소수일 확률은?

① $\frac{2}{7}$　　② $\frac{5}{14}$　　③ $\frac{3}{7}$
④ $\frac{1}{2}$　　⑤ $\frac{4}{7}$

STEP Ⓐ 주머니에서 임의로 2개의 공을 동시에 꺼낼 때, 꺼낸 공에 적혀 있는 숫자의 합이 소수일 확률 구하기

숫자의 합이 소수일 사건을 A, 동전의 앞면이 2번 나올 사건을 E라 하면
주머니에서 임의로 2개의 공을 동시에 꺼내는 경우의 수는 ${}_4\mathrm{C}_2=6$
꺼낸 2개의 공에 적혀 있는 숫자의 합이 소수인 경우는
(1과 2), (1과 4), (2와 3), (3과 4)의 4가지이다.
주머니에서 임의로 2개의 공을 동시에 꺼냈을 때,
적혀 있는 숫자의 합이 소수일 확률은 $\frac{2}{3}$이다.

STEP Ⓑ 독립시행을 이용하여 확률 구하기

(ⅰ) 숫자의 합이 소수이고
1개의 동전을 2번 던져 동전의 앞면이 2번 나올 확률은
$\mathrm{P}(A\cap E)=\mathrm{P}(A)\mathrm{P}(E|A)=\frac{2}{3}\times{}_2\mathrm{C}_2\left(\frac{1}{2}\right)^2=\frac{1}{6}$

(ⅱ) 숫자의 합이 소수가 아니고
1개의 동전을 3번 던져 동전의 앞면이 2번 나올 확률은
$\mathrm{P}(A^c\cap E)=\mathrm{P}(A^c)\mathrm{P}(E|A^c)=\frac{1}{3}\times{}_3\mathrm{C}_2\left(\frac{1}{2}\right)^2\left(\frac{1}{2}\right)=\frac{1}{8}$

(ⅰ), (ⅱ)이 배반사건이므로 동전의 앞면이 2번 나올 확률은
$\mathrm{P}(E)=\mathrm{P}(A\cap E)+\mathrm{P}(A^c\cap E)=\frac{1}{6}+\frac{1}{8}=\frac{7}{24}$

STEP Ⓒ 조건부확률 구하기

따라서 구하는 확률은 $\mathrm{P}(A|E)=\frac{\mathrm{P}(A\cap E)}{\mathrm{P}(E)}=\frac{\frac{1}{6}}{\frac{7}{24}}=\frac{4}{7}$

정답 ⑤

0980

정답 ⑤

STEP Ⓐ 독립시행의 확률을 이용하여 앞면이 5개일 확률 구하기

앞면이 나온 동전의 개수가 5이므로 나래가 던진 주사위의 눈의 수는
5 또는 6임을 알 수 있다.
이때 나래가 던진 주사위의 눈의 수가 5일 사건을 A, 6일 사건을 B,
앞면이 나온 동전의 개수가 5일 사건을 E라 하자.

(ⅰ) 주사위의 눈의 수가 5이고 5개의 동전에서 앞면이 5개일 확률은
$\mathrm{P}(A\cap E)=\mathrm{P}(A)\mathrm{P}(E|A)=\frac{1}{6}\times{}_5\mathrm{C}_5\left(\frac{1}{2}\right)^5\left(\frac{1}{2}\right)^0=\frac{1}{6}\times\frac{1}{2^5}$

(ⅱ) 주사위의 눈의 수가 6이고 6개의 동전에서 앞면이 5개일 확률은
$\mathrm{P}(B\cap E)=\mathrm{P}(B)\mathrm{P}(E|B)=\frac{1}{6}\times{}_6\mathrm{C}_5\left(\frac{1}{2}\right)^5\left(\frac{1}{2}\right)^1=\frac{1}{6}\times\frac{6}{2^6}$

(ⅰ), (ⅱ)가 서로 배반사건이므로
$\mathrm{P}(E)=\mathrm{P}(A\cap E)+\mathrm{P}(B\cap E)=\frac{1}{6}\times\left(\frac{1}{2^5}+\frac{6}{2^6}\right)=\frac{1}{6}\times\frac{8}{2^6}$

STEP Ⓑ 조건부확률 구하기

따라서 구하는 확률은 $\mathrm{P}(B|E)=\frac{\mathrm{P}(B\cap E)}{\mathrm{P}(E)}=\frac{\frac{1}{6}\times\frac{6}{2^6}}{\frac{1}{6}\times\frac{8}{2^6}}=\frac{3}{4}$

내신연계 출제문항 420

A가 주사위를 던져서 나온 눈의 수만큼 B가 동전을 던지는 시행을 한다. B가 동전을 던져서 나온 앞면의 개수가 4일 때, A가 던진 주사위의 눈이 5일 확률은?

① $\frac{4}{29}$ ② $\frac{6}{29}$ ③ $\frac{8}{29}$
④ $\frac{10}{29}$ ⑤ $\frac{12}{29}$

STEP A **A가 주사위 눈의 수에 따라 동전을 던져 앞면이 4번 나올 확률 구하기**

앞면이 나온 동전의 개수가 4이므로 A가 던진 주사위의 눈의 수는 4 또는 5 또는 6임을 알 수 있다.
이때 A가 던진 주사위의 눈의 수가 4일 사건을 A, 5일 사건을 B, 6일 사건을 C, 앞면이 나온 동전의 개수가 4일 사건을 E라 하자.

(i) 주사위의 눈의 수가 4이고
동전을 4번 던져서 앞면이 4번 나올 확률은
$\mathrm{P}(A\cap E)=\mathrm{P}(A)\mathrm{P}(E|A)=\frac{1}{6}\times{}_4\mathrm{C}_4\left(\frac{1}{2}\right)^4\left(\frac{1}{2}\right)^0=\frac{1}{96}$

(ii) 주사위의 눈의 수가 5이고
동전을 5번 던져서 앞면이 4번 나올 확률은
$\mathrm{P}(B\cap E)=\mathrm{P}(B)\mathrm{P}(E|B)=\frac{1}{6}\times{}_5\mathrm{C}_4\left(\frac{1}{2}\right)^4\left(\frac{1}{2}\right)^1=\frac{5}{192}$

(iii) 주사위의 눈의 수가 6이고
동전을 6번 던져서 앞면이 4번 나올 확률은
$\mathrm{P}(C\cap E)=\mathrm{P}(C)\mathrm{P}(E|C)=\frac{1}{6}\times{}_6\mathrm{C}_4\left(\frac{1}{2}\right)^4\left(\frac{1}{2}\right)^2=\frac{5}{128}$

(i)~(iii)가 서로 배반사건이므로
$\mathrm{P}(E)=\mathrm{P}(A\cap E)+\mathrm{P}(B\cap E)+\mathrm{P}(C\cap E)$
$=\frac{1}{96}+\frac{5}{192}+\frac{5}{128}=\frac{24+60+90}{2304}$
$=\frac{174}{2304}=\frac{29}{384}$

STEP B **조건부확률 구하기**

따라서 구하는 확률은 $\mathrm{P}(B|E)=\frac{\mathrm{P}(B\cap E)}{\mathrm{P}(E)}=\frac{\frac{5}{192}}{\frac{29}{384}}=\frac{10}{29}$

 ④

0981

정답 ③

STEP A ***y*좌표가 처음으로 3이 되는 경우의 확률 구하기**

y좌표가 처음으로 3이 되는 경우는
(i) 점 A가 (0, 2)에 있을 때, 동전의 뒷면이 나오는 경우
(ii) 점 A가 (1, 2)에 있을 때, 동전의 뒷면이 나오는 경우
(iii) 점 A가 (2, 2)에 있을 때, 동전의 뒷면이 나오는 경우이다.
← 점 A의 x좌표 또는 y좌표가 처음으로 3이 되면 시행이 멈추므로 점 A는 (3, 3)에 있을 수 없다.

이때 점 A의 x좌표가 1인 경우는 (ii)의 경우이다.

(i) 점 A가 (0, 3)에 있을 때	(ii) 점 A가 (1, 3)에 있을 때	(iii) 점 A가 (2, 3)에 있을 때

(i)의 경우의 확률은 ${}_2\mathrm{C}_2\left(\frac{1}{2}\right)^2\times\frac{1}{2}=\frac{1}{8}$ ← 뒷면만 세 번 나오는 경우

(ii)의 경우의 확률은 ${}_3\mathrm{C}_2\left(\frac{1}{2}\right)^1\left(\frac{1}{2}\right)^2\times\frac{1}{2}=\frac{3}{16}$
← 앞면이 1번, 뒷면이 2번 나온 뒤 마지막 시행에서 뒷면이 나오는 경우

(iii)의 경우의 확률은 ${}_4\mathrm{C}_2\left(\frac{1}{2}\right)^2\left(\frac{1}{2}\right)^2\times\frac{1}{2}=\frac{6}{32}=\frac{3}{16}$
← 앞면이 2번, 뒷면이 2번 나온 뒤 마지막 시행에서 뒷면이 나오는 경우

(i)~(iii)가 배반사건이므로 y좌표가 3이 될 확률은
$\frac{1}{8}+\frac{3}{16}+\frac{3}{16}=\frac{2+3+3}{16}=\frac{1}{2}$

STEP B **조건부 확률 구하기**

따라서 점 A의 y좌표가 처음으로 3이 되었을 때, 점 A의 x좌표가 1인 경우는
(ii)의 $\frac{3}{16}$이므로 구하는 확률은 $\frac{\frac{3}{16}}{\frac{1}{8}+\frac{3}{16}+\frac{3}{16}}=\frac{\frac{3}{16}}{\frac{1}{2}}=\frac{3}{8}$

0982

 ①

STEP A **앞면이 나오는 횟수와 뒷면이 나오는 횟수의 곱이 6인 경우 구하기**

한 개의 동전을 5번 던질 때,
앞면이 나오는 횟수를 a, 뒷면이 나오는 횟수를 b라고 하면
$1\le a\le5$, $1\le b\le5$인 정수 a, b에 대하여 $a+b=5$, $ab=6$을 만족시키는 순서쌍 (a, b)는 $(2, 3)$, $(3, 2)$의 두 가지 경우이다.

STEP B **독립시행을 이용하여 확률 구하기**

(i) $a=2$, $b=3$인 경우는 ${}_5\mathrm{C}_2\left(\frac{1}{2}\right)^2\left(\frac{1}{2}\right)^3=\frac{5}{16}$
(ii) $a=3$, $b=2$인 경우는 ${}_5\mathrm{C}_3\left(\frac{1}{2}\right)^3\left(\frac{1}{2}\right)^2=\frac{5}{16}$

STEP C **배반사건의 확률 구하기**

(i), (ii)는 서로 배반사건이므로 구하는 확률은 $\frac{5}{16}+\frac{5}{16}=\frac{5}{8}$

내신연계 출제문항 421

한 개의 동전을 6번 던질 때, 앞면이 나오는 횟수가 뒷면이 나오는 횟수의 약수가 될 확률은?

① $\frac{41}{64}$ ② $\frac{21}{32}$ ③ $\frac{43}{64}$
④ $\frac{11}{16}$ ⑤ $\frac{45}{64}$

STEP A **앞면이 나오는 횟수가 뒷면이 나오는 횟수의 약수가 될 확률 구하기**

한 개의 동전을 6번 던질 때,
앞면이 나오는 횟수를 a, 뒷면이 나오는 횟수를 b라고 하면
$1\le a\le5$, $1\le b\le5$인 정수 a, b에 대하여 $a+b=6$이고 a는 b의 약수를 만족하는 순서쌍 (a, b)는 $(1, 5)$, $(2, 4)$, $(3, 3)$의 세 가지 경우이다.

STEP B **독립시행을 이용하여 확률 구하기**

(i) $a=1$, $b=5$인 경우는 ${}_6\mathrm{C}_1\left(\frac{1}{2}\right)^1\left(\frac{1}{2}\right)^5=\frac{3}{32}$
(ii) $a=2$, $b=4$인 경우는 ${}_6\mathrm{C}_2\left(\frac{1}{2}\right)^2\left(\frac{1}{2}\right)^4=\frac{15}{64}$
(iii) $a=3$, $b=3$인 경우는 ${}_6\mathrm{C}_3\left(\frac{1}{2}\right)^3\left(\frac{1}{2}\right)^3=\frac{5}{16}$

STEP C **배반사건의 확률 구하기**

(i)~(iii)가 서로 배반사건이므로 구하는 확률은 $\frac{3}{32}+\frac{15}{64}+\frac{5}{16}=\frac{41}{64}$

 ①

0983

정답 ④

STEP A **앞면이 나오는 횟수가 뒷면이 나오는 횟수보다 큰 경우 구하기**

한 개의 동전을 던져서 앞면이 나올 확률이 $\frac{1}{2}$이므로

한 개의 동전을 6번 던져서 앞면이 r번 나올 확률은

독립 시행의 확률에 의하여 ${}_6C_r\left(\frac{1}{2}\right)^r\left(\frac{1}{2}\right)^{6-r}={}_6C_r\left(\frac{1}{2}\right)^6$

한 개의 동전을 6번 던질 때, 앞면이 나오는 횟수가 뒷면이 나오는 횟수보다 큰 경우는 앞면이 4번, 5번, 6번 나오는 경우이다.

STEP B **독립시행을 이용하여 확률 구하기**

(i) $r=4$인 경우

$${}_6C_4\left(\frac{1}{2}\right)^6=\frac{15}{64}$$ ← 앞면이 4회, 뒷면이 2회 나올 확률

(ii) $r=5$인 경우

$${}_6C_5\left(\frac{1}{2}\right)^6=\frac{6}{64}$$ ← 앞면이 5회, 뒷면이 1회 나올 확률

(iii) $r=6$인 경우

$${}_6C_6\left(\frac{1}{2}\right)^6=\frac{1}{64}$$ ← 앞면이 6회, 뒷면이 0회 나올 확률

STEP C **배반사건의 확률 구하기**

(i)~(iii)는 서로 배반사건이므로 구하는 확률은 $\frac{15}{64}+\frac{6}{64}+\frac{1}{64}=\frac{11}{32}$

따라서 $p=32$, $q=11$이므로 $p+q=32+11=43$

참고

$${}_6C_6\left(\frac{1}{2}\right)^6+{}_6C_1\left(\frac{1}{2}\right)^6+{}_6C_2\left(\frac{1}{2}\right)^6=({}_6C_6+{}_6C_1+{}_6C_2)\times\left(\frac{1}{2}\right)^6$$
$$=(1+6+15)\times\left(\frac{1}{2}\right)^6=\frac{11}{32}$$

내신연계 출제문항 422

네 개의 동전을 동시에 한 번 던질 때, 앞면이 나온 동전의 개수가 뒷면이 나온 동전의 개수보다 많을 확률은?

① $\frac{3}{16}$ ② $\frac{1}{4}$ ③ $\frac{5}{16}$ ④ $\frac{3}{8}$ ⑤ $\frac{7}{16}$

STEP A **앞면이 나온 동전의 개수가 뒷면이 나온 동전의 개수보다 많은 경우의 확률 구하기**

네 개의 동전을 동시에 한 번 던질 때, 앞면이 나온 동전의 개수가 뒷면이 나온 동전의 개수보다 많은 경우는 다음과 같다.

(i) 앞면이 나온 동전이 3개, 뒷면이 나온 동전이 1개 나올 확률은

$${}_4C_3\left(\frac{1}{2}\right)^3\left(\frac{1}{2}\right)^1=\frac{4}{16}=\frac{1}{4}$$

(ii) 앞면이 나온 동전이 4개 나올 확률은

$${}_4C_4\left(\frac{1}{2}\right)^4=\frac{1}{16}$$

STEP B **배반사건을 이용하여 구하기**

(i), (ii)는 서로 배반사건이므로 구하는 확률은 $\frac{1}{4}+\frac{1}{16}=\frac{5}{16}$

 ③

0984

정답 ⑤

STEP A **$a+b=6$인 경우를 나누어 각각의 확률 구하기**

주사위의 눈의 수 중 3의 배수는 3, 6의 2가지이므로

한 개의 주사위를 한 번 던져서 3의 배수의 눈이 나올 확률은 $\frac{2}{6}=\frac{1}{3}$

이때 한 개의 주사위를 A는 4번, B는 3번 던지므로 $0\le a\le 4$, $0\le b\le 3$인 정수 a, b에 대하여 $a+b=6$을 만족시키는 순서쌍 (a, b)는 $(3, 3)$, $(4, 2)$의 두 가지 경우이다.

STEP B **독립시행의 확률 구하기**

(i) $a=3$, $b=3$인 경우

A는 4번 중 세 번, B는 3번 모두 3의 배수의 눈이 나오는 확률은

$${}_4C_3\left(\frac{1}{3}\right)^3\left(\frac{2}{3}\right)^1\times{}_3C_3\left(\frac{1}{3}\right)^3=\frac{8}{3^7}$$

(ii) $a=4$, $b=2$인 경우

A는 4번 모두, B는 3번 중 두 번 3의 배수의 눈이 나오는 확률은

$${}_4C_4\left(\frac{1}{3}\right)^4\times{}_3C_2\left(\frac{1}{3}\right)^2\left(\frac{2}{3}\right)^1=\frac{6}{3^7}$$

STEP C **배반사건을 이용하여 확률 구하기**

(i), (ii)는 서로 배반사건이므로 구하는 확률은 $\frac{8}{3^7}+\frac{6}{3^7}=\frac{14}{3^7}$

내신연계 출제문항 423

동일한 주사위를 철수는 3번, 영희는 4번 던질 때, 5의 약수의 눈이 나오는 횟수를 각각 m, n이라고 하자. 이때 $mn=6$일 확률은?

① $\frac{2}{27}$ ② $\frac{4}{27}$ ③ $\frac{5}{27}$ ④ $\frac{8}{243}$ ⑤ $\frac{11}{27}$

STEP A **$mn=6$을 만족하는 경우를 나누어 확률 구하기**

주사위의 눈의 수 중 5의 약수는 1, 5의 2가지이므로

한 개의 주사위를 한 번 던져서 5의 약수의 눈이 나올 확률은 $\frac{2}{6}=\frac{1}{3}$

주사위를 철수는 3번, 영희는 4번 던지므로 $1\le m\le 3$, $1\le n\le 4$인 정수 m, n에 대하여 $mn=6$을 만족시키는 순서쌍 (m, n)은 $(2, 3)$, $(3, 2)$의 두 가지 경우이다.

STEP B **독립시행의 확률 구하기**

(i) $m=2$, $n=3$인 경우

철수는 3번 중 2번, 영희는 4번 중 3번 5의 약수의 눈이 나올 확률은

$${}_3C_2\left(\frac{1}{3}\right)^2\left(\frac{2}{3}\right)^1\times{}_4C_3\left(\frac{1}{3}\right)^3\left(\frac{2}{3}\right)^1=\frac{16}{729}$$

(ii) $m=3$, $n=2$인 경우

철수는 3번 중 3번, 영희는 4번 중 2번 5의 약수의 눈이 나올 확률은

$${}_3C_3\left(\frac{1}{3}\right)^3\left(\frac{2}{3}\right)^0\times{}_4C_2\left(\frac{1}{3}\right)^2\left(\frac{2}{3}\right)^2=\frac{24}{2187}=\frac{8}{729}$$

STEP C **배반사건을 이용하여 확률 구하기**

(i), (ii)는 서로 배반사건이므로 구하는 확률은 $\frac{16}{729}+\frac{8}{729}=\frac{24}{729}=\frac{8}{243}$

 ④

0985

정답 ③

STEP Ⓐ $a-b=3$인 경우를 나누어 각각의 확률 구하기

한 개의 주사위를 한 번 던져서 홀수의 눈이 나올 확률은 $\frac{3}{6}=\frac{1}{2}$

한 개의 동전을 한 번 던져서 앞면의 나오는 확률은 $\frac{1}{2}$

이때 한 개의 주사위를 5번, 동전을 4번 던지므로 $0 \le a \le 5$, $0 \le b \le 4$인 정수 a, b에 대하여 $a-b=3$을 만족시키는 순서쌍 (a, b)는 $(5, 2)$, $(4, 1)$, $(3, 0)$의 세 가지 경우이다.

STEP Ⓑ 독립시행의 확률 구하기

(ⅰ) $a=5$이고 $b=2$인 경우
주사위를 5번 던질 때, 홀수의 눈이 5번 나오고
동전을 4번 던질 때, 앞면이 2번 나와야 하므로 확률은

$${}_5C_5\left(\frac{1}{2}\right)^5\left(\frac{1}{2}\right)^0 \times {}_4C_2\left(\frac{1}{2}\right)^2\left(\frac{1}{2}\right)^2=\frac{1}{2^5}\times\frac{3}{2^3}=\frac{3}{2^8}$$

(ⅱ) $a=4$이고 $b=1$인 경우
주사위를 5번 던질 때, 홀수의 눈이 4번 나오고
동전을 4번 던질 때, 앞면이 1번 나와야 하므로 확률은

$${}_5C_4\left(\frac{1}{2}\right)^4\left(\frac{1}{2}\right)^1 \times {}_4C_1\left(\frac{1}{2}\right)^1\left(\frac{1}{2}\right)^3=\frac{5}{2^5}\times\frac{1}{2^2}=\frac{5}{2^7}$$

(ⅲ) $a=3$이고 $b=0$인 경우
주사위를 5번 던질 때, 홀수의 눈이 3번 나오고
동전을 4번 던질 때, 앞면이 0번 나와야 하므로 확률은

$${}_5C_3\left(\frac{1}{2}\right)^3\left(\frac{1}{2}\right)^2 \times {}_4C_0\left(\frac{1}{2}\right)^0\left(\frac{1}{2}\right)^4=\frac{5}{2^4}\times\frac{1}{2^4}=\frac{5}{2^8}$$

STEP Ⓒ 배반사건을 이용하여 확률 구하기

(ⅰ)~(ⅲ)에서 구하는 확률은 $\frac{3}{2^8}+\frac{5}{2^7}+\frac{5}{2^8}=\frac{18}{2^8}=\frac{9}{2^7}=\frac{9}{128}$이므로

$p+q=128+9=137$

내/신/연/계/ 출제문항 424

주사위 1개와 동전 5개를 동시에 던질 때, 나온 주사위의 눈의 수를 a, 동전의 앞면의 개수를 b라 하자. $a=3b$일 확률을 $\frac{q}{p}$라 할 때, $p+q$의 값은?
(단, p와 q는 서로소인 자연수이다.)

① 35 ② 45 ③ 57
④ 69 ⑤ 81

STEP Ⓐ $a=3b$인 경우 구하기

주사위의 눈의 수를 a, 동전의 앞면의 개수를 b라 할 때,
$1 \le a \le 6$, $0 \le b \le 5$인 정수 a, b에 대하여
$a=3b$를 만족시키는 순서쌍 (a, b)는 $(3, 1)$, $(6, 2)$의 두 가지 경우이다.

STEP Ⓑ 독립시행의 확률 구하기

(ⅰ) $a=3$, $b=1$인 경우

$$\frac{1}{6}\times{}_5C_1\left(\frac{1}{2}\right)^1\left(\frac{1}{2}\right)^4=\frac{5}{192}$$

(ⅱ) $a=6$, $b=2$인 경우

$$\frac{1}{6}\times{}_5C_2\left(\frac{1}{2}\right)^2\left(\frac{1}{2}\right)^3=\frac{10}{192}$$

STEP Ⓒ 배반사건을 이용하여 확률 구하기

(ⅰ), (ⅱ)는 서로 배반사건이므로 구하는 확률은 $\frac{5}{192}+\frac{10}{192}=\frac{5}{64}$

따라서 $p=64$, $q=5$이므로 $p+q=69$ 정답 ④

0986

정답 ②

STEP Ⓐ $i^{|m-n|}=-i$를 만족하는 경우의 수 구하기

각 면에 1, 2, 3, 4의 숫자가 하나씩 적혀있는 정사면체를 한 번 던졌을 때, 2가 나오는 사건을 A라 하면 2가 아닌 숫자가 나오는 사건은 A^C이고

각각의 확률은 $P(A)=\frac{1}{4}$, $P(A^C)=\frac{3}{4}$

이러한 정사면체를 3번 던져서 사건 A가 m번, 사건 A^C가 $n=3-m$번 나올 확률은 ${}_3C_m\left(\frac{1}{4}\right)^m\left(\frac{3}{4}\right)^n={}_3C_m\left(\frac{1}{4}\right)^m\left(\frac{3}{4}\right)^{3-m}$

STEP Ⓑ 독립시행의 확률 구하기

$i^{|m-n|}=-i$를 만족하는 경우는 $|m-n|$이 4로 나눌 때,
나머지가 3이 되는 경우이므로 두 자연수 m, n에 대하여
$|m-n|=3$을 만족하는 경우는 다음과 같다.

(ⅰ) $m=3$, $n=0$인 경우 ← $i^{|m-n|}=i^3=-i$

$${}_3C_0\left(\frac{1}{4}\right)^0\left(\frac{3}{4}\right)^3=\frac{27}{64}$$

(ⅱ) $m=0$, $n=3$인 경우 ← $i^{|m-n|}=i^3=-i$

$${}_3C_3\left(\frac{1}{4}\right)^3\left(\frac{3}{4}\right)^0=\frac{1}{64}$$

STEP Ⓒ 배반사건을 이용하여 확률 구하기

(ⅰ), (ⅱ)에서 구하는 확률은 $\frac{27}{64}+\frac{1}{64}=\frac{7}{16}$

$0 \le m \le 3$, $0 \le n \le 3$이고 $m+n=3$이므로
주어진 조건 $i^{|m-n|}=-i$에서
(ⅰ) $m=3$, $n=0$일 때, $i^{|m-n|}=i^3=-i$
(ⅱ) $m=2$, $n=1$일 때, $i^{|m-n|}=i \ne -i$
(ⅲ) $m=1$, $n=2$일 때, $i^{|m-n|}=i \ne -i$
(ⅳ) $m=0$, $n=3$일 때, $i^{|m-n|}=i^3=-i$

0987

 ③

STEP Ⓐ 앞면과 뒷면이 나오는 횟수 구하기

앞면, 뒷면이 나오는 횟수를 각각 a, b라 하면
동전을 6번 던져서 140점을 얻으므로 $a+b=6$, $30a+20b=140$
두 식을 연립하여 풀면 $a=2$, $b=4$

STEP Ⓑ 독립시행의 확률 구하기

따라서 동전을 6번 던져서 앞면이 2번, 뒷면이 4번 나올 확률은

$${}_6C_2\left(\frac{1}{2}\right)^2\left(\frac{1}{2}\right)^4=\frac{15}{64}$$

0988

 ①

STEP Ⓐ 16점을 얻기 위한 당첨 횟수 구하기

당첨되는 횟수를 a, 당첨되지 않는 횟수를 b라 하면
추첨을 4번 하여 회원점수가 16점 올라가므로 $a+b=4$, $5a+b=16$
두 식을 연립하여 풀면 $a=3$, $b=1$

STEP Ⓑ 독립시행의 확률 구하기

따라서 4회 참여에 16점을 얻기 위해서는 3회는 당첨되고 1번 당첨되지 않을 확률이므로 ${}_4C_3\left(\frac{1}{3}\right)^3\left(\frac{2}{3}\right)=\frac{8}{81}$

0989

정답 ②

STEP A 빨간 공과 파란 공이 나오는 횟수 구하기

빨간 공이 나오는 확률은 $\frac{3}{7}$, 파란 공이 나오는 확률은 $\frac{4}{7}$

이때 빨간 공이 나오는 횟수를 a, 파란 공이 나오는 횟수를 b라고 하면

5회의 시행에서 8점을 얻으려면 $a+b=5$, $a+2b=8$

두 식을 연립하여 풀면 $a=2$, $b=3$

STEP B 독립시행의 확률 구하기

따라서 빨간 공이 2번, 파란 공이 3번 나오면 되므로 구하는 확률은

${}_5C_2\left(\frac{3}{7}\right)^2\left(\frac{4}{7}\right)^3$

내/신/연/계/ 출제문항 425

한 개의 주사위를 던지는 시행에서 3의 약수의 눈이 나오면 5점, 그 이외의 눈이 나오면 1점을 얻는 게임이 있다. 이 게임에서 주사위를 4번 던져서 16점을 얻을 확률을 $\frac{q}{p}$라고 할 때, $p+q$의 값은? (단, p, q는 서로소인 자연수이다.)

① 30 ② 81 ③ 89
④ 91 ⑤ 108

STEP A 16점을 얻기 위한 3의 약수의 눈이 나오는 횟수 구하기

한 개의 주사위를 던져 3의 약수의 눈이 나오는 확률은 $\frac{2}{6}=\frac{1}{3}$

그 이외의 눈이 나오는 확률은 $\frac{2}{3}$

이때 3의 약수의 눈이 나오는 횟수를 a, 그 이외의 눈이 나오는 횟수를 b라 하면 주사위를 4번 던져서 16점을 얻으므로 $a+b=4$, $5a+b=16$

두 식을 연립하여 풀면 $a=3$, $b=1$

STEP B 독립시행의 확률 구하기

주사위를 4번 던져서 16점을 얻으려면 5점을 3번, 1점을 1번 얻어야 하므로

구하는 확률은 ${}_4C_3\left(\frac{1}{3}\right)^3\left(\frac{2}{3}\right)^1=\frac{8}{81}$

따라서 $p+q=81+8=89$

정답 ③

0990

정답 ④

STEP A 12점을 얻기 위한 검은 공이 나오는 횟수 구하기

검은 공 4개와 흰 공 2개가 들어 있는 주머니에서 임의로 한 개의 공을 꺼낼 때,

검은 공이 나올 확률은 $\frac{4}{6}=\frac{2}{3}$

흰 공이 나올 확률은 $\frac{2}{6}=\frac{1}{3}$

8회의 시행을 한 후 검은 공이 나온 횟수를 a, 흰 공이 나온 횟수를 b라 하면

8회의 시행을 한 후 12점을 얻으려면 $a+b=8$, $3a+b=12$

두 식을 연립하여 풀면 $a=2$, $b=6$

STEP B 독립시행의 확률 구하기

따라서 8회의 시행 후 검은 공이 2번, 흰 공이 6번 나올 확률은

${}_8C_2\left(\frac{2}{3}\right)^2\left(\frac{1}{3}\right)^6=\frac{112}{3^8}$ $\therefore k=112$

내/신/연/계/ 출제문항 426

흰 공 4개와 검은 공 2개가 들어 있는 주머니에서 임의로 한 개의 공을 꺼내어 공의 색을 확인한 후 다시 넣는 시행을 5회 반복한다.
각 시행에서 꺼낸 공이 흰 공이면 1점을 얻고, 검은 공이면 2점을 얻을 때, 얻은 점수의 합이 7일 확률은?

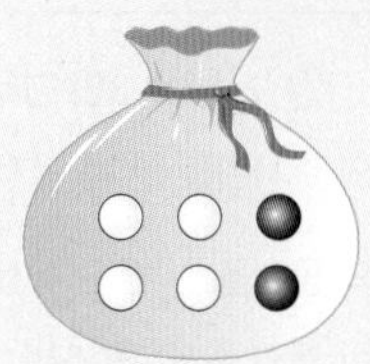

① $\frac{80}{243}$ ② $\frac{1}{3}$ ③ $\frac{82}{243}$
④ $\frac{83}{243}$ ⑤ $\frac{28}{81}$

STEP A 점수의 합이 7일 때, 흰 공을 꺼낸 횟수 구하기

흰 공 4개와 검은 공 2개가 들어 있는 주머니에서 임의로 한 개의 공을 꺼낼 때,

흰 공이 나올 확률은 $\frac{4}{6}=\frac{2}{3}$

검은 공이 나올 확률은 $\frac{2}{6}=\frac{1}{3}$

이때 각 시행에서 꺼낸 공이 흰 공이면 1점을 얻고, 검은 공이면 2점을 얻을 때,
5회의 시행 중 흰 공이 나온 횟수를 a, 검은 공이 나오는 횟수를 b라 하면

$a+b=5$, $a+2b=7$

두 식을 연립하여 풀면 $a=3$, $b=2$

STEP B 독립시행의 확률 구하기

따라서 5번 중 흰 공이 3번, 검은 공이 2번 나올 확률은

${}_5C_2\left(\frac{2}{3}\right)^3\left(\frac{1}{3}\right)^2=\frac{80}{243}$

정답 ①

0991

정답 ①

STEP A 네 번째까지의 점수의 합이 2점일 확률 구하기

앞면, 뒷면이 나오는 횟수를 각각 a, b라 하면

네 번째까지의 점수의 합이 2점이려면 $a+b=4$, $a-b=2$

두 식을 연립하여 풀면 $a=3$, $b=1$

즉 네 번째까지의 점수의 합이 2점이 되려면 앞면이 세 번,

뒷면이 한 번 나오는 확률은 ${}_4C_3\left(\frac{1}{2}\right)^3\left(\frac{1}{2}\right)=\frac{1}{4}$ …… ㉠

STEP B 다섯 번째부터 여덟 번째까지의 점수의 합이 -2점일 확률 구하기

8번 모두 던진 후의 총점이 0점이려면 다섯 번째부터 여덟 번째까지의 점수의 합이 -2점이어야 하므로 $a+b=4$, $a-b=-2$

두 식을 연립하여 풀면 $a=1$, $b=3$

즉 앞면이 한 번, 뒷면이 세 번 나오는 확률은

${}_4C_1\left(\frac{1}{2}\right)\left(\frac{1}{2}\right)^3=\frac{1}{4}$ …… ㉡

STEP C 확률의 곱셈정리를 이용하여 구하기

따라서 ㉠, ㉡에서 8번 모두 던진 후의 총점이 0점인 확률은 $\frac{1}{4}\times\frac{1}{4}=\frac{1}{16}$

0992

정답 ②

STEP A 독립시행의 확률 구하기

주사위를 던져 4의 약수의 눈이 나오는 확률은 $\frac{3}{6}=\frac{1}{2}$ ← 4의 약수는 1, 2, 4

원점 O에서 출발한 점 P가 점 Q에 도착하려면 주사위 1개를 6번 던져서
4의 약수가 3번, 4의 약수가 아닌 수가 3번 나와야 한다.

따라서 구하는 확률은 ${}_6C_3\left(\frac{1}{2}\right)^3\left(\frac{1}{2}\right)^3=\frac{5}{16}$

0993

정답 ③

STEP Ⓐ 점 P가 곡선 $y=(x-2)^2$ 위에 있을 확률 구하기

한 개의 주사위를 4번 던졌을 때, 점 P의 위치는 $(4,\ 0),\ (3,\ 1),\ (2,\ 2),\ (1,\ 3),\ (0,\ 4)$중 하나이다.

점 P가 곡선 $y=(x-2)^2$ 위에 있으므로

점 P의 좌표는 $(3,\ 1)$ 또는 $(0,\ 4)$

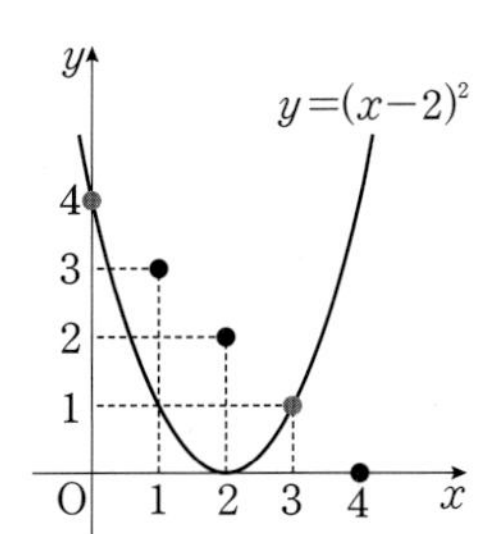

(ⅰ) P$(3,\ 1)$인 경우

8의 약수의 눈이 3번, 8의 약수가 아닌 눈이 1번 나오는 확률은

$_4C_3\left(\frac{1}{2}\right)^4=\frac{1}{4}$

(ⅱ) P$(0,\ 4)$인 경우

8의 약수가 아닌 눈이 4번 나오는 확률은 $_4C_4\left(\frac{1}{2}\right)^4=\frac{1}{16}$

STEP Ⓑ 배반사건을 이용하여 확률 구하기

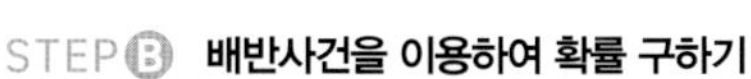

(ⅰ), (ⅱ)에서 구하는 확률은 $\frac{1}{4}+\frac{1}{16}=\frac{5}{16}$

내신연계 출제문항 427

좌표평면의 원점에 점 P가 있다. 한 개의 주사위를 한 번 던져서 나온 눈의 수가 2 이하이면 점 P를 x축의 방향으로 1만큼, 나온 눈의 수가 3 이상이면 점 P를 y축의 방향으로 1만큼 이동시키기로 한다. 한 개의 주사위를 6번 던져서 차례대로 점 P를 이동시킬 때, 점 P가 점 $(1,\ 2)$를 지나서 $(3,\ 3)$으로 이동될 확률은?

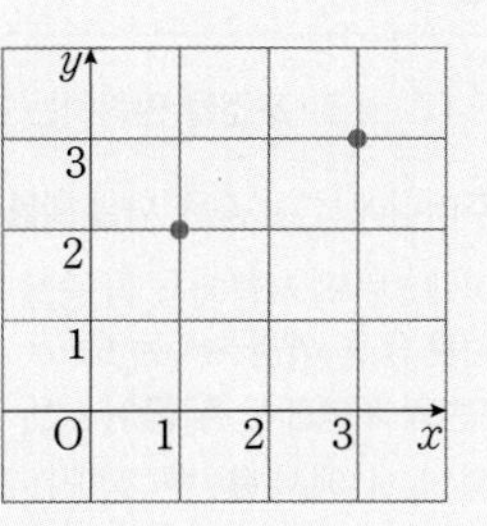

① $\frac{2}{27}$ ② $\frac{8}{81}$ ③ $\frac{10}{81}$

④ $\frac{4}{27}$ ⑤ $\frac{14}{81}$

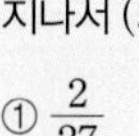

STEP Ⓐ 점 P가 원점을 출발하여 점 $(1,\ 2)$를 지나는 확률 구하기

점 P가 원점을 출발하여 점 $(1,\ 2)$를 지나기 위해서는 x축의 방향으로 1만큼, y축의 방향으로 2만큼 이동시켜야 하므로 세 번째까지 던져서 나온 주사위의 눈의 수가 2 이하가 한 번, 3 이상이 두 번 나와야 한다.

이 경우의 확률은 $_3C_1\left(\frac{1}{3}\right)^1\left(\frac{2}{3}\right)^2=\frac{4}{9}$

STEP Ⓑ 점 $(1,\ 2)$에서 점 $(3,\ 3)$으로 이동시키는 확률 구하기

이 각각에 대하여 점 $(1,\ 2)$에서 점 $(3,\ 3)$으로 이동시키려면 x축의 방향으로 2만큼, y축의 방향으로 1만큼 이동시켜야 하므로 네 번째에서 여섯 번째까지 던져서 나온 주사위의 눈의 수가 2 이하가 두 번, 3 이상이 한 번 나와야 한다.

이 경우의 확률은 $_3C_2\left(\frac{1}{3}\right)^2\left(\frac{2}{3}\right)^1=\frac{2}{9}$

STEP Ⓒ 구하는 확률 구하기

따라서 구하는 확률은 $\frac{4}{9}\times\frac{2}{9}=\frac{8}{81}$

정답 ②

0994

정답 ③

STEP Ⓐ 홀수 면과 짝수 면이 나오는 횟수 구하기

주사위를 한 번 던져서 점의 개수가 짝수인 면이 나올 확률은 $\frac{1}{2}$

이때 짝수인 면이 나오는 횟수를 a, 홀수인 면이 나오는 횟수를 b라 하면

주사위를 6번 던질 때, 점 A가 2의 위치에 있으려면

$a+b=6,\ a-b=2$

두 식을 연립하여 풀면 $a=4,\ b=2$

STEP Ⓑ 독립시행의 확률 구하기

따라서 짝수인 면이 4번, 홀수인 면이 2번 나오는 확률은

$_6C_4\left(\frac{1}{2}\right)^4\left(\frac{1}{2}\right)^2=\frac{15}{64}$

내신연계 출제문항 428

수직선 위에 점 P(50)이 있다. 한 개의 주사위를 던져서 5 이상의 눈이 나오면 점 P는 오른쪽으로 1만큼 움직이고 4 이하의 눈이 나오면 점 P는 왼쪽으로 1만큼 움직인다. 주사위를 여섯 번 던졌을 때, 점 P의 좌표가 52일 확률은?

① $\frac{1}{9}$ ② $\frac{5}{27}$ ③ $\frac{15}{243}$

④ $\frac{20}{243}$ ⑤ $\frac{40}{243}$

STEP Ⓐ 5 이상이 나오는 횟수 구하기

주사위를 한 번 던져서

5 이상이 나올 확률은 $\frac{2}{6}=\frac{1}{3}$

4 이하의 눈이 나올 확률은 $\frac{2}{3}$

이때 5 이상이 나오는 횟수를 a, 4 이하의 눈이 나오는 횟수를 b라 하면

주사위를 6번 던질 때, 점 P가 52의 위치에 있으려면

$a+b=6,\ a-b=2$

두 식을 연립하여 풀면 $a=4,\ b=2$

STEP Ⓑ 독립시행의 확률 구하기

따라서 5 이상의 눈이 4번, 4 이하의 눈이 2번 나와야 하므로 구하는 확률은

$_6C_4\left(\frac{1}{3}\right)^4\left(\frac{2}{3}\right)^2=\frac{20}{243}$

정답 ④

0995

정답 ⑤

STEP Ⓐ 동전의 앞면과 뒷면이 나오는 횟수 구하기

동전을 5번 던질 때, 앞면이 a번, 뒷면이 b번 나온다고 하면

$a+b=5$ …… ㉠

이때 점 P와 원점 사이의 거리가 1인 경우는 $|a-b|=1$이므로

$a-b=1$ 또는 $a-b=-1$ …… ㉡

㉠, ㉡을 연립하면 $a=3,\ b=2$ 또는 $a=2,\ b=3$

STEP Ⓑ 독립시행의 확률 구하기

(ⅰ) $a=3,\ b=2$인 확률은 $_5C_3\left(\frac{1}{2}\right)^3\left(\frac{1}{2}\right)^2=\frac{5}{16}$

(ⅱ) $a=2,\ b=3$인 확률은 $_5C_2\left(\frac{1}{2}\right)^2\left(\frac{1}{2}\right)^3=\frac{5}{16}$

(ⅰ), (ⅱ)에서 구하는 확률은 $\frac{5}{16}+\frac{5}{16}=\frac{5}{8}$

내신연계 출제문항 429

원점을 출발하여 수직선 위를 움직이는 점 P가 있다. 한 개의 동전을 던져서 앞면이 나오면 점 P를 양의 방향으로 1만큼, 뒷면이 나오면 음의 방향으로 1만큼 움직인다. 동전을 5번 던졌을 때, 점 P와 원점 사이의 거리가 3이 될 확률은?

① $\frac{1}{16}$　② $\frac{3}{16}$　③ $\frac{5}{16}$
④ $\frac{7}{16}$　⑤ $\frac{7}{18}$

STEP Ⓐ **동전의 앞면과 뒷면이 나오는 횟수 구하기**

동전을 5번 던질 때, 앞면이 a번, 뒷면이 b번 나온다고 하면
$a+b=5$ …… ㉠
이때 점 P와 원점 사이의 거리가 3인 경우는 $|a-b|=3$이므로
$a-b=3$ 또는 $a-b=-3$ …… ㉡
㉠, ㉡을 연립하면
$a=4,\ b=1$ 또는 $a=1,\ b=4$

STEP Ⓑ **독립시행의 확률 구하기**

(ⅰ) $a=4,\ b=1$인 확률은 ${}_5C_4\left(\frac{1}{2}\right)^4\left(\frac{1}{2}\right)^1=\frac{5}{32}$

(ⅱ) $a=1,\ b=4$인 확률은 ${}_5C_1\left(\frac{1}{2}\right)^1\left(\frac{1}{2}\right)^4=\frac{5}{32}$

(ⅰ), (ⅱ)에서 구하는 확률은 $\frac{5}{32}+\frac{5}{32}=\frac{5}{16}$

정답 ③

0996

정답 ③

STEP Ⓐ **3의 배수의 눈이 나오는 횟수 구하기**

주사위를 한 번 던져서 3의 배수가 나올 확률은 $\frac{2}{6}=\frac{1}{3}$
주사위를 네 번 던질 때, 3의 배수의 눈이 나오는 횟수를 a,
그 외의 눈의 수가 나오는 횟수를 b라 하면
주사위를 네 번 던질 때, 점 P와 원점 사이의 거리가 5가 되려면
$|2a-b|=5$

(ⅰ) $a+b=4,\ 2a-b=5$일 때,
두 식을 연립하여 풀면 $a=3,\ b=1$

(ⅱ) $a+b=4,\ 2a-b=-5$일 때,
두 식을 연립하여 풀면 $a=-\frac{1}{3},\ b=\frac{13}{3}$
이때 a는 0 이상의 정수이므로 조건을 만족하지 않는다.

STEP Ⓑ **독립시행의 확률 구하기**

(ⅰ), (ⅱ)에서 주사위를 한 번 던져서 3의 배수가 3번, 그 외의 눈의 수는 1번 나오는 확률은 ${}_4C_3\left(\frac{1}{3}\right)^3\left(\frac{2}{3}\right)^1=\frac{8}{81}$

내신연계 출제문항 430

수직선의 원점에 점 P가 있다. 한 개의 주사위를 한 번 던져서 나오는 눈은 다음 조건을 만족한다.

> (가) 3의 약수의 눈이 나오면 점 P를 3만큼 이동 한다.
> (나) 3의 약수가 아닌 눈이 나오면 점 P를 -2만큼 이동 한다.

한 개의 주사위를 5번 던져 이동한 후의 점 P의 좌표가 5보다 클 확률은?

① $\frac{10}{243}$　② $\frac{11}{243}$　③ $\frac{8}{81}$
④ $\frac{10}{81}$　⑤ $\frac{11}{81}$

STEP Ⓐ **점 P의 좌표가 5보다 클 3의 약수의 눈이 나온 횟수 구하기**

한 개의 주사위를 한 번 던져서 3의 약수의 눈이 나올 확률은 $\frac{1}{3}$이고
3의 약수가 아닌 눈이 나올 확률은 $1-\frac{1}{3}=\frac{2}{3}$
주사위를 5번 던져서 3의 약수의 눈이 나온 횟수를 a,
3의 약수가 아닌 눈이 나온 횟수는 b라 하면
주사위를 5번 던져 점 P의 좌표가 5보다 크므로
$a+b=5,\ 3a-2b>5$
위의 식을 만족하려면 $3a-2(5-a)=5a-10$
점 P의 좌표가 5보다 크려면 $5a-10>5$
$5a>15,\ a>3$
$\therefore\ a=4$ 또는 $a=5$

STEP Ⓑ **독립시행의 확률 구하기**

(ⅰ) $a=4$이면 $b=1$이므로 구하는 확률은 ${}_5C_4\left(\frac{1}{3}\right)^4\left(\frac{2}{3}\right)^1=\frac{10}{243}$

(ⅱ) $a=5$이면 $b=0$이므로 구하는 확률은 ${}_5C_5\left(\frac{1}{3}\right)^5=\frac{1}{243}$

(ⅰ), (ⅱ)가 서로 배반사건이므로 $\frac{10}{243}+\frac{1}{243}=\frac{11}{243}$

정답 ②

0997

정답 ④

STEP Ⓐ **조건을 만족하는 흰 공을 꺼낸 횟수 구하기**

주머니에서 흰 공을 꺼낼 확률은 $\frac{3}{4}$, 검은 공을 꺼낼 확률은 $\frac{1}{4}$
이때 5번의 시행에서 흰 공을 꺼낸 횟수를 a라 하면
검은 공을 꺼낸 횟수는 $5-a$
5번의 시행에서 흰 공이 a번, 검은 공이 $(5-a)$번 나오면
점 $(1,\ 4)$에서 출발한 점 P는 점 $(1+a,\ 4+a)$로 이동되고
점 $(6,\ 0)$에서 출발한 점 Q는 점 $(6-(5-a),\ 0+2(5-a))$
즉 점 $(1+a,\ 10-2a)$로 이동된다.
이때 두 점 P, Q가 같은 점에 있으려면 $4+a=10-2a,\ 3a=6$
$\therefore\ a=2$

STEP Ⓑ **독립시행의 확률 구하기**

따라서 흰 공을 2번, 검은 공을 3번 꺼내야 하는 확률은 ${}_5C_2\left(\frac{3}{4}\right)^2\left(\frac{1}{4}\right)^3=\frac{45}{512}$

0998

정답 ②

STEP Ⓐ **두 눈의 수의 곱이 짝수가 나오는 횟수 구하기**

서로 다른 두 주사위를 동시에 던질 때, 두 눈의 수의 곱이 홀수일 확률은
두 눈이 모두 홀수가 나오는 경우이므로 $\frac{9}{36}=\frac{1}{4}$
즉 두 눈의 수의 곱이 짝수일 확률은 $1-\frac{1}{4}=\frac{3}{4}$
점 P가 원점 O에서 점 $(5,\ 4)$에 도착하려면 x축의 방향으로 5만큼 평행이동해야 하므로 이 시행을 5회 반복해야 한다.
이때 두 눈의 수의 곱이 짝수가 나온 횟수를 a, 홀수가 나온 횟수를 b라 하면
주사위를 5회 던졌을 때, 점 P의 위치가 $(5,\ 4)$이려면
$a+b=5,\ 2a-b=4$
두 식을 연립하여 풀면 $a=3,\ b=2$

STEP Ⓑ **독립시행의 확률 구하기**

따라서 두 눈의 수의 곱이 짝수인 경우가 3번, 홀수인 경우가 2번 나오는 확률은 ${}_5C_3\left(\frac{3}{4}\right)^3\left(\frac{1}{4}\right)^2=\frac{135}{512}$

내신연계 출제문항 431

좌표평면 위의 원점 O를 출발한 점 P가 서로 다른 동전 3개를 동시에 던질 때, 다음 조건으로 움직인다.

> (가) 1회 던질 때마다 x축의 방향으로 1만큼 이동한다.
> (나) 앞면이 2개 이상 나오면 y축으로 -2만큼,
> 앞면이 2개 미만 나오면 y축의 방향으로 1만큼 이동한다.

점 P가 점 $(6,\ 3)$에 도착할 확률은?

① $\frac{3}{32}$ ② $\frac{1}{8}$ ③ $\frac{3}{16}$
④ $\frac{3}{8}$ ⑤ $\frac{1}{4}$

STEP Ⓐ 동전 3개를 던져 앞면이 2개 이상 나올 확률 구하기

서로 다른 동전 3개를 1회 던질 때,

앞면이 2개 나올 확률 ${}_3C_2\left(\frac{1}{2}\right)^2\left(\frac{1}{2}\right)=\frac{3}{8}$

앞면이 3개 나올 확률 ${}_3C_3\left(\frac{1}{2}\right)^3=\frac{1}{8}$

이므로 앞면이 2개 이상 나올 확률은 $\frac{3}{8}+\frac{1}{8}=\frac{1}{2}$

STEP Ⓑ 앞면이 2개 이상 나오는 횟수 구하기

서로 다른 동전 3개를 1회 던질 때마다 점 P가 x축의 방향으로 1만큼 이동하여 점 P가 $(6,\ 3)$에 오려면 이 시행을 6회 반복해야 한다.
이때 앞면이 2개 이상 나온 횟수를 a,
앞면이 2개 미만 나오는 횟수를 b라 하면
서로 다른 동전 3개를 6회 던졌을 때, 점 P의 위치가 $(6,\ 3)$이려면
$a+b=6,\ -2a+b=3$
두 식을 연립하여 풀면 $a=1,\ b=5$

STEP Ⓒ 독립시행의 확률 구하기

따라서 점 P가 점 $(6,\ 3)$에 도착할 확률은 ${}_6C_1\left(\frac{1}{2}\right)^1\left(\frac{1}{2}\right)^5=\frac{3}{32}$

정답 ①

0999

정답 ④

STEP Ⓐ 점 P가 원점에 있는 경우에 대한 확률 구하기

주사위를 던져 1 또는 2의 눈이 나오는 확률은 $\frac{2}{6}=\frac{1}{3}$

주사위를 던져 3 또는 4의 눈이 나오는 확률은 $\frac{2}{6}=\frac{1}{3}$

주사위를 던져 5 또는 6의 눈이 나오는 확률은 $\frac{2}{6}=\frac{1}{3}$

조건을 만족하도록 하는 점 P가 원점에 있는 경우는 다음과 같다.

(ⅰ) (다)의 경우만 4번인 경우의 확률은 ⬅ 4번 모두 움직이지 않는 경우

$\left(\frac{1}{3}\right)^4=\frac{1}{81}$

(ⅱ) (가)의 경우 1번, (나)의 경우 1번, (다)의 경우 2번인 경우의 확률은
⬅ 2번은 움직이지 않고 1번은 왼쪽, 1번은 오른쪽으로 움직이는 경우

$\frac{4!}{2!}\times\left(\frac{1}{3}\right)^4=\frac{12}{81}$

(ⅲ) (가)의 경우 2번, (나)의 경우 2번인 경우의 확률은
⬅ 2번은 왼쪽, 2번은 오른쪽으로 움직이는 경우

$\frac{4!}{2!2!}\times\left(\frac{1}{3}\right)^4=\frac{6}{81}$

STEP Ⓑ 배반사건의 확률 구하기

(ⅰ)~(ⅲ)이 서로 배반사건이므로 구하는 확률은 $\frac{1}{81}+\frac{12}{81}+\frac{6}{81}=\frac{19}{81}$

1000

정답 ①

STEP Ⓐ 앞면이 나오는 횟수를 구하기

동전을 한 번 던질 때, 앞면이 나올 확률은 $\frac{1}{2}$이다.
동전을 4번 던져서 앞면이 나오는 횟수를 a,
뒷면이 나오는 횟수를 b라 하면
동전을 4번 던져 점 P가 점 A를 출발하여 한 바퀴를 돌아 다시 점 A에 도착하므로 $a+b=4,\ a+2b=5$
두 식을 연립하여 풀면 $a=3,\ b=1$

STEP Ⓑ 독립시행의 확률 구하기

따라서 동전을 4번 던져서 앞면이 3번, 뒷면이 1번 나와야 하므로 구하는 확률은 ${}_4C_3\left(\frac{1}{2}\right)^3\left(\frac{1}{2}\right)^1=\frac{1}{4}$

내신연계 출제문항 432

오른쪽 그림과 같이 한 변의 길이가 1인 정육각형 위를 시계 반대방향으로 변을 따라 움직이는 점 P가 있다. 한 개의 주사위를 던져 짝수의 눈이 나오면 2만큼, 홀수의 눈이 나오면 1만큼 움직일 때, 주사위를 9번 던져 점 A를 출발한 점 P가 두 바퀴를 돌아 다시 점 A에 도착할 확률은?

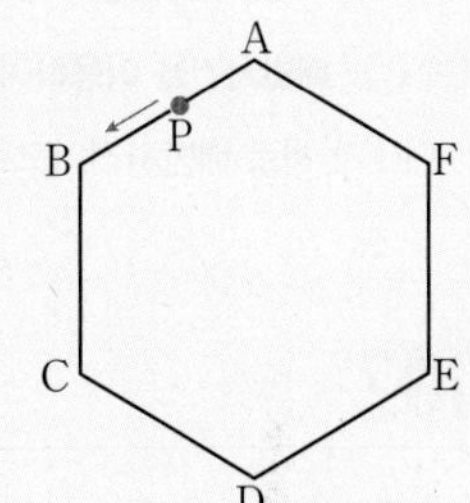

① $\frac{9}{64}$ ② $\frac{5}{32}$
③ $\frac{21}{128}$ ④ $\frac{23}{128}$
⑤ $\frac{3}{16}$

STEP Ⓐ 짝수가 나오는 횟수를 구하기

주사위를 한 번 던질 때, 짝수의 눈이 나올 확률은 $\frac{1}{2}$이다.
주사위를 9번 던져서 짝수가 나오는 횟수를 a,
홀수가 나오는 횟수를 b라 하면
주사위를 9번 던져 점 P가 점 A를 출발하여 두 바퀴를 돌아 다시 점 A에 도착하므로 $a+b=9,\ 2a+b=12$
두 식을 연립하여 풀면 $a=3,\ b=6$

STEP Ⓑ 독립시행의 확률 구하기

따라서 주사위를 9번 던져서 짝수가 3번, 홀수가 6번 나와야 하므로
구하는 확률은 ${}_9C_3\left(\frac{1}{2}\right)^3\left(\frac{1}{2}\right)^6=\frac{21}{128}$

정답 ③

1001

 ③

STEP Ⓐ **짝수가 나오는 횟수를 구하여 독립시행의 확률 구하기**

주사위를 한 번 던질 때, 짝수의 눈이 나올 확률은 $\frac{1}{2}$이다.

주사위를 6회 던져서 짝수가 나오는 횟수를 a,

홀수가 나오는 횟수를 b라 하면

주사위를 6번 던져 점 P가 점 A를 출발하여 꼭짓점 B에 도착하는 확률은 다음과 같다.

(ⅰ) $a+b=6$, $2a-b=-3$

두 식을 연립하여 풀면 $a=1$, $b=5$

즉 주사위를 6번 던져 짝수의 눈이 1번, 홀수의 눈이 5번 나오는 경우의 확률은 ${}_6C_1\left(\frac{1}{2}\right)^1\left(\frac{1}{2}\right)^5=\frac{3}{32}$

(ⅱ) $a+b=6$, $2a-b=9$

두 식을 연립하여 풀면 $a=5$, $b=1$

즉 주사위를 6번 던져 짝수의 눈이 5번, 홀수의 눈이 1번 나오는 경우의 확률은 ${}_6C_5\left(\frac{1}{2}\right)^5\left(\frac{1}{2}\right)^1=\frac{3}{32}$

STEP Ⓑ **배반사건을 이용하여 확률 구하기**

(ⅰ), (ⅱ)가 서로 배반사건이므로 구하는 확률은 $\frac{3}{32}+\frac{3}{32}=\frac{3}{16}$

1002

 ④

STEP Ⓐ **홀수의 눈이 나오는 횟수를 구하여 독립시행의 확률 구하기**

주사위를 던질 때, 홀수의 눈이 나오는 확률 $\frac{3}{6}=\frac{1}{2}$

1개의 주사위를 10번 던질 때, 홀수의 눈이 나오는 횟수를 a,

짝수의 눈이 나오는 횟수를 b라 하면

$\begin{cases} a+b=10 & \cdots\cdots ㉠ \\ a+2b=5k\,(k\text{는 자연수}) & \cdots\cdots ㉡ \end{cases}$

이어야 한다.

㉠에서 $a=10-b$를 ㉡에 대입하면

$(10-b)+2b=5k \quad \therefore b=5k-10$

b는 $0\le b\le 10$인 정수이므로

$k=2$일 때, $b=0$

$k=3$일 때, $b=5$

$k=4$일 때, $b=10$

위의 연립방정식을 만족시키는 순서쌍 (a, b)는 $(10, 0)$, $(5, 5)$, $(0, 10)$이다.

(ⅰ) $a=10$, $b=0$일 때,

주사위를 10번 던질 때, 홀수 눈이 10번 나오는 확률은

${}_{10}C_{10}\left(\frac{1}{2}\right)^{10}\left(\frac{1}{2}\right)^0=\frac{1}{1024}$

(ⅱ) $a=5$, $b=5$일 때,

주사위를 10번 던질 때, 홀수 눈이 5번 나오는 확률은

${}_{10}C_5\left(\frac{1}{2}\right)^5\left(\frac{1}{2}\right)^5=\frac{252}{1024}$

(ⅲ) $a=0$, $b=10$

주사위를 10번 던질 때, 홀수 눈이 0번 나오는 확률은

${}_{10}C_0\left(\frac{1}{2}\right)^0\left(\frac{1}{2}\right)^{10}=\frac{1}{1024}$

STEP Ⓑ **배반사건을 이용하여 확률 구하기**

(ⅰ)~(ⅲ)가 서로 배반사건이므로 구하는 확률은

$\frac{1}{1024}+\frac{252}{1024}+\frac{1}{1024}=\frac{254}{1024}=\frac{127}{512}$

1003

 ③

STEP Ⓐ **6의 약수의 눈이 나오는 횟수를 구하여 독립시행의 확률 구하기**

한 개의 주사위를 던질 때, 6의 약수의 눈이 나올 확률은 $\frac{4}{6}=\frac{2}{3}$

한 개의 주사위를 4번 던질 때, 6의 약수의 눈이 나오는 횟수를 a,

6의 약수의 눈이 나오지 않은 횟수를 b라 하면

$\begin{cases} a+b=4 & \cdots\cdots ㉠ \\ a-b=4k\,(k\text{는 정수}) & \cdots\cdots ㉡ \end{cases}$

이어야 한다.

㉠에서 $b=4-a$를 ㉡에 대입하면

$a-(4-a)=4k$, $a=2k+2$

a는 $0\le a\le 4$인 정수이므로

$k=-1$일 때, $a=0$

$k=0$일 때, $a=2$

$k=1$일 때, $a=4$

즉 위의 연립방정식을 만족시키는 순서쌍 (a, b)는 $(0, 4)$, $(2, 2)$, $(4, 0)$이다.

주사위를 4번 던져 점 A를 출발하여 다시 점 A에 다시 도착하는 확률은 다음과 같다.

(ⅰ) $a=0$, $b=4$일 때,

주사위를 4번 던질 때, 6의 약수의 눈이 0번 나오는 확률은

${}_4C_0\left(\frac{2}{3}\right)^0\left(\frac{1}{3}\right)^4=\frac{1}{81}$

(ⅱ) $a=2$, $b=2$일 때,

주사위를 4번 던질 때, 6의 약수의 눈이 2번 나오는 확률은

${}_4C_2\left(\frac{2}{3}\right)^2\left(\frac{1}{3}\right)^2=\frac{24}{81}$

(ⅲ) $a=4$, $b=0$일 때,

주사위를 4번 던질 때, 6의 약수의 눈이 4번 나오는 확률은

${}_4C_4\left(\frac{2}{3}\right)^4\left(\frac{1}{3}\right)^0=\frac{16}{81}$

STEP Ⓑ **배반사건을 이용하여 확률 구하기**

(ⅰ)~(ⅲ)가 서로 배반사건이므로 구하는 확률은 $\frac{1}{81}+\frac{24}{81}+\frac{16}{81}=\frac{41}{81}$

내신연계 출제문항 433

점 P가 한 변의 길이가 1인 정사각형 ABCD의 변 위를 주사위를 한 번 던질 때마다 다음과 같은 규칙에 따라 움직인다.
주사위를 4번 던질 때, 점 A를 출발한 점 P가 다시 점 A로 되돌아올 확률은?

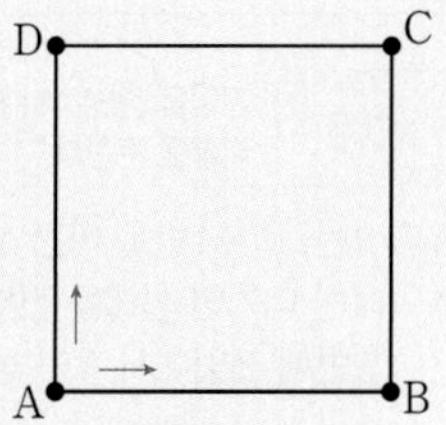

(가) 나오는 눈의 수가 3의 배수이면 시계 반대 방향으로 1만큼 움직인다.
(나) 나오는 눈의 수가 3의 배수가 아니면 시계 방향으로 1만큼 움직인다.

① $\frac{3}{27}$ ② $\frac{7}{27}$ ③ $\frac{41}{81}$
④ $\frac{20}{27}$ ⑤ $\frac{40}{81}$

STEP Ⓐ 경우를 나누고 구하고자 하는 확률 구하기

주사위를 한 번 던지는 시행에서 3의 배수가 나오는 확률은 $\frac{2}{6}=\frac{1}{3}$

3의 배수의 눈이 아닐 확률은 $1-\frac{1}{3}=\frac{2}{3}$

주사위를 4회 던져서 3의 배수의 눈이 나오는 횟수를 a,
3의 배수의 눈이 아닌 횟수를 b라 하면

$\begin{cases} a+b=4 & \cdots\cdots ㉠ \\ a-b=4k\,(k\text{는 정수}) & \cdots\cdots ㉡ \end{cases}$

이어야 한다.
㉠에서 $b=4-a$를 ㉡에 대입하면
$a-(4-a)=4k$, $a=2k+2$
a는 $0 \leq a \leq 4$인 정수이므로
$k=-1$일 때, $a=0$
$k=0$일 때, $a=2$
$k=1$일 때, $a=4$
즉 위의 연립방정식을 만족시키는 순서쌍 (a, b)는 $(0, 4)$, $(2, 2)$, $(4, 0)$이다.
주사위를 4번 던져 점 A를 출발하여 다시 점 A에 다시 도착하는 확률은 다음과 같다.

(ⅰ) $a=0$, $b=4$인 경우
즉 주사위를 4번 던질 때, 3의 배수의 눈이 0번 나오는 확률은
${}_4C_0\left(\frac{1}{3}\right)^0\left(\frac{2}{3}\right)^4=\frac{16}{81}$

(ⅱ) $a=2$, $b=2$인 경우
즉 주사위를 4번 던질 때, 3의 배수의 눈이 2번 나오는 확률은
${}_4C_2\left(\frac{1}{3}\right)^2\left(\frac{2}{3}\right)^2=\frac{24}{81}$

(ⅲ) $a=4$, $b=0$인 경우
즉 주사위를 4번 던질 때, 3의 배수의 눈이 4번 나오는 확률은
${}_4C_4\left(\frac{1}{3}\right)^4\left(\frac{2}{3}\right)^0=\frac{1}{81}$

STEP Ⓑ 배반사건을 이용하여 확률 구하기

(ⅰ)~(ⅲ)가 서로 배반사건이므로 구하는 확률은 $\frac{16}{81}+\frac{24}{81}+\frac{1}{81}=\frac{41}{81}$

정답 ③

STEP 2 서술형 기출유형

1004
정답 해설참조

1단계 앞면이 나오는 동전이 1개 이하인 사건 A의 확률 $P(A)$를 구한다. ◀ 30%

앞면이 0개이거나 앞면이 1개 나오는 확률은
$P(A)={}_3C_0\left(\frac{1}{2}\right)^3+{}_3C_1\left(\frac{1}{2}\right)^1\left(\frac{1}{2}\right)^2=\frac{1}{2}$

2단계 동전 3개 모두 같은 면이 나오는 사건 B의 확률 $P(B)$를 구한다. ◀ 30%

앞면이 모두 3개가 나오거나 뒷면이 3개 나오는 확률은
$P(B)={}_3C_0\left(\frac{1}{2}\right)^3+{}_3C_3\left(\frac{1}{2}\right)^3=\frac{1}{4}$

3단계 두 사건 A, B가 서로 독립인지 종속인지 판별한다. ◀ 40%

$P(A\cap B)={}_3C_0\left(\frac{1}{2}\right)^3=\frac{1}{8}$
따라서 $P(A\cap B)=P(A)P(B)$이므로 두 사건 A, B는 서로 독립이다.

1005
정답 해설참조

1단계 회원점수가 17점 올라가려면 당첨이 몇 번 되어야 하는지 구한다. ◀ 50%

행운권에 당첨되는 횟수를 a, 당첨되지 않는 횟수를 b라 하면
$a+b=4$, $8a+3b=17$
두식을 연립하여 풀면 $a=1$, $b=3$
따라서 회원 점수가 17점 올라가려면 당첨이 1번 되어야 한다.

2단계 회원점수가 17점 올라갈 확률을 구한다. ◀ 50%

${}_4C_1\left(\frac{1}{4}\right)\left(\frac{3}{4}\right)^3=\frac{27}{64}$

1006
정답 해설참조

1단계 홀수가 적힌 공이 나오고, 동전의 앞면이 3번 나올 확률을 구한다. ◀ 40%

상자에 들어있는 공은 짝수인 공 2, 4, 6, 8, 10과 홀수인 공 1, 3, 5, 7, 9이므로
홀수가 적힌 공이 나오면 동전을 4번 던져 동전의 앞면이 3번 나올 확률은
$\frac{1}{2}\times\left\{{}_4C_3\left(\frac{1}{2}\right)^3\left(\frac{1}{2}\right)\right\}=\frac{4}{32}=\frac{1}{8}$

2단계 짝수가 적힌 공이 나오고, 동전의 앞면이 3번 나올 확률을 구한다. ◀ 40%

짝수가 적힌 공이 나오면 동전을 5번 던져 동전의 앞면이 3번 나올 확률은
$\frac{1}{2}\times\left\{{}_5C_3\left(\frac{1}{2}\right)^3\left(\frac{1}{2}\right)^2\right\}=\frac{5}{32}$

3단계 동전의 앞면이 3번 나올 확률을 구한다. ◀ 20%

1단계, 2단계가 배반사건이므로 동전의 앞면이 3번 나올 확률은 $\frac{1}{8}+\frac{5}{32}=\frac{9}{32}$

1007

정답 $\frac{794}{125}$

STEP Ⓐ 독립시행의 확률을 이용하여 빈 칸 채우기

이 선수에게 3번의 서브 기회가 주어질 때, 2번 이상 성공할 확률

3번의 서브 기회 중에서 2번 성공할 사건을 A,
3번의 서브 기회 중에서 3번 성공할 사건을 B라 하면

$$\mathrm{P}(A)={}_3\mathrm{C}_{\boxed{2}}\times\left(\boxed{\frac{2}{5}}\right)^{\boxed{2}}\times\left(\boxed{\frac{3}{5}}\right)^{1}=\frac{36}{125}$$

$$\mathrm{P}(B)={}_3\mathrm{C}_{\boxed{3}}\times\left(\boxed{\frac{2}{5}}\right)^{\boxed{3}}=\frac{8}{125}$$

따라서 두 사건 A, B가 서로 배반사건이므로 구하는 확률은

$$\mathrm{P}(A\cup B)=\mathrm{P}(A)+\mathrm{P}(B)=\frac{36}{125}+\frac{8}{125}=\boxed{\frac{44}{125}}$$

따라서 $a=2$, $b=\frac{2}{5}$, $c=\frac{3}{5}$, $d=3$, $e=\frac{44}{125}$ 이므로

$$a+b+c+d+e=2+\frac{2}{5}+\frac{3}{5}+3+\frac{44}{125}=\frac{794}{125}$$

1008

정답 해설참조

1단계 A팀이 승리할 확률을 구한다. ◀ 60%

(i) A팀이 3세트에서 승리할 확률은 ${}_3\mathrm{C}_3\left(\frac{2}{3}\right)^3=\frac{8}{27}$

(ii) A팀이 4세트에서 승리할 확률은 ${}_3\mathrm{C}_2\left(\frac{2}{3}\right)^2\left(\frac{1}{3}\right)^1\times\frac{2}{3}=\frac{8}{27}$

(iii) A팀이 5세트에서 승리할 확률은 ${}_4\mathrm{C}_2\left(\frac{2}{3}\right)^2\left(\frac{1}{3}\right)^2\times\frac{2}{3}=\frac{16}{81}$

(i)~(iii)가 서로 배반사건이므로 A팀이 승리할 확률은

$$\frac{8}{27}+\frac{8}{27}+\frac{16}{81}=\frac{64}{81}$$

2단계 A팀이 승리했다고 할 때, A팀이 4세트 안에 승리했을 확률을 구한다. ◀ 40%

A팀이 승리했다고 할 때, A팀이 4세트 안에 승리했을 조건부 확률은

$$\frac{\frac{8}{27}+\frac{8}{27}}{\frac{64}{81}}=\frac{3}{4}$$

1009

정답 해설참조

1단계 $m=3$이고 $n=2$일 확률을 구한다. ◀ 30%

$m=3$인 사건을 A, $n=2$인 사건을 B라 하면
두 사건 A, B는 독립이므로

$$\mathrm{P}(A\cap B)=\mathrm{P}(A)\mathrm{P}(B)=\frac{1}{6}\times{}_6\mathrm{C}_2\left(\frac{1}{2}\right)^2\left(\frac{1}{2}\right)^4=\frac{5}{128}$$

2단계 $m=n$일 확률을 구한다. ◀ 70%

$m=n=k$일 확률은 $\frac{1}{6}\times{}_6\mathrm{C}_k\left(\frac{1}{2}\right)^k\left(\frac{1}{2}\right)^{6-k}$

따라서 구하는 확률은

$$\sum_{k=1}^{6}\frac{1}{6}\times{}_6\mathrm{C}_k\left(\frac{1}{2}\right)^k\left(\frac{1}{2}\right)^{6-k}=\frac{1}{6}\left\{\sum_{k=0}^{6}{}_6\mathrm{C}_k\left(\frac{1}{2}\right)^k\left(\frac{1}{2}\right)^{6-k}-{}_6\mathrm{C}_0\left(\frac{1}{2}\right)^0\left(\frac{1}{2}\right)^6\right\}$$

$$=\frac{1}{6}\left\{\left(\frac{1}{2}+\frac{1}{2}\right)^6-\frac{1}{64}\right\}=\frac{21}{128}$$

1010

정답 해설참조

1단계 게임을 중단하지 않고 계속할 때, A가 상금을 전부 가질 확률을 구한다. ◀ 50%

A가 3번, B가 1번을 이긴 상태이므로
A가 4번 이기면 상금을 전부 가져가므로 다음과 같다.

(i) 5번째 게임에서 A가 상금을 전부 가지는 경우
5번째 게임에서 이겨야 하므로 확률은 $\frac{1}{2}$

(ii) 6번째 게임에서 A가 상금을 전부 가지는 경우
5번째 게임에서는 지고, 6번째 게임에서 이겨야 하므로 확률은
$\frac{1}{2}\times\frac{1}{2}=\frac{1}{4}$

(iii) 7번째 게임에서 A가 상금을 전부 가지는 경우
5, 6번째 게임에서는 지고, 7번째 게임에서 이겨야 하므로 확률은
$\frac{1}{2}\times\frac{1}{2}\times\frac{1}{2}=\frac{1}{8}$

(i)~(iii)가 배반사건이므로 구하는 확률은 $\frac{1}{2}+\frac{1}{4}+\frac{1}{8}=\frac{7}{8}$

2단계 시합이 중단되지 않고 계속된다고 생각하면 B가 상금을 전부 가질 확률을 구한다. ◀ 20%

A가 상금을 전부 가질 확률이 $\frac{7}{8}$이므로 여사건의 확률에 의하여
B가 상금을 전부 가질 확률은 $1-\frac{7}{8}=\frac{1}{8}$

3단계 A와 B가 상금을 어떻게 분배해야 공정한지 구한다. ◀ 30%

게임을 계속 진행하였을 때, A, B가 상금을 전부 가질 확률은 각각 $\frac{7}{8}$, $\frac{1}{8}$
이므로 상금은 7 : 1로 분배하는 것이 공정하다.

1011

정답 해설참조

1단계 게임을 중단하지 않고 계속할 때, A가 상금을 모두 가질 확률을 구한다. ◀ 50%

(i) 9번째 게임에서 상금을 모두 갖는 경우
A가 8번째와 9번째 게임을 모두 이겨야 하므로 그 확률은
${}_2\mathrm{C}_2\left(\frac{1}{2}\right)^2\left(\frac{1}{2}\right)^0=\frac{1}{4}$

(ii) 10번째 게임에서 상금을 모두 갖는 경우
A가 9번째 게임까지 1승을 하고 10번째 게임에서 이기면 되므로
그 확률은 ${}_2\mathrm{C}_1\left(\frac{1}{2}\right)^1\left(\frac{1}{2}\right)^1\times\frac{1}{2}=\frac{1}{4}$

(iii) 11번째 게임에서 상금을 모두 갖는 경우
A가 10번째 게임까지 1승을 하고 11번째 게임에서 이기면 되므로
그 확률은 ${}_3\mathrm{C}_1\left(\frac{1}{2}\right)^1\left(\frac{1}{2}\right)^2\times\frac{1}{2}=\frac{3}{16}$

(i)~(iii)가 배반사건이므로 구하는 확률은 $\frac{1}{4}+\frac{1}{4}+\frac{3}{16}=\frac{11}{16}$

2단계 시합이 중단되지 않고 계속된다고 생각하면 B가 상금을 모두 가질 확률을 구한다. ◀ 20%

A가 상금을 전부 가질 확률이 $\frac{11}{16}$이므로
여사건의 확률에 의하여 B가 상금을 전부 가질 확률은 $1-\frac{11}{16}=\frac{5}{16}$

3단계 A와 B가 상금을 어떻게 분배해야 공정한지 구한다. ◀ 30%

게임을 계속 진행하였을 때, A, B가 상금을 전부 가질 확률은 각각 $\frac{11}{16}$, $\frac{5}{16}$
이므로 상금은 11 : 5로 분배하는 것이 공정하다.

STEP 3 행복한 1등급 문제

1012

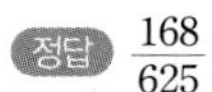
$\frac{168}{625}$

STEP Ⓐ 5차전에서 승부가 가려지는 경우를 독립시행의 확률로 구하기

5차전에서 승부가 가려지는 경우는 한 팀이 4승 1패를 하는 경우이다.

(i) A팀이 4승 1패로 우승할 확률은 A팀이 4차전까지 3승 1패를 하고

5차전에서 이길 확률은 ${}_4C_3\left(\frac{3}{5}\right)^3\left(\frac{2}{5}\right)\times\frac{3}{5}=\frac{648}{5^5}$

(ii) B팀이 4승 1패로 우승할 확률은 B팀이 4차전까지 3승 1패를 하고

5차전에서 이길 확률은 ${}_4C_3\left(\frac{2}{5}\right)^3\left(\frac{3}{5}\right)\times\frac{2}{5}=\frac{192}{5^5}$

STEP Ⓑ 배반사건을 이용하여 확률 구하기

(i), (ii)는 서로 배반사건이므로 5차전에서 승부가 가려질 확률은

$\frac{648}{5^5}+\frac{192}{5^5}=\frac{840}{5^5}=\frac{168}{625}$

1013

④

STEP Ⓐ $a-b=1$인 경우를 나누어 각각의 확률 구하기

주사위의 눈의 수가 1인 확률은 $\frac{1}{6}$, 눈의 수가 2인 확률은 $\frac{1}{6}$

이때 한 개의 주사위를 4번 던지므로 $a+b\le4$인 정수 a, b에 대하여

$a-b=1$을 만족시키는 순서쌍 (a, b)는 $(2, 1)$, $(1, 0)$의 두 가지 경우이다.

STEP Ⓑ 독립시행의 확률 구하기

(i) $a=2$, $b=1$인 경우

주사위를 4번 던져 눈의 수 1이 2번, 눈의 수 2가 1번, 그 밖의 눈의 수가 1번 나올 확률은 ${}_4C_2\left(\frac{1}{6}\right)^2\times{}_2C_1\left(\frac{1}{6}\right)\times{}_1C_1\left(\frac{4}{6}\right)=\frac{1}{27}$

$\left(\text{또는 } \frac{4!}{2!}\times\left(\frac{1}{6}\right)^2\times\left(\frac{1}{6}\right)\times\frac{4}{6}=\frac{1}{27}\right)$

(ii) $a=1$, $b=0$인 경우

주사위를 4번 던져 눈의 수 1이 1번, 눈의 수 2가 0번, 그 밖의 눈의 수가 3번 나올 확률은 ${}_4C_1\left(\frac{1}{6}\right)^1\times{}_3C_0\left(\frac{1}{6}\right)^0\times{}_3C_3\left(\frac{4}{6}\right)^3=\frac{16}{81}$

$\left(\text{또는 } \frac{4!}{3!}\times\left(\frac{1}{6}\right)\times\left(\frac{1}{6}\right)^0\times\left(\frac{4}{6}\right)^3=\frac{16}{81}\right)$

STEP Ⓒ 배반사건을 이용하여 확률 구하기

(i), (ii)는 서로 배반사건이므로 구하는 확률은 $\frac{1}{27}+\frac{16}{81}=\frac{19}{81}$

1014

①

STEP Ⓐ 7개의 수의 합이 19인 독립시행의 확률 구하기

동전 A를 세 번 던져 나온 3개의 수의 합은 3, 4, 5, 6 중 하나이고

동전 B를 네 번 던져 나온 4개의 수의 합은 12, 13, 14, 15, 16 중 하나이다.

(i) 7개의 수의 합이 19인 경우

두 동전을 각각 던졌을 때, 나온 눈의 수의 합을 각각 a, b라 하면

7개의 수의 합이 19인 경우를 순서쌍 (a, b)로 나타내면 다음과 같다.

$(3, 16)$, $(4, 15)$, $(5, 14)$, $(6, 13)$

이때의 확률은

$${}_3C_3\left(\frac{1}{2}\right)^3\times{}_4C_0\left(\frac{1}{2}\right)^4+{}_3C_2\left(\frac{1}{2}\right)^3\times{}_4C_1\left(\frac{1}{2}\right)^4$$
$$+{}_3C_1\left(\frac{1}{2}\right)^3\times{}_4C_2\left(\frac{1}{2}\right)^4+{}_3C_0\left(\frac{1}{2}\right)^3\times{}_4C_1\left(\frac{1}{2}\right)^4$$
$$=\left(\frac{1}{2}\right)^7+12\times\left(\frac{1}{2}\right)^7+18\times\left(\frac{1}{2}\right)^7+4\times\left(\frac{1}{2}\right)^7=\frac{35}{128}$$

STEP Ⓑ 7개의 수의 합이 20인 독립시행의 확률 구하기

(ii) 7개의 수의 합이 20인 경우

두 동전을 각각 던졌을 때, 나온 눈의 수의 합이 각각 a, b라 하면

7개의 수의 합이 20인 경우를 순서쌍 (a, b)로 나타내면 다음과 같다.

$(4, 16)$, $(5, 15)$, $(6, 14)$

이때의 확률은

$${}_3C_2\left(\frac{1}{2}\right)^3\times{}_4C_0\left(\frac{1}{2}\right)^4+{}_3C_1\left(\frac{1}{2}\right)^3\times{}_4C_1\left(\frac{1}{2}\right)^4+{}_3C_0\left(\frac{1}{2}\right)^3\times{}_4C_2\left(\frac{1}{2}\right)^4$$
$$=3\times\left(\frac{1}{2}\right)^7+12\times\left(\frac{1}{2}\right)^7+6\times\left(\frac{1}{2}\right)^7=\frac{21}{128}$$

STEP Ⓒ 배반사건을 이용하여 확률 구하기

(i), (ii)가 서로 배반사건이므로 구하는 확률은 $\frac{35}{128}+\frac{21}{128}=\frac{7}{16}$

1015

③

STEP Ⓐ 5번의 시행 후 B가 주사위를 갖고 있는 경우 구하기

수직선에서 A의 위치를 원점으로 놓고 시계 방향을 양의 방향,
시계 반대 방향을 음의 방향으로 생각하면 B의 위치는 다음과 같다.

B(−5), A(0), B(1), B(7)

주사위를 던져 나온 눈의 수가 3의 배수이면 $+1$만큼, 3의 배수가 아니면 -1만큼 움직인다고 하자.

(i) B가 1의 위치에 있을 때,

3의 배수가 x번, 3의 배수가 아닌 수가 y번 나온다고 하면

$x+y=5$, $x+(-1)\cdot y=1$

$\therefore x+y=5$, $x-y=1$

두 식을 연립하여 풀면 $x=3$, $y=2$이므로 확률은

${}_5C_3\left(\frac{1}{3}\right)^3\left(\frac{2}{3}\right)^2=\frac{40}{243}$

(ii) B가 -5의 위치에 있을 때,

3의 배수가 아닌 수가 5번 나와야 하므로 확률은

${}_5C_0\left(\frac{2}{3}\right)^5=\frac{32}{243}$

STEP Ⓑ 배반사건을 이용하여 확률 구하기

(i), (ii)는 서로 배반사건이므로 $\frac{40}{243}+\frac{32}{243}=\frac{72}{243}=\frac{8}{27}$

다른풀이 5번 시행 후, B가 주사위를 갖고 있는 경우

5번 시행 후 B가 주사위를 가지게 되려면 시계 반대 방향으로 5번 주사위가 이동하거나 시계 방향으로 3번, 시계 반대 방향으로 2번 주사위가 이동해야 한다.

주사위를 한 번 던져서 시계 방향으로 주사위가 이동할 확률은 $\frac{2}{6}=\frac{1}{3}$

(i) 시계 반대 방향으로 5번 이동할 확률은

${}_5C_5\left(\frac{2}{3}\right)^5\left(\frac{1}{3}\right)^0=\frac{32}{243}$

(ii) 시계 방향으로 3번, 시계 반대 방향으로 2번 이동할 확률은

${}_5C_3\left(\frac{1}{3}\right)^3\left(\frac{2}{3}\right)^2=\frac{40}{243}$

(i), (ii)에서 구하는 확률은 $\frac{32}{243}+\frac{40}{243}=\frac{72}{243}=\frac{8}{27}$

1016

 ①

STEP A 여사건의 독립시행의 확률을 이용하여 각각의 확률 구하기

동전의 앞면이 나오는 경우를 H, 뒷면이 나오는 경우를 T라 하자.

(i) 앞면이 3번 나오는 경우 ← 뒷면은 4번

HHHTTTT를 일렬로 나열하는 경우의 수는 $\frac{7!}{3!4!}={}_7C_3=35$

이때 H가 이웃하지 않는 경우는 각각의 T 사이의 5자리 중에서 3자리를 골라 나열하는 경우의 수는 ${}_5C_3=10$

앞면 사이에 뒷면이 들어가는 개수를 a, b, c, d라 하면

$\vee^{a}\ H\ \vee^{b}\ H\ \vee^{c}\ H\ \vee^{d}$

$a+b+c+d=4$ (단, $a\geq 0$, $b\geq 1$, $c\geq 1$, $d\geq 0$)인 정수해의 개수와 같다.

즉 $a+b'+c'+d=2$ (단, $a\geq 0$, $b'\geq 0$, $c'\geq 0$, $d\geq 0$)의 음이 아닌 정수해의 개수는 ${}_4H_2={}_5C_2=10$

즉 조건 (나)를 만족시킬 확률은 $(35-10)\times\left(\frac{1}{2}\right)^7=25\times\left(\frac{1}{2}\right)^7$

(ii) 앞면이 4번 나오는 경우 ← 뒷면은 3번

HHHHTTT를 일렬로 나열하는 경우의 수는 $\frac{7!}{4!3!}={}_7C_4=35$

H가 이웃하지 않는 경우의 수는 1

앞면 사이에 뒷면이 들어가는 경우는 1가지

$H \vee H \vee H \vee H$

즉 조건 (나)를 만족시킬 확률은 $(35-1)\times\left(\frac{1}{2}\right)^7=34\times\left(\frac{1}{2}\right)^7$

(iii) 앞면이 5번 나오는 경우 ← 뒷면은 2번

조건 (나)를 항상 만족시키므로 이 경우의 확률은

${}_7C_5\left(\frac{1}{2}\right)^7=21\left(\frac{1}{2}\right)^7$

(iv) 앞면이 6번 나오는 경우 ← 뒷면은 1번

조건 (나)를 항상 만족시키므로 이 경우의 확률은

${}_7C_6\left(\frac{1}{2}\right)^7=7\left(\frac{1}{2}\right)^7$

(v) 앞면이 7번 나오는 경우 ← 뒷면은 0번

조건 (나)를 항상 만족시키므로 이 경우의 확률은

${}_7C_7\left(\frac{1}{2}\right)^7=\left(\frac{1}{2}\right)^7$

STEP B 구하는 확률 구하기

(i)~(v)에서 구하는 확률은 $(25+34+21+7+1)\times\left(\frac{1}{2}\right)^7=\frac{88}{128}=\frac{11}{16}$

다른풀이 조합을 이용하여 풀이하기

(i) 앞면이 3개인 경우

앞면이 이웃하지 않는 경우는 뒷면 4개를 배치하고 뒷면 사이 5개 중 3개를 선택하여 앞면을 배치하면 되므로 ${}_5C_3={}_5C_2=10$가지

$\frac{{}_7C_3-{}_5C_3}{2^7}=\frac{25}{128}$

(ii) 앞면이 4개인 경우

앞면이 이웃하지 않는 경우는 뒷면 4개를 배치하고 뒷면 사이 4개 중 4개를 선택하여 앞면을 배치하면 되므로 ${}_4C_4=1$가지

$\frac{{}_7C_4-{}_4C_4}{2^7}=\frac{34}{128}$

(iii) 앞면이 5, 6, 7개인 경우는 반드시 연속하는 경우가 존재하므로

$\frac{{}_7C_5+{}_7C_6+{}_7C_7}{2^7}=\frac{29}{128}$

따라서 구하고자 하는 확률은 $\frac{88}{128}=\frac{11}{16}$

다른풀이 여사건을 이용하여 풀이하기

STEP A 모든 경우의 수 구하기

전체 경우의 수는 $2^7=128$

STEP B 여사건의 경우의 수를 구하여 확률 구하기

조건 (가), (나)의 여사건은 앞면이 3번 미만 나오거나, 3번 이상인 경우에는 연속해서 나오지 않는 경우를 구하면 된다.

(i) 앞면이 0, 1, 2개인 경우의 수는 ${}_7C_0+{}_7C_1+{}_7C_2=29$

(ii) 앞면이 3개이고 이웃하지 않는 경우

뒷면 4개를 배치하고 뒷면 사이 5개 중 3개를 선택하여 앞면을 배치하는 경우의 수는 ${}_5C_3={}_5C_2=10$

(iii) 앞면이 4개이고 이웃하지 않는 경우

뒷면 3개를 배치하고 뒷면 사이 4개 중 4개를 선택하여 배치하는 경우의 수는 ${}_4C_4=1$

(i)~(iii)에서 여사건의 경우의 수는 $29+10+1=40$

따라서 구하는 확률은 $1-\frac{40}{128}=\frac{11}{16}$

통계

01 확률변수와 확률분포

STEP 1 내신정복 기출유형

1017

 ①

STEP A 이산확률변수인지 연속확률변수인지 구분하기

① 어느 지역에 일 년 동안 내리는 강수량은 최저강수량부터 최고강수량까지의 범위에 속하는 모든 실수 값을 가지므로 연속확률변수이다.
② 어느 날 동물원의 입장객 수는 0 이상의 정수 값을 가지므로 이산확률변수이다.
③ 10개의 동전을 던질 때, 앞면이 나온 동전의 개수는 $0, 1, 2, \cdots, 10$의 값을 가지므로 이산확률변수이다.
④ 어느 축구 선수가 승부차기에서 슛을 성공한 횟수는 0 이상의 정수 값을 가지므로 이산확률변수이다.
⑤ 어떤 학급 학생 30명의 신발 치수는 자연수 값을 가지므로 이산확률변수이다.

따라서 이산확률변수가 아닌 것은 ①이다.

1018

 ④

STEP A 이산확률변수인지 연속확률변수인지 구분하기

① 어느 공장에서 생산된 전구의 수명은 모든 실수 값을 가지므로 연속확률변수이다.
② 어떤 호수에서 임의로 선택한 지점의 깊이는 모든 실수 값을 가지므로 연속확률변수이다.
③ 지난 한달 동안의 대전 기온은 모든 실수 값을 가지므로 연속확률변수이다.
④ 어느 해의 태풍 발생 횟수는 0 이상의 정수 값을 가지므로 이산확률변수이다.
⑤ 서울발 부산행 비행기의 비행시간은 모든 실수 값을 가지므로 연속확률변수이다.

따라서 연속확률변수가 아닌 것은 ④이다.

1019

 ③

STEP A 연속확률변수인 것 구하기

ㄱ. 독도에서의 일 년 동안의 적설량은 최저적설량부터 최고적설량까지의 범위에 속하는 모든 실수 값을 가지므로 연속확률변수이다.
ㄴ. 어느 가게에서 계산하기 위해 기다리는 시간은 모든 실수 값을 가지므로 연속확률변수이다.
ㄷ. 1부터 100까지의 자연수가 하나씩 적힌 100장의 카드 중에서 임의로 택한 한 장의 카드에 적힌 수는 이산확률변수이다.

따라서 연속확률변수인 것은 ㄱ, ㄴ이다.

1020

 ⑤

STEP A 확률의 합이 1임을 이용하여 k값 구하기

확률변수 X의 확률분포를 표로 나타내면 다음과 같다.

X	1	2	3	4	합계
$\mathrm{P}(X=x)$	k	$4k$	$9k$	$16k$	1

확률의 총합은 1이므로
$k+4k+9k+16k=1$이므로 $k=\frac{1}{30}$

STEP B $\mathrm{P}(X\ge 3)=\mathrm{P}(X=3)+\mathrm{P}(X=4)$임을 이용하여 구하기

따라서 $\mathrm{P}(X\ge 3)=\mathrm{P}(X=3)+\mathrm{P}(X=4)=\frac{9}{30}+\frac{16}{30}=\frac{5}{6}$

내신연계 출제문항 434

이산확률변수 X의 확률분포가
$$\mathrm{P}(X=x)=k(x-1)\,(x=1,\,2,\,3,\,4)$$
일 때, 확률 $\mathrm{P}(X\ge 3)$의 값은? (단, k는 상수)

① $\frac{1}{6}$ ② $\frac{1}{5}$ ③ $\frac{1}{4}$
④ $\frac{4}{5}$ ⑤ $\frac{5}{6}$

STEP A 확률의 합이 1임을 이용하여 k값 구하기

확률변수 X의 확률분포를 표로 나타내면 다음과 같다.

X	1	2	3	4	합계
$\mathrm{P}(X=x)$	0	k	$2k$	$3k$	1

확률의 총합은 1이므로
$k+2k+3k=1$이므로 $k=\frac{1}{6}$

STEP B $\mathrm{P}(X\ge 3)=\mathrm{P}(X=3)+\mathrm{P}(X=4)$임을 이용하여 구하기

따라서 $\mathrm{P}(X\ge 3)=\mathrm{P}(X=3)+\mathrm{P}(X=4)=\frac{2}{6}+\frac{3}{6}=\frac{5}{6}$  ⑤

1021

 ③

STEP A 모든 확률의 합이 1임을 이용하여 k값 구하기

확률변수 X의 확률분포를 표로 나타내면 다음과 같다.

X	1	2	3	4	5	6	합계
$\mathrm{P}(X=x)$	$k+\frac{1}{10}$	$k+\frac{2}{10}$	$k+\frac{3}{10}$	k	k	k	1

확률의 합이 1이므로
$6k+\frac{6}{10}=1 \quad \therefore k=\frac{1}{15}$

STEP B $\mathrm{P}(|X-5|\le 1)=\mathrm{P}(4\le X\le 6)$임을 이용하여 구하기

$|X-5|\le 1$에서 $4\le X\le 6$
따라서 $\mathrm{P}(|X-5|\le 1)=\mathrm{P}(X=4)+\mathrm{P}(X=5)+\mathrm{P}(X=6)=3k=\frac{1}{5}$

1022

 ③

STEP A 확률의 합이 1임을 이용하여 a 구하기

확률의 총합은 1이므로
$\mathrm{P}(X=1)+\mathrm{P}(X=2)+\cdots+\mathrm{P}(X=10)=1$
$$\sum_{x=1}^{10}\mathrm{P}(X=x)=\sum_{x=1}^{10}\frac{2a}{x(x+1)}=2a\sum_{x=1}^{10}\left(\frac{1}{x}-\frac{1}{x+1}\right)$$
$$=2a\left\{\left(1-\frac{1}{2}\right)+\left(\frac{1}{2}-\frac{1}{3}\right)+\cdots+\left(\frac{1}{10}-\frac{1}{11}\right)\right\}$$
$$=2a\left(1-\frac{1}{11}\right)=1$$
즉 $\frac{20}{11}a=1$이므로 $a=\frac{11}{20}$

STEP B $\mathrm{P}(X=1)$의 값 구하기

따라서 $\mathrm{P}(X=1)=\frac{2a}{1\times 2}=a=\frac{11}{20}$

내신연계 출제문항 435

확률변수 X의 확률질량함수가

$$P(X=x)=\frac{a}{x(x+1)}\ (x=1,\ 2,\ 3,\ \cdots,\ 20)$$

일 때, $P(X=1)$의 값은 (단, a는 상수)

① $\frac{21}{40}$ ② $\frac{11}{20}$ ③ $\frac{21}{20}$

④ $\frac{10}{11}$ ⑤ $\frac{1}{2}$

STEP Ⓐ 확률의 합이 1임을 이용하여 a 구하기

확률의 총합은 1이므로

$P(X=1)+P(X=2)+\cdots+P(X=20)=1$

$$\sum_{x=1}^{20}P(X=x)=\sum_{x=1}^{20}\frac{a}{x(x+1)}=a\sum_{x=1}^{20}\left(\frac{1}{x}-\frac{1}{x+1}\right)$$

$$=a\left\{\left(1-\frac{1}{2}\right)+\left(\frac{1}{2}-\frac{1}{3}\right)+\cdots+\left(\frac{1}{20}-\frac{1}{21}\right)\right\}$$

$$=a\left(1-\frac{1}{21}\right)=1$$

즉 $\frac{20}{21}a=1$이므로 $a=\frac{21}{20}$

STEP Ⓑ $P(X=1)$의 값 구하기

따라서 $P(X=1)=\frac{a}{1\times2}=\frac{a}{2}=\frac{21}{40}$

 ①

1023

 ②

STEP Ⓐ 확률의 합이 1임을 이용하여 a 구하기

확률의 총합은 1이므로

$$\sum_{x=1}^{5}P(X=x)=\sum_{x=1}^{5}\frac{a}{x(x+2)}=\frac{a}{2}\sum_{x=1}^{5}\left(\frac{1}{x}-\frac{1}{x+2}\right)$$

$$=\frac{a}{2}\left\{\left(1-\frac{1}{3}\right)+\left(\frac{1}{2}-\frac{1}{4}\right)+\left(\frac{1}{3}-\frac{1}{5}\right)+\left(\frac{1}{4}-\frac{1}{6}\right)+\left(\frac{1}{5}-\frac{1}{7}\right)\right\}$$

$$=\frac{a}{2}\left(1+\frac{1}{2}-\frac{1}{6}-\frac{1}{7}\right)=\frac{25}{42}a$$

즉 $\frac{25}{42}a=1$이므로 $a=\frac{42}{25}$

STEP Ⓑ $P(X=1)$의 값 구하기

따라서 $P(X=1)=\frac{a}{1\times3}=\frac{a}{3}=\frac{14}{25}$

1024

 ③

STEP Ⓐ 확률의 합이 1임을 이용하여 a 구하기

확률의 총합은 1이므로

$$\sum_{x=1}^{15}P(X=x)=\sum_{x=1}^{15}\frac{a}{\sqrt{x}+\sqrt{x+1}}=\sum_{x=1}^{15}a(\sqrt{x+1}-\sqrt{x})$$

$$=a\{(\sqrt{2}-1)+(\sqrt{3}-\sqrt{2})+\cdots+(\sqrt{16}-\sqrt{15})\}$$

$$=a(\sqrt{16}-1)=3a$$

즉 $3a=1$이므로 $a=\frac{1}{3}$

STEP Ⓑ $P(X=8)$의 값 구하기

$P(X=8)=a(\sqrt{9}-\sqrt{8})=\frac{1}{3}(3-2\sqrt{2})=1-\frac{2}{3}\sqrt{2}$

따라서 $p=2$, $q=3$이므로 $p+q=5$

1025

 ⑤

STEP Ⓐ $P(3\le X\le5)=\frac{5}{8}$을 이용하여 $P(X=6)$의 값 구하기

$\sum_{x=3}^{6}P(X=x)=1$이므로

$P(3\le X\le5)=P(X=3)+P(X=4)+P(X=5)=\frac{5}{8}$에서

$P(X=6)=1-\frac{5}{8}=\frac{3}{8}$

STEP Ⓑ $P(4\le X\le6)=\frac{1}{2}$을 이용하여 $P(X=3)$의 값 구하기

$P(4\le X\le6)=P(X=4)+P(X=5)+P(X=6)=\frac{1}{2}$에서

$P(X=3)=1-\frac{1}{2}=\frac{1}{2}$

따라서 $P(X=3)+P(X=6)=\frac{1}{2}+\frac{3}{8}=\frac{7}{8}$

내신연계 출제문항 436

이산확률변수 X가 갖는 값이 1, 2, 3, 4, 5, 6이고

$$P(X=1)=\frac{3}{10},\ P(X\ge3)=2P(X=1)$$

이 성립할 때, $P(X=2)$의 값은?

① $\frac{1}{10}$ ② $\frac{1}{5}$ ③ $\frac{2}{5}$

④ $\frac{3}{5}$ ⑤ $\frac{7}{10}$

STEP Ⓐ 확률의 합이 1임을 이용하여 $P(X=2)$의 값 구하기

확률변수 X의 확률분포를 표로 나타내면 다음과 같다.

X	1	2	3	4	5	6	합계
$P(X=x)$	$\frac{3}{10}$			$\frac{3}{5}$			1

$P(X\ge3)=2P(X=1)=2\times\frac{3}{10}=\frac{3}{5}$

모든 확률의 합은 1이므로 $P(X=1)+P(X=2)+P(X\ge3)=1$

$P(X=2)=1-\{P(X=1)+P(X\ge3)\}=1-\left(\frac{3}{10}+\frac{3}{5}\right)=\frac{1}{10}$

 ①

1026

 ⑤

STEP Ⓐ 모든 확률의 합이 1임을 이용하여 p_3 값 구하기

이산확률변수 X의 확률분포를 표로 나타내면 다음과 같다.

X	1	2	3	4	5	합계
$P(X=x)$	p_1	p_2	p_3	p_4	p_5	1

공차를 d라고 하면

$$p_1+p_2+p_3+p_4+p_5=(p_3-2d)+(p_3-d)+p_3+(p_3+d)+(p_3+2d)$$

$$=5p_3=1$$

$\therefore\ p_3=\frac{1}{5}$

STEP Ⓑ 등차수열의 성질을 이용하여 $P(X^2-6X+8\le0)$ 구하기

$X^2-6X+8\le0$, $(X-2)(X-4)\le0$에서 $2\le X\le4$

따라서 구하는 확률은 $P(X^2-6X+8\le0)=P(2\le X\le4)$

$$=P(X=2)+P(X=3)+P(X=4)$$

$$=p_2+p_3+p_4=3p_3=\frac{3}{5}$$

⬅ 이때 p_2, p_3, p_4의 등차중항은 $2p_3=p_2+p_4$

1027

정답 ②

STEP Ⓐ 확률의 합이 1임을 이용하여 p 구하기

확률변수 X가 갖는 값에 대한 확률의 합은 1이므로

$p+2p+3p=1$에서 $p=\frac{1}{6}$

STEP Ⓑ $P(1\le X\le 3)$임을 이용하여 구하기

따라서 $P(1\le X\le 3)=P(X=1)+P(X=3)=p+2p=3p=3\times\frac{1}{6}=\frac{1}{2}$

1028

정답 ④

STEP Ⓐ 확률의 합이 1임을 이용하여 a 구하기

확률변수 X가 갖는 값에 대한 확률의 합은 1이므로

$\frac{1}{3}+a+\frac{1}{6}+2a=1$에서 $a=\frac{1}{6}$

STEP Ⓑ $P(X\le 3)=1-P(X=4)$임을 이용하여 구하기

따라서 $P(X\le 3)=1-P(X=4)=1-2a=1-\frac{1}{3}=\frac{2}{3}$

내/신/연/계/ 출제문항 437

이산확률변수 X의 확률분포를 표로 나타내면 다음과 같다.

X	1	2	3	합계
$P(X=x)$	a	$a+\frac{1}{4}$	$a+\frac{1}{2}$	1

$P(X\le 2)$의 값은?

① $\frac{1}{4}$ ② $\frac{7}{24}$ ③ $\frac{1}{3}$
④ $\frac{3}{8}$ ⑤ $\frac{5}{12}$

STEP Ⓐ 확률의 합이 1임을 이용하여 a 구하기

확률의 총합이 1이므로

$a+\left(a+\frac{1}{4}\right)+\left(a+\frac{1}{2}\right)=1$에서 $3a+\frac{3}{4}=1$ $\therefore a=\frac{1}{12}$

STEP Ⓑ $P(X\le 2)=1-P(X=3)$임을 이용하여 구하기

따라서 $P(X\le 2)=1-P(X=3)=1-\left(\frac{1}{12}+\frac{1}{2}\right)=\frac{5}{12}$

정답 ⑤

1029

정답 ①

STEP Ⓐ 확률의 합이 1임을 이용하여 a, b의 관계식 구하기

$a+b+\frac{3}{4}=1$이므로 $a+b=\frac{1}{4}$ …… ㉠

STEP Ⓑ $P(1\le X\le 2)=\frac{5}{6}$임을 이용하여 구하기

$X^2-3X+2\le 0$, $(X-1)(X-2)\le 0$에서 $1\le X\le 2$이므로

$P(X^2-3X+2\le 0)=P(1\le X\le 2)=P(X=1)+P(X=2)=\frac{5}{6}$

$\therefore b+\frac{3}{4}=\frac{5}{6}$ …… ㉡

㉠, ㉡을 연립하여 풀면 $a=\frac{1}{6}$, $b=\frac{1}{12}$

따라서 $a-b=\frac{1}{6}-\frac{1}{12}=\frac{1}{12}$

1030

정답 ④

STEP Ⓐ 주어진 조건을 이용하여 a, b의 관계식 구하기

$P(X=4)=\frac{3}{2}P(X=2)$에서 $b=\frac{3}{2}\times 2a$

$\therefore b=3a$ …… ㉠

STEP Ⓑ 확률의 합이 1임을 이용하여 a, b 구하기

확률이 총합은 1이므로 $2a+3a+b=1$

$\therefore 5a+b=1$ …… ㉡

㉠, ㉡을 연립하면 $a=\frac{1}{8}$, $b=\frac{3}{8}$

STEP Ⓒ $P(3\le X\le 4)$의 값 구하기

확률변수 X의 확률분포를 표로 나타내면 다음과 같다.

X	2	3	4	합계
$P(X=x)$	$\frac{1}{4}$	$\frac{3}{8}$	$\frac{3}{8}$	1

따라서 $P(3\le X\le 4)=P(X=3)+P(X=4)=\frac{3}{8}+\frac{3}{8}=\frac{3}{4}$

내/신/연/계/ 출제문항 438

이산확률변수 X의 확률분포를 표로 나타내면 다음과 같다.

X	1	2	3	4	합계
$P(X=x)$	$2a$	$3a$	b	$4b$	1

$P(|X-1|\le 1)=5P(X=3)$일 때, $P(2\le X\le 3)$의 값은?
(단, a, b는 상수이다.)

① $\frac{1}{10}$ ② $\frac{1}{5}$ ③ $\frac{3}{10}$
④ $\frac{2}{5}$ ⑤ $\frac{1}{2}$

STEP Ⓐ 주어진 조건을 이용하여 a, b의 관계식 구하기

$|X-1|\le 1$에서 $X=1$ 또는 $X=2$이므로

$P(|X-1|\le 1)=P(X=1)+P(X=2)$

$P(|X-1|\le 1)=5P(X=3)$에서 $P(X=1)+P(X=2)=5P(X=3)$

즉 $2a+3a=5b$이므로 $a=b$ …… ㉠

STEP Ⓑ 확률의 합이 1임을 이용하여 a, b 구하기

확률이 총합은 1이므로

$2a+3a+b+4b=1$이 $a+b=\frac{1}{5}$ …… ㉡

㉠, ㉡을 연립하여 풀면 $a=\frac{1}{10}$, $b=\frac{1}{10}$

STEP Ⓒ $P(2\le X\le 3)$의 값 구하기

따라서 $P(2\le X\le 3)=P(X=2)+P(X=3)=3a+b=\frac{3}{10}+\frac{1}{10}=\frac{2}{5}$

정답 ④

Ⅲ 통계

1031

정답 ①

STEP Ⓐ **확률이 합이 1임을 이용하여 p_3의 값 구하기**

$P(X=2)+P(X=4)+P(X=6)+P(X=8)=p_2+p_4+p_1+p_3=1$
이므로

$P(2\leq X\leq 6)=P(X=2)+P(X=4)+P(X=6)=p_2+p_4+p_1=\frac{7}{10}$에서

$P(X=8)=p_3=1-\frac{7}{10}=\frac{3}{10}$

STEP Ⓑ **$P(X=6)$의 값 구하기**

$P(6\leq X\leq 8)=P(X=6)+P(X=8)=p_1+p_3=\frac{2}{5}$

따라서 $P(X=6)=p_1=\frac{2}{5}-p_3=\frac{2}{5}-\frac{3}{10}=\frac{1}{10}$

1032

정답 ④

STEP Ⓐ **확률변수 X가 가질 수 있는 확률 구하여 a, b, c의 값 구하기**

확률변수 X가 갖는 값은 0, 1, 2이므로 $a=2$

$b=P(X=0)=\frac{{}_4C_2}{{}_6C_2}=\frac{2}{5}$

$c=P(X=1)=\frac{{}_2C_1\times{}_4C_1}{{}_6C_2}=\frac{8}{15}$

STEP Ⓑ **$a+b-c$의 값 구하기**

따라서 $a+b-c=2+\frac{2}{5}-\frac{8}{15}=\frac{28}{15}$

1033

정답 ④

STEP Ⓐ **확률변수 X가 취할 수 있는 모든 값의 확률 구하기**

확률변수 X는 꺼낸 흰 공의 개수이므로 X의 값은 0, 1, 2이다.
X의 값에 따른 확률은 각각 다음과 같다.

$P(X=0)=\frac{{}_2C_0\times{}_3C_2}{{}_5C_2}=\frac{3}{10}$, $P(X=1)=\frac{{}_2C_1\times{}_3C_1}{{}_5C_2}=\frac{6}{10}=\frac{3}{5}$

$P(X=2)=\frac{{}_2C_2\times{}_3C_0}{{}_5C_2}=\frac{1}{10}$

확률변수 X의 확률분포를 표로 나타내면 다음과 같다.

X	0	1	2	합계
$P(X=x)$	$\frac{3}{10}$	$\frac{3}{5}$	$\frac{1}{10}$	1

STEP Ⓑ **$P(X\geq 1)$의 값 구하기**

따라서 $P(X\geq 1)=P(X=1)+P(X=2)=\frac{3}{5}+\frac{1}{10}=\frac{7}{10}$

다른풀이 $P(X\geq 1)=1-P(X=0)$임을 이용하여 구하기

흰 공이 1개 이상 나올 확률은 전체 확률에서 흰 공이 하나도 나오지 않을 확률을 제외한 것이므로 $P(X\geq 1)=1-P(X=0)=1-\frac{3}{10}=\frac{7}{10}$

내/신/연/계/ 출제문항 439

흰 공 4개와 검은 공 6개가 들어있는 주머니에서 임의로 3개의 공을 꺼낼 때, 꺼낸 검은 공의 개수를 확률변수 X라 하자. 이때 $P(X\leq 2)$의 값은?

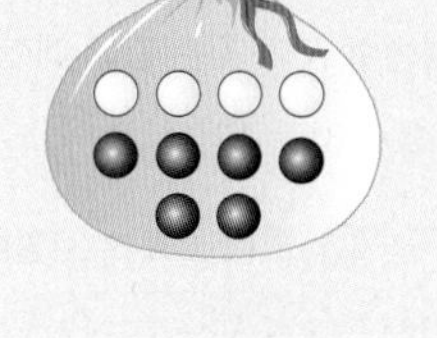

① $\frac{1}{6}$ ② $\frac{1}{3}$
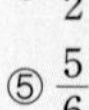
③ $\frac{1}{2}$ ④ $\frac{2}{3}$
⑤ $\frac{5}{6}$

STEP Ⓐ **확률변수 X가 취할 수 있는 모든 값의 확률 구하기**

확률변수 X는 꺼낸 검은 공의 개수이므로 X의 값은 0, 1, 2, 3이다.
X의 값에 따른 확률은 각각 다음과 같다.

$P(X=0)=\frac{{}_6C_0\times{}_4C_3}{{}_{10}C_3}=\frac{1}{30}$, $P(X=1)=\frac{{}_6C_1\times{}_4C_2}{{}_{10}C_3}=\frac{9}{30}$

$P(X=2)=\frac{{}_6C_2\times{}_4C_1}{{}_{10}C_3}=\frac{15}{30}$, $P(X=3)=\frac{{}_6C_3\times{}_4C_0}{{}_{10}C_3}=\frac{5}{30}$

확률변수 X의 확률분포를 표로 나타내면 다음과 같다.

X	0	1	2	3	합계
$P(X=x)$	$\frac{1}{30}$	$\frac{9}{30}$	$\frac{15}{30}$	$\frac{5}{30}$	1

STEP Ⓑ **$P(X\leq 2)=1-P(X=3)$임을 이용하여 구하기**

따라서 $P(X\leq 2)=1-P(X=3)=1-\frac{5}{30}=\frac{5}{6}$

정답 ⑤

1034

정답 ④

STEP Ⓐ **확률변수 X가 가질 수 있는 모든 값의 확률 구하기**

$X=-2$인 경우의 수는 1개 ⬅(−1, 2)
$X=-1$인 경우의 수는 1개 ⬅(−1, 1)
$X=0$인 경우의 수는 3개 ⬅(−1, 0), (0, 1), (0, 2)
$X=2$인 경우의 수는 1개 ⬅(1, 2)
이므로

$P(X=-2)=\frac{1}{{}_4C_2}=\frac{1}{6}$, $P(X=-1)=\frac{1}{{}_4C_2}=\frac{1}{6}$

$P(X=0)=\frac{3}{{}_4C_2}=\frac{1}{2}$, $P(X=2)=\frac{1}{{}_4C_2}=\frac{1}{6}$

확률변수 X의 확률분포를 표로 나타내면 다음과 같다.

X	−2	−1	0	2	합계
$P(X=x)$	$\frac{1}{6}$	$\frac{1}{6}$	$\frac{1}{2}$	$\frac{1}{6}$	1

STEP Ⓑ **$P(X\geq 0)$의 값 구하기**

따라서 $P(X\geq 0)=P(X=0)+P(X=2)=\frac{1}{2}+\frac{1}{6}=\frac{2}{3}$

1035

정답 ⑤

STEP Ⓐ **확률변수 X가 가질 수 있는 모든 값의 확률 구하기**

확률변수 X가 가지는 값은 1, 2, 3, 4이므로 각각의 확률을 구하면

$P(X=1)=\dfrac{{}_5C_2}{{}_6C_3}=\dfrac{1}{2}$, $P(X=2)=\dfrac{{}_4C_2}{{}_6C_3}=\dfrac{3}{10}$

$P(X=3)=\dfrac{{}_3C_2}{{}_6C_3}=\dfrac{3}{20}$, $P(X=4)=\dfrac{{}_2C_2}{{}_6C_3}=\dfrac{1}{20}$

확률변수 X의 확률분포를 표로 나타내면 다음과 같다.

X	1	2	3	4	합계
$P(X=x)$	$\frac{1}{2}$	$\frac{3}{10}$	$\frac{3}{20}$	$\frac{1}{20}$	1

STEP Ⓑ $P(X\le 2)=P(X=1)+P(X=2)$**임을 이용하여 구하기**

따라서 구하는 확률은 $P(X\le 2)=P(X=1)+P(X=2)=\dfrac{1}{2}+\dfrac{3}{10}=\dfrac{4}{5}$

내/신/연/계/ 출제문항 440

서로 다른 2개의 주사위를 동시에 던질 때, 나온 두 눈의 수 중에서 작지 않은 수를 확률변수 X라 하자. 확률 $P(X\ge 5)$의 값은?

① $\dfrac{5}{36}$ ② $\dfrac{7}{36}$ ③ $\dfrac{11}{36}$
④ $\dfrac{1}{3}$ ⑤ $\dfrac{5}{9}$

STEP Ⓐ **확률변수 X가 가질 수 있는 모든 값의 확률 구하기**

$X=1$인 경우의 수는 1개 ⬅(1, 1)
$X=2$인 경우의 수는 3개 ⬅(1, 2), (2, 1), (2, 2)
$X=3$인 경우의 수는 5개 ⬅(1, 3), (2, 3), (3, 3), (3, 2), (3, 1)
$X=4$인 경우의 수는 7개 ⬅(1, 4), (2, 4), (3, 4), (4, 4), (4, 3), (4, 2), (4, 1)
$X=5$인 경우의 수는 9개 ⬅(1, 5), (2, 5), (3, 5), (4, 5), (5, 5), (5, 4), (5, 3), (5, 2), (5, 1)
$X=6$인 경우의 수는 11개 ⬅(1, 6), (2, 6), (3, 6), (4, 6), (5, 6), (6, 6), (6, 5), (6, 4), (6, 3), (6, 2), (6, 1)

확률변수 X의 확률분포를 표로 나타내면 다음과 같다.

X	1	2	3	4	5	6	합계
$P(X=x)$	$\frac{1}{36}$	$\frac{1}{12}$	$\frac{5}{36}$	$\frac{7}{36}$	$\frac{1}{4}$	$\frac{11}{36}$	1

STEP Ⓑ $P(X\ge 5)$**의 값 구하기**

따라서 구하는 확률은

$P(X\ge 5)=P(X=5)+P(X=6)=\dfrac{1}{4}+\dfrac{11}{36}=\dfrac{5}{9}$

1036

정답 ④

STEP Ⓐ $|X-5|\ge 3$**을 만족하는 자연수 X의 값 구하기**

확률변수 X가 갖는 값은 2, 3, 4, 5, 6, 7, 8, 9이다.
이때 $|X-5|\ge 3$에서 $X-5\le -3$ 또는 $X-5\ge 3$
즉 $X\le 2$ 또는 $X\ge 8$이므로
$P(|X-5|\ge 3)=P(X=2)+P(X=8)+P(X=9)$
9개의 공 중에서 2개의 공을 동시에 꺼내는 경우의 수는 ${}_9C_2=36$

STEP Ⓑ $P(X=2)$, $P(X=8)$, $P(X=9)$**의 값 구하기**

(i) $X=2$인 경우

1, 2가 적혀 있는 공을 꺼내는 1가지 경우이므로 $P(X=2)=\dfrac{{}_1C_1}{{}_9C_2}=\dfrac{1}{36}$

(ii) $X=8$인 경우

하나의 공은 8이 적혀 있는 공을 꺼내고 나머지 공은 1부터 7까지의 자연수가 하나씩 적혀 있는 7개의 공 중에서 하나를 꺼내는 7가지 경우이므로 $P(X=8)=\dfrac{{}_7C_1}{{}_9C_2}=\dfrac{7}{36}$

(iii) $X=9$인 경우

하나의 공은 9가 적혀 있는 공을 꺼내고 나머지 공은 1부터 8까지의 자연수가 하나씩 적혀 있는 8개의 공 중에서 하나를 꺼내는 8가지 경우이므로 $P(X=9)=\dfrac{{}_8C_1}{{}_9C_2}=\dfrac{8}{36}$

STEP Ⓒ $P(|X-5|\ge 3)$**의 값 구하기**

(i)~(iii)에서 구하는 값은

$P(|X-5|\ge 3)=P(X=2)+P(X=8)+P(X=9)=\dfrac{1}{36}+\dfrac{7}{36}+\dfrac{8}{36}=\dfrac{4}{9}$

1037

STEP Ⓐ **확률의 합이 1임을 이용하여 a값 구하기**

확률의 총합이 1이므로

$a+2a+4a=1$이므로 $a=\dfrac{1}{7}$

STEP Ⓑ $E(X)=62$**임을 이용하여 k값 구하기**

$E(X)=62$이므로 $k\times\dfrac{1}{7}+3k\times\dfrac{2}{7}+6k\times\dfrac{4}{7}=62$

$\dfrac{31}{7}k=62 \quad \therefore k=14$

따라서 $ak=\dfrac{1}{7}\times 14=2$

내/신/연/계/ 출제문항 441

이산확률변수 X의 확률분포를 표로 나타내면 다음과 같다.

X	a	$2a$	$4a$	합계
$P(X=x)$	$\frac{1}{3}$	k	$\frac{1}{6}$	1

$E(X)=8$일 때, 두 상수 a, k에 대하여 ak의 값은?

① $\dfrac{1}{2}$ ② 1 ③ $\dfrac{3}{2}$
④ 2 ⑤ $\dfrac{5}{2}$

STEP Ⓐ **확률의 합이 1임을 이용하여 k값 구하기**

확률의 총합이 1이므로

$\dfrac{1}{3}+k+\dfrac{1}{6}=1$에서 $k=\dfrac{1}{2}$

STEP Ⓑ $E(X)=8$**임을 이용하여 a값 구하기**

$E(X)=a\times\dfrac{1}{3}+2a\times\dfrac{1}{2}+4a\times\dfrac{1}{6}=8$에서

$\dfrac{1}{3}a+a+\dfrac{2}{3}a=8$, $2a=8$이므로 $a=4$

따라서 $ak=4\times\dfrac{1}{2}=2$

1038

 ④

STEP A 확률의 합이 1임을 이용하여 a, b의 관계식 구하기

확률의 총합은 1이므로

$a+\frac{1}{4}+b=1$에서 $a+b=\frac{3}{4}$ …… ㉠

STEP B $\mathrm{E}(X)=5$임을 이용하여 a, b의 관계식 구하기

$\mathrm{E}(X)=5$이므로 $\mathrm{E}(X)=1\times a+3\times\frac{1}{4}+7\times b=5$에서

$a+7b=\frac{17}{4}$ …… ㉡

STEP C $\frac{b}{a}$의 값 구하기

㉠, ㉡을 연립하여 풀면 $a=\frac{1}{6}$, $b=\frac{7}{12}$

따라서 $\frac{b}{a}=\frac{7}{2}$

내신연계 출제문항 442

이산확률변수 X의 확률분포를 표로 나타내면 다음과 같다.

X	2	4	8	합계
$\mathrm{P}(X=x)$	a	$\frac{1}{4}$	b	1

$\mathrm{E}(X)=4$일 때, $a-b$의 값은? (단, a, b는 상수이다.)

① $\frac{1}{6}$ ② $\frac{1}{4}$ ③ $\frac{1}{3}$
④ $\frac{1}{2}$ ⑤ $\frac{3}{4}$

STEP A 확률의 합이 1임을 이용하여 a, b의 관계식 구하기

확률의 총합은 1이므로

$a+\frac{1}{4}+b=1$에서 $a+b=\frac{3}{4}$ …… ㉠

STEP B $\mathrm{E}(X)=4$임을 이용하여 a, b의 관계식 구하기

$\mathrm{E}(X)=4$이므로

$\mathrm{E}(X)=2\times a+4\times\frac{1}{4}+8\times b=4$에서 $2a+8b=3$ …… ㉡

STEP C $a-b$의 값 구하기

㉠, ㉡을 연립하여 풀면 $a=\frac{1}{2}$, $b=\frac{1}{4}$

따라서 $a-b=\frac{1}{2}-\frac{1}{4}=\frac{1}{4}$

 ②

1039

 ⑤

STEP A $\mathrm{P}(0\le X\le 2)=\frac{7}{8}$임을 이용하여 a값 구하기

$\mathrm{P}(0\le X\le 2)=\mathrm{P}(X=0)+\mathrm{P}(X=1)+\mathrm{P}(X=2)$

$=\frac{1}{8}+\frac{3+a}{8}+\frac{1}{8}=\frac{a+5}{8}$

$\frac{a+5}{8}=\frac{7}{8}$에서 $a=2$

STEP B 확률변수 X의 평균 $\mathrm{E}(X)$ 구하기

X의 확률분포를 표로 나타내면 다음과 같다.

X	-1	0	1	2	합계
$\mathrm{P}(X=x)$	$\frac{1}{8}$	$\frac{1}{8}$	$\frac{5}{8}$	$\frac{1}{8}$	1

따라서 $\mathrm{E}(X)=-1\times\frac{1}{8}+0\times\frac{1}{8}+1\times\frac{5}{8}+2\times\frac{1}{8}=\frac{3}{4}$

확률변수 X는 -1, 0, 1, 2이므로

$\mathrm{P}(X=-1)=1-\mathrm{P}(0\le X\le 2)=1-\frac{7}{8}=\frac{1}{8}$

따라서 $\frac{3-a}{8}=\frac{1}{8}$이므로 $3-a=1$ $\therefore a=2$

내신연계 출제문항 443

이산확률변수 X의 확률분포를 표로 나타내면 다음과 같다.

X	-1	0	1	2	합계
$\mathrm{P}(X=x)$	$\frac{2-a}{7}$	$\frac{3}{7}$	$\frac{1+a}{7}$	$\frac{1}{7}$	1

$6\mathrm{P}(X=-1)=\mathrm{P}(0\le X\le 2)$일 때, $\mathrm{E}(X)$의 값은? (단, a는 상수이다.)

① $\frac{1}{7}$ ② $\frac{1}{6}$ ③ $\frac{1}{4}$
④ $\frac{3}{7}$ ⑤ $\frac{3}{2}$

STEP A $6\mathrm{P}(X=-1)=\mathrm{P}(0\le X\le 2)$임을 이용하여 a값 구하기

$6\mathrm{P}(X=-1)=\mathrm{P}(0\le X\le 2)$에서

$6\mathrm{P}(X=-1)=\mathrm{P}(X=0)+\mathrm{P}(X=1)+\mathrm{P}(X=2)$이므로

$6\times\frac{2-a}{7}=\frac{3}{7}+\frac{1+a}{7}+\frac{1}{7}$

$12-6a=5+a$ $\therefore a=1$

STEP B 확률변수 X의 평균 $\mathrm{E}(X)$ 구하기

X의 확률분포를 표로 나타내면 다음과 같다.

X	-1	0	1	2	합계
$\mathrm{P}(X=x)$	$\frac{1}{7}$	$\frac{3}{7}$	$\frac{2}{7}$	$\frac{1}{7}$	1

따라서 $\mathrm{E}(X)=(-1)\times\frac{1}{7}+0\times\frac{3}{7}+1\times\frac{2}{7}+2\times\frac{1}{7}=\frac{3}{7}$

 ④

1040

 ③

STEP A 확률변수 X의 확률분포를 표로 나타내기

$\mathrm{P}(X=1)=a$라 하면

$\mathrm{P}(X=2)=\frac{1}{2}a$, $\mathrm{P}(X=3)=\frac{1}{4}a$이므로

X의 확률분포를 표로 나타내면 다음과 같다.

X	1	2	3	합계
$\mathrm{P}(X=x)$	a	$\frac{1}{2}a$	$\frac{1}{4}a$	1

확률의 총합이 1이므로

$a+\frac{a}{2}+\frac{a}{4}=\frac{7}{4}a=1$에서 $a=\frac{4}{7}$

STEP B $\mathrm{E}(X)$의 값 구하기

따라서 $\mathrm{E}(X)=1\times\frac{4}{7}+2\times\frac{2}{7}+3\times\frac{1}{7}=\frac{11}{7}$

1041

정답 ③

STEP Ⓐ 확률변수 X, Y의 확률분포표 만들기

$\mathrm{P}(X=k)=p_k\,(k=1, 2, 3, 4, 5)$인 확률변수 X의 확률분포표는 다음과 같다.

X	1	2	3	4	5	합계
$\mathrm{P}(X=k)$	p_1	p_2	p_3	p_4	p_5	1

$\mathrm{P}(Y=k)=\frac{1}{2}\mathrm{P}(X=k)+\frac{1}{10}\,(k=1, 2, 3, 4, 5)$인 확률변수 Y의 확률분포를 표로 나타내면 다음과 같다.

Y	1	2	3	4	5	합계
$\mathrm{P}(Y=k)$	$\frac{1}{2}p_1+\frac{1}{10}$	$\frac{1}{2}p_2+\frac{1}{10}$	$\frac{1}{2}p_3+\frac{1}{10}$	$\frac{1}{2}p_4+\frac{1}{10}$	$\frac{1}{2}p_5+\frac{1}{10}$	1

STEP Ⓑ $\mathrm{E}(X)=4$일 때, $\mathrm{E}(Y)=a$의 값 구하기

$\mathrm{E}(X)=p_1+2p_2+3p_3+4p_4+5p_5=4$

$$\begin{aligned}\mathrm{E}(Y)&=\left(\frac{1}{2}p_1+\frac{1}{10}\right)+2\left(\frac{1}{2}p_2+\frac{1}{10}\right)+\cdots+5\left(\frac{1}{2}p_5+\frac{1}{10}\right)\\&=\frac{1}{2}(p_1+2p_2+3p_3+4p_4+5p_5)+\frac{1+2+3+4+5}{10}\\&=\frac{1}{2}\times4+\frac{3}{2}=\frac{7}{2}\end{aligned}$$

따라서 $a=\mathrm{E}(Y)=\frac{7}{2}$이므로 구하는 값은 $8a=28$

다른풀이 평균의 정의를 이용하여 풀이하기

STEP Ⓐ 두 이산확률변수의 확률질량함수의 관계를 이용하여 평균 구하기

$\mathrm{E}(X)=\sum_{k=1}^{5}k\mathrm{P}(X=k)=4$

$$\begin{aligned}\mathrm{E}(Y)&=\sum_{k=1}^{5}k\mathrm{P}(Y=k) \quad \Leftarrow \mathrm{P}(Y=k)=\tfrac{1}{2}\mathrm{P}(X=k)+\tfrac{1}{10}\\&=\sum_{k=1}^{5}k\left\{\frac{1}{2}\mathrm{P}(X=k)+\frac{1}{10}\right\}\\&=\sum_{k=1}^{5}\frac{1}{2}k\mathrm{P}(X=k)+\sum_{k=1}^{5}\left(\frac{1}{10}k\right)\\&=\frac{1}{2}\sum_{k=1}^{5}k\mathrm{P}(X=k)+\frac{1}{10}\sum_{k=1}^{5}k\\&=\frac{1}{2}\mathrm{E}(X)+\frac{1}{10}\cdot\frac{5\cdot6}{2}\\&=\frac{1}{2}\cdot4+\frac{1}{10}\cdot15\\&=2+\frac{3}{2}=\frac{7}{2}\end{aligned}$$

따라서 $a=\frac{7}{2}$이므로 $8a=8\times\frac{7}{2}=28$

내신연계 출제문항 444

이산확률변수 X가 갖는 값은 1, 2, 3, 4, 5이고 이산확률변수 Y가 갖는 값은 1, 3, 5, 7, 9이다. 상수 a에 대하여

$$\mathrm{P}(Y=2k-1)=a\mathrm{P}(X=k)+a\,(k=1, 2, 3, 4, 5)$$

이고 $\mathrm{E}(X)=\frac{10}{3}$일 때, $\mathrm{E}(9Y+4)$의 값은?

① 45 ② 47 ③ 49
④ 50 ⑤ 53

STEP Ⓐ 두 확률변수 X, Y의 확률분포를 표로 나타내기

$\mathrm{P}(X=k)=p_k$, $\mathrm{P}(Y=2k-1)=q_k\,(k=1, 2, 3, 4, 5)$라 하면

$\mathrm{P}(Y=2k-1)=a\times\mathrm{P}(X=k)+a\,(k=1, 2, 3, 4, 5)$

이므로

두 확률변수 X, Y의 확률분포를 표로 나타내면 다음과 같다.

$\mathrm{P}(X=k)=p_k\,(k=1, 2, 3, 4, 5)$인 확률변수 X의 확률분포표는 다음과 같다.

X	1	2	3	4	5	합계
$\mathrm{P}(X=k)$	p_1	p_2	p_3	p_4	p_5	1

이때 $p_1+p_2+p_3+p_4+p_5=1$이고

$\mathrm{E}(X)=p_1+2p_2+3p_3+4p_4+5p_5=\frac{10}{3}$

STEP Ⓑ 확률변수 Y의 평균 $\mathrm{E}(Y)$ 구하기

$\mathrm{P}(Y=2k-1)=a\times\mathrm{P}(X=k)+a\,(k=1, 2, 3, 4, 5)$인 확률변수 Y의 확률분포를 표로 나타내면 다음과 같다.

Y	1	3	5	7	9	합계
$\mathrm{P}(Y=2k-1)$	ap_1+a	ap_2+a	ap_3+a	ap_4+a	ap_5+a	1

이때 $(ap_1+a)+(ap_2+a)+(ap_3+a)+(ap_4+a)+(ap_5+a)=1$

이므로 $a(p_1+p_2+p_3+p_4+p_5)+5a=a+5a=1$

$\therefore a=\frac{1}{6}$

$$\begin{aligned}\mathrm{E}(Y)&=1(ap_1+a)+3(ap_2+a)+5(ap_3+a)+7(ap_4+a)+9(ap_5+a)\\&=a(2p_1+4p_2+6p_3+8p_4+10p_5)-a(p_1+p_2+p_3+p_4+p_5)+25a\\&=\frac{1}{6}\times2\times\frac{10}{3}-\frac{1}{6}\times1+25\times\frac{1}{6}=\frac{1}{3}\times\frac{10}{3}+4=\frac{46}{9}\end{aligned}$$

STEP Ⓒ $\mathrm{E}(9Y+4)$의 값 구하기

따라서 $\mathrm{E}(9Y+4)=9\mathrm{E}(Y)+4=9\times\frac{46}{9}+4=50$

다른풀이 평균의 정의를 이용하여 풀이하기

STEP Ⓐ 두 이산확률변수의 확률질량함수의 관계를 이용하여 평균 구하기

$\mathrm{P}(X=k)=p_k$, $\mathrm{P}(Y=2k-1)=q_k\,(k=1, 2, 3, 4, 5)$라 하면

$\mathrm{P}(Y=2k-1)=a\times\mathrm{P}(X=k)+a$이므로

$\sum_{k=1}^{5}p_k=1$이므로

$\sum_{k=1}^{5}q_k=\sum_{k=1}^{5}(ap_k+a)=a\sum_{k=1}^{5}p_k+\sum_{k=1}^{5}a=a+5a=6a$

$\sum_{k=1}^{5}q_k=1$이므로 $6a=1$에서 $a=\frac{1}{6}$

즉 $\mathrm{P}(Y=2k-1)=q_k=\frac{1}{6}p_k+\frac{1}{6}$

한편 $\mathrm{E}(X)=\sum_{k=1}^{5}kp_k$, $\mathrm{E}(Y)=\sum_{k=1}^{5}(2k-1)q_k$이므로

$$\begin{aligned}\mathrm{E}(Y)&=\sum_{k=1}^{5}(2k-1)q_k=\sum_{k=1}^{5}(2k-1)\left(\frac{1}{6}p_k+\frac{1}{6}\right)\\&=\frac{1}{6}\sum_{k=1}^{5}(2kp_k+2k-p_k-1)\\&=\frac{1}{3}\sum_{k=1}^{5}kp_k+\frac{1}{3}\sum_{k=1}^{5}k-\frac{1}{6}\sum_{k=1}^{5}p_k-\frac{1}{6}\times5\\&=\frac{1}{3}\mathrm{E}(X)+\frac{1}{3}\times\frac{5\times6}{2}-\frac{1}{6}\times1-\frac{5}{6}\\&=\frac{1}{3}\mathrm{E}(X)+4\\&=\frac{1}{3}\times\frac{10}{3}+4=\frac{46}{9}\end{aligned}$$

따라서 $\mathrm{E}(9Y+4)=9\mathrm{E}(Y)+4=9\times\frac{46}{9}+4=50$ 정답 ④

1042

정답 ④

STEP Ⓐ 분산의 정의를 이용하여 구하기

분산(편차 제곱의 평균)

$\mathrm{V}(X)=\sigma^2(\mathrm{X})=\mathrm{E}\{(X-m)^2\}=\sum_{i=1}^{n}(x_i-m)^2p_i=\sum_{i=1}^{n}x_i^2p_i-m^2$이므로

분산 $\mathrm{V}(X)$가 아닌 것은 ④이다.

Ⅲ 통계

1043

정답 ③

STEP Ⓐ **확률의 합이 1임을 이용하여 a값 구하기**

확률의 총합이 1이므로 $a+\frac{a}{2}+a^2=1$

$2a^2+3a-2=0$, $(a+2)(2a-1)=0$

$\therefore a=\frac{1}{2}(\because 0<a<1)$

STEP Ⓑ **$E(X)$ 구하기**

$E(X)=(-1)\times\frac{1}{2}+0\times\frac{1}{4}+1\times\frac{1}{4}=-\frac{1}{4}$

STEP Ⓒ **$V(X)=E(X^2)-\{E(X)\}^2$임을 이용하여 구하기**

따라서 $V(X)=E(X^2)-\{E(X)\}^2$

$=(-1)^2\times\frac{1}{2}+0^2\times\frac{1}{4}+1^2\times\frac{1}{4}-\left(-\frac{1}{4}\right)^2$

$=\frac{11}{16}$

1044

 ①

STEP Ⓐ **확률의 합이 1임을 이용하여 b값 구하기**

확률의 총합이 1이므로

$b+\frac{1}{4}+\frac{1}{4}=1 \quad \therefore b=\frac{1}{2}$

STEP Ⓑ **$E(X)=4$임을 이용하여 a값 구하기**

$E(X)=4$이므로 $2\times\frac{1}{2}+4\times\frac{1}{4}+a\times\frac{1}{4}=2+\frac{a}{4}=4$

$\therefore a=8$

STEP Ⓒ **$V(X)=E(X^2)-\{E(X)\}^2$임을 이용하여 구하기**

따라서 $V(X)=E(X^2)-\{E(X)\}^2$

$=2^2\times\frac{1}{2}+4^2\times\frac{1}{4}+8^2\times\frac{1}{4}-4^2$

$=6$

1045

 ①

STEP Ⓐ **확률의 합이 1임을 이용하여 a, b의 관계식 구하기**

확률의 총합이 1이므로 $\frac{1}{4}+a+\frac{1}{8}+b=1$

$\therefore a+b=\frac{5}{8}$ …… ㉠

STEP Ⓑ **$E(X)=5$임을 이용하여 a, b의 값 구하기**

$E(X)=5$이므로 $1\times\frac{1}{4}+2\times a+4\times\frac{1}{8}+8\times b=5$

$\therefore 2a+8b=\frac{17}{4}$ …… ㉡

㉠과 ㉡을 연립하면 $a=\frac{1}{8}$, $b=\frac{1}{2}$

STEP Ⓒ **$V(X)=E(X^2)-\{E(X)\}^2$임을 이용하여 구하기**

확률변수 X의 확률분포가 다음 표와 같다.

X	1	2	4	8	합계
$P(X=x)$	$\frac{1}{4}$	$\frac{1}{8}$	$\frac{1}{8}$	$\frac{1}{2}$	1

따라서 $V(X)=E(X^2)-\{E(X)\}^2$

$=1^2\times\frac{1}{4}+2^2\times\frac{1}{8}+4^2\times\frac{1}{8}+8^2\times\frac{1}{2}-5^2$

$=\frac{39}{4}$

내신연계 출제문항 445

확률변수 X의 확률분포가 다음 표와 같다.

X	0	1	2	합계
$P(X=x)$	$\frac{1}{4}$	a	b	1

$E(X)=\frac{7}{8}$일 때, $V(X)$의 값은? (단, a, b는 상수이다.)

① $\frac{21}{64}$ ② $\frac{23}{64}$ ③ $\frac{25}{64}$
④ $\frac{27}{64}$ ⑤ $\frac{29}{64}$

STEP Ⓐ **확률의 합이 1임을 이용하여 a, b의 관계식 구하기**

$P(X=0)+P(X=1)+P(X=2)=1$이므로

$\frac{1}{4}+a+b=1 \quad \therefore a+b=\frac{3}{4}$ …… ㉠

STEP Ⓑ **$E(X)=\frac{7}{8}$임을 이용하여 a, b값 구하기**

$E(X)=0\times\frac{1}{4}+1\times a+2\times b=a+2b$이므로

$\therefore a+2b=\frac{7}{8}$ …… ㉡

㉠, ㉡을 연립하여 풀면 $a=\frac{5}{8}$, $b=\frac{1}{8}$

STEP Ⓒ **$V(X)=E(X^2)-\{E(X)\}^2$임을 이용하여 구하기**

따라서 $V(X)=E(X^2)-\{E(X)\}^2$

$=0^2\times\frac{1}{4}+1^2\times\frac{5}{8}+2^2\times\frac{1}{8}-\left(\frac{7}{8}\right)^2$

$=\frac{23}{64}$

 ②

1046

 ③

STEP Ⓐ **확률의 합이 1임을 이용하여 a, b의 관계식 구하기**

확률의 총합은 1이므로 $a+\frac{1}{3}+\frac{1}{6}+b=1$

$\therefore b=\frac{1}{2}-a$ …… ㉠

STEP Ⓑ $P(|X-1|\le 1)=\frac{5}{6}$임을 이용하여 a, b의 값 구하기

$|X-1|\le 1$에서 $-1\le X-1\le 1$, $0\le X\le 2$이므로

$P(|X-1|\le 1)=P(X=0)+P(X=1)+P(X=2)=\frac{5}{6}$

$\frac{1}{3}+\frac{1}{6}+b=\frac{5}{6}$에서 $b=\frac{1}{3}$

㉠에서 $a=\frac{1}{6}$

STEP Ⓒ **확률변수 X의 분산 $V(X)$ 구하기**

X의 확률분포를 표로 나타내면 다음과 같다.

X	-1	0	1	2	합계
$P(X=x)$	$\frac{1}{6}$	$\frac{1}{3}$	$\frac{1}{6}$	$\frac{1}{3}$	1

$E(X)=-1\times\frac{1}{6}+0\times\frac{1}{3}+1\times\frac{1}{6}+2\times\frac{1}{3}=\frac{2}{3}$

따라서 $V(X)=E(X^2)-\{E(X)\}^2$

$=(-1)^2\times\frac{1}{6}+0^2\times\frac{1}{3}+1^2\times\frac{1}{6}+2^2\times\frac{1}{3}-\left(\frac{2}{3}\right)^2$

$=\frac{11}{9}$

1047
정답 ②

STEP Ⓐ $E(X)=5$, $V(X)=19$임을 이용하여 a, b의 관계식 구하기

$E(X)=\dfrac{2a+2b+3a+3b}{6}=\dfrac{5(a+b)}{6}=5$

$\therefore a+b=6$ ...... ㉠

$V(X)=\dfrac{2a^2+2b^2+9a^2+9b^2}{6}-5^2=\dfrac{11(a^2+b^2)}{6}-25=19$

$\therefore a^2+b^2=24$ ...... ㉡

STEP Ⓑ $(a+b)^2=a^2+b^2+2ab$를 이용하여 ab의 값 구하기

㉠, ㉡에서 $(a+b)^2=a^2+b^2+2ab$

따라서 $6^2=24+2ab$이므로 $ab=6$

1048

정답 ③

STEP Ⓐ 확률의 합이 1임을 이용하여 a, b, c의 관계식 구하기

확률의 총합은 1이므로

$a+b+c=1$ ...... ㉠

STEP Ⓑ $E(X)=1$, $V(X)=\dfrac{11}{8}$임을 이용하여 a, b, c의 값 구하기

$E(X)=-1\times a+0\times b+2\times c=1$에서

$-a+2c=1$ ...... ㉡

$V(X)=(-1)^2\times a+0^2\times b+2^2\times c-1^2=\dfrac{11}{8}$에서

$a+4c=\dfrac{19}{8}$ ...... ㉢

㉡, ㉢을 연립하여 풀면 $a=\dfrac{1}{8}$, $c=\dfrac{9}{16}$

㉠에 대입하면 $\dfrac{1}{8}+b+\dfrac{9}{16}=1$에서 $b=\dfrac{5}{16}$

따라서 $a-b+c=\dfrac{1}{8}-\dfrac{5}{16}+\dfrac{9}{16}=\dfrac{3}{8}$

내신연계 출제문항 446

확률변수 X의 확률분포를 표로 나타내면 다음과 같다.

X	0	1	2	합계
$P(X=x)$	a	b	c	1

$P(X\geq 1)=\dfrac{5}{8}$이고 $E(X)=\dfrac{3}{4}$일 때, $V(X)$의 값은? (단, a, b, c는 상수)

① $\dfrac{3}{16}$ ② $\dfrac{1}{4}$ ③ $\dfrac{5}{16}$
④ $\dfrac{3}{8}$ ⑤ $\dfrac{7}{16}$

STEP Ⓐ 확률의 합이 1임을 이용하여 a, b, c의 값 구하기

확률의 총합은 1이므로

$a+b+c=1$ ...... ㉠

$P(X\geq 1)=\dfrac{5}{8}$이므로

$P(X=1)+P(X=2)=b+c=\dfrac{5}{8}$ ...... ㉡

㉡을 ㉠에 대입하면 $a=\dfrac{3}{8}$

$E(X)=0\times\dfrac{3}{8}+1\times b+2\times c=\dfrac{3}{4}$이므로

$b+2c=\dfrac{3}{4}$ ...... ㉢

㉡. ㉢을 연립하여 풀면 $b=\dfrac{1}{2}$, $c=\dfrac{1}{8}$

STEP Ⓑ $V(X)=E(X^2)-\{E(X)\}^2$임을 이용하여 구하기

확률변수 X의 확률분포를 표로 나타내면 다음과 같다.

X	0	1	2	합계
$P(X=x)$	$\dfrac{3}{8}$	$\dfrac{1}{2}$	$\dfrac{1}{8}$	1

따라서 $V(X)=E(X^2)-\{E(X)\}^2$

$=0^2\times\dfrac{3}{8}+1^2\times\dfrac{1}{2}+2^2\times\dfrac{1}{8}-\left(\dfrac{3}{4}\right)^2$

$=\dfrac{7}{16}$

정답 ⑤

1049

정답 ④

STEP Ⓐ 확률변수 X의 확률분포를 표로 나타내기

$P(X=0)+P(X=2)=1$이므로

확률변수 X는 $X=0$, $X=2$의 두 가지 경우이고

$X\neq 0$, 2인 확률변수 X에 대한 확률은 0이다.

확률변수 X의 확률분포를 표로 나타내면 다음과 같다.

X	0	2	합계
$P(X=x)$	a	b	1

STEP Ⓑ $\{E(X)\}^2=2V(X)$을 이용하여 b의 값 구하기

$E(X)=0\times a+2\times b=2b$, $E(X^2)=0^2\times a+2^2\times b=4b$

$V(X)=E(X^2)-\{E(X)\}^2=4b-4b^2$

이때 $\{E(X)\}^2=2V(X)$에서 $4b^2=2\times(4b-4b^2)$

$0<b<1$이므로 $b=2-2b$ $\therefore b=\dfrac{2}{3}$

STEP Ⓒ $P(X=2)$ 구하기

따라서 $P(X=2)=b=\dfrac{2}{3}$

1050

정답 ②

STEP Ⓐ 확률변수 X의 확률분포를 표로 나타내기

확률변수 X가 갖는 값은 0, 1, 2이고 각각의 확률은 다음과 같다.

$P(X=0)=\dfrac{{}_2C_2}{{}_5C_2}=\dfrac{1}{10}$ ← 검은 공을 2개 꺼낸 경우

$P(X=1)=\dfrac{{}_2C_1\times{}_3C_1}{{}_5C_2}=\dfrac{3}{5}$ ← 검은 공 1개, 흰 공 1개를 꺼낸 경우

$P(X=2)=\dfrac{{}_3C_2}{{}_5C_2}=\dfrac{3}{10}$ ← 흰 공을 2개 낸 경우

STEP Ⓑ $E(X)$ 구하기

확률변수 X의 확률분포를 표로 나타내면 다음과 같다.

X	0	1	2	합계
$P(X=x)$	$\dfrac{1}{10}$	$\dfrac{3}{5}$	$\dfrac{3}{10}$	1

따라서 $E(X)=0\times\dfrac{1}{10}+1\times\dfrac{3}{5}+2\times\dfrac{3}{10}=\dfrac{6}{5}$

1051

정답 ⑤

STEP Ⓐ X의 확률분포를 표로 나타내기

주사위를 던져 나온 눈의 수의 약수의 개수를 확률변수 X라 하면 X가 가질 수 있는 값은 1, 2, 3, 4이고 각각의 확률은 다음과 같다.

(ⅰ) $X=1$일 때, 주사위의 눈은 1이므로 $P(X=1)=\frac{1}{6}$

(ⅱ) $X=2$일 때, 주사위의 눈은 2, 3, 5이므로 $P(X=2)=\frac{3}{6}$

(ⅲ) $X=3$일 때, 주사위의 눈은 4이므로 $P(X=3)=\frac{1}{6}$

(ⅳ) $X=4$일 때, 주사위의 눈은 6이므로 $P(X=4)=\frac{1}{6}$

(ⅰ)~(ⅳ)에서 X의 확률분포를 표로 나타내면 다음과 같다.

X	1	2	3	4	합계
$P(X=x)$	$\frac{1}{6}$	$\frac{3}{6}$	$\frac{1}{6}$	$\frac{1}{6}$	1

STEP Ⓑ 확률변수 X의 평균 $E(X)$ 구하기

따라서 확률변수 X의 평균은 $E(X)=1\times\frac{1}{6}+2\times\frac{3}{6}+3\times\frac{1}{6}+4\times\frac{1}{6}=\frac{7}{3}$

1052

정답 ③

STEP Ⓐ 확률변수 X의 확률분포를 표로 나타내기

두 번째로 작은 수를 확률변수 X이므로 X가 가질 수 있는 값은 2, 3, 4이고 각각의 확률은

$P(X=2)=\frac{{}_1C_1\times{}_3C_1}{{}_5C_3}=\frac{3}{10}$

$P(X=3)=\frac{{}_2C_1\times{}_2C_1}{{}_5C_3}=\frac{4}{10}=\frac{2}{5}$

$P(X=4)=\frac{{}_3C_1\times{}_1C_1}{{}_5C_3}=\frac{3}{10}$

확률변수 X의 확률분포를 표로 나타내면 다음과 같다.

X	2	3	4	합계
$P(X=x)$	$\frac{3}{10}$	$\frac{2}{5}$	$\frac{3}{10}$	1

STEP Ⓑ 확률변수 X의 평균 구하기

따라서 $E(X)=2\times\frac{3}{10}+3\times\frac{2}{5}+4\times\frac{3}{10}=\frac{6+12+12}{10}=\frac{30}{10}=3$

참고 $X=3$인 경우는 3을 뽑고 1, 2 중 하나, 4, 5 중 하나를 뽑는 경우이므로 그 경우의 수는 ${}_2C_1\times{}_2C_1$

1053

정답 ①

STEP Ⓐ 확률변수 X의 확률분포를 표로 나타내기

흰 공이 나올 때까지 공을 꺼낸 횟수가 확률변수 X이므로 X가 취하는 값은 1, 2, 3, 4이고 각각의 확률은 다음과 같다.

$P(X=1)=\frac{2}{5}$

$P(X=2)=\frac{3}{5}\times\frac{2}{4}=\frac{3}{10}$

$P(X=3)=\frac{3}{5}\times\frac{2}{4}\times\frac{2}{3}=\frac{1}{5}$

$P(X=4)=\frac{3}{5}\times\frac{2}{4}\times\frac{1}{3}\times\frac{2}{2}=\frac{1}{10}$

이므로 X의 확률분포를 표로 나타내면 다음과 같다.

X	1	2	3	4	합계
$P(X=x)$	$\frac{4}{10}$	$\frac{3}{10}$	$\frac{2}{10}$	$\frac{1}{10}$	1

STEP Ⓑ 확률변수 X의 평균 구하기

따라서 확률변수 X의 기댓값은

$E(X)=1\times\frac{4}{10}+2\times\frac{3}{10}+3\times\frac{2}{10}+4\times\frac{1}{10}=2$

내신연계 출제문항 447

모양이 비슷한 10개의 열쇠 중에서 금고에 맞는 열쇠가 한 개 있다.
이 중에서 어느 열쇠가 문에 맞는 열쇠인지 몰라 임의로 하나씩 골라 금고를 여는 시도를 하고 있다. 열릴 때까지 시도한 횟수의 평균은?
(단, 한 번 시도한 것은 다시 시도하지 않는다.)

① $\frac{9}{5}$　② 2　③ $\frac{11}{5}$
④ 5　⑤ $\frac{11}{2}$

STEP Ⓐ 확률변수 X의 확률분포를 표로 나타내기

열릴 때까지 시도한 횟수를 확률변수 X라 하면 X는 1, 2, 3, ⋯, 10이고 각각의 확률은 다음과 같다.

첫 번째 시도에서 금고 문이 열릴 확률은 $\frac{1}{10}$

두 번째 시도에서 금고 문이 열릴 확률은 $\frac{9}{10}\times\frac{1}{9}=\frac{1}{10}$

세 번째 시도에서 금고 문이 열릴 확률은 $\frac{9}{10}\times\frac{8}{9}\times\frac{1}{8}=\frac{1}{10}$

⋮

열 번째 시도에서 문이 열릴 확률은 $\frac{9}{10}\times\frac{8}{9}\times\frac{7}{8}\times\cdots\times\frac{1}{2}\times1=\frac{1}{10}$

이므로 X의 확률분포를 표로 나타내면 다음과 같다.

X	1	2	⋯	10	합계
$P(X=x)$	$\frac{1}{10}$	$\frac{1}{10}$	⋯	$\frac{1}{10}$	1

STEP Ⓑ 확률변수 X의 평균 구하기

따라서 확률변수 X의 평균은

$E(X)=1\times\frac{1}{10}+2\times\frac{1}{10}+3\times\frac{1}{10}+\cdots+10\times\frac{1}{10}$

$=\frac{1}{10}\times(1+2+3+\cdots+10)=\frac{55}{10}=\frac{11}{2}$

정답 ⑤

1054

정답 ④

STEP Ⓐ 확률변수 X의 확률분포를 표로 나타내기

1이 적혀 있는 공이 나오기까지 꺼내야 하는 공의 개수가 확률변수 X이므로 X는 1, 2, 3, ⋯, 9이고 각각의 확률은 다음과 같다.

$P(X=1)=\frac{1}{9}$

$P(X=2)=\frac{8}{9}\times\frac{1}{8}=\frac{1}{9}$

$P(X=3)=\frac{8}{9}\times\frac{7}{8}\times\frac{1}{7}=\frac{1}{9}$

⋮

$P(X=9)=\frac{8}{9}\times\frac{7}{8}\times\frac{6}{7}\times\cdots\times\frac{1}{2}\times1=\frac{1}{9}$

이므로 X의 확률분포를 표로 나타내면 다음과 같다.

X	1	2	⋯	9	합계
$P(X=x)$	$\frac{1}{9}$	$\frac{1}{9}$	⋯	$\frac{1}{9}$	1

STEP Ⓑ 확률변수 X의 평균 구하기

따라서 확률변수 X의 평균은

$E(X)=1\times\frac{1}{9}+2\times\frac{1}{9}+\cdots+9\times\frac{1}{9}=(1+2+3+\cdots9)\times\frac{1}{9}=45\times\frac{1}{9}=5$

내/신/연/계/ 출제문항 448

1, 2, 3, 4, 5의 수가 각각 하나씩 적힌 5개의 공이 들어 있는 주머니에서 임의로 한 개씩 공을 꺼낼 때, 1이 적힌 공이 나올 때까지 꺼낸 공의 개수를 확률변수 X라 하자. 이때 X의 기댓값은?
(단, 꺼낸 공은 다시 주머니에 넣지 않는다.)

① 2 ② 3 ③ 4
④ 5 ⑤ 6

STEP Ⓐ 확률변수 X의 확률분포를 표로 나타내기

확률변수 X가 취할 수 있는 값은 1, 2, 3, 4, 5이고
각각의 확률은 다음과 같다.

$\mathrm{P}(X=1)=\frac{1}{5}$

$\mathrm{P}(X=2)=\frac{4}{5}\times\frac{1}{4}=\frac{1}{5}$

$\mathrm{P}(X=3)=\frac{4}{5}\times\frac{3}{4}\times\frac{1}{3}=\frac{1}{5}$

$\mathrm{P}(X=4)=\frac{4}{5}\times\frac{3}{4}\times\frac{2}{3}\times\frac{1}{2}=\frac{1}{5}$

$\mathrm{P}(X=5)=\frac{4}{5}\times\frac{3}{4}\times\frac{2}{3}\times\frac{1}{2}\times\frac{1}{1}=\frac{1}{5}$

이므로 X의 확률분포를 표로 나타내면 다음과 같다.

X	1	2	3	4	5	합계
$\mathrm{P}(X=x)$	$\frac{1}{5}$	$\frac{1}{5}$	$\frac{1}{5}$	$\frac{1}{5}$	$\frac{1}{5}$	1

STEP Ⓑ 확률변수 X의 평균 구하기

따라서 확률변수 X의 기댓값은

$\mathrm{E}(X)=1\times\frac{1}{5}+2\times\frac{1}{5}+3\times\frac{1}{5}+4\times\frac{1}{5}+5\times\frac{1}{5}=3$  정답 ②

1055

 정답 ③

STEP Ⓐ 확률변수 X가 취하는 값의 확률 구하기

꺼낸 공에 적힌 수의 최솟값을 확률변수 X라 하면 X가 가질 수 있는 값은 1, 2, 3이고 각각의 확률은 다음과 같다.

(ⅰ) $X=1$인 경우

$\mathrm{P}(X=1)=\frac{{}_4\mathrm{C}_2}{{}_5\mathrm{C}_3}=\frac{6}{10}$ ⬅ 2부터 5까지의 공 중에 2개가 나오는 경우

(ⅱ) $X=2$인 경우

$\mathrm{P}(X=2)=\frac{{}_3\mathrm{C}_2}{{}_5\mathrm{C}_3}=\frac{3}{10}$ ⬅ 3부터 5까지의 공 중에 2개가 나오는 경우

(ⅲ) $X=3$인 경우

$\mathrm{P}(X=3)=\frac{{}_2\mathrm{C}_2}{{}_5\mathrm{C}_3}=\frac{1}{10}$ ⬅ 4부터 5까지의 공 중에 2개가 나오는 경우

확률변수 X의 확률분포를 표로 나타내면 다음과 같다.

X	1	2	3	합계
$\mathrm{P}(X)$	$\frac{6}{10}$	$\frac{3}{10}$	$\frac{1}{10}$	1

STEP Ⓑ 확률변수 X의 평균 $\mathrm{E}(X)$ 구하기

따라서 $\mathrm{E}(X)=1\times\frac{6}{10}+2\times\frac{3}{10}+3\times\frac{1}{10}=\frac{15}{10}=\frac{3}{2}$

임의로 3개의 공을 동시에 꺼낼 때, 적힌 수의 최솟값을 k라 하면
3개의 공에 적힌 수 중 하나는 k이고 나머지 2개는 k보다 큰 수이므로

$\mathrm{P}(X=k)=\frac{{}_{5-k}\mathrm{C}_2}{{}_5\mathrm{C}_3}\ (k=1, 2, 3)$

내/신/연/계/ 출제문항 449

1, 2, 3, 4, 5, 6의 숫자가 하나씩 적혀 있는 6개의 공이 들어 있는 상자가 있다. 이 상자에서 임의로 공 3개를 동시에 꺼낼 때, 꺼낸 3개의 공에 적혀 있는 숫자 중 가장 큰 숫자를 확률변수 X라 하자. $\mathrm{E}(X)$의 값은?

① $\frac{3}{5}$ ② $\frac{7}{10}$ ③ $\frac{9}{2}$
④ 5 ⑤ $\frac{21}{4}$

STEP Ⓐ 확률변수 X가 취하는 값의 확률 구하기

꺼낸 공에 적힌 수의 최댓값을 확률변수 X라 하면
X가 가질 수 있는 값은 3, 4, 5, 6이고 각각의 확률은 다음과 같다.

$\mathrm{P}(X=3)=\frac{{}_2\mathrm{C}_2}{{}_6\mathrm{C}_3}=\frac{1}{20}$ ⬅ 1, 2에서 2개 꺼내는 경우

$\mathrm{P}(X=4)=\frac{{}_3\mathrm{C}_2}{{}_6\mathrm{C}_3}=\frac{3}{20}$ ⬅ 1, 2, 3에서 2개 꺼내는 경우

$\mathrm{P}(X=5)=\frac{{}_4\mathrm{C}_2}{{}_6\mathrm{C}_3}=\frac{3}{10}$ ⬅ 1, 2, 3, 4에서 2개 꺼내는 경우

$\mathrm{P}(X=6)=\frac{{}_5\mathrm{C}_2}{{}_6\mathrm{C}_3}=\frac{1}{2}$ ⬅ 1, 2, 3, 4, 5에서 2개 꺼내는 경우

STEP Ⓑ 확률변수 X의 평균 $\mathrm{E}(X)$ 구하기

확률변수 X의 확률분포를 표로 나타내면 다음과 같다.

X	3	4	5	6	합계
$\mathrm{P}(X=x)$	$\frac{1}{20}$	$\frac{3}{20}$	$\frac{3}{10}$	$\frac{1}{2}$	1

따라서 $\mathrm{E}(X)=3\times\frac{1}{20}+4\times\frac{3}{20}+5\times\frac{3}{10}+6\times\frac{1}{2}=\frac{105}{20}=\frac{21}{4}$  정답 ⑤

1056

 정답 ②

STEP Ⓐ 확률변수 X의 확률분포를 표로 나타내기

확률변수 X가 취하는 값은 0, 50, 100, 150, 200, 250이고
각각의 확률은 다음과 같다.

$\mathrm{P}(X=0)={}_2\mathrm{C}_0\left(\frac{1}{2}\right)^2\times\frac{1}{2}=\frac{1}{8}$

$\mathrm{P}(X=50)={}_2\mathrm{C}_0\left(\frac{1}{2}\right)^2\times\frac{1}{2}=\frac{1}{8}$

$\mathrm{P}(X=100)={}_2\mathrm{C}_1\left(\frac{1}{2}\right)^2\times\frac{1}{2}=\frac{1}{4}$

$\mathrm{P}(X=150)={}_2\mathrm{C}_1\left(\frac{1}{2}\right)^2\times\frac{1}{2}=\frac{1}{4}$

$\mathrm{P}(X=200)={}_2\mathrm{C}_2\left(\frac{1}{2}\right)^2\times\frac{1}{2}=\frac{1}{8}$

$\mathrm{P}(X=250)={}_2\mathrm{C}_2\left(\frac{1}{2}\right)^2\times\frac{1}{2}=\frac{1}{8}$

이므로 X의 확률분포를 표로 나타내면 다음과 같다.

X	0	50	100	150	200	250	합계
$\mathrm{P}(X=x)$	$\frac{1}{8}$	$\frac{1}{8}$	$\frac{1}{4}$	$\frac{1}{4}$	$\frac{1}{8}$	$\frac{1}{8}$	1

STEP Ⓑ 확률변수 X의 기댓값 구하기

따라서 $\mathrm{E}(X)=0\times\frac{1}{8}+50\times\frac{1}{8}+100\times\frac{1}{4}+150\times\frac{1}{4}+200\times\frac{1}{8}+250\times\frac{1}{8}$
$=125$(원)

다른풀이 수학적 확률을 이용하여 풀이하기

확률변수 X가 취할 수 있는 값은 0, 50, 100, 150, 200, 250이다.
100원짜리 동전 2개를 각각 A, B, 50원짜리 동전을 C라 할 때,
3개의 동전을 던져 나올 수 있는 전체 경우의 수는 ${}_2\Pi_3=8$이고

동전 A, B, C의 앞면, 뒷면이 나오는 경우를 순서대로 순서쌍으로 나타내면 다음과 같다.
$X=0$인 경우는 (뒤, 뒤, 뒤)의 1가지
$X=50$인 경우는 (뒤, 뒤, 앞)의 1가지
$X=100$인 경우는 (앞, 뒤, 뒤), (뒤, 앞, 뒤)의 2가지
$X=150$인 경우는 (앞, 뒤, 앞), (뒤, 앞, 앞)의 2가지
$X=200$인 경우는 (앞, 앞, 뒤)의 1가지
$X=250$인 경우는 (앞, 앞, 앞)의 1가지
확률변수 X의 확률분포를 표로 나타내면 다음과 같다.

X	0	50	100	150	200	250	합계
$P(X=x)$	$\frac{1}{8}$	$\frac{1}{8}$	$\frac{1}{4}$	$\frac{1}{4}$	$\frac{1}{8}$	$\frac{1}{8}$	1

내신연계 출제문항 450

50원짜리 동전 2개와 100원짜리 동전 1개를 동시에 던져 앞면이 나오는 금액의 합을 X라 할 때, $E(2X+50)$의 값은?

① 100 ② 150 ③ 200
④ 250 ⑤ 300

STEP Ⓐ **확률변수 X의 확률분포를 표로 나타내기**

확률변수 X가 취할 수 있는 값은 0, 50, 100, 150, 200이고
각각의 확률은 다음과 같다.

$P(X=0)={}_2C_0\left(\frac{1}{2}\right)^2\times\frac{1}{2}=\frac{1}{8}$ ⬅ (뒤, 뒤, 뒤)의 1가지

$P(X=50)={}_2C_1\left(\frac{1}{2}\right)^2\times\frac{1}{2}=\frac{1}{4}$ ⬅ (앞, 뒤, 뒤), (뒤, 앞, 뒤)의 2가지

$P(X=100)={}_2C_2\left(\frac{1}{2}\right)^2\times\frac{1}{2}+{}_2C_0\left(\frac{1}{2}\right)^2\times\frac{1}{2}=\frac{1}{4}$ ⬅ (앞, 앞, 뒤), (뒤, 뒤, 앞)의 2가지

$P(X=150)={}_2C_1\left(\frac{1}{2}\right)^2\times\frac{1}{2}=\frac{1}{4}$ ⬅ (앞, 뒤, 앞), (뒤, 앞, 앞)의 2가지

$P(X=200)={}_2C_2\left(\frac{1}{2}\right)^2\times\frac{1}{2}=\frac{1}{8}$ ⬅ (앞, 앞, 앞)의 1가지

확률변수 X의 확률분포를 표로 나타내면 다음과 같다.

X	0	50	100	150	200	합계
$P(X=x)$	$\frac{1}{8}$	$\frac{1}{4}$	$\frac{1}{4}$	$\frac{1}{4}$	$\frac{1}{8}$	1

STEP Ⓑ $E(X)$ **구하기**

$E(X)=0\times\frac{1}{8}+50\times\frac{1}{4}+100\times\frac{1}{4}+150\times\frac{1}{4}+200\times\frac{1}{8}=100$

따라서 $E(2X+50)=2E(X)+50=250$

참고 X의 값이 100을 기준으로 대칭이고, 그때의 확률도 $X=100$을 기준으로 대칭이므로 X의 평균은 100임을 알 수 있다.

다른풀이 수학적 확률을 이용하여 풀이하기

확률변수 X가 취할 수 있는 값은 0, 50, 100, 150, 200이다.
50원짜리 동전 2개를 각각 A, B, 100원짜리 동전을 C라 할 때,
3개의 동전을 던져 나올 수 있는 전체 경우의 수는 ${}_2\Pi_3=8$이고 동전 A, B, C의 앞면, 뒷면이 나오는 경우를 순서대로 순서쌍으로 나타내면 다음과 같다.
$X=0$인 경우는 (뒤, 뒤, 뒤)의 1가지
$X=50$인 경우는 (앞, 뒤, 뒤), (뒤, 앞, 뒤)의 2가지
$X=100$인 경우는 (앞, 앞, 뒤), (뒤, 뒤, 앞)의 2가지
$X=150$인 경우는 (앞, 뒤, 앞), (뒤, 앞, 앞)의 2가지
$X=200$인 경우는 (앞, 앞, 앞)의 1가지
확률변수 X의 확률분포를 표로 나타내면 다음과 같다.

X	0	50	100	150	200	합계
$P(X=k)$	$\frac{1}{8}$	$\frac{1}{4}$	$\frac{1}{4}$	$\frac{1}{4}$	$\frac{1}{8}$	1

정답 ④

1057

정답 ⑤

STEP Ⓐ **확률변수 X의 확률분포를 표로 나타내기**

주머니에서 3개의 동전을 동시에 던져서 나오는 동전의 금액의 합을 확률변수 X라 하면 X가 가질 수 있는 값은 300, 700, 1100이고
각각의 확률은 다음과 같다.

$P(X=300)=\frac{{}_2C_0\times{}_6C_3}{{}_8C_3}=\frac{5}{14}$ ⬅ 100원짜리 동전 3개

$P(X=700)=\frac{{}_2C_1\times{}_6C_2}{{}_8C_3}=\frac{15}{28}$ ⬅ 500원짜리 동전 1개, 100원짜리 동전 2개

$P(X=1100)=\frac{{}_2C_2\times{}_6C_1}{{}_8C_3}=\frac{3}{28}$ ⬅ 500원짜리 동전 2개, 100원짜리 동전 1개

확률변수 X의 확률분포를 표로 나타내면 다음과 같다.

X	300	700	1100	합계
$P(X=x)$	$\frac{5}{14}$	$\frac{15}{28}$	$\frac{3}{28}$	1

STEP Ⓑ $E(X)$ **구하기**

따라서 $E(X)=300\times\frac{5}{14}+700\times\frac{15}{28}+1100\times\frac{3}{28}=600$

내신연계 출제문항 451

주머니 안에 흰 공 3개와 검은 공 2개가 들어 있다. 주머니에서 임의로 꺼낸 공이 흰 공이면 200원을 받고, 검은 공이면 100원을 받는 게임을 한다.
주머니에서 검은 공이 모두 나올 때까지 게임을 할 때, 받는 금액의 합을 확률변수 X라 하자. $E(X)$의 값은? (단, 꺼낸 공은 주머니에 다시 넣지 않는다.)

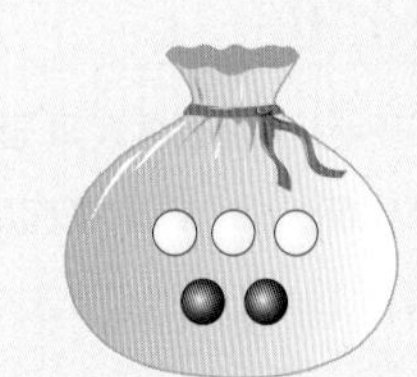

① 540 ② 560 ③ 580
④ 600 ⑤ 620

STEP Ⓐ **확률변수 X의 확률분포를 표로 나타내기**

X가 가질 수 있는 값은 흰 공의 개수에 따라 200, 400, 600, 800이고
각각의 확률은 다음과 같다.
이때 두 번째 검은 공은 마지막에 꺼내야 한다.

(ⅰ) 검은 공 2개만 꺼내는 경우
$P(X=200)=\frac{2}{5}\times\frac{1}{4}=\frac{1}{10}$

(ⅱ) 흰 공 1개, 검은 공 2개를 꺼내는 경우
$P(X=400)=\frac{{}_3C_1\times{}_2C_1}{{}_5C_2}\times\frac{1}{3}=\frac{1}{5}$ ⬅ 먼저 흰 공 1개와 검은 공 1개를 꺼내고 마지막으로 검은 공을 꺼내는 경우이고 $X=400$

(ⅲ) 흰 공 2개, 검은 공 2개를 꺼내는 경우
$P(X=600)=\frac{{}_3C_2\times{}_2C_1}{{}_5C_3}\times\frac{1}{2}=\frac{3}{10}$ ⬅ 먼저 흰 공 2개와 검은 공 1개를 꺼내고 마지막으로 검은 공을 꺼내는 경우이고 $X=600$

(ⅳ) 흰 공 3개, 검은 공 2개를 꺼내는 경우
$P(X=800)=\frac{{}_3C_3\times{}_2C_1}{{}_5C_4}\times 1=\frac{2}{5}$ ⬅ 먼저 흰 공 3개와 검은 공 1개를 꺼내고 마지막으로 검은 공을 꺼내는 경우이고 $X=800$

(ⅰ)~(ⅳ)에서 X의 확률분포를 표로 나타내면 다음과 같다.

X	200	400	600	800	합계
$P(X=x)$	$\frac{1}{10}$	$\frac{1}{5}$	$\frac{3}{10}$	$\frac{2}{5}$	1

STEP Ⓑ $E(X)$ **구하기**

따라서 $E(X)=200\times\frac{1}{10}+400\times\frac{1}{5}+600\times\frac{3}{10}+800\times\frac{2}{5}=600$ 정답 ④

1058

정답 ②

STEP A 확률변수 X의 확률분포를 표로 나타내기

한 번의 게임에서 받을 수 있는 금액을 확률변수 X라 하면
X가 가질 수 있는 값은 7000, -3500이고 각각의 확률은 다음과 같다.

$P(X=7000)=\frac{4}{4+k}$

$P(X=-3500)=\frac{k}{4+k}$

확률변수 X의 확률분포를 표로 나타내면 다음과 같다.

X	7000	-3500	합계
$P(X=x)$	$\frac{4}{4+k}$	$\frac{k}{4+k}$	1

STEP B $E(X)$ 구하기

이때 확률변수 X의 기댓값이 2500원이므로

$E(X)=7000\times\frac{4}{4+k}+(-3500)\times\frac{k}{4+k}=2500$

$\frac{280-35k}{4+k}=25$, $280-35k=100+25k$

$60k=180$

따라서 $k=3$

1059

정답 ①

STEP A 확률변수 X의 확률분포를 표로 나타내기

배정되는 서랍에 적혀있는 자연수 중 작은 수를 확률변수 X라 하므로
확률변수 X가 가질 수 있는 값은 1, 2, 3, 4이고 각각의 확률은 다음과 같다.
이때 서랍 5개 중 임의로 2개를 배정하는 모든 경우의 수는 ${}_5C_2$이다.

$P(X=1)=\frac{4}{{}_5C_2}=\frac{4}{10}$ ⬅ (1, 2), (1, 3), (1, 4), (1, 5)의 4가지

$P(X=2)=\frac{3}{{}_5C_2}=\frac{3}{10}$ ⬅ (2, 3), (2, 4), (2, 5)의 3가지

$P(X=3)=\frac{2}{{}_5C_2}=\frac{2}{10}$ ⬅ (3, 4), (3, 5)의 2가지

$P(X=4)=\frac{1}{{}_5C_2}=\frac{1}{10}$ ⬅ (4, 5)의 1가지

확률변수 X의 확률분포를 표로 나타내면 다음과 같다.

X	1	2	3	4	합계
$P(X)$	$\frac{4}{10}$	$\frac{3}{10}$	$\frac{2}{10}$	$\frac{1}{10}$	1

STEP B $E(X)$ 구하기

따라서 $E(X)=1\times\frac{4}{10}+2\times\frac{3}{10}+3\times\frac{2}{10}+4\times\frac{1}{10}=2$

1060

정답 ②

STEP A 모든 순서쌍의 수 구하기

주머니 A에는 4장의 카드가, 주머니 B에는 5개의 공이 들어있으므로
주머니 A에서 꺼낸 카드에 적힌 숫자를 a,
주머니 B에서 꺼낸 공에 적힌 숫자를 b라 하면
순서쌍 (a, b)의 모든 경우의 수는 ${}_4C_1\times{}_5C_1=20$

STEP B 확률변수 X의 경우의 수 구하기

두 자연수 중 작지 않은 수가 확률변수 X이므로 1, 2, 3, 4, 5이고
각각의 확률은 다음과 같다.

$P(X=1)=\frac{1}{20}$ ⬅ $(a, b)=(1, 1)$의 1가지

$P(X=2)=\frac{3}{20}$ ⬅ $(a, b)=(1, 2), (2, 1), (2, 2)$의 3가지

$P(X=3)=\frac{5}{20}$ ⬅ $(a, b)=(1, 3), (2, 3), (3, 3), (3, 1), (3, 2)$의 5가지

$P(X=4)=\frac{7}{20}$ ⬅ $(a, b)=(1, 4), (2, 4), (3, 4), (4, 4), (4, 1), (4, 2), (4, 3)$의 7가지

$P(X=5)=\frac{4}{20}$ ⬅ $(a, b)=(1, 5), (2, 5), (3, 5), (4, 5)$의 4가지

STEP C 확률변수 X의 평균 $E(X)$ 구하기

확률변수 X의 확률분포를 표로 나타내면 다음과 같다.

X	1	2	3	4	5	합계
$P(X)$	$\frac{1}{20}$	$\frac{3}{20}$	$\frac{5}{20}$	$\frac{7}{20}$	$\frac{4}{20}$	1

따라서 X의 기댓값은

$E(X)=\frac{1}{20}+2\times\frac{3}{20}+3\times\frac{5}{20}+4\times\frac{7}{20}+5\times\frac{4}{20}=\frac{70}{20}=\frac{7}{2}$

내신연계 출제문항 452

각 면에 숫자 1, 2, 3, 4가 하나씩 적혀 있는 정사면체가 있다. 갑과 을이 이 정사면체를 각각 한 번씩 던질 때, 바닥에 놓인 면에 적혀 있는 수를 각각 a, b라 하자.
a, b 중 작지 않은 수를 확률변수 X라 할 때, $E(8X)$의 값은?

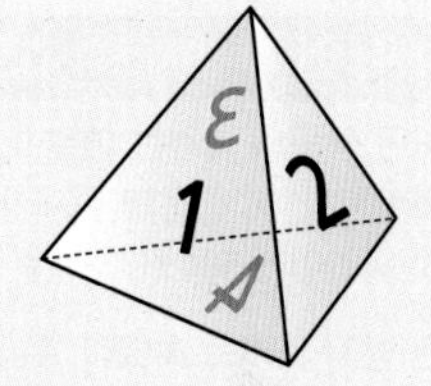

① 16 ② 20 ③ 25
④ 30 ⑤ 32

STEP A 확률변수 X의 확률분포를 표로 나타내기

작지 않은 수가 확률변수 X이므로 X가 가질 수 있는 값은 1, 2, 3, 4이고
각각의 확률은 다음과 같다.
순서쌍 (a, b)의 개수는 $4\times4=16$

$P(X=1)=\frac{1}{16}$ ⬅ $(a, b)=(1, 1)$의 1가지

$P(X=2)=\frac{3}{16}$ ⬅ $(a, b)=(1, 2), (2, 1), (2, 2)$의 3가지

$P(X=3)=\frac{5}{16}$ ⬅ $(a, b)=(1, 3), (2, 3), (3, 3), (3, 1), (3, 2)$의 5가지

$P(X=4)=\frac{7}{16}$ ⬅ $(a, b)=(1, 4), (2, 4), (3, 4), (4, 4), (4, 1), (4, 2), (4, 3)$의 7가지

확률변수 X의 확률분포를 표로 나타내면 다음과 같다.

X	1	2	3	4	합계
$P(X=x)$	$\frac{1}{16}$	$\frac{3}{16}$	$\frac{5}{16}$	$\frac{7}{16}$	1

STEP B 확률변수 X의 평균 $E(X)$ 구하기

$E(X)=1\times\frac{1}{16}+2\times\frac{3}{16}+3\times\frac{5}{16}+4\times\frac{7}{16}=\frac{25}{8}$

따라서 $E(8X)=8E(X)=8\times\frac{25}{8}=25$

정답 ③

1061

정답 ②

STEP Ⓐ **확률변수 X의 확률분포를 표로 나타내기**

첫째 달에 오르고 둘째 달에도 오르면 $1000\times1.2\times1.2=1440$
첫째 달에 내리고 둘째 달에 오르면 $1000\times0.8\times1.2=960$
첫째 달에 오르고 둘째 달에 내리면 $1000\times1.2\times0.8=960$
첫째 달에 내리고 둘째 달에도 내리면 $1000\times0.8\times0.8=640$
그러므로 현재에서 두 달 후 받는 금액을 확률변수 X라 할 때,
X가 취할 수 있는 값은 0, 40, 360
확률변수 X의 확률분포를 표로 나타내면 다음과 같다.

X	0	40	360	합계
$\mathrm{P}(X=x)$	$\frac{1}{4}$	$\frac{1}{2}$	$\frac{1}{4}$	1

STEP Ⓑ **확률변수 X의 기댓값 구하기**

따라서 구하는 기댓값은 $\mathrm{E}(X)=0\times\frac{1}{4}+40\times\frac{1}{2}+360\times\frac{1}{4}=110$

내/신/연/계/ 출제문항 453

어떤 상품의 가격은 매달 0.5의 확률로 10% 상승하거나 0.5의 확률로 10% 하락한다. 이 상품의 현재가격은 500원이다. 두 달 후 이 상품의 가격이 500원 이하이면 500원에서 두 달 후 상품가격을 뺀 금액을 받고, 500원 이상이면 받지 않기로 하였다. 두 달 후 받을 수 있는 금액의 기댓값을 $\frac{p}{q}$라 할 때, $p+q$의 값은? (단, 첫 번째 달의 가격변동과 두 번째 달의 가격변동은 서로 독립이다.)

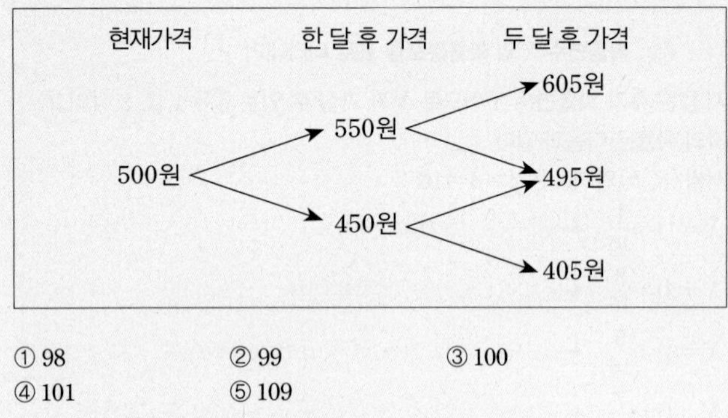

① 98　② 99　③ 100
④ 101　⑤ 109

STEP Ⓐ **확률변수 X의 확률분포를 표로 나타내기**

한 달 후의 가격이 550원 일 확률은 0.5
계속해서 다음 달에 605원이 될 확률이 0.5이므로
결국 현재 500원인 상품이 두 달 후에 605원이 될 확률은 $0.5\times0.5=0.25$
나머지 가격도 같은 방법으로 계산하면 두 달 후의 가격에 대한 확률은
다음 표와 같다.

가격	605	495	405
확률	$\frac{1}{4}$	$\frac{1}{2}$	$\frac{1}{4}$

STEP Ⓑ **확률분포를 표로 나타내고 평균 $\mathrm{E}(X)$ 구하기**

두 달 후의 받을 수 있는 금액을 확률 변수 X라 하면

X	0	5	95	합계
$\mathrm{P}(X=x)$	$\frac{1}{4}$	$\frac{1}{2}$	$\frac{1}{4}$	1

이므로 두 달 후, 받을 수 있는 금액의 기댓값은
$\mathrm{E}(X)=0\times\frac{1}{4}+5\times\frac{1}{2}+95\times\frac{1}{4}=\frac{105}{4}$
따라서 $p+q=109$

정답 ⑤

1062

정답 ③

STEP Ⓐ **확률변수 X의 확률분포를 표로 나타내기**

확률변수 X가 가질 수 있는 값은 3, 4, 5, 6이고 각각의 확률은
(ⅰ) (앞, 앞, 앞, 앞), (뒤, 뒤, 뒤, 뒤)가 나올 확률은

$\mathrm{P}(X=3)=2\times\left(\frac{1}{2}\right)^4=\frac{1}{8}$

(ⅱ) (앞, 앞, 앞, 뒤), (앞, 앞, 뒤, 뒤), (앞, 뒤, 뒤, 뒤), (뒤, 뒤, 뒤, 앞), (뒤, 뒤, 앞 , 앞), (뒤, 앞, 앞, 앞)이 나올 확률은

$\mathrm{P}(X=4)=6\times\left(\frac{1}{2}\right)^4=\frac{3}{8}$

(ⅲ) (앞, 앞, 뒤, 앞), (앞, 뒤, 뒤, 앞), (앞, 뒤, 앞, 앞), (뒤, 뒤, 앞, 뒤), (뒤, 앞, 앞, 뒤), (뒤, 앞, 뒤, 뒤)가 나올 확률은

$\mathrm{P}(X=5)=6\times\left(\frac{1}{2}\right)^4=\frac{3}{8}$

(ⅳ) (앞, 뒤, 앞, 뒤), (뒤, 앞, 뒤, 앞)이 나올 확률은

$\mathrm{P}(X=6)=2\times\left(\frac{1}{2}\right)^4=\frac{1}{8}$

(ⅰ)~(ⅳ)에서 X의 확률분포를 표로 나타내면 다음과 같다.

X	3	4	5	6	합계
$\mathrm{P}(X=x)$	$\frac{1}{8}$	$\frac{3}{8}$	$\frac{3}{8}$	$\frac{1}{8}$	1

STEP Ⓑ **확률변수 X의 기댓값 구하기**

따라서 $\mathrm{E}(X)=3\times\frac{1}{8}+4\times\frac{3}{8}+5\times\frac{3}{8}+6\times\frac{1}{8}=\frac{36}{8}=\frac{9}{2}$

1063

정답 ③

STEP Ⓐ **확률변수 X의 확률분포를 표로 나타내기**

확률변수 X가 가질 수 있는 값은 0, 1, 2이고 각각의 확률은 다음과 같다.

$\mathrm{P}(X=0)=\frac{{}_3\mathrm{C}_2\times{}_2\mathrm{C}_0}{{}_5\mathrm{C}_2}=\frac{3}{10}$

$\mathrm{P}(X=1)=\frac{{}_3\mathrm{C}_1\times{}_2\mathrm{C}_1}{{}_5\mathrm{C}_2}=\frac{3}{5}$

$\mathrm{P}(X=2)=\frac{{}_3\mathrm{C}_0\times{}_2\mathrm{C}_2}{{}_5\mathrm{C}_2}=\frac{1}{10}$

확률변수 X의 확률분포를 표로 나타내면 다음과 같다.

X	0	1	2	합계
$\mathrm{P}(X=x)$	$\frac{3}{10}$	$\frac{3}{5}$	$\frac{1}{10}$	1

STEP Ⓑ **$\mathrm{V}(X)=\mathrm{E}(X^2)-\{\mathrm{E}(X)\}^2$임을 이용하여 구하기**

$\mathrm{E}(X)=0\times\frac{3}{10}+1\times\frac{3}{5}+2\times\frac{1}{10}=\frac{4}{5}$

$\mathrm{E}(X^2)=0^2\times\frac{3}{10}+1^2\times\frac{3}{5}+2^2\times\frac{1}{10}=1$

따라서 $\mathrm{V}(X)=\mathrm{E}(X^2)-\{\mathrm{E}(X)\}^2=1-\left(\frac{4}{5}\right)^2=\frac{9}{25}$

1064

정답 ①

STEP Ⓐ 확률변수 X의 확률분포를 표로 나타내기

확률변수 X가 취할 수 있는 값은 0, 1, 2이고 각각의 확률은 다음과 같다.

$P(X=0)=\frac{{}_4C_3}{{}_6C_3}=\frac{1}{5}$, $P(X=1)=\frac{{}_2C_1\times{}_4C_2}{{}_6C_3}=\frac{3}{5}$

$P(X=2)=\frac{{}_2C_2\times{}_4C_1}{{}_6C_3}=\frac{1}{5}$

확률변수 X의 확률분포를 표로 나타내면 다음과 같다.

X	0	1	2	합계
$P(X=x)$	$\frac{1}{5}$	$\frac{3}{5}$	$\frac{1}{5}$	1

STEP Ⓑ $V(X)=E(X^2)-\{E(X)\}^2$임을 이용하여 구하기

$E(X)=0\times\frac{1}{5}+1\times\frac{3}{5}+2\times\frac{1}{5}=\frac{5}{5}=1$

$E(X^2)=0^2\times\frac{1}{5}+1^2\times\frac{3}{5}+2^2\times\frac{1}{5}=\frac{7}{5}$

따라서 $V(X)=E(X^2)-\{E(X)\}^2=\frac{7}{5}-1^2=\frac{2}{5}$

1065

정답 ②

STEP Ⓐ 확률변수 X의 확률분포를 표로 나타내기

확률변수 X가 갖는 값은 2, 3, 4, 5이고 그 각각의 확률은 다음과 같다.

(ⅰ) $X=2$일 때, 2회 모두 검은 공을 꺼내는 경우이므로

$P(X=2)=\frac{{}_2C_2}{{}_5C_2}=\frac{1}{10}$

(ⅱ) $X=3$일 때, 2회까지 흰 공과 검은 공을 각각 1개씩 꺼내고, 3회에 검은 공을 꺼내는 경우이므로

$P(X=3)=\frac{{}_3C_1\times{}_2C_1}{{}_5C_2}\times\frac{1}{3}=\frac{1}{5}$

(ⅲ) $X=4$일 때, 3회까지 흰 공과 검은 공을 각각 2개, 1개 꺼내고, 4회에 검은 공을 꺼내는 경우이므로

$P(X=4)=\frac{{}_3C_2\times{}_2C_1}{{}_5C_3}\times\frac{1}{2}=\frac{3}{10}$

(ⅳ) $X=5$일 때, 4회까지 흰 공과 검은 공을 각각 3개, 1개 꺼내고, 5회에 검은 공을 꺼내는 경우이므로

$P(X=5)=\frac{{}_3C_3\times{}_2C_1}{{}_5C_4}\times 1=\frac{2}{5}$

(ⅰ)~(ⅳ)에서 확률변수 X의 확률분포를 표로 나타내면 다음과 같다.

X	2	3	4	5	합계
$P(X=x)$	$\frac{1}{10}$	$\frac{1}{5}$	$\frac{3}{10}$	$\frac{2}{5}$	1

STEP Ⓑ $V(X)=E(X^2)-\{E(X)\}^2$임을 이용하여 구하기

$E(X)=2\times\frac{1}{10}+3\times\frac{1}{5}+4\times\frac{3}{10}+5\times\frac{2}{5}=4$

$E(X^2)=2^2\times\frac{1}{10}+3^2\times\frac{1}{5}+4^2\times\frac{3}{10}+5^2\times\frac{2}{5}=17$

따라서 $V(X)=E(X^2)-\{E(X)\}^2=17-4^2=1$

내신연계 출제문항 454

흰 공 2개와 검은 공 3개가 들어 있는 주머니에서 임의로 공을 한 개씩 꺼내어 공의 색을 확인한다. 흰 공 2개를 모두 꺼낼 때까지만 공을 꺼냈을 때, 주머니에 남아 있는 검은 공의 개수를 확률변수 X라 하자. $V(X)$의 값은? (단, 꺼낸 공은 다시 넣지 않는다.)

① $\frac{8}{5}$　② $\frac{17}{10}$　③ $\frac{9}{5}$
④ $\frac{19}{10}$　⑤ 1

STEP Ⓐ 확률변수 X의 확률분포를 표로 나타내기

확률변수 X가 갖는 값은 0, 1, 2, 3이고
그 각각 확률은 다음과 같다.

(ⅰ) 주머니에 검은 공이 남아 있지 않은 경우
다섯 번째에 흰 공이 나오고
네 번째까지 검은 공 3개와 흰 공 1개가 나오면 되므로

$P(X=0)=\frac{{}_3C_3\times{}_2C_1}{{}_5C_4}=\frac{2}{5}$

(ⅱ) 주머니에 검은 공이 1개 남아 있는 경우
네 번째에 흰 공이 나오고
세 번째까지 검은 공 2개와 흰 공 1개가 나오면 되므로

$P(X=1)=\frac{{}_3C_2\times{}_2C_1}{{}_5C_3}\times\frac{1}{2}=\frac{3}{10}$

(ⅲ) 주머니에 검은 공이 2개 남아 있는 경우
세 번째에 흰 공이 나오고
두 번째까지 검은 공 1개와 흰 공 1개가 나오면 되므로

$P(X=2)=\frac{{}_3C_1\times{}_2C_1}{{}_5C_2}\times\frac{1}{3}=\frac{1}{5}$

(ⅳ) 주머니에 검은 공이 3개 남아 있는 경우
두 번째까지 흰 공 2개가 나오면 되므로

$P(X=3)=\frac{{}_2C_2}{{}_5C_2}=\frac{1}{10}$

(ⅰ)~(ⅳ)에서 확률변수 X의 확률분포를 표로 나타내면 다음과 같다.

X	0	1	2	3	합계
$P(X=x)$	$\frac{2}{5}$	$\frac{3}{10}$	$\frac{1}{5}$	$\frac{1}{10}$	1

STEP Ⓑ $V(X)=E(X^2)-\{E(X)\}^2$임을 이용하여 구하기

$E(X)=0\times\frac{2}{5}+1\times\frac{3}{10}+2\times\frac{1}{5}+3\times\frac{1}{10}=1$

$E(X^2)=0^2\times\frac{2}{5}+1^2\times\frac{3}{10}+2^2\times\frac{1}{5}+3^2\times\frac{1}{10}=2$

따라서 $V(X)=E(X^2)-\{E(X)\}^2=2-1^2=1$

다른풀이 경우의 수를 이용하여 풀이하기

확률변수 X가 갖는 값은 0, 1, 2, 3이다.

(ⅰ) 주머니에 검은 공이 남아 있지 않은 경우
첫 번째부터 네 번째까지 공을 한 개씩 꺼낼 때,
흰 공 1개와 검은 공 3개가 나오는 경우의 수는
흰 공 1개와 검은 공 3개를 일렬로 나열하는 경우의 수와 같으므로

$\frac{4!}{3!}$이고, 각 경우의 확률은 $\frac{2}{5}\times\frac{3}{4}\times\frac{2}{3}\times\frac{1}{2}=\frac{1}{10}$이므로

$P(X=0)=\frac{4!}{3!}\times\frac{2}{5}\times\frac{3}{4}\times\frac{2}{3}\times\frac{1}{2}=\frac{2}{5}$

(ⅱ) 주머니에 검은 공이 1개 남아 있는 경우
첫 번째부터 세 번째까지 공을 한 개씩 꺼낼 때,
흰 공 1개와 검은 공 2개가 나오는 경우의 수는
흰 공 1개와 검은 공 2개를 일렬로 나열하는 경우의 수와 같으므로

$\frac{3!}{2!}$이고, 각 경우의 확률은 $\frac{2}{5}\times\frac{3}{4}\times\frac{2}{3}=\frac{1}{5}$

또한, 네 번째 꺼낼 때, 흰 공이 나올 확률은 $\frac{1}{2}$이므로

$P(X=1)=\frac{3!}{2!}\times\frac{2}{5}\times\frac{3}{4}\times\frac{2}{3}\times\frac{1}{2}=\frac{3}{10}$

Ⅲ 통계

(ⅲ) 주머니에 검은 공이 2개 남아 있는 경우
첫 번째부터 두 번째까지 공을 한 개씩 꺼낼 때,
흰 공 1개와 검은 공 1개가 나오는 경우의 수는
흰 공 1개와 검은 공 1개를 일렬로 나열하는 경우의 수와 같으므로
$2!$이고, 각 경우의 확률은 $\frac{2}{5}\times\frac{3}{4}=\frac{3}{10}$
또한, 세 번째 꺼낼 때, 흰 공이 나올 확률은 $\frac{1}{3}$이므로
$\mathrm{P}(X=2)=2!\times\frac{2}{5}\times\frac{3}{4}\times\frac{1}{3}=\frac{1}{5}$

(ⅳ) 주머니에 검은 공이 3개 남아 있는 경우
두 번째까지 흰 공 2개가 나오면 되므로
$\mathrm{P}(X=3)=\frac{{}_2\mathrm{C}_2}{{}_5\mathrm{C}_2}=\frac{1}{10}$

따라서 이산확률변수 X의 확률분포를 표로 나타내면 다음과 같다.

X	0	1	2	3	합계
$\mathrm{P}(X=x)$	$\frac{2}{5}$	$\frac{3}{10}$	$\frac{1}{5}$	$\frac{1}{10}$	1

$\mathrm{E}(X^2)=0^2\times\frac{2}{5}+1^2\times\frac{3}{10}+2^2\times\frac{1}{5}+3^2\times\frac{1}{10}=2$

 ⑤

1066

 ①

STEP A 확률변수 X의 확률분포를 표로 나타내기

확률변수 X가 갖는 값은 0, 1, 2이고 각각의 확률은 다음과 같다.

(ⅰ) $X=0$일 때,
세 주머니 A, B, C에서 각각 검은 공을 꺼내야 하므로
$\mathrm{P}(X=0)=\frac{4}{4}\times\frac{3}{4}\times\frac{2}{4}=\frac{3}{8}$

(ⅱ) $X=1$일 때,
① 주머니 A에서 검은 공, 주머니 B에서 흰 공, 주머니 C에서 검은 공을 꺼내는 경우
$\frac{4}{4}\times\frac{1}{4}\times\frac{2}{4}=\frac{1}{8}$
② 주머니 A에서 검은 공, 주머니 B에서 검은 공, 주머니 C에서 흰 공을 꺼내는 경우
$\frac{4}{4}\times\frac{3}{4}\times\frac{2}{4}=\frac{3}{8}$
①, ②에서 $\mathrm{P}(X=1)=\frac{1}{8}+\frac{3}{8}=\frac{1}{2}$

(ⅲ) $X=2$일 때,
주머니 A에서 검은 공, 주머니 B에서 흰 공, 주머니 C에서 흰 공을 꺼내야 하므로
$\mathrm{P}(X=2)=\frac{4}{4}\times\frac{1}{4}\times\frac{2}{4}=\frac{1}{8}$

(ⅰ)~(ⅲ)에서 X의 확률분포를 표로 나타내면 다음과 같다.

X	0	1	2	합계
$\mathrm{P}(X=x)$	$\frac{3}{8}$	$\frac{1}{2}$	$\frac{1}{8}$	1

STEP B $\mathrm{V}(X)=\mathrm{E}(X^2)-\{\mathrm{E}(X)\}^2$임을 이용하여 구하기

$\mathrm{E}(X)=0\times\frac{3}{8}+1\times\frac{1}{2}+2\times\frac{1}{8}=\frac{3}{4}$

$\mathrm{E}(X^2)=0^2\times\frac{3}{8}+1^2\times\frac{1}{2}+2^2\times\frac{1}{8}=1$

따라서 $\mathrm{V}(X)=\mathrm{E}(X^2)-\{\mathrm{E}(X)\}^2=1-\left(\frac{3}{4}\right)^2=\frac{7}{16}$

내신연계 출제문항 455

그림과 같이 주머니 A에는 1, 2, 3의 숫자가 하나씩 적혀 있는 3개의 공이, 주머니 B에는 2, 3, 4의 숫자가 하나씩 적혀 있는 3개의 공이, 주머니 C에는 1, 5의 숫자가 하나씩 적혀 있는 2개의 공이 들어 있다.
세 주머니 A, B, C 중에서 임의로 1개의 주머니를 택하여 임의로 1개의 공을 꺼낼 때, 공에 적혀 있는 숫자를 확률변수 X라 하자. $\mathrm{V}(X)$의 값은?

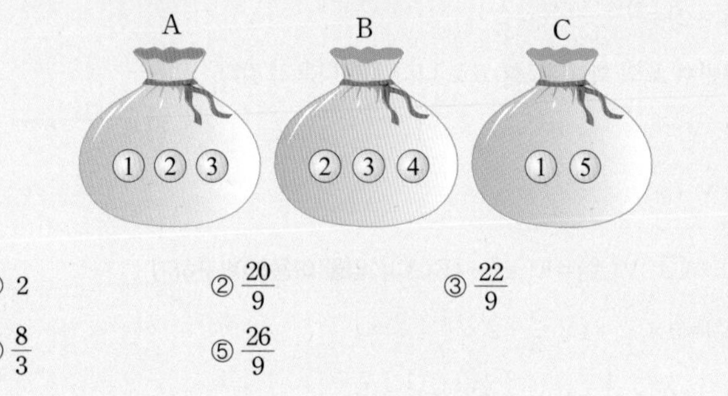

① 2　② $\frac{20}{9}$　③ $\frac{22}{9}$
④ $\frac{8}{3}$　⑤ $\frac{26}{9}$

STEP A 확률변수 X의 확률분포를 표로 나타내기

확률변수 X가 갖는 값은 1, 2, 3, 4, 5이고 세 주머니 중에서
임의로 한 주머니를 택할 확률은 $\frac{1}{3}$이다.

(ⅰ) $X=1$일 때,
주머니 A 또는 C를 택하여 1이 적혀 있는 공을 꺼내는 경우이므로
$\mathrm{P}(X=1)=\frac{1}{3}\times\frac{1}{3}+\frac{1}{3}\times\frac{1}{2}=\frac{5}{18}$

(ⅱ) $X=2$일 때,
주머니 A 또는 B를 택하여 2가 적혀 있는 공을 꺼내는 경우이므로
$\mathrm{P}(X=2)=\frac{1}{3}\times\frac{1}{3}+\frac{1}{3}\times\frac{1}{3}=\frac{2}{9}$

(ⅲ) $X=3$일 때,
주머니 A 또는 B를 택하여 3이 적혀 있는 공을 꺼내는 경우이므로
$\mathrm{P}(X=3)=\frac{1}{3}\times\frac{1}{3}+\frac{1}{3}\times\frac{1}{3}=\frac{2}{9}$

(ⅳ) $X=4$일 때,
주머니 B를 택하여 4가 적혀 있는 공을 꺼내는 경우이므로
$\mathrm{P}(X=4)=\frac{1}{3}\times\frac{1}{3}=\frac{1}{9}$

(ⅴ) $X=5$일 때,
주머니 C를 택하여 5가 적혀 있는 공을 꺼내는 경우이므로
$\mathrm{P}(X=5)=\frac{1}{3}\times\frac{1}{2}=\frac{1}{6}$

(ⅰ)~(ⅴ)에 의하여 확률변수 X의 확률분포를 표로 나타내면 다음과 같다.

X	1	2	3	4	5	합계
$\mathrm{P}(X=x)$	$\frac{5}{18}$	$\frac{2}{9}$	$\frac{2}{9}$	$\frac{1}{9}$	$\frac{1}{6}$	1

STEP B $\mathrm{V}(X)=\mathrm{E}(X^2)-\{\mathrm{E}(X)\}^2$ 구하기

$\mathrm{E}(X)=1\times\frac{5}{18}+2\times\frac{2}{9}+3\times\frac{2}{9}+4\times\frac{1}{9}+5\times\frac{1}{6}=\frac{8}{3}$

$\mathrm{E}(X^2)=1^2\times\frac{5}{18}+2^2\times\frac{2}{9}+3^2\times\frac{2}{9}+4^2\times\frac{1}{9}+5^2\times\frac{1}{6}=\frac{82}{9}$

따라서 $\mathrm{V}(X)=\mathrm{E}(X^2)-\{\mathrm{E}(X)\}^2=\frac{82}{9}-\left(\frac{8}{3}\right)^2=2$

 ①

1067

정답 ③

STEP Ⓐ X의 확률분포를 표로 나타내기

카드에 적힌 수의 차가 확률변수 X이므로 X가 갖는 값은 1, 2, 3이고 각각의 확률은 다음과 같다.

(i) $X=1$일 때,

카드에 적힌 두 수는 0과 1, 1과 2, 2와 3이므로 $P(X=1)=\frac{3}{{}_4C_2}=\frac{1}{2}$

(ii) $X=2$일 때,

카드에 적힌 두 수는 0과 2, 1과 3이므로 $P(X=2)=\frac{2}{{}_4C_2}=\frac{1}{3}$

(iii) $X=3$일 때,

카드에 적힌 두 수는 0과 3이므로 $P(X=3)=\frac{1}{{}_4C_2}=\frac{1}{6}$

(i)~(iii)에서 X의 확률분포를 표로 나타내면 다음과 같다.

X	1	2	3	합계
$P(X=x)$	$\frac{1}{2}$	$\frac{1}{3}$	$\frac{1}{6}$	1

STEP Ⓑ 확률변수 X의 표준편차 구하기

따라서 확률변수 X의 평균과 표준편차는

$E(X)=1\times\frac{1}{2}+2\times\frac{1}{3}+3\times\frac{1}{6}=\frac{5}{3}$

$E(X^2)=1^2\times\frac{1}{2}+2^2\times\frac{1}{3}+3^2\times\frac{1}{6}=\frac{20}{6}=\frac{10}{3}$

$V(X)=E(X^2)-\{E(X)\}^2=\frac{10}{3}-\left(\frac{5}{3}\right)^2=\frac{5}{9}\quad \therefore \sigma(X)=\frac{\sqrt{5}}{3}$

내/신/연/계/ 출제문항 456

1, 2, 3, 4의 숫자가 하나씩 적혀 있는 4장의 카드 중에서 임의로 2장의 카드를 동시에 뽑아 뽑힌 두 장의 카드에 적혀 있는 두 수의 차를 확률변수 X라 할 때, X의 분산은?

① $\frac{1}{9}$ ② $\frac{2}{9}$ ③ $\frac{1}{3}$
④ $\frac{4}{9}$ ⑤ $\frac{5}{9}$

STEP Ⓐ 확률변수 X가 취하는 값의 확률 구하기

카드에 적힌 숫자의 차가 확률변수 X이므로 X가 가질 수 있는 값은 1, 2, 3이고 각각의 확률은 다음과 같다.

4장의 카드 중 2장의 카드를 뽑는 전체 경우의 수는 ${}_4C_2=6$이고

(i) $X=1$인 경우는 1, 2 또는 2, 3 또는 3, 4를 뽑는 경우의 3가지

$P(X=1)=\frac{3}{{}_4C_2}=\frac{1}{2}$

(ii) $X=2$인 경우는 1, 3 또는 2, 4를 뽑는 경우의 2가지

$P(X=2)=\frac{2}{{}_4C_2}=\frac{1}{3}$

(iii) $X=3$인 경우는 1, 4를 뽑는 경우의 1가지

$P(X=3)=\frac{1}{{}_4C_2}=\frac{1}{6}$

(i)~(iii)에서 X의 확률분포를 표로 나타내면 다음과 같다.

X	1	2	3	합계
$P(X=x)$	$\frac{1}{2}$	$\frac{1}{3}$	$\frac{1}{6}$	1

STEP Ⓑ $V(X)=E(X^2)-\{E(X)\}^2$임을 이용하여 구하기

$E(X)=1\times\frac{1}{2}+2\times\frac{1}{3}+3\times\frac{1}{6}=\frac{10}{6}=\frac{5}{3}$ …… ㉠

$E(X^2)=1^2\times\frac{1}{2}+2^2\times\frac{1}{3}+3^2\times\frac{1}{6}=\frac{20}{6}=\frac{10}{3}$

따라서 $V(X)=E(X^2)-\{E(X)\}^2=\frac{10}{3}-\left(\frac{5}{3}\right)^2=\frac{5}{9}$

정답 ⑤

참고 ㉠에서 $V(X)$를 다음과 같이 구할 수 있다.

$V(X)=\left(1-\frac{5}{3}\right)^2\times\frac{1}{2}+\left(2-\frac{5}{3}\right)^2\times\frac{1}{3}+\left(3-\frac{5}{3}\right)^2\times\frac{1}{6}$

$=\frac{2}{9}+\frac{1}{27}+\frac{8}{27}=\frac{5}{9}$

1068

정답 ②

STEP Ⓐ 확률변수 X의 확률분포를 표로 나타내기

선택한 두 점의 x좌표가 0 또는 1 또는 2이므로

확률변수 X가 갖는 값은 0, 1, 2, 3, 4이고 각각의 확률은 다음과 같다.

(i) $X=0$인 경우

x좌표가 0인 점 중에서 2개를 택한 경우이므로

$P(X=0)=\frac{{}_3C_2}{{}_9C_2}=\frac{1}{12}$

(ii) $X=1$인 경우

x좌표가 0, 1인 점 중에서 각각 1개씩 택한 경우이므로

$P(X=1)=\frac{{}_3C_1\times{}_3C_1}{{}_9C_2}=\frac{1}{4}$

(iii) $X=2$인 경우

x좌표가 0, 2인 점 중에서 각각 1개씩 택하거나 x좌표가 1인 점 중에서 2개를 택한 경우이므로

$P(X=2)=\frac{{}_3C_1\times{}_3C_1+{}_3C_2}{{}_9C_2}=\frac{1}{3}$

(iv) $X=3$인 경우

x좌표가 1, 2인 점 중에서 각각 1개씩 택한 경우이므로

$P(X=3)=\frac{{}_3C_1\times{}_3C_1}{{}_9C_2}=\frac{1}{4}$

(v) $X=4$인 경우

x좌표가 2인 점 중에서 2개를 택한 경우이므로

$P(X=4)=\frac{{}_3C_2}{{}_9C_2}=\frac{1}{12}$

(i)~(v)에서 확률변수 X의 확률분포를 표로 나타내면 다음과 같다.

X	0	1	2	3	4	합계
$P(X=x)$	$\frac{1}{12}$	$\frac{1}{4}$	$\frac{1}{3}$	$\frac{1}{4}$	$\frac{1}{12}$	1

STEP Ⓑ $V(X)=E(X^2)-\{E(X)\}^2$임을 이용하여 구하기

$E(X)=0\times\frac{1}{12}+1\times\frac{1}{4}+2\times\frac{1}{3}+3\times\frac{1}{4}+4\times\frac{1}{12}=2$

$E(X^2)=0^2\times\frac{1}{12}+1^2\times\frac{1}{4}+2^2\times\frac{1}{3}+3^2\times\frac{1}{4}+4^2\times\frac{1}{12}=\frac{31}{6}$

따라서 $V(X)=E(X^2)-\{E(X)\}^2=\frac{31}{6}-2^2=\frac{7}{6}$

1069

정답 ③

STEP Ⓐ $V(X)=E(X^2)-\{E(X)\}^2$임을 이용하여 구하기

$E(X)=11$, $E(X^2)=125$이므로

$V(X)=E(X^2)-\{E(X)\}^2=125-11^2=4$

$V(2X+3)=2^2V(X)=4\times4=16$

따라서 $\sigma(2X+3)=\sqrt{V(2X+3)}=\sqrt{16}=4$

1070

정답 ④

STEP Ⓐ $E(aX+b)=aE(X)+b$, $V(aX+b)=a^2V(X)$임을 이용하여 구하기

$E(X)=3$, $V(X)=4$이므로

$E(aX+b)=aE(X)+b=3a+b=0$ …… ㉠

$V(aX+b)=a^2V(X)=4a^2=1$

$\therefore a=\frac{1}{2}(\because a>0)$

따라서 ㉠에서 $b=-\frac{3}{2}$이므로 $a+b=\frac{1}{2}+\left(-\frac{3}{2}\right)=-1$

내신연계 출제문항 457

확률변수 X에 대하여 $E(X)=20$, $V(X)=4$

확률변수 $Y=aX+b$에 대하여

$E(Y)=0$, $V(Y)=16$

일 때, 상수 a, b에 대하여 $a+b$의 값은? (단, $a>0$)

① -40 ② -38 ③ -36
④ 36 ⑤ 38

STEP Ⓐ $E(aX+b)=aE(X)+b$, $V(aX+b)=a^2V(X)$임을 이용하여 구하기

$E(X)=20$이므로

$E(Y)=aE(X)+b=20a+b=0$ …… ㉠

$V(X)=4$이므로

$V(Y)=a^2V(X)=4a^2=16$ …… ㉡

$a>0$이므로 $a=2$

㉠, ㉡에서 $a=2$, $b=-40$

따라서 $a+b=2+(-40)=-38$

정답 ②

1071

정답 ④

STEP Ⓐ $E(aX+b)=aE(X)+b$, $V(aX+b)=a^2V(X)$임을 이용하여 구하기

$E(X)=5, E(X^2)=45$이므로

$V(X)=E(X^2)-\{E(X)\}^2=45-25=20$

$E(aX+b)=aE(X)+b=30$에서

$5a+b=30$ …… ㉠

$V(aX+b)=a^2V(X)=80$에서 $20a^2=80$

$a^2=4$

즉 $a<0$이므로 $a=-2$

㉠에서 $b=40$

STEP Ⓑ $a+b$의 값 구하기

따라서 $a+b=-2+40=38$

내신연계 출제문항 458

이산확률변수 X에 대하여

$E(X)=6$, $E(X^2)=52$

이다. 확률변수 $Y=\frac{1}{2}X+5$에 대하여 $E(Y)+E(Y^2)$의 값은?

① 70 ② 72 ③ 74
④ 76 ⑤ 78

STEP Ⓐ $V(X)=E(X^2)-\{E(X)\}^2$임을 이용하여 구하기

$E(X)=6$, $E(X^2)=52$이므로 $V(X)=E(X^2)-\{E(X)\}^2=52-6^2=16$

STEP Ⓑ $E(aX+b)=aE(X)+b$, $V(aX+b)=a^2V(X)$임을 이용하여 구하기

$Y=\frac{1}{2}X+5$에서 $E(Y)=E\left(\frac{1}{2}X+5\right)=\frac{1}{2}E(X)+5=\frac{1}{2}\times6+5=8$

$V(Y)=V\left(\frac{1}{2}X+5\right)=\frac{1}{4}V(X)=\frac{1}{4}\times16=4$

STEP Ⓒ $E(Y)+E(Y^2)$의 값 구하기

$V(Y)=E(Y^2)-\{E(Y)\}^2$이므로 $E(Y^2)=V(Y)+\{E(Y)\}^2=4+8^2=68$

따라서 $E(Y)+E(Y^2)=8+68=76$

정답 ④

1072

STEP Ⓐ $E(aX+b)=aE(X)+b$임을 이용하여 구하기

$E(3X+1)=3E(X)+1=7$이므로 $E(X)=2$

STEP Ⓑ $V(X)=E(X^2)-\{E(X)\}^2$임을 이용하여 구하기

$V(X)=E(X^2)-\{E(X)\}^2=5-2^2=1$

STEP Ⓒ $E(Y)+\sigma(Y)$ 구하기

$E(Y)=E(2X-1)=2E(X)-1=3$

$V(Y)=V(2X-1)=2^2V(X)=4V(X)=4$

따라서 $E(Y)+\sigma(Y)=3+2=5$

1073

STEP Ⓐ $E(aX+b)=aE(X)+b$, $V(aX+b)=a^2V(X)$임을 이용하여 구하기

$E(5X-3)=5E(X)-3=0$이므로 $E(X)=\frac{3}{5}$

$V(5X-3)=5^2V(X)=1$이므로 $V(X)=\frac{1}{25}$

STEP Ⓑ $V(X)=E(X^2)-\{E(X)\}^2$임을 이용하여 구하기

따라서 $V(X)=E(X^2)-\{E(X)\}^2$이므로

$E(X^2)=V(X)+\{E(X)\}^2=\frac{1}{25}+\frac{9}{25}=\frac{2}{5}$

내신연계 출제문항 459

이산확률변수 X에 대하여

$E(2X+3)=15$, $V\left(\frac{1}{2}X+1\right)=5$

일 때, $E(X^2)$의 값은?

① 32 ② 42 ③ 56
④ 60 ⑤ 64

STEP Ⓐ $E(aX+b)=aE(X)+b$, $V(aX+b)=a^2V(X)$임을 이용하여 구하기

$E(2X+3)=15$에서 $2E(X)+3=15$ $\therefore E(X)=6$

$V\left(\frac{1}{2}X+1\right)=5$에서 $\left(\frac{1}{2}\right)^2V(X)=\frac{1}{4}V(X)=5$이므로 $V(X)=20$

STEP Ⓑ $V(X)=E(X^2)-\{E(X)\}^2$임을 이용하여 구하기

따라서 $E(X^2)=V(X)+\{E(X)\}^2=20+6^2=56$

정답 ③

1074

정답 ⑤

STEP Ⓐ **평균의 성질을 이용하여 b의 값 구하기**

$E(X)=m$, $\sigma(X)=\sigma$이고 $E(T)=100$, $\sigma(T)=20$이므로

T의 평균은

$E(T)=E\left(a\left(\frac{X-m}{\sigma}\right)+b\right)=\frac{a}{\sigma}E(X)-\frac{a}{\sigma}m+b=\frac{a}{\sigma}m-\frac{a}{\sigma}m+b=b$

$\therefore b=100$

STEP Ⓑ **표준편차의 성질을 이용하여 a의 값 구하기**

T의 분산은

$V(T)=V\left(a\left(\frac{X-m}{\sigma}\right)+b\right)=\frac{a^2}{\sigma^2}V(X)=\frac{a^2}{\sigma^2}\times\sigma^2=a^2$

T의 표준편차는 $\sigma(T)=\sqrt{a^2}=a\ (\because a>0)$

$\therefore a=20$

따라서 $a+b=20+100=120$

1075

정답 ②

STEP Ⓐ **확률변수 X의 확률분포를 표로 나타내기**

확률변수 X의 확률분포를 표로 나타내면 다음과 같다.

X	0	1	2	3	4	합계
$P(X=x)$	$\frac{2}{20}$	$\frac{3}{20}$	$\frac{4}{20}$	$\frac{5}{20}$	$\frac{6}{20}$	1

$E(X)=0\times\frac{2}{20}+1\times\frac{3}{20}+2\times\frac{4}{20}+3\times\frac{5}{20}+4\times\frac{6}{20}=\frac{50}{20}=\frac{5}{2}$

$E(X)=0^2\times\frac{2}{20}+1^2\times\frac{3}{20}+2^2\times\frac{4}{20}+3^2\times\frac{5}{20}+4^2\times\frac{6}{20}=\frac{160}{20}=8$

STEP Ⓑ **$V(X)=E(X^2)-\{E(X)\}^2$임을 이용하여 구하기**

$V(X)=E(X^2)-\{E(X)\}^2=8-\left(\frac{5}{2}\right)^2=\frac{7}{4}$

따라서 $V(2X+3)=4V(X)=4\times\frac{7}{4}=7$

내/신/연/계/ 출제문항 460

이산확률변수 X의 확률질량함수가

$$P(X=x)=\frac{|x-4|}{7}\ (x=1, 2, 3, 4, 5)$$

일 때, $E(14X+5)$의 값은?

① 31 ② 35 ③ 39
④ 43 ⑤ 47

STEP Ⓐ **확률변수 X의 확률분포를 표로 나타내기**

확률변수 X의 확률분포를 표로 나타내면 다음과 같다.

X	1	2	3	4	5	합계
$P(X=x)$	$\frac{3}{7}$	$\frac{2}{7}$	$\frac{1}{7}$	0	$\frac{1}{7}$	1

STEP Ⓑ **$E(aX+b)=aE(X)+b$임을 이용하기**

확률변수 X의 평균 $E(X)$는

$E(X)=1\times\frac{3}{7}+2\times\frac{2}{7}+3\times\frac{1}{7}+4\times0+5\times\frac{1}{7}=\frac{15}{7}$

따라서 $E(14X+5)=14E(X)+5=14\times\frac{15}{7}+5=35$

정답 ②

1076

정답 ②

STEP Ⓐ **확률의 합이 1임을 이용하여 a 구하기**

확률의 총합은 1이므로

$a+2a+3a+\cdots+10a=1$

$55a=1 \quad \therefore a=\frac{1}{55}$ ⬅ $\sum_{x=1}^{10}P(X=x)=\sum_{x=1}^{10}ax=a\times\frac{10\cdot11}{2}=55a=1$

STEP Ⓑ **$E(X)$ 구하기**

확률변수 X의 확률질량함수가 $P(X=x)=\frac{1}{55}x\ (x=1, 2, 3, \cdots, 10)$이므로

확률변수 X의 확률분포를 표로 나타내면 다음과 같다.

X	1	2	3	$\cdots$	10	합계
$P(X=x)$	$\frac{1}{55}$	$\frac{2}{55}$	$\frac{3}{55}$	$\cdots$	$\frac{10}{55}$	1

$E(X)=1\times\frac{1}{55}+2\times\frac{2}{55}+3\times\frac{3}{55}+\cdots+10\times\frac{10}{55}$

$=\frac{1}{55}(1^2+2^2+3^2+\cdots+10^2)$

$=\frac{1}{55}\times\frac{10\times11\times21}{6}=7$

⬅ $P(X=x)=\frac{1}{55}x$이므로 $E(X)=\sum_{x=1}^{10}\left(x\times\frac{x}{55}\right)=\frac{1}{55}\sum_{x=1}^{10}x^2=\frac{1}{55}\times\frac{10\times11\times21}{6}=7$

STEP Ⓒ **$E(aX+b)=aE(X)+b$임을 이용하여 구하기**

따라서 $E(3X-10)=3E(X)-10=3\times7-10=11$

1077

정답 ①

STEP Ⓐ **확률의 합이 1임을 이용하여 a의 값 구하기**

확률변수 X가 갖는 값에 대한 확률의 합은 1이므로

$a+2a+3a+4a=1$에서 $10a=1 \quad \therefore a=\frac{1}{10}$

STEP Ⓑ **$V(X)=E(X^2)-\{E(X)\}^2$임을 이용하여 구하기**

확률변수 X의 확률질량함수가 $P(X=x)=\frac{1}{10}x\ (x=1, 2, 3, 4)$이므로

확률변수 X의 확률분포를 표로 나타내면 다음과 같다.

X	1	2	3	4	합계
$P(X=x)$	$\frac{1}{10}$	$\frac{2}{10}$	$\frac{3}{10}$	$\frac{4}{10}$	1

$E(X)=1\times\frac{1}{10}+2\times\frac{2}{20}+3\times\frac{3}{10}+4\times\frac{4}{10}=\frac{30}{10}=3$

$E(X^2)=1^2\times\frac{1}{10}+2^2\times\frac{2}{10}+3^2\times\frac{3}{10}+4^2\times\frac{4}{10}=\frac{100}{10}=10$

$V(X)=E(X^2)-\{E(X)\}^2=10-3^2=1$

따라서 $V(aX)=a^2V(X)=\frac{1}{100}\times1=\frac{1}{100}$

내/신/연/계/ 출제문항 461

이산확률변수 X가 가지는 값이 1, 2, 3, 4, 5이고 X의 확률질량함수가

$$P(X=x)=kx\ (x=1, 2, 3, 4, 5)$$

일 때, $V(3X+1)$의 값은? (단, k는 상수이다.)

① 12 ② 13 ③ 14
④ 15 ⑤ 16

STEP Ⓐ **확률의 합이 1임을 이용하여 k의 값 구하기**

확률의 총합은 1이므로

$k+2k+3k+4k+5k=1$에서 $15k=1 \quad \therefore k=\frac{1}{15}$

STEP B $\mathrm{V}(X)=\mathrm{E}(X^2)-\{\mathrm{E}(X)\}^2$**임을 이용하여 구하기**

확률변수 X의 확률질량함수가 $\mathrm{P}(X=x)=\frac{1}{15}x\,(x=1,\ 2,\ 3,\ 4,\ 5)$이므로

확률변수 X의 확률분포를 표로 나타내면 다음과 같다.

X	1	2	3	4	5	합계
$\mathrm{P}(X=x)$	$\frac{1}{15}$	$\frac{2}{15}$	$\frac{3}{15}$	$\frac{4}{15}$	$\frac{5}{15}$	1

$\mathrm{E}(X)=1\times\frac{1}{15}+2\times\frac{2}{15}+3\times\frac{3}{15}+4\times\frac{4}{15}+5\times\frac{5}{15}$

$=\frac{1}{15}(1^2+2^2+3^2+4^2+5^2)=\frac{11}{3}$ ← $\mathrm{E}(X)=\sum_{x=1}^{5}x\mathrm{P}(X=x)=\frac{1}{15}\sum_{x=1}^{5}x^2$

$\mathrm{E}(X^2)=1^2\times\frac{1}{15}+2^2\times\frac{2}{15}+3^2\times\frac{3}{15}+4^2\times\frac{4}{15}+5^2\times\frac{5}{15}$

$=\frac{1}{15}(1^3+2^3+3^3+4^3+5^3)=15$

$\mathrm{V}(X)=\mathrm{E}(X^2)-\{\mathrm{E}(X)\}^2=15-\left(\frac{11}{3}\right)^2=\frac{14}{9}$

STEP C $\mathrm{V}(3X+1)$**의 값 구하기**

따라서 $\mathrm{V}(3X+1)=9\mathrm{V}(X)=9\times\frac{14}{9}=14$

 ③

1078

 ①

STEP A **확률의 합이 1임을 이용하여 a 구하기**

X의 확률분포를 표로 나타내면 다음과 같다.

X	-1	0	1	2	합계
$\mathrm{P}(X=x)$	$\frac{-a+2}{10}$	$\frac{2}{10}$	$\frac{a+2}{10}$	$\frac{2a+2}{10}$	1

확률의 총합은 1이므로 $\frac{-a+2}{10}+\frac{2}{10}+\frac{a+2}{10}+\frac{2a+2}{10}=1,\ \frac{2a+8}{10}=1$

$\therefore a=1$

STEP B $\mathrm{V}(X)=\mathrm{E}(X^2)-\{\mathrm{E}(X)\}^2$**의 값 구하기**

$\mathrm{E}(X)=-1\times\frac{1}{10}+0\times\frac{2}{10}+1\times\frac{3}{10}+2\times\frac{4}{10}=1$

$\mathrm{E}(X^2)=(-1)^2\times\frac{1}{10}+0^2\times\frac{2}{10}+1^2\times\frac{3}{10}+2^2\times\frac{4}{10}=2$

$\mathrm{V}(X)=\mathrm{E}(X^2)-\{\mathrm{E}(X)\}^2=2-1=1$

STEP C $\mathrm{V}(aX+b)=a^2\mathrm{V}(X)$**임을 이용하여 구하기**

따라서 $\mathrm{V}(3X+2)=3^2\mathrm{V}(X)=9$

내신연계 출제문항 462

확률변수 X의 확률질량함수가

$$\mathrm{P}(X=x)=\frac{a-x}{10}\,(x=0,\ 1,\ 2,\ 3)$$

일 때, $\mathrm{V}(5X+1)$의 값은? (단, a는 상수이다.)

① 11　② 16　③ 21
④ 25　⑤ 31

STEP A **확률의 합이 1임을 이용하여 a 구하기**

확률의 총합은 1이므로

$\mathrm{P}(X=0)+\mathrm{P}(X=1)+\mathrm{P}(X=2)+\mathrm{P}(X=3)=\frac{a}{10}+\frac{a-1}{10}+\frac{a-2}{10}+\frac{a-3}{10}$

$=\frac{4a-6}{10}=1$

$\therefore a=4$

STEP B $\mathrm{V}(X)=\mathrm{E}(X^2)-\{\mathrm{E}(X)\}^2$**의 값 구하기**

확률변수 X의 확률분포를 표로 나타내면 다음과 같다.

X	0	1	2	3	합계
$\mathrm{P}(X=x)$	$\frac{4}{10}$	$\frac{3}{10}$	$\frac{2}{10}$	$\frac{1}{10}$	1

$\mathrm{E}(X)=0\times\frac{4}{10}+1\times\frac{3}{10}+2\times\frac{2}{10}+3\times\frac{1}{10}=1$

$\mathrm{V}(X)=\mathrm{E}(X^2)-\{\mathrm{E}(X)\}^2$

$=0^2\times\frac{4}{10}+1^2\times\frac{3}{10}+2^2\times\frac{2}{10}+3^2\times\frac{1}{10}-1^2$

$=2-1=1$

STEP C $\mathrm{V}(aX+b)=a^2\mathrm{V}(X)$**임을 이용하여 구하기**

따라서 $\mathrm{V}(5X+1)=5^2\mathrm{V}(X)=25$

 ④

1079

 ⑤

STEP A **확률의 합이 1임을 이용하여 a의 값 구하기**

확률의 총합은 1이므로

$\frac{4}{a}+\frac{3}{a}+\frac{2}{a}+\frac{1}{a}=1$에서 $\frac{10}{a}=1$　$\therefore a=10$

STEP B $\mathrm{V}(X)=\mathrm{E}(X^2)-\{\mathrm{E}(X)\}^2$**임을 이용하여 구하기**

확률변수 X의 확률질량함수가 $\mathrm{P}(X=x)=\frac{4-x}{10}\,(x=0,\ 1,\ 2,\ 3)$이므로

확률변수 X의 확률분포를 표로 나타내면 다음과 같다.

X	0	1	2	3	합계
$\mathrm{P}(X=x)$	$\frac{4}{10}$	$\frac{3}{10}$	$\frac{2}{10}$	$\frac{1}{10}$	1

STEP C $\mathrm{V}(X)=\mathrm{E}(X^2)-\{\mathrm{E}(X)\}^2$**을 이용하여 구하기**

$\mathrm{E}(X)=0\times\frac{4}{10}+1\times\frac{3}{10}+2\times\frac{2}{10}+3\times\frac{1}{10}=1$

$\mathrm{E}(X^2)=0^2\times\frac{4}{10}+1^2\times\frac{3}{10}+2^2\times\frac{2}{10}+3^2\times\frac{1}{10}=\frac{20}{10}=2$

$\mathrm{V}(X)=\mathrm{E}(X^2)-\{\mathrm{E}(X)\}^2=2-1^2=1$

따라서 $\mathrm{V}(aX+3)=a^2\mathrm{V}(X)=100\times1=100$

참고

$\mathrm{V}(X)=(0-1)^2\times\frac{4}{10}+(1-1)^2\times\frac{3}{10}+(2-1)^2\times\frac{2}{10}+(3-1)^2\times\frac{1}{10}$

$=1$

1080

 ②

STEP A **확률변수 X의 확률분포를 표로 나타내기**

확률변수 X의 확률분포를 표로 나타내면 다음과 같다.

X	-1	0	1	2	합계
$\mathrm{P}(X=x)$	$\frac{1}{10}$	$\frac{1}{5}$	$\frac{3}{10}$	$\frac{2}{5}$	1

STEP B $\mathrm{V}(X)=\mathrm{E}(X^2)-\{\mathrm{E}(X)\}^2$**의 값 구하기**

$\mathrm{E}(X)=-1\times\frac{1}{10}+0\times\frac{1}{5}+1\times\frac{3}{10}+2\times\frac{2}{5}=1$

$\mathrm{E}(X^2)=(-1)^2\times\frac{1}{10}+0^2\times\frac{1}{5}+1^2\times\frac{3}{10}+2^2\times\frac{2}{5}=2$

$\mathrm{V}(X)=\mathrm{E}(X^2)-\{\mathrm{E}(X)\}^2=2-1^2=1$

STEP C $\mathrm{E}(aX+b)=a\mathrm{E}(X)+b,\ \mathrm{V}(aX+b)=a^2\mathrm{V}(X)$**을 이용하기**

$\mathrm{E}(aX+b)=a\mathrm{E}(X)+b=a+b=0$　…… ㉠

$\mathrm{V}(aX+b)=a^2\mathrm{V}(X)=a^2=1$에서 $a>0$이므로 $a=1$

㉠에서 $b=-1$

따라서 $3a+b=3-1=2$

내신연계 출제문항 463

이산확률변수 X의 확률질량함수가

$$P(X=x)=\frac{x+2}{10}\ (x=-1,\ 0,\ 1,\ 2)$$

이고 확률변수 $Y=aX-b$에 대하여

$$E(Y)=3E(X),\ V(Y)=16V(X)$$

가 성립한다. 두 양수 a, b에 대하여 $a+b$의 값은?

① 3 ② 4 ③ 5
④ 6 ⑤ 7

STEP Ⓐ **확률변수 X의 확률분포를 표로 나타내기**

확률변수 X의 확률분포를 표로 나타내면 다음과 같다.

X	-1	0	1	2	합계
$P(X=x)$	$\frac{1}{10}$	$\frac{1}{5}$	$\frac{3}{10}$	$\frac{2}{5}$	1

STEP Ⓑ **$V(X)=E(X^2)-\{E(X)\}^2$의 값 구하기**

$E(X)=-1\times\frac{1}{10}+0\times\frac{1}{5}+1\times\frac{3}{10}+2\times\frac{2}{5}=1$

$E(X^2)=(-1)^2\times\frac{1}{10}+0^2\times\frac{1}{5}+1^2\times\frac{3}{10}+2^2\times\frac{2}{5}=2$

$V(X)=E(X^2)-\{E(X)\}^2=2-1^2=1$

STEP Ⓒ **$E(aX+b)=aE(X)+b$, $V(aX+b)=a^2V(X)$을 이용하기**

확률변수 $Y=aX-b$에 대하여

$E(Y)=E(aX-b)=aE(X)-b=a-b$

이때 $E(Y)=3E(X)$에서 $a-b=3$ ⋯⋯ ㉠

$V(Y)=V(aX-b)=a^2V(X)$

$V(Y)=16V(X)$에서 $a^2=16$

a가 양수이므로 $a=4$

㉠에서 $b=1$

따라서 $a+b=4+1=5$

정답 ③

1081

정답 ③

STEP Ⓐ **확률변수 $aX+b$의 평균, 분산, 표준편차 구하기**

확률변수 X의 기댓값과 분산 및 표준편차는 다음과 같다.

$E(X)=2\times\frac{2}{5}+4\times\frac{3}{10}+6\times\frac{1}{5}+8\times\frac{1}{10}=4$

$E(X^2)=2^2\times\frac{2}{5}+4^2\times\frac{3}{10}+6^2\times\frac{1}{5}+8^2\times\frac{1}{10}=20$

$V(X)=E(X^2)-\{E(X)\}^2=20-4^2=4$

$\sigma(X)=\sqrt{V(X)}=\sqrt{4}=2$

STEP Ⓑ **$E(aX+b)=aE(X)+b$, $V(aX+b)=a^2V(X)$임을 이용하여 구하기**

$E(Y)=E(3X+2)=3E(X)+2=3\times4+2=14$

$V(Y)=V(3X+2)=3^2V(X)=9\times4=36$

$\sigma(Y)=\sigma(3X+2)=3\sigma(X)=3\times2=6$

따라서 $E(Y)+\sigma(Y)=14+6=20$

1082

정답 ③

STEP Ⓐ **확률의 합이 1임을 이용하여 a, b 구하기**

확률의 합은 1이므로 $b=1$

$\frac{1}{4}+\frac{1}{2}+a=1\quad\therefore a=\frac{1}{4}$

STEP Ⓑ **$E(aX+b)=aE(X)+b$임을 이용하여 구하기**

$E(X)=0\times\frac{1}{4}+1\times\frac{1}{2}+2\times\frac{1}{4}=1$

따라서 $E(aX+b)=aE(X)+b=\frac{1}{4}\times1+1=\frac{5}{4}$

1083

정답 ⑤

STEP Ⓐ **확률의 합이 1임을 이용하여 a의 값 구하기**

확률의 합은 1이므로

$\frac{1}{4}+a+2a=1\quad\therefore a=\frac{1}{4}$

STEP Ⓑ **확률변수 X의 기댓값 구하기**

이때 확률변수 X의 평균 $E(X)$를 구하면

$E(X)=0\times\frac{1}{4}+1\times\frac{1}{4}+2\times\frac{2}{4}=\frac{5}{4}$

STEP Ⓒ **$E(aX+b)=aE(X)+b$임을 이용하기**

따라서 $E\left(\frac{1}{a}X+10\right)=E(4X+10)=4E(X)+10=4\times\frac{5}{4}+10=15$

내신연계 출제문항 464

확률분포 X의 확률분포를 표로 나타내면 다음과 같다.

X	2	3	4	합계
$P(X=x)$	a	$\frac{1}{4}$	$a+\frac{1}{2}$	1

$E\left(\frac{1}{a}X-3\right)$의 값은?

① 20 ② 23 ③ 25
④ 27 ⑤ 29

STEP Ⓐ **확률의 합이 1임을 이용하여 a의 값 구하기**

확률의 총합은 1이므로

$a+\frac{1}{4}+\left(a+\frac{1}{2}\right)=1\quad\therefore a=\frac{1}{8}$

STEP Ⓑ **$E\left(\frac{1}{a}X-3\right)$의 값 구하기**

확률분포 X의 확률분포를 표로 나타내면 다음과 같다.

X	2	3	4	합계
$P(X=x)$	$\frac{1}{8}$	$\frac{1}{4}$	$\frac{5}{8}$	1

$E(X)=2\times\frac{1}{8}+3\times\frac{1}{4}+4\times\frac{5}{8}=\frac{7}{2}$

따라서 $E\left(\frac{1}{a}X-3\right)=\frac{1}{a}E(X)-3=8\times\frac{7}{2}-3=25$

정답 ③

1084

정답 ①

STEP Ⓐ **확률의 합이 1임을 이용하여 p 구하기**

확률의 총합은 1이므로

$\frac{4}{10}+3p=1\quad\therefore p=\frac{1}{5}$

STEP Ⓑ **$E(aX+b)=aE(X)+b$임을 이용하여 구하기**

$E(X)=1\times\frac{3}{10}+2p+3\times\frac{1}{10}+4p+5p=\frac{6}{10}+11p=\frac{14}{5}$

따라서 $E(5X+3)=5E(X)+3=5\times\frac{14}{5}+3=17$

내/신/연/계/ 출제문항 465

확률변수 X의 확률분포를 표로 나타내면 다음과 같다.

X	0	1	2	3	합계
$\mathrm{P}(X=x)$	$2a$	$\frac{3}{8}$	$\frac{1}{4}$	a	1

$\mathrm{E}(4X-1)$의 값은? (단, a는 상수이다.)

① 1　② 2　③ 3
④ 4　⑤ 5

STEP Ⓐ **확률의 합이 1임을 이용하여 a 구하기**

확률의 합이 1이므로 $2a+\frac{3}{8}+\frac{1}{4}+a=1$ $\quad\therefore a=\frac{1}{8}$

STEP Ⓑ $\mathrm{E}(aX+b)=a\mathrm{E}(X)+b$**임을 이용하기**

X	0	1	2	3	합계
$\mathrm{P}(X=x)$	$\frac{1}{4}$	$\frac{3}{8}$	$\frac{1}{4}$	$\frac{1}{8}$	1

$\mathrm{E}(X)=0\times\frac{1}{4}+1\times\frac{3}{8}+2\times\frac{1}{4}+3\times\frac{1}{8}=\frac{5}{4}$

따라서 $\mathrm{E}(4X-1)=4\mathrm{E}(X)-1=4\times\frac{5}{4}-1=4$

정답 ④

1085

정답 ④

STEP Ⓐ **확률의 합이 1임을 이용하여 a 구하기**

확률의 총합은 1이므로 $\frac{1}{4}+2a+\frac{1}{4}+a=1$ $\quad\therefore a=\frac{1}{6}$

STEP Ⓑ $\mathrm{E}(X)$, $\mathrm{V}(X)$ **구하기**

확률변수 X의 평균과 분산은

$\mathrm{E}(X)=1\times\frac{1}{4}+2\times\frac{1}{3}+3\times\frac{1}{4}+4\times\frac{1}{6}=\frac{7}{3}$

$\mathrm{V}(X)=1^2\times\frac{1}{4}+2^2\times\frac{1}{3}+3^2\times\frac{1}{4}+4^2\times\frac{1}{6}-\left(\frac{7}{3}\right)^2=\frac{19}{18}$

STEP Ⓒ $\mathrm{V}(aX+b)=a^2\mathrm{V}(X)$**임을 이용하여 구하기**

따라서 $\mathrm{V}(3X+1)=3^2\mathrm{V}(X)=9\times\frac{19}{18}=\frac{19}{2}$

1086

정답 ①

STEP Ⓐ **확률의 합이 1임을 이용하여 b의 값 구하기**

확률의 총합은 1이므로 $b+\frac{1}{3}+b+\frac{1}{6}=1$ $\quad\therefore b=\frac{1}{4}$

STEP Ⓑ $\mathrm{E}(X)=\frac{7}{2}$**임을 이용하여 a의 값 구하기**

$\mathrm{E}(X)=2\times\frac{1}{4}+3\times\frac{1}{3}+4\times\frac{1}{4}+a\times\frac{1}{6}=\frac{7}{2}$

$\frac{5}{2}+\frac{a}{6}=\frac{7}{2}$ $\quad\therefore a=6$

STEP Ⓒ $\mathrm{V}(aX+b)=a^2\mathrm{V}(X)$**을 이용하여 구하기**

확률변수 X의 확률분포를 표로 나타내면 다음과 같다.

X	2	3	4	6	합계
$\mathrm{P}(X=x)$	$\frac{1}{4}$	$\frac{1}{3}$	$\frac{1}{4}$	$\frac{1}{6}$	1

$\mathrm{E}(X^2)=2^2\times\frac{1}{4}+3^2\times\frac{1}{3}+4^2\times\frac{1}{4}+6^2\times\frac{1}{6}=14$

$\mathrm{V}(X)=\mathrm{E}(X^2)-\{\mathrm{E}(X)\}^2=14-\frac{49}{4}=\frac{7}{4}$

따라서 $\mathrm{V}(-2X+3)=(-2)^2\mathrm{V}(X)=4\times\frac{7}{4}=7$

내/신/연/계/ 출제문항 466

이산확률변수 X의 확률분포를 표로 나타내면 다음과 같다.

X	a	$2a$	$3a$	합계
$\mathrm{P}(X=x)$	$\frac{5}{12}$	$\frac{1}{3}$	b	1

$\mathrm{E}(X)=\frac{11}{3}$일 때, $\mathrm{V}(3X+2)$의 값은? (단, a, b는 상수이다.)

① 22　② 23　③ 24
④ 25　⑤ 26

STEP Ⓐ **확률의 합이 1임을 이용하여 b의 값 구하기**

확률의 합이 1이므로 $\frac{5}{12}+\frac{1}{3}+b=1$ $\quad\therefore b=\frac{1}{4}$

STEP Ⓑ $\mathrm{E}(X)=\frac{11}{3}$**을 이용하여 a의 값 구하기**

$\mathrm{E}(X)=a\times\frac{5}{12}+2a\times\frac{1}{3}+3a\times\frac{1}{4}$

$=\frac{5a+8a+9a}{12}=\frac{11a}{6}$

즉 $\frac{11a}{6}=\frac{11}{3}$이므로 $a=2$

STEP Ⓒ $\mathrm{V}(X)=\mathrm{E}(X^2)-\{\mathrm{E}(X)\}^2$**을 이용하여 구하기**

이산확률변수 X의 확률분포를 표로 나타내면 다음과 같다.

X	2	4	6	합계
$\mathrm{P}(X=x)$	$\frac{5}{12}$	$\frac{1}{3}$	$\frac{1}{4}$	1

$\mathrm{V}(X)=\mathrm{E}(X^2)-\{\mathrm{E}(X)\}^2=2^2\times\frac{5}{12}+4^2\times\frac{1}{3}+6^2\times\frac{1}{4}-\left(\frac{11}{3}\right)^2=\frac{23}{9}$

따라서 $\mathrm{V}(3X+2)=9\mathrm{V}(X)=9\times\frac{23}{9}=23$

정답 ②

1087

정답 ④

STEP Ⓐ **확률의 합이 1임과 $\mathrm{E}(7X+2)=9$를 이용하여 a, b의 값 구하기**

확률의 총합이 1이므로 $\frac{1}{7}+a+b=1$

$a+b=\frac{6}{7}$ $\quad\cdots\cdots$ ㉠

한편 $\mathrm{E}(7X+2)=9$에서 $7\mathrm{E}(X)+2=9$

$\therefore \mathrm{E}(X)=1$

$\mathrm{E}(X)=(-3)\times\frac{1}{7}+1\times a+2\times b=1$

$a+2b=\frac{10}{7}$ $\quad\cdots\cdots$ ㉡

㉠과 ㉡을 연립하면 $a=\frac{2}{7}$, $b=\frac{4}{7}$

STEP Ⓑ $\mathrm{V}(7X)$**의 값 구하기**

$\mathrm{V}(X)=(-3)^2\times\frac{1}{7}+1^2\times\frac{2}{7}+2^2\times\frac{4}{7}-1^2=\frac{20}{7}$

따라서 $\mathrm{V}(7X)=7^2\mathrm{V}(X)=49\times\frac{20}{7}=140$

1088

정답 ③

STEP Ⓐ $\mathrm{E}(X)$, $\mathrm{V}(X)$ **구하기**

$\mathrm{E}(X)=(-5)\times\frac{1}{5}+0\times\frac{1}{2}+5\times\frac{1}{5}+10\times\frac{1}{10}=1$

$\mathrm{E}(X^2)=(-5)^2\times\frac{1}{5}+0^2\times\frac{1}{2}+5^2\times\frac{1}{5}+10^2\times\frac{1}{10}=20$이므로

$\mathrm{V}(X)=\mathrm{E}(X^2)-\{\mathrm{E}(X)\}^2=20-1^2=19$

STEP B $E(aX+b)=aE(X)+b$, $V(aX+b)=a^2V(X)$임을 이용하여 구하기

$E(aX+2b)=aE(X)+2b=8$이므로

$a+2b=8$ …… ㉠

$V(aX+b)=a^2V(X)=76$이므로 $19a^2=76$, 즉 $a^2=4$

$a>0$이므로 $a=2$

$a=2$를 ㉠에 대입하면 $2+2b=8$ $\therefore b=3$

따라서 $a+b=5$

내신연계 출제문항 467

두 이산확률변수 X, Y에 대하여 확률변수 X의 확률분포를 표로 나타내면 다음과 같다.

X	-10	0	10	합계
$P(X=x)$	$\frac{1}{10}$	$\frac{7}{10}$	$\frac{1}{5}$	1

$Y=aX+b$일 때,

$E(Y)=5$, $V(Y)=116$

이다. 두 상수 a, b에 대하여 $b-a$의 값은? (단, $a>0$)

① 1 ② 2 ③ 3
④ 4 ⑤ 5

STEP A $E(X)$, $V(X)$ 구하기

$E(X)=-10\times\frac{1}{10}+0\times\frac{7}{10}+10\times\frac{1}{5}=1$

$E(X^2)=(-10)^2\times\frac{1}{10}+0^2\times\frac{7}{10}+10^2\times\frac{1}{5}=30$

$V(X)=E(X^2)-\{E(X)\}^2=30-1^2=29$

STEP B $E(aX+b)=aE(X)+b$, $V(aX+b)=a^2V(X)$임을 이용하여 구하기

$Y=aX+b$에서

$E(Y)=E(aX+b)=aE(X)+b=a+b=5$ …… ㉠

$V(Y)=V(aX+b)=a^2V(X)=29a^2=116$에서 $a^2=4$

$a>0$이므로 $a=2$이고 ㉠에서 $b=5-a=5-2=3$

따라서 $b-a=3-2=1$

정답 ①

1089

정답 ⑤

STEP A 확률변수 Y의 확률의 합이 1이고 평균을 이용하여 a, b의 값 구하기

$Y=10X-2.21$이라 하자.

확률변수 Y의 확률분포를 표로 나타내면 다음과 같다.

Y	-1	0	1	합계
$P(Y=y)$	a	b	$\frac{2}{3}$	1

확률의 총합이 1이므로 $a+b+\frac{2}{3}=1$

$\therefore a+b=\frac{1}{3}$ …… ㉠

또, $E(Y)=10E(X)-2.21=10\cdot0.271-2.21=0.5=\frac{1}{2}$이므로

$E(Y)=(-1)\times a+0\times b+1\times\frac{2}{3}$

$=-a+\frac{2}{3}=\frac{1}{2}$ …… ㉡

그러므로 ㉠과 ㉡에서 $a=\boxed{\frac{1}{6}}$, $b=\boxed{\frac{1}{6}}$

STEP B $V(aX+b)=a^2V(X)$를 이용하여 빈칸추론하기

이고 $V(Y)=\frac{7}{12}$이다.

한편 $Y=10X-2.21$이므로 $V(Y)=\boxed{100}\times V(X)$이다. ⬅ $V(aX+b)=a^2V(X)$

따라서 $V(X)=\frac{1}{\boxed{100}}\times\frac{7}{12}$이다.

STEP C pqr의 값 구하기

따라서 $p=\frac{1}{6}$, $q=\frac{1}{6}$, $r=100$이므로 $pqr=\frac{1}{6}\times\frac{1}{6}\times100=\frac{25}{9}$

확률변수 X의 값이 0.121, 0.221, 0.321이므로 평균과 분산을 구할 때, 계산이 복잡하므로 확률변수 Y의 값을 $Y=10X-2.21$로 변형하면 평균과 분산의 성질을 이용하여 간편하게 평균과 분산을 구할 수 있다.

1090

정답 ⑤

STEP A 확률의 합이 1임을 이용하여 k 구하기

확률의 총합이 1이므로

$\frac{1}{k}({}_4C_1+{}_4C_2+{}_4C_3+{}_4C_4)=1$

이항정리에 의해

$k={}_4C_1+{}_4C_2+{}_4C_3+{}_4C_4=2^4-1=15$

STEP B $E(aX+b)=aE(X)+b$임을 이용하여 구하기

$E(X)=\frac{1}{15}(2\times{}_4C_1+2^2\times{}_4C_2+2^3\times{}_4C_3+2^4\times{}_4C_4)$

$=\frac{1}{15}(3^4-1)=\frac{1}{15}\times80=\frac{16}{3}$

따라서 $E(3X+1)=3E(X)+1=16+1=17$

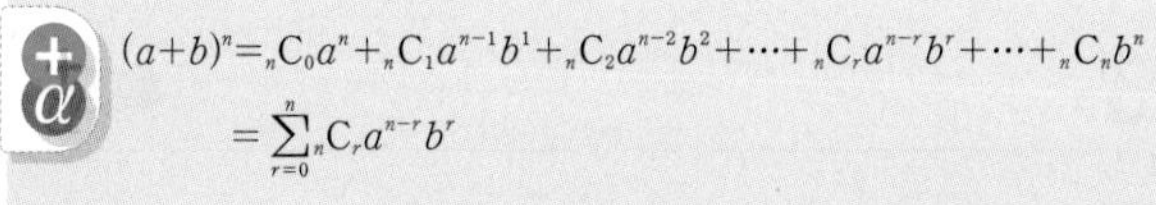
$(a+b)^n={}_nC_0a^n+{}_nC_1a^{n-1}b^1+{}_nC_2a^{n-2}b^2+\cdots+{}_nC_ra^{n-r}b^r+\cdots+{}_nC_nb^n$

$=\sum_{r=0}^{n}{}_nC_ra^{n-r}b^r$

1091

정답 ②

STEP A 확률변수 X의 확률분포를 표로 나타내기

확률변수 X가 취할 수 있는 값은 0, 1, 2이고 각각의 확률은 다음과 같다.

$P(X=0)=\frac{{}_2C_2}{{}_5C_2}=\frac{1}{10}$, $P(X=1)=\frac{{}_3C_1\times{}_2C_1}{{}_5C_2}=\frac{6}{10}$

$P(X=2)=\frac{{}_3C_2}{{}_5C_2}=\frac{3}{10}$

이므로 X의 확률분포를 표로 나타내면 다음과 같다.

X	0	1	2	합계
$P(X=x)$	$\frac{1}{10}$	$\frac{6}{10}$	$\frac{3}{10}$	1

STEP B $E(X)$, $\sigma(X)$ 구하기

확률변수 X에 대하여

$E(X)=0\times\frac{1}{10}+1\times\frac{6}{10}+2\times\frac{3}{10}=\frac{6}{5}$

$\sigma(X)=\sqrt{0^2\times\frac{1}{10}+1^2\times\frac{6}{10}+2^2\times\frac{3}{10}-\left(\frac{6}{5}\right)^2}=\frac{3}{5}$

STEP C $E(aX+b)=aE(X)+b$, $\sigma(aX+b)=|a|\sigma(X)$을 이용하여 구하기

따라서 $E(5X+4)+\sigma(5X+10)=5E(X)+4+5\sigma(X)$

$=5\times\frac{6}{5}+4+5\times\frac{3}{5}=13$

1092

정답 ①

STEP Ⓐ 확률변수 X의 확률분포를 표로 나타내기

확률변수 X가 취할 수 있는 값은 0, 1, 2이고 각각의 확률은 다음과 같다.

$P(X=0)=\frac{{}_3C_2}{{}_5C_2}=\frac{3}{10}$

$P(X=1)=\frac{{}_2C_1\times{}_3C_1}{{}_5C_2}=\frac{6}{10}$

$P(X=2)=\frac{{}_2C_2}{{}_5C_2}=\frac{1}{10}$

X의 확률분포를 표로 나타내면 다음과 같다.

X	0	1	2	합계
$P(X=x)$	$\frac{3}{10}$	$\frac{6}{10}$	$\frac{1}{10}$	1

STEP Ⓑ 확률변수 X의 평균과 분산 $E(X)$, $V(X)$ 구하기

확률변수 X에 대하여

$E(X)=0\times\frac{3}{10}+1\times\frac{6}{10}+2\times\frac{1}{10}=\frac{4}{5}$

$E(X^2)=0^2\times\frac{3}{10}+1^2\times\frac{6}{10}+2^2\times\frac{1}{10}=1$

$V(X)=E(X^2)-\{E(X)\}^2=1-\left(\frac{4}{5}\right)^2=\frac{9}{25}$

STEP Ⓒ $E(5X+2)+\sigma(5X-1)$의 값 구하기

$E(5X+2)=5E(X)+2=5\times\frac{4}{5}+2=6$

$V(5X-1)=5^2V(X)=25\times\frac{9}{25}=9$이므로 $\sigma(5X-1)=3$

따라서 $E(5X+2)+\sigma(5X-1)=6+3=9$

1093

정답 ③

STEP Ⓐ 확률변수 X의 확률분포를 표로 나타내기

확률변수 X의 확률분포를 표로 나타내면 다음과 같다.

X	1	2	3	4	합계
$P(X=x)$	$\frac{1}{4}$	$\frac{1}{4}$	$\frac{1}{4}$	$\frac{1}{4}$	1

STEP Ⓑ $E(aX+b)=aE(X)+b$임을 이용하기

확률변수 X의 평균 $E(X)$는

$E(X)=1\times\frac{1}{4}+2\times\frac{1}{4}+3\times\frac{1}{4}+4\times\frac{1}{4}=\frac{5}{2}$

STEP Ⓒ $V(aX+b)=a^2V(X)$임을 이용하여 구하기

$V(X)=E(X^2)-\{E(X)\}^2$

$=1^2\times\frac{1}{4}+2^2\times\frac{1}{4}+3^2\times\frac{1}{4}+4^2\times\frac{1}{4}-\left(\frac{5}{2}\right)^2$

$=\frac{5}{4}$

따라서 $V(2X+1)=2^2V(X)=4\times\frac{5}{4}=5$

내신연계 출제문항 468

각 면에 1, 2, 3, 4의 숫자가 각각 하나씩 적힌 정사면체 주사위 두 개를 동시에 던졌을 때, 바닥에 놓인 면에 적힌 숫자의 차를 확률변수 X라 할 때, $V(4X+1)$의 값은?

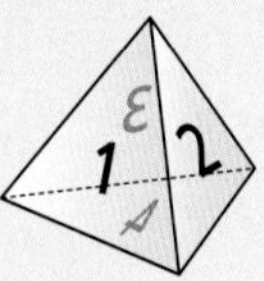

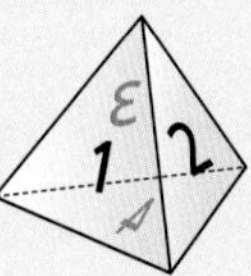

① 12　② 14　③ 15
④ 18　⑤ 20

STEP Ⓐ 확률변수 X의 확률분포를 표로 나타내기

바닥에 놓인 면에 적힌 숫자의 차를 확률변수 X이므로
X가 가질 수 있는 값은 0, 1, 2, 3이고 각각의 확률은 다음과 같다.

$P(X=0)=\frac{4}{16}=\frac{1}{4}$, $P(X=1)=\frac{6}{16}=\frac{3}{8}$

$P(X=2)=\frac{4}{16}=\frac{1}{4}$, $P(X=3)=\frac{2}{16}=\frac{1}{8}$

확률변수 X의 확률분포를 표로 나타내면 다음과 같다.

X	0	1	2	3	합계
$P(X=x)$	$\frac{1}{4}$	$\frac{3}{8}$	$\frac{1}{4}$	$\frac{1}{8}$	1

$E(X)=0\times\frac{1}{4}+1\times\frac{3}{8}+2\times\frac{1}{4}+3\times\frac{1}{8}=\frac{5}{4}$

$E(X^2)=0^2\times\frac{1}{4}+1^2\times\frac{3}{8}+2^2\times\frac{1}{4}+3^2\times\frac{1}{8}=\frac{5}{2}$

$V(X)=E(X^2)-\{E(X)\}^2=\frac{5}{2}-\left(\frac{5}{4}\right)^2=\frac{15}{16}$

STEP Ⓑ $V(aX+b)=a^2V(X)$임을 이용하여 구하기

따라서 $V(4X+1)=16V(X)=16\times\frac{15}{16}=15$

정답 ③

1094

정답 ④

STEP Ⓐ 확률변수 X의 확률분포를 표로 나타내기

확률변수 X가 갖는 값은 1, 2, 3, 4이므로

$P(X=1)=\frac{{}_4C_1}{{}_5C_2}=\frac{2}{5}$, $P(X=2)=\frac{{}_3C_1}{{}_5C_2}=\frac{3}{10}$

$P(X=3)=\frac{{}_2C_1}{{}_5C_2}=\frac{1}{5}$, $P(X=4)=\frac{1}{{}_5C_2}=\frac{1}{10}$

확률변수 X의 확률분포를 표로 나타내면 다음과 같다.

X	1	2	3	4	합계
$P(X=x)$	$\frac{2}{5}$	$\frac{3}{10}$	$\frac{1}{5}$	$\frac{1}{10}$	1

STEP Ⓑ $E(X)$, $V(X)$ 구하기

$E(X)=1\times\frac{2}{5}+2\times\frac{3}{10}+3\times\frac{1}{5}+4\times\frac{1}{10}=2$

$V(X)=1^2\times\frac{2}{5}+2^2\times\frac{3}{10}+3^2\times\frac{1}{5}+4^2\times\frac{1}{10}-2^2=5-4=1$

STEP Ⓒ $E(5X+2)+V(5X+2)$의 값 구하기

$E(5X+2)=5\times2+2=12$

$V(5X+2)=5^2V(X)=25\times1=25$

따라서 $E(5X+2)+V(5X+2)=12+25=37$

1095

정답 ②

STEP Ⓐ **확률변수 X의 확률분포를 표로 나타내기**

확률변수 X가 취할 수 있는 값은 1, 2, 3이고 각각의 확률은

$P(X=1)=\frac{3}{6}$, $P(X=2)=\frac{2}{6}$, $P(X=3)=\frac{1}{6}$

이므로 X의 확률분포를 표로 나타내면 다음과 같다.

X	1	2	3	합계
$P(X=x)$	$\frac{3}{6}$	$\frac{2}{6}$	$\frac{1}{6}$	1

STEP Ⓑ **$E(X)$ 구하기**

확률변수 X에 대하여

$E(X)=1\times\frac{3}{6}+2\times\frac{2}{6}+3\times\frac{1}{6}=\frac{3+4+3}{6}=\frac{10}{6}=\frac{5}{3}$

STEP Ⓒ **$E(aX+b)=aE(X)+b$임을 이용하여 구하기**

따라서 $E(3X-2)=3E(X)-2=3\times\frac{5}{3}-2=3$

내/신/연/계/ 출제문항 469

각 면에 1, 1, 2, 2, 2, 4의 숫자가 하나씩 적혀 있는 정육면체 모양의 상자가 있다. 이 상자를 던졌을 때, 윗면에 적힌 수를 확률변수 X라 하자. 이때 $E(5X+3)+V(5X+3)$의 값은?

① 32 ② 34 ③ 36
④ 38 ⑤ 40

STEP Ⓐ **확률변수 X의 확률분포를 표로 나타내기**

확률변수 X가 취할 수 있는 값은 1, 2, 4이고 각각의 확률은

$P(X=1)=\frac{2}{6}$, $P(X=2)=\frac{3}{6}$, $P(X=4)=\frac{1}{6}$

이므로 X의 확률분포를 표로 나타내면 다음과 같다.

X	1	2	3	합계
$P(X=x)$	$\frac{2}{6}$	$\frac{3}{6}$	$\frac{1}{6}$	1

STEP Ⓑ **$E(aX+b)=aE(X)+b$임을 이용하여 구하기**

확률변수 X에 대하여

$E(X)=1\times\frac{2}{6}+2\times\frac{3}{6}+4\times\frac{1}{6}=2$

$E(X^2)=1^2\times\frac{2}{6}+2^2\times\frac{3}{6}+4^2\times\frac{1}{6}=\frac{30}{6}=5$

$V(X)=E(X^2)-\{E(X)\}^2=5-2^2=1$

STEP Ⓒ **$E(5X+3)+V(5X+3)$의 값 구하기**

$E(5X+3)=5E(X)+3=13$

$V(5X+3)=25V(X)=25$

따라서 $E(5X+3)+V(5X+3)=13+25=38$

정답 ④

1096

정답 ③

STEP Ⓐ **확률변수 X의 확률분포를 표로 나타내기**

확률변수 X가 취할 수 있는 값은 a, 3, 5이고 그 확률은 각각

$P(X=a)=\frac{1}{6}$, $P(X=3)=\frac{3}{6}$, $P(X=5)=\frac{2}{6}$

이므로 X의 확률분포를 표로 나타내면 다음과 같다.

X	a	3	5	합계
$P(X=x)$	$\frac{1}{6}$	$\frac{3}{6}$	$\frac{2}{6}$	1

STEP Ⓑ **$V(X)$ 구하기**

$E(X)=a\times\frac{1}{6}+3\times\frac{3}{6}+5\times\frac{2}{6}=\frac{19+a}{6}$

이때 $\frac{19+a}{6}=\frac{10}{3}$ $\quad\therefore a=1$

$E(X^2)=1^2\times\frac{1}{6}+3^2\times\frac{3}{6}+5^2\times\frac{2}{6}=13$

$V(X)=E(X^2)-\{E(X)\}^2=13-\left(\frac{10}{3}\right)^2=\frac{17}{9}$

STEP Ⓒ **$V(aX+b)=a^2V(X)$임을 이용하여 구하기**

따라서 $V(3X+1)=9V(X)=9\times\frac{17}{9}=17$

내/신/연/계/ 출제문항 470

1, 1, 2, 5, a가 각각 하나씩 적혀 있는 5장의 카드에서 임의로 한 장을 뽑을 때, 카드에 적혀 있는 수를 확률변수 X라 하자. $E(5X+1)=13$일 때, $V(5X+1)$의 값은?

① 25 ② 36 ③ 46
④ 56 ⑤ 65

STEP Ⓐ **확률변수 X의 확률분포를 표로 나타내기**

확률변수 X가 취할 수 있는 값은 1, 2, 5, a이고 그 확률은 각각

$P(X=1)=\frac{2}{5}$, $P(X=2)=\frac{1}{5}$, $P(X=5)=\frac{1}{5}$, $P(X=a)=\frac{1}{5}$

이므로 X의 확률분포를 표로 나타내면 다음과 같다.

X	1	2	5	a	합계
$P(X=x)$	$\frac{2}{5}$	$\frac{1}{5}$	$\frac{1}{5}$	$\frac{1}{5}$	1

STEP Ⓑ **$V(X)$ 구하기**

$E(X)=1\times\frac{2}{5}+2\times\frac{1}{5}+5\times\frac{1}{5}+a\times\frac{1}{5}=\frac{9+a}{5}$

이때 $E(5X+1)=13$이므로

$5E(X)+1=5\times\frac{9+a}{5}+1=10+a=13$

$\therefore a=3$

즉 $E(X)=\frac{12}{5}$

$E(X^2)=1^2\times\frac{2}{5}+2^2\times\frac{1}{5}+5^2\times\frac{1}{5}+3^2\times\frac{1}{5}=\frac{40}{5}=8$

$V(X)=E(X^2)-\{E(X)\}^2=8-\left(\frac{12}{5}\right)^2=\frac{56}{25}$

STEP Ⓒ **$V(aX+b)=a^2V(X)$임을 이용하여 구하기**

따라서 $V(5X+1)=25V(X)=56$

정답 ④

1097

 ①

STEP Ⓐ X의 확률분포를 표로 나타내기

확률변수 X가 취할 수 있는 값은 0, 1, 2이고 각각의 확률은 다음과 같다.

$P(X=0)={}_2C_0\left(\frac{1}{2}\right)^2=\frac{1}{4}$

$P(X=1)={}_2C_1\left(\frac{1}{2}\right)^2=\frac{2}{4}=\frac{1}{2}$

$P(X=2)={}_2C_2\left(\frac{1}{2}\right)^2=\frac{1}{4}$

이므로 X의 확률분포를 표로 나타내면 다음과 같다.

X	0	1	2	합계
$P(X=x)$	$\frac{1}{4}$	$\frac{1}{2}$	$\frac{1}{4}$	1

STEP Ⓑ $E(X)$, $V(X)$ 구하기

확률변수 X의 평균과 분산은

$E(X)=0\times\frac{1}{4}+1\times\frac{1}{2}+2\times\frac{1}{4}=1$

$V(X)=0^2\times\frac{1}{4}+1^2\times\frac{1}{2}+2^2\times\frac{1}{4}-1^2=\frac{1}{2}$

STEP Ⓒ $E(aX+b)=aE(X)+b$, $V(aX+b)=a^2V(X)$임을 이용하여 구하기

$E(2X+1)=2E(X)+1=2\times1+1=3$

$V(4X+5)=4^2V(X)=16\times\frac{1}{2}=8$

따라서 $E(2X+1)+V(4X+5)=3+8=11$

1098

 ④

STEP Ⓐ 확률변수 X의 확률분포를 표로 나타내기

확률변수 X가 취할 수 있는 값은 1, 2, 3, 4, 5, 6이고

각각의 확률은 $\frac{1}{6}$

X의 확률분포를 표로 나타내면 다음과 같다.

X	1	2	3	4	5	6	합계
$P(X=x)$	$\frac{1}{6}$	$\frac{1}{6}$	$\frac{1}{6}$	$\frac{1}{6}$	$\frac{1}{6}$	$\frac{1}{6}$	1

$E(X)=1\times\frac{1}{6}+2\times\frac{1}{6}+3\times\frac{1}{6}+4\times\frac{1}{6}+5\times\frac{1}{6}+6\times\frac{1}{6}=\frac{7}{2}$

STEP Ⓑ $E(aX+b)=aE(X)+b$임을 이용하여 구하기

이때 $Y=100X$가 성립하므로 Y의 평균은

$E(Y)=E(100X)=100E(X)=100\times\frac{7}{2}=350$

1099

 ④

STEP Ⓐ $E(aX+b)=aE(X)+b$, $V(aX+b)=a^2V(X)$임을 이용하여 식 정리하기

$Y=2X$, $Z=X+5$이므로

$$\begin{aligned}E(X)+E(Y)+E(Z)&=E(X)+E(2X)+E(X+5)\\&=E(X)+2E(X)+E(X)+5\\&=4E(X)+5\end{aligned}$$

$$\begin{aligned}V(X)+V(Y)+V(Z)&=V(X)+V(2X)+V(X+5)\\&=V(X)+2^2V(X)+V(X)\\&=6V(X)\end{aligned}$$

STEP Ⓑ $E(X)$, $V(X)$의 값 구하기

확률변수 X의 확률분포를 표로 나타내면 다음과 같다.

X	1	2	3	4	5	6	합계
$P(X=x)$	$\frac{1}{6}$	$\frac{1}{6}$	$\frac{1}{6}$	$\frac{1}{6}$	$\frac{1}{6}$	$\frac{1}{6}$	1

$E(X)=\frac{1+2+3+4+5+6}{6}=\frac{7}{2}$

$E(X^2)=\frac{1^2+2^2+3^2+4^2+5^2+6^2}{6}=\frac{91}{6}$

$V(X)=E(X^2)-\{E(X)\}^2=\frac{91}{6}-\left(\frac{7}{2}\right)^2=\frac{35}{12}$

STEP Ⓒ $a+b$의 값 구하기

$a=4E(X)+5=4\times\frac{7}{2}+5=19$

$b=6V(X)=6\times\frac{35}{12}=\frac{35}{2}$

따라서 $a+b=19+\frac{35}{2}=\frac{73}{2}$

내신연계 출제문항 471

어느 기업의 신입사원 공채 필기시험인 직무적성고사(GSAP)에서 50문제로 이뤄진 50점 만점의 시험이 출제되었다. 이 시험 결과의 점수를 100점 만점으로 산출하기 위해 다음과 같은 두 가지 방법을 제안하였다.

> (A) 처음의 점수에 50점을 더한 점수를 부여한다.
> (B) 처음의 점수에 2배한 점수를 부여한다.

(A)의 방법으로 산출한 점수의 평균, 표준편차를 각각 m_A, σ_A,
(B)의 방법으로 산출한 점수의 평균, 표준편차를 각각 m_B, σ_B라 할 때, 다음 중 옳은 것은?

① $m_A=m_B$, $\sigma_A=\sigma_B$
② $m_A\ge m_B$, $\sigma_A\ge\sigma_B$
③ $m_A\ge m_B$, $\sigma_A\le\sigma_B$
④ $m_A\le m_B$, $\sigma_A\ge\sigma_B$
⑤ $m_A\le m_B$, $\sigma_A\le\sigma_B$

STEP Ⓐ A, B에서 확률변수를 정하기

직무적성고사에 참가한 학생들의 점수를 확률변수 X라 하면
(A)의 방법으로 산출한 점수는 $X+50$이고
(B)의 방법으로 산출한 점수는 $2X$이다.
처음의 점수의 평균을 m, 표준편차를 σ라 하자.

STEP Ⓑ $E(aX+b)=aE(X)+b$, $V(aX+b)=a^2V(X)$임을 이용하여 구하기

$m_A=E(X+50)=E(X)+50=m+50$

$m_B=E(2X)=2E(X)=2m$

이때 $0\le m\le 50$이고 이 범위에서 $m+50\ge 2m$이므로 $m_A\ge m_B$이다.

$\sigma_A=\sigma(X+50)=\sigma(X)=\sigma$

$\sigma_B=\sigma(2X)=|2|\sigma(X)=2\sigma$

이때 $\sigma\ge0$이므로 $\sigma\le2\sigma$에서 $\sigma_A\le\sigma_B$

따라서 $m_A\ge m_B$, $\sigma_A\le\sigma_B$

 ③

1100

정답 ⑤

STEP Ⓐ **확률변수 X의 확률분포를 표로 나타내기**

정육각형의 8개의 꼭짓점 중에서 임의로 서로 다른 3개의 점을 택하는 전체 경우의 수는 ${}_8C_3=56$

서로 다른 세 꼭짓점으로 만들 수 있는 넓이가 다른 삼각형은 다음과 같이 세 종류이고 넓이가 확률변수 X이므로 확률변수 X는 다음과 같다

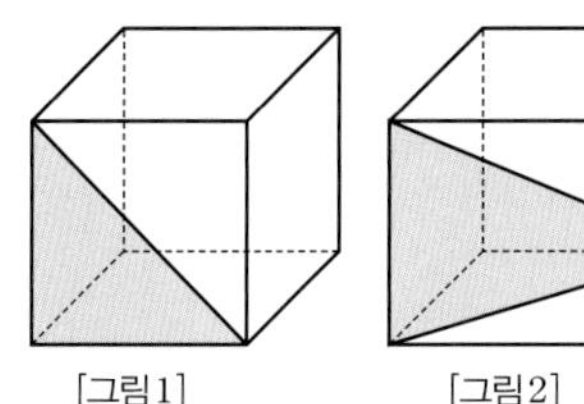
[그림1] [그림2]

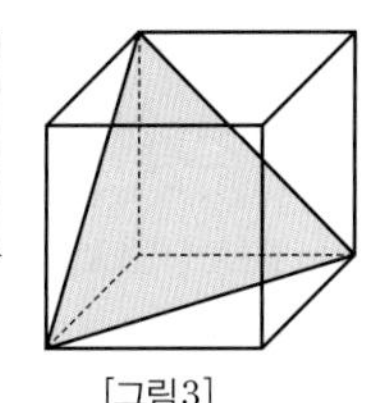
[그림3]

(ⅰ) [그림1]과 같이

$X=\frac{1}{2}\times 2\times 2=2$일 때, $P(X=2)=\frac{6\times {}_4C_3}{{}_8C_3}=\frac{3}{7}$

(ⅱ) [그림2]와 같이

$X=\frac{1}{2}\times 2\times 2\sqrt{2}=2\sqrt{2}$일 때, $P(X=2\sqrt{2})=\frac{6\times 2\times 2}{{}_8C_3}=\frac{3}{7}$

⬅ $6\times 2\times 2$은 (면의 개수)×(한 면의 대각선의 개수)×2

(ⅲ) [그림3]과 같이

$X=\frac{\sqrt{3}}{4}\times(2\sqrt{2})^2=2\sqrt{3}$일 때, $P(X=2\sqrt{3})=\frac{4\times 2}{{}_8C_3}=\frac{1}{7}$

(ⅰ)~(ⅲ)에서 확률변수 X의 확률분포를 표로 나타내면 다음과 같다.

X	2	$2\sqrt{2}$	$2\sqrt{3}$	합계
$P(X=x)$	$\frac{3}{7}$	$\frac{3}{7}$	$\frac{1}{7}$	1

STEP Ⓑ **$E(X^2)$ 구하기**

따라서 $E(X^2)=2^2\times\frac{3}{7}+(2\sqrt{2})^2\times\frac{3}{7}+(2\sqrt{3})^2\times\frac{1}{7}=\frac{48}{7}$

내신연계 출제문항 472

오른쪽 그림과 같이 한 모서리의 길이가 1인 정육면체에서 세 꼭짓점을 택하여 삼각형을 만들려고 한다. 만들어지는 삼각형의 넓이의 2배를 확률변수 X라고 할 때, $E(14X^2)$의 값은?

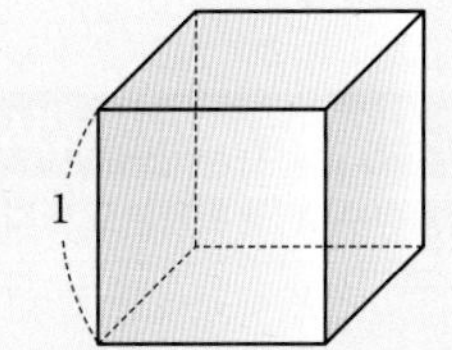

① 12 ② 16
③ 20 ④ 24
⑤ 28

STEP Ⓐ **확률변수 X의 확률분포를 표로 나타내기**

정육각형의 8개의 꼭짓점 중에서 임의로 서로 다른 3개의 점을 택하는 전체 경우의 수는 ${}_8C_3=56$

서로 다른 세 꼭짓점으로 만들 수 있는 넓이가 다른 삼각형은 다음과 같이 세 종류이고 넓이의 두 배가 확률변수 X이므로 가질 수 있는 값은 1, $\sqrt{2}$, $\sqrt{3}$이고 각각의 확률은 다음과 같다.

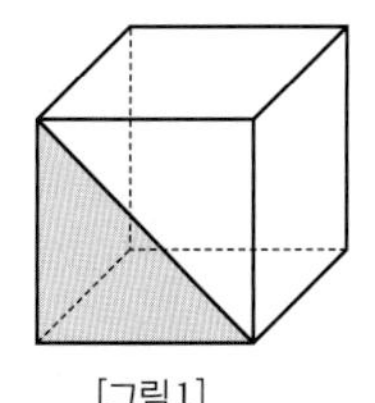
[그림1]

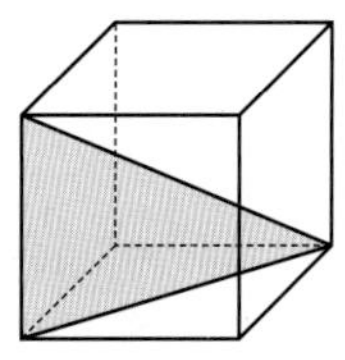
[그림2]

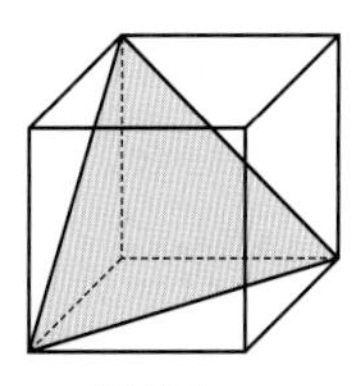
[그림3]

(ⅰ) [그림1]과 같이

$X=2\left(\frac{1}{2}\times 1\times 1\right)=1$일 때, $P(X=1)=\frac{6\times {}_4C_3}{{}_8C_3}=\frac{3}{7}$

(ⅱ) [그림2]와 같이

$X=2\left(\frac{1}{2}\times 1\times\sqrt{2}\right)=\sqrt{2}$일 때, $P(X=\sqrt{2})=\frac{6\times 2\times 2}{{}_8C_3}=\frac{3}{7}$

⬅ $6\times 2\times 2$은 (면의 개수)×(한 면의 대각선의 개수)×2

(ⅲ) [그림3]과 같이

$X=2\left(\frac{\sqrt{3}}{4}\times(\sqrt{2})^2\right)=\sqrt{3}$일 때, $P(X=\sqrt{3})=\frac{4\times 2}{{}_8C_3}=\frac{1}{7}$

(ⅰ)~(ⅲ)에서 확률변수 X의 확률분포를 표로 나타내면 다음과 같다.

X	1	$\sqrt{2}$	$\sqrt{3}$	합계
$P(X=x)$	$\frac{3}{7}$	$\frac{3}{7}$	$\frac{1}{7}$	1

STEP Ⓑ **$E(X^2)$ 구하기**

$E(X^2)=1^2\times\frac{3}{7}+(\sqrt{2})^2\times\frac{3}{7}+(\sqrt{3})^2\times\frac{1}{7}=\frac{12}{7}$

따라서 $E(14X^2)=14E(X^2)=24$

정답 ④

1101

정답 ④

STEP Ⓐ **확률변수 X의 확률분포를 표로 나타내기**

정육각형의 6개의 꼭짓점 중에서 임의로 서로 다른 3개의 점을 택하는 전체 경우의 수는 ${}_6C_3=20$

이 3개의 점을 꼭짓점으로 하는 삼각형의 모양은 그림과 같은 세 종류이고 넓이가 확률변수 X이므로 확률변수 X는 다음과 같다.

(ⅰ) 이웃한 세 점을 선택할 때, 삼각형이 만들어지므로 6개가 생긴다.

밑변의 길이가 2, 높이가 $\sqrt{3}$인 삼각형의 넓이이므로 $X=\frac{1}{2}\times 2\times\sqrt{3}=\sqrt{3}$

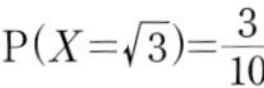
$P(X=\sqrt{3})=\frac{3}{10}$

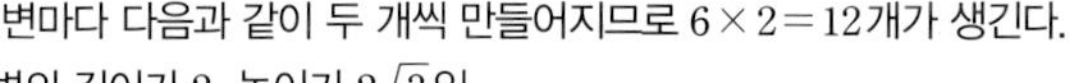
(ⅱ) 한 변마다 다음과 같이 두 개씩 만들어지므로 $6\times 2=12$개가 생긴다.

밑변의 길이가 2, 높이가 $2\sqrt{3}$인 삼각형의 넓이이므로

$X=\frac{1}{2}\times 2\times 2\sqrt{3}=2\sqrt{3}$

$P(X=2\sqrt{3})=\frac{12}{20}$

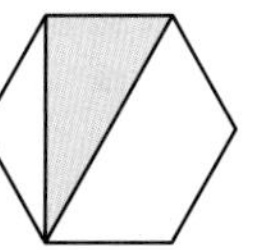
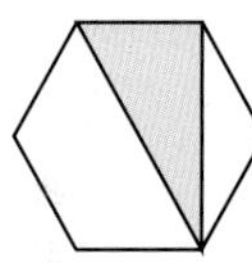

(ⅲ) 두 점씩 떨어진 점을 선택하는 경우(정삼각형) 다음과 같은 2개뿐이다.

정육각형의 넓이의 $\frac{1}{2}$배이므로 삼각형의 넓이는

$X=6\times\sqrt{3}\times\frac{1}{2}=3\sqrt{3}$

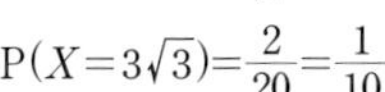
$P(X=3\sqrt{3})=\frac{2}{20}=\frac{1}{10}$

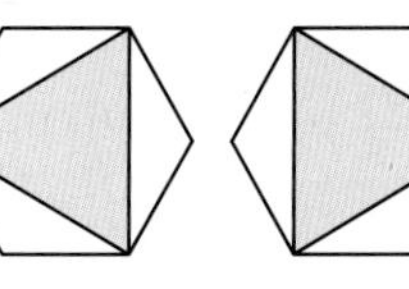

(ⅰ)~(ⅲ)에서 확률변수 X의 확률분포를 표로 나타내면 다음과 같다.

X	$\sqrt{3}$	$2\sqrt{3}$	$3\sqrt{3}$	합계
$P(X=x)$	$\frac{3}{10}$	$\frac{3}{5}$	$\frac{1}{10}$	1

STEP Ⓑ **$E(5X)$의 값 구하기**

$E(X)=\sqrt{3}\times\frac{3}{10}+2\sqrt{3}\times\frac{3}{5}+3\sqrt{3}\times\frac{1}{10}=\frac{9\sqrt{3}}{5}$

따라서 $E(5X)=5\times\frac{9\sqrt{3}}{5}=9\sqrt{3}$

내/신/연/계/ 출제문항 473

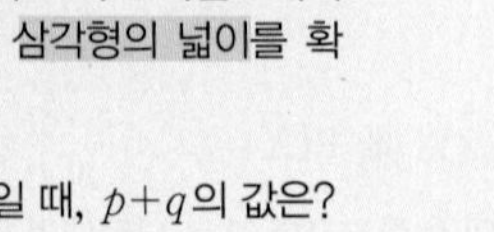
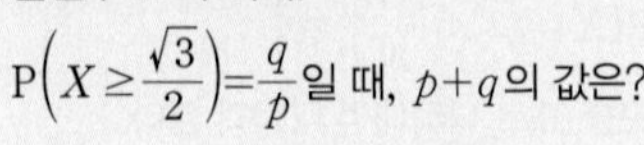

한 변의 길이가 1인 정육각형의 6개의 꼭짓점 중에서 임의로 서로 다른 3개의 점을 택하여 만든 삼각형의 넓이를 확률변수 X라 하자.

$\mathrm{P}\left(X \geq \frac{\sqrt{3}}{2}\right)=\frac{q}{p}$일 때, $p+q$의 값은?
(단, p와 q는 서로소인 자연수이다.)

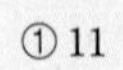

① 11 ② 13 ③ 15
④ 17 ⑤ 19

STEP A **확률변수 X의 확률분포를 표로 나타내기**

정육각형의 6개의 꼭짓점 중에서 임의로 서로 다른 3개의 점을 택하는 전체 경우의 수는 ${}_6\mathrm{C}_3=20$
이 3개의 점을 꼭짓점으로 하는 삼각형의 모양은 그림과 같은 세 종류이고 넓이를 확률변수 X라 하면 확률변수 X는 다음과 같다.
(ⅰ) 인접한 세 점을 선택하는 경우
(ⅱ) 인접한 두 점과 두 점 떨어진 점을 선택하는 경우
(ⅲ) 두 점씩 떨어진 점을 선택하는 경우 (정삼각형)

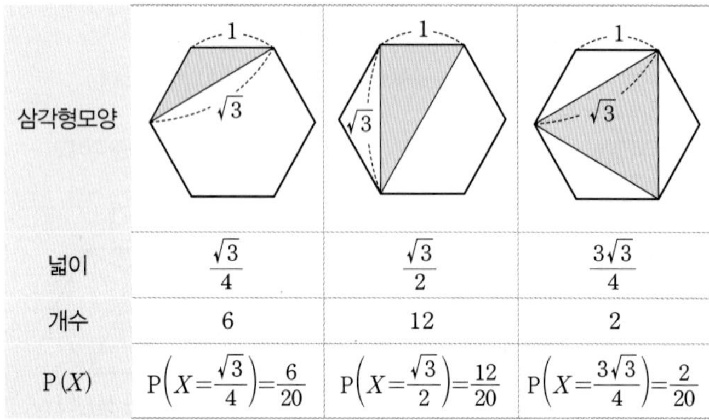

삼각형모양	(ⅰ)	(ⅱ)	(ⅲ)
넓이	$\frac{\sqrt{3}}{4}$	$\frac{\sqrt{3}}{2}$	$\frac{3\sqrt{3}}{4}$
개수	6	12	2
P(X)	$\mathrm{P}\left(X=\frac{\sqrt{3}}{4}\right)=\frac{6}{20}$	$\mathrm{P}\left(X=\frac{\sqrt{3}}{2}\right)=\frac{12}{20}$	$\mathrm{P}\left(X=\frac{3\sqrt{3}}{4}\right)=\frac{2}{20}$

(ⅰ)~(ⅲ)에서 확률변수 X의 확률분포를 표로 나타내면 다음과 같다.

X	$\frac{\sqrt{3}}{4}$	$\frac{\sqrt{3}}{2}$	$\frac{3\sqrt{3}}{4}$	합계
$\mathrm{P}(X=x)$	$\frac{6}{20}$	$\frac{12}{20}$	$\frac{2}{20}$	1

STEP B $\mathrm{P}\left(X \geq \frac{\sqrt{3}}{2}\right)$**의 값 구하기**

$\mathrm{P}\left(X \geq \frac{\sqrt{3}}{2}\right)=\mathrm{P}\left(X=\frac{\sqrt{3}}{2}\right)+\mathrm{P}\left(X=\frac{3\sqrt{3}}{4}\right)=\frac{12}{20}+\frac{2}{20}=\frac{14}{20}=\frac{7}{10}$
따라서 $p+q=10+7=17$

정답 ④

1102

정답 ①

STEP A **확률변수 X의 확률분포를 표로 나타내기**

확률변수 X가 취할 수 있는 값은 1, 2, 3이고 각각의 확률은 다음과 같다.
$\mathrm{P}(X=1)=\frac{{}_4\mathrm{C}_2}{{}_5\mathrm{C}_3}=\frac{3}{5}$, $\mathrm{P}(X=2)=\frac{{}_3\mathrm{C}_2}{{}_5\mathrm{C}_3}=\frac{3}{10}$, $\mathrm{P}(X=3)=\frac{{}_2\mathrm{C}_2}{{}_5\mathrm{C}_3}=\frac{1}{10}$
확률변수 X의 확률분포를 표로 나타내면 다음과 같다.

X	1	2	3	합계
$\mathrm{P}(X=x)$	$\frac{3}{5}$	$\frac{3}{10}$	$\frac{1}{10}$	1

STEP B $\mathrm{E}(X)$, $\mathrm{E}(X^2)$ **구하기**

확률변수 X에 대하여
$\mathrm{E}(X)=1\times\frac{3}{5}+2\times\frac{3}{10}+3\times\frac{1}{10}=\frac{3}{2}$
$\mathrm{E}(X^2)=1^2\times\frac{3}{5}+2^2\times\frac{3}{10}+3^2\times\frac{1}{10}=\frac{27}{10}$

STEP C $\mathrm{E}((10X-a)^2)$**을 최소로 하는 a값 구하기**

$$\begin{aligned}\mathrm{E}((10X-a)^2)&=\mathrm{E}(100X^2-20aX+a^2)\\&=100\mathrm{E}(X^2)-20a\mathrm{E}(X)+a^2\\&=270-30a+a^2=(a-15)^2+45\end{aligned}$$
따라서 $a=15$일 때, $\mathrm{E}((10X-a)^2)$의 최솟값은 45

$\mathrm{E}\{(X-a)^2\}$을 최소로 하는 a의 값

$$\begin{aligned}f(a)=\mathrm{E}\{(X-a)^2\}&=\mathrm{E}(X^2-2aX+a^2)\\&=\mathrm{E}(X^2)-2a\mathrm{E}(X)+a^2\\&=a^2-2ma+\mathrm{E}(X^2) \quad \leftarrow \mathrm{E}(X)=m\\&=(a-m)^2+\mathrm{E}(X^2)-m^2\\&=(a-m)^2+\mathrm{V}(X) \quad \leftarrow \mathrm{E}(X^2)-m^2=\mathrm{V}(X)\end{aligned}$$
따라서 함수 $f(a)$의 최솟값은 $\mathrm{V}(X)$이고 이때의 a의 값은 $a=m$이다.
참고 $f(a)=\mathrm{E}\{(X-a)^2\}=(a-m)^2+\mathrm{V}(X)$의 최솟값은 분산인 σ^2이고 이때의 a의 값은 평균 m이다.
즉 분산 $\mathrm{V}(X)$는 $\mathrm{E}\{(X-a)^2\}$의 최솟값이다.

내/신/연/계/ 출제문항 474

확률변수 X의 확률분포가 다음 표와 같다.

X	-1	0	1	2	합계
$\mathrm{P}(X=x)$	$\frac{1}{10}$	$\frac{2}{10}$	$\frac{3}{10}$	$\frac{4}{10}$	1

이때 함수 $f(a)=\mathrm{E}((X-a)^2)$의 최솟값은?

① 1 ② 2 ③ 3
④ 4 ⑤ 5

STEP A $\mathrm{E}((X-a)^2)$**를 최소로 하는 a의 값 구하기**

$f(a)=\mathrm{E}((X-a)^2)$를 최소로 하는 a의 값은 $a=\mathrm{E}(X)$이고
이때 $f(a)$의 최솟값은 $\mathrm{V}(X)$

STEP B $\mathrm{V}(X)=\mathrm{E}(X^2)-\{\mathrm{E}(X)\}^2$**을 이용하여 구하기**

확률변수 X에 대하여
$\mathrm{E}(X)=-1\times\frac{1}{10}+0\times\frac{2}{10}+1\times\frac{3}{10}+2\times\frac{4}{10}=1$
$\mathrm{E}(X^2)=(-1)^2\times\frac{1}{10}+0^2\times\frac{2}{10}+1^2\times\frac{3}{10}+2^2\times\frac{4}{10}=2$
$\therefore \mathrm{V}(X)=\mathrm{E}(X^2)-\{\mathrm{E}(X)\}^2=2-1^2=1$
따라서 $a=1$일 때, $f(a)$는 최솟값 1을 가진다.

정답 ①

02 STEP 1 내신정복기출유형

이항분포

1103

 ③

STEP A 이항분포를 따르는 확률변수 X 구하기

① 확률변수 X는 한 번의 시행에서 사건이 일어날 확률이 $\frac{{}_2C_2}{{}_5C_2}=\frac{1}{10}$일 때, 10번의 독립시행에서 이 사건이 일어나는 횟수와 같으므로 X는 이항분포 $B\left(10,\ \frac{1}{10}\right)$을 따른다.

② 확률변수 X는 한 번의 시행에서 사건이 일어날 확률이 $\frac{2}{6}=\frac{1}{3}$일 때, 10번의 독립시행에서 이 사건이 일어나는 횟수와 같으므로 이항분포 $B\left(10,\ \frac{1}{3}\right)$을 따른다.

③ 이항분포는 시행의 결과가 두 가지로 나타나는 n번의 독립시행에서 그 사건이 일어날 횟수의 분포이므로 이항분포를 따르지 않는다.

④ 확률변수 X는 한 번의 시행에서 사건이 일어날 확률이 0.9일 때, 200번의 독립시행에서 이 사건이 일어나는 횟수와 같으므로 X는 이항분포 $B(200,\ 0.9)$를 따른다.

⑤ 확률변수 X는 한 번의 시행에서 사건이 일어날 확률이 $\frac{20}{100}=\frac{1}{5}$일 때, 100번의 독립시행에서 이 사건이 일어나는 횟수와 같으므로 X는 이항분포 $B\left(100,\ \frac{1}{5}\right)$을 따른다.

따라서 이항분포를 따르지 않는 것은 ③이다.

내신연계 출제문항 475

확률변수 X가 다음 중 이항분포 $B(n,\ p)$를 따르지 않는 것은?

① 재구매율이 60%인 상품을 100명에게 판매하였을 때, 재구매하는 인원수 X
② 흰 공 3개와 검은 공 5개가 들어 있는 주머니에서 임의로 2개의 공을 꺼낼 때, 꺼낸 흰 공의 개수 X
③ 서로 다른 두 개의 동전을 동시에 던지는 시행을 20회 반복할 때, 두 개의 동전 모두 앞면이 나오는 횟수 X
④ 한 개의 주사위를 8번 던질 때, 3 이상의 눈이 나오는 횟수 X
⑤ 국수를 주문하는 손님의 비율이 전체의 30%인 어느 식당에서 200명의 손님 중 국수를 주문하는 손님의 수 X

STEP A 이항분포를 따르는 확률변수 X 구하기

① 확률변수 X는 한 번의 시행에서 사건이 일어날 확률이 $\frac{60}{100}=\frac{3}{5}$일 때, 100번의 독립시행에서 이 사건이 일어나는 횟수와 같으므로 X는 이항분포 $B\left(100,\ \frac{3}{5}\right)$을 따른다.

② 독립시행이 아니므로 이항분포를 따르지 않는다.

③ 확률변수 X는 한 번의 시행에서 사건이 일어날 확률이 $\frac{1}{4}$일 때, 20번의 독립시행에서 이 사건이 일어나는 횟수와 같으므로 X는 이항분포 $B\left(20,\ \frac{1}{4}\right)$을 따른다.

④ 확률변수 X는 한 번의 시행에서 사건이 일어날 확률이 $\frac{4}{6}=\frac{2}{3}$일 때, 8번의 독립시행에서 이 사건이 일어나는 횟수와 같으므로 X는 이항분포 $B\left(8,\ \frac{2}{3}\right)$를 따른다.

⑤ 확률변수 X는 한 번의 시행에서 사건이 일어날 확률이 $\frac{30}{100}=\frac{3}{10}$일 때, 200번의 독립시행에서 이 사건이 일어나는 횟수와 같으므로 X는 이항분포 $B\left(200,\ \frac{3}{10}\right)$을 따른다.

따라서 이항분포를 따르지 않는 것은 ②이다.

 ②

1104

정답 ②

STEP A 이항분포의 확률질량함수를 이용하여 구하기

한 개의 주사위를 500번 던지는 시행은 독립시행이고
1회의 시행에서 3의 배수의 눈이 나올 확률은 $\frac{1}{3}$이므로
확률변수 X의 확률질량함수는
$P(X=r)={}_{500}C_r\left(\frac{1}{3}\right)^r\left(\frac{2}{3}\right)^{500-r}$ (단, $r=0,\ 1,\ 2,\ 3,\ \cdots,\ 500$)
따라서 $n=500$, $a=\frac{1}{3}$이므로 $na=\frac{500}{3}$

1105

 ②

STEP A 이항분포의 확률질량함수를 이용하여 구하기

확률변수 X는 이항분포 $B\left(n,\ \frac{1}{2}\right)$을 따르므로
X의 확률질량함수는 다음과 같다.
$P(X=x)={}_nC_x\left(\frac{1}{2}\right)^x\left(\frac{1}{2}\right)^{n-x}$ $(x=0,\ 1,\ 2,\ 3,\ \cdots,\ n)$

STEP B $P(X=2)=10P(X=1)$을 만족하는 n의 값 구하기

$P(X=2)=10P(X=1)$에서 ${}_nC_2\left(\frac{1}{2}\right)^n=10{}_nC_1\left(\frac{1}{2}\right)^n$
따라서 $\frac{n(n-1)}{2}=10n$이므로 $n=21$

1106

 ①

STEP A X의 확률질량함수를 이용하여 구하기

4 이하의 눈이 나오는 횟수가 확률변수 X이므로
확률변수 X는 한 개의 주사위를 던졌을 때,
4 이하의 눈이 나올 확률은 $\frac{4}{6}=\frac{2}{3}$이고 ⬅ 4 이하의 눈이 1, 2, 3, 4
4번의 독립시행에서 이 사건이 일어나는 횟수와 같으므로
X는 이항분포 $B\left(4,\ \frac{2}{3}\right)$를 따른다.
즉 X의 확률질량함수는
$P(X=x)={}_4C_x\left(\frac{2}{3}\right)^x\left(\frac{1}{3}\right)^{4-x}$ $(x=0,\ 1,\ 2,\ 3,\ 4)$

STEP B $P(X\leq 1)$ 구하기

따라서 구하는 확률은
$P(X\leq 1)=P(X=0)+P(X=1)={}_4C_0\left(\frac{1}{3}\right)^4+{}_4C_1\left(\frac{2}{3}\right)^1\left(\frac{1}{3}\right)^3=\frac{1}{9}$

Ⅲ 통계

내신연계 출제문항 476

어느 제약회사에서 새로 개발한 치료약은 특정 질병의 환자에게 75%의 치유율을 보인다고 한다. 특정 질병의 환자 중 임의로 5명을 뽑아 이 약을 먹였을 때, 4명 이상이 치유될 확률은?

① $\frac{81}{128}$ ② $\frac{41}{64}$ ③ $\frac{83}{128}$
④ $\frac{21}{32}$ ⑤ $\frac{85}{128}$

STEP A 확률변수 X의 확률질량함수를 이용하여 구하기

5명이 약을 먹었을 때 치유되는 사람의 수를 확률변수 X라 하자.
확률변수 X는 한 번의 투여에서 치유될 확률이 $\frac{75}{100}=\frac{3}{4}$이고
5번의 독립시행에서 이 사건이 일어나는 횟수와 같으므로
X는 이항분포 $\mathrm{B}\left(5,\ \frac{3}{4}\right)$을 따른다.
즉 X의 확률질량함수는
$\mathrm{P}(X=x)={}_5\mathrm{C}_x\left(\frac{3}{4}\right)^x\left(\frac{1}{4}\right)^{5-x}\ (x=0,\ 1,\ 2,\ 3,\ 4,\ 5)$

STEP B $\mathrm{P}(X\ge 4)$ 구하기

따라서 4명 이상 치유될 확률은
$\mathrm{P}(X\ge 4)=\mathrm{P}(X=4)+\mathrm{P}(X=5)={}_5\mathrm{C}_4\left(\frac{3}{4}\right)^4\left(\frac{1}{4}\right)^1+{}_5\mathrm{C}_5\left(\frac{3}{4}\right)^5=\frac{81}{128}$

 ①

1107

 ④

STEP A X의 확률질량함수를 이용하여 구하기

발아하는 씨앗의 개수가 확률변수 X이므로
확률변수 X는 한 번의 시행으로 일어날 확률이 $\frac{90}{100}=\frac{9}{10}$이고
10번의 독립시행에서 이 사건이 일어나는 횟수와 같으므로
X는 이항분포 $\mathrm{B}\left(10,\ \frac{9}{10}\right)$를 따른다.
즉 X의 확률질량함수는
$\mathrm{P}(X=x)={}_{10}\mathrm{C}_x\left(\frac{9}{10}\right)^x\left(\frac{1}{10}\right)^{10-x}\ (x=0,\ 1,\ 2,\ \cdots,\ 10)$

STEP B $\mathrm{P}(X\ge 9)$의 값 구하기

확률변수 X는 이항분포 $\mathrm{B}\left(10,\ \frac{9}{10}\right)$를 따르므로

$$\begin{aligned}\mathrm{P}(X\ge 9)&=\mathrm{P}(X=9)+\mathrm{P}(X=10)\\&={}_{10}\mathrm{C}_9\times\left(\frac{9}{10}\right)^9\times\frac{1}{10}+{}_{10}\mathrm{C}_{10}\times\left(\frac{9}{10}\right)^{10}\\&=({}_{10}\mathrm{C}_9+{}_{10}\mathrm{C}_{10}\times 9)\times\frac{9^9}{10^{10}}\\&=19\times\frac{9^9}{10^{10}}\\&=k\times\frac{9^9}{10^{10}}\end{aligned}$$

따라서 $k=19$

1108

 ⑤

STEP A X의 확률질량함수를 이용하여 p값 구하기

확률변수 X는 이항분포 $\mathrm{B}(3,\ p)$를 따르므로 X의 확률질량함수는
$\mathrm{P}(X=x)={}_3\mathrm{C}_xp^x(1-p)^{3-x}\ (x=0,\ 1,\ 2,\ 3)$
$\mathrm{P}(X<1)=\mathrm{P}(X=0)={}_3\mathrm{C}_0(1-p)^3=\frac{1}{27}$에서 $1-p=\frac{1}{3}$
$\therefore\ p=\frac{2}{3}$

STEP B Y의 확률질량함수 구하기

확률변수 Y는 이항분포 $\mathrm{B}\left(4,\ \frac{2}{3}\right)$를 따르므로 Y의 확률질량함수는
$\mathrm{P}(Y=y)={}_4\mathrm{C}_y\left(\frac{2}{3}\right)^y\left(\frac{1}{3}\right)^{4-y}\ (y=0,\ 1,\ 2,\ 3,\ 4)$

STEP C $\mathrm{P}(Y\ge 1)=1-\mathrm{P}(Y=0)$임을 이용하여 구하기

따라서 구하는 확률은
$\mathrm{P}(Y\ge 1)=1-\mathrm{P}(Y=0)=1-{}_4\mathrm{C}_0\left(\frac{1}{3}\right)^4=\frac{80}{81}$

내신연계 출제문항 477

확률변수 X는 이항분포 $\mathrm{B}(3,\ p)$를 따르고 확률변수 Y는 이항분포 $\mathrm{B}(4,\ 2p)$를 따른다고 한다. 이때

$$10\mathrm{P}(X=3)=\mathrm{P}(Y\ge 3)$$

을 만족시키는 양수 p의 값은?

① $\frac{11}{24}$ ② $\frac{1}{2}$ ③ $\frac{13}{24}$
④ $\frac{7}{12}$ ⑤ $\frac{5}{8}$

STEP A $\mathrm{P}(X=3)$의 값 구하기

확률변수 X는 이항분포 $\mathrm{B}(3,\ p)$를 따르므로 X의 확률질량함수는
$\mathrm{P}(X=x)={}_3\mathrm{C}_xp^x(1-p)^{3-x}\ (x=0,\ 1,\ 2,\ 3)$
$10\mathrm{P}(X=3)=10\times{}_3\mathrm{C}_3p^3(1-p)^0=10p^3$ …… ㉠

STEP B $\mathrm{P}(Y\ge 3)$의 값 구하기

확률변수 Y는 이항분포 $\mathrm{B}(4,\ 2p)$를 따르므로 Y의 확률질량함수는
$\mathrm{P}(Y=y)={}_4\mathrm{C}_y(2p)^y(1-2p)^{4-y}\ (y=0,\ 1,\ 2,\ 3,\ 4)$

$$\begin{aligned}\mathrm{P}(Y\ge 3)&=\mathrm{P}(Y=3)+\mathrm{P}(Y=4)\\&={}_4\mathrm{C}_3(2p)^3(1-2p)^1+{}_4\mathrm{C}_4(2p)^4(1-2p)^0\\&=4\times 8p^3(1-2p)+16p^4\\&=16p^3(2-3p)\quad\cdots\cdots\ ㉡\end{aligned}$$

STEP C $10\mathrm{P}(X=3)=\mathrm{P}(Y\ge 3)$을 만족하는 p의 값 구하기

$10\mathrm{P}(X=3)=\mathrm{P}(Y\ge 3)$이므로
㉠, ㉡에서 $10p^3=16p^3(2-3p)$
$p>0$이므로 $5=8(2-3p)$
따라서 $p=\frac{11}{24}$

 ①

1109

 ①

STEP A 추가된 부품 2개 중 S의 개수를 확률변수 X라 하여 경우 나누기

추가된 부품 S의 개수를 확률변수 X라 하면
X는 이항분포 $\mathrm{B}\left(2,\ \frac{1}{2}\right)$을 따르므로 확률질량함수는
$\mathrm{P}(X=r)={}_2\mathrm{C}_r\left(\frac{1}{2}\right)^r\left(\frac{1}{2}\right)^{2-r}={}_2\mathrm{C}_r\left(\frac{1}{2}\right)^2\ (r=0,\ 1,\ 2)$와 같다.
추가된 부품 S의 개수가 확률변수 X이므로
$X=0,\ 1,\ 2$이고 각각의 확률은 다음과 같다.
$\mathrm{P}(X=0)={}_2\mathrm{C}_0\left(\frac{1}{2}\right)^2=\frac{1}{4}$ ⇐ TT 추가
$\mathrm{P}(X=1)={}_2\mathrm{C}_1\left(\frac{1}{2}\right)^2=\frac{2}{4}$ ⇐ TS 또는 ST 추가
$\mathrm{P}(X=2)={}_2\mathrm{C}_2\left(\frac{1}{2}\right)^2=\frac{1}{4}$ ⇐ SS 추가

STEP Ⓑ **각 확률변수의 값에 대한 확률 구하기**

7개의 부품 중 임의로 한 개를 선택한 것이 T인 사건을 A,
추가된 부품이 모두 S인 사건을 B라 하면

	원래 있던 부품	추가된 부품	전체부품	7개 중 T를 택할 확률
$X=0$	SSSTT	TT	SSSTTTT	$\frac{4}{7}$
$X=1$	SSSTT	ST	SSSSTTT	$\frac{3}{7}$
$X=2$	SSSTT	SS	SSSSSTT	$\frac{2}{7}$

STEP Ⓒ **조건부확률 구하기**

$\mathrm{P}(A)=\mathrm{P}(X=0)\times\frac{4}{7}+\mathrm{P}(X=1)\times\frac{3}{7}+\mathrm{P}(X=2)\times\frac{2}{7}$

$=\frac{1}{4}\times\frac{4}{7}+\frac{2}{4}\times\frac{3}{7}+\frac{1}{4}\times\frac{2}{7}=\frac{3}{7}$

$\mathrm{P}(A\cap B)=\mathrm{P}(X=2)\times\frac{2}{7}=\frac{1}{4}\times\frac{2}{7}=\frac{1}{14}$

따라서 $\mathrm{P}(B|A)=\dfrac{\mathrm{P}(A\cap B)}{\mathrm{P}(A)}=\dfrac{\frac{1}{14}}{\frac{3}{7}}=\dfrac{1}{6}$

1110

정답 ③

STEP Ⓐ **이항분포를 따르는 확률변수 X의 평균을 이용하여 p 구하기**

확률변수 X가 이항분포 $\mathrm{B}(24,\ p)$를 따르므로

$\mathrm{E}(X)=24p$이므로 $24p=12,\ p=\frac{1}{2}$

STEP Ⓑ **$\mathrm{V}(X)=np(1-p)$임을 이용하여 구하기**

따라서 $\mathrm{V}(X)=24\times\frac{1}{2}\times\frac{1}{2}=6$

1111

STEP Ⓐ **이항분포를 따르는 확률변수 X의 분산을 이용하여 n 구하기**

확률변수 X가 이항분포 $\mathrm{B}\left(n,\ \frac{1}{3}\right)$을 따르므로

$\mathrm{V}(X)=n\times\frac{1}{3}\times\frac{2}{3}=\frac{2n}{9}$이므로 $\frac{2n}{9}=20\quad\therefore n=90$

STEP Ⓑ **평균 구하기**

따라서 확률변수 X가 이항분포 $\mathrm{B}\left(90,\ \frac{1}{3}\right)$을 따르므로 $\mathrm{E}(X)=90\times\frac{1}{3}=30$

내/신/연/계/ 출제문항 478

확률변수 X가 이항분포 $\mathrm{B}(80,\ p)$를 따르고, $\mathrm{E}(X)=20$일 때, $\mathrm{V}(X)$의 값은? (단, $0<p<1$)

① 12 ② 15 ③ 16
④ 18 ⑤ 20

STEP Ⓐ **이항분포를 따르는 확률변수 X의 평균을 이용하여 p 구하기**

확률변수 X가 이항분포 $\mathrm{B}(80,\ p)$를 따르므로

$\mathrm{E}(X)=80p$이므로 $80p=20\quad\therefore p=\frac{1}{4}$

STEP Ⓑ **$\mathrm{V}(X)=np(1-p)$임을 이용하여 구하기**

따라서 $\mathrm{V}(X)=80\times\frac{1}{4}\times\frac{3}{4}=15$

1112

정답 ②

STEP Ⓐ **이항분포를 따르는 확률변수 X의 평균과 분산 구하기**

확률변수 X가 이항분포 $\mathrm{B}\left(32,\ \frac{1}{4}\right)$을 따르므로

$\mathrm{E}(X)=32\times\frac{1}{4}=8,\ \mathrm{V}(X)=32\times\frac{1}{4}\times\frac{3}{4}=6$

STEP Ⓑ **$a+b$의 값 구하기**

8, 6을 두 근으로 하고 x^2의 계수가 1인 이차방정식은

$x^2-(8+6)x+8\cdot6=0\quad\therefore x^2-14x+48=0$

따라서 $a=-14,\ b=48$이므로 $a+b=-14+48=34$

1113

STEP Ⓐ **이항분포를 따르는 확률변수 X의 평균과 분산 구하기**

확률변수 X가 이항분포 $\mathrm{B}(9,\ p)$를 따르므로

$\mathrm{E}(X)=9p,\ \mathrm{V}(X)=9p(1-p)$

STEP Ⓑ **$\{\mathrm{E}(X)\}^2=\mathrm{V}(X)$를 이용하여 p 구하기**

이때 $\{\mathrm{E}(X)\}^2=\mathrm{V}(X)$에서 $(9p)^2=9p(1-p)$

$9p=1-p\ (\because 0<p<1)$

따라서 $p=\frac{1}{10}$

1114

STEP Ⓐ **이항분포를 따르는 확률변수 X의 평균을 이용하여 p 구하기**

확률변수 X가 이항분포 $\mathrm{B}(12,\ p)$를 따르고

$\mathrm{E}(X)=12p$이므로 $12p=6,\ p=\frac{1}{2}$

STEP Ⓑ **$\mathrm{E}(X^2)=\mathrm{V}(X)+\{\mathrm{E}(X)\}^2$임을 이용하여 구하기**

확률변수 X가 이항분포 $\mathrm{B}\left(12,\ \frac{1}{2}\right)$를 따르고

$\mathrm{V}(X)=12\times\frac{1}{2}\times\frac{1}{2}=3$

따라서 $\mathrm{V}(X)=\mathrm{E}(X^2)-\{\mathrm{E}(X)\}^2$에서

$\mathrm{E}(X^2)=\mathrm{V}(X)+\{\mathrm{E}(X)\}^2=3+6^2=39$

내/신/연/계/ 출제문항 479

이항분포 $\mathrm{B}(100,\ p)$를 따르는 확률변수 X의 평균이 20일 때, $\mathrm{E}(X^2)$의 값은?

① 400 ② 409 ③ 416
④ 425 ⑤ 436

STEP Ⓐ **이항분포를 따르는 확률변수 X의 평균을 이용하여 p 구하기**

확률변수 X가 이항분포 $\mathrm{B}(100,\ p)$를 따르므로

$\mathrm{E}(X)=100p=20\quad\therefore p=\frac{1}{5}$

STEP Ⓑ **$\mathrm{E}(X^2)=\mathrm{V}(X)+\{\mathrm{E}(X)\}^2$임을 이용하여 구하기**

확률변수 X가 이항분포 $\mathrm{B}\left(100,\ \frac{1}{5}\right)$을 따르므로

$\mathrm{V}(X)=100\times\frac{1}{5}\times\frac{4}{5}=16$

따라서 $\mathrm{E}(X^2)=\mathrm{V}(X)+\{\mathrm{E}(X)\}^2=16+20^2=416$

1115

정답 ②

STEP A **이항분포를 따르는 확률변수 X의 평균과 분산을 이용하여 p 구하기**

확률변수 X는 이항분포 $\mathrm{B}(n,\ p)$를 따르므로

$\mathrm{E}(X)=np=5$ ······ ㉠

$\mathrm{V}(X)=np(1-p)=\mathrm{E}(X^2)-\{\mathrm{E}(X)\}^2=29-25=4$ ······ ㉡

㉠을 ㉡에 대입하면 $5(1-p)=4$에서 $p=\frac{1}{5}$

STEP B **n값 구하기**

따라서 $p=\frac{1}{5}$을 ㉠에 대입하면 $\frac{1}{5}n=5$ $\quad\therefore n=25$

내/신/연/계/ 출제문항 480

확률변수 X가 이항분포 $\mathrm{B}(n,\ p)$를 따르고

$$\mathrm{E}(X)=30,\ \mathrm{E}(X^2)=920$$

일 때, n의 값은?

① 60 ② 90 ③ 120
④ 150 ⑤ 180

STEP A **$\mathrm{E}(X)=np$, $\mathrm{V}(X)=np(1-p)$임을 이용하여 n, p 구하기**

확률변수 X는 이항분포 $\mathrm{B}(n,\ p)$를 따르고

$\mathrm{E}(X)=30$이므로 $np=30$ ······ ㉠

$\mathrm{V}(X)=\mathrm{E}(X^2)-\{\mathrm{E}(X)\}^2=920-900=20$

이때 $\mathrm{V}(X)=np(1-p)$이므로 $np(1-p)=20$ ······ ㉡

㉠을 ㉡에 대입하면

$30(1-p)=20$에서 $1-p=\frac{2}{3}$이므로 $p=\frac{1}{3}$

STEP B **n값 구하기**

따라서 $p=\frac{1}{3}$을 ㉠에 대입하면 $\frac{1}{3}n=30$ $\quad\therefore n=90$  ②

1116

 ①

STEP A **$\mathrm{E}(X^2)=\mathrm{V}(X)+\{\mathrm{E}(X)\}^2$임을 이용하여 구하기**

확률변수 X가 이항분포 $\mathrm{B}\left(n,\ \frac{1}{10}\right)$을 따르므로

$\mathrm{E}(X)=n\times\frac{1}{10}=\frac{n}{10}$, $\mathrm{V}(X)=n\times\frac{1}{10}\times\frac{9}{10}=\frac{9n}{100}$

$\mathrm{V}(X)=\mathrm{E}(X^2)-\{\mathrm{E}(X)\}^2$에서

$\mathrm{E}(X^2)=\mathrm{V}(X)+\{\mathrm{E}(X)\}^2=\frac{9n}{100}+\frac{n^2}{100}$

STEP B **$\mathrm{E}(X^2)=2\{\mathrm{E}(X)\}^2$임을 이용하여 n값 구하기**

$\mathrm{E}(X^2)=2\{\mathrm{E}(X)\}^2$이므로 $\frac{9n}{100}+\frac{n^2}{100}=2\times\frac{n^2}{100}$

따라서 $\frac{9n}{100}=\frac{n^2}{100}$이므로 자연수 n은 $n=9$

1117

정답 ①

STEP A **이항분포를 따르는 확률변수 X의 평균과 분산 구하기**

확률변수 X가 이항분포 $\mathrm{B}\left(n,\ \frac{1}{2}\right)$을 따르므로

$\mathrm{E}(X)=n\times\frac{1}{2}=\frac{n}{2}$, $\mathrm{V}(X)=n\times\frac{1}{2}\times\frac{1}{2}=\frac{n}{4}$

STEP B **$\mathrm{E}(X^2)=\mathrm{V}(X)+\{\mathrm{E}(X)\}^2$임을 이용하여 n의 값 구하기**

$\mathrm{V}(X)=\mathrm{E}(X^2)-\{\mathrm{E}(X)\}^2$에서

$\mathrm{E}(X^2)=\mathrm{V}(X)+\{\mathrm{E}(X)\}^2$이므로

$\mathrm{E}(X^2)=\mathrm{V}(X)+25$에 대입하면

$\mathrm{V}(X)+\{\mathrm{E}(X)\}^2=\mathrm{V}(X)+25$

$\therefore \{\mathrm{E}(X)\}^2=25$

따라서 $\frac{n^2}{4}=25$이므로 $n^2=100$ $\quad\therefore n=10$

내/신/연/계/ 출제문항 481

확률변수 X가 이항분포 $\mathrm{B}(9,\ p)$를 따르고

$$\mathrm{E}(X)=3\mathrm{V}(X)$$

일 때, $\mathrm{E}(X^2)$의 값은? (단, $0<p<1$)

① 30 ② 32 ③ 34
④ 36 ⑤ 38

STEP A **이항분포를 따르는 확률변수 X의 평균과 분산을 이용하여 p 구하기**

확률변수 X가 이항분포 $\mathrm{B}(9,\ p)$를 따르므로

$\mathrm{E}(X)=9p$, $\mathrm{V}(X)=9p(1-p)$

$\mathrm{E}(X)=3\mathrm{V}(X)$이므로 $9p=3\times9p(1-p)$

이때 $0<p<1$이므로 $1=3(1-p)$, $3p=2$

$\therefore p=\frac{2}{3}$

STEP B **$\mathrm{E}(X^2)=\mathrm{V}(X)+\{\mathrm{E}(X)\}^2$임을 이용하기**

따라서 확률변수 X가 이항분포 $\mathrm{B}\left(9,\ \frac{2}{3}\right)$를 따르므로

$\mathrm{V}(X)=\mathrm{E}(X^2)-\{\mathrm{E}(X)\}^2$에서

$\mathrm{E}(X^2)=\mathrm{V}(X)+\{\mathrm{E}(X)\}^2=9\times\frac{2}{3}\times\frac{1}{3}+\left(9\times\frac{2}{3}\right)^2=2+36=38$ 정답 ⑤

1118

정답 ②

STEP Ⓐ $E(X)=8$, $V(X)=4$임을 이용하여 n, p값 구하기

확률변수 X는 이항분포 $B(n, p)$를 따르므로

$E(X)=np=8$ …… ㉠

$V(X)=np(1-p)=4$ …… ㉡

㉠을 ㉡에 대입하면 $8(1-p)=4$, $1-p=\frac{1}{2}$

$\therefore p=\frac{1}{2}$

$p=\frac{1}{2}$을 ㉠에 대입하면 $\frac{1}{2}n=8$에서 $n=16$

STEP Ⓑ 확률변수 X의 확률질량함수를 이용하여 구하기

즉 확률변수 X는 이항분포 $B\left(16, \frac{1}{2}\right)$을 따르므로 X의 확률질량함수는

$P(X=x)={}_{16}C_x\left(\frac{1}{2}\right)^x\left(\frac{1}{2}\right)^{16-x}$ $(x=0, 1, \cdots, 16)$

따라서 $P(X=2)={}_{16}C_2\left(\frac{1}{2}\right)^2\left(\frac{1}{2}\right)^{14}=15\left(\frac{1}{2}\right)^{13}$

1119

정답 ⑤

STEP Ⓐ $E(X)=1$, $V(X)=\frac{9}{10}$임을 이용하여 n, p값 구하기

확률변수 X는 이항분포 $B(n, p)$를 따르므로

$E(X)=np=1$ …… ㉠

$V(X)=np(1-p)=\frac{9}{10}$ …… ㉡

㉠을 ㉡에 대입하면 $1-p=\frac{9}{10}$

$\therefore p=\frac{1}{10}$

$p=\frac{1}{10}$을 ㉠에 대입하면 $\frac{1}{10}n=1$

$\therefore n=10$

STEP Ⓑ $\frac{n}{p}$의 값 구하기

따라서 $\frac{n}{p}=\frac{10}{\frac{1}{10}}=100$

내신연계 출제문항 482

확률변수 X가 값 x를 가질 확률이

$P(X=x)={}_nC_xp^x(1-p)^{n-x}$(단, $x=0, 1, 2, \cdots, n$)

이다.

$E(X)=1, V(X)=\frac{9}{10}$

일 때, $P(X<2)$의 값은?

① $\frac{19}{10}\left(\frac{9}{10}\right)^9$ ② $\frac{17}{9}\left(\frac{8}{9}\right)^8$ ③ $\frac{15}{8}\left(\frac{7}{8}\right)^7$

④ $\frac{13}{7}\left(\frac{6}{7}\right)^6$ ⑤ $\frac{11}{6}\left(\frac{5}{6}\right)^5$

STEP Ⓐ $E(X)=1$, $V(X)=\frac{9}{10}$임을 이용하여 n, p값 구하기

확률변수 X는 이항분포 $B(n, p)$를 따르므로

$E(X)=np=1$ …… ㉠

$V(X)=np(1-p)=\frac{9}{10}$ …… ㉡

㉠을 ㉡에 대입하면 $1-p=\frac{9}{10}$ $\therefore p=\frac{1}{10}$

$p=\frac{1}{10}$을 ㉠에 대입하면 $n=10$

STEP Ⓑ 확률변수 X의 확률질량함수를 이용하여 구하기

확률변수 X는 이항분포 $B\left(10, \frac{1}{10}\right)$을 따르므로 X의 확률질량함수는

$P(X=x)={}_{10}C_x\left(\frac{1}{10}\right)^x\left(\frac{9}{10}\right)^{10-x}$ $(x=0, 1, \cdots, 10)$

따라서 $P(X<2)=P(X=0)+P(X=1)$

$={}_{10}C_0\left(\frac{9}{10}\right)^{10}+{}_{10}C_1\left(\frac{1}{10}\right)\left(\frac{9}{10}\right)^9$

$=\frac{19}{10}\times\left(\frac{9}{10}\right)^9$

정답 ①

1120

정답 ①

STEP Ⓐ $V(X)=np(1-p)$임을 이용하여 p의 값 구하기

확률변수 X는 이항분포 $B(16, p)$를 따르므로

$V(X)=16p(1-p)=4$에서

$4p^2-4p+1=0$

$(2p-1)^2=0$

$\therefore p=\frac{1}{2}$

STEP Ⓑ 이항분포의 확률질량함수를 이용하여 구하기

확률변수 X는 이항분포 $B\left(16, \frac{1}{2}\right)$를 따르므로 확률변수 X의 확률질량함수는

$P(X=r)={}_{16}C_r\left(\frac{1}{2}\right)^r\left(\frac{1}{2}\right)^{16-r}={}_{16}C_r\left(\frac{1}{2}\right)^{16}$ $(r=0, 1, 2, \cdots, 16)$

따라서 $\frac{P(X=1)}{P(X=2)}=\frac{{}_{16}C_1\left(\frac{1}{2}\right)^{16}}{{}_{16}C_2\left(\frac{1}{2}\right)^{16}}=\frac{{}_{16}C_1}{{}_{16}C_2}=\frac{2}{15}$

1121

정답 ④

STEP Ⓐ 확률변수 X의 확률질량함수를 이용하여 p의 값 구하기

확률변수 X는 이항분포 $B(n, p)$를 따르므로 확률변수 X의 확률질량함수는

$P(X=x)={}_nC_xp^x(1-p)^{n-x}$ $(x=0, 1, \cdots, n)$

조건 (가)에서 $V(X)=np(1-p)=\frac{8}{9}$ …… ㉠

조건 (나)에서 $P(X=1)=8P(X=0)$

${}_nC_1p(1-p)^{n-1}=8{}_nC_0p^0(1-p)^n$

$np=8(1-p)$ …… ㉡

㉡을 ㉠에 대입하면 $8(1-p)^2=\frac{8}{9}$

$\therefore p=\frac{2}{3}$

STEP Ⓑ $E(X)$ 구하기

$p=\frac{2}{3}$을 ㉠에 대입하면 $np=\frac{8}{3}$

따라서 $E(X)=np=\frac{8}{3}$

내신연계 출제문항 483

확률변수 X가 이항분포 $\mathrm{B}(n,\ p)$를 따르고 다음 두 조건을 만족할 때, $\mathrm{E}(X)$는?

(가) $\mathrm{V}(X)=\frac{3}{4}$ (나) $\mathrm{P}(X=n-1)=3\mathrm{P}(X=n)$

① $\frac{1}{2}$ ② $\frac{3}{4}$ ③ $\frac{8}{7}$
④ $\frac{3}{2}$ ⑤ $\frac{8}{3}$

STEP A **주어진 조건을 이용하여 $n,\ p$의 값 구하기**

확률변수 X는 이항분포 $\mathrm{B}(n,\ p)$를 따르므로 확률변수 X의 확률질량함수는

$\mathrm{P}(X=x)={}_n\mathrm{C}_x p^x(1-p)^{n-x}(x=0,\ 1,\ \cdots,\ n)$

(가)에서 $\mathrm{V}(X)=np(1-p)=\frac{3}{4}$ …… ㉠

(나)에서 ${}_n\mathrm{C}_{n-1}p^{n-1}(1-p)=3\cdot{}_n\mathrm{C}_n p^n(1-p)^0$이므로

$n(1-p)=3p$ …… ㉡

㉡을 ㉠에 대입하면 $3p^2=\frac{3}{4}$에서 $p=\frac{1}{2}(p>0)$

$p=\frac{1}{2}$을 ㉠에 대입하면 $n=3$

STEP B **이항분포 $\mathrm{B}\left(3,\ \frac{1}{2}\right)$을 따르는 X의 평균 구하기**

따라서 확률변수 X는 이항분포 $\mathrm{B}\left(3,\ \frac{1}{2}\right)$을 따르므로 $\mathrm{E}(X)=3\times\frac{1}{2}=\frac{3}{2}$

정답 ④

내신연계 출제문항 484

확률변수 X가 이항분포 $\mathrm{B}(n,\ p)$를 따르고

$$\mathrm{P}(X=n-1)=48\mathrm{P}(X=n),\ \mathrm{V}(X)=3$$

일 때, $\mathrm{E}(X^2)$의 값은?

① 12 ② 15 ③ 19
④ 20 ⑤ 24

STEP A **확률변수 X의 확률질량함수를 이용하여 $n,\ p$의 값 구하기**

확률변수 X가 이항분포 $\mathrm{B}(n,\ p)$를 따르므로 확률변수 X의 확률질량함수는

$\mathrm{P}(X=x)={}_n\mathrm{C}_x p^x(1-p)^{n-x}(x=0,\ 1,\ 2,\ \cdots,\ n)$

$\mathrm{P}(X=n-1)=48\mathrm{P}(X=n)$이므로 ${}_n\mathrm{C}_{n-1}p^{n-1}(1-p)=48{}_n\mathrm{C}_n p^n$에서

$n(1-p)=48p$ …… ㉠

$\mathrm{V}(X)=3$이므로 $\mathrm{V}(X)=np(1-p)=3$ …… ㉡

㉠을 ㉡에 대입하면 $48p^2=3$

$p^2=\frac{1}{16}$ $\therefore p=\frac{1}{4}(\because 0\le p<1)$

$p=\frac{1}{4}$을 ㉠에 대입하면 $\frac{3}{4}n=12$

$\therefore n=16$

STEP B **$\mathrm{E}(X^2)=\mathrm{V}(X)+\{\mathrm{E}(X)\}^2$임을 이용하기**

확률변수 X가 이항분포 $\mathrm{B}\left(16,\ \frac{1}{4}\right)$을 따르므로

$\mathrm{E}(X)=16\times\frac{1}{4}=4$

따라서 $\mathrm{V}(X)=\mathrm{E}(X^2)-\{\mathrm{E}(X)\}^2$이므로

$\mathrm{E}(X^2)=\mathrm{V}(X)+\{\mathrm{E}(X)\}^2=3+4^2=19$

정답 ③

1122

정답 ①

STEP A **확률변수 X의 확률질량함수를 이용하여 p의 값 구하기**

확률변수 X가 이항분포 $\mathrm{B}(n,\ p)$를 따르므로 확률변수 X의 확률질량함수는

$\mathrm{P}(X=x)={}_n\mathrm{C}_x p^x(1-p)^{n-x}(x=0,\ 1,\ 2,\ \cdots,\ n)$

$\mathrm{P}(X=0)=\mathrm{P}(X=n)$이므로

${}_n\mathrm{C}_0 p^0(1-p)^n={}_n\mathrm{C}_n p^n(1-p)^0$에서 $(1-p)^n=p^n$

n은 자연수이고 $p>0,\ 1-p>0$이므로 $1-p=p$에서 $p=\frac{1}{2}$

STEP B **$\mathrm{V}(X)=5$임을 이용하여 n의 값 구하기**

확률변수 X가 이항분포 $\mathrm{B}\left(n,\ \frac{1}{2}\right)$을 따르므로

$\mathrm{V}(X)=n\times\frac{1}{2}\times\frac{1}{2}=5$ $\therefore n=20$

STEP C **$\mathrm{E}(X^2)=\mathrm{V}(X)+\{\mathrm{E}(X)\}^2$임을 이용하기**

확률변수 X가 이항분포 $\mathrm{B}\left(20,\ \frac{1}{2}\right)$을 따르므로

$\mathrm{E}(X)=20\times\frac{1}{2}=10$

이때 $\mathrm{V}(X)=\mathrm{E}(X^2)-\{\mathrm{E}(X)\}^2$이므로

$\mathrm{E}(X^2)=\mathrm{V}(X)+\{\mathrm{E}(X)\}^2=5+10^2=105$

1123

정답 ③

STEP A **$\mathrm{E}(X)=40$임을 이용하여 p의 값 구하기**

확률변수 X가 이항분포 $\mathrm{B}(200,\ p)$를 따르므로

$\mathrm{E}(X)=200p=40$ $\therefore p=\frac{1}{5}$

STEP B **$\mathrm{V}(aX+b)=a^2\mathrm{V}(X)$임을 이용하여 구하기**

$\mathrm{V}(X)=200p(1-p)=200\times\frac{1}{5}\times\frac{4}{5}=32$

따라서 $\mathrm{V}(2X-1)=4\mathrm{V}(X)=4\times 32=128$

1124

정답 ③

STEP A **이항분포를 따르는 확률변수 X의 평균 구하기**

확률변수 X가 이항분포 $\mathrm{B}\left(n,\ \frac{1}{3}\right)$을 따르므로

$\mathrm{E}(X)=n\times\frac{1}{3}=\frac{1}{3}n$

STEP B **평균의 성질을 이용하여 $\mathrm{E}(2X+5)$에서 n의 값 구하기**

$\mathrm{E}(2X+5)=2\mathrm{E}(X)+5=13$이므로 $2\times\frac{1}{3}n+5=13,\ \frac{2}{3}n=8$

따라서 $n=12$

1125

정답 ⑤

STEP Ⓐ $V(aX+b)=a^2V(X)$을 이용하여 n의 값 구하기

확률변수 X가 이항분포 $B\left(n, \frac{1}{3}\right)$을 따르므로

$V(X)=n\times\frac{1}{3}\times\frac{2}{3}=\frac{2n}{9}$

$V(2X-1)=80$이므로 $V(2X-1)=4V(X)=4\times\frac{2n}{9}=80$

$\therefore n=90$

STEP Ⓑ $E(aX+b)=aE(X)+b$를 이용하여 구하기

확률변수 X가 이항분포 $B\left(90, \frac{1}{3}\right)$을 따르므로

$E(X)=90\times\frac{1}{3}=30$

따라서 $E(2X-1)=2E(X)-1=2\times30-1=59$

내신연계 출제문항 485

이항분포 $B\left(n, \frac{1}{3}\right)$을 따르는 확률변수 X에 대하여

$V(4X+1)=64$

일 때, $E(3X-2)$의 값은?

① 14 ② 16 ③ 18
④ 20 ⑤ 22

STEP Ⓐ 이항분포를 따르는 확률변수 X의 평균 구하기

확률변수 X가 이항분포 $B\left(n, \frac{1}{3}\right)$을 따르므로

$V(X)=n\times\frac{1}{3}\times\frac{2}{3}=\frac{2n}{9}$

$V(4X+1)=64$에서 $16V(X)=64$

즉 $V(X)=4$이므로 $\frac{2n}{9}=4$

$\therefore n=18$

STEP Ⓑ $E(aX+b)=aE(X)+b$를 이용하여 구하기

확률변수 X가 이항분포 $B\left(18, \frac{1}{3}\right)$을 따르므로

$E(X)=18\times\frac{1}{3}=6$

따라서 $E(3X-2)=3E(X)-2=3\times6-2=16$

정답 ②

1126

정답 ①

STEP Ⓐ 이항분포를 따르는 확률변수 X의 평균 구하기

확률변수 X는 이항분포 $B(72, p)$를 따르므로 $E(X)=72p$

STEP Ⓑ $E(aX+b)=aE(X)+b$를 이용하여 p의 값 구하기

$E(2X-3)=45$에서 $E(2X-3)=2E(X)-3=144p-3=45$

$\therefore p=\frac{1}{3}$

STEP Ⓒ $V(aX+b)=a^2V(X)$임을 이용하여 구하기

확률변수 X는 이항분포 $B\left(72, \frac{1}{3}\right)$을 따르므로

$V(X)=72\times\frac{1}{3}\times\frac{2}{3}=16$

따라서 $V(2X-3)=4V(X)=4\times16=64$

1127

정답 ②

STEP Ⓐ 이항분포를 따르는 확률변수 X의 평균 구하기

확률변수 X가 이항분포 $B\left(n, \frac{1}{5}\right)$을 따르므로

$E(X)=\frac{n}{5}$

STEP Ⓑ 평균의 성질을 이용하여 n의 값 구하기

$E\left(\frac{1}{4}X+10\right)=\frac{1}{4}E(X)+10=\frac{n}{20}+10=15$에서 $n=100$

STEP Ⓒ $E(X^2)=V(X)+\{E(X)\}^2$임을 이용하기

확률변수 X가 이항분포 $B\left(100, \frac{1}{5}\right)$을 따르므로

$E(X)=\frac{100}{5}=20$, $V(X)=100\times\frac{1}{5}\times\frac{4}{5}=16$

따라서 $E(X^2)=V(X)+\{E(X)\}^2=16+20^2=416$

내신연계 출제문항 486

확률변수 X가 이항분포 $B\left(n, \frac{1}{2}\right)$을 따르고

$V(4X+1)=48$

일 때, $E(X^2)$의 값은?

① 36 ② 37 ③ 38
④ 39 ⑤ 40

STEP Ⓐ 이항분포를 따르는 확률변수 X의 분산 구하기

확률변수 X가 이항분포 $B\left(n, \frac{1}{2}\right)$을 따르므로

$V(X)=n\times\frac{1}{2}\times\frac{1}{2}=\frac{n}{4}$

STEP Ⓑ 분산의 성질을 이용하여 n의 값 구하기

$V(4X+1)=48$에서 $16V(X)=48$ $\therefore V(X)=3$

$\frac{n}{4}=3$ $\therefore n=12$

STEP Ⓒ $E(X^2)=V(X)+\{E(X)\}^2$임을 이용하기

확률변수 X가 이항분포 $B\left(12, \frac{1}{2}\right)$을 따르므로

$E(X)=12\times\frac{1}{2}=6$, $V(X)=12\times\frac{1}{2}\times\frac{1}{2}=3$

따라서 $E(X^2)=V(X)+\{E(X)\}^2=3+6^2=39$

정답 ④

1128

정답 ⑤

STEP Ⓐ $E(aX+b)=aE(X)+b$, $V(aX+b)=a^2V(X)$임을 이용하기

$E(2X-5)=2E(X)-5=175$이므로 $E(X)=90$

$\sigma(2X-5)=2\sigma(X)=12$이므로 $\sigma(X)=6$

STEP Ⓑ 이항분포를 따르는 확률변수 X의 평균과 분산을 이용하여 n, p 구하기

확률변수 X가 이항분포 $B(n, p)$를 따르므로

$E(X)=np=90$ …… ㉠

$\sigma(X)=\sqrt{np(1-p)}=6$ …… ㉡

㉠을 ㉡에 대입하면 $\sqrt{90(1-p)}=6$, $90(1-p)=36$

$1-p=\frac{2}{5}$ $\therefore p=\frac{3}{5}$

따라서 ㉠에서 $n\times\frac{3}{5}=90$이므로 $n=150$

내신연계 출제문항 487

확률변수 X가 이항분포 $\mathrm{B}(n,\ p)$를 따르고

$$\mathrm{E}(3X+1)=11,\ \mathrm{V}(3X+1)=20$$

일 때, $n+p$의 값은?

① $\frac{25}{3}$ ② $\frac{28}{3}$ ③ $\frac{31}{3}$
④ $\frac{34}{3}$ ⑤ $\frac{37}{3}$

STEP Ⓐ $\mathrm{E}(aX+b)=a\mathrm{E}(X)+b,\ \mathrm{V}(aX+b)=a^2\mathrm{V}(X)$**임을 이용하기**

$\mathrm{E}(3X+1)=3\mathrm{E}(X)+1=11$이므로 $\mathrm{E}(X)=\frac{10}{3}$

$\mathrm{V}(3X+1)=3^2\mathrm{V}(X)=20$이므로 $\mathrm{V}(X)=\frac{20}{9}$

STEP Ⓑ **이항분포를 따르는 확률변수 X의 평균과 분산을 이용하여 $n,\ p$ 구하기**

확률변수 X가 이항분포 $\mathrm{B}(n,\ p)$를 따르므로

$\mathrm{E}(X)=np=\frac{10}{3}$ …… ㉠

$\mathrm{V}(X)=np(1-p)=\frac{20}{9}$ …… ㉡

㉠을 ㉡에 대입하면 $\frac{10}{3}(1-p)=\frac{20}{9}$

$1-p=\frac{2}{3}$ $\therefore\ p=\frac{1}{3}$

$p=\frac{1}{3}$을 ㉠에 대입하면 $\frac{1}{3}n=\frac{10}{3}$ $\therefore\ n=10$

따라서 $p=\frac{1}{3},\ n=10$이므로 $n+p=\frac{31}{3}$

1129

STEP Ⓐ **이항분포의 확률질량함수를 이용하여 n값 구하기**

확률변수 X는 이항분포 $\mathrm{B}\left(n,\ \frac{1}{2}\right)$을 따르므로 확률변수 X의 확률질량함수는

$\mathrm{P}(X=x)={}_n\mathrm{C}_x\left(\frac{1}{2}\right)^x\left(\frac{1}{2}\right)^{n-x}\ (x=0,\ 1,\ 2,\ \cdots,\ n)$

$\frac{\mathrm{P}(X=2)}{\mathrm{P}(X=1)}=10$이므로 $\mathrm{P}(X=2)=10\mathrm{P}(X=1)$

${}_n\mathrm{C}_2\left(\frac{1}{2}\right)^n=10{}_n\mathrm{C}_1\left(\frac{1}{2}\right)^n,\ \frac{n(n-1)}{2}=10n$

$\therefore\ n=21$

STEP Ⓑ $\mathrm{E}(aX+b)=a\mathrm{E}(X)+b$**임을 이용하여 구하기**

확률변수 X는 이항분포 $\mathrm{B}\left(21,\ \frac{1}{2}\right)$을 따르므로

$\mathrm{E}(X)=21\times\frac{1}{2}=\frac{21}{2}$

따라서 $\mathrm{E}(2X+4)=2\mathrm{E}(X)+4=2\times\frac{21}{2}+4=25$

1130

STEP Ⓐ $\mathrm{E}(aX+b)=a\mathrm{E}(X)+b,\ \mathrm{V}(X)=\mathrm{E}(X^2)-\{\mathrm{E}(X)\}^2$**임을 이용하기**

$\mathrm{E}(3X+1)=3\mathrm{E}(X)+1=19$이므로 $\mathrm{E}(X)=6$

또, $\mathrm{E}(X^2)=40$이므로 $\mathrm{V}(X)=\mathrm{E}(X^2)-\{\mathrm{E}(X)\}^2=40-6^2=4$

STEP Ⓑ **이항분포를 따르는 확률변수 X의 평균과 분산을 이용하여 $n,\ p$ 구하기**

확률변수 X는 이항분포 $\mathrm{B}(n,\ p)$를 따르므로

$\mathrm{E}(X)=np=6$ …… ㉠

$\mathrm{V}(X)=np(1-p)=4$ …… ㉡

㉠을 ㉡에 대입하면 $6(1-p)=4$

$1-p=\frac{2}{3}$ $\therefore\ p=\frac{1}{3}$

$p=\frac{1}{3}$을 ㉠에 대입하면 $\frac{1}{3}n=6$ $\therefore\ n=18$

STEP Ⓒ **이항분포의 확률질량함수를 이용하여 구하기**

확률변수 X는 이항분포 $\mathrm{B}\left(18,\ \frac{1}{3}\right)$을 따르므로 확률변수 X의 확률질량함수는

$\mathrm{P}(X=r)={}_{18}\mathrm{C}_r\left(\frac{1}{3}\right)^r\left(\frac{2}{3}\right)^{18-r}\ (r=0,\ 1,\ 2,\ 3,\ \cdots,\ 18)$

따라서 $\frac{\mathrm{P}(X=1)}{\mathrm{P}(X=2)}=\frac{{}_{18}\mathrm{C}_1\left(\frac{1}{3}\right)\left(\frac{2}{3}\right)^{17}}{{}_{18}\mathrm{C}_2\left(\frac{1}{3}\right)^2\left(\frac{2}{3}\right)^{16}}=\frac{4}{17}$

1131

STEP Ⓐ **이항분포의 확률질량함수를 이용하여 p값 구하기**

확률변수 X가 이항분포 $\mathrm{B}(10,\ p)$를 따르므로 확률변수 X의 확률질량함수는

$\mathrm{P}(X=x)={}_{10}\mathrm{C}_x p^x(1-p)^{10-x}\ (x=0,\ 1,\ 2,\ 3,\ \cdots,\ 10)$

$\mathrm{P}(X=3)=\frac{4}{5}\mathrm{P}(X=4)$이므로 ${}_{10}\mathrm{C}_3 p^3(1-p)^7=\frac{4}{5}\times{}_{10}\mathrm{C}_4 p^4(1-p)^6$

이때 $0<p<1$이므로 $120(1-p)=\frac{4}{5}\times 210p$

$5-5p=7p$ $\therefore\ p=\frac{5}{12}$

STEP Ⓑ $\mathrm{E}(X)=np,\ \mathrm{E}(aX+b)=a\mathrm{E}(X)+b$**임을 이용하여 구하기**

확률변수 X가 이항분포 $\mathrm{B}\left(10,\ \frac{5}{12}\right)$를 따르므로

$\mathrm{E}(X)=10\times\frac{5}{12}=\frac{25}{6}$

따라서 $\mathrm{E}(6X+5)=6\times\frac{25}{6}+5=25+5=30$

내신연계 출제문항 488

확률변수 X가 이항분포 $\mathrm{B}(10,\ p)$를 따르고

$$\mathrm{P}(X=4)=\frac{1}{3}\mathrm{P}(X=5)$$

일 때, $\mathrm{E}(7X)$의 값은? (단, $0<p<1$)

① 20 ② 30 ③ 40
④ 50 ⑤ 60

STEP Ⓐ **이항분포의 확률질량함수를 이용하여 p값 구하기**

확률변수 X는 이항분포 $\mathrm{B}(10,\ p)$를 따르므로 확률변수 X의 확률질량함수는

$\mathrm{P}(X=r)={}_{10}\mathrm{C}_r p^r(1-p)^{10-r}\ (r=0,\ 1,\ 2,\ \cdots,\ 10)$

$\mathrm{P}(X=4)=\frac{1}{3}\mathrm{P}(X=5)$이므로 ${}_{10}\mathrm{C}_4 p^4(1-p)^6=\frac{1}{3}{}_{10}\mathrm{C}_5 p^5(1-p)^5$

$\frac{10!}{4!6!}p^4(1-p)^6=\frac{1}{3}\times\frac{10!}{5!5!}p^5(1-p)^5$ ← ${}_n\mathrm{C}_r=\frac{n!}{r!(n-r)!}$

이때 $0<p<1$이므로 $\frac{1}{6}(1-p)=\frac{1}{15}p,\ 5-5p=2p,\ 7p=5$

$\therefore\ p=\frac{5}{7}$

STEP Ⓑ $\mathrm{E}(7X)$**의 값 구하기**

확률변수 X는 이항분포 $\mathrm{B}\left(10,\ \frac{5}{7}\right)$를 따르므로

$\mathrm{E}(X)=10\times\frac{5}{7}=\frac{50}{7}$

따라서 $\mathrm{E}(7X)=7\mathrm{E}(X)=7\times\frac{50}{7}=50$

1132

정답 ③

STEP Ⓐ 이항분포의 확률질량함수를 이용하여 n값 구하기

확률변수 X는 이항분포 $\mathrm{B}\left(n,\ \frac{1}{4}\right)$를 따르므로 확률변수 X의 확률질량함수는

$\mathrm{P}(X=x)={}_n\mathrm{C}_x\left(\frac{1}{4}\right)^x\left(\frac{3}{4}\right)^{n-x}\ (x=0,\ 1,\ 2,\ 3,\ \cdots,\ n)$

$9\mathrm{P}(X=3)=10\mathrm{P}(X=2)$이므로

$9{}_n\mathrm{C}_3\left(\frac{1}{4}\right)^3\left(\frac{3}{4}\right)^{n-3}=10{}_n\mathrm{C}_2\left(\frac{1}{4}\right)^2\left(\frac{3}{4}\right)^{n-2}$

$9\times\frac{n(n-1)(n-2)}{3!}\left(\frac{1}{4}\right)^3\left(\frac{3}{4}\right)^{n-3}=10\times\frac{n(n-1)}{2!}\left(\frac{1}{4}\right)^2\left(\frac{3}{4}\right)^{n-2}$

← ${}_n\mathrm{C}_r=\frac{n!}{r!(n-r)!}$

$3(n-2)\times\frac{1}{4}=10\times\frac{3}{4}$

$n-2=10\quad\therefore\ n=12$

STEP Ⓑ $\sigma(6X+2)$의 값 구하기

확률변수 X는 이항분포 $\mathrm{B}\left(12,\ \frac{1}{4}\right)$을 따르므로

$\mathrm{V}(X)=12\times\frac{1}{4}\times\frac{3}{4}=\frac{9}{4}$

$\sigma(X)=\sqrt{\frac{9}{4}}=\frac{3}{2}$

따라서 $\sigma(6X+2)=6\sigma(X)=6\times\frac{3}{2}=9$

내신연계 출제문항 489

확률변수 X가 이항분포 $\mathrm{B}(10,\ p)$를 따르고,

$3\mathrm{P}(X=3)=4\mathrm{P}(X=2)$

일 때, $\mathrm{V}(3X)$의 값은? (단, $0<p<1$)

① 20 ② 30 ③ 40 ④ 50 ⑤ 60

STEP Ⓐ 이항분포를 따르는 확률변수 X의 확률질량함수를 구하기

확률변수 X는 이항분포 $\mathrm{B}(10,\ p)$를 따르므로

$\mathrm{P}(X=r)={}_{10}\mathrm{C}_r p^r(1-p)^{10-r}$ (단, $x=1,\ 2,\ \cdots,\ 10$)

STEP Ⓑ $3\mathrm{P}(X=3)=4\mathrm{P}(X=2)$을 만족하는 p의 값 구하기

$3{}_{10}\mathrm{C}_3 p^3(1-p)^7=4{}_{10}\mathrm{C}_2 p^2(1-p)^8$

$3\times\frac{10\cdot9\cdot8}{3\cdot2\cdot1}p^3(1-p)^7=4\times\frac{10\cdot9}{2\cdot1}p^2(1-p)^8$

$2p=1-p$이므로 $p=\frac{1}{3}$

STEP Ⓒ $\mathrm{V}(3X)$의 값 구하기

확률변수 X는 이항분포 $\mathrm{B}\left(10,\ \frac{1}{3}\right)$를 따르므로

$\mathrm{V}(X)=10\times\frac{1}{3}\times\frac{2}{3}=\frac{20}{9}$

따라서 $\mathrm{V}(3X)=3^2\mathrm{V}(X)=9\times\frac{20}{9}=20$

정답 ①

1133

정답 ③

STEP Ⓐ 이항분포를 따르는 확률변수의 평균을 이용하여 p의 값 구하기

확률변수 X는 이항분포 $\mathrm{B}(30,\ p)$를 따르므로 $\mathrm{E}(X)=30p$

확률변수 Y는 이항분포 $\mathrm{B}(31,\ p)$를 따르므로 $\mathrm{E}(Y)=31p$

$\mathrm{E}(Y)-\mathrm{E}(X)=31p-30p=p$이므로 $p=\frac{1}{3}$

STEP Ⓑ 확률질량함수를 이용하여 $\mathrm{P}(X\geq1)$의 값 구하기

확률변수 X는 이항분포 $\mathrm{B}\left(30,\ \frac{1}{3}\right)$을 따르므로 확률변수 X의 확률질량함수는

$\mathrm{P}(X=x)={}_{30}\mathrm{C}_x\left(\frac{1}{3}\right)^x\left(\frac{2}{3}\right)^{30-x}\ (x=0,\ 1,\ 2,\ \cdots,\ 30)$이므로

$\mathrm{P}(X\geq1)=1-{}_{30}\mathrm{C}_0\left(\frac{1}{3}\right)^0\left(\frac{2}{3}\right)^{30}=1-\left(\frac{2}{3}\right)^{30}$

STEP Ⓒ 확률변수 Y의 확률질량함수를 이용하여 $\mathrm{P}(Y\geq1)$의 값 구하기

확률변수 Y는 이항분포 $\mathrm{B}\left(31,\ \frac{1}{3}\right)$을 따르므로 확률변수 X의 확률질량함수는

$\mathrm{P}(Y=x)={}_{31}\mathrm{C}_x\left(\frac{1}{3}\right)^x\left(\frac{2}{3}\right)^{31-x}\ (x=0,\ 1,\ 2,\ \cdots,\ 31)$이므로

$\mathrm{P}(Y\geq1)=1-{}_{31}\mathrm{C}_0\left(\frac{1}{3}\right)^0\left(\frac{2}{3}\right)^{31}=1-\left(\frac{2}{3}\right)^{31}$

STEP Ⓓ $\mathrm{P}(Y\geq1)-\mathrm{P}(X\geq1)$의 값 구하기

따라서 $\mathrm{P}(Y\geq1)-\mathrm{P}(X\geq1)=1-\left(\frac{2}{3}\right)^{31}-\left\{1-\left(\frac{2}{3}\right)^{30}\right\}$

$=\left(\frac{2}{3}\right)^{30}-\left(\frac{2}{3}\right)^{31}$

$=\left(\frac{2}{3}\right)^{30}\left(1-\frac{2}{3}\right)=\frac{1}{3}\left(\frac{2}{3}\right)^{30}$

1134

정답 ④

STEP Ⓐ 이항분포의 확률질량함수를 이용하여 이항분포의 평균, 분산 구하기

확률변수 X는 이항분포 $\mathrm{B}\left(9,\ \frac{1}{3}\right)$을 따르므로

$a=\sum_{r=0}^{9}{}_9\mathrm{C}_r\left(\frac{1}{3}\right)^r\left(\frac{2}{3}\right)^{9-r}$은 확률변수 X의 확률의 총합이다.

$\therefore\ a=\left(\frac{1}{3}+\frac{2}{3}\right)^9=1$

$b=\sum_{r=0}^{9}r\cdot{}_9\mathrm{C}_r\left(\frac{1}{3}\right)^r\left(\frac{2}{3}\right)^{9-r}$은 확률변수 X의 평균이다.

$\therefore\ b=\mathrm{E}(X)=9\times\frac{1}{3}=3$

$c=\sum_{r=0}^{9}r^2\cdot{}_9\mathrm{C}_r\left(\frac{1}{3}\right)^r\left(\frac{2}{3}\right)^{9-r}$은 확률변수 X^2의 평균이다.

이때 $\mathrm{V}(X)=9\times\frac{1}{3}\times\frac{2}{3}=2$이므로 $\mathrm{V}(X)=\mathrm{E}(X^2)-\{\mathrm{E}(X)\}^2$에서

$\mathrm{E}(X^2)=\mathrm{V}(X)+\{\mathrm{E}(X)\}^2=2+3^2=11\quad\therefore\ c=11$

STEP Ⓑ $a+b+c$의 값 구하기

따라서 $a+b+c=1+3+11=15$

1135

정답 ⑤

STEP Ⓐ 이항분포를 따르는 확률변수 X의 평균, 분산 구하기

$\mathrm{P}(X=x)={}_{50}\mathrm{C}_x\left(\frac{3}{5}\right)^x\left(\frac{2}{5}\right)^{50-x}\ (x=0,\ 1,\ 2,\ \cdots,\ 50)$이므로

확률변수 X는 이항분포 $\mathrm{B}\left(50,\ \frac{3}{5}\right)$을 따르므로

$\mathrm{E}(X)=50\times\frac{3}{5}=30,\ \mathrm{V}(X)=50\times\frac{3}{5}\times\frac{2}{5}=12$

STEP Ⓑ $\mathrm{E}(X)+\mathrm{V}(X)$의 값 구하기

따라서 $\mathrm{E}(X)+\mathrm{V}(X)=30+12=42$

내신연계 출제문항 490

확률변수 X의 확률질량함수가

$$P(X=x)={}_{100}C_x\left(\frac{1}{2}\right)^{100}\ (x=0,\ 1,\ 2,\ \cdots,\ 100)$$

일 때, $E(X)+V(X)$의 값은?

① 25　② 50　③ 65
④ 75　⑤ 85

STEP Ⓐ 이항분포를 따르는 확률변수 X의 평균, 분산 구하기

$P(X=x)={}_{100}C_x\left(\frac{1}{2}\right)^x\left(\frac{1}{2}\right)^{100-x}\ (x=0,\ 1,\ 2,\ \cdots,\ 100)$이므로

확률변수 X는 이항분포 $B\left(100,\ \frac{1}{2}\right)$을 따르므로

$E(X)=100\times\frac{1}{2}=50,\ V(X)=100\times\frac{1}{2}\times\frac{1}{2}=25$

STEP Ⓑ $E(X)+V(X)$의 값 구하기

따라서 $E(X)+V(X)=50+25=75$

정답 ④

1136

정답 ③

STEP Ⓐ 이항분포를 따르는 확률변수 X의 평균, 분산 구하기

$P(X=x)={}_{72}C_x\left(\frac{1}{3}\right)^x\left(\frac{2}{3}\right)^{72-x}$ 이므로

확률변수 X가 이항분포 $B\left(72,\ \frac{1}{3}\right)$을 따른다.

$E(X)=72\times\frac{1}{3}=24,\ V(X)=72\times\frac{1}{3}\times\frac{2}{3}=16$

STEP Ⓑ $E(aX+b)=aE(X)+b,\ V(aX+b)=a^2V(X)$임을 이용하여 구하기

$E(2X-10)=2E(X)-10=2\times24-10=38$

$V(2X-10)=4V(X)=4\times16=64$

따라서 $E(2X-10)+V(2X-10)=38+64=102$

1137

정답 ⑤

STEP Ⓐ 이항분포를 따르는 확률변수 X의 평균, 분산 구하기

$P(X=x)={}_{10}C_x\left(\frac{1}{2}\right)^{10}={}_{10}C_x\left(\frac{1}{2}\right)^x\left(\frac{1}{2}\right)^{10-x}\ (x=0,\ 1,\ 2,\ \cdots,\ 10)$

이므로 확률변수 X는 이항분포 $B\left(10,\ \frac{1}{2}\right)$을 따른다.

$E(X)=10\times\frac{1}{2}=5,\ V(X)=10\times\frac{1}{2}\times\frac{1}{2}=\frac{5}{2}$

STEP Ⓑ $E(X^2)=V(X)+\{E(X)\}^2$임을 이용하여 구하기

따라서 $E(X^2)=V(X)+\{E(X)\}^2=\frac{5}{2}+5^2=\frac{55}{2}$

내신연계 출제문항 491

이산확률변수 X의 확률질량함수가

$$P(X=x)={}_{60}C_x\left(\frac{1}{2}\right)^{60}\ (x=0,\ 1,\ 2,\ \cdots,\ 60)$$

일 때, $E(X^2)$의 값은?

① 900　② 915　③ 930
④ 945　⑤ 960

STEP Ⓐ 이항분포를 따르는 확률변수 X의 평균, 분산 구하기

확률변수 X의 확률질량함수는

$P(X=x)={}_{60}C_x\left(\frac{1}{2}\right)^{60}={}_{60}C_x\left(\frac{1}{2}\right)^x\left(\frac{1}{2}\right)^{60-x}$ (단, $x=0,\ 1,\ 2,\ \cdots,\ 60$)

이므로 확률변수 X는 이항분포 $B\left(60,\ \frac{1}{2}\right)$을 따른다.

$E(X)=60\times\frac{1}{2}=30,\ V(X)=60\times\frac{1}{2}\times\frac{1}{2}=15$

STEP Ⓑ $E(X^2)=V(X)+\{E(X)\}^2$임을 이용하여 구하기

따라서 $V(X)=E(X^2)-\{E(X)\}^2$에서

$E(X^2)=V(X)+\{E(X)\}^2=15+30^2=915$

정답 ②

1138

정답 ⑤

STEP Ⓐ 이항분포의 성질을 이용하여 p의 값 구하기

확률변수 X의 확률질량함수가

$P(X=x)={}_{50}C_x\,p^x(1-p)^{50-x}\ (x=0,\ 1,\ 2,\ \cdots,\ 50)$

이므로 확률변수 X는 이항분포 $B(50,\ p)$를 따른다.

$E(X)=50p=30$이므로 $p=\frac{3}{5}$

STEP Ⓑ $E(X^2)=V(X)+\{E(X)\}^2$을 이용하여 구하기

확률변수 X는 이항분포 $B\left(50,\ \frac{3}{5}\right)$을 따른다.

$V(X)=50\times\frac{3}{5}\times\frac{2}{5}=12$

따라서 $E(X^2)=V(X)+\{E(X)\}^2=12+30^2=912$

1139

정답 ①

STEP Ⓐ 이항분포의 성질을 이용하여 p의 값 구하기

확률변수 X의 확률질량함수가

$P(X=x)={}_nC_x\left(\frac{1}{2}\right)^n={}_nC_x\left(\frac{1}{2}\right)^x\left(\frac{1}{2}\right)^{n-x}\ (x=0,\ 1,\ 2,\ \cdots,\ n)$

이므로 확률변수 X는 이항분포 $B\left(n,\ \frac{1}{2}\right)$을 따른다.

$V(X)=n\times\frac{1}{2}\times\frac{1}{2}=\frac{n}{4}=\frac{5}{2}$이므로 $n=10$

STEP Ⓑ $E(X^2)=V(X)+\{E(X)\}^2$을 이용하여 구하기

따라서 $E(X)=n\times\frac{1}{2}=10\times\frac{1}{2}=5$이므로

$E(X^2)=V(X)+\{E(X)\}^2=\frac{5}{2}+5^2=\frac{55}{2}$

내신연계 출제문항 492

확률변수 X가 가지는 값이 0부터 25까지의 정수이고,
$0<p<\frac{1}{2}$인 실수 p에 대하여 X의 확률질량함수는

$$\mathrm{P}(X=x)={}_{25}\mathrm{C}_x p^x(1-p)^{25-x}\ (x=0,\ 1,\ 2,\ \cdots,\ 25)$$

이다. $\mathrm{V}(X)=4$일 때, $\mathrm{E}(X^2)$의 값은?

① 21 ② 23 ③ 25
④ 27 ⑤ 29

STEP Ⓐ **이항분포의 성질을 이용하여 p의 값 구하기**

$\mathrm{P}(X=x)={}_{25}\mathrm{C}_x p^x(1-p)^{25-x}$이므로
확률변수 X는 이항분포 $\mathrm{B}(25,\ p)$를 따른다.
$\mathrm{E}(X)=25p,\ \mathrm{V}(X)=25p(1-p)$
$\mathrm{V}(X)=4$일 때, $25p(1-p)=4,\ p(1-p)=\frac{4}{25}=\frac{1}{5}\times\frac{4}{5}$
조건에서 $0<p<\frac{1}{2}$ $\quad\therefore\ p=\frac{1}{5}$

STEP Ⓑ **$\mathrm{E}(X^2)=\mathrm{V}(X)+\{\mathrm{E}(X)\}^2$임을 이용하여 구하기**

따라서 $\mathrm{E}(X^2)=\mathrm{V}(X)+\{\mathrm{E}(X)\}^2=4+\left(25\times\frac{1}{5}\right)^2=4+5^2=29$  정답 ⑤

1140

정답 ③

STEP Ⓐ **이항분포를 따르는 확률변수 X의 평균, 분산 구하기**

확률변수 X의 확률질량함수는
$\mathrm{P}(X=x)={}_{18}\mathrm{C}_x\left(\frac{1}{3}\right)^x\left(\frac{2}{3}\right)^{18-x}\ (x=0,\ 1,\ 2,\ \cdots,\ 18)$
이므로 확률변수 X는 이항분포 $\mathrm{B}\left(18,\ \frac{1}{3}\right)$을 따르므로
$\mathrm{E}(X)=18\times\frac{1}{3}=6,\ \mathrm{V}(X)=18\times\frac{1}{3}\times\frac{2}{3}=4$

STEP Ⓑ **$\mathrm{E}(X^2)=\mathrm{V}(X)+\{\mathrm{E}(X)\}^2$임을 이용하여 구하기**

따라서 $\sum_{x=0}^{18}x^2\,{}_{18}\mathrm{C}_x\left(\frac{1}{3}\right)^x\left(\frac{2}{3}\right)^{18-x}=\mathrm{E}(X^2)=\mathrm{V}(X)+\{\mathrm{E}(X)\}^2=4+6^2=40$

1141

정답 ③

STEP Ⓐ **이항분포를 따르는 확률변수 X의 평균, 분산 구하기**

확률변수 X의 확률질량함수가
$\mathrm{P}(X=r)={}_{100}\mathrm{C}_r\left(\frac{1}{5}\right)^r\left(\frac{4}{5}\right)^{100-r}\ (r=0,\ 1,\ 2,\ \cdots,\ 100)$이므로
확률변수 X는 이항분포 $\mathrm{B}\left(100,\ \frac{1}{5}\right)$을 따른다.
$\mathrm{E}(X)=100\times\frac{1}{5}=20,\ \mathrm{V}(X)=100\times\frac{1}{5}\times\frac{4}{5}=16$

STEP Ⓑ **$\mathrm{E}(X^2)=\mathrm{V}(X)+\{\mathrm{E}(X)\}^2$임을 이용하여 구하기**

$\mathrm{E}(X^2)=\mathrm{V}(X)+\{\mathrm{E}(X)\}^2=16+400=416$

STEP Ⓒ **$\sum_{r=0}^{100}(r^2-r)\mathrm{P}(X=r)=\mathrm{E}(X^2)-\mathrm{E}(X)$임을 이용하여 구하기**

따라서 $\sum_{r=0}^{100}(r^2-r)\mathrm{P}(X=r)=\sum_{r=0}^{100}r^2\mathrm{P}(X=r)-\sum_{r=0}^{100}r\mathrm{P}(X=r)$
$=\mathrm{E}(X^2)-\mathrm{E}(X)=416-20=396$

1142

정답 ②

STEP Ⓐ **이항분포를 따르는 확률변수 X의 평균, 분산 구하기**

확률변수 X의 확률질량함수가
$\mathrm{P}(X=k)={}_n\mathrm{C}_k\left(\frac{1}{2}\right)^n={}_n\mathrm{C}_k\left(\frac{1}{2}\right)^k\left(\frac{1}{2}\right)^{n-k}$이므로
확률변수 X는 $\mathrm{B}\left(n,\ \frac{1}{2}\right)$인 이항분포를 따르므로
$\mathrm{E}(X)=n\times\frac{1}{2}=\frac{n}{2},\ \mathrm{V}(X)=n\times\frac{1}{2}\times\frac{1}{2}=\frac{n}{4}$

STEP Ⓑ **$\mathrm{E}(X^2)=\mathrm{V}(X)+\{\mathrm{E}(X)\}^2$임을 이용하여 구하기**

$\mathrm{E}(X^2)=\mathrm{V}(X)+\{\mathrm{E}(X)\}^2=\frac{n}{4}+\frac{n^2}{4}$

STEP Ⓒ **$\sum_{k=0}^{n}(k+1)^2\mathrm{P}(X=k)=\mathrm{E}(X^2)+2\mathrm{E}(X)+1$임을 이용하여 n값 구하기**

$\sum_{k=0}^{n}(k+1)^2\mathrm{P}(X=k)=\sum_{k=0}^{n}(k^2+2k+1)\mathrm{P}(X=k)$
$=\mathrm{E}(X^2)+2\mathrm{E}(X)+1=451$
$\frac{n}{4}+\frac{n^2}{4}+n+1=451$
$n^2+5n-1800=0,\ (n-40)(n+45)=0$
따라서 $n=40\ (\because\ n>0)$

1143

정답 ③

STEP Ⓐ **확률변수 X가 따르는 이항분포의 확률질량함수 구하기**

3의 배수의 눈은 3, 6이므로
1회의 시행에서 3의 배수의 눈이 나오는 확률은 $\frac{1}{3}$이다.
이때 한 개의 주사위를 200번 던지는 시행에서 확률변수 X의 확률질량함수는
$\mathrm{P}(X=x)={}_{200}\mathrm{C}_x\left(\frac{1}{3}\right)^x\left(\frac{2}{3}\right)^{200-x}\ (x=0,\ 1,\ 2,\ \cdots,\ 200)$이므로 $a=\frac{1}{3}$

STEP Ⓑ **이항분포를 따르는 확률변수 X의 평균 구하기**

확률변수 X는 이항분포 $\mathrm{B}\left(200,\ \frac{1}{3}\right)$을 따른다.
따라서 $\mathrm{E}(X)=200\times\frac{1}{3}=\frac{200}{3}$이므로
$\mathrm{E}(3X+30a)=3\mathrm{E}(X)+30a=3\times\frac{200}{3}+30\times\frac{1}{3}=210$

1144

정답 ①

STEP Ⓐ **이항분포를 따르는 확률변수 X의 평균, 분산 구하기**

확률변수 X는 한 개의 주사위를 던질 때, 소수의 눈이 나오는 확률은
$\frac{3}{6}=\frac{1}{2}$일 때, 8번의 독립시행에서 이 사건이 일어나는 횟수와 같으므로
확률변수 X는 이항분포 $\mathrm{B}\left(8,\ \frac{1}{2}\right)$을 따른다.
$\mathrm{E}(X)=8\times\frac{1}{2}=4,\ \mathrm{V}(X)=8\times\frac{1}{2}\times\frac{1}{2}=2$

STEP Ⓑ **$\mathrm{E}\{(X-a)^2\}=(a-m)^2+\mathrm{V}(X)$임을 이용하여 최솟값 구하기**

이때 확률변수 $(X-a)^2$의 평균 $\mathrm{E}\{(X-a)^2\}$을 구하면
$\mathrm{E}\{(X-a)^2\}=\mathrm{E}(X^2-2aX+a^2)$
$=\mathrm{E}(X^2)-2a\mathrm{E}(X)+a^2$
$=\mathrm{V}(X)+\{\mathrm{E}(X)\}^2-2a\mathrm{E}(X)+a^2$
$=2+16-8a+a^2=(a-4)^2+2$
따라서 $a=4$일 때, 최솟값 2

Ⅲ 통계

내/신/연/계/ 출제문항 493

흰 공 2개와 검은 공 3개가 들어 있는 주머니에서 한 개의 공을 꺼내는 시행을 225번 반복할 때 흰 공이 나오는 횟수를 확률변수 X라 할 때, $f(x)=\sum_{k=0}^{225}(x-k)^2\mathrm{P}(X=k)$의 최솟값은?
(단, 매번 꺼낸 공은 다시 상자에 넣는다.)

① 24　② 40　③ 54
④ 72　⑤ 90

STEP Ⓐ **이항분포를 따르는 확률변수 X의 평균, 분산 구하기**

확률변수 X는 한 번 시행에서 흰 공을 꺼내는 확률이 $\frac{2}{5}$일 때, 225번의 독립시행에서 이 사건이 일어나는 횟수와 같으므로 확률변수 X는 이항분포 $\mathrm{B}\left(225,\ \frac{2}{5}\right)$를 따른다.

이때 $\mathrm{E}(X)=225\times\frac{2}{5}=90$, $\mathrm{V}(X)=225\times\frac{2}{5}\times\frac{3}{5}=54$

STEP Ⓑ **$\mathrm{E}\{(X-a)^2\}=(a-m)^2+\mathrm{V}(X)$임을 이용하여 최솟값 구하기**

$$\begin{aligned}f(x)&=\sum_{k=0}^{225}(x-k)^2\mathrm{P}(X=k)\\&=\sum_{k=0}^{225}(x^2-2kx+k^2)\mathrm{P}(X=k)\\&=x^2\sum_{k=0}^{225}\mathrm{P}(X=k)-2x\sum_{k=0}^{225}k\mathrm{P}(X=k)+\sum_{k=0}^{225}k^2\mathrm{P}(X=k)\\&=x^2\cdot1-2x\cdot\mathrm{E}(X)+\mathrm{E}(X^2)\\&=x^2\cdot1-2x\cdot\mathrm{E}(X)+[\mathrm{V}(X)+\{\mathrm{E}(X)\}^2]\\&=x^2-2x\cdot90+(54+90^2)\\&=(x^2-2\cdot90x+90^2)+54\\&=(x-90)^2+54\end{aligned}$$

따라서 $x=90$일 때, 최솟값은 54

정답 ③

이항분포를 이용하여 $\mathrm{E}\{(X-a)^2\}$을 최소로 하는 a의 값과 최솟값 구하기

$$\begin{aligned}f(a)&=\mathrm{E}\{(X-a)^2\}\\&=\mathrm{E}(X^2-2aX+a^2)\\&=\mathrm{E}(X^2)-2a\mathrm{E}(X)+a^2\\&=a^2-2ma+\mathrm{E}(X^2)\quad\Leftarrow \mathrm{E}(X)=m\\&=(a-m)^2+\mathrm{E}(X^2)-m^2\\&=(a-m)^2+\mathrm{V}(X)\quad\Leftarrow \mathrm{E}(X^2)-m^2=\mathrm{V}(X)\end{aligned}$$

따라서 함수 $f(a)$의 최솟값은 $\mathrm{V}(X)$이고 이때의 a의 값은 $a=m$이다.

참고 $f(a)=\mathrm{E}\{(X-a)^2\}=(a-m)^2+\mathrm{V}(X)$의 최솟값은 분산인 σ^2이고 이때의 a의 값은 평균 m이다.
즉 분산 $\mathrm{V}(X)$는 $\mathrm{E}\{(X-a)^2\}$의 최솟값이다.

1145

정답 ②

STEP Ⓐ **확률변수 X가 따르는 이항분포 $\mathrm{B}(n,\ p)$를 구하기**

확률변수 X는 한 번의 자유투를 하여 성공할 확률이 0.9일 때, 100번의 독립시행에서 이 사건이 일어나는 횟수와 같으므로 확률변수 X는 이항분포 $\mathrm{B}\left(100,\ \frac{9}{10}\right)$를 따른다.

STEP Ⓑ **$\mathrm{E}(X)+\mathrm{V}(X)$의 값 구하기**

$\mathrm{E}(X)=100\times\frac{9}{10}=90$, $\mathrm{V}(X)=100\times\frac{9}{10}\times\frac{1}{10}=9$

$\sigma(X)=\sqrt{9}=3$

따라서 $\mathrm{E}(X)+\sigma(X)=90+3=93$

1146

정답 ④

STEP Ⓐ **확률변수 X가 따르는 이항분포 $\mathrm{B}(n,\ p)$를 구하기**

확률변수 X는 1회의 시행에서 소수의 눈이 나올 확률이 $\frac{3}{6}=\frac{1}{2}$일 때, 300번의 독립시행에서 이 사건이 일어나는 횟수와 같으므로 확률변수 X는 이항분포 $\mathrm{B}\left(300,\ \frac{1}{2}\right)$을 따른다.

STEP Ⓑ **$\mathrm{E}(X)+\mathrm{V}(X)$의 값 구하기**

$\mathrm{E}(X)=300\times\frac{1}{2}=150$, $\mathrm{V}(X)=300\times\frac{1}{2}\times\frac{1}{2}=75$

따라서 $\mathrm{E}(X)+\mathrm{V}(X)=150+75=225$

1147

정답 ③

STEP Ⓐ **확률변수 X가 따르는 이항분포 $\mathrm{B}(n,\ p)$를 구하기**

확률변수 X는 두 개의 동전을 1번 던졌을 때, 모두 앞면이 나올 확률이 $\frac{1}{4}$일 때, 48번의 독립시행에서 이 사건이 일어나는 횟수와 같으므로 확률변수 X는 이항분포 $\mathrm{B}\left(48,\ \frac{1}{4}\right)$을 따른다.

STEP Ⓑ **이항분포의 평균과 분산 구하기**

$\mathrm{E}(X)=48\times\frac{1}{4}=12$, $\mathrm{V}(X)=48\times\frac{1}{4}\times\frac{3}{4}=9$

STEP Ⓒ **$\mathrm{E}(X^2)=\mathrm{V}(X)+\{\mathrm{E}(X)\}^2$을 이용하여 구하기**

따라서 $\mathrm{V}(X)=\mathrm{E}(X^2)-\{\mathrm{E}(X)\}^2$이므로
$\mathrm{E}(X^2)=\mathrm{V}(X)+\{\mathrm{E}(X)\}^2=9+12^2=153$

1148

정답 ③

STEP Ⓐ **확률변수 X가 따르는 이항분포 $\mathrm{B}(n,\ p)$를 구하기**

두 개의 주사위 A, B를 동시에 한 번 던질 때,
두 주사위의 눈의 수의 곱이 짝수가 되는 사건을 A라 하면
A^C은 두 주사위의 눈의 수의 곱이 홀수가 되는 사건이므로
$\mathrm{P}(A)=1-\mathrm{P}(A^C)=1-\frac{1}{2}\times\frac{1}{2}=\frac{3}{4}$

확률변수 X는 이항분포 $\mathrm{B}\left(400,\ \frac{3}{4}\right)$을 따른다.

STEP Ⓑ **$\mathrm{E}(X)+\mathrm{V}(X)$의 값 구하기**

$\mathrm{E}(X)=400\times\frac{3}{4}=300$, $\mathrm{V}(X)=400\times\frac{3}{4}\times\frac{1}{4}=75$

따라서 $\mathrm{E}(X)+\mathrm{V}(X)=300+75=375$

내/신/연/계/ 출제문항 494

두 개의 동전과 한 개의 주사위를 동시에 던지는 시행을 72번 반복할 때, 두 개의 동전은 모두 앞면이 나오고 주사위는 6의 약수의 눈이 나오는 횟수를 확률변수 X라 하자. $\mathrm{E}(X^2)$의 값은?

① 120 ② 144 ③ 154
④ 160 ⑤ 164

STEP Ⓐ 확률변수 X가 따르는 이항분포 $\mathrm{B}(n,\ p)$를 구하기

확률변수 X는 두 개의 동전이 모두 앞면이 나오는 사건을 A, 주사위의 눈이 6의 약수의 눈이 나오는 사건을 B라 하면 두 사건 A, B는 서로 독립이므로 확률은

$\mathrm{P}(A\cap B)=\mathrm{P}(A)\mathrm{P}(B)=\frac{1}{4}\times\frac{2}{3}=\frac{1}{6}$일 때,

72번의 독립시행에서 이 사건이 일어나는 횟수와 같으므로 확률변수 X는 이항분포 $\mathrm{B}\left(72,\ \frac{1}{6}\right)$을 따른다.

STEP Ⓑ 이항분포의 평균과 분산 구하기

$\mathrm{E}(X)=72\times\frac{1}{6}=12,\ \mathrm{V}(X)=72\times\frac{1}{6}\times\frac{5}{6}=10$

STEP Ⓒ $\mathrm{E}(X^2)=\mathrm{V}(X)+\{\mathrm{E}(X)\}^2$을 이용하여 구하기

따라서 $\mathrm{V}(X)=\mathrm{E}(X^2)-\{\mathrm{E}(X)\}^2$이므로

$\mathrm{E}(X^2)=\mathrm{V}(X)+\{\mathrm{E}(X)\}^2=10+12^2=154$  정답 ③

1149

 정답 ②

STEP Ⓐ 이항분포를 따르는 확률변수 X의 평균, 분산 구하기

100원짜리 동전 5개를 동시에 던져서 앞면이 나오는 동전의 개수를 확률변수 Y라 하면 Y는 이항분포 $\mathrm{B}\left(5,\ \frac{1}{2}\right)$을 따르므로

$\mathrm{E}(Y)=5\times\frac{1}{2}=\frac{5}{2},\ \mathrm{V}(Y)=5\times\frac{1}{2}\times\frac{1}{2}=\frac{5}{4}$

STEP Ⓑ $\mathrm{E}(aX+b)=a\mathrm{E}(X)+b,\ \mathrm{V}(aX+b)=a^2\mathrm{V}(X)$임을 이용하여 구하기

$X=100Y$이므로 $\mathrm{E}(X)=\mathrm{E}(100Y)=100\mathrm{E}(Y)=250$

따라서 $\mathrm{V}(X)=\mathrm{V}(100Y)=100^2\mathrm{V}(Y)=10000\times\frac{5}{4}=12500$

내/신/연/계/ 출제문항 495

나래는 10원짜리 동전 3개와 주사위 1개를 동시에 던지는 시행을 할 때, 동전의 앞면의 개수가 주사위의 눈의 수보다 크면 100원의 상금을 받는 게임을 한다고 한다. 이 시행을 24번 시행했을 때, 이 게임에서 나래가 받는 상금의 기댓값은?

① 200 ② 250 ③ 300
④ 350 ⑤ 400

STEP Ⓐ 1회의 시행에서 동전의 앞면의 개수가 주사위의 눈의 수보다 클 확률 구하기

한 번의 시행에서 동전의 앞면의 개수가 주사위의 눈의 수보다 클 확률은 다음 두 가지로 나눌 수 있다.

(i) 동전의 앞면의 개수가 2일 때,
주사위의 눈은 1이 나와야 하므로 구하는 확률은

$_3\mathrm{C}_2\left(\frac{1}{2}\right)^2\left(\frac{1}{2}\right)\times\frac{1}{6}=\frac{1}{16}$

(ii) 동전의 앞면의 개수가 3일 때,
주사위의 눈의 수는 1 또는 2가 나와야 하므로 구하는 확률은

$_3\mathrm{C}_3\left(\frac{1}{2}\right)^3\left(\frac{1}{2}\right)^0\times\frac{2}{6}=\frac{1}{24}$

(i), (ii)에서 한 번의 시행에서 조건을 만족시킬 확률은

$\frac{1}{16}+\frac{1}{24}=\frac{3+2}{48}=\frac{5}{48}$이므로

확률변수 X는 이항분포 $\mathrm{B}\left(24,\ \frac{5}{48}\right)$를 따른다.

STEP Ⓑ 상금의 기댓값 구하기

이때 24번의 시행에서 이 조건을 만족시키는 횟수를 확률변수 X라 하고 상금을 확률변수 Y라 하면

$Y=100X$

$\mathrm{E}(X)=24\times\frac{5}{48}=\frac{5}{2}$

따라서 $\mathrm{E}(Y)=\mathrm{E}(100X)=100\mathrm{E}(X)=100\times\frac{5}{2}=250$(원)  정답 ②

1150

 정답 ③

STEP Ⓐ 확률변수 X가 따르는 이항분포 $\mathrm{B}(n,\ p)$를 구하기

확률변수 X는 한 번의 시행에서 흰 공이 나올 확률이 $\frac{1}{3}$일 때, 45번의 독립시행에서 이 사건이 일어나는 횟수와 같으므로 확률변수 X는 이항분포 $\mathrm{B}\left(45,\ \frac{1}{3}\right)$을 따른다.

STEP Ⓑ $\mathrm{E}(X)+\mathrm{V}(X)$의 값 구하기

$\mathrm{E}(X)=45\times\frac{1}{3}=15,\ \mathrm{V}(X)=45\times\frac{1}{3}\times\frac{2}{3}=10$

따라서 $\mathrm{E}(X)+\mathrm{V}(X)=15+10=25$

1151

 정답 ③

STEP Ⓐ 확률변수 X가 따르는 이항분포 $\mathrm{B}(n,\ p)$를 구하기

확률변수 X는 한 번의 시행에서 주머니에서 임의로 2개의 공을 동시에 꺼낼 때, 꺼낸 2개의 공의 색이 같을 확률이 $\frac{_2\mathrm{C}_2}{_5\mathrm{C}_2}+\frac{_3\mathrm{C}_2}{_5\mathrm{C}_2}=\frac{1}{10}+\frac{3}{10}=\frac{2}{5}$일 때, 25번의 독립시행에서 이 사건이 일어나는 횟수와 같으므로 확률변수 X는 이항분포 $\mathrm{B}\left(25,\ \frac{2}{5}\right)$을 따른다.

STEP Ⓑ 이항분포의 평균과 분산 구하기

$\mathrm{E}(X)=25\times\frac{2}{5}=10,\ \mathrm{V}(X)=25\times\frac{2}{5}\times\frac{3}{5}=6$

STEP Ⓒ $\mathrm{E}(X^2)=\mathrm{V}(X)+\{\mathrm{E}(X)\}^2$을 이용하여 구하기

따라서 $\mathrm{V}(X)=\mathrm{E}(X^2)-\{\mathrm{E}(X)\}^2$이므로

$\mathrm{E}(X^2)=\mathrm{V}(X)+\{\mathrm{E}(X)\}^2=6+10^2=106$

꺼낸 2개의 공의 색이 서로 다른 사건의 여사건의 확률로 다음과 같이 구할 수도 있다.

$1-\frac{_2\mathrm{C}_1\times{}_3\mathrm{C}_1}{_5\mathrm{C}_2}=1-\frac{3}{5}=\frac{2}{5}$

내/신/연/계/ 출제문항 496

검은 공 2개, 흰 공 3개, 빨간 공 3개가 들어 있는 주머니가 있다. 이 주머니에서 임의로 2개의 공을 동시에 꺼내어 색을 확인하고, 다시 주머니에 넣는 시행을 48회 반복할 때, 꺼낸 2개의 공의 색이 서로 다르게 나오는 횟수를 확률변수 X라 하자. $\mathrm{E}(X)+\sigma(X)$의 값은?

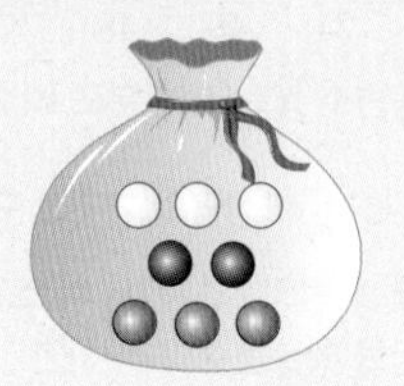

① 36 ② 39 ③ 42
④ 45 ⑤ 48

STEP Ⓐ **확률변수 X가 따르는 이항분포 $\mathrm{B}(n,\ p)$를 구하기**

확률변수 X는 1회의 시행에서 색이 같은 공 2개를 꺼내는 경우는 검은 공 2개 또는 흰 공 2개 또는 빨간 공 2개를 꺼내는 경우이다.
1회의 시행에서 색이 같은 공 2개를 꺼낼 확률은

$\dfrac{{}_2\mathrm{C}_2+{}_3\mathrm{C}_2+{}_3\mathrm{C}_2}{{}_8\mathrm{C}_2}=\dfrac{1+3+3}{28}=\dfrac{1}{4}$

이므로 1회의 시행에서 색이 다른 공 2개를 꺼낼 확률은 $1-\dfrac{1}{4}=\dfrac{3}{4}$일 때, 48번의 독립시행에서 이 사건이 일어나는 횟수와 같으므로
확률변수 X는 이항분포 $\mathrm{B}\left(48,\ \dfrac{3}{4}\right)$을 따른다.

STEP Ⓑ **$\mathrm{E}(X)+\sigma(X)$의 값 구하기**

$\mathrm{E}(X)=48\times\dfrac{3}{4}=36,\ \sigma(X)=\sqrt{48\times\dfrac{3}{4}\times\dfrac{1}{4}}=3$

따라서 $\mathrm{E}(X)+\sigma(X)=39$

정답 ②

1152

정답 ③

STEP Ⓐ **확률변수 X가 따르는 이항분포 $\mathrm{B}(n,\ p)$를 구하기**

확률변수 X는 한 번의 시행에서 어떤 고객이 C회사의 제품을 선택할 확률이 $\dfrac{25}{100}=\dfrac{1}{4}$일 때, 192번의 독립시행에서 이 사건이 일어나는 횟수와 같으므로
확률변수 X는 이항분포 $\mathrm{B}\left(192,\ \dfrac{1}{4}\right)$을 따른다.

STEP Ⓑ **이항분포의 평균과 표준편차 구하기**

$\mathrm{E}(X)=192\times\dfrac{1}{4}=48,\ \sigma(X)=\sqrt{192\times\dfrac{1}{4}\times\dfrac{3}{4}}=\sqrt{36}=6$

따라서 $\mathrm{E}(X)+\sigma(X)=48+6=54$

내/신/연/계/ 출제문항 497

어느 지역 선거에서 네 후보 A, B, C, D를 지지하는 유권자의 비율을 조사한 표는 다음과 같다.

후보	A	B	C	D	합계
지지하는 유권자의 비율 (%)	20	10	40	30	100

이 지역에서 100명의 유권자를 뽑아 지지하는 후보를 조사하였을 때, 후보 A를 지지하지 않는 유권자의 수를 확률변수 X라 하자.
$\mathrm{E}(X)+\sigma(X)$의 값은? (단, 100명의 유권자는 각각 한 후보만을 지지한다.)

① 64 ② 72 ③ 80
④ 84 ⑤ 86

STEP Ⓐ **확률변수 X가 따르는 이항분포 $\mathrm{B}(n,\ p)$를 구하기**

확률변수 X는 한 번의 시행에서 후보 A를 지지하지 않는 확률이 $\dfrac{80}{100}=\dfrac{4}{5}$일 때, 100번의 독립시행에서 이 사건이 일어나는 횟수와 같으므로
확률변수 X는 이항분포 $\mathrm{B}\left(100,\ \dfrac{4}{5}\right)$를 따른다.

STEP Ⓑ **$\mathrm{E}(X)+\sigma(X)$의 값 구하기**

$\mathrm{E}(X)=100\times\dfrac{4}{5}=80,\ \sigma(X)=\sqrt{100\times\dfrac{4}{5}\times\dfrac{1}{5}}=4$

따라서 $\mathrm{E}(X)+\sigma(X)=80+4=84$

정답 ④

1153

정답 ④

STEP Ⓐ **두 확률변수 $X,\ Y$의 이항분포를 이용하여 각각 분산 구하기**

한 개의 주사위를 한 번 던질 때 1의 눈이 나올 확률은 $\dfrac{1}{6}$이므로
확률변수 X는 이항분포 $\mathrm{B}\left(20,\ \dfrac{1}{6}\right)$을 따른다.

$\mathrm{V}(X)=20\times\dfrac{1}{6}\times\dfrac{5}{6}=\dfrac{25}{9}$

한 개의 동전을 던질 때 앞면이 나올 확률은 $\dfrac{1}{2}$이므로
확률변수 Y는 이항분포 $\mathrm{B}\left(n,\ \dfrac{1}{2}\right)$을 따른다.

$\mathrm{V}(Y)=n\times\dfrac{1}{2}\times\dfrac{1}{2}=\dfrac{n}{4}$

STEP Ⓑ **$\mathrm{V}(Y)>\mathrm{V}(X)$를 만족하는 n의 최솟값 구하기**

$\mathrm{V}(Y)>\mathrm{V}(X)$이므로 $\dfrac{n}{4}>\dfrac{25}{9}$에서 $n>\dfrac{100}{9}=11.1\times\times\times$

따라서 자연수 n의 최솟값은 12

내/신/연/계/ 출제문항 498

각 면에 숫자 1, 2, 3, 4가 하나씩 적혀 있는 서로 다른 정사면체 모양의 상자가 두 개 있다. 이 두 개의 상자를 동시에 160회 던지는 시행에서 각각의 바닥에 놓인 면에 적혀 있는 수의 합이 소수가 되는 횟수를 확률변수 X라 하고, 이 두 개의 상자를 동시에 n회 던지는 시행에서 각각의 바닥에 놓인 면에 적혀 있는 수의 합이 6이상이 되는 횟수를 확률변수 Y라 할 때, $\mathrm{E}(Y)=\mathrm{E}(X)$를 만족시키는 자연수 n의 값은?

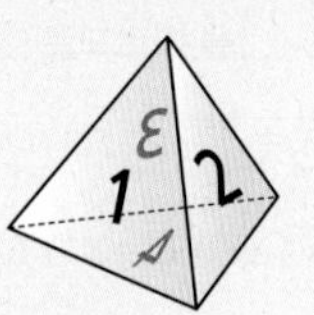

① 124 ② 225 ③ 240
④ 260 ⑤ 280

STEP Ⓐ **확률변수 X가 따르는 이항분포 $\mathrm{B}(n,\ p)$를 구하기**

모든 경우의 수는 $4\times4=16$이고 각각의 바닥에 놓인 면에 적혀 있는 수의 합은 오른쪽 표와 같다.

+	1	2	3	4
1	2	3	4	5
2	3	4	5	6
3	4	5	6	7
4	5	6	7	8

확률변수 X는 한 번의 시행에서 합이 소수인 2, 3, 5, 7이 되는 확률은 $\dfrac{9}{16}$이고 160번의 독립시행에서 이 사건이 일어나는 횟수와 같으므로 확률변수 X는 이항분포 $\mathrm{B}\left(160,\ \dfrac{9}{16}\right)$를 따른다.

$\mathrm{E}(X)=160\times\dfrac{9}{16}=90$

STEP Ⓑ **확률변수 Y가 따르는 이항분포 $\mathrm{B}(n,\ p)$를 구하기**

확률변수 Y는 한 번의 시행에서 합이 6 이상인 확률이 $\dfrac{6}{16}=\dfrac{3}{8}$이고 160번의 독립시행에서 이 사건이 일어나는 횟수와 같으므로
확률변수 Y는 이항분포 $\mathrm{B}\left(n,\ \dfrac{3}{8}\right)$을 따른다.

$\mathrm{E}(Y)=n\times\dfrac{3}{8}=\dfrac{3n}{8}$

STEP Ⓒ **$\mathrm{E}(Y)=\mathrm{E}(X)$를 만족하는 n의 값 구하기**

따라서 $\mathrm{E}(Y)=\mathrm{E}(X)$에서 $\dfrac{3n}{8}=90$이므로 $n=240$

정답 ③

1154

정답 ④

STEP A **확률변수 X가 따르는 이항분포 $\mathrm{B}(n,\ p)$를 구하기**

직선 $y=ax$와 곡선 $y=x^2-2x+4$가 서로 다른 두 점에서 만나려면
이차방정식 $ax=x^2-2x+4$, 즉 $x^2-(a+2)x+4=0$이 서로 다른
두 실근을 가져야 하므로 판별식을 D라 하면 $\mathrm{D}=(a+2)^2-16>0$
$a^2+4a-12>0$, $(a+6)(a-2)>0$
a는 양수이므로 $a>2$
즉 $A=\{3,\ 4,\ 5,\ 6\}$이므로 한 번의 시행에서 A가 일어날 확률은
$\mathrm{P}(A)=\dfrac{4}{6}=\dfrac{2}{3}$이므로 확률변수 X는 이항분포 $\mathrm{B}\left(300,\ \dfrac{2}{3}\right)$를 따른다.

STEP B **$\mathrm{E}(X)$의 값 구하기**

따라서 X의 평균은 $\mathrm{E}(X)=300\times\dfrac{2}{3}=200$

내/신/연/계/ 출제문항 499

한 개의 주사위를 던져 나온 눈의 수 a에 대하여 방정식 $x^2+ax+2=0$이 서로 다른 두 실근을 가지는 사건을 A라고 하자. 한 개의 주사위를 60번 던지는 시행에서 사건 A가 일어나는 횟수를 확률변수 X라고 하자.
이때 확률변수 X의 평균 $\mathrm{E}(X)$는?

① 10 ② 20 ③ 30
④ 40 ⑤ 50

STEP A **확률변수 X가 따르는 이항분포 $\mathrm{B}(n,\ p)$를 구하기**

이차방정식 $x^2+ax+2=0$이 서로 다른 두 실근을 가지려면
판별식을 D라 하면 $\mathrm{D}=a^2-8>0$
$(a+2\sqrt{2})(a-2\sqrt{2})>0$
a는 양수이므로 $a>2\sqrt{2}$
즉 $A=\{3,\ 4,\ 5,\ 6\}$이므로 한 번의 시행에서 A가 일어날 확률은 $\dfrac{2}{3}$
이때 확률변수 X는 이항분포 $\mathrm{B}\left(60,\ \dfrac{2}{3}\right)$를 따른다.

STEP B **이항분포의 평균 구하기**

따라서 $\mathrm{E}(X)=60\times\dfrac{2}{3}=40$

정답 ④

1155

정답 ①

STEP A **$\mathrm{E}(X)=50$임을 이용하여 n값 구하기**

확률변수 X는 한 번의 시행에서 주사위를 동시에 던질 때,
짝수의 눈이 나오는 확률은 $\dfrac{1}{2}$이고 n번의 독립시행에서 이 사건이 일어나는
횟수와 같으므로 확률변수 X는 이항분포 $\mathrm{B}\left(n,\ \dfrac{1}{2}\right)$을 따른다.
$\mathrm{E}(X)=n\times\dfrac{1}{2}=50\quad\therefore\ n=100$

STEP B **$\sigma(X)=\sqrt{npq}$임을 이용하여 구하기**

확률변수 X는 이항분포 $\mathrm{B}\left(100,\ \dfrac{1}{2}\right)$을 따른다.
따라서 $\sigma(X)=\sqrt{100\times\dfrac{1}{2}\times\dfrac{1}{2}}=5$

1156

정답 ③

STEP A **확률변수 X가 따르는 이항분포 $\mathrm{B}(n,\ p)$를 구하기**

확률변수 X는 한 개의 동전을 n번 던지는 것은 n회의 독립시행이고
1회의 시행에서 앞면이 나올 확률은 $\dfrac{1}{2}$이므로
확률변수 X는 이항분포 $\mathrm{B}\left(n,\ \dfrac{1}{2}\right)$을 따른다.
$\mathrm{E}(X)=n\times\dfrac{1}{2}=\dfrac{n}{2}$, $\mathrm{V}(X)=n\times\dfrac{1}{2}\times\dfrac{1}{2}=\dfrac{n}{4}$

STEP B **$\mathrm{E}(X^2)=\mathrm{V}(X)+\{\mathrm{E}(X)\}^2$임을 이용하여 n의 값 구하기**

$\mathrm{E}(X^2)=\mathrm{V}(X)+\{\mathrm{E}(X)\}^2=105$이므로
$\dfrac{n}{4}+\left(\dfrac{n}{2}\right)^2=105$, $n^2+n-420=0$
$(n+21)(n-20)=0\quad\therefore\ n=20\ (\because n>0)$

STEP C **$\mathrm{V}(3X+2)$의 값 구하기**

따라서 $\mathrm{V}(X)=5$이므로 $\mathrm{V}(3X+2)=3^2\mathrm{V}(X)=9\times5=45$

1157

정답 ④

STEP A **확률변수 X가 따르는 이항분포 $\mathrm{B}(n,\ p)$를 구하기**

확률변수 X는 한 번의 시행에서 빨간 공이 나올 확률이 $\dfrac{3}{k+3}$일 때,
45번의 독립시행에서 이 사건이 일어나는 횟수와 같으므로
확률변수 X는 이항분포 $\mathrm{B}\left(45,\ \dfrac{3}{k+3}\right)$을 따른다.

STEP B **$\mathrm{E}(X)=15$임을 이용하여 k값 구하기**

이때 $\mathrm{E}(X)=15$에서 $45\times\dfrac{3}{k+3}=15$
$\therefore\ k=6$

STEP C **이항분포를 따르는 확률변수 X의 평균, 분산을 이용하여 구하기**

따라서 X는 이항분포 $\mathrm{B}\left(45,\ \dfrac{1}{3}\right)$을 따르므로
$\mathrm{E}(X^2)+\mathrm{E}(6X)=\{\mathrm{E}(X)\}^2+\mathrm{V}(X)+6\mathrm{E}(X)$
$=15^2+45\times\dfrac{1}{3}\times\dfrac{2}{3}+6\times15=325$

내/신/연/계/ 출제문항 500

빨간 공이 a개, 노란 공이 2개, 파란 공이 6개 들어 있는 상자에서 임의로 1개 꺼내 색을 확인한 후 다시 넣는 시행을 n번 반복할 때, 빨간 공이 나오는 횟수를 확률변수 X라 하자.

$$\mathrm{E}(X)=9,\ \mathrm{V}(X)=6$$

자연수 a, n에 대하여 $a+n$의 값은?

① 31 ② 33 ③ 35
④ 37 ⑤ 39

STEP A **확률변수 X가 따르는 이항분포 $\mathrm{B}(n,\ p)$를 구하기**

확률변수 X는 한 번의 시행에서 빨간 공이 나올 확률이 $\dfrac{a}{a+8}$일 때,
n번의 독립시행에서 이 사건이 일어나는 횟수와 같으므로
확률변수 X는 이항분포 $\mathrm{B}\left(n,\ \dfrac{a}{a+8}\right)$를 따른다.

STEP B **$\mathrm{E}(X)=9$, $\mathrm{V}(X)=6$임을 이용하여 a, n값 구하기**

$\mathrm{E}(X)=n\times\dfrac{a}{a+8}=9$ …… ㉠
$\mathrm{V}(X)=n\times\dfrac{a}{a+8}\times\dfrac{8}{a+8}=6$ …… ㉡
㉠을 ㉡에 대입하면 $9\times\dfrac{8}{a+8}=6$
$\dfrac{8}{a+8}=\dfrac{2}{3}$, $2(a+8)=24\quad\therefore\ a=4$
㉠에 대입하면 $\dfrac{1}{3}n=9$이므로 $n=27$
따라서 $a+n=4+27=31$

정답 ①

Ⅲ 통계

1158

정답 ③

STEP Ⓐ 확률변수 X가 따르는 이항분포 $B(n,\ p)$를 구하기

확률변수 X는 한 번의 시행에서 흰 공이 나올 확률이 $\frac{a}{15}$일 때,
n번의 독립시행에서 이 사건이 일어나는 횟수와 같으므로
확률변수 X는 이항분포 $B\left(n,\ \frac{a}{15}\right)$를 따른다.

STEP Ⓑ $E(X)=20$, $\sigma(X)=2$를 만족하는 n, a의 값 구하기

$E(X)=n\times\frac{a}{15}=20$ …… ㉠

$\sigma(X)=\sqrt{n\times\frac{a}{15}\times\left(1-\frac{a}{15}\right)}=2$ …… ㉡

㉠을 ㉡에 대입하면 $20\left(1-\frac{a}{15}\right)=4$

$1-\frac{a}{15}=\frac{1}{5}$ $\quad\therefore a=12$

$a=12$를 ㉠에 대입하면 $n\times\frac{12}{15}=20$

$\therefore n=25$

따라서 $a+n=12+25=37$

내/신/연/계/ 출제문항 501

빨간 공이 a개, 파란공이 5개 들어 있는 주머니에서 공을 1개 꺼내어 색을 확인한 후, 다시 넣는 시행을 n번 반복할 때, 빨간 공이 나오는 횟수를 확률변수 X라고 하자.

$$E(X)=18,\ V(X)=6$$

일 때, $a+n$의 값은?

① 10 ② 18 ③ 27
④ 37 ⑤ 42

STEP Ⓐ 확률변수 X가 따르는 이항분포 $B(n,\ p)$를 구하기

확률변수 X는 한 번의 시행에서 빨간 공이 나올 확률이 $\frac{a}{a+5}$일 때,
n번의 독립시행에서 이 사건이 일어나는 횟수와 같으므로
확률변수 X는 이항분포 $B\left(n,\ \frac{a}{a+5}\right)$를 따른다.

STEP Ⓑ $E(X)=18$, $V(X)=6$임을 이용하여 a, n값 구하기

$E(X)=n\times\frac{a}{a+5}=18$ …… ㉠

$V(X)=n\times\frac{a}{a+5}\times\left(1-\frac{a}{a+5}\right)=6$ …… ㉡

㉠을 ㉡에 대입하면 $18\left(1-\frac{a}{a+5}\right)=6$

$1-\frac{a}{a+5}=\frac{1}{3}$ $\quad\therefore a=10$

$a=10$을 ㉠에 대입하면 $n=27$

따라서 $a+n=10+27=37$

정답 ④

1159

STEP Ⓐ 확률변수 X에 대하여 $E(2X+1)$의 값 구하기

확률변수 X는 한 번의 시행에서 동전 3개를 동시에 던질 때,
3개 모두 같은 면이 나올 확률은
3개 모두 앞면 또는 뒷면이 나올 확률 $\frac{1}{2^3}+\frac{1}{2^3}=\frac{1}{4}$

즉 확률변수 X는 이항분포 $B\left(100,\ \frac{1}{4}\right)$을 따른다.

$E(X)=100\times\frac{1}{4}=25$이므로

$E(2X+1)=2E(X)+1=2\times25+1=51$

STEP Ⓑ 확률변수 Y에 대하여 $E(8Y)$의 값 구하기

확률변수 Y는 한 번의 시행에서 동전 3개를 동시에 던질 때,
2개만 앞면이 나올 확률은 ${}_3C_2\left(\frac{1}{2}\right)^2\left(\frac{1}{2}\right)^1=\frac{3}{8}$

즉 확률변수 Y는 이항분포 $B\left(n,\ \frac{3}{8}\right)$을 따른다.

$E(Y)=n\times\frac{3}{8}=\frac{3n}{8}$이므로 $E(8Y)=8E(Y)=8\times\frac{3n}{8}=3n$

STEP Ⓒ $E(8Y)=E(2X+1)$를 만족하는 n값 구하기

따라서 $E(8Y)=E(2X+1)$에서 $3n=51$ $\quad\therefore n=17$

1160

STEP Ⓐ 확률변수 X가 따르는 이항분포 $B(n,\ p)$를 구하기

확률변수 X는 한 번의 승부차기를 하여 성공할 확률이 0.8일 때,
5번의 독립시행에서 이 사건이 일어나는 횟수와 같으므로
확률변수 X는 이항분포 $B\left(5,\ \frac{8}{10}\right)$을 따른다.

STEP Ⓑ $E(2X+1)$의 값 구하기

확률변수 X의 평균은 $E(X)=5\times\frac{8}{10}=4$

따라서 $E(2X+1)=2E(X)+1=2\times4+1=9$

1161

STEP Ⓐ 확률변수 X의 확률분포를 구한 후 $E(X)$ 구하기

확률변수 X가 일어날 수 있는 값은 0, 1, 2, 3, 4이고 각각의 확률은 다음과 같다.

$P(X=0)=\frac{{}_4C_0\times{}_6C_4}{{}_{10}C_4}=\frac{1}{14}$, $P(X=1)=\frac{{}_4C_1\times{}_6C_3}{{}_{10}C_4}=\frac{8}{21}$

$P(X=2)=\frac{{}_4C_2\times{}_6C_2}{{}_{10}C_4}=\frac{3}{7}$, $P(X=3)=\frac{{}_4C_3\times{}_6C_1}{{}_{10}C_4}=\frac{4}{35}$

$P(X=4)=\frac{{}_4C_4\times{}_6C_0}{{}_{10}C_4}=\frac{1}{210}$

확률변수 X의 평균 $E(X)$는

$$E(X)=0\times\frac{1}{14}+1\times\frac{8}{21}+2\times\frac{3}{7}+3\times\frac{4}{35}+4\times\frac{1}{210}$$
$$=0+\frac{8}{21}+\frac{6}{7}+\frac{12}{35}+\frac{2}{105}=\frac{8}{5}$$

STEP Ⓑ $E(5X-3)$의 값 구하기

따라서 $E(5X-3)=5E(X)-3=5\times\frac{8}{5}-3=5$

1162

STEP Ⓐ 확률변수 X가 따르는 이항분포 $B(n,\ p)$를 구하기

확률변수 X는 한 번의 시행에서 모두 앞면이 나오는 확률은 $\frac{1}{4}$일 때,
100번의 독립시행에서 이 사건이 일어나는 횟수와 같으므로
확률변수 X는 이항분포 $B\left(100,\ \frac{1}{4}\right)$을 따른다.

STEP Ⓑ $E(2X+3)+V(2X+3)$의 값 구하기

$E(X)=100\times\frac{1}{4}=25$, $V(X)=100\times\frac{1}{4}\times\frac{3}{4}=\frac{75}{4}$

$E(2X+3)=2E(X)+3=53$

$V(2X+3)=4V(X)=4\times\frac{75}{4}=75$

따라서 $E(2X+3)+V(2X+3)=53+75=128$

내신연계 출제문항 502

동전 2개를 동시에 던지는 시행을 10회 반복할 때, 동전 2개 모두 앞면이 나오는 횟수를 확률변수 X라고 하자. 확률변수 $4X+1$의 분산 $V(4X+1)$의 값은?

① 10　② 20　③ 30
④ 42　⑤ 52

STEP Ⓐ 확률변수 X가 따르는 이항분포 $B(n,\ p)$를 구하기

확률변수 X는 한 번의 시행에서 2개 모두 앞면이 나올 확률은 $\frac{1}{2}\times\frac{1}{2}=\frac{1}{4}$ 일 때, 10번의 독립시행에서 이 사건이 일어나는 횟수와 같으므로 확률변수 X는 이항분포 $B\left(10,\ \frac{1}{4}\right)$을 따른다.

STEP Ⓑ $V(aX+b)=a^2V(X)$임을 이용하여 구하기

$V(X)=10\times\frac{1}{4}\times\frac{3}{4}=\frac{15}{8}$

따라서 $V(4X+1)=4^2V(X)=4^2\times\frac{15}{8}=30$

정답 ③

1163

정답 ②

STEP Ⓐ 이항분포를 따르는 확률변수 X의 평균, 표준편차 구하기

확률변수 X는 서로 다른 두 주사위를 한 번 던져서 두 눈의 수의 곱이 소수가 나올 확률이 $\frac{6}{36}=\frac{1}{6}$ ⬅ (1, 2), (1, 3), (1, 5), (2, 1), (3, 1), (5, 1)의 6개

일 때, 180번의 독립시행에서 이 사건이 일어나는 횟수와 같으므로 확률변수 X는 이항분포 $B\left(180,\ \frac{1}{6}\right)$을 따른다.

STEP Ⓑ 이항분포의 평균과 표준편차 구하기

$E(X)=180\times\frac{1}{6}=30,\ \sigma(X)=\sqrt{180\times\frac{1}{6}\times\frac{5}{6}}=\sqrt{25}=5$

STEP Ⓒ $E(aX+b)=aE(X)+b,\ \sigma(aX+b)=|a|\sigma(X)$임을 이용하여 구하기

$E(2X+1)=2E(X)+1=2\times30+1=61$

$\sigma(2X+1)=2\sigma(X)=2\times5=10$

따라서 $E(2X+1)+\sigma(2X+1)=61+10=71$

내신연계 출제문항 503

두 주사위 A, B를 동시에 던지는 시행을 120회 반복할 때, 두 주사위의 눈의 수의 합이 6의 배수인 횟수를 확률변수 X라 하자. $E(2X+5)$의 값은?

① 45　② 59　③ 60
④ 61　⑤ 62

STEP Ⓐ 확률변수 X가 따르는 이항분포 $B(n,\ p)$를 구하기

확률변수 X는 한 번의 시행에서 6의 배수의 눈이 나올 확률은 $\frac{6}{36}=\frac{1}{6}$
⬅ (1, 5), (2, 4), (3, 3), (4, 2), (5, 1), (6, 6)의 6가지

일 때, 120번의 독립시행에서 이 사건이 일어나는 횟수와 같으므로 확률변수 X는 이항분포 $B\left(120,\ \frac{1}{6}\right)$을 따른다.

STEP Ⓑ $E(aX+b)=aE(X)+b$임을 이용하여 구하기

$E(X)=120\times\frac{1}{6}=20$

따라서 $E(2X+5)=2E(X)+5=2\times20+5=45$

정답 ①

1164

정답 ④

STEP Ⓐ 확률변수 X가 따르는 이항분포 $B(n,\ p)$를 구하기

확률변수 X는 이 학교 매점에서 판매된 음료수 중에서 캔 음료수의 비율은 0.4이고 판매된 캔 음료수 중 분리수거된 캔 음료수의 비율은 0.8이므로 이 매점에서 판매된 음료수 중 분리수거된 캔 음료수의 비율은 $\frac{4}{10}\times\frac{8}{10}=\frac{32}{100}$이므로 200번의 독립시행에서 이 사건이 일어나는 횟수와 같으므로 확률변수 X는 이항분포 $B\left(200,\ \frac{32}{100}\right)$를 따른다.

STEP Ⓑ $E(2X-3)$의 값 구하기

$E(X)=200\times\frac{32}{100}=64$

따라서 $E(2X-3)=2E(X)-3=2\times64-3=125$

1165

정답 ⑤

STEP Ⓐ 확률변수 Y가 따르는 이항분포 $B(n,\ p)$를 구하기

동전을 던질 때, 앞면이 나오는 횟수를 확률변수 Y라 하면 Y는 이항분포 $B\left(10,\ \frac{1}{2}\right)$을 따른다.

$E(Y)=10\times\frac{1}{2}=5,\ V(Y)=10\times\frac{1}{2}\times\frac{1}{2}=\frac{5}{2}$

STEP Ⓑ 확률변수 X를 확률변수 Y로 나타내기

점 P의 좌표가 확률변수 X이므로
동전을 10번 던질 때, 앞면이 Y번 나오면 뒷면은 $10-Y$번이 나오므로
점 P의 좌표 X는 $X=2Y-(10-Y)=3Y-10$만큼 이동한다.

STEP Ⓒ $E(aX+b)=aE(X)+b,\ V(aX+b)=a^2V(X)$임을 이용하여 구하기

$E(X)=E(3Y-10)=3E(Y)-10=3\times5-10=5$

$V(X)=V(3Y-10)=9V(Y)=9\times\frac{5}{2}=\frac{45}{2}$

따라서 $E(X)+2V(X)=5+45=50$

1166

정답 ⑤

STEP Ⓐ 확률변수 Y가 따르는 이항분포 $B(n,\ p)$를 구하기

한 개의 주사위를 20회 던졌을 때,
6의 약수의 눈이 나온 횟수를 확률변수 Y라 하면
한 개의 주사위를 던져서 6의 약수의 눈이 나올 확률은 $\frac{4}{6}=\frac{2}{3}$이므로
확률변수 Y는 이항분포 $B\left(20,\ \frac{2}{3}\right)$를 따른다.

$E(Y)=20\times\frac{2}{3}=\frac{40}{3},\ V(Y)=20\times\frac{2}{3}\times\frac{1}{3}=\frac{40}{9}$

STEP Ⓑ 확률변수 X를 확률변수 Y로 나타내기

점 P를 양의 방향으로 2만큼 움직이는 횟수가 Y이므로
점 P를 음의 방향으로 1만큼 움직이는 횟수는 $20-Y$
이때 점 P의 좌표인 확률변수 X는 $X=2Y-(20-Y)=3Y-20$

STEP Ⓒ $E(X)+V(X)$의 값 구하기

$E(X)=E(3Y-20)=3E(Y)-20=3\times\frac{40}{3}-20=20$

$V(X)=V(3Y-20)=9V(Y)=9\times\frac{40}{9}=40$

따라서 $E(X)+V(X)=20+40=60$

내/신/연/계/ 출제문항 504

원점 O에서 출발하여 수직선 위를 움직이는 점 P는 한 개의 주사위를 10번 던져서 다음 게임의 규칙대로 움직인 점 P의 좌표를 확률변수 X라 할 때, $\mathrm{E}(X)+\mathrm{V}(X)$의 값은?

> (가) 3의 배수의 눈이 나오면 점 P를 양의 방향으로 2만큼 움직인다.
> (나) 3의 배수의 눈이 나오지 않으면 점 P를 음의 방향으로 1만큼 움직인다.

① 20　② 30　③ 40　④ 50　⑤ 60

STEP Ⓐ **확률변수 Y가 따르는 이항분포 $\mathrm{B}(n,\ p)$를 구하기**

한 개의 주사위를 10회 던졌을 때,
3의 배수의 눈이 나온 횟수를 확률변수 Y라 하면
한 개의 주사위를 던져서 3의 배수의 눈이 나올 확률은 $\frac{2}{6}=\frac{1}{3}$이므로
확률변수 Y는 이항분포 $\mathrm{B}\left(10,\ \frac{1}{3}\right)$를 따른다.
$\mathrm{E}(Y)=10\times\frac{1}{3}=\frac{10}{3},\ \mathrm{V}(Y)=10\times\frac{1}{3}\times\frac{2}{3}=\frac{20}{9}$

STEP Ⓑ **확률변수 X를 확률변수 Y로 나타내기**

점 P를 양의 방향으로 2만큼 움직이는 횟수가 Y이므로
점 P를 음의 방향으로 1만큼 움직이는 횟수는 $10-Y$
이때 점 P의 좌표인 확률변수 X는 $X=2Y-(10-Y)=3Y-10$

STEP Ⓒ **$\mathrm{E}(X)+\mathrm{V}(X)$의 값 구하기**

$\mathrm{E}(X)=\mathrm{E}(3Y-10)=3\mathrm{E}(Y)-10=3\times\frac{10}{3}-10=0$
$\mathrm{V}(X)=\mathrm{V}(3Y-10)=9\mathrm{V}(Y)=9\times\frac{20}{9}=20$
따라서 $\mathrm{E}(X)+\mathrm{V}(X)=0+20=20$

정답 ①

1167

정답 ②

STEP Ⓐ **확률변수 Y가 따르는 이항분포 $\mathrm{B}(n,\ p)$를 구하기**

주사위 1개를 10번 던질 때, 홀수의 눈이 나오는 횟수를 확률변수 Y라 하면
확률변수 Y는 이항분포 $\mathrm{B}\left(10,\ \frac{1}{2}\right)$을 따른다.

STEP Ⓑ **확률변수 X를 확률변수 Y로 나타내기**

이때 짝수의 눈이 나오는 횟수는 $10-Y$이므로
점 P의 좌표인 확률변수 X는 $X=3Y-2(10-Y)=5Y-20$

STEP Ⓒ **X의 평균 구하기**

$\mathrm{E}(Y)=10\times\frac{1}{2}=5,\ \mathrm{V}(Y)=10\times\frac{1}{2}\times\frac{1}{2}=\frac{5}{2}$이므로
$\mathrm{E}(X)=\mathrm{E}(5Y-20)=5\mathrm{E}(Y)-20=5\times5-20=5$
$\mathrm{V}(X)=\mathrm{V}(5Y-20)=25\mathrm{V}(Y)=25\times\frac{5}{2}=\frac{125}{2}$
따라서 $\mathrm{E}(X)+\mathrm{V}(X)=5+\frac{125}{2}=\frac{135}{2}$

1168

정답 ④

STEP Ⓐ **확률변수 Y가 따르는 이항분포 $\mathrm{B}(n,\ p)$를 구하기**

한 개의 주사위를 270번 던질 때,
3의 배수의 눈이 나오는 횟수를 확률변수 Y라 하자.
한 개의 주사위를 한 번 던져 3의 배수의 눈이 나올 확률은 $\frac{2}{6}=\frac{1}{3}$
확률변수 Y는 이항분포 $\mathrm{B}\left(270,\ \frac{1}{3}\right)$을 따르므로
$\mathrm{E}(Y)=270\times\frac{1}{3}=90$

STEP Ⓑ **확률변수 X를 확률변수 Y로 나타내기**

확률변수 X는 3의 배수의 눈이 Y번 나오면 3의 배수가 아닌 눈은 $(270-Y)$번 나오므로 총 점수는 $X=3Y+(270-Y)=2Y+270$

STEP Ⓒ **$\mathrm{E}(aX+b)=a\mathrm{E}(X)+b$임을 이용하여 구하기**

따라서 얻을 수 있는 총 점수의 기댓값은
$\mathrm{E}(X)=\mathrm{E}(2Y+270)=2\mathrm{E}(Y)+270=2\times90+270=450$

내/신/연/계/ 출제문항 505

한 개의 주사위를 던져서 6의 약수의 눈이 나오면 3점을 얻고, 그렇지 않으면 2점을 잃는 게임을 하려고 한다. 기본 점수는 10점이고, 주사위를 9번 던진 후의 점수를 확률변수 X라 할 때, $\mathrm{E}(X)+\mathrm{V}(X)$의 값은?

① 55　② 62　③ 70　④ 72　⑤ 75

STEP Ⓐ **확률변수 Y가 따르는 이항분포 $\mathrm{B}(n,\ p)$를 구하기**

한 개의 주사위를 9회 던졌을 때,
6의 약수의 눈이 나오는 횟수를 확률변수 Y라 하면
한 개의 주사위를 던져서 6의 약수의 눈이 나올 확률은 $\frac{4}{6}=\frac{2}{3}$
이므로 확률변수 Y는 이항분포 $\mathrm{B}\left(9,\ \frac{2}{3}\right)$를 따른다.
$\mathrm{E}(Y)=9\times\frac{2}{3}=6,\ \mathrm{V}(Y)=9\times\frac{2}{3}\times\frac{1}{3}=2$

STEP Ⓑ **확률변수 X를 확률변수 Y로 나타내기**

주사위를 9번 던진 후의 점수가 확률변수 X이므로
$X=10+3Y-2(9-Y)=5Y-8$

STEP Ⓒ **$\mathrm{E}(X)+\mathrm{V}(X)$의 값 구하기**

$\mathrm{E}(X)=\mathrm{E}(5Y-8)=5\mathrm{E}(Y)-8=5\times6-8=22$
$\mathrm{V}(X)=\mathrm{V}(5Y-8)=5^2\mathrm{V}(Y)=25\times2=50$
따라서 $\mathrm{E}(X)+\mathrm{V}(X)=22+50=72$

정답 ④

1169

정답 ④

STEP Ⓐ **확률변수 Y가 따르는 이항분포 $\mathrm{B}(n,\ p)$를 구하기**

주머니에서 2개의 공을 동시에 꺼내는 시행을 25회 반복할 때,
다른 색 공이 나오는 횟수를 확률변수 Y라 하면
주머니에서 2개의 공을 꺼낼 때 다른 색 공이 나올 확률은 $\frac{{}_3\mathrm{C}_1\times{}_2\mathrm{C}_1}{{}_5\mathrm{C}_2}=\frac{3}{5}$
이므로 확률변수 Y는 이항분포 $\mathrm{B}\left(25,\ \frac{3}{5}\right)$을 따른다.

STEP Ⓑ **확률변수 X를 확률변수 Y로 나타내기**

시행을 25회 반복할 때, 다른 색 공이 나오는 횟수가 Y이면
같은 색 공이 나오는 횟수는 $25-Y$이고
이때 점 P의 x좌표는 $2(25-Y)=50-2Y$, y좌표는 Y이다.
이때 점 P의 x좌표와 y좌표의 합은 $X=(50-2Y)+Y=50-Y$

STEP Ⓒ **$\mathrm{E}(X)+\mathrm{V}(X)$의 값 구하기**

$\mathrm{E}(Y)=25\times\frac{3}{5}=15,\ \mathrm{V}(Y)=25\times\frac{3}{5}\times\frac{2}{5}=6$
$\mathrm{E}(X)=\mathrm{E}(50-Y)=50-\mathrm{E}(Y)=50-15=35$
$\mathrm{V}(X)=\mathrm{V}(50-Y)=(-1)^2\mathrm{V}(Y)=6$
따라서 $\mathrm{E}(X)+\mathrm{V}(X)=35+6=41$

내/신/연/계/ 출제문항 506

점 (0, 1)에서 출발하여 다음 규칙에 따라 이동한다고 한다.

> 한 개의 주사위를 던져 3의 배수의 눈이 나오면 x축의 양의 방향으로 2만큼, y축의 양의 방향으로 3만큼 이동한다.
> 예를 들면 3의 배수의 눈이 2번 나오면 점 P의 좌표는 (4, 7)이다.

한 개의 주사위를 180번 던져 이동한 점 P의 x좌표, y좌표를 각각 확률변수 X, Y라 할 때, $E(Y)-E(X)$의 값은?

① 51 ② 61 ③ 72
④ 76 ⑤ 82

STEP A **이항분포를 따르는 확률변수 K의 평균 구하기**

주사위를 180번 던질 때, 3의 배수의 눈이 나오는 횟수를 확률변수 K라 하면

K는 이항분포 $B\left(180, \frac{1}{3}\right)$을 따른다.

$E(K)=180\times\frac{1}{3}=60$

STEP B **$X=2K$, $Y=3K+1$임을 이용하여 $E(X)$, $E(Y)$ 구하기**

이때 $X=2K$, $Y=3K+1$이므로 $E(X)=E(2K)=2E(K)=120$

$E(Y)=E(3K+1)=3E(K)+1=181$

따라서 $E(Y)-E(X)=181-120=61$  정답 ②

1170

 정답 ⑤

STEP A **확률변수 X가 이항분포를 따르는 확률질량함수 구하기**

앞면이 나오는 개수를 X라 하면

확률변수 X는 이항분포 $B\left(10, \frac{1}{2}\right)$을 따르므로 확률질량함수는

$P(X=x)={}_{10}C_x\left(\frac{1}{2}\right)^x\left(\frac{1}{2}\right)^{10-x}$ (단, $x=0, 1, 2, \cdots, 10$)

STEP B **$E(3^x)$값 구하기**

따라서 상금의 기댓값은

$$E(3^x)=\sum_{x=0}^{10}3^x\times{}_{10}C_x\left(\frac{1}{2}\right)^x\left(\frac{1}{2}\right)^{10-x}=\sum_{x=0}^{10}{}_{10}C_x\left(\frac{3}{2}\right)^x\left(\frac{1}{2}\right)^{10-x}$$
$$=\left(\frac{1}{2}+\frac{3}{2}\right)^{10}=2^{10}=1024$$

1171

 정답 ④

STEP A **확률변수 X가 이항분포를 따름을 이해하기**

한 개의 주사위를 5번 던져서 1의 눈이 나오는 횟수를 확률변수 X라 하면

X는 이항분포 $B\left(5, \frac{1}{6}\right)$을 따른다.

STEP B **$E(13^x)$값 구하기**

13^x의 평균을 구해야 하므로 13^x을 포함하여 표를 그리면 다음과 같다.

13^x	$\cdots$	13^x	$\cdots$
X	$\cdots$	r	$\cdots$
$P(X=x)$	$\cdots$	${}_5C_r\left(\frac{1}{6}\right)^r\left(\frac{5}{6}\right)^{5-r}$	$\cdots$

따라서 $E(13^x)=\sum_{r=0}^{5}13^r\cdot{}_5C_r\left(\frac{1}{6}\right)^r\left(\frac{5}{6}\right)^{5-r}=\sum_{r=0}^{5}{}_5C_r\left(\frac{13}{6}\right)^r\left(\frac{5}{6}\right)^{5-r}$

$$=\left(\frac{13}{6}+\frac{5}{6}\right)^5=3^5=243$$

내/신/연/계/ 출제문항 507

10개의 동전을 던져서 앞면이 k개가 나오면 9^k원을 상금으로 받는다고 할 때, 상금의 기댓값은?

① 5^7 ② 5^8 ③ 5^9
④ 5^{10} ⑤ 5^{11}

STEP A **확률변수 X가 이항분포를 따르는 확률질량함수 구하기**

앞면이 나오는 개수를 X라 하면

확률변수 X는 이항분포 $B\left(10, \frac{1}{2}\right)$을 따르므로 확률질량함수는

$P(X=k)={}_{10}C_k\left(\frac{1}{2}\right)^k\left(\frac{1}{2}\right)^{10-k}$ (단, $x=0, 1, 2, \cdots, 10$)

STEP B **$E(9^k)$값 구하기**

따라서 상금의 기댓값은

$$E(9^k)=\sum_{k=0}^{10}9^k\times{}_{10}C_k\left(\frac{1}{2}\right)^k\left(\frac{1}{2}\right)^{10-k}=\sum_{k=0}^{10}{}_{10}C_k\left(\frac{9}{2}\right)^k\left(\frac{1}{2}\right)^{10-k}$$
$$=\left(\frac{9}{2}+\frac{1}{2}\right)^{10}=5^{10}$$

정답 ④

1172

 정답 ⑤

STEP A **확률변수 X가 이항분포를 따름을 이해하기**

6의 약수가 나오는 횟수를 확률변수 X라 하면

X는 이항분포 $B\left(20, \frac{2}{3}\right)$를 따르므로 확률변수 X의 확률질량함수는

$P(X=k)={}_{20}C_k\left(\frac{2}{3}\right)^k\left(\frac{1}{3}\right)^{20-k}$ ($k=0, 1, 2, 3, \cdots, 20$)

STEP B **$E(4^x)$값 구하기**

따라서 상금의 기댓값은

$$E(4^x)=\sum_{k=0}^{20}4^k\times{}_{20}C_k\left(\frac{2}{3}\right)^k\left(\frac{1}{3}\right)^{20-k}=\sum_{k=0}^{20}{}_{20}C_k\left(\frac{8}{3}\right)^k\left(\frac{1}{3}\right)^{20-k}$$
$$=\left(\frac{8}{3}+\frac{1}{3}\right)^{20}=3^{20}$$

내/신/연/계/ 출제문항 508

한 개의 주사위를 10번 던져 3의 배수의 눈이 x번 나오면 13^x원을 상금으로 받는다고 할 때, 상금의 기댓값은?

① 3^{10} ② 5^{10} ③ 7^{10}
④ 3^{20} ⑤ 5^{20}

STEP A **확률변수 X가 이항분포를 따름을 이해하기**

3의 배수의 눈이 나올 확률은 $\frac{1}{3}$이고 한 개의 주사위를 10번 던졌을 때,

3의 배수의 눈이 나오는 횟수를 확률변수 X라 하면

X는 이항분포 $B\left(10, \frac{1}{3}\right)$을 따르므로

$P(X=x)={}_{10}C_x\left(\frac{1}{3}\right)^x\left(\frac{2}{3}\right)^{10-x}$ ($x=0, 1, 2, \cdots, 10$)

STEP B **$E(13^x)$값 구하기**

따라서 구하는 상금의 기댓값은

$$E(13^x)=\sum_{x=0}^{10}13^x\times{}_{10}C_x\left(\frac{1}{3}\right)^x\left(\frac{2}{3}\right)^{10-x}=\sum_{x=0}^{10}{}_{10}C_x\left(\frac{13}{3}\right)^x\left(\frac{2}{3}\right)^{10-x}$$
$$=\left(\frac{13}{3}+\frac{2}{3}\right)^{10}=5^{10}$$

정답 ②

1173

정답 ④

STEP A 큰 수의 법칙을 이용하여 구하기

$$\mathrm{P}\left(\left|\frac{X}{30}-\frac{1}{6}\right|\le 0.05\right)=\mathrm{P}\left(-0.05\le\frac{X}{30}-\frac{1}{6}\le 0.05\right)$$
$$=\mathrm{P}\left(\frac{7}{60}\le\frac{X}{30}\le\frac{13}{60}\right)$$
$$=\mathrm{P}\left(\frac{7}{2}\le X\le\frac{13}{2}\right)$$
$$=\mathrm{P}(X=4)+\mathrm{P}(X=5)+\mathrm{P}(X=6)$$
$$=0.1847+0.1921+0.1601$$
$$=0.5369$$

1174

정답 ③

STEP A 확률변수 X의 값 구하기

확률변수 X의 확률질량함수는

$$\mathrm{P}(X=x)={}_{40}\mathrm{C}_x\left(\frac{1}{2}\right)^x\left(\frac{1}{2}\right)^{40-x}={}_{40}\mathrm{C}_x\left(\frac{1}{2}\right)^{40}\ (x=0,\ 1,\ 2,\ \cdots,\ 40)$$

한편 $\left|\frac{X}{40}-\frac{1}{2}\right|<\frac{1}{10}$에서 $-\frac{1}{10}<\frac{X}{40}-\frac{1}{2}<\frac{1}{10}$

$\frac{4}{10}<\frac{X}{40}<\frac{6}{10}$, $16<X<24$

$\therefore\ X=17,\ 18,\ 19,\ \cdots,\ 23\ (\because X=0,\ 1,\ 2,\ \cdots,\ 40)$

STEP B 큰 수의 법칙을 이용하여 구하기

따라서 $\mathrm{P}(X=17)+\mathrm{P}(X=18)+\mathrm{P}(X=19)+\cdots+\mathrm{P}(X=23)$

$$={}_{40}\mathrm{C}_{17}\left(\frac{1}{2}\right)^{40}+{}_{40}\mathrm{C}_{18}\left(\frac{1}{2}\right)^{40}+{}_{40}\mathrm{C}_{19}\left(\frac{1}{2}\right)^{40}+\cdots+{}_{40}\mathrm{C}_{23}\left(\frac{1}{2}\right)^{40}$$
$$=\sum_{x=17}^{23}{}_{40}\mathrm{C}_x\left(\frac{1}{2}\right)^{40}$$

1175

STEP A 확률변수의 평균을 구하는 과정의 빈칸추론 하기

확률변수 X가 가장 큰 값을 갖는 경우는
첫 번째와 6번째 꺼낸 공에 적힌 수가 홀수이고
두 번째부터 5번째까지 꺼낸 공이 모두 짝수일 때이므로 $m=\boxed{6}$

(iii) $X=k(3\le k\le m)$인 경우
9개의 공에서 k개의 공을 차례대로 꺼내는 경우의 수는 ${}_9\mathrm{P}_k$
첫 번째와 마지막으로 꺼낸 공에 적힌 수가 홀수인 경우의 수는 ${}_5\mathrm{P}_2$
두 번째부터 $(k-1)$번째까지 꺼낸 공에 적힌 수가 짝수인 경우의 수는 ${}_4\mathrm{P}_{k-2}$
이므로 $\mathrm{P}(X=k)=\dfrac{\boxed{{}_5\mathrm{P}_2\times{}_4\mathrm{P}_{k-2}}}{{}_9\mathrm{P}_k}$

STEP B $a+f(4)$의 값 구하기

$f(k)={}_5\mathrm{P}_2\times{}_4\mathrm{P}_{k-2}$

따라서 $a=6$, $f(4)={}_5\mathrm{P}_2\times{}_4\mathrm{P}_2=240$이므로 $a+f(4)=246$

1176

STEP A 서로 다른 4장의 카드를 선택할 때, 1부터 $k-1$까지의 자연수가 적혀 있는 카드 중에서 서로 다른 3장의 카드와 k가 적혀 있는 카드를 선택하는 경우의 수 구하기

주어진 조건에 의해 $\mathrm{P}(X=k)$를 구해보면 전체 경우의 수는 ${}_n\mathrm{C}_4$이고
최댓값이 k인 경우의 수는 1부터 $k-1$까지의 자연수가 적혀있는 카드 중에서
3개를 선택하고 k가 적힌 카드를 선택하면 되므로 ${}_{k-1}\mathrm{C}_3\times 1$

$\mathrm{P}(X=k)=\dfrac{\boxed{{}_{k-1}\mathrm{C}_3}}{{}_n\mathrm{C}_4}$이다.

자연수 $r(1\le r\le k)$에 대하여 ${}_k\mathrm{C}_r=\dfrac{k}{r}\times{}_{k-1}\mathrm{C}_{r-1}$

이 성립하므로 $r=4$를 대입하면 ${}_k\mathrm{C}_4=\dfrac{k}{4}\times{}_{k-1}\mathrm{C}_3$

$k\times\boxed{{}_{k-1}\mathrm{C}_3}=4\times\boxed{{}_k\mathrm{C}_4}$이다.

그러므로 확률변수 X의 확률분포를 표로 나타내면 다음과 같다.

X	4	5	$\cdots$	k	$\cdots$	n	합계
$\mathrm{P}(X=k)$	$\frac{{}_3\mathrm{C}_3}{{}_n\mathrm{C}_4}$	$\frac{{}_4\mathrm{C}_3}{{}_n\mathrm{C}_4}$	$\cdots$	$\frac{{}_{k-1}\mathrm{C}_3}{{}_n\mathrm{C}_4}$	$\cdots$	$\frac{{}_{n-1}\mathrm{C}_3}{{}_n\mathrm{C}_4}$	1

$$\mathrm{E}(X)=\sum_{k=4}^{n}\{k\times\mathrm{P}(X=k)\}=\frac{1}{{}_n\mathrm{C}_4}\sum_{k=4}^{n}\left(k\times\boxed{{}_{k-1}\mathrm{C}_3}\right)=\frac{4}{{}_n\mathrm{C}_4}\sum_{k=4}^{n}\boxed{{}_k\mathrm{C}_4}$$

이다.

STEP B 파스칼의 삼각형 (하키스틱) ${}_4\mathrm{C}_4+{}_5\mathrm{C}_4+{}_6\mathrm{C}_4+{}_7\mathrm{C}_4+\cdots+{}_n\mathrm{C}_4={}_{n+1}\mathrm{C}_5$을 이용하기

$\sum_{k=4}^{n}\boxed{{}_k\mathrm{C}_4}={}_{n+1}\mathrm{C}_5$이므로

$$\mathrm{E}(X)=\frac{4}{{}_n\mathrm{C}_4}\sum_{k=4}^{n}\boxed{{}_k\mathrm{C}_4}=\frac{4}{{}_n\mathrm{C}_4}\times{}_{n+1}\mathrm{C}_5=4\times\frac{{}_{n+1}\mathrm{C}_5}{{}_n\mathrm{C}_4}$$
$$=4\times\frac{\dfrac{(n+1)n(n-1)(n-2)(n-3)}{5!}}{\dfrac{n(n-1)(n-2)(n-3)}{4!}}$$
$$=(n+1)\times\boxed{\frac{4}{5}}$$

STEP C $a\times f(6)\times g(5)$의 값 구하기

$f(k)={}_{k-1}\mathrm{C}_3$, $g(k)={}_k\mathrm{C}_4$, $a=\frac{4}{5}$이므로 $f(6)={}_5\mathrm{C}_3=10$, $g(5)={}_5\mathrm{C}_4=5$

따라서 $a\times f(6)\times g(5)=\frac{4}{5}\times 10\times 5=40$

1177

정답 ⑤

STEP Ⓐ $X=5$인 확률 구하기

확률변수 X가 가질 수 있는 값은 3, 4, 5이다.

주머니에서 임의로 꺼낸 공에 적힌 수가 2, 3, 4일 확률은 각각 $\frac{1}{2}$, $\frac{1}{4}$, $\frac{1}{4}$

(ⅰ) $X=5$인 사건은
공을 4번 꺼낼 때까지 종이에 적힌 수의 합이 8인 경우뿐이므로

$$\mathrm{P}(X=5)={}_4\mathrm{C}_4\left(\frac{1}{2}\right)^4=\boxed{\frac{1}{16}}$$

STEP Ⓑ $X=4$, $X=3$인 확률 구하기

(ⅱ) $X=4$인 사건은
공을 3번 꺼낼 때까지 종이에 적힌 수의 합이 6이고
네 번째 꺼낸 공에 적힌 수가 3 이상인 경우,
공을 3번 꺼낼 때까지 종이에 적힌 수의 합이 7인 경우,
공을 3번 꺼낼 때까지 종이에 적힌 수의 합이 8인 경우로 나눌 수 있다.
그러므로

$$\mathrm{P}(X=4)={}_3\mathrm{C}_3\left(\frac{1}{2}\right)^3\times\left(\frac{1}{4}+\frac{1}{4}\right)+\boxed{{}_3\mathrm{C}_2\left(\frac{1}{2}\right)^2\left(\frac{1}{4}\right)^1}$$
$$+\left\{{}_3\mathrm{C}_2\left(\frac{1}{2}\right)^2\left(\frac{1}{4}\right)^1+{}_3\mathrm{C}_1\left(\frac{1}{2}\right)^1\left(\frac{1}{4}\right)^2\right\}$$
$$=\frac{1}{16}+\boxed{\frac{3}{16}}+\left(\frac{3}{16}+\frac{3}{32}\right)=\frac{17}{32}$$

(ⅰ), (ⅱ)에서 $\mathrm{P}(X=3)=1-\mathrm{P}(X=5)-\mathrm{P}(X=4)=\frac{13}{32}$

STEP Ⓒ 확률분포를 표로 나타내고 $\mathrm{E}(X)$ 구하기

X	3	4	5	합계
$\mathrm{P}(X=k)$	$\frac{13}{32}$	$\frac{17}{32}$	$\frac{1}{16}$	1

$$\mathrm{E}(X)=3\times\frac{13}{32}+4\times\frac{17}{32}+5\times\frac{1}{16}=\frac{39+68+10}{32}=\boxed{\frac{117}{32}}$$

따라서 $a=\frac{1}{16}$, $b=\frac{3}{16}$, $c=\frac{117}{32}$이므로 $a+b+c=\frac{2+6+117}{32}=\frac{125}{32}$

$X=3$인 사건은
공을 2번 꺼낼 때까지 종이에 적힌 수의 합이 5이고 세 번째 꺼낸 공에 적힌 수가 4인 경우,
공을 2번 꺼낼 때까지 종이에 적힌 수의 합이 6이고 세 번째 꺼낸 공에 적힌 수가 3이상인 경우,
공을 2번 꺼낼 때까지 종이에 적힌 수의 합이 7인 경우,
공을 2번 꺼낼 때까지 종이에 적힌 수의 합이 8인 경우로 나눌 수 있다.

$$\therefore \mathrm{P}(X=3)={}_2\mathrm{C}_1\left(\frac{1}{2}\right)^1\left(\frac{1}{4}\right)^1\times\frac{1}{4}+\left\{{}_2\mathrm{C}_1\left(\frac{1}{2}\right)^1\left(\frac{1}{4}\right)^1+{}_2\mathrm{C}_2\left(\frac{1}{4}\right)^2\right\}$$
$$\times\left(\frac{1}{4}+\frac{1}{4}\right)+{}_2\mathrm{C}_1\left(\frac{1}{4}\right)^1\left(\frac{1}{4}\right)^1+{}_2\mathrm{C}_2\left(\frac{1}{4}\right)^2$$
$$=\frac{1}{16}+\frac{5}{32}+\frac{1}{8}+\frac{1}{16}=\frac{13}{32}$$

1178

정답 ①

STEP Ⓐ 각각의 확률 구하기

주사위를 한 번 던져 나온 눈의 수가 2 이하일 확률은 $\frac{1}{3}$이므로

무게가 1인 추 1개를 주머니에 넣을 확률은 $\frac{1}{3}$이고

주사위를 한 번 던져 나온 눈의 수가 3 이상일 확률은 $\frac{2}{3}$이므로

무게가 2인 추 1개를 주머니에 넣을 확률은 $\frac{2}{3}$이다.

이때 확률변수 X의 값에 다른 X의 확률질량함수 $\mathrm{P}(X=x)$를 구하는 과정은 다음과 같다.

STEP Ⓑ 독립시행을 이용하여 확률변수 X의 빈칸추론하기

(ⅰ) $X=3$인 사건은 주머니에 무게가 2인 추 3개가 들어 있는 경우이므로

$$\mathrm{P}(X=3)=\left(\frac{2}{3}\right)^3=\boxed{\frac{8}{27}}$$

(ⅱ) $X=4$인 사건은 세 번째 시행까지 넣은 추의 총무게가 4이고
네 번째 시행에서 무게가 2인 추를 넣는 경우와 세 번째 시행까지 넣은 추의 총무게가 5인 추를 넣는 경우로 나눌 수 있다.
그러므로

$$\mathrm{P}(X=4)=\boxed{{}_3\mathrm{C}_2\left(\frac{1}{3}\right)^2\left(\frac{2}{3}\right)\times\frac{2}{3}}+{}_3\mathrm{C}_1\left(\frac{1}{3}\right)^1\left(\frac{2}{3}\right)^2\times 1$$

⬅ 추의 무게가 (1, 1, 2)+2 또는 (1, 2, 2)+(1이거나 2)

$$\mathrm{P}(X=4)=\boxed{\frac{4}{27}}+{}_3\mathrm{C}_1\left(\frac{1}{3}\right)^1\left(\frac{2}{3}\right)^2$$

(ⅲ) $X=5$인 사건은 네 번째 시행까지 넣은 추의 총무게가 4이고
다섯 번째 시행에서 무게가 2인 추를 넣는 경우와 네 번째 시행까지 넣은 추의 총무게가 5인 경우로 나눌 수 있다.
그러므로

$$\mathrm{P}(X=5)={}_4\mathrm{C}_4\left(\frac{1}{3}\right)^4\left(\frac{2}{3}\right)^0\times\frac{2}{3}+\boxed{{}_4\mathrm{C}_3\left(\frac{1}{3}\right)^3\left(\frac{2}{3}\right)^1\times 1}$$

⬅ 추의 무게가 (1, 1, 1, 1)+2 또는 (1, 1, 1, 2)+(1이거나 2)

$$\mathrm{P}(X=5)={}_4\mathrm{C}_4\left(\frac{1}{3}\right)^4\left(\frac{2}{3}\right)^0\times\frac{2}{3}+\boxed{\frac{8}{81}}$$

(ⅳ) $X=6$인 사건은 다섯 번째 시행까지 넣은 추의 총무게가 5인 경우이므로

$$\mathrm{P}(X=6)=\left(\frac{1}{3}\right)^5$$

STEP Ⓒ $\frac{ab}{c}$의 값을 구하기

(ⅰ)~(ⅲ)에 의하여 $a=\frac{8}{27}$, $b=\frac{4}{27}$, $c=\frac{8}{81}$

따라서 $\frac{ab}{c}=\frac{\frac{8}{27}\times\frac{4}{27}}{\frac{8}{81}}=\frac{4}{9}$

1179

정답 해설참조

1단계 X의 확률분포를 표로 나타낸다. ◀ 30%

확률변수 X가 가질 수 있는 값은 0, 1, 2, 3이고 그 각각의 확률은 다음과 같다.

$P(X=0)=\frac{1}{6}$, $P(X=1)=\frac{2}{6}=\frac{1}{3}$, $P(X=2)=\frac{2}{6}=\frac{1}{3}$, $P(X=3)=\frac{1}{6}$

따라서 X의 확률분포를 표로 나타내면 다음과 같다.

X	0	1	2	3	합계
$P(X=x)$	$\frac{1}{6}$	$\frac{1}{3}$	$\frac{1}{3}$	$\frac{1}{6}$	1

2단계 $P(X\le 2)$를 구한다. ◀ 20%

$P(X\le 2)=1-P(X=3)=1-\frac{1}{6}=\frac{5}{6}$

3단계 $E(X)$, $V(X)$의 값을 구한다. ◀ 30%

X의 기댓값은

$E(X)=0\times\frac{1}{6}+1\times\frac{1}{3}+2\times\frac{1}{3}+3\times\frac{1}{6}=\frac{3}{2}$

$E(X^2)=0^2\times\frac{1}{6}+1^2\times\frac{1}{3}+2^2\times\frac{1}{3}+3^2\times\frac{1}{6}=\frac{19}{6}$

X의 분산은

$V(X)=E(X^2)-\{E(X)\}^2=\frac{19}{6}-\left(\frac{3}{2}\right)^2=\frac{11}{12}$

4단계 $V(6X-5)$를 구한다. ◀ 20%

따라서 $V(6X-5)=36V(X)=36\times\frac{11}{12}=33$

1180

정답 해설참조

1단계 X의 확률질량함수를 구한다. ◀ 20%

확률변수 X가 가질 수 있는 값은 0, 1, 2, 3이다.

10개의 공 중에서 3개를 뽑는 경우의 수는 ${}_{10}C_3$이고 뽑힌 공 중에서 검은 공의 개수가 x개인 경우의 수는 ${}_5C_x\times{}_5C_{3-x}$이므로

X의 확률질량함수는 $P(X=x)=\frac{{}_5C_x\times{}_5C_{3-x}}{{}_{10}C_3}$ $(x=0, 1, 2, 3)$

2단계 X의 확률분포를 표로 나타낸다. ◀ 30%

X의 값에 따른 확률은

$P(X=0)=\frac{{}_5C_0\times{}_5C_3}{{}_{10}C_3}=\frac{1}{12}$, $P(X=1)=\frac{{}_5C_1\times{}_5C_2}{{}_{10}C_3}=\frac{5}{12}$

$P(X=2)=\frac{{}_5C_2\times{}_5C_1}{{}_{10}C_3}=\frac{5}{12}$, $P(X=3)=\frac{{}_5C_3\times{}_5C_0}{{}_{10}C_3}=\frac{1}{12}$

X의 확률분포를 표로 나타내면 다음과 같다.

X	0	1	2	3	합계
$P(X=x)$	$\frac{1}{12}$	$\frac{5}{12}$	$\frac{5}{12}$	$\frac{1}{12}$	1

3단계 검은 공을 적어도 1개 이상 꺼낼 확률을 구한다. ◀ 10%

검은 공을 적어도 1개 이상 꺼낼 확률은 $X\ge 1$이므로

$P(X\ge 1)=1-P(X=0)=1-\frac{1}{12}=\frac{11}{12}$

4단계 $E(X)$, $V(X)$의 값을 구한다. ◀ 20%

X의 기댓값과 X^2의 기댓값은

$E(X)=0\times\frac{1}{12}+1\times\frac{5}{12}+2\times\frac{5}{12}+3\times\frac{1}{12}=\frac{18}{12}=\frac{3}{2}$

$E(X^2)=0^2\times\frac{1}{12}+1^2\times\frac{5}{12}+2^2\times\frac{5}{12}+3^2\times\frac{1}{12}=\frac{34}{12}=\frac{17}{6}$

X의 분산은 $V(X)=E(X^2)-\{E(X)\}^2=\frac{17}{6}-\left(\frac{3}{2}\right)^2=\frac{7}{12}$

5단계 $E(6X+1)+V(6X+1)$을 구한다. ◀ 20%

$E(6X+1)=6E(X)+1=6\times\frac{3}{2}+1=10$

$V(6X+1)=36V(X)=36\times\frac{7}{12}=21$

따라서 $E(6X+1)+V(6X+1)=10+21=31$

1181

정답 해설참조

1단계 다음 확률분포표를 완성하고, X의 확률질량함수를 구한다. ◀ 30%

확률변수 X가 갖는 값은 0, 1, 2이다.

10개의 제품 중에서 2개를 뽑는 경우의 수는 ${}_{10}C_2$이고 뽑힌 2개 중에서 불량품의 개수가 x개인 경우의 수는 ${}_3C_x\times{}_7C_{2-x}$이므로

X의 확률질량함수는 $P(X=x)=\frac{{}_3C_x\times{}_7C_{2-x}}{{}_{10}C_2}$ $(x=0, 1, 2)$

확률변수 X의 확률분포를 표로 나타내면 다음과 같다.

X	0	1	2	합계
$P(X=x)$	$\frac{7}{15}$	$\frac{7}{15}$	$\frac{1}{15}$	1

2단계 불량품이 1개 이하일 확률을 구한다. ◀ 20%

불량품이 1개 이하일 확률은 $P(X\le 1)$이므로

$P(X\le 1)=P(X=0)+P(X=1)=\frac{7}{15}+\frac{7}{15}=\frac{14}{15}$

3단계 $E(X)$, $V(X)$의 값을 구한다. ◀ 30%

X의 기댓값은

$E(X)=0\times\frac{7}{15}+1\times\frac{7}{15}+2\times\frac{1}{15}=\frac{9}{15}=\frac{3}{5}$

$E(X^2)=0^2\times\frac{7}{15}+1^2\times\frac{7}{15}+2^2\times\frac{1}{15}=\frac{11}{15}$

X의 분산은

$V(X)=E(X^2)-\{E(X)\}^2=\frac{11}{15}-\left(\frac{3}{5}\right)^2=\frac{84}{225}$

4단계 $V(15X+3)$을 구한다. ◀ 20%

$V(15X+3)=15^2V(X)=225\times\frac{84}{225}=84$

1182

정답 해설참조

1단계 공에 적힌 수를 4로 나눈 나머지가 r인 숫자의 집합을 A_r이라 할 때, 집합 A_0, A_1, A_2, A_3을 구한다. ◀ 20%

공에 적힌 수를 4로 나눈 나머지가 r인 숫자의 집합을 A_r이라 하면

$A_0=\{4, 8, 12\}$, $A_1=\{1, 5, 9\}$, $A_2=\{2, 6, 10\}$, $A_3=\{3, 7, 11\}$

2단계 $X=1$인 경우와 $X=2$인 경우의 확률을 각각 구한다. ◀ 40%

(i) $X=1$인 경우

꺼낸 공에 적힌 수가 A_0의 원소이어야 하므로

$P(X=1)=\frac{3}{12}=\frac{1}{4}$

(ii) $X=2$인 경우

꺼낸 공에 적힌 수가 각각 A_1, A_3의 원소이거나, 각각 A_3, A_1의 원소이거나 두 개의 원소가 모두 A_2의 원소이어야 하므로

$P(X=2)=2\times\left(\frac{3}{12}\times\frac{3}{11}\right)+\frac{3}{12}\times\frac{2}{11}=\frac{2}{11}$

3단계 $P(X\ge 3)=1-P(X\le 2)$을 이용하여 확률을 구한다. ◀ 40%

(i), (ii)에서 $P(X\le 2)=P(X=1)+P(X=2)=\frac{1}{4}+\frac{2}{11}=\frac{19}{44}$

따라서 구하는 확률은 $P(X\ge 3)=1-P(X\le 2)=\frac{25}{44}$

1183

정답 해설참조

1단계 상수 a의 값을 구한다. ◀ 20%

확률의 총합이 1이므로

$a+a^2+\frac{1}{4}=1$이므로 $4a^2+4a-3=0$

$(2a-1)(2a+3)=0$, $a=\frac{1}{2}$ 또는 $a=-\frac{3}{2}$

$0<a<1$이므로 $a=\frac{1}{2}$

2단계 확률변수 X의 평균 $E(X)$를 구한다. ◀ 20%

$E(X)=2\times\frac{1}{2}+4\times\frac{1}{4}+8\times\frac{1}{4}=4$

3단계 확률변수 X의 분산 $V(X)$를 구한다. ◀ 30%

$V(X)=E(X^2)-\{E(X)\}^2=2^2\times\frac{1}{2}+4^2\times\frac{1}{4}+8^2\times\frac{1}{4}-4^2=6$

4단계 $E(aX+1)$, $V(aX+1)$을 각각 구한다. ◀ 30%

$E(aX+1)=E\left(\frac{1}{2}X+1\right)=\frac{1}{2}\times4+1=3$

$V(aX+1)=a^2V(X)=\frac{1}{4}\times6=\frac{3}{2}$

1184

정답 해설참조

1단계 상수 a의 값을 구한다. ◀ 20%

확률의 총합이 1이므로

$\frac{1}{a}+\frac{3}{a}+\frac{5}{a}=1$에서 $\frac{9}{a}=1$ $\therefore a=9$

2단계 확률변수 X의 평균을 구한다. ◀ 30%

즉 $P(X=x)=\frac{2x-1}{9}(x=1, 2, 3)$이므로

X의 확률분포를 표로 나타내면 다음과 같다.

X	1	2	3	합계
$P(X=x)$	$\frac{1}{9}$	$\frac{1}{3}$	$\frac{5}{9}$	1

$E(X)=1\times\frac{1}{9}+2\times\frac{1}{3}+3\times\frac{5}{9}=\frac{22}{9}$

3단계 확률변수 X의 표준편차를 구한다. ◀ 20%

$V(X)=1^2\times\frac{1}{9}+2^2\times\frac{1}{3}+3^2\times\frac{5}{9}-\left(\frac{22}{9}\right)^2=\frac{38}{81}$

X의 표준편차는 $\sigma(X)=\frac{\sqrt{38}}{9}$

4단계 $E(aX+3)$, $V(aX+3)$을 각각 구한다. ◀ 30%

$E(aX+3)=aE(X)+3=9\times\frac{22}{9}+3=25$

$V(aX+3)=a^2V(X)=81\times\frac{38}{81}=38$

1185

정답 해설참조

1단계 확률의 총합을 이용하여 $a+b$의 값을 구한다. ◀ 20%

확률의 합은 1이므로 $a+b+\frac{1}{7}=1$ $\therefore a+b=\frac{6}{7}$ …… ㉠

2단계 1단계에서 구한 $a+b$의 값과 $P(X=k)=7P(X=2k)\times P(X=2k)$를 이용하여 a, b의 값을 구한다. ◀ 30%

$P(X=k)=7P(X=2k)\times P(X=2k)$에서 $a=7b^2$ …… ㉡

㉠의 $a=\frac{6}{7}-b$를 ㉡에 대입하면

$\frac{6}{7}-b=7b^2$에서 $49b^2+7b-6=0$, $(7b-2)(7b+3)=0$

$\therefore b=\frac{2}{7}(\because 0<b<1)$

㉠에 대입하면 $a=\frac{6}{7}-\frac{2}{7}=\frac{4}{7}$

즉 $a=\frac{4}{7}$, $b=\frac{2}{7}$

3단계 X의 평균이 22임을 이용하여 k의 값을 구한다. ◀ 30%

X의 확률분포를 표로 나타내면 다음과 같다.

X	k	$2k$	$3k$	합계
$P(X=x)$	$\frac{4}{7}$	$\frac{2}{7}$	$\frac{1}{7}$	1

$E(X)=\frac{4}{7}k+\frac{2}{7}\times2k+\frac{1}{7}\times3k=22$

$\therefore k=14$

4단계 abk의 값을 구한다. ◀ 20%

따라서 $abk=\frac{4}{7}\times\frac{2}{7}\times14=\frac{16}{7}$

1186

정답 해설참조

1단계 확률변수 X의 확률분포를 표로 나타내고 상수 k의 값을 구하여라. ◀ 30%

확률변수 X의 확률분포를 표로 나타내면 다음과 같다.

X	0	1	2	3	합계
$P(X=x)$	$\frac{4}{k}$	$\frac{3}{k}$	$\frac{2}{k}$	$\frac{1}{k}$	1

확률의 총합이 1이므로 $\frac{4}{k}+\frac{3}{k}+\frac{2}{k}+\frac{1}{k}=1$

$\frac{10}{k}=1$ $\therefore k=10$

2단계 확률변수 X의 평균 $E(X)$와 분산 $V(X)$를 구한다. ◀ 30%

확률변수 X의 확률분포를 표로 나타내면 다음과 같다.

X	0	1	2	3	합계
$P(X=x)$	$\frac{4}{10}$	$\frac{3}{10}$	$\frac{2}{10}$	$\frac{1}{10}$	1

X의 기댓값은

$E(X)=0\times\frac{4}{10}+1\times\frac{3}{10}+2\times\frac{2}{10}+3\times\frac{1}{10}=1$

$E(X^2)=0^2\times\frac{4}{10}+1^2\times\frac{3}{10}+2^2\times\frac{2}{10}+3^2\times\frac{1}{10}=2$

이므로 X의 분산은

$V(X)=E(X^2)-\{E(X)\}^2=2-1^2=1$

3단계 $E(aX+b)=2$, $V(aX+b)=1$을 이용하여 상수 a, b의 값을 구한다. ◀ 30%

$E(aX+b)=aE(X)+b=a+b=2$ …… ㉠

$V(aX+b)=a^2V(X)=a^2=1$에서 $a>0$이므로 $a=1$

$a=1$을 ㉠에 대입하면 $b=1$

4단계 $2a+b$의 값을 구한다. ◀ 10%

따라서 $a=1$, $b=1$이므로 $2a+b=2\times1+1=3$

1187

정답 해설참조

1단계	표준점수 T의 평균과 표준편차를 구한다.	◀ 30%

$E(X)=m$, $\sigma(X)=\sigma$이므로

$T=15\left(\frac{X-m}{\sigma}\right)+50$에서

$$E(T)=E\left(15\left(\frac{X-m}{\sigma}\right)+50\right)$$
$$=15\times\frac{E(X)-m}{\sigma}+50$$
$$=15\times\frac{m-m}{\sigma}+50=50$$

$\sigma(T)=\sigma\left(15\left(\frac{X-m}{\sigma}\right)+50\right)=\left|\frac{15}{\sigma}\right|\sigma(X)=\frac{15}{\sigma}\times\sigma=15$

2단계	시험 점수 65는 표준 점수 80으로 변환되었고, 시험 점수 50은 표준 점수 35로 변환되었을 때, m, σ의 값을 구한다.	◀ 40%

$15\left(\frac{65-m}{\sigma}\right)+50=80$이므로 $\frac{65-m}{\sigma}=2$ …… ㉠

$15\left(\frac{50-m}{\sigma}\right)+50=35$이므로 $\frac{50-m}{\sigma}=-1$ …… ㉡

㉠, ㉡에서 $\frac{65-m}{\sigma}=-2\times\frac{50-m}{\sigma}$이므로

$65-m=-2(50-m)$ $\therefore m=55$

㉠에서 $\sigma=5$

3단계	갑의 시험점수는 70이고, 을의 표준 점수는 86일 때, 누구의 성적이 더 높은지 구한다.	◀ 30%

을의 시험 점수를 a라 하면 표준 점수가 86이므로

$86=15\left(\frac{a-55}{5}\right)+50$, $a=67$

따라서 갑의 시험 점수는 70이므로 갑의 성적이 더 높다.

1188

정답 해설참조

1단계	평균과 분산을 이용하여 n, p의 값을 구한다.	◀ 40%

$E(X)=\frac{10}{3}$, $V(X)=\frac{20}{9}$이므로

$E(X)=np=\frac{10}{3}$ …… ㉠

$V(X)=npq=np(1-p)=\frac{20}{9}$ …… ㉡

㉠을 ㉡에 대입하면 $\frac{10}{3}(1-p)=\frac{20}{9}$

$1-p=\frac{2}{3}$에서 $p=\frac{1}{3}$

$p=\frac{1}{3}$을 ㉠에 대입하면 $\frac{1}{3}n=\frac{10}{3}$에서 $n=10$

즉 $n=10$, $p=\frac{1}{3}$

2단계	확률변수 X의 확률질량함수를 구한다.	◀ 30%

확률변수 X가 이항분포 $B\left(10, \frac{1}{3}\right)$을 따르므로 확률변수 X의 확률질량함수는

$P(X=x)={}_{10}C_x\left(\frac{1}{3}\right)^x\left(\frac{2}{3}\right)^{10-x}$ $(x=0, 1, 2, \cdots, 10)$

3단계	$\frac{P(X=3)}{P(X=1)}$의 값을 구한다.	◀ 30%

$$\frac{P(X=3)}{P(X=1)}=\frac{{}_{10}C_3\left(\frac{1}{3}\right)^3\left(\frac{2}{3}\right)^7}{{}_{10}C_1\left(\frac{1}{3}\right)^1\left(\frac{2}{3}\right)^9}=\frac{12\left(\frac{1}{3}\right)^2}{\left(\frac{2}{3}\right)^2}=\frac{12}{4}=3$$

1189

정답 해설참조

1단계	평균과 분산을 이용하여 n, p의 값을 구한다.	◀ 40%

$E(X)=\frac{7}{8}$, $E(X^2)=2\{E(X)\}^2$이므로

$E(X)=np=\frac{7}{8}$ …… ㉠

$$V(X)=E(X^2)-\{E(X)\}^2$$
$$=2\{E(X)\}^2-\{E(X)\}^2 \quad \Leftarrow E(X^2)=2\{E(X)\}^2$$
$$=\{E(X)\}^2=\left(\frac{7}{8}\right)^2$$

이므로 $V(X)=np(1-p)=\left(\frac{7}{8}\right)^2$ …… ㉡

㉠을 ㉡에 대입하면 $\frac{7}{8}(1-p)=\left(\frac{7}{8}\right)^2$

$1-p=\frac{7}{8}$ $\therefore p=\frac{1}{8}$

$p=\frac{1}{8}$을 ㉠에 대입하면 $\frac{1}{8}n=\frac{7}{8}$

$\therefore n=7$

즉 $n=7$, $p=\frac{1}{8}$

2단계	확률변수 X의 확률질량함수를 구한다.	◀ 30%

확률변수 X가 이항분포 $B\left(7, \frac{1}{8}\right)$을 따르므로 확률변수 X의 확률질량함수는

$P(X=x)={}_7C_x\left(\frac{1}{8}\right)^x\left(\frac{7}{8}\right)^{7-x}$ $(x=0, 1, 2, \cdots, 7)$

3단계	$\frac{P(X=3)}{P(X=2)}$의 값을 구한다.	◀ 30%

$$\frac{P(X=3)}{P(X=2)}=\frac{{}_7C_3\left(\frac{1}{8}\right)^3\left(\frac{7}{8}\right)^4}{{}_7C_2\left(\frac{1}{8}\right)^2\left(\frac{7}{8}\right)^5}=\frac{35\times\frac{1}{8}}{21\times\frac{7}{8}}=\frac{5}{21}$$

1190

정답 해설참조

1단계	확률변수 X의 확률질량함수 $P(X=x)$를 p를 사용하여 나타낸다.	◀ 30%

확률변수 X가 이항분포 $B(8, p)$를 따르므로 확률변수 X의 확률질량함수는

$P(X=x)={}_8C_xp^x(1-p)^{8-x}$ $(x=0, 1, 2, 3, \cdots, 8)$

2단계	$P(X=3)=\frac{1}{2}P(X=4)$를 만족시키는 상수 p의 값을 구한다.	◀ 40%

$P(X=3)={}_8C_3p^3(1-p)^5$, $P(X=4)={}_8C_4p^4(1-p)^4$이고

$P(X=3)=\frac{1}{2}P(X=4)$이므로

$${}_8C_3p^3(1-p)^5=\frac{1}{2}{}_8C_4p^4(1-p)^4$$

$$\frac{8!}{3!5!}p^3(1-p)^5=\frac{1}{2}\times\frac{8!}{4!4!}p^4(1-p)^4 \quad \Leftarrow {}_nC_r=\frac{n!}{r!(n-r)!}$$

$56(1-p)=35p$, $91p=56$

$\therefore p=\frac{8}{13}$

3단계	$E(13X+6)$을 구한다.	◀ 30%

확률변수 X는 이항분포 $B\left(8, \frac{8}{13}\right)$를 따르므로

$E(X)=8\times\frac{8}{13}=\frac{64}{13}$

따라서 $E(13X+6)=13E(X)+6=13\times\frac{64}{13}+6=70$

1191
정답 해설참조

1단계 확률변수 X의 확률질량함수를 구한다. ◀ 20%

확률변수 X는

한 개의 주사위 던져 3의 배수의 눈이 나오는 확률은 $\frac{2}{6}=\frac{1}{3}$ ⇐3, 6

일 때, 45번의 독립시행에서 이 사건이 일어나는 횟수와 같으므로

확률변수 X는 이항분포 $B\left(45, \frac{1}{3}\right)$을 따른다.

확률변수 X의 확률질량함수는

$P(X=x)={}_{45}C_x\left(\frac{1}{3}\right)^x\left(\frac{2}{3}\right)^{45-x}$ $(x=0, 1, 2, \cdots, 45)$

2단계 $\frac{P(X=1)}{P(X=0)}$의 값을 구한다. ◀ 20%

$P(X=0)={}_{45}C_0\left(\frac{2}{3}\right)^{45}=\left(\frac{2}{3}\right)^{45}$

$P(X=1)={}_{45}C_1\left(\frac{1}{3}\right)^1\left(\frac{2}{3}\right)^{44}=15\times\left(\frac{2}{3}\right)^{44}$

즉 $\frac{P(X=1)}{P(X=0)}=\frac{15\times\left(\frac{2}{3}\right)^{44}}{\left(\frac{2}{3}\right)^{45}}=\frac{45}{2}$

3단계 $V(-2X+1)$의 값을 구한다. ◀ 20%

$V(X)=45\times\frac{1}{3}\times\frac{2}{3}=10$이므로

$V(-2X+1)=(-2)^2V(X)=4\times10=40$

4단계 X^2의 평균 $E(X^2)$을 구한다. ◀ 20%

$E(X)=45\times\frac{1}{3}=15$, $V(X)=10$이므로

$E(X^2)=V(X)+\{E(X)\}^2=10+15^2=235$

5단계 $E((X-3)^2)$의 값을 구한다. ◀ 20%

$E((X-3)^2)=E(X^2-6X+9)=E(X^2)-6E(X)+9$

$=235-6\times15+9=154$

1192
정답 해설참조

1단계 확률변수 X가 따르는 이항분포 $B(n, p)$를 구한다. ◀ 20%

확률변수 X의 확률질량함수가

$P(X=x)={}_nC_x\left(\frac{3}{5}\right)^x\left(\frac{2}{5}\right)^{n-x}$ $(x=0, 1, 2, \cdots, n)$이므로

X는 이항분포 $B\left(n, \frac{3}{5}\right)$을 따른다.

2단계 확률변수 X의 평균과 분산을 n에 관하여 정리한다. ◀ 30%

확률변수 X의 평균 $E(X)$와 분산 $V(X)$는 각각

$E(X)=\frac{3n}{5}$, $V(X)=n\times\frac{3}{5}\times\frac{2}{5}=\frac{6n}{25}$

3단계 $E(-5X+3a)=-100$, $V(-5X+3a)=120$을 만족하는 n, a의 값을 구한다. ◀ 40%

$E(-5X+3a)=-5E(X)+3a$

$=-5\times\frac{3n}{5}+3a$

$=-3n+3a=-100$ …… ㉠

$V(-5X+3a)=25V(X)=25\times\frac{6n}{25}=6n=120$

$\therefore n=20$

$n=20$을 ㉠에 대입하면 $-3\cdot20+3a=-100$

$\therefore a=-\frac{40}{3}$

4단계 $n+a$의 값을 구한다. ◀ 10%

따라서 $n+a=20-\frac{40}{3}=\frac{20}{3}$

1193
정답 해설참조

방법1 탑승하는 사람의 수를 확률변수 X라고 하면 좌석이 부족하지 않을 확률 $P(X\le80)$을 구한다. ◀ 50%

확률변수 X는 예약된 82명의 사람이 탑승하는 확률이 0.95이므로

확률변수 X는 이항분포 $B(82, 0.95)$를 따른다.

확률변수 X의 확률질량함수는

$P(X=x)=\boxed{{}_{82}C_x0.95^x0.05^{82-x}}$ $(x=0, 1, 2, \cdots, 82)$

이므로 구하는 확률은

$P(X\le80)=P(X=0)+P(X=1)+\cdots+P(X=80)$

$=1-\{P(X=\boxed{81})+P(X=\boxed{82})\}$

$=1-({}_{82}C_{81}\times0.95^{81}\times0.05+{}_{82}C_{82}\times0.95^{82})$

$=1-(82\times0.0157\times0.05+0.0149)$

$=1-0.07927=0.92073$

방법2 탑승하지 않는 사람의 수를 확률변수 Y라고 하면 좌석이 부족하지 않을 확률 $1-P(Y\le1)$을 구한다. ◀ 50%

확률변수 Y는

예약된 82명의 사람이 탑승하지 않을 확률이 0.05이므로

확률변수 Y는 이항분포 $B(82, 0.05)$를 따른다.

확률변수 Y의 확률질량함수는

$P(Y=y)=\boxed{{}_{82}C_y0.05^y0.95^{82-y}}$ $(y=0, 1, 2, \cdots, 82)$

이므로 구하는 확률은

$1-P(Y\le1)=1-\{P(Y=\boxed{0})+P(Y=\boxed{1})\}$

$=1-({}_{82}C_0\times0.95^{82}+{}_{82}C_1\times0.05\times0.95^{81})$

$=1-(0.0149+82\times0.05\times0.0157)$

$=1-0.07927$

$=0.92073$

내/신/연/계/ 출제문항 509

항공사에서는 항공권의 예약이 취소되거나 예약 승객이 나타나지 않는 등의 상황을 대비해 정원을 초과하여 예약을 받기도 한다.
어느 항공 노선은 항공권을 예약한 사람 중 비행기가 출발하기 전에 예약을 취소하는 경우가 10명 중 1명 꼴이라고 한다. 비행기 좌석이 60개이고 예약한 사람이 62명일 때, 좌석이 부족할 확률을 구하여라.
(단, $0.9^{61}=0.0016$, $0.9^{62}=0.0015$를 모두 이용하여 계산한다.)

STEP Ⓐ X의 확률질량함수를 이용하여 구하기

예약한 62명중 비행기에 탑승하는 승객의 수를 확률변수 X라 하면

예약한 사람이 탑승할 확률은 $p=\frac{9}{10}$이므로

확률변수 X는 이항분포 $B\left(62, \frac{9}{10}\right)$를 따른다.

이때 좌석이 부족한 경우는 X의 값이 61, 62일 때이므로 구하는 확률은

$P(X=61)+P(X=62)={}_{62}C_{61}\left(\frac{9}{10}\right)^{61}\left(\frac{1}{10}\right)^1+{}_{62}C_{62}\left(\frac{9}{10}\right)^{62}$

$=62\times0.9^{61}\times0.1+0.9^{62}$

$=62\times0.0016\times0.1+0.0015$

$=0.01142$

정답 0.01142

STEP 3 행복한 1등급 문제

1194

12

STEP Ⓐ 확률변수 X의 확률분포를 표로 나타내기

꺼낸 공에 적혀있는 수	남아 있는 공에 적혀 있는 수	남아 있는 공에 적혀 있는 수의 합
1, 1	2, 3	5
1, 2	1, 3	4
1, 3	1, 2	3
2, 3	1, 1	2

확률변수 X가 가질 수 있는 값은 2, 3, 4, 5이고 그 각각의 확률은 다음과 같다.

$\mathrm{P}(X=2)=\dfrac{{}_1\mathrm{C}_1\times{}_1\mathrm{C}_1}{{}_4\mathrm{C}_2}=\dfrac{1}{6}$

$\mathrm{P}(X=3)=\dfrac{{}_2\mathrm{C}_1\times{}_1\mathrm{C}_1}{{}_4\mathrm{C}_2}=\dfrac{2}{6}=\dfrac{1}{3}$

$\mathrm{P}(X=4)=\dfrac{{}_2\mathrm{C}_1\times{}_1\mathrm{C}_1}{{}_4\mathrm{C}_2}=\dfrac{2}{6}=\dfrac{1}{3}$

$\mathrm{P}(X=5)=\dfrac{{}_2\mathrm{C}_2}{{}_4\mathrm{C}_2}=\dfrac{1}{6}$

확률변수 X의 확률분포를 표로 나타내면 다음과 같다.

X	2	3	4	5	합계
$\mathrm{P}(X=x)$	$\frac{1}{6}$	$\frac{1}{3}$	$\frac{1}{3}$	$\frac{1}{6}$	1

STEP Ⓑ $\mathrm{E}(X)$ 구하기

$\mathrm{E}(X)=2\times\dfrac{1}{6}+3\times\dfrac{1}{3}+4\times\dfrac{1}{3}+5\times\dfrac{1}{6}=\dfrac{21}{6}=\dfrac{7}{2}$

STEP Ⓒ $\mathrm{E}(aX+b)=a\mathrm{E}(X)+b$임을 이용하여 구하기

따라서 $\mathrm{E}(2X+5)=2\times\dfrac{7}{2}+5=12$

1195

37

STEP Ⓐ 전체 경우의 수 구하기

전체 경우의 수는 주머니에서 임의로 2개의 공을 동시에 꺼내는 경우의 수이므로 ${}_6\mathrm{C}_2=15$

STEP Ⓑ 확률변수 X의 확률분포를 표로 나타내기

꺼낸 공에 적혀 있는 숫자의 최솟값이 확률변수 X이므로
X가 취할 수 있는 값은 1, 2, 3이다.

(i) $X=1$인 경우의 수는
(❶, ❷), (❶, ❸), (❶, ①), (❶, ②), (❶, ③)
(①, ②), (①, ③), (①, ❷), (①, ❸)의 9가지

(ii) $X=2$인 경우의 수는
(❷, ❸), (❷, ②), (❷, ③), (②, ③), (②, ❸)의 5가지

(iii) $X=3$인 경우의 수는
(❸, ③)의 1가지

확률변수 X의 확률분포를 표로 나타내면 다음과 같다.

X	1	2	3	합계
$\mathrm{P}(X=x)$	$\frac{3}{5}$	$\frac{1}{3}$	$\frac{1}{15}$	1

STEP Ⓒ 평균 $\mathrm{E}(X)$ 구하기

X의 기댓값은 $\mathrm{E}(X)=1\times\dfrac{3}{5}+2\times\dfrac{1}{3}+3\times\dfrac{1}{15}=\dfrac{22}{15}$

$\therefore\ p+q=15+22=37$

다른풀이 여사건의 확률 구하여 평균 구하기

꺼낸 2개의 공에 적혀 있는 숫자 중에서 최솟값이 $k(k=1, 2, 3)$가 되는 경우의 수는 k 이상의 숫자 중에서 2개의 숫자를 뽑는 경우의 수에서 k보다 큰 숫자 중에서 2개의 숫자를 뽑는 경우의 수를 뺀 것과 같다.

(i) 꺼낸 공에 적혀 있는 숫자의 최솟값이 1인 경우

$\mathrm{P}(X=1)=\dfrac{{}_6\mathrm{C}_2-{}_4\mathrm{C}_2}{{}_6\mathrm{C}_2}=\dfrac{9}{15}=\dfrac{3}{5}$

(ii) 꺼낸 공에 적혀 있는 숫자의 최솟값이 2인 경우

$\mathrm{P}(X=2)=\dfrac{{}_4\mathrm{C}_2-{}_2\mathrm{C}_2}{{}_6\mathrm{C}_2}=\dfrac{5}{15}=\dfrac{1}{3}$

(iii) 꺼낸 공에 적혀 있는 숫자의 최솟값이 3인 경우

$\mathrm{P}(X=3)=\dfrac{{}_2\mathrm{C}_2}{{}_6\mathrm{C}_2}=\dfrac{1}{15}$

확률변수 X의 확률분포를 표로 나타내면 다음과 같다.

X	1	2	3	합계
$\mathrm{P}(X=x)$	$\frac{3}{5}$	$\frac{1}{3}$	$\frac{1}{15}$	1

따라서 확률변수 X의 평균은 $\mathrm{E}(X)=1\times\dfrac{3}{5}+2\times\dfrac{1}{3}+3\times\dfrac{1}{15}=\dfrac{22}{15}$

$\therefore\ p+q=15+22=37$

1196

13

STEP Ⓐ 확률변수 X의 확률분포를 표로 나타내기

확률변수 X가 취할 수 있는 값은 0, 1, 2, 3, 4이고 각각의 확률은

$\mathrm{P}(X=0)=\dfrac{9}{36}$, $\mathrm{P}(X=1)=\dfrac{12}{36}$, $\mathrm{P}(X=2)=\dfrac{10}{36}$,

$\mathrm{P}(X=3)=\dfrac{4}{36}$, $\mathrm{P}(X=4)=\dfrac{1}{36}$

이므로 확률변수 X의 확률분포를 표로 나타내면 다음과 같다.

X	0	1	2	3	4	합계
$\mathrm{P}(X=x)$	$\frac{9}{36}$	$\frac{12}{36}$	$\frac{10}{36}$	$\frac{4}{36}$	$\frac{1}{36}$	1

STEP Ⓑ $\mathrm{E}(X)$ 구하기

$\mathrm{E}(X)=0\times\dfrac{1}{4}+1\times\dfrac{1}{3}+2\times\dfrac{5}{18}+3\times\dfrac{1}{9}+4\times\dfrac{1}{36}=\dfrac{4}{3}$

STEP Ⓒ $\mathrm{E}(aX+b)=a\mathrm{E}(X)+b$임을 이용하여 구하기

따라서 $\mathrm{E}(3X+9)=3\mathrm{E}(X)+9=3\times\dfrac{4}{3}+9=13$

1197

정답 10

STEP Ⓐ **모든 경우의 수 구하기**

남학생 3명과 여학생 2명을 한 줄로 세우는 모든 경우의 수는 $5!=120$

STEP Ⓑ **확률변수 X의 확률분포를 표로 나타내기**

확률변수 X가 갖는 값은 1, 2, 3이고 그 각각의 확률은 다음과 같다.

(ⅰ) 앞에서부터 처음으로 서있는 남학생의 번호가 1인 경우
번호 1에서 있을 남학생을 선택하는 경우의 수는 3,
나머지 2, 3, 4, 5번에 남은 4명을 세우는 경우의 수는 4!이므로
경우의 수는 $3\times4!=72$
$\mathrm{P}(X=1)=\dfrac{72}{120}=\dfrac{3}{5}$

(ⅱ) 앞에서부터 처음으로 서 있는 남학생의 번호가 2인 경우
여학생 2명 중에 한 명을 1번에 세워야 하므로 경우의 수는 2,
번호 2에서 있을 남학생을 선택하는 경우의 수는 3,
나머지 3, 4, 5번에 남은 3명을 세우는 경우의 수는 3!이므로
경우의 수는 $2\times3\times3!=36$
$\mathrm{P}(X=2)=\dfrac{36}{120}=\dfrac{3}{10}$

(ⅲ) 앞에서부터 처음으로 서 있는 남학생의 번호가 3인 경우
여학생 2명을 1번과 2번에 세워야 하므로 경우의 수는 2!,
번호 3에서 있을 남학생을 선택하는 경우의 수는 3,
나머지 4번과 5번에 남학생 2명을 세우는 경우의 수는 2!이므로
경우의 수는 $2!\times3\times2!=12$
$\mathrm{P}(X=3)=\dfrac{12}{120}=\dfrac{1}{10}$

(ⅰ)~(ⅲ)에 의하여 확률변수 X의 확률분포를 표로 나타내면 다음과 같다.

X	1	2	3	합계
$\mathrm{P}(X=x)$	$\frac{3}{5}$	$\frac{3}{10}$	$\frac{1}{10}$	1

STEP Ⓒ **$\mathrm{E}(aX+b)=a\mathrm{E}(X)+b$임을 이용하여 구하기**

$\mathrm{E}(X)=1\times\dfrac{3}{5}+2\times\dfrac{3}{10}+3\times\dfrac{1}{10}=\dfrac{3}{2}$

따라서 $\mathrm{E}(6X+1)=6\mathrm{E}(X)+1=6\times\dfrac{3}{2}+1=10$

1198

정답 1

STEP Ⓐ **모든 경우의 수 구하기**

갑이 4명에게 모자를 한 개씩 나누어 주는 방법의 수는 $4!=24$

STEP Ⓑ **확률변수 X의 확률분포를 표로 나타내기**

3명이 자신의 모자를 돌려받으면 나머지 한 명도 자신의 모자를 돌려받게 되므로 확률변수 X가 갖는 값은 0, 1, 2, 4이고 그 각각의 확률은 다음과 같다.

(ⅰ) $X=0$인 경우

	A	B	C	D
①	b	a	d	c
②	b	c	d	a
③	b	d	a	c
④	c	a	d	b
⑤	c	d	a	b
⑥	c	d	b	a
⑦	d	a	b	c
⑧	d	c	a	b
⑨	d	c	b	a

위의 표와 같이 9가지의 경우가 있으므로 $\mathrm{P}(X=0)=\dfrac{9}{24}=\dfrac{3}{8}$

(ⅱ) $X=1$인 경우
자신의 모자를 돌려받는 1명을 정하는 경우의 수 ${}_4\mathrm{C}_1=4$
각각의 경우 나머지 3명이 자신의 모자를 돌려받지 못하는 경우가 2가지
(예를 들어 B, C, D의 3명이 자신의 모자를 돌려받지 못하는 경우는
$(c,\ d,\ b)$ 또는 (d, b, c)의 2가지
$\mathrm{P}(X=1)=\dfrac{4\times2}{24}=\dfrac{1}{3}$

(ⅲ) $X=2$인 경우
자신의 모자를 돌려받는 2명을 정하는 경우의 수 ${}_4\mathrm{C}_2=6$
각각의 경우 나머지 2명이 자신의 모자를 돌려받지 못하는 경우가 1가지
예를 들어 C, D의 2명이 자신의 모자를 돌려받지 못하는 경우는
$(d,\ c)$의 1가지
$\mathrm{P}(X=2)=\dfrac{6\times1}{24}=\dfrac{1}{4}$

(ⅳ) $X=4$인 경우
4명 모두가 자신의 모자를 돌려받는 경우는 1가지이므로
$\mathrm{P}(X=4)=\dfrac{1}{24}$

(ⅰ)~(ⅳ)에 의하여 확률변수 X의 확률분포를 표로 나타내면 다음과 같다.

X	0	1	2	4	합계
$\mathrm{P}(X=x)$	$\frac{3}{8}$	$\frac{1}{3}$	$\frac{1}{4}$	$\frac{1}{24}$	1

STEP Ⓒ **$\mathrm{V}(X)$ 구하기**

$\mathrm{E}(X)=0\times\dfrac{3}{8}+1\times\dfrac{1}{3}+2\times\dfrac{1}{4}+4\times\dfrac{1}{24}=1$

$\mathrm{E}(X^2)=0^2\times\dfrac{3}{8}+1^2\times\dfrac{1}{3}+2^2\times\dfrac{1}{4}+4^2\times\dfrac{1}{24}=2$

따라서 $\mathrm{V}(X)=\mathrm{E}(X^2)-\{\mathrm{E}(X)\}^2=2-1^2=1$

1199

정답 ③

STEP Ⓐ **모든 경우의 수 구하기**

비밀번호를 누를 경우의 수는 5, 6, 7, 8, 9 중에서
서로 다른 2개의 수를 순서대로 누르는 경우이므로 ${}_5\mathrm{P}_2=20$

STEP Ⓑ **확률변수 X의 확률분포를 표로 나타내기**

즉 비밀번호를 맞출 확률은 $\dfrac{1}{20}$

처음 입력할 때부터 접속될 때까지 소요되는 시간을 X초라 하면

첫 번째 맞힐 확률은 $\mathrm{P}(X=10)=\dfrac{1}{20}$

두 번째 맞힐 확률은 $\mathrm{P}(X=20)=\dfrac{19}{20}\cdot\dfrac{1}{19}=\dfrac{1}{20}$

세 번째 맞힐 확률은 $\mathrm{P}(X=30)=\dfrac{19}{20}\cdot\dfrac{18}{19}\cdot\dfrac{1}{18}=\dfrac{1}{20}$

⋮

즉 임의의 회차에 비밀번호를 맞힐 확률이 모두 $\dfrac{1}{20}$

확률변수 X의 확률분포를 표로 나타내면 다음과 같다.

X	10	20	30	⋯	190	200	합계
$\mathrm{P}(X=x)$	$\frac{1}{20}$	$\frac{1}{20}$	$\frac{1}{20}$	⋯	$\frac{1}{20}$	$\frac{1}{20}$	1

STEP Ⓒ **소요되는 시간의 기댓값 구하기**

소요되는 시간의 기댓값은

$\mathrm{E}(X)=10\times\dfrac{1}{20}+20\times\dfrac{1}{20}+30\times\dfrac{1}{20}+\cdots+200\times\dfrac{1}{20}$

$=\dfrac{1}{20}(10+20+30+\cdots+200)=\dfrac{1}{2}(1+2+3+\cdots+20)$

$=\dfrac{1}{2}\times\dfrac{20\times21}{2}=105$(초)

따라서 처음 입력할 때부터 접속될 때까지 소요되는 시간의 기댓값은
1분 45초

1200

정답 $\frac{14}{3}$

STEP A 확률변수 Y의 확률분포를 이용하여 X의 확률분포를 표로 나타내기

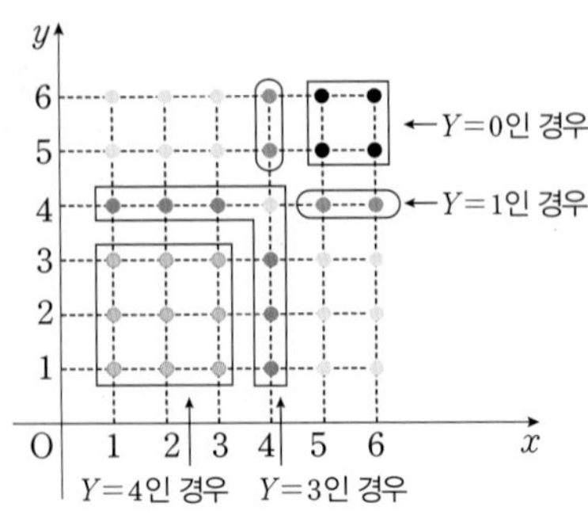

$(x-a)^2+(y-b)^2=4^2$과 x축 또는 y축과의 교점의 개수를 확률변수 Y라 하면 이 놀이를 한 번 하여 얻을 수 있는 점수는 확률변수 X이므로

$Y=0$: (5, 5), (5, 6), (6, 5), (6, 6)이므로

$$\mathrm{P}(Y=0)=\mathrm{P}(X=0)=\frac{4}{36}$$

$Y=1$: (5, 4), (6, 4), (4, 5), (4, 6)이므로

$$\mathrm{P}(Y=1)=\mathrm{P}(X=2)=\frac{4}{36}$$

$Y=2$: (1, 5), (1, 6), (2, 5), (2, 6), (3, 5), (3, 6), (4, 4)
(5, 1), (6, 1), (5, 2), (6, 2), (5, 3), (6, 3)이므로

$$\mathrm{P}(Y=2)=\mathrm{P}(X=4)=\frac{13}{36}$$

$Y=3$: (1, 4), (2, 4), (3, 4), (4, 1), (4, 2), (4, 3)이므로

$$\mathrm{P}(Y=3)=\mathrm{P}(X=6)=\frac{6}{36}$$

$Y=4$: (1, 1), (1, 2), (1, 3), (2, 1), (2, 2), (2, 3), (3, 1), (3, 2), (3, 3)
이므로 $\mathrm{P}(Y=4)=\mathrm{P}(X=8)=\frac{9}{36}$

X의 확률분포를 표로 나타내면 다음과 같다.

X	0	2	4	6	8	합계
$\mathrm{P}(X=x)$	$\frac{4}{36}$	$\frac{4}{36}$	$\frac{13}{36}$	$\frac{6}{36}$	$\frac{9}{36}$	1

STEP B $\mathrm{E}(X)$ 구하기

따라서 X의 평균 $\mathrm{E}(X)=0\times\frac{4}{36}+2\times\frac{4}{36}+4\times\frac{13}{36}+6\times\frac{6}{36}+8\times\frac{9}{36}$

$$=\frac{8+52+36+72}{36}=\frac{14}{3}$$

1201

정답 47

STEP A 확률변수 X가 따르는 이항분포 $\mathrm{B}(n,\ p)$ 구하기

(ⅰ) $m=1$일 때,
$n^2\le 24$를 만족시키는 자연수 n은 1, 2, 3, 4의 4개

(ⅱ) $m=2$일 때,
$n^2\le 21$을 만족시키는 자연수 n은 1, 2, 3, 4의 4개

(ⅲ) $m=3$일 때,
$n^2\le 16$을 만족시키는 자연수 n은 1, 2, 3, 4의 4개

(ⅳ) $m=4$일 때,
$n^2\le 9$를 만족시키는 자연수 n은 1, 2, 3의 3개

(ⅴ) $m=5$ 또는 $m=6$일 때,
$m^2+n^2\le 25$를 만족시키는 자연수 n은 존재하지 않는다.

(ⅰ)~(ⅴ)에서 $m^2+n^2\le 25$가 성립하는 경우의 수는 15가지

확률변수 X는 한 번의 시행에서 사건 E가 일어나는 확률은 $\frac{15}{36}=\frac{5}{12}$

12회의 독립시행에서 사건 E가 일어나는 횟수와 같으므로

확률변수 X는 이항분포 $\mathrm{B}\left(12,\ \frac{5}{12}\right)$를 따른다.

STEP B $\mathrm{V}(X)$값 구하기

$\mathrm{V}(X)=12\times\frac{5}{12}\times\frac{7}{12}=\frac{35}{12}$

따라서 $p=12$, $q=35$이므로 $p+q=47$

참고 $m^2+n^2\le 25$를 만족시키는 두 주사위의 눈의 수를 표로 나타내면 다음과 같다.

	m	1	2	3	4	5	6
n		1	4	9	16	25	36
1	1	○	○	○	○	×	×
2	4	○	○	○	○	×	×
3	9	○	○	○	○	×	×
4	16	○	○	○	×	×	×
5	25	×	×	×	×	×	×
6	36	×	×	×	×	×	×

$\therefore \mathrm{P}(E)=\frac{15}{36}=\frac{5}{12}$

1202

정답 450

STEP A 확률변수 Y가 따르는 이항분포 $\mathrm{B}(n,\ p)$ 구하기

주사위를 90회 던져서 3의 배수의 눈이 나오는 횟수를 확률변수 Y라 하면

$\mathrm{P}(Y=r)={}_{90}\mathrm{C}_r\left(\frac{1}{3}\right)^r\left(\frac{2}{3}\right)^{90-r}$ (단, $r=0,\ 1,\ 2,\ \cdots,\ 90$)

이므로 확률변수 Y는 이항분포 $\mathrm{B}\left(90,\ \frac{1}{3}\right)$을 따른다.

$\mathrm{E}(Y)=90\times\frac{1}{3}=30$, $\mathrm{V}(Y)=90\times\frac{1}{3}\times\frac{2}{3}=20$

STEP B 확률변수 X를 확률변수 Y로 나타내기

주사위 90회 던질 때, 갑의 점수가 확률변수 X이므로
3의 배수의 눈이 Y회 나오면 갑의 점수는
$X=100+3Y-(90-Y)=4Y+10$

STEP C $\mathrm{E}(X)+\mathrm{V}(X)$의 값 구하기

$\mathrm{E}(X)=\mathrm{E}(4Y+10)=4\mathrm{E}(Y)+10=4\times 30+10=130$

$\mathrm{V}(X)=\mathrm{V}(4Y+10)=4^2\mathrm{V}(Y)=16\times 20=320$

따라서 $\mathrm{E}(X)+\mathrm{V}(X)=130+320=450$

1203

정답 10

STEP Ⓐ **확률변수 X가 따르는 이항분포 $\mathrm{B}(n,\ p)$ 구하기**

주사위의 두 눈의 합이 3의 배수인 경우는 3, 6, 9, 12이고 각 경우는

합이 3인 경우 (1, 2), (2, 1)

합이 6인 경우 (1, 5), (2, 4), (3, 3), (4, 2), (5, 1)

합이 9인 경우 (3, 6), (4, 5), (5, 4), (6, 3)

합이 12인 경우 (6, 6)

이므로 전체 경우의 수는 아래 표와 같다.

두 주사위의 눈의 합	3	6	9	12	계
경우의 수	2	5	4	1	12

두 사람 A, B가 각각 주사위 한 개를 동시에 던질 때,

나온 두 주사위의 눈의 수의 합이 3의 배수일 확률은 $\frac{12}{36}=\frac{1}{3}$

눈의 수의 합이 3의 배수가 아닐 확률은 $\frac{2}{3}$

두 주사위의 눈의 수의 합이 3의 배수인 경우의 수를 확률변수 X라 하면

확률변수 X는 이항분포 $\mathrm{B}\left(30,\ \frac{1}{3}\right)$을 따른다.

$\therefore\ \mathrm{E}(X)=30\times\frac{1}{3}=10$

STEP Ⓑ **확률변수 Y가 따르는 이항분포 $\mathrm{B}(n,\ p)$ 구하기**

한편 30회 시행에서 B가 얻는 점수의 합을 확률변수 Y라 하면

Y는 이항분포 $\mathrm{B}\left(30,\ \frac{2}{3}\right)$를 따르므로 $\mathrm{E}(Y)=30\times\frac{2}{3}=20$

STEP Ⓒ **두 기댓값의 차 구하기**

따라서 두 기댓값의 차는 $|\mathrm{E}(X)-\mathrm{E}(Y)|=20-10=10$

내/신/연/계/ 출제문항 510

두 사람 A와 B가 각각 주사위를 한 개씩 동시에 던지는 시행을 한다.
이 시행에서 나온 두 주사위의 눈의 수의 차가 3보다 작으면 A가 1점을 얻고, 그렇지 않으면 B가 1점을 얻는다. 이와 같은 시행을 15회 반복할 때, A가 얻는 점수의 합의 기댓값과 B가 얻는 점수의 합의 기댓값의 차는?

① 1 ② 3 ③ 5
④ 7 ⑤ 9

STEP Ⓐ **확률변수 X가 따르는 이항분포 $\mathrm{B}(n,\ p)$ 구하기**

두 주사위의 눈의 차	0	1	2	3	4	5
경우의 수	6	10	8	6	4	2

두 주사위의 눈의 수의 차가 3보다 작은 경우가 24가지이므로

1번의 시행에서 A가 점수를 얻을 확률은 $\frac{24}{36}=\frac{2}{3}$이고

B가 점수를 얻을 확률은 $\frac{1}{3}$

15회 시행에서 A가 얻는 점수의 합을 확률변수 X라 하면

X는 이항분포 $\mathrm{B}\left(15,\ \frac{2}{3}\right)$를 따른다.

$\mathrm{E}(X)=15\times\frac{2}{3}=10$

STEP Ⓑ **확률변수 Y가 따르는 이항분포 $\mathrm{B}(n,\ p)$ 구하기**

한편 15회 시행에서 B가 얻는 점수의 합을 확률변수 Y라 하면

Y는 이항분포 $\mathrm{B}\left(15,\ \frac{1}{3}\right)$을 따르므로 $\mathrm{E}(Y)=15\times\frac{1}{3}=5$

STEP Ⓒ **두 기댓값의 차 구하기**

따라서 두 기댓값의 차는 $|\mathrm{E}(X)-\mathrm{E}(Y)|=10-5=5$  ③

1204

정답 17

STEP Ⓐ **이항분포의 성질 이용하기**

확률질량함수가 $\mathrm{P}(X=r)={}_9\mathrm{C}_r\left(\frac{1}{3}\right)^r\left(\frac{2}{3}\right)^{9-r}$인 확률변수 X는

이항분포 $\mathrm{B}\left(9,\ \frac{1}{3}\right)$을 따른다.

a는 확률질량함수의 합이 1이므로 $a=\sum_{r=0}^{9}{}_9\mathrm{C}_r\left(\frac{1}{3}\right)^r\left(\frac{2}{3}\right)^{9-r}=1$

STEP Ⓑ **$\mathrm{E}(X)=np$임을 이용하여 구하기**

b는 변량 r에 확률 $\mathrm{P}(X=r)={}_9\mathrm{C}_r\left(\frac{1}{3}\right)^r\left(\frac{2}{3}\right)^{9-r}$을 곱하여 더한 것이므로

확률변수 X의 평균을 뜻한다.

$b=\sum_{r=0}^{9}r\cdot{}_9\mathrm{C}_r\left(\frac{1}{3}\right)^r\left(\frac{2}{3}\right)^{9-r}=\mathrm{E}(X)=9\times\frac{1}{3}=3$

STEP Ⓒ **$\mathrm{V}(X)=np(1-p)$임을 이용하여 구하기**

c는 변량에서 평균 3을 뺀 편차의 제곱 $(r-3)^2$에

확률 $\mathrm{P}(X=r)={}_9\mathrm{C}_r\left(\frac{1}{3}\right)^r\left(\frac{2}{3}\right)^{9-r}$을 곱하여 더한 것이므로

확률변수 X의 분산을 뜻한다.

$c=\sum_{r=0}^{9}(r-3)^2\cdot{}_9\mathrm{C}_r\left(\frac{1}{3}\right)^r\left(\frac{2}{3}\right)^{9-r}=\mathrm{V}(X)=9\times\frac{1}{3}\times\frac{2}{3}=2$

STEP Ⓓ **$\mathrm{E}(X^2)=\mathrm{V}(X)+\{\mathrm{E}(X)\}^2$임을 이용하여 구하기**

d는 변량의 제곱 r^2에 확률 $\mathrm{P}(X=r)={}_9\mathrm{C}_r\left(\frac{1}{3}\right)^r\left(\frac{2}{3}\right)^{9-r}$을 곱하여 더한 것

이므로 확률변수 X^2의 평균을 뜻한다.

$d=\sum_{r=0}^{9}r^2\cdot{}_9\mathrm{C}_r\left(\frac{1}{3}\right)^r\left(\frac{2}{3}\right)^{9-r}=\mathrm{E}(X^2)=\mathrm{V}(X)+\{\mathrm{E}(X)\}^2=2+3^2=11$

따라서 $a+b+c+d=1+3+2+11=17$

1205

정답 ①

STEP Ⓐ **$\mathrm{E}(X)=80$, $\mathrm{V}(X)=64$임을 이용하여 n, p값 구하기**

확률변수 X는 이항분포 $\mathrm{B}(n,\ p)$를 따르므로

$\mathrm{E}(X)=np=80$ …… ㉠

$\mathrm{V}(X)=np(1-p)=64$ …… ㉡

㉡을 ㉠에 대입하면 $1-p=\frac{64}{80}=\frac{4}{5}$

$\therefore\ p=\frac{1}{5}$

$p=\frac{1}{5}$을 ㉠에 대입하면 $\frac{1}{5}n=80$

$\therefore\ n=400$

STEP Ⓑ **$\sum_{r=0}^{n}{}_n\mathrm{C}_r a^r b^{n-r}=(a+b)^n$임을 이용하여 구하기**

따라서 $\sum_{r=0}^{n}5^r\mathrm{P}(X=r)=\sum_{r=0}^{400}\left\{5^r\times{}_{400}\mathrm{C}_r\left(\frac{1}{5}\right)^r\left(\frac{4}{5}\right)^{400-r}\right\}$

$=\sum_{r=0}^{400}\left\{{}_{400}\mathrm{C}_r\left(\frac{5}{5}\right)^r\left(\frac{4}{5}\right)^{400-r}\right\}$

$=\sum_{r=0}^{400}\left\{{}_{400}\mathrm{C}_r\left(\frac{4}{5}\right)^{400-r}\right\}$

$=\left(1+\frac{4}{5}\right)^{400}=\left(\frac{9}{5}\right)^{400}$

Ⅲ 통계

1206

정답 ③

STEP A 확률밀도함수의 성질을 이용하여 k의 값 구하기

함수 $f(x)=kx$의 그래프와 x축 및 직선 $x=3$으로 둘러싸인 삼각형의 넓이가 1이므로

$\frac{1}{2}\times3\times3k=1$, 즉 $k=\frac{2}{9}$

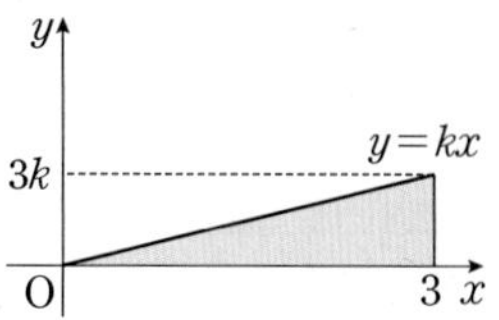

STEP B $P(2\le X\le3)$ 구하기

따라서 $P(2\le X\le3)$은 오른쪽 그림에서 색칠한 사다리꼴의 넓이와 같으므로

$P(2\le X\le3)=\frac{1}{2}\times\left(\frac{4}{9}+\frac{2}{3}\right)\times1=\frac{5}{9}$

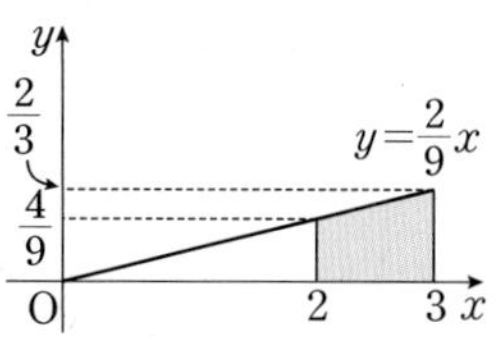

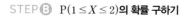

내신연계 출제문항 511

연속확률변수 X의 확률밀도함수가

$$f(x)=\frac{1}{4}x+k\,(0\le x\le2)$$

일 때, $P(1\le X\le2)$의 값은? (단, k는 상수이다.)

① $\frac{1}{4}$ ② $\frac{3}{8}$ ③ $\frac{1}{2}$
④ $\frac{5}{8}$ ⑤ $\frac{3}{4}$

STEP A 확률밀도함수의 성질을 이용하여 k의 값 구하기

확률밀도함수의 성질에 의하여 $P(0\le X\le2)=1$이므로 오른쪽 그림의 색칠된 사다리꼴 부분의 넓이가 1이다.

$\frac{1}{2}\left(k+\frac{1}{2}+k\right)\times2=1$, $2k+\frac{1}{2}=1$

$\therefore k=\frac{1}{4}$

STEP B $P(1\le X\le2)$의 확률 구하기

따라서 $P(1\le X\le2)$은 오른쪽 그림에서 색칠한 사다리꼴의 넓이와 같으므로

$P(1\le X\le2)=\frac{1}{2}\times\left(\frac{1}{2}+\frac{3}{4}\right)\times1$

$=\frac{5}{8}$

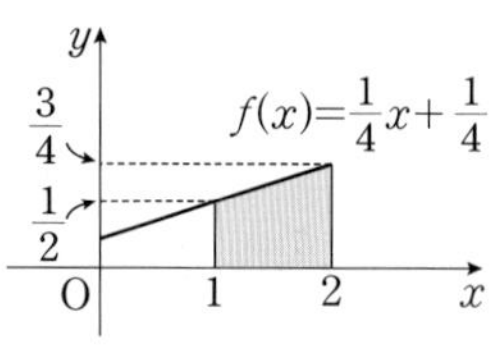

정답 ④

1207

정답 ⑤

STEP A 확률밀도함수의 성질을 이용하여 k의 값 구하기

함수 $f(x)$의 그래프가 x축 및 y축으로 둘러싸인 부분의 넓이가 1이므로 $\frac{1}{2}\times2\times2k=1$, $k=\frac{1}{2}$

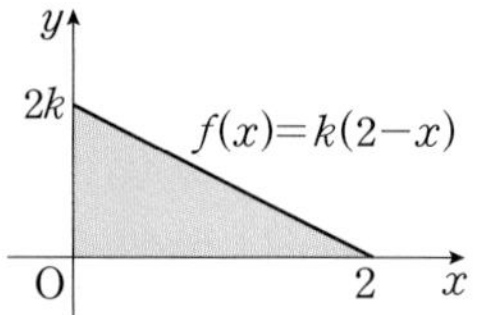

STEP B $P\left(\frac{1}{2}\le X\le1\right)$ 구하기

확률 $P\left(\frac{1}{2}\le X\le1\right)$은 오른쪽 그림에서 색칠한 부분의 넓이와 같으므로

$P\left(\frac{1}{2}\le X\le1\right)=\frac{1}{2}\times\left(\frac{3}{4}+\frac{1}{2}\right)\times\frac{1}{2}$

$=\frac{5}{16}$

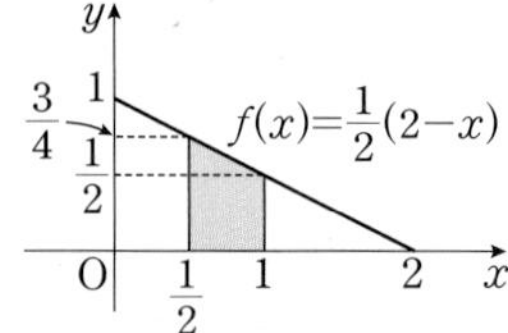

STEP C $k+P\left(\frac{1}{2}\le X\le1\right)$의 값 구하기

따라서 $k+P\left(\frac{1}{2}\le X\le1\right)=\frac{1}{2}+\frac{5}{16}=\frac{13}{16}$

주의 $f(x)$가 확률밀도함수가 되려면 $0\le x\le2$에서 $f(x)\ge0$이어야 하므로 $k>0$이다.

1208

정답 ④

STEP A 확률밀도함수의 성질을 이용하여 k의 값 구하기

확률밀도함수의 성질에 의하여 넓이가 1이므로 삼각형의 넓이가 1이다.

$\frac{1}{2}\times2\times k=1$

$\therefore k=1$

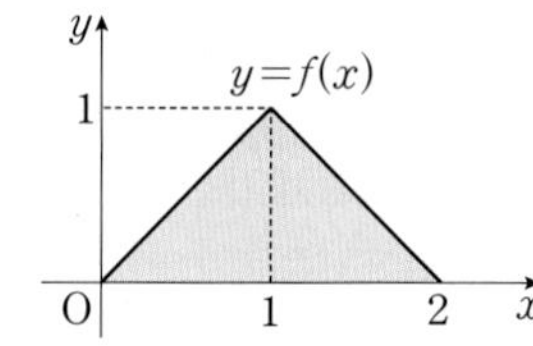

STEP B $P\left(\frac{1}{2}\le X\le2\right)$의 확률 구하기

$P\left(\frac{1}{2}\le X\le2\right)$는 오른쪽 그림에서 색칠한 부분의 넓이와 같으므로

$P\left(\frac{1}{2}\le X\le2\right)=1-\frac{1}{8}=\frac{7}{8}$

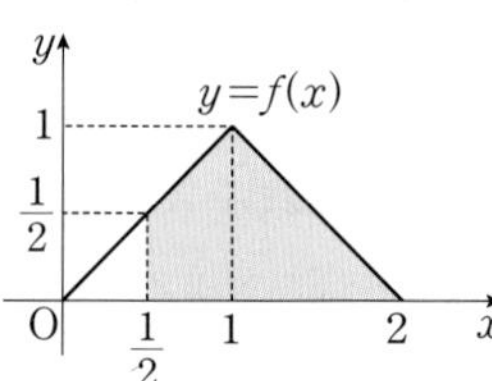

STEP C $k+P\left(\frac{1}{2}\le X\le2\right)$의 값 구하기

따라서 $k+P\left(\frac{1}{2}\le X\le2\right)=1+\frac{7}{8}=\frac{15}{8}$

내/신/연/계/ 출제문항 512

연속확률변수 X의 확률밀도함수가

$$f(x)=\begin{cases} ax & (0 \le x < 1) \\ -a(x-2) & (1 \le x \le 2) \end{cases}$$

이고 확률 $P(X \le b)=\frac{7}{8}$일 때, 상수 a, b의 합 $a+b$의 값은?

① $\frac{5}{6}$ ② $\frac{7}{8}$ ③ $\frac{3}{2}$
④ $\frac{7}{3}$ ⑤ $\frac{5}{2}$

STEP Ⓐ 확률밀도함수의 성질을 이용하여 a의 값 구하기

확률밀도함수의 성질에 의하여
$P(0 \le X \le 2)=1$이므로
오른쪽 그림의 색칠된 삼각형부분의 넓이가 1이다.
$\frac{1}{2} \times 2 \times a=1 \quad \therefore a=1$

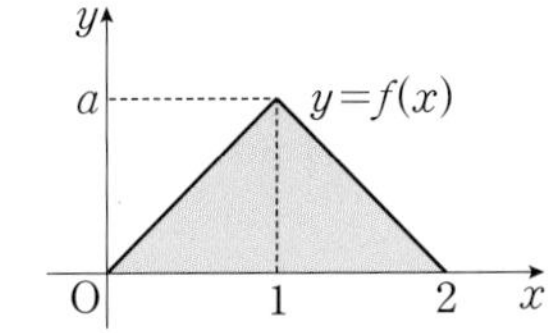

STEP Ⓑ b의 값 구하기

$P(X \le b)=\frac{7}{8} > \frac{1}{2}$이므로
b의 범위는 $1 < b < 2$
$P(X \le b)$은 오른쪽 그림에서 색칠한 부분의 넓이와 같으므로

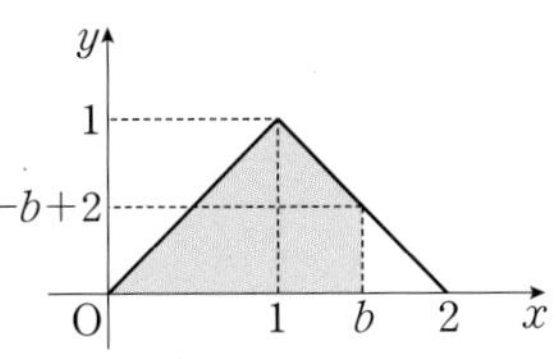

$$P(X \le b)=\frac{1}{2} \times 1 \times 1+\frac{1}{2} \times \{(-b+2)+1\} \times (b-1)$$
$$=\frac{1}{2}+\frac{1}{2} \times (-b+3) \times (b-1)$$
$$=-\frac{1}{2}b^2+2b-1=\frac{7}{8}$$

이므로 $b=\frac{3}{2}$ ($\because 1 < b < 2$)

STEP Ⓒ $a+b$의 값 구하기

(ⅰ), (ⅱ)에서 $a+b=1+\frac{3}{2}=\frac{5}{2}$

정답 ⑤

1209

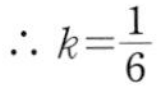
정답 ②

STEP Ⓐ 확률밀도함수의 성질을 이용하여 k의 값 구하기

$P(0 \le X \le 3)=1$이므로
오른쪽 그림의 색칠된 부분의 넓이가 1이다.
$3k+\frac{1}{2} \times 3 \times 2k=1$, $6k=1$
$\therefore k=\frac{1}{6}$

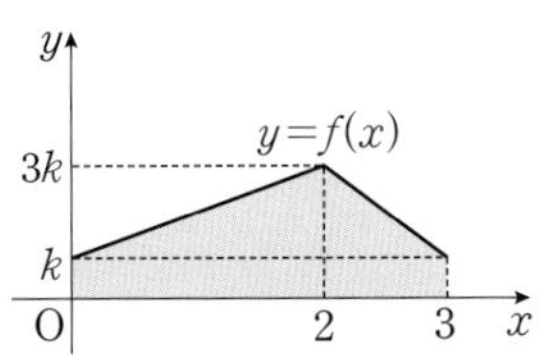

STEP Ⓑ 구간 $[0, 2]$에서 $f(x)$의 그래프와 x축 사이의 넓이 구하기

$P(0 \le X \le 2)$은 오른쪽 그림에서 색칠한 사다리꼴의 넓이와 같으므로
$P(0 \le X \le 2)=\frac{1}{2} \times \left(\frac{1}{6}+\frac{3}{6}\right) \times 2$
$=\frac{2}{3}$

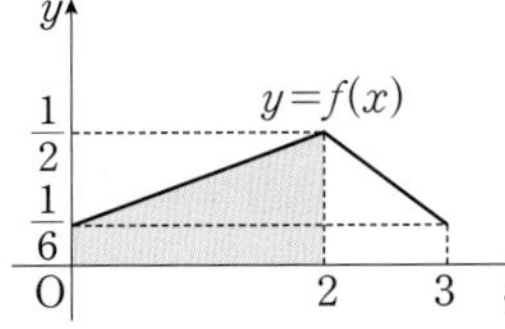

STEP Ⓒ $k+P(0 \le X \le 2)$의 값 구하기

따라서 $k+P(0 \le X \le 2)=\frac{1}{6}+\frac{2}{3}=\frac{5}{6}$

1210

정답 ④

STEP Ⓐ 확률밀도함수의 성질을 이용하여 a의 값 구하기

확률밀도함수의 성질에 의하여
$P(0 \le X \le 2)=1$이므로
오른쪽 그림의 색칠된 사다리꼴 부분의 넓이가 1이다.

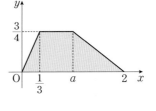

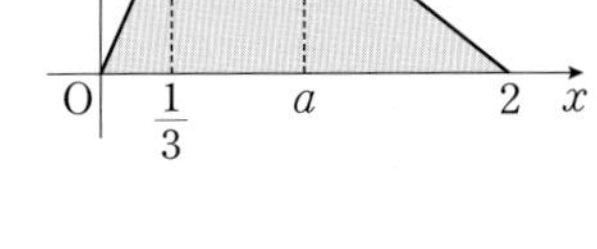

$$\frac{1}{2} \times \frac{1}{3} \times \frac{3}{4}+\left(a-\frac{1}{3}\right) \times \frac{3}{4}+\frac{1}{2} \times (2-a) \times \frac{3}{4}=1$$

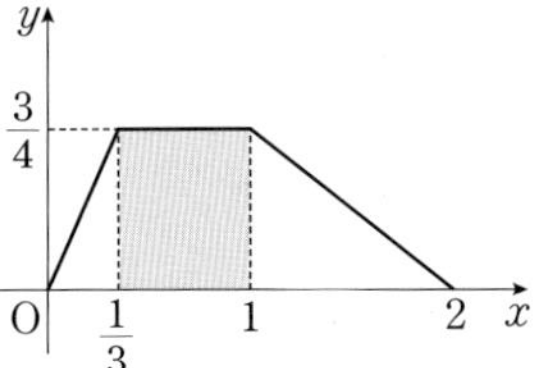

즉 $\frac{3}{8}a=\frac{3}{8}$에서 $a=1$

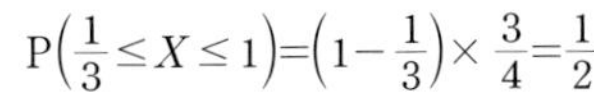

STEP Ⓑ 구간 $\left[\frac{1}{3}, a\right]$에서 $f(x)$의 그래프와 x축 사이의 넓이 구하기

따라서 $P\left(\frac{1}{3} \le X \le 1\right)$은 오른쪽 그림에서 색칠한 직사각형의 넓이와 같으므로
$P\left(\frac{1}{3} \le X \le 1\right)=\left(1-\frac{1}{3}\right) \times \frac{3}{4}=\frac{1}{2}$

내/신/연/계/ 출제문항 513

연속확률변수 X가 갖는 값의 범위가 $0 \le X \le 4$이고 확률변수 X의 확률 밀도함수 $y=f(x)$의 그래프가 오른쪽 그림과 같을 때, $P(1 \le X \le 3)$의 값은? (단, a는 상수)

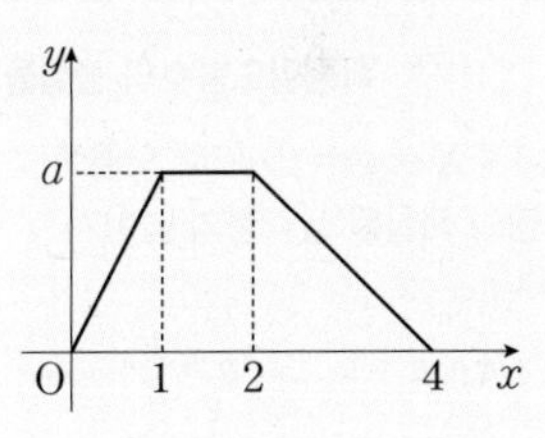

① $\frac{2}{5}$ ② $\frac{3}{5}$
③ $\frac{2}{3}$ ④ $\frac{7}{10}$
⑤ $\frac{4}{5}$

STEP Ⓐ 확률밀도함수의 성질을 이용하여 a의 값 구하기

$P(1 \le X \le 4)=1$이므로 오른쪽 그림의 색칠된 부분의 넓이가 1이다.
$\frac{1}{2} \times (4+1) \times a=1$
즉 $\frac{5}{2}a=1$에서 $a=\frac{2}{5}$

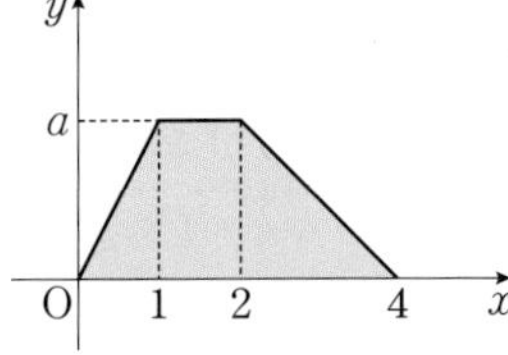

STEP Ⓑ 구간 $[1, 3]$에서 $f(x)$의 그래프와 x축 사이의 넓이 구하기

따라서 $P(1 \le X \le 3)$은 오른쪽 그림에서 색칠한 부분의 넓이와 같으므로
$P(1 \le X \le 3)$
$=1 \times \frac{2}{5}+\frac{1}{2} \times \left(\frac{2}{5}+\frac{1}{5}\right) \times 1$
$=\frac{2}{5}+\frac{3}{10}=\frac{7}{10}$

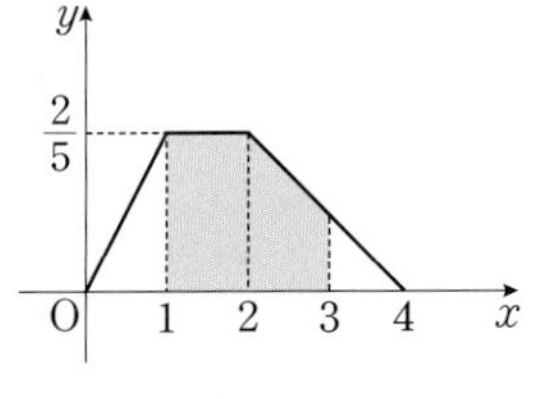

정답 ④

Ⅲ 통계

1211

정답 ①

STEP A 확률밀도함수의 성질을 이용하여 b의 값 구하기

$P(0 \le X \le 10)=1$이므로 오른쪽 그림의 색칠된 부분의 넓이가 1이다.

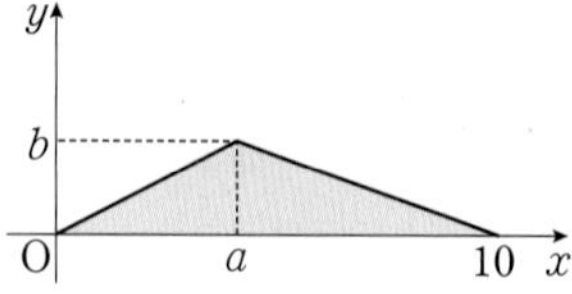

$\frac{1}{2}\times 10\times b=1$이므로 $b=\frac{1}{5}$ ...... ㉠

STEP B 구간 $[0, a]$에서 $f(x)$의 그래프와 x축 사이의 넓이 구하기

$P(0 \le X \le a)$은 오른쪽 그림에서 색칠한 삼각형의 넓이와 같으므로

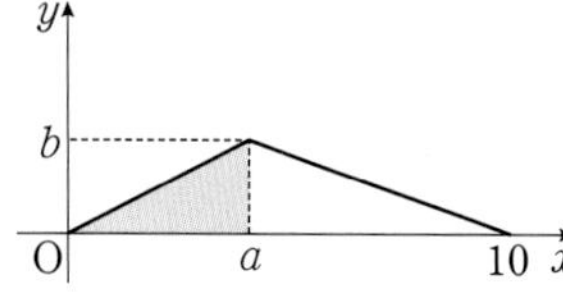

$P(0 \le X \le a)=\frac{1}{2}\times a\times b=\frac{2}{5}$ ...... ㉡

㉠을 ㉡에 대입하면 $a=4$

따라서 $a+b=4+\frac{1}{5}=\frac{21}{5}$

1212

정답 ③

STEP A 확률밀도함수의 성질을 이용하여 a의 값 구하기

$P(0 \le X \le 4)=1$이므로 오른쪽 그림의 색칠된 삼각형의 넓이가 1이다.

$\frac{1}{2}\times 4\times a=1 \quad \therefore a=\frac{1}{2}$

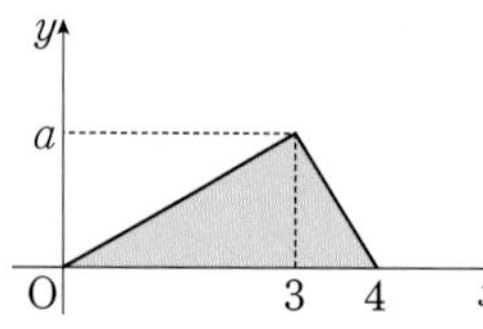

STEP B 구간 $[0, 2a]$에서 $f(x)$의 그래프와 x축 사이의 넓이 구하기

따라서 $f(x)=\begin{cases} \frac{1}{6}x & (0 \le x < 3) \\ -\frac{1}{2}(x-4) & (3 \le x \le 4) \end{cases}$

이므로 $P(0 \le X \le 2a)$은 오른쪽 그림에서 색칠한 삼각형의 넓이와 같으므로

$P(0 \le X \le 2a)=P(0 \le X \le 1)$

$=\frac{1}{2}\times 1\times \frac{1}{6}=\frac{1}{12}$

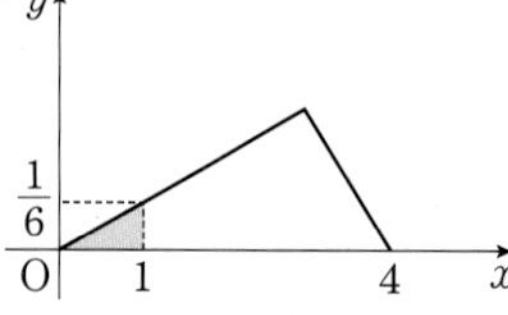

1213

정답 ④

STEP A 확률밀도함수의 성질을 이용하여 k의 값 구하기

$P(0 \le X \le 2)=1$이므로 오른쪽 그림의 색칠된 부분의 넓이가 1이다.

$1\times \frac{1}{4}+\frac{1}{2}\times\left(\frac{1}{4}+k\right)\times 1=1$

$\frac{1}{2}k=\frac{5}{8} \quad \therefore k=\frac{5}{4}$

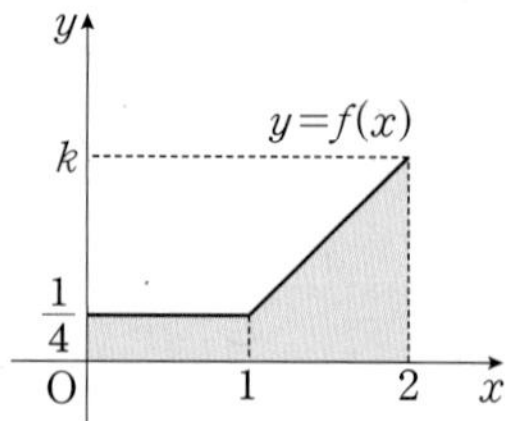

STEP B 구간 $\left[\frac{3}{2}, 2\right]$에서 $f(x)$의 그래프와 x축 사이의 넓이 구하기

$f(x)=\begin{cases} \frac{1}{4} & (0 \le x \le 1) \\ x-\frac{3}{4} & (1 \le x < 2) \end{cases}$

이므로

$P\left(X>\frac{3}{2}\right)$은 오른쪽 그림에서 색칠한 사다리꼴의 넓이와 같다.

$P\left(X>\frac{3}{2}\right)=\frac{1}{2}\times\left(\frac{3}{4}+\frac{5}{4}\right)\times\frac{1}{2}=\frac{1}{2}$

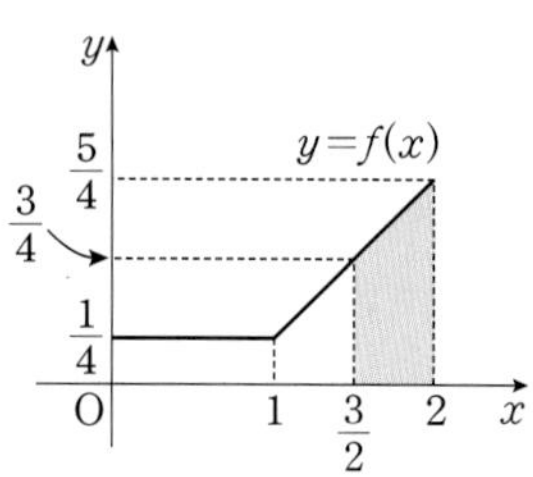

STEP C $k+P\left(X>\frac{3}{2}\right)$의 값 구하기

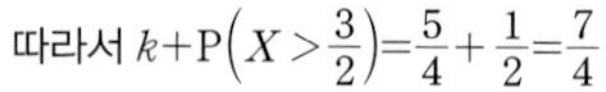

따라서 $k+P\left(X>\frac{3}{2}\right)=\frac{5}{4}+\frac{1}{2}=\frac{7}{4}$

내/신/연/계/ 출제문항 514

연속확률변수 X가 갖는 값의 범위가 $0 \le X \le 8$이고 확률변수 X의 확률 밀도함수 $y=f(x)$의 그래프가 오른쪽 그림과 같다. $k+P(3 \le X \le 6)$의 값은? (단, k는 상수이다.)

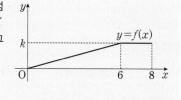

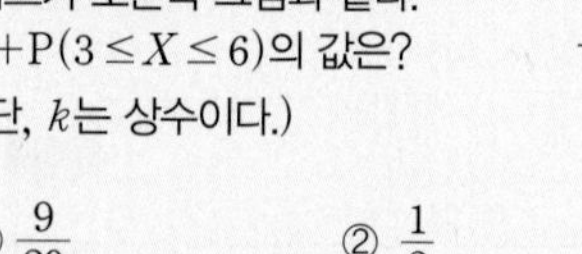

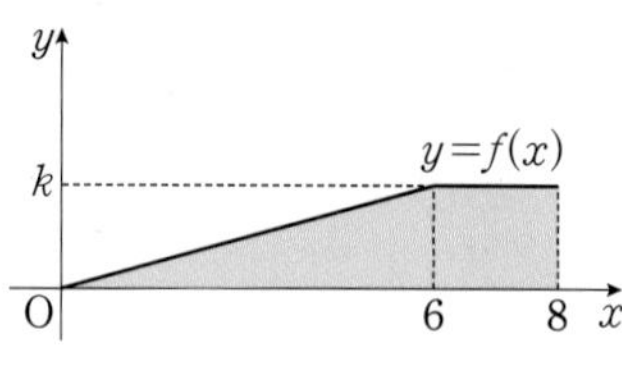

① $\frac{9}{20}$ ② $\frac{1}{2}$ ③ $\frac{11}{20}$
④ $\frac{3}{5}$ ⑤ $\frac{13}{20}$

STEP A 확률밀도함수의 성질을 이용하여 k의 값 구하기

$P(0 \le X \le 8)=1$이므로 오른쪽 그림의 색칠된 부분의 넓이가 1이다.

$\frac{1}{2}\times 6\times k+(8-6)\times k=1$에서

$k=\frac{1}{5}$

STEP B 구간 $[3, 6]$에서 $f(x)$의 그래프와 x축 사이의 넓이 구하기

$f(x)=\begin{cases} \frac{1}{30}x & (0 \le x < 6) \\ \frac{1}{5} & (6 \le x \le 8) \end{cases}$

이므로 $P(3 \le X \le 6)$의 값은 오른쪽 그림의 색칠한 부분의 넓이와 같다.

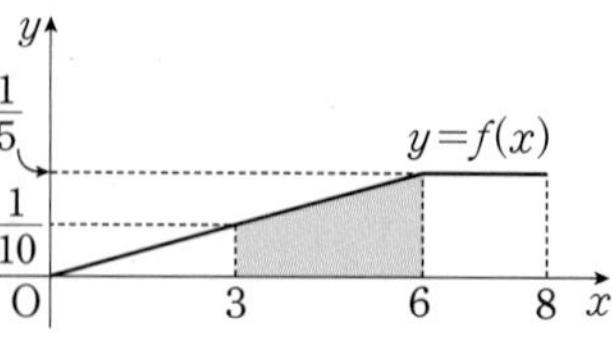

$P(3 \le X \le 6)=\frac{1}{2}\times\left(\frac{1}{10}+\frac{1}{5}\right)\times(6-3)=\frac{1}{2}\times\frac{3}{10}\times 3=\frac{9}{20}$

STEP C $k+P(3 \le X \le 6)$의 값 구하기

따라서 $k+P(3 \le X \le 6)=\frac{1}{5}+\frac{9}{20}=\frac{13}{20}$

정답 ⑤

1214

정답 ④

STEP Ⓐ **확률밀도함수의 성질을 이용하여 k의 값 구하기**

확률밀도함수 $y=f(x)$의 그래프의 개형은 다음 그림과 같다.
$f(x)$가 확률밀도함수이고 $\mathrm{P}(-2\le X\le 2)=1$이므로
다음 그림의 색칠된 부분의 넓이가 1이다.

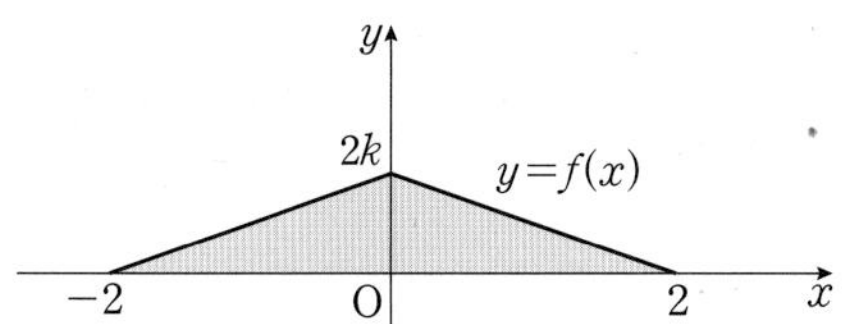

$\frac{1}{2}\times 4\times 2k=1 \quad \therefore k=\frac{1}{4}$

STEP Ⓑ **구간 $[-1, 1]$에서 $f(x)$의 그래프와 x축 사이의 넓이 구하기**

$f(x)=\frac{1}{2}-\frac{1}{4}|x|(-2\le x\le 2)$이므로
$\mathrm{P}(X^2\le 1)=\mathrm{P}(-1\le x\le 1)$는 다음 그림의 색칠한 부분의 넓이이다.

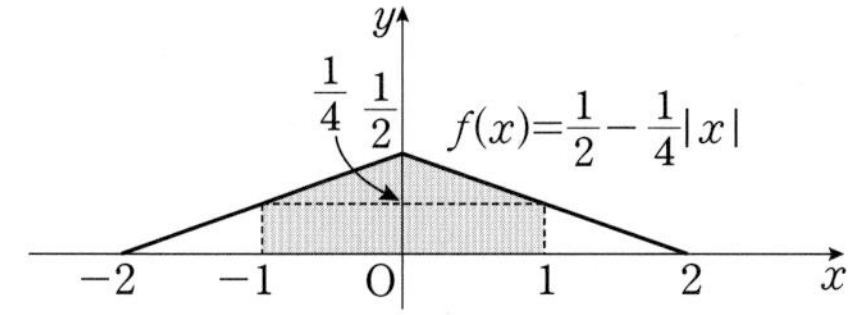

$\mathrm{P}(-1\le X\le 1)=2\times\frac{1}{2}\times\left(\frac{1}{2}+\frac{1}{4}\right)\times 1=\frac{3}{4}$

STEP Ⓒ **$k+\mathrm{P}(X^2\le 1)$의 값 구하기**

따라서 $k+\mathrm{P}(X^2\le 1)=\frac{1}{4}+\frac{3}{4}=1$

1215

정답 ③

STEP Ⓐ **$\mathrm{P}(0\le X\le 1)$의 값 구하기**

$\mathrm{P}(0\le X\le 1)=\frac{1}{2}\times 1\times\frac{2}{3}=\frac{1}{3}$이므로 $\mathrm{P}(a\le X\le 3)=\frac{1}{6}$

STEP Ⓑ **넓이를 이용하여 a의 값 구하기**

$1\le x\le 3$에서 $f(x)=-\frac{1}{3}x+1$이므로
$\mathrm{P}(a\le X\le 3)=\frac{1}{2}\times(3-a)\times\left(-\frac{1}{3}a+1\right)=\frac{1}{6}$
$(3-a)^2=1$에서 $a^2-6a+8=0$, $(a-2)(a-4)=0$
$\therefore a=2$ 또는 $a=4$
따라서 $1<a<3$이므로 $a=2$

내신연계 출제문항 515

$-1\le x\le 2$에서 정의된 연속확률변수 X의 확률밀도함수 $y=f(x)$의 그래프가 아래 그림과 같다.

$$\mathrm{P}(-1\le X\le 0)=2\mathrm{P}(b\le X\le 2)$$

일 때, $a+b$의 값은? (단, $0<b<2$)

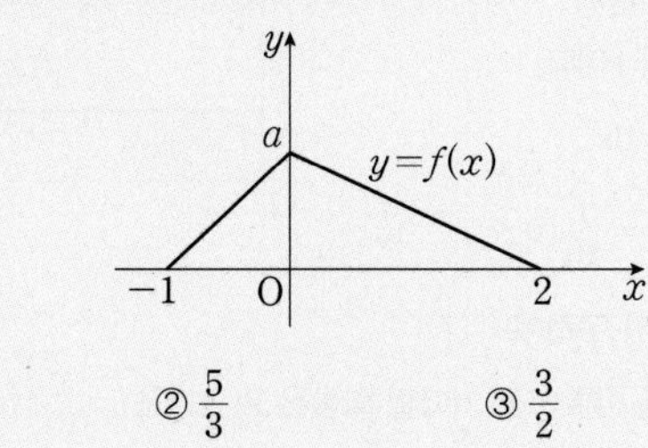

① $\frac{4}{3}$ ② $\frac{5}{3}$ ③ $\frac{3}{2}$
④ $\frac{5}{2}$ ⑤ $\frac{8}{3}$

STEP Ⓐ **확률밀도함수의 성질을 이용하여 a의 값 구하기**

함수 $y=f(x)$의 그래프와 x축으로 둘러싸인 부분의 넓이가 1이다.
$\frac{1}{2}\times 3\times a=1 \quad \therefore a=\frac{2}{3}$

STEP Ⓑ **$\mathrm{P}(-1\le X\le 0)=2\mathrm{P}(b\le X\le 2)$를 만족하는 b의 값 구하기**

$\mathrm{P}(-1\le X\le 0)=\frac{1}{2}\times 1\times\frac{2}{3}=\frac{1}{3}$
$2\mathrm{P}(b\le X\le 2)=\frac{1}{3}$이므로 $\mathrm{P}(b\le X\le 2)=\frac{1}{6}$
$0\le x\le 2$에서 $f(x)=-\frac{1}{3}x+\frac{2}{3}$이므로
$\mathrm{P}(b\le X\le 2)=\frac{1}{2}\times(2-b)\times\left(-\frac{1}{3}b+\frac{2}{3}\right)=\frac{1}{6}(2-b)^2=\frac{1}{6}$
$(2-b)^2=1$, $b^2-4b+3=0$, $(b-1)(b-3)=0$
$\therefore b=1(\because 0<b<2)$

STEP Ⓒ **$a+b$의 값 구하기**

따라서 $a+b=\frac{2}{3}+1=\frac{5}{3}$

정답 ②

1216

정답 ②

STEP Ⓐ **확률밀도함수의 성질을 이용하여 a의 값 구하기**

확률밀도함수의 성질에 의하여 넓이가 1이므로
$\frac{1}{2}\times(2a+3a)\times a+\frac{1}{2}(1-a)\times 3a=1$
$a^2+\frac{3}{2}a-1=0$
양변에 2를 곱하면 $2a^2+3a-2=0$
$(2a-1)(a+2)=0$
$\therefore a=\frac{1}{2}(\because a>0)$

STEP Ⓑ **확률밀도함수의 성질을 이용하여 참, 거짓 판단하기**

ㄱ. 확률밀도함수 $f(x)$의 그래프에서 $f(a)=3a=\frac{3}{2}$이지만
연속확률변수 X가 하나의 값을 가질 확률은 0이므로
$\mathrm{P}(X=a)=0$이다. [거짓]

ㄴ. $a=\frac{1}{2}$이므로 $\mathrm{P}\left(0\le X\le\frac{1}{2}\right)=\frac{1}{2}\times\left(1+\frac{3}{2}\right)\times\frac{1}{2}=\frac{5}{8}$이고
$\mathrm{P}(0\le X\le 1)=1$에서 $\mathrm{P}\left(\frac{1}{2}\le X\le 1\right)=\frac{3}{8}$
즉 $\mathrm{P}\left(0\le X\le\frac{1}{2}\right)\ne\mathrm{P}\left(\frac{1}{2}\le X\le 1\right)$ [거짓]

ㄷ. 확률밀도함수 $f(x)$의 그래프는
두 점 $\left(\frac{1}{2}, \frac{3}{2}\right)$, $(1, 0)$을 지나므로
$\frac{1}{2}\le x\le 1$에서 $f(x)=-3x+3$
$f\left(\frac{3}{4}\right)=\frac{3}{4}$이므로

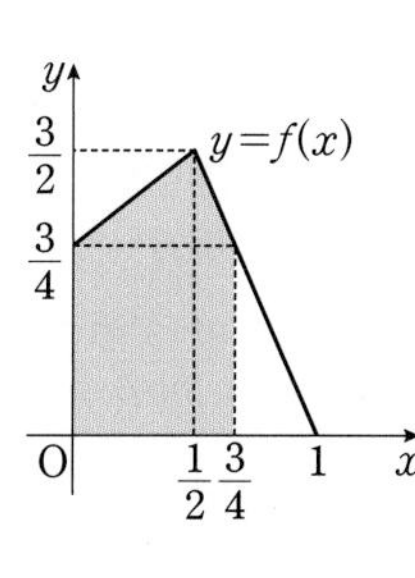

$\mathrm{P}\left(0\le X\le\frac{3}{2}a\right)=\mathrm{P}\left(0\le X\le\frac{3}{4}\right)$
$=1-\mathrm{P}\left(\frac{3}{4}\le X\le 1\right)$
$=1-\frac{1}{2}\times\frac{1}{4}\times\frac{3}{4}=\frac{29}{32}$ [참]

따라서 옳은 것은 ㄷ이다.

내신연계 출제문항 516

구간 $[0, 1]$의 모든 실수 값을 가지는 연속확률변수 X에 대한 확률밀도함수 $y=f(x)$의 그래프는 오른쪽 그림과 같다. [보기]에서 옳은 것만을 있는 대로 고른 것은?
(단, a는 상수이다.)

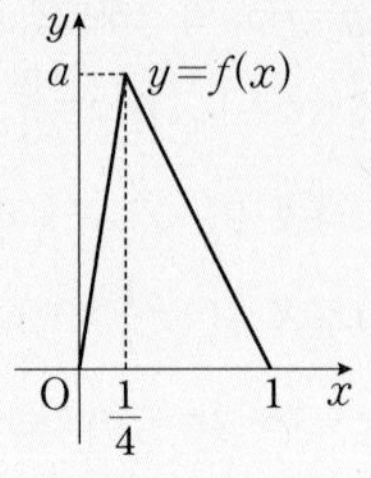

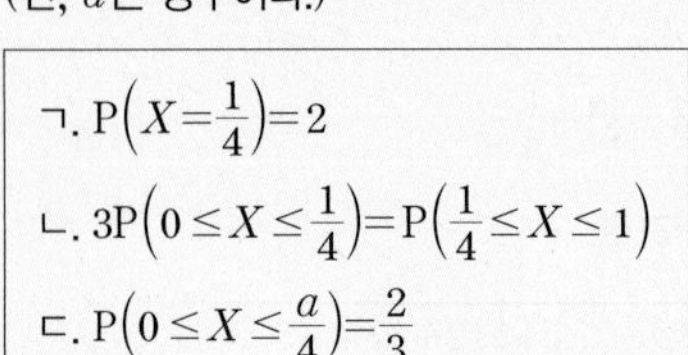

ㄱ. $P\left(X=\frac{1}{4}\right)=2$

ㄴ. $3P\left(0\le X\le\frac{1}{4}\right)=P\left(\frac{1}{4}\le X\le 1\right)$

ㄷ. $P\left(0\le X\le\frac{a}{4}\right)=\frac{2}{3}$

① ㄱ ② ㄴ ③ ㄱ, ㄴ
④ ㄴ, ㄷ ⑤ ㄱ, ㄴ, ㄷ

STEP Ⓐ $P(0\le X\le 1)=1$**임을 이용하여** a**의 값 구하기**

연속확률변수 X가 가지는 값의 범위가 $0\le X\le 1$이므로
확률밀도함수 $f(x)$의 그래프와 x축으로 둘러싸인 부분의 넓이는 1이다.

즉 $\frac{1}{2}\times 1\times a=\frac{1}{2}a=1$이므로 $a=2$

STEP Ⓑ **확률밀도함수의 성질을 이용하여 참, 거짓 판단하기**

ㄱ. 확률밀도함수 $f(x)$의 그래프에서 $f\left(\frac{1}{4}\right)=2$이지만
연속확률변수 X가 하나의 값을 가질 확률은 0이므로
$P\left(X=\frac{1}{4}\right)=0$이다. [거짓]

ㄴ. $a=2$이므로 $P\left(0\le X\le\frac{1}{4}\right)=\frac{1}{2}\times\frac{1}{4}\times 2=\frac{1}{4}$이고
$P(0\le X\le 1)=1$에서 $P\left(\frac{1}{4}\le X\le 1\right)=\frac{3}{4}$
즉 $3P\left(0\le X\le\frac{1}{4}\right)=P\left(\frac{1}{4}\le X\le 1\right)$ [참]

ㄷ. 확률밀도함수 $f(x)$의 그래프는 두 점 $\left(\frac{1}{4}, 2\right)$, $(1, 0)$을 지나므로
$\frac{1}{4}\le x\le 1$에서 $f(x)=-\frac{8}{3}x+\frac{8}{3}$
$f\left(\frac{1}{2}\right)=\frac{4}{3}$이므로

$$P\left(0\le X\le\frac{a}{4}\right)=P\left(0\le X\le\frac{1}{2}\right)=P\left(0\le X\le\frac{1}{4}\right)+P\left(\frac{1}{4}\le X\le\frac{1}{2}\right)$$
$$=\frac{1}{2}\times\frac{1}{4}\times 2+\frac{1}{2}\times\frac{1}{4}\times\left(2+\frac{4}{3}\right)=\frac{1}{4}+\frac{5}{12}=\frac{2}{3}$$ [참]

따라서 옳은 것은 ㄴ, ㄷ이다. 정답 ④

1217

정답 ⑤

STEP Ⓐ $P(0\le X\le 4)=2P(-a\le X\le 0)$**을 이용하여 각 구간별 확률 구하기**

$P(-a\le X\le 0)+P(0\le X\le 4)=1$이고
$P(0\le X\le 4)=2P(-a\le X\le 0)$이므로
$P(-a\le X\le 0)=\frac{1}{3}$, $P(0\le X\le 4)=\frac{2}{3}$

STEP Ⓑ **넓이를 이용하여** a, b**의 값 구하기**

다음 그림에서

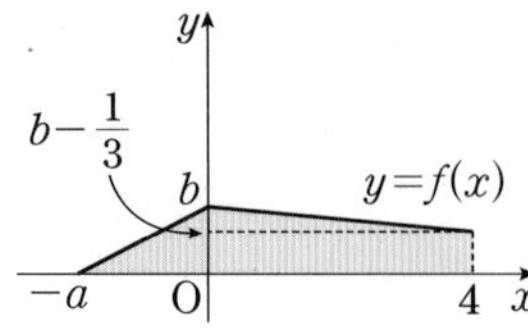

$P(-a\le X\le 0)=\frac{1}{2}\times a\times b=\frac{1}{3}$

$\therefore ab=\frac{2}{3}$ …… ㉠

$P(0\le X\le 4)=\frac{1}{2}\times 4\times\left(b+b-\frac{1}{3}\right)=\frac{2}{3}$ …… ㉡

㉡에서 $2b-\frac{1}{3}=\frac{1}{3}$에서 $b=\frac{1}{3}$

$b=\frac{1}{3}$을 ㉠에 대입하면 $a=2$

STEP Ⓒ $a+b$**의 값 구하기**

따라서 $a=2$, $b=\frac{1}{3}$이므로 $a+b=2+\frac{1}{3}=\frac{7}{3}$

1218

정답 ②

STEP Ⓐ $f(a+x)=f(b-x)$**이면** $x=\frac{a+b}{2}$**에 대하여 대칭임을 이용하기**

$f(4+x)=f(4-x)(0\le x\le 4)$이므로
$f(x)$는 직선 $x=4$를 기준으로 좌우대칭이다.

STEP Ⓑ $P(2\le X\le 4)$ **구하기**

$P(0\le X\le 4)=P(4\le X\le 8)=\frac{1}{2}$이므로

$P(2\le X\le 4)=\frac{1}{2}-P(0\le X\le 2)=\frac{1}{2}-\frac{1}{3}P(2\le X\le 4)$

$\therefore P(2\le X\le 4)=\frac{3}{8}$

또, $P(3\le X\le 4)=\frac{3}{16}$

STEP Ⓒ $P(5\le X\le 6)$ **구하기**

따라서 $P(5\le X\le 6)=P(2\le X\le 3)=P(2\le X\le 4)-P(3\le X\le 4)$
$=\frac{3}{8}-\frac{3}{16}=\frac{3}{16}$

1219

정답 ②

STEP Ⓐ **이차방정식의 근을 구하여** $P(X\le 1)$, $P(X\le 2)$ **구하기**

$6x^2-5x+1=0$에서 $(2x-1)(3x-1)=0$

$\therefore x=\frac{1}{2}$ 또는 $x=\frac{1}{3}$

$P(X\le 1)<P(X\le 2)$이므로 $P(X\le 1)=\frac{1}{3}$, $P(X\le 2)=\frac{1}{2}$

STEP Ⓑ $P(1<X\le 2)$**의 값 구하기**

따라서 $P(1<X\le 2)=P(X\le 2)-P(X\le 1)=\frac{1}{2}-\frac{1}{3}=\frac{1}{6}$

1220

정답 ③

STEP Ⓐ **확률밀도함수의 성질을 이용하여** k**의 값 구하기**

확률밀도함수의 성질에 의하여
$P(0\le X\le 10)=1$이므로
색칠된 부분의 넓이가 1이다.

$\frac{1}{k}\times 10=1$ $\therefore k=10$

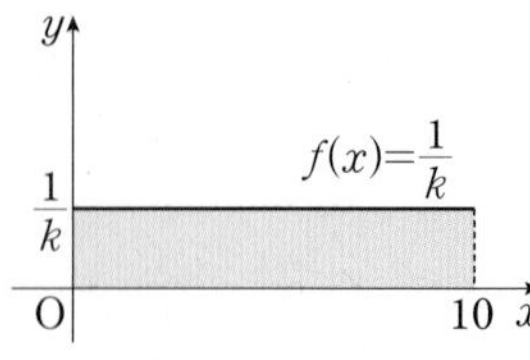

확률밀도함수는 $f(x)=\frac{1}{10}(0\le x\le 10)$

STEP Ⓑ $P(X\ge 6)$ **구하기**

따라서 성주가 버스를 6분 이상 기다릴 확률은 $P(X\ge 6)=\frac{1}{10}(10-6)=\frac{2}{5}$

내신연계 출제문항 517

어느 버스 정류장에 도착하여 배차시간이 6분인 버스를 기다리는 시간을 X분이라 할 때, 확률변수 X의 확률밀도함수가

$$f(x)=c(0\le x\le 6)$$

이다. 이 버스를 기다리는 시간이 4분 이내일 확률은? (단, k는 상수이다.)

① $\frac{1}{6}$　② $\frac{1}{3}$　③ $\frac{1}{2}$　④ $\frac{2}{3}$　⑤ $\frac{5}{6}$

STEP Ⓐ **확률밀도함수의 성질을 이용하여 c의 값 구하기**

$\mathrm{P}(0\le X\le 6)=1$이므로 오른쪽 그림과 같이 색칠된 부분의 넓이가 1이다.

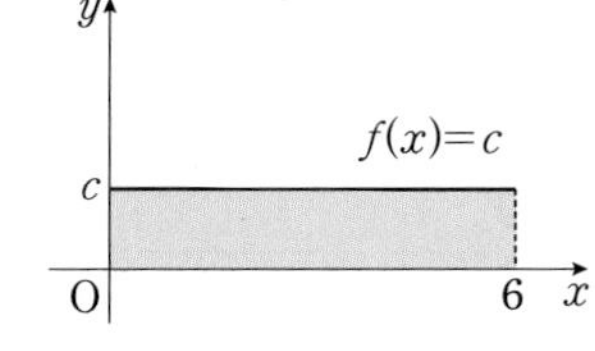

$6c=1$　$\therefore c=\frac{1}{6}$

STEP Ⓑ **$\mathrm{P}(X\le 4)$ 구하기**

따라서 버스를 기다리는 시간이 4분 이내일 확률은

$\mathrm{P}(X\le 4)=4\times\frac{1}{6}=\frac{2}{3}$

정답 ④

1221

정답 ①

STEP Ⓐ **$\mathrm{P}\left(a\le X\le a+\frac{1}{2}\right)$가 최대가 되는 a의 값 구하기**

확률밀도함수 $y=f(x)$의 그래프에서 $\mathrm{P}\left(a\le X\le a+\frac{1}{2}\right)$의 값이 최대가 되려면 위의 그림에서 두 점 $(a, 0)$, $\left(a+\frac{1}{2}, 0\right)$이 직선 $x=1$에 대하여 대칭이 되어야 한다.

즉 x좌표가 a, $a+\frac{1}{2}$인 두 점의 중점의 x좌표가 1이므로

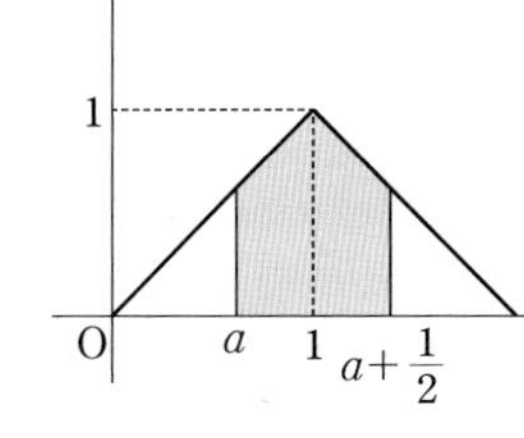

$\frac{a+a+\frac{1}{2}}{2}=1$, $2a+\frac{1}{2}=2$에서 $a=\frac{3}{4}$

STEP Ⓑ **최댓값 구하기**

따라서 $\mathrm{P}\left(a\le X\le a+\frac{1}{2}\right)$의 최댓값은

$$\mathrm{P}\left(\frac{3}{4}\le X\le\frac{5}{4}\right)=2\mathrm{P}\left(\frac{3}{4}\le X\le 1\right)$$
$$=2\left\{\frac{1}{2}-\mathrm{P}\left(0\le X\le\frac{3}{4}\right)\right\}$$
$$=2\times\left(\frac{1}{2}-\frac{1}{2}\times\frac{3}{4}\times\frac{3}{4}\right)=\frac{7}{16}$$

다른풀이 직접 넓이를 구하여 이차함수의 최대가 되는 값 구하기

STEP Ⓐ **확률밀도함수의 그래프와 x축 및 두 직선 $x=a$, $x=a+\frac{1}{2}$로 둘러싸인 부분의 넓이를 구하기**

확률 $\mathrm{P}\left(a\le X\le a+\frac{1}{2}\right)$의 값이 최대가 되려면 $a<1<a+\frac{1}{2}$을 만족해야 하므로

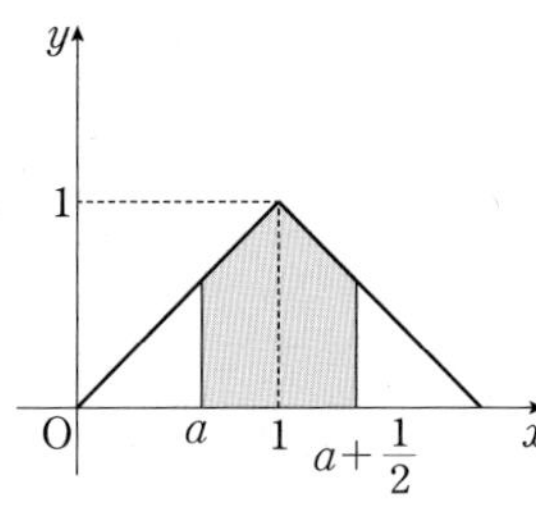

$$\mathrm{P}\left(a\le X\le a+\frac{1}{2}\right)=\mathrm{P}(a\le X\le 1)+\mathrm{P}\left(1\le X\le a+\frac{1}{2}\right)$$
$$=\frac{1}{2}(a+1)(1-a)+\frac{1}{2}\left(1-a+\frac{3}{2}\right)\left(a+\frac{1}{2}-1\right)$$
$$=\frac{1}{2}(1-a^2)+\frac{1}{2}\left(-a^2+3a-\frac{5}{4}\right)$$
$$=-a^2+\frac{3}{2}a-\frac{1}{8}=-\left(a-\frac{3}{4}\right)^2+\frac{7}{16}$$

따라서 a의 값이 $\frac{3}{4}$일 때, $\mathrm{P}\left(a\le X\le a+\frac{1}{2}\right)$의 최댓값은 $\frac{7}{16}$

내신연계 출제문항 518

연속확률변수 X가 갖는 값의 범위가 $0\le X\le 2$이고, 확률변수 X의 확률밀도함수 $y=f(x)$의 그래프가 다음 그림과 같다.

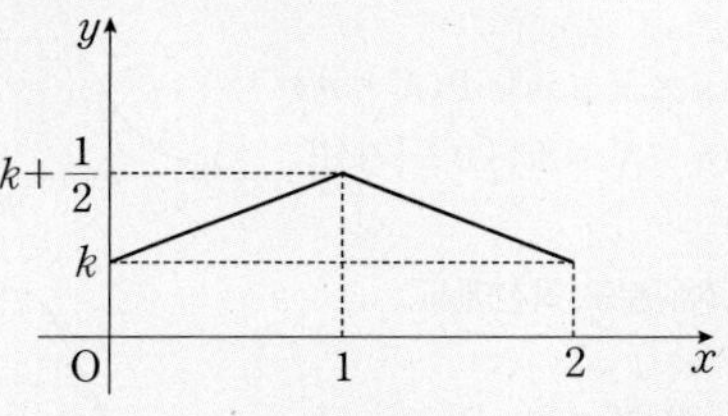

$\mathrm{P}\left(a\le X\le a+\frac{1}{2}\right)$의 값이 최대가 되도록 하는 상수 a에 대하여 $a+k$의 값은? (단, k는 상수이다.)

① $\frac{1}{4}$　② $\frac{1}{2}$　③ $\frac{3}{4}$　④ 1　⑤ $\frac{5}{4}$

STEP Ⓐ **확률밀도함수의 성질을 이용하여 k의 값 구하기**

$f(x)$가 확률밀도함수이므로

$\mathrm{P}(0\le X\le 2)=1$이므로 다음 그림의 색칠된 부분의 넓이가 1이다.

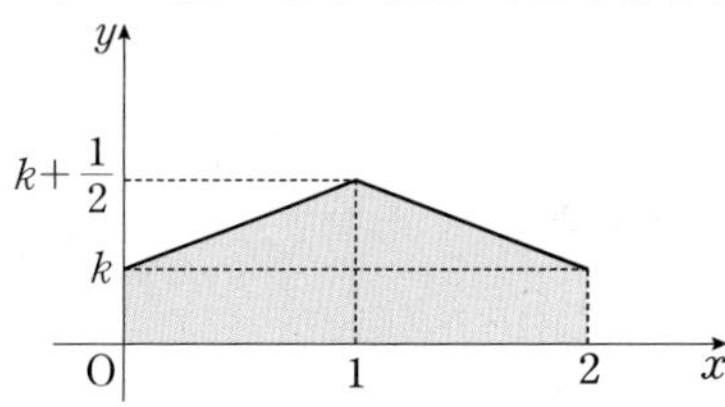

$2\times\frac{1}{2}\times\left(k+k+\frac{1}{2}\right)\times 1=2k+\frac{1}{2}=1$

$\therefore k=\frac{1}{4}$

STEP Ⓑ **최대가 되도록 하는 상수 a의 값 구하기**

함수 $y=f(x)$의 그래프가 $x=1$에서 최대이고

직선 $x=1$에 대하여 대칭이므로

$\mathrm{P}\left(a\le X\le a+\frac{1}{2}\right)$의 값이 최대가 되려면 $\frac{a+\left(a+\frac{1}{2}\right)}{2}=1$이어야 한다.

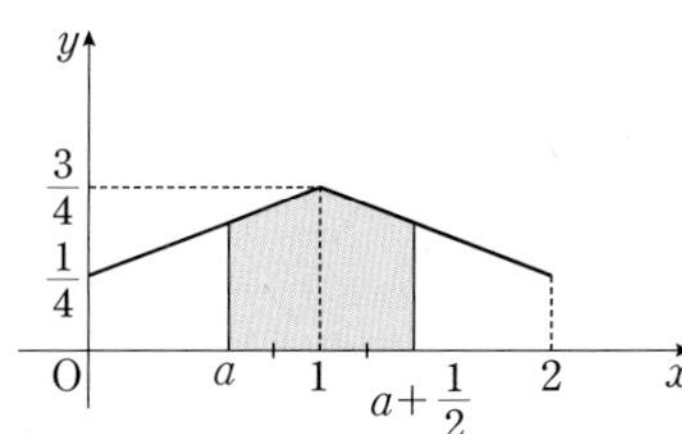

$2a+\frac{1}{2}=2$　$\therefore a=\frac{3}{4}$

STEP Ⓒ **$a+k$의 값 구하기**

따라서 $a+k=\frac{3}{4}+\frac{1}{4}=1$

정답 ④

Ⅲ 통계

1222

 ④

STEP A **정규분포곡선의 성질을 이용하여 참, 거짓 판단하기**

① 정규분포 곡선은 $x=m$에 대하여 대칭이므로
$\mathrm{P}(X \le m)=\mathrm{P}(X \ge m)=0.5$ [참]

② $x=m$일 때, $f(x)$는 최댓값 $\dfrac{1}{\sqrt{2\pi}\sigma}$을 갖는다. [참]

③ 임의의 실수 a에 대하여
$\mathrm{P}(X \le m+a)=\mathrm{P}(X \ge m-a)$
[참]

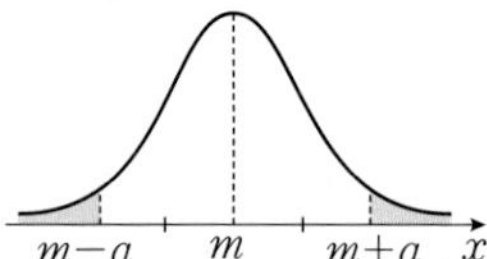

④ 오른쪽 그림의 정규분포 곡선에서
$a<m$일 때,
$\mathrm{P}(X \ge a)=\mathrm{P}(a \le X \le m)+\mathrm{P}(X \ge m)$
$=\mathrm{P}(a \le X \le m)+0.5$ [거짓]

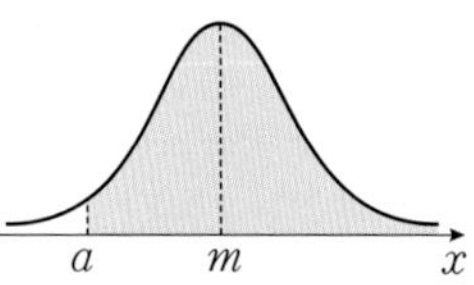

⑤ 오른쪽 그림의 정규분포 곡선에서
$a<b$일 때,
$\mathrm{P}(a \le X \le b)=\mathrm{P}(X \le b)-\mathrm{P}(X \le a)$
[참]

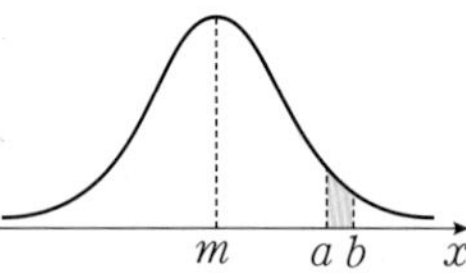

따라서 옳지 않은 것은 ④이다.

1223

 ②

STEP A **정규분포 곡선은 $x=m$에 대하여 대칭임을 이용하기**

확률밀도함수 $f(x)$는 k값에 관계없이
$f(60+k)=f(60-k)$를 만족시키므로
오른쪽 그림과 같이 확률밀도함수의
그래프는 $x=60$에서 좌우 대칭임을
알 수 있다.
따라서 평균 m의 값은 60

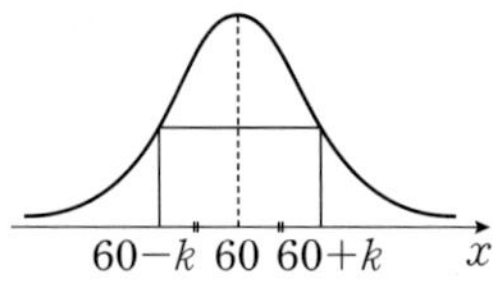

내/신/연/계/ 출제문항 519

정규분포 $\mathrm{N}(m,\ \sigma^2)$을 따르는 확률변수 X의 확률밀도함수 $f(x)$가 k의 값에 관계없이

$f(30+k)=f(30-k)$

를 만족시킬 때, m의 값은? (단, k는 상수)

① 10　　② 20　　③ 30
④ 40　　⑤ 50

STEP A **정규분포 곡선은 $x=m$에 대하여 대칭임을 이용하기**

확률밀도함수 $f(x)$는 k값에 관계없이
$f(30+k)=f(30-k)$를 만족시키므로
오른쪽 그림과 같이 확률밀도함수의
그래프는 $x=30$에서 좌우 대칭임을
알 수 있다.
따라서 평균 m의 값은 30

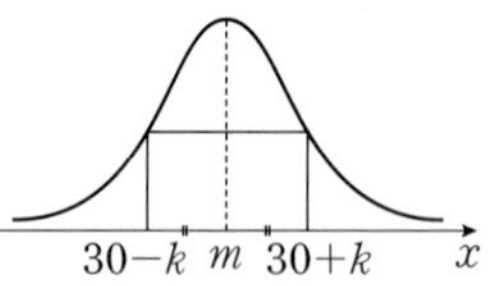

 ③

1224

정답 ③

STEP A **정규분포곡선의 성질을 이용하여 주어진 값 구하기**

정규분포 $\mathrm{N}(30,\ 2^2)$을 따르는 확률변수 X의 확률밀도함수의 그래프는
직선 $x=30$에 대하여 대칭이므로 $\mathrm{P}(X \le 30)=\mathrm{P}(X \ge 30)=\dfrac{1}{2}$

STEP B **a의 값 구하기**

$\mathrm{P}(X \le 10)=\mathrm{P}(X \ge a)$이려면 $\dfrac{10+a}{2}=30$이어야 한다.

$\therefore a=50$

따라서 $a\mathrm{P}(X \le 30)=50 \times \dfrac{1}{2}=25$

1225

 ①

STEP A **정규분포곡선의 성질을 이용하여 m의 값 구하기**

정규분포 $\mathrm{N}(m,\ \sigma^2)$을 따르는
확률변수 X의 확률밀도함수의
그래프는 직선 $x=m$에 대하여
대칭이고
$\mathrm{P}(X \le 5)=\mathrm{P}(X \ge 15)$이므로

$m=\dfrac{5+15}{2}=\dfrac{20}{2}=10$

STEP B **σ의 값 구하기**

$\mathrm{V}\left(\dfrac{1}{3}X\right)=\dfrac{1}{9}\mathrm{V}(X)=4$이므로 $\mathrm{V}(X)=36$

즉 $\sigma^2=36$　$\therefore \sigma=6$
따라서 $m+\sigma=10+6=16$

내/신/연/계/ 출제문항 520

정규분포 $\mathrm{N}(m,\ \sigma^2)$을 따르는 확률변수 X가 다음 두 조건을 만족할 때, 상수 $m,\ \sigma$에 대하여 $m+\sigma$의 값은?

(가) $\mathrm{P}(X \le 8)=\mathrm{P}(X \ge 16)$
(나) $\mathrm{V}\left(\dfrac{1}{3}X\right)=1$

① 15　　② 24　　③ 28
④ 36　　⑤ 46

STEP A **정규분포곡선의 성질을 이용하여 m의 값 구하기**

정규분포 $\mathrm{N}(m,\ \sigma^2)$을 따르는
확률변수 X의 확률밀도함수의
그래프는 직선 $x=m$에 대하여
대칭이고 $\mathrm{P}(X \le 8)=\mathrm{P}(X \ge 16)$
이므로 $m=\dfrac{8+16}{2}=12$

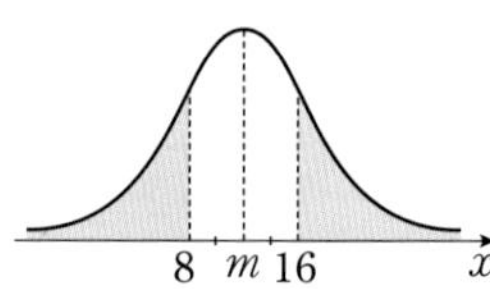

STEP B **σ의 값 구하기**

$\mathrm{V}\left(\dfrac{1}{3}X\right)=\left(\dfrac{1}{3}\right)^2\mathrm{V}(X)=\dfrac{1}{9}\sigma^2=1$

$\sigma^2=9$이므로 $\sigma=3$
따라서 $m+\sigma=12+3=15$

정답 ①

1226

정답 ②

STEP A 정규분포곡선의 성질을 이용하여 m의 값 구하기

확률변수 X의 확률밀도함수를 $f(x)$라 하면 함수 $y=f(x)$의 그래프는 직선 $x=m$에 대하여 대칭이다.

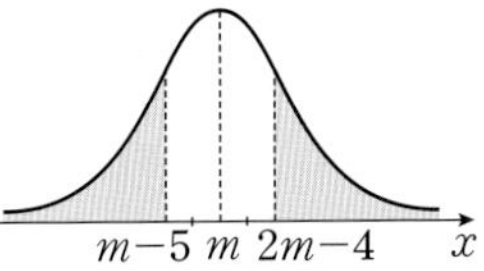

조건 (가)에서

$\mathrm{P}(X \le m-5)=\mathrm{P}(X \ge 2m-4)$이므로

$\dfrac{(m-5)+(2m-4)}{2}=m \quad \therefore m=9$

STEP B 정규분포곡선의 성질을 이용하여 σ의 값 구하기

조건 (나)에서

$\mathrm{P}(X \ge 1)=\mathrm{P}(X \le m+2\sigma)$이므로

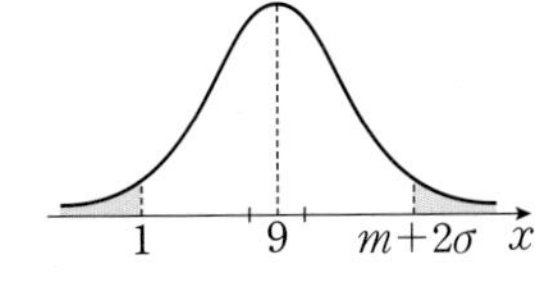

$\dfrac{1+(m+2\sigma)}{2}=9$

$1+9+2\sigma=2\times 9 \quad \therefore \sigma=4$

따라서 $m+\sigma=9+4=13$

내/신/연/계/ 출제문항 521

확률변수 X가 정규분포 $\mathrm{N}(m,\ \sigma^2)$을 따르고 다음 조건을 만족시킨다.

> (가) $\mathrm{P}(40 \le X \le 48)=\mathrm{P}(72 \le X \le 80)$
> (나) $\mathrm{P}(m-4 \le X \le m+4)=0.68$

이때 $\mathrm{P}(X \ge 56)$의 값은?

① 0.68 ② 0.72 ③ 0.76
④ 0.80 ⑤ 0.84

STEP A 정규분포곡선의 성질을 이용하여 m의 값 구하기

확률변수 X는 정규분포 $\mathrm{N}(m,\ \sigma^2)$을 따르므로 X의 확률밀도함수를 $f(x)$라 하면 함수 $y=f(x)$의 그래프는 직선 $x=m$에 대하여 대칭이다.

조건 (가)에서

$\mathrm{P}(40 \le X \le 48)=\mathrm{P}(72 \le X \le 80)$

이고 $48-40=80-72$이므로

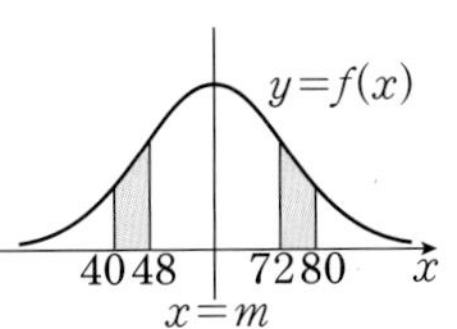

$\dfrac{40+80}{2}=\dfrac{48+72}{2}=m$, 즉 $m=60$

STEP B 조건 (나)에서 $\mathrm{P}(56 \le X \le 60)$ 구하기

조건 (나)에 의하여 $\mathrm{P}(56 \le X \le 64)=0.68$이고

$\mathrm{P}(56 \le X \le 64)=2\mathrm{P}(56 \le X \le 60)$이므로 $\mathrm{P}(56 \le X \le 60)=0.34$

STEP C $\mathrm{P}(X \ge 56)$의 값 구하기

따라서 $\mathrm{P}(X \ge 56)=\mathrm{P}(56 \le X \le 60)+\mathrm{P}(X \ge 60)=0.34+0.5=0.84$

정답 ⑤

1227

정답 ③

STEP A 정규분포곡선의 성질을 이용하여 m의 값 구하기

확률변수 X가 정규분포 $\mathrm{N}(m, \sigma^2)$을 따르므로 X의 확률밀도함수를 $f(x)$라 하면 함수 $y=f(x)$의 그래프는 직선 $x=m$에 대하여 대칭이다.

$\mathrm{P}(X \ge 4)=0.68$이므로

$\mathrm{P}(X \le 4)=1-0.68=0.32$이고

$\mathrm{P}(4 \le X \le m)=0.5-0.32=0.18$

$\mathrm{P}(X \le 4)=\mathrm{P}(X \ge 10)$이므로

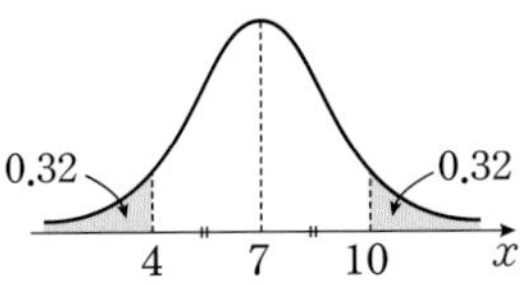

$\dfrac{4+10}{2}=m \quad \therefore m=7$

STEP B $\mathrm{P}(|X-m| \le 3)$의 값 구하기

따라서 $\mathrm{P}(|X-m| \le 3)=\mathrm{P}(|X-7| \le 3)$

$=\mathrm{P}(-3 \le X-7 \le 3)$

$=\mathrm{P}(4 \le X \le 10)$

$=2\mathrm{P}(4 \le X \le 7)$

$=2\times 0.18=0.36$

1228

정답 ⑤

STEP A 정규분포곡선의 성질을 이용하여 참, 거짓 판단하기

정규분포 $\mathrm{N}(m,\ \sigma^2)$을 따르는 확률변수 X의 확률밀도함수 $y=f(x)$의 그래프는 다음과 같다.

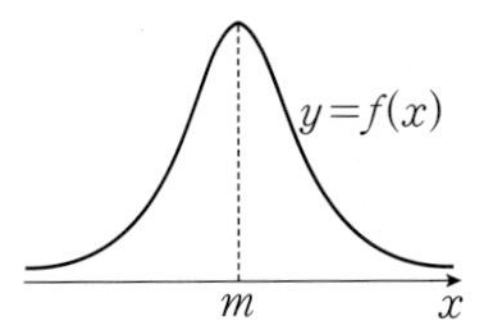

① 직선 $x=m$에 대하여 대칭인 종 모양의 곡선이고, x축이 점근선이다. [참]

② 곡선의 볼록한 모양이 바뀌는 점과 대칭축과의 거리는 σ이다.[참]

③ 확률밀도함수이므로 곡선 $y=f(x)$와 x축 사이의 넓이는 1이다.[참]

④ m의 값을 고정하고 σ의 값이 커질수록 곡선은 낮아지면서 양쪽으로 퍼진다. [참]

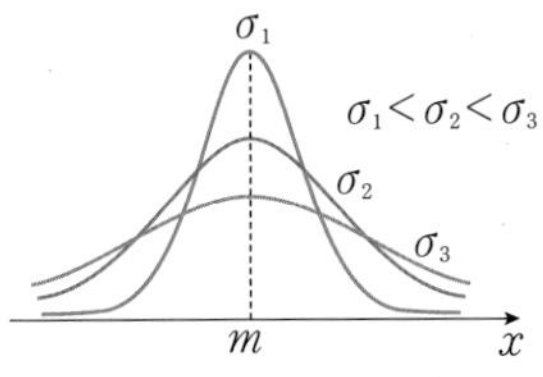

⑤ σ의 값을 고정하고 m의 값을 변화시키면 대칭축의 위치는 바뀌지만 그래프의 모양은 변하지 않는다. [거짓]

따라서 옳지 않은 것은 ⑤이다.

1229

정답 ③

STEP A 정규분포곡선의 성질을 이용하여 참, 거짓 판단하기

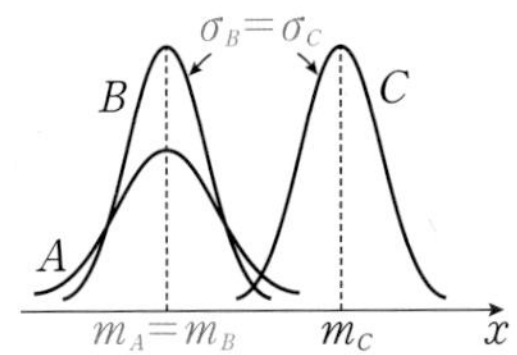

ㄱ. 곡선 A, C의 그래프의 대칭축이 각각 직선 $x=m_A$, $x=m_C$이므로 $m_A < m_C$ [참]

ㄴ. 곡선 A의 그래프가 곡선 C의 그래프 보다 높이가 낮고 옆으로 더 퍼져 있으므로 $\sigma_A > \sigma_C$ [거짓]

ㄷ. 곡선 B, C의 그래프 모양이 서로 같으므로 $\sigma_B=\sigma_C$ [참]

따라서 옳은 것은 ㄱ, ㄷ이다.

내신연계 출제문항 522

세 확률변수 X_1, X_2, X_3은 각각 정규분포 $\mathrm{N}(m,\ \sigma^2)$, $\mathrm{N}(2m,\ \sigma^2)$, $\mathrm{N}(m,\ 2\sigma^2)$을 따른다. 세 확률변수 X_1, X_2, X_3의 확률밀도함수를 각각 $f(x)$, $g(x)$, $h(x)$라 하자.
다음 그림의 네 곡선 A, B, C, D에서 함수 $y=f(x)$, $y=g(x)$, $y=h(x)$의 그래프로 적당한 것을 차례대로 나열한 것은? (단, m, σ는 양수이고 두 곡선 A와 B, C와 D는 각각 대칭축이 서로 같다.)

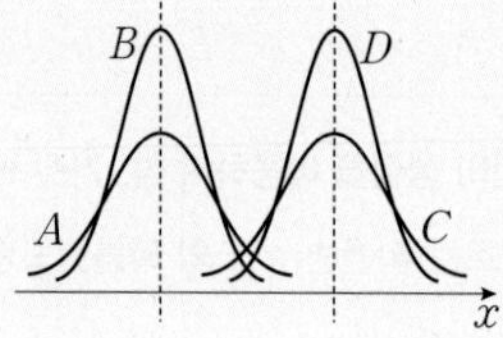

① $A,\ C,\ B$　② $B,\ C,\ A$　③ $B,\ D,\ A$
④ $C,\ A,\ B$　⑤ $D,\ B,\ A$

STEP Ⓐ **정규분포곡선의 성질을 이용하여 참, 거짓 판단하기**

평균이 m, 표준편차가 σ인 정규분포를 따르는 연속확률변수 X의 정규분포곡선은 평균 m의 값이 일정할 때, σ의 값이 커지면 곡선의 중앙 부분이 낮아지면서 양쪽으로 퍼지고, σ의 값이 작아지면 곡선의 중앙 부분이 높아지면서 좁아진다.
또한, 표준편차 σ의 값이 일정할 때, m의 값이 변하면 대칭축의 위치는 바뀌지만 곡선의 모양은 같다. (대칭축이 오른쪽에 있을수록 평균값이 크다.)
m이 양수이므로 $m<2m$
따라서 다음 그림에서 함수 $y=f(x)$, $y=g(x)$, $y=h(x)$의 그래프로 적당한 것을 차례로 나열하면 B, D, A이다.

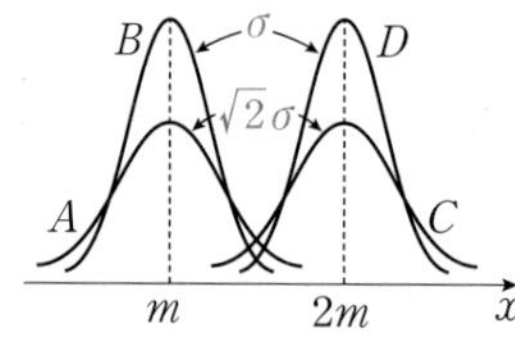

정답 ③

1230

정답 ①

STEP Ⓐ **정규분포곡선의 성질을 이용하여 참, 거짓 판단하기**

정규분포 $\mathrm{N}(m,\ \sigma^2)$을 따르는 연속확률변수의 정규분포곡선은 m이 일정할 때, σ의 값이 커지면 평균으로부터의 차이가 커진다는 것을 의미하므로 선의 중앙 부분은 낮아지면서 양쪽으로 퍼진다.
반대로 σ가 작아지면 평균으로부터의 차이가 작아진다는 것을 의미하므로 곡선의 중앙 부분이 높아지면서 좁아진다.

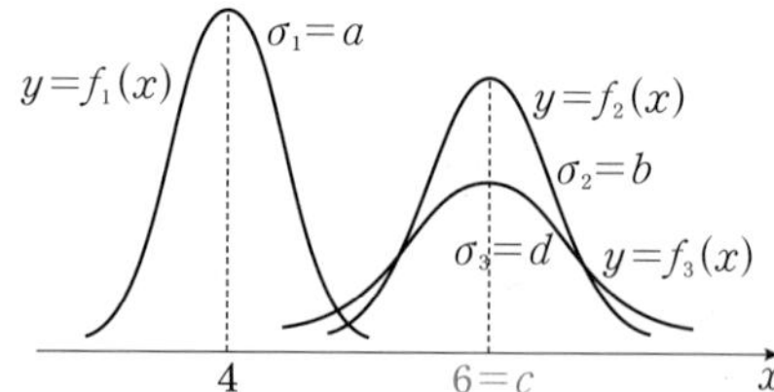

ㄱ. 그래프를 살펴보면 확률변수 X_1의 정규분포곡선이 확률변수 X_2의 정규분포곡선보다 좁고 높기 때문에 X_1의 표준편차가 X_2의 표준편차 보다 작다. 즉 $a<b$ [참]
ㄴ. 확률변수 X_2의 정규분포곡선과 확률변수 X_3의 정규분포곡선의 대칭축이 일치하므로 X_3의 평균 c는 X_2의 평균 6과 같다. 즉 $c=6$ [거짓]
ㄷ. 확률변수 X_2의 정규분포곡선이 확률변수 X_3의 정규분포곡선보다 좁고 높기 때문에 X_2의 표준편차가 X_3의 표준편차보다 작다. 즉 $b<d$ [거짓]
따라서 옳은 것은 ㄱ이다.

1231

정답 ⑤

STEP Ⓐ **정규분포곡선의 성질을 이용하여 [보기]의 참, 거짓 판단하기**

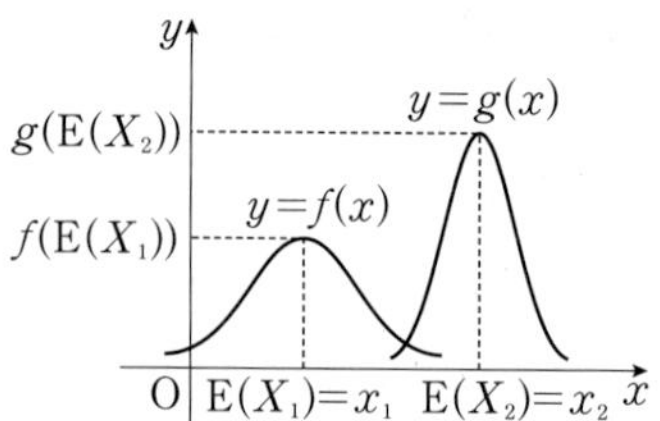

ㄱ. 확률변수 X_1, X_2의 평균이 각각 x_1, x_2이므로
$\mathrm{E}(X_1)=x_1$, $\mathrm{E}(X_2)=x_2$
그림에서 $x_1<x_2$이므로 $\mathrm{E}(X_1)<\mathrm{E}(X_2)$ [참]
ㄴ. 함수 $y=f(x)$의 그래프가 함수 $y=g(x)$의 그래프보다 더 옆으로 펴져 있으므로 $\sigma(X_1)>\sigma(X_2)$ [참]
ㄷ. $f(x_1)<f(x_2)$이므로 $f(\mathrm{E}(X_1))<g(\mathrm{E}(X_2))$ [참]
ㄹ. 정규분포를 따르는 확률변수의 확률밀도함수는 직선 $x=$(평균)에 대하여 대칭이므로 $\mathrm{P}(X_1\le x_1)=\mathrm{P}(X_2\ge x_2)=0.5$ [참]
따라서 옳은 것은 ㄱ, ㄴ, ㄷ, ㄹ이다.

1232

정답 ④

STEP Ⓐ **정규분포곡선의 성질을 이용하여 [보기]의 참, 거짓 판단하기**

ㄱ. A고등학교와 B고등학교의 수학 성적의 분포를 나타내는 정규분포곡선이 다음 그림과 같으므로 A와 B의 평균은 같고 표준편차는 A가 더 크다.

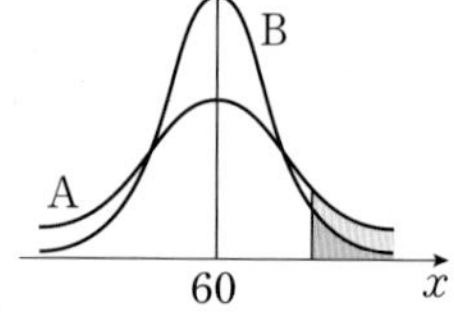

이때 상위권을 나타내는 x축의 오른쪽 부분의 넓이가 A고등학교의 곡선에서 더 넓기 때문에 B고등학교보다 A고등학교에 성적이 우수한 학생들이 더 많다. [참]
ㄴ. 정규분포에서 평균이 같으므로 A, B 두 고등학교 학생들의 성적은 평균적으로 같다. [거짓]
ㄷ. 평균을 중심으로 C고등학교의 분포가 B보다 넓게 퍼져 있으므로 B고등학교 학생들의 성적이 더 고른 편이다. [참]
따라서 옳은 것은 ㄱ, ㄷ이다.

내/신/연/계/ 출제문항 523

세 학교 A, B, C의 수학 성적은 각각 정규분포를 따르고, 정규분포곡선은 다음 그림과 같다. 다음 [보기] 중 옳은 것을 모두 고른 것은?

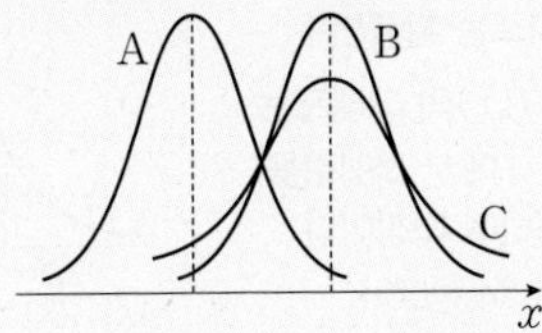

ㄱ. A학교의 평균 성적과 B학교의 평균 성적은 같다.
ㄴ. A학교 성적의 표준편차보다 C학교 성적의 표준편차가 더 크다.
ㄷ. B학교 성적의 표준편차와 C학교 성적의 표준편차는 같다
ㄹ. C학교의 평균 성적은 A학교의 평균 성적보다 더 높다.

① ㄱ, ㄹ ② ㄱ, ㄷ ③ ㄴ, ㄹ
④ ㄱ, ㄴ, ㄷ ⑤ ㄱ, ㄴ, ㄷ, ㄹ

STEP Ⓐ 정규분포곡선의 성질을 이용하여 [보기]의 참, 거짓 판단하기

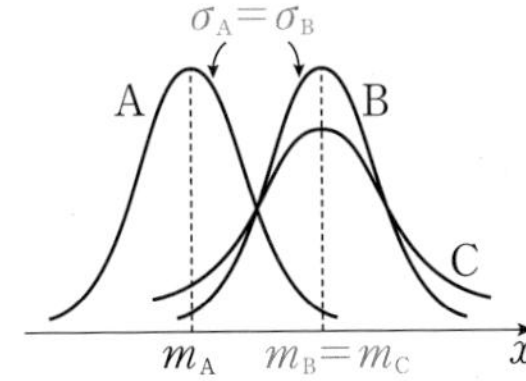

ㄱ. A학교의 평균 성적과 B학교의 평균 성적은 다르다. [거짓]
ㄴ. A학교 성적의 표준편차보다 C학교 성적의 표준편차가 더 크다. [참]
ㄷ. B학교 성적의 표준편차와 C학교 성적의 표준편차는 다르다. [거짓]
ㄹ. C학교의 평균 성적은 A학교의 평균 성적보다 더 높다. [참]
따라서 옳은 것은 ㄴ, ㄹ이다.

 ③

1233

 ⑤

STEP Ⓐ 정규분포곡선의 성질을 이용하여 [보기]의 참, 거짓 판단하기

ㄱ. $P(X \leq m_1)=P(Y \leq m_2)=0.5$이므로
$P(X \leq m_1)+P(Y \leq m_2)=1$ [참]
ㄴ. $m_1 < m_2$이므로 B고등학교의 수학 점수의 평균이 A고등학교의 수학 점수의 평균보다 높다. [참]
ㄷ. B고등학교의 수학 점수 Y의 확률밀도함수의 그래프가 A고등학교의 수학 점수 X의 확률밀도함수의 그래프보다 높고 뾰족하므로 $\sigma_1^2 > \sigma_2^2$이다.
즉 B고등학교의 수학점수의 표준편차가 A고등학교의 수학점수의 표준편차보다 더 작다. [참]
따라서 옳은 것은 ㄱ, ㄴ, ㄷ이다.

① m의 값이 일정할 때,
σ의 값이 커지면 곡선은 낮아지면서 양쪽으로 퍼지고
σ의 값이 작아지면 곡선은 높아지면서 뾰족하게 된다.
② σ의 값이 일정할 때,
m의 값이 변하면 대칭축의 위치는 바뀌지만 곡선의 모양은 같다.

내/신/연/계/ 출제문항 524

학생 수가 서로 같은 고등학교 A, B의 수학 점수를 확률변수 X_1, X_2라고 할 때, X_1, X_2는 각각 정규분포 $N(m_1, \sigma_1^2)$, $N(m_2, \sigma_2^2)$을 따른다.
이때 각각의 확률밀도함수의 그래프가 다음 그림과 같다고 한다.
옳은 것만을 [보기]에서 있는 대로 고른 것은?

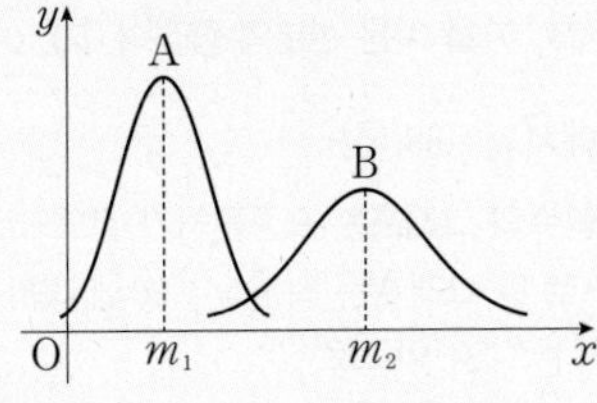

ㄱ. $P(X_1 \leq m_1) < P(X_2 \leq m_2)$
ㄴ. B고등학교의 수학 점수의 평균이 A고등학교의 수학 점수의 평균보다 높다.
ㄷ. A고등학교의 수학 점수가 B고등학교의 수학 점수보다 더 고르다.

① ㄴ ② ㄱ, ㄴ ③ ㄱ, ㄷ
④ ㄴ, ㄷ ⑤ ㄱ, ㄴ, ㄷ

STEP Ⓐ 정규분포곡선의 성질을 이용하여 [보기]의 참, 거짓 판단하기

ㄱ. $P(X_1 \leq m_1)=P(X_2 \leq m_2)=0.5$ [거짓]
ㄴ. $m_1 < m_2$이므로 B고등학교의 평균이 A고등학교보다 높다. [참]
ㄷ. A 고등학교의 곡선이 B고등학교보다 높고 뾰족하므로 $\sigma_1^2 < \sigma_2^2$이다.
즉 A고등학교의 수학 점수가 B 고등학교의 수학 점수보다 더 고르다. [참]
따라서 옳은 것은 ㄴ, ㄷ이다.

 ④

1234

정답 ⑤

STEP Ⓐ 정규분포곡선의 성질을 이용하여 [보기]의 참, 거짓 판단하기

$\sigma_1 < \sigma_2$이고, $f(a)=g(a)$이므로
두 함수 $y=f(x)$, $y=g(x)$의 그래프는 그림과 같다.

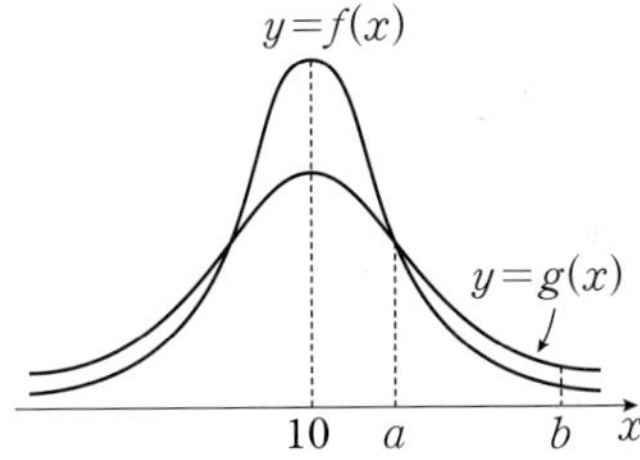

ㄱ. $x > a$일 때, $f(x) < g(x)$이므로 $f(b) < g(b)$ [참]
ㄴ. X, Y의 확률밀도함수의 그래프의 대칭축이 모두 직선 $x=10$이므로
$P(X \leq 10)=0.5$, $P(Y \geq 10)=0.5$이다.
$\therefore P(X \leq 10)+P(Y \geq 10)=1$ [참]
ㄷ. 함수 $y=f(x)$의 그래프는 직선 $x=10$에 대하여 대칭이고
종 모양의 곡선이므로 $P(10 \leq X \leq a)=P(a \leq X \leq b)$이면
$a-10 < b-a$이다.
즉 $2a < b+10$ [참]
ㄹ. $P(X \geq 10)=0.5$이므로 $P(10 \leq X \leq a)+P(a \leq X \leq b) < 0.5$이다.
$P(10 \leq X \leq a)=P(a \leq X \leq b)$이므로 $2P(10 \leq X \leq a) < 0.5$
$\therefore P(10 \leq X \leq a) < 0.25$
즉 $P(10 \leq Y \leq a) < P(10 \leq X \leq a) < 0.25$이므로
$P(10 \leq Y \leq c)=0.25$이면 $a < c$이다. [참]
따라서 옳은 것은 ㄱ, ㄴ, ㄷ, ㄹ이다.

1235

 ⑤

STEP Ⓐ 정규분포곡선의 성질을 이용하여 [보기]의 참, 거짓 판단하기

ㄱ. 두 확률변수 X, Y의 분산이 같고 $f(50)=g(50)$만족시키는 그래프는 $y=f(x)$의 그래프와 $y=g(x)$의 그래프는 직선 $x=50$에 대하여 대칭이다.
두 점 $(a,\ 0)$, $(a+24,\ 0)$을 이은 선분의 중점이 $(50,\ 0)$이므로
$\dfrac{a+(a+24)}{2}=50$에서 $a=38$ [참]

ㄴ. X, Y의 확률밀도함수의 그래프는 표준편차가 같으므로 모양이 서로 같고 $x=50$에서 만나므로 두 그래프는 직선 $x=50$에 대하여 대칭이다.
즉 $\mathrm{P}(X\geq 50)=\mathrm{P}(Y\leq 50)$이므로
$\mathrm{P}(X\geq 50)+\mathrm{P}(Y\geq 50)=\mathrm{P}(Y\leq 50)+\mathrm{P}(Y\geq 50)=1$ [참]

ㄷ. 두 확률변수 X, Y는 각각 정규분포 $\mathrm{N}(38,\ \sigma^2)$, $\mathrm{N}(62,\ \sigma^2)$을 따르므로
$\mathrm{P}(X\geq 38)=\mathrm{P}(Y\geq 62)=0.5$이고
$\mathrm{P}(38\leq X\leq 43)=\mathrm{P}(62\leq Y\leq 67)=0.38$
$\mathrm{P}(33\leq X\leq 36)=\mathrm{P}(40\leq X\leq 43)=\mathrm{P}(64\leq Y\leq 67)=0.24$ [참]

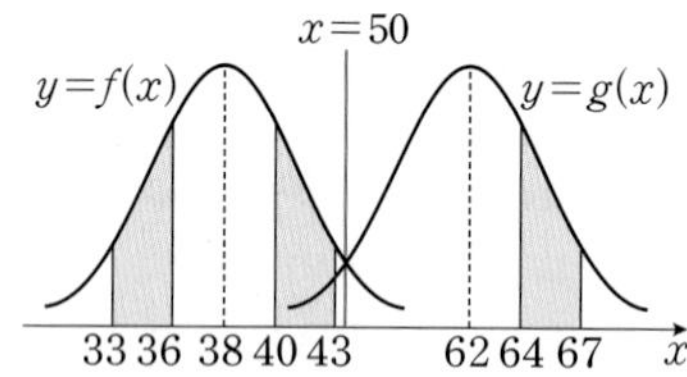

ㄹ. $\mathrm{P}(62\leq Y\leq 64)=\mathrm{P}(62\leq Y\leq 67)-\mathrm{P}(64\leq Y\leq 67)$
$=0.38-0.24=0.14$ [참]

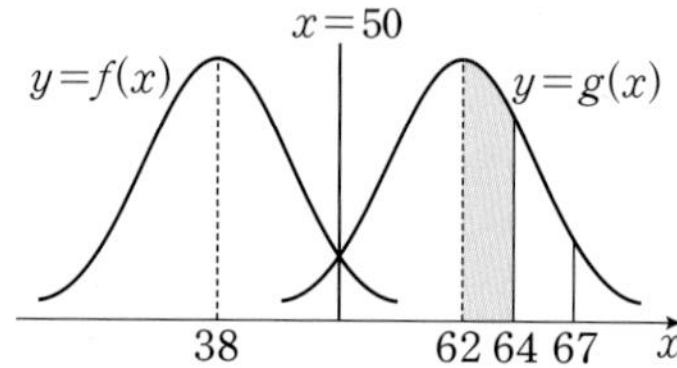

따라서 옳은 것은 ㄱ, ㄴ, ㄷ, ㄹ이다.

1236

 ④

STEP Ⓐ 조건을 만족하는 평균의 값 구하기

그림에서 $m_1=m_3$이고 $m_1<m_2$ …… ㉠
조건 (가)에서 $f(m_1)>h(m_1)$이므로 $\sigma_1<\sigma_3$이고
$g(x)=h(x-3)$이므로 $\sigma_2=\sigma_3$
조건 (나)에서 $\mathrm{P}(X_1\leq 8)=0.5$이므로 $m_1=8$
$g(x)=h(x-3)$에서 $m_2=11$
㉠에서 $m_1=m_3=8$, $m_2=11$

STEP Ⓑ 정규분포곡선의 대칭성을 이용하여 확률 구하기

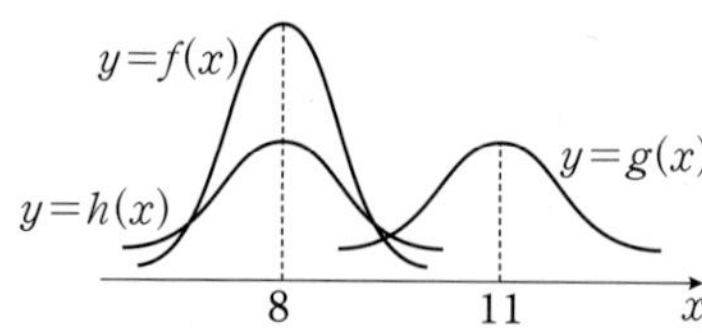

$\mathrm{P}(X_2\geq m_2+1)=\mathrm{P}(X_2\geq 12)=0.38$ …… ㉡
$\mathrm{P}(X_3\leq m_1-3)=\mathrm{P}(X_3\leq 5)=\mathrm{P}(X_2\leq 8)$
$=\mathrm{P}(X_2\geq 14)=0.22$ …… ㉢
따라서 ㉡과 ㉢에서
$\mathrm{P}(12\leq X_2\leq 14)=\mathrm{P}(X_2\geq 12)-\mathrm{P}(X_2\geq 14)=0.38-0.22=0.16$

1237

 ②

STEP Ⓐ 정규분포곡선의 성질을 이용하여 a값 구하기

정규분포 $\mathrm{N}(7,\ 3^2)$을 따르는 확률변수 X의 확률밀도함수 $y=f(x)$의 그래프는 오른쪽 그림과 같이 $x=7$에서 최댓값을 가지고 직선 $x=7$에 대하여 대칭이다.

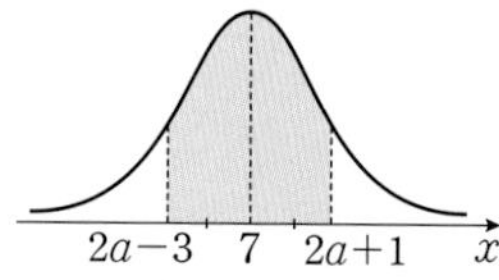

따라서 $\mathrm{P}(2a-3\leq X\leq 2a+1)$이 최대가 되려면 $2a-3$과 $2a+1$의 평균이 7이어야 하므로
$\dfrac{2a-3+(2a+1)}{2}=7$, $2a-1=7$
따라서 $a=4$

다른풀이 정규분포를 표준화하여 풀이하기

STEP Ⓐ 표준화공식 $Z=\dfrac{X-m}{\sigma}$을 이용하여 확률 구하기

$Z=\dfrac{X-7}{3}$으로 놓으면
$\mathrm{P}(2a-3\leq X\leq 2a+1)=\mathrm{P}\left(\dfrac{2a-10}{3}\leq Z\leq \dfrac{2a-6}{3}\right)$
주어진 확률이 최대이려면 $\dfrac{2a-10}{3}$와 $\dfrac{2a-6}{3}$이 직선 $Z=0$에 대하여 대칭이어야 한다.
즉 $\dfrac{2a-10}{3}=-\dfrac{2a-6}{3}$이므로 $a=4$

1238

 ③

STEP Ⓐ 정규분포곡선의 성질을 이용하여 m의 값 구하기

정규분포 $\mathrm{N}(m,\ \sigma^2)$을 따르는 확률변수 X의 확률밀도함수 $y=f(x)$의 그래프는 직선 $x=m$에 대하여 대칭이므로
$\mathrm{P}(X\leq 30)=\mathrm{P}(X\geq 52)$에서 $m=\dfrac{30+52}{2}=41$

STEP Ⓑ 최대가 되는 a의 값 구하기

$\mathrm{P}(a\leq X\leq a+16)$이 최대가 되려면 a와 $a+16$의 평균이 41이어야 하므로
$\dfrac{a+a+16}{2}=41$
$a+8=41$
따라서 $a=33$

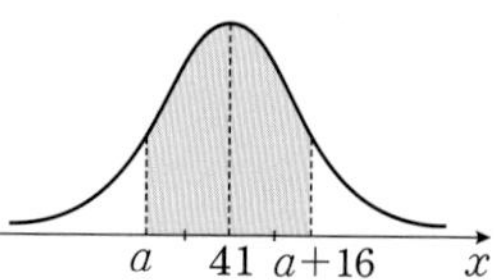

내/신/연/계/ 출제문항 525

확률변수 X가 정규분포 $\mathrm{N}(m,\ 2^2)$을 따를 때,

$$\mathrm{P}(X\le 11)=\mathrm{P}(X\ge 31)$$

가 성립한다. 확률 $\mathrm{P}(a\le X\le a+2)$가 최대가 되는 실수 a의 값은?

① 16 ② 18 ③ 20
④ 22 ⑤ 24

STEP Ⓐ 정규분포곡선의 성질을 이용하여 m의 값 구하기

정규분포 $\mathrm{N}(m,\ 2^2)$을 따르는 확률변수 X의 확률밀도함수 $y=f(x)$의 그래프는 직선 $x=m$에 대하여 대칭이므로

$\mathrm{P}(X\le 11)=\mathrm{P}(X\ge 31)$에서 $m=\dfrac{11+31}{2}=21$

STEP Ⓑ 최대가 되는 a의 값 구하기

$\mathrm{P}(a\le X\le a+2)$이 최대가 되려면

a와 $a+2$의 평균이 21이어야 하므로

$\dfrac{a+a+2}{2}=21$

$a+1=21$

따라서 $a=20$

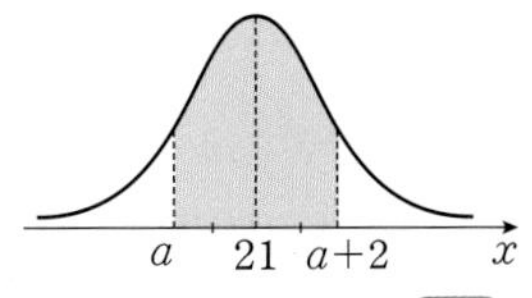

정답 ③

1239

STEP Ⓐ 정규분포를 이해하여 평균 구하기

정규분포 $\mathrm{N}(m,\ 4)$를 따르는 확률변수 X에 대한 범위의 구간의 길이가 일정할 때, 그 구간이 확률변수 X의 평균에 가까울수록 그 확률은 커진다.

$g(k)=\mathrm{P}(k-8\le X\le k)$의 값은

$k-8$과 k의 평균이 m일 때,

최대가 되고 그때의 k의 값은 12이므로

$\dfrac{(12-8)+12}{2}=m$ ⬅ $\dfrac{(k-8)+k}{2}=m$

따라서 $m=8$

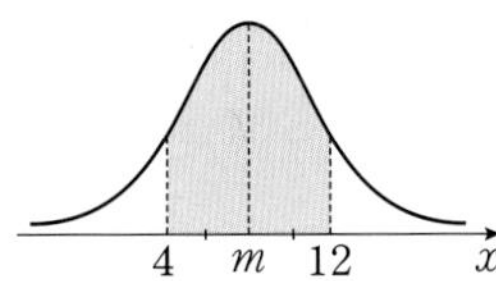

1240

STEP Ⓐ 정규분포곡선의 성질을 이용하여 x값 구하기

$F(x+20)-F(x)=\mathrm{P}(X\le x+20)-\mathrm{P}(X\le x)$

$=\mathrm{P}(x\le X\le x+20)$

정규분포 $\mathrm{N}(50,\ 5^2)$을 따르는 확률변수 X의 확률밀도함수 $y=f(x)$의 그래프는 오른쪽 그림과 같이 $x=50$에서 최댓값을 가지고 직선 $x=50$에 대하여 대칭이다.

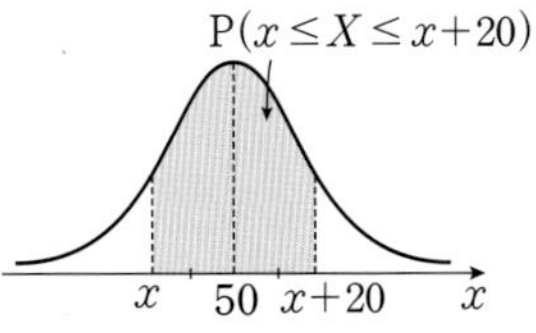

$\mathrm{P}(x\le X\le x+20)$이 최대가 되려면 x와 $x+20$의 평균이 50이어야 하므로

$\dfrac{x+(x+20)}{2}=50\quad \therefore\ x=40$

STEP Ⓑ 확률변수 X를 $Z=\dfrac{X-m}{\sigma}$으로 표준화 하여 주어진 확률을 Z에 대한 확률로 나타내기

확률변수 X가 정규분포 $\mathrm{N}(50,\ 5^2)$을 따른다.

따라서 구하는 최댓값은

$\mathrm{P}(40\le X\le 60)$

$=\mathrm{P}\left(\dfrac{40-50}{5}\le Z\le\dfrac{60-50}{5}\right)$

$=\mathrm{P}(-2\le Z\le 2)=2\mathrm{P}(0\le Z\le 2)$

$=2\times 0.4772=0.9544$

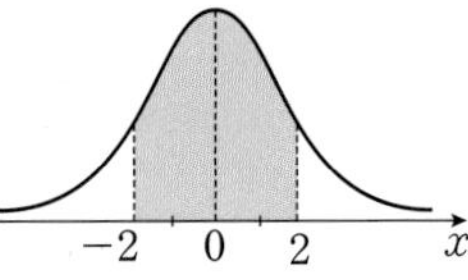

1241

정답 ①

STEP Ⓐ 정규분포의 성질을 이용하여 평균 m, 표준편차 σ 구하기

함수 $f(t)$는 $t=4$에서 최댓값을 가지므로 $f(4)=\mathrm{P}(4\le X\le 6)$에서 확률변수 X의 평균 m은 5이다.

⬅ 구간의 길이가 같을 때, 구간이 정규분포곡선에서 가운데에 몰려있어야 확률이 크다.

$f(5)=\mathrm{P}(5\le X\le 7)$

$=\mathrm{P}\left(0\le Z\le\dfrac{7-5}{\sigma}\right)$

$=0.3413$ ⬅ $\mathrm{P}(0\le Z\le 1)=0.3413$

즉 $\dfrac{7-5}{\sigma}=1$이므로 $\sigma=2$

STEP Ⓑ $f(7)$의 값을 구하기

따라서 확률변수 X가 정규분포 $\mathrm{N}(5,\ 2^2)$을 따르므로

$f(7)=\mathrm{P}(7\le X\le 9)$

$=\mathrm{P}\left(\dfrac{7-5}{2}\le Z\le\dfrac{9-5}{2}\right)$

$=\mathrm{P}(1\le Z\le 2)$

$=\mathrm{P}(0\le Z\le 2)-\mathrm{P}(0\le Z\le 1)$

$=0.1359$

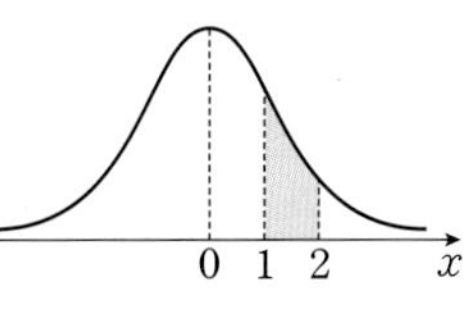

내/신/연/계/ 출제문항 526

확률변수 X는 정규분포 $\mathrm{N}(15,\ 2^2)$을 따른다. 실수 t에 대하여 함수 $\mathrm{H}(t)$를 $\mathrm{H}(t)=\mathrm{P}(t\le X\le t+2)$라 할 때, [보기]에서 옳은 것만을 있는 대로 고른 것은?

ㄱ. $\mathrm{H}(t)$는 $t=15$일 때, 최댓값을 갖는다.
ㄴ. $\mathrm{H}(13)=\mathrm{P}(0\le Z\le 1)$
ㄷ. 모든 실수 t에 대하여 $\mathrm{H}(14-t)=\mathrm{H}(14+t)$이다.

① ㄱ ② ㄴ ③ ㄷ
④ ㄴ, ㄷ ⑤ ㄱ, ㄴ, ㄷ

STEP Ⓐ 정규분포의 성질을 이용하여 [보기]의 참, 거짓 판단하기

ㄱ. 정규분포 $\mathrm{N}(15,\ 2^2)$을 따르는 확률변수 X의 확률밀도함수 $y=f(x)$의 그래프는 오른쪽 그림과 같이 $x=15$에서 최댓값을 가지고 직선 $x=15$에 대하여 대칭이다.

$\mathrm{P}(t\le X\le t+2)$이 최대가 되려면 t와 $t+2$의 평균이 15이어야 하므로

$\dfrac{t+t+2}{2}=15$에서 $t+1=15\quad\therefore\ t=14$

즉 $t=14$, $t+2=16$일 때, $\mathrm{H}(t)$는 최댓값을 갖는다. [거짓]

ㄴ. $\mathrm{H}(13)=\mathrm{P}(13\le X\le 15)$에서 $Z=\dfrac{X-15}{2}$라 하면

확률변수 Z는 표준정규분포 $\mathrm{N}(0,\ 1)$을 따르므로

$\mathrm{H}(13)=\mathrm{P}(13\le X\le 15)$

$=\mathrm{P}\left(\dfrac{13-15}{2}\le Z\le\dfrac{15-15}{2}\right)$

$=\mathrm{P}(-1\le Z\le 0)=\mathrm{P}(0\le Z\le 1)$ [참]

ㄷ. ㄱ에서 $\mathrm{H}(t)$는 $t=14$일 때, 최댓값을 가지며 확률변수 X가 정규분포를 따르므로 $\mathrm{H}(t)$의 그래프는 직선 $t=14$에 대하여 대칭이다.

즉 임의의 실수 t에 대하여 $\mathrm{H}(14-t)=\mathrm{H}(14+t)$이다. [참]

따라서 옳은 것은 ㄴ, ㄷ이다.

1242

 ②

STEP Ⓐ **정규분포를 표준정규분포로 나타내기**

$\mathrm{P}(X \le m+\sigma)=\mathrm{P}(X \le m)+\mathrm{P}(m \le X \le m+\sigma)$

$=0.5+\mathrm{P}(m \le X \le m+\sigma)$

$=0.8413$

이므로

$\mathrm{P}(m \le X \le m+\sigma)=0.3413$

STEP Ⓑ $\mathrm{P}(m-\sigma \le X \le m+\sigma)$ **구하기**

따라서 $\mathrm{P}(m-\sigma \le X \le m+\sigma)=2\mathrm{P}(m \le X \le m+\sigma)$

$=2\times 0.3413=0.6826$

1243

 ③

STEP Ⓐ **표를 이용하여** $\mathrm{P}(14 \le X \le 20)$ **구하기**

확률변수 X가 정규분포 $\mathrm{N}(20,\ 3^2)$을 따르므로

$m=20,\ \sigma=3$

$\mathrm{P}(14 \le X \le 20)=\mathrm{P}(20-6 \le X \le 20)$

$=\mathrm{P}(m-2\sigma \le X \le m)$

$=\mathrm{P}(m \le X \le m+2\sigma)$

$=0.4772$

1244

 ①

STEP Ⓐ **표를 이용하여** $\mathrm{P}(a \le X \le m)$ **구하기**

확률변수 X가 정규분포 $\mathrm{N}(30,\ 2^2)$을 따르므로

$m=30,\ \sigma=2$

$\mathrm{P}(26 \le X \le a)=\mathrm{P}(30-4 \le X \le a)$

$=\mathrm{P}(m-2\sigma \le X \le a)$

$=\mathrm{P}(m-2\sigma \le X \le m)-\mathrm{P}(a \le X \le m)$

$=0.4772-\mathrm{P}(a \le X \le m)$

즉 $0.4772-\mathrm{P}(a \le X \le m)=0.1359$이므로 $\mathrm{P}(a \le X \le m)=0.3413$

STEP Ⓑ a**값 구하기**

이때 $\mathrm{P}(m \le X \le m+\sigma)=0.3413$이므로 $\mathrm{P}(m-\sigma \le X \le m)=0.3413$

따라서 $a=m-\sigma=30-2=28$

내신연계 출제문항 527

정규분포 $\mathrm{N}(m,\ \sigma^2)$을 따르는 확률변수 X에 대하여 $\mathrm{P}(m \le X \le x)$는 오른쪽 표와 같다. 확률변수 X가 정규분포 $\mathrm{N}(10,\ 3^2)$을 따를 때, $\mathrm{P}(X \le a)=0.1587$를 만족하는 상수 a의 값은?

x	$\mathrm{P}(m \le X \le x)$
$m+\sigma$	0.3413
$m+2\sigma$	0.4772
$m+3\sigma$	0.4987

① 5　② 6　③ 7　④ 8　⑤ 9

STEP Ⓐ **표를 이용하여** $\mathrm{P}(a \le X \le m)$ **구하기**

확률변수 X가 정규분포 $\mathrm{N}(10,\ 3^2)$을 따르므로

$m=10,\ \sigma=3$

$\mathrm{P}(X \le a)=0.1587$에서 $\mathrm{P}(X \le m)-\mathrm{P}(a \le X \le m)=0.1587$

$0.5-\mathrm{P}(a \le X \le m)=0.1587$

$\therefore\ \mathrm{P}(a \le X \le m)=0.3413$

STEP Ⓑ a**값 구하기**

$\mathrm{P}(m \le X \le m+\sigma)=0.3413$이므로 $\mathrm{P}(m-\sigma \le X \le m)=0.3413$

따라서 $a=m-\sigma=10-3=7$

정답 ③

1245

 ③

STEP Ⓐ **정규분포곡선의 성질 이용하여** $\mathrm{P}(X \ge m+\sigma)$ **구하기**

$\mathrm{P}(m-\sigma \le X \le m+2\sigma)=a$에서

$\mathrm{P}(m-2\sigma \le X \le m+\sigma)=a$　…… ㉠

$\mathrm{P}\left(\left|\dfrac{X-m}{\sigma}\right| \ge 2\right)=b$에서

$\mathrm{P}(X \ge m+2\sigma$ 또는 $X \le m-2\sigma)=b$

$\mathrm{P}(X \le m-2\sigma)=\dfrac{b}{2}$　…… ㉡

STEP Ⓑ $\mathrm{P}(X \ge m+\sigma)$ **구하기**

㉠, ㉡을 오른쪽 그림으로 나타낸다.

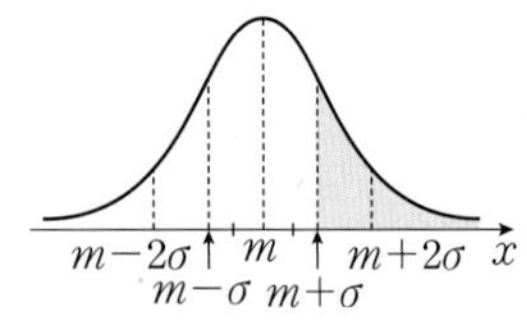

따라서 $\mathrm{P}(X \ge m+\sigma)=1-\mathrm{P}(m-2\sigma \le X \le m+\sigma)-\mathrm{P}(X \le m-2\sigma)$

$=1-a-\dfrac{b}{2}$

다른풀이 정규분포를 표준화하여 풀이하기

STEP Ⓐ **확률변수** X**를** $Z=\dfrac{X-m}{\sigma}$**으로 표준화하여 확률 구하기**

확률변수 X가 정규분포 $\mathrm{N}(m,\ \sigma^2)$을 따르므로

확률변수 $Z=\dfrac{X-m}{\sigma}$은 표준정규분포 $\mathrm{N}(0,\ 1)$을 따른다.

$\mathrm{P}(m-2\sigma \le X \le m+\sigma)=\mathrm{P}\left(-2 \le \dfrac{X-m}{\sigma} \le 1\right)$

$=\mathrm{P}(-2 \le Z \le 1)$

$=a$　…… ㉠

$\mathrm{P}\left(\left|\dfrac{X-m}{\sigma}\right| \ge 2\right)=\mathrm{P}(|Z| \ge 2)=b$이므로

$\mathrm{P}(Z \le -2)=\dfrac{b}{2}$　…… ㉡

STEP Ⓑ $\mathrm{P}(X \ge m+\sigma)$ **구하기**

따라서 ㉠, ㉡에서

$\mathrm{P}(X \ge m+\sigma)=\mathrm{P}\left(\dfrac{X-m}{\sigma} \ge 1\right)=\mathrm{P}(Z \ge 1)$

$=1-\mathrm{P}(Z \ge 1)$

$=1-\{\mathrm{P}(Z \le -2)+\mathrm{P}(-2 \le Z \le 1)\}$

$=1-\left(\dfrac{b}{2}+a\right)=1-a-\dfrac{b}{2}$

1246

정답 ④

STEP Ⓐ **정규분포곡선의 성질을 이용하여 m의 값 구하기**

정규분포 $\mathrm{N}(m,\ \sigma^2)$을 따르는 확률변수 X의 확률밀도함수 $y=f(x)$의 그래프는 직선 $x=m$에 대하여 대칭이므로

조건 (가)에서

$\mathrm{P}(X \geq 64)=\mathrm{P}(X \leq 56)$이므로

$m=\mathrm{E}(X)=\dfrac{64+56}{2}=60$

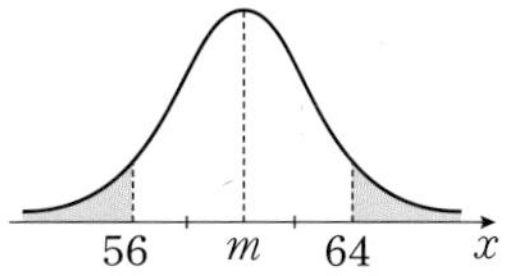

STEP Ⓑ **$\sigma(X)$ 구하기**

조건 (나)에서 $\mathrm{E}(X^2)=3616$이므로

$\mathrm{V}(X)=\mathrm{E}(X^2)-\{\mathrm{E}(X)\}^2=3616-60^2=16 \quad \therefore\ \sigma(X)=4$

STEP Ⓒ **$\mathrm{P}(X \leq 68)$ 구하기**

따라서 정규분포 $\mathrm{N}(60,\ 4^2)$을 따르므로

$\mathrm{P}(X \leq 68)=\mathrm{P}(X \leq 60+8)=\mathrm{P}(X \leq m+2\sigma)$

$=0.5+\mathrm{P}(m \leq X \leq m+2\sigma)$

$=0.5+0.4772=0.9772$

다른풀이 정규분포를 표준화하여 풀이하기

STEP Ⓐ **확률변수 X를 $Z=\dfrac{X-m}{\sigma}$으로 표준화하여 확률 구하기**

확률변수 X가 정규분포 $\mathrm{N}(m,\ \sigma^2)$을 따르므로 주어진 표에서

$\mathrm{P}(m \leq X \leq m+1.5\sigma)=\mathrm{P}\left(\dfrac{m-m}{\sigma} \leq Z \leq \dfrac{m+1.5\sigma-m}{\sigma}\right)$

$=\mathrm{P}(0 \leq Z \leq 1.5)=0.4332$

$\mathrm{P}(m \leq X \leq m+2\sigma)=\mathrm{P}\left(\dfrac{m-m}{\sigma} \leq Z \leq \dfrac{m+2\sigma-m}{\sigma}\right)$

$=\mathrm{P}(0 \leq Z \leq 2)=0.4772$

$\mathrm{P}(m \leq X \leq m+2.5\sigma)=\mathrm{P}\left(\dfrac{m-m}{\sigma} \leq Z \leq \dfrac{m+2.5\sigma-m}{\sigma}\right)$

$=\mathrm{P}(0 \leq Z \leq 2.5)=0.4938$

STEP Ⓑ **주어진 표에서 표준화 하여 $\mathrm{P}(X \leq 68)$ 구하기**

따라서 $m=60,\ \sigma=4$이므로

$\mathrm{P}(X \leq 68)=\mathrm{P}\left(Z \leq \dfrac{68-60}{4}\right)=\mathrm{P}(Z \leq 2)$

$=0.5+\mathrm{P}(0 \leq Z \leq 2)$

$=0.5+0.4772=0.9772$

내/신/연/계/ 출제문항 528

확률변수 X가 정규분포 $\mathrm{N}(m,\ \sigma^2)$을 따르고 다음 조건을 만족시킨다.

(가) $\mathrm{P}(X \leq 12)=\mathrm{P}(X \geq 48)$
(나) $\mathrm{E}(X^2)=916$

x	$\mathrm{P}(m \leq X \leq x)$
$m+1.5\sigma$	0.4332
$m+2\sigma$	0.4772
$m+2.5\sigma$	0.4938

$\mathrm{P}(X \leq 40)$의 값을 오른쪽 표를 이용하여 구한 것은?

① 0.9104 ② 0.9332 ③ 0.9544
④ 0.9772 ⑤ 0.9938

STEP Ⓐ **정규분포곡선의 성질을 이용하여 m의 값 구하기**

정규분포 $\mathrm{N}(m,\ \sigma^2)$을 따르는 확률변수 X의 확률밀도함수 $y=f(x)$의 그래프는 직선 $x=m$에 대하여 대칭이므로

조건 (가)에서 $\mathrm{P}(X \leq 12)=\mathrm{P}(X \geq 48)$

이므로 $m=\mathrm{E}(X)=\dfrac{48+12}{2}=30$

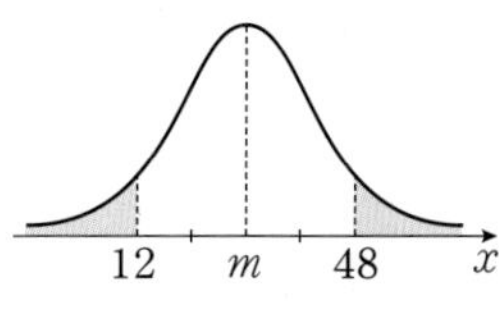

STEP Ⓑ **$\sigma(X)$ 구하기**

조건 (나)에서 $\mathrm{E}(X^2)=916$이므로

$\mathrm{V}(X)=\mathrm{E}(X^2)-\{\mathrm{E}(X)\}^2=916-900=16 \quad \therefore\ \sigma(X)=4$

STEP Ⓒ **$\mathrm{P}(X \leq 40)$ 구하기**

따라서 정규분포 $\mathrm{N}(30,\ 4^2)$을 따르므로

$\mathrm{P}(X \leq 40)=\mathrm{P}(X \leq 30+10)=\mathrm{P}(X \leq m+2.5\sigma)$

$=0.5+\mathrm{P}(m \leq X \leq m+2.5\sigma)$

$=0.5+0.4938=0.9938$

다른풀이 정규분포를 표준화하여 풀이하기

STEP Ⓐ **확률변수 X를 $Z=\dfrac{X-m}{\sigma}$으로 표준화하여 확률 구하기**

$\therefore\ \mathrm{P}(X \leq 40)=\mathrm{P}\left(Z \leq \dfrac{40-30}{4}\right)=\mathrm{P}(Z \leq 2.5)=0.5+\mathrm{P}(0 \leq Z \leq 2.5)$

이때 주어진 표에서

$\mathrm{P}(m \leq X \leq m+2.5\sigma)=\mathrm{P}\left(\dfrac{m-m}{\sigma} \leq Z \leq \dfrac{m+2.5\sigma-m}{\sigma}\right)$

$=\mathrm{P}(0 \leq Z \leq 2.5)=0.4938$

따라서 $\mathrm{P}(X \leq 40)=\mathrm{P}(Z \leq 2.5)=0.5+\mathrm{P}(0 \leq Z \leq 2.5)$

$=0.5+0.4938=0.9938$

정답 ⑤

1247

정답 ③

STEP Ⓐ **정규분포곡선의 성질을 이용하여 a의 값 구하기**

확률변수 X가 정규분포 $\mathrm{N}(110,\ 4^2)$을 따르므로 정규분포곡선 $y=f(x)$는 직선 $x=110$에 대하여 대칭이다.

오른쪽 그림에서

$\mathrm{P}(X \leq 100)=\mathrm{P}(X \geq 120)$이므로

$a=120$

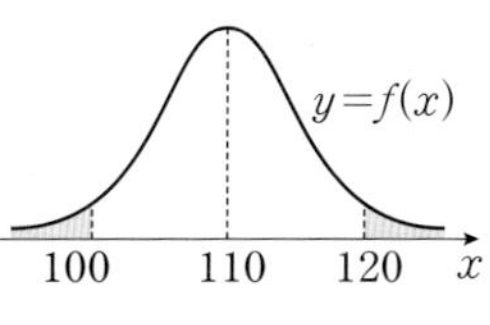

STEP Ⓑ **확률변수 X를 $Z=\dfrac{X-m}{\sigma}$으로 표준화 b 구하기**

또한, $\mathrm{P}(X \geq 120)=\mathrm{P}\left(Z \geq \dfrac{120-110}{4}\right)=\mathrm{P}(Z \geq 2.5)$에서 $b=2.5$

따라서 $ab=120 \times 2.5=300$

1248

정답 ⑤

STEP Ⓐ **확률변수 $X,\ Y$를 $Z=\dfrac{X-m}{\sigma},\ Z=\dfrac{Y-m}{\sigma}$으로 표준화하기**

확률변수 X는 정규분포 $\mathrm{N}(50,\ 10^2)$을 따르므로 $Z=\dfrac{X-50}{10}$로 놓으면

확률변수 Z는 표준정규분포 $\mathrm{N}(0,\ 1)$을 따른다.

$\mathrm{P}(50 \leq X \leq k)=\mathrm{P}\left(\dfrac{50-50}{10} \leq Z \leq \dfrac{k-50}{10}\right)$

$=\mathrm{P}\left(0 \leq Z \leq \dfrac{k-50}{10}\right)$ ...... ㉠

확률변수 Y는 정규분포 $\mathrm{N}(40,\ 8^2)$을 따르므로 $Z=\dfrac{Y-40}{8}$로 놓으면

확률변수 Z는 표준정규분포 $\mathrm{N}(0,\ 1)$을 따른다.

$\mathrm{P}(24 \leq Y \leq 40)=\mathrm{P}\left(\dfrac{24-40}{8} \leq Z \leq \dfrac{40-40}{8}\right)$

$=\mathrm{P}(-2 \leq Z \leq 0)$

$=\mathrm{P}(0 \leq Z \leq 2)$ ...... ㉡

STEP Ⓑ **k의 값 구하기**

따라서 ㉠, ㉡에서 $\dfrac{k-50}{10}=2$이므로 $k=70$

내/신/연/계/ 출제문항 529

두 확률변수 X, Y가 각각 정규분포 $\mathrm{N}(12,\ 2^2)$, $\mathrm{N}(18,\ 3^2)$을 따르고

$$\mathrm{P}(10 \le X \le 12)=\mathrm{P}(18 \le Y \le a)$$

일 때, 상수 a의 값은?

① 19　② 21　③ 23　④ 25　⑤ 27

STEP A **확률변수 X, Y를 $Z=\dfrac{X-m}{\sigma}$으로 표준화하기**

확률변수 X는 정규분포 $\mathrm{N}(12,\ 2^2)$을 따르므로 $Z=\dfrac{X-12}{2}$로 놓으면

확률변수 Z는 표준정규분포 $\mathrm{N}(0,\ 1)$을 따른다.

$\mathrm{P}(10 \le X \le 12)=\mathrm{P}\left(\dfrac{10-12}{2} \le Z \le \dfrac{12-12}{2}\right)$

$=\mathrm{P}(-1 \le Z \le 0)$

$=\mathrm{P}(0 \le Z \le 1)$　…… ㉠

확률변수 Y는 정규분포 $\mathrm{N}(18,\ 3^2)$을 따르므로 $Z=\dfrac{Y-18}{3}$로 놓으면

확률변수 Z는 표준정규분포 $\mathrm{N}(0,\ 1)$을 따른다.

$\mathrm{P}(18 \le Y \le a)=\mathrm{P}\left(\dfrac{18-18}{3} \le Z \le \dfrac{a-18}{3}\right)$

$=\mathrm{P}\left(0 \le Z \le \dfrac{a-18}{3}\right)$　…… ㉡

STEP B **a의 값 구하기**

따라서 ㉠, ㉡에서 $\dfrac{a-18}{3}=1$이므로 $a=21$

 ②

1249

 ③

STEP A **확률변수 X, Y를 $Z=\dfrac{X-m}{\sigma}$으로 표준화하기**

확률변수 X는 정규분포 $\mathrm{N}(12,\ 2^2)$을 따르므로 $Z=\dfrac{X-12}{2}$로 놓으면

확률변수 Z는 표준정규분포 $\mathrm{N}(0,\ 1)$을 따른다.

$\mathrm{P}(10 \le X \le k)=\mathrm{P}\left(\dfrac{10-12}{2} \le Z \le \dfrac{k-12}{2}\right)=\mathrm{P}\left(-1 \le Z \le \dfrac{k-12}{2}\right)$

확률변수 Y는 정규분포 $\mathrm{N}(22,\ 3^2)$을 따르므로 $Z=\dfrac{Y-22}{3}$로 놓으면

확률변수 Z는 표준정규분포 $\mathrm{N}(0,\ 1)$을 따른다.

$\mathrm{P}(k \le Y \le 25)=\mathrm{P}\left(\dfrac{k-22}{3} \le Z \le \dfrac{25-22}{3}\right)=\mathrm{P}\left(\dfrac{k-22}{3} \le Z \le 1\right)$

STEP B **k의 값 구하기**

$\mathrm{P}\left(-1 \le Z \le \dfrac{k-12}{2}\right)=\mathrm{P}\left(\dfrac{k-22}{3} \le Z \le 1\right)$이면

$Z=0$을 기준으로 $\dfrac{k-12}{2}$, $\dfrac{k-22}{3}$가 서로 대칭이다.

따라서 $\dfrac{k-12}{2}+\dfrac{k-22}{3}=0$이므로 $k=16$

1250

 ⑤

STEP A **확률변수 X, Y를 $Z=\dfrac{X-m}{\sigma}$으로 표준화하기**

확률변수 X는 정규분포 $\mathrm{N}(2,\ 3^2)$을 따르므로 $Z=\dfrac{X-2}{3}$로 놓으면

확률변수 Z는 표준정규분포 $\mathrm{N}(0,\ 1)$을 따른다.

$\mathrm{P}(X \ge 2k)=\mathrm{P}\left(\dfrac{X-2}{3} \ge \dfrac{2k-2}{3}\right)$

$=\mathrm{P}\left(Z \ge \dfrac{2k-2}{3}\right)$　…… ㉠

확률변수 Y는 정규분포 $\mathrm{N}(0,\ 2^2)$을 따르므로 $Z=\dfrac{Y-0}{2}$로 놓으면

확률변수 Z는 표준정규분포 $\mathrm{N}(0,\ 1)$을 따른다.

$\mathrm{P}(Y \ge k)=\mathrm{P}\left(\dfrac{Y-0}{2} \ge \dfrac{k-0}{2}\right)$

$=\mathrm{P}\left(Z \ge \dfrac{k}{2}\right)$　…… ㉡

STEP B **k의 값 구하기**

따라서 ㉠, ㉡에서 $\dfrac{2k-2}{3}=\dfrac{k}{2}$이므로 $k=4$

1251

 ④

STEP A **확률변수 X, Y를 표준화하여 m의 값 구하기**

확률변수 X는 정규분포 $\mathrm{N}(10,\ 2^2)$을 따르므로

$2\mathrm{P}(10 \le X \le 14)=2\mathrm{P}\left(\dfrac{10-10}{2} \le Z \le \dfrac{14-10}{2}\right)$

$=2\mathrm{P}(0 \le Z \le 2)$

$=\mathrm{P}(-2 \le Z \le 2)$

확률변수 Y는 정규분포 $\mathrm{N}(m,\ 4^2)$을 따르므로

$\mathrm{P}(15 \le Y \le 2m-15)=\mathrm{P}\left(\dfrac{15-m}{4} \le Z \le \dfrac{m-15}{4}\right)$

$=\mathrm{P}\left(-\dfrac{m-15}{4} \le Z \le \dfrac{m-15}{4}\right)$

따라서 $2\mathrm{P}(10 \le X \le 14)=\mathrm{P}(15 \le Y \le 2m-15)$이므로

$\dfrac{m-15}{4}=2$에서 $m=23$

내/신/연/계/ 출제문항 530

확률변수 X가 정규분포 $\mathrm{N}(5,\ 3^2)$을 따를 때,

$$\mathrm{P}(|X-5| \le 3)=0.6826$$

이다. 확률변수 Y를 $Y=2X+1$이라고 할 때, $\mathrm{P}(Y \ge 17)$의 값은?

① 0.1587　② 0.2280　③ 0.4771　④ 0.4812　⑤ 0.8413

STEP A **$\mathrm{P}(|X-5| \le 3)$ 구하기**

확률변수 X가 정규분포 $\mathrm{N}(5,\ 3^2)$을 따르므로

$\mathrm{P}(|X-5| \le 3)=\mathrm{P}(|X-m| \le \sigma)=\mathrm{P}(m-\sigma \le X \le m+\sigma)$

$=2\mathrm{P}(m \le X \le m+\sigma)$

즉 $2\mathrm{P}(m \le X \le m+\sigma)=0.6826$이므로 $\mathrm{P}(m \le X \le m+\sigma)=0.3413$

STEP B **$\mathrm{P}(Y \ge 17)$ 구하기**

따라서 $Y=2X+1$이므로

$\mathrm{P}(Y \ge 17)=\mathrm{P}(2X+1 \ge 17)=\mathrm{P}(X \ge 8)=\mathrm{P}(X \ge 5+3)$

$=\mathrm{P}(X \ge m+\sigma)$

$=\mathrm{P}(X \ge m)-\mathrm{P}(m \le X \le m+\sigma)$

$=0.5-0.3413=0.1587$

다른풀이 정규분포를 표준화하여 풀이하기

STEP A **확률변수 X를 $Z=\dfrac{X-m}{\sigma}$으로 표준화하여 $\mathrm{P}(0 \le Z \le 1)$ 구하기**

확률변수 X가 정규분포 $\mathrm{N}(5,\ 3^2)$을 따르므로

확률변수 $Z=\dfrac{X-5}{3}$은 표준정규분포 $\mathrm{N}(0,\ 1)$을 따른다.

$\mathrm{P}(|X-5| \le 3)=\mathrm{P}\left(\left|\dfrac{X-5}{3}\right| \le \dfrac{3}{3}\right)=\mathrm{P}(|Z| \le 1)$

$=\mathrm{P}(-1 \le Z \le 1)$

$=2\mathrm{P}(0 \le Z \le 1)=0.6826$

$\therefore\ \mathrm{P}(0 \le Z \le 1)=0.3413$

STEP B $P(Y \ge 17)$ 구하기

따라서 $Y=2X+1$이므로

$$P(Y \ge 17)=P(2X+1 \ge 17)=P(X \ge 8)=P\left(\frac{X-5}{3} \ge \frac{8-5}{3}\right)$$
$$=P(Z \ge 1)$$
$$=P(Z \ge 0)-P(0 \le Z \le 1)$$
$$=0.5-0.3413=0.1587$$ 정답 ①

1252

정답 ①

STEP A 확률변수 X, Y를 각각 $Z=\frac{X-m}{\sigma}$, $Z=\frac{Y-m}{\sigma}$으로 표준화하기

확률변수 X는 정규분포 $N(1, 2^2)$을 따르므로 $Z=\frac{X-1}{2}$로 놓으면

확률변수 Z는 표준정규분포 $N(0, 1)$을 따른다.

$P(X \le 5)=P\left(\frac{X-1}{2} \le \frac{5-1}{2}\right)=P(Z \le 2)$ …… ㉠

확률변수 Y는 정규분포 $N(2, 3^2)$을 따르므로 $Z=\frac{Y-2}{3}$로 놓으면

확률변수 Z는 표준정규분포 $N(0, 1)$을 따른다.

$P(Y \ge k)=P\left(\frac{Y-2}{3} \ge \frac{k-2}{3}\right)=P\left(Z \ge \frac{k-2}{3}\right)$ …… ㉡

STEP B k의 값 구하기

따라서 ㉠, ㉡에서 $\frac{k-2}{3}=-2$이므로 $k=-4$

내신연계 출제문항 531

두 확률변수 X, Y가 각각 정규분포 $N(15, \sigma^2)$, $N(20, 4\sigma^2)$을 따른다.

$P(X \le 13)=P(Y \ge k)$

일 때, 상수 k의 값은?

① 18 ② 21 ③ 24
④ 27 ⑤ 30

STEP A 확률변수 X, Y를 각각 $Z=\frac{X-m}{\sigma}$, $Z=\frac{Y-m}{\sigma}$으로 표준화하기

확률변수 X가 정규분포 $N(15, \sigma^2)$을 따르므로 $Z=\frac{X-15}{\sigma}$로 놓으면

확률변수 Z는 표준정규분포 $N(0, 1)$을 따른다.

$P(X \le 13)=P\left(\frac{X-15}{\sigma} \le \frac{13-15}{\sigma}\right)=P\left(Z \le -\frac{2}{\sigma}\right)$ …… ㉠

확률변수 Y가 정규분포 $N(20, 4\sigma^2)$을 따르므로 $Z=\frac{Y-20}{2\sigma}$로 놓으면

확률변수 Z는 표준정규분포 $N(0, 1)$을 따른다.

$P(Y \ge k)=P\left(\frac{Y-20}{2\sigma} \ge \frac{k-20}{2\sigma}\right)=P\left(Z \ge \frac{k-20}{2\sigma}\right)$ …… ㉡

STEP B k의 값 구하기

㉠, ㉡에서 $P\left(Z \le -\frac{2}{\sigma}\right)=P\left(Z \ge \frac{k-20}{2\sigma}\right)$

$-\frac{2}{\sigma}+\frac{k-20}{2\sigma}=0$

따라서 $\frac{-4+(k-20)}{2\sigma}=0$이므로 $k=24$ ⬅ $\sigma>0$ 정답 ③

1253

정답 ②

STEP A $E(aX)=aE(X)$, $\sigma(aX)=|a|\sigma(X)$를 이용하여 정규분포 Y 구하기

$E(X)=10$이므로 $E(Y)=E(3X)=3E(X)=30$

$\sigma(X)=\sigma(\sigma>0)$라 하면

$\sigma(Y)=\sigma(3X)=|3|\sigma(X)=3\sigma$

STEP B 두 확률변수 X, Y를 표준화하기

확률변수 X는 정규분포 $N(10, \sigma^2)$을 따르므로

$P(X \le k)=P\left(Z \le \frac{k-10}{\sigma}\right)$ …… ㉠

확률변수 Y는 정규분포 $N(30, 9\sigma^2)$을 따르므로

$P(Y \ge k)=P\left(Z \ge \frac{k-30}{3\sigma}\right)$ …… ㉡

STEP C 정규분포 곡선의 대칭성을 이용하여 k값 구하기

㉠, ㉡에서 $P(X \le k)=P(Y \ge k)$이므로

두 확률이 같으려면 표준정규분포 곡선은

$Z=0$에 대하여 대칭이므로

$\frac{k-10}{\sigma}=-\frac{k-30}{3\sigma}$

따라서 $3k-30=30-k$이므로 $k=15$

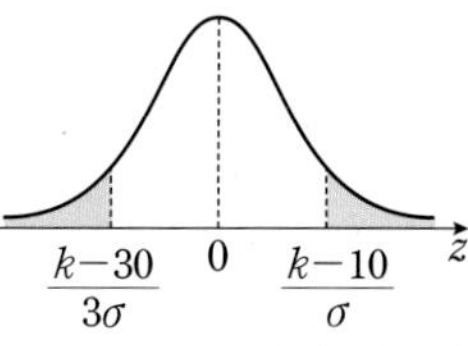

1254

정답 ④

STEP A 조건 (가)를 만족하는 a의 값 구하기

조건 (가)에서 임의의 실수 k에 대하여 $f(80+k)=f(80-k)$이므로

함수 $y=f(x)$의 그래프는 직선 $x=80$에 대하여 대칭이다.

$\therefore a=80$

STEP B 조건 (나)를 만족하는 b의 값 구하기

조건 (나)에서

$2P(a-2 \le X \le a)+P(a+2 \le X \le a+4)$

$=2P(78 \le X \le 80)+P(82 \le X \le 84)$

$=P(78 \le X \le 80)+P(80 \le X \le 82)+P(82 \le X \le 84)$

$=P(78 \le X \le 84)$

$\therefore b=84$

STEP C 조건 (다)를 만족하는 c의 값 구하기

조건 (다)에서

$$P(78 \le X \le 84)=P\left(\frac{78-80}{2} \le Z \le \frac{84-80}{2}\right)$$
$$=P(-1 \le Z \le 2)$$
$$=P(0 \le Z \le 1)+P(0 \le Z \le 2)$$

$\therefore c=1$

따라서 $a+b+c=80+84+1=165$

내신연계 출제문항 532

두 확률변수 X, Y가 각각 정규분포 $N(1, a^2)$, $N(3, a^2)$을 따를 때, 다음 [보기]에서 옳은 것만을 있는 대로 고른 것은? (단, $1<a<3$)

ㄱ. $P(1 \le X \le 2)=P(2 \le X \le 3)$
ㄴ. $P(1 \le X \le 3)=P(1 \le Y \le 3)$
ㄷ. $P(1 \le X \le a)>P(a \le Y \le 3)$이면 $a>2$이다.

① ㄱ ② ㄴ ③ ㄱ, ㄷ
④ ㄴ, ㄷ ⑤ ㄱ, ㄴ, ㄷ

Ⅲ 통계

STEP Ⓐ **표준화 공식과 정규분포의 성질 이용하여 참, 거짓 판단하기**

확률변수 X, Y는 각각 정규분포 $\mathrm{N}(1,\ a^2)$, $\mathrm{N}(3,\ a^2)$을 따르므로

X, Y를 각각 표준화한 확률변수 $Z=\dfrac{X-1}{a}$, $Z=\dfrac{Y-3}{a}$은 모두

표준정규분포 $\mathrm{N}(0,\ 1)$을 따른다.

ㄱ. $\mathrm{P}(1\le X\le 2)=\mathrm{P}\left(0\le Z\le \dfrac{1}{a}\right)$, $\mathrm{P}(2\le X\le 3)=\mathrm{P}\left(\dfrac{1}{a}\le Z\le \dfrac{2}{a}\right)$이므로

$\mathrm{P}(1\le X\le 2)>\mathrm{P}(2\le X\le 3)$ [거짓]

ㄴ. $\mathrm{P}(1\le X\le 3)=\mathrm{P}\left(0\le Z\le \dfrac{2}{a}\right)$, $\mathrm{P}(1\le Y\le 3)=\mathrm{P}\left(-\dfrac{2}{a}\le Z\le 0\right)$이므로

$\mathrm{P}(1\le X\le 3)=\mathrm{P}(1\le Y\le 3)$ [참]

ㄷ. $\mathrm{P}(1\le X\le a)=\mathrm{P}\left(0\le Z\le 1-\dfrac{1}{a}\right)$,

$\mathrm{P}(a\le Y\le 3)=\mathrm{P}\left(1-\dfrac{3}{a}\le Z\le 0\right)=\mathrm{P}\left(0\le Z\le \dfrac{3}{a}-1\right)$이므로

$\mathrm{P}(1\le X\le a)>\mathrm{P}(a\le Y\le 3)$이려면

$1-\dfrac{1}{a}>\dfrac{3}{a}-1$, $a-1>3-a$

즉 $a>2$ [참]

따라서 옳은 것은 ㄴ, ㄷ이다.

정답 ④

1255

정답 ④

STEP Ⓐ **조건 (가)를 만족하는 정규분포를 표준화하기**

$Z=\dfrac{X-m}{\sigma}$으로 놓으면 확률변수 Z는 표준정규분포 $\mathrm{N}(0,\ 1)$을 따른다.

$\mathrm{P}(X\ge 48)=\mathrm{P}\left(Z\ge \dfrac{48-m}{\sigma}\right)=0.0228$

에서

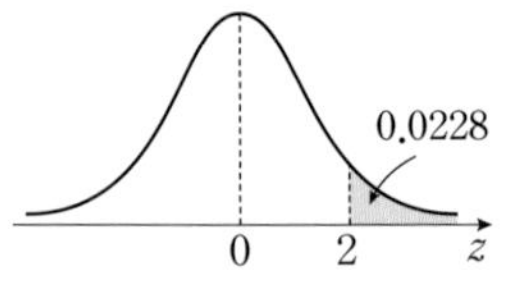

$\mathrm{P}\left(0\le Z\le \dfrac{48-m}{\sigma}\right)=0.5-0.0228$

$=0.4772$

이므로 표준정규분포표에서 $\dfrac{48-m}{\sigma}=2$

즉 $m+2\sigma=48$ …… ㉠

STEP Ⓑ **조건 (나)를 만족하는 정규분포를 표준화하기**

$\mathrm{P}(42\le X\le 48)=\mathrm{P}\left(\dfrac{42-m}{\sigma}\le Z\le 2\right)$

$=0.2857$

이고

$\mathrm{P}(0\le Z\le 2)=0.4772$이므로

$0<\dfrac{42-m}{\sigma}<2$이고

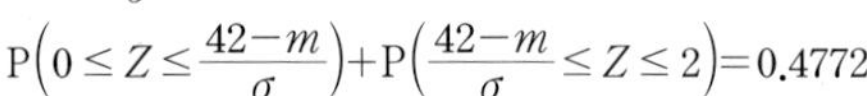

$\mathrm{P}\left(0\le Z\le \dfrac{42-m}{\sigma}\right)+\mathrm{P}\left(\dfrac{42-m}{\sigma}\le Z\le 2\right)=0.4772$

$\mathrm{P}\left(0\le Z\le \dfrac{42-m}{\sigma}\right)=0.4772-0.2857=0.1915$

표준정규분포표에서 $\dfrac{42-m}{\sigma}=0.5$

즉 $m+0.5\sigma=42$ …… ㉡

STEP Ⓒ $m+\sigma$**의 값 구하기**

㉠, ㉡을 연립하여 풀면 $m=40$, $\sigma=4$

따라서 $m+\sigma=40+4=44$

1256

정답 ②

STEP Ⓐ $\mathrm{P}(m\le X\le 3)$**의 값 구하기**

$\mathrm{P}(X\le 3)=\mathrm{P}(3\le X\le 80)=0.3$

확률변수 X가 정규분포를 따르므로 표준화하면

$\mathrm{P}\left(Z\le \dfrac{3-m}{\sigma}\right)=\mathrm{P}\left(\dfrac{3-m}{\sigma}\le Z\le \dfrac{80-m}{\sigma}\right)=0.3$

STEP Ⓑ **주어진 조건을 이용하여 그래프 그리기**

$\mathrm{P}(0\le Z\le 0.25)=0.1$, $\mathrm{P}(0\le Z\le 0.52)=0.2$를 표준정규분포 그래프로 나타내보면 다음과 같다.

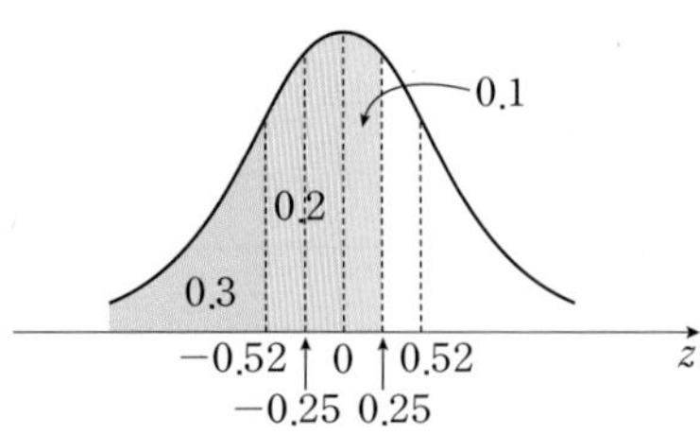

위의 그래프를 통해

$\mathrm{P}(Z\le -0.52)=\mathrm{P}(-0.52\le Z\le 0.25)=0.3$임을 알 수 있다.

STEP Ⓒ **표준화하여** m, σ**의 관계식 구하기**

$\dfrac{80-m}{\sigma}=0.25$, $\dfrac{3-m}{\sigma}=-0.52$

즉 $80-m=0.25\sigma$, $3-m=-0.52\sigma$에서

$m=80-0.25\sigma$, $m=3+0.52\sigma$이므로 $80-0.25\sigma=3+0.52\sigma$

$0.77\sigma=77$ $\quad\therefore\ \sigma=100$

따라서 $m=3+0.52\times 100=55$이므로 $m+\sigma=55+100=155$

다른풀이 표준정규분포를 이용하여 m의 값 구하기

STEP Ⓐ $\mathrm{P}(X\le 3)=0.3$**을 표준화하여** m, σ**의 관계식 구하기**

확률변수 X가 정규분포 $\mathrm{N}(m,\ \sigma^2)$을 따르므로

$\mathrm{P}(X\le 3)=\mathrm{P}\left(\dfrac{X-m}{\sigma}\le \dfrac{3-m}{\sigma}\right)=\mathrm{P}\left(Z\le \dfrac{3-m}{\sigma}\right)=0.3$

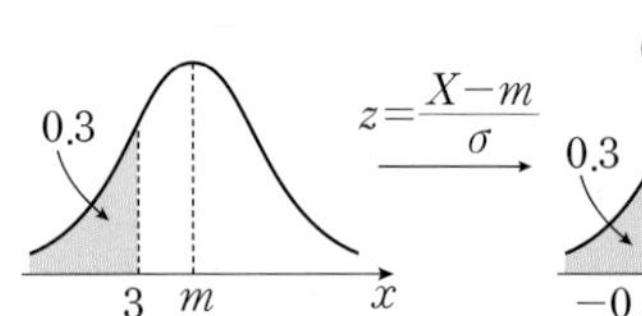

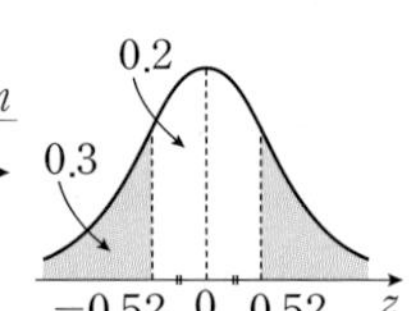

$0.5-\mathrm{P}\left(0\le Z\le \dfrac{m-3}{\sigma}\right)=0.3$

즉 $\mathrm{P}\left(0\le Z\le \dfrac{m-3}{\sigma}\right)=0.2$이므로 $\dfrac{m-3}{\sigma}=0.52$

$\therefore\ m=3+0.52\sigma$ …… ㉠

STEP Ⓑ $\mathrm{P}(3\le X\le 80)=0.3$**을 표준화하여** m, σ**의 관계식 구하기**

이때 $\mathrm{P}(3\le X\le 80)=\mathrm{P}\left(\dfrac{3-m}{\sigma}\le \dfrac{X-m}{\sigma}\le \dfrac{80-m}{\sigma}\right)$

$=\mathrm{P}\left(\dfrac{3-m}{\sigma}\le Z\le \dfrac{80-m}{\sigma}\right)$

$=\mathrm{P}\left(\dfrac{3-m}{\sigma}\le Z\le 0\right)+\mathrm{P}\left(0\le Z\le \dfrac{80-m}{\sigma}\right)$

$=0.2+\mathrm{P}\left(0\le Z\le \dfrac{80-m}{\sigma}\right)=0.3$

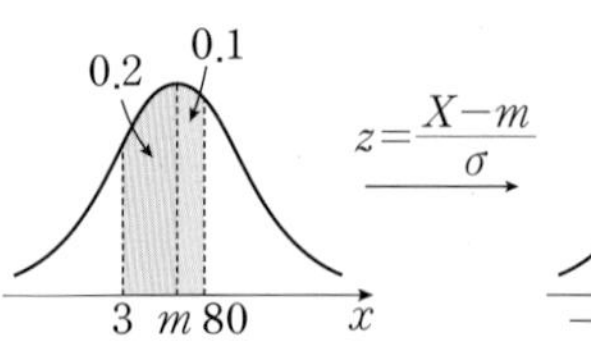

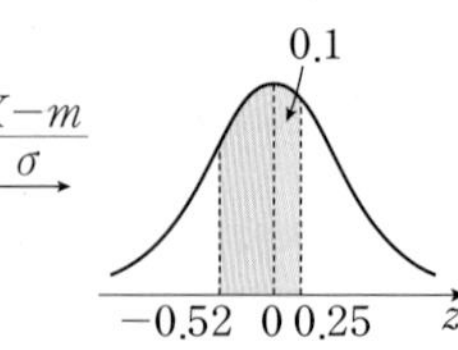

$\mathrm{P}\left(0\le Z\le \dfrac{80-m}{\sigma}\right)=0.1$이므로 $\dfrac{80-m}{\sigma}=0.25$

즉 $m=80-0.25\sigma$ …… ㉡

STEP Ⓒ $m+\sigma$**의 값 구하기**

㉠, ㉡에서 $3+0.52\sigma=80-0.25\sigma$

$0.77\sigma=77$, $\sigma=100$

따라서 $m=3+0.52\times 100=55$이므로 $m+\sigma=55+100=155$

내신연계 출제문항 533

두 확률변수 X, Y가 각각 정규분포 $\mathrm{N}(m,\ \sigma^2)$, $\mathrm{N}(11,\ 2^2)$을 따르고 다음 조건을 만족시킬 때, 두 상수 m, σ에 대하여 $m+\sigma$의 값은? (단, $\sigma>0$)

> (가) $\mathrm{P}(X\geq 15)=\mathrm{P}(Y\leq 15)$
> (나) $\mathrm{P}(12\leq X\leq 2m-12)=2\mathrm{P}(11\leq Y\leq 17)$

① 18 ② 21 ③ 24
④ 27 ⑤ 30

STEP Ⓐ **조건 (가)에서 두 정규분포를 표준화하여 m, σ의 관계식 구하기**

두 확률변수 X, Y가 각각 정규분포 $\mathrm{N}(m,\ \sigma^2)$, $\mathrm{N}(11,\ 2^2)$을 따르므로

$Z_1=\dfrac{X-m}{\sigma}$, $Z_2=\dfrac{Y-11}{2}$로 놓으면

두 확률변수 Z_1, Z_2는 모두 표준정규분포 $\mathrm{N}(0,\ 1)$을 따른다.

$\mathrm{P}(X\geq 15)=\mathrm{P}\left(Z_1\geq \dfrac{15-m}{\sigma}\right)$,

$\mathrm{P}(Y\leq 15)=\mathrm{P}\left(Z_2\leq \dfrac{15-11}{2}\right)=\mathrm{P}(Z_2\leq 2)$이므로

조건 (가)에서 $\dfrac{15-m}{\sigma}=-2$

즉 $m-2\sigma=15$ …… ㉠

STEP Ⓑ **조건 (나)에서 두 정규분포를 표준화하여 m, σ의 관계식 구하기**

$\mathrm{P}(12\leq X\leq 2m-12)=\mathrm{P}\left(\dfrac{12-m}{\sigma}\leq Z_1\leq \dfrac{2m-12-m}{\sigma}\right)$

$=\mathrm{P}\left(-\dfrac{m-12}{\sigma}\leq Z_1\leq \dfrac{m-12}{\sigma}\right)$

$=2\mathrm{P}\left(0\leq Z_1\leq \dfrac{m-12}{\sigma}\right)$

이고

$2\mathrm{P}(11\leq Y\leq 17)=2\mathrm{P}\left(\dfrac{11-11}{2}\leq Z_2\leq \dfrac{17-11}{2}\right)$

$=2\mathrm{P}(0\leq Z_2\leq 3)$

이므로 조건 (나)에서 $\dfrac{m-12}{\sigma}=3$

즉 $m-3\sigma=12$ …… ㉡

STEP Ⓒ **$m+\sigma$의 값 구하기**

㉠, ㉡을 연립하여 풀면 $m=21$, $\sigma=3$

따라서 $m+\sigma=21+3=24$

정답 ③

1257

정답 ③

STEP Ⓐ **정규분포곡선의 성질을 이용하여 m의 값 구하기**

정규분포 $\mathrm{N}(m,\ 2^2)$을 따르는 확률변수 X의 확률밀도함수의 그래프는 직선 $x=m$에 대하여 대칭이고

$\mathrm{P}(X\leq 7)=\mathrm{P}(X\geq 5)$이므로 $m=\dfrac{7+5}{2}=6$

STEP Ⓑ **$\mathrm{P}(X\geq 4)$의 값 구하기**

이때 $Z=\dfrac{X-6}{2}$으로 놓으면 확률변수 Z는 표준정규분포 $\mathrm{N}(0,\ 1)$을 따른다.

따라서 구하는 확률은

$\mathrm{P}(X\geq 4)=\mathrm{P}\left(Z\geq \dfrac{4-6}{2}\right)$

$=\mathrm{P}(Z\geq -1)$

$=\mathrm{P}(-1\leq Z\leq 0)+\mathrm{P}(Z\geq 0)$

$=\mathrm{P}(0\leq Z\leq 1)+\mathrm{P}(Z\geq 0)$

$=0.3413+0.5=0.8413$

내신연계 출제문항 534

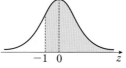

확률변수 X가 정규분포 $\mathrm{N}(m,\ \sigma^2)$을 따르고, 다음 조건을 만족시킨다.

> (가) $\mathrm{V}\left(\dfrac{1}{5}X+3\right)=1$
> (나) $\mathrm{P}(X\leq 80)=\mathrm{P}(X\geq 120)$

z	$\mathrm{P}(0\leq Z\leq z)$
0.5	0.1915
1.0	0.3413
1.5	0.4332
2.0	0.4772

$\mathrm{P}(X\leq 110)$의 값을 오른쪽 표준정규분포표를 이용하여 구한 것은?

① 0.6915 ② 0.8413
③ 0.9104 ④ 0.9332
⑤ 0.9772

STEP Ⓐ **정규분포곡선의 성질을 이용하여 m의 값 구하기**

조건 (가)에서 $\mathrm{V}\left(\dfrac{1}{5}X+3\right)=\dfrac{1}{25}\mathrm{V}(X)=1$이므로

$\mathrm{V}(X)=\sigma^2=25$ $\therefore \sigma=5$

조건 (나)에서 정규분포곡선은 직선 $x=m$에 대하여 대칭이므로

$m=\dfrac{80+120}{2}=100$

STEP Ⓑ **$\mathrm{P}(X\leq 110)$의 값 구하기**

이때 $Z=\dfrac{X-100}{5}$로 놓으면 확률변수 Z는 표준정규분포 $\mathrm{N}(0,\ 1)$을 따른다.

따라서 구하는 확률은

$\mathrm{P}(X\leq 110)=\mathrm{P}\left(Z\leq \dfrac{110-100}{5}\right)$

$=\mathrm{P}(Z\leq 2)$

$=0.5+\mathrm{P}(0\leq Z\leq 2)$

$=0.5+0.4772=0.9772$

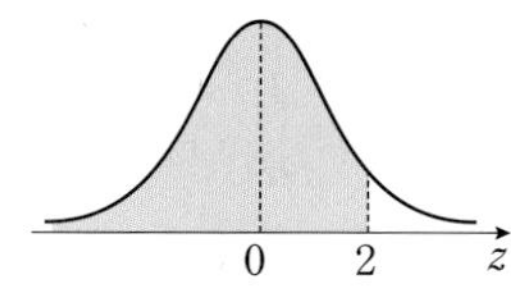

정답 ⑤

1258

정답 ②

STEP Ⓐ **$x=100$에 대하여 대칭임을 이용하여 평균 m 구하기**

정규분포 $\mathrm{N}(m,\ \sigma^2)$을 따르는 확률변수 X의 확률밀도함수의 그래프는 직선 $x=m$에 대하여 대칭이다.

$f(100-x)=f(100+x)$를 만족하는 확률밀도함수 $f(x)$는 $x=100$에 대하여 대칭이고 $f(x)$가 정규분포곡선이므로 확률변수 X의 평균은 $m=100$

STEP Ⓑ **$\mathrm{P}(m\leq X\leq m+8)=0.4772$를 이용하여 σ 구하기**

확률변수 X가 정규분포 $\mathrm{N}(100,\ \sigma^2)$을 따르므로

$\mathrm{P}(m\leq X\leq m+8)=0.4772$에서

$\mathrm{P}(m\leq X\leq m+8)=\mathrm{P}(100\leq X\leq 108)$

$=\mathrm{P}\left(\dfrac{100-100}{\sigma}\leq Z\leq \dfrac{108-100}{\sigma}\right)$

표준정규분포표에서

$\mathrm{P}(0\leq Z\leq 2)=0.4772$이므로 $\dfrac{108-100}{\sigma}=2$

$\therefore \sigma=4$

STEP Ⓒ **$\mathrm{P}(94\leq X\leq 110)$ 구하기**

따라서 확률변수 X가 정규분포 $\mathrm{N}(100,\ 4^2)$을 따르므로

$\mathrm{P}(94\leq X\leq 110)$

$=\mathrm{P}\left(\dfrac{94-100}{4}\leq Z\leq \dfrac{110-100}{4}\right)$

$=\mathrm{P}(-1.5\leq Z\leq 2.5)$

$=\mathrm{P}(0\leq Z\leq 1.5)+\mathrm{P}(0\leq Z\leq 2.5)$

$=0.4332+0.4938=0.9270$

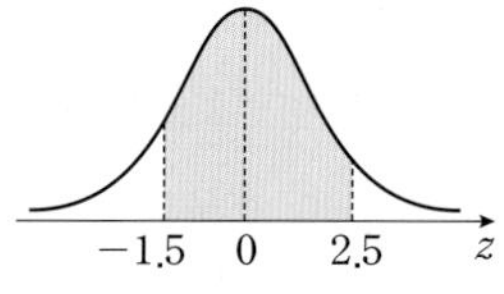

내신연계 출제문항 535

정규분포 $\mathrm{N}(m, \sigma^2)$을 따르는 확률변수 X의 확률밀도함수 $f(x)$가 모든 실수 x에 대하여 $f(x)=f(200-x)$를 만족시킨다.

$$\mathrm{P}(m-4 \le X \le m+4)=0.8664$$

일 때, 확률 $\mathrm{P}(X \ge 92)$는?

z	$\mathrm{P}(0 \le Z \le z)$
1.5	0.4332
2.0	0.4772
2.5	0.4938
3.0	0.4987

① 0.9332　② 0.9554　③ 0.9772　④ 0.9938　⑤ 0.9987

STEP Ⓐ $x=100$에 대하여 대칭임을 이용하여 평균 m 구하기

정규분포 $\mathrm{N}(m, \sigma^2)$을 따르는 확률변수 X의 확률밀도함수의 그래프는 직선 $x=m$에 대하여 대칭이다.

$f(x)=f(200-x)$에 x대신 $100-x$를 대입하면

$f(100-x)=f(100+x)$이므로 $f(x)$의 그래프는 직선 $x=100$에 대하여 대칭이고 확률변수 X가 정규분포 $\mathrm{N}(m, \sigma^2)$을 따르므로 $m=100$

STEP Ⓑ $\mathrm{P}(m-4 \le X \le m+4)=0.8664$를 이용하여 σ 구하기

$Z=\dfrac{X-m}{\sigma}$으로 놓으면 Z는 표준정규분포 $\mathrm{N}(0, 1)$을 따르므로

$\mathrm{P}(m-4 \le X \le m+4)=0.8664$에서

$\mathrm{P}\left(-\dfrac{4}{\sigma} \le Z \le \dfrac{4}{\sigma}\right)=2\mathrm{P}\left(0 \le Z \le \dfrac{4}{\sigma}\right)=0.8664$

$\therefore \mathrm{P}\left(0 \le Z \le \dfrac{4}{\sigma}\right)=0.4332$

이때 $\mathrm{P}(0 \le Z \le 1.5)=0.4332$이므로 $\dfrac{4}{\sigma}=1.5$

$\therefore \sigma=\dfrac{8}{3}$

STEP Ⓒ $\mathrm{P}(X \ge 92)$ 구하기

따라서 구하는 확률은

$\mathrm{P}(X \ge 92)=\mathrm{P}\left(Z \ge \dfrac{92-100}{\frac{8}{3}}\right)$

$=\mathrm{P}(Z \ge -3)$

$=\mathrm{P}(0 \le Z \le 3)+0.5$

$=0.4987+0.5=0.9987$

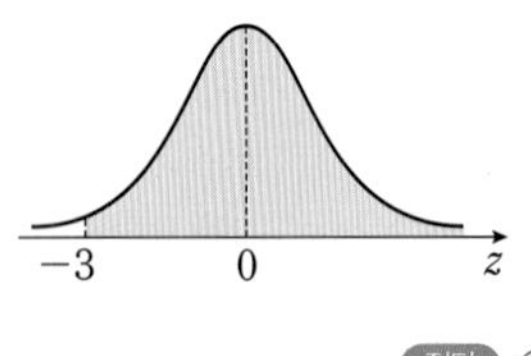

정답 ⑤

1259

정답 ④

STEP Ⓐ 함수 $y=f(x)$의 그래프와 직선 $y=k$가 만나는 교점의 x좌표 정하기

확률밀도함수 $y=f(x)$의 그래프는 정규분포 $\mathrm{N}(10, 2^2)$을 따르므로 직선 $x=10$에 대하여 대칭이다.

함수 $y=f(x)$의 그래프와 직선 $y=k$가 만나는 두 점 A, B도 직선 $x=10$에 대하여 대칭이다.

이때 두 점 A, B의 x좌표가 각각 a, b이므로 양의 상수 n에 대하여 $a=10-n$, $b=10+n$으로 놓을 수 있다.

STEP Ⓑ $\mathrm{P}(a \le X \le b)=0.9544$를 만족하는 a, b의 값 구하기

정규분포 $\mathrm{N}(10, 2^2)$을 따르므로 $Z=\dfrac{X-10}{2}$으로 놓으면

확률변수 Z는 표준정규분포 $\mathrm{N}(0, 1)$을 따른다.

한편 $\mathrm{P}(a \le X \le b)=0.9544$에서

$\mathrm{P}(a \le X \le b)=\mathrm{P}(10-n \le X \le 10+n)$

$=\mathrm{P}\left(\dfrac{(10-n)-10}{2} \le Z \le \dfrac{(10+n)-10}{2}\right)$

$=\mathrm{P}\left(-\dfrac{n}{2} \le Z \le \dfrac{n}{2}\right)$

$=2\mathrm{P}\left(0 \le Z \le \dfrac{n}{2}\right)$

$=0.9544$

즉 $\mathrm{P}\left(0 \le Z \le \dfrac{n}{2}\right)=0.4772$

이때 $\mathrm{P}(0 \le Z \le 2)=0.4772$이므로

$\dfrac{n}{2}=2 \quad \therefore n=4$

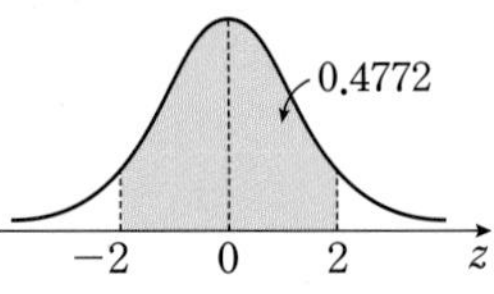

따라서 $a=6$, $b=14$이므로 $2a+b=2\times 6+14=26$

1260

정답 ④

STEP Ⓐ 정규분포곡선의 대칭성을 이용하여 a의 값 구하기

정규분포 $\mathrm{N}(5, 2^2)$을 따르는 확률변수 X의 확률밀도함수의 그래프는 직선 $x=5$에 대하여 대칭이고

$\mathrm{P}(X \le 9-2a)=\mathrm{P}(X \ge 3a-3)$

이므로

$\dfrac{(9-2a)+(3a-3)}{2}=5$에서 $a=4$

STEP Ⓑ $\mathrm{P}(9-2a \le X \le 3a-3)$의 값 구하기

이때 $Z=\dfrac{X-5}{2}$로 놓으면 확률변수 Z는 표준정규분포 $\mathrm{N}(0, 1)$을 따른다.

따라서 구하는 확률은

$\mathrm{P}(9-2a \le X \le 3a-3)$

$=\mathrm{P}(1 \le X \le 9)$

$=\mathrm{P}\left(\dfrac{1-5}{2} \le Z \le \dfrac{9-5}{2}\right)$

$=\mathrm{P}(-2 \le Z \le 2)$

$=2\times \mathrm{P}(0 \le Z \le 2)$

$=2\times 0.4772=0.9544$

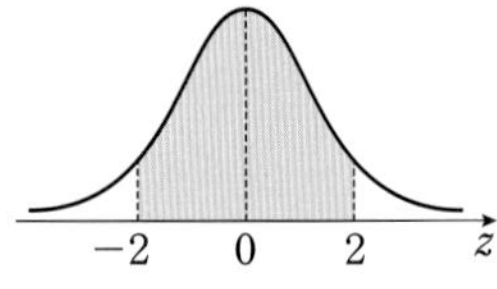

1261

정답 ②

STEP Ⓐ 표준정규분포를 이용하여 σ의 값을 구하기

정규분포 $\mathrm{N}(50, \sigma^2)$을 따르므로 $Z=\dfrac{X-50}{\sigma}$으로 놓으면

확률변수 Z는 표준정규분포 $\mathrm{N}(0, 1)$을 따른다.

$\mathrm{P}(X \le 60)=\mathrm{P}\left(Z \le \dfrac{60-50}{\sigma}\right)$이고

$\mathrm{P}(X \le 60)=\mathrm{P}(Z \ge -1)$에서 $\mathrm{P}(Z \ge -1)=\mathrm{P}(Z \le 1)$이므로

$\dfrac{60-50}{\sigma}=1 \quad \therefore \sigma=10$

STEP Ⓑ $\mathrm{P}(45 \le X \le 65)$의 값 구하기

따라서 $\mathrm{P}(45 \le X \le 65)$

$=\mathrm{P}\left(\dfrac{45-50}{10} \le Z \le \dfrac{65-50}{10}\right)$

$=\mathrm{P}(-0.5 \le Z \le 1.5)$

$=\mathrm{P}(0 \le Z \le 0.5)+\mathrm{P}(0 \le Z \le 1.5)$

$=0.1915+0.4332=0.6247$

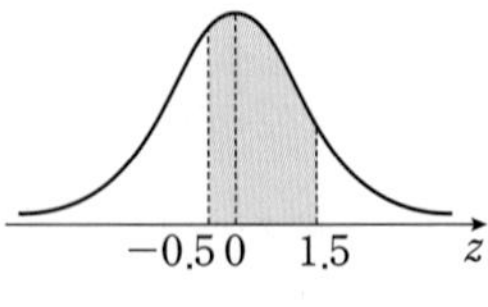

1262

정답 ⑤

STEP A $P(X \le k)+P(X \le 100+k)=1$**을 만족하는** k**와** m**의 관계식 구하기**

확률변수 X는 정규분포 $N(m,\ 8^2)$을 따르고 조건 (가)에서 $P(X \le k)+P(X \le 100+k)=1$을 만족시키는 정규분포의 확률밀도함수의 그래프는 오른쪽 그림과 같다.

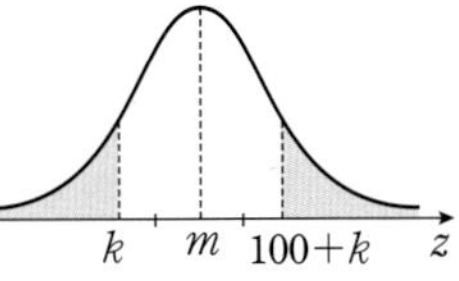

즉 $P(X \le k)=P(X \ge 100+k)$이므로

$\frac{k+100+k}{2}=m \quad \therefore k=m-50$ …… ㉠

STEP B $P(X \ge 2k)=0.0668$**을 만족하는** m**의 값 구하기**

이때 $Z=\frac{X-m}{8}$로 놓으면 확률변수 Z는 표준정규분포 $N(0,\ 1)$을 따르므로

$P(X \ge 2k)=P\left(Z \ge \frac{2k-m}{8}\right)=P\left(Z \ge \frac{m-100}{8}\right)=0.0668$ (∵ ㉠)

$0.5-P\left(Z \ge \frac{m-100}{8}\right)=P\left(0 \le Z \le \frac{m-100}{8}\right)=0.4332$

따라서 $\frac{m-100}{8}=1.5$이므로 $m=112$

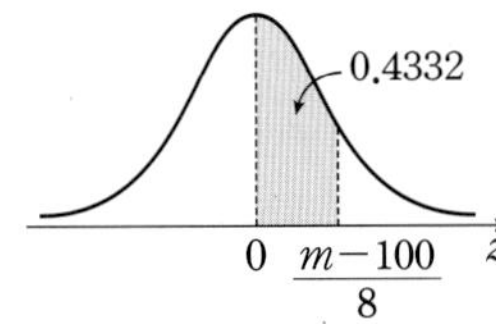

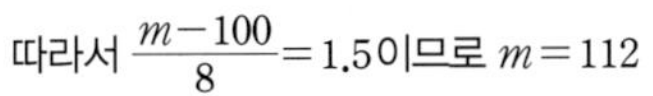

정규분포 $N(m,\ \sigma^2)$을 따르는 확률변수 X가 다음 조건을 만족시킨다.

> (가) $P(X \ge 3)+P(X \ge 7)=1$
> (나) $E(X^2)+E(X)=39$

$P(2 \le X \le 11)$의 값을 오른쪽 표준정규분포표를 이용하여 구한 것은?

z	$P(0 \le Z \le z)$
0.5	0.1915
1.0	0.3413
1.5	0.4332
2.0	0.4772

① 0.5328 ② 0.6247
③ 0.6687 ④ 0.8185
⑤ 0.9104

STEP A 조건을 만족하는 $m,\ \sigma$**의 값 구하기**

확률변수 X는 정규분포 $N(m,\ \sigma^2)$을 따르고 조건 (가)에서 $P(X \ge 3)+P(X \ge 7)=1$을 만족시키는 정규분포의 확률밀도함수의 그래프는 오른쪽 그림과 같다.

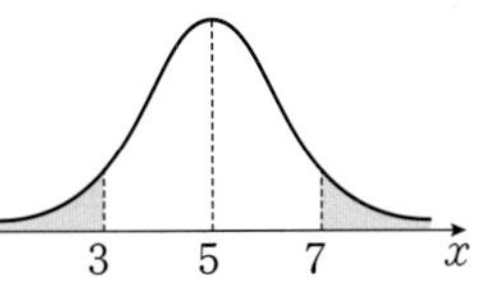

즉 $P(X \le 3)=P(X \ge 7)$이므로 $m=\frac{3+7}{2}=5$

조건 (나)에서 $E(X^2)+E(X)=39$이고 $E(X)=5$이므로

$E(X^2)=39-E(X)=39-5=34$

이때 $V(X)=E(X^2)-\{E(X)\}^2=34-25=9$

STEP B $P(2 \le X \le 11)$**의 값 구하기**

확률변수 X는 정규분포 $N(5,\ 3^2)$따르므로 $Z=\frac{X-5}{3}$로 놓으면

확률변수 Z는 표준정규분포 $N(0,\ 1)$을 따른다.

따라서 구하는 확률은

$P(2 \le X \le 11)$

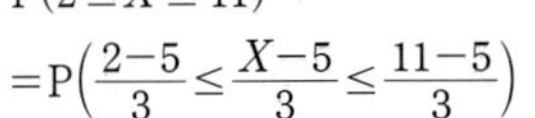

$=P\left(\frac{2-5}{3} \le \frac{X-5}{3} \le \frac{11-5}{3}\right)$

$=P(-1 \le Z \le 2)$

$=P(-1 \le Z \le 0)+P(0 \le Z \le 2)$

$=P(0 \le Z \le 1)+P(0 \le Z \le 2)$

$=0.3413+0.4772=0.8185$

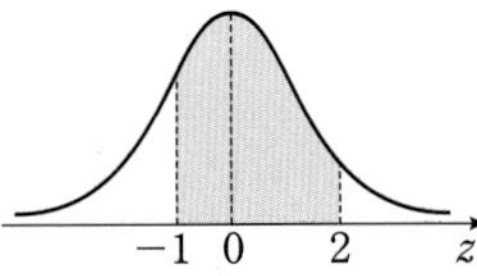

정답 ④

1263

정답 ③

STEP A 정규분포 곡선의 성질을 이용하여 m**의 값 구하기**

정규분포 $N(m,\ \sigma^2)$을 따르는 확률변수 X의 확률밀도함수의 그래프는 직선 $x=m$에 대하여 대칭이고 조건 (가)에서 $m=\frac{128+140}{2}=134$

STEP B 표준정규분포를 이용하여 σ**의 값을 구하기**

이때 $Z=\frac{X-m}{\sigma}$로 놓으면 확률변수 Z는 표준정규분포 $N(0,\ 1)$을 따르므로

$P(m \le X \le m+10)=P\left(\frac{m-m}{\sigma} \le Z \le \frac{m+10-m}{\sigma}\right)$

$=P\left(0 \le Z \le \frac{10}{\sigma}\right)$

조건 (나)에서 조건

$P(m \le X \le m+10)=P(-1 \le Z \le 0)$

에서 $P(-1 \le Z \le 0)=P(0 \le Z \le 1)$

이므로 $\frac{10}{\sigma}=1 \quad \therefore \sigma=10$

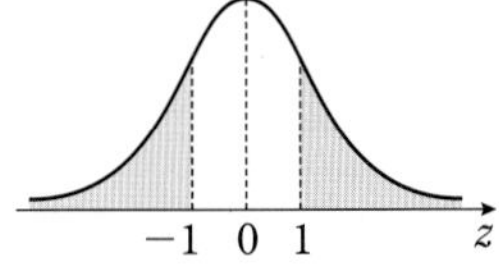

STEP C 표준정규분포표를 이용하여 k**의 값 구하기**

정규분포 $N(134,\ 10^2)$따르므로 $Z=\frac{X-134}{10}$로 놓으면

확률변수 Z는 표준정규분포 $N(0,\ 1)$을 따른다.

$P(X \ge k)=P(Z \ge 1.5)=0.0668$

이므로 $1.5=\frac{k-134}{10}$

따라서 $k=134+1.5\times10=149$

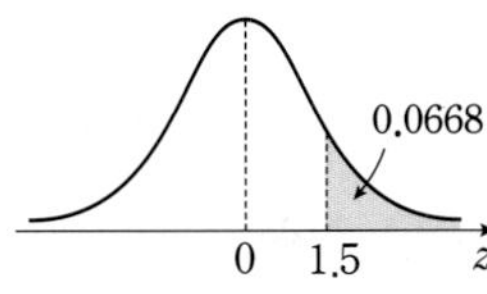

1264

정답 ③

STEP A 정규분포곡선의 대칭성을 이용하여 평균 m**의 범위 구하기**

확률변수 X는 정규분포 $N(m,\ 5^2)$을 따르므로 확률밀도함수 $f(x)$는 직선 $x=m$에 대하여 대칭이다.

또한, 정규분포곡선에서 평균에서 멀어질수록 그 확률이 작아진다.

조건 (가)에서 확률밀도함수 $f(x)$가 $f(10)>f(20)$을 만족하므로 오른쪽 그림에서 $|m-10|>|m-20|$이 성립한다.

평균 m이 20보다 10에 더 가깝다.

즉 $m-10<20-m,\ 2m<30$

$\therefore m<15$ …… ㉠

조건 (나)에서 확률밀도함수 $f(x)$가 $f(4)<f(22)$을 만족하므로 오른쪽 그림에서 $|m-4|<|m-22|$이 성립한다.

평균 m이 4보다 22에 더 가깝다.

즉 $m-4>22-m,\ 2m>26$

$\therefore m>13$ …… ㉡

㉠, ㉡에서 $13<m<15$이므로 자연수 $m=14$

STEP B 확률 $P(17 \le X \le 18)$ **구하기**

확률변수 X가 정규분포 $N(14,\ 5^2)$을 따르므로 $Z=\frac{X-14}{5}$로 놓으면

확률변수 Z는 표준정규분포 $N(0,\ 1)$을 따른다.

따라서 구하는 확률은

$P(17 \le X \le 18)=P\left(\frac{17-14}{5} \le Z \le \frac{18-14}{5}\right)$

$=P(0.6 \le Z \le 0.8)$

$=P(0 \le Z \le 0.8)-P(0 \le Z \le 0.6)$

$=0.288-0.226=0.062$

확률변수 X는 정규분포 $N(m, 5^2)$을 따르므로 곡선 $y=f(x)$는 직선 $x=m$에 대하여 대칭이다.
정규분포에서 평균에서 멀어질수록 그 확률이 작아짐을 이용하여
한편 조건 (가)에서 $f(10)>f(20)$이므로 $m<\frac{10+20}{2}$

$m<15$ …… ㉠

또, 조건 (나)에서 $f(4)<f(22)$이므로 $m>\frac{4+22}{2}$

$m>13$ …… ㉡

㉠과 ㉡에서 $13<m<15$이므로 자연수 m은 $m=14$

내/신/연/계/ 출제문항 537

확률변수 X는 평균이 m, 표준편차가 4인 정규분포를 따르고 확률변수 X의 확률밀도함수 $f(x)$가 다음 조건을 만족시킨다.

(가) $f(11)>f(21)$
(나) $f(5)<f(23)$

z	$P(0\le Z\le z)$
0.5	0.1915
1.0	0.3413
1.5	0.4332
2.0	0.4772

m이 자연수일 때, $P(11\le X\le 21)$의 값을 오른쪽 표준정규분포표를 이용하여 구한 것은?

① 0.5328 ② 0.6247 ③ 0.7745
④ 0.8185 ⑤ 0.9105

STEP Ⓐ **정규분포곡선의 대칭성을 이용하여 평균 m의 범위 구하기**

확률변수 X가 정규분포 $N(m, \sigma^2)$을 따를 때,

확률변수 $Z=\frac{X-m}{\sigma}$은 표준정규분포 $N(0, 1)$을 따른다.

조건 (가)에서 $f(11)>f(21)$이므로

$m<\frac{11+21}{2}$, $m<16$ …… ㉠

조건 (나)에서 $f(5)<f(23)$이므로

$m>\frac{5+23}{2}$, $m>14$ …… ㉡

㉠, ㉡에서 $14<m<16$
m은 자연수이므로 $m=15$

STEP Ⓑ **확률 $P(11\le X\le 21)$ 구하기**

확률변수 X가 정규분포 $N(15, 4^2)$을 따르므로 $Z=\frac{X-15}{4}$로 놓으면

확률변수 Z는 표준정규분포 $N(0, 1)$을 따른다.
따라서 구하는 확률은

$P(11\le X\le 21)=P\left(\frac{11-15}{4}\le\frac{X-15}{4}\le\frac{21-15}{4}\right)$
$=P(-1\le Z\le 1.5)$
$=P(-1\le Z\le 0)+P(0\le Z\le 1.5)$
$=P(0\le Z\le 1)+P(0\le Z\le 1.5)$
$=0.3413+0.4332=0.7745$

정답 ③

1265

정답 ②

STEP Ⓐ **정규분포곡선의 성질을 이용하여 m의 값 구하기**

정규분포를 따르는 두 확률변수 X, Y의 표준편차가 같으므로
확률밀도함수 $y=f(x)$와 $y=g(x)$의 그래프는 평행이동에 의하여 일치할 수 있다.
확률변수 Y가 정규분포 $N(m, 4^2)$을 따르고 $P(Y\ge 26)\ge 0.5$이므로
$m\ge 26$이고 $f(12)=g(26)$이므로 대칭축으로부터 거리가 같으므로
$m=26+2=28$

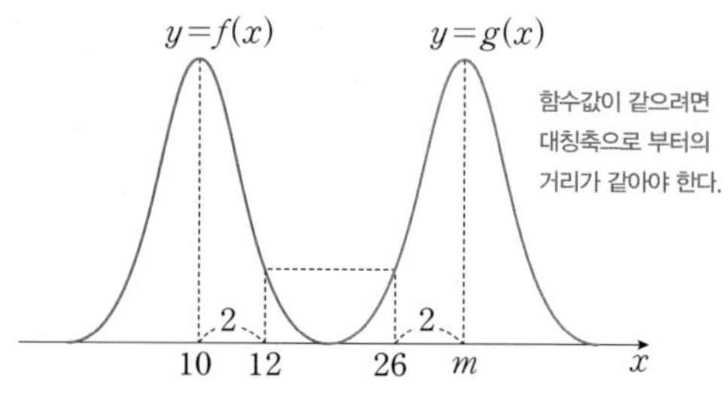

STEP Ⓑ **$P(Y\le 20)$의 값 구하기**

확률변수는 정규분포를 따른다.

확률변수 Y가 정규분포 $N(28, 4^2)$을 따르므로 $Z=\frac{Y-28}{4}$로 놓으면

확률변수 Z는 표준정규분포 $N(0, 1)$을 따른다.
따라서 구하는 확률은

$P(Y\le 20)=P\left(Z\le\frac{20-28}{4}\right)$
$=P(Z\le -2)$
$=0.5-P(0\le Z\le 2)$
$=0.5-0.4772=0.0228$

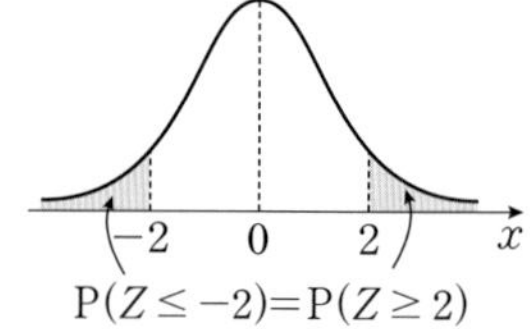

$P(Z\le -2)=P(Z\ge 2)$

$f(12)=g(26)$이고 $P(Y\ge 26)\ge 0.5$이므로 Y를 표준화하면 $\frac{26-m}{4}<0$

즉 두 확률변수 X, Y를 표준화하면 $\frac{12-10}{4}=-\frac{26-m}{4}$

따라서 $m=28$

내/신/연/계/ 출제문항 538

두 확률변수 X와 Y는 각각 정규분포 $N(10, 3^2)$과 $N(m, 3^2)$을 따른다.
이때 각각의 확률밀도함수 $f(x)$와 $g(x)$가 다음 조건을 만족시킨다고 한다.

(가) $P(X\le 10)\le P(Y\ge 25)$
(나) $f(15)=g(25)$

z	$P(0\le Z\le z)$
1.0	0.3413
1.5	0.4332
2.0	0.4772
2.5	0.4938

$P(Y\le 36)$의 값을 표준정규분포표를 이용하여 구한 것은?

① 0.6826 ② 0.8664
③ 0.9444 ④ 0.9772
⑤ 0.9824

STEP Ⓐ **정규분포곡선의 성질을 이용하여 m의 값 구하기**

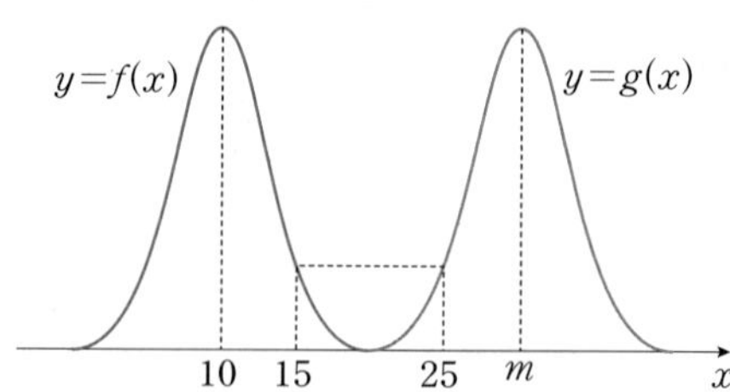

정규분포를 따르는 확률변수 X와 Y의 표준편차가 같으므로
두 확률밀도함수 $y=f(x)$와 $y=g(x)$의 그래프는 대칭축의 위치는 다르지만 모양이 같다.
이때 확률변수 Y는 정규분포 $N(m, 3^2)$을 따르고
조건 (가)에서 $P(X\le 10)\le P(Y\ge 25)$이므로 $0.5\le P(Y\ge 25)$, $m\ge 25$
또, 조건 (나)에서 $f(15)=g(25)$이므로 $m=25+(15-10)=30$

STEP Ⓑ **$P(Y\le 36)$의 값 구하기**

확률변수 Y가 정규분포 $N(30, 3^2)$을 따르므로 $Z=\frac{Y-30}{3}$로 놓으면

확률변수 Z는 표준정규분포 $N(0, 1)$을 따른다.

따라서 구하는 확률은

$$P(Y \le 36)=P\left(Z \le \frac{36-30}{3}\right)$$
$$=P(Z \le 2)$$
$$=0.5+P(0 \le Z \le 2)$$
$$=0.9772$$

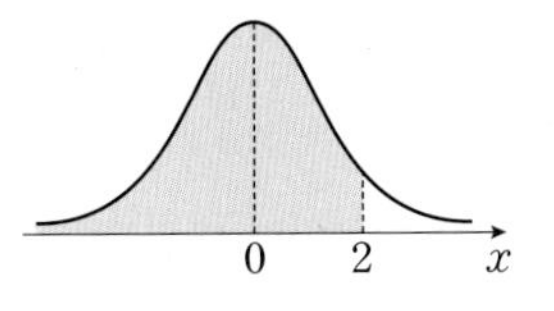

정답 ④

1266

정답 ③

STEP Ⓐ **조건 (가)를 만족하는 a의 값 구하기**

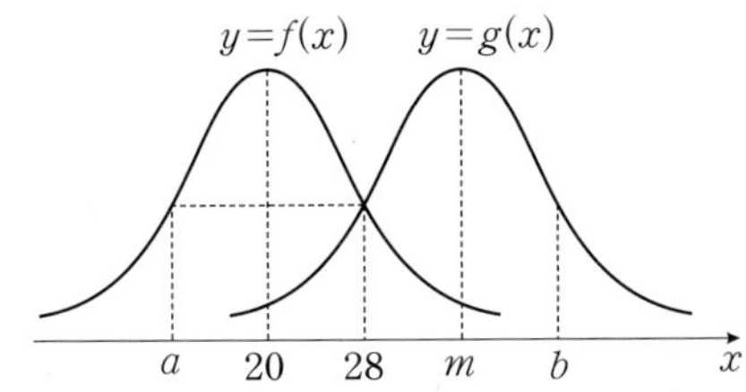

$P(a \le X \le 28)=0.84 > 0.5$이므로 $a < 20$이고

$f(a)=f(28)$이므로 $\frac{a+28}{2}=20$에서 $a=12$

STEP Ⓑ **두 확률변수 X, Y의 표준편차가 같음을 이용하여 m의 값 구하기**

두 확률변수 X, Y의 표준편차가 같고 $m \ne 20$이므로

함수 $y=f(x)$의 그래프를 x축의 방향으로 평행이동하면

함수 $y=g(x)$의 그래프와 겹쳐질 수 있다.

함수 $y=f(x)$의 그래프는 직선 $x=20$에 대하여 대칭이고

함수 $y=g(x)$의 그래프는 직선 $x=m$에 대하여 대칭이므로

$f(28)=g(28)$에서 $\frac{20+m}{2}=28$ $\therefore m=36$

STEP Ⓒ **조건 (나)를 만족하는 상수 a, b의 값 구하기**

$P(a \le X \le 28)=P(12 \le X \le 28)=2P(20 \le X \le 28)=0.84$이므로

$P(20 \le X \le 28)=0.42$

$P(Y \ge b)=0.08$이고 $P(X \ge 28)=0.08$이므로

$28-20=b-36$에서 $b=44$

따라서 $a+b=12+44=56$

1267

정답 ①

STEP Ⓐ **$f(12) \le g(20)$을 만족하는 확률변수 Y의 평균의 범위 구하기**

두 확률변수 X와 Y는 모두 정규분포를 따르고 $\sigma(X)=\sigma(Y)=2$이므로

두 확률밀도함수 $y=f(x)$, $y=g(x)$의 그래프는 평행이동에 의하여 겹쳐질 수 있다.

$y=f(x)$의 그래프는 직선 $x=10$에 대하여 대칭이고

$y=g(x)$의 그래프는 직선 $x=m$에 대하여 대칭이므로

다음 그림과 같이 $f(8)=f(12)=g(m-2)=g(m+2)$

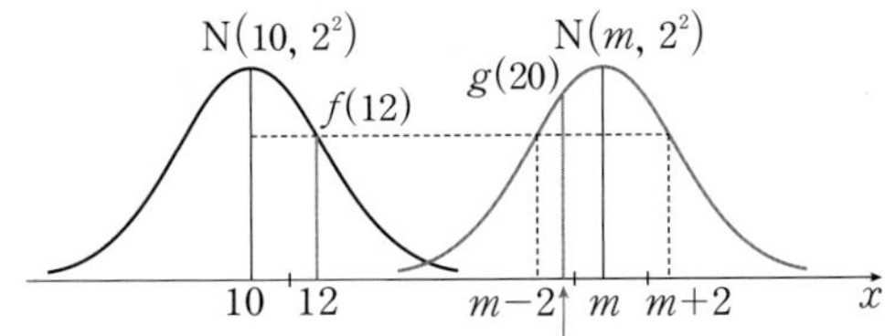

$P(21 \le Y \le 24)$가 최대가 되기 위한 20의 범위

$f(12) \le g(20)$에서 $m-2 \le 20 \le m+2$이어야 한다.

$m-2 \le 20$에서 $m \le 22$이고 $20 \le m+2$에서 $18 \le m$

즉 $18 \le m \le 22$

STEP Ⓑ **$P(21 \le Y \le 24)$의 최댓값 구하기**

확률 $P(21 \le Y \le 24)$의 값은 오른쪽 그림과 같이 $m=22$일 때, 최대이다.

이때 $Z=\frac{X-22}{2}$로 놓으면

확률변수 Z는 정규분포 $N(1, 0)$을 따른다.

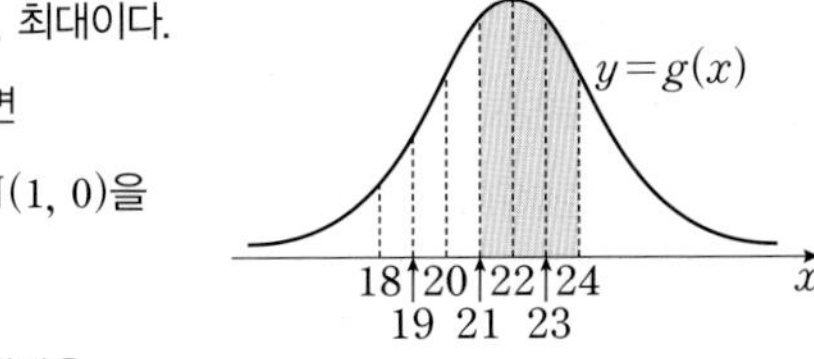

따라서 구하는 확률의 최댓값은

$$P(21 \le Y \le 24)=P\left(\frac{21-22}{2} \le \frac{Y-22}{2} \le \frac{24-22}{2}\right)$$
$$=P(-0.5 \le Z \le 1)$$
$$=P(-0.5 \le Z \le 0)+P(0 \le Z \le 1)$$
$$=P(0 \le Z \le 0.5)+P(0 \le Z \le 1)$$
$$=0.1915+0.3413=0.5328$$

내/신/연/계/ 출제문항 539

두 확률변수 X, Y는 각각 정규분포 $N(a, \sigma^2)$, $N(a+24, \sigma^2)$을 따르고 두 확률변수 X, Y의 확률밀도함수가 각각 $f(x)$, $g(x)$일 때, 두 함수 $f(x)$, $g(x)$는 다음 조건을 만족시킨다.

> (가) 방정식 $f(x)=g(x)$를 만족시키는 x의 값은 50이다.
> (나) $P(33 \le X \le 36)=0.24$, $P(38 \le X \le 43)=0.38$

$100 \times P(62 \le Y \le 64)$의 값은?

① 12 ② 14 ③ 16
④ 18 ⑤ 20

STEP Ⓐ **조건 (가)를 만족하는 a의 값 구하기**

두 확률변수 X, Y의 분산이 같고 방정식 $f(x)=g(x)$를 만족시키는 x의 값은 50이므로 다음 그림과 같이 $y=f(x)$의 그래프와 $y=g(x)$의 그래프는 직선 $x=50$에 대하여 대칭이다.

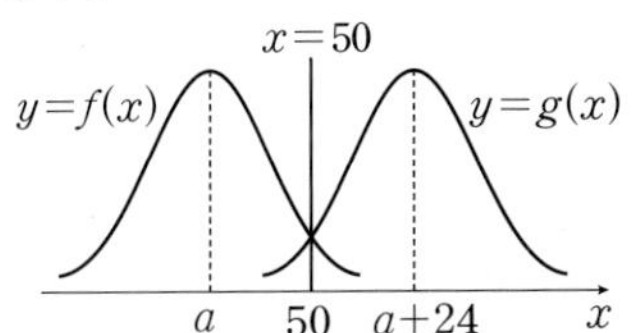

두 점 $(a, 0)$, $(a+24, 0)$을 이은 선분의 중점이 $(50, 0)$이므로

$\frac{a+(a+24)}{2}=50$에서 $a=38$

STEP Ⓑ **$P(62 \le Y \le 67)$, $P(64 \le Y \le 67)$의 값 구하기**

두 확률변수 X, Y는 각각 정규분포 $N(38, \sigma^2)$, $N(62, \sigma^2)$을 따르므로

$P(X \ge 38)=P(Y \ge 62)=0.5$이고

$P(38 \le X \le 43)=P(62 \le Y \le 67)=0.38$

$P(33 \le X \le 36)=P(40 \le X \le 43)=P(64 \le Y \le 67)=0.24$

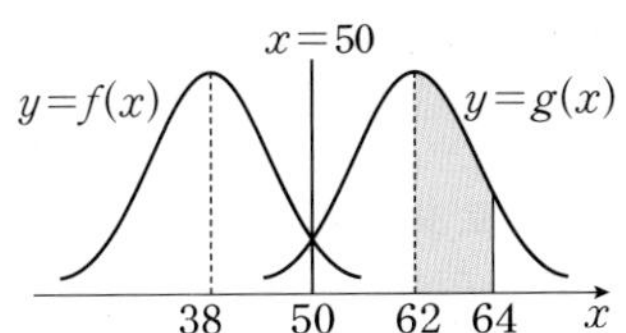

STEP Ⓒ **$100 \times P(62 \le Y \le 64)$의 값 구하기**

$P(62 \le Y \le 64)=P(62 \le Y \le 67)-P(64 \le Y \le 67)$
$=0.38-0.24=0.14$

따라서 $100 \times P(62 \le Y \le 64)=100 \times 0.14=14$

정답 ②

Ⅲ 통계

1268

정답 ⑤

STEP Ⓐ **확률변수 X를 Z로 표준화하기**

확률변수 X는 정규분포 $\mathrm{N}(50,\ 5^2)$을 따르므로 $Z=\frac{X-50}{5}$으로 놓으면

확률변수 Z는 표준정규분포 $\mathrm{N}(0,\ 1)$을 따른다.

STEP Ⓑ **$\mathrm{P}(45 \le X \le a)=0.8185$를 이용하여 a값 구하기**

$\mathrm{P}(45 \le X \le a)=0.8185$에서

$\mathrm{P}\left(\frac{45-50}{5} \le Z \le \frac{a-50}{5}\right)$

$=\mathrm{P}\left(-1 \le Z \le \frac{a-50}{5}\right)$

$=\mathrm{P}(-1 \le Z \le 0)+\mathrm{P}\left(0 \le Z \le \frac{a-50}{5}\right)$

$=0.3413+\mathrm{P}\left(0 \le Z \le \frac{a-50}{5}\right)$

$=0.8185$

$\therefore\ \mathrm{P}\left(0 \le Z \le \frac{a-50}{5}\right)=0.4772$

이때 $\mathrm{P}(0 \le Z \le 2)=0.4772$이므로 $\frac{a-50}{5}=2$

따라서 $a=60$

1269

정답 ④

STEP Ⓐ **확률변수 X를 Z로 표준화하기**

확률변수 X는 정규분포 $\mathrm{N}(m,\ 10^2)$을 따르므로 $Z=\frac{X-m}{10}$로 놓으면

확률변수 Z는 표준정규분포 $\mathrm{N}(0,\ 1)$을 따른다.

STEP Ⓑ **$\mathrm{P}(X \le 50)=0.2119$을 만족하는 m의 값 구하기**

$\mathrm{P}(X \le 50)=0.2119$에서 $50 < m$이므로

$\mathrm{P}(X \le 50)=\mathrm{P}\left(Z \le \frac{50-m}{10}\right)$

$=0.5-\mathrm{P}\left(0 \le Z \le \frac{m-50}{10}\right)$

$=0.2119$

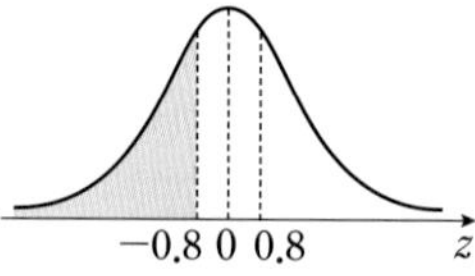

$\therefore\ \mathrm{P}\left(0 \le Z \le \frac{m-50}{10}\right)=0.2881$

이때 표준정규분포표에서 $\mathrm{P}(0 \le Z \le 0.8)=0.2881$이므로 $\frac{m-50}{10}=0.8$

따라서 $m=58$

내신연계 출제문항 540

확률변수 X가 정규분포 $\mathrm{N}(55,\ \sigma^2)$을 따를 때,

$\mathrm{P}(X \ge 45)=0.9772$

를 만족시키는 σ의 값을 오른쪽 표준정규분포표를 이용하여 구한 것은?

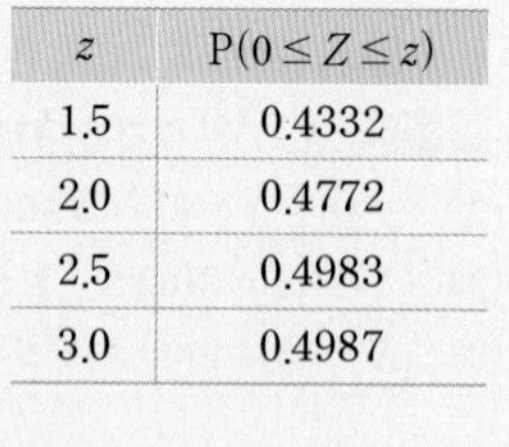

z	$\mathrm{P}(0 \le Z \le z)$
1.5	0.4332
2.0	0.4772
2.5	0.4983
3.0	0.4987

① 2 ② 3
③ 4 ④ 5
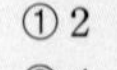
⑤ 6

STEP Ⓐ **확률변수 X를 Z로 표준화하기**

확률변수 X가 정규분포 $\mathrm{N}(55,\ \sigma^2)$을 따르므로 $Z=\frac{X-55}{\sigma}$로 놓으면

확률변수 Z는 표준정규분포 $\mathrm{N}(0,\ 1)$을 따른다.

STEP Ⓑ **$\mathrm{P}(X \ge 45)=0.9772$을 이용하여 σ값 구하기**

$\mathrm{P}(X \ge 45)=\mathrm{P}\left(Z \ge \frac{45-55}{\sigma}\right)=\mathrm{P}\left(Z \ge \frac{-10}{\sigma}\right)$

$=\mathrm{P}\left(0 \le Z \le \frac{10}{\sigma}\right)+0.5$

이때 $\mathrm{P}\left(0 \le Z \le \frac{10}{\sigma}\right)+0.5=0.9772$

이므로 $\mathrm{P}\left(0 \le Z \le \frac{10}{\sigma}\right)=0.4772$

$\mathrm{P}(0 \le Z \le 2)=0.4772$이므로 $\frac{10}{\sigma}=2$

따라서 $\sigma=5$

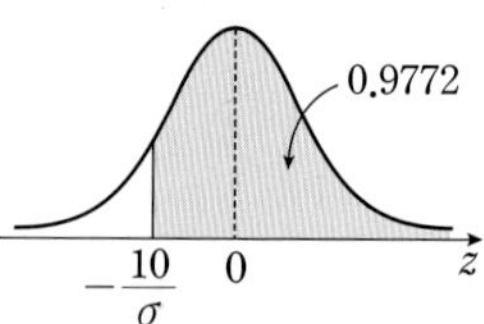

정답 ④

1270

정답 ④

STEP Ⓐ **확률변수 X를 Z로 표준화하기**

확률변수 X는 정규분포 $\mathrm{N}(50,\ 2^2)$을 따르므로 $Z=\frac{X-50}{2}$으로 놓으면

확률변수 Z는 표준정규분포 $\mathrm{N}(0,\ 1)$을 따른다.

STEP Ⓑ **$\mathrm{P}(X \ge k)=0.0013$을 이용하여 k값 구하기**

$\mathrm{P}(X \ge k)=0.0013$에서

$\mathrm{P}(X \ge k)=\mathrm{P}\left(Z \ge \frac{k-50}{2}\right)$

$=0.5-\mathrm{P}\left(0 \le Z \le \frac{k-50}{2}\right)$

$=0.0013$

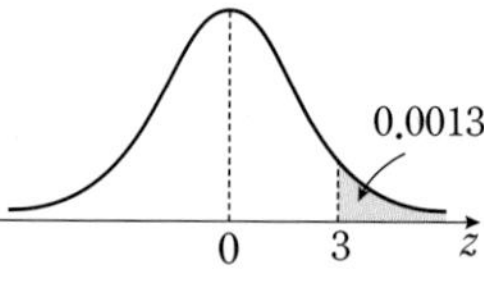

$\therefore\ \mathrm{P}\left(0 \le Z \le \frac{k-50}{2}\right)=0.4987$

이때 $\mathrm{P}(0 \le Z \le 3)=0.4987$이므로 $\frac{k-50}{2}=3$

따라서 $k=56$

내신연계 출제문항 541

확률변수 X가 정규분포 $\mathrm{N}(36,\ 4^2)$을 따를 때,

$\mathrm{P}(X \le a)=0.1587$

을 만족시키는 상수 a의 값은?

z	$\mathrm{P}(0 \le Z \le z)$
1.0	0.3413
2.0	0.4772
3.0	0.4987

① 24 ② 28
③ 32 ④ 40
⑤ 44

STEP Ⓐ **확률변수 X를 Z로 표준화하기**

확률변수 X는 정규분포 $\mathrm{N}(36,\ 4^2)$을 따르므로 $Z=\frac{X-36}{4}$으로 놓으면

확률변수 Z는 표준정규분포 $\mathrm{N}(0,\ 1)$을 따른다.

STEP Ⓑ **$\mathrm{P}(X \le a)=0.1587$을 이용하여 a값 구하기**

$\mathrm{P}(X \le a)=0.1587$에서

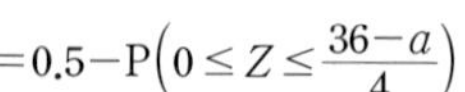

$\mathrm{P}\left(Z \le \frac{a-36}{4}\right)$

$=\mathrm{P}(Z \ge 0)-\mathrm{P}\left(0 \le Z \le \frac{36-a}{4}\right)$

$=0.5-\mathrm{P}\left(0 \le Z \le \frac{36-a}{4}\right)$

$=0.1587$

$\therefore\ \mathrm{P}\left(0 \le Z \le \frac{36-a}{4}\right)=0.5-0.1587=0.3413$

이때 $\mathrm{P}(0 \le Z \le 1)=0.3413$이므로 $\frac{36-a}{4}=1$

따라서 $a=32$

정답 ③

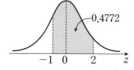

1271

정답 ④

STEP Ⓐ 확률변수 X를 Z로 표준화하기

확률변수 X가 정규분포 $\mathrm{N}\left(m, \left(\frac{m}{3}\right)^2\right)$을 따르므로 $Z=\dfrac{X-m}{\frac{m}{3}}$로 놓으면

확률변수 Z는 표준정규분포 $\mathrm{N}(0, 1)$을 따른다.

STEP Ⓑ 표준정규분포표를 이용하여 평균 m 구하기

이때 $\mathrm{P}\left(X \le \frac{9}{2}\right)=\mathrm{P}\left(Z \le \dfrac{\frac{9}{2}-m}{\frac{m}{3}}\right)=0.9987$이고 표준정규분포표에서

$\mathrm{P}(Z \le 3)=0.5+\mathrm{P}(0 \le Z \le 3)$
$=0.5+0.4987=0.9987$

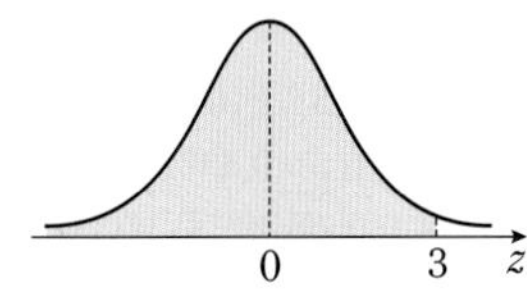

이므로 $\dfrac{\frac{9}{2}-m}{\frac{m}{3}}=3$

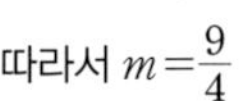

따라서 $m=\dfrac{9}{4}$

내신연계 출제문항 542

확률변수 X가 정규분포 $\mathrm{N}(m, 4)$를 따를 때,
$\mathrm{P}(X \le 30)=0.0228$
이 성립하도록 하는 상수 m의 값을 오른쪽 표준정규분포표를 이용하여 구한 것은?

z	$\mathrm{P}(0 \le Z \le z)$
0.5	0.1915
1.0	0.3413
1.5	0.4332
2.0	0.4772

① 31 ② 32 ③ 33 ④ 34 ⑤ 35

STEP Ⓐ 확률변수 X를 Z로 표준화하기

확률변수 X는 정규분포 $\mathrm{N}(m, 4)$을 따르므로 $Z=\dfrac{X-m}{2}$으로 놓으면

확률변수 Z는 표준정규분포 $\mathrm{N}(0, 1)$을 따른다.

STEP Ⓑ $\mathrm{P}(X \le 30)=0.0228$을 이용하여 m값 구하기

$\mathrm{P}(X \le 30)=0.0228$에서

$\mathrm{P}(X \le 30)=\mathrm{P}\left(Z \le \frac{30-m}{2}\right)$

$\mathrm{P}\left(Z \le \frac{30-m}{2}\right)=0.0228$
$=0.5-0.4772$
$=\mathrm{P}(Z \le 0)-\mathrm{P}(0 \le Z \le 2)$
$=\mathrm{P}(Z \le 0)-\mathrm{P}(-2 \le Z \le 0)$
$=\mathrm{P}(Z \le -2)$

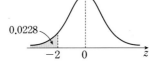

따라서 $\dfrac{30-m}{2}=-2$이므로 $m=34$

정답 ④

1272

정답 ⑤

STEP Ⓐ 정규분포의 표준화하여 각 확률의 값 구하기

확률변수 X는 정규분포 $\mathrm{N}(50, \sigma^2)$을 따르므로

$\mathrm{P}(X \ge k)=\mathrm{P}\left(Z \ge \frac{k-50}{\sigma}\right)$

확률변수 Y는 정규분포 $\mathrm{N}(65, 4\sigma^2)$을 따르므로

$\mathrm{P}(Y \le k)=\mathrm{P}\left(Z \le \frac{k-65}{2\sigma}\right)$

STEP Ⓑ 두 확률이 같음을 이용하여 k, σ의 값 구하기

$\mathrm{P}\left(Z \ge \frac{k-50}{\sigma}\right)=\mathrm{P}\left(Z \le \frac{k-65}{2\sigma}\right)$에서

$\dfrac{k-50}{\sigma}=-\dfrac{k-65}{2\sigma}$이므로 $k=55$

$\mathrm{P}\left(Z \ge \frac{55-50}{\sigma}\right)=\mathrm{P}\left(Z \ge \frac{5}{\sigma}\right)=0.1056$

이므로

$\mathrm{P}\left(0 \le Z \le \frac{5}{\sigma}\right)=0.5-0.1056=0.3944$

따라서 $\dfrac{5}{\sigma}=1.25$, $\sigma=4$이므로 $k+\sigma=55+4=59$

1273

정답 ③

STEP Ⓐ 확률변수 X를 Z로 표준화하기

확률변수 X는 정규분포 $\mathrm{N}(m, \sigma^2)$을 따르므로 $Z=\dfrac{X-m}{\sigma}$로 놓으면

확률변수 Z는 표준정규분포 $\mathrm{N}(0, 1)$을 따른다.

$\mathrm{P}(m \le X \le m+12)=\mathrm{P}\left(0 \le Z \le \frac{12}{\sigma}\right)$ ⬅ $Z=\frac{m-(m-12)}{\sigma}$

$\mathrm{P}(X \le m-12)$
$=\mathrm{P}\left(Z \le -\frac{12}{\sigma}\right)$
$=\mathrm{P}\left(Z \ge \frac{12}{\sigma}\right)$
$=0.5-\mathrm{P}\left(0 \le Z \le \frac{12}{\sigma}\right)$

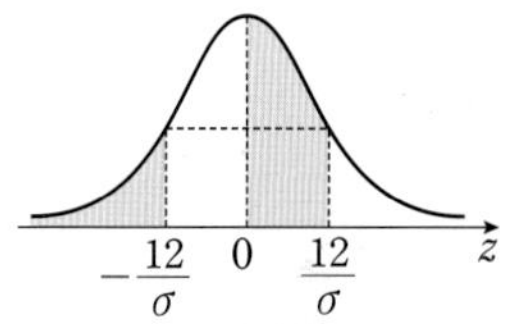

STEP Ⓑ $\mathrm{P}(m \le X \le m+12)-\mathrm{P}(X \le m-12)=0.3664$를 만족하는 σ 구하기

$\mathrm{P}(m \le X \le m+12)-\mathrm{P}(X \le m-12)$
$=\mathrm{P}\left(0 \le Z \le \frac{12}{\sigma}\right)-0.5+\mathrm{P}\left(0 \le Z \le \frac{12}{\sigma}\right)$
$=-0.5+2\mathrm{P}\left(0 \le Z \le \frac{12}{\sigma}\right)$

이때 $-0.5+2\mathrm{P}\left(0 \le Z \le \frac{12}{\sigma}\right)=0.3664$에서 $\mathrm{P}\left(0 \le Z \le \frac{12}{\sigma}\right)=0.4332$

따라서 $\dfrac{12}{\sigma}=1.5$에서 $\sigma=8$

1274

정답 ②

STEP Ⓐ 봉사시간을 확률변수 X로 정하기

봉사시간을 확률변수 X라고 하면

확률변수 X는 정규분포 $\mathrm{N}(48, 10^2)$을 따르므로 $Z=\dfrac{X-48}{10}$로 놓으면

확률변수 Z는 표준정규분포 $\mathrm{N}(0, 1)$을 따른다.

STEP Ⓑ $\mathrm{P}(X \ge 58)$의 값 구하기

따라서 구하는 확률은

$\mathrm{P}(X \ge 58)=\mathrm{P}\left(Z \ge \frac{58-48}{10}\right)$
$=\mathrm{P}(Z \ge 1)$
$=0.5-\mathrm{P}(0 \le Z \le 1)$
$=0.5-0.3413=0.1587$

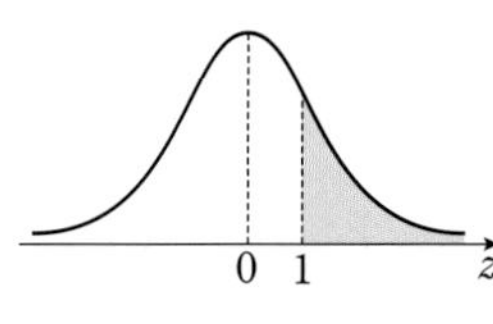

1275

정답 ③

STEP Ⓐ **확률변수 X가 따르는 정규분포 $\mathrm{N}(m, \sigma^2)$ 구하기**

햄버거의 열량을 확률변수 X라 하면

확률변수 X는 정규분포 $\mathrm{N}(440, 20^2)$을 따르므로 $Z=\frac{X-440}{20}$로 놓으면

확률변수 Z는 표준정규분포 $\mathrm{N}(0, 1)$을 따른다.

STEP Ⓑ **$\mathrm{P}(X \le 450)$의 값 구하기**

따라서 구하는 확률은

$\mathrm{P}(X \le 450)=\mathrm{P}(Z \le 0.5)$

$=\mathrm{P}(Z \le 0)+\mathrm{P}(0 \le Z \le 0.5)$

$=0.5+0.1915=0.6915$

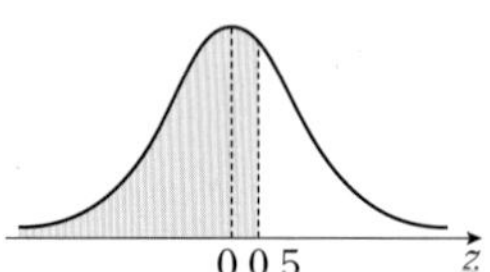

1276

정답 ②

STEP Ⓐ **확률변수 X가 따르는 정규분포 $\mathrm{N}(m, \sigma^2)$을 구하기**

전기 자동차 배터리 1개의 용량을 확률변수 X라 하면

확률변수 X는 정규분포 $\mathrm{N}(64.2, 0.4^2)$을 따르므로 $Z=\frac{X-64.2}{0.4}$로 놓으면

확률변수 Z는 표준정규분포 $\mathrm{N}(0, 1)$을 따른다.

STEP Ⓑ **$\mathrm{P}(X \ge 65)$의 값 구하기**

따라서 구하는 확률은

$\mathrm{P}(X \ge 65)=\mathrm{P}\left(Z \ge \frac{65-64.2}{0.4}\right)$

$=\mathrm{P}(Z \ge 2)$

$=0.5-\mathrm{P}(0 \le Z \le 2)$

$=0.5-0.4772=0.0228$

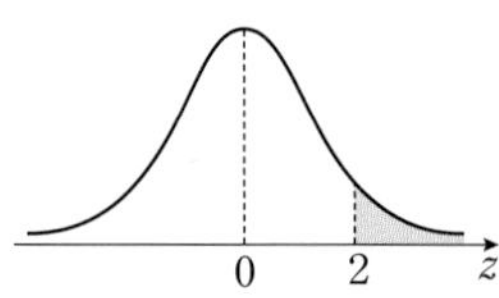

내/신/연/계/ 출제문항 543

어느 회사에서 생산된 표시용량이 500mL인 음료수 한 병에 들어 있는 음료의 양은 평균이 500mL, 표준편차가 5mL인 정규분포를 따른다고 한다.
이 회사에서 생산된 표시 용량이 500mL인 음료수 한 병에 들어 있는 음료의 양이 490mL 이하일 확률은?

z	$\mathrm{P}(0 \le Z \le z)$
0.5	0.1915
1.0	0.3413
1.5	0.4332
2.0	0.4772

① 0.0062 ② 0.0228 ③ 0.0668
④ 0.1587 ⑤ 0.3085

STEP Ⓐ **확률변수 X가 따르는 정규분포 $\mathrm{N}(m, \sigma^2)$ 구하기**

음료의 양을 확률변수 X라 하면

확률변수 X는 정규분포 $\mathrm{N}(500, 5^2)$을 따르므로 $Z=\frac{X-500}{5}$로 놓으면

확률변수 Z는 표준정규분포 $\mathrm{N}(0, 1)$을 따른다.

STEP Ⓑ **$\mathrm{P}(X \le 490)$의 값 구하기**

따라서 구하는 확률은

$\mathrm{P}(X \le 490)=\mathrm{P}\left(Z \le \frac{490-500}{5}\right)$

$=\mathrm{P}(Z \le -2)$

$=\mathrm{P}(Z \ge 2)$

$=0.5-\mathrm{P}(0 \le Z \le 2)$

$=0.5-0.4772=0.0228$

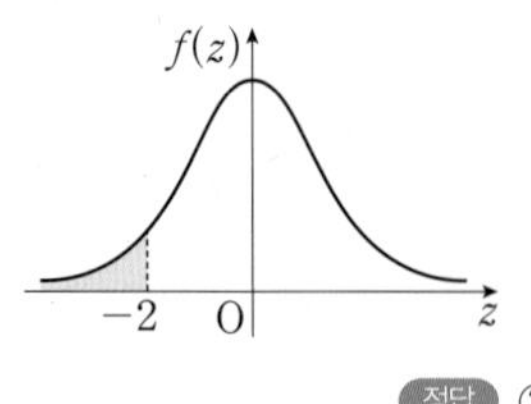

정답 ②

1277

정답 ⑤

STEP Ⓐ **확률변수 X가 따르는 정규분포 $\mathrm{N}(m, \sigma^2)$ 구하기**

세차시간을 확률변수 X라 하면

확률변수 X는 정규분포 $\mathrm{N}(30, 2^2)$을 따르므로 $Z=\frac{X-30}{2}$로 놓으면

확률변수 Z는 표준정규분포 $\mathrm{N}(0, 1)$을 따른다..

STEP Ⓑ **$\mathrm{P}(X \ge 33)$의 값 구하기**

구하는 확률은

$\mathrm{P}(X \ge 33)=\mathrm{P}\left(Z \ge \frac{33-30}{2}\right)$

$=\mathrm{P}(Z \ge 1.5)$

$=0.5-\mathrm{P}(0 \le Z \le 1.5)$

$=0.5-0.4332=0.0668$

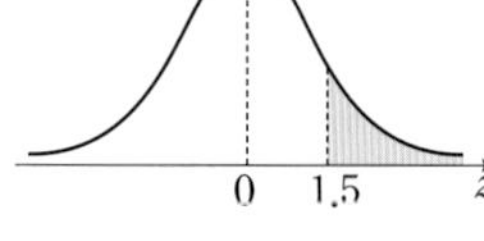

따라서 $a=0.0668$이므로 $10000a=10000 \times 0.0668=668$

내/신/연/계/ 출제문항 544

어떤 놀이공원에서 자유이용권을 이용하는 고객의 놀이기구 대기시간은 평균이 12분, 표준편차가 2분인 정규분포를 따른다고 한다. 자유이용권 이용고객 중 임의로 선택한 한 명의 놀이기구 대기시간이 15분 이상일 확률을 표준정규분포표를 이용하여 구한 값이 a일 때, $10000a$의 값은?

z	$\mathrm{P}(0 \le Z \le z)$
0.5	0.1915
1.0	0.3413
1.5	0.4332
2.0	0.4772

① 158 ② 228 ③ 341
④ 566 ⑤ 668

STEP Ⓐ **확률변수 X가 따르는 정규분포 $\mathrm{N}(m, \sigma^2)$ 구하기**

놀이기구 대기시간을 확률변수 X라 하면

확률변수 X는 정규분포 $\mathrm{N}(12, 2^2)$을 따르므로 $Z=\frac{X-12}{2}$로 놓으면

확률변수 Z는 표준정규분포 $\mathrm{N}(0, 1)$을 따른다.

STEP Ⓑ **$\mathrm{P}(X \ge 15)$의 값 구하기**

구하는 확률은

$\mathrm{P}(X \ge 15)=\mathrm{P}\left(Z \ge \frac{15-12}{2}\right)$

$=\mathrm{P}(Z \ge 1.5)$

$=0.5-\mathrm{P}(0 \le Z \le 1.5)$

$=0.5-0.4332=0.0668$

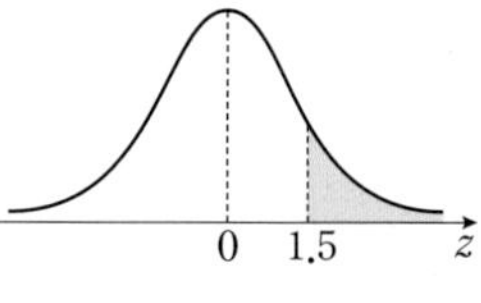

따라서 $a=0.0668$이므로 $10000a=10000 \times 0.0668=668$

정답 ⑤

1278

정답 ①

STEP Ⓐ **확률변수 X가 따르는 정규분포 $\mathrm{N}(m, \sigma^2)$ 구하기**

노트북 한 개의 무게를 확률변수 X라 하면

확률변수 X는 정규분포 $\mathrm{N}(940, 20^2)$을 따르므로 $Z=\frac{X-940}{20}$로 놓으면

확률변수 Z는 표준정규분포 $\mathrm{N}(0, 1)$을 따른다.

STEP Ⓑ **$\mathrm{P}(X \ge 1000)$의 값 구하기**

따라서 구하는 확률은

$\mathrm{P}(X \ge 1000)=\mathrm{P}\left(Z \ge \frac{1000-940}{20}\right)$

$=\mathrm{P}(Z \ge 3)$

$=0.5-\mathrm{P}(0 \le Z \le 3)$

$=0.5-0.4987=0.0013$

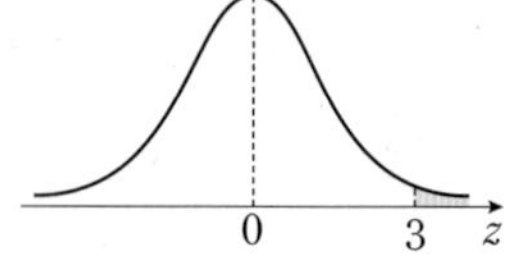

1279

정답 ①

STEP A 확률변수 X가 따르는 정규분포 $\mathrm{N}(m, \sigma^2)$ 구하기

통학 시간을 확률변수 X라 하면

확률변수 X는 정규분포 $\mathrm{N}(30, 5^2)$을 따르므로 $Z=\frac{X-30}{5}$로 놓으면

확률변수 Z는 표준정규분포 $\mathrm{N}(0, 1)$을 따른다.

STEP B $\mathrm{P}(X>40)$의 값 구하기

따라서 통학 시간 X분이 40분을 초과하면 지각하게 되므로 지각할 확률은

$\mathrm{P}(X>40)=\mathrm{P}\left(Z>\frac{40-30}{5}\right)$

$=\mathrm{P}(Z>2)$

$=0.5-\mathrm{P}(0\le Z\le 2)$

$=0.5-0.4772=0.0228$

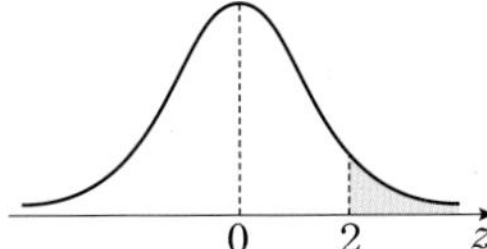

내/신/연/계/ 출제문항 545

철수는 아침에 학교까지 가는 데 걸리는 시간은 평균이 30분이고 표준편차가 4분인 정규분포를 따른다고 한다. 등교 시간 36분 전에 집에서 출발하여 학교로 갈 때, 철수가 지각할 확률은?

z	$\mathrm{P}(0\le Z\le z)$
1.0	0.3413
1.5	0.4332
2.0	0.4772

① 0.0228 ② 0.0668
③ 0.3771 ④ 0.1587
⑤ 0.3085

STEP A 확률변수 X가 따르는 정규분포 $\mathrm{N}(m, \sigma^2)$ 구하기

철수가 등교하는 데 걸리는 시간을 확률변수 X라 하면

확률변수 X는 정규분포 $\mathrm{N}(30, 4^2)$을 따르므로 $Z=\frac{X-30}{4}$로 놓으면

확률변수 Z는 표준정규분포 $\mathrm{N}(0, 1)$을 따른다.

STEP B $\mathrm{P}(X\ge 36)$의 값 구하기

따라서 철수가 지각을 하려면 등교하는 데 걸리는 시간이 36분 이상이어야 하므로 구하는 확률은

$\mathrm{P}(X\ge 36)=\mathrm{P}\left(Z\ge\frac{36-30}{4}\right)$

$=\mathrm{P}(Z\ge 1.5)$

$=0.5-\mathrm{P}(0\le Z\le 1.5)$

$=0.0668$

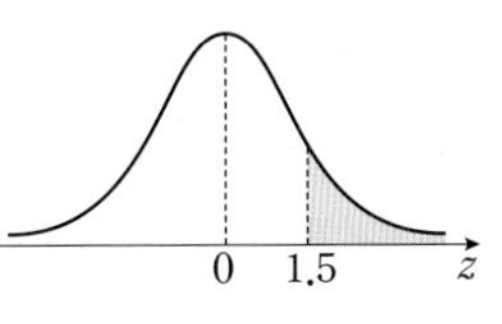

정답 ②

1280

정답 ④

STEP A 확률변수 X가 따르는 정규분포 $\mathrm{N}(m, \sigma^2)$ 구하기

수하물의 무게를 확률변수 X라 하면

확률변수 X는 정규분포 $\mathrm{N}(18, 2^2)$을 따르므로 $Z=\frac{X-18}{2}$로 놓으면

확률변수 Z는 표준정규분포 $\mathrm{N}(0, 1)$을 따른다.

STEP B $\mathrm{P}(16\le X\le 22)$의 값 구하기

따라서 구하는 확률은

$\mathrm{P}(16\le X\le 22)$

$=\mathrm{P}\left(\frac{16-18}{2}\le Z\le\frac{22-18}{2}\right)$

$=\mathrm{P}(-1\le Z\le 2)$

$=\mathrm{P}(0\le Z\le 1)+\mathrm{P}(0\le Z\le 2)$

$=0.3413+0.4772=0.8185$

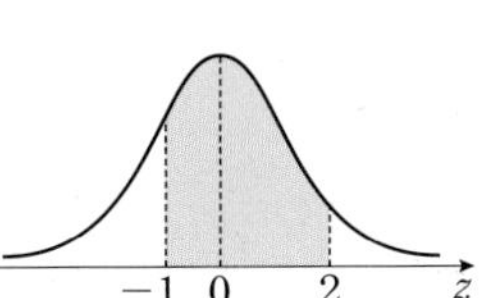

1281

정답 ④

STEP A 확률변수 X가 따르는 정규분포 $\mathrm{N}(m, \sigma^2)$ 구하기

KF94마스크 한 개의 수명을 확률변수 X라 하면

확률변수 X는 정규분포 $\mathrm{N}(3000, 80^2)$을 따르므로 $Z=\frac{X-3000}{80}$로 놓으면

확률변수 Z는 표준정규분포 $\mathrm{N}(0, 1)$을 따른다.

STEP B $\mathrm{P}(2920\le X\le 3120)$의 값 구하기

따라서 구하는 확률은

$\mathrm{P}(2920\le X\le 3120)$

$=\mathrm{P}\left(\frac{2920-3000}{80}\le Z\le\frac{3120-3000}{80}\right)$

$=\mathrm{P}(-1\le Z\le 1.5)$

$=\mathrm{P}(0\le Z\le 1)+\mathrm{P}(0\le Z\le 1.5)$

$=0.3413+0.4332=0.7745$

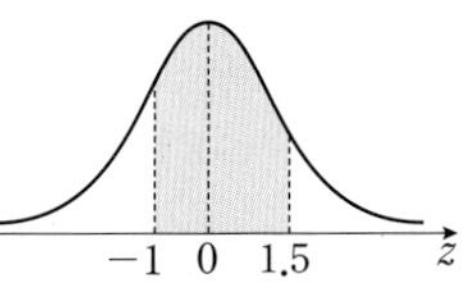

내/신/연/계/ 출제문항 546

어느 쌀 모으기 행사에 참여한 각 학생이 기부한 쌀의 무게는 평균이 1.5kg, 표준편차가 0.2kg인 정규분포를 따른다고 한다. 이 행사에 참여한 학생 중 임의로 1명을 선택할 때, 이 학생이 기부한 쌀의 무게가 1.3kg 이상이고 1.8kg 이하인 확률을 오른쪽 표준정규분포표를 이용하여 구한 것은?

z	$\mathrm{P}(0\le Z\le z)$
1.00	0.3413
1.25	0.3944
1.50	0.4332
1.75	0.4599

① 0.8543 ② 0.8012 ③ 0.7745
④ 0.7357 ⑤ 0.6826

STEP A 쌀의 무게를 확률변수 X로 정하기

쌀의 무게를 확률변수 X라 하면

확률변수 X는 정규분포 $\mathrm{N}(1.5, 0.2^2)$을 따르고 $Z=\frac{X-1.5}{0.2}$로 놓으면

확률변수 Z는 표준정규분포 $\mathrm{N}(0, 1)$을 따른다.

STEP B 확률변수 X를 표준화하여 확률 구하기

따라서 구하는 확률은

$\mathrm{P}(1.3\le X\le 1.8)$

$=\mathrm{P}\left(\frac{1.3-1.5}{0.2}\le\frac{X-1.5}{0.2}\le\frac{1.8-1.5}{0.2}\right)$

$=\mathrm{P}(-1\le Z\le 1.5)$

$=\mathrm{P}(0\le Z\le 1)+\mathrm{P}(0\le Z\le 1.5)$

$=0.3413+0.4332=0.7745$

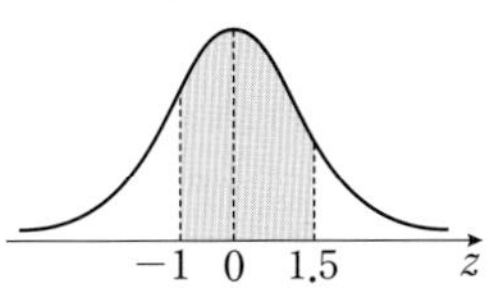

정답 ③

1282

정답 ⑤

STEP Ⓐ **파프리카 1개의 무게를 확률변수 X로 정하기**

파프리카 1개의 무게를 확률변수 X라 하면

확률변수 X는 정규분포 $\mathrm{N}(180,\ 20^2)$을 따르므로 $Z=\dfrac{X-180}{20}$로 놓으면

확률변수 Z는 표준정규분포 $\mathrm{N}(0,\ 1)$을 따른다.

STEP Ⓑ **$\mathrm{P}(190 \le X \le 210)$의 값 구하기**

따라서 구하는 확률은

$\mathrm{P}(190 \le X \le 210)$

$=\mathrm{P}\left(\dfrac{190-180}{20} \le Z \le \dfrac{210-180}{20}\right)$

$=\mathrm{P}(0.5 \le Z \le 1.5)$

$=\mathrm{P}(0 \le Z \le 1.5)-\mathrm{P}(0 \le Z \le 0.5)$

$=0.4332-0.1915=0.2417$

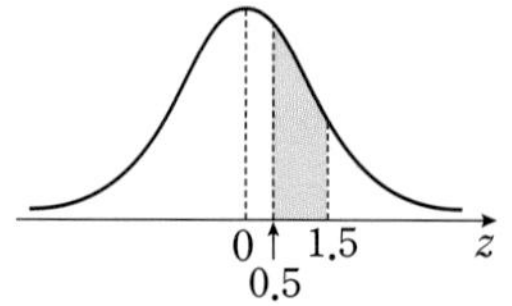

내신연계 출제문항 547

어느 공장에서 생산되는 과자 1봉지의 무게는 평균이 75g, 표준편차가 2g인 정규분포를 따른다고 한다.
이 공장에서 생산된 과자 중 임의로 선택한 과자 한 봉지의 무게가 76g 이상이고 78g 이하일 확률을 표준정규분포표를 이용하여 구한 것은?

z	$\mathrm{P}(0 \le Z \le z)$
0.5	0.1915
1.0	0.3413
1.5	0.4332
2.0	0.4772

① 0.0440 ② 0.0919 ③ 0.1359
④ 0.1498 ⑤ 0.2417

STEP Ⓐ **확률변수 X가 따르는 정규분포 $\mathrm{N}(m,\ \sigma^2)$ 구하기**

과자 한 봉지의 무게를 확률변수 X라 하면

확률변수 X는 정규분포 $\mathrm{N}(75,\ 2^2)$을 따르므로 $Z=\dfrac{X-75}{2}$로 놓으면

확률변수 Z는 표준정규분포 $\mathrm{N}(0,\ 1)$을 따른다.

STEP Ⓑ **$\mathrm{P}(76 \le X \le 78)$의 값 구하기**

따라서 구하는 확률은

$\mathrm{P}(76 \le X \le 78)$

$=\mathrm{P}\left(\dfrac{76-75}{2} \le Z \le \dfrac{78-75}{2}\right)$

$=\mathrm{P}(0.5 \le Z \le 1.5)$

$=\mathrm{P}(0 \le Z \le 1.5)-\mathrm{P}(0 \le Z \le 0.5)$

$=0.4332-0.1915=0.2417$

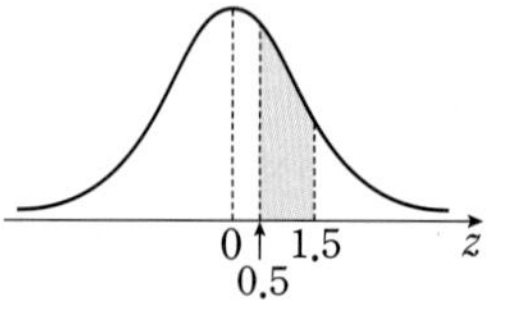

정답 ⑤

1283

정답 ②

STEP Ⓐ **확률변수 X가 따르는 정규분포 $\mathrm{N}(m,\ \sigma^2)$ 구하기**

토마토 줄기의 길이를 확률변수 X라고 하면

확률변수 X는 정규분포 $\mathrm{N}(30,\ 2^2)$을 따르므로 $Z=\dfrac{X-30}{2}$로 놓으면

확률변수 Z는 표준정규분포 $\mathrm{N}(0,\ 1)$을 따른다.

STEP Ⓑ **$\mathrm{P}(X \le 28)+\mathrm{P}(X \ge 32)$의 값 구하기**

따라서 구하는 확률은

$\mathrm{P}(X \le 28)+\mathrm{P}(X \ge 32)$

$=\mathrm{P}\left(Z \le \dfrac{28-30}{2}\right)+\mathrm{P}\left(Z \ge \dfrac{32-30}{2}\right)$

$=\mathrm{P}(Z \le -1)+\mathrm{P}(Z \ge 1)$

$=2\times\{0.5-\mathrm{P}(0 \le Z \le 1)\}$

$=2\times(0.5-0.3413)=0.3174$

내신연계 출제문항 548

어느 공장에서 생산되는 액자무게는 평균이 400g, 표준편차가 10g인 정규분포를 따르고 390g 이하이거나 410g 이상인 액자는 불량품으로 판정한다.
이 공장에서 생산된 액자 중 임의로 한 개를 택할 때, 택한 액자가 불량품일 확률을 표준정규분포표를 이용하여 구한 것은?

z	$\mathrm{P}(0 \le Z \le z)$
0.5	0.1915
1.0	0.3413
1.5	0.4332
2.0	0.4772

① 0.2880 ② 0.3174 ③ 0.6234
④ 0.8432 ⑤ 0.9444

STEP Ⓐ **확률변수 X가 따르는 정규분포 $\mathrm{N}(m,\ \sigma^2)$ 구하기**

액자의 무게를 확률변수 X라고 하면

확률변수 X는 정규분포 $\mathrm{N}(400,\ 10^2)$을 따르므로 $Z=\dfrac{X-400}{10}$로 놓으면

확률변수 Z는 표준정규분포 $\mathrm{N}(0,\ 1)$을 따른다.

STEP Ⓑ **$\mathrm{P}(X \le 390)+\mathrm{P}(X \ge 410)$의 값 구하기**

따라서 구하는 확률은

$\mathrm{P}(X \le 390)+\mathrm{P}(X \ge 410)$

$=\mathrm{P}\left(Z \le \dfrac{390-400}{10}\right)+\mathrm{P}\left(Z \ge \dfrac{410-400}{10}\right)$

$=\mathrm{P}(Z \le -1)+\mathrm{P}(Z \ge 1)$

$=2\times\{\mathrm{P}(Z \ge 0)-\mathrm{P}(0 \le Z \le 1)\}$

$=2\times(0.5-0.3413)$

$=2\times0.1587=0.3174$

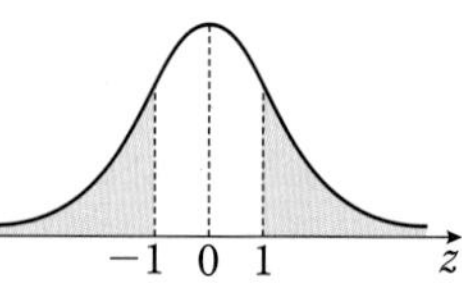

정답 ②

1284

정답 ①

STEP Ⓐ **확률변수 X가 따르는 정규분포 $\mathrm{N}(m,\ \sigma^2)$을 구하기**

수학 성적을 확률변수 X라 하면

확률변수 X는 정규분포 $\mathrm{N}(60,\ 10^2)$을 따르므로 $Z=\dfrac{X-60}{10}$로 놓으면

확률변수 Z는 표준정규분포 $\mathrm{N}(0,\ 1)$을 따른다.

STEP Ⓑ **$\mathrm{P}(X \ge 80)$의 값 구하기**

수학 성적이 80점 이상일 확률은

$\mathrm{P}(X \ge 80)=\mathrm{P}\left(Z \ge \dfrac{80-60}{10}\right)$

$=\mathrm{P}(Z \ge 2)$

$=0.5-\mathrm{P}(0 \le Z \le 2)$

$=0.5-0.4772=0.0228$

따라서 수학 성적이 80점 이상인 학생 수는 $5000\times0.0228=114$

내신연계 출제문항 549

어느 지역의 고등학교 1학년 학생 5000명을 대상으로 한 지능검사에서 지능지수는 평균이 110, 분산이 25인 정규분포를 따르는 것으로 조사되었다.
지능지수가 120 이상인 학생 수는?

z	$\mathrm{P}(0 \le Z \le z)$
0.5	0.1915
1.0	0.3413
1.5	0.4332
2.0	0.4772

① 114 ② 171
③ 228 ④ 317
⑤ 668

STEP Ⓐ **확률변수 X가 따르는 정규분포 $\mathrm{N}(m,\ \sigma^2)$ 구하기**

지능지수를 확률변수 X라 하면

확률변수 X는 정규분포 $\mathrm{N}(110,\ 5^2)$을 따르므로 $Z=\dfrac{X-110}{5}$로 놓으면

확률변수 Z는 표준정규분포 $\mathrm{N}(0,\ 1)$을 따른다.

STEP B $\mathrm{P}(X \geq 120)$의 값 구하기

지능지수가 120 이상일 확률은

$\mathrm{P}(X \geq 120)=\mathrm{P}\left(Z \geq \dfrac{120-110}{5}\right)$

$=\mathrm{P}(Z \geq 2)$

$=0.5-\mathrm{P}(0 \leq Z \leq 2)$

$=0.5-0.4772=0.0228$

따라서 지능지수가 110점 이상인 학생 수는 $5000 \times 0.0228=114$ 정답 ①

1285

정답 ②

STEP A 확률변수 X가 따르는 정규분포 $\mathrm{N}(m,\ \sigma^2)$ 구하기

유기동물의 몸무게를 확률변수 X라 하면

확률변수 X는 정규분포 $\mathrm{N}(9,\ 1.5^2)$을 따르므로 $Z=\dfrac{X-9}{1.5}$로 놓으면

확률변수 Z는 표준정규분포 $\mathrm{N}(0,\ 1)$을 따른다.

STEP B $\mathrm{P}(7.5 \leq X \leq 10.5)$의 값 구하기

구하는 확률은

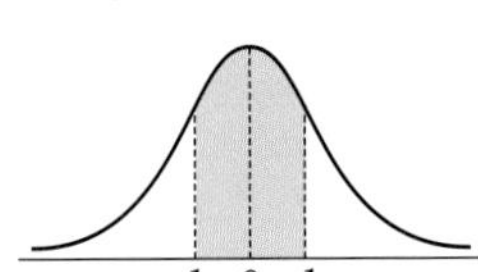

$\mathrm{P}(7.5 \leq X \leq 10.5)$

$=\mathrm{P}\left(\dfrac{7.5-9}{1.5} \leq Z \leq \dfrac{10.5-9}{1.5}\right)$

$=\mathrm{P}(-1 \leq Z \leq 1)$

$=2 \times 0.3413=0.6826$

따라서 전체 유기동물의 68.26%

1286

정답 ⑤

STEP A 확률변수 X가 따르는 정규분포 $\mathrm{N}(m,\ \sigma^2)$ 구하기

제품의 무게를 확률변수 X라 하면

확률변수 X는 정규분포 $\mathrm{N}(80,\ 2^2)$을 따르므로 $Z=\dfrac{X-80}{2}$로 놓으면

확률변수 Z는 표준정규분포 $\mathrm{N}(0,\ 1)$을 따른다.

STEP B 확률변수 X를 표준화하여 확률 구하기

불량품으로 판정될 확률은

$\mathrm{P}(X \leq 76$ 또는 $X \geq 84)$

$=1-\mathrm{P}\left(\dfrac{76-80}{2} \leq \dfrac{X-80}{2} \leq \dfrac{84-80}{2}\right)$

$=1-\mathrm{P}(-2 \leq Z \leq 2)$

$=1-2\mathrm{P}(0 \leq Z \leq 2)$

$=1-2 \times 0.4772=0.0456$

따라서 불량품의 개수의 기댓값은 $10000 \times 0.0456=456$

내신연계 출제문항 550

어느 공장에서 생산하는 음료수 한 병의 용량은 평균이 250cc, 표준편차가 2cc인 정규분포를 따른다고 한다.
또, 음료수 한 병의 용량이 245cc 이상 255cc 이하일 때, 합격품으로 처리한다.
이 공장에서 생산한 음료수 10000병 중에서 합격품의 개수의 기댓값은?

z	$\mathrm{P}(0 \leq Z \leq z)$
1.0	0.3413
1.5	0.4332
2.0	0.4772
2.5	0.4938

① 4938병 ② 6826병 ③ 8664병
④ 9544병 ⑤ 9876병

STEP A 확률변수 X가 따르는 정규분포 $\mathrm{N}(m,\ \sigma^2)$을 구하기

음료수 한 병의 용량을 확률변수 X라 하면

확률변수 X는 정규분포 $\mathrm{N}(250,\ 2^2)$을 따르므로 $Z=\dfrac{X-250}{2}$로 놓으면

확률변수 Z는 표준정규분포 $\mathrm{N}(0,\ 1)$을 따른다.

STEP B 확률변수 X를 표준화하여 확률 구하기

합격품으로 처리할 확률은

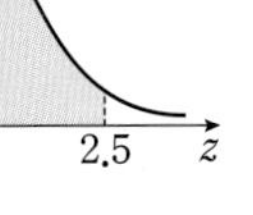

$\mathrm{P}(245 \leq X \leq 255)$

$=\mathrm{P}\left(\dfrac{245-250}{2} \leq X \leq \dfrac{255-250}{2}\right)$

$=\mathrm{P}(-2.5 \leq X \leq 2.5)$

$=2\mathrm{P}(0 \leq X \leq 2.5)$

$=2 \times 0.4938=0.9876$

따라서 합격품의 개수의 기댓값 $10000 \times 0.9876=9876$ 정답 ⑤

1287

정답 ⑤

STEP A 확률변수 X가 따르는 정규분포 $\mathrm{N}(m,\ \sigma^2)$을 구하기

원 모양의 알약에서 지름의 길이를 확률변수 X라 하면

확률변수 X는 정규분포 $\mathrm{N}(6,\ 0.4^2)$을 따르므로 $Z=\dfrac{X-6}{0.4}$로 놓으면

확률변수 Z는 표준정규분포 $\mathrm{N}(0,\ 1)$을 따른다.

STEP B 확률변수 X를 표준화하여 확률 구하기

즉 지름의 길이가 5.4mm 이상 7mm 이하일 확률은

$\mathrm{P}(5.4 \leq X \leq 7)$

$=\mathrm{P}\left(\dfrac{5.4-6}{0.4} \leq Z \leq \dfrac{7-6}{0.4}\right)$

$=\mathrm{P}(-1.5 \leq Z \leq 2.5)$

$=\mathrm{P}(-1.5 \leq Z \leq 0)+\mathrm{P}(0 \leq Z \leq 2.5)$

$=\mathrm{P}(0 \leq Z \leq 1.5)+\mathrm{P}(0 \leq Z \leq 2.5)$

$=0.4332+0.4938=0.9270$

따라서 구하는 알약의 개수는 $1000 \times 0.9270=927$

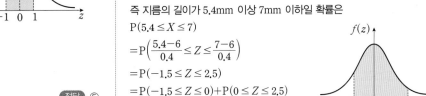

1288

정답 ②

STEP A 확률변수 X가 따르는 정규분포 $\mathrm{N}(m,\ \sigma^2)$ 구하기

신입사원의 연수점수를 확률변수 X라 하면

확률변수 X는 정규분포 $\mathrm{N}(82,\ 5^2)$을 따르므로 $Z=\dfrac{X-82}{5}$로 놓으면

확률변수 Z는 표준정규분포 $\mathrm{N}(0,\ 1)$을 따른다.

STEP B $\mathrm{P}(X \geq 90)$을 구하여 n의 값 구하기

연수점수가 90점 이상일 확률은

$\mathrm{P}(X \geq 90)=\mathrm{P}\left(Z \geq \dfrac{90-82}{5}\right)$

$=\mathrm{P}(Z \geq 1.6)$

$=\mathrm{P}(Z \geq 0)-\mathrm{P}(0 \leq Z \leq 1.6)$

$=0.5-0.45=0.05$

이때 연수점수가 90점 이상인 신입사원은 24명이므로

$0.05n=24$에서 $n=480$

STEP C $\mathrm{P}(74 \leq X \leq 82)$의 값 구하기

연수점수가 74점 이상 82점 이하인 확률은

$\mathrm{P}(74 \leq X \leq 82)=\mathrm{P}\left(\dfrac{74-82}{5} \leq Z \leq \dfrac{82-82}{5}\right)=\mathrm{P}(-1.6 \leq Z \leq 0)$

$=\mathrm{P}(0 \leq Z \leq 1.6)=0.45$

따라서 연수점수가 74점 이상 82점 이하인 신입사원의 수는 $480 \times 0.45=216$

내/신/연/계/ 출제문항 551

어느 회사에서는 전체 사원 250명의 근무 성적을 평가하여 점수가 높은 상위 n명을 뽑아 승진시키려고 한다. 사원 전체의 근무 성적은 평균이 75점, 표준편차가 10점인 정규분포를 따른다고 한다. 승진 대상자가 받은 점수 중 최저 점수가 86점이었을 때, 위의 정규분포표를 이용하여 구한 n의 값은? (동점자는 없는 것으로 한다.)

z	$\mathrm{P}(0 \le Z \le z)$
1.0	0.34
1.1	0.36
1.2	0.38
1.3	0.40

① 30 ② 35 ③ 38
④ 40 ⑤ 45

STEP Ⓐ **사원들의 근무 성적을 확률변수 X로 정하기**

사원들의 근무 성적을 확률변수 X라 하면

확률변수 X는 정규분포 $\mathrm{N}(75, 10^2)$을 따르므로 $Z=\dfrac{X-75}{10}$로 놓으면

확률변수 Z는 표준정규분포 $\mathrm{N}(0, 1)$을 따른다.

STEP Ⓑ **확률변수 X를 표준화하여 확률 구하기**

$$\begin{aligned}\mathrm{P}(X \ge 86) &= \mathrm{P}\left(\frac{X-75}{10} \ge \frac{86-75}{10}\right)\\ &= \mathrm{P}(Z \ge 1.1)\\ &= 0.5-\mathrm{P}(0 \le Z \le 1.1)\\ &= 0.5-0.36=0.14\end{aligned}$$

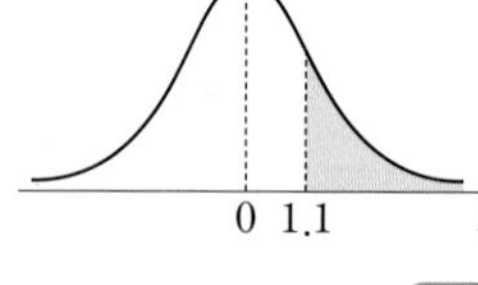

따라서 승진 대상자의 수는

$n=250 \times 0.14=35$(명)

정답 ②

1289

 ①

STEP Ⓐ **확률변수 X, Y 정하기**

포도 한 송이의 무게를 확률변수 X라 하면

확률변수 X는 정규분포 $\mathrm{N}(500, 50^2)$을 따르므로 $Z=\dfrac{X-500}{50}$로 놓으면

확률변수 Z는 표준정규분포 $\mathrm{N}(0, 1)$을 따른다.

그리고 포도 한 송이의 가격을 확률변수 Y라고 할 때,

Y가 각각 1000, 1100, 1200일 때의 확률은 다음과 같다.

STEP Ⓑ **확률변수 X를 표준화하여 확률 구하기**

$$\begin{aligned}\mathrm{P}(Y=1000) &= \mathrm{P}(X<500)=\mathrm{P}\left(\frac{X-500}{50}<\frac{500-500}{50}\right)\\ &= \mathrm{P}(Z<0)=0.5\end{aligned}$$

$$\begin{aligned}\mathrm{P}(Y=1100) &= \mathrm{P}(500 \le X<550)=\mathrm{P}\left(\frac{500-500}{50} \le \frac{X-m}{50}<\frac{550-500}{50}\right)\\ &= \mathrm{P}(0 \le Z<1)=0.34\end{aligned}$$

$$\begin{aligned}\mathrm{P}(Y=1200) &= \mathrm{P}(X \ge 550)=\mathrm{P}\left(\frac{X-500}{50} \ge \frac{550-500}{50}\right)\\ &= \mathrm{P}(Z \ge 1)=0.16\end{aligned}$$

STEP Ⓒ **Y의 기댓값 $\mathrm{E}(Y)$ 구하기**

확률변수 Y의 확률분포를 표로 나타내면 다음과 같다.

Y	1000	1100	1200	합계
$\mathrm{P}(Y=y)$	0.5	0.34	0.16	1

따라서 Y의 기댓값은

$\mathrm{E}(Y)=0.5 \times 1000+0.34 \times 1100+0.16 \times 1200=500+374+192=1066$

내/신/연/계/ 출제문항 552

어느 양계장에서는 달걀을 무게에 따라 오른쪽 표와 같이 가격을 정하여 판매하고 있다. 이 양계장에서 생산한 달걀 무게는 평균이 60g, 표준편차가 10g인 정규분포를 따른다고 한다. 이 양계장에서 생산한 달걀 한 개의 가격의 기댓값은?
(단, $\mathrm{P}(0 \le Z \le 1)=0.34$)

무게(g)	가격(원)
60 미만	200
60 이상 70 미만	250
70 이상	300

① 211원 ② 233원 ③ 250원
④ 266원 ⑤ 300원

STEP Ⓐ **확률변수 X, Y 정하기**

양계장에서 생산한 달걀 무게를 확률변수 X라 하면

확률변수 X는 정규분포 $\mathrm{N}(60, 10^2)$을 따르므로 $Z=\dfrac{X-60}{10}$로 놓으면

확률변수 Z는 표준정규분포 $\mathrm{N}(0, 1)$을 따른다.

그리고 달걀 판매 가격을 확률변수 Y라고 할 때,

Y가 각각 200, 250, 300일 때의 확률은 다음과 같다.

STEP Ⓑ **확률변수 X를 표준화하여 확률 구하기**

$$\begin{aligned}\mathrm{P}(Y=200) &= \mathrm{P}(X<60)=\mathrm{P}\left(\frac{X-60}{10}<\frac{60-60}{10}\right)\\ &= \mathrm{P}(Z<0)=0.5\end{aligned}$$

$$\begin{aligned}\mathrm{P}(Y=250) &= \mathrm{P}(60 \le X<70)=\mathrm{P}\left(\frac{60-60}{10} \le \frac{X-60}{10}<\frac{70-60}{10}\right)\\ &= \mathrm{P}(0 \le Z<1)=0.34\end{aligned}$$

$$\begin{aligned}\mathrm{P}(Y=300) &= \mathrm{P}(X \ge 70)=\mathrm{P}\left(\frac{X-60}{10} \ge \frac{70-60}{10}\right)\\ &= \mathrm{P}(Z \ge 1)=0.16\end{aligned}$$

STEP Ⓒ **Y의 기댓값 $\mathrm{E}(Y)$ 구하기**

확률변수 Y의 확률분포를 표로 나타내면 다음과 같다.

Y	200	250	300	합계
$\mathrm{P}(Y=y)$	0.5	0.34	0.16	1

따라서 Y의 기댓값은

$\mathrm{E}(Y)=200 \times 0.5+250 \times 0.34+300 \times 0.16=233$

정답 ②

1290

 ①

STEP Ⓐ **확률변수 X가 따르는 정규분포 $\mathrm{N}(m, \sigma^2)$을 구하기**

자동차의 속력을 확률변수 X라 하면

확률변수 X는 정규분포 $\mathrm{N}(104, 8^2)$을 따르므로 $Z=\dfrac{X-104}{8}$로 놓으면

확률변수 Z는 표준정규분포 $\mathrm{N}(0, 1)$을 따른다

STEP Ⓑ **과속으로 단속되는 확률 구하기**

과속으로 단속되는 경우는 속력이 120km/시를 초과할 때이므로

구하는 확률은

$$\begin{aligned}\mathrm{P}(X>120) &= \mathrm{P}\left(Z>\frac{120-104}{8}\right)\\ &= \mathrm{P}(Z>2)\\ &= 0.5-\mathrm{P}(0 \le Z \le 2)\\ &= 0.5-0.48=0.02=\frac{1}{50}\end{aligned}$$

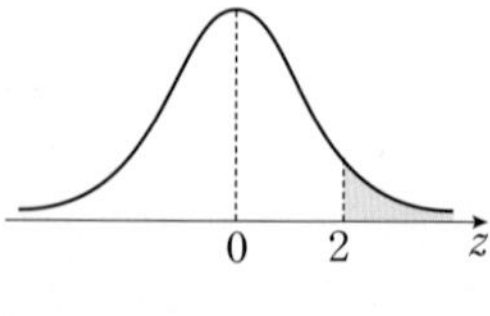

STEP Ⓒ **자동차 A, B가 모두 과속으로 단속될 확률 구하기**

따라서 두 자동차 A, B의 속력은 서로 독립이므로 모두 과속으로 단속될

확률은 $\dfrac{1}{50} \times \dfrac{1}{50}=\dfrac{1}{2500}$

1291

정답 ⑤

STEP Ⓐ 확률변수 X가 따르는 정규분포 $\mathrm{N}(m, \sigma^2)$을 구하기

이 회사 직원들의 이 날의 출근 시간을 확률변수 X라 하면

확률변수 X는 정규분포 $\mathrm{N}(66.4, 15^2)$을 따르므로 $Z=\dfrac{X-66.4}{15}$로 놓으면

확률변수 Z는 표준정규분포 $\mathrm{N}(0, 1)$을 따른다.

이때 출근 시간이 73분 이상일 확률은

$\mathrm{P}(X \geq 73)=\mathrm{P}\left(Z \geq \dfrac{73-66.4}{15}\right)$

$=\mathrm{P}(Z \geq 0.44)$

$=0.5-\mathrm{P}(0 \leq Z \leq 0.44)$

$=0.5-0.17=0.33$

또한, 출근 시간이 73분 미만일 확률은

$\mathrm{P}(X < 73)=\mathrm{P}\left(Z < \dfrac{73-66.4}{15}\right)$

$=\mathrm{P}(Z < 0.44)$

$=0.5+\mathrm{P}(0 \leq Z \leq 0.44)$

$=0.5+0.17=0.67$

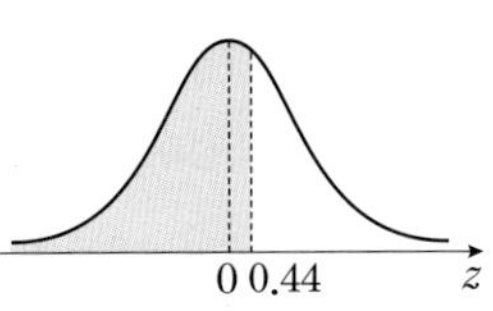

STEP Ⓑ 지하철을 이용하였을 확률 구하기

임의로 선택한 직원의 어느 날의 출근 시간이 73분 이상인 사건을 A,
지하철을 이용하여 출근하는 사건을 B라 하자.

(ⅰ) 출근시간이 73분 이상이고 지하철을 이용할 확률은
$\mathrm{P}(A \cap B)=\mathrm{P}(A) \times \mathrm{P}(B|A)=0.33 \times 0.4=0.132$

(ⅱ) 출근시간이 73분 미만이고 지하철을 이용할 확률은
$\mathrm{P}(A^c \cap B)=\mathrm{P}(A^c) \times \mathrm{P}(B|A^c)=0.67 \times 0.2=0.134$

(ⅰ), (ⅱ)가 배반사건이므로 구하는 확률은

$\mathrm{P}(B)=\mathrm{P}(A \cap B)+\mathrm{P}(A^c \cap B)=0.132+0.134=0.266$

1292

STEP Ⓐ 고객의 집에서 시장까지의 거리를 확률변수 X라 하고 $\mathrm{P}(X \geq 2000)$, $\mathrm{P}(X < 2000)$의 값을 각각 구하기

재래시장을 이용하는 고객의 집에서 시장까지의 거리를 확률변수 X라 하면
X는 정규분포 $\mathrm{N}(1740, 500^2)$을 따른다.

고객의 집에서 시장까지의 거리가 2000m 이상인 확률은

$\mathrm{P}(X \geq 2000)=\mathrm{P}\left(Z \geq \dfrac{2000-1740}{500}\right)$

$=\mathrm{P}(Z \geq 0.52)$

$=0.5-\mathrm{P}(0 \leq Z \leq 0.52)$

$=0.5-0.2=0.3$

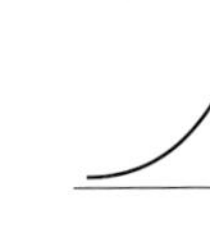

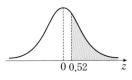

또, 집에서 시장까지의 거리가
2000m 미만일 확률은 $\mathrm{P}(X < 2000)=1-\mathrm{P}(X \geq 2000)=1-0.3=0.7$

STEP Ⓑ 정규분포와 확률의 곱셈정리을 이용하여 구하기

임의로 선택한 고객의 집에서 시장까지의 거리가 2000m 이상인 사건을 A,
자가용을 이용하여 시장에 오는 사건을 B라 하자.

(ⅰ) 집에서 시장까지의 거리가 2000m 이상이고 자가용을 이용하여 시장에 오는 확률은 $\mathrm{P}(A \cap B)=\mathrm{P}(A) \times \mathrm{P}(B|A)=0.3 \times 0.15=0.045$

(ⅱ) 집에서 시장까지의 거리가 2000m 미만이고 자가용을 이용하여 시장에 오는 확률은 $\mathrm{P}(A^c \cap B)=\mathrm{P}(A^c) \times \mathrm{P}(B|A^c)=0.7 \times 0.05=0.035$

(ⅰ), (ⅱ)에서 자가용을 이용하여 시장에 오는 확률은

$\mathrm{P}(B)=\mathrm{P}(A \cap B)+\mathrm{P}(A^c \cap B)=0.045+0.035=0.08$

STEP Ⓒ 조건부확률을 이용하여 확률 구하기

따라서 자가용을 이용하여 시장에 온 고객 중에서 임의로 1명을 선택할 때,
이 고객의 집에서 시장까지의 거리가 2000m 미만일 조건부확률은

$\mathrm{P}(A^c|B)=\dfrac{\mathrm{P}(A^c \cap B)}{\mathrm{P}(B)}=\dfrac{0.035}{0.08}=\dfrac{35}{80}=\dfrac{7}{16}$

+α 집에서 시장까지의 거리와 자가용 이용에 관한 표를 만들면 다음과 같다.

	자가용 이용	자가용 이용 안 함	합계
2000m 미만	0.05×0.7	0.95×0.7	0.7
2000m 이상	0.15×0.3	0.85×0.3	0.3
합계	0.08	0.92	1

따라서 자가용을 이용하여 시장에 온 고객 중에서 임의로 1명을 선택할 때,
이 고객의 집에서 시장까지의 거리가 2000m 미만일 조건부확률은

$\dfrac{0.05 \times 0.7}{0.05 \times 0.7+0.15 \times 0.3}=\dfrac{35}{80}=\dfrac{7}{16}$

내/신/연/계/ 출제문항 553

어느 학교 학생의 등교시간은 평균이 30분, 표준편차가 5분인 정규분포를 따른다고 한다.
등교시간이 25분 이상인 학생 중에서 임의로 1명을 선택했을 때, 이 학생의 등교시간이 40분 이하일 확률을 오른쪽 표준정규분포표를 이용하여 구한 것은?

z	$\mathrm{P}(0 \leq Z \leq z)$
0.5	0.19
1.0	0.34
1.5	0.43
2.0	0.48

① $\dfrac{37}{42}$ ② $\dfrac{19}{21}$ ③ $\dfrac{13}{14}$
④ $\dfrac{20}{21}$ ⑤ $\dfrac{41}{42}$

STEP Ⓐ 확률변수 X가 따르는 정규분포 $\mathrm{N}(m, \sigma^2)$을 구하기

이 학교 학생 1명의 등교시간을 확률변수 X라 하면

확률변수 X는 정규분포 $\mathrm{N}(30, 5^2)$을 따르므로 $Z=\dfrac{X-30}{5}$로 놓으면

확률변수 Z는 표준정규분포 $\mathrm{N}(0, 1)$을 따른다.

STEP Ⓑ 정규분포와 확률의 곱셈정리를 이용하여 구하기

$\mathrm{P}(25 \leq X \leq 40)$

$=\mathrm{P}\left(\dfrac{25-30}{5} \leq \dfrac{X-30}{5} \leq \dfrac{40-30}{5}\right)$

$=\mathrm{P}(-1 \leq Z \leq 2)$

$=\mathrm{P}(-1 \leq Z \leq 0)+\mathrm{P}(0 \leq Z \leq 2)$

$=\mathrm{P}(0 \leq Z \leq 1)+\mathrm{P}(0 \leq Z \leq 2)$

$=0.34+0.48=0.82$

$\mathrm{P}(X \geq 25)$

$=\mathrm{P}\left(\dfrac{X-30}{5} \geq \dfrac{25-30}{5}\right)$

$=\mathrm{P}(Z \geq -1)$

$=\mathrm{P}(-1 \leq Z \leq 0)+0.5$

$=\mathrm{P}(0 \leq Z \leq 1)+0.5$

$=0.34+0.5=0.84$

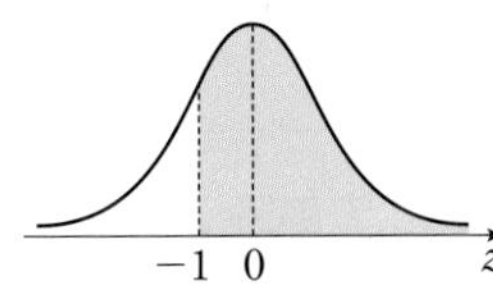

STEP Ⓒ 조건부확률을 이용하여 확률 구하기

이 학교 학생 중에서 임의로 1명을 선택했을 때,
이 학생의 등교시간이 25분 이상일 사건을 A,
등교시간이 40분 이하일 사건을 B라 하면 구하는 확률은

$\mathrm{P}(B|A)=\dfrac{\mathrm{P}(A \cap B)}{\mathrm{P}(A)}=\dfrac{\mathrm{P}(25 \leq X \leq 40)}{\mathrm{P}(X \geq 25)}=\dfrac{0.82}{0.84}=\dfrac{41}{42}$

1293

 ①

STEP A **확률변수 X가 따르는 정규분포 $N(m, \sigma^2)$을 구하기**

등교시간을 확률변수 X라 하면

확률변수 X는 정규분포 $N(30, 5^2)$을 따르므로 $Z=\frac{X-30}{5}$로 놓으면

확률변수 Z는 표준정규분포 $N(0, 1)$을 따른다.

STEP B $P(X \ge a)=0.8413$**을 이용하여** a**값 구하기**

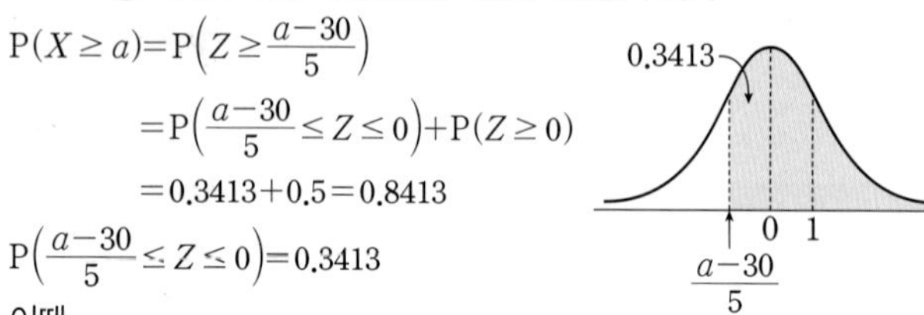

$P(X \ge a)=P\left(Z \ge \frac{a-30}{5}\right)$

$=P\left(\frac{a-30}{5} \le Z \le 0\right)+P(Z \ge 0)$

$=0.3413+0.5=0.8413$

$P\left(\frac{a-30}{5} \le Z \le 0\right)=0.3413$

이때

$P(0 \le Z \le 1)=P(-1 \le Z \le 0)=0.3413$이므로 $\frac{a-30}{5}=-1$

따라서 $a=25$

1294

 ④

STEP A **확률변수 X가 따르는 정규분포 $N(m, \sigma^2)$을 구하기**

어느 고등학교 남학생의 몸무게를 확률변수 X라 하면

확률변수 X는 정규분포 $N(62, 4^2)$을 따르므로 $Z=\frac{X-62}{4}$로 놓으면

확률변수 Z는 표준정규분포 $N(0, 1)$을 따른다.

STEP B $P(X \ge a)=0.04$**를 이용하여** a**값 구하기**

$P(X \ge a)=0.04$에서 $a>62$이므로

$P(X \ge a)=P\left(Z \ge \frac{a-62}{4}\right)$

$=0.5-P\left(0 \le Z \le \frac{a-62}{4}\right)$

$=0.04$

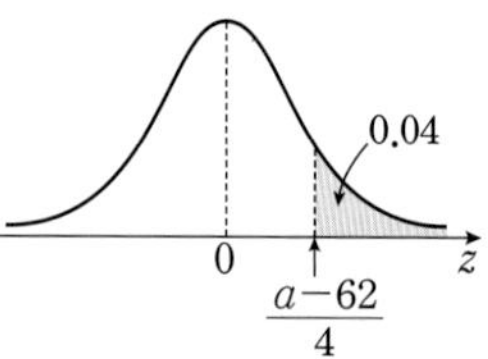

$\therefore P\left(0 \le Z \le \frac{a-62}{4}\right)=0.46$

이때 $P(0 \le Z \le 1.75)=0.46$이므로 $\frac{a-62}{4}=1.75$

따라서 $a=69$

1295

 ③

STEP A **확률변수 X가 따르는 정규분포 $N(m, \sigma^2)$을 구하기**

자극에 대한 반응 시간을 확률변수 X라 하면

확률변수 X는 정규분포 $N(m, 1^2)$을 따르므로 $Z=\frac{X-m}{1}$로 놓으면

확률변수 Z는 표준정규분포 $N(0, 1)$을 따른다.

STEP B $P(X<2.93)=0.1003$**을 만족하는** m**의 값 구하기**

$P(X<2.93)=0.1003$이므로

$P(X<2.93)=P\left(Z<\frac{2.93-m}{1}\right)$

$=P(Z>m-2.93)$

$=0.5-P(0<Z<m-2.93)$

$=0.1003$

$\therefore P(0<Z<m-2.93)=0.3997$

이때 표준정규분포표에서 $P(0<Z<1.28)=0.3997$이므로 $m-2.93=1.28$

따라서 $m=4.21$

내/신/연/계/ 출제문항 554

어느 공장에서 생산하는 전구 한 개의 수명은 평균이 1000시간, 표준편차가 50시간인 정규분포를 따른다고 한다. 이 공장에서 생산하는 전구 중에서 임의로 선택한 전구 한 개의 수명이 a시간 이상일 확률이 0.9641일 때, 실수 a의 값을 오른쪽 표준정규분포표를 이용하여 구한 것은?

z	$P(0 \le Z \le z)$
1.4	0.4192
1.8	0.4641
2.2	0.4861
2.6	0.4953

① 870 ② 890 ③ 910
④ 930 ⑤ 950

STEP A **확률변수 X가 따르는 정규분포 $N(m, \sigma^2)$을 구하기**

전구 한 개의 수명을 확률변수 X라 하면

확률변수 X는 정규분포 $N(1000, 50^2)$을 따르고 $Z=\frac{X-1000}{50}$으로 놓으면

확률변수 Z는 표준정규분포 $N(0, 1)$을 따른다.

STEP B $P(X \ge a)=0.9641$**을 만족하는** a**의 값 구하기**

이때 $P(X \ge a)=0.9641$에서

$P\left(Z \ge \frac{a-1000}{50}\right)=0.9641$이므로

$P\left(\frac{a-1000}{50} \le Z \le 0\right)=0.9641-0.5$

$=0.4641$

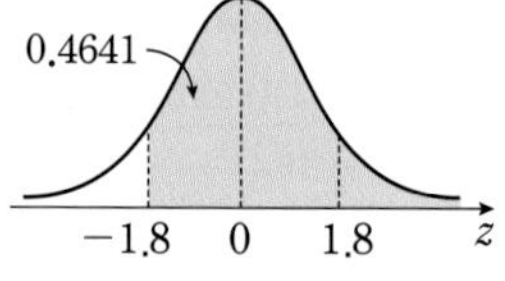

$P\left(0 \le Z \le \frac{1000-a}{50}\right)=0.4641$

이므로 표준정규분포표에서 $\frac{1000-a}{50}=1.8$

따라서 $a=910$

 ③

1296

 ③

STEP A **확률변수 X가 따르는 정규분포 $N(m, \sigma^2)$을 구하기**

청소할 수 있는 시간을 확률변수 X라 하면

확률변수 X는 정규분포 $N(130, 10^2)$을 따르고 $Z=\frac{X-130}{10}$으로 놓으면

확률변수 Z는 표준정규분포 $N(0, 1)$을 따른다.

STEP B $P(X \ge a)=0.9332$**를 이용하여** a**값 구하기**

이때 $P(X \ge a)=0.9332$이므로

$P\left(Z \ge \frac{a-130}{10}\right)=0.5+0.4332$

$P\left(0 \le Z \le -\frac{a-130}{10}\right)=0.4332$

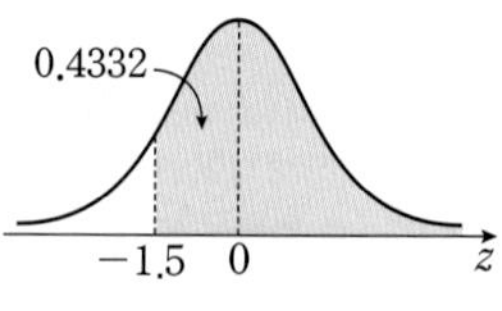

따라서 $-\frac{a-130}{10}=1.5$이므로 $a=115$

내/신/연/계/ 출제문항 555

어느 공장에서 생산하는 전구 한 개의 수명은 평균이 1000시간, 표준편차가 50시간인 정규분포를 따른다고 한다. 이 공장에서 생산하는 전구 중에서 임의로 선택한 전구 한 개의 수명이 a시간 이상일 확률이 0.9861일 때, 실수 a의 값을 오른쪽 표준정규분포표를 이용하여 구한 것은?

z	$P(0 \le Z \le z)$
1.4	0.4192
1.8	0.4641
2.2	0.4861
2.6	0.4953

① 870 ② 890 ③ 910
④ 930 ⑤ 950

STEP A 확률변수 X가 따르는 정규분포 $N(m, \sigma^2)$을 구하기

전구 한 개의 수명을 확률변수 X라 하면

확률변수 X는 정규분포 $N(1000, 50^2)$을 따르고 $Z=\frac{X-1000}{50}$으로 놓으면

확률변수 Z는 표준정규분포 $N(0, 1)$을 따른다.

STEP B $P(X \ge a)=0.9861$을 이용하여 a값 구하기

이때 $P(X \ge a)=0.9861$이므로

$P\left(Z \ge \frac{a-1000}{50}\right)=0.9861$

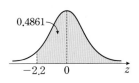

$P\left(\frac{a-1000}{50} \le Z \le 0\right)=0.9861-0.5$

$=0.4861$

$P\left(0 \le Z \le \frac{1000-a}{50}\right)=0.4861$

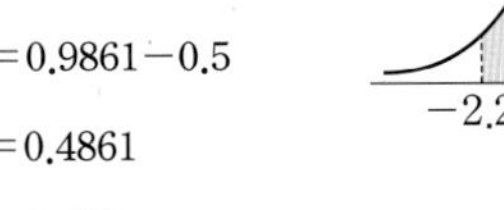

따라서 $\frac{1000-a}{50}=2.2$이므로 $a=890$

정답 ②

1297

정답 ④

STEP A 확률변수 X가 따르는 정규분포 $N(m, \sigma^2)$을 구하기

전구 한 개의 수명을 확률변수 X라 하면

확률변수 X는 정규분포 $N(997, \sigma^2)$을 따르고 $Z=\frac{X-997}{\sigma}$로 놓으면

확률변수 Z는 표준정규분포 $N(0, 1)$을 따른다.

STEP B $P(X \le 991)=0.0228$을 만족하는 σ의 값 구하기

$P(X \le 991)=P\left(Z \le \frac{991-997}{\sigma}\right)$

$=P\left(Z \le -\frac{6}{\sigma}\right)$

$=0.0228$

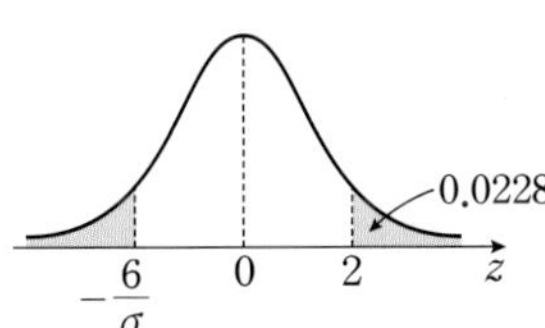

표준정규분포표에서

$P(0 \le Z \le 2)=0.4772$이므로

$P(Z \ge 2)=P(Z \le -2)=0.0228$에서

$-\frac{6}{\sigma}=-2 \quad \therefore \sigma=3$

STEP C $P(X \ge 1000)$의 값 구하기

따라서 한 병의 무게가 1000g 이상일 확률은

$P(X \ge 1000)=P\left(Z \ge \frac{1000-997}{3}\right)$

$=P(Z \ge 1)$

$=P(Z \ge 0)-P(0 \le Z \le 1)$

$=0.5-0.3413=0.1587$

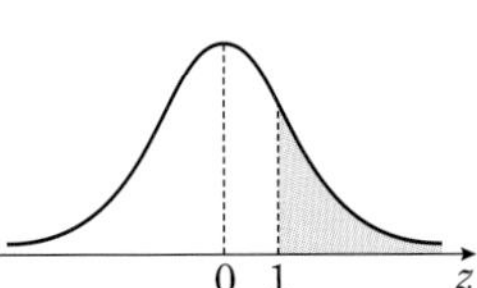

내신연계 출제문항 556

어느 회사의 전체 신입사원 1000명을 대상으로 신체검사를 한 결과, 키는 평균 m, 표준편차 10인 정규분포를 따른다고 한다. 전체 신입사원 중에서 키가 177 이상인 사원이 242명이었다. 전체 신입사원 중에서 임의로 선택한 한 명의 키가 180 이상일 확률을 오른쪽 표준정규분포표를 이용하여 구한 것은? (단, 키의 단위는 cm이다.)

z	$P(0 \le Z \le z)$
0.7	0.2580
0.8	0.2881
0.9	0.3159
1.0	0.3413

① 0.1587 ② 0.1841 ③ 0.2119
④ 0.2267 ⑤ 0.2420

STEP A 확률변수 X가 따르는 정규분포 $N(m, \sigma^2)$을 구하기

신입사원의 키를 확률변수 X라 하면

확률변수 X는 정규분포 $N(m, 10^2)$을 따르고 $Z=\frac{X-m}{10}$으로 놓으면

확률변수 Z는 표준정규분포 $N(0, 1)$을 따른다.

STEP B $P(X \ge 177)=0.242$에서 평균 m 구하기

전체 신입사원은 1000명이고 키가 177 이상인 사원은 242명이므로

$P(X \ge 177)=\frac{242}{1000}=0.242$이므로

$P(X \ge 177)$

$=P\left(Z \ge \frac{177-m}{10}\right)$

$=0.5-P\left(0 \le Z \le \frac{177-m}{10}\right)$

$=0.242$

$\therefore P\left(0 \le Z \le \frac{177-m}{10}\right)=0.5-0.242=0.2580$

표준정규분포표에서 $P(0 \le Z \le 0.7)=0.2580$이므로

$\frac{177-m}{10}=0.7, \ 177-m=7 \quad \therefore m=170$

STEP C 신입사원 한 명의 키가 180 이상일 확률 구하기

따라서 X는 정규분포 $N(170, 10^2)$을 따르므로

$P(X \ge 180)=P\left(Z \ge \frac{180-170}{10}\right)$

$=P(Z \ge 1)$

$=0.5-P(0 \le Z \le 1)$

$=0.5-0.3413=0.1587$

정답 ①

1298

정답 ④

STEP A 확률변수 X, Y를 표준화하여 확률 구하기

A지역에서 스마트폰 가입자가 한 달 동안 사용한 데이터 용량을 확률변수 X라 하면 X는 정규분포 $N(500, 10^2)$을 따른다.

한 달 동안 사용한 데이터 용량이 k 이상일 확률은

$P(X \ge k)=P\left(\frac{X-500}{10} \ge \frac{k-500}{10}\right)$

$=P\left(Z \ge \frac{k-500}{10}\right)$ …… ㉠

B지역에서 스마트폰 가입자가 한 달 동안 사용한 데이터 용량을 확률변수 Y라 하면 Y는 정규분포 $N(520, 5^2)$을 따른다.

한 달 동안 사용한 데이터 용량이 k 이상일 확률은

$P(Y \ge k)=P\left(\frac{Y-520}{5} \ge \frac{k-520}{5}\right)$

$=P\left(Z \ge \frac{k-520}{5}\right)$ …… ㉡

STEP B 두 확률이 같음을 이용하여 k의 값 구하기

㉠과 ㉡의 두 값이 같아야 하므로 $\frac{k-500}{10}=\frac{k-520}{5}$

따라서 $k-500=2k-1040$이므로 $k=540$

1299

정답 ⑤

STEP A **확률변수 X, Y를 표준화하여 확률 구하기**

국내 본사 지원자의 입사시험 성적을 확률변수 X라 하면

확률변수 X는 정규분포 $\mathrm{N}(680,\ 40^2)$을 따르므로 $Z_1=\dfrac{X-680}{40}$으로 놓으면

확률변수 Z_1는 표준정규분포 $\mathrm{N}(0,\ 1)$을 따른다.

$p_1=\mathrm{P}(X\geq 740)=\mathrm{P}\left(Z_1\geq\dfrac{740-680}{40}\right)$

$=\mathrm{P}(Z_1\geq 1.5)$ ······ ㉠

해외 지사 지원자의 입사시험 성적을 확률변수 Y라 하면

확률변수 Y는 정규분포 $\mathrm{N}(720,\ 30^2)$을 따르므로 $Z_2=\dfrac{Y-720}{30}$으로 놓으면

확률변수 Z_2는 표준정규분포 $\mathrm{N}(0,\ 1)$을 따른다.

$p_2=\mathrm{P}(Y\geq a)=\mathrm{P}\left(Z_2\geq\dfrac{a-720}{30}\right)$ ······ ㉡

STEP B **두 확률이 같음을 이용하여 a의 값 구하기**

㉠, ㉡에서 $p_1=p_2$이므로 $\dfrac{a-720}{30}=1.5$

따라서 $a=765$

내신연계 출제문항 557

A과수원에서 생산하는 귤의 무게는 평균이 86, 표준편차가 15인 정규분포를 따르고, B과수원에서 생산하는 귤의 무게는 평균이 88, 표준편차가 10인 정규분포를 따른다고 한다. A과수원에서 임의로 선택한 귤의 무게가 98 이하일 확률과 B과수원에서 임의로 선택한 귤의 무게가 a 이하일 확률이 같을 때, a의 값은? (단, 귤의 무게의 단위는 g이다.)

① 90 ② 92 ③ 94
④ 96 ⑤ 98

STEP A **확률변수 X, Y를 표준화하여 확률 구하기**

A과수원에서 생산하는 귤의 무게를 확률변수 X라 하면

확률변수 X는 정규분포 $\mathrm{N}(86,\ 15^2)$을 따르므로 $Z_1=\dfrac{X-86}{15}$으로 놓으면

확률변수 Z_1는 표준정규분포 $\mathrm{N}(0,\ 1)$을 따른다.

A과수원에서 임의로 선택한 귤의 무게가 98 이하일 확률

$\mathrm{P}(X\leq 98)=\mathrm{P}\left(Z_1\leq\dfrac{98-86}{15}\right)$

$=\mathrm{P}\left(Z_1\leq\dfrac{4}{5}\right)$ ······ ㉠

B과수원에서 생산하는 귤의 무게를 확률변수 Y라 하면

확률변수 Y는 정규분포 $\mathrm{N}(88,\ 10^2)$을 따르므로 $Z_2=\dfrac{X-88}{10}$으로 놓으면

확률변수 Z_2는 표준정규분포 $\mathrm{N}(0,\ 1)$을 따른다.

B과수원에서 임의로 선택한 귤의 무게가 a 이하일 확률

$\mathrm{P}(Y\leq a)=\mathrm{P}\left(Z_2\leq\dfrac{a-88}{10}\right)$ ······ ㉡

STEP B **두 확률이 같음을 이용하여 a의 값 구하기**

㉠과 ㉡의 두 값이 같아야 하므로 $\mathrm{P}\left(Z_1\leq\dfrac{4}{5}\right)=\mathrm{P}\left(Z_2\leq\dfrac{a-88}{10}\right)$

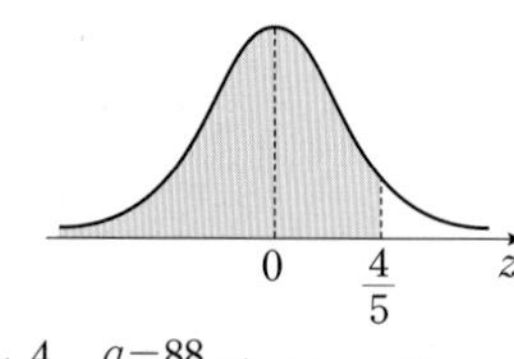

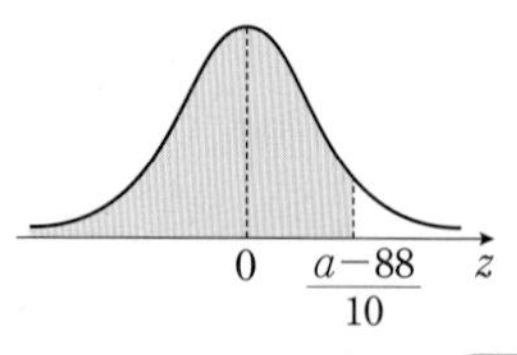

따라서 $\dfrac{4}{5}=\dfrac{a-88}{10}$이므로 $a=96$

정답 ④

1300

정답 ①

STEP A **확률변수 X, Y를 표준화하여 확률 구하기**

A타이어의 수명을 확률변수 X라 하면

확률변수 X는 정규분포 $\mathrm{N}(40000,\ 2000^2)$을 따르므로

$Z_1=\dfrac{X-40000}{2000}$으로 놓으면

확률변수 Z_1은 표준정규분포 $\mathrm{N}(0,\ 1)$을 따른다.

A타이어의 수명이 43000km 이상일 확률은

$\mathrm{P}(X\geq 43000)=\mathrm{P}\left(Z_1\geq\dfrac{43000-40000}{2000}\right)$

$=\mathrm{P}(Z_1\geq 1.5)$ ······ ㉠

B타이어의 수명을 확률변수 Y라 하면

확률변수 Y는 정규분포 $\mathrm{N}(45000,\ 4000^2)$을 따르므로

$Z_2=\dfrac{Y-45000}{4000}$으로 놓으면

확률변수 Z_2는 표준정규분포 $\mathrm{N}(0,\ 1)$을 따른다.

B타이어의 수명이 $a$km 이하일 확률은

$\mathrm{P}(Y\leq a)=\mathrm{P}\left(Z_2\leq\dfrac{a-45000}{4000}\right)$ ······ ㉡

STEP B **a값 구하기**

㉠과 ㉡의 두 값이 같아야 하므로 표준정규분포곡선은 y축에 대해 대칭이므로

$1.5+\dfrac{a-45000}{4000}=0,\ 6000=-a+45000$

따라서 $a=39000$

1301

정답 ①

STEP A **확률변수 X, Y를 표준화하여 확률 구하기**

과자 A의 길이를 확률변수 X라 하면

확률변수 X는 정규분포 $\mathrm{N}(m,\ \sigma_1^2)$을 따르므로 $Z=\dfrac{X-m}{\sigma_1}$으로 놓으면

확률변수 Z는 표준정규분포 $\mathrm{N}(0,\ 1)$을 따른다.

과자 A의 길이 X가 $m+10$ 이상일 확률은

$\mathrm{P}(X\geq m+10)=\mathrm{P}\left(Z\geq\dfrac{m+10-m}{\sigma_1}\right)$

$=\mathrm{P}\left(Z\geq\dfrac{10}{\sigma_1}\right)$ ······ ㉠

과자 B의 길이를 확률변수 Y라 하면

정규분포 $\mathrm{N}(m+25,\ \sigma_2^2)$을 따르므로 $Z=\dfrac{Y-(m+25)}{\sigma_2}$으로 놓으면

확률변수 Z는 표준정규분포 $\mathrm{N}(0,\ 1)$을 따른다.

과자 B의 길이 Y가 $m+10$ 이하일 확률은

$\mathrm{P}(Y\leq m+10)=\mathrm{P}\left(Z\leq\dfrac{m+10-m-25}{\sigma_2}\right)$

$=\mathrm{P}\left(Z\leq-\dfrac{15}{\sigma_2}\right)$ ······ ㉡

STEP B **두 확률이 같음을 이용하여 $\dfrac{\sigma_2}{\sigma_1}$의 값 구하기**

㉠과 ㉡의 두 값이 같아야 하므로 표준정규분포곡선은 y축에 대해 대칭이다.

이때 $\mathrm{P}\left(Z\geq\dfrac{10}{\sigma_1}\right)=\mathrm{P}\left(Z\leq-\dfrac{15}{\sigma_2}\right)$

이므로 $\dfrac{10}{\sigma_1}=\dfrac{15}{\sigma_2}$

따라서 $\dfrac{\sigma_2}{\sigma_1}=\dfrac{15}{10}=\dfrac{3}{2}$

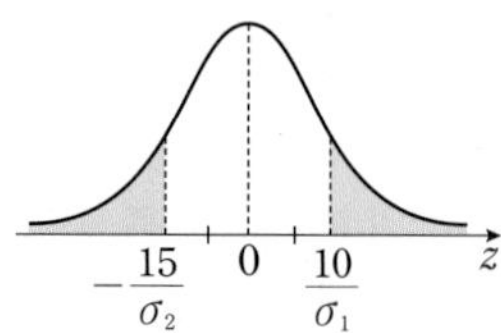

내/신/연/계/ 출제문항 558

어느 공장에서 생산되는 제품 A의 무게는 정규분포 $\mathrm{N}(m, 1)$을 따르고, 제품 B의 무게는 정규분포 $\mathrm{N}(2m, 4)$를 따른다.
이 공장에서 생산된 제품 A와 제품 B에서 임의로 제품을 1개씩 선택할 때, 선택된 제품 A의 무게가 k 이상일 확률과 선택된 제품 B의 무게가 k 이하일 확률이 같다. $\frac{k}{m}$의 값은?

① $\frac{11}{9}$　② $\frac{5}{4}$　③ $\frac{23}{18}$
④ $\frac{47}{36}$　⑤ $\frac{4}{3}$

STEP Ⓐ **확률변수 X, Y를 표준화하여 확률 구하기**

제품 A의 무게를 확률변수 X라 하면
확률변수 X는 정규분포 $\mathrm{N}(m, 1^2)$을 따르므로 $Z=\frac{X-m}{1}$으로 놓으면
확률변수 Z는 표준정규분포 $\mathrm{N}(0, 1)$을 따른다.
선택된 제품 A의 무게가 k 이상일 확률은
$\mathrm{P}(X \geq k)=\mathrm{P}\left(Z \geq \frac{k-m}{1}\right)$ …… ㉠
제품 B의 무게를 확률변수 Y라 하면
확률변수 Y는 정규분포 $\mathrm{N}(2m, 2^2)$을 따르므로 $Z=\frac{Y-2m}{2}$으로 놓으면
확률변수 Z는 표준정규분포 $\mathrm{N}(0, 1)$을 따른다.
선택된 제품 B의 무게가 k 이하일 확률은
$\mathrm{P}(Y \leq k)=\mathrm{P}\left(Z \leq \frac{k-2m}{2}\right)$ …… ㉡

STEP Ⓑ **두 확률이 같음을 이용하여 $\frac{k}{m}$의 값 구하기**

㉠과 ㉡의 두 값이 같아야 하므로
표준정규분포곡선은 y축에 대해 대칭
이므로 $k-m=-\frac{k-2m}{2}$
$2k-2m=-k+2m$
따라서 $3k=4m$이므로 $\frac{k}{m}=\frac{4}{3}$

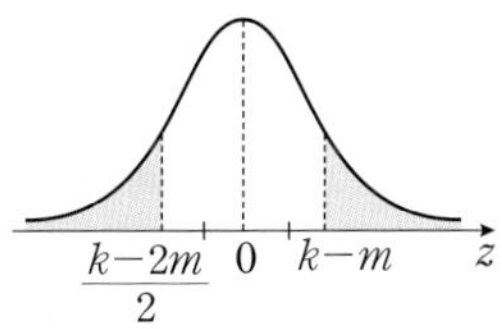

정답 ⑤

1302

정답 ⑤

STEP Ⓐ $\mathrm{P}(X \geq 8)=0.1587$**을 만족하는 σ의 값 구하기**

확률변수 X는 정규분포 $\mathrm{N}(6, \sigma^2)$을 따르므로 $Z=\frac{X-6}{\sigma}$으로 놓으면
확률변수 Z는 표준정규분포 $\mathrm{N}(0, 1)$을 따른다.
$\mathrm{P}(X \geq 8)=\mathrm{P}\left(Z \geq \frac{8-6}{\sigma}\right)=\mathrm{P}\left(Z \geq \frac{2}{\sigma}\right)=0.1587$
$0.1587=0.5-0.3413=0.5-\mathrm{P}(0 \leq Z \leq 1)=\mathrm{P}(Z \geq 1)$에서
$\frac{2}{\sigma}=1$　$\therefore \sigma=2$

STEP Ⓑ $\mathrm{P}(Y \geq 8)$**의 값 구하기**

확률변수 Y는 정규분포 $\mathrm{N}(16, 4\sigma^2)$을 따르므로 $Z=\frac{Y-16}{2\sigma}$으로 놓으면
확률변수 Z는 표준정규분포 $\mathrm{N}(0, 1)$을 따른다.
따라서 구하는 확률은
$\mathrm{P}(Y \geq 8)=\mathrm{P}\left(Z \geq \frac{8-16}{4}\right)$
$=\mathrm{P}(Z \geq -2)$
$=\mathrm{P}(-2 \leq Z \leq 0)+\mathrm{P}(Z \geq 0)$
$=\mathrm{P}(0 \leq Z \leq 2)+\mathrm{P}(Z \geq 0)$
$=0.4772+0.5=0.9772$

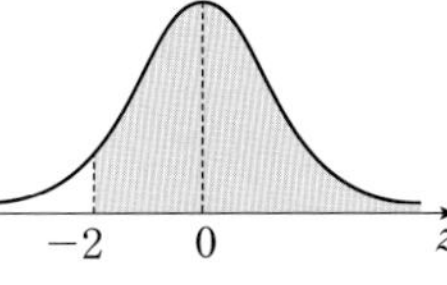

1303

정답 ④

STEP Ⓐ $\mathrm{P}(X \leq m-5)=0.1587$**임을 이용하여 표준편차 σ 구하기**

자동차 프레임 A의 무게를 확률변수 X라 하면
확률변수 X는 정규분포 $\mathrm{N}(m, \sigma^2)$을 따르므로 $Z_1=\frac{X-m}{\sigma}$으로 놓으면
확률변수 Z_1은 표준정규분포 $\mathrm{N}(0, 1)$을 따른다.
자동차 프레임 A의 무게가 $m-5$ 이하일 확률이 0.1587이므로
$\mathrm{P}(X \leq m-5)=\mathrm{P}\left(Z_1 \leq -\frac{5}{\sigma}\right)$
$=\mathrm{P}\left(Z_1 \geq \frac{5}{\sigma}\right)$
$=0.5-\mathrm{P}\left(0 \leq Z_1 \leq \frac{5}{\sigma}\right)=0.1587$
이때 $\mathrm{P}\left(0 \leq Z_1 \leq \frac{5}{\sigma}\right)=0.3413$이고 주어진 표준정규분포표에서
$\mathrm{P}(0 \leq Z \leq 1)=0.3413$이므로 $\frac{5}{\sigma}=1$
$\therefore \sigma=5$

STEP Ⓑ $\mathrm{P}(m \leq Y \leq m+25)$**의 값 구하기**

또한, 자동차 프레임 B의 무게를 확률변수 Y라 하면
확률변수 Y는 정규분포 $\mathrm{N}(m+15, (2\sigma)^2)$, 즉 $\mathrm{N}(m+15, 10^2)$을 따른다.
$Z_2=\frac{Y-(m+15)}{10}$로 놓으면
확률변수 Z_2은 표준정규분포 $\mathrm{N}(0, 1)$을 따른다.
따라서
$\mathrm{P}(m \leq Y \leq m+25)$
$=\mathrm{P}\left(\frac{m-(m+15)}{10} \leq Z_2 \leq \frac{m+25-(m+15)}{10}\right)$
$=\mathrm{P}(-1.5 \leq Z_2 \leq 1)$
$=\mathrm{P}(0 \leq Z_2 \leq 1.5)+\mathrm{P}(0 \leq Z_2 \leq 1)$
$=0.4332+0.3413=0.7745$

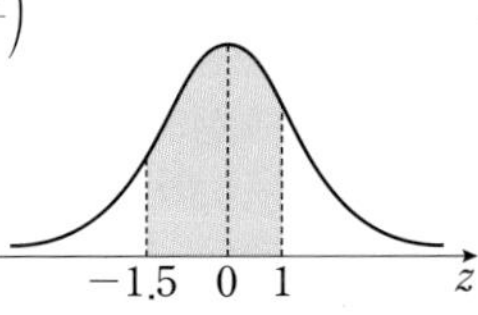

내/신/연/계/ 출제문항 559

A과수원에서 재배한 사과 한 개의 무게는 평균이 m, 표준편차가 5인 정규분포를 따르고, B과수원에서 재배한 사과 한 개의 무게는 평균이 $m+4$, 표준편차가 4인 정규분포를 따른다.
A, B과수원에서 재배한 사과는 그 무게가 각각 320 이상일 때, 특상품으로 분류되며, A과수원에서 재배한 사과 중 임의로 선택한 한 개의 사과가 특상품으로 분류될 확률은 0.0548이다. B과수원에서 재배한 사과 중 임의로 선택한 한 개의 사과가 특상품으로 분류될 확률을 오른쪽 표준정규분포표를 이용하여 구한 것은? (단, 무게의 단위는 g이다.)

z	$\mathrm{P}(0 \leq Z \leq z)$
1.0	0.3413
1.6	0.4452
2.0	0.4772
2.5	0.4938

① 0.0359　② 0.0548　③ 0.0808
④ 0.1151　⑤ 0.1587

STEP Ⓐ $\mathrm{P}(X \geq 320)=0.0548$**임을 이용하여 평균 m 구하기**

A과수원에서 재배한 사과 한 개의 무게를 확률변수 X라 하면
확률변수 X는 정규분포 $\mathrm{N}(m, 5^2)$을 따르므로 $Z_1=\frac{X-m}{5}$으로 놓으면
확률변수 Z_1은 표준정규분포 $\mathrm{N}(0, 1)$을 따른다.
$\mathrm{P}(X \geq 320)=\mathrm{P}\left(Z_1 \geq \frac{320-m}{5}\right)=0.0548$에서
$\mathrm{P}\left(0 \leq Z_1 \leq \frac{320-m}{5}\right)=0.5-0.0548=0.4452$
표준정규분포표에 의하여
$\frac{320-m}{5}=1.6$이므로 $m=312$

STEP B $P(Y \geq 320)$**의 값 구하기**

B과수원에서 재배한 사과 한 개의 무게를 확률변수 Y라 하면

확률변수 Y는 정규분포 $N(316,\ 4^2)$을 따르므로 $Z_2=\dfrac{Y-316}{4}$으로 놓으면

확률변수 Z_2는 표준정규분포 $N(0,\ 1)$을 따른다.

따라서

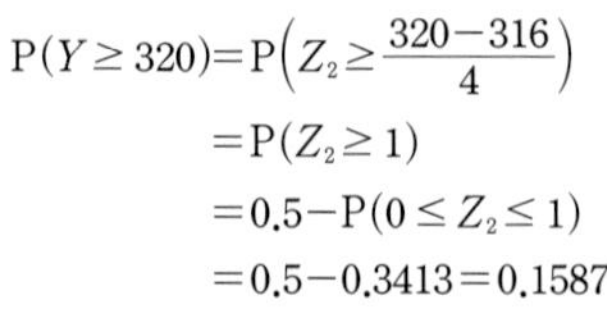

$$\begin{aligned}P(Y \geq 320)&=P\left(Z_2 \geq \frac{320-316}{4}\right)\\&=P(Z_2 \geq 1)\\&=0.5-P(0 \leq Z_2 \leq 1)\\&=0.5-0.3413=0.1587\end{aligned}$$

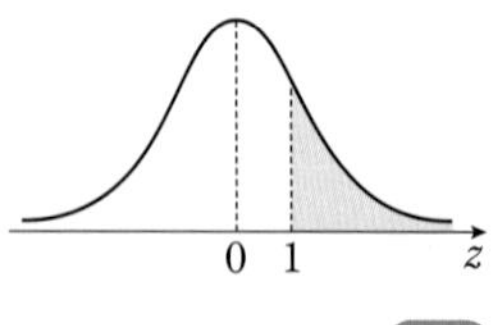

정답 ⑤

1304

정답 ①

STEP A **확률변수 X, Y를 표준화하여 확률 구하기**

확률과 통계를 선택한 학생의 수학 점수를 확률변수 X라 하면

확률변수 X는 정규분포 $N(65,\ 15^2)$을 따르므로 $Z=\dfrac{X-65}{15}$로 놓으면

확률변수 Z는 표준정규분포 $N(0,\ 1)$을 따른다.

확률과 통계를 선택한 학생의 수학 점수가 a점 이상일 확률은

$P(X \geq a)=P\left(Z \geq \dfrac{a-65}{15}\right)$ …… ㉠

미적분을 선택한 학생의 수학 점수를 각각 확률변수 Y라 하면

확률변수 Y는 정규분포 $N(51,\ 12^2)$을 따르므로 $Z=\dfrac{Y-51}{12}$로 놓으면

확률변수 Z는 표준정규분포 $N(0,\ 1)$을 따른다.

미적분을 선택한 학생의 수학 점수가 66점 이상일 확률은

$$\begin{aligned}P(Y \geq 66)&=P\left(Z \geq \frac{66-51}{12}\right)\\&=P(Z \geq 1.25)\\&=0.5-P(0 \leq Z \leq 1.25)\\&=0.5-0.394=0.106\end{aligned}$$ …… ㉡

STEP B a**의 값 구하기**

㉠, ㉡에서 $P(X \geq a)=2 \times P(Y \geq 66)$

$2 \times P(Y \geq 66)=2 \times 0.106=0.212$이고

$P(0 \leq Z \leq 0.80)=0.288$에서 $P(Z \geq 0.80)=0.212$이므로

$P\left(Z \geq \dfrac{a-65}{15}\right)=P(Z \geq 0.80)$

따라서 $\dfrac{a-65}{15}=0.80$에서 $a=77$

1305

정답 ⑤

STEP A $P(X \geq 80)=0.09$**를 만족하는** m, σ**의 관계식 구하기**

A과목 시험 점수를 확률변수 X라 하면

확률변수 X는 정규분포 $N(m,\ \sigma^2)$을 따르므로 $Z=\dfrac{X-m}{\sigma}$으로 놓으면

확률변수 Z는 표준정규분포 $N(0,\ 1)$을 따른다.

A과목 시험 점수가 80점 이상인 학생일 확률이 0.09이므로

$P(X \geq 80)=P\left(Z \geq \dfrac{80-m}{\sigma}\right)=0.09$

이때 $P\left(0 \leq Z \leq \dfrac{80-m}{\sigma}\right)=0.5-0.09=0.41$이므로

$\dfrac{80-m}{\sigma}=1.34$ ⬅ $P(0 \leq Z \leq 1.34)=0.41$

$80-1.34\sigma=m$ …… ㉠

STEP B $P(Y \geq 80)=0.15$**를 만족하는** m, σ**의 관계식 구하기**

B과목 시험 점수를 확률변수 Y라 하면

확률변수 Y는 정규분포 $N(m+3,\ \sigma^2)$을 따르고 $Z=\dfrac{Y-m-3}{\sigma}$으로 놓으면

확률변수 Z는 표준정규분포 $N(0,\ 1)$을 따른다.

또, B과목 시험 점수가 80점 이상인 학생일 확률이 0.15이므로

$P(Y \geq 80)=P\left(Z \geq \dfrac{80-m-3}{\sigma}\right)=0.15$

이때 $P\left(0 \leq Z \leq \dfrac{77-m}{\sigma}\right)=0.5-0.15=0.35$이므로

$\dfrac{77-m}{\sigma}=1.04$ ⬅ $P(0 \leq Z \leq 1.04)=0.35$

$77-1.04\sigma=m$ …… ㉡

STEP C m, σ**의 값 구하기**

㉠, ㉡에서 $80-1.34\sigma=77-1.04\sigma$, $3=0.3\sigma$ $\therefore\ \sigma=10$

㉠에서 $m=66.6$

따라서 $m+\sigma=66.6+10=76.6$

내/신/연/계/ 출제문항 560

확률변수 X가 정규분포 $N(m,\ \sigma^2)$을 따를 때, $P(X \geq a)=0.1151$을 만족하고 확률변수 Y가 정규분포 $N(3m+6,\ 9\sigma^2)$을 따를 때, $P(Y \geq 3a+24)=0.0548$을 만족한다. 이때 오른쪽 표준정규분포표를 이용하여 σ의 값을 구한 것은? (단, a는 상수이다.)

z	$P(0 \leq Z \leq z)$
1.2	0.3849
1.4	0.4192
1.6	0.4452
1.8	0.4641

① 12 ② 13 ③ 14
④ 15 ⑤ 16

STEP A $P(X \geq a)=0.1151$**을 만족하는** m, σ**의 관계식 구하기**

확률변수 X가 정규분포 $N(m,\ \sigma^2)$을 따르므로 $Z_1=\dfrac{X-m}{\sigma}$으로 놓으면

확률변수 Z_1는 표준정규분포 $N(0,\ 1)$을 따른다.

$P(X \geq a)=0.1151$에서 $a>m$이므로

$P(X \geq a)=P\left(Z_1 \geq \dfrac{a-m}{\sigma}\right)=0.5-P\left(0 \leq Z_1 \leq \dfrac{a-m}{\sigma}\right)=0.1151$

이때 $P\left(0 \leq Z_1 \leq \dfrac{a-m}{\sigma}\right)=0.3849$이므로

$\dfrac{a-m}{\sigma}=1.2$ ⬅ $P(0 \leq Z_1 \leq 1.2)=0.3849$ …… ㉠

STEP B $P(Y \geq 3a+24)=0.0548$**을 만족하는** m, σ**의 관계식 구하기**

한편 확률변수 Y는 정규분포 $N(3m+6,\ 9\sigma^2)$을 따르므로

$Z_2=\dfrac{Y-(3m+6)}{3\sigma}$으로 놓으면 확률변수 Z_2는 표준정규분포 $N(0,\ 1)$을 따른다.

$P(Y \geq 3a+24)=0.0548$에서 $3a+24>3m+6$이므로

$$\begin{aligned}P(Y \geq 3a+24)&=P\left(Z_2 \geq \frac{3a+24-(3m+6)}{3\sigma}\right)\\&=P\left(Z_2 \geq \frac{3(a-m)+18}{3\sigma}\right)\\&=P\left(Z_2 \geq \frac{a-m}{\sigma}+\frac{6}{\sigma}\right)\\&=0.5-P\left(0 \leq Z_2 \leq \frac{a-m}{\sigma}+\frac{6}{\sigma}\right)=0.0548\end{aligned}$$

이때 $P\left(0 \leq Z_2 \leq \dfrac{a-m}{\sigma}+\dfrac{6}{\sigma}\right)=0.4452$이므로

$\dfrac{a-m}{\sigma}+\dfrac{6}{\sigma}=1.6$ ⬅ $P(0 \leq Z_2 \leq 1.6)=0.4452$ …… ㉡

㉠, ㉡에서 $\dfrac{6}{\sigma}=0.4$

따라서 $\sigma=15$

정답 ④

1306

정답 ③

STEP A 국어, 수학, 영어 점수를 표준화하여 확률 구하기

지수의 국어, 영어, 수학 성적을 표준화한 값은 다음과 같다.

(i) 국어 성적이 정규분포 $\mathrm{N}(60,\ 8^2)$을 따르므로

지수의 국어 성적 80점 ⇨ $Z_A=\frac{80-60}{8}=\frac{5}{2}$

(ii) 수학 성적이 정규분포 $\mathrm{N}(65,\ 4^2)$을 따르므로

지수의 수학 성적 77점 ⇨ $Z_B=\frac{77-65}{4}=3$

(iii) 영어 성적이 정규분포 $\mathrm{N}(65,\ 5^2)$을 따르므로

재수의 영어 성적 75점 ⇨ $Z_C=\frac{75-65}{5}=2$

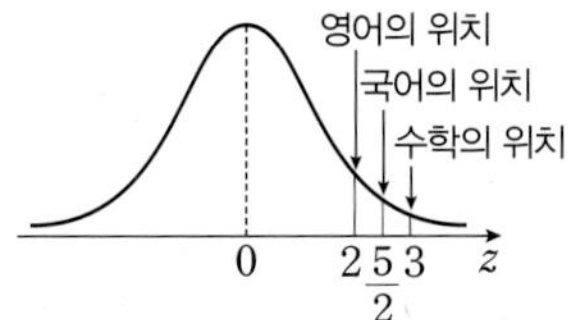

따라서 $2<\frac{5}{2}<3$이고 확률이 작을수록 성적이 높은 분포에 속하므로 상대적으로 성적이 좋은 과목부터 차례로 쓰면 수학, 국어, 영어이다.

1307

정답 ①

STEP A 영어, 국어, 수학 점수를 표준화하여 확률 구하기

민규의 영어, 수학, 국어의 점수를 각각 다음과 같이 표준화하여 보자.

(i) 영어 성적이 정규분포 $\mathrm{N}(69,\ 15^2)$을 따르므로

민규의 영어 성적 76점 ⇨ $\frac{76-69}{15}=\frac{7}{15}$

(ii) 수학 성적이 정규분포 $\mathrm{N}(56,\ 18^2)$을 따르므로

민규의 수학 성적 65점 ⇨ $\frac{65-56}{18}=\frac{1}{2}$

(iii) 국어 성적이 정규분포 $\mathrm{N}(64,\ 16^2)$을 따르므로

민규의 국어 성적 78점 ⇨ $\frac{78-64}{16}=\frac{7}{8}$

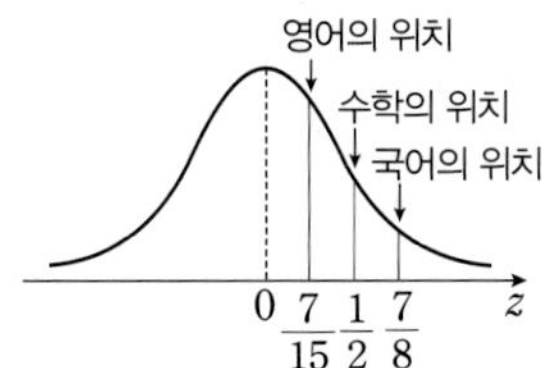

확률이 작을수록 성적이 높은 분포에 속하므로 (i)~(iii)에서
민규는 다른 학생에 비해 국어 과목의 성적이 가장 좋다고 할 수 있다.
또한, 세 과목 중 성적이 가장 고른 과목은 표준편차가 가장 낮은 영어 과목이다.

다른풀이 확률변수 X_A, X_B, X_C를 표준화하여 확률 구하기

1학년 학생들의 영어, 수학, 국어 시험 성적을 각각 확률변수 X_A, X_B, X_C라 하면 X_A, X_B, X_C는 각각 정규분포 $\mathrm{N}(69,\ 15^2)$, $\mathrm{N}(56,\ 18^2)$, $\mathrm{N}(64,\ 16^2)$을 따르므로 $Z_A=\frac{X_A-69}{15}$, $Z_B=\frac{X_B-56}{18}$, $Z_C=\frac{X_C-64}{16}$로 놓으면

세 확률변수 Z_A, Z_B, Z_C는 모두 표준정규분포 $\mathrm{N}(0,\ 1)$을 따른다.

이때 민규의 성적보다 각 과목의 성적이 높을 확률을 구하면

$\mathrm{P}(X_A>76)=\mathrm{P}\left(Z_A>\frac{76-69}{15}\right)=\mathrm{P}\left(Z_A>\frac{7}{15}\right)$

$\mathrm{P}(X_B>65)=\mathrm{P}\left(Z_B>\frac{65-56}{18}\right)=\mathrm{P}\left(Z_B>\frac{1}{2}\right)$

$\mathrm{P}(X_C>78)=\mathrm{P}\left(Z_C>\frac{78-64}{16}\right)=\mathrm{P}\left(Z_C>\frac{7}{8}\right)$

민규는 다른 학생에 비해 국어 과목의 성적이 가장 좋다고 할 수 있다.
또한, 세 과목 중 성적이 가장 고른 과목은 표준편차가 가장 낮은 과목인 영어이다.

1308

정답 ⑤

STEP A 국어, 영어, 수학 점수를 표준화하여 확률 구하기

철수의 국어, 영어, 수학 성적을 표준화한 값은 다음과 같다.

(i) 국어 성적이 정규분포 $\mathrm{N}(75,\ 15^2)$을 따르므로

철수의 국어 성적 90점 ⇨ $Z_A=\frac{90-75}{15}=1$

(ii) 수학 성적이 정규분포 $\mathrm{N}(70,\ 12^2)$을 따르므로

철수의 수학 성적 84점 ⇨ $Z_B=\frac{84-70}{12}=\frac{7}{6}$

(iii) 영어 성적이 정규분포 $\mathrm{N}(72,\ 16^2)$을 따르므로

철수의 영어 성적 89점 ⇨ $Z_C=\frac{89-72}{16}=\frac{17}{16}$

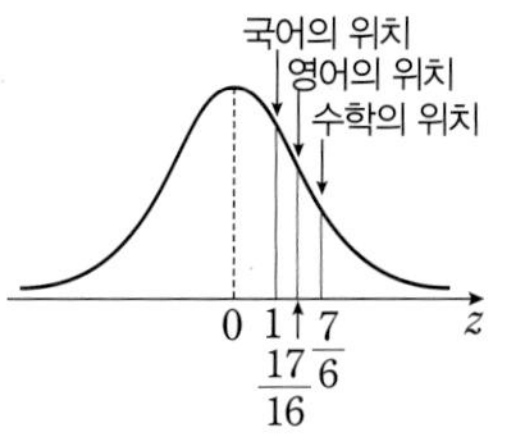

즉 $1<\frac{17}{16}<\frac{7}{6}$이므로 확률이 작을수록 성적이 높은 분포에 속하므로 상대적으로 성적이 낮은 과목부터 차례로 쓰면 국어, 영어, 수학이다.

STEP B [보기]의 참, 거짓 판단하기

ㄱ. 국어 성적이 수학 성적이나 영어 성적보다 상대적으로 나쁘다. [참]
ㄴ. 수학 성적이 상대적으로 가장 좋고 국어 성적이 상대적으로 가장 나쁘다. [참]
ㄷ. 수학 성적이 가장 낮게 나왔으나 국어 성적이나 영어 성적보다는 상대적으로 좋다. [참]

따라서 옳은 것은 ㄱ, ㄴ, ㄷ이다.

내신연계 출제문항 561

어느 고등학교 2학년 전체 학생의 국어, 영어, 사회, 수학 시험 성적은 각각 정규분포를 따르고 각 과목의 평균, 표준편차와 나래의 성적은 다음 표와 같았다. 나래의 성적을 2학년 전체 학생의 성적과 비교할 때, 다음 [보기] 중 옳은 것을 있는 대로 고르면?

과목	국어	영어	사회	수학
평균	62	54	78	52
표준편차	14	16	10	12
나래의 성적	69	66	84	64

ㄱ. 사회 성적이 영어 성적이나 수학 성적보다 상대적으로 나쁘다.
ㄴ. 국어 성적이 상대적으로 가장 좋고 수학 성적이 상대적으로 가장 나쁘다.
ㄷ. 수학 성적이 가장 낮게 나왔으나 사회 성적이나 영어 성적보다는 상대적으로 좋다.

① ㄱ ② ㄴ ③ ㄱ, ㄷ
④ ㄴ, ㄷ ⑤ ㄱ, ㄴ, ㄷ

STEP A 국어, 수학, 영어 점수를 표준화하여 확률 구하기

2학년 학생의 국어, 영어, 사회, 수학 시험 성적을 각각 확률변수 X_A, X_B, X_C, X_D라 하면

X_A, X_B, X_C, X_D는 각각 정규분포 $\mathrm{N}(62,\ 14^2)$, $\mathrm{N}(54,\ 16^2)$, $\mathrm{N}(78,\ 10^2)$, $\mathrm{N}(52,\ 12^2)$을 따르므로

$Z_A=\frac{X_A-62}{14}$, $Z_B=\frac{X_B-54}{16}$, $Z_C=\frac{X_C-78}{10}$, $Z_D=\frac{X_D-52}{12}$로 놓으면

확률변수 Z_A, Z_B, Z_C, Z_D는 모두 정규분포 $\mathrm{N}(0,\ 1)$을 따른다.

이때 나래보다 국어, 영어, 사회, 수학 시험 성적이 높은 학생의 비율을 구하면

$P(X_A > 69) = P\left(Z_A > \frac{69-62}{14}\right) = P(Z_A > 0.5)$

$P(X_B > 66) = P\left(Z_B > \frac{66-54}{16}\right) = P(Z_B > 0.75)$

$P(X_C > 84) = P\left(Z_C > \frac{84-78}{10}\right) = P(Z_C > 0.6)$

$P(X_D > 64) = P\left(Z_D > \frac{64-52}{12}\right) = P(Z_D > 1)$

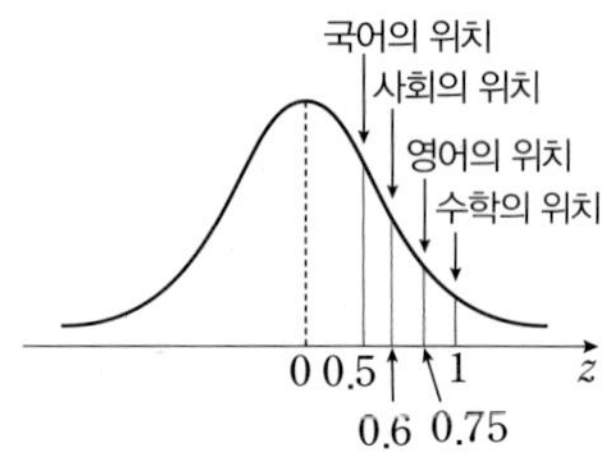

이때 $P(Z_D > 1) < P(Z_B > 0.75) < P(Z_C > 0.6) < P(Z_A > 0.5)$이므로
$P(X_D > 64) < P(X_B > 66) < P(X_C > 84) < P(X_A > 69)$

STEP B **[보기]의 참, 거짓 판단하기**

ㄱ. 사회 성적이 영어 성적이나 수학 성적보다 상대적으로 나쁘다. [참]
ㄴ. 수학 성적이 상대적으로 가장 좋고 국어 성적이 상대적으로 가장 나쁘다. [거짓]
ㄷ. 수학 성적이 가장 낮게 나왔으나 사회 성적이나 영어 성적보다는 상대적으로 좋다. [참]

따라서 옳은 것은 ㄱ, ㄷ이다.  ③

1309

 ⑤

STEP A **P_A, P_B, P_C를 표준화하여 확률 구하기**

P_A, P_B, P_C를 각각 다음과 같이 표준화하여 보자.

(i) A회사가 정규분포 $N(4.9, \sigma^2)$을 따르므로

$P_A(X \geq 5.5) = P_A\left(Z \geq \frac{5.5-4.9}{\sigma}\right)$

(ii) B회사가 정규분포 $N(5.2, 0.6^2)$을 따르므로

$P_B(X \geq 5.5) = P_B\left(Z \geq \frac{5.5-5.2}{0.6}\right) = P_B(Z \geq 0.5)$

(iii) C회사가 정규분포 $N(m, 1^2)$을 따르므로

$P_C(X \geq 5.5) = P_B(Z \geq 5.5-m)$

STEP B **m의 최댓값, σ의 최솟값 구하기**

이때 $P_A \geq P_B \geq P_C$를 만족해야 하므로 다음 표준화한 그림에서

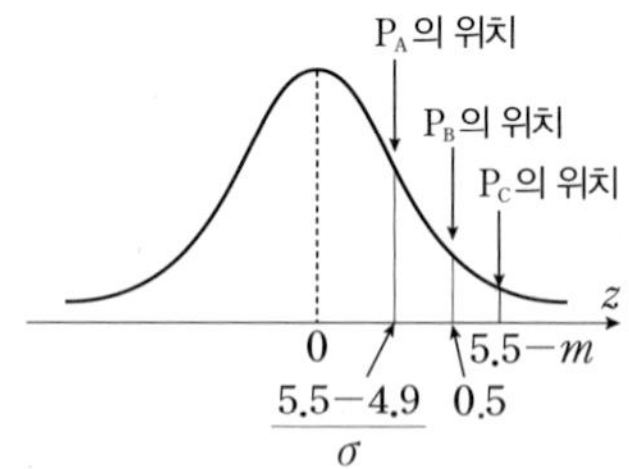

$\frac{5.5-4.9}{\sigma} \leq 0.5 \leq 5.5-m$을 만족하므로 $m \leq 5$, $\sigma \geq 1.2$

따라서 m의 최댓값은 5, σ의 최솟값은 1.2이므로 $5+1.2=6.2$

내신연계 출제문항 562

준기는 요가 학원에 가기 위해 자전거, 버스, 지하철의 교통수단을 이용하려고 한다. 각 교통수단의 이동 시간이 정규분포를 이루고, 이동 시간의 평균과 표준편차는 다음 표와 같다. 준기가 다음과 같이 이동한다고 할 때, 요가 시간에 늦지 않을 확률이 높은 것부터 순서대로 적은 것을 고르면?

교통편	평균 (분)	표준편차 (분)
자전거	55	10
버스	30	3
지하철	20	5

A: 요가 시간 45분 전에 자전거를 타고 이동한다.
B: 요가 시간 24분 전에 버스를 타고 이동한다.
C: 요가 시간 22분 전에 지하철을 타고 이동한다.

① A, B, C ② A, C, B ③ B, A, C
④ C, A, B ⑤ C, B, A

STEP A **확률변수 X, Y, T를 표준화하여 확률 구하기**

A: 자전거로 이동하는 시간을 확률변수 X라 하면

X는 정규분포 $N(55, 10^2)$을 따르므로 $Z=\frac{X-55}{10}$는 표준정규분포 $N(0, 1)$을 따른다.

$P(X \leq 45) = P\left(Z \leq \frac{45-55}{10}\right) = P(Z \leq -1)$

B: 버스로 이동하는 시간을 확률변수 Y라 하면

Y는 정규분포 $N(30, 3^2)$을 따르므로 $Z=\frac{Y-30}{3}$은 표준정규분포 $N(0, 1)$을 따른다.

$P(Y \leq 24) = P\left(Z \leq \frac{24-30}{3}\right) = P(Z \leq -2)$

C: 지하철로 이동하는 시간을 확률변수 T라 하면

T는 정규분포 $N(20, 5^2)$을 따르므로 $Z=\frac{T-20}{5}$은 표준정규분포 $N(0, 1)$을 따른다.

$P(T \leq 22) = P\left(Z \leq \frac{22-20}{5}\right) = P(Z \leq 0.4)$

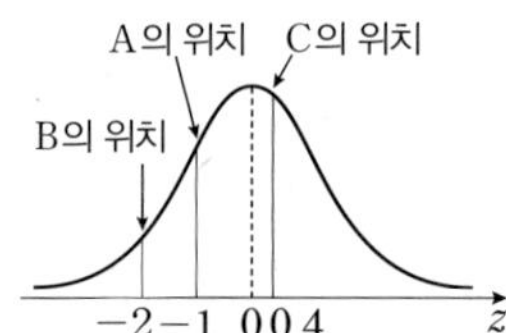

따라서 C, A, B의 순서로 요가 시간에 늦지 않을 확률이 높다.  ④

1310

 ①

STEP A **확률변수 X가 따르는 정규분포 $N(m, \sigma^2)$ 구하기**

응시자의 시험 점수를 확률변수 X라 하면

확률변수 X는 정규분포 $N(240, 20^2)$을 따르므로 $Z=\frac{X-240}{20}$으로 놓으면 확률변수 Z는 표준정규분포 $N(0, 1)$을 따른다.

STEP B **상위 $a\%$ 이내에 속하는 확률변수 X의 최솟값을 k라 하면 $P(X \geq k)=\frac{a}{100}$임을 이용하여 구하기**

합격자의 최저 점수를 k점이라 하면

$P(X \geq k) = \frac{320}{2000} = 0.16$이므로

$\mathrm{P}(X \ge k)=\mathrm{P}\left(Z \ge \frac{k-240}{20}\right)$

$=\mathrm{P}(Z \ge 0)-\mathrm{P}\left(0 \le Z \le \frac{k-240}{20}\right)$

$=0.5-\mathrm{P}\left(0 \le Z \le \frac{k-240}{20}\right)=0.16$

$\therefore \mathrm{P}\left(0 \le Z \le \frac{k-240}{20}\right)=0.34$

이때 $\mathrm{P}(0 \le Z \le 1)=0.34$이므로 $\frac{k-240}{20}=1$

$\therefore k=260$

따라서 합격자의 최저점수는 260점이다.

1311

정답 ④

STEP A 확률변수 X가 따르는 정규분포 $\mathrm{N}(m, \sigma^2)$ 구하기

수학 성적을 확률변수 X라 하면

확률변수 X는 정규분포 $\mathrm{N}(70, 10^2)$을 따르므로 $Z=\frac{X-70}{10}$으로 놓으면

확률변수 Z는 표준정규분포 $\mathrm{N}(0, 1)$을 따른다.

STEP B $\mathrm{P}(X \ge k)=0.063$을 만족하는 k의 값 구하기

상위 63등 이내에 들기 위한 최저 점수를 k라고 하면

$\mathrm{P}(X \ge k)=\frac{63}{1000}=0.063$이므로

$\mathrm{P}(X \ge k)=\mathrm{P}\left(Z \ge \frac{k-70}{10}\right)$

$=0.5-\mathrm{P}\left(0 \le Z \le \frac{k-70}{10}\right)$

$=0.063$

$\therefore \mathrm{P}\left(0 \le Z \le \frac{k-70}{10}\right)=0.437$

이때 $\mathrm{P}(0 \le Z \le 1.53)=0.437$이므로 $\frac{k-70}{10}=1.53$

$\therefore k=85.3$

따라서 상위 63등 이내에 들기 위해서는 85.3점 이상을 받아야 한다.

1312

정답 ③

STEP A 확률변수 X가 따르는 정규분포 $\mathrm{N}(m, \sigma^2)$ 구하기

지원자들의 평가 점수를 확률변수 X라 하면

확률변수 X는 정규분포 $\mathrm{N}(63, 20^2)$을 따르므로 $Z=\frac{X-63}{20}$으로 놓으면

확률변수 Z는 표준정규분포 $\mathrm{N}(0, 1)$을 따른다.

STEP B $\mathrm{P}(X \ge a)=0.2420$을 만족하는 a값 구하기

평가시험에 합격하는 최소 점수를 a점이라 하면

$\mathrm{P}(X \ge a)=\frac{242}{1000}=0.2420$이므로

$\mathrm{P}(X \ge a)=\mathrm{P}\left(Z \ge \frac{a-63}{20}\right)$

$=\mathrm{P}(Z \ge 0)-\mathrm{P}\left(0 \le Z \le \frac{a-63}{20}\right)$

$=0.5-\mathrm{P}\left(0 \le Z \le \frac{a-63}{20}\right)$

$=0.2420$

$\therefore \mathrm{P}\left(0 \le Z \le \frac{a-63}{20}\right)=0.5-0.2420=0.2580$

이때 $\mathrm{P}(0 \le Z \le 0.7)=0.2580$이므로 $\frac{a-63}{20}=0.7$, $a-63=14$

즉 $a=77$

따라서 77점 이상을 받아야 합격할 수 있다.

내신연계 출제문항 563

H기관에서 주최하는 전국 마라톤 대회에 참가하기 위해서는 지역 마라톤 대회를 거쳐야 한다. 어느 지역 마라톤 대회에 2500명이 참가하였는데 1등부터 400등까지 전국 마라톤 대회에 참가할 수 있다고 한다. 2500명의 기록은 평균이 198분이고 표준편차가 23분인 정규분포를 따른다고 할 때, 이 지역 마라톤 대회에 참가한 사람이 전국 마라톤 대회에 나갈 수 있는 최저 기록은 a분이다. a의 값을 오른쪽 표준정규분포표를 이용하여 구한 것은?

z	$\mathrm{P}(0 \le Z \le z)$
0.5	0.19
1.0	0.34
1.5	0.43
2.0	0.48

① 163 ② 165 ③ 175
④ 201 ⑤ 221

STEP A 확률변수 X가 따르는 정규분포 $\mathrm{N}(m, \sigma^2)$ 구하기

마라톤 대회에 참가한 사람의 기록을 확률변수 X라 하면

확률변수 X는 정규분포 $\mathrm{N}(198, 23^2)$을 따르므로 $Z=\frac{X-198}{23}$로 놓으면

확률변수 Z는 표준정규분포 $\mathrm{N}(0, 1)$을 따른다.

STEP B $\mathrm{P}(X \le a)=0.16$을 만족하는 a의 값 구하기

전국 대회에 나갈 수 있는 최저 기록을 a분이라 하면

2500명 중에서 400등이 되려면 상위 $\frac{400}{2500}=0.16$에 속해야 한다.

$\mathrm{P}(X \le a)=\mathrm{P}\left(Z \le \frac{a-198}{23}\right)=0.5-\mathrm{P}\left(0 \le Z \le \frac{a-198}{23}\right)=0.16$

$\therefore \mathrm{P}\left(0 \le Z \le \frac{a-198}{23}\right)=0.34$

이때 주어진 표준정규분포표에서 $\mathrm{P}(0 \le Z \le 1)=0.34$이므로

$\frac{a-198}{23}=-1$에서 $a-198=-23$ $\therefore a=175$

따라서 전국 마라톤 대회에 나갈 수 있는 최저 기록은 175 정답 ③

참고

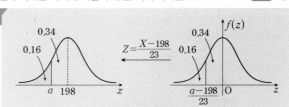

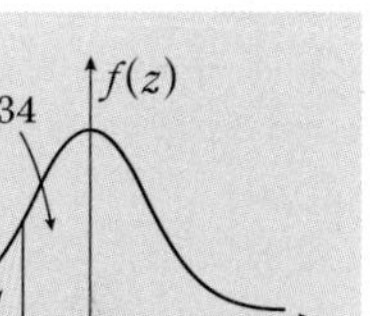

1313

정답 ③

STEP A 확률변수 X가 따르는 정규분포 $\mathrm{N}(m, \sigma^2)$ 구하기

응시자들의 점수를 확률변수 X라 하면

확률변수 X는 정규분포 $\mathrm{N}(660, 50^2)$을 따르므로 $Z=\frac{X-660}{50}$으로 놓으면

확률변수 Z는 표준정규분포 $\mathrm{N}(0, 1)$을 따른다.

STEP B $\mathrm{P}(X \ge a)=0.05$를 만족하는 a의 값 구하기

합격한 응시자의 최저점수를 a점이라 하면 $\mathrm{P}(X \ge a)=\frac{20}{400}=0.05$이므로

$\mathrm{P}(X \ge a)=\mathrm{P}\left(Z \ge \frac{a-660}{50}\right)$

$=0.5-\mathrm{P}\left(0 \le Z \le \frac{a-660}{50}\right)$

$=0.05$

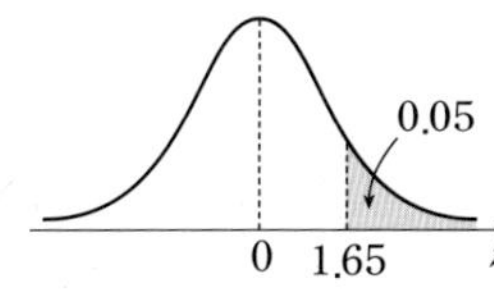

$\therefore \mathrm{P}\left(0 \le Z \le \frac{a-660}{50}\right)=0.45$

이때 주어진 표준정규분포표에서 $\mathrm{P}(0 \le Z \le 1.65)=0.45$이므로

$\frac{a-660}{50}=1.65$에서 $a=742.5$

따라서 구하는 최소의 자연수 n의 값은 743

1314

정답 ②

STEP A 확률변수 X가 따르는 정규분포 $\mathrm{N}(m, \sigma^2)$ 구하기

수학 과목의 점수를 확률변수 X라 하면

확률변수 X는 정규분포 $\mathrm{N}(70, 10^2)$을 따르므로 $Z=\frac{X-70}{10}$으로 놓으면

확률변수 Z는 표준정규분포 $\mathrm{N}(0, 1)$을 따른다.

STEP B 상위 $a\%$ 이내에 속하는 확률변수 X의 최솟값을 c라 하면 $\mathrm{P}(X \ge c)=\frac{a}{100}$임을 이용하여 구하기

수학 과목의 점수가 상위 4% 이내에 드는 최저점수를 c점이라 하면

$\mathrm{P}(X \ge c)=0.04$이므로

$\mathrm{P}(X \ge c)=\mathrm{P}\left(Z \ge \frac{c-70}{10}\right)$

$=\mathrm{P}(Z \ge 0)-\mathrm{P}\left(0 \le Z \le \frac{c-70}{10}\right)$

$=0.5-\mathrm{P}\left(0 \le Z \le \frac{c-70}{10}\right)=0.04$

$\therefore \mathrm{P}\left(0 \le Z \le \frac{c-70}{10}\right)=0.46$

$\frac{c-70}{10}=1.75$이므로 $c=87.5$

따라서 1등급을 받기 위한 최저 점수는 87.5점이다.

내신연계 출제문항 564

어느 고등학교에서는 기말고사 성적이 각 과목별 상위 2% 이내에 속하는 학생들에게 과목별 성적 우수상을 시상한다고 한다. 이 학교 2학년 학생들의 기말고사 수학 과목의 성적이 평균 74점, 표준편차 12점인 정규분포를 따른다고 할 때, 우수상을 받기 위한 최저 점수를 표준정규분포표를 이용하여 구한 것은?

z	$\mathrm{P}(0 \le Z \le z)$
0.5	0.20
1.0	0.34
1.5	0.43
2.0	0.48

① 94 ② 95 ③ 96
④ 97 ⑤ 98

STEP A 확률변수 X가 따르는 정규분포 $\mathrm{N}(m, \sigma^2)$ 구하기

2학년 학생들의 수학 과목의 점수를 X라 하면

확률변수 X는 정규분포 $\mathrm{N}(74, 12^2)$을 따르므로 $Z=\frac{X-74}{12}$로 놓으면

확률변수 Z는 표준정규분포 $\mathrm{N}(0, 1)$을 따른다.

STEP B $\mathrm{P}(X \ge a)=0.02$를 이용하여 a 구하기

수학 성적이 상위 2% 이내 드는 최저 점수를 a라 하면

$\mathrm{P}(X \ge a)=0.02$이므로

$\mathrm{P}(X \ge a)=\mathrm{P}\left(Z \ge \frac{a-74}{12}\right)$

$=0.5-\mathrm{P}\left(0 \le Z \le \frac{a-74}{12}\right)$

$=0.02$

$\therefore \mathrm{P}\left(0 \le Z \le \frac{a-74}{12}\right)=0.48$

이때 $\mathrm{P}(0 \le Z \le 2)=0.48$이므로 $\frac{a-74}{12}=2$

$a-74=24 \quad \therefore a=98$

따라서 우수상을 받으려면 최소한 98점을 받아야 한다.

정답 ⑤

1315

정답 ⑤

STEP A 확률변수 X가 따르는 정규분포 $\mathrm{N}(m, \sigma^2)$ 구하기

짭짤이 토마토 한 개의 무게를 확률변수 X라 하면

확률변수 X는 정규분포 $\mathrm{N}(55, 6^2)$을 따르므로 $Z=\frac{X-55}{6}$로 놓으면

확률변수 Z는 표준정규분포 $\mathrm{N}(0, 1)$을 따른다.

STEP B $\mathrm{P}(X \ge a)=0.1$를 이용하여 a 구하기

무게가 상위 10% 이내에 드는 짭짤이 토마토 한 개의 최소 무게를 ag이라 하면

$\mathrm{P}(X \ge a)=0.1$이므로

$\mathrm{P}(X \ge a)=\mathrm{P}\left(Z \ge \frac{a-55}{6}\right)$

$=0.5-\mathrm{P}\left(0 \le Z \le \frac{a-55}{6}\right)$

$=0.1$

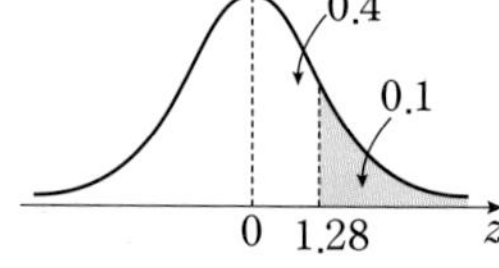

$\therefore \mathrm{P}\left(0 \le Z \le \frac{a-55}{6}\right)=0.4$

이때 $\mathrm{P}(0 \le Z \le 1.28)=0.4$이므로 $\frac{a-55}{6}=1.28$

$\therefore a=1.28 \times 6+55=62.68$

따라서 짭짤이 토마토 한 개의 최소 무게는 62.68g이어야 한다.

내신연계 출제문항 565

어떤 경영대학 신입생들의 필수 과목인 통계에서 신입생들이 받은 점수는 평균 60점, 표준편차 20점인 정규분포를 따른다고 한다.

상위 30.85% 내의 학생들이 B학점 이상의 성적을 받는다고 할 때, B학점 이상을 받으려면 몇 점 이상을 받아야 하는가?

z	$\mathrm{P}(0 \le Z \le z)$
0.5	0.1915
1.0	0.3413
1.5	0.4332
2.0	0.4772

① 61점 ② 65점 ③ 70점
④ 72점 ⑤ 80점

STEP A 통계의 점수를 확률변수 X라 하고 정규분포 구하기

통계의 점수를 확률변수 X라 하면

확률변수 X는 정규분포 $\mathrm{N}(60, 20^2)$을 따르므로 $Z=\frac{X-60}{20}$으로 놓으면

확률변수 Z는 표준정규분포 $\mathrm{N}(0, 1)$을 따른다.

STEP B $\mathrm{P}(X \ge k)=0.3085$를 만족하는 k의 값 구하기

B학점 이상을 받는 최저 점수를 k라고 하면

$\mathrm{P}(X \ge k)=0.3085$

$\mathrm{P}(X \ge k)=\mathrm{P}\left(Z \ge \frac{k-60}{20}\right)$

$=0.5-\mathrm{P}\left(0 \le Z \le \frac{k-60}{20}\right)$

$=0.3085$

$\therefore \mathrm{P}\left(0 \le Z \le \frac{k-60}{20}\right)=0.1915$

이때 $\mathrm{P}(0 \le Z \le 0.5)=0.1915$이므로 $\frac{k-60}{20}=0.5$

$\therefore k=70$

따라서 B학점 이상을 받는 최저 점수는 70점이다.

정답 ③

1316

정답 ③

STEP Ⓐ **확률변수 X가 따르는 정규분포 $\mathrm{N}(m,\ \sigma^2)$ 구하기**

자격시험 점수를 확률변수 X라 하면

확률변수 X는 정규분포 $\mathrm{N}(55,\ \sigma^2)$을 따르므로 $Z=\dfrac{X-55}{\sigma}$로 놓으면

확률변수 Z는 표준정규분포 $\mathrm{N}(0,\ 1)$을 따른다.

STEP Ⓑ **$\mathrm{P}(X \geq 70)=0.0668$을 만족하는 σ의 값 구하기**

자격증 시험에서 70점 이상을 받으면 합격하므로

$\mathrm{P}(X \geq 70)=\dfrac{668}{10000}=0.0668$

$\mathrm{P}(X \geq 70)=\mathrm{P}\left(Z \geq \dfrac{70-55}{\sigma}\right)$

$=0.5-\mathrm{P}\left(0 \leq Z \leq \dfrac{70-55}{\sigma}\right)$

$=0.0668$

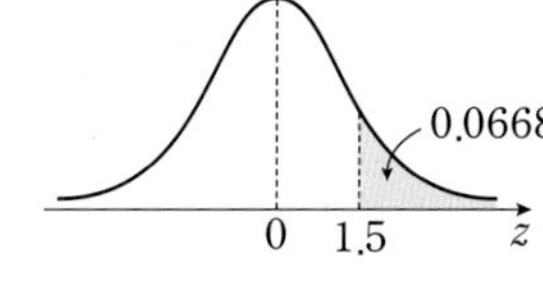

$\therefore\ \mathrm{P}\left(0 \leq Z \leq \dfrac{70-55}{\sigma}\right)=0.4332$

이때 $\mathrm{P}(0 \leq Z \leq 1.5)=0.4332$이므로 $\dfrac{70-55}{\sigma}=1.5$

따라서 $15-1.5\sigma=0$이므로 $\sigma=10$

1317

정답 ①

STEP Ⓐ **확률변수 X가 따르는 정규분포 $\mathrm{N}(m,\ \sigma^2)$ 구하기**

이 학교 학생의 1000m 달리기 기록을 확률변수 X라 하면

확률변수 X는 정규분포 $\mathrm{N}(230,\ 30^2)$을 따르므로 $Z=\dfrac{X-230}{30}$으로 놓으면

확률변수 Z는 표준정규분포 $\mathrm{N}(0,\ 1)$을 따른다.

STEP Ⓑ **$\mathrm{P}(X \leq a)=0.025$를 만족하는 a의 값 구하기**

기록이 a초 이하일 때, 상위 10위 이내에 든다고 하면

$\mathrm{P}(X \leq a)=\dfrac{10}{400}=0.025$이므로

$\mathrm{P}(X \leq a)=\mathrm{P}\left(Z \leq \dfrac{a-230}{30}\right)$

$=0.5-\mathrm{P}\left(0 \leq Z \leq \dfrac{230-a}{30}\right)$

$=0.025$

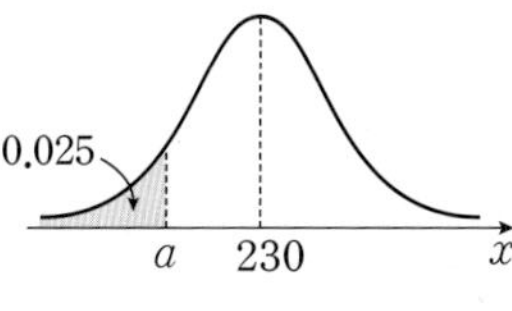

$\therefore\ \mathrm{P}\left(0 \leq Z \leq \dfrac{230-a}{30}\right)=0.5-0.025=0.475$

이때 $\mathrm{P}(0 \leq Z \leq 1.96)=0.475$이므로

$\dfrac{230-a}{30}=1.96$, 즉 $a=171.2$

따라서 기록이 171.2초 이하이면

상위 10위 이내에 든다.

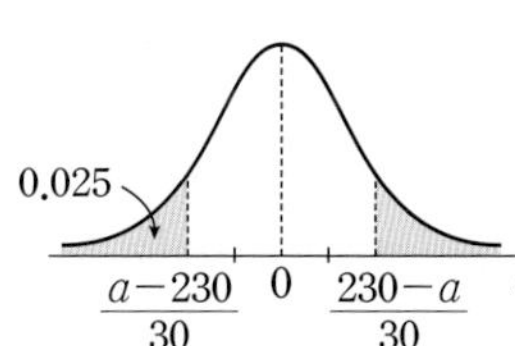

1318

정답 ②

STEP Ⓐ **확률변수 X가 따르는 정규분포 $\mathrm{N}(m,\ \sigma^2)$ 구하기**

의대 감염내과에 입학 원서를 낸 학생 한 명의 대수능시험 수학점수를 확률변수 X라 하면

확률변수 X는 정규분포 $\mathrm{N}(76,\ 8^2)$을 따르고 $Z=\dfrac{X-76}{8}$으로 놓으면

확률변수 Z는 표준정규분포 $\mathrm{N}(0,\ 1)$을 따른다.

STEP Ⓑ **확률변수 X를 표준화하고 표준정규분포표를 이용하여 n의 최솟값 구하기**

입학 원서를 낸 학생이 1000명이고 n명을 선발하였으며

대학수학능력시험 수학 점수가 88점인 학생이 합격하였으므로

$\mathrm{P}(X \geq 88) \leq \dfrac{n}{1000}$

$\mathrm{P}(X \geq 88)=\mathrm{P}\left(Z \geq \dfrac{88-76}{8}\right)$

$=\mathrm{P}(Z \geq 1.5)$

$=0.5-\mathrm{P}(0 \leq Z \leq 1.5)$

$=0.5-0.4332=0.0668$

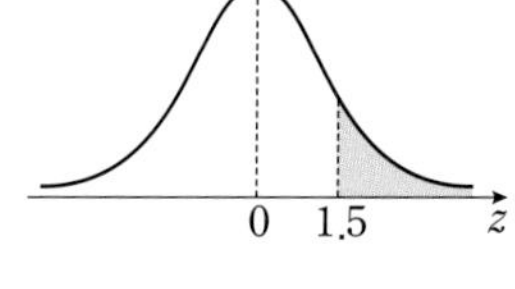

이므로 $0.0668 \leq \dfrac{n}{1000}$에서 $n \geq 66.8$

따라서 자연수 n의 최솟값은 67

1319

정답 ④

STEP Ⓐ **수학 점수가 80점 이상인 학생이 159명, 90점 이상인 학생이 67명임을 이용하여 정규분포의 평균 m과 표준편차 σ 구하기**

이 고등학교 학생의 수학 점수를 확률변수 X라 하고

X는 정규분포 $\mathrm{N}(m,\ \sigma^2)$을 따른다고 하자.

$Z=\dfrac{X-m}{\sigma}$이라 하면 확률변수 Z는 표준정규분포 $\mathrm{N}(0,\ 1)$을 따른다.

$\mathrm{P}(X \geq 80)=\mathrm{P}\left(Z \geq \dfrac{80-m}{\sigma}\right)=\dfrac{159}{1000}=0.159$이고

$\mathrm{P}(0 \leq Z \leq 1.00)=0.341$이므로

$\dfrac{80-m}{\sigma}=1$ …… ㉠

$\mathrm{P}(X \geq 90)=\mathrm{P}\left(Z \geq \dfrac{90-m}{\sigma}\right)=\dfrac{67}{1000}=0.067$이고

$\mathrm{P}(0 \leq Z \leq 1.50)=0.433$이므로

$\dfrac{90-m}{\sigma}=1.5$ …… ㉡

㉠, ㉡에서 $80-m=\sigma$, $90-m=1.5\sigma$이므로 $m=60$, $\sigma=20$

STEP Ⓑ **a점 이상인 학생이 40명을 만족하는 a의 값 구하기**

a점 이상인 학생이 40명이므로

$\mathrm{P}(X \geq a)=\mathrm{P}\left(Z \geq \dfrac{a-60}{20}\right)=\dfrac{40}{1000}=0.04$이고

$\mathrm{P}(0 \leq Z \leq 1.75)=0.460$이므로 $\dfrac{a-60}{20}=1.75$

따라서 $a=95$

04 STEP 1 내신정복기출유형 이항분포와 정규분포

1320

정답 ③

STEP Ⓐ **이항분포의 평균과 표준편차 구하기**

확률변수 X는 이항분포 $\mathrm{B}\left(64,\ \frac{1}{2}\right)$을 따르므로

$\mathrm{E}(X)=64\times\frac{1}{2}=32,\ \mathrm{V}(X)=64\times\frac{1}{2}\times\frac{1}{2}=16$

이때 시행 횟수 64가 충분히 큰 수이므로

확률변수 X는 근사적으로 정규분포 $\mathrm{N}(32,\ 4^2)$을 따른다.

$\therefore\ a=32,\ b=16$

$Z=\frac{X-32}{4}$으로 놓으면 확률변수 Z은 표준정규분포 $\mathrm{N}(0,\ 1)$을 따르므로

$\mathrm{P}(32\le X\le 40)=\mathrm{P}\left(\frac{32-32}{4}\le Z\le\frac{40-32}{4}\right)=\mathrm{P}(0\le Z\le 2)$에서 $c=2$

STEP Ⓑ **$a+b+c$의 값 구하기**

따라서 $a=32,\ b=16,\ c=2$이므로 $a+b+c=32+16+2=50$

1321

정답 ③

STEP Ⓐ **이항분포의 평균과 표준편차 구하기**

확률변수 X는 이항분포 $\mathrm{B}\left(100,\ \frac{1}{2}\right)$을 따르므로

$\mathrm{E}(X)=100\times\frac{1}{2}=50,\ \mathrm{V}(X)=100\times\frac{1}{2}\times\frac{1}{2}=25$

시행 횟수 100가 충분히 큰 수이므로

확률변수 X는 근사적으로 정규분포 $\mathrm{N}(50,\ 5^2)$을 따른다.

$\therefore\ a=50,\ b=25$

STEP Ⓑ **표준정규분포표를 이용하여 c의 값 구하기**

이때 $Z=\frac{X-50}{5}$이 표준정규분포 $\mathrm{N}(0,\ 1)$을 따르므로

$\mathrm{P}(X\ge 55)=\mathrm{P}\left(Z\ge\frac{55-50}{5}\right)=\mathrm{P}(Z\ge 1)=0.5-\mathrm{P}(0\le Z\le 1)$에서 $c=1$

따라서 $a+b+c=50+25+1=76$

내/신/연/계/ 출제문항 566

확률변수 X가 이항분포 $\mathrm{B}\left(100,\ \frac{1}{2}\right)$을 따를 때, X는 근사적으로 정규분포 $\mathrm{N}(a,\ b)$를 따르고

$$\mathrm{P}(55\le X\le 60)=\mathrm{P}(c\le Z\le d)$$

이다. 이때 상수 $a,\ b,\ c,\ d$에 대하여 $a+b+c+d$의 값은?
(단, 확률변수 Z는 표준정규분포를 따른다.)

① 62 ② 72 ③ 76
④ 78 ⑤ 80

STEP Ⓐ **이항분포의 평균과 표준편차를 구하여 정규분포로 바꾸기**

확률변수 X가 이항분포 $\mathrm{B}\left(100,\ \frac{1}{2}\right)$을 따르므로

$\mathrm{E}(X)=100\times\frac{1}{2}=50,\ \mathrm{V}(X)=100\times\frac{1}{2}\times\frac{1}{2}=25=5^2$

이때 n이 충분히 크므로 X는 근사적으로 정규분포 $\mathrm{N}(50,\ 5^2)$을 따른다.

$\therefore\ a=50,\ b=25$

STEP Ⓑ **$\mathrm{P}(55\le X\le 60)$ 구하기**

$Z=\frac{X-50}{5}$으로 놓으면 확률변수 Z는 표준정규분포 $\mathrm{N}(0,\ 1)$을 따르므로

$\mathrm{P}(55\le X\le 60)=\mathrm{P}\left(\frac{55-50}{5}\le Z\le\frac{60-50}{5}\right)=\mathrm{P}(1\le Z\le 2)$

$\therefore\ c=1,\ d=2$

STEP Ⓒ **$a+b+c+d$의 값 구하기**

따라서 $a=50,\ b=25,\ c=1,\ d=2$이므로

$a+b+c+d=50+25+1+2=78$

정답 ④

1322

정답 ②

STEP Ⓐ **이항분포의 평균과 표준편차를 구하여 정규분포로 바꾸기**

확률변수 X가 이항분포 $\mathrm{B}\left(100,\ \frac{4}{5}\right)$를 따르므로

$\mathrm{E}(X)=100\times\frac{4}{5}=80,\ \mathrm{V}(X)=100\times\frac{4}{5}\times\frac{1}{5}=16$

이때 100이 충분히 큰 수이므로

확률변수 X는 근사적으로 $\mathrm{N}(80,\ 4^2)$을 따르므로 $Z=\frac{X-80}{4}$으로 놓으면

확률변수 Z는 표준정규분포 $\mathrm{N}(0,\ 1)$을 따른다.

STEP Ⓑ **$\mathrm{P}(78\le X\le 86)$ 구하기**

따라서 구하는 확률은

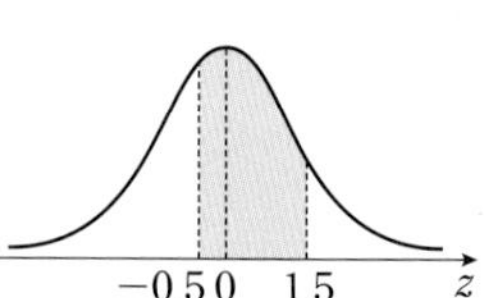

$\mathrm{P}(78\le X\le 86)$

$=\mathrm{P}\left(\frac{78-80}{4}\le Z\le\frac{86-80}{4}\right)$

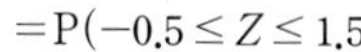

$=\mathrm{P}(-0.5\le Z\le 1.5)$

$=\mathrm{P}(-0.5\le Z\le 0)+\mathrm{P}(0\le Z\le 1.5)$

$=\mathrm{P}(0\le Z\le 0.5)+\mathrm{P}(0\le Z\le 1.5)$

$=0.1915+0.4332=0.6247$

내/신/연/계/ 출제문항 567

확률 X가 이항분포 $\mathrm{B}\left(100,\ \frac{1}{5}\right)$을 따를 때, $\mathrm{P}(14\le X\le 30)$의 값을 오른쪽 표준정규분포표를 이용하여 구한 것은?

z	$\mathrm{P}(0\le Z\le z)$
1.0	0.3413
1.5	0.4332
2.0	0.4772
2.5	0.4938

① 0.6826 ② 0.7745
③ 0.9270 ④ 0.9544
⑤ 0.9920

STEP Ⓐ **이항분포의 평균과 표준편차를 구하여 정규분포로 바꾸기**

확률변수 X가 이항분포 $\mathrm{B}\left(100,\ \frac{1}{5}\right)$을 따르므로

$\mathrm{E}(X)=100\times\frac{1}{5}=20,\ \mathrm{V}(X)=100\times\frac{1}{5}\times\frac{4}{5}=16$

이때 100이 충분히 큰 수이므로

확률변수 X는 근사적으로 $\mathrm{N}(20,\ 4^2)$을 따르므로 $Z=\frac{X-20}{4}$으로 놓으면

확률변수 Z는 표준정규분포 $\mathrm{N}(0,\ 1)$을 따른다.

STEP Ⓑ **$\mathrm{P}(14\le X\le 30)$ 구하기**

따라서 구하는 확률은

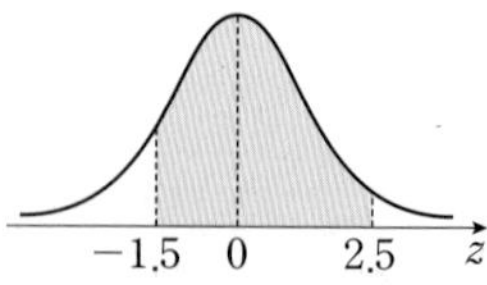

$\mathrm{P}(14\le X\le 30)$

$=\mathrm{P}\left(\frac{14-20}{4}\le Z\le\frac{30-20}{4}\right)$

$=\mathrm{P}(-1.5\le Z\le 2.5)$

$=\mathrm{P}(-1.5\le Z\le 0)+\mathrm{P}(0\le Z\le 2.5)$

$=\mathrm{P}(0\le Z\le 1.5)+\mathrm{P}(0\le Z\le 2.5)$

$=0.4332+0.4938=0.9270$

정답 ③

1323

정답 ⑤

STEP Ⓐ 이항분포의 평균과 표준편차를 구하여 정규분포로 바꾸기

확률변수 X가 이항분포 $\mathrm{B}\left(100,\ \frac{1}{5}\right)$을 따르므로

$\mathrm{E}(X)=100\times\frac{1}{5}=20,\ \mathrm{V}(X)=100\times\frac{1}{5}\times\frac{4}{5}=16$

이때 100이 충분히 큰 수이므로

확률변수 X는 근사적으로 $\mathrm{N}(20,\ 4^2)$을 따르므로 $Z=\frac{X-20}{4}$으로 놓으면

확률변수 Z는 표준정규분포 $\mathrm{N}(0,\ 1)$을 따른다.

STEP Ⓑ $\mathrm{P}(10\le X\le 30)$ 구하기

따라서 구하는 확률은

$\mathrm{P}(|X-20|\le 10)$

$=\mathrm{P}(-10\le X-20\le 10)$

$=\mathrm{P}(10\le X\le 30)$

$=\mathrm{P}\left(\frac{10-20}{4}\le Z\le\frac{30-20}{4}\right)$

$=\mathrm{P}(-2.5\le Z\le 2.5)$

$=2\mathrm{P}(0\le Z\le 2.5)$

$=0.4938+0.4938=0.9876$

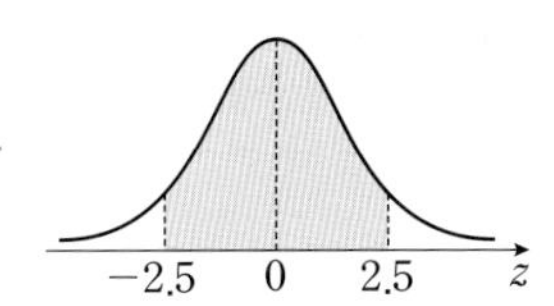

1324

STEP Ⓐ 이항분포의 평균과 표준편차를 구하여 정규분포로 바꾸기

확률변수 X가 이항분포 $\mathrm{B}(1200,\ p)$를 따르므로

$\mathrm{E}(X)=1200\times p=300\quad\therefore\ p=\frac{1}{4}$

$\mathrm{V}(X)=1200\times\frac{1}{4}\times\frac{3}{4}=15^2$

이때 1200이 충분히 큰 수이므로

확률변수 X는 근사적으로 $\mathrm{N}(300,\ 15^2)$을 따르므로 $Z=\frac{X-300}{15}$으로 놓으면

확률변수 Z는 표준정규분포 $\mathrm{N}(0,\ 1)$을 따른다.

STEP Ⓑ $\mathrm{P}(X\ge 315)$ 구하기

따라서 구하는 확률은

$\mathrm{P}(X\ge 315)=\mathrm{P}\left(Z\ge\frac{315-300}{15}\right)$

$=\mathrm{P}(Z\ge 1)$

$=0.5-\mathrm{P}(0\le Z\le 1)$

$=0.5-0.3413=0.1587$

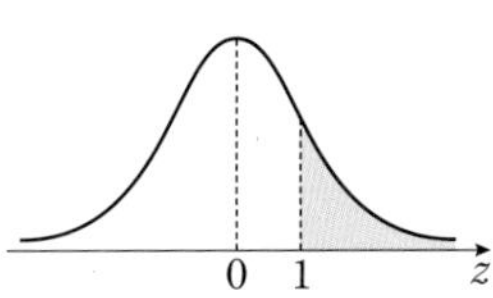

내신연계 출제문항 568

확률변수 X가 이항분포 $\mathrm{B}(400,\ p)$를 따르고 $\mathrm{E}\left(\frac{1}{4}X\right)=20$일 때, $\mathrm{P}(72\le X\le 96)$의 값을 오른쪽 표준정규분포표를 이용하여 구한 것은? (단, $0<p<1$)

z	$\mathrm{P}(0\le Z\le z)$
0.5	0.1915
1.0	0.3413
1.5	0.4332
2.0	0.4772

① 0.6247 ② 0.6687 ③ 0.7745 ④ 0.8185 ⑤ 0.9104

STEP Ⓐ $\mathrm{E}\left(\frac{1}{4}X\right)=20$을 만족하는 p의 값 구하기

확률변수 X가 이항분포 $\mathrm{B}(400,\ p)$를 따르므로

$\mathrm{E}(X)=400p$ ...... ㉠

$\mathrm{E}\left(\frac{1}{4}X\right)=20$에서 $\frac{1}{4}\mathrm{E}(X)=20\quad\therefore\ \mathrm{E}(X)=80$ ...... ㉡

㉠, ㉡에서 $400p=80$에서 $p=\frac{1}{5}$

STEP Ⓑ 이항분포의 평균과 표준편차를 구하여 정규분포로 바꾸기

즉 확률변수 X가 이항분포 $\mathrm{B}\left(400,\ \frac{1}{5}\right)$을 따르므로

$\mathrm{V}(X)=400\times\frac{1}{5}\times\frac{4}{5}=64$

이때 400은 충분히 큰 수이므로

확률변수 X는 근사적으로 정규분포 $\mathrm{N}(80,\ 8^2)$을 따르며

확률변수 $Z=\frac{X-80}{8}$은 표준정규분포 $\mathrm{N}(0,\ 1)$을 따른다.

STEP Ⓒ $\mathrm{P}(72\le X\le 96)$의 값 구하기

따라서 구하는 확률은

$\mathrm{P}(72\le X\le 96)$

$=\mathrm{P}\left(\frac{72-80}{8}\le Z\le\frac{96-80}{8}\right)$

$=\mathrm{P}(-1\le Z\le 2)$

$=\mathrm{P}(0\le Z\le 1)+\mathrm{P}(0\le Z\le 2)$

$=0.3413+0.4772=0.8185$

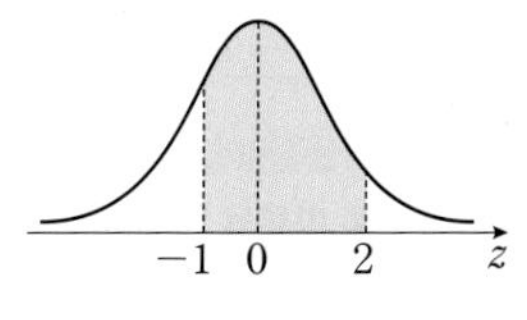

정답 ④

1325

STEP Ⓐ $\mathrm{V}(-2X+3)=400$을 만족하는 p의 값 구하기

확률변수 X는 이항분포 $\mathrm{B}(720,\ p)$를 따르므로

$\mathrm{V}(X)=720p(1-p)$ ...... ㉠

$\mathrm{V}(-2X+3)=(-2)^2\mathrm{V}(X)=400$에서 $\mathrm{V}(X)=100$ ...... ㉡

㉠, ㉡에서 $720p(1-p)=100$

$36p^2-36p+5=0,\ (6p-1)(6p-5)=0$

이때 $0<p<\frac{1}{2}$이므로 $p=\frac{1}{6}$

STEP Ⓑ 이항분포의 평균과 표준편차를 구하여 정규분포로 바꾸기

즉 확률변수 X가 이항분포 $\mathrm{B}\left(720,\ \frac{1}{6}\right)$을 따르므로 $\mathrm{E}(X)=720\times\frac{1}{6}=120$

이때 720은 충분히 큰 수이므로

확률변수 X는 근사적으로 정규분포 $\mathrm{N}(120,\ 10^2)$을 따르고

$Z=\frac{X-120}{10}$으로 놓으면 확률변수 Z는 표준정규분포 $\mathrm{N}(0,\ 1)$을 따른다.

STEP Ⓒ $\mathrm{P}(X\le 110)$ 구하기

따라서 $\mathrm{P}(X\le 110)=\mathrm{P}\left(Z\le\frac{110-120}{10}\right)$

$=\mathrm{P}(Z\le -1)$

$=0.5-\mathrm{P}(0\le Z\le 1)$

$=0.5-0.3413=0.1587$

1326

STEP Ⓐ 확률질량함수 $\mathrm{P}(X=x)={}_n\mathrm{C}_x p^x(1-p)^{n-x}$이 이항분포 $\mathrm{B}(n,\ p)$를 따름을 이해하기

이산확률변수 X의 확률질량함수가

$\mathrm{P}(X=x)={}_{450}\mathrm{C}_x\left(\frac{1}{3}\right)^x\left(\frac{2}{3}\right)^{450-x}\ (x=0,\ 1,\ 2,\ \cdots,\ 450)$일 때,

확률변수 X는 이항분포 $\mathrm{B}\left(450,\ \frac{1}{3}\right)$을 따른다.

STEP Ⓑ 이항분포의 평균과 표준편차를 구하여 정규분포로 바꾸기

$\mathrm{E}(X)=450\times\frac{1}{3}=150,\ \mathrm{V}(X)=450\times\frac{1}{3}\times\frac{2}{3}=100$

이때 450은 충분히 큰 수이므로

확률변수 X는 근사적으로 정규분포 $\mathrm{N}(150,\ 10^2)$을 따르며

$Z=\frac{X-150}{10}$으로 놓으면 확률변수 Z는 표준정규분포 $\mathrm{N}(0,\ 1)$을 따른다.

STEP Ⓒ $P(140 \le X \le 170)$**의 값 구하기**

따라서 구하는 확률은

$P(140 \le X \le 170)$

$=P\left(\frac{140-150}{10} \le Z \le \frac{170-150}{10}\right)$

$=P(-1 \le Z \le 2)$

$=P(0 \le Z \le 1)+P(0 \le Z \le 2)$

$=0.3413+0.4772=0.8185$

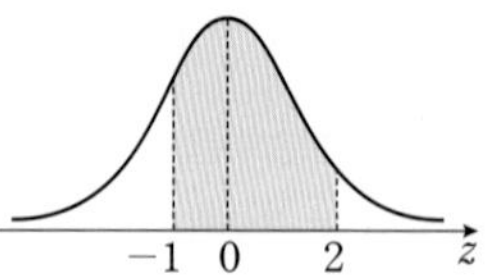

1327

 정답 ⑤

STEP Ⓐ **확률질량함수** $P(X=x)={}_nC_xp^x(1-p)^{n-x}$**이 이항분포** $B(n,\ p)$**를 따름을 이해하기**

확률질량함수 ${}_{100}C_k\left(\frac{9}{10}\right)^k\left(\frac{1}{10}\right)^{100-k}$ $(k=0,\ 1,\ 2,\ \cdots,\ 100)$은 이항분포 $B\left(100,\ \frac{9}{10}\right)$를 따르는 확률변수 X에 대한 확률 $P(X=x)$을 뜻하므로

$\sum_{k=87}^{96} {}_{100}C_k\left(\frac{9}{10}\right)^k\left(\frac{1}{10}\right)^{100-k}=\sum_{k=87}^{96}P(X=k)$

$=P(X=87)+P(X=88)+\cdots+P(X=96)$

$=P(87 \le X \le 96)$

STEP Ⓑ **이항분포의 평균과 표준편차를 구하여 정규분포로 바꾸기**

확률변수 X가 이항분포 $B\left(100,\ \frac{9}{10}\right)$를 따르므로

$E(X)=100\times\frac{9}{10}=90,\ V(X)=100\times\frac{9}{10}\times\frac{1}{10}=9$

이때 100은 충분히 큰 수이므로

확률변수 X는 근사적으로 정규분포 $N(90,\ 3^2)$을 따르며

$Z=\frac{X-90}{3}$으로 놓으면 확률변수 Z는 표준정규분포 $N(0,\ 1)$을 따른다.

STEP Ⓒ $P(87 \le X \le 96)$**의 값 구하기**

따라서 구하는 확률은

$P(87 \le X \le 96)$

$=P\left(\frac{87-90}{3} \le Z \le \frac{96-90}{3}\right)$

$=P(-1 \le Z \le 2)$

$=P(-1 \le Z \le 0)+P(0 \le Z \le 2)$

$=0.3413+0.4772=0.8185$

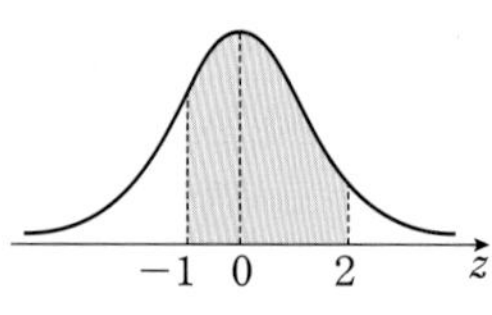

내신연계 출제문항 569

$\sum_{x=20}^{40} {}_{180}C_x\left(\frac{1}{6}\right)^x\left(\frac{5}{6}\right)^{180-x}$의 값을 오른쪽 표준정규분포표를 이용하여 구한 것은?

z	$P(0 \le Z \le z)$
0.5	0.1915
1.0	0.3413
1.5	0.4332
2.0	0.4772

① 01587 ② 0.6587
③ 0.6826 ④ 0.8185
⑤ 0.9544

STEP Ⓐ **확률질량함수** $P(X=x)={}_nC_xp^x(1-p)^{n-x}$**이 이항분포** $B(n,\ p)$**를 따름을 이해하기**

확률질량함수 ${}_{180}C_x\left(\frac{1}{6}\right)^x\left(\frac{5}{6}\right)^{180-x}$은 이항분포 $B\left(180,\ \frac{1}{6}\right)$을 따르는 확률변수 X에 대한 확률 $P(X=x)$을 뜻하므로

$\sum_{x=20}^{40} {}_{180}C_x\left(\frac{1}{6}\right)^x\left(\frac{5}{6}\right)^{180-x}=\sum_{x=20}^{40}P(X=x)$

$=P(X=20)+P(X=21)+\cdots+P(X=40)$

$=P(20 \le X \le 40)$

STEP Ⓑ **이항분포의 평균과 표준편차를 구하여 정규분포로 바꾸기**

확률변수 X가 이항분포 $B\left(180,\ \frac{1}{6}\right)$을 따르므로

$E(X)=180\times\frac{1}{6}=30,\ V(X)=180\times\frac{1}{6}\times\frac{5}{6}=25$

이때 180은 충분히 큰 수이므로

확률변수 X는 근사적으로 정규분포 $N(30,\ 5^2)$을 따르며

$Z=\frac{X-30}{5}$으로 놓으면 확률변수 Z는 표준정규분포 $N(0,\ 1)$을 따른다.

STEP Ⓒ $P(20 \le X \le 40)$**의 값 구하기**

따라서 구하는 확률은

$P(20 \le X \le 40)$

$=P\left(\frac{20-30}{5} \le Z \le \frac{40-30}{5}\right)$

$=P(-2 \le Z \le 2)$

$=2P(0 \le Z \le 2)$

$=2\times0.4772=0.9544$

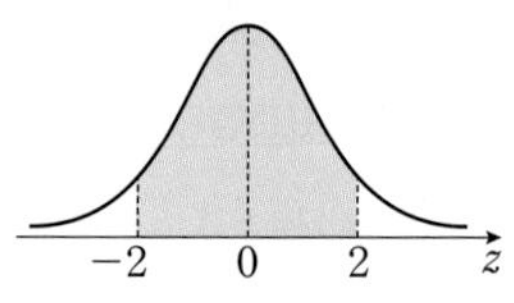

정답 ⑤

1328

 정답 ⑤

STEP Ⓐ **이항분포의 평균과 표준편차를 구하여 정규분포로 바꾸기**

조건 (가)에서 확률변수 X의 확률질량함수가

$P(X=x)={}_{1200}C_xp^x(1-p)^{1200-x}$ $(x=0,\ 1,\ 2,\ \cdots,\ 1200)$이므로

확률변수 X는 이항분포 $B(1200,\ p)$를 따른다.

$E(X)=1200p$

조건 (나)에서 $E(X)=300$이므로 $1200p=300$ $\therefore\ p=\frac{1}{4}$

즉 확률변수 X는 이항분포 $B\left(1200,\ \frac{1}{4}\right)$을 따르므로

$V(X)=1200\times\frac{1}{4}\times\frac{3}{4}=225=15^2$

이때 1200은 충분히 큰 수이므로

확률변수 X는 근사적으로 정규분포 $N(300,\ 15^2)$을 따르므로

$Z=\frac{X-300}{15}$로 놓으면 확률변수 Z는 표준정규분포 $N(0,\ 1)$을 따른다.

STEP Ⓑ $P(X \ge 315)$**의 값 구하기**

따라서 구하는 확률은

$P(X \ge 315)=P(Z \ge 1)$

$=0.5-P(0 \le Z \le 1)$

$=0.5-0.3413=0.1587$

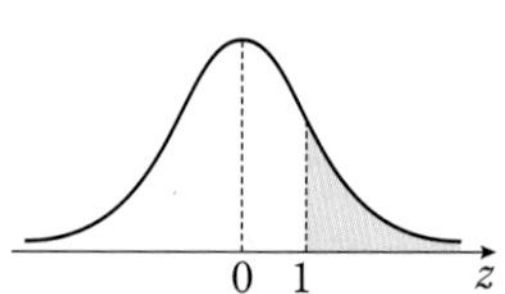

내신연계 출제문항 570

확률변수 X가 다음 조건을 만족한다.

(가) $P(X=x)={}_{450}C_xp^x(1-p)^{450-x}$
$(x=0,\ 1,\ 2,\ \cdots,\ 450)$
(나) $E(X)=150$

z	$P(0 \le Z \le z)$
0.5	0.1915
1.0	0.3413
1.5	0.4332
2.0	0.4772

$P(145 \le X \le 170)$를 오른쪽 표준정규분포를 이용하여 구한 것은?

① 0.2857 ② 0.3413 ③ 0.4772
④ 0.4987 ⑤ 0.6687

STEP Ⓐ **조건 (가)에서 확률변수** X**는 이항분포** $B(450,\ p)$**를 이용하여 평균에서** p **구하기**

확률변수 X의 확률질량함수가

$P(X=x)={}_{450}C_xp^x(1-p)^{450-x}$ $(x=0,\ 1,\ 2,\ \cdots,\ 450)$

이므로 X는 이항분포 $B(450,\ p)$를 따른다.

$E(X)=150$에서 $450p=150$ $\therefore\ p=\frac{1}{3}$

STEP B 이항분포를 정규분포로 바꾸기

$V(X)=450\times\frac{1}{3}\times\frac{2}{3}=100$

확률변수 X는 이항분포 $B\left(450, \frac{1}{3}\right)$를 따른다.

이때 450는 충분히 큰 수이므로

확률변수 X는 근사적으로 정규분포 $N(150, 10^2)$을 따르므로

$Z=\frac{X-150}{10}$은 확률변수 Z는 표준정규분포 $N(0, 1)$을 따른다.

STEP C $P(145\le X\le 170)$의 값 구하기

따라서 구하는 확률은

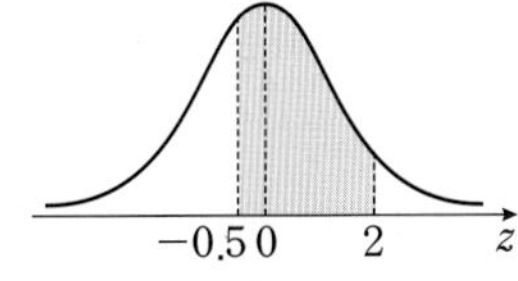

$P(145\le X\le 170)$
$=P\left(\frac{145-150}{10}\le Z\le\frac{170-150}{10}\right)$
$=P(-0.5\le Z\le 2)$
$=P(0\le Z\le 2)+P(0\le Z\le 0.5)$
$=0.4772+0.1915=0.6687$

정답 ⑤

1329

정답 ⑤

STEP A 이항분포의 평균과 표준편차를 구하여 정규분포로 바꾸기

이산확률변수 X의 확률질량함수가

$P(X=r)={}_nC_r\left(\frac{1}{5}\right)^r\left(\frac{4}{5}\right)^{n-r}$ (단, $r=0, 1, 2, \cdots, n$)이므로

확률변수 X는 이항분포 $B\left(n, \frac{1}{5}\right)$을 따른다.

확률변수 X의 분산 $V(X)=n\times\frac{1}{5}\times\frac{4}{5}=16$이므로

$n=100$이고 $E(X)=100\times\frac{1}{5}=20$

STEP B [보기]의 참, 거짓의 판단하기

ㄱ. 확률변수 X는 이항분포 $B\left(100, \frac{1}{5}\right)$을 따른다. [참]

ㄴ. $E(X)=20$, $V(X)=16$이고 100은 충분히 큰 수이므로
확률변수 X는 근사적으로 정규분포 $N(20, 4^2)$을 따른다. [참]

ㄷ. $P(X\ge 28)=P\left(Z\ge\frac{28-20}{4}\right)$
$=P(Z\ge 2)$
$=0.5-P(0\le Z\le 2)$
$=0.5-0.4772=0.0228$ [참]

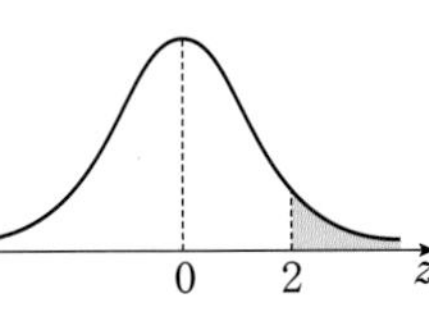

따라서 옳은 것은 ㄱ, ㄴ, ㄷ이다.

내신연계 출제문항 571

자연수 n에 대하여 확률변수 X의 확률질량함수가

$$P(X=x)={}_nC_x\left(\frac{1}{4}\right)^x\left(\frac{3}{4}\right)^{n-x}\ (x=0, 1, 2, \cdots, n)$$

이고, $E(X)=12$일 때, 다음 [보기]에서 옳은 것만을 있는 대로 고른 것은? (단, Z가 표준정규분포를 따르는 확률변수이다.)

z	$P(0\le Z\le z)$
0.5	0.1915
1.0	0.3413
1.5	0.4332
2.0	0.4772

ㄱ. 확률변수 X는 이항분포 $B\left(48, \frac{1}{4}\right)$을 따른다.
ㄴ. 확률변수 X는 근사적으로 정규분포 $N(12, 3^2)$을 따른다.
ㄷ. $P(9\le X\le 15)=0.6826$

① ㄱ ② ㄴ ③ ㄱ, ㄷ
④ ㄴ, ㄷ ⑤ ㄱ, ㄴ, ㄷ

STEP A 이항분포의 평균과 표준편차를 구하여 정규분포로 바꾸기

확률변수 X의 확률질량함수가

$P(X=x)={}_nC_x\left(\frac{1}{4}\right)^x\left(\frac{3}{4}\right)^{n-x}$ $(x=0, 1, 2, \cdots, n)$이므로

확률변수 X는 이항분포 $B\left(n, \frac{1}{4}\right)$을 따른다.

확률변수 X의 평균 $E(X)=n\times\frac{1}{4}=12$이므로

$n=48$이고 $V(X)=48\times\frac{1}{4}\times\frac{3}{4}=9$

STEP B [보기]의 참, 거짓의 판단하기

ㄱ. 확률변수 X는 이항분포 $B\left(48, \frac{1}{4}\right)$을 따른다. [참]

ㄴ. $E(X)=12$, $V(X)=9$이고 48은 충분히 큰 수이므로
확률변수 X는 근사적으로 정규분포 $N(12, 3^2)$을 따른다. [참]

ㄷ. $P(9\le X\le 15)$
$=P\left(\frac{9-12}{3}\le Z\le\frac{15-12}{3}\right)$
$=P(-1\le Z\le 1)$
$=P(-1\le Z\le 0)+P(0\le Z\le 1)$
$=2P(0\le Z\le 1)$
$=2\times 0.3413=0.6826$ [참]

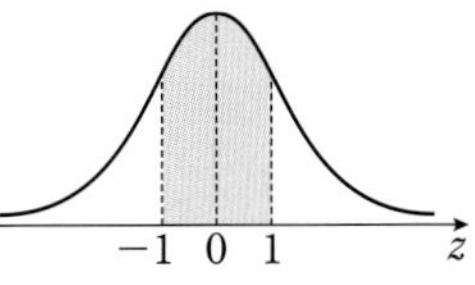

따라서 옳은 것은 ㄱ, ㄴ, ㄷ이다.

정답 ⑤

1330

정답 ①

STEP A 이항분포를 구하여 정규분포의 평균과 표준편차 구하기

$P(X=r)={}_{100}C_r\left(\frac{1}{2}\right)^r\left(\frac{1}{2}\right)^{100-r}$에서 확률변수 X는

이항분포 $B\left(100, \frac{1}{2}\right)$을 따르므로 평균 m과 표준편차 σ는

$m=100\times\frac{1}{2}=50$, $\sigma=\sqrt{100\times\frac{1}{2}\times\frac{1}{2}}=\sqrt{25}=5$

STEP B 이항분포를 정규분포로 바꾸기

이때 100은 충분히 큰 수이므로

확률변수 X는 근사적으로 정규분포 $N(50, 5^2)$을 따르므로

$Z=\frac{X-50}{5}$으로 놓으면 확률변수 Z는 표준정규분포 $N(0, 1)$을 따른다.

STEP C 표준정규분포표를 이용하여 확률의 값 구하기

따라서 구하는 확률은

$\sum_{r=40}^{65}\{1-P(X=r)\}$
$=\sum_{r=40}^{65}1-\sum_{r=40}^{65}P(X=r)$
$=26-P(40\le X\le 65)$
$=26-P\left(\frac{40-50}{5}\le Z\le\frac{65-50}{5}\right)$
$=26-P(-2\le Z\le 3)$
$=26-\{P(0\le Z\le 2)+P(0\le Z\le 3)\}$
$=26-(0.4772+0.4987)=25.0241$

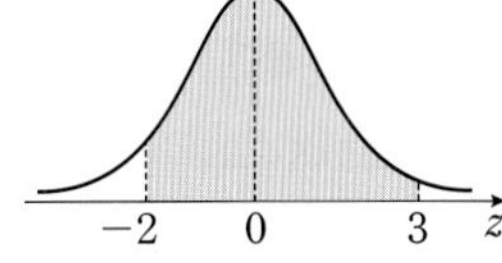

1331

정답 ②

STEP Ⓐ **이항분포를 따르는 확률변수 X의 평균과 분산 구하기**

한 개의 주사위를 180번 던질 때,
1의 눈이 나오는 횟수를 확률변수 X라 하면
X는 이항분포 $B\left(180, \frac{1}{6}\right)$을 따르므로

$E(X)=180\times\frac{1}{6}=30,\ V(X)=180\times\frac{1}{6}\times\frac{5}{6}=5^2$

STEP Ⓑ **이항분포를 정규분포로 바꾸기**

이때 180은 충분히 큰 수이므로
확률변수 X는 근사적으로 정규분포 $N(30, 5^2)$을 따르고
$Z=\frac{X-30}{5}$으로 놓으면 확률변수 Z는 표준정규분포 $N(0, 1)$을 따른다.

STEP Ⓒ **$P(25\le X\le 35)$의 값 구하기**

따라서 구하는 확률은

$P(25\le X\le 35)$
$=P\left(\frac{25-30}{5}\le\frac{X-30}{5}\le\frac{35-30}{5}\right)$
$=P(-1\le Z\le 1)$
$=2P(0\le Z\le 1)$
$=2\times 0.3413=0.6826$

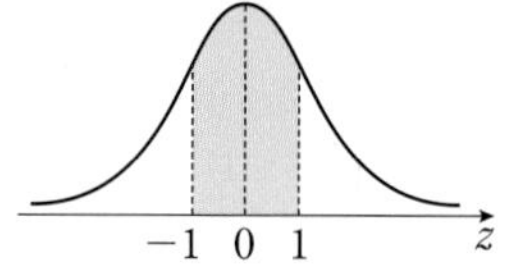

1332

정답 ④

STEP Ⓐ **짝수의 눈이 적어도 한 개 나올 확률 구하기**

서로 다른 두 개의 주사위를 동시에 던질 때,
짝수의 눈이 적어도 한 개 나올 확률은 $1-$(두 개 모두 홀수일 확률)
이므로 $1-\frac{1}{2}\times\frac{1}{2}=\frac{3}{4}$

STEP Ⓑ **이항분포를 따르는 확률변수 X의 평균과 분산 구하기**

확률변수 X는 이항분포 $B\left(192, \frac{3}{4}\right)$을 따르고

$E(X)=192\times\frac{3}{4}=144,\ V(X)=192\times\frac{3}{4}\times\frac{1}{4}=36$

이때 192는 충분히 큰 수이므로
확률변수 X는 근사적으로 정규분포 $N(144, 6^2)$을 따르고
$Z=\frac{X-144}{6}$로 놓으면 확률변수 Z는 표준정규분포 $N(0, 1)$을 따른다.

STEP Ⓒ **$P(X\le 156)$의 값 구하기**

따라서 구하는 확률은

$P(X\le 156)=P\left(Z\le\frac{156-144}{6}\right)$
$=P(Z\le 2)$
$=0.5+P(0\le Z\le 2)$
$=0.5+0.4772=0.9772$

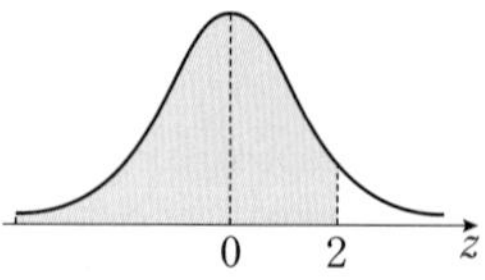

내신연계 출제문항 572

서로 다른 2개의 주사위를 동시에 던져서 나오는 두 눈의 수를 확인하는 시행을 한다. 이 시행을 300번 반복할 때, 두 눈의 수가 모두 홀수가 나오는 횟수가 60회 이하일 확률을 다음 표준정규분포표를 이용하여 구한 것은?

z	$P(0\le Z\le z)$
0.5	0.1915
1.0	0.3413
1.5	0.4332
2.0	0.4772

① 0.0228 ② 0.0668
③ 0.1587 ④ 0.3085
⑤ 0.4772

STEP Ⓐ **홀수의 눈이 나올 확률 구하기**

서로 다른 2개의 주사위를 동시에 던져서 나오는 두 눈의 수가 모두 홀수일 확률 p는 $p=\frac{1}{2}\times\frac{1}{2}=\frac{1}{4}$

STEP Ⓑ **이항분포를 따르는 확률변수 X의 평균과 분산 구하기**

서로 다른 2개의 주사위를 300번 던질 때,
두 눈이 모두 홀수가 나오는 횟수를 확률변수 X라 하면
X는 이항분포 $B\left(300, \frac{1}{4}\right)$을 따르므로

$E(X)=300\times\frac{1}{4}=75,\ V(X)=300\times\frac{1}{4}\times\frac{3}{4}=\frac{225}{4}$

이때 300은 충분히 큰 수이므로
확률변수 X는 근사적으로 정규분포 $N\left(75, \left(\frac{15}{2}\right)^2\right)$을 따르고
$Z=\frac{X-75}{\frac{15}{2}}$로 놓으면 확률변수 Z는 표준정규분포 $N(0, 1)$을 따른다.

STEP Ⓒ **$P(X\le 60)$의 값 구하기**

따라서 구하는 확률은

$P(X\le 60)=P\left(Z\le\frac{60-75}{\frac{15}{2}}\right)$
$=P(Z\le -2)$
$=0.5-P(0\le Z\le 2)$
$=0.5-0.4772=0.0228$

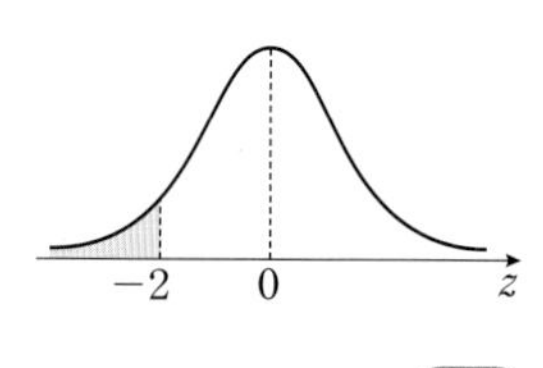

정답 ①

1333

정답 해설참조

STEP Ⓐ **이항분포를 구하여 정규분포의 평균과 표준편차 구하기**

한 번의 시행에서 두 주사위의 눈의 수의 차가 2 이하인 사건의 확률은 $\boxed{\frac{2}{3}}$이다.

즉 확률변수 X는 이항분포 $B\left(\boxed{450}, \boxed{\frac{2}{3}}\right)$를 따르므로
확률변수 X의 평균과 분산은 각각

$E(X)=450\times\frac{2}{3}=300,\ V(X)=450\times\frac{2}{3}\times\frac{1}{3}=100$

STEP Ⓑ **이항분포를 정규분포로 바꾸기**

이때 시행횟수 450은 충분히 크므로
확률변수 X는 근사적으로 정규분포 $N(\boxed{300}, \boxed{10^2})$을 따르고
$Z=\frac{X-300}{10}$으로 놓으면 확률변수 Z는 표준정규분포 $N(0, 1)$을 따른다.

STEP Ⓒ **$P(X\le 320)$의 값 구하기**

따라서 구하는 확률은

$P(X\le 320)=P\left(Z\le\frac{320-300}{10}\right)$
$=P(Z\le\boxed{2})$
$=0.5+P(0\le Z\le 2)$
$=0.5+0.4772$
$=\boxed{0.9772}$

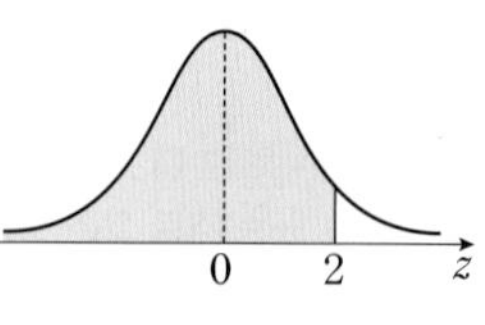

내신연계 출제문항 573

어느 고등학교 학생들이 하루에 한 번 이상 도서관을 방문할 확률이 25%라고 한다. 이 학교 학생 중에서 임의로 48명을 택할 때, 그 중 하루에 한 번 이상 도서관을 방문하는 학생이 15명 이상일 확률을 오른쪽 표준정규분포표를 이용하여 구하는 과정이다. (가), (나), (다), (라), (마), (바)에 알맞은 수를 써넣으시오.

z	$\mathrm{P}(0\le Z\le z)$
1.0	0.3413
1.5	0.4332
2.0	0.4772
2.5	0.4938

> 이 학교 학생 중에서 임의로 48명을 택할 때, 그 중 하루에 한번 이상 도서관을 방문하는 학생 수를 확률변수 X라고 하면
> X는 이항분포 $\mathrm{B}($(가)$,$ (나)$)$을 따르고
> 시행횟수도 충분히 크므로 확률변수 X는 근사적으로
> 정규분포 $\mathrm{N}($(다)$,$ (라)$)$을 따른다.
> 따라서 구하는 확률은 $\mathrm{P}(X\ge 15)=\mathrm{P}(Z\ge$ (마)$)=$(바)

STEP A 이항분포를 따르는 확률변수 X의 평균과 분산 구하기

이 학교 학생 중에서 임의로 48명을 택할 때,
그 중 하루에 한번 이상 도서관을 방문하는 학생 수를 확률변수 X라 하면
X는 이항분포 $\mathrm{B}\left(\boxed{48}, \boxed{\frac{1}{4}}\right)$을 따르므로 확률변수 X의 평균과 분산은

$\mathrm{E}(X)=48\times\frac{1}{4}=12,\ \mathrm{V}(X)=48\times\frac{1}{4}\times\frac{3}{4}=9$

STEP B 표준정규분포표를 이용하여 확률 구하기

즉 시행횟수 450은 충분히 크므로
확률변수 X는 근사적으로 정규분포 $\mathrm{N}(\boxed{12}, \boxed{3^2})$을 따르므로
확률변수 $Z=\frac{X-12}{3}$는 표준정규분포 $\mathrm{N}(0, 1)$을 따른다.

STEP C $\mathrm{P}(X\ge 15)$의 값 구하기

따라서 구하는 확률은

$\mathrm{P}(X\ge 15)=\mathrm{P}\left(Z\ge\frac{15-12}{3}\right)$
$=\mathrm{P}(Z\ge\boxed{1})$
$=0.5-\mathrm{P}(0\le Z\le 1)$
$=0.5-0.3413=\boxed{0.1587}$

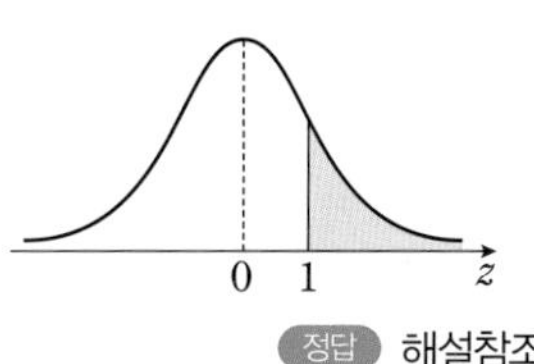

정답 해설참조

1334

정답 해설참조

STEP A 이항분포를 따르는 확률변수 X의 평균과 분산 구하기

한 번의 시행에서 주사위의 눈이 3의 배수의 눈이 나올 확률은 $\boxed{\frac{1}{3}}$이다.

확률변수 X는 이항분포 $\mathrm{B}\left(\boxed{1800}, \boxed{\frac{1}{3}}\right)$을 따르므로

$m=1800\times\frac{1}{3}=600,\ \sigma=\sqrt{1800\times\frac{1}{3}\times\frac{2}{3}}=20$

STEP B 표준정규분포표를 이용하여 확률 구하기

이때 1800은 충분히 큰 수이므로 X는 근사적으로
정규분포 $\mathrm{N}(\boxed{600}, \boxed{20^2})$을 따른다.
따라서 구하는 확률은

$\mathrm{P}(620\le X\le 640)$
$=\mathrm{P}\left(\frac{620-600}{20}\le Z\le\frac{640-600}{20}\right)$
$=\mathrm{P}(\boxed{1}\le Z\le\boxed{2})$
$=\mathrm{P}(0\le Z\le 2)-\mathrm{P}(0\le Z\le 1)$
$=0.4772-0.3413=\boxed{0.1359}$

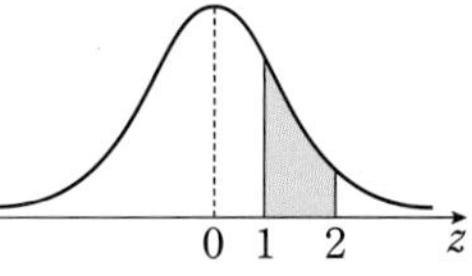

1335

정답 ②

STEP A 이항분포를 따르는 확률변수 X의 평균과 분산 구하기

도서관에서 보유한 도서 600권을 임의로 택할 때,
문학도서 수를 확률변수 X라 하면
X는 이항분포 $\mathrm{B}\left(600, \frac{2}{5}\right)$를 따르므로

$\mathrm{E}(X)=600\times\frac{2}{5}=240,\ \mathrm{V}(X)=600\times\frac{2}{5}\times\frac{3}{5}=144$

STEP B 이항분포를 정규분포로 바꾸기

이때 600은 충분히 큰 수이므로
확률변수 X는 근사적으로 정규분포 $\mathrm{N}(240, 12^2)$을 따르고
$Z=\frac{X-240}{12}$으로 놓으면 확률변수 Z는 표준정규분포 $\mathrm{N}(0, 1)$을 따른다.

STEP C $\mathrm{P}(246\le X\le 252)$의 값 구하기

따라서 구하는 확률은

$\mathrm{P}(246\le X\le 252)$
$=\mathrm{P}\left(\frac{246-240}{12}\le Z\le\frac{252-240}{12}\right)$
$=\mathrm{P}(0.5\le Z\le 1)$
$=\mathrm{P}(0\le Z\le 1)-\mathrm{P}(0\le Z\le 0.5)$
$=0.3413-0.1915=0.1498$

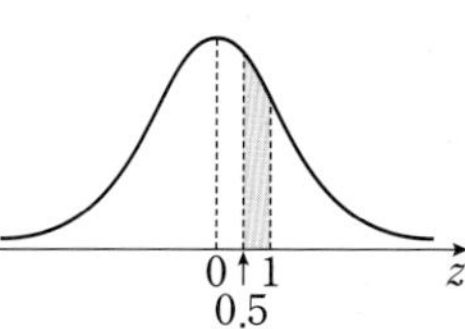

내신연계 출제문항 574

자유투 성공률이 40%인 어느 농구선수가 150개의 자유투를 시도하여 69개 이상 72개 이하로 성공시킬 확률을 오른쪽 표준정규분포 표를 이용하여 구한 것은?

z	$\mathrm{P}(0\le Z\le z)$
1.0	0.3413
1.5	0.4332
2.0	0.4772
2.5	0.4938

① 0.0228 ② 0.0440
③ 0.1359 ④ 0.1525
⑤ 0.6680

STEP A 이항분포를 따르는 확률변수 X의 평균과 분산 구하기

농구선수가 150개의 자유투를 시도하여 성공시킨 개수를 확률변수 X라 하면
확률변수 X는 이항분포 $\mathrm{B}\left(150, \frac{2}{5}\right)$를 따르므로

$\mathrm{E}(X)=150\times\frac{2}{5}=60,\ \mathrm{V}(X)=150\times\frac{2}{5}\times\frac{3}{5}=36=6^2$

STEP B 이항분포를 정규분포로 바꾸기

이때 150은 충분히 큰 수이므로
확률변수 X는 근사적으로 정규분포 $\mathrm{N}(60, 6^2)$을 따르고
$Z=\frac{X-60}{6}$으로 놓으면 확률변수 Z는 표준정규분포 $\mathrm{N}(0, 1)$을 따른다.

STEP C $\mathrm{P}(69\le X\le 72)$의 값 구하기

따라서 구하는 확률은

$\mathrm{P}(69\le X\le 72)$
$=\mathrm{P}\left(\frac{69-60}{6}\le Z\le\frac{72-60}{6}\right)$
$=\mathrm{P}(1.5\le Z\le 2)$
$=\mathrm{P}(0\le Z\le 2)-\mathrm{P}(0\le Z\le 1.5)$
$=0.4772-0.4332=0.0440$

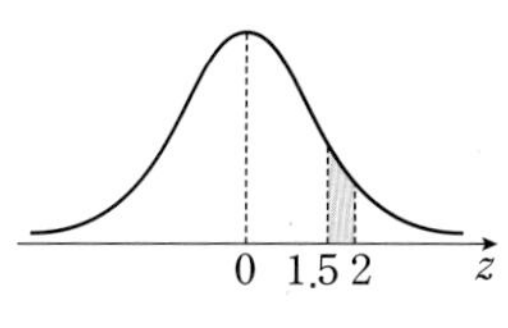

정답 ②

1336

정답 ③

STEP Ⓐ **이항분포를 따르는 확률변수 X의 평균과 분산 구하기**

직원 중에서 400명을 임의로 뽑을 때,
10년 이상 근무한 사람의 수를 확률변수 X라 하면
X는 이항분포 $B\left(400, \frac{1}{5}\right)$을 따르므로

$m=400\times\frac{1}{5}=80$, $\sigma=\sqrt{400\times\frac{1}{5}\times\frac{4}{5}}=8$

STEP Ⓑ **이항분포를 정규분포로 바꾸기**

이때 400은 충분히 큰 수이므로
확률변수 X는 근사적으로 정규분포 $N(80, 8^2)$을 따르고
$Z=\frac{X-80}{8}$으로 놓으면 확률변수 Z는 표준정규분포 $N(0, 1)$을 따른다.

STEP Ⓒ **$P(76\le X\le 96)$의 값 구하기**

따라서 구하는 확률은

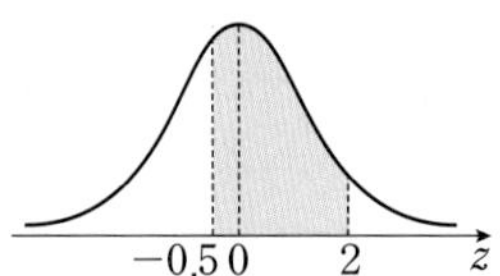

$P(76\le X\le 96)$
$=P\left(\frac{76-80}{8}\le Z\le\frac{96-80}{8}\right)$
$=P(-0.5\le Z\le 2)$
$=P(0\le Z\le 0.5)+P(0\le Z\le 2)$
$=0.1915+0.4772=0.6687$

내신연계 출제문항 575

어느 회사의 직원들의 독서시간을 조사하였더니 한 달에 10시간 이상 독서를 하는 직원의 비율이 20%라고 한다.
이 회사 직원 중에서 400명을 임의추출하여 조사할 때, 한 달에 10시간 이상 독서를 하는 직원이 72명 이상 100명 이하일 확률을 오른쪽 표준정규분포표를 이용하여 구한 것은?

z	$P(0\le Z\le z)$
1.0	0.3413
1.5	0.4332
2.0	0.4772
2.5	0.4938

① 0.6247 ② 0.6687 ③ 0.7745
④ 0.8351 ⑤ 0.9104

STEP Ⓐ **이항분포를 따르는 확률변수 X의 평균과 분산 구하기**

한 달에 10시간 이상 독서를 하는 직원의 수를 확률변수 X라 하면
X는 이항분포 $B\left(400, \frac{1}{5}\right)$을 따르므로

$m=400\times\frac{1}{5}=80$, $\sigma=\sqrt{400\times\frac{1}{5}\times\frac{4}{5}}=8$

STEP Ⓑ **이항분포를 정규분포로 바꾸기**

이때 400은 충분히 큰 수이므로
확률변수 X는 근사적으로 정규분포 $N(80, 8^2)$을 따르고
$Z=\frac{X-80}{8}$으로 놓으면 확률변수 Z는 표준정규분포 $N(0, 1)$을 따른다.

STEP Ⓒ **$P(72\le X\le 100)$의 값 구하기**

따라서 구하는 확률은

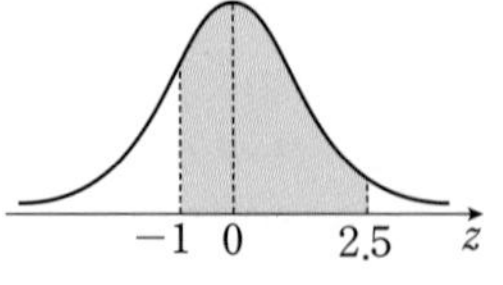

$P(72\le X\le 100)$
$=P\left(\frac{72-80}{8}\le Z\le\frac{100-80}{8}\right)$
$=P(-1\le Z\le 2.5)$
$=P(0\le Z\le 1)+P(0\le Z\le 2.5)$
$=0.3413+0.4938=0.8351$

정답 ④

1337

정답 ①

STEP Ⓐ **이항분포를 따르는 확률변수 X의 평균과 분산 구하기**

친구와 72번의 가위 바위 보를 할 때, 이기는 횟수를 확률변수 X라고 하면
X는 이항분포 $B\left(72, \frac{1}{3}\right)$을 따르므로

$m=72\times\frac{1}{3}=24$, $\sigma=\sqrt{72\times\frac{1}{3}\times\frac{2}{3}}=4$

STEP Ⓑ **이항분포를 정규분포로 바꾸기**

이때 72는 충분히 큰 수이므로
확률변수 X는 근사적으로 정규분포 $N(24, 4^2)$을 따르고
$Z=\frac{X-24}{4}$으로 놓으면 확률변수 Z는 표준정규분포 $N(0, 1)$을 따른다.

STEP Ⓒ **$P(26\le X\le 35)$의 값 구하기**

따라서 구하는 확률은

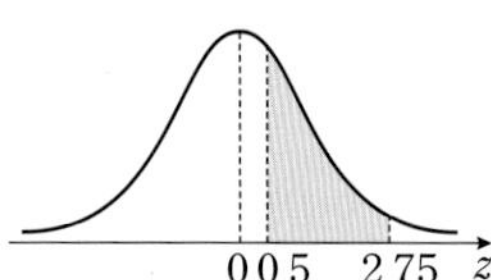

$P(26\le X\le 35)$
$=P\left(\frac{26-24}{4}\le Z\le\frac{35-24}{4}\right)$
$=P(0.5\le Z\le 2.75)$
$=P(0\le Z\le 2.75)-P(0\le Z\le 0.5)$
$=0.4970-0.1915=0.3055$

1338

정답 ①

STEP Ⓐ **이항분포를 따르는 확률변수 X의 평균과 분산 구하기**

동전 1개를 100번 던져서 앞면이 나오는 횟수를 확률변수 X라 하면
X는 이항분포 $B\left(100, \frac{1}{2}\right)$을 따르므로

$E(X)=100\times\frac{1}{2}=50$, $V(X)=100\times\frac{1}{2}\times\frac{1}{2}=25$

STEP Ⓑ **이항분포를 정규분포로 바꾸기**

이때 100은 충분히 큰 수이므로
확률변수 X는 근사적으로 정규분포 $N(50, 25)$을 따르고
$Z=\frac{X-50}{5}$으로 놓으면 확률변수 Z는 표준정규분포 $N(0, 1)$을 따른다

STEP Ⓒ **최종 점수가 190점 이상이 될 확률 구하기**

이때 앞면이 나오는 횟수가 확률변수 X이므로
뒷면이 나오는 횟수는 $100-X$이다.
이때 게임의 점수는 $4X-2(100-X)=6X-200$
따라서 구하는 확률은

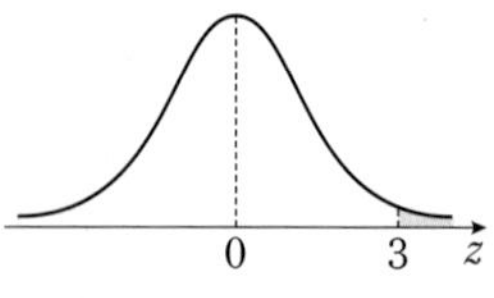

$P(6X-200\ge 190)$
$=P(X\ge 65)$
$=P\left(Z\ge\frac{65-50}{5}\right)$
$=P(Z\ge 3)$
$=0.5-P(0\le Z\le 3)$
$=0.5-0.4987=0.0013$

내/신/연/계/ 출제문항 576

주사위 1개를 던져서 6의 눈이 나오면 5점을 얻고 그 외의 눈이 나오면 1점을 잃는 게임을 한다.
처음 0점에서 시작하여 이 게임을 720번 독립적으로 시행한 후의 점수가 60점 이상이 될 확률을 표준정규분포표를 이용하여 구한 것은?

z	$\mathrm{P}(0 \le Z \le z)$
0.5	0.1915
1.0	0.3413
1.5	0.4332
2.0	0.4772

① 0.0228 ② 0.0668 ③ 0.1587
④ 0.2417 ⑤ 0.2857

STEP Ⓐ **확률변수의 범위 구하기**

720번의 시행 중 5점을 얻는 횟수를 X, 1점을 잃는 횟수를 Y라 하면
$X+Y=720$ …… ㉠
점수가 60점 이상인 경우는 $5X-Y \ge 60$ …… ㉡
㉠, ㉡에서 $X \ge 130$

STEP Ⓑ **이항분포를 따르는 확률변수 X의 평균과 분산 구하기**

주사위 1개를 던져서 6의 눈이 나오는 횟수를 확률변수 X라 하면
X는 이항분포 $\mathrm{B}\left(720, \frac{1}{6}\right)$을 따르므로
$\mathrm{E}(X)=720 \times \frac{1}{6}=120$, $\mathrm{V}(X)=720 \times \frac{1}{6} \times \frac{5}{6}=100$
즉 X는 근사적으로 정규분포 $\mathrm{N}(120, 10^2)$을 따른다.

STEP Ⓒ **$\mathrm{P}(X \ge 130)$의 값 구하기**

따라서 구하는 확률은
$\mathrm{P}(X \ge 130)=\mathrm{P}\left(Z \ge \frac{130-120}{10}\right)$
$=\mathrm{P}(Z \ge 1)$
$=0.5-\mathrm{P}(0 \le Z \le 1)$
$=0.5-0.3413=0.1587$

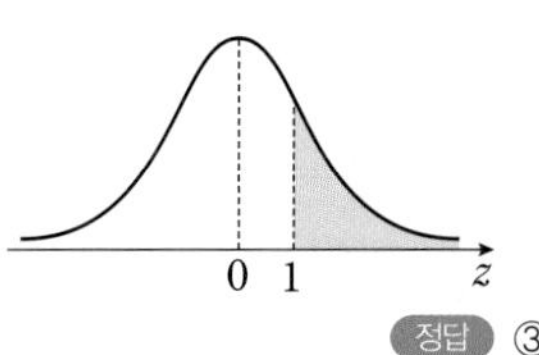

정답 ③

1339

정답 ①

STEP Ⓐ **같은 색의 공을 꺼낼 확률 구하기**

흰 공 2개, 검은 공 3개가 들어 있는 주머니에서 임의로 2개의 공을 동시에 꺼낼 때, 같은 색의 공을 꺼낼 확률은
$p=\frac{{}_2\mathrm{C}_2}{{}_5\mathrm{C}_2}+\frac{{}_3\mathrm{C}_2}{{}_5\mathrm{C}_2}=\frac{1}{10}+\frac{3}{10}=\frac{2}{5}$

STEP Ⓑ **이항분포를 따르는 확률변수 X의 평균과 분산 구하기**

확률변수 X는 이항분포 $\mathrm{B}\left(150, \frac{2}{5}\right)$를 따르므로
$\mathrm{E}(X)=150 \times \frac{2}{5}=60$, $\mathrm{V}(X)=150 \times \frac{2}{5} \times \frac{3}{5}=36$
이때 150은 충분히 큰 수이므로
확률변수 X는 근사적으로 정규분포 $\mathrm{N}(60, 6^2)$을 따르고
$Z=\frac{X-60}{6}$으로 놓으면 확률변수 Z는 표준정규분포 $\mathrm{N}(0, 1)$을 따른다.

STEP Ⓒ **$\mathrm{P}(72 \le X \le 75)$의 값 구하기**

따라서 구하는 확률은
$\mathrm{P}(72 \le X \le 75)$
$=\mathrm{P}\left(\frac{72-60}{6} \le Z \le \frac{75-60}{6}\right)$
$=\mathrm{P}(2 \le Z \le 2.5)$
$=\mathrm{P}(0 \le Z \le 2.5)-\mathrm{P}(0 \le Z \le 2)$
$=0.4938-0.4772=0.0166$

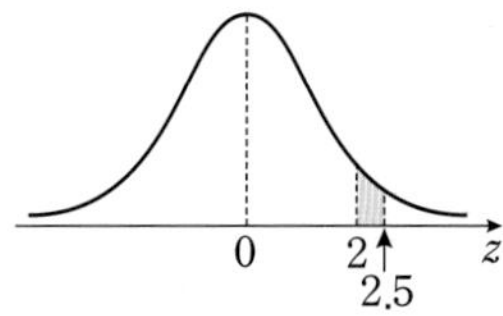

내/신/연/계/ 출제문항 577

흰 공 2개, 검은 공 3개가 들어 있는 주머니에서 임의로 2개의 공을 동시에 꺼내어 공의 색깔을 확인하고 다시 주머니에 넣는 시행을 150회 반복할 때, 서로 다른 색깔의 공을 꺼내는 횟수를 확률변수 X라 하자. $\mathrm{P}(75 \le X \le 78)$의 값을 오른쪽 표준정규분포표를 이용하여 구한 것은?

z	$\mathrm{P}(0 \le Z \le z)$
1.0	0.3413
1.5	0.4332
2.0	0.4772
2.5	0.4938

① 0.0166 ② 0.0440 ③ 0.0606
④ 0.0919 ⑤ 0.1359

STEP Ⓐ **서로 다른 색의 공을 꺼낼 확률 구하기**

흰 공 2개, 검은 공 3개가 들어 있는 주머니에서 임의로 2개의 공을 동시에 꺼낼 때, 같은 색의 공을 꺼낼 확률은
$p=\frac{{}_2\mathrm{C}_1 \times {}_3\mathrm{C}_1}{{}_5\mathrm{C}_2}=\frac{6}{10}=\frac{3}{5}$

STEP Ⓑ **이항분포를 따르는 확률변수 X의 평균과 분산 구하기**

확률변수 X는 이항분포 $\mathrm{B}\left(150, \frac{3}{5}\right)$를 따르므로
$\mathrm{E}(X)=150 \times \frac{3}{5}=90$, $\mathrm{V}(X)=150 \times \frac{3}{5} \times \frac{2}{5}=36$
이때 150은 충분히 큰 수이므로
확률변수 X는 근사적으로 정규분포 $\mathrm{N}(90, 6^2)$을 따르고
$Z=\frac{X-90}{6}$으로 놓으면 확률변수 Z는 표준정규분포 $\mathrm{N}(0, 1)$을 따른다.

STEP Ⓒ **$\mathrm{P}(75 \le X \le 78)$의 값 구하기**

따라서 구하는 확률은
$\mathrm{P}(75 \le X \le 78)$
$=\mathrm{P}\left(\frac{75-90}{6} \le Z \le \frac{78-90}{6}\right)$
$=\mathrm{P}(-2.5 \le Z \le -2)$
$=\mathrm{P}(0 \le Z \le 2.5)-\mathrm{P}(0 \le Z \le 2)$
$=0.4938-0.4772=0.0166$

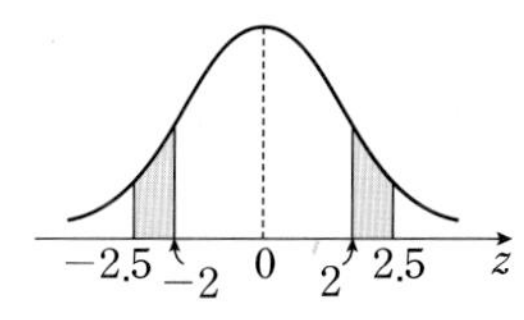

정답 ①

1340

정답 ④

STEP Ⓐ **이항분포를 따르는 확률변수 X의 평균, 분산, 표준편차 구하기**

B제조 회사 운동화를 선호하는 고객의 수를 확률변수 X라 하면
X는 이항분포 $\mathrm{B}\left(192, \frac{1}{4}\right)$을 따르므로 X의 평균 m과 표준편차 σ는
$m=192 \times \frac{1}{4}=48$, $\sigma=\sqrt{192 \times \frac{1}{4} \times \frac{3}{4}}=\sqrt{36}=6$

STEP Ⓑ **정규분포 구하기**

이때 192는 충분히 큰 수이므로
확률변수 X는 근사적으로 정규분포 $\mathrm{N}(48, 6^2)$을 따르고
$Z=\frac{X-48}{6}$으로 놓으면 확률변수 Z는 표준정규분포 $\mathrm{N}(0, 1)$을 따른다.

STEP Ⓒ **$\mathrm{P}(X \ge 39)$의 값 구하기**

따라서 구하는 확률은
$\mathrm{P}(X \ge 39)$
$=\mathrm{P}\left(Z \ge \frac{39-48}{6}\right)$
$=\mathrm{P}(Z \ge -1.5)$
$=\mathrm{P}(-1.5 \le Z \le 0)+\mathrm{P}(Z \ge 0)$
$=\mathrm{P}(0 \le Z \le 1.5)+0.5$
$=0.4332+0.5=0.9332$

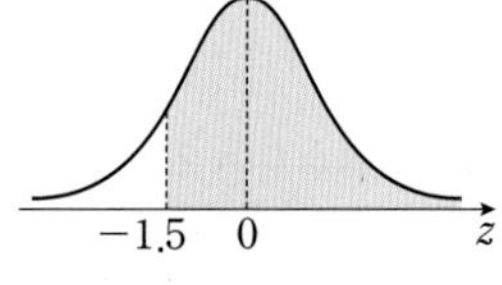

내신연계 출제문항 578

다음은 어느 문구점에서 판매하고 있는 공책에 대한 고객의 제조 회사별 선호도를 조사한 표이다.

제조회사	A	B	C	D	합계
선호도(%)	10	27	15	48	100

4800명의 고객이 각각 공책 한 권을 산다고 할 때, A 또는 C회사 공책을 선택하는 사람이 1230명 이상 1290명 이하일 확률을 오른쪽 표준정규분포표를 이용하여 구하면?

z	$\mathrm{P}(0 \le Z \le z)$
1.0	0.3413
1.5	0.4332
2.0	0.4772
3.0	0.4987

① 0.0919 ② 0.1359
③ 0.1574 ④ 0.6247
⑤ 0.6826

STEP A 이항분포를 따르는 확률변수 X의 평균과 분산 구하기

4800명의 고객 중 A 또는 C회사의 제품을 구입하는 사람의 수를 확률변수 X라 하자.

A 또는 C회사의 제품을 구입할 확률이 $p=\frac{10+15}{100}=\frac{1}{4}$이므로

확률변수 X는 이항분포 $\mathrm{B}\left(4800, \frac{1}{4}\right)$을 따르므로

$m=4800\times\frac{1}{4}=1200$, $\sigma=\sqrt{4800\times\frac{1}{4}\times\frac{3}{4}}=\sqrt{900}=30$

STEP B 이항분포를 정규분포로 바꾸기

이때 4800은 충분히 큰 수이므로

확률변수 X는 근사적으로 정규분포 $\mathrm{N}(1200, 30^2)$을 따르고

$Z=\frac{X-1200}{30}$으로 놓으면 확률변수 Z는 표준정규분포 $\mathrm{N}(0, 1)$을 따른다.

STEP C $\mathrm{P}(1230 \le X \le 1290)$의 값 구하기

따라서 구하는 확률은

$\mathrm{P}(1230 \le X \le 1290)$

$=\mathrm{P}\left(\frac{1230-1200}{30} \le Z \le \frac{1290-1200}{30}\right)$

$=\mathrm{P}(1 \le Z \le 3)$

$=\mathrm{P}(0 \le Z \le 3)-\mathrm{P}(0 \le Z \le 1)$

$=0.4987-0.3413=0.1574$

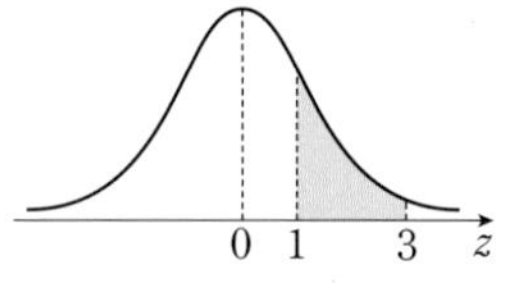

정답 ③

1341

정답 ④

STEP A B회사의 TV와 에어컨을 모두 선호하는 확률 구하기

B회사의 TV를 선호할 확률은 $\frac{50}{100}=\frac{1}{2}$이고

B회사의 냉장고를 선호할 확률은 $\frac{20}{100}=\frac{1}{5}$이므로

TV와 냉장고를 모두 선호할 확률은 $\frac{1}{2}\times\frac{1}{5}=\frac{1}{10}$

STEP B 이항분포를 따르는 확률변수 X의 평균과 분산 구하기

400명 중 B회사의 TV와 냉장고를 모두 선호하는 사람의 수를 확률변수 X라 하면

X는 이항분포 $\mathrm{B}\left(400, \frac{1}{10}\right)$을 따르므로

$\mathrm{E}(X)=400\times\frac{1}{10}=40$, $\mathrm{V}(X)=400\times\frac{1}{10}\times\frac{9}{10}=36$

이때 400은 충분히 큰 수이므로

확률변수 X는 근사적으로 정규분포 $\mathrm{N}(40, 6^2)$을 따르므로

$Z=\frac{X-40}{6}$으로 놓으면 확률변수 Z는 표준정규분포 $\mathrm{N}(0, 1)$을 따른다.

STEP C $\mathrm{P}(X \ge 34)$의 값 구하기

따라서 구하는 확률은

$\mathrm{P}(X \ge 34)=\mathrm{P}\left(\frac{X-40}{6} \ge \frac{34-40}{6}\right)$

$=\mathrm{P}(Z \ge -1)$

$=0.5+\mathrm{P}(0 \le Z \le 1)$

$=0.5+0.3413=0.8413$

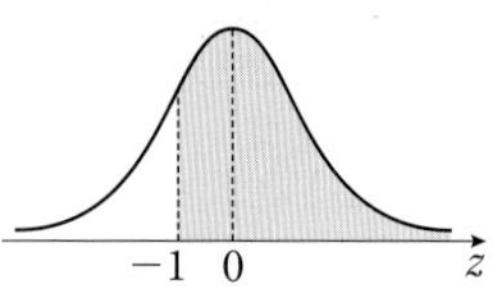

내신연계 출제문항 579

어느 학교의 급식 신청 인원을 조사하였더니 전체 학생의 80%가 점심 급식을 신청하였고, 전체 학생의 50%가 저녁 급식을 신청하였다. 이 학교 학생 중 임의로 150명을 선택하였을 때, 점심 급식과 저녁 급식을 모두 신청한 학생이 72명 이상일 확률을 오른쪽 표준정규분포표를 이용하여 구한 것은? (단, 점심 급식을 신청하는 사건과 저녁 급식을 신청하는 사건은 서로 독립이다.)

z	$\mathrm{P}(0 \le Z \le z)$
0.5	0.1915
1.0	0.3413
1.5	0.4332
2.0	0.4772

① 0.0228 ② 0.0668 ③ 0.1498
④ 0.1587 ⑤ 0.3085

STEP A 점심 급식과 저녁 급식을 모두 신청할 확률 구하기

이 학교 학생 중 임의로 1명을 선택하였을 때, 점심 급식을 신청한 학생인 사건을 A, 저녁 급식을 신청한 학생인 사건을 B라 하면

$\mathrm{P}(A)=\frac{80}{100}=\frac{4}{5}$, $\mathrm{P}(B)=\frac{50}{100}=\frac{1}{2}$

이때 점심 급식을 신청하는 사건과 저녁 급식을 신청하는 사건은 서로 독립이므로 점심 급식과 저녁 급식을 모두 신청한 학생일 확률은

$\mathrm{P}(A\cap B)=\mathrm{P}(A)\mathrm{P}(B)=\frac{4}{5}\times\frac{1}{2}=\frac{2}{5}$

STEP B 이항분포를 따르는 확률변수 X의 평균과 분산 구하기

150명 중 점심 급식과 저녁 급식을 모두 신청한 학생의 수를 확률변수 X라 하면

X는 이항분포 $\mathrm{B}\left(150, \frac{2}{5}\right)$를 따르므로

$\mathrm{E}(X)=150\times\frac{2}{5}=60$, $\mathrm{V}(X)=150\times\frac{2}{5}\times\frac{3}{5}=36$

이때 150은 충분히 큰 수이므로

확률변수 X는 근사적으로 정규분포 $\mathrm{N}(60, 6^2)$을 따르고

$Z=\frac{X-60}{6}$으로 놓으면 확률변수 Z는 표준정규분포 $\mathrm{N}(0, 1)$을 따른다.

STEP C $\mathrm{P}(X \ge 72)$의 값 구하기

따라서 구하는 확률은

$\mathrm{P}(X \ge 72)=\mathrm{P}\left(\frac{X-60}{6} \ge \frac{72-60}{6}\right)$

$=\mathrm{P}(Z \ge 2)$

$=0.5-\mathrm{P}(0 \le Z \le 2)$

$=0.5-0.4772=0.0228$

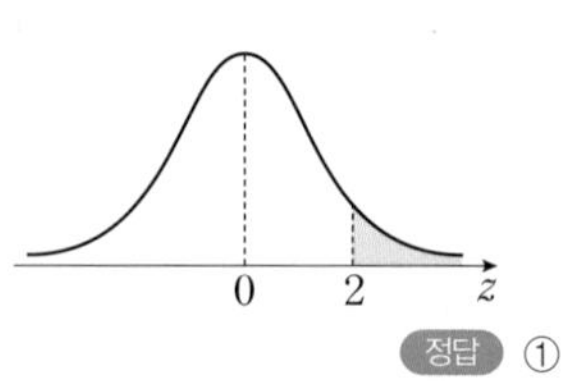

정답 ①

1342

정답 ④

STEP A 확률질량함수 $\mathrm{P}(X=x)={}_n\mathrm{C}_x p^x(1-p)^{n-x}$이 이항분포 $\mathrm{B}(n, p)$를 따름을 이해하기

정사면체 모양의 상자를 던질 때,

1이 적혀 있는 면이 바닥에 놓이는 확률은 $\frac{1}{4}$이고 확률변수 X에 대하여

$\mathrm{P}(X=k)={}_{192}\mathrm{C}_k\left(\frac{1}{4}\right)^k\left(\frac{3}{4}\right)^{192-k}$ $(k=0, 1, 2, \cdots, 192)$

이므로 확률변수 X는 이항분포 $\mathrm{B}\left(192, \frac{1}{4}\right)$을 따른다.

$\mathrm{E}(X)=192\times\frac{1}{4}=48$, $\mathrm{V}(X)=192\times\frac{1}{4}\times\frac{3}{4}=36$

STEP Ⓑ **이항분포를 정규분포로 바꾸기**

이때 192는 충분히 큰 수이므로

확률변수 X는 근사적으로 정규분포 $\mathrm{N}(48,\ 6^2)$을 따르고

$Z=\dfrac{X-48}{6}$로 놓으면 확률변수 Z는 표준정규분포 $\mathrm{N}(0,\ 1)$을 따른다.

STEP Ⓒ **$\displaystyle\sum_{k=36}^{60}\mathrm{P}(X=k)$의 값 구하기**

따라서 구하는 확률은

$$\begin{aligned}\sum_{k=36}^{60}\mathrm{P}(X=k)&=\mathrm{P}(36\le X\le 60)\\&=\mathrm{P}\left(\frac{36-48}{6}\le Z\le\frac{60-48}{6}\right)\\&=\mathrm{P}(-2\le Z\le 2)\\&=2\mathrm{P}(0\le Z\le 2)\\&=2\times 0.4772=0.9544\end{aligned}$$

내/신/연/계/ 출제문항 580

각 면에 1, 2, 3, 4의 숫자가 하나씩 적혀 있는 정사면체 모양의 상자 2개를 동시에 던졌을 때, 바닥에 닿은 면에 적혀 있는 두 눈의 수의 곱이 홀수인 사건을 A라 하자. 이 시행을 1200번 하였을 때, 사건 A가 일어나는 횟수가 270 이하일 확률을 오른쪽 표준정규분포표를 이용하여 구한 값을 p라 하자. $1000p$의 값은?

z	$\mathrm{P}(0\le Z\le z)$
1.0	0.341
1.5	0.433
2.0	0.477
2.5	0.494

① 6 ② 23 ③ 28 ④ 67 ⑤ 159

STEP Ⓐ **두 눈의 수의 곱이 홀수인 확률 구하기**

정사면체 모양의 상자 2개를 동시에 던졌을 때, 나올 수 있는 눈의 순서쌍은 총 16가지이다.

바닥에 닿은 면에 적혀있는 두 눈의 수의 곱이 홀수인 사건을 A라 할 때,

사건 A가 일어날 경우는 (1, 1), (1, 3), (3, 1), (3, 3)으로 4가지이므로

1번의 시행에서 사건 A가 일어날 확률은 $\dfrac{4}{16}=\dfrac{1}{4}$

STEP Ⓑ **이항분포를 구하여 정규분포의 평균과 표준편차를 구하기**

사건 A가 일어나는 횟수를 확률변수 X라 하면

확률변수 X는 이항분포 $\mathrm{B}\left(1200,\ \dfrac{1}{4}\right)$을 따르므로

$\mathrm{E}(X)=1200\times\dfrac{1}{4}=300,\ \sigma(X)=\sqrt{1200\times\dfrac{1}{4}\times\dfrac{3}{4}}=\sqrt{225}=15$

STEP Ⓒ **이항분포를 정규분포로 바꾸기**

이때 1200은 충분히 큰 수이므로

확률변수 X는 근사적으로 정규분포 $\mathrm{N}(300,\ 15^2)$을 따르고

$Z=\dfrac{X-300}{15}$으로 놓으면 확률변수 Z는 표준정규분포 $\mathrm{N}(0,\ 1)$을 따른다.

STEP Ⓓ **$\mathrm{P}(X\le 270)$의 값 구하기**

$$\begin{aligned}p=\mathrm{P}(X\le 270)&=\mathrm{P}\left(Z\le\frac{270-300}{15}\right)\\&=\mathrm{P}(Z\le -2)\\&=0.5-\mathrm{P}(0\le Z\le 2)\\&=0.5-0.477=0.023\end{aligned}$$

따라서 $1000p=1000\times 0.023=23$

정답 ②

1343

정답 ③

STEP Ⓐ **이항분포를 이용하여 분산 구하기**

5개의 공 중에서 짝수가 적혀 있는 공은 2개이고 150번 시행하므로

확률변수 X는 이항분포 $\mathrm{B}\left(150,\ \dfrac{2}{5}\right)$를 따른다.

ㄱ. $\mathrm{V}(X)=150\times\dfrac{2}{5}\times\dfrac{3}{5}=36$ [참]

STEP Ⓑ **독립시행에서의 확률을 구하기**

ㄴ. 꺼낸 공을 다시 넣으므로 각각의 시행은 독립시행이므로 시행을 150번 반복할 때, 짝수가 적혀 있는 공이 나오는 횟수가 r일 때, 확률은

$\mathrm{P}(X=r)={}_{150}\mathrm{C}_r\left(\dfrac{2}{5}\right)^r\left(\dfrac{3}{5}\right)^{150-r}$

$\mathrm{P}(X=0)={}_{150}\mathrm{C}_0\left(\dfrac{2}{5}\right)^0\left(\dfrac{3}{5}\right)^{150}=\left(\dfrac{3}{5}\right)^{150}$

$\mathrm{P}(X=150)={}_{150}\mathrm{C}_{150}\left(\dfrac{2}{5}\right)^{150}\left(\dfrac{3}{5}\right)^0=\left(\dfrac{2}{5}\right)^{150}$

$\therefore\ \mathrm{P}(X=0)>\mathrm{P}(X=150)$ [거짓]

STEP Ⓒ **이항분포를 정규분포로 바꾸어 확률 구하기**

ㄷ. 확률변수 X는 이항분포 $\mathrm{B}\left(150,\ \dfrac{2}{5}\right)$를 따르므로

$\mathrm{E}(X)=150\times\dfrac{2}{5}=60,\ \sigma(X)=\sqrt{150\times\dfrac{2}{5}\times\dfrac{3}{5}}=\sqrt{36}=6$

이때 150은 충분히 큰 수이므로

확률변수 X는 근사적으로 정규분포 $\mathrm{N}(60,\ 6^2)$을 따르고

$Z=\dfrac{X-60}{6}$으로 놓으면 확률변수 Z는 표준정규분포 $\mathrm{N}(0,\ 1)$을 따른다.

$$\begin{aligned}\mathrm{P}(X\le 51)&=\mathrm{P}\left(Z\le\frac{51-60}{6}\right)\\&=\mathrm{P}(Z\le -1.5)\\\mathrm{P}(X\ge 72)&=\mathrm{P}\left(Z\ge\frac{72-60}{6}\right)\\&=\mathrm{P}(Z\ge 2)\end{aligned}$$

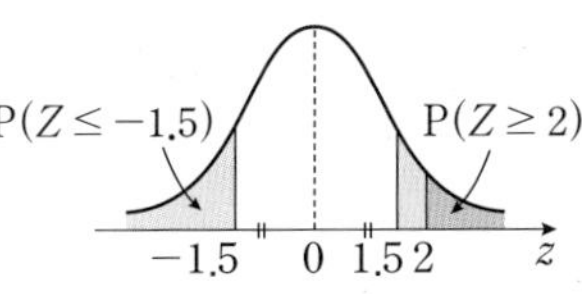

$\therefore\ \mathrm{P}(X\le 51)>\mathrm{P}(X\ge 72)$ [참]

따라서 옳은 것은 ㄱ, ㄷ이다.

1344

정답 ①

STEP Ⓐ **이항분포를 구하여 정규분포의 평균과 표준편차 구하기**

확률변수 X는 이항분포 $\mathrm{B}\left(720,\ \dfrac{1}{6}\right)$을 따르므로

X의 평균 m과 표준편차 σ를 구하면

$m=720\times\dfrac{1}{6}=120,\ \sigma=\sqrt{720\times\dfrac{1}{6}\times\dfrac{5}{6}}=\sqrt{100}=10$

STEP Ⓑ **이항분포를 정규분포로 바꾸기**

이때 720은 충분히 큰 수이므로

확률변수 X는 근사적으로 정규분포 $\mathrm{N}(120,\ 10^2)$을 따르고

$Z=\dfrac{X-120}{10}$으로 놓으면 확률변수 Z는 표준정규분포 $\mathrm{N}(0,\ 1)$을 따른다.

STEP Ⓒ **$\mathrm{P}(X\le k)=0.0228$을 만족하는 k의 값 구하기**

$$\begin{aligned}\mathrm{P}(X\le k)&=\mathrm{P}\left(Z\le\frac{k-120}{10}\right)\\&=0.5-\mathrm{P}\left(0\le Z\le\frac{120-k}{10}\right)\\&=0.0228\end{aligned}$$

$\therefore\ \mathrm{P}\left(0\le Z\le\dfrac{120-k}{10}\right)=0.4772$

이때 $\mathrm{P}(0\le Z\le 2)=0.4772$이므로 $\dfrac{120-k}{10}=2$

따라서 $k=100$

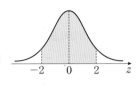

1345

정답 ④

STEP Ⓐ 이항분포를 구하여 정규분포의 평균과 표준편차 구하기

한 개의 동전을 던져 앞면이 나올 확률은 $\frac{1}{2}$이고 동전을 400번 던지므로

확률변수 X는 이항분포 $B\left(400,\ \frac{1}{2}\right)$을 따른다.

이때 확률변수 X의 평균 m과 표준편차 σ를 구하면

$m=400\times\frac{1}{2}=200,\ \sigma=\sqrt{400\times\frac{1}{2}\times\frac{1}{2}}=\sqrt{100}=10$

STEP Ⓑ 이항분포를 정규분포로 바꾸기

이때 400은 충분히 큰 수이므로

확률변수 X는 근사적으로 정규분포 $N(200,\ 10^2)$을 따르고

$Z=\frac{X-200}{10}$으로 놓으면 확률변수 Z는 표준정규분포 $N(0,\ 1)$을 따른다.

STEP Ⓒ $P(X\le k)=0.9772$를 만족하는 k의 값 구하기

$P(X\le k)=P\left(Z\le\frac{k-200}{10}\right)$이므로

$P\left(Z\le\frac{k-200}{10}\right)=0.9772$

$=0.5+0.4772$

$=P(Z\le 0)+P(0\le Z\le 2)$

$=P(Z\le 2)$

따라서 $\frac{k-200}{10}=2$이므로 $k=220$

내신연계 출제문항 581

자유투 성공률이 80%인 농구 선수가 100번의 자유투에서 성공한 횟수가 k번 이하일 확률이 0.1587이라고 한다.

이때 표준정규분포표를 이용하여 구한 실수 k의 값은?

z	$P(0\le Z\le z)$
0.5	0.1915
1.0	0.3413
1.5	0.4332
2.0	0.4772

① 72 ② 76 ③ 80 ④ 84 ⑤ 88

STEP Ⓐ 이항분포를 구하여 정규분포의 평균과 표준편차 구하기

100번의 자유투에서 성공한 횟수를 확률변수 X라 하면

X는 이항분포 $B(100,\ 0.8)$을 따르므로

$E(X)=100\times 0.8=80,\ V(X)=100\times 0.8\times 0.2=16$

STEP Ⓑ 이항분포를 정규분포로 바꾸기

이때 100은 충분히 큰 수이므로

확률변수 X는 근사적으로 정규분포 $N(80,\ 4^2)$을 따르고

$Z=\frac{X-100}{4}$으로 놓으면 확률변수 Z는 표준정규분포 $N(0,\ 1)$을 따른다.

STEP Ⓒ $P(X\le k)=0.1587$을 만족하는 k의 값 구하기

$P(X\le k)=0.1587$에서

$P(X\le k)=P\left(Z\le\frac{k-80}{4}\right)$

$=0.5-P\left(\frac{k-80}{4}\le Z\le 0\right)$

$=0.1587$

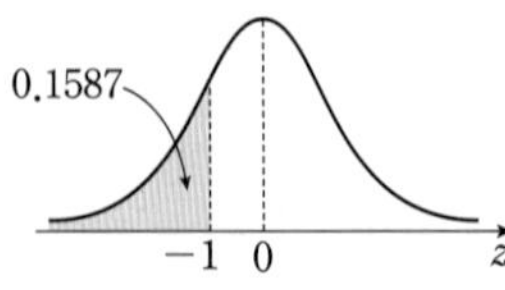

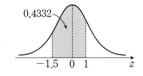

$\therefore P\left(\frac{k-80}{4}\le Z\le 0\right)=0.3413$

$P(0\le Z\le 1)=P(-1\le Z\le 0)=0.3413$

따라서 $\frac{k-80}{4}=-1\quad\therefore k=76$

1346

정답 ⑤

STEP Ⓐ 이항분포를 구하여 평균과 표준편차를 구하기

10년 이상 된 승용차를 가진 사람의 비율이 20%이므로

400명 중 10년 이상 된 승용차를 가진 사람의 수를 확률변수 X라 하면

X는 이항분포 $B\left(400,\ \frac{1}{5}\right)$을 따르므로

$E(X)=400\times\frac{1}{5}=80,\ V(X)=400\times\frac{1}{5}\times\frac{4}{5}=64$

STEP Ⓑ 이항분포를 정규분포로 바꾸기

이때 400은 충분히 큰 수이므로

확률변수 X는 근사적으로 정규분포 $N(80,\ 8^2)$을 따르고

$Z=\frac{X-80}{8}$이라 하면 확률변수 Z는 표준정규분포 $N(0,\ 1)$을 따른다.

STEP Ⓒ $P(X\ge k)=0.0668$을 만족하는 k의 값 구하기

$P(X\ge k)=0.0668$에서

$P(X\ge k)=P\left(Z\ge\frac{k-80}{8}\right)$

$=0.5-P\left(0\le Z\le\frac{k-80}{8}\right)$

$=0.0668$

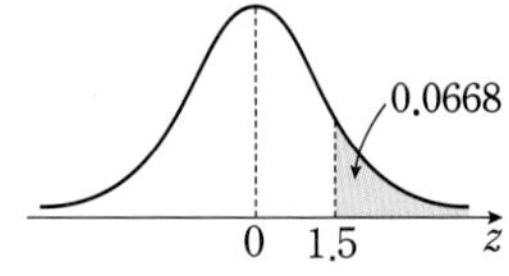

$\therefore P\left(0\le Z\le\frac{k-80}{8}\right)=0.4332$

이때 $P(0\le X\le 1.5)=0.4332$이므로 $\frac{k-80}{8}=1.5$

따라서 $k=92$

1347

STEP Ⓐ 이항분포를 구하여 평균과 표준편차를 구하기

확률변수 X가 이항분포 $B\left(100,\ \frac{1}{5}\right)$을 따르므로

$E(X)=100\times\frac{1}{5}=20,\ V(X)=100\times\frac{1}{5}\times\frac{4}{5}=16$

STEP Ⓑ 이항분포를 정규분포로 바꾸기

이때 100은 충분히 큰 수이므로

확률변수 X는 근사적으로 정규분포 $N(20,\ 4^2)$을 따르고

$Z=\frac{X-20}{4}$이라 하면 확률변수 Z는 표준정규분포 $N(0,\ 1)$을 따른다.

STEP Ⓒ $P(a\le X\le 24)$을 만족하는 상수 a의 값 구하기

$P(a\le X\le 24)=0.7745$에서 $0.7745>0.5$이므로

$P(a\le X\le 24)$

$=P\left(\frac{a-20}{4}\le Z\le\frac{24-20}{4}\right)$

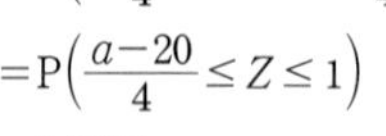

$=P\left(\frac{a-20}{4}\le Z\le 1\right)$

$=0.7745$

이때 $\frac{a-20}{4}<0$이어야 하므로

$P\left(\frac{a-20}{4}\le Z\le 1\right)=P\left(\frac{a-20}{4}\le Z\le 0\right)+P(0\le Z\le 1)$

$=P\left(0\le Z\le\frac{-a+20}{4}\right)+P(0\le Z\le 1)$

$=P\left(0\le Z\le\frac{-a+20}{4}\right)+0.3413$

$=0.7745$

$\therefore P\left(0\le Z\le\frac{-a+20}{4}\right)=0.4332$

이때 $P(0\le Z\le 1.5)=0.4332$이므로 $\frac{-a+20}{4}=1.5$

따라서 $a=14$

내신연계 출제문항 582

확률변수 X가 이항분포 $B\left(400, \frac{1}{5}\right)$을 따를 때,

$$P(72 \le X \le a)=0.8185$$

를 만족시키는 상수 a의 값을 오른쪽 표준정규분포표를 이용하여 구한 것은?

z	$P(0 \le Z \le z)$
0.5	0.1915
1.0	0.3413
1.5	0.4332
2.0	0.4772

① 88 ② 92
③ 96 ④ 100
⑤ 104

STEP Ⓐ **이항분포의 평균과 표준편차를 구하여 정규분포로 바꾸기**

확률변수 X는 이항분포 $B\left(400, \frac{1}{5}\right)$을 따르므로

$E(X)=400 \times \frac{1}{5}=80$, $V(X)=400 \times \frac{1}{5} \times \frac{4}{5}=64$

STEP Ⓑ **이항분포를 정규분포로 바꾸기**

이때 400은 충분히 큰 수이므로

확률변수 X는 근사적으로 정규분포 $N(80, 8^2)$을 따르고

$Z=\frac{X-80}{8}$으로 놓으면 확률변수 Z는 표준정규분포 $N(0, 1)$을 따른다.

STEP Ⓒ $P(72 \le X \le a)=0.8185$**를 만족하는** a**의 값 구하기**

$P(72 \le X \le a)=0.8185$에서 $0.8185>0.5$이므로

$$\begin{aligned}P(72 \le X \le a)&=P\left(\frac{72-80}{8} \le Z \le \frac{a-80}{8}\right)\\&=P\left(-1 \le Z \le \frac{a-80}{8}\right)\\&=P(-1 \le Z \le 0)+P\left(0 \le Z \le \frac{a-80}{8}\right)\\&=0.3413+P\left(0 \le Z \le \frac{a-80}{8}\right)=0.8185\end{aligned}$$ ⬅ $P(0 \le Z \le 1)=0.3413$

$\therefore P\left(0 \le Z \le \frac{a-80}{8}\right)=0.4772$

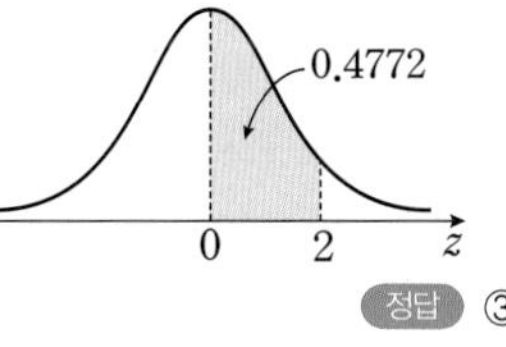

이때 $P(0 \le Z \le 2)=0.4772$이므로

$\frac{a-80}{8}=2$

따라서 $a=96$

정답 ③

1348

정답 ②

STEP Ⓐ **이항분포를 구하여 평균과 표준편차를 구하기**

225번 중 3점 슛을 성공시키는 횟수를 확률변수 X라 하면

X는 이항분포 $B\left(225, \frac{1}{5}\right)$을 따른다.

$E(X)=225 \times \frac{1}{5}=45$, $V(X)=225 \times \frac{1}{5} \times \frac{4}{5}=36=6^2$

STEP Ⓑ **이항분포를 정규분포로 바꾸기**

이때 225는 충분히 큰 수이므로

확률변수 X는 근사적으로 정규분포 $N(45, 6^2)$을 따르고

$Z=\frac{X-45}{6}$이라 하면 확률변수 Z는 표준정규분포 $N(0, 1)$을 따른다.

STEP Ⓒ $P(39 \le X \le a)=0.8185$**를 만족하는** a**의 값 구하기**

$P(39 \le X \le a)=0.8185$에서 $0.8185>0.5$이므로

$$\begin{aligned}P(39 \le X \le a)&=P\left(\frac{39-45}{6} \le Z \le \frac{a-45}{6}\right)\\&=P\left(-1 \le Z \le \frac{a-45}{6}\right)\\&=P(-1 \le Z \le 0)+P\left(0 \le Z \le \frac{a-45}{6}\right)\\&=0.3413+P\left(0 \le Z \le \frac{a-45}{6}\right)=0.8185\end{aligned}$$ ⬅ $P(0 \le Z \le 1)=0.3413$

$\therefore P\left(0 \le Z \le \frac{a-45}{6}\right)=0.4772$

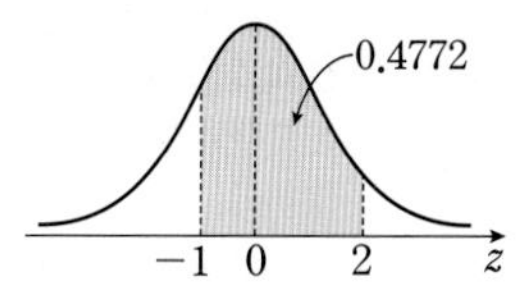

이때 $P(0 \le Z \le 2)=0.4772$이므로

$\frac{a-45}{6}=2$

따라서 $a=57$

1349

정답 ①

STEP Ⓐ **이항분포의 평균과 표준편차를 구하여 정규분포로 바꾸기**

확률변수 X의 확률질량함수가

$P(X=r)={}_{100}C_r\left(\frac{1}{2}\right)^r\left(\frac{1}{2}\right)^{100-r}$ $(r=0, 1, 2, \cdots, 100)$

이므로 확률변수 X는 이항분포 $B\left(100, \frac{1}{2}\right)$을 따른다.

$E(X)=100 \times \frac{1}{2}=50$, $V(X)=100 \times \frac{1}{2} \times \frac{1}{2}=25$

이때 표본의 크기 n이 충분히 크므로

X는 근사적으로 정규분포 $N(50, 5^2)$을 따른다.

STEP Ⓑ $P(X \le k)=P(Z \ge 3)$**을 만족하는** k**의 값 구하기**

이때 $P(X \le k)=P\left(Z \le \frac{k-50}{5}\right)$

$=P(Z \ge 3)$

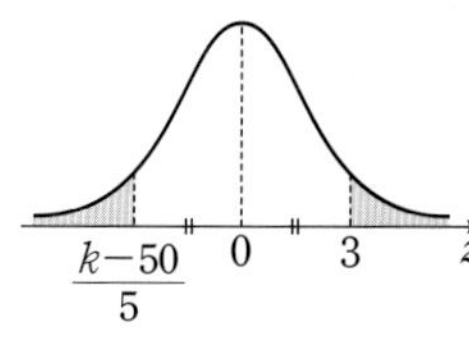

이므로

$\frac{k-50}{5}=-3$에서 $k-50=-15$

따라서 $k=35$

1350

정답 ④

STEP Ⓐ **확률변수** X**에 대하여** $P(X \le 220)$**을** Z**에 대한 식으로 나타내기**

확률변수 X는 이항분포 $B\left(400, \frac{1}{2}\right)$을 따르므로

$E(X)=400 \times \frac{1}{2}=200$, $V(X)=400 \times \frac{1}{2} \times \frac{1}{2}=100$

이때 400은 충분히 큰 수이므로

확률변수 X는 근사적으로 정규분포 $N(200, 10^2)$을 따른다.

$P(X \le 220)=P\left(Z \le \frac{220-200}{10}\right)$

$=P(Z \le 2)$ ······ ㉠

STEP Ⓑ **확률변수** Y**에 대하여** $P(Y \ge a)$**을** Z**에 대한 식으로 나타내기**

확률변수 Y는 이항분포 $B\left(400, \frac{1}{5}\right)$을 따르므로

$E(Y)=400 \times \frac{1}{5}=80$, $V(Y)=400 \times \frac{1}{5} \times \frac{4}{5}=64$

이때 400은 충분히 큰 수이므로

확률변수 Y는 근사적으로 정규분포 $N(80, 8^2)$을 따른다.

$P(Y \ge a)=P\left(Z \ge \frac{a-80}{8}\right)$ ······ ㉡

STEP Ⓒ $P(X \le 220)=P(Y \ge a)$**을 만족하는** a**의 값 구하기**

㉠, ㉡에 의하여 $P(Z \le 2)=P\left(Z \ge \frac{a-80}{8}\right)$이므로 $\frac{a-80}{8}=-2$

따라서 $a=64$

Ⅲ 통계

내신연계 출제문항 583

서로 다른 동전 2개를 동시에 100번 던질 때, 한 개만 앞면이 나오는 횟수를 확률변수 X라 하고, A, B 두 사람이 가위 바위 보를 162번 할 때, A가 이기는 횟수를 확률변수 Y라 하자.

$$P(X \le 30)=P(Y \ge a)$$

를 만족시키는 상수 a의 값은?

① 65　② 72　③ 78　④ 82　⑤ 84

STEP A 확률변수 X에 대하여 $P(X \le 30)$을 Z에 대한 식으로 나타내기

동전 2개를 던져 1개만 앞면이 나올 확률은 $\frac{2}{4}=\frac{1}{2}$이고

확률변수 X는 이항분포 $B\left(100, \frac{1}{2}\right)$을 따르므로

$E(X)=100 \times \frac{1}{2}=50$, $V(X)=100 \times \frac{1}{2} \times \frac{1}{2}=25$

100은 충분히 큰 수이므로 X는 근사적으로 정규분포 $N(50, 5^2)$을 따른다.

$P(X \le 30)=P\left(Z \le \frac{30-50}{5}\right)=P(Z \le -4)$ …… ㉠

STEP B 확률변수 Y에 대하여 $P(Y \ge a)$을 Z에 대한 식으로 나타내기

가위 바위 보에서 A가 이길 확률은 $\frac{1}{3}$이므로

확률변수 Y는 이항분포 $B\left(162, \frac{1}{3}\right)$을 따르므로

$E(Y)=162 \times \frac{1}{3}=54$, $V(Y)=162 \times \frac{1}{3} \times \frac{2}{3}=36$

162는 충분히 큰 수이므로 Y는 근사적으로 정규분포 $N(54, 6^2)$을 따른다.

$P(Y \ge a)=P\left(Z \ge \frac{a-54}{6}\right)$ …… ㉡

STEP C $P(X \le 30)=P(Y \ge a)$을 만족하는 a의 값 구하기

㉠, ㉡에 의하여 $P(Z \le -4)=P\left(Z \ge \frac{a-54}{6}\right)$이므로 $\frac{a-54}{6}=4$

따라서 $a=78$

정답 ③

1351

정답 ⑤

STEP A 이항분포의 평균과 표준편차를 구하여 정규분포로 바꾸기

탑승권을 예매한 사람 100명 중 실제로 열차를 탄 사람의 수를

확률변수 X라 하면 X는 이항분포 $B\left(100, \frac{4}{5}\right)$를 따르므로

$E(X)=100 \times \frac{4}{5}=80$, $V(X)=100 \times \frac{4}{5} \times \frac{1}{5}=16$

STEP B 이항분포를 정규분포로 바꾸기

이때 100은 충분히 큰 수이므로

확률변수 X는 근사적으로 정규분포 $N(80, 4^2)$을 따르고

$Z=\frac{X-80}{4}$이라 하면 확률변수 Z는 표준정규분포 $N(0, 1)$을 따른다.

STEP C 좌석이 부족하지 않을 확률 구하기

따라서 좌석 수가 87석인 열차에서 좌석이 부족하지 않을 경우

즉 탑승자의 수가 87명 이하일 확률이므로

$$\begin{aligned} P(X \le 87) &= P\left(Z \le \frac{87-80}{4}\right) \\ &= P(Z \le 1.75) \\ &= 0.5+P(0 \le Z \le 1.75) \\ &= 0.5+0.4599=0.9599 \end{aligned}$$

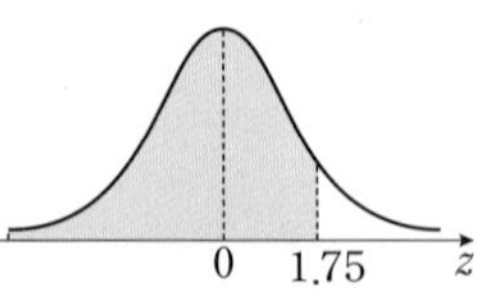

다른풀이 취소하는 사람의 수를 이용하여 풀이하기

탑승권을 예매한 사람 중 취소하는 사람의 수를 확률변수 X라 하면

X는 이항분포 $B(100, 0.2)$를 따르므로

$E(X)=100 \times 0.2=20$, $V(X)=100 \times 0.2 \times 0.8=16$

따라서 X는 근사적으로 정규분포 $N(20, 4^2)$을 따르므로

$Z=\frac{X-20}{4}$으로 놓으면 Z는 표준정규분포 $N(0, 1)$을 따른다.

따라서 열차를 탑승하러 온 모든 사람이 열차를 탑승하려면 열차예매를 취소한 사람이 $100-87=13$명 이상이어야 하므로 구하는 확률은

$$\begin{aligned} P(X \ge 13) &= P\left(Z \ge \frac{13-20}{4}\right) \\ &= P(Z \ge -1.75) \\ &= P(-1.75 \le Z \le 0)+P(Z \ge 0) \\ &= 0.5+P(0 \le Z \le 1.75) \\ &= 0.5+0.4599=0.9599 \end{aligned}$$

내신연계 출제문항 584

미주 노선을 운항하는 항공회사에서 좌석이 340개인 비행기의 예약 취소율이 20%라고 한다. 이 비행기에 대하여 400석의 예약을 받았다고 할 때, 비행기를 타러 온 모든 사람이 비행기를 탈 확률은?

z	$P(0 \le Z \le z)$
1.0	0.3413
1.5	0.4332
2.0	0.4772
2.5	0.4938

① 0.6890　② 0.8413　③ 0.9332　④ 0.9772　⑤ 0.9938

STEP A 이항분포의 평균과 표준편차를 구하여 정규분포로 바꾸기

400명의 예약고객 중에서 탑승하는 사람의 수를 확률변수 X라 하면

X는 이항분포 $B\left(400, \frac{4}{5}\right)$를 따르므로

평균 m과 표준편차 σ를 구하면

$m=400 \times \frac{4}{5}=320$, $\sigma=\sqrt{400 \times \frac{4}{5} \times \frac{1}{5}}=\sqrt{64}=8$

STEP B 이항분포를 정규분포로 바꾸기

이때 400은 충분히 큰 수이므로

확률변수 X는 근사적으로 정규분포 $N(320, 8^2)$을 따르므로

$Z=\frac{X-320}{8}$이라 하면 확률변수 Z는 표준정규분포 $N(0, 1)$을 따른다.

STEP C 좌석이 부족하지 않을 확률 구하기

정원이 340명인 비행기에 예약고객 중 340명 이하만 탑승하면 예약고객만으로 정원을 초과하지 않으므로 확률을 구하면

$$\begin{aligned} P(X \le 340) &= P\left(Z \le \frac{340-320}{8}\right) \\ &= P(Z \le 2.5) \\ &= 0.5+P(0 \le Z \le 2.5) \\ &= 0.5+0.4938=0.9938 \end{aligned}$$

다른풀이 취소하는 사람의 수를 이용하여 풀이하기

예약하여 취소하는 사람의 수를 확률변수 Y라 하면

Y는 이항분포 $B\left(400, \frac{1}{5}\right)$을 따르므로 평균 m과 표준편차 σ를 구하면

$m=400 \times \frac{1}{5}=80$, $\sigma=\sqrt{400 \times \frac{1}{5} \times \frac{4}{5}}=\sqrt{64}=8$

이때 400은 충분히 크므로 확률변수 Y는 근사적으로 $N(80, 8^2)$을 따른다.

따라서 예약고객 400명 중 정원이 340명인 비행기에 취소하는 고객이 $400-340=60$명 이상이면 정원을 초과하지 않으므로 확률을 구하면

$$\begin{aligned} P(Y \ge 60) &= P\left(Z \ge \frac{60-80}{8}\right) \\ &= P(Z \ge -2.5) \\ &= 0.5+P(0 \le Z \le 2.5) \\ &= 0.5+0.4938=0.9938 \end{aligned}$$

정답 ⑤

1352

정답 ①

STEP Ⓐ **이항분포를 구하여 정규분포의 평균과 표준편차 구하기**

예약한 400명 중에서 이 호텔에 투숙하는 사람의 수를 확률변수 X라 하면
X는 이항분포 $B(400,\ 0.8)$을 따른다.
이때 X의 평균 m과 표준편차 σ은 각각
$m=400\times0.8=320,\ \sigma=\sqrt{400\times0.8\times0.2}=\sqrt{64}=8$

STEP Ⓑ **이항분포를 정규분포로 바꾸기**

400이 충분히 큰 수이므로
X는 근사적으로 정규분포 $N(320,\ 8^2)$을 따르므로
확률변수 $Z=\dfrac{X-320}{8}$은 표준정규분포 $N(0,\ 1)$을 따른다.

STEP Ⓒ **$P(X>336)$의 값 구하기**

따라서 객실이 336개이므로 예약고객 중 336명 초과 투숙하면
객실이 부족하므로 구하는 확률은

$$P(X>336)=P\left(Z>\frac{336-320}{8}\right)$$
$$=P(Z>2)$$
$$=0.5-P(0\le Z\le 2)$$
$$=0.5-0.4772=0.0228$$

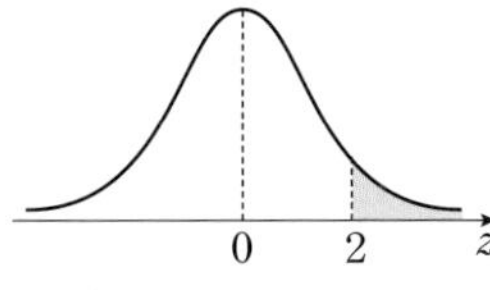

내신연계 출제문항 585

고속열차의 탑승권을 예매한 사람이 예매를 취소하거나 실제로 고속열차를 타지 않을 확률이 20%라고 한다. 이러한 이유로 실수요자를 보호하고 예약 부도로 인한 손실을 방지하기 위해 초과 예약을 받는데 종종 좌석이 부족하여 소비자가 피해를 입는 사례가 발생한다. 좌석 수가 87석인 고속열차의 탑승권을 예매한 사람이 100명 일 때, 좌석이 부족하게 될 확률은?

z	$P(0\le Z\le z)$
0.5	0.1915
1.0	0.3413
1.5	0.4332
2.0	0.4772

① 0.0228 ② 0.6587 ③ 0.7780
④ 0.8085 ⑤ 0.9599

STEP Ⓐ **이항분포를 구하여 정규분포의 평균과 표준편차 구하기**

100명의 예약자 중 실제로 탑승하는 사람의 수를 확률변수 X라고 하면
X는 이항분포 $B\left(100,\ \frac{4}{5}\right)$를 따른다.
X의 평균 m과 표준편차 σ는
$m=100\times\frac{4}{5}=80,\ \sigma=\sqrt{100\times\frac{4}{5}\times\frac{1}{5}}=\sqrt{16}=4$

STEP Ⓑ **이항분포를 정규분포로 바꾸기**

이때 100은 충분히 큰 수이므로
확률변수 X는 근사적으로 정규분포 $N(80,\ 4^2)$을 따르고
$Z=\dfrac{X-80}{4}$이라 하면 확률변수 Z는 표준정규분포 $N(0,\ 1)$을 따른다.

STEP Ⓒ **$P(X\ge 88)$의 값 구하기**

따라서 좌석이 부족할 때는 실제로 탑승하는 사람이 88명 이상일 때이므로
좌석이 부족하게 될 확률은

$$P(X\ge 88)=P\left(Z\ge\frac{88-80}{4}\right)$$
$$=P(Z\ge 2)$$
$$=0.5-P(0\le Z\le 2)$$
$$=0.5-0.4772=0.0228$$

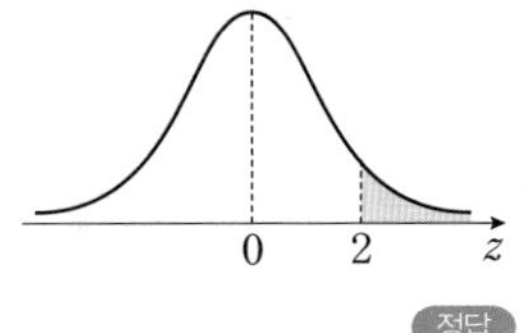

정답 ①

1353

정답 ④

STEP Ⓐ **이항분포를 구하여 정규분포의 평균과 표준편차 구하기**

B학과의 합격자 중에서 등록을 하지 않은 학생 수를 확률변수 X라 하면
X는 이항분포 $B(100,\ 0.1)$을 따른다.
X의 평균 m과 표준편차 σ는
$m=100\times0.1=10,\ \sigma=\sqrt{100\times0.1\times0.9}=\sqrt{9}=3$

STEP Ⓑ **이항분포를 정규분포로 바꾸기**

이때 100은 충분히 큰 수이므로
확률변수 X는 근사적으로 정규분포 $N(10,\ 9)$을 따르므로
$Z=\dfrac{X-10}{3}$은 표준정규분포 $N(0,\ 1)$을 따른다.

STEP Ⓒ **표준정규분포표를 이용하여 추가합격할 확률 구하기**

따라서 나래가 이 학과에 합격하려면 합격자 중 등록을 하지 않은 학생 수가
7명 이상이어야 하므로 구하는 확률은

$$P(X\ge 7)=P\left(Z\ge\frac{7-10}{3}\right)$$
$$=P(Z\ge -1)$$
$$=0.5+P(0\le Z\le 1)$$
$$=0.5+0.3413=0.8413$$

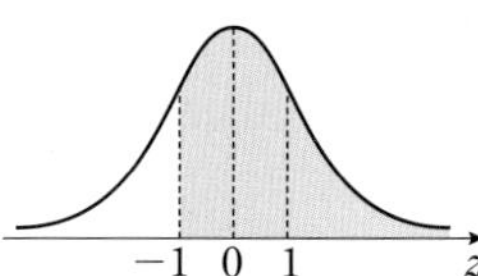

1354

정답 ①

STEP Ⓐ **통조림 한 개가 불량품으로 판정될 확률을 구하기**

통조림의 무게를 확률변수 X라 하면
X는 정규분포 $N(310,\ 5^2)$을 따르므로
X를 표준화한 확률변수 $Z=\dfrac{X-310}{5}$은 표준정규분포 $N(0,\ 1)$을 따른다.
이때 통조림 한 개가 불량품으로 판정될 확률은

$$P(X\le 300)=P\left(Z\le\frac{300-310}{5}\right)$$
$$=P(Z\le -2)$$
$$=P(Z\ge 0)-P(0\le Z\le 2)$$
$$=0.5-0.4772=0.0228$$

STEP Ⓑ **이항분포를 이용하여 정규분포의 평균과 표준편차 구하기**

통조림 5000개 중 불량품의 개수를 확률변수 Y라고 하면
Y는 이항분포 $B(5000,\ 0.0228)$을 따른다.
따라서 불량품으로 판정되는 통조림의 개수의 평균은
$E(Y)=5000\times0.0228=114$

내신연계 출제문항 586

어느 공장에서 생산되는 이온음료 한 병의 용량은 평균이 250mL이고 표준편차가 0.5mL인 정규분포를 따른다고 한다. 이온음료 한 병의 용량이 248.5mL 이상 251.5mL 이하일 때, 합격품으로 처리한다. 이 공장에서 생산된 이온음료 10000병 중에서 합격품의 개수의 기댓값을 표준정규분포표를 이용하여 구하면?

z	$\mathrm{P}(0 \le Z \le z)$
1.5	0.4332
2.0	0.4772
2.5	0.4938
3.0	0.4987

① 9104　② 9544　③ 9710
④ 9876　⑤ 9974

STEP Ⓐ **용량이 248.5mL 이상 251.5mL 이하인 제품의 확률을 구하기**

이온음료 한 병의 용량을 확률변수 X라고 하면
X는 정규분포 $\mathrm{N}(250,\ 0.5^2)$을 따른다.
이때 이온음료의 용량이 248.5mL 이상 251.5mL 이하이면 합격품이므로
합격품일 확률은

$$\begin{aligned}\mathrm{P}(248.5 \le X \le 251.5) &= \mathrm{P}\left(\frac{248.5-250}{0.5} \le Z \le \frac{251.5-250}{0.5}\right)\\ &= \mathrm{P}(-3 \le Z \le 3)\\ &= 2\mathrm{P}(0 \le Z \le 3)\\ &= 2 \times 0.4987 = 0.9974\end{aligned}$$

STEP Ⓑ **이항분포를 이용하여 평균 구하기**

이온음료 10000병 중 합격품의 개수를 확률변수 Y라고 하면
확률변수 Y는 이항분포 $\mathrm{B}(10000,\ 0.9974)$를 따른다.
따라서 $\mathrm{E}(Y) = 10000 \times 0.9974 = 9974$

⑤

1355

③

STEP Ⓐ **무게가 40g 이상인 제품의 확률을 구하기**

제품의 무게를 확률변수 X라 하면 X는 정규분포 $\mathrm{N}(30,\ 5^2)$을 따른다.
X가 40g 이상인 제품이 불량품이므로 불량품일 확률은

$$\begin{aligned}\mathrm{P}(X \ge 40) &= \mathrm{P}\left(Z \ge \frac{40-30}{5}\right)\\ &= \mathrm{P}(Z \ge 2)\\ &= 0.5 - \mathrm{P}(0 \le Z \le 2)\\ &= 0.5 - 0.48 = 0.02\end{aligned}$$

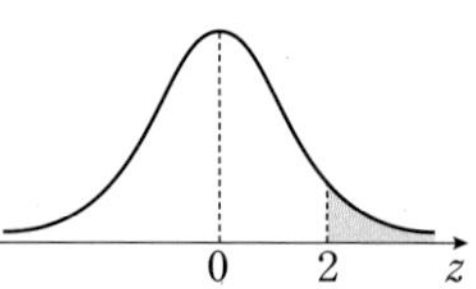

STEP Ⓑ **이항분포를 이용하여 정규분포의 평균과 표준편차 구하기**

임의로 한 개의 제품을 뽑을 때, 불량률이 0.02이므로
2500개의 제품 중 불량품의 개수를 Y라 하면
Y는 이항분포 $\mathrm{B}(2500,\ 0.02)$를 따르므로
$\mathrm{E}(Y) = 2500 \times 0.02 = 50,\ \mathrm{V}(Y) = 2500 \times 0.02 \times 0.98 = 7^2$
이때 2500은 충분히 크므로 X는 근사적으로 정규분포 $\mathrm{N}(50,\ 7^2)$을 따른다.

STEP Ⓒ **불량품의 개수가 57개 이상일 확률 구하기**

따라서 구하는 확률은

$$\begin{aligned}\mathrm{P}(Y \ge 57) &= \mathrm{P}\left(Z \ge \frac{57-50}{7}\right)\\ &= \mathrm{P}(Z \ge 1)\\ &= 0.5 - 0.34 = 0.16\end{aligned}$$

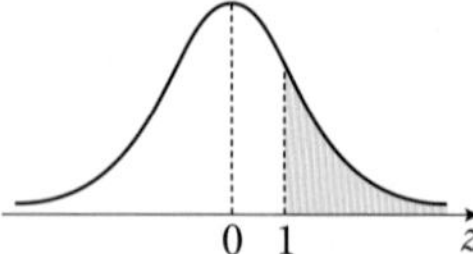

1356

⑤

STEP Ⓐ **97.88g 이상 102.75g 이하인 제품의 확률을 구하기**

향수 한 병의 내용물 용량을 확률변수 X라 하면
X는 정규분포 $\mathrm{N}(100,\ 1^2)$을 따른다.
정품일 확률은

$$\begin{aligned}&\mathrm{P}(97.88 \le X \le 102.75)\\ &= \mathrm{P}\left(\frac{97.88-100}{1} \le Z \le \frac{102.75-100}{1}\right)\\ &= \mathrm{P}(-2.12 \le Z \le 2.75)\\ &= \mathrm{P}(0 \le Z \le 2.12) + \mathrm{P}(0 \le Z \le 2.75)\\ &= 0.4830 + 0.4970 = 0.98\end{aligned}$$

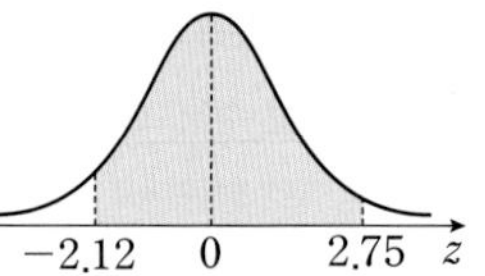

STEP Ⓑ **이항분포를 이용하여 정규분포의 평균과 표준편차 구하기**

향수 10000개 중 정품의 개수를 확률변수 Y라고 하면
확률변수 Y는 이항분포 $\mathrm{B}\left(10000,\ \frac{98}{100}\right)$을 따른다.
$\mathrm{E}(X) = 10000 \times \frac{98}{100} = 9800,\ \mathrm{V}(X) = 10000 \times \frac{98}{100} \times \frac{2}{100} = 14^2$
이때 10000은 큰 수이므로
확률변수 Y는 근사적으로 정규분포 $\mathrm{N}(9800,\ 14^2)$을 따른다.

STEP Ⓒ **정품의 개수가 9828병 이하일 확률 구하기**

따라서 구하는 확률은

$$\begin{aligned}&\mathrm{P}(Y \le 9828)\\ &= \mathrm{P}\left(Z \le \frac{9828-9800}{14}\right)\\ &= \mathrm{P}(Z \le 2)\\ &= 0.5 + \mathrm{P}(0 \le Z \le 2)\\ &= 0.5 + 0.4772 = 0.9772\end{aligned}$$

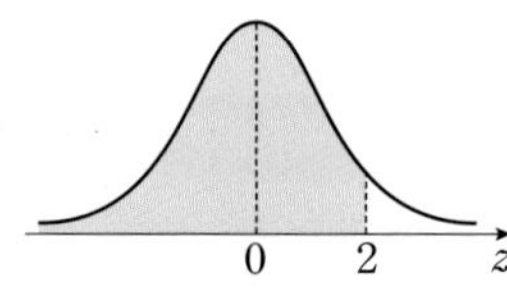

내신연계 출제문항 587

어느 빵집에서 굽는 빵 하나의 무게는 평균 100g이고 표준편차가 2g인 정규분포를 따르고, 이 빵집에서 무게가 96g 미만인 빵은 판매하지 않는다고 한다. 이 빵집에서 굽는 빵 중에서 2500개를 임의로 택하였을 때, 판매 가능한 빵의 개수가 2443개 이상일 확률을 표준정규분포표를 이용하여 구하면?

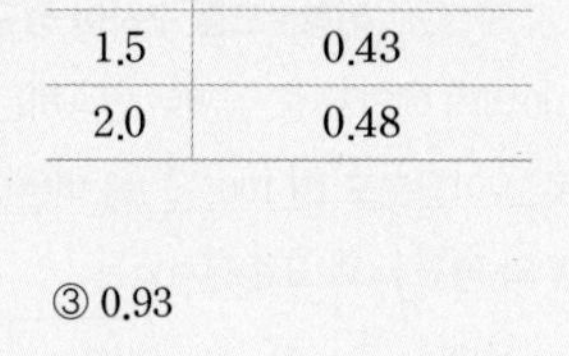

z	$\mathrm{P}(0 \le Z \le z)$
0.5	0.19
1.0	0.34
1.5	0.43
2.0	0.48

① 0.73　② 0.84　③ 0.93
④ 0.98　⑤ 0.99

STEP Ⓐ **무게가 96g 이상인 제품의 확률을 구하기**

빵 하나의 무게를 확률변수 X라 하면
X는 정규분포 $\mathrm{N}(100,\ 2^2)$을 따른다.
빵이 판매 가능할 확률은

$$\begin{aligned}\mathrm{P}(X \ge 96) &= \mathrm{P}\left(Z \ge \frac{96-100}{2}\right)\\ &= \mathrm{P}(Z \ge -2)\\ &= 0.5 + \mathrm{P}(0 \le Z \le 2)\\ &= 0.5 + 0.48 = 0.98\end{aligned}$$

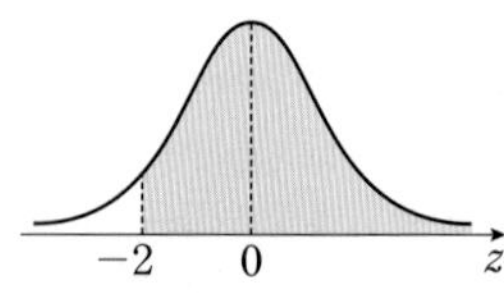

STEP Ⓑ **이항분포를 이용하여 정규분포의 평균과 표준편차 구하기**

2500개의 빵 중에서 판매 가능한 빵의 개수를 확률변수 Y라 하면
Y는 이항분포 $\mathrm{B}(2500,\ 0.98)$을 따르므로
$\mathrm{E}(Y) = 2500 \times 0.98 = 2450,\ \mathrm{V}(Y) = 2500 \times 0.98 \times 0.02 = 7^2$
이때 2500은 충분히 크므로 X는 근사적으로 정규분포 $\mathrm{N}(2450,\ 7^2)$을 따른다.

STEP Ⓒ 판매 가능한 빵의 개수가 2443개 이상일 확률 구하기

따라서 구하는 확률은

$P(Y \ge 2443)$

$=P\left(Z \ge \frac{2443-2450}{7}\right)$

$=P(Z \ge -1)$

$=0.5+P(0 \le Z \le 1)$

$=0.5+0.34=0.84$

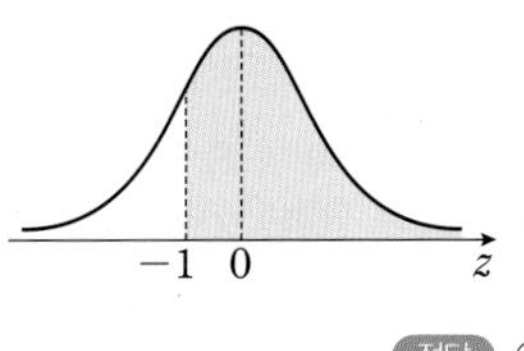

정답 ②

1357

정답 ①

STEP Ⓐ 한 학생의 통학시간을 확률변수 X로 놓은 후 정규분포의 표준화를 이용하여 p_1 구하기

한 학생의 통학시간을 확률변수 X라 하면

X는 정규분포 $N(25, 5^2)$을 따르므로

한 학생의 통학 시간이 35분 이상일 확률 p_1을 구한다.

$p_1=P(X \ge 35)$

$=P\left(Z \ge \frac{35-25}{5}\right)$

$=P(Z \ge 2)$

$=0.5-P(0 \le Z \le 2)$

$=0.5-0.48=0.02$

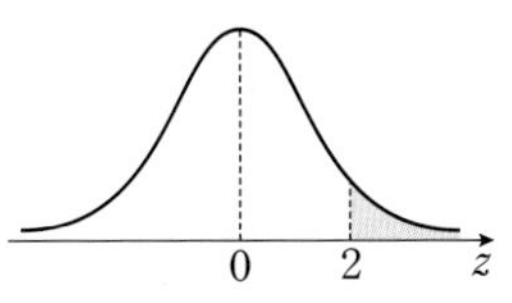

STEP Ⓑ 이항분포를 이용하여 정규분포의 평균과 표준편차 구하기

2500명 중 통학시간이 35분 이상인 학생의 수를 확률변수 Y라 하면

Y는 이항분포 $B(2500, 0.02)$을 따른다.

$m=2500 \times 0.02=50$, $\sigma=\sqrt{2500 \times 0.02 \times 0.98}=\sqrt{49}=7$

이때 2500은 충분히 큰 수이므로

확률변수 Y는 근사적으로 정규분포 $N(50, 7^2)$을 따른다.

STEP Ⓒ 통학 시간이 35분 이상일 확률 p_2 구하기

이 2500명의 학생 중에서 통학시간이 35분 이상인 학생이 n명 이상일 확률 p_2를 구하면

$p_2=P(Y \ge n)=P\left(Z \ge \frac{n-50}{7}\right)$

즉 $p_1=p_2$이므로 $P\left(Z \ge \frac{n-50}{7}\right)=P(Z \ge 2)$

따라서 $\frac{n-50}{7}=2$이므로 $n=64$

STEP 2 서술형 기출유형

1358

정답 해설참조

1단계 상수 k의 값을 구한다. ◀ 20%

$y=f(x)$의 그래프와 x축으로 둘러싸인 삼각형의 넓이가 1이므로

$\frac{1}{2} \times 6 \times k=1 \quad \therefore k=\frac{1}{3}$

2단계 $0 \le x \le 6$에서 확률밀도함수 $f(x)$의 식을 작성한다. ◀ 30%

$$f(x)=\begin{cases} \frac{1}{6}x & (0 \le x < 2) \\ -\frac{1}{12}x+\frac{1}{2} & (2 \le x \le 6) \end{cases}$$

3단계 사다리꼴의 넓이를 이용하여 $P(1 \le X \le 4)$의 값을 구한다. ◀ 50%

$y=f(x)$의 그래프는 다음과 같다.

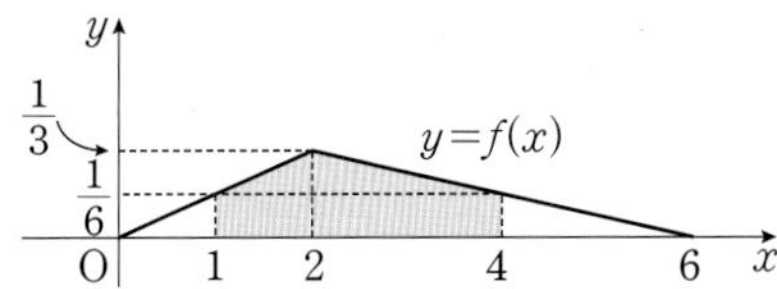

$P(1 \le X \le 4)=P(1 \le X \le 2)+P(2 \le X \le 4)$

$=\frac{1}{2} \times \left(\frac{1}{6}+\frac{1}{3}\right) \times 1+\frac{1}{2} \times \left(\frac{1}{3}+\frac{1}{6}\right) \times 2$

$=\frac{1}{4}+\frac{1}{2}=\frac{3}{4}$

1359

정답 해설참조

STEP Ⓐ 정규분포 곡선의 성질을 만족하도록 하는 빈칸추론 하기

(1) 직선 $\boxed{x=m}$에 대하여 대칭인 종모양의 곡선이다.

(2) 점근선은 $\boxed{x\text{축}}$이다.

(3) 함수 $f(x)$는 x의 값이 $\boxed{m}$일 때 최댓값을 갖는다.

(4) 곡선과 x축 사이의 넓이는 $\boxed{1}$이다.

(5) m의 값이 일정할 때, σ의 값이 [커질수록] 곡선은 낮아지면서 양쪽으로 퍼진다.

(6) σ의 값이 [일정]할 때, m의 값이 변하면 대칭축의 위치는 바뀌지만 곡선의 모양은 같다.

1360

정답 해설참조

1단계 확률변수 Z가 따르는 분포를 구한다. ◀ 20%

확률변수 X는 정규분포 $N(10, \sigma^2)$을 따르므로

확률변수 $Z=\frac{X-10}{\sigma}$은 표준정규분포 $N(0, 1)$을 따른다.

2단계 $P(7 \le X \le 10)=0.1915$를 이용하여 σ의 값을 구한다. ◀ 40%

$P(7 \le X \le 10)=P\left(\frac{7-10}{\sigma} \le Z \le \frac{10-10}{\sigma}\right)=P\left(-\frac{3}{\sigma} \le Z \le 0\right)$

이고 $P(0 \le Z \le 0.5)=0.1915$이므로 $-\frac{3}{\sigma}=-0.5$, 즉 $\sigma=6$

3단계 $P(X \ge 16)$의 값을 구한다. ◀ 40%

$P(X \ge 16)=P\left(Z \ge \frac{16-10}{6}\right)$

$=P(Z \ge 1)$

$=0.5-P(0 \le Z \le 1)$

$=0.5-0.3413=0.1587$

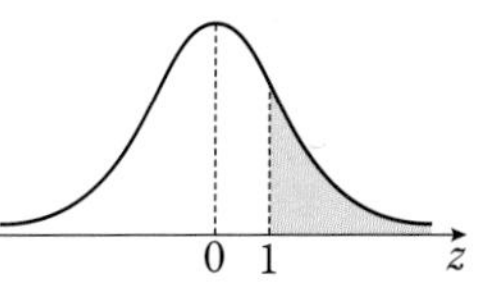

1361

정답 해설참조

1단계 확률변수 X가 따르는 정규분포를 구한다. ◀ 30%

확률변수 X가 정규분포 $\mathrm{N}(5, \sigma^2)$을 따르므로 $Z=\dfrac{X-5}{\sigma}$으로 놓으면

확률변수 Z는 표준정규분포 $\mathrm{N}(0, 1)$을 따른다.

2단계 $\mathrm{P}(X \ge 9)=0.11$을 만족하는 표준편차 σ를 구한다. ◀ 40%

$\mathrm{P}(X \ge 9)=\mathrm{P}\left(Z \ge \dfrac{9-5}{\sigma}\right)=\mathrm{P}\left(Z \ge \dfrac{4}{\sigma}\right)=0.11$

$\mathrm{P}(Z \ge 1.25)=0.5-\mathrm{P}(0 \le Z \le 1.25)$

$=0.5-0.39=0.11$

이므로

$\dfrac{4}{\sigma}=1.25 \quad \therefore \sigma=\dfrac{16}{5}$

3단계 $\mathrm{V}(5X+3)$의 값을 구한다. ◀ 30%

따라서 $\mathrm{V}(5X+3)=25\mathrm{V}(X)=25\sigma^2=25\times\dfrac{256}{25}=256$

1362

정답 해설참조

1단계 마라톤 기록이 18분 이상 28분 이하인 학생은 전체의 약 몇 %인지 구한다. ◀ 30%

고등학교 학생의 4km달리기 기록을 확률변수 X라고 하면

X는 정규분포 $\mathrm{N}(25, 5^2)$을 따른다.

$\mathrm{P}(18 \le X \le 28)=\mathrm{P}\left(\dfrac{18-25}{5} \le Z \le \dfrac{28-25}{5}\right)$

$=\mathrm{P}(-1.4 \le Z \le 0.6)$

$=\mathrm{P}(0 \le Z \le 1.4)+\mathrm{P}(0 \le Z \le 0.6)$

$=0.4192+0.2257=0.6449$

따라서 달리기 기록이 18분 이상 28분 이하인 학생은 전체의 약 64%

2단계 마라톤 기록이 30분 이상인 학생은 대략 몇 명인지 구한다. ◀ 30%

$\mathrm{P}(X \ge 30)=\mathrm{P}\left(\dfrac{X-25}{5} \ge \dfrac{30-25}{5}\right)$

$=\mathrm{P}(Z \ge 1)$

$=0.5-\mathrm{P}(0 \le Z \le 1)$

$=0.5-0.3413=0.1587$

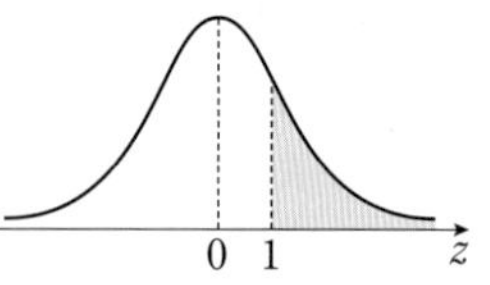

따라서 $1000\times0.1587=158.7$이므로 달리기 시간이 30분 이상인 학생은 159(명)

3단계 상위 25위 이내에 들기 위한 기록은 약 몇 분인지 구한다. ◀ 40%

상위 25위 이내에 들기 위한 기록을 a분이라고 하면

$\mathrm{P}(X \le a)=\dfrac{25}{1000}=0.025$

$\mathrm{P}(X \le a)=\mathrm{P}\left(Z \le \dfrac{a-25}{5}\right)$

$=0.5-\mathrm{P}\left(0 \le Z \le \dfrac{25-a}{5}\right)$

$=0.025$

$\therefore \mathrm{P}\left(0 \le Z \le \dfrac{25-a}{5}\right)=0.5-0.025=0.475$

이때 $\mathrm{P}(0 \le Z \le 1.96)=0.475$이므로 $\dfrac{25-a}{5}=1.96$

$\therefore a=15.2$

따라서 상위 25위 이내에 들기 위한 기록은 약 15(분)

1363

정답 해설참조

1단계 A제품 한 개의 무게를 확률변수 X라 할 때, X가 따르는 정규분포를 구한다. ◀ 20%

이 공장에서 생산된 A제품 한 개의 무게를 확률변수 X라 하면

X는 정규분포 $\mathrm{N}(m, 12^2)$을 따르고 $Z=\dfrac{X-m}{12}$으로 놓으면

확률분포 Z는 표준정규분포 $\mathrm{N}(0, 1)$을 따른다.

2단계 제품 A 중 임의로 선택한 한 제품의 무게가 282g 이상일 확률이 0.0228임을 이용하여 평균 m의 값을 구한다. ◀ 40%

$\mathrm{P}(X \ge 282)=0.0228$이고

$\mathrm{P}(Z \ge 2)=0.5-\mathrm{P}(0 \le Z \le 2)$

$=0.5-0.4772=0.0228$

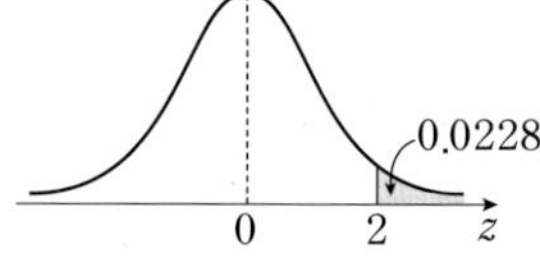

이므로 $\dfrac{282-m}{12}=2$

즉 $m=258$

3단계 제품 A 중 임의로 선택한 한 제품의 무게가 240g 이상이고 252g 이하일 확률을 구한다. ◀ 40%

따라서 구하는 확률은

$\mathrm{P}(240 \le X \le 252)$

$=\mathrm{P}\left(\dfrac{240-258}{12} \le Z \le \dfrac{252-258}{12}\right)$

$=\mathrm{P}(-1.5 \le Z \le -0.5)$

$=\mathrm{P}(0 \le Z \le 1.5)-\mathrm{P}(0 \le Z \le 0.5)$

$=0.4332-0.1915=0.2417$

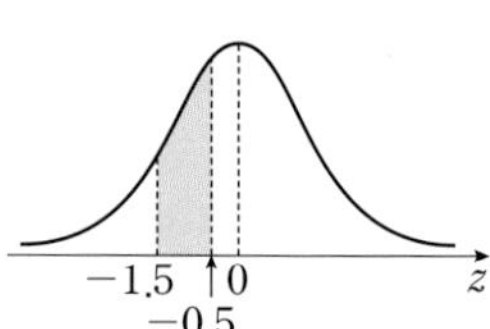

1364

정답 해설참조

1단계 상대적으로 나래의 성적이 좋은 과목부터 차례대로 서술하여라. ◀ 50%

나래의 수학, 사회, 국어 성적을 표준화한 값은 다음과 같다.

(ⅰ) 수학 성적이 정규분포 $\mathrm{N}(68, 8^2)$을 따르므로

나래의 수학 성적 84점 ⇨ $Z_A=\dfrac{84-68}{8}=2$

(ⅱ) 사회 성적이 정규분포 $\mathrm{N}(52, 16^2)$을 따르므로

나래의 사회 성적 76점 ⇨ $Z_B=\dfrac{76-52}{16}=\dfrac{3}{2}=1.5$

(ⅲ) 국어 성적이 정규분포 $\mathrm{N}(72, 12^2)$을 따르므로

나래의 국어 성적 78점 ⇨ $Z_C=\dfrac{78-72}{12}=\dfrac{1}{2}=0.5$

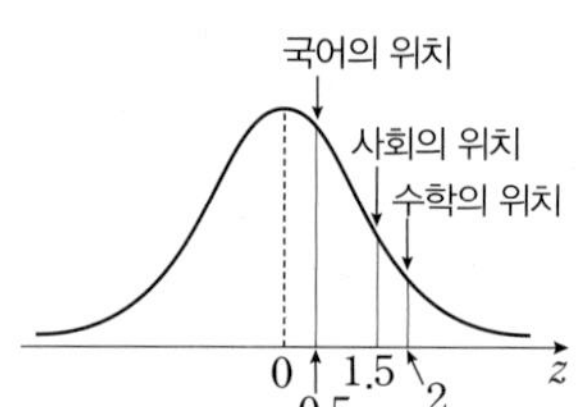

따라서 $0.5 < 1.5 < 2$이고 확률이 작을수록 성적이 높은 분포에 속하므로 상대적으로 나래의 성적이 좋은 과목을 차례로 나열하면 수학, 사회, 국어이다.

2단계 수학 과목에서 나래의 전교 석차는 최소 몇 등인지 오른쪽 표준정규분포표를 이용하여 구한다. (단, 동점자는 없다고 가정한다.) ◀ 50%

수학 점수를 확률변수 X라 하면

확률변수 X는 정규분포 $\mathrm{N}(68, 8^2)$을 따르므로 $Z=\dfrac{X-68}{8}$으로 놓으면

확률변수 Z는 표준정규분포 $\mathrm{N}(0, 1)$을 따른다.

$\mathrm{P}(X \ge 84)=\mathrm{P}(Z \ge 2)$

$=0.5-\mathrm{P}(0 \le Z \le 2)$

$=0.5-0.4772=0.0228$

이므로 나래보다 수학 점수가 더 높은 학생은 $5000\times0.0228=114$(명)

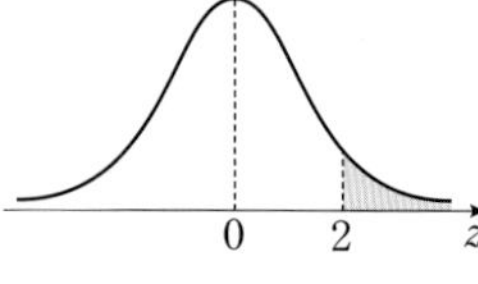

따라서 나래는 최소 114등이어야 한다.

1365

정답 해설참조

1단계	1회 시행에서 A가 이길 확률을 구한다.	◀ 30%

두 사람 A, B가 각각 가위 바위 보를 낼 때, A가 이기는 경우는
(가위, 보), (바위, 가위), (보, 바위)이므로
A가 이길 확률은 $\frac{1}{4}\times\frac{1}{4}+\frac{1}{2}\times\frac{1}{2}+\frac{1}{4}\times\frac{1}{4}=\frac{3}{8}$

2단계	A가 이기는 횟수를 확률변수 X라고 할 때, X가 근사적으로 따르는 정규분포를 구한다.	◀ 40%

A가 이기는 횟수를 확률변수 X라 하면
A가 이길 확률은 $\frac{3}{8}$이므로 확률변수 X는 이항분포 $\mathrm{B}\left(60, \frac{3}{8}\right)$을 따른다.
$m=60\times\frac{3}{8}=\frac{45}{2}$, $\sigma=\sqrt{60\times\frac{3}{8}\times\frac{5}{8}}=\sqrt{\frac{900}{64}}=\frac{15}{4}$
확률변수 X는 근사적으로 정규분포 $\mathrm{N}\left(\frac{45}{2}, \left(\frac{15}{4}\right)^2\right)$을 따른다.

3단계	A가 30번 이상 이길 확률을 구한다.	◀ 30%

따라서 A가 30번 이상 이길 확률은

$$\mathrm{P}(X\ge 30)=\mathrm{P}\left(Z\ge\frac{30-\frac{45}{2}}{\frac{15}{4}}\right)$$
$$=\mathrm{P}(Z\ge 2)$$
$$=0.5-\mathrm{P}(0\le Z\le 2)$$
$$=0.5-0.4772=0.0228$$

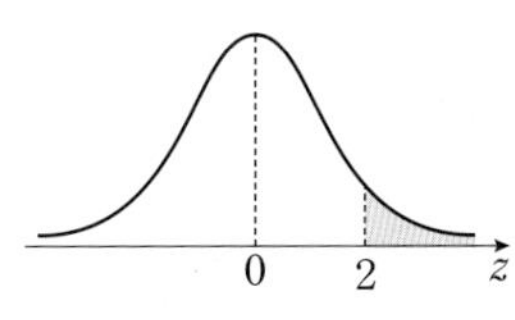

1366

정답 해설참조

1단계	근무 기간이 16개월인 직원의 하루 생산량을 확률변수 X라 할 때, 정규분포와 표준정규분포의 관계를 서술한다.	◀ 20%

근무 기간이 16개월인 직원의 하루 생산량을 확률변수 X라 하면
X는 정규분포 $\mathrm{N}(16a+100, 12^2)$을 따르므로 $Z=\frac{X-(16a+100)}{12}$로 놓으면
확률변수 Z는 표준정규분포 $\mathrm{N}(0, 1)$을 따른다.

2단계	근무 기간이 16개월인 직원의 하루 생산량이 84 이하일 확률이 0.0228임을 이용하여 상수 a를 구한다.	◀ 30%

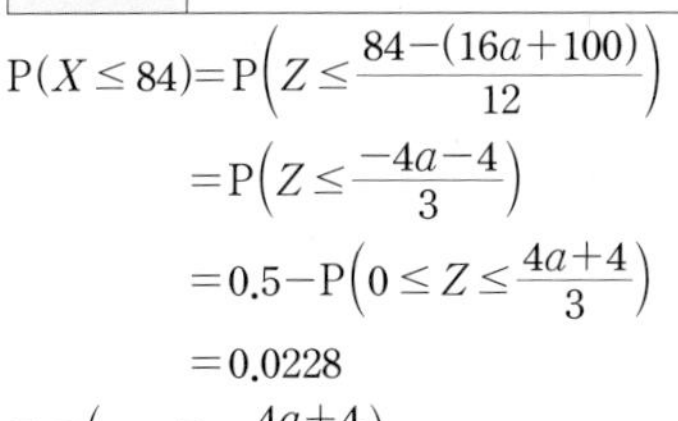

$$\mathrm{P}(X\le 84)=\mathrm{P}\left(Z\le\frac{84-(16a+100)}{12}\right)$$
$$=\mathrm{P}\left(Z\le\frac{-4a-4}{3}\right)$$
$$=0.5-\mathrm{P}\left(0\le Z\le\frac{4a+4}{3}\right)$$
$$=0.0228$$

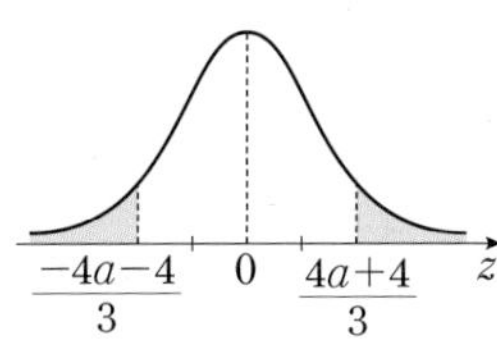

즉 $\mathrm{P}\left(0\le Z\le\frac{4a+4}{3}\right)=0.5-0.0228=0.4772$
이때 표준정규분포표에서 $\mathrm{P}(0\le Z\le 2)=0.4772$이므로
$\frac{4a+4}{3}=2$ $\therefore a=\frac{1}{2}$

3단계	근무 기간이 36개월인 직원의 하루 생산량을 확률변수 Y라 할 때, 정규분포와 표준정규분포의 관계를 서술한다.	◀ 20%

근무기간이 36개월인 직원의 하루 생산량을 확률변수 Y라 하면
Y는 정규분포 $\mathrm{N}(118, 12^2)$을 따르므로 $Z=\frac{Y-118}{12}$로 놓으면
확률변수 Z는 표준정규분포 $\mathrm{N}(0, 1)$을 따른다.

4단계	근무 기간이 36개월인 직원의 하루 생산량이 100 이상이고 142 이하일 확률을 구한다.	◀ 30%

따라서 구하는 확률은

$$\mathrm{P}(100\le Y\le 142)$$
$$=\mathrm{P}\left(\frac{100-118}{12}\le Z\le\frac{142-118}{12}\right)$$
$$=\mathrm{P}(-1.5\le Z\le 2)$$
$$=\mathrm{P}(0\le Z\le 1.5)+\mathrm{P}(0\le Z\le 2)$$
$$=0.4332+0.4772=0.9104$$

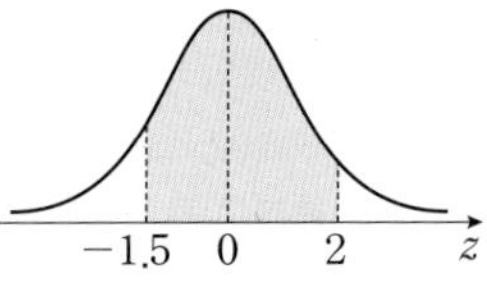

1367

정답 해설참조

1단계	과자 A의 길이를 확률변수 X라 할 때, X가 따르는 정규분포를 구한다.	◀ 20%

과자 A의 길이를 확률변수 X라 하면
X는 정규분포 $\mathrm{N}(10, 0.4^2)$을 따르므로 $Z=\frac{X-10}{0.4}$으로 놓으면
확률변수 Z는 표준정규분포 $\mathrm{N}(0, 1)$을 따른다.

2단계	과자 A의 길이가 d 이상일 확률을 구한다.	◀ 20%

과자 A의 길이가 d 이상일 확률은
$\mathrm{P}(X\ge d)=\mathrm{P}\left(Z\ge\frac{d-10}{0.4}\right)$ …… ㉠

3단계	과자 B의 길이를 확률변수 Y라 할 때, Y가 따르는 정규분포를 구한다.	◀ 20%

과자 B의 길이를 확률변수 Y라 하면
Y는 정규분포 $\mathrm{N}(12, 0.6^2)$을 따르므로 $Z=\frac{Y-12}{0.6}$으로 놓으면
확률변수 Z는 표준정규분포 $\mathrm{N}(0, 1)$을 따른다.

4단계	과자 B의 길이가 d 이하일 확률을 구한다.	◀ 20%

과자 B의 길이가 d 이하일 확률은
$\mathrm{P}(Y\le d)=\mathrm{P}\left(Z\le\frac{d-12}{0.6}\right)$ …… ㉡

5단계	2단계, 4단계에서 구하는 확률이 같아지는 경우 상수 d의 값을 구한다.	◀ 20%

㉠과 ㉡의 두 값이 같아야 하므로 표준정규분포 곡선은
y축에 대해 대칭이고 $\frac{d-10}{0.4}+\frac{d-12}{0.6}=0$이어야 한다.
$3(d-10)+2(d-12)=0$
따라서 $5d=54$이므로 $d=10.8$

1368

정답 해설참조

1단계	응시자의 내신 점수와 면접 점수를 더한 총점을 확률변수 X, 1차 합격선의 총점을 c점이라 할 때, $\mathrm{P}(X\ge c)$를 구한다.	◀ 30%

응시자의 총점을 확률변수 X라 하면
X는 정규분포 $\mathrm{N}(84, 7^2)$을 따른다.
응시생 150명 중 1차 합격자가 45명이므로 합격할 확률(비율)은 $\frac{45}{150}=0.3$이고 45명 이내에 들기 위한 1차 합격선의 총점을 c라고 하면
$\mathrm{P}(X\ge c)=0.3$

2단계	표준정규분포 $\mathrm{N}(0, 1)$을 따르는 확률변수 Z를 이용하여 $\mathrm{P}(X\ge c)$를 나타낸다.	◀ 30%

$\mathrm{P}(X\ge c)=\mathrm{P}\left(Z\ge\frac{c-84}{7}\right)=0.3$

3단계	오른쪽 표준정규분포표를 이용하여 c의 값을 구한다.	◀ 40%

$\mathrm{P}(X\ge c)$
$=\mathrm{P}\left(Z\ge\frac{c-84}{7}\right)$
$=\mathrm{P}(Z\ge 0)-\mathrm{P}\left(0\le Z\le\frac{c-84}{7}\right)$
$=0.5-\mathrm{P}\left(0\le Z\le\frac{c-84}{7}\right)=0.3$
$\therefore \mathrm{P}\left(0\le Z\le\frac{c-84}{7}\right)=0.2$
이때 $\mathrm{P}(0\le Z\le 0.52)=0.2$이므로 $\frac{c-84}{7}=0.52$, $c-84=3.64$
$\therefore c=87.64$
따라서 1차 합격자가 되려면 총점을 87.64점 이상 받아야 한다.

1369

정답 해설참조

1단계	심사를 통과하는 한우들은 상위 몇 %에 속한다고 볼 수 있는지를 구한다.	◀ 30%

후보로 등록된 한우 200마리 중 80마리만 통과하므로 $\frac{80}{200}=0.4$

즉 심사를 통과하는 한우들은 상위 40%에 속한다.

2단계	심사를 통과하는 한우의 최소 무게를 $x$kg라 할 때, x의 값을 구한다.	◀ 50%

한우의 무게를 확률변수 X라고 하면

확률변수X는 정규분포 $\mathrm{N}(450, 25^2)$을 따르므로 $Z=\frac{X-450}{25}$으로 놓으면

확률변수 Z는 표준정규분포 $\mathrm{N}(0, 1)$을 따른다.

심사를 통과하는 한우의 최소 무게가 $x$kg이므로 $\mathrm{P}(X \geq x)=0.4$이 성립한다.

$$\begin{aligned}\mathrm{P}(X \geq x)&=\mathrm{P}\left(Z \geq \frac{x-450}{25}\right)\\&=0.5-\mathrm{P}\left(0 \leq Z \leq \frac{x-450}{25}\right)\\&=0.4\end{aligned}$$

즉 $\mathrm{P}\left(0 \leq Z \leq \frac{x-450}{25}\right)=0.1$이므로 $\frac{x-450}{25}=0.25$에서 $x=456.25(\mathrm{kg})$

3단계	[보기]의 한우 중에서 1단계 심사를 통과하는 한우는 모두 몇 마리인지 구한다.	◀ 20%

[보기]의 한우 중에서 1단계 심사를 통과하는 한우는

무게가 456.25kg보다 무거운 ㄱ, ㄷ, ㄹ 로 3마리이다.

참고

$$\begin{aligned}\mathrm{P}(X \geq 456.25)&=\mathrm{P}\left(Z \geq \frac{456.25-450}{25}\right)\\&=\mathrm{P}(Z \geq 0.25)\\&=0.5-\mathrm{P}(0 \leq Z \leq 0.25)\\&=0.5-0.1=0.4\end{aligned}$$

1370

정답 해설참조

1단계	확률변수 X가 근사적으로 따르는 정규분포를 구한다.	◀ 40%

확률변수 X는 이항분포 $\mathrm{B}\left(625, \frac{4}{5}\right)$를 따르므로

$\mathrm{E}(X)=625 \times \frac{4}{5}=500$, $\mathrm{V}(X)=625 \times \frac{4}{5} \times \frac{1}{5}=100$

이때 625는 충분히 큰 수이므로

확률변수 X는 근사적으로 정규분포 $\mathrm{N}(500, 10^2)$을 따른다.

2단계	$\mathrm{P}(500 \leq X \leq k)=0.38$을 Z에 대한 확률로 나타낸다.	◀ 40%

$Z=\frac{X-500}{10}$으로 놓으면 확률변수 Z는 표준정규분포 $\mathrm{N}(0, 1)$을 따르므로

$\mathrm{P}(500 \leq X \leq k)=0.38$에서

$$\begin{aligned}\mathrm{P}(500 \leq X \leq k)&=\mathrm{P}\left(\frac{500-500}{10} \leq Z \leq \frac{k-500}{10}\right)\\&=\mathrm{P}\left(0 \leq Z \leq \frac{k-500}{10}\right)\end{aligned}$$

3단계	k의 값을 구한다.	◀ 20%

$\mathrm{P}\left(0 \leq Z \leq \frac{k-500}{10}\right)=0.38$

이때 $\mathrm{P}(0 \leq Z \leq 1.2)=0.38$이므로

$\frac{k-500}{10}=1.2$

따라서 $k=512$

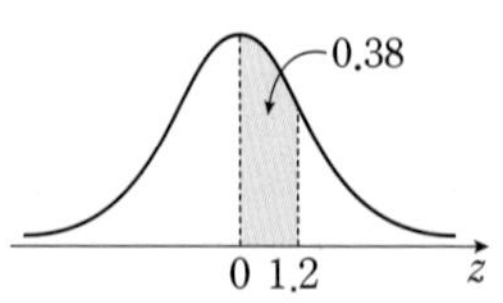

1371

정답 해설참조

1단계	이차함수의 그래프 중 x축과 서로 다른 두 점에서 만나는 확률을 구한다.	◀ 20%

이차함수 $y=x^2+2ax+5$의 그래프가 x축과 서로 다른 두 점에서 만나려면

이차방정식 $x^2+2ax+5=0$의 판별식을 D라 할 때, $\mathrm{D}>0$이어야 한다.

$\frac{\mathrm{D}}{4}=a^2-5>0 \quad \therefore a^2>5$

즉 주사위의 눈의 수 a는 3, 4, 5, 6이어야 하므로 이차함수 $y=x^2+2ax+5$의

그래프가 x축과 서로 다른 두 점에서 만날 확률을 p라 하면

$p=\frac{4}{6}=\frac{2}{3}$

2단계	확률변수 X가 근사적으로 따르는 정규분포를 구한다.	◀ 30%

확률변수 X는 이항분포 $\mathrm{B}\left(450, \frac{2}{3}\right)$를 따르므로

$\mathrm{E}(X)=450 \times \frac{2}{3}=300$, $\mathrm{V}(X)=450 \times \frac{2}{3} \times \frac{1}{3}=100$

이때 450은 충분히 큰 수이므로

확률변수 X는 근사적으로 정규분포 $\mathrm{N}(300, 10^2)$을 따르며

확률변수 $Z=\frac{X-300}{10}$은 표준정규분포 $\mathrm{N}(0, 1)$을 따른다.

3단계	$\mathrm{P}(X \geq k)=0.8413$을 Z에 대한 확률로 나타낸다.	◀ 30%

$\mathrm{P}(X \geq k)=0.8413$에서

$$\begin{aligned}\mathrm{P}(X \geq k)&=\mathrm{P}\left(Z \geq \frac{k-300}{10}\right)\\&=0.5+\mathrm{P}\left(0 \leq Z \leq \frac{300-k}{10}\right)\\&=0.8413\end{aligned}$$

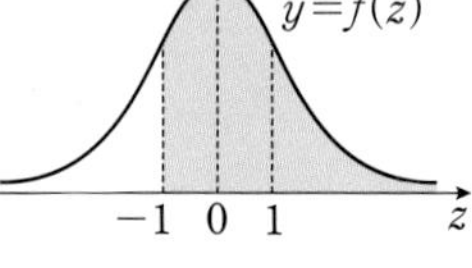

$\therefore \mathrm{P}\left(0 \leq Z \leq \frac{300-k}{10}\right)=0.3413$

4단계	k의 값을 구한다.	◀ 20%

이때 $\mathrm{P}(0 \leq Z \leq 1)=0.3413$이므로 $\frac{300-k}{10}=1$

따라서 $k=290$

1372

정답 해설참조

1단계	제품 한 개의 무게를 확률변수 X라 할 때, 임의로 선택한 한 개의 제품이 불량품일 확률을 구한다.	◀ 30%

확률변수 X는 정규분포 $\mathrm{N}(180, 8^2)$을 따르므로 $Z_X=\frac{X-180}{8}$으로 놓으면

Z_X는 표준정규분포 $\mathrm{N}(0, 1)$을 따른다.

X가 164g보다 작을 때 불량품이므로

불량품일 확률은

$$\begin{aligned}\mathrm{P}(X<164)&=\mathrm{P}\left(Z_X<\frac{164-180}{8}\right)\\&=\mathrm{P}(Z_X<-2)\\&=\mathrm{P}(Z_X>2)\\&=0.5-\mathrm{P}(0 \leq Z_X \leq 2)\\&=0.5-0.48=0.02\end{aligned}$$

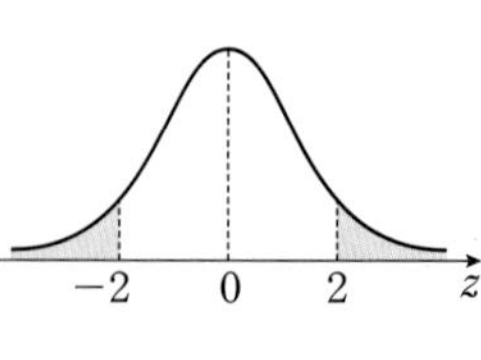

2단계	이 공장의 제품 2500개 중에서 불량품의 개수를 확률변수 Y라 할 때, Y가 근사적으로 따르는 정규분포를 구한다.	◀ 30%

선택한 제품이 불량품일 확률은 0.02이므로

확률변수 Y는 이항분포 $\mathrm{B}(2500, 0.02)$를 따른다.

$\mathrm{E}(Y)=2500 \times 0.02=50$, $\sigma(Y)=\sqrt{2500 \times 0.02 \times 0.98}=\sqrt{49}=7$

이때 2500은 충분히 큰 수이므로

Y는 근사적으로 정규분포 $\mathrm{N}(50, 7^2)$을 따른다.

3단계 | 불량품의 개수가 64 이하일 확률을 구한다. ◀ 40%

$Z_Y=\frac{Y-50}{7}$으로 놓으면 Z_Y는 표준정규분포 $\mathrm{N}(0,\ 1)$을 따른다.

따라서 불량품의 개수가 64개 이하일 확률은

$\mathrm{P}(Y\le 64)=\mathrm{P}\left(Z_Y\le\frac{64-50}{7}\right)$

$=\mathrm{P}(Z_Y\le 2)$

$=0.5+\mathrm{P}(0\le Z_Y\le 2)$

$=0.5+0.48=0.98$

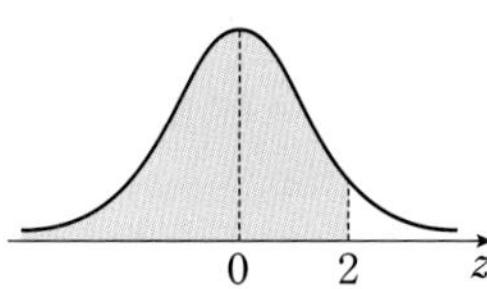

1373

정답 해설참조

1단계 | 이 계란의 무게를 확률변수 X라 할 때, 왕란일 확률을 구한다. ◀ 30%

확률변수 X는 정규분포 $\mathrm{N}(59.6,\ 10^2)$을 따르므로

$Z_X=\frac{X-59.6}{10}$으로 놓으면 Z_X는 표준정규분포 $\mathrm{N}(0,\ 1)$을 따른다.

X가 68g 이상일 때, 왕란이므로 왕란일 확률은

$\mathrm{P}(X\ge 68)=\mathrm{P}\left(Z_X\ge\frac{68-59.6}{10}\right)$

$=\mathrm{P}(Z\ge 0.84)$

$=0.5-\mathrm{P}(0\le Z\le 0.84)$

$=0.5-0.3=0.2$

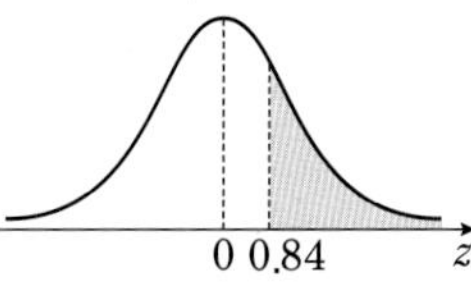

2단계 | 이 양계장에서 생산되는 계란 400개 중에서 왕란으로 분류되는 계란 수를 확률변수 Y라 할 때, Y가 근사적으로 따르는 정규분포를 구한다. ◀ 30%

임의로 한 개의 계란을 뽑을 때, 왕란일 확률은 0. 2이므로

확률변수 Y는 이항분포 $\mathrm{B}(400,\ 0.2)$를 따른다.

$m=400\times 0.2=80$, $\sigma=\sqrt{400\times 0.2\times 0.8}=\sqrt{64}=8$

400은 충분히 큰 수이므로

확률변수 Y는 근사적으로 정규분포 $\mathrm{N}(80,\ 8^2)$을 따른다.

3단계 | 왕란이 90개 이상일 확률을 구한다. ◀ 40%

$Z_Y=\frac{Y-80}{8}$으로 놓으면 Z_Y는 표준정규분포 $\mathrm{N}(0,\ 1)$을 따른다.

따라서 왕란이 90개 이상일 확률은

$\mathrm{P}(Y\ge 90)=\mathrm{P}\left(Z_Y\le\frac{90-80}{8}\right)$

$=\mathrm{P}(Z_Y\ge 1.25)$

$=0.5-\mathrm{P}(0\le Z_Y\le 1.25)$

$=0.5-0.3944=0.1056$

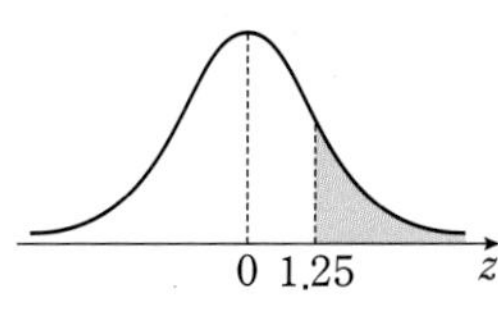

STEP 3 행복한 1등급 문제

1374

정답 10

STEP A 구간 $[0,\ 3]$에서 확률이 1임을 이용하여 a의 값 구하기

$\mathrm{P}(x\le X\le 3)=a(3-x)(0\le x\le 3)$에 대하여

확률변수 X가 구간 $[0,\ 3]$의 모든 실수값을 가지므로 $x=0$을 대입하면

$\mathrm{P}(0\le X\le 3)=1$이어야 하므로

$\mathrm{P}(0\le X\le 3)=3a=1\quad\therefore a=\frac{1}{3}$

$\therefore \mathrm{P}(x\le X\le 3)=\frac{1}{3}(3-x)$

STEP B 구간 $[0,\ a]$에서 확률 구하기

$\mathrm{P}(0\le X\le a)=\mathrm{P}\left(0\le X\le\frac{1}{3}\right)=\mathrm{P}(0\le X\le 3)-\mathrm{P}\left(\frac{1}{3}\le X\le 3\right)$

$=1-\frac{1}{3}\left(3-\frac{1}{3}\right)=1-\frac{1}{3}\times\frac{8}{3}=\frac{1}{9}$

따라서 $p=9$, $q=1$이므로 $p+q=10$

다른풀이 적분을 활용하여 풀이하기

확률밀도함수를 $f(x)$라 하면

$\mathrm{P}(x\le X\le 3)=\int_x^3 f(t)dt=a(3-x)(0\le x\le 3)$

즉 $\int_3^x f(t)dt=-3a+ax$

양변을 x에 대하여 미분하면

$f(x)=a$

이때 $0\le x\le 3$에서 확률의 합은

1이므로 넓이는 $3a=1$

$\therefore a=\frac{1}{3}$

$\mathrm{P}(0\le X\le a)=\mathrm{P}\left(0\le X\le\frac{1}{3}\right)=\int_0^{\frac{1}{3}}f(x)dx=\int_0^{\frac{1}{3}}\frac{1}{3}dx=\frac{1}{9}$

따라서 $p=9$, $q=1$이므로 $p+q=10$

내신연계 출제문항 588

$0\le X\le 4$의 모든 실수의 값을 가지는 연속확률변수 X가

$\mathrm{P}(x\le X\le 4)=k(4-x)(0\le x\le 4)$

를 만족시킨다. $\mathrm{P}(0\le X<k)=\frac{q}{p}$일 때, $p+q$의 값을 구하여라..

(단, k는 상수이고, p와 q는 서로소인 자연수이다.)

STEP A 구간 $[0,\ 4]$에서 확률이 1임을 이용하여 k의 값 구하기

$\mathrm{P}(0\le X\le 4)=1$이므로

$\mathrm{P}(0\le X\le 4)=4k=1$에서 $k=\frac{1}{4}$

STEP B $\mathrm{P}(0\le X<k)$의 값 구하기

$\mathrm{P}(0\le X<k)=\mathrm{P}\left(0\le X<\frac{1}{4}\right)$

$=\mathrm{P}(0\le X\le 4)-\mathrm{P}\left(\frac{1}{4}\le X\le 4\right)$

$=1-\frac{1}{4}\left(4-\frac{1}{4}\right)=\frac{1}{16}$

STEP C $p+q$의 값 구하기

따라서 $p=16$, $q=1$이므로 $p+q=16+1=17$

정답 17

1375

정답 ④

STEP A $P(Y \le m+4)=0.3085$를 만족하는 m, σ의 관계식 구하기

확률변수 Y는 정규분포 $N(2m, \sigma^2)$을 따르므로 $Z=\dfrac{Y-2m}{2}$으로 놓으면

확률변수 Z는 표준정규분포 $N(0, 1)$을 따른다.

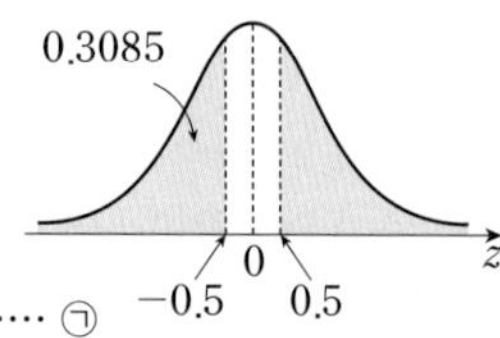

$P(Y \le m+4)=P\left(Z \le \dfrac{4-m}{\sigma}\right)=0.3085$

$P\left(Z \le -\dfrac{1}{2}\right)=0.3085$

$\dfrac{4-m}{\sigma}=-\dfrac{1}{2}$이므로 $8-2m=-\sigma$ ...... ㉠

STEP B $P(X \le 8)+P(Y \le 8)=1$을 만족하는 m, σ의 관계식 구하기

확률변수 X는 정규분포 $N(m, 2^2)$을 따르므로 $Z=\dfrac{X-m}{2}$으로 놓으면

확률변수 Z는 표준정규분포 $N(0, 1)$을 따른다.

$P(X \le 8)+P(Y \le 8)=1$에서

$P\left(Z \le \dfrac{8-m}{2}\right)+P\left(Z \le \dfrac{8-2m}{\sigma}\right)=1$

$\dfrac{8-m}{2}=-\dfrac{8-2m}{\sigma}$

$\dfrac{8-2m}{\sigma}$ 0 $\dfrac{8-m}{\sigma}$ z

㉠에서 $-\dfrac{8-2m}{\sigma}=1$이므로 $\dfrac{8-m}{2}=1$ $\therefore m=6$

$m=6$을 ㉠에 대입하면 $\sigma=4$

STEP C $P(X \le \sigma)$의 값 구하기

확률변수 X는 정규분포 $N(6, 2^2)$을 따르므로

$P(X \le \sigma)=P(X \le 4)=P\left(Z \le \dfrac{4-6}{2}\right)$

$=P(Z \le -1)$

$=0.1587$

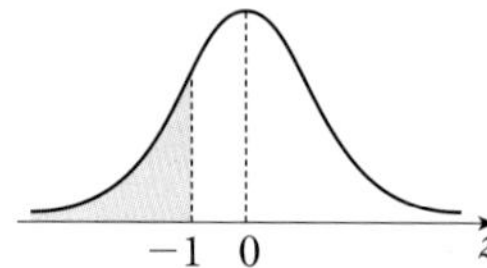

1376

 ⑤

STEP A $f(x-2)=g(x+2)$을 만족하는 두 곡선 $f(x)$, $g(x)$의 관계식 구하기

모든 실수 x에 대하여 $f(x-2)=g(x+2)$

즉 $f(x)=g(x+4)$가 성립한다.

즉 함수 $y=f(x)$의 그래프는 함수 $y=g(x)$의 그래프를 x축의 방향으로 -4만큼 평행이동한 것이다.

STEP B 확률변수 X의 평균과 표준편차를 각각 m, σ라 할 때, 참, 거짓 판단하기

ㄱ. 함수 $y=f(x)$의 그래프는 정규분포곡선의 성질에 의하여 직선 $x=m$에 대하여 대칭이므로 함수 $y=g(x)$의 그래프는 직선 $x=m+4$에 대하여 대칭이다. 즉 $E(Y)=m+4$

$E(2X+3)=2E(X)+3=2m+3$

$E(2Y-5)=2E(Y)-5=2(m+4)-5=2m+3$

이므로 $E(2X+3)=E(2Y-5)$ [참]

ㄴ. 함수 $y=f(x)$의 그래프는 함수 $y=g(x)$의 그래프를 x축의 방향으로 -4만큼 평행이동한 것이므로 표준편차는 변화가 없다.

즉 $V(X)=V(Y)=\sigma^2$

$V(2X+3)=2^2V(X)=4V(X)$

$V(-2Y+1)=(-2)^2V(Y)=4V(Y)$이므로

$V(2X+3)=V(-2Y+1)$ [참]

ㄷ. 확률변수 X는 정규분포 $N(m, \sigma^2)$을 따르므로

확률변수 $Z_1=\dfrac{X-m}{\sigma}$은 표준정규분포 $N(0, 1)$을 따른다.

또한, 확률변수 Y는 정규분포 $N(m+4, \sigma^2)$을 따르므로

확률변수 $Z_2=\dfrac{Y-(m+4)}{\sigma}$는 표준정규분포 $N(0, 1)$을 따른다.

$P(a-4 \le X \le a)=P\left(\dfrac{a-4-m}{\sigma} \le Z_1 \le \dfrac{a-m}{\sigma}\right)$

$P(a \le Y \le a+4)=P\left(\dfrac{a-(m+4)}{\sigma} \le Z_2 \le \dfrac{a+4-(m+4)}{\sigma}\right)$

$=P\left(\dfrac{a-4-m}{\sigma} \le Z_2 \le \dfrac{a-m}{\sigma}\right)$

이므로 $P(a-4 \le X \le a)=P(a \le Y \le a+4)$ [참]

따라서 옳은 것은 ㄱ, ㄴ, ㄷ이다.

1377

STEP A $P(|X| \le a)=P(|Y| \le b)$의 양변을 각각 표준화하기

확률변수 X, Y는 각각 정규분포 $N(0, \sigma^2)$, $N\left(0, \left(\dfrac{\sigma}{2}\right)^2\right)$을 따른다.

$P(|X| \le a)=P\left(|Z| \le \dfrac{a-0}{\sigma}\right)=P\left(|Z| \le \dfrac{a}{\sigma}\right)$

$P(|Y| \le b)=P\left(|Z| \le \dfrac{b-0}{\frac{\sigma}{2}}\right)=P\left(|Z| \le \dfrac{2b}{\sigma}\right)$

이므로 $P(|X| \le a)=P(|Y| \le b)$에서 $a=2b$

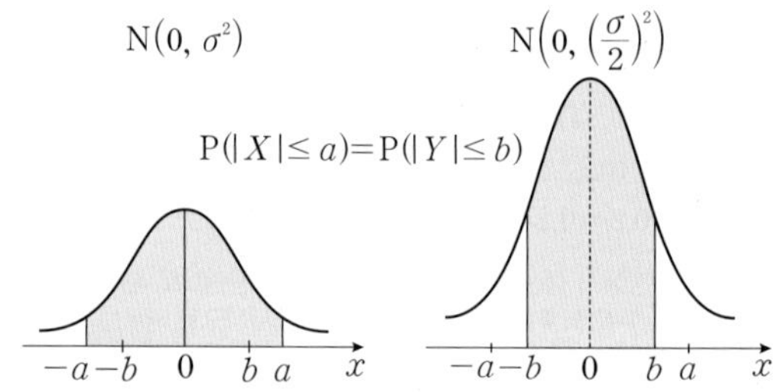

STEP B [보기]의 참, 거짓 판단하기

ㄱ. $a=2b$이고 $a>0$, $b>0$이므로 $a>b$ [참]

ㄴ. $P\left(Y>\dfrac{a}{2}\right)=P(Y>b)$이므로 $P\left(Z>\dfrac{b-0}{\frac{\sigma}{2}}\right)=P\left(Z>\dfrac{2b}{\sigma}\right)$ [참]

ㄷ. $P(Y>b)=1-P(Y \le b)=0.3$이므로

$P(|Y| \le b)=1-P(|Y|>b)=1-2P(Y>b)=1-2\times0.3=0.4$

$P(|X| \le a)=P(|Y| \le b)=0.4$ [거짓]

$P(0 \le Y \le b)=P(Y \le b)-P(Y \le 0)=0.7-0.5=0.2$

이므로 $P(|Y| \le b)=2P(0 \le Y \le b)=2\times0.2=0.4$

따라서 옳은 것은 ㄱ, ㄴ이다.

1378

STEP A 조건 (가)를 만족하는 두 표준편차 σ_1, σ_2의 관계식 구하기

조건 (가)에서 $P(10 \le X \le 30)=P(50 \le Y \le 60)$이므로

$P\left(\dfrac{10-30}{\sigma_1} \le Z \le \dfrac{30-30}{\sigma_1}\right)=P\left(\dfrac{50-50}{\sigma_2} \le Z \le \dfrac{60-50}{\sigma_2}\right)$

$P\left(-\dfrac{20}{\sigma_1} \le Z \le 0\right)=P\left(0 \le Z \le \dfrac{10}{\sigma_2}\right)$

$P\left(0 \le Z \le \dfrac{20}{\sigma_1}\right)=P\left(0 \le Z \le \dfrac{10}{\sigma_2}\right)$

즉 $\dfrac{20}{\sigma_1}=\dfrac{10}{\sigma_2}$이므로 $\sigma_1=2\sigma_2$ ...... ㉠

STEP B 조건 (나)를 만족하는 σ_1, σ_2의 값 구하기

조건 (나)에서 $P(30 \le X \le 50)+P(40 \le Y \le 50)=0.9544$이므로

$P\left(0 \le Z \le \dfrac{20}{\sigma_1}\right)+P\left(0 \le Z \le \dfrac{10}{\sigma_2}\right)=0.9544$

$P\left(0 \le Z \le \dfrac{20}{\sigma_1}\right)+P\left(0 \le Z \le \dfrac{20}{\sigma_1}\right)=0.9544$

$2P\left(0 \le Z \le \dfrac{20}{\sigma_1}\right)=0.9544$

$\therefore \mathrm{P}\left(0 \le Z \le \frac{20}{\sigma_1}\right)=0.4772$

이때 $\mathrm{P}(0 \le Z \le 2)=0.4772$이므로 $\frac{20}{\sigma_1}=2$

$\sigma_1=10$ …… ㉡

㉡을 ㉠에 대입하면 $\sigma_2=5$

STEP Ⓒ **$1000p$의 값 구하기**

따라서 구하는 확률은

$\mathrm{P}(30 \le X \le 40)+\mathrm{P}(50 \le Y \le 65)$

$=\mathrm{P}\left(\frac{30-30}{10} \le Z \le \frac{40-30}{10}\right)+\mathrm{P}\left(\frac{50-50}{5} \le Z \le \frac{65-50}{5}\right)$

$=\mathrm{P}(0 \le Z \le 1)+\mathrm{P}(0 \le Z \le 3)$

$=0.3413+0.4987=0.8400$

$\therefore 1000p=1000 \times 0.8400=840$

1379

8185

STEP Ⓐ **점 P의 좌표가 35 이상 80 이하인 동전의 앞면이 나오는 횟수의 범위 구하기**

동전의 앞면이 나오는 횟수를 확률변수 X라고 하면

뒷면이 나오는 횟수는 $100-X$이므로 $35 \le 2X-(100-X) \le 80$

$135 \le 3X \le 180 \quad \therefore 45 \le X \le 60$

STEP Ⓑ **이항분포를 따르는 확률변수 X의 평균과 분산 구하기**

확률변수 X는 이항분포 $\mathrm{B}\left(100, \frac{1}{2}\right)$을 따르므로

$\mathrm{E}(X)=100 \times \frac{1}{2}=50,\ \mathrm{V}(X)=100 \times \frac{1}{2} \times \frac{1}{2}=25$

이때 100은 충분히 크므로

확률변수 X는 근사적으로 정규분포 $\mathrm{N}(50, 5^2)$을 따르고

$Z=\frac{X-50}{5}$은 표준정규분포 $\mathrm{N}(0, 1)$을 따른다.

STEP Ⓒ **$\mathrm{P}(45 \le X \le 60)$의 값 구하기**

따라서 구하는 확률은

$\mathrm{P}(45 \le X \le 60)=\mathrm{P}\left(\frac{45-50}{5} \le \frac{X-50}{5} \le \frac{60-50}{5}\right)$

$=\mathrm{P}(-1 \le Z \le 2)$

$=\mathrm{P}(0 \le Z \le 1)+\mathrm{P}(0 \le Z \le 2)$

$=0.3413+0.4772=0.8185$

$\therefore 10000p=8185$

1380

②

STEP Ⓐ **조건 (가)에서 정규분포곡선의 이해하기**

$\sigma_1=\sigma_2$이므로 표준편차가 같은 정규분포곡선의 모양은 항상 일정하다.

확률변수 X, Y는 표준편차가 같은 정규분포를 따르고

조건 (가)에 의하여 $m_1<24<28<m_2$

$f(24)=g(28)$인 확률밀도함수 $f(x)$, $g(x)$의 그래프의 개형은 다음과 같다.

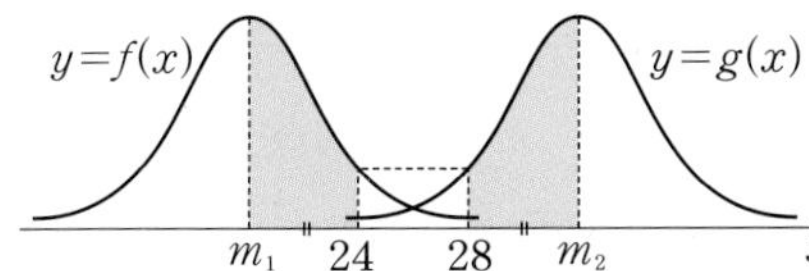

$\sigma_1=\sigma_2=\sigma$라 하자.

$\mathrm{P}(m_1 \le X \le 24)=\mathrm{P}(28 \le Y \le m_2)=0.4772$

$\mathrm{P}\left(0 \le Z \le \frac{24-m_1}{\sigma}\right)=\mathrm{P}\left(\frac{28-m_2}{\sigma} \le Z \le 0\right)=0.4772$

$\mathrm{P}(0 \le Z \le 2)=\mathrm{P}(-2 \le Z \le 0)=0.4772$이므로

$\frac{24-m_1}{\sigma}=2,\ \frac{28-m_2}{\sigma}=-2$

$\therefore 24-m_1=2\sigma,\ m_2-28=2\sigma$ …… ㉠

STEP Ⓑ **조건 (나)에서 $\mathrm{P}(Y \ge 36)=1-\mathrm{P}(X \le 24)$임을 이용하기**

조건 (나)에 의하여

$\mathrm{P}(Y \ge 36)=1-\mathrm{P}(X \le 24)=1-\mathrm{P}(Z \le 2)=\mathrm{P}(Z \ge 2)$

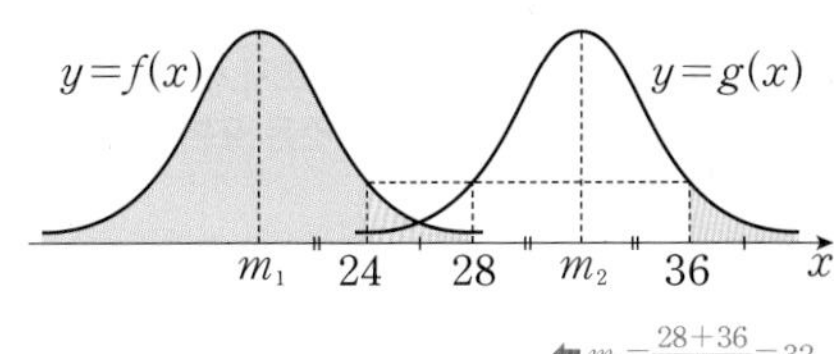

⬅ $m_2=\frac{28+36}{2}=32$

$\frac{36-m_2}{\sigma}=2,\ 36-m_2=2\sigma$ …… ㉡

㉠, ㉡에 의하여 $m_2-28=36-m_2$

$m_2=32$이므로 $\sigma=2,\ m_1=20$

STEP Ⓒ **$\mathrm{P}(18 \le X \le 21)$의 값 구하기**

따라서 확률변수 X는 정규분포 $\mathrm{N}(20, 2^2)$을 따르므로

$\mathrm{P}(18 \le X \le 21)=\mathrm{P}\left(\frac{18-20}{2} \le Z \le \frac{21-20}{2}\right)=\mathrm{P}(-1 \le Z \le 0.5)$

$=0.3413+0.1915$

$=0.5328$

1381

6915

STEP Ⓐ **확률변수 X를 표준화하기**

확률변수 X가 정규분포 $\mathrm{N}\left(t, \left(\frac{1}{t^2}\right)^2\right)$를 따르므로

$\mathrm{G}(t)=\mathrm{P}\left(X \le \frac{3}{2}\right)=\mathrm{P}\left(\frac{X-t}{\frac{1}{t^2}} \le \frac{\frac{3}{2}-t}{\frac{1}{t^2}}\right)=\mathrm{P}\left(Z \le \frac{3}{2}t^2-t^3\right)$

STEP Ⓑ **$\frac{3}{2}t^2-t^3$의 최댓값 구하기**

$f(t)=\frac{3}{2}t^2-t^3(t>0)$이라 하면

$f(t)$의 값이 커질수록 함수 $\mathrm{G}(t)=\mathrm{P}(Z \le f(t))$의 값도 커지므로

함수 $f(t)$가 최대일 때, 함수 $\mathrm{G}(t)$도 최댓값을 갖는다.

$f(t)=\frac{3}{2}t^2-t^3(t>0)$

$f'(t)=3t-3t^2=3t(1-t)$

$f'(t)=0$에서 $t=0$ 또는 $t=1$

$t>0$에서 함수 $f(t)$의 증가와 감소를 표로 나타내면 다음과 같다.

t	(0)	$\cdots$	1	$\cdots$
$f'(t)$	(0)	+	0	−
$f(t)$	(0)	↗	$\frac{1}{2}$	↘

함수 $f(t)$는 $t=1$일 때,

최댓값 $\frac{1}{2}$을 갖는다.

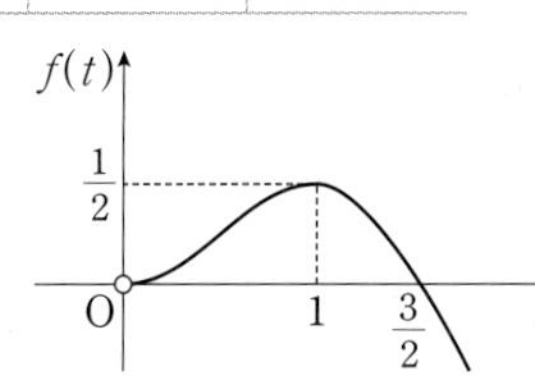

STEP Ⓒ **$t=1$일 때, 표준화하여 $\mathrm{G}(t)$의 값 구하기**

따라서 $t=1$일 때, $\mathrm{G}(t)$도 최댓값을 가지므로 구하는 최댓값은

$\mathrm{G}(1)=\mathrm{P}\left(Z \le \frac{1}{2}\right)$

$=\mathrm{P}(Z \le 0)+\mathrm{P}(0 \le Z \le 0.5)$

$=0.5+0.1915=0.6915$

$\therefore 10000p=6915$

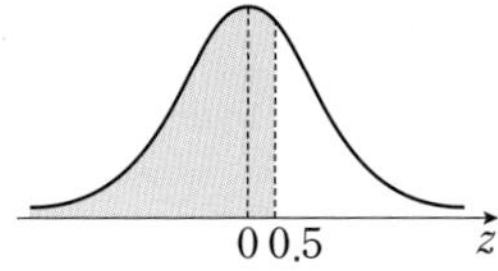

05 통계적 추정

STEP 1 내신정복기출유형

1382

정답 ⑤

STEP A 모집단 전체를 조사하는 것은 전수조사, 모집단에서 표본을 추출하여 그 자료의 성질을 조사하는 것은 표본조사임을 이용하여 구하기

① 형광등의 수명 시간 조사는 모든 형광등을 수집하여 조사를 할 수 없으므로 표본조사이다.
② 어느 TV프로그램의 시청률은 모든 시청자를 수집하여 시청률을 조사 할 수 없으므로 표본조사이다.
③ 우리나라 고등학생의 하루 평균 수면시간은 모든 고등학생을 조사할 수 없으므로 표본조사이다.
④ 올해의 쌀 예상 수확량은 모든 쌀 수확량을 조사를 할 수 없으므로 표본조사이다.
⑤ 어느 고등학교 2학년 학생들의 기말고사 수학 성적의 평균은 모든 학생을 대상으로 해야 하므로 전수조사이다.

따라서 전수조사가 적합한 것은 ⑤이다.

1383

정답 ①

STEP A 모집단 전체를 조사하는 것을 전수조사, 모집단에서 표본을 추출하여 그 자료의 성질을 조사하는 것을 표본조사임을 이용하여 구하기

① 병역 의무자의 징병검사 해당 인원에 대하여 모두 검사를 해야 하므로 전수조사이다.
② 자동차 충돌 안정성 조사는 전체 자동차를 모두 수집하여 조사를 할 수 없으므로 표본조사이다.
③ 어느 지역의 공기 오염도 조사는 전 지역 공기를 모두 수집하여 조사를 할 수 없으므로 표본조사이다.
④ 한강의 수질 오염도 조사는 전체 강의 물을 모두 수집하여 조사를 할 수 없으므로 표본조사이다.
⑤ 투표 후 유권자들에 대한 출구 조사는 투표한 유권자의 일부에 대해 조사하므로 표본조사이다.

따라서 전수조사가 적합한 것은 ①이다.

1384

정답 ③

STEP A 모집단에서 추출하는 경우의 수 구하기

1부터 6까지의 자연수가 하나씩 적혀 있는 6개의 공을 모집단으로 하여 표본의 크기가 2인 표본을 다음 조건으로 추출하면

(가) 복원추출하는 경우의 수는 $a={}_6\Pi_2=6^2=36$
(나) 비복원추출로 공을 하나씩 뽑는 경우의 수는 $b={}_6P_2=6\times5=30$
(다) 비복원추출로 공을 동시에 뽑는 경우의 수는 $c={}_6C_2=15$

STEP B $a+b+c$의 값 구하기

따라서 $a+b+c=36+30+15=81$

내신연계 출제문항 589

5개의 대상을 갖는 모집단 $\{1, 2, 3, 4, 5\}$에서 크기가 2인 표본을 비복원추출하는 방법의 수는 a가지가 있고 복원추출하는 방법은 b가지가 있다. 이때 $a+b$의 값은? (단, 비복원추출하는 경우에 표본이 추출되는 순서는 고려하지 않는다.)

① 10 ② 20 ③ 25
④ 30 ⑤ 35

STEP A 조합을 이용하여 비복원추출하는 방법의 수 구하기

순서를 고려하지 않고 비복원추출하는 방법의 수는 $a={}_5C_2=10$

STEP B 중복순열을 이용하여 복원추출하는 방법의 수 구하기

복원 추출하는 방법의 수는 $b=5\times5=25$
따라서 $a+b=35$

정답 ⑤

1385

정답 ④

STEP A X의 확률분포를 표로 나타내기

모집단의 확률변수 X의 확률분포를 표로 나타내면 다음과 같다.

X	0	2	4	합계
$P(X=x)$	$\frac{1}{3}$	$\frac{1}{2}$	$\frac{1}{6}$	1

첫 번째 뽑은 수를 X_1, 두 번째 뽑은 수를 X_2라 할 때, $\overline{X}$는 다음 표와 같다.

X_1 \ X_2	0	2	4
0	0	1	2
2	1	2	3
4	2	3	4

STEP B $P(\overline{X}<2)=P(\overline{X}=0)+P(\overline{X}=1)$임을 이용하여 구하기

따라서 확률변수 $\overline{X}$가 갖는 값은 0, 1, 2, 3, 4이므로

$P(\overline{X}<2)=P(\overline{X}=0)+P(\overline{X}=1)=\frac{1}{3}\times\frac{1}{3}+\frac{1}{3}\times\frac{1}{2}\times2=\frac{1}{9}+\frac{1}{3}=\frac{4}{9}$

1386

정답 ④

STEP A 크기가 2인 표본평균 구하기

모집단에서 크기가 2인 표본을 복원추출할 때, 그 표본평균이 $\overline{X}$이므로 $\overline{X}$의 값은 1, 2, 3, 4, 5이다.

$P(\overline{X}=1)=\frac{1}{4}\times\frac{1}{4}=\frac{1}{16}$ ← $\overline{X}=1$인 경우 (1, 1)

$P(\overline{X}=2)=\frac{1}{4}\times\frac{1}{2}+\frac{1}{2}\times\frac{1}{4}=\frac{1}{4}$ ← $\overline{X}=2$인 경우 (1, 3), (3, 1)

$P(\overline{X}=3)=\frac{1}{2}\times\frac{1}{2}+2\times\frac{1}{4}\times\frac{1}{4}=\frac{3}{8}$ ← $\overline{X}=3$인 경우 (3, 3), (1, 5), (5, 1)

$P(\overline{X}=4)=\frac{1}{2}\times\frac{1}{4}+\frac{1}{4}\times\frac{1}{2}=\frac{1}{4}$ ← $\overline{X}=4$인 경우 (3, 5), (5, 3)

$P(\overline{X}=5)=\frac{1}{4}\times\frac{1}{4}=\frac{1}{16}$ ← $\overline{X}=5$인 경우 (5, 5)

이를 표로 나타내면 다음과 같다.

$\overline{X}$	1	2	3	4	5	합계
$P(\overline{X}=x)$	$\frac{1}{16}$	$\frac{1}{4}$	$\frac{3}{8}$	$\frac{1}{4}$	$\frac{1}{16}$	1

STEP B $P(\overline{X}\le3)$인 확률 구하기

따라서 $P(\overline{X}\le3)=P(\overline{X}=1)+P(\overline{X}=2)+P(\overline{X}=3)=\frac{1}{16}+\frac{1}{4}+\frac{3}{8}=\frac{11}{16}$

내신연계 출제문항 590

다음은 어느 모집단에서 확률변수 X의 확률분포를 표로 나타낸 것이다.

X	2	4	6	합계
$\mathrm{P}(X=x)$	$\frac{1}{4}$	$\frac{1}{2}$	$\frac{1}{4}$	1

이 모집단에서 크기가 2인 표본을 임의추출할 때, 표본평균 $\overline{X}$에 대하여 확률 $\mathrm{P}(\overline{X} \le 3)$은?

① $\frac{1}{16}$ ② $\frac{1}{8}$ ③ $\frac{3}{16}$
④ $\frac{1}{4}$ ⑤ $\frac{5}{16}$

STEP Ⓐ X의 확률분포를 표로 나타내기

모집단의 확률변수 X의 확률분포를 표로 나타내면 다음과 같다.

X	2	4	6	합계
$\mathrm{P}(X=x)$	$\frac{1}{4}$	$\frac{1}{2}$	$\frac{1}{4}$	1

첫 번째 뽑은 수를 X_1, 두 번째 뽑은 수를 X_2라 할 때, $\overline{X}$는 다음 표와 같다.

X_1 \ X_2	2	4	6
2	2	3	4
4	3	4	5
6	4	5	6

STEP Ⓑ $\mathrm{P}(\overline{X} \le 3)=\mathrm{P}(\overline{X}=3)+\mathrm{P}(\overline{X}=2)$임을 이용하여 구하기

$\mathrm{P}(\overline{X}=3)=2\mathrm{P}(X=4)\times\mathrm{P}(X=2)=2\times\frac{1}{2}\times\frac{1}{4}=\frac{1}{4}$

$\mathrm{P}(\overline{X}=2)=\mathrm{P}(X=2)\times\mathrm{P}(X=2)=\frac{1}{4}\times\frac{1}{4}=\frac{1}{16}$

따라서 $\mathrm{P}(\overline{X} \le 3)=\mathrm{P}(\overline{X}=3)+\mathrm{P}(\overline{X}=2)=\frac{1}{4}+\frac{1}{16}=\frac{5}{16}$ 정답 ⑤

1387

정답 ④

STEP Ⓐ X의 확률분포를 표로 나타내기

모집단의 확률변수 X의 확률분포를 표로 나타내면 다음과 같다.

X	2	4	6	8	합계
$\mathrm{P}(X=x)$	$\frac{1}{10}$	$\frac{1}{5}$	$\frac{3}{10}$	$\frac{2}{5}$	1

첫 번째 뽑은 수를 X_1, 두 번째 뽑은 수를 X_2라 할 때, $\overline{X}$는 다음 표와 같다.

X_1 \ X_2	2	4	6	8
2	2	3	4	5
4	3	4	5	6
6	4	5	6	7
8	5	6	7	8

STEP Ⓑ $\mathrm{P}(\overline{X}=6)$의 값 구하기

따라서 $\overline{X}=6$인 경우는 4와 8, 8과 4, 6과 6을 추출하는 경우이므로

$\mathrm{P}(\overline{X}=6)$

$=\mathrm{P}(X=4)\times\mathrm{P}(X=8)+\mathrm{P}(X=8)\times\mathrm{P}(X=4)+\mathrm{P}(X=6)\times\mathrm{P}(X=6)$

$=\frac{1}{5}\times\frac{2}{5}+\frac{2}{5}\times\frac{1}{5}+\frac{3}{10}\times\frac{3}{10}=\frac{4}{25}+\frac{9}{100}$

$=\frac{25}{100}=\frac{1}{4}$

1388

정답 ②

STEP Ⓐ $\mathrm{P}(\overline{X}=3)=\frac{3}{16}$임을 이용하여 a, b의 관계식 구하기

모집단에서 임의추출한 크기가 2인 표본을 (X_1, X_2)라 하면

$\overline{X}=\frac{X_1+X_2}{2}=3$에서 $X_1+X_2=6$이므로

$\overline{X}=3$인 경우는 $(2, 4)$, $(3, 3)$, $(4, 2)$일 때이다.

$\mathrm{P}(\overline{X}=3)=a\times\frac{1}{2}+b\times b+\frac{1}{2}\times a=a+b^2$

즉 $a+b^2=\frac{3}{16}$ …… ㉠

STEP Ⓑ 모든 확률의 합이 1임을 이용하여 a, b의 관계식 구하기

확률변수 X의 확률분포를 표로 나타낸 표에서 모든 확률의 합은 1이므로

$\frac{1}{8}+a+b+\frac{1}{2}=1$, $a=\frac{3}{8}-b$ …… ㉡

STEP Ⓒ a, b의 값을 구하여 $\mathrm{P}(\overline{X}=2)$의 값 구하기

㉡을 ㉠에 대입하면

$\frac{3}{8}-b+b^2=\frac{3}{16}$, $16b^2-16b+3=0$, $(4b-1)(4b-3)=0$

$b=\frac{1}{4}$ 또는 $b=\frac{3}{4}$

㉡에서 $b\le\frac{3}{8}$이므로 $b=\frac{1}{4}$, $a=\frac{1}{8}$

따라서 $\overline{X}=2$인 경우는 $(1, 3)$, $(2, 2)$, $(3, 1)$일 때이므로

$\mathrm{P}(\overline{X}=2)=\frac{1}{8}\times\frac{1}{4}+\frac{1}{8}\times\frac{1}{8}+\frac{1}{4}\times\frac{1}{8}=\frac{5}{64}$

1389

정답 ⑤

STEP Ⓐ X의 확률분포를 나타낸 표 만들기

한 번의 시행에서 공에 적혀 있는 수를 확률변수 X라 하면
X의 확률분포를 나타낸 표는 다음과 같다.

X	1	2	3	합계
$\mathrm{P}(X=x)$	$\frac{1}{8}$	$\frac{1}{4}$	$\frac{5}{8}$	1

STEP Ⓑ $\overline{X}=2$가 되는 순서쌍을 구한 후 $\mathrm{P}(\overline{X}=2)$의 값 구하기

첫 번째, 두 번째 꺼낸 공에 적혀 있는 수의 순서쌍을 (X_1, X_2)라 하면

$\overline{X}=\frac{X_1+X_2}{2}=2$이려면 $X_1+X_2=4$이므로

순서쌍은 $(1, 3)$, $(2, 2)$, $(3, 1)$

(ⅰ) $(X_1, X_2)=(1, 3)$일 확률은 $\frac{1}{8}\times\frac{5}{8}=\frac{5}{64}$

(ⅱ) $(X_1, X_2)=(2, 2)$일 확률은 $\frac{2}{8}\times\frac{2}{8}=\frac{4}{64}$

(ⅲ) $(X_1, X_2)=(3, 1)$일 확률은 $\frac{5}{8}\times\frac{1}{8}=\frac{5}{64}$

(ⅰ)~(ⅲ)에서 구하는 확률은 $\mathrm{P}(\overline{X}=2)=\frac{5+4+5}{64}=\frac{14}{64}=\frac{7}{32}$

1390

정답 ③

STEP A 세 개의 수의 평균 $\overline{X}=2$인 경우 구하기

모집단에서 임의추출한 크기가 3인 표본을 (X_1, X_2, X_3)라 하면

$\overline{X}=\dfrac{X_1+X_2+X_3}{3}=2$에서 $X_1+X_2+X_3=6$이므로

$\overline{X}=2$인 경우는 $(1, 1, 4)$, $(1, 2, 3)$, $(2, 2, 2)$이다.

⬅ $6=1+1+4=1+2+3=2+2+2$

STEP B 세 수의 합이 6인 확률 구하기

(ⅰ) $(1, 1, 4)$인 경우

$(1, 1, 4)$를 일렬로 나열하는 경우의 수는 $\dfrac{3!}{2!}=3$

숫자 1이 나올 확률은 주머니 A를 선택하고 1을 뽑아야 하므로

$\dfrac{1}{2}\times\dfrac{1}{2}=\dfrac{1}{4}$

숫자 4가 나올 확률은 주머니 B를 선택하고 4를 뽑아야 하므로

$\dfrac{1}{2}\times\dfrac{1}{3}=\dfrac{1}{6}$

즉 $(1,1,4)$가 나올 확률은 $3\times\dfrac{1}{4}\times\dfrac{1}{4}\times\dfrac{1}{6}=\dfrac{1}{32}$

(ⅱ) $(1, 2, 3)$인 경우

$(1, 2, 3)$을 일렬로 나열하는 경우의 수는 $3!$

숫자 1이 나올 확률은 주머니 A를 선택하고, 1을 뽑아야 하므로

$\dfrac{1}{2}\times\dfrac{1}{2}=\dfrac{1}{4}$

숫자 2가 나올 확률은 주머니 A를 선택하고, 2를 뽑아야 하므로

$\dfrac{1}{2}\times\dfrac{1}{2}=\dfrac{1}{4}$

숫자 3이 나올 확률은 주머니 B를 선택하고, 3을 뽑아야 하므로

$\dfrac{1}{2}\times\dfrac{1}{3}=\dfrac{1}{6}$

즉 $(1, 2, 3)$이 나올 확률은 $3!\times\dfrac{1}{4}\times\dfrac{1}{4}\times\dfrac{1}{6}=\dfrac{1}{16}$

(ⅲ) $(2, 2, 2)$인 경우

숫자 2가 나올 확률은 A주머니를 선택하고, 2를 뽑아야 하므로

$\dfrac{1}{2}\times\dfrac{1}{2}=\dfrac{1}{4}$

즉 $(2, 2, 2)$일 확률은 $1\times\dfrac{1}{4}\times\dfrac{1}{4}\times\dfrac{1}{4}=\dfrac{1}{64}$

STEP C $\mathrm{P}(\overline{X}=2)$의 값 구하기

(ⅰ)~(ⅲ)에서 $\mathrm{P}(\overline{X}=2)=\dfrac{1}{32}+\dfrac{1}{16}+\dfrac{1}{64}=\dfrac{7}{64}$

따라서 $p=64$, $q=7$이므로 $p+q=71$

내신연계 출제문항 591

모집단의 확률변수 X의 확률분포를 표로 나타내면 다음과 같다.

X	0	2	5	7	합계
$\mathrm{P}(X=x)$	$\frac{1}{4}$	$\frac{1}{6}$	a	b	1

이 모집단에서 크기가 3인 표본을 임의추출하여 구한 표본평균을 $\overline{X}$라 할 때, $\mathrm{P}(\overline{X}=3)=\dfrac{5}{48}$이다. 두 상수 a, b에 대하여 $24ab$의 값은?

① 1　② 2　③ 3
④ 4　⑤ 5

STEP A $\mathrm{P}(\overline{X}=3)=\dfrac{5}{48}$임을 이용하여 a, b의 관계식 구하기

모집단에서 임의추출한 크기가 3인 표본을 (X_1, X_2, X_3)이라 할 때,

$\overline{X}=\dfrac{X_1+X_2+X_3}{3}=3$에서 $X_1+X_2+X_3=9$이므로

$\overline{X}=3$인 경우는 $(0, 2, 7)$, $(2, 2, 5)$ ⬅ $9=0+2+7=2+2+5$

(ⅰ) $(0, 2, 7)$인 경우

$(0, 2, 7)$을 일렬로 나열하는 경우의 수는 $3!=6$

$\mathrm{P}(X=0)=\dfrac{1}{4}$, $\mathrm{P}(X=2)=\dfrac{1}{6}$, $\mathrm{P}(X=7)=b$이므로

$(0, 2, 7)$가 나올 확률은 $6\times\dfrac{1}{4}\times\dfrac{1}{6}\times b=\dfrac{b}{4}$

(ⅱ) $(2, 2, 5)$인 경우

$(2, 2, 5)$를 일렬로 나열하는 경우의 수는 $\dfrac{3!}{2!}=3$

$\mathrm{P}(X=2)=\dfrac{1}{6}$, $\mathrm{P}(X=5)=a$이므로

$(2, 2, 5)$가 나올 확률은 $3\times\dfrac{1}{6}\times\dfrac{1}{6}\times a=\dfrac{a}{12}$

(ⅰ), (ⅱ)에서 $\mathrm{P}(\overline{X}=3)=\dfrac{1}{4}b+\dfrac{1}{12}a=\dfrac{5}{48}$

$\therefore a+3b=\dfrac{5}{4}$ …… ㉠

STEP B 모든 확률의 합이 1임을 이용하여 a, b의 관계식 구하기

확률변수 X의 확률분포를 나타낸 표에서 모든 확률의 합은 1이므로

$\dfrac{1}{4}+\dfrac{1}{6}+a+b=1$

$\therefore a+b=\dfrac{7}{12}$ …… ㉡

㉠, ㉡을 연립하여 풀면 $a=\dfrac{1}{4}$, $b=\dfrac{1}{3}$

STEP C $24ab$의 값 구하기

따라서 $24ab=24\times\dfrac{1}{4}\times\dfrac{1}{3}=2$

정답 ②

1391

STEP A 표본에 대한 설명에 대해 진위판단하기

(가) 표본평균 $\overline{X}$의 평균은 모평균과 같다.

(나) 표본평균 $\overline{X}$의 분산은 표본의 크기 n에 반비례한다.

(다) n이 충분히 크면 표본평균 $\overline{X}$의 분포는 근사적으로 정규분포를 따른다.

1392

정답 ④

STEP A 표본평균의 성질을 이용하여 구하기

모평균을 m, 표본평균을 $\overline{X}$라고 하면

ㄱ. $\overline{X}$와 m은 다를 수 있으므로 항상 옳은 것은 아니다. [거짓]

ㄴ. $\mathrm{E}(\overline{X})=m$이므로 옳다. [참]

ㄷ. $\mathrm{V}(\overline{X})=\dfrac{\sigma^2}{4n}$에서 $\sigma(\overline{X})=\dfrac{\sigma}{2\sqrt{n}}$이므로 $\dfrac{1}{2}$배이다. [참]

따라서 옳은 것은 ㄴ, ㄷ이다.

1393

STEP A $\overline{X}$의 분포를 정규분포로 나타내기

확률변수 X가 정규분포 $\mathrm{N}(m, 2^2)$을 따르므로

표본평균 $\overline{X}$는 정규분포 $\mathrm{N}\left(m, \dfrac{2^2}{4}\right)$, 즉 $\mathrm{N}(m, 1^2)$을 따른다.

STEP B $\overline{X}$와 X의 분포 비교하기

따라서 $\overline{X}$의 분포는 X의 분포와 평균은 같고 표준편차는 작으므로 ③의 그래프와 같아진다.

1394

정답 ②

STEP A **표본평균의 평균, 분산, 표준편차의 성질을 이용하여 진위판단하기**

모집단이 정규분포 $\mathrm{N}(m,\ \sigma^2)$을 따르고 표본의 크기가 각각 $n_1,\ n_2$이므로

$\mathrm{E}(\overline{X})=m,\ \mathrm{V}(\overline{X})=\dfrac{\sigma^2}{n_1},\ \mathrm{E}(\overline{Y})=m,\ \mathrm{V}(\overline{Y})=\dfrac{\sigma^2}{n_2}$

ㄱ. 표본의 크기에 상관없이 $\mathrm{E}(\overline{X})=\mathrm{E}(\overline{Y})=m$이므로
반드시 $n_1=n_2$이라고 할 수 없다. [거짓]

ㄴ. $\mathrm{V}(\overline{X})=\dfrac{\sigma^2}{n_1},\ \mathrm{V}(\overline{Y})=\dfrac{\sigma^2}{n_2}$이므로 $n_1<n_2$이면 $\mathrm{V}(\overline{X})>\mathrm{V}(\overline{Y})$ [거짓]

ㄷ. $\sigma(\overline{X})=\dfrac{\sigma}{\sqrt{n_1}},\ \sigma(\overline{Y})=\dfrac{\sigma}{\sqrt{n_2}}$이므로 $\sigma(\overline{X})=\sigma(\overline{Y})$이면
$\sqrt{n_1}=\sqrt{n_2}\quad \therefore\ n_1=n_2$ [참]

따라서 옳은 것은 ㄷ이다.

내/신/연/계/ 출제문항 592

모평균이 m, 모표준편차가 σ인 정규분포를 따르는 모집단에서 크기가 n_1인 표본을 임의추출하여 얻은 표본평균을 $\overline{X}$, 크기가 n_2인 표본을 임의추출하여 얻은 표본평균을 $\overline{Y}$라고 할 때, 다음 [보기] 중 옳은 것을 모두 고르면?

ㄱ. $\mathrm{E}(\overline{X})=\mathrm{E}(\overline{Y})$
ㄴ. $n_1<n_2$이면 $\mathrm{V}(\overline{X})>\mathrm{V}(\overline{Y})$
ㄷ. $n_1=2n_2$이면 $\sigma(\overline{X})=2\sigma(\overline{Y})$

① ㄱ ② ㄷ ③ ㄱ, ㄴ
④ ㄴ, ㄷ ⑤ ㄱ, ㄴ, ㄷ

STEP A **표본평균의 평균, 분산, 표준편차의 성질을 이용하여 진위판단하기**

모평균이 m, 모표준편차가 σ인 정규분포를 따르는 모집단에서 크기 n_1인 표본을 임의추출하여 얻은 표본평균 $\overline{X}$는 정규분포 $\mathrm{N}\left(m,\ \dfrac{\sigma^2}{n_1}\right)$을 따르고

크기 n_2인 표본을 임의추출하여 얻은 표본평균 $\overline{Y}$는 정규분포 $\mathrm{N}\left(m,\ \dfrac{\sigma^2}{n_2}\right)$을 따른다.

ㄱ. $\mathrm{E}(\overline{X})=\mathrm{E}(\overline{Y})=m$ [참]

ㄴ. $\mathrm{V}(\overline{X})=\dfrac{\sigma^2}{n_1},\ \mathrm{V}(\overline{Y})=\dfrac{\sigma^2}{n_2}$에서 $n_1<n_2$이면 $\mathrm{V}(\overline{X})>\mathrm{V}(\overline{Y})$ [참]

ㄷ. $\sigma(\overline{X})=\dfrac{\sigma}{\sqrt{n_1}},\ \sigma(\overline{Y})=\dfrac{\sigma}{\sqrt{n_2}}$에서 $n_1=2n_2$이면 $\sigma(\overline{X})=\dfrac{\sqrt{2}}{2}\sigma(\overline{Y})$ [거짓]

따라서 옳은 것은 ㄱ, ㄴ이다.  ③

1395

 ④

STEP A **모평균과 표본평균의 평균이 같음을 이용하여 상수 a의 값 구하기**

모평균이 50, 모표준편차가 5이고 표본의 크기가 n이므로

표본평균 $\overline{X}$에 대하여 $\mathrm{E}(\overline{X})=50$

$\therefore\ a=50$

STEP B **표본평균의 표준편차를 이용하여 n의 값 구하기**

$\sigma(\overline{X})=\dfrac{5}{\sqrt{n}}=\dfrac{1}{3}$이므로 $\sqrt{n}=15$

$\therefore\ n=225$

따라서 $a+n=50+225=275$

1396

정답 ③

STEP A **표본의 크기가 n인 표본평균의 평균과 분산 구하기**

모평균이 20 모표준편차가 8이고 표본의 크기가 n이므로

표본평균 $\overline{X}$에 대하여 $\mathrm{E}(\overline{X})=m=20,\ \mathrm{V}(\overline{X})=\dfrac{64}{n}$

$\mathrm{E}(\overline{X})+\mathrm{V}(\overline{X})=24$에서 $20+\dfrac{64}{n}=24$

따라서 $n=16$

내/신/연/계/ 출제문항 593

모평균이 10, 모표준편차가 6인 모집단에서 크기가 n인 표본을 임의추출하여 구한 표본평균을 $\overline{X}$라 하자.

$$\mathrm{E}(\overline{X})+\sigma(\overline{X})=13$$

일 때, 자연수 n의 값은?

① 2 ② 3 ③ 4
④ 5 ⑤ 6

STEP A **표본의 크기가 n인 표본평균의 평균과 표준편차 구하기**

모평균이 10, 모표준편차가 6이고 표본의 크기가 n이므로

표본평균 $\overline{X}$에 대하여 $\mathrm{E}(\overline{X})=\mathrm{E}(X)=10,\ \sigma(\overline{X})=\dfrac{6}{\sqrt{n}}$

$\mathrm{E}(\overline{X})+\sigma(\overline{X})=13$에서 $10+\dfrac{6}{\sqrt{n}}=13$

$\sqrt{n}=2$

따라서 $n=4$  ③

1397

 ③

STEP A **표본의 크기 n 구하기**

모평균이 m 모표준편차가 3이고 표본의 크기가 n이므로

$\mathrm{V}(\overline{X})=\dfrac{3^2}{n}=\dfrac{3}{2}$이므로 $n=6$

STEP B **m의 값 구하기**

따라서 $\mathrm{E}(\overline{X})=m=2n=2\times6=12$

1398

 ①

STEP A **표본의 크기가 n인 표본평균의 표준편차 구하기**

표준편차가 4인 모집단에서 크기가 n인 표본을 임의추출할 때,

표본평균 $\overline{X}$에 대하여 $\sigma(\overline{X})=\dfrac{4}{\sqrt{n}}$

STEP B **n의 최솟값 구하기**

$\dfrac{4}{\sqrt{n}}\le1$에서 $\sqrt{n}\ge4$

$\therefore\ n\ge16$

따라서 n의 최솟값은 16

Ⅲ 통계

1399

정답 ③

STEP Ⓐ **표본의 크기가 n인 표본평균의 평균과 분산 구하기**

확률변수 X의 평균이 20, 표준편차가 4인 모집단에서 크기 8인 표본이므로

표본평균 $\overline{X}$에 대하여 $m=20$, $\sigma^2=16$, $n=8$이므로

$E(\overline{X})=m=20$, $V(\overline{X})=\dfrac{\sigma^2}{n}=\dfrac{16}{8}=2$

STEP Ⓑ **$E(\overline{X}^2)=V(\overline{X})+\{E(\overline{X})\}^2$을 이용하여 구하기**

따라서 $\overline{X}^2$의 평균 $E(\overline{X}^2)$을 구하면

$E(\overline{X}^2)=V(\overline{X})+\{E(\overline{X})\}^2=2+20^2=402$

내/신/연/계/ 출제문항 594

모평균이 m이고 모표준편차가 10인 모집단에서 크기가 25인 표본을 임의추출하였을 때, 표본평균을 $\overline{X}$라 하자. $E(\overline{X}^2)=29$일 때, 양수 m의 값은?

① 5 ② 10 ③ 15
④ 20 ⑤ 25

STEP Ⓐ **표본의 크기가 25인 표본평균의 평균과 분산 구하기**

모평균이 m이고 모표준편차가 10인 모집단에서 크기가 25인 표본이므로

$E(\overline{X})=E(X)=m$, $V(\overline{X})=\dfrac{10^2}{25}=4$

STEP Ⓑ **$V(\overline{X})=E(\overline{X}^2)-\{E(\overline{X})\}^2$을 이용하여 m의 값 구하기**

$V(\overline{X})=E(\overline{X}^2)-\{E(\overline{X})\}^2$에서 $E(\overline{X}^2)=m^2+4$

$m^2+4=29$이므로 $m^2=25$

따라서 $m>0$이므로 $m=5$

 ①

1400

 ①

STEP Ⓐ **크기가 n인 표본평균의 평균과 분산 구하기**

$V(X)=E(X^2)-\{E(X)\}^2=25-3^2=16$이고

$E(\overline{X})=E(X)=3$, $V(\overline{X})=\dfrac{V(X)}{n}=\dfrac{16}{n}$

STEP Ⓑ **$E(\overline{X}^2)=V(\overline{X})+\{E(\overline{X})\}^2$을 이용하여 자연수 n의 값 구하기**

$V(\overline{X})=E(\overline{X}^2)-\{E(\overline{X})\}^2$에서

$E(\overline{X}^2)=V(\overline{X})+\{E(\overline{X})\}^2=\dfrac{16}{n}+9$

따라서 $\dfrac{16}{n}+9=13$에서 $\dfrac{16}{n}=4$이므로 $n=4$

내/신/연/계/ 출제문항 595

모집단의 확률변수 X에 대하여 $E(X)=4$이다. 이 모집단에서 크기가 3인 표본을 임의추출하여 구한 표본평균 $\overline{X}$에 대하여 $E(\overline{X}^2)=25$일 때, $E(X^2)$의 값은?

① 41 ② 43 ③ 45
④ 47 ⑤ 49

STEP Ⓐ **표본의 크기가 3인 표본평균의 평균과 분산 구하기**

$E(\overline{X})=E(X)=4$이므로

$V(\overline{X})=E(\overline{X}^2)-\{E(\overline{X})\}^2=25-4^2=9$

표본의 크기가 3이므로 $V(\overline{X})=\dfrac{V(X)}{3}=9$에서 $V(X)=27$

STEP Ⓑ **$E(X^2)$ 구하기**

따라서 $V(X)=E(X^2)-\{E(X)\}^2$이므로 $E(X^2)=27+4^2=43$

 ②

1401

 ⑤

STEP Ⓐ **표본의 크기가 16인 표본평균의 표준편차 구하기**

표본의 크기가 $n=16$이므로

표본평균 $\overline{X}$의 표준편차 $\sigma(\overline{X})=\dfrac{\sigma}{\sqrt{16}}=1$

$\therefore \sigma=4$

STEP Ⓑ **$V(aX+b)=a^2V(X)$임을 이용하여 구하기**

따라서 $\sigma^2=V(X)=4^2=16$이므로 $V(2X+1)=2^2V(X)=4\times16=64$

1402

 ④

STEP Ⓐ **표본의 크기가 4인 표본평균의 평균과 분산 구하기**

$E(X)=10$, $\sigma(X)=4$이므로

$E(\overline{X})=E(X)=10$, $\sigma(\overline{X})=\dfrac{4}{\sqrt{4}}=2$

STEP Ⓑ **$E(3\overline{X}+2)+\sigma(3\overline{X}+2)$의 값 구하기**

따라서 $E(3\overline{X}+2)+\sigma(3\overline{X}+2)=3E(\overline{X})+2+3\sigma(\overline{X})$

$=3\times10+2+3\times2=38$

내/신/연/계/ 출제문항 596

모평균이 10, 모표준편차가 2인 모집단에서 크기가 4인 표본을 임의추출하여 구한 표본평균을 $\overline{X}$라 할 때, $E(2\overline{X}+1)+V(2\overline{X}+1)$의 값은?

① 21 ② 22 ③ 23
④ 24 ⑤ 25

STEP Ⓐ **표본의 크기가 4인 표본평균의 평균과 분산 구하기**

모평균이 10, 모표준편차가 2이고 표본의 크기가 4이므로

$E(\overline{X})=10$, $V(\overline{X})=\dfrac{2^2}{4}=1$

$E(2\overline{X}+1)=2E(\overline{X})+1=2\times10+1=21$

$V(2\overline{X}+1)=2^2V(\overline{X})=2^2\times1=4$

STEP Ⓑ **$E(2\overline{X}+1)+V(2\overline{X}+1)$의 값 구하기**

따라서 $E(2\overline{X}+1)+V(2\overline{X}+1)=21+4=25$

 ⑤

1403

정답 ④

STEP Ⓐ 이항분포에서 X의 평균과 분산 구하기

모집단의 확률변수를 X라 하면

X는 이항분포 $B\left(12, \frac{1}{2}\right)$을 따르므로

$E(X)=12\times\frac{1}{2}=6$, $V(X)=12\times\frac{1}{2}\times\frac{1}{2}=3$

STEP Ⓑ $\overline{X}$의 분포를 이용하여 $E(\overline{X})+V(\overline{X})$의 값 구하기

모집단에서 크기가 3인 표본의 표본평균 $\overline{X}$에 대하여

$E(\overline{X})=E(X)=6$, $V(\overline{X})=\frac{V(X)}{3}=1$

STEP Ⓒ $E(\overline{X}^2)=V(\overline{X})+\{E(\overline{X})\}^2$의 값 구하기

따라서 $V(\overline{X})=E(\overline{X}^2)-\{E(\overline{X})\}^2$에서

$E(\overline{X}^2)=V(\overline{X})+\{E(\overline{X})\}^2=1+6^2=37$

1404

정답 ③

STEP Ⓐ 이항분포에서 X의 평균과 분산 구하기

확률변수 X의 확률질량함수가

$P(X=r)={}_nC_r\left(\frac{2}{5}\right)^r\left(\frac{3}{5}\right)^{n-r}\ (r=0, 1, 2, \cdots, n)$

이므로 확률변수 X는 이항분포 $B\left(n, \frac{2}{5}\right)$를 따른다.

$E(X)=n\times\frac{2}{5}=\frac{2}{5}n$, $V(X)=n\times\frac{2}{5}\times\frac{3}{5}=\frac{6}{25}n$

STEP Ⓑ 표본의 크기가 6인 표본평균의 평균과 분산 구하기

모집단에서 크기가 6인 표본의 표본평균 $\overline{X}$에 대하여

$E(\overline{X})=E(X)=\frac{2}{5}n$, $V(\overline{X})=\frac{V(X)}{6}=\frac{n}{25}$

STEP Ⓒ $E(\overline{X})+V(\overline{X})=11$을 만족하는 n의 값 구하기

$E(\overline{X})+V(\overline{X})=\frac{2}{5}n+\frac{n}{25}=\frac{11}{25}n=11$

따라서 $n=25$

내신연계 출제문항 597

어느 모집단의 확률변수 X의 확률질량함수가

$$P(X=r)={}_nC_r\left(\frac{1}{3}\right)^r\left(\frac{2}{3}\right)^{n-r}\ (r=0, 1, 2, \cdots, n)$$

일 때, 이 모집단에서 크기가 3인 표본을 임의추출하여 구한 표본평균을 $\overline{X}$라 하자. $E(\overline{X})+V(\overline{X})=22$일 때, 자연수 n의 값은?

① 25　② 34　③ 45
④ 54　⑤ 62

STEP Ⓐ 이항분포에서 X의 평균과 분산 구하기

확률변수 X의 확률질량함수가

$P(X=r)={}_nC_r\left(\frac{1}{3}\right)^r\left(\frac{2}{3}\right)^{n-r}\ (r=0, 1, 2, \cdots, n)$

이므로 확률변수 X는 이항분포 $B\left(n, \frac{1}{3}\right)$을 따른다.

$E(X)=n\times\frac{1}{3}=\frac{n}{3}$, $V(X)=n\times\frac{1}{3}\times\frac{2}{3}=\frac{2}{9}n$

STEP Ⓑ 표본의 크기가 3인 표본평균의 평균과 분산 구하기

모집단에서 크기가 3인 표본의 표본평균 $\overline{X}$에 대하여

$E(\overline{X})=E(X)=\frac{n}{3}$, $V(\overline{X})=\frac{V(X)}{3}=\frac{2}{27}n$

STEP Ⓒ $E(\overline{X})+V(\overline{X})=22$를 만족하는 n의 값 구하기

$E(\overline{X})+V(\overline{X})=\frac{n}{3}+\frac{2}{27}n=\frac{11}{27}n=22$

따라서 $n=54$

정답 ④

1405

정답 ③

STEP Ⓐ 모집단의 평균과 표준편차 구하기

모집단에서 평균과 분산을 구하면

$E(X)=(-1)\times\frac{1}{6}+0\times\frac{1}{3}+1\times\frac{1}{2}=\frac{1}{3}$

$V(X)=(-1)^2\times\frac{1}{6}+0^2\times\frac{1}{3}+1^2\times\frac{1}{2}-\left(\frac{1}{3}\right)^2=\frac{5}{9}$

STEP Ⓑ 표본의 크기가 5인 표본평균 $\overline{X}$의 평균과 분산 구하기

표본의 크기가 5이므로 $E(\overline{X})=\frac{1}{3}$, $V(\overline{X})=\frac{\frac{5}{9}}{5}=\frac{1}{9}$

STEP Ⓒ $E(\overline{X}^2)$의 값 구하기

따라서 $E(\overline{X}^2)=V(\overline{X})+\{E(\overline{X})\}^2=\frac{1}{9}+\left(\frac{1}{3}\right)^2=\frac{2}{9}$

1406

정답 ③

STEP Ⓐ 확률의 합은 1임을 이용하여 a의 값 구하기

확률의 합은 1이므로

$a+\frac{1}{6}+\frac{1}{2}=1$에서 $a=\frac{1}{3}$

STEP Ⓑ $E(X)=E(\overline{X})$임을 이용하기

$E(X)=2\times\frac{1}{3}+4\times\frac{1}{6}+6\times\frac{1}{2}=\frac{13}{3}$

따라서 $E(\overline{X})=E(X)=\frac{13}{3}$이므로 $E\left(\frac{1}{a}\overline{X}\right)=E(3\overline{X})=3E(\overline{X})=3\times\frac{13}{3}=13$

1407

정답 ③

STEP Ⓐ 확률의 합이 1임을 이용하여 a의 값 구하기

확률의 합은 1이므로

$\frac{1}{4}+a+\frac{1}{4}=1\quad\therefore a=\frac{1}{2}$

STEP Ⓑ 표본의 크기가 4인 표본평균 $\overline{X}$의 분산 구하기

모집단의 평균과 분산은

$E(X)=1\times\frac{1}{4}+2\times\frac{1}{2}+3\times\frac{1}{4}=2$

$V(X)=1^2\times\frac{1}{4}+2^2\times\frac{1}{2}+3^2\times\frac{1}{4}-2^2=\frac{1}{2}$

이때 표본의 크기가 4이므로 표본평균 $\overline{X}$의 분산은

$V(\overline{X})=\frac{\frac{1}{2}}{4}=\frac{1}{8}$이므로 $V(4\overline{X})=4^2V(\overline{X})=16\times\frac{1}{8}=2$

내/신/연/계/ 출제문항 598

다음은 어느 모집단의 확률분포표이다.

X	-2	0	1	합계
$\mathrm{P}(X=x)$	$\frac{1}{4}$	a	$\frac{1}{2}$	1

이 모집단에서 크기가 16인 표본을 임의추출하여 구한 표본평균 $\overline{X}$라 할 때, $\sigma(8\overline{X})$의 값은? (단, a는 상수이다.)

① $\frac{\sqrt{6}}{8}$ ② $\frac{\sqrt{6}}{6}$ ③ $\frac{\sqrt{6}}{4}$
④ $\frac{\sqrt{6}}{2}$ ⑤ $\sqrt{6}$

STEP Ⓐ **확률의 합은 1임을 이용하여 a의 값 구하기**

확률의 합이 1이므로

$\frac{1}{4}+a+\frac{1}{2}=1 \quad \therefore a=\frac{1}{4}$

STEP Ⓑ **모집단의 평균과 표준편차 구하기**

모집단에서 평균과 분산을 구하면

$\mathrm{E}(X)=-2\times\frac{1}{4}+1\times\frac{1}{2}=0$

$\mathrm{V}(X)=\mathrm{E}(X^2)-\{\mathrm{E}(X)\}^2=(-2)^2\times\frac{1}{4}+1^2\times\frac{1}{2}-0^2=\frac{3}{2}$

$\sigma(X)=\sqrt{\frac{3}{2}}=\frac{\sqrt{6}}{2}$

STEP Ⓒ **표본의 크기가 16인 표본평균 $\overline{X}$의 표준편차 구하기**

이때 표본의 크기가 16이므로 표본평균 $\overline{X}$의 표준편차는

$\sigma(\overline{X})=\frac{\sigma(X)}{\sqrt{16}}=\frac{\sqrt{6}}{8}$

따라서 $\sigma(8\overline{X})=8\sigma(\overline{X})=8\times\frac{\sqrt{6}}{8}=\sqrt{6}$

 ⑤

1408

 ③

STEP Ⓐ **확률의 합이 1임을 이용하여 a의 값 구하기**

확률의 합은 1이므로

$\frac{2}{5}+a+\frac{1}{5}=1 \quad \therefore a=\frac{2}{5}$

STEP Ⓑ **모집단의 평균과 분산 구하기**

모집단의 평균과 분산은

$\mathrm{E}(X)=0\times\frac{2}{5}+1\times\frac{2}{5}+2\times\frac{1}{5}=\frac{4}{5}$

$\mathrm{V}(X)=0^2\times\frac{2}{5}+1^2\times\frac{2}{5}+2^2\times\frac{1}{5}-\left(\frac{4}{5}\right)^2=\frac{14}{25}$

STEP Ⓒ **표본의 크기가 5인 표본평균 $\overline{X}$의 평균과 분산 구하기**

표본의 크기가 5이므로 표본평균 $\overline{X}$의 평균과 분산은

$\mathrm{E}(\overline{X})=\frac{4}{5},\ \mathrm{V}(\overline{X})=\frac{\frac{14}{25}}{5}=\frac{14}{125}$

따라서 $\mathrm{V}(\overline{X})=\mathrm{E}(\overline{X}^2)-\{\mathrm{E}(\overline{X})\}^2$에서

$\mathrm{E}(\overline{X}^2)=\mathrm{V}(\overline{X})+\{\mathrm{E}(\overline{X})\}^2=\frac{14}{125}+\frac{16}{25}=\frac{94}{125}$

1409

 ①

STEP Ⓐ **확률의 합은 1임을 이용하여 b의 값 구하기**

모든 확률의 합은 1이므로

$\frac{1}{3}+b+\frac{1}{6}=1 \quad \therefore b=\frac{1}{2}$

STEP Ⓑ **$\mathrm{E}(X)=\mathrm{E}(\overline{X})$임을 이용하여 a의 값 구하기**

$\mathrm{E}(X)=\mathrm{E}(\overline{X})=5$이므로

$\mathrm{E}(\overline{X})=2\times\frac{1}{3}+a\times\frac{1}{2}+8\times\frac{1}{6}=5$에서 $a=6$

STEP Ⓒ **$ab\mathrm{V}(\overline{X})$의 값 구하기**

$\mathrm{V}(X)-2^2\times\frac{1}{3}+6^2\times\frac{1}{2}+8^2\times\frac{1}{6}-5^2=5$

표본의 크기가 10이므로 $\mathrm{V}(\overline{X})=\frac{5}{10}=\frac{1}{2}$

따라서 $ab\mathrm{V}(\overline{X})=6\times\frac{1}{2}\times\frac{1}{2}=\frac{3}{2}$

내/신/연/계/ 출제문항 599

어느 모집단의 확률변수 X의 확률분포를 표로 나타내면 다음과 같다.

X	1	2	3	합계
$\mathrm{P}(X=x)$	$\frac{1}{5}$	a	$\frac{4}{5}-a$	1

이 모집단에서 임의추출한 크기가 2인 표본의 표본평균을 $\overline{X}$라 하자. $\mathrm{V}(\overline{X})=\frac{7}{25}$일 때, $\mathrm{E}(\overline{X})$의 값은? (단, a는 상수이다.)

① $\frac{7}{5}$ ② $\frac{8}{5}$ ③ $\frac{9}{5}$
④ 2 ⑤ $\frac{11}{5}$

STEP Ⓐ **모집단의 평균과 분산 구하기**

$\mathrm{E}(X)=1\times\frac{1}{5}+2\times a+3\times\left(\frac{4}{5}-a\right)=\frac{13}{5}-a$

$\mathrm{V}(X)=\mathrm{E}(X^2)-\{\mathrm{E}(X)\}^2=1^2\times\frac{1}{5}+2^2\times a+3^2\times\left(\frac{4}{5}-a\right)-\left(\frac{13}{5}-a\right)^2$

$=-a^2+\frac{1}{5}a+\frac{16}{25}$

STEP Ⓑ **$\mathrm{V}(\overline{X})=\frac{7}{25}$과 표본의 크기가 2임을 이용하여 a의 값 구하기**

이때 표본의 크기가 2이므로 표본평균 $\overline{X}$의 분산은

$\mathrm{V}(\overline{X})=\frac{\mathrm{V}(X)}{2}=\frac{7}{25} \quad \therefore \mathrm{V}(X)=\frac{14}{25}$

즉 $\mathrm{V}(X)=\frac{14}{25}$이므로 $-a^2+\frac{1}{5}a+\frac{16}{25}=\frac{14}{25}$

$25a^2-5a-2=0,\ (5a+1)(5a-2)=0$

$0\le a\le 1$이므로 $a=\frac{2}{5}$

STEP Ⓒ **$\mathrm{E}(\overline{X})$의 값 구하기**

이때 $\mathrm{E}(X)=\frac{13}{5}-a=\frac{13}{5}-\frac{2}{5}=\frac{11}{5}$

따라서 $\mathrm{E}(\overline{X})=\mathrm{E}(X)=\frac{11}{5}$

 ⑤

1410

정답 ①

STEP Ⓐ **확률의 합이 1임을 이용하여 a, b의 관계식 구하기**

확률의 총합은 1이므로

$a+b+\frac{1}{2}=1$에서 $a+b=\frac{1}{2}$ ...... ㉠

STEP Ⓑ **$\mathrm{E}(X)=\mathrm{E}(\overline{X})$임을 이용하여 a, b의 값 구하기**

$\mathrm{E}(X)=\mathrm{E}(\overline{X})=\frac{7}{2}$이므로

$\mathrm{E}(X)=1\times a+3\times b+5\times\frac{1}{2}=a+3b+\frac{5}{2}=\frac{7}{2}$

$a+3b=1$ ...... ㉡

㉠, ㉡을 연립하여 풀면 $a=b=\frac{1}{4}$

STEP Ⓒ **표본평균과 모평균의 관계를 이용하여 표본평균 $\overline{X}$의 분산 구하기**

$\mathrm{V}(X)=\mathrm{E}(X^2)-\{\mathrm{E}(X)\}^2$

$=1^2\times\frac{1}{4}+3^2\times\frac{1}{4}+5^2\times\frac{1}{2}-\left(\frac{7}{2}\right)^2=15-\frac{49}{4}=\frac{11}{4}$

따라서 표본의 크기가 3이므로 $\mathrm{V}(\overline{X})=\frac{\mathrm{V}(X)}{3}=\frac{\frac{11}{4}}{3}=\frac{11}{12}$

내신연계 출제문항 600

모집단의 확률변수 X의 확률분포를 표로 나타내면 다음과 같다.

X	0	2	4	합계
$\mathrm{P}(X=x)$	$\frac{1}{6}$	a	b	1

이 모집단에서 크기가 2인 표본을 임의추출하여 구한 표본평균 $\overline{X}$에 대하여 $\mathrm{E}(\overline{X})=\frac{8}{3}$이다. $\mathrm{V}(\overline{X})$의 값은? (단, a, b는 상수이다.)

① $\frac{5}{9}$ ② $\frac{10}{9}$ ③ $\frac{5}{3}$
④ $\frac{20}{9}$ ⑤ $\frac{25}{9}$

STEP Ⓐ **확률의 합이 1임을 이용하여 a, b의 관계식 구하기**

모든 확률의 합이 1이므로

$\frac{1}{6}+a+b=1$에서 $a+b=\frac{5}{6}$ ...... ㉠

STEP Ⓑ **$\mathrm{E}(X)=\mathrm{E}(\overline{X})$임을 이용하여 a, b의 값 구하기**

$\mathrm{E}(X)=\mathrm{E}(\overline{X})=\frac{8}{3}$이므로

$\mathrm{E}(X)=0\times\frac{1}{6}+2\times a+4\times b=\frac{8}{3}$에서 $a+2b=\frac{4}{3}$ ...... ㉡

㉠, ㉡을 연립하여 풀면 $a=\frac{1}{3}$, $b=\frac{1}{2}$

STEP Ⓒ **표본평균과 모평균의 관계를 이용하여 표본평균 $\overline{X}$의 분산 구하기**

$\mathrm{V}(X)=\mathrm{E}(X^2)-\{\mathrm{E}(X)\}^2$

$=0^2\times\frac{1}{6}+2^2\times\frac{1}{3}+4^2\times\frac{1}{2}-\left(\frac{8}{3}\right)^2=\frac{20}{9}$

따라서 표본의 크기가 2이므로 $\mathrm{V}(\overline{X})=\frac{\mathrm{V}(X)}{2}=\frac{\frac{20}{9}}{2}=\frac{10}{9}$

②

1411

정답 ④

STEP Ⓐ **확률변수 X의 성질에 의하여 상수 a, b의 값 구하기**

확률의 합이 1이므로 $\frac{1}{6}+a+b=1$

$\therefore a+b=\frac{5}{6}$ ...... ㉠

$\mathrm{E}(X^2)=0^2\times\frac{1}{6}+2^2\times a+4^2\times b=\frac{16}{3}$

$\therefore a+4b=\frac{4}{3}$ ...... ㉡

㉠, ㉡을 연립하여 풀면 $a=\frac{4}{6}$, $b=\frac{1}{6}$

STEP Ⓑ **확률변수 X의 평균 $\mathrm{E}(X)$ 구하기**

즉 확률변수 X의 확률분포가 다음 표와 같을 때, 기댓값을 구하면

X	0	2	4	합계
$\mathrm{P}(X=x)$	$\frac{1}{6}$	$\frac{4}{6}$	$\frac{1}{6}$	1

$\mathrm{E}(X)=0\times\frac{1}{6}+2\times\frac{4}{6}+4\times\frac{1}{6}=\frac{12}{6}=2$

STEP Ⓒ **$\mathrm{V}(\overline{X})$의 값 구하기**

$\mathrm{V}(X)=\mathrm{E}(X^2)-\{\mathrm{E}(X)\}^2=\frac{16}{3}-4=\frac{4}{3}$

따라서 임의추출한 크기가 20인 표본의 표본평균 $\overline{X}$에 대하여

$\mathrm{V}(\overline{X})=\frac{1}{20}\times\frac{4}{3}=\frac{1}{15}$

1412

②

STEP Ⓐ **확률의 합이 1임을 이용하기**

모든 확률의 합은 1이므로 $a+b+c=1$ ...... ㉠

STEP Ⓑ **$\mathrm{E}(X)=\mathrm{E}(\overline{X})$임을 이용하여 a, c의 관계식 구하기**

$\mathrm{E}(X)=\mathrm{E}(\overline{X})=\frac{1}{2}$에서

$\mathrm{E}(\overline{X})=-a+2c=\frac{1}{2}$ ...... ㉡

STEP Ⓒ **$\mathrm{V}(X)$를 이용하여 a, c의 관계식 구하기**

표본의 크기가 3이므로

$\mathrm{V}(\overline{X})=\frac{\mathrm{V}(X)}{3}$에서 $\mathrm{V}(X)=3\mathrm{V}(\overline{X})=3\times\frac{7}{20}=\frac{21}{20}$

$\mathrm{V}(X)=(-1)^2\times a+0\times b+2^2\times c-\left(\frac{1}{2}\right)^2=\frac{21}{20}$

에서 $a+4c=\frac{13}{10}$ ...... ㉢

㉡, ㉢을 연립하여 풀면 $a=\frac{1}{10}$, $c=\frac{3}{10}$

㉠에서 $b=\frac{3}{5}$

따라서 $500abc=500\times\frac{1}{10}\times\frac{3}{5}\times\frac{3}{10}=9$

1413

정답 ⑤

STEP Ⓐ **확률의 합이 1임을 이용하여 a, b의 관계식 구하기**

모든 확률의 합은 1이므로

$\frac{1}{12}+\frac{1}{4}+a+b=1$에서 $a+b=\frac{2}{3}$ ······ ㉠

STEP Ⓑ $\mathrm{E}(X)=\mathrm{E}(\overline{X})=5$**임을 이용하여 a, b의 값 구하기**

$\mathrm{E}(2\overline{X}+3)=2\mathrm{E}(\overline{X})+3=13$에서 $\mathrm{E}(\overline{X})=5$

이때 $\mathrm{E}(X)=\mathrm{E}(\overline{X})=5$이므로 $3\times\frac{1}{12}+4\times\frac{1}{4}+5a+6b=5$

$5a+6b=\frac{15}{4}$ ······ ㉡

㉠, ㉡을 연립하여 풀면 $a=\frac{1}{4}$, $b=\frac{5}{12}$

STEP Ⓒ $\mathrm{V}(4\overline{X}+1)$**의 값 구하기**

$\mathrm{V}(X)=3^2\times\frac{1}{12}+4^2\times\frac{1}{4}+5^2\times\frac{1}{4}+6^2\times\frac{5}{12}-5^2=1$

따라서 표본의 크기가 4이므로

$\mathrm{V}(4\overline{X}+1)=16\mathrm{V}(\overline{X})=16\times\frac{\mathrm{V}(X)}{4}=4\mathrm{V}(X)=4$

내신연계 출제문항 601

모집단의 확률변수 X의 확률분포를 표로 나타내면 다음과 같다.

X	0	2	6	합계
$\mathrm{P}(X=x)$	$\frac{1}{6}$	a	b	1

이 모집단에서 크기가 n인 표본을 임의추출하여 구한 표본평균을 $\overline{X}$라 하자.

$$\mathrm{E}(3\overline{X}-10)=\mathrm{E}(8-3X)\text{이고 } \mathrm{V}(\overline{X})=\frac{1}{4}$$

일 때, n의 값은? (단, a, b는 상수이다.)

① 5 ② 10 ③ 15
④ 20 ⑤ 25

STEP Ⓐ **확률의 합이 1임을 이용하여 a, b의 관계식 구하기**

모든 확률의 합은 1이므로

$\frac{1}{6}+a+b=1$에서 $a+b=\frac{5}{6}$ ······ ㉠

STEP Ⓑ $\mathrm{E}(X)=\mathrm{E}(\overline{X})$**임을 이용하여 a, b의 값 구하기**

$\mathrm{E}(3\overline{X}-10)=3\mathrm{E}(\overline{X})-10=3\mathrm{E}(X)-10$

$\mathrm{E}(8-3X)=8-3\mathrm{E}(X)$이므로

$\mathrm{E}(3\overline{X}-10)=\mathrm{E}(8-3X)$에서 $3\mathrm{E}(X)-10=8-3\mathrm{E}(X)$

$6\mathrm{E}(X)=18$ $\therefore \mathrm{E}(X)=3$

이때 $\mathrm{E}(X)=0\times\frac{1}{6}+2a+6b=3$

$2a+6b=3$ ······ ㉡

㉠, ㉡을 연립하여 풀면 $a=\frac{1}{2}$, $b=\frac{1}{3}$

STEP Ⓒ $\mathrm{V}(\overline{X})=\frac{1}{4}$**임을 이용하여 n의 값 구하기**

$\mathrm{V}(X)=0\times\frac{1}{6}+2^2\times\frac{1}{2}+6^2\times\frac{1}{3}-3^2=5$이므로

$\mathrm{V}(\overline{X})=\frac{\mathrm{V}(X)}{n}=\frac{1}{4}$에서 $\frac{5}{n}=\frac{1}{4}$

따라서 $n=20$

 ④

1414

정답 ④

STEP Ⓐ $\mathrm{E}(X)=\mathrm{E}(\overline{X})$**임을 이용하여 a의 값 구하기**

모평균 $\mathrm{E}(X)$와 표본평균의 평균 $\mathrm{E}(\overline{X})$는 같으므로

$\mathrm{E}(X)=\mathrm{E}(\overline{X})=18$

$\mathrm{E}(X)=10\times\frac{1}{2}+20\times a+30\times\left(\frac{1}{2}-a\right)$

$=5+20a+15-30a=20-10a=18$

$\therefore a=\frac{1}{5}$

STEP Ⓑ $\overline{X}=20$**인 경우의 확률 구하기**

확률변수 X의 확률분포를 표로 나타내면 다음과 같다.

X	10	20	30	합계
$\mathrm{P}(X=x)$	$\frac{1}{2}$	$\frac{1}{5}$	$\frac{3}{10}$	1

크기가 2인 표본을 $\{X_1, X_2\}$라 하면

복원추출할 때, $\overline{X}=20$인 경우는

$\{X_1=10, X_2=30\}$, $\{X_1=20, X_2=20\}$, $\{X_1=30, X_2=10\}$이고

$\mathrm{P}(X=10)=\frac{1}{2}$, $\mathrm{P}(X=20)=\frac{1}{5}$, $\mathrm{P}(X=30)=\frac{3}{10}$이므로

여기서 각 경우의 확률을 구하면

(ⅰ) $\{X_1=10, X_2=30\}$ ⬅ 첫 번째에 10을 뽑고 두 번째에 30을 뽑을 확률

$\frac{1}{2}\times\frac{3}{10}=\frac{3}{20}$

(ⅱ) $\{X_1=20, X_2=20\}$ ⬅ 첫 번째에 20을 뽑고 두 번째에 20을 뽑을 확률

$\frac{1}{5}\times\frac{1}{5}=\frac{1}{25}$

(ⅲ) $\{X_1=30, X_2=10\}$ ⬅ 첫 번째에 30을 뽑고 두 번째에 10을 뽑을 확률

$\frac{3}{10}\times\frac{1}{2}=\frac{3}{20}$

(ⅰ)~(ⅲ)에서 구하는 확률은

$\mathrm{P}(\overline{X}=20)=\mathrm{P}(X=10)\times\mathrm{P}(X=30)+\mathrm{P}(X=20)\times\mathrm{P}(X=20)$
$+\mathrm{P}(X=30)\times\mathrm{P}(X=10)$

$=\frac{1}{2}\times\frac{3}{10}+\frac{1}{5}\times\frac{1}{5}+\frac{3}{10}\times\frac{1}{2}=\frac{17}{50}$

1415

 ③

STEP Ⓐ $\mathrm{P}(\overline{X}=2)$, $\mathrm{P}(\overline{X}=2.5)$**의 값 구하기**

크기가 2인 표본을 각각 X_1, X_2라고 하면

(ⅰ) $\overline{X}=2$인 경우

(X_1, X_2)가 $(1, 3)$, $(2, 2)$, $(3, 1)$이므로

$\mathrm{P}(\overline{X}=2)=2\times0.3\times0.3+0.4\times0.4=0.34=a$

(ⅱ) $\overline{X}=2.5$인 경우

(X_1, X_2)가 $(2, 3)$, $(3, 2)$이므로

$\mathrm{P}(\overline{X}=2.5)=2\times0.4\times0.3=0.24=b$

STEP Ⓑ $\mathrm{V}(\overline{X})$**의 값 구하기**

X	1	2	3	합계
$\mathrm{P}(X=x)$	0.3	0.4	0.3	1

$\mathrm{E}(X)=1\times0.3+2\times0.4+3\times0.3=2$

$\mathrm{V}(X)=1^2\times0.3+2^2\times0.4+3^2\times0.3-2^2=0.6$

$\mathrm{V}(\overline{X})=\frac{\mathrm{V}(X)}{2}=\frac{0.6}{2}=0.3$

따라서 $\mathrm{V}(\overline{X})+a+b=0.88$

내/신/연/계/ 출제문항 602

다음은 어떤 모집단의 확률분포표이다.

X	1	2	3	합계
$\mathrm{P}(X)$	0.5	0.3	0.2	1

이 모집단에서 크기 2인 표본을 복원추출할 때, 표본평균 $\overline{X}$의 확률분포표는 다음과 같다.

$\overline{X}$	1	1.5	2	2.5	3
도수	1	a	b	2	1
$\mathrm{P}(\overline{X})$	0.25	c	d	0.12	0.4

이때 $100(b+c)$의 값은?

① 290　② 300　③ 320
④ 330　⑤ 350

STEP Ⓐ $\overline{X}=1.5$**인 경우** a, c **구하기**

모집단에서 복원추출한 크기 2인 표본을 $(X_1,\ X_2)$라 하면

$\overline{X}=1.5$인 경우의 표본은 $(1,\ 2)$, $(2,\ 1)$의 두 가지이므로

$a=2$이고 $c=\mathrm{P}(\overline{X}=1.5)=0.5\times0.3+0.3\times0.5=0.3$

STEP Ⓑ $\overline{X}=2$**인 경우** b, d **구하기**

$\overline{X}=2$인 경우의 표본은 $(1,\ 3)$, $(2,\ 2)$, $(3,\ 1)$의 세 가지이므로

$b=3$이고 $d=\mathrm{P}(\overline{X}=2)=0.5\times0.2+0.3\times0.3+0.2\times0.5=0.29$

STEP Ⓒ $100(b+c)$ **구하기**

따라서 $a=2$, $b=3$, $c=0.3$, $d=0.29$이므로

$100(b+c)=100(3+0.3)=330$

 ④

+α 표본평균의 확률분포

X	$\overline{X}$	$\mathrm{P}(\overline{X})$
1, 1	1	0.5×0.5
1, 2	1.5	0.5×0.3
1, 3	2	0.5×0.2
2, 1	1.5	0.3×0.5
2, 2	2	0.3×0.3
2, 3	2.5	0.3×0.2
3, 1	2	0.2×0.5
3, 2	2.5	0.2×0.3
3, 3	3	0.2×0.2

1416

정답 ④

STEP Ⓐ **확률변수 X의 평균과 분산 구하기**

모집단에서 확률변수 X의 확률분포는 다음 표와 같다.

X	1	2	3	합계
$\mathrm{P}(X=x)$	$\frac{1}{6}$	$\frac{1}{3}$	$\frac{1}{2}$	1

$m=\mathrm{E}(X)=1\times\frac{1}{6}+2\times\frac{1}{3}+3\times\frac{1}{2}=\frac{7}{3}$

$\sigma^2=\mathrm{V}(X)=\mathrm{E}(X^2)-\{\mathrm{E}(X)\}^2=1\times\frac{1}{6}+4\times\frac{1}{3}+9\times\frac{1}{2}-\frac{49}{9}$

$=6-\frac{49}{9}=\boxed{\frac{5}{9}}$

$\therefore\ p=\frac{5}{9}$

STEP Ⓑ **표본평균 $\overline{X}$의 평균과 분산 구하기**

이 모집단에서 크기가 10인 표본을 임의추출하여 구한 표본평균이 $\overline{X}$이므로

$\mathrm{E}(\overline{X})=\mathrm{E}(X)=\frac{7}{3}$, $\mathrm{V}(\overline{X})=\frac{\mathrm{V}(X)}{10}=\frac{1}{10}\times\frac{5}{9}=\boxed{\frac{1}{18}}$

$\therefore\ q=\frac{1}{18}$

STEP Ⓒ $Y=10\overline{X}$**에서** $\mathrm{E}(Y)$, $\mathrm{V}(Y)$ **구하기**

주머니에서 n번째 꺼낸 공에 적혀 있는 수를 X_n이라 하면

$\frac{X_1+X_2+X_3+\cdots+X_{10}}{10}=\overline{X}$이고

시행을 10번 반복하여 확인한 10개의 수의 합을 확률변수 Y이므로

$Y=X_1+X_2+X_3+\cdots+X_{10}=10\overline{X}$

$\mathrm{E}(Y)=\mathrm{E}(10\overline{X})=10\mathrm{E}(\overline{X})=10\times\frac{7}{3}=\frac{70}{3}$

$\mathrm{V}(Y)=\mathrm{V}(10\overline{X})=100\mathrm{V}(\overline{X})=100\times\frac{1}{18}=\boxed{\frac{50}{9}}$

$\therefore\ r=\frac{50}{9}$

STEP Ⓓ $p+q+r$**의 값 구하기**

따라서 $p+q+r=\frac{5}{9}+\frac{1}{18}+\frac{50}{9}=\frac{37}{6}$

1417

 ①

STEP Ⓐ **확률변수 X의 평균과 분산 구하기**

주머니에서 공 1개를 꺼냈을 때, 공에 적힌 숫자를 확률변수 X라 하면

X의 확률분포를 표로 나타내면 다음과 같다.

X	1	2	3	합계
$\mathrm{P}(X=x)$	$\frac{1}{2}$	$\frac{1}{4}$	$\frac{1}{4}$	1

모집단의 확률변수 X에 대하여

$\mathrm{E}(X)=1\times\frac{1}{2}+2\times\frac{1}{4}+3\times\frac{1}{4}=\frac{7}{4}$

$\mathrm{V}(X)=1^2\times\frac{1}{2}+2^2\times\frac{1}{4}+3^2\times\frac{1}{4}-\left(\frac{7}{4}\right)^2=\frac{11}{16}$

STEP Ⓑ **표본의 크기가 2인 표본평균 $\overline{X}$의 평균, 분산, 표준편차 구하기**

이 모집단에서 표본의 크기가 2인 표본의 표본평균 $\overline{X}$에 대하여

$\mathrm{E}(\overline{X})=\mathrm{E}(X)=\frac{7}{4}$, $\mathrm{V}(\overline{X})=\frac{\mathrm{V}(X)}{2}=\frac{11}{32}$

STEP Ⓒ $\mathrm{E}(2\overline{X})+\mathrm{V}(4\overline{X})$**의 값 구하기**

따라서

$\mathrm{E}(2\overline{X})+\mathrm{V}(4\overline{X})=2\mathrm{E}(\overline{X})+4^2\mathrm{V}(\overline{X})=2\times\frac{7}{4}+16\times\frac{11}{32}=\frac{7}{2}+\frac{11}{2}=9$

Ⅲ 통계

1418

정답 ⑤

STEP Ⓐ **확률변수 X의 평균과 분산 구하기**

주머니에서 한 개의 공을 꺼낼 때, 공에 적힌 수를 확률변수 X라 하고 X의 확률분포를 표로 나타내면 다음과 같다.

X	1	2	3	4	5	합계
$\mathrm{P}(X=x)$	$\frac{1}{5}$	$\frac{1}{5}$	$\frac{1}{5}$	$\frac{1}{5}$	$\frac{1}{5}$	1

모집단의 확률변수 X에 대하여

$\mathrm{E}(X)=1\times\frac{1}{5}+2\times\frac{1}{5}+3\times\frac{1}{5}+4\times\frac{1}{5}+5\times\frac{1}{5}=3$

$\mathrm{V}(X)=1^2\times\frac{1}{5}+2^2\times\frac{1}{5}+3^2\times\frac{1}{5}+4^2\times\frac{1}{5}+5^2\times\frac{1}{5}-3^2=2$

STEP Ⓑ **표본의 크기가 3인 표본평균 $\overline{X}$의 평균, 분산 구하기**

이 모집단에서 표본의 크기가 3인 표본의 표본평균 $\overline{X}$에 대하여

$\mathrm{E}(\overline{X})=3,\ \mathrm{V}(\overline{X})=\frac{2}{3}$

STEP Ⓒ **$\mathrm{E}(3\overline{X}+2)+\mathrm{V}(3\overline{X}+2)$의 값 구하기**

따라서 $\mathrm{E}(3\overline{X}+2)+\mathrm{V}(3\overline{X}+2)=\{3\mathrm{E}(\overline{X})+2\}+3^2\mathrm{V}(\overline{X})=11+6=17$

내/신/연/계/ 출제문항 603

숫자 1, 2, 3, 4, 5가 각각 적힌 공 5개가 들어있는 주머니에서 복원추출로 공 4개를 꺼낼 때, 공에 적힌 숫자의 평균을 $\overline{X}$라고 하자. $\mathrm{E}(\overline{X}^2)$의 값은?

① $\frac{9}{2}$　② 8　③ $\frac{19}{2}$
④ 10　⑤ $\frac{21}{2}$

STEP Ⓐ **확률변수 X의 평균과 분산 구하기**

주머니에서 한 개의 공을 꺼낼 때, 공에 적힌 수를 확률변수 X라 하고 X의 확률분포를 표로 나타내면 다음과 같다,

X	1	2	3	4	5	합계
$\mathrm{P}(X=x)$	$\frac{1}{5}$	$\frac{1}{5}$	$\frac{1}{5}$	$\frac{1}{5}$	$\frac{1}{5}$	1

모집단의 확률변수 X에 대하여

$\mathrm{E}(X)=1\times\frac{1}{5}+2\times\frac{1}{5}+3\times\frac{1}{5}+4\times\frac{1}{5}+5\times\frac{1}{5}=3$

$\mathrm{V}(X)=1^2\times\frac{1}{5}+2^2\times\frac{1}{5}+3^2\times\frac{1}{5}+4^2\times\frac{1}{5}+5^2\times\frac{1}{5}-3^2=2$

STEP Ⓑ **표본의 크기가 4인 표본평균 $\overline{X}$의 평균, 분산 구하기**

이 모집단에서 표본의 크기가 4인 표본의 표본평균 $\overline{X}$에 대하여

$\mathrm{E}(\overline{X})=3,\ \mathrm{V}(\overline{X})=\frac{2}{4}=\frac{1}{2}$

STEP Ⓒ **$\mathrm{E}(X^2)$의 값 구하기**

따라서 $\mathrm{E}(\overline{X}^2)=\mathrm{V}(\overline{X})+\{\mathrm{E}(\overline{X})\}^2=\frac{1}{2}+9=\frac{19}{2}$

정답 ③

1419

정답 ②

STEP Ⓐ **확률변수 X의 평균과 분산 구하기**

주머니에서 한 개의 공을 꺼낼 때, 공에 적힌 수를 확률변수 X라 하고 X의 확률분포를 표로 나타내면 다음과 같다.

X	1	2	3	합계
$\mathrm{P}(X=x)$	$\frac{1}{4}$	$\frac{1}{2}$	$\frac{1}{4}$	1

모집단의 확률변수 X에 대하여

$\mathrm{E}(X)=1\times\frac{1}{4}+2\times\frac{1}{2}+3\times\frac{1}{4}=2$

$\mathrm{V}(X)=1^2\times\frac{1}{4}+2^2\times\frac{1}{2}+3^2\times\frac{1}{4}-2^2=\frac{1}{2}$

STEP Ⓑ **표본의 크기가 3인 표본평균 $\overline{X}$의 분산 구하기**

이 모집단에서 표본의 크기가 3인 표본의 표본평균 $\overline{X}$에 대하여

$\mathrm{E}(\overline{X})=2,\ \mathrm{V}(\overline{X})=\frac{\frac{1}{2}}{3}=\frac{1}{6}$

STEP Ⓒ **$\mathrm{V}(a\overline{X}+b)=a^2\mathrm{V}(X)$를 이용하여 구하기**

따라서 $\mathrm{V}(6\overline{X}+2)=36\mathrm{V}(\overline{X})=36\times\frac{1}{6}=6$

1420

정답 ④

STEP Ⓐ **확률변수 X의 평균과 분산 구하기**

상자에서 임의로 1개의 공을 꺼낼 때, 공에 적힌 숫자를 확률변수 X라 하고 X의 확률분포를 표로 나타내면 다음과 같다.

X	1	2	3	합계
$\mathrm{P}(X=x)$	$\frac{3}{5}$	$\frac{1}{5}$	$\frac{1}{5}$	1

모집단의 확률변수 X에 대하여

$\mathrm{E}(X)=1\times\frac{3}{5}+2\times\frac{1}{5}+3\times\frac{1}{5}=\frac{8}{5}$

$\mathrm{V}(X)=1^2\times\frac{3}{5}+2^2\times\frac{1}{5}+3^2\times\frac{1}{5}-\left(\frac{8}{5}\right)^2=\frac{16}{25}$

STEP Ⓑ **표본평균 $\overline{X}$의 분산이 $\frac{1}{50}$이므로 n의 값 구하기**

표본의 크기가 n일 때, 표본평균 $\overline{X}$의 분산이 $\frac{1}{50}$이므로

$\mathrm{V}(\overline{X})=\frac{\frac{16}{25}}{n}=\frac{1}{50}$

따라서 $n=32$

내/신/연/계/ 출제문항 604

상자 안에 1, 1, 2, 2, 2, 3, 3의 숫자가 적힌 7개의 공이 들어 있다. 이 상자에서 크기가 n인 표본을 임의추출할 때, 공에 적힌 숫자의 표본평균 $\overline{X}$의 분산이 $\frac{2}{35}$이다. 이때 n의 값은?

① 8 ② 10 ③ 12
④ 14 ⑤ 15

STEP Ⓐ **확률변수 X의 평균과 분산 구하기**

상자에서 임의로 1개의 공을 꺼낼 때, 공에 적힌 숫자를 확률변수 X라 하고 X의 확률분포를 표로 나타내면 다음과 같다.

X	1	2	3	합계
$P(X=x)$	$\frac{2}{7}$	$\frac{3}{7}$	$\frac{2}{7}$	1

모집단의 확률변수 X에 대하여

$E(X)=1\times\frac{2}{7}+2\times\frac{3}{7}+3\times\frac{2}{7}=2$

$V(X)=1^2\times\frac{2}{7}+2^2\times\frac{3}{7}+3^2\times\frac{2}{7}-2^2=\frac{4}{7}$

STEP Ⓑ **표본평균 $\overline{X}$의 분산이 $\frac{2}{35}$임을 이용하여 n의 값 구하기**

이 모집단에서 표본의 크기가 n인 표본의 표본평균 $\overline{X}$에 대하여

$V(\overline{X})=\frac{2}{35}$이므로 $V(\overline{X})=\frac{V(X)}{n}=\frac{\frac{4}{7}}{n}=\frac{2}{35}$, $\frac{4}{7n}=\frac{2}{35}$

따라서 $n=10$

 정답 ②

1421

 정답 ①

STEP Ⓐ **표본의 크기가 2인 표본평균 $\overline{X}$에 대하여 참, 거짓 판단하기**

ㄱ. 크기가 2인 표본은

(2, 2), (2, 4), (2, 6), (4, 2), (4, 4), (4, 6), (6, 2), (6, 4), (6, 6)

이므로 $\overline{X}$가 가지는 값은 2, 3, 4, 5, 6이다.

즉 $\overline{X}$의 최댓값은 6이다. [참]

ㄴ. $\overline{X}$의 확률분포를 표로 나타내면 다음과 같다.

$\overline{X}$	2	3	4	5	6	합계
$P(\overline{X}=\overline{x})$	$\frac{1}{9}$	$\frac{2}{9}$	$\frac{3}{9}$	$\frac{2}{9}$	$\frac{1}{9}$	1

즉 $P(\overline{X}\geq 3)=1-P(\overline{X}=2)=1-\frac{1}{9}=\frac{8}{9}$ [거짓]

ㄷ. 주머니에서 공 1개를 꺼냈을 때, 공에 적힌 숫자를 확률변수 X라 하면 X의 확률분포를 표로 나타내면 다음과 같다.

X	2	4	6	합계
$P(X=x)$	$\frac{1}{3}$	$\frac{1}{3}$	$\frac{1}{3}$	1

모집단의 확률변수 X에 대하여

$E(X)=2\times\frac{1}{3}+4\times\frac{1}{3}+6\times\frac{1}{3}=4$

$V(X)=2^2\times\frac{1}{3}+4^2\times\frac{1}{3}+6^2\times\frac{1}{3}-4^2=\frac{8}{3}$

즉 확률변수 $\overline{X}$는 표본의 크기가 2인 표본평균이므로

$E(\overline{X})+V(\overline{X})=4+\frac{4}{3}=\frac{16}{3}$ [거짓]

따라서 옳은 것은 ㄱ이다.

1422

 정답 ⑤

STEP Ⓐ **표본평균 $\overline{X}$가 따르는 정규분포 구하기**

모집단의 확률변수를 X라 하면 X는 정규분포 $N(40, 4^2)$을 따르므로

표본평균 $\overline{X}$는 정규분포 $N\left(40, \left(\frac{4}{\sqrt{4}}\right)^2\right)$, 즉 $N(40, 2^2)$을 따른다.

⬅ $E(\overline{X})=40$, $\sigma(\overline{X})==\frac{4}{\sqrt{4}}=2$

STEP Ⓑ **$P(\overline{X}\leq 44)$ 구하기**

따라서 $Z=\frac{\overline{X}-40}{2}$으로 놓으면 확률변수 Z는 표준정규분포 $N(0, 1)$을 따르므로 구하는 확률은

$P(\overline{X}\leq 44)=P\left(Z\leq\frac{44-40}{2}\right)$

$=P(Z\leq 2)$

$=P(Z\leq 0)+P(0\leq Z\leq 2)$

$=0.5+0.4772=0.9772$

1423

 정답 ④

STEP Ⓐ **표본의 크기가 100인 $\overline{X}$의 평균과 표준편차 구하기**

모집단이 정규분포 $N(40, 5^2)$를 따르고 표본의 크기가 100이므로

표본평균 $\overline{X}$는 정규분포 $N(40, 0.5^2)$을 따른다. ⬅ $E(\overline{X})=40$, $\sigma(\overline{X})=\frac{5}{\sqrt{100}}=0.5$

STEP Ⓑ **$P(39.1\leq X\leq 41.2)$의 값 구하기**

$Z=\frac{\overline{X}-39.1}{0.5}$으로 놓으면 확률변수 Z는 표준정규분포 $N(0, 1)$을 따른다.

따라서 구하는 확률은

$P(39.1\leq X\leq 41.2)$

$=P\left(\frac{39.1-40}{0.5}\leq Z\leq\frac{41.2-40}{0.5}\right)$

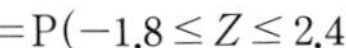

$=P(-1.8\leq Z\leq 2.4)$

$=P(0\leq Z\leq 1.8)+P(0\leq Z\leq 2.4)$

$=0.4641+0.4918=0.9559$

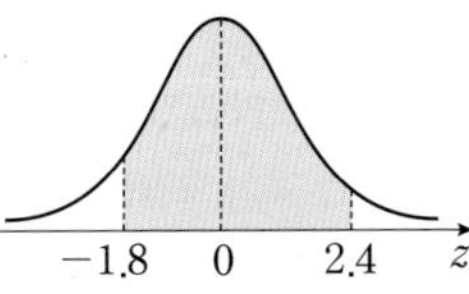

1424

 정답 ①

STEP Ⓐ **표본평균 $\overline{X}$가 따르는 정규분포 구하기**

모집단이 정규분포 $N\left(5, \frac{225}{4}\right)$을 따르고 표본의 크기가 225이므로

표본평균 $\overline{X}$는 정규분포 $N\left(5, \left(\frac{1}{2}\right)^2\right)$을 따른다. ⬅ $E(\overline{X})=5$, $\sigma(\overline{X})=\frac{\frac{15}{2}}{\sqrt{225}}=\frac{1}{2}$

STEP Ⓑ **$P(\overline{X}\geq 6)$구하기**

$Z=\frac{\overline{X}-5}{\frac{1}{2}}$로 놓으면 확률변수 Z는 표준정규분포 $N(0, 1)$을 따른다.

따라서 구하는 확률은

$P(\overline{X}\geq 6)=P\left(Z\geq\frac{6-5}{\frac{1}{2}}\right)$

$=P(Z\geq 2)$

$=0.5-P(0\leq Z\leq 2)$

$=0.5-0.4772=0.0228$

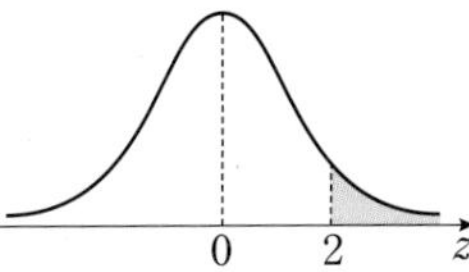

Ⅲ 통계

내신연계 출제문항 605

어느 식품 회사에서 생산하는 빵 한 개의 무게는 평균이 110g, 표준편차가 6g인 정규분포를 따른다고 한다. 이 회사에서 생산한 빵 중에서 9개를 임의추출할 때, 빵의 평균 무게가 114g 이상일 확률은?

z	$P(0 \le Z \le z)$
0.5	0.1915
1.0	0.3413
1.5	0.4332
2.0	0.4772

① 0.0228 ② 0.0668
③ 0.1587 ④ 0.3085
⑤ 0.6915

STEP Ⓐ **표본의 크기가 9인 $\overline{X}$의 평균과 표준편차 구하기**

임의추출한 9개의 빵의 무게의 평균을 확률변수 $\overline{X}$라 하면
모집단이 정규분포 $N(110, 6^2)$을 따르고 표본의 크기가 9이므로
표본평균 $\overline{X}$는 정규분포 $N(110, 2^2)$을 따른다. ⬅ $E(\overline{X})=110$, $\sigma(\overline{X})=\frac{\sigma}{\sqrt{n}}=\frac{6}{\sqrt{9}}=2$

STEP Ⓑ **$\overline{X}$를 표준화하여 $P(\overline{X} \ge 114)$의 값 구하기**

이때 $Z=\frac{\overline{X}-110}{2}$이라 하면 확률변수 Z는 표준정규분포 $N(0, 1)$을 따른다.
따라서 구하는 확률은

$$P(\overline{X} \ge 114)=P\left(\frac{\overline{X}-110}{2} \ge \frac{114-110}{2}\right)$$
$$=P(Z \ge 2)$$
$$=P(Z \ge 0)-P(0 \le Z \le 2)$$
$$=0.5-0.4772=0.0228$$

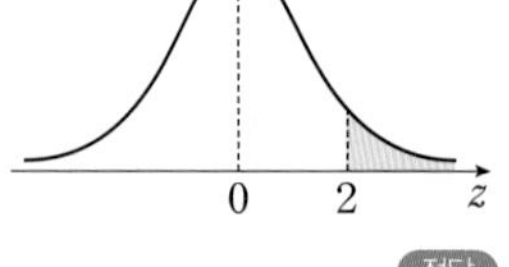

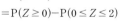

 정답 ①

1425

정답 ②

STEP Ⓐ **표본의 크기가 25인 $\overline{X}$의 평균과 표준편차 구하기**

진료 대기시간 X가 모집단의 정규분포 $N(15, 5^2)$을 따르고
표본의 크기가 4이므로 표본평균 $\overline{X}$는 정규분포 $N\left(15, \left(\frac{5}{2}\right)^2\right)$을 따른다.
⬅ $E(\overline{X})=15$, $\sigma(\overline{X})=\frac{5}{\sqrt{4}}=\frac{5}{2}$

이때 $Z=\frac{\overline{X}-15}{\frac{5}{2}}$로 놓으면 Z는 표준정규분포 $N(0, 1)$을 따른다.

STEP Ⓑ **$\overline{X}$를 표준화하여 $P(\overline{X} \le 12)$의 값 구하기**

이때 $Z=\frac{\overline{X}-15}{\frac{5}{2}}$이라 하면 확률변수 Z는 표준정규분포 $N(0, 1)$을 따른다.
따라서 구하는 확률은

$$P(\overline{X} \le 12)=P\left(Z \le \frac{12-15}{\frac{5}{2}}\right)$$
$$=P(Z \le -1.2)$$
$$=0.5-P(0 \le Z \le 1.2)$$
$$=0.5-0.3849=0.1151$$

내신연계 출제문항 606

어느 병원 응급실을 찾은 환자들의 진료 대기시간은 평균이 13분, 표준편차가 2분인 정규분포를 따른다고 한다. 이 병원 응급실을 찾은 환자들 중에서 임의로 선택한 4명의 진료 대기 시간의 합이 54분 이상일 확률은?

z	$P(0 \le Z \le z)$
0.5	0.1915
1.0	0.3413
1.5	0.4332
2.0	0.4772

① 0.0228 ② 0.0668 ③ 0.1587
④ 0.3085 ⑤ 0.6915

STEP Ⓐ **표본의 크기가 4인 $\overline{X}$의 평균과 표준편차 구하기**

응급실을 찾은 4명의 환자들의 진료 대기시간의 표본평균을 $\overline{X}$라 하면
모집단이 정규분포 $N(13, 2^2)$을 따르고 표본의 크기가 4이므로
표본평균 $\overline{X}$는 정규분포 $N(13, 1^2)$을 따른다. ⬅ $E(\overline{X})=13$, $\sigma(\overline{X})=\frac{2}{\sqrt{4}}=1$

STEP Ⓑ **$P(\overline{X} \ge 13.5)$의 값 구하기**

$Z=\frac{\overline{X}-13}{1}$으로 놓으면 확률변수 Z는 표준정규분포 $N(0, 1)$을 따른다.
따라서 구하는 확률은

$$P(\overline{X} \ge 13.5)=P\left(\frac{\overline{X}-13}{1} \ge \frac{13.5-13}{1}\right)$$
$$=P(Z \ge 0.5)$$
$$=0.5-P(0 \le Z \le 0.5)$$
$$=0.5-0.1915=0.3085$$

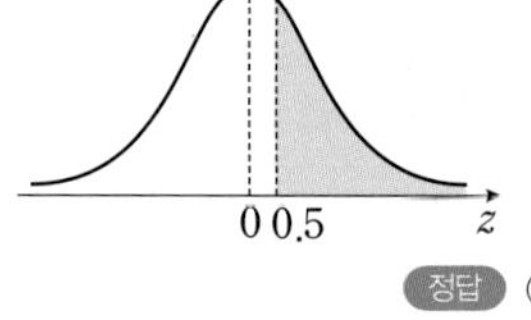

 정답 ④

1426

 정답 ①

STEP Ⓐ **표본의 크기가 81인 $\overline{X}$의 평균과 표준편차 구하기**

드론 81대의 최대 원격 조종거리의 평균을 확률변수 $\overline{X}$라 하면
모집단이 정규분포 $N(302, 9^2)$을 따르고 표본의 크기가 81이므로
표본평균 $\overline{X}$는 정규분포 $N(302, 1^2)$을 따른다. ⬅ $E(\overline{X})=302$, $\sigma(\overline{X})=\frac{9}{\sqrt{81}}=1$

STEP Ⓑ **$P(\overline{X} \le 300)$의 값 구하기**

이때 $Z=\frac{\overline{X}-302}{1}$이라 하면 확률변수 Z는 표준정규분포 $N(0, 1)$을 따른다.
따라서 구하는 확률은

$$P(\overline{X} \le 300)=P\left(Z \le \frac{300-302}{1}\right)$$
$$=P(Z \le -2)$$
$$=0.5-P(0 \le Z \le 2)$$
$$=0.5-0.4772=0.0228$$

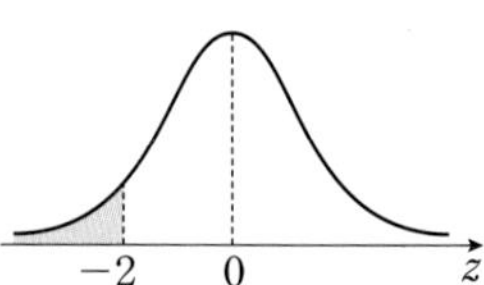

1427

정답 ⑤

STEP Ⓐ **표본의 크기가 9인 $\overline{X}$의 평균과 표준편차 구하기**

임의추출한 9개의 화장품 내용량 (g)의 표본평균을 $\overline{X}$라 하면
모집단이 정규분포 $N(201.5, 1.8^2)$을 따르고 표본의 크기가 9이므로
표본평균 $\overline{X}$는 정규분포 $N(201.5, 0.6^2)$을 따른다. ⬅ $E(\overline{X})=201.5$, $\sigma(\overline{X})=\frac{1.8}{\sqrt{9}}=0.6$

STEP Ⓑ **$P(\overline{X} \ge 200)$의 값 구하기**

$Z=\frac{\overline{X}-201.5}{0.6}$으로 놓으면 확률변수 Z는 표준정규분포 $N(0, 1)$을 따른다.
따라서 구하는 확률은

$$P(\overline{X} \ge 200)=P\left(Z \ge \frac{200-201.5}{0.6}\right)$$
$$=P(Z \ge -2.5)$$
$$=P(Z \le 2.5)$$
$$=0.5+P(0 \le Z \le 2.5)$$
$$=0.5+0.4938=0.9938$$

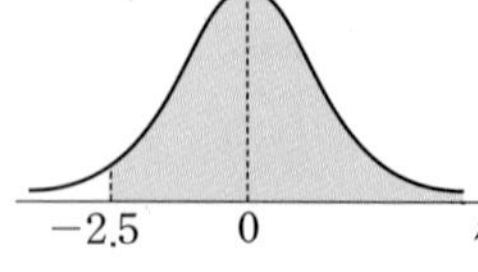

내신연계 출제문항 607

어느 회사에서 생산하는 참치 한 캔의 용량은 평균이 250이고, 표준편차가 10인 정규분포를 따른다고 한다. 이 회사에서 생산하는 참치캔 중에서 임의로 추출한 25캔의 용량의 표본평균이 251이상이고 253 이하일 확률을 오른쪽 표준정규분포표를 이용하여 구한 것은? (단, 용량의 단위는 mL이다.)

z	$P(0 \le Z \le z)$
0.5	0.1915
1.0	0.3413
1.5	0.4332
2.0	0.4772

① 0.0919 ② 0.1359 ③ 0.1498 ④ 0.2417 ⑤ 0.2857

STEP Ⓐ 표본의 크기가 25인 $\overline{X}$의 평균과 표준편차 구하기

임의추출한 25개의 참치 한 캔의 용량의 표본평균을 $\overline{X}$라 하면

모집단이 정규분포 $N(250, 10^2)$을 따르고 표본의 크기가 25이므로

표본평균 $\overline{X}$는 정규분포 $N(250, 2^2)$을 따른다. ← $E(\overline{X})=250$, $\sigma(\overline{X})=\frac{10}{\sqrt{25}}=2$

STEP Ⓑ $P(251 \le \overline{X} \le 253)$의 값 구하기

$Z=\frac{\overline{X}-250}{2}$으로 놓으면 확률변수 Z는 표준정규분포 $N(0, 1)$을 따른다.

따라서 구하는 확률은

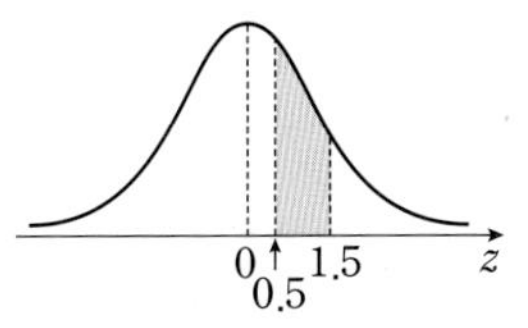

$P(251 \le \overline{X} \le 253)$

$=P\left(\frac{251-250}{2} \le Z \le \frac{253-250}{2}\right)$

$=P(0.5 \le Z \le 1.5)$

$=P(0 \le Z \le 1.5)-P(0 \le Z \le 0.5)$

$=0.4332-0.1915=0.2417$

정답 ④

내신연계 출제문항 608

어느 방송사의 'ㅇㅇ뉴스'의 방송시간은 평균이 50분, 표준편차가 2분인 정규분포를 따른다. 방송된 'ㅇㅇ뉴스'를 대상으로 크기가 9인 표본을 임의추출하여 조사한 방송시간의 표본평균을 $\overline{X}$라 할 때, $P(49 \le \overline{X} \le 51)$의 값을 오른쪽 표준정규분포표를 이용하여 구한 것은?

z	$P(0 \le Z \le z)$
1.5	0.4332
1.6	0.4452
1.7	0.4554
1.8	0.4641

① 0.8664 ② 0.8904 ③ 0.9108 ④ 0.9282 ⑤ 0.9452

STEP Ⓐ 크기가 9인 표본의 표본평균의 평균 및 표준편차 구하기

임의 추출한 9개의 방송시간의 평균이 $\overline{X}$이므로

모집단이 정규분포 $N(50, 2^2)$를 따르고 표본의 크기가 9이므로

표본평균 $\overline{X}$는 정규분포 $N\left(50, \left(\frac{2}{3}\right)^2\right)$을 따른다.

STEP Ⓑ $P(49 \le \overline{X} \le 51)$의 값 구하기

$Z=\frac{\overline{X}-50}{\frac{2}{3}}$으로 놓으면 확률변수 Z는 표준정규분포 $N(0, 1)$을 따른다.

따라서 구하는 확률은

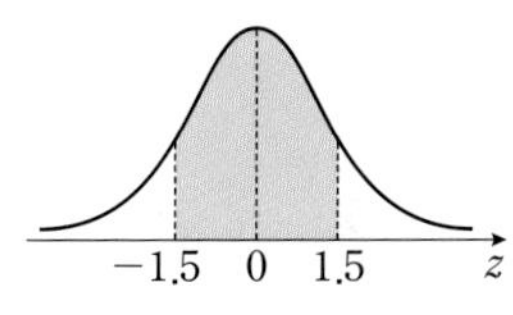

$P(49 \le \overline{X} \le 51)$

$=P\left(\frac{49-50}{\frac{2}{3}} \le Z \le \frac{51-50}{\frac{2}{3}}\right)$

$=P\left(-\frac{3}{2} \le Z \le \frac{3}{2}\right)$

$=2 \times P(0 \le Z \le 1.5)$

$=2 \times 0.4332=0.8664$

정답 ①

1428

정답 ③

STEP Ⓐ 표본의 크기가 4인 $\overline{X}$의 평균과 표준편차 구하기

임의 추출한 4개의 방송시간의 평균이 $\overline{X}$이므로

모집단이 정규분포 $N(60, 4^2)$을 따르고 표본의 크기가 4이므로

표본평균 $\overline{X}$는 정규분포 $N(60, 2^2)$을 따른다. ← $E(\overline{X})=60$, $\sigma(\overline{X})=\frac{4}{\sqrt{4}}=2$

STEP Ⓑ $\overline{X}$를 표준화하여 $P(58 \le \overline{X} \le 62)$의 값 구하기

$Z=\frac{\overline{X}-60}{2}$으로 놓으면 확률변수 Z는 표준정규분포 $N(0, 1)$을 따른다.

따라서 구하는 확률은

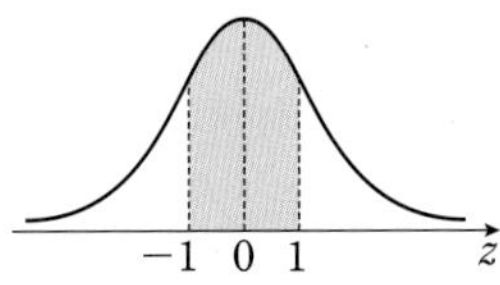

$P(58 \le \overline{X} \le 62)$

$=P\left(\frac{58-60}{2} \le Z \le \frac{62-60}{2}\right)$

$=P(-1 \le Z \le 1)$

$=2P(0 \le Z \le 1)$

$=2 \times 0.3413=0.6826$

1429

정답 ③

STEP Ⓐ 표본의 크기가 25인 $\overline{X}$의 평균과 표준편차 구하기

임의추출한 25명의 공용 자전거의 이용시간의 표본평균을 $\overline{X}$라 하면

모집단이 정규분포 $N(50, 10^2)$을 따르고 표본의 크기가 25이므로

표본평균 $\overline{X}$는 정규분포 $N(50, 2^2)$을 따른다. ← $E(\overline{X})=50$, $\sigma(\overline{X})=\frac{10}{\sqrt{25}}=2$

STEP Ⓑ $P(48 \le \overline{X} \le 54)$의 값 구하기

$Z=\frac{\overline{X}-50}{2}$으로 놓으면 확률변수 Z는 표준정규분포 $N(0, 1)$을 따른다.

따라서 구하는 확률은

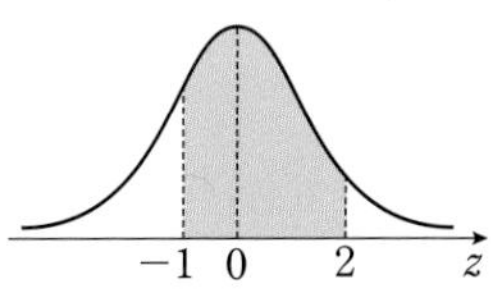

$P(48 \le \overline{X} \le 54)$

$=P\left(\frac{48-50}{2} \le Z \le \frac{54-50}{2}\right)$

$=P(-1 \le Z \le 2)$

$=P(0 \le Z \le 1)+P(0 \le Z \le 2)$

$=0.3413+0.4772=0.8185$

내/신/연/계/ 출제문항 609

어느 비행기의 탑승객의 짐의 무게는 평균이 18kg이고 표준편차가 4kg인 정규분포를 따른다고 한다. 이 비행기 탑승객 중에서 16명을 임의추출할 때, 짐의 평균 무게가 17kg 이상 20kg 이하일 확률은?

z	$\mathrm{P}(0 \le Z \le z)$
0.5	0.1915
1.0	0.3413
1.5	0.4332
2.0	0.4772

① 0.5328 ② 0.6915
③ 0.8185 ④ 0.9332
⑤ 0.9774

STEP Ⓐ **표본의 크기가 16인 $\overline{X}$의 평균과 표준편차 구하기**

임의추출한 16명의 짐의 무게의 표본평균을 $\overline{X}$라 하면
모집단이 정규분포 $\mathrm{N}(18,\ 4^2)$을 따르고 표본의 크기가 16이므로
표본평균 $\overline{X}$는 정규분포 $\mathrm{N}(18,\ 1^2)$을 따른다. ⬅ $\mathrm{E}(\overline{X})=18,\ \sigma(\overline{X})=\frac{4}{\sqrt{16}}=1$

STEP Ⓑ **$\mathrm{P}(17 \le \overline{X} \le 20)$의 값 구하기**

$Z=\frac{\overline{X}-18}{1}$으로 놓으면 확률변수 Z는 표준정규분포 $\mathrm{N}(0,\ 1)$을 따른다.
따라서 구하는 확률은

$\mathrm{P}(17 \le \overline{X} \le 20)$
$=\mathrm{P}\left(\frac{17-18}{1} \le Z \le \frac{20-18}{1}\right)$
$=\mathrm{P}(-1 \le Z \le 2)$
$=\mathrm{P}(-1 \le Z \le 0)+\mathrm{P}(0 \le Z \le 2)$
$=\mathrm{P}(0 \le Z \le 1)+\mathrm{P}(0 \le Z \le 2)$
$=0.3413+0.4772=0.8185$

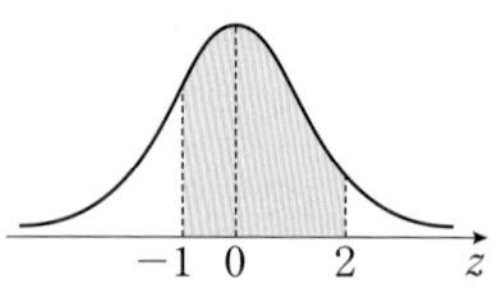

정답 ③

1430

정답 ②

STEP Ⓐ **크기가 16인 표본의 표본평균의 평균 및 표준편차 구하기**

임의추출한 16가구의 월 식료품 구입비의 평균을 확률변수 $\overline{X}$라 하면
모집단이 정규분포 $\mathrm{N}(45,\ 8^2)$을 따르고 표본의 크기가 16이므로
표본평균 $\overline{X}$는 정규분포 $\mathrm{N}(45,\ 2^2)$을 따른다. ⬅ $\mathrm{E}(\overline{X})=45,\ \mathrm{V}(\overline{X})=\frac{8^2}{16}=2^2$

STEP Ⓑ **표본평균 $\overline{X}$를 표준화하여 $\mathrm{P}(44 \le \overline{X} \le 47)$의 값 구하기**

$Z=\frac{\overline{X}-45}{2}$으로 놓으면 확률변수 Z는 표준정규분포 $\mathrm{N}(0,1)$을 따른다.
따라서 구하는 확률은

$\mathrm{P}(44 \le \overline{X} \le 47)$
$=\mathrm{P}\left(\frac{44-45}{2} \le Z \le \frac{47-45}{2}\right)$
$=\mathrm{P}(-0.5 \le Z \le 1)$
$=\mathrm{P}(0 \le Z \le 0.5)+\mathrm{P}(0 \le Z \le 1)$
$=0.1915+0.3413=0.5328$

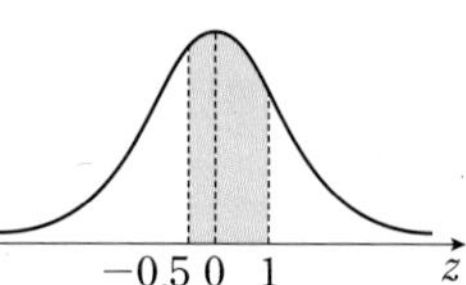

1431

정답 ③

STEP Ⓐ **$\overline{X}$의 확률분포를 표준화하기**

표본평균 $\overline{X}$는 정규분포 $\mathrm{N}\left(m,\ \frac{\sigma^2}{n}\right)$을 따르므로 $Z=\frac{\overline{X}-m}{\frac{\sigma}{\sqrt{n}}}$으로 놓으면

확률변수 Z는 표준정규분포 $\mathrm{N}(0,\ 1)$을 따른다.

$$\mathrm{P}\left(\overline{X} \ge m+\frac{2}{\sqrt{n}}\right)=\mathrm{P}\left(Z \ge \frac{\left(m+\frac{2}{\sqrt{n}}\right)-m}{\frac{\sigma}{\sqrt{n}}}\right)=\mathrm{P}\left(Z \ge \frac{2}{\sigma}\right)$$

STEP Ⓑ **p_1+p_2 구하기**

따라서 구하는 확률은

$p_1+p_2=\mathrm{P}(Z \ge 1)+\mathrm{P}(Z \ge 0.5)$
$=0.5-\mathrm{P}(0 \le Z \le 1)+0.5-\mathrm{P}(0 \le Z \le 0.5)$
$=(0.5-0.3413)+(0.5-0.1915)$
$=0.1587+0.3085=0.4672$

1432

정답 ①

STEP Ⓐ **표본의 크기가 64인 $\overline{X}$의 평균과 표준편차 구하기**

임의추출한 64명의 핸드볼 공의 무게의 평균을 $\overline{X}$라 하면
모집단이 정규분포 $\mathrm{N}(350,\ 16^2)$를 따르고 표본의 크기가 64이므로
표본평균 $\overline{X}$는 정규분포 $\mathrm{N}(350,\ 2^2)$을 따른다. ⬅ $\mathrm{E}(\overline{X})=350,\ \mathrm{V}(\overline{X})=\frac{16^2}{64}=2^2$

STEP Ⓑ **$\mathrm{P}(\overline{X} \le 346$ 또는 $\overline{X} \ge 355)$의 값 구하기**

$Z=\frac{\overline{X}-350}{2}$으로 놓으면 확률변수 Z는 표준정규분포 $\mathrm{N}(0,\ 1)$을 따른다.
따라서 구하는 확률은

$\mathrm{P}(\overline{X} \le 346$ 또는 $\overline{X} \ge 355)$
$=\mathrm{P}(\overline{X} \le 346)+\mathrm{P}(\overline{X} \ge 355)$
$=\mathrm{P}\left(Z \le \frac{346-350}{2}\right)+\mathrm{P}\left(Z \ge \frac{355-350}{2}\right)$
$=\mathrm{P}(Z \le -2)+\mathrm{P}(Z \ge 2.5)$
$=(0.5-0.4772)+(0.5-0.4938)$
$=0.0228+0.0062=0.0290$

내/신/연/계/ 출제문항 610

어느 회사에서 생산한 야구공의 무게는 평균이 140g, 표준편차가 16g인 정규분포를 따른다고 한다. 이 회사는 일정한 기간 동안 생산된 야구공 중에서 임의추출한 야구공 64개의 무게의 평균이 136g 이하이거나 145g 이상이면 생산 공정에 문제가 있다고 판단한다.
이 회사에서 생산공정에 문제가 있다고 판단할 확률을 표준정규분포표를 이용하여 구한 것은?

z	$\mathrm{P}(0 \le Z \le z)$
0.5	0.1915
1.0	0.3413
1.5	0.4332
2.0	0.4772
2.5	0.4938

① 0.0290 ② 0.0258 ③ 0.0184
④ 0.0152 ⑤ 0.0092

STEP Ⓐ **표본의 크기가 64인 $\overline{X}$의 평균과 표준편차 구하기**

임의추출한 64개의 야구공의 무게의 평균을 $\overline{X}$라 하면
모집단이 정규분포 $\mathrm{N}(140,\ 16^2)$를 따르고 표본의 크기가 64이므로
표본평균 $\overline{X}$는 정규분포 $\mathrm{N}(140,\ 2^2)$을 따른다. ⬅ $\mathrm{E}(\overline{X})=140,\ \sigma(\overline{X})=\frac{16}{\sqrt{64}}=2$

STEP Ⓑ **$\mathrm{P}(\overline{X} \le 136$ 또는 $\overline{X} \ge 145)$의 값 구하기**

$Z=\frac{\overline{X}-140}{2}$으로 놓으면 확률변수 Z는 표준정규분포 $\mathrm{N}(0,\ 1)$을 따른다.
따라서 구하는 확률은

$\mathrm{P}(\overline{X} \le 136$ 또는 $\overline{X} \ge 145)$
$=\mathrm{P}(\overline{X} \le 136)+\mathrm{P}(\overline{X} \ge 145)$
$=\mathrm{P}\left(Z \le \frac{136-140}{2}\right)+\mathrm{P}\left(Z \ge \frac{145-140}{2}\right)$
$=\mathrm{P}(Z \le -2)+\mathrm{P}(Z \ge 2.5)$
$=(0.5-0.4772)+(0.5-0.4938)$
$=0.0228+0.0062=0.0290$

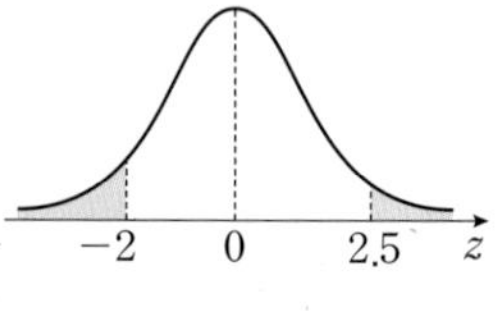

정답 ①

참고 $1-\mathrm{P}(136 \le \overline{X} \le 145)=1-\mathrm{P}\left(\frac{136-140}{2} \le \frac{\overline{X}-140}{2} \le \frac{145-140}{2}\right)$
$=1-\mathrm{P}(-2 \le Z \le 2.5)$
$=1-\mathrm{P}(-2 \le Z \le 0)-\mathrm{P}(0 \le Z \le 2.5)$
$=1-0.4772-0.4938=0.0290$

STEP C 두 사건은 서로 독립임을 이용하여 확률 구하기

A와 B가 추출한 표본의 평균이 421.4 이상 425.6 이하일 확률은 각각 0.8이다.
따라서 구하는 확률은 $0.8 \times 0.8=0.64$

정답 ④

1433

정답 ⑤

STEP A 표본의 크기가 4인 $\overline{X}$의 평균과 표준편차 구하기

모집단의 분포가 정규분포 $\mathrm{N}(10,\ 2^2)$을 따르고 크기 4이므로
표본평균 $\overline{X}$는 정규분포 $\mathrm{N}\left(10,\ \left(\frac{2}{2}\right)^2\right)$, 즉 $\mathrm{N}(10,\ 1)$을 따른다.

STEP B $\mathrm{P}(9 \le \overline{X} \le 13)$의 값 구하기

$Z=\frac{\overline{X}-10}{1}$으로 놓으면 확률변수 Z는 표준정규분포 $\mathrm{N}(0,\ 1)$을 따르므로
구하는 확률은
$\mathrm{P}(9 \le \overline{X} \le 13)=\mathrm{P}\left(\frac{9-10}{1} \le Z \le \frac{13-10}{1}\right)$
$=\mathrm{P}(-1 \le Z \le 3)$
$=\mathrm{P}(-1 \le Z \le 0)+\mathrm{P}(0 \le Z \le 3)$
$=\mathrm{P}(0 \le Z \le 1)+\mathrm{P}(0 \le Z \le 3)$
$=0.3413+0.4987=0.84$

STEP C 두 사건은 서로 독립임을 이용하여 확률 구하기

두 사람 A, B가 독립적으로 표본을 임의추출하므로 두 사람이 뽑은 표본의 평균이 모두 9 이상 13 이하일 확률은 모두 0.84로 같고 두 사건은 서로 독립이다.
따라서 구하는 확률은 $0.84 \times 0.84=0.7056$

내/신/연/계/ 출제문항 611

어느 참치공장에서 생산되는 참치 캔 한 개의 무게는 정규분포 $\mathrm{N}(422.9,\ 18)$을 따른다고 한다. A와 B두 사람이 크기가 8인 표본을 각각 독립적으로 임의추출하였을 때, 각각의 표본평균이 모두 421.4 이상 425.6 이하일 확률은 오른쪽 표준정규분포표를 이용하여 구한 것은?
(단, 무게의 단위는 g이다.)

z	$\mathrm{P}(0 \le Z \le z)$
1.0	0.34
1.2	0.38
1.4	0.42
1.6	0.45
1.8	0.46

① 0.16 ② 0.36 ③ 0.49
④ 0.64 ⑤ 0.72

STEP A 표본의 크기가 8인 $\overline{X}$의 평균과 표준편차 구하기

사과 한 개의 무게가 정규분포 $\mathrm{N}(422.9,\ 18)$을 따르므로
크기가 8인 표본의 표본평균을 $\overline{X}$라 하면
표본평균 $\overline{X}$는 정규분포 $\mathrm{N}(422.9,\ (1.5)^2)$을 따른다.
← $\overline{X}$는 평균이 422.9이고 표준편차가 $\frac{\sqrt{18}}{\sqrt{8}}=1.5$

STEP B $\mathrm{P}(421.4 \le \overline{X} \le 425.6)$의 값 구하기

$Z=\frac{\overline{X}-422.9}{1.5}$로 놓으면 확률변수 Z는 표준정규분포 $\mathrm{N}(0,\ 1)$을 따르므로
구하는 확률은
$\mathrm{P}(421.4 \le \overline{X} \le 425.6)$
$=\mathrm{P}\left(\frac{421.4-422.9}{1.5} \le Z \le \frac{425.6-422.9}{1.5}\right)$
$=\mathrm{P}(-1 \le Z \le 1.8)$
$=\mathrm{P}(0 \le Z \le 1)+\mathrm{P}(0 \le Z \le 1.8)$
$=0.34+0.46=0.8$

1434

정답 ②

STEP A 함수의 대칭성을 이용하여 평균 m 구하기

확률밀도함수 $f(x)$가 $f(x)=f(100-x)$이므로
$f(x)$는 $x=50$에 대하여 대칭이다. 즉 평균 $m=50$

STEP B 표본의 크기가 25인 $\overline{X}$의 평균과 표준편차 구하기

모집단의 분포가 정규분포 $\mathrm{N}(50,\ 10^2)$을 따르고 크기 25이므로
표본평균 $\overline{X}$는 정규분포 $\mathrm{N}(50,\ 2^2)$따른다.
이때 $Z=\frac{\overline{X}-50}{2}$으로 놓으면 Z는 표준정규분포 $\mathrm{N}(0,\ 1)$을 따른다.

STEP C $\overline{X}$를 표준화하여 $\mathrm{P}(44 \le \overline{X} \le 48)$의 값 구하기

한편 주어진 그래프에서 구간별 확률은
$\mathrm{P}(-1 \le Z \le 1)=0.6826$, $\mathrm{P}(-3 \le Z \le 3)=0.9974$이므로
$\mathrm{P}(44 \le \overline{X} \le 48)=\mathrm{P}\left(\frac{44-50}{2} \le Z \le \frac{48-50}{2}\right)$
$=\mathrm{P}(-3 \le Z \le -1)$
$=\mathrm{P}(0 \le Z \le 3)-\mathrm{P}(0 \le Z \le 1)$
$=\frac{0.9974}{2}-\frac{0.6826}{2}=0.1574$

1435

정답 ④

STEP A 이항분포를 구하여 정규분포의 평균과 표준편차를 구하기

확률변수 X라 하면 확률변수 X는 이항분포 $\mathrm{B}\left(180,\ \frac{1}{6}\right)$을 따르므로
$\mathrm{E}(X)=180 \times \frac{1}{6}=30$, $\mathrm{V}(X)=180 \times \frac{1}{6} \times \frac{5}{6}=25$
시행횟수 180이 충분히 크므로 확률변수 X는 근사적으로 정규분포 $\mathrm{N}(30,\ 5^2)$을 따른다.

STEP B 표본의 크기가 25인 표본의 표본평균의 평균과 표준편차 구하기

임의추출한 크기가 25인 표본평균 $\overline{X}$이므로
모집단이 정규분포 $\mathrm{N}(30,\ 5^2)$을 따르고 표본의 크기가 25이므로
표본평균 $\overline{X}$는 정규분포 $\mathrm{N}(30,\ 1^2)$을 따른다. ← $\mathrm{E}(\overline{X})=30$, $\sigma(\overline{X})=\frac{5}{\sqrt{25}}=1$

STEP C $\mathrm{P}(28 \le \overline{X} \le 29)$ 구하기

$Z=\frac{\overline{X}-30}{1}$으로 놓으면 확률변수 Z는 표준정규분포 $\mathrm{N}(0,\ 1)$을 따른다.
따라서 구하는 확률은
$\mathrm{P}(28 \le \overline{X} \le 29)$
$=\mathrm{P}\left(\frac{28-30}{1} \le Z \le \frac{29-30}{1}\right)$
$=\mathrm{P}(-2 \le Z \le -1)$
$=\mathrm{P}(1 \le Z \le 2)$
$=\mathrm{P}(0 \le Z \le 2)-\mathrm{P}(0 \le Z \le 1)$
$=0.4772-0.3413=0.1359$

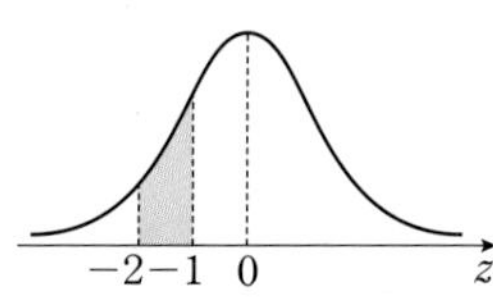

1436

정답 ③

STEP A 단호박 한 개의 무게를 확률변수 X라 할 때, 무게가 492g 이상인 확률 구하기

어느 농장에서 생산하는 단호박 한 개의 무게를 확률변수 X라 하면
X는 정규분포 $\mathrm{N}(460,\ 25^2)$을 따른다.

이때 $\mathrm{P}(X \geq 492)=\mathrm{P}\left(Z \geq \dfrac{492-460}{25}\right)$
$=\mathrm{P}(Z \geq 1.28)$
$=0.5-\mathrm{P}(0 \leq Z \leq 1.28)$
$=0.5-0.4=0.1$

STEP B 이항분포를 따르는 확률변수 Y의 평균과 분산 구하기

임의추출한 100개의 단호박 중에서 무게가 492g 이상인 단호박의 개수를
확률변수 Y라 하면 Y는 이항분포 $\mathrm{B}(100,\ 0.1)$을 따른다.
$\mathrm{E}(Y)=100\times0.1=10,\ \mathrm{V}(Y)=100\times0.1\times0.9=9$
이때 100이 충분히 큰 수이므로
확률변수 Y는 정규분포 $\mathrm{N}(10,\ 3^2)$에 근사한다.

STEP C 13개 이상의 무게가 492g 이상일 확률 구하기

따라서 13개 이상의 무게가 492g 이상일 확률은
$\mathrm{P}(Y \geq 13)=(Z \geq 1)$
$=0.5-\mathrm{P}(0 \leq Z \leq 1)$
$=0.5-0.34=0.16$

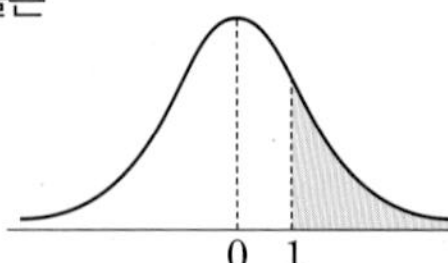

1437

STEP A 표본평균 $\overline{X}$의 분포를 구하여 p의 값 구하기

A상자에 들어 있는 제품의 무게를 확률변수 X라 하면
X는 정규분포 $\mathrm{N}(16,\ 6^2)$을 따른다.
크기가 16인 표본의 표본평균 $\overline{X}$라 하면
$\overline{X}$는 정규분포 $\mathrm{N}\left(16,\ \left(\dfrac{3}{2}\right)^2\right)$을 따른다. ⬅ $\mathrm{E}(\overline{X})=16,\ \mathrm{V}(\overline{X})=\dfrac{6^2}{16}=\left(\dfrac{3}{2}\right)^2$

$Z=\dfrac{\overline{X}-16}{\frac{3}{2}}$으로 놓으면 확률변수 Z는 표준정규분포 $\mathrm{N}(0,\ 1)$을 따른다.
A상자가 할인 판매될 확률은
$p=\mathrm{P}(\overline{X}<12.7)=\mathrm{P}\left(Z<\dfrac{12.7-16}{\frac{3}{2}}\right)$
$=\mathrm{P}(Z<-2.2)$
$=\mathrm{P}(Z>2.2)$
$=0.5-0.4861=0.0139$

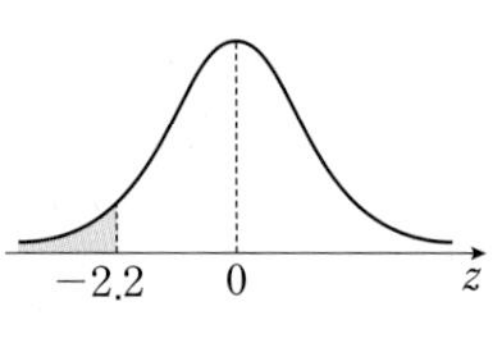

STEP B 표본평균 $\overline{Y}$의 분포를 구하여 q의 값 구하기

한편 B상자에 들어 있는 제품의 무게를 확률변수 Y라 하면
Y는 정규분포 $\mathrm{N}(10,\ 6^2)$을 따른다.
크기가 16인 표본의 표본평균 $\overline{Y}$라 하면
$\overline{Y}$는 정규분포 $\mathrm{N}\left(10,\ \left(\dfrac{3}{2}\right)^2\right)$을 따른다. ⬅ $\mathrm{E}(\overline{Y})=10,\ \mathrm{V}(\overline{Y})=\dfrac{6^2}{16}=\left(\dfrac{3}{2}\right)^2$

$Z=\dfrac{\overline{Y}-10}{\frac{3}{2}}$으로 놓으면 확률변수 Z는 표준정규분포 $\mathrm{N}(0,\ 1)$을 따른다.
B상자가 정상 판매될 확률은
$q=\mathrm{P}(\overline{Y}\geq 12.7)=\mathrm{P}\left(Z\geq\dfrac{12.7-10}{\frac{3}{2}}\right)$
$=\mathrm{P}(Z\geq 1.8)$
$=0.5-0.4641$
$=0.0359$

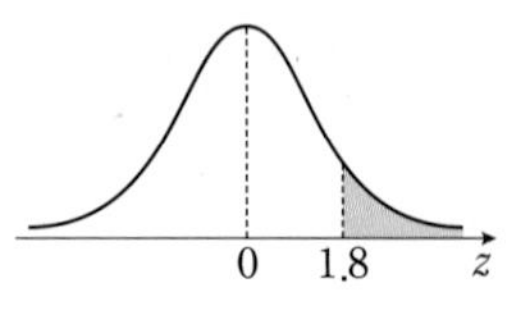

STEP C $p+q$의 값 구하기

따라서 $p+q=0.0139+0.0359=0.0498$

1438

STEP A 표본평균 $\overline{X}$의 평균 및 표준편차를 이용하여 $\mathrm{P}(\overline{X}\geq k)$ 구하기

A제품 4개의 무게의 평균을 $\overline{X}$라 하면
모집단이 정규분포 $\mathrm{N}(m,\ 2^2)$을 따르고 표본의 크기가 4이므로
표본평균 $\overline{X}$는 정규분포 $\mathrm{N}(m,\ 1^2)$을 따른다. ⬅ $\mathrm{E}(\overline{X})=m,\ \sigma(\overline{X})=\dfrac{2}{\sqrt{4}}=1$

$Z=\dfrac{\overline{X}-m}{1}$으로 놓으면 확률변수 Z는 표준정규분포 $\mathrm{N}(0,\ 1)$을 따른다.
즉 임의로 택한 A제품 4개의 평균 무게가 k 이상일 확률은
$\mathrm{P}(\overline{X}\geq k)=\mathrm{P}\left(Z\geq\dfrac{k-m}{1}\right)$

STEP B 표본평균 $\overline{Y}$의 평균 및 표준편차를 이용하여 $\mathrm{P}(\overline{Y}\leq k)$ 구하기

B제품 4개의 무게의 평균을 $\overline{Y}$라 하면
모집단이 정규분포 $\mathrm{N}(3m,\ 4^2)$을 따르고 표본의 크기가 4이므로
표본평균 $\overline{X}$는 정규분포 $\mathrm{N}(3m,\ 2^2)$을 따른다. ⬅ $\mathrm{E}(\overline{Y})=3m,\ \sigma(\overline{Y})=\dfrac{4}{\sqrt{4}}=2$

$Z=\dfrac{\overline{Y}-3m}{2}$으로 놓으면 확률변수 Z는 표준정규분포 $\mathrm{N}(0,\ 1)$을 따른다.
즉 임의로 택한 B제품 4개의 평균 무게가 k 이하일 확률은
$\mathrm{P}(\overline{Y}\leq k)=\mathrm{P}\left(Z\leq\dfrac{k-3m}{2}\right)$

STEP C $\dfrac{m}{k}$의 값 구하기

이때 $\mathrm{P}\left(Z\geq\dfrac{k-m}{1}\right)=\mathrm{P}\left(Z\leq\dfrac{k-3m}{2}\right)$이므로
표준정규분포곡선의 대칭성을 이용하면 $\dfrac{k-m}{1}=-\dfrac{k-3m}{2}$
$2k-2m=-k+3m,\ 3k=5m$
따라서 $\dfrac{m}{k}=\dfrac{3}{5}$

1439

STEP A 표본평균 $\overline{X}$의 분포를 구하여 $\mathrm{P}(\overline{X}\geq 1)$의 값 구하기

모집단이 정규분포 $\mathrm{N}(0,\ 4^2)$을 따르고 표본의 크기가 9이므로
표본평균 $\overline{X}$는 정규분포 $\mathrm{N}\left(0,\ \left(\dfrac{4}{3}\right)^2\right)$을 따른다. ⬅ $\mathrm{E}(\overline{X})=30,\ \sigma(\overline{X})=\dfrac{4}{\sqrt{9}}=\dfrac{4}{3}$

$Z=\dfrac{\overline{X}-0}{\frac{4}{3}}$으로 놓으면 확률변수 Z는 표준정규분포 $\mathrm{N}(0,\ 1)$을 따른다.
이때 $\mathrm{P}(\overline{X}\geq 1)=\mathrm{P}\left(Z\geq\dfrac{1-0}{\frac{4}{3}}\right)$
$=\mathrm{P}\left(Z\geq\dfrac{3}{4}\right)$ …… ㉠

STEP B 표본평균 $\overline{Y}$의 분포를 구하여 $\mathrm{P}(\overline{Y}\leq a)$의 값 구하기

모집단이 정규분포 $\mathrm{N}(3,\ 2^2)$을 따르고 표본의 크기가 16이므로
표본평균 $\overline{Y}$는 정규분포 $\mathrm{N}\left(3,\ \left(\dfrac{1}{2}\right)^2\right)$을 따른다. ⬅ $\mathrm{E}(\overline{Y})=3,\ \sigma(\overline{Y})=\dfrac{2}{\sqrt{16}}=\dfrac{1}{2}$

$Z=\dfrac{\overline{Y}-3}{\frac{1}{2}}$으로 놓으면 확률변수 Z는 표준정규분포 $\mathrm{N}(0,\ 1)$을 따른다.
이때 $\mathrm{P}(\overline{Y}\leq a)=\mathrm{P}\left(Z\leq\dfrac{a-3}{\frac{1}{2}}\right)$
$=\mathrm{P}(Z\leq 2a-6)$ …… ㉡

STEP C $P(\overline{X} \geq 1)=P(\overline{Y} \leq a)$을 만족하는 상수 a의 값 구하기

㉠, ㉡이 같으므로

$P\left(Z \geq \frac{3}{4}\right)=P(Z \leq 2a-6)$

따라서 $\frac{3}{4}+2a-6=0$이므로 $a=\frac{21}{8}$

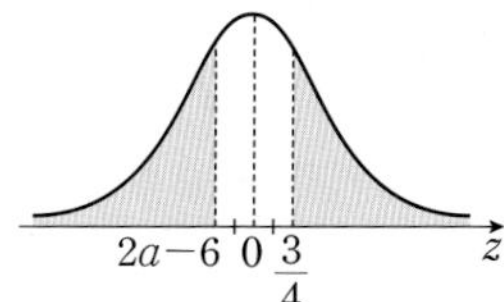

내신연계 출제문항 612

정규분포 $N(30, 2^2)$을 따르는 모집단에서 크기가 9인 표본을 임의추출하여 구한 표본평균을 $\overline{X}$, 정규분포 $N(20, 3^2)$을 따르는 모집단에서 크기가 16인 표본을 임의추출하여 구한 표본평균을 $\overline{Y}$라 하자.

$P(\overline{X} \geq 32)+P(\overline{Y} \geq k)=1$

을 만족시키는 상수 k의 값은?

① $\frac{71}{4}$ ② $\frac{73}{4}$ ③ $\frac{75}{4}$

④ $\frac{77}{4}$ ⑤ $\frac{79}{4}$

STEP A 표본평균 $\overline{X}$의 평균 및 표준편차를 이용하여 $P(\overline{X} \geq 32)$ 구하기

모집단이 정규분포 $N(30, 2^2)$을 따르고 표본의 크기가 9이므로

표본평균 $\overline{X}$는 정규분포 $N\left(30, \frac{4}{9}\right)$를 따른다. ⬅ $E(\overline{X})=30,\ \sigma(\overline{X})=\frac{2}{\sqrt{9}}=\frac{2}{3}$

$Z=\frac{\overline{X}-30}{\frac{2}{3}}$으로 놓으면 확률변수 Z는 표준정규분포 $N(0, 1)$을 따른다.

이때 $P(\overline{X} \geq 32)=P\left(Z \geq \frac{32-30}{\frac{2}{3}}\right)=P(Z \geq 3)$

STEP B 표본평균 $\overline{Y}$의 평균 및 표준편차를 이용하여 $P(\overline{Y} \geq k)$ 구하기

모집단이 정규분포 $N(20, 3^2)$을 따르고 표본의 크기가 16이므로

표본평균 $\overline{Y}$는 정규분포 $N\left(20, \frac{9}{16}\right)$를 따른다. ⬅ $E(\overline{Y})=20,\ \sigma(\overline{Y})=\frac{3}{\sqrt{16}}=\frac{3}{4}$

$Z=\frac{\overline{Y}-20}{\frac{3}{4}}$으로 놓으면 확률변수 Z는 표준정규분포 $N(0, 1)$을 따른다.

이때 $P(\overline{Y} \geq k)=P\left(Z \geq \frac{k-20}{\frac{3}{4}}\right)=P\left(Z \geq \frac{4k-80}{3}\right)$

STEP C $P(\overline{X} \geq 32)+P(\overline{Y} \geq k)=1$을 만족하는 k의 값 구하기

주어진 조건

$P(\overline{X} \geq 32)+P(\overline{Y} \geq k)=1$에서

$P(Z \geq 3)+P\left(Z \geq \frac{4k-80}{3}\right)=1$

따라서 $\frac{4k-80}{3}=-3$이므로 $k=\frac{71}{4}$

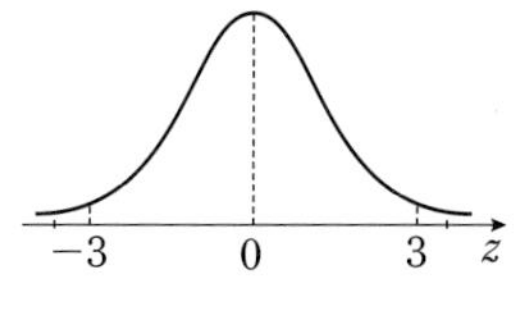

정답 ①

1440

정답 ④

STEP A 표본평균 $\overline{X}$, $\overline{Y}$의 평균과 표준편차 구하기

모집단이 정규분포 $N(58, \sigma^2)$을 따르고 표본의 크기가 16이므로

표본평균 $\overline{X}$는 정규분포 $N\left(58, \left(\frac{\sigma}{4}\right)^2\right)$을 따른다. ⬅ $E(\overline{X})=58,\ \sigma(\overline{X})=\frac{\sigma}{\sqrt{16}}=\frac{\sigma}{4}$

모집단이 정규분포 $N(m, (\sigma+2)^2)$을 따르고 표본의 크기가 25이므로

표본평균 $\overline{Y}$는 정규분포 $N\left(m, \left(\frac{\sigma+2}{5}\right)^2\right)$을 따른다.

⬅ $E(\overline{Y})=m,\ \sigma(\overline{Y})=\frac{\sigma+2}{\sqrt{25}}=\frac{\sigma+2}{5}$

STEP B 두 확률밀도함수 $y=f(x)$, $y=g(x)$의 그래프가 직선 $x=60$에 대하여 서로 대칭임을 이용하여 m, σ 구하기

두 확률변수 $\overline{X}$, $\overline{Y}$의 확률밀도함수 $y=f(x)$, $y=g(x)$의 그래프가

직선 $x=60$에 대하여 서로 대칭이므로 $\frac{58+m}{2}=60$이고, $\sigma(\overline{X})=\sigma(\overline{Y})$

$\frac{58+m}{2}=60 \quad \therefore m=62$

$\sigma(\overline{X})=\sigma(\overline{Y})$에서 $\frac{\sigma}{4}=\frac{\sigma+2}{5}$

$5\sigma=4\sigma+8 \quad \therefore \sigma=8$

STEP C $P(\overline{X} \geq 60)+P(\overline{Y} \leq 60)$의 값 구하기

확률변수 $\overline{X}$는 정규분포 $N(58, 2^2)$을 따르고

확률변수 $\overline{Y}$는 정규분포 $N(62, 2^2)$을 따른다.

$Z_1=\frac{\overline{X}-58}{2}$, $Z_2=\frac{\overline{Y}-62}{2}$으로 놓으면 두 확률변수 Z_1, Z_2는

모두 표준정규분포 $N(0, 1)$을 따르므로

$P(\overline{X} \geq 60)+P(\overline{Y} \leq 60)$

$=P\left(Z_1 \geq \frac{60-58}{2}\right)+P\left(Z_2 \leq \frac{60-62}{2}\right)$

$=P(Z_1 \geq 1)+P(Z_2 \leq -1)$

$=2P(Z_1 \geq 1)$

$=2\{0.5-P(0 \leq Z_1 \leq 1)\}$

$=2(0.5-0.3413)=0.3174$

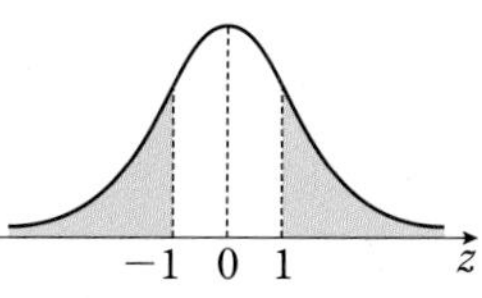

1441

정답 ①

STEP A 표본평균 $\overline{X}$의 평균 및 표준편차를 이용하여 $P(\overline{X} \leq 53)$ 구하기

모집단이 정규분포 $N(50, 8^2)$를 따르고 표본의 크기가 16이므로

표본평균 $\overline{X}$는 정규분포 $N(50, 2^2)$을 따른다. ⬅ $E(\overline{X})=50,\ \sigma(\overline{X})=\frac{8}{\sqrt{16}}=\frac{8}{4}=2$

$Z=\frac{\overline{X}-50}{2}$으로 놓으면 확률변수 Z는 표준정규분포 $N(0, 1)$을 따른다.

이때 $P(\overline{X} \leq 53)=P\left(Z \leq \frac{53-50}{2}\right)=P(Z \leq 1.5)$

STEP B 표본평균 $\overline{Y}$의 평균 및 표준편차를 이용하여 $P(\overline{Y} \leq 69)$ 구하기

모집단이 정규분포 $N(75, \sigma^2)$를 따르고 표본의 크기가 25이므로

표본평균 $\overline{Y}$는 정규분포 $N\left(75, \left(\frac{\sigma}{5}\right)^2\right)$을 따른다. ⬅ $E(\overline{Y})=75,\ \sigma(\overline{Y})=\frac{\sigma}{\sqrt{25}}=\frac{\sigma}{5}$

$Z=\frac{\overline{X}-75}{\frac{\sigma}{5}}$으로 놓으면 확률변수 Z는 표준정규분포 $N(0, 1)$을 따른다.

이때 $P(\overline{Y} \leq 69)=P\left(Z \leq \frac{69-75}{\frac{\sigma}{5}}\right)=P\left(Z \leq -\frac{30}{\sigma}\right)$

STEP C $P(\overline{X} \leq 53)+P(\overline{Y} \leq 69)=1$을 만족하는 σ의 값 구하기

$P(\overline{X} \leq 53)+P(\overline{Y} \leq 69)=1$에서

$P(Z \leq 1.5)+P\left(Z \leq -\frac{30}{\sigma}\right)=1$이므로

$-\frac{30}{\sigma}=-1.5 \quad \therefore \sigma=20$

STEP D $P(\overline{Y} \geq 71)$의 값 구하기

$Z=\frac{\overline{Y}-75}{4}$으로 놓으면 확률변수 Z는 표준정규분포 $N(0, 1)$을 따른다.

$\therefore P(\overline{Y} \geq 71)=P\left(Z \geq \frac{71-75}{4}\right)$

$=P(Z \geq -1)$

$=0.5+P(0 \leq Z \leq 1)$

$=0.5+0.3413=0.8413$

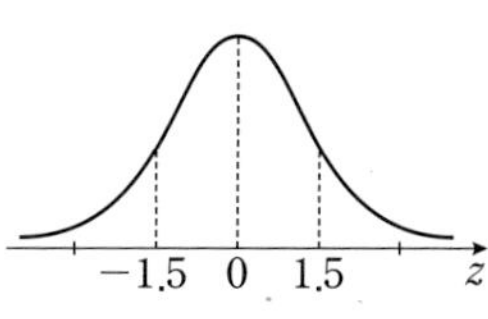

내신연계 출제문항 613

정규분포 $\mathrm{N}(10,\ 3^2)$을 따르는 모집단에서 크기가 9인 표본을 임의추출하여 구한 표본평균을 $\overline{X}$, 정규분포 $\mathrm{N}(15,\ \sigma^2)$을 따르는 모집단에서 크기가 9인 표본을 임의추출하여 구한 표본평균을 $\overline{Y}$라 하자.

$$\mathrm{P}(\overline{X}<8)+\mathrm{P}(\overline{Y}\geq 11)=1$$

일 때, $\mathrm{P}(\overline{Y}\geq 18)$의 값을 오른쪽 표준정규분포표를 이용하여 구한 것은?

z	$\mathrm{P}(0\leq Z\leq z)$
0.5	0.1915
1.0	0.3413
1.5	0.4332
2.0	0.4772

① 0.0228　② 0.0668　③ 0.1498
④ 0.1587　⑤ 0.3085

STEP Ⓐ **표본평균 $\overline{X}$의 평균 및 표준편차를 이용하여 $\mathrm{P}(\overline{X}<8)$ 구하기**

모집단이 정규분포 $\mathrm{N}(10,\ 3^2)$를 따르고 표본의 크기가 9이므로

표본평균 $\overline{X}$는 정규분포 $\mathrm{N}(10,\ 1)$을 따른다. ⬅ $\mathrm{E}(\overline{X})=\mathrm{E}(X)=10,\ \sigma(\overline{X})=\frac{3}{\sqrt{9}}=1$

$Z=\frac{\overline{X}-10}{1}$으로 놓으면 확률변수 Z는 표준정규분포 $\mathrm{N}(0, 1)$을 따른다.

이때 $\mathrm{P}(\overline{X}\leq 8)=\mathrm{P}\left(Z\leq\frac{8-10}{1}\right)=\mathrm{P}(Z\leq -2)$

STEP Ⓑ **표본평균 $\overline{Y}$의 평균 및 표준편차를 이용하여 $\mathrm{P}(\overline{Y}\geq 11)$ 구하기**

모집단이 정규분포 $\mathrm{N}(15,\ \sigma^2)$를 따르고 표본의 크기가 9이므로

표본평균 $\overline{Y}$는 정규분포 $\mathrm{N}\left(15,\ \left(\frac{\sigma}{3}\right)^2\right)$을 따른다.

$Z=\frac{\overline{Y}-15}{\frac{\sigma}{3}}$으로 놓으면 확률변수 Z는 표준정규분포 $\mathrm{N}(0,\ 1)$을 따른다.

⬅ $\mathrm{E}(\overline{Y})=15,\ \sigma(\overline{Y})=\frac{\sigma}{\sqrt{9}}=\frac{\sigma}{3}$

이때 $\mathrm{P}(\overline{Y}\geq 11)=\mathrm{P}\left(Z\geq\frac{11-15}{\frac{\sigma}{3}}\right)=\mathrm{P}\left(Z\geq -\frac{12}{\sigma}\right)$

STEP Ⓒ **$\mathrm{P}(\overline{X}<8)+\mathrm{P}(\overline{Y}\geq 11)=1$을 만족하는 σ의 값 구하기**

$\mathrm{P}(\overline{X}\leq 8)+\mathrm{P}(\overline{Y}\geq 11)=1$에서

$\mathrm{P}(Z\leq -2)+\mathrm{P}\left(Z\geq -\frac{12}{\sigma}\right)=1$

이므로 $-\frac{12}{\sigma}=-2$

$\therefore\ \sigma=6$

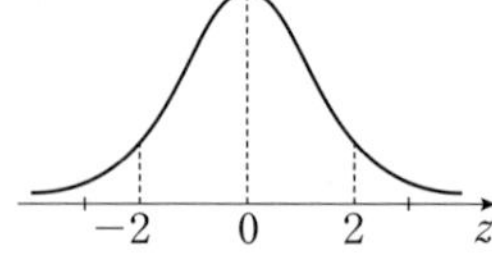

STEP Ⓓ **$\mathrm{P}(\overline{Y}\geq 18)$의 값 구하기**

$\mathrm{P}(\overline{Y}\geq 18)=\mathrm{P}\left(Z\geq\frac{18-15}{2}\right)$
$=\mathrm{P}(Z\geq 1.5)$
$=\mathrm{P}(Z\geq 0)-\mathrm{P}(0\leq Z\leq 1.5)$
$=0.5-0.4332=0.0668$

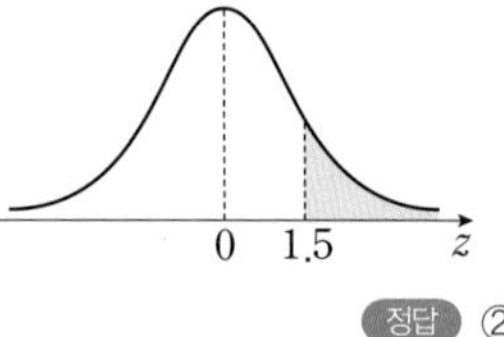

정답 ②

1442

정답 ④

STEP Ⓐ $\mathrm{P}(71\leq X\leq 89)$ **구하기**

확률변수 X가 정규분포 $\mathrm{N}(77,\ 6^2)$을 따르므로

$\mathrm{P}(71\leq X\leq 89)=\mathrm{P}\left(\frac{71-77}{6}\leq Z\leq\frac{89-77}{6}\right)$
$=\mathrm{P}(-1\leq Z\leq 2)$

STEP Ⓑ $\mathrm{P}(75\leq\overline{X}\leq a)$ **구하기**

모집단이 정규분포 $\mathrm{N}(77,\ 6^2)$을 따르고 표본의 크기가 9이므로

표본평균 $\overline{X}$는 정규분포 $\mathrm{N}\left(77,\ \frac{6^2}{9}\right)$, 즉 $\mathrm{N}(77,\ 2^2)$을 따른다.

$\mathrm{P}(75\leq\overline{X}\leq a)=\mathrm{P}\left(\frac{75-77}{2}\leq Z\leq\frac{a-77}{2}\right)$
$=\mathrm{P}\left(-1\leq Z\leq\frac{a-77}{2}\right)$

STEP Ⓒ **상수 a의 값 구하기**

따라서 $\frac{a-77}{2}=2$에서 $a=81$

1443

정답 ⑤

STEP Ⓐ $\mathrm{P}(X\leq 6)$ **구하기**

확률변수 X가 정규분포 $\mathrm{N}(m,\ \sigma^2)$을 따른다고 하면

$\mathrm{P}(X\leq 6)=\mathrm{P}\left(Z\leq\frac{6-m}{\sigma}\right)$

STEP Ⓑ $\mathrm{P}(\overline{X}\geq 9)$**을 만족하는 m의 값 구하기**

모집단이 정규분포 $\mathrm{N}(m,\ \sigma^2)$을 따르고 표본의 크기가 16이므로

표본평균 $\overline{X}$는 정규분포 $\mathrm{N}\left(m,\ \left(\frac{\sigma}{4}\right)^2\right)$을 따른다.

$\mathrm{P}(\overline{X}\geq 9)=\mathrm{P}\left(Z\geq\frac{9-m}{\frac{\sigma}{4}}\right)$

STEP Ⓒ $\mathrm{P}(X\leq 6)=\mathrm{P}(\overline{X}\geq 9)$**을 만족하는 m의 값 구하기**

$\mathrm{P}(X\leq 6)=\mathrm{P}(\overline{X}\geq 9)$에서 $\mathrm{P}\left(Z\leq\frac{6-m}{\sigma}\right)=\mathrm{P}\left(Z\geq\frac{9-m}{\frac{\sigma}{4}}\right)$이므로

표준정규분포 곡선의 대칭성을 이용하면 $-\frac{6-m}{\sigma}=\frac{9-m}{\frac{\sigma}{4}}$, $5m=42$

따라서 $m=8.4$

1444

정답 ④

STEP Ⓐ $\mathrm{P}(X\geq 1)$**를 표준화 하기**

확률변수 X가 정규분포 $\mathrm{N}(3,\ 2^2)$을 따르므로

$\mathrm{P}(X\geq 1)=\mathrm{P}\left(Z\geq\frac{1-3}{2}\right)=\mathrm{P}(Z\geq -1)$

STEP Ⓑ $\mathrm{P}(\overline{X}\leq a)$**를 표준화 하기**

모집단이 정규분포 $\mathrm{N}(3,\ 2^2)$을 따르고 표본의 크기가 4이므로

표본평균 $\overline{X}$는 정규분포 $\mathrm{N}(3,\ 1^2)$을 따른다.

$\mathrm{P}(\overline{X}\leq a)=\mathrm{P}\left(Z\leq\frac{a-3}{1}\right)$

STEP Ⓒ $\mathrm{P}(X\geq 1)=\mathrm{P}(\overline{X}\leq a)$**을 만족하는 a의 값 구하기**

$\mathrm{P}(Z\geq -1)=\mathrm{P}(Z\leq a-3)$

따라서 $a-3=1$이므로 $a=4$

내신연계 출제문항 614

모집단의 확률변수 X는 정규분포 $\mathrm{N}(100,\ 4^2)$을 따른다고 한다.
모집단에서 크기가 n인 표본을 임의추출하여 만든 표본평균을 $\overline{X}$라 하자.

$$\mathrm{P}(X \le 88)=\mathrm{P}(\overline{X} \ge 102)$$

가 성립할 때, n의 값은?

① 9 ② 16 ③ 25
④ 36 ⑤ 49

STEP Ⓐ **확률변수 X를 표준화하여 $\mathrm{P}(X \le 88)$의 값 구하기**

확률변수 X는 정규분포 $\mathrm{N}(100,\ 4^2)$을 따른다.

이때 $Z=\dfrac{X-100}{4}$로 놓으면 확률변수 Z는 표준정규분포 $\mathrm{N}(0,\ 1)$을 따른다.

$\mathrm{P}(X \le 88)=\mathrm{P}\left(Z \le \dfrac{88-100}{4}\right)=\mathrm{P}(Z \le -3)$

STEP Ⓑ **표본의 크기가 n인 $\overline{X}$를 표준화하여 $\mathrm{P}(\overline{X} \ge 102)$의 값 구하기**

모집단이 정규분포 $\mathrm{N}(100,\ 4^2)$을 따르고 표본의 크기가 n이고

표본평균 $\overline{X}$는 정규분포 $\mathrm{N}\left(100,\ \left(\dfrac{4}{\sqrt{n}}\right)^2\right)$을 따르므로 ⬅ $\mathrm{E}(\overline{X})=100,\ \mathrm{V}(\overline{X})=\dfrac{16}{n}$

$Z=\dfrac{\overline{X}-100}{\frac{4}{\sqrt{n}}}$로 놓으면 확률변수 Z는 표준정규분포 $\mathrm{N}(0,\ 1)$을 따른다.

$\mathrm{P}(\overline{X} \ge 102)=\mathrm{P}\left(Z \ge \dfrac{102-100}{\frac{4}{\sqrt{n}}}\right)=\mathrm{P}\left(Z \ge \dfrac{\sqrt{n}}{2}\right)$

STEP Ⓒ **$\mathrm{P}(X \le 88)=\mathrm{P}(\overline{X} \ge 102)$를 만족하는 n의 값 구하기**

$\mathrm{P}(X \le 88)=\mathrm{P}(\overline{X} \ge 102)$이므로

$\mathrm{P}(Z \le -3)=\mathrm{P}\left(Z \ge \dfrac{\sqrt{n}}{2}\right)$가 성립하려면 $3=\dfrac{\sqrt{n}}{2}$, $\sqrt{n}=6$

따라서 $n=36$

④

1445

③

STEP Ⓐ **확률변수 X를 표준화하여 $\mathrm{P}(164 \le X \le 172)$의 값 구하기**

임의로 뽑은 한 신입생의 키를 X라고 하면

X는 정규분포 $\mathrm{N}(168,\ 2^2)$을 따른다.

이때 $Z=\dfrac{X-168}{2}$로 놓으면 Z는 표준정규분포 $\mathrm{N}(0,\ 1)$을 따르므로

구하는 확률은

$\mathrm{P}(164 \le X \le 172)=\mathrm{P}\left(\dfrac{164-168}{2} \le Z \le \dfrac{172-168}{2}\right)$
$=\mathrm{P}(-2 \le Z \le 2)$

STEP Ⓑ **표본의 크기가 64인 $\overline{X}$의 평균과 표준편차 구하기**

모집단이 정규분포 $\mathrm{N}(168,\ 2^2)$을 따르고 표본의 크기가 64이므로

표본평균 $\overline{X}$는 정규분포 $\mathrm{N}\left(168,\ \left(\dfrac{1}{4}\right)^2\right)$을 따른다. ⬅ $\mathrm{E}(\overline{X})=168,\ \mathrm{V}(\overline{X})=\dfrac{2^2}{64}=\left(\dfrac{1}{4}\right)^2$

이때 $Z=\dfrac{\overline{X}-168}{\frac{1}{4}}$로 놓으면 Z는 표준정규분포 $\mathrm{N}(0,\ 1)$을 따른다.

$\mathrm{P}(168-\alpha \le \overline{X} \le 168+\alpha)=\mathrm{P}\left(\dfrac{168-\alpha-168}{\frac{1}{4}} \le Z \le \dfrac{168+\alpha-168}{\frac{1}{4}}\right)$
$=\mathrm{P}(-4\alpha \le Z \le 4\alpha)$

STEP Ⓒ **α의 값 구하기**

$\mathrm{P}(164 \le X \le 172)=\mathrm{P}(168-\alpha \le \overline{X} \le 168+\alpha)$이므로

$\mathrm{P}(-2 \le Z \le 2)=\mathrm{P}(-4\alpha \le Z \le 4\alpha)$을 만족한다.

따라서 $\alpha=\dfrac{1}{2}$

1446

④

STEP Ⓐ **확률변수 X를 표준화하여 $\mathrm{P}(X \ge 130)$의 값 구하기**

제품 A의 무게를 확률변수 X라 하면

X는 정규분포 $\mathrm{N}(120,\ 10^2)$을 따른다.

이때 $Z=\dfrac{X-120}{10}$로 놓으면 확률변수 Z는 표준정규분포 $\mathrm{N}(0,\ 1)$을 따른다.

$p_1=\mathrm{P}(X \ge 130)$
$=\mathrm{P}\left(Z \ge \dfrac{130-120}{10}\right)$
$=\mathrm{P}(Z \ge 1)$
$=0.5-\mathrm{P}(0 \le Z \le 1)=0.1587$

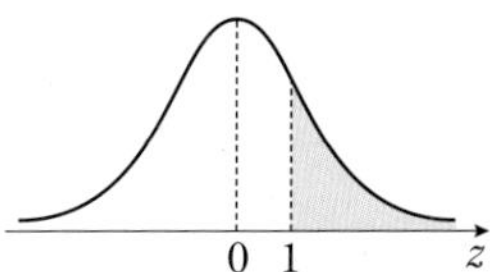

STEP Ⓑ **표본의 크기가 4인 $\overline{X}$를 표준화하여 $\mathrm{P}(\overline{X} \ge 130)$의 값 구하기**

모집단이 정규분포 $\mathrm{N}(120,\ 10^2)$을 따르고 표본의 크기가 4이므로

표본평균 $\overline{X}$는 정규분포 $\mathrm{N}(120,\ 5^2)$을 따른다. ⬅ $\mathrm{E}(\overline{X})=120,\ \mathrm{V}(\overline{X})=\dfrac{10^2}{4}=5^2$

이때 $Z=\dfrac{\overline{X}-120}{5}$로 놓으면 확률변수 Z는 표준정규분포 $\mathrm{N}(0,\ 1)$을 따른다.

$p_2=\mathrm{P}(\overline{X} \ge 130)$
$=\mathrm{P}\left(Z \ge \dfrac{130-120}{5}\right)$
$=\mathrm{P}(Z \ge 2)$
$=0.5-\mathrm{P}(0 \le Z \le 2)=0.0228$

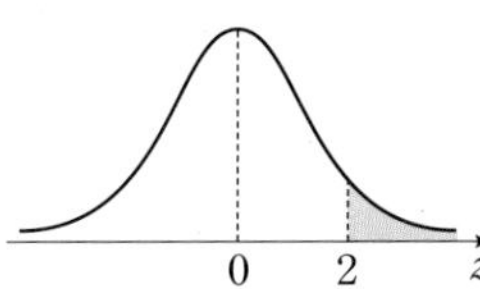

STEP Ⓒ **p_1-p_2의 값 구하기**

따라서 $p_1-p_2=0.1587-0.0228=0.1359$

내신연계 출제문항 615

어느 고등학교의 학생 1명이 등교할 때 가져가는 책가방의 무게는 평균이 6.5kg 표준편차가 2kg인 정규분포를 따른다고 한다. 이 고등학교의 학생 중에서 임의로 선택한 학생 1명이 등교할 때 가져가는 책가방의 무게가 5.5kg 이상일 확률을 p_1, 임의로 선택한 학생 16명이 등교할 때 가져가는 책가방의 무게의 표본평균이 $a$kg 이하일 확률을 p_2라 할 때, $p_1+p_2=1.5328$이 성립한다. a의 값을 오른쪽 표준정규분포표를 이용하여 구한 것은?

z	$\mathrm{P}(0 \le Z \le z)$
0.5	0.1915
1.0	0.3413
1.5	0.4332
2.0	0.4772
2.5	0.4938

① 6 ② 7 ③ 8
④ 9 ⑤ 10

STEP Ⓐ **확률변수 X를 표준화하여 $\mathrm{P}(X \ge 5.5)$의 값 구하기**

학생 1명의 책가방의 무게를 확률변수 X라 하면

X는 정규분포 $\mathrm{N}(6.5,\ 2^2)$을 따른다.

이때 $Z=\dfrac{X-6.5}{2}$로 놓으면 Z는 표준정규분포 $\mathrm{N}(0,\ 1)$을 따르므로

구하는 확률은

$p_1=\mathrm{P}(X \ge 5.5)=\mathrm{P}\left(Z \ge \dfrac{5.5-6.5}{2}\right)$
$=\mathrm{P}(Z \ge -0.5)$
$=0.5+\mathrm{P}(0 \le Z \le 0.5)$
$=0.5+0.1915=0.6915$

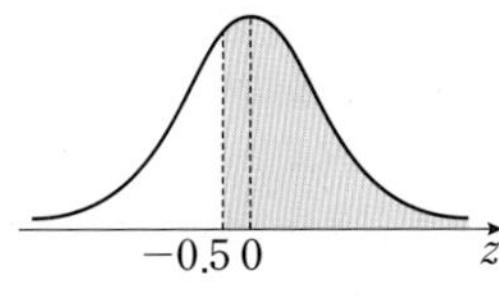

STEP Ⓑ **크기가 16인 표본일 때, 표본평균의 평균과 표준편차 구하기**

모집단이 정규분포 $\mathrm{N}(6.5,\ 2^2)$을 따르고 표본의 크기가 16이므로

표본평균 $\overline{X}$는 정규분포 $\mathrm{N}\left(6.5,\ \left(\dfrac{1}{2}\right)^2\right)$을 따른다. ⬅ $\mathrm{E}(\overline{X})=6.5,\ \mathrm{V}(\overline{X})=\dfrac{2^2}{16}=\left(\dfrac{1}{2}\right)^2$

이때 $Z=\dfrac{\overline{X}-6.5}{\frac{1}{2}}$로 놓으면 Z는 표준정규분포 $\mathrm{N}(0,\ 1)$을 따른다.

STEP Ⓒ **크기가 16인 표본일 때, 표본평균 $\overline{X}$로 놓고 p_2 구하기**

$p_2=\mathrm{P}(\overline{X}\le a)=\mathrm{P}\left(Z\le\dfrac{a-6.5}{0.5}\right)$

이때 $p_1+p_2=1.5328$이므로

$p_2=1.5328-p_1=1.5328-0.6915=0.8413$

즉 $\mathrm{P}\left(Z\le\dfrac{a-6.5}{0.5}\right)=0.5+\mathrm{P}\left(0\le Z\le\dfrac{a-6.5}{0.5}\right)=0.8413$

$\mathrm{P}\left(0\le Z\le\dfrac{a-6.5}{0.5}\right)=0.8413-0.5=0.3413$

주어진 표준정규분포표에서

$\mathrm{P}(0\le Z\le 1)=0.3413$이므로 $\dfrac{a-6.5}{0.5}=1$

따라서 $a=7$

정답 ②

1447

정답 ①

STEP Ⓐ **확률분포 X를 표준화하여 a를 m에 대하여 나타내기**

제품의 길이 X는 정규분포 $\mathrm{N}(m,\ 4^2)$을 따른다.

이때 $Z=\dfrac{X-m}{4}$로 놓으면 Z는 표준정규분포 $\mathrm{N}(0,\ 1)$을 따르므로

구하는 확률은

$\mathrm{P}(m\le X\le a)=\mathrm{P}\left(0\le Z\le\dfrac{a-m}{4}\right)$

$=0.3413$

한편 $\mathrm{P}(0\le Z\le 1)=0.3413$이므로

$\dfrac{a-m}{4}=1$

$\therefore\ a=m+4$ ⋯⋯ ㉠

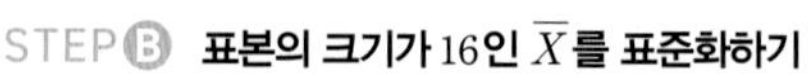

STEP Ⓑ **표본의 크기가 16인 $\overline{X}$를 표준화하기**

또한, 생산된 제품 중에서 임의추출한 제품 16개의 길이의 표본평균을 $\overline{X}$라 하면

표본평균 $\overline{X}$는 정규분포 $\mathrm{N}(m,\ 1)$을 따른다. ⬅ $\mathrm{E}(\overline{X})=m,\ \mathrm{V}(\overline{X})=\frac{4^2}{16}=1$

이때 $Z=\dfrac{\overline{X}-m}{1}$으로 놓으면 Z는 표준정규분포 $\mathrm{N}(0,\ 1)$을 따른다.

STEP Ⓒ **$\mathrm{P}(\overline{X}\ge a-2)$ 구하기**

따라서 ㉠에서

$\mathrm{P}(\overline{X}\ge a-2)=\mathrm{P}(\overline{X}\ge m+2)$

$=\mathrm{P}\left(Z\ge\dfrac{m+2-m}{1}\right)$

$=\mathrm{P}(Z\ge 2)$

$=0.5-\mathrm{P}(0\le Z\le 2)$

$=0.5-0.4772=0.0228$

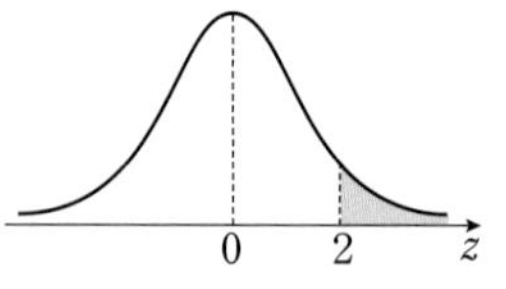

내신연계 출제문항 616

어느 공장에서 생산하는 군용 위장크림 1개의 무게 X는 평균이 m, 표준편차가 σ인 정규분포를 따른다고 한다.

$\mathrm{P}(X\ge 50)=0.1587$

일 때, 공장에서 생산하는 군용 위장크림 중에서 임의추출한 4개의 무게의 평균이 50 이상일 확률을 오른쪽 표준정규분포표를 이용하여 구한 것은?
(단, 무게의 단위는 g이다.)

z	$\mathrm{P}(0\le Z\le z)$
0.5	0.1915
1.0	0.3413
1.5	0.4332
2.0	0.4772

① 0.0228 ② 0.0668 ③ 0.1587
④ 0.3085 ⑤ 0.4332

STEP Ⓐ **군용 위장크림 1개의 무게를 확률변수 X로 놓고 확률 구하기**

군용 위장크림 1개의 무게를 확률변수 X라 하면

X는 정규분포 $\mathrm{N}(m,\ \sigma^2)$을 따르므로 구하는 확률은

$\mathrm{P}(X\ge 50)=\mathrm{P}\left(Z\ge\dfrac{50-m}{\sigma}\right)$

$=0.5-\mathrm{P}\left(0\le Z\le\dfrac{50-m}{\sigma}\right)$

$=0.1587$

즉 $\mathrm{P}\left(0\le Z\le\dfrac{50-m}{\sigma}\right)=0.3413$이므로

$\dfrac{50-m}{\sigma}=1\quad\therefore\ 50-m=\sigma$ ⋯⋯ ㉠

STEP Ⓑ **크기가 4인 표본일 때, 표본평균 $\overline{X}$로 놓고 확률 구하기**

군용 위장크림 중에서 임의추출한 4개의 무게의 평균을 $\overline{X}$라 하면

즉 표본평균 $\overline{X}$는 정규분포 $\mathrm{N}\left(m,\ \left(\frac{\sigma}{2}\right)^2\right)$을 따른다. ⬅ $\mathrm{E}(\overline{X})=m,\ \sigma(\overline{X})=\frac{\sigma}{\sqrt{4}}=\frac{\sigma}{2}$

따라서 임의추출한 4개의 무게의 평균이 50 이상일 확률은

$\mathrm{P}(\overline{X}\ge 50)=\mathrm{P}\left(Z\ge\dfrac{50-m}{\frac{\sigma}{2}}\right)$

$=\mathrm{P}\left(Z\ge\dfrac{\sigma}{\frac{\sigma}{2}}\right)=\mathrm{P}(Z\ge 2)\ (\because ㉠)$

$=0.5-\mathrm{P}(0\le Z\le 2)$

$=0.5-0.4772=0.0228$

정답 ①

1448

정답 ③

STEP Ⓐ **확률분포 X를 표준화하기**

확률변수 X는 정규분포 $\mathrm{N}(40,\ \sigma^2)$을 따른다.

이때 $Z=\dfrac{X-40}{\sigma}$로 놓으면 Z는 표준정규분포 $\mathrm{N}(0,\ 1)$을 따르므로

$\mathrm{P}(X\ge 40+k)=\mathrm{P}\left(Z\ge\dfrac{40+k-40}{\sigma}\right)=\mathrm{P}\left(Z\ge\dfrac{k}{\sigma}\right)$

STEP Ⓑ **크기가 4인 표본일 때, 표본평균 $\overline{X}$로 놓고 확률 구하기**

모집단이 정규분포 $\mathrm{N}(40,\ \sigma^2)$을 따르고 표본의 크기가 4이므로

표본평균 $\overline{X}$는 정규분포 $\mathrm{N}\left(40,\ \left(\frac{\sigma}{2}\right)^2\right)$을 따른다. ⬅ $\mathrm{E}(\overline{X})=40,\ \sigma(\overline{X})=\frac{\sigma}{\sqrt{4}}=\frac{\sigma}{2}$

이때 $Z=\dfrac{\overline{X}-40}{\frac{\sigma}{2}}$으로 놓으면 Z는 표준정규분포 $\mathrm{N}(0,\ 1)$을 따른다.

$\mathrm{P}(\overline{X}\le 40-k\sigma)=\mathrm{P}\left(Z\le\dfrac{40-k\sigma-40}{\frac{\sigma}{2}}\right)=\mathrm{P}(Z\le -2k)$

STEP Ⓒ **$\mathrm{P}(X\ge 40+k)=\mathrm{P}(\overline{X}\le 40-k\sigma)$을 만족하는 σ의 값 구하기**

$\mathrm{P}(X\ge 40+k)=\mathrm{P}(\overline{X}\le 40-k\sigma)$에서

$\mathrm{P}\left(Z\ge\dfrac{k}{\sigma}\right)=\mathrm{P}(Z\le -2k)$이므로 $\dfrac{k}{\sigma}=2k$

k는 임의의 양수이므로 $\sigma=\dfrac{1}{2}$ ⋯⋯ ㉠

STEP Ⓓ **$\mathrm{P}(X\le a)=\mathrm{P}(\overline{X}\ge 42)$을 만족하는 a의 값 구하기**

$\mathrm{P}(X\le a)=\mathrm{P}(\overline{X}\ge 42)$에서

$\mathrm{P}(X\le a)=\mathrm{P}\left(Z_1\le\dfrac{a-40}{\frac{1}{2}}\right)=\mathrm{P}(Z_1\le 2a-80)$,

$\mathrm{P}(\overline{X}\ge 42)=\mathrm{P}\left(Z_2\ge\dfrac{42-40}{\frac{1}{4}}\right)=\mathrm{P}(Z_2\ge 8)=\mathrm{P}(Z_2\le -8)$

이므로 $2a-80=-8\quad\therefore\ a=36$ ⋯⋯ ㉡

따라서 ㉠, ㉡에서 $a\sigma=36\times\dfrac{1}{2}=18$

1449

정답 ③

STEP Ⓐ 함수 $G(k)$에 대한 확률변수 X를 표준화하기

학생들의 인터넷 사용시간에 대한 확률변수 X는

정규분포 $N(m,\ 30^2)$을 따르고 $Z=\dfrac{X-m}{30}$로 놓으면

Z는 표준정규분포 $N(0,\ 1)$을 따르므로

$G(k)=P(X\le m+30k)=P\left(Z\le \dfrac{m+30k-m}{30}\right)=P(Z\le k)$

STEP Ⓑ 함수 $H(k)$에 대한 표본평균 $\overline{X}$를 표준화하기

모집단이 정규분포 $N(m,\ 30^2)$을 따르고 표본의 크기가 9이므로

표본평균 $\overline{X}$는 정규분포 $N(m,\ 10^2)$을 따른다. ⬅ $E(\overline{X})=m,\ \sigma(\overline{X})=\dfrac{30}{\sqrt{9}}=10$

이때 $Z=\dfrac{\overline{X}-m}{10}$로 놓으면 Z는 표준정규분포 $N(0,\ 1)$을 따른다.

$H(k)=P(\overline{X}\ge m-30k)=P\left(Z\ge \dfrac{m-30k-m}{10}\right)=P(Z\ge -3k)$

STEP Ⓒ 표준정규분포를 이용하여 진위판단하기

ㄱ. $G(0)=P(Z\le 0)=0.5,\ H(0)=P(Z\ge 0)=0.5$

$\therefore\ G(0)=H(0)$ [참]

ㄴ. $G(3)=P(Z\le 3)=0.5+P(0\le Z\le 3)$

$H(1)=P(Z\ge -3)$

$=P(-3\le Z\le 0)+0.5$

$=P(0\le Z\le 3)+0.5$

$\therefore\ G(3)=H(1)$ [참]

ㄷ. $G(1)=P(Z\le 1), H(-1)=P(Z\ge 3)$

이므로

$G(1)+H(-1)=P(Z\le 1)+P(Z\ge 3)$

$=1-P(1\le Z\le 3)$

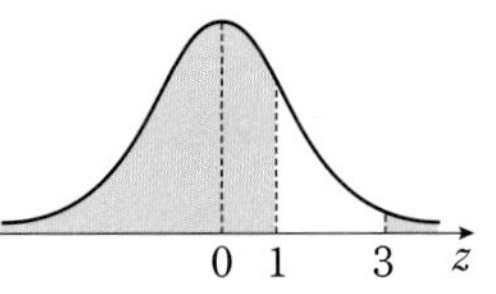

$P(1\le Z\le 3)>0$이므로

$G(1)+H(-1)<1$ [거짓]

따라서 옳은 것은 ㄱ, ㄴ이다.

1450

정답 ③

STEP Ⓐ 불량품으로 판정될 확률을 구하기

확률변수 X가 정규분포 $N(60,\ 5^2)$을 따르므로

$Z=\dfrac{X-60}{5}$로 놓으면 Z는 표준정규분포 $N(0,\ 1)$을 따른다.

불량품으로 판정될 확률은

$P(X\le 50)=P\left(Z\le \dfrac{50-60}{5}\right)$

$=P(Z\le -2)$

$=0.5-P(0\le Z\le 2)$

$=0.5-0.48=0.02$

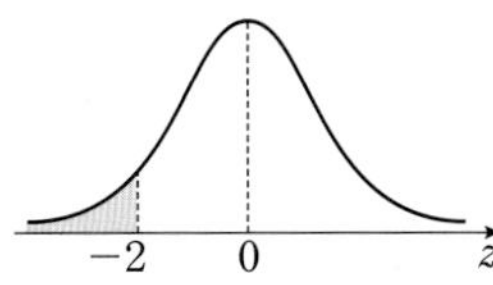

STEP Ⓑ 이항분포를 이용하여 확률변수 Y의 정규분포의 평균과 표준편차 구하기

임의로 한 개의 제품을 뽑을 때, 불량률이 0.02이므로

2500개의 제품 중 불량품의 개수를 Y라 하면

Y는 이항분포 $B(2500,\ 0.02)$를 따른다.

$E(X)=2500\times 0.02=50,\ V(X)=2500\times 0.02\times 0.98=49$

는 근사적으로 정규분포 $N(50,\ 7^2)$을 따른다.

이때 2500은 충분히 크므로

확률변수 Y는 근사적으로 정규분포 $N(50,\ 7^2)$을 따른다.

이때 $Z=\dfrac{Y-50}{7}$로 놓으면 Z는 표준정규분포 $N(0,\ 1)$을 따른다.

STEP Ⓒ 크기가 2500인 표본일 때, 표본평균 $\overline{X}$의 정규분포의 평균과 표준편차 구하기

모집단이 정규분포 $N(60,\ 5^2)$을 따르고 표본의 크기가 2500이므로

표본평균 $\overline{X}$는 정규분포 $N(60,\ 0.1^2)$을 따른다. ⬅ $E(\overline{X})=60,\ V(\overline{X})=\dfrac{5^2}{2500}=0.1^2$

이때 $Z=\dfrac{\overline{X}-60}{0.1}$로 놓으면 Z는 표준정규분포 $N(0,\ 1)$을 따른다.

STEP Ⓓ 확률변수 $X,\ Y,\ \overline{X}$를 이용하여 참, 거짓 판단하기

ㄱ. $P(\overline{X}\ge 60)=P\left(Z\ge \dfrac{60-60}{0.1}\right)$

$=P(Z\ge 0)$

$=\dfrac{1}{2}$ [참]

ㄴ. $P(Y\ge 57)=P\left(Z\ge \dfrac{57-50}{7}\right)$

$=P(Z\ge 1)$

$=0.5-P(0\le Z\le 1)$

$=0.5-0.34=0.16$

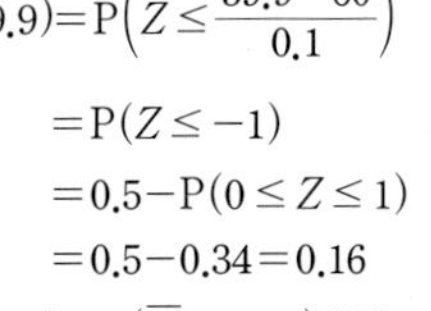

$P(\overline{X}\le 59.9)=P\left(Z\le \dfrac{59.9-60}{0.1}\right)$

$=P(Z\le -1)$

$=0.5-P(0\le Z\le 1)$

$=0.5-0.34=0.16$

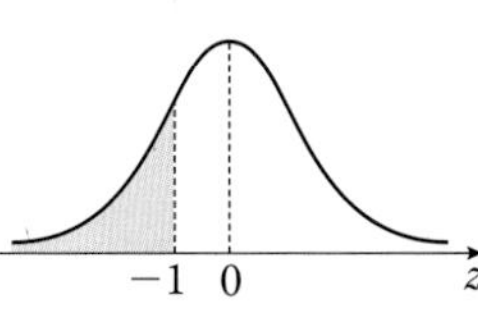

$\therefore\ P(Y\ge 57)=P(\overline{X}\le 59.9)$ [참]

ㄷ. $P(60-k\le X\le 60+k)=P\left(\dfrac{60-k-60}{5}\le Z\le \dfrac{60+k-60}{5}\right)$

$=P\left(-\dfrac{k}{5}\le Z\le \dfrac{k}{5}\right)$

$P(60-k\le \overline{X}\le 60+k)=P\left(\dfrac{60-k-60}{0.1}\le Z\le \dfrac{60+k-60}{0.1}\right)$

$=P\left(-\dfrac{k}{0.1}\le Z\le \dfrac{k}{0.1}\right)$

임의의 양수 k에 대하여 $\dfrac{k}{5}<\dfrac{k}{0.1}$이므로

$P\left(-\dfrac{k}{5}\le Z\le \dfrac{k}{5}\right)<P\left(-\dfrac{k}{0.1}\le Z\le \dfrac{k}{0.1}\right)$

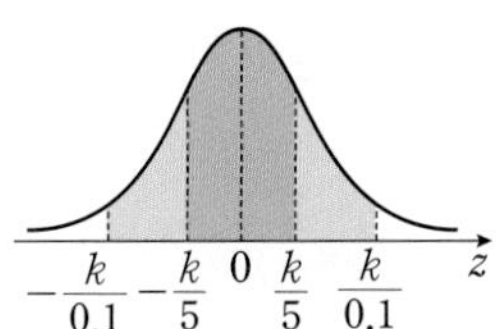

$\therefore\ P(60-k\le X\le 60+k)<P(60-k\le \overline{X}\le 60+k)$ [거짓]

따라서 옳은 것은 ㄱ, ㄴ이다.

Ⅲ 통계

내/신/연/계/ 출제문항 617

모집단의 확률변수 X가 정규분포 $\mathrm{N}(50, 1)$을 따르고, 이 모집단에서 크기가 n_1인 표본을 임의추출하여 구한 표본평균을 $\overline{X_1}$, 크기가 n_2인 표본을 임의추출하여 구한 표본평균을 $\overline{X_2}$라 할 때, [보기]에서 옳은 것만을 있는 대로 고른 것은?

> ㄱ. $\mathrm{V}(\overline{X_1})=2\mathrm{V}(\overline{X_2})$이면 $n_1=\frac{1}{2}n_2$이다.
> ㄴ. $n_1=100$이면 $\mathrm{P}(X\geq 51)=\mathrm{P}(\overline{X_1}\geq 50.1)$이다.
> ㄷ. $\mathrm{P}(\overline{X_1}\geq 51)=\mathrm{P}(\overline{X_2}\geq 52)$이면 $n_1=4n_2$이다.

① ㄱ ② ㄷ ③ ㄱ, ㄴ
④ ㄴ, ㄷ ⑤ ㄱ, ㄴ, ㄷ

STEP Ⓐ 확률변수 X, $\overline{X_1}$, $\overline{X_2}$의 정규분포를 각각 구하기

확률변수 X가 정규분포 $\mathrm{N}(50, 1)$을 따르고 $Z=\frac{X-50}{1}$로 놓으면

Z는 표준정규분포 $\mathrm{N}(0, 1)$을 따른다.

모집단이 정규분포 $\mathrm{N}(50, 1)$을 따르고 표본의 크기가 n_1이므로

표본평균을 $\overline{X_1}$는 정규분포 $\mathrm{N}\left(50, \frac{1}{n_1}\right)$을 따르고 $Z_1=\frac{\overline{X_1}-50}{\frac{1}{\sqrt{n_1}}}$로 놓으면

Z는 표준정규분포 $\mathrm{N}(0, 1)$을 따른다.

모집단이 정규분포 $\mathrm{N}(50, 1)$을 따르고 표본의 크기가 n_2이므로

표본평균을 $\overline{X_2}$는 정규분포 $\mathrm{N}\left(50, \frac{1}{n_2}\right)$을 따르고 $Z_2=\frac{\overline{X_2}-50}{\frac{1}{\sqrt{n_2}}}$로 놓으면

Z는 표준정규분포 $\mathrm{N}(0,1)$을 따른다.

STEP Ⓑ **확률변수 X, $\overline{X_1}$, $\overline{X_2}$을 이용하여 참, 거짓 판단하기**

ㄱ. $\mathrm{V}(\overline{X_1})=\frac{1}{n_1}$, $\mathrm{V}(\overline{X_2})=\frac{1}{n_2}$이므로

$\mathrm{V}(\overline{X_1})=2\mathrm{V}(\overline{X_2})$이면 $\frac{1}{n_1}=\frac{2}{n_2}$에서 $2n_1=n_2$

$\therefore n_1=\frac{1}{2}n_2$[참]

ㄴ. 확률변수 X가 정규분포 $\mathrm{N}(50, 1)$을 따르고 $n_1=100$이면

확률변수 $\overline{X_1}$는 정규분포 $\mathrm{N}\left(50, \frac{1}{100}\right)$을 따르므로

확률변수 $Z=\frac{X-50}{1}$과 확률변수 $Z_1=\frac{\overline{X_1}-50}{\frac{1}{10}}$은

모두 표준정규분포 $\mathrm{N}(0, 1)$을 따른다.

$\mathrm{P}(X\geq 51)=\mathrm{P}\left(Z\geq\frac{51-50}{1}\right)=\mathrm{P}(Z\geq 1)$,

$\mathrm{P}(\overline{X_1}\geq 50.1)=\mathrm{P}\left(Z_1\geq\frac{50.1-50}{\frac{1}{10}}\right)=\mathrm{P}(Z_1\geq 1)$

이므로 $\mathrm{P}(X\geq 51)=\mathrm{P}(\overline{X_1}\geq 50.1)$ [참]

ㄷ. 확률변수 $\overline{X_1}$은 정규분포 $\mathrm{N}\left(50, \frac{1}{n_1}\right)$을 따르고

확률변수 $\overline{X_2}$는 정규분포 $\mathrm{N}\left(50, \frac{1}{n_2}\right)$을 따르므로

확률변수 $Z_1=\frac{\overline{X_1}-50}{\frac{1}{\sqrt{n_1}}}$과 확률변수 $Z_2=\frac{\overline{X_2}-50}{\frac{1}{\sqrt{n_2}}}$은

모두 표준정규분포 $\mathrm{N}(0, 1)$을 따른다.

$\mathrm{P}(\overline{X_1}\geq 51)=\mathrm{P}(Z_1)\geq\frac{51-50}{\frac{1}{\sqrt{n_1}}}=\mathrm{P}(Z_1\geq\sqrt{n_1})$,

$\mathrm{P}(\overline{X_2}\geq 52)=\mathrm{P}\left(Z_2\geq\frac{52-50}{\frac{1}{\sqrt{n_2}}}\right)=\mathrm{P}(Z_2\geq 2\sqrt{n_2})$

이므로 $\mathrm{P}(\overline{X_1}\geq 51)=\mathrm{P}(\overline{X_2}\geq 52)$이면

$\sqrt{n_1}=2\sqrt{n_2}$에서 $n_1=4n_2$에서 $n_1=4n_2$ [참]

따라서 옳은 것은 ㄱ, ㄴ, ㄷ이다.

정답 ⑤

1451

정답 ④

STEP Ⓐ **표본의 크기가 4인 표본평균의 평균과 표준편차 구하기**

모집단이 정규분포 $\mathrm{N}(50, 2^2)$을 따르고 표본의 크기가 4이므로

표본평균 $\overline{X}$는 정규분포 $\mathrm{N}(50, 1)$을 따른다. ⬅ $\mathrm{E}(\overline{X})=50$, $\sigma(\overline{X})=\frac{2}{\sqrt{4}}=1$

STEP Ⓑ **$\mathrm{P}(\overline{X}\leq k)=0.9987$을 만족하는 k의 값 구하기**

이때 $Z=\frac{\overline{X}-50}{1}$으로 놓으면 확률변수 Z는 표준정규분포 $\mathrm{N}(0,1)$을 따르므로

$\mathrm{P}(\overline{X}\leq k)=0.9987$에서

$\mathrm{P}(\overline{X}\leq k)=\mathrm{P}(Z\leq k-50)=0.9987$

이므로

$0.5+\mathrm{P}(0\leq Z\leq k-50)=0.9987$

$\therefore\ \mathrm{P}(0\leq Z\leq k-50)=0.4987$

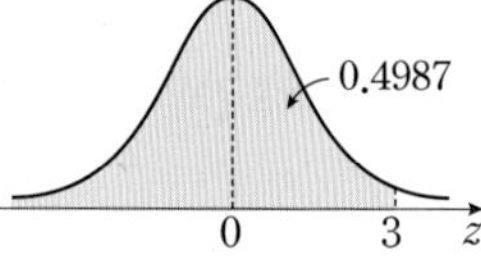

이때 표준정규분포표에서

$\mathrm{P}(0\leq Z\leq 3)=0.4987$이므로 $k-50=3$

따라서 $k=53$

1452

정답 ⑤

STEP Ⓐ **표본의 크기가 16인 표본평균의 평균과 표준편차 구하기**

확률변수 X는 정규분포 $\mathrm{N}(85, 6^2)$을 따르고 표본의 크기가 16이므로

표본평균 $\overline{X}$는 정규분포 $\mathrm{N}\left(85, \left(\frac{3}{2}\right)^2\right)$를 따른다. ⬅ $\mathrm{E}(\overline{X})=85$, $\mathrm{V}(\overline{X})=\frac{6^2}{16}=\left(\frac{3}{2}\right)^2$

STEP Ⓑ **$\mathrm{P}(\overline{X}\geq k)=0.0228$을 만족하는 k 구하기**

이때 $Z=\frac{\overline{X}-85}{\frac{3}{2}}$으로 놓으면 확률변수 Z는 표준정규분포 $\mathrm{N}(0, 1)$을 따르므로

$\mathrm{P}(\overline{X}\geq k)=0.0228$에서

$\mathrm{P}(\overline{X}\geq k)=\mathrm{P}\left(Z\geq\frac{k-85}{\frac{3}{2}}\right)=0.0228$

이므로

$0.5-\mathrm{P}\left(0\leq Z\leq\frac{k-85}{\frac{3}{2}}\right)=0.0228$

$\therefore\ \mathrm{P}\left(0\leq Z\leq\frac{k-85}{\frac{3}{2}}\right)=0.4772$

이때 표준정규분포표에서

$\mathrm{P}(0\leq Z\leq 2)=0.4772$이므로 $\frac{k-85}{\frac{3}{2}}=2$

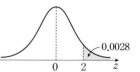

따라서 $k=85+3=88$

내신연계 출제문항 618

모평균이 200, 모표준편차가 15인 정규분포를 따르는 모집단에서 크기가 25인 표본을 임의추출하여 구한 표본평균을 $\overline{X}$라 할 때,

$$P(\overline{X} \ge k)=0.0228$$

을 만족시키는 상수 k의 값을 다음 표준정규분포표를 이용하여 구한 것은?

z	$P(0 \le Z \le z)$
1.0	0.3413
1.5	0.4332
2.0	0.4772
2.5	0.4938

① 198 ② 200 ③ 202
④ 204 ⑤ 206

STEP Ⓐ **표본의 크기가 25인 표본평균의 평균과 표준편차 구하기**

모집단이 정규분포 $N(200,\ 15^2)$을 따르고 표본의 크기가 25이므로

표본평균 $\overline{X}$는 정규분포 $N(200,\ 3^2)$을 따른다. ⬅ $E(\overline{X})=200,\ \sigma(\overline{X})=\frac{15}{\sqrt{25}}=3$

STEP Ⓑ **$P(\overline{X} \ge k)=0.0228$을 만족하는 k의 값 구하기**

이때 $Z=\frac{\overline{X}-200}{4}$으로 놓으면 확률변수 Z는 표준정규분포 $N(0,\ 1)$을 따르므로 $P(\overline{X} \ge k)=0.0228$에서

$P(\overline{X} \ge k)=P\left(Z \ge \frac{k-200}{3}\right)=0.0228$

이므로

$0.5-P\left(0 \le Z \le \frac{k-200}{3}\right)=0.0228$

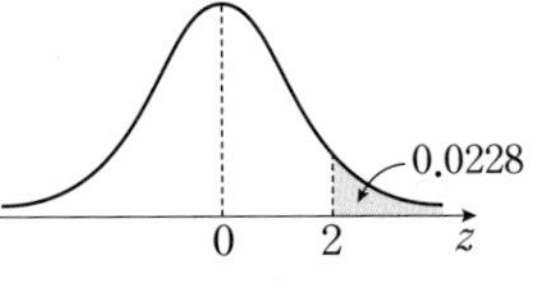

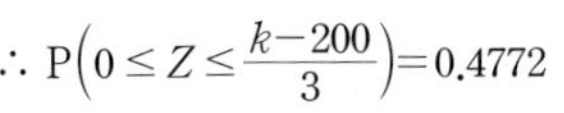

$\therefore P\left(0 \le Z \le \frac{k-200}{3}\right)=0.4772$

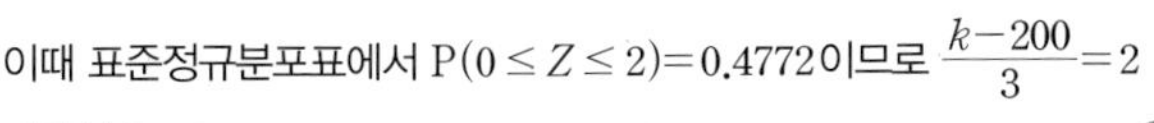

이때 표준정규분포표에서 $P(0 \le Z \le 2)=0.4772$이므로 $\frac{k-200}{3}=2$

따라서 $k=206$

정답 ⑤

1453

정답 ②

STEP Ⓐ **표본의 크기가 100인 표본평균의 평균과 표준편차 구하기**

모집단이 정규분포 $N(300,\ 40^2)$을 따르고 표본의 크기가 100이므로

표본평균 $\overline{X}$는 정규분포 $N(300,\ 4^2)$을 따른다. ⬅ $E(\overline{X})=300,\ V(\overline{X})=\frac{40^2}{100}=4^2$

STEP Ⓑ **$P(\overline{X} \ge a)=0.8413$을 만족하는 a의 값 구하기**

이때 $Z=\frac{\overline{X}-300}{4}$으로 놓으면 확률변수 Z는 표준정규분포 $N(0,\ 1)$을 따르므로 $P(\overline{X} \ge a)=0.8413$에서

$P(\overline{X} \ge a)=P\left(Z \ge \frac{a-300}{4}\right)=0.8413$

이므로

$0.5+P\left(0 \le Z \le \frac{300-a}{4}\right)=0.8413$

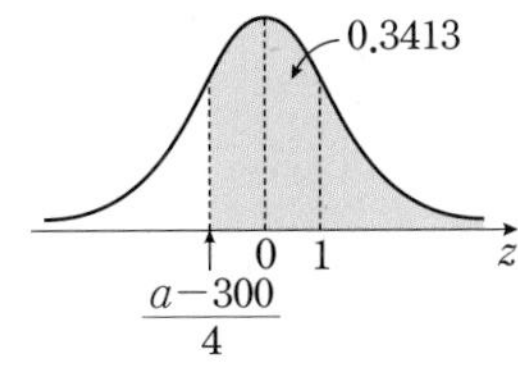

$\therefore P\left(0 \le Z \le \frac{300-a}{4}\right)=0.3413$

이때 표준정규분포표에서 $P(0 \le Z \le 1)=0.3413$이므로 $\frac{300-a}{4}=1$

따라서 $a=296$

내신연계 출제문항 619

모평균이 30, 모표준편차가 5인 정규분포를 따르는 모집단에서 크기가 100인 표본을 임의추출하여 구한 표본평균을 $\overline{X}$라 할 때,

$$P(\overline{X} \ge k)=0.9772$$

를 만족시키는 상수 k의 값을 다음 표준정규분포표를 이용하여 구한 것은?

z	$P(0 \le Z \le z)$
1.0	0.3413
1.5	0.4332
2.0	0.4772
2.5	0.4938

① 27 ② 28 ③ 29
④ 30 ⑤ 32

STEP Ⓐ **표본의 크기가 100인 표본평균의 평균과 표준편차 구하기**

모집단이 정규분포 $N(30,\ 5^2)$을 따르고 표본의 크기가 100이므로

표본평균 $\overline{X}$는 정규분포 $N\left(30,\ \left(\frac{1}{2}\right)^2\right)$을 따른다. ⬅ $E(\overline{X})=30,\ V(\overline{X})=\frac{5^2}{100}=\left(\frac{1}{2}\right)^2$

STEP Ⓑ **$P(\overline{X} \ge k)=0.9772$를 만족하는 k의 값 구하기**

이때 $Z=\frac{\overline{X}-30}{\frac{1}{2}}$으로 놓으면 확률변수 Z는 표준정규분포 $N(0,\ 1)$을 따르므로

$P(\overline{X} \ge k)=0.9772$에서

$P(\overline{X} \ge k)=P\left(Z \ge \frac{k-30}{\frac{1}{2}}\right)=0.9772$

이므로

$0.5+P\left(0 \le Z \le \frac{30-k}{\frac{1}{2}}\right)=0.9772$

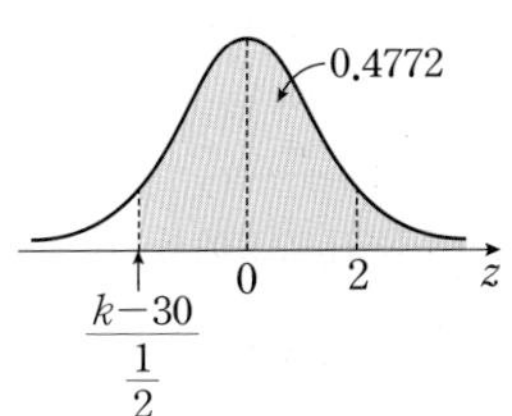

$\therefore P\left(0 \le Z \le \frac{30-k}{\frac{1}{2}}\right)=0.4772$

이때 표준정규분포표에서 $P(0 \le Z \le 2)=0.4772$이므로 $\frac{30-k}{\frac{1}{2}}=2$

따라서 $k=29$

정답 ③

1454

정답 ②

STEP Ⓐ **표본의 크기가 25인 표본평균의 평균과 표준편차 구하기**

모집단이 정규분포 $N(58,\ 0.5^2)$을 따르고 표본의 크기가 25이므로

표본평균 $\overline{X}$는 정규분포 $N\left(58,\ \left(\frac{1}{10}\right)^2\right)$을 따른다.

⬅ $E(\overline{X})=58,\ V(\overline{X})=\frac{(0.5)^2}{25}=\left(\frac{1}{10}\right)^2$

STEP Ⓑ **$P(\overline{X} \ge k)=0.025$를 만족하는 k의 값 구하기**

이때 $Z=\frac{\overline{X}-58}{\frac{1}{10}}$으로 놓으면 확률변수 Z는 표준정규분포 $N(0,\ 1)$을 따르므로

$P(\overline{X} \ge k)=0.025$에서

$P(\overline{X} \ge k)=P\left(Z \ge \frac{k-58}{\frac{1}{10}}\right)=0.025$

이므로

$0.5-P\left(0 \le Z \le \frac{k-58}{\frac{1}{10}}\right)=0.025$

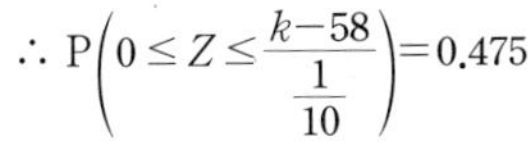

$\therefore P\left(0 \le Z \le \frac{k-58}{\frac{1}{10}}\right)=0.475$

이때 표준정규분포표에서 $P(0 \le Z \le 1.96)=0.4750$이므로 $\frac{k-58}{\frac{1}{10}}=1.96$

따라서 $k=58+1.96 \times \frac{1}{10}=58.196$

1455

정답 ⑤

STEP A 표본의 크기가 n인 표본평균의 평균과 표준편차 구하기

모집단이 정규분포 $N(85,\ 4^2)$을 따르고 표본의 크기가 n이므로

표본평균 $\overline{X}$는 정규분포 $N\left(85,\ \left(\frac{4}{\sqrt{n}}\right)^2\right)$을 따른다. ⬅ $E(\overline{X})=85,\ \sigma(\overline{X})=\frac{4}{\sqrt{n}}$

STEP B $P(\overline{X}\le 84)=0.0228$을 만족하는 n의 값 구하기

이때 $Z=\dfrac{\overline{X}-85}{\frac{4}{\sqrt{n}}}$으로 놓으면 확률변수 Z는 표준정규분포 $N(0,1)$을 따르므로

$P(\overline{X}\le 84)=0.0228$에서

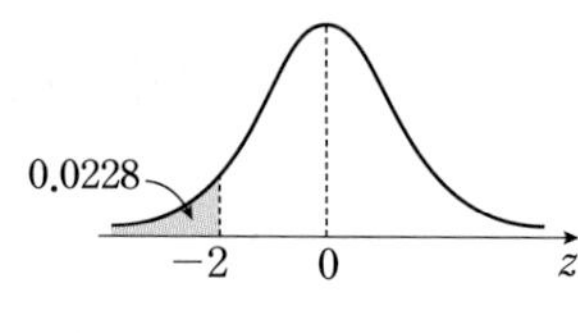

$P(\overline{X}\le 84)=P\left(Z\le\dfrac{84-85}{\frac{4}{\sqrt{n}}}\right)$

$=P\left(Z\le -\dfrac{\sqrt{n}}{4}\right)$

$=0.0228$

$0.5-P\left(0\le Z\le\dfrac{\sqrt{n}}{4}\right)=0.0228$

$\therefore\ P\left(0\le Z\le\dfrac{\sqrt{n}}{4}\right)=0.4772$

이때 표준정규분포표에서 $P(0\le Z\le 2)=0.4772$이므로 $\dfrac{\sqrt{n}}{4}=2$

따라서 $\sqrt{n}=8$이므로 $n=64$

1456

정답 ②

STEP A 표본의 크기가 n인 표본평균의 평균과 표준편차 구하기

모집단이 정규분포 $N(27,\ 2^2)$을 따르고 표본의 크기가 n이므로

표본평균 $\overline{X}$는 정규분포 $N\left(27,\ \left(\frac{2}{\sqrt{n}}\right)^2\right)$을 따른다. ⬅ $E(\overline{X})=27,\ \sigma(\overline{X})=\frac{2}{\sqrt{n}}$

STEP B $P(26\le\overline{X}\le 28)=0.9876$을 만족하는 n의 값 구하기

이때 $Z=\dfrac{\overline{X}-27}{\frac{2}{\sqrt{n}}}$으로 놓으면 확률변수 Z는 표준정규분포 $N(0,\ 1)$을 따르므로

$P(26\le\overline{X}\le 28)=0.9876$에서

$P(26\le\overline{X}\le 28)$

$=P\left(\dfrac{26-27}{\frac{2}{\sqrt{n}}}\le Z\le\dfrac{28-27}{\frac{2}{\sqrt{n}}}\right)$

$=P\left(-\dfrac{\sqrt{n}}{2}\le Z\le\dfrac{\sqrt{n}}{2}\right)=0.9876$

$\therefore\ P\left(0\le Z\le\dfrac{\sqrt{n}}{2}\right)=0.4938$

이때 표준정규분포표에서 $P(0\le Z\le 2.5)=0.4938$이므로 $\dfrac{\sqrt{n}}{2}=2.5$

따라서 $\sqrt{n}=5$이므로 $n=25$

내신연계 출제문항 620

정규분포 $N(100,\ 100)$을 따르는 모집단에서 크기가 n인 표본을 임의추출할 때, 표본평균 $\overline{X}$에 대하여

$$P(98\le\overline{X}\le 102)=0.9544$$

이다. 표본의 크기 n의 값은?

z	$P(0\le Z\le z)$
0.5	0.1915
1.0	0.3413
1.5	0.4332
2.0	0.4772

① 36 ② 49 ③ 64 ④ 100 ⑤ 144

STEP A 표본의 크기가 n인 표본평균의 평균과 표준편차 구하기

모집단이 정규분포 $N(100,\ 100)$을 따르고 표본의 크기가 n이므로

표본평균 $\overline{X}$는 정규분포 $N\left(100,\ \left(\frac{10}{\sqrt{n}}\right)^2\right)$을 따른다. ⬅ $E(\overline{X})=100,\ \sigma(\overline{X})=\frac{10}{\sqrt{n}}$

STEP B $P(98\le\overline{X}\le 102)=0.9544$를 만족하는 n의 값 구하기

이때 $Z=\dfrac{\overline{X}-100}{\frac{10}{\sqrt{n}}}$으로 놓으면 확률변수 Z는 표준정규분포 $N(0,\ 1)$을 따르므로 $P(98\le\overline{X}\le 102)=0.9544$에서

$P(98\le\overline{X}\le 102)$

$=P\left(\dfrac{98-100}{\frac{10}{\sqrt{n}}}\le Z\le\dfrac{102-100}{\frac{10}{\sqrt{n}}}\right)$

$=P\left(-\dfrac{\sqrt{n}}{5}\le Z\le\dfrac{\sqrt{n}}{5}\right)=0.9544$

$\therefore\ P\left(0\le Z\le\dfrac{\sqrt{n}}{5}\right)=0.4772$

이때 표준정규분포표에서 $P(0\le Z\le 2)=0.4772$이므로 $\dfrac{\sqrt{n}}{5}=2$

따라서 $\sqrt{n}=10$이므로 $n=100$

정답 ④

1457

정답 ③

STEP A 표본의 크기가 n인 표본평균의 평균과 표준편차 구하기

모집단이 정규분포 $N(500,\ 2^2)$을 따르고 표본의 크기가 n이므로

표본평균 $\overline{X}$는 정규분포 $N\left(500,\ \left(\frac{2}{\sqrt{n}}\right)^2\right)$을 따른다.

⬅ $E(\overline{X})=500,\ \sigma(\overline{X})=\frac{2}{\sqrt{n}}$

STEP B $P(499\le\overline{X}\le 501)=0.9974$를 만족하는 n의 값 구하기

이때 $Z=\dfrac{\overline{X}-500}{\frac{2}{\sqrt{n}}}$으로 놓으면 Z는 표준정규분포 $N(0,1)$을 따르므로

$P(499\le\overline{X}\le 501)=0.9974$에서

$P(499\le\overline{X}\le 500)$

$=P\left(\dfrac{499-500}{\frac{2}{\sqrt{n}}}\le Z\le\dfrac{501-500}{\frac{2}{\sqrt{n}}}\right)$

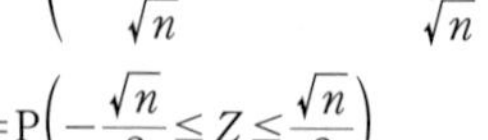

$=P\left(-\dfrac{\sqrt{n}}{2}\le Z\le\dfrac{\sqrt{n}}{2}\right)$

$=2P\left(0\le Z\le\dfrac{\sqrt{n}}{2}\right)=0.9974$

$\therefore\ P\left(0\le Z\le\dfrac{\sqrt{n}}{2}\right)=0.4987$

이때 표준정규분포표에서 $P(0\le Z\le 3)=0.4987$이므로 $\dfrac{\sqrt{n}}{2}=3$

따라서 $\sqrt{n}=6$이므로 $n=36$

1458

정답 ①

STEP Ⓐ **모집단의 확률변수 X의 평균과 분산 구하기**

공에 적힌 숫자를 X라 하면 확률변수 X의 확률분포는 다음 표와 같다.

X	4	5	6	7	합계
$\mathrm{P}(X=x)$	$\frac{4}{10}$	$\frac{3}{10}$	$\frac{2}{10}$	$\frac{1}{10}$	1

$\mathrm{E}(X)=4\times\frac{4}{10}+5\times\frac{3}{10}+6\times\frac{2}{10}+7\times\frac{1}{10}=5$

$\mathrm{V}(X)=4^2\times\frac{4}{10}+5^2\times\frac{3}{10}+6^2\times\frac{2}{10}+7^2\times\frac{1}{10}-5^2=1$

STEP Ⓑ **표본의 크기가 64인 표본평균 $\overline{X}$의 평균과 표준편차 구하기**

표본의 크기 64가 충분히 크므로 표본평균 $\overline{X}$는 근사적으로

정규분포 $\mathrm{N}\left(5,\left(\frac{1}{8}\right)^2\right)$을 따른다. ⬅ $\mathrm{E}(\overline{X})=5,\ \mathrm{V}(\overline{X})=\frac{1}{64}=\left(\frac{1}{8}\right)^2$

STEP Ⓒ **$\mathrm{P}(\overline{X}\geq k)=0.1587$을 만족하는 상수 k의 값 구하기**

이때 $Z=\dfrac{\overline{X}-5}{\frac{1}{8}}$으로 놓으면 Z는 표준정규분포 $\mathrm{N}(0,\ 1)$을 따르므로

$\mathrm{P}(\overline{X}\geq k)=0.1587$에서

$\mathrm{P}(\overline{X}\geq k)=\mathrm{P}\left(Z\geq\dfrac{k-5}{\frac{1}{8}}\right)$

$=\mathrm{P}(Z\geq 8k-40)=0.1587$

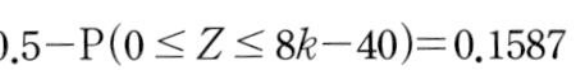

$0.5-\mathrm{P}(0\leq Z\leq 8k-40)=0.1587$

$\therefore\ \mathrm{P}(0\leq Z\leq 8k-40)=0.3413$

이때 표준정규분포표에서 $\mathrm{P}(0\leq Z\leq 1)=0.3413$이므로 $8k-40=1,\ 8k=41$

따라서 $k=\frac{41}{8}$

1459

정답 ①

STEP Ⓐ **모집단의 확률변수 X의 평균과 분산 구하기**

공에 적힌 숫자를 확률변수 X라 하면 X의 확률분포의 표는 다음과 같다.

X	4	5	6	7	합계
$\mathrm{P}(X=x)$	$\frac{2}{5}$	$\frac{3}{10}$	$\frac{1}{5}$	$\frac{1}{10}$	1

모집단의 확률변수를 X라 하면

$\mathrm{E}(X)=4\times\frac{2}{5}+5\times\frac{3}{10}+6\times\frac{1}{5}+7\times\frac{1}{10}=5$

$\mathrm{V}(X)=(-1)^2\times\frac{2}{5}+0^2+\frac{3}{10}+1\times\frac{1}{5}+2^2\times\frac{1}{10}=1$

STEP Ⓑ **표본의 크기가 100인 표본평균 $\overline{X}$의 평균과 표준편차 구하기**

표본의 크기 100이 충분히 크므로 표본평균 $\overline{X}$는 근사적으로

정규분포 $\mathrm{N}\left(5,\left(\frac{1}{10}\right)^2\right)$을 따른다. ⬅ $\mathrm{E}(\overline{X})=5,\ \mathrm{V}(\overline{X})=\frac{1}{100}=\left(\frac{1}{10}\right)^2$

STEP Ⓒ **$\mathrm{P}(\overline{X}\geq k)=0.0228$을 만족하는 상수 k의 값 구하기**

이때 $Z=\dfrac{\overline{X}-5}{\frac{1}{10}}=10(\overline{X}-5)$으로 놓으면 Z는 표준정규분포 $\mathrm{N}(0,\ 1)$을

따르므로 $\mathrm{P}(\overline{X}\geq k)=0.0228$에서

$\mathrm{P}(\overline{X}\geq k)=\mathrm{P}(Z\geq 10(k-5))=0.0228$

$0.5-\mathrm{P}(0\leq Z\leq 10(k-5))=0.0228$

$\therefore\ \mathrm{P}(0\leq Z\leq 10(k-5))=0.4772$

이때 표준정규분포표에서

$\mathrm{P}(0\leq Z\leq 2)=0.4772$이므로 $10(k-5)=2$

따라서 $k=\frac{26}{5}$

내신연계 출제문항 621

네 개의 숫자 2, 3, 4, 5가 하나씩 적힌 공이 각각 40개, 30개, 20개, 10개가 들어 있는 주머니에서 36개의 공을 임의추출하여 공에 적힌 숫자의 평균을 $\overline{X}$라 하자.

$\mathrm{P}(\overline{X}\geq k)=0.0668$

을 만족시키는 상수 k의 값은?

z	$\mathrm{P}(0\leq Z\leq z)$
0.5	0.1915
1.0	0.3413
1.5	0.4332
2.0	0.4772

① $\frac{26}{5}$ ② $\frac{13}{4}$ ③ 5 ④ $\frac{27}{5}$ ⑤ $\frac{29}{4}$

STEP Ⓐ **모집단의 확률변수 X의 평균과 분산 구하기**

공에 적힌 숫자를 확률변수 X라 하면 X의 확률분포의 표는 다음과 같다

X	2	3	4	5	합계
$\mathrm{P}(X=x)$	$\frac{2}{5}$	$\frac{3}{10}$	$\frac{1}{5}$	$\frac{1}{10}$	1

모집단의 확률변수를 X라 하면

$\mathrm{E}(X)=2\times\frac{2}{5}+3\times\frac{3}{10}+4\times\frac{1}{5}+5\times\frac{1}{10}=3$

$\mathrm{V}(X)=2^2\times\frac{2}{5}+3^2\times\frac{3}{10}+4^2\times\frac{1}{5}+5^2\times\frac{1}{10}-3^2=1$

STEP Ⓑ **표본의 크기가 36인 표본평균 $\overline{X}$의 평균과 표준편차 구하기**

표본의 크기 36이 충분히 크므로 표본평균 $\overline{X}$는 근사적으로

정규분포 $\mathrm{N}\left(3,\left(\frac{1}{6}\right)^2\right)$을 따른다. ⬅ $\mathrm{E}(\overline{X})=3,\ \sigma(\overline{X})=\frac{1}{\sqrt{36}}=\frac{1}{6}$

STEP Ⓒ **$\mathrm{P}(\overline{X}\geq k)=0.0668$을 만족하는 상수 k의 값 구하기**

이때 $Z=\dfrac{\overline{X}-3}{\frac{1}{6}}=6(\overline{X}-3)$으로 놓으면 Z는 표준정규분포 $\mathrm{N}(0,\ 1)$을 따르므로

$\mathrm{P}(\overline{X}\geq k)=0.0668$에서

$\mathrm{P}(\overline{X}\geq k)=\mathrm{P}(Z\geq 6(k-3))=0.0668$

$0.5+\mathrm{P}(0\leq Z\leq 6(k-3))=0.0668$

$\mathrm{P}(0\leq Z\leq 6(k-3))=0.4332$

이때 표준정규분포 표에서

$\mathrm{P}(0\leq Z\leq 1.5)=0.4332$이므로 $6(k-3)=1.5$

따라서 $k=\frac{13}{4}$

정답 ②

1460

정답 ⑤

STEP Ⓐ **표본의 크기가 49인 표본평균의 평균 및 표준편차 구하기**

모집단의 분포가 정규분포 $\mathrm{N}(800,\ 14^2)$을 따르고 크기가 49이므로

표본평균 $\overline{X}$는 정규분포 $\mathrm{N}(800,\ 2^2)$을 따른다. ⬅ $\mathrm{E}(\overline{X})=800,\ \mathrm{V}(\overline{X})=\frac{14^2}{49}=2^2$

$Z=\dfrac{\overline{X}-800}{2}$으로 놓으면 확률변수 Z는 표준정규분포 $\mathrm{N}(0,\ 1)$을 따른다.

STEP Ⓑ **표본평균 $\overline{X}$을 표준화하여 주어진 확률에서 c의 값 구하기**

이때 이 공장에서 생산 시스템에 이상이 있다고 판단될 확률이 0.02이므로

$\mathrm{P}(\overline{X}<c)=\mathrm{P}\left(Z<\dfrac{c-800}{2}\right)$

$=0.5-\mathrm{P}\left(\dfrac{c-800}{2}\leq Z\leq 0\right)$

$=0.02$

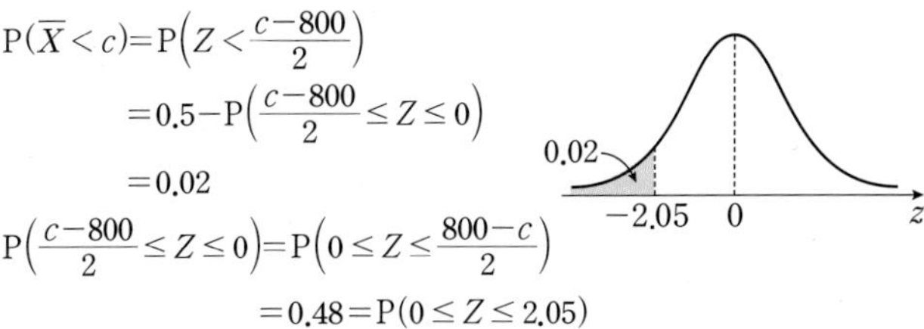

$\mathrm{P}\left(\dfrac{c-800}{2}\leq Z\leq 0\right)=\mathrm{P}\left(0\leq Z\leq\dfrac{800-c}{2}\right)$

$=0.48=\mathrm{P}(0\leq Z\leq 2.05)$

따라서 $\dfrac{800-c}{2}=2.05$이므로 $c=795.9$

Ⅲ 통계

내/신/연/계/ 출제문항 622

어느 공장에서 생산한 과자의 중량은 평균이 600g, 표준편차가 20g인 정규분포를 따른다고 한다. 이 공장에서는 생산 시스템의 이상여부를 점검하기 위해 하루에 생산된 과자 중에서 크기가 100인 표본을 임의추출하여 과자의 중량에 대한 표본평균 $\overline{X}$를 구하려고 한다. 이때 $\overline{X}$가 c보다 작으면 생산 시스템에 이상이 있는 것으로 판단하고 생산 시스템을 점검하기로 하였다. 이 공장에서 생산 시스템에 이상이 있다고 판단할 확률이 0.0228이라고 할 때, 위의 표준정규분포표를 이용하여 구한 c의 값은?

z	$P(0 \le Z \le z)$
0.5	0.1915
1.0	0.3413
1.5	0.4332
2.0	0.4772

① 596 ② 597 ③ 599
④ 602 ⑤ 604

STEP Ⓐ **표본의 크기가 100인 표본평균의 평균 및 표준편차 구하기**

모집단의 분포가 정규분포 $N(600,\ 20^2)$을 따르고 크기가 100이므로

표본평균 $\overline{X}$는 정규분포 $N(600,\ 2^2)$을 따른다. ⬅ $E(\overline{X})=600,\ \sigma(\overline{X})=\frac{20}{\sqrt{100}}=2$

$Z=\frac{\overline{X}-600}{2}$로 놓으면 확률변수 Z는 표준정규분포 $N(0,\ 1)$을 따른다.

STEP Ⓑ **표본평균 $\overline{X}$을 표준화하여 주어진 확률에서 c의 값 구하기**

이때 이 공장에서 생산 시스템에 이상이 있다고 판단될 확률이 0.0228이므로

$P(\overline{X}<c)=P\left(Z<\frac{c-600}{2}\right)=0.0228$

즉 $P\left(0\le Z\le \frac{600-c}{2}\right)=0.5-0.0228$
$=0.4772$

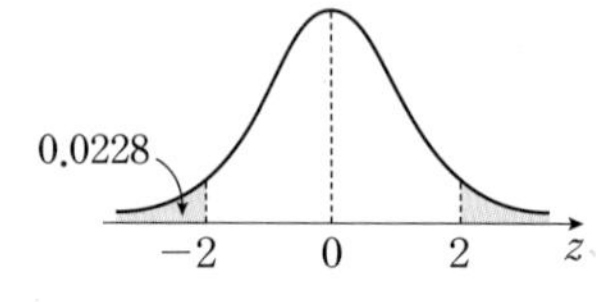

에서 $\frac{600-c}{2}=2$

따라서 $c=596$

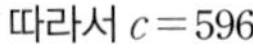

정답 ①

1461

정답 ④

STEP Ⓐ **표본의 크기가 16인 표본평균의 평균 및 표준편차 구하기**

모집단의 분포가 정규분포 $N(200,\ 12^2)$을 따르고 크기가 16이므로

표본평균 $\overline{X}$는 정규분포 $N(200,\ 3^2)$을 따른다. ⬅ $E(\overline{X})=200,\ \sigma(\overline{X})=\frac{12}{\sqrt{16}}=3$

$Z=\frac{\overline{X}-200}{3}$로 놓으면 확률변수 Z는 표준정규분포 $N(0,\ 1)$을 따른다.

STEP Ⓑ **표본평균 $\overline{X}$을 표준화하여 주어진 확률에서 a의 값 구하기**

생산 시스템에 이상이 있다고 판단될 확률이 0.01이므로

$P(\overline{X}<a)=P\left(Z\le\frac{a-200}{3}\right)=0.01$

$P\left(0\le Z\le\frac{200-a}{3}\right)=0.5-0.01=0.49$

이때 주어진 표준정규분포표에서

$P(0\le Z\le 2.33)=0.49$이므로

$\frac{200-a}{3}=2.33$

따라서 $a=193.01$

1462

정답 ②

STEP Ⓐ **표본의 크기가 4인 표본평균 $\overline{X}$의 평균 및 표준편차 구하기**

모집단의 분포가 정규분포 $N(196.8,\ 10^2)$을 따르고 크기가 4이므로

표본평균 $\overline{X}$는 정규분포 $N(196.8,\ 5^2)$을 따른다. ⬅ $E(\overline{X})=196.8,\ V(\overline{X})=\frac{10^2}{4}=5^2$

$Z=\frac{\overline{X}-196.8}{5}$로 놓으면 확률변수 Z는 표준정규분포 $N(0,\ 1)$을 따른다.

STEP Ⓑ **표본평균 $\overline{X}$을 표준화하여 주어진 확률을 만족하는 L의 값 구하기**

이때 이 학급이 예선을 통과할 확률은 표본평균 $\overline{X}$가 상수 L보다 클 확률이 0.8770이다.

$P(\overline{X}>L)=0.8770$이므로

$P\left(Z>\frac{L-196.8}{5}\right)$
$=0.5+0.3770$
$=P(Z\ge 0)+P(0\le Z\le 1.16)$
$=P(Z\ge 0)+P(-1.16\le Z\le 0)$
$=P(Z\ge -1.16)$ ⬅ $P(Z>-1.16)$와 같다.

따라서 $\frac{L-196.8}{5}=-1.16$이므로 $L-196.8=-5.8$ $\therefore\ L=191$

1463

정답 ①

STEP Ⓐ **표본의 크기가 n인 표본평균의 평균과 표준편차 구하기**

모집단이 정규분포 $N(m,\ 4^2)$을 따르고 표본의 크기가 n이므로

표본평균 $\overline{X}$는 정규분포 $N\left(m,\ \left(\frac{4}{\sqrt{n}}\right)^2\right)$을 따른다. ⬅ $E(\overline{X})=m,\ \sigma(\overline{X})=\frac{4}{\sqrt{n}}$

STEP Ⓑ **$P(|\overline{X}-m|\le 1.96)=0.95$를 만족하는 n의 값 구하기**

이때 $Z=\frac{\overline{X}-m}{\frac{4}{\sqrt{n}}}$으로 놓으면 Z는 표준정규분포 $N(0,\ 1)$을 따른다.

$P(|\overline{X}-m|\le 1.96)=P\left(\left|\frac{\overline{X}-m}{\frac{4}{\sqrt{n}}}\right|\le\frac{1.96}{\frac{4}{\sqrt{n}}}\right)=P\left(|Z|\le\frac{1.96}{\frac{4}{\sqrt{n}}}\right)=0.95$

$P(|Z|\le 1.96)=0.95$이므로 $\frac{4}{\sqrt{n}}=1$ $\therefore\ \sqrt{n}=4$

따라서 $n=16$

1464

정답 ④

STEP Ⓐ **표본의 크기가 n인 표본평균의 평균과 표준편차 구하기**

모집단이 정규분포 $N(m,\ 5^2)$을 따르고 표본의 크기가 n이므로

표본평균 $\overline{X}$는 정규분포 $N\left(m,\ \left(\frac{5}{\sqrt{n}}\right)^2\right)$을 따른다. ⬅ $E(\overline{X})=m,\ \sigma(\overline{X})=\frac{5}{\sqrt{n}}$

STEP Ⓑ **$P(|\overline{X}-m|\le 0.2)=0.9544$를 만족하는 m의 값 구하기**

$Z=\frac{\overline{X}-m}{\frac{5}{\sqrt{n}}}$으로 놓으면 확률변수 Z는 표준정규분포 $N(0,\ 1)$을 따르므로

$P(|\overline{X}-m|\le 0.2)=0.9544$에서

$P\left(\left|\frac{\overline{X}-m}{\frac{5}{\sqrt{n}}}\right|\le 0.2\times\frac{\sqrt{n}}{5}\right)=P\left(|Z|\le 0.2\times\frac{\sqrt{n}}{5}\right)=0.9544$

$\therefore\ P\left(0\le Z\le\frac{\sqrt{n}}{25}\right)=0.4772$

이때 표준정규분포표에서

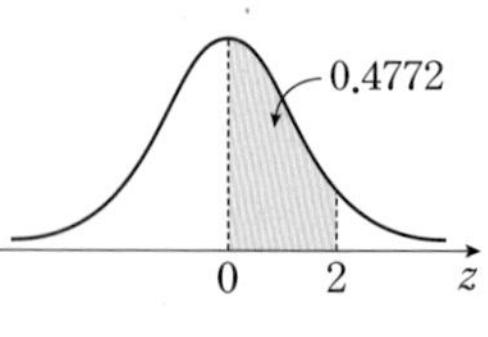

$P(0\le Z\le 2)=0.4772$이므로 $\frac{\sqrt{n}}{25}=2$

따라서 $n=2500$

1465

정답 ④

STEP Ⓐ **표본의 크기가 16인 표본평균의 평균 및 표준편차 구하기**

모집단이 정규분포 $N(50,\ \sigma^2)$을 따르고 표본의 크기가 16이므로

표본평균 $\overline{X}$는 정규분포 $N\left(50,\ \left(\frac{\sigma}{4}\right)^2\right)$을 따른다. ⬅ $E(\overline{X})=50,\ \sigma(\overline{X})=\frac{\sigma}{\sqrt{16}}=\frac{\sigma}{4}$

STEP Ⓑ **표본평균 $\overline{X}$을 표준화하여 확률을 만족하는 σ의 값 구하기**

이때 $Z=\frac{\overline{X}-50}{\frac{\sigma}{4}}$으로 놓으면 확률변수 Z는 표준정규분포 $N(0,\ 1)$을 따르므로

$P(50\le\overline{X}\le56)=0.4332$에서

$P(50\le\overline{X}\le56)$

$=P\left(\frac{50-50}{\frac{\sigma}{4}}\le Z\le\frac{56-50}{\frac{\sigma}{4}}\right)$

$=P\left(0\le Z\le\frac{24}{\sigma}\right)$

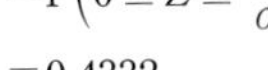

$=0.4332$

0 $\frac{24}{\sigma}=1.5$ z

이때 표준정규분포표에서 $P(0\le Z\le1.5)=0.4332$이므로 $\frac{24}{\sigma}=1.5$

따라서 $\sigma=\frac{24}{1.5}=24\times\frac{2}{3}=16$

1466

정답 ③

STEP Ⓐ **표본의 크기가 16인 표본평균의 평균과 표준편차 구하기**

모집단이 정규분포 $N(m,\ 2^2)$을 따르고 표본의 크기가 16이므로

표본평균 $\overline{X}$는 정규분포 $N\left(m,\ \left(\frac{1}{2}\right)^2\right)$을 따른다. ⬅ $E(\overline{X})=m,\ \sigma(\overline{X})=\frac{2}{\sqrt{16}}=\frac{1}{2}$

STEP Ⓑ **$P(\overline{X}\le101)=0.0228$을 만족하는 m의 값 구하기**

이때 $Z=\frac{\overline{X}-m}{\frac{1}{2}}$으로 놓으면 확률변수 Z는 표준정규분포 $N(0,\ 1)$을 따르므로

$P(\overline{X}\le101)=0.0228$에서

$P(\overline{X}\le101)=P\left(Z\le\frac{101-m}{\frac{1}{2}}\right)$

$=P(Z\le202-2m)$

$=0.0228$

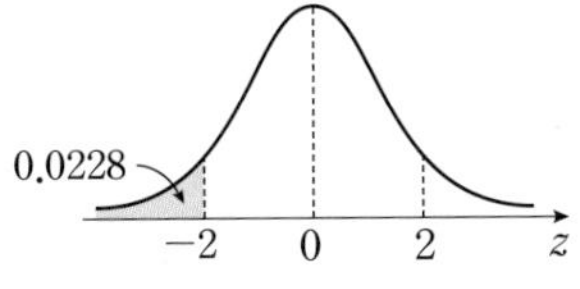

이므로

$0.5-P(0\le Z\le2m-202)=0.0228$

$\therefore\ P(0\le Z\le2m-202)=0.4772$

이때 표준정규분포표에서 $P(0\le Z\le2)=0.4772$이므로 $2m-202=2$

따라서 $m=102$

내신연계 출제문항 623

어느 회사에서 생산하는 자동차 타이어의 수명을 확률변수 X라 하면 X는 정규분포 $N(m,\ 3.6^2)$을 따른다고 한다. 이 회사에서 생산하는 자동차 타이어 중에서 임의추출한 81개의 자동차 타이어의 수명의 표본평균을 $\overline{X}$라 하자.

$P(\overline{X}\ge50)=0.0062$

일 때, 오른쪽 표준정규분포표를 이용하여 구한 m의 값은? (단, 자동차 타이어의 수명의 단위는 개월이다.)

z	$P(0\le Z\le z)$
1.0	0.3413
1.5	0.4332
2.0	0.4772
2.5	0.4938

① 47 ② 48 ③ 49
④ 50 ⑤ 52

STEP Ⓐ **표본의 크기가 81인 표본평균의 평균과 표준편차 구하기**

모집단이 정규분포 $N(m,\ 3.6^2)$을 따르고 표본의 크기가 81이므로

표본평균 $\overline{X}$는 정규분포 $N\left(m,\ \left(\frac{2}{5}\right)^2\right)$을 따른다. ⬅ $E(\overline{X})=m,\ \sigma(\overline{X})=\frac{3.6}{\sqrt{81}}=\frac{2}{5}$

STEP Ⓑ **$P(\overline{X}\ge50)=0.0062$를 만족하는 m의 값 구하기**

이때 $Z=\frac{\overline{X}-m}{\frac{2}{5}}$으로 놓으면 확률변수 Z는 표준정규분포 $N(0,\ 1)$을 따르므로

주어진 확률 $P(\overline{X}\ge50)=0.0062$에서

$P(\overline{X}\ge50)=P\left(Z\ge\frac{50-m}{\frac{2}{5}}\right)$

$=0.5-P\left(0\le Z\le\frac{50-m}{\frac{2}{5}}\right)$

$=0.0062$

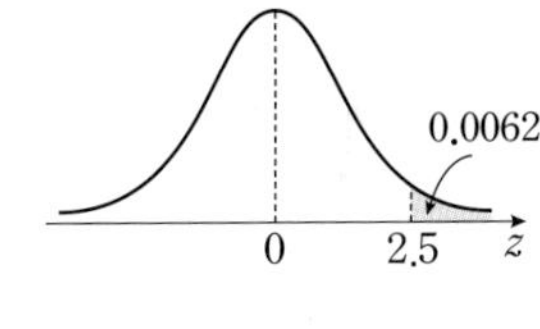

$\therefore\ P\left(0\le Z\le\frac{50-m}{\frac{2}{5}}\right)=0.4938$

이때 표준정규분포표에서 $P(0\le Z\le2.5)=0.4938$이므로 $\frac{50-m}{\frac{2}{5}}=2.5$

따라서 $m=50-2.5\times0.4=49$

정답 ③

1467

정답 ②

STEP Ⓐ **표본의 크기가 25인 표본의 표본평균의 평균과 표준편차 구하기**

약품 1병의 용량을 확률변수 X라 하면

X는 정규분포 $N(m,\ 10^2)$을 따르고 표본의 크기가 25이므로

표본평균 $\overline{X}$는 정규분포 $N(m,\ 2^2)$을 따른다. ⬅ $E(\overline{X})=m,\ \sigma(\overline{X})=\frac{10}{\sqrt{25}}=2$

STEP Ⓑ **$P(\overline{X}\ge2000)=0.9772$를 만족하는 m의 값 구하기**

이때 $Z=\frac{\overline{X}-m}{2}$으로 놓으면 확률변수 Z는 표준정규분포 $N(0,\ 1)$을 따르므로

주어진 확률 $P(\overline{X}\ge2000)=0.9772$에서

$P(\overline{X}\ge2000)=P\left(Z\ge\frac{2000-m}{2}\right)$

$=0.9772$

이므로

$0.5+P\left(0\le Z\le\frac{m-2000}{2}\right)=0.9772$

$\therefore\ P\left(0\le Z\le\frac{m-2000}{2}\right)=0.4772$

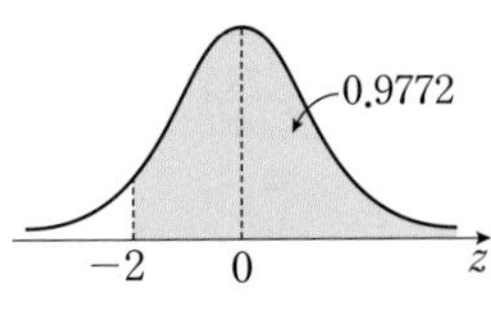

이때 표준정규분포표에서 $P(0\le Z\le2)=0.4772$이므로 $\frac{2000-m}{2}=-2$

따라서 $m=2004$

Ⅲ 통계

내/신/연/계/ 출제문항 624

어느 핸드폰 판매 대리점에서 판매하는 충전기 한 개의 무게는 평균이 m, 표준편차가 2인 정규분포를 따른다고 한다. 이 핸드폰 판매 대리점에서 판매하는 충전기 중에서 임의로 추출한 16개의 무게의 표본평균이 101이하일 확률이 0.0228일 때, m의 값을 오른쪽 표준정규분포표를 이용하여 구하면? (단, 무게의 단위는 g이다.)

z	$P(0 \le Z \le z)$
1.0	0.3413
1.5	0.4332
2.0	0.4772
2.5	0.4938

① 100 ② 102 ③ 104
④ 106 ⑤ 108

STEP A **크기가 16인 표본의 표본평균의 평균 및 표준편차 구하기**

충전기 한 개의 무게를 확률변수 X라 하면

X는 정규분포 $N(m, 2^2)$을 따르고 표본의 크기가 16이므로

표본평균 $\overline{X}$는 정규분포 $N\left(m, \left(\frac{1}{2}\right)^2\right)$을 따른다. ← $E(\overline{X})=m$, $\sigma(\overline{X})=\frac{2}{\sqrt{16}}=\frac{1}{2}$

STEP B **$P(\overline{X} \le 101)=0.0228$을 만족하는 m의 값 구하기**

이때 $Z=\dfrac{\overline{X}-m}{\frac{1}{2}}$으로 놓으면 확률변수 Z는 표준정규분포 $N(0, 1)$을 따르므로

$P(\overline{X} \le 101)=0.0228$에서

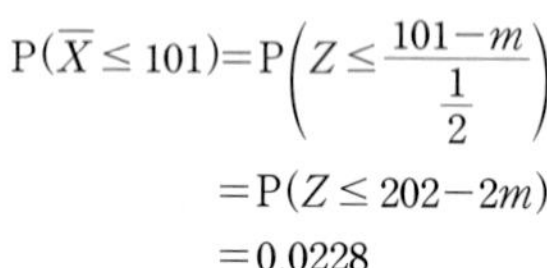

$$P(\overline{X} \le 101)=P\left(Z \le \frac{101-m}{\frac{1}{2}}\right)$$
$$=P(Z \le 202-2m)$$
$$=0.0228$$

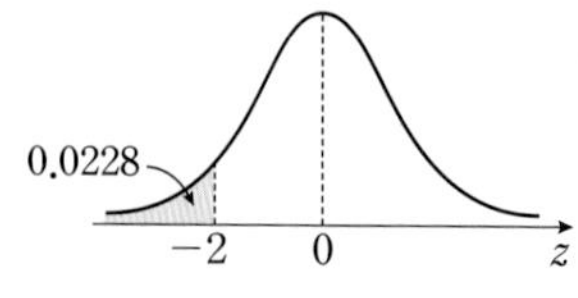

이므로 $0.5-P(0 \le Z \le 2m-202)=0.0228$

$\therefore P(0 \le Z \le 2m-202)=0.4772$

이때 표준정규분포표에서 $P(0 \le Z \le 2)=0.4772$이므로 $2m-202=2$

따라서 $m=102$

정답 ②

1468

정답 ④

STEP A **표본의 크기가 m^2인 표본의 표본평균의 평균과 표준편차 구하기**

모집단이 정규분포$N(m, 4^2)$ 을 따르고 표본의 크기가 m^2이므로

표본평균 $\overline{X}$는 정규분포 $N\left(m, \left(\frac{4}{m}\right)^2\right)$을 따른다. ← $E(\overline{X})=m$, $\sigma(\overline{X})=\frac{4}{\sqrt{m^2}}=\frac{4}{m}$

STEP B **$P(m-1 \le \overline{X} \le m+1)=0.9544$를 만족하는 m의 값 구하기**

이때 $Z=\dfrac{\overline{X}-m}{\frac{4}{m}}$으로 놓으면 확률변수 Z는 표준정규분포 $N(0,1)$을 따르므로

$P(m-1 \le \overline{X} \le m+1)=0.9544$에서

$$P(m-1 \le \overline{X} \le m+1)$$
$$=P\left(\frac{m-1-m}{\frac{4}{m}} \le Z \le \frac{m+1-m}{\frac{4}{m}}\right)$$
$$=P\left(-\frac{m}{4} \le Z \le \frac{m}{4}\right)$$
$$=2P\left(0 \le Z \le \frac{m}{4}\right)$$

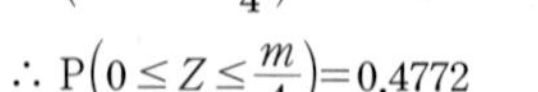

$2P\left(0 \le Z \le \frac{m}{4}\right)=2 \times 0.4772=0.9544$

$\therefore P\left(0 \le Z \le \frac{m}{4}\right)=0.4772$

이때 표준정규분포표에서 $P(0 \le Z \le 2)=0.4772$이므로 $\frac{m}{4}=2$

따라서 $m=8$

내/신/연/계/ 출제문항 625

A도시에서 B도시로 운행하는 고속버스들의 소요시간은 평균이 m분이고, 표준편차가 10분인 정규분포를 따른다고 한다.
이 고속버스들의 소요시간 중에서 크기가 n인 표본을 임의추출하여 구한 표본평균을 $\overline{X}$라 하자.

$$P(m-5 \le \overline{X} \le m+5)=0.9544$$

를 만족시키는 표본의 크기 n의 값을 표준정규분포표를 이용하여 구하면?

z	$P(0 \le Z \le z)$
1.0	0.3413
1.5	0.4332
2.0	0.4772
2.5	0.4938

① 9 ② 16 ③ 25
④ 36 ⑤ 49

STEP A **표본의 크기가 n인 표본의 표본평균의 평균과 표준편차 구하기**

모집단이 정규분포 $N(m, 10^2)$을 따르고 표본의 크기가 n이므로

표본평균 $\overline{X}$는 정규분포 $N\left(m, \left(\frac{10}{\sqrt{n}}\right)^2\right)$을 따른다. ← $E(\overline{X})=m$, $\sigma(\overline{X})=\frac{10}{\sqrt{n}}$

STEP B **$P(m-5 \le \overline{X} \le m+5)=0.9544$를 만족하는 n의 값 구하기**

$$P(m-5 \le \overline{X} \le m+5)=P\left(\frac{-5}{\frac{10}{\sqrt{n}}} \le Z \le \frac{5}{\frac{10}{\sqrt{n}}}\right)$$
$$=P\left(-\frac{\sqrt{n}}{2} \le Z \le \frac{\sqrt{n}}{2}\right)$$
$$=2P\left(0 \le Z \le \frac{\sqrt{n}}{2}\right)$$
$$=0.9544$$

$\therefore P\left(0 \le Z \le \frac{\sqrt{n}}{2}\right)=0.4772$

이때 표준정규분포표에서 $P(0 \le Z \le 2)=0.4772$이므로 $\frac{\sqrt{n}}{2}=2$

따라서 $n=16$

정답 ②

1469

정답 ①

STEP A **표본의 크기가 9인 $\overline{X}$의 평균과 표준편차 구하기**

모집단이 정규분포 $N(50, \sigma^2)$을 따르고 표본의 크기가 9이므로

표본평균 $\overline{X}$는 정규분포 $N\left(50, \left(\frac{\sigma}{3}\right)^2\right)$을 따른다. ← $E(\overline{X})=50$, $\sigma(\overline{X})=\frac{\sigma}{\sqrt{9}}=\frac{\sigma}{3}$

STEP B **$P(44 \le X \le 56)=0.8$임을 이용하여 $P\left(0 \le Z \le \frac{6}{\sigma}\right)$의 값 구하기**

이때 $Z=\dfrac{X-50}{\sigma}$로 놓으면 Z는 표준정규분포 $N(0, 1)$을 따른다.

$$P(44 \le X \le 56)=P\left(\frac{44-50}{\sigma} \le Z \le \frac{56-50}{\sigma}\right)$$
$$=P\left(-\frac{6}{\sigma} \le Z \le \frac{6}{\sigma}\right)=0.8$$

$\therefore P\left(0 \le Z \le \frac{6}{\sigma}\right)=0.4$

STEP C **$P(\overline{X} \ge 52)$의 값 구하기**

따라서 $P(\overline{X} \ge 52)=P\left(Z \ge \frac{52-50}{\frac{\sigma}{3}}\right)=P\left(Z \ge \frac{6}{\sigma}\right)$

$$=0.5-P\left(0 \le Z \le \frac{6}{\sigma}\right)$$
$$=0.5-0.4=0.1$$

1470

정답 ③

STEP Ⓐ **표본의 크기가 n인 표본평균의 평균과 표준편차 구하기**

모집단이 정규분포 $\mathrm{N}(10,\ 2^2)$을 따르고 표본의 크기가 n이므로

표본평균 $\overline{X}$는 정규분포 $\mathrm{N}\left(10,\ \left(\frac{2}{\sqrt{n}}\right)^2\right)$을 따른다. ⬅ $\mathrm{E}(\overline{X})=10,\ \sigma(\overline{X})=\frac{2}{\sqrt{n}}$

STEP Ⓑ $\mathrm{P}(9 \le \overline{X} \le 11) \ge 0.9974$**를 만족하는 자연수 n의 최솟값 구하기**

$Z=\dfrac{\overline{X}-10}{\frac{2}{\sqrt{n}}}$으로 놓으면 확률변수 Z는 표준정규분포 $\mathrm{N}(0,\ 1^2)$을 따르므로

$\mathrm{P}(9 \le \overline{X} \le 11) \ge 0.9974$에서

$$\begin{aligned}\mathrm{P}(9 \le \overline{X} \le 11)&=\mathrm{P}\left(\frac{9-10}{\frac{2}{\sqrt{n}}} \le Z \le \frac{11-10}{\frac{2}{\sqrt{n}}}\right)\\&=\mathrm{P}\left(-\frac{\sqrt{n}}{2} \le Z \le \frac{\sqrt{n}}{2}\right)\\&=2\mathrm{P}\left(0 \le Z \le \frac{\sqrt{n}}{2}\right)\end{aligned}$$

$2\mathrm{P}\left(0 \le Z \le \frac{\sqrt{n}}{2}\right) \ge 0.9974$에서

$\mathrm{P}\left(0 \le Z \le \frac{\sqrt{n}}{2}\right) \ge 0.4987$

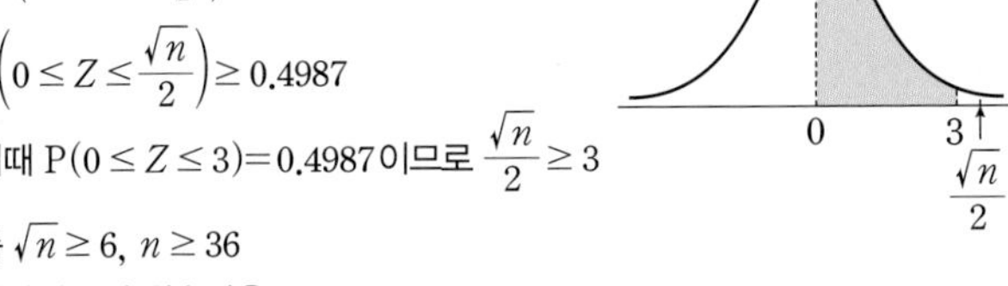

이때 $\mathrm{P}(0 \le Z \le 3)=0.4987$이므로 $\frac{\sqrt{n}}{2} \ge 3$

즉 $\sqrt{n} \ge 6,\ n \ge 36$

따라서 n의 최솟값은 36

1471

정답 ③

STEP Ⓐ **표본의 크기가 n인 표본의 표본평균의 평균과 표준편차 구하기**

모집단이 정규분포 $\mathrm{N}(8,\ 1.2^2)$을 따르고 표본의 크기가 n이므로

표본평균 $\overline{X}$는 정규분포 $\mathrm{N}\left(8,\ \left(\frac{1.2}{\sqrt{n}}\right)^2\right)$을 따른다. ⬅ $\mathrm{E}(\overline{X})=8,\ \sigma(\overline{X})=\frac{1.2}{\sqrt{n}}$

STEP Ⓑ $\mathrm{P}(7.76 \le \overline{X} \le 8.24) \ge 0.6826$**을 만족하는 자연수 n의 최솟값 구하기**

$Z=\dfrac{\overline{X}-8}{\frac{1.2}{\sqrt{n}}}$으로 놓으면 확률변수 Z는 표준정규분포 $\mathrm{N}(0,\ 1^2)$을 따르므로

$\mathrm{P}(7.76 \le \overline{X} \le 8.24) \ge 0.6826$에서

$$\begin{aligned}\mathrm{P}(7.76 \le \overline{X} \le 8.24)&=\mathrm{P}\left(\frac{7.76-8}{\frac{1.2}{\sqrt{n}}} \le Z \le \frac{8.24-8}{\frac{1.2}{\sqrt{n}}}\right)\\&=\mathrm{P}\left(-\frac{\sqrt{n}}{5} \le Z \le \frac{\sqrt{n}}{5}\right)\\&=2\mathrm{P}\left(0 \le Z \le \frac{\sqrt{n}}{5}\right)\end{aligned}$$

$2\mathrm{P}\left(0 \le Z \le \frac{\sqrt{n}}{5}\right) \ge 0.6826$에서

$\mathrm{P}\left(0 \le Z \le \frac{\sqrt{n}}{5}\right) \ge 0.3413$

이때 $\mathrm{P}(-1 \le Z \le 1)=0.6826$이므로

$\frac{\sqrt{n}}{5} \ge 1$

즉 $\sqrt{n} \ge 5,\ n \ge 25$

따라서 구하는 n의 최솟값은 25

내신연계 출제문항 626

정규분포 $\mathrm{N}(50, 5^2)$을 따르는 모집단에서 크기가 n인 표본을 임의추출하여 그 표본평균을 $\overline{X}$라고 할 때,

$$\mathrm{P}(49.5 \le \overline{X} \le 50.5) \ge 0.95$$

를 만족시키는 자연수 n의 최솟값은? (단, $\mathrm{P}(0 \le Z \le 1.96)=0.475$)

① 284 ② 312 ③ 385 ④ 395 ⑤ 400

STEP Ⓐ **표본의 크기가 n인 표본평균의 평균과 표준편차 구하기**

모집단이 정규분포 $\mathrm{N}(50,\ 5^2)$을 따르고 표본의 크기가 n이므로

표본평균 $\overline{X}$는 정규분포 $\mathrm{N}\left(50,\ \left(\frac{5}{\sqrt{n}}\right)^2\right)$을 따른다. ⬅ $\mathrm{E}(\overline{X})=50,\ \sigma(\overline{X})=\frac{5}{\sqrt{n}}$

STEP Ⓑ $\mathrm{P}(49.5 \le \overline{X} \le 50.5) \ge 0.95$**를 만족하는 자연수 n의 최솟값 구하기**

$Z=\dfrac{\overline{X}-50}{\frac{5}{\sqrt{n}}}$으로 놓으면 확률변수 Z는 표준정규분포 $\mathrm{N}(0,\ 1^2)$을 따른다.

$$\begin{aligned}\mathrm{P}(49.5 \le \overline{X} \le 50.5)&=\mathrm{P}\left(\frac{49.5-50}{\frac{5}{\sqrt{n}}} \le Z \le \frac{50.5-50}{\frac{5}{\sqrt{n}}}\right)\\&=\mathrm{P}\left(-\frac{\sqrt{n}}{10} \le Z \le \frac{\sqrt{n}}{10}\right)\\&=2\mathrm{P}\left(0 \le Z \le \frac{\sqrt{n}}{10}\right)\end{aligned}$$

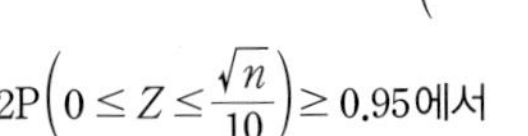

$2\mathrm{P}\left(0 \le Z \le \frac{\sqrt{n}}{10}\right) \ge 0.95$에서

$\mathrm{P}\left(0 \le Z \le \frac{\sqrt{n}}{10}\right) \ge 0.475$

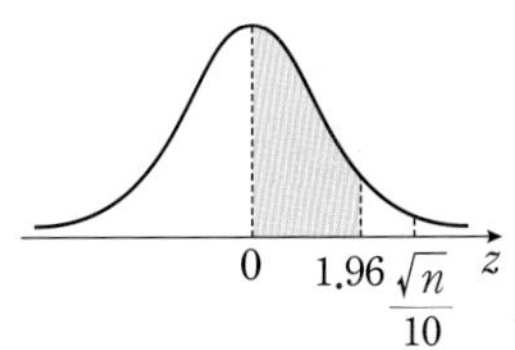

이때 $\mathrm{P}(0 \le Z \le 1.96)=0.475$이므로 $\frac{\sqrt{n}}{10} \ge 1.96, \sqrt{n} \ge 19.6$

$n \ge 384.16$

따라서 n의 최솟값은 385

정답 ③

1472

정답 ④

STEP Ⓐ **표본의 크기가 n인 표본평균의 평균과 표준편차 구하기**

모집단이 정규분포 $\mathrm{N}(240,\ 15^2)$을 따르고 표본의 크기가 n이므로

표본평균 $\overline{X}$는 정규분포 $\mathrm{N}\left(240,\ \left(\frac{15}{\sqrt{n}}\right)^2\right)$을 따른다. ⬅ $\mathrm{E}(\overline{X})=240,\ \sigma(\overline{X})=\frac{15}{\sqrt{n}}$

STEP Ⓑ $\mathrm{P}(\overline{X} \le 245) \ge 0.9772$ **를 만족하는 자연수 n의 최솟값 구하기**

$Z=\dfrac{\overline{X}-240}{\frac{15}{\sqrt{n}}}$으로 놓으면 확률변수 Z는 표준정규분포 $\mathrm{N}(0,\ 1)$을 따르므로

$\mathrm{P}(\overline{X} \le 245) \ge 0.9772$에서

$\mathrm{P}(\overline{X} \le 245)=\mathrm{P}\left(Z \le \frac{245-240}{\frac{15}{\sqrt{n}}}\right)=\mathrm{P}\left(Z \le \frac{\sqrt{n}}{3}\right)$

$\therefore\ \mathrm{P}\left(Z \le \frac{\sqrt{n}}{3}\right) \ge 0.9772$

$0.5+\mathrm{P}\left(0 \le Z \le \frac{\sqrt{n}}{3}\right) \ge 0.9772$에서

$\mathrm{P}\left(0 \le Z \le \frac{\sqrt{n}}{3}\right) \ge 0.4772$

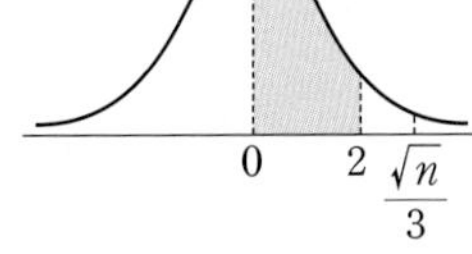

이때 $\mathrm{P}(0 \le Z \le 2)=0.4772$이므로 $\frac{\sqrt{n}}{3} \ge 2$

$\sqrt{n} \ge 6,\ n \ge 36$

따라서 n의 최솟값은 36

내/신/연/계/ 출제문항 627

어느 철인 3종 경기에 참가한 선수들의 기록은 평균이 140, 표준편차가 20인 정규분포를 따른다고 한다. 이 철인 3종 경기에 참가한 선수들 중 임의추출한 n명의 기록의 표본평균을 $\overline{X}$라 할 때,

$$P(\overline{X} \geq 135) \leq 0.9332$$

를 만족시키는 자연수 n의 최댓값을 오른쪽 표준정규분포표를 이용하여 구한 것은? (단, 선수들의 기록의 단위는 분이다.)

z	$P(0 \leq Z \leq z)$
0.5	0.1915
1.0	0.3413
1.5	0.4332
2.0	0.4772

① 16 ② 25 ③ 32
④ 36 ⑤ 49

STEP Ⓐ **표본의 크기가 n인 표본평균의 평균과 표준편차 구하기**

모집단이 정규분포 $N(140, 20^2)$을 따르고 표본의 크기가 n이므로

표본평균 $\overline{X}$는 정규분포 $N\left(140, \left(\frac{20}{\sqrt{n}}\right)^2\right)$을 따른다. ⬅ $E(\overline{X})=140$, $\sigma(\overline{X})=\frac{20}{\sqrt{n}}$

STEP Ⓑ **$P(\overline{X} \geq 135) \leq 0.9332$를 만족하는 자연수 n의 최댓값 구하기**

$Z=\frac{\overline{X}-140}{\frac{20}{\sqrt{n}}}$으로 놓으면 확률변수 Z는 표준정규분포 $N(0, 1)$을 따르므로

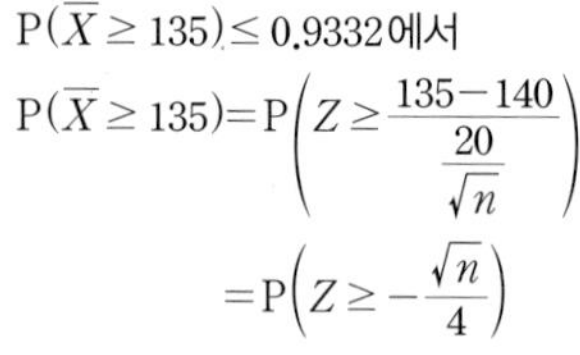

$P(\overline{X} \geq 135) \leq 0.9332$에서

$P(\overline{X} \geq 135)=P\left(Z \geq \frac{135-140}{\frac{20}{\sqrt{n}}}\right)$

$=P\left(Z \geq -\frac{\sqrt{n}}{4}\right)$

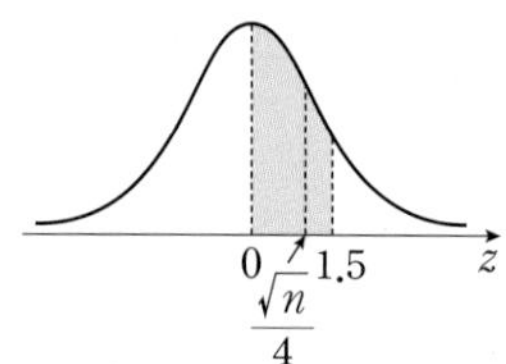

$P\left(Z \geq -\frac{\sqrt{n}}{4}\right) \leq 0.9332$이므로 $P\left(-\frac{\sqrt{n}}{4} \leq Z \leq 0\right)+P(Z \geq 0)$

$P\left(0 \leq Z \leq \frac{\sqrt{n}}{4}\right)+0.5 \leq 0.9332 \quad \therefore P\left(0 \leq Z \leq \frac{\sqrt{n}}{4}\right) \leq 0.4332$

이때 $P(0 \leq Z \leq 1.5)=0.4332$이므로 $\frac{\sqrt{n}}{4} \leq 1.5$, $\sqrt{n} \leq 6 \quad \therefore n \leq 36$

따라서 자연수 n의 최댓값은 36

정답 ④

1473

정답 ⑤

STEP Ⓐ **표본의 크기가 n인 표본평균의 평균과 표준편차 구하기**

모집단이 정규분포 $N(m, 3^2)$을 따르고 표본의 크기가 n이므로

표본평균 $\overline{X}$는 정규분포 $N\left(m, \left(\frac{3}{\sqrt{n}}\right)^2\right)$을 따른다. ⬅ $E(\overline{X})=m$, $\sigma(\overline{X})=\frac{3}{\sqrt{n}}$

STEP Ⓑ **$P(|\overline{X}-m| \leq 0.5) \geq 0.99$를 만족하는 자연수 n의 최솟값 구하기**

$Z=\frac{\overline{X}-m}{\frac{3}{\sqrt{n}}}$으로 놓으면 확률변수 Z는 표준정규분포 $N(0, 1)$을 따르므로

$P(|\overline{X}-m| \leq 0.5) \geq 0.99$에서

$P(|\overline{X}-m| \leq 0.5)=P(-0.5 \leq \overline{X}-m \leq 0.5)$

$=P\left(-\frac{0.5}{\frac{3}{\sqrt{n}}} \leq Z \leq \frac{0.5}{\frac{3}{\sqrt{n}}}\right)$

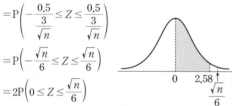

$=P\left(-\frac{\sqrt{n}}{6} \leq Z \leq \frac{\sqrt{n}}{6}\right)$

$=2P\left(0 \leq Z \leq \frac{\sqrt{n}}{6}\right)$

$2P\left(0 \leq Z \leq \frac{\sqrt{n}}{6}\right) \geq 0.99$이므로 $P\left(0 \leq Z \leq \frac{\sqrt{n}}{6}\right) \geq 0.495$

이때 $P(0 \leq Z \leq 2.58)=0.495$이므로 $\frac{\sqrt{n}}{6} \geq 2.58$

$\sqrt{n} \geq 15.48$, $n \geq 239.6304$

따라서 n의 최솟값은 240

1474

정답 ③

STEP Ⓐ **표본의 크기가 n인 표본평균의 평균과 표준편차 구하기**

모집단이 정규분포 $N(m, 5^2)$을 따르고 표본의 크기가 n이므로

표본평균 $\overline{X}$는 정규분포 $N\left(m, \left(\frac{5}{\sqrt{n}}\right)^2\right)$을 따른다. ⬅ $E(\overline{X})=m$, $\sigma(\overline{X})=\frac{5}{\sqrt{n}}$

STEP Ⓑ **$P\left(|\overline{X}-m| \leq \frac{7}{10}\right) \geq 0.95$를 만족하는 자연수 n의 최솟값 구하기**

$Z=\frac{\overline{X}-m}{\frac{5}{\sqrt{n}}}$으로 놓으면 확률변수 Z는 표준정규분포 $N(0,1)$을 따르므로

$P\left(|\overline{X}-m| \leq \frac{7}{10}\right) \geq 0.95$에서

$P\left(|\overline{X}-m| \leq \frac{7}{10}\right)=P\left(-\frac{7}{10} \leq \overline{X}-m \leq \frac{7}{10}\right)$

$=P\left(-\frac{7\sqrt{n}}{50} \leq Z \leq \frac{7\sqrt{n}}{50}\right)$

$=2P\left(0 \leq Z \leq \frac{7\sqrt{n}}{50}\right)$

$2P\left(0 \leq Z \leq \frac{7\sqrt{n}}{50}\right) \geq 0.95$에서 $P\left(0 \leq Z \leq \frac{7\sqrt{n}}{50}\right) \geq 0.475$

이때 $P(0 \leq Z \leq 1.96)=0.475$이므로 $\frac{7\sqrt{n}}{50} \geq 1.96$

$\sqrt{n} \geq 14$, $n \geq 196$

따라서 n의 최솟값은 196

내/신/연/계/ 출제문항 628

정규분포 $N(m, \sigma^2)$을 따르는 모집단에서 크기가 n인 표본을 임의추출할 때, 표본평균을 $\overline{X}$라 하자. 이때

$$P(|\overline{X}-m| \leq 0.49\sigma) \geq 0.95$$

를 만족시키는 자연수 n의 최솟값을 오른쪽 표준정규분포표를 이용하여 구한 것은? (단, 길이의 단위는 mm이다.)

z	$P(0 \leq Z \leq z)$
0.49	0.1879
0.98	0.3365
1.47	0.4292
1.96	0.4750

① 9 ② 16 ③ 25
④ 36 ⑤ 49

STEP Ⓐ **표본의 크기가 n인 표본평균의 평균과 표준편차 구하기**

모집단이 정규분포 $N(m, \sigma^2)$을 따르고 표본의 크기가 n이므로

표본평균 $\overline{X}$는 정규분포 $N\left(m, \left(\frac{\sigma}{\sqrt{n}}\right)^2\right)$을 따른다. ⬅ $E(\overline{X})=m$, $\sigma(\overline{X})=\frac{\sigma}{\sqrt{n}}$

STEP Ⓑ **$P(|\overline{X}-m| \leq 0.49\sigma) \geq 0.95$를 만족하는 자연수 n의 최솟값 구하기**

$Z=\frac{\overline{X}-m}{\frac{\sigma}{\sqrt{n}}}$으로 놓으면 확률변수 Z는 표준정규분포 $N(0, 1)$을 따르므로

$P(|\overline{X}-m| \leq 0.49\sigma) \geq 0.95$에서

$P(|\overline{X}-m| \leq 0.49\sigma)=P\left(\left|\frac{\overline{X}-m}{\frac{\sigma}{\sqrt{n}}}\right| \leq \frac{0.49\sigma}{\frac{\sigma}{\sqrt{n}}}\right)$

$=P(|Z| \leq 0.49\sqrt{n})$

$=P(-0.49\sqrt{n} \leq Z \leq 0.49\sqrt{n})$

$=2P(0 \leq Z \leq 0.49\sqrt{n})$

이므로 $2P(0 \leq Z \leq 0.49\sqrt{n}) \geq 0.95$에서 $P(0 \leq Z \leq 0.49\sqrt{n}) \geq 0.475$

이때 $P(0 \leq Z \leq 1.96)=0.4750$이므로 $0.49\sqrt{n} \geq 1.96$

$\sqrt{n} \geq 4$, $n \geq 16$

따라서 n의 최솟값은 16

정답 ②

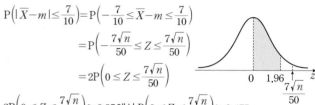

1475

정답 ①

STEP Ⓐ **표본의 크기가 9인 표본평균 $\overline{X}$의 평균과 표준편차 구하기**

임의로 뽑은 9명의 학생의 몸무게의 평균을 $\overline{X}$라 하면

모집단이 정규분포 $N(60, 6^2)$을 따르고 표본의 크기가 9이므로

표본평균 $\overline{X}$는 정규분포 $N(60, 2^2)$을 따른다. ⬅ $E(\overline{X})=60$, $\sigma(\overline{X})=\frac{6}{\sqrt{9}}=2$

STEP Ⓑ **경고음이 울릴 확률 구하기**

$Z=\frac{\overline{X}-60}{2}$으로 놓으면 확률변수 Z는 표준정규분포 $N(0, 1)$을 따른다.

따라서 적재중량이 558kg 이상일 확률은

$P(9\overline{X} \geq 558)=P(\overline{X} \geq 62)$

$=P\left(Z \geq \frac{62-60}{2}\right)$

$=P(Z \geq 1)$

$=0.5-P(0 \leq Z \leq 1)$

$=0.5-0.3413=0.1587$

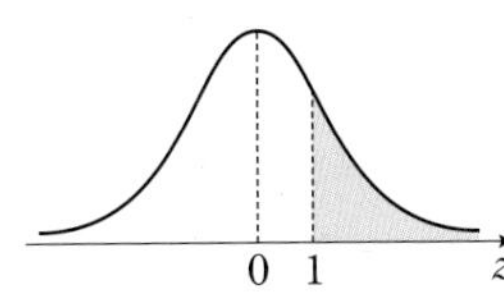

1476

정답 ①

STEP Ⓐ **표본의 크기가 4인 표본의 표본평균의 평균과 표준편차 구하기**

배터리 4개의 수명의 총합의 평균을 $\overline{X}$라 하면

모집단이 정규분포 $N(20, 1^2)$을 따르고 표본의 크기가 4이므로

표본평균 $\overline{X}$는 정규분포 $N\left(20, \left(\frac{1}{2}\right)^2\right)$을 따른다. ⬅ $E(\overline{X})=20$, $\sigma(\overline{X})=\frac{1}{\sqrt{4}}=\frac{1}{2}$

STEP Ⓑ **$4\overline{X} \geq 86$인 확률 구하기**

$Z=\frac{\overline{X}-20}{\frac{1}{2}}$으로 놓으면 확률변수 Z는 표준정규분포 $N(0, 1)$을 따른다.

따라서 배터리 4개의 수명의 총합이 86시간 이상일 확률은

$P(4X \geq 86)=P(\overline{X} \geq 21.5)$

$=P\left(Z \geq \frac{21.5-20}{0.5}\right)$

$=P(Z \geq 3)$

$=0.5-P(0 \leq Z \leq 3)$

$=0.5-0.4987=0.0013$

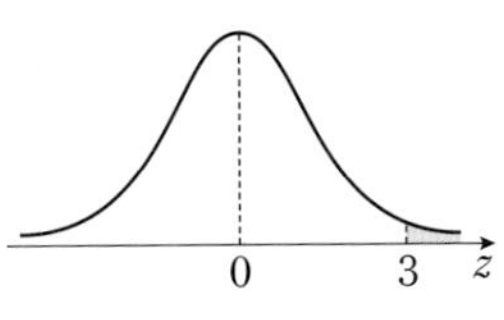

1477

정답 ①

STEP Ⓐ **표본의 크기가 16인 표본평균의 평균과 표준편차 구하기**

과자 16개 무게의 평균을 $\overline{X}$라 하면

모집단이 정규분포 $N(40, 4^2)$을 따르고 표본의 크기가 16이므로

표본평균 $\overline{X}$는 정규분포 $N(40, 1^2)$을 따른다. ⬅ $E(\overline{X})=40$, $\sigma(\overline{X})=\frac{4}{\sqrt{16}}=1$

STEP Ⓑ **과자 한 세트의 무게가 672 g 이상일 확률 구하기**

$Z=\frac{\overline{X}-40}{1}$으로 놓으면 확률변수 Z는 표준정규분포 $N(0, 1)$을 따른다.

따라서 과자 한 세트의 무게가 672 g 이상일 확률은

$P(16\overline{X} \geq 672)=P(\overline{X} \geq 42)$

$=P\left(Z \geq \frac{42-40}{1}\right)$

$=P(Z \geq 2)$

$=P(Z \geq 0)-P(0 \leq Z \leq 2)$

$=0.5-0.4772=0.0228$

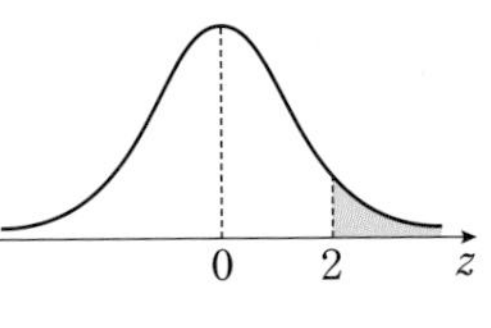

내/신/연/계/ 출제문항 629

어느 제과점에서 생산하는 사탕 한 개의 무게는 평균이 10g, 표준편차가 1g인 정규분포를 따른다고 한다. 이 제과점에서는 사탕을 9개씩 한 상자에 담아 판매하는데 한 상자에 담긴 사탕의 무게의 합이 87g 이상이면 합격품으로 판정할 때, 이 제과점에서 사탕을 9개씩 담아 판매하는 상자 중에서 임의로 선택한 한 상자가 합격품일 확률을 오른쪽 표준정규분포표를 이용하여 구한 것은?

z	$P(0 \leq Z \leq z)$
0.5	0.1915
1.0	0.3413
1.5	0.4332
2.0	0.4772

① 0.1587 ② 0.3413 ③ 0.5328
④ 0.7745 ⑤ 0.8413

STEP Ⓐ **표본의 크기가 9인 표본평균의 평균과 표준편차 구하기**

이 제과점에서 생산하는 사탕 한 상자의 무게의 평균을 $\overline{X}$라 하면

모집단이 정규분포 $N(10, 1^2)$을 따르고 표본의 크기가 9이므로

표본평균 $\overline{X}$는 정규분포 $N\left(10, \left(\frac{1}{3}\right)^2\right)$을 따른다. ⬅ $E(\overline{X})=10$, $\sigma(\overline{X})=\frac{1}{\sqrt{9}}=\frac{1}{3}$

STEP Ⓑ **합격품일 확률 구하기**

$Z=\frac{\overline{X}-10}{\frac{1}{3}}$으로 놓으면 확률변수 Z는 표준정규분포 $N(0, 1)$을 따르므로

한 상자에 담긴 사탕의 무게의 합이 87g이상일 확률은 ⬅ 상자가 합격품일 확률은

$P(9\overline{X} \geq 87)=P\left(\overline{X} \geq \frac{87}{9}\right)$

$=P\left(Z \geq \frac{\frac{87}{9}-10}{\frac{1}{3}}\right)$

$=P(Z \geq -1)$

$=P(-1 \leq Z \leq 0)+P(Z \geq 0)$

$=P(0 \leq Z \leq 1)+0.5=0.8413$

정답 ⑤

1478

정답 ④

STEP Ⓐ **표본의 크기가 16인 표본평균의 평균과 표준편차 구하기**

단팥빵 16개 무게의 평균을 $\overline{X}$라 하면

모집단이 정규분포 $N(200, 20^2)$을 따르고 표본의 크기가 16이므로

표본평균 $\overline{X}$는 정규분포 $N(200, 5^2)$을 따른다. ⬅ $E(\overline{X})=200$, $\sigma(\overline{X})=\frac{20}{\sqrt{16}}=5$

STEP Ⓑ **$3120 \leq 16\overline{X} \leq 3360$인 확률 구하기**

$Z=\frac{\overline{X}-200}{5}$으로 놓으면 확률변수 Z는 표준정규분포 $N(0, 1)$을 따른다.

따라서 단팥빵 한 상자의 무게가 3.12kg 이상 3.36kg 이하일 확률은

$P(3120 \leq 16\overline{X} \leq 3360)$

$=P(195 \leq \overline{X} \leq 210)$

$=P\left(\frac{195-200}{5} \leq Z \leq \frac{210-200}{5}\right)$

$=P(-1 \leq Z \leq 2)$

$=P(0 \leq Z \leq 1)+P(0 \leq Z \leq 2)$

$=0.3413+0.4772=0.8185$

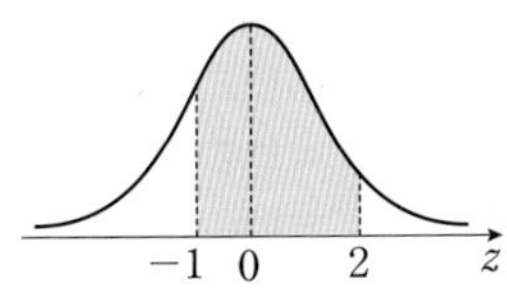

1479

정답 ②

STEP A 표본의 크기가 25인 표본평균의 평균과 표준편차 구하기

공용 자전거를 이용한 25회 이용 시간의 총합의 평균을 $\overline{X}$라 하면
모집단이 정규분포 $N(60, 10^2)$을 따르고 표본의 크기가 25이므로
표본평균 $\overline{X}$는 정규분포 $N(60, 2^2)$을 따른다. ← $E(\overline{X})=60$, $V(\overline{X})=\frac{10^2}{25}=2^2$

STEP B $P(25\overline{X} \geq 1450)$일 확률 구하기

$Z=\frac{\overline{X}-60}{2}$으로 놓으면 확률변수 Z는 표준정규분포 $N(0, 1)$을 따르므로
25회 이용시간의 총합이 1450분 이상일 확률은
← k회째 이용 시간을 X_k라 하면 $X_1+X_2+\cdots+X_{25} \geq 1450$에서
$\frac{X_1+X_2+\cdots+X_{25}}{25} \geq \frac{1450}{25}=58$이므로 표본평균이 58 이상이다.

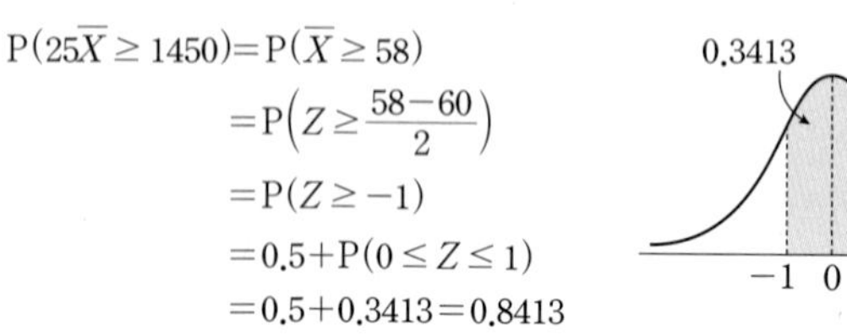

$P(25\overline{X} \geq 1450)=P(\overline{X} \geq 58)$
$=P\left(Z \geq \frac{58-60}{2}\right)$
$=P(Z \geq -1)$
$=0.5+P(0 \leq Z \leq 1)$
$=0.5+0.3413=0.8413$

내/신/연/계/ 출제문항 630

어느 농가에서 생산하는 사과의 무게는 평균이 58g 표준편차가 10g인 정규분포를 따른다고 한다. 이 농원에서는 사과 25개를 한 상자로 만들어 판매하는데 사과 상자 안에 들어 있는 사과 전체의 무게가 1500g이 상이면 최상품으로 판매한다고한다. 이 농가에서 판매하는 사과 상자 중에서 최상품의 비율은? (단, 상자의 무게는 무시한다.)

z	$P(0 \leq Z \leq z)$
0.5	0.1915
1.0	0.3413
1.5	0.4332
2.0	0.4772

① 2.28%　② 15.87%　③ 19.15%
④ 30.85%　⑤ 32.58%

STEP A 표본의 크기가 25인 표본의 표본평균의 평균과 표준편차 구하기

한 상자에 담겨 있는 사과 25개의 무게의 평균을 $\overline{X}$라고 하면
모집단이 정규분포 $N(58, 10^2)$을 따르고 표본의 크기가 25이므로
표본평균 $\overline{X}$는 정규분포 $N(58, 2^2)$을 따른다. ← $E(\overline{X})=58$, $V(\overline{X})=\frac{10^2}{25}=2^2$

STEP B $25\overline{X} \geq 1500$인 확률 구하기

$Z=\frac{\overline{X}-58}{2}$으로 놓으면 확률변수 Z는 표준정규분포 $N(0,1)$을 따르므로
사과 25개의 무게가 1500g 이상일 확률은
$P(25\overline{X} \geq 1500)=P(\overline{X} \geq 60)$
$=P\left(Z \geq \frac{60-58}{2}\right)$
$=P(Z \geq 1)$
$=P(Z \geq 0)-P(0 \leq Z \leq 1)$
$=0.5-0.3413=0.1587$

따라서 최상품의 비율은 15.87%

정답 ②

1480

정답 ③

STEP A 표본의 크기가 9인 표본의 표본평균의 평균과 표준편차 구하기

귤 한 상지의 무게의 평균을 $\overline{X}$라 하면
모집단이 정규분포 $N(85, 12^2)$을 따르고 표본의 크기가 9이므로
표본평균 $\overline{X}$는 정규분포 $N(85, 4^2)$을 따른다. ← $E(\overline{X})=85$, $\sigma(\overline{X})=\frac{12}{\sqrt{9}}=4$

STEP B 불량품으로 판정될 확률 구하기

$Z=\frac{\overline{X}-85}{4}$으로 놓으면 확률변수 Z는 표준정규분포 $N(0, 1)$을 따르므로
귤 한 상자의 무게가 693g 이하일 확률은 ← 불량품으로 판정될 확률은
$P(9\overline{X} \leq 693)=P(\overline{X} \leq 77)$
$=P\left(Z \leq \frac{77-85}{4}\right)$
$=P(Z \leq -2)=P(Z \geq 2)$
$=0.5-P(0 \leq Z \leq 2)$
$=0.5-0.4772=0.0228$

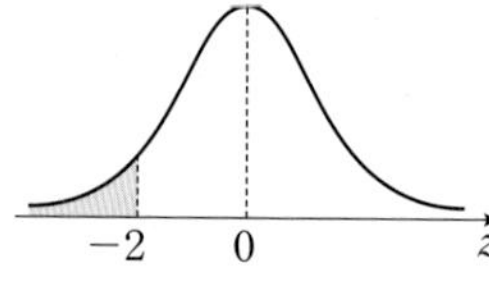

STEP C 불량품으로 판정되는 상자의 개수 구하기

따라서 불량품으로 판정될 확률이 0.0228이므로 불량품으로 판정되는 상자의 개수는 $10000 \times 0.0228=228$

내/신/연/계/ 출제문항 631

어느 농가에서 생산된 짭짭이 토마토 한 개의 무게는 평균이 150g, 표준편차가 8g인 정규분포를 따른다고 한다. 이 짭짭이 토마토를 4개씩 한 세트로 판매한다고 할 때, 4개의 무게가 584g 이상 616g 이하이면 정품으로 판정한다. 이때 10000개의 세트 중 정품으로 판정되는 것의 개수는?

z	$P(0 \leq Z \leq z)$
1.0	0.3413
1.5	0.4332
2.0	0.4772
3.0	0.4987

① 5328　② 6247　③ 6826
④ 9104　⑤ 9772

STEP A 표본의 크기가 4인 표본평균 $\overline{X}$의 평균과 표준편차 구하기

짭짭이 토마토 한 세트에 들어 있는 짭짭이 토마토 4개의 무게의 평균을
$\overline{X}$라 하면 모집단이 정규분포 $N(150, 8^2)$을 따르고 표본의 크기가 4이므로
표본평균 $\overline{X}$는 정규분포 $N(150, 4^2)$을 따른다. ← $E(\overline{X})=150$, $\sigma(\overline{X})=\frac{8}{\sqrt{4}}=4$

STEP B $P(146 \leq \overline{X} \leq 154)$의 값 구하기

$Z=\frac{\overline{X}-150}{4}$으로 놓으면 확률변수 Z는 표준정규분포 $N(0, 1)$을 따르므로
짭짭이 토마토 한 세트의 무게가 584g 이상 616g 이하일 확률은
$P(584 \leq 4\overline{X} \leq 616)$
$=P(146 \leq \overline{X} \leq 154)$
$=P\left(\frac{146-150}{4} \leq Z \leq \frac{154-150}{4}\right)$
$=P(-1 \leq Z \leq 1)$
$=2P(0 \leq Z \leq 1)$
$=2 \times 0.3413=0.6826$

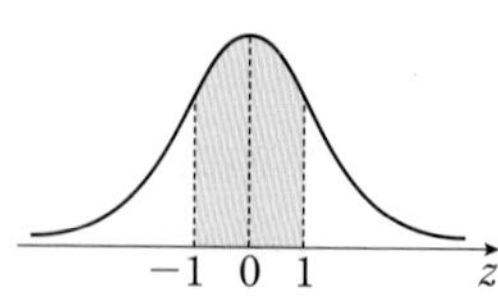

STEP C 정품으로 판정되는 상자의 개수 구하기

따라서 10000개의 세트 중 정품으로 판정되는 것의 개수는
$10000 \times 0.6826=6826$

정답 ③

1481

정답 ⑤

STEP Ⓐ **표본의 크기가 4인 표본평균 $\overline{X}$의 평균과 표준편차 구하기**

음료수 4병의 한 세트의 용량의 평균을 $\overline{X}$라 하면

모집단이 정규분포 $N(200, 6^2)$을 따르고 표본의 크기가 4이므로

표본평균 $\overline{X}$는 정규분포 $N(200, 3^2)$을 따른다. ← $E(\overline{X})=200$, $\sigma(\overline{X})=\frac{6}{\sqrt{4}}=3$

STEP Ⓑ **정품일 확률 구하기**

$Z=\frac{\overline{X}-200}{3}$으로 놓으면 확률변수 Z는 표준정규분포 $N(0, 1)$을 따르므로

한 세트의 총 용량이 788g 이상 836g 이하이면 정품이므로 정품일 확률은

$P(788 \le 4\overline{X} \le 836)$

$=P(197 \le \overline{X} \le 209)$

$=P\left(\frac{197-200}{3} \le Z \le \frac{209-200}{3}\right)$

$=P(-1 \le Z \le 3)$

$=P(-1 \le Z \le 0)+P(0 \le Z \le 3)$

$=P(0 \le Z \le 1)+P(0 \le Z \le 3)$

$=0.3413+0.4987=0.84$

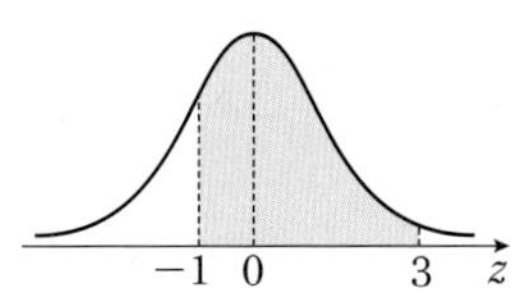

STEP Ⓒ **두 제품 A, B 중 한 세트만 정품일 확률 구하기**

따라서 두 제품 A, B 중 한 세트만 정품일 확률은

${}_2C_1 \times 0.84 \times (1-0.84)=2 \times 0.84 \times 0.16=0.2688$

1482

정답 ④

STEP Ⓐ **표본의 크기가 4인 표본평균 $\overline{X}$의 평균과 표준편차 구하기**

비누 한 상자에 담긴 4개의 비누의 무게의 표본평균을 $\overline{X}$라 하면

모집단이 정규분포 $N(160, 4^2)$을 따르고 표본의 크기가 4이므로

표본평균 $\overline{X}$는 정규분포 $N(160, 2^2)$을 따른다. ← $E(\overline{X})=160$, $\sigma(\overline{X})=\frac{4}{\sqrt{4}}=2$

STEP Ⓑ **불량품으로 판정될 확률이 0.0228임을 이용하여 a의 값 구하기**

$Z=\frac{\overline{X}-160}{2}$으로 놓으면 확률변수 Z는 표준정규분포 $N(0, 1)$을 따르므로

이 한 상자의 무게가 ag 미만이면 불량품으로 판정하므로 

$P(4\overline{X} < a)=P\left(\overline{X} < \frac{a}{4}\right)$

$=P\left(Z \le \frac{\frac{a}{4}-160}{2}\right)$

$=P\left(Z \le \frac{a}{8}-80\right)$

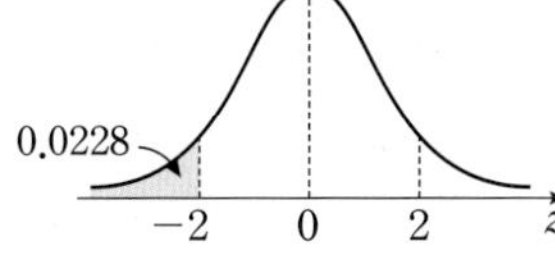

$P\left(Z \le \frac{a}{8}-80\right)=0.0228$이므로 $0.5-P\left(0 \le Z \le 80-\frac{a}{8}\right)=0.0228$

$\therefore P\left(0 \le Z \le 80-\frac{a}{8}\right)=0.4772$

이때 $P(0 \le Z \le 2)=0.4772$이므로 $80-\frac{a}{8}=2$, $\frac{a}{8}=78$

따라서 $a=624$

1483

정답 ①

STEP Ⓐ **표본의 크기가 4인 표본평균 $\overline{X}$의 평균과 표준편차 구하기**

초콜릿 4개의 평균 무게의 평균을 $\overline{X}$라 하면

모집단이 정규분포 $N(30, 4^2)$을 따르고 표본의 크기가 4이므로

표본평균 $\overline{X}$는 정규분포 $N(30, 2^2)$을 따른다. ← $E(\overline{X})=30$, $\sigma(\overline{X})=\frac{4}{\sqrt{4}}=2$

STEP Ⓑ **불량품인 상자로 판정하는 확률 구하기**

$Z=\frac{\overline{X}-30}{2}$으로 놓으면 확률변수 Z는 표준정규분포 $N(0, 1)$을 따르므로

4개의 초콜릿을 담은 상자의 무게가 109.76g 이하일 확률은

← 출하한 상자가 불량품일 확률

$P(4\overline{X} \le 109.76)=P(\overline{X} \le 27.44)$

$=P\left(Z \le \frac{27.44-30}{2}\right)$

$=P(Z \le -1.28)$

$=0.5-P(0 \le Z \le 1.28)$

$=0.5-0.4=0.1$

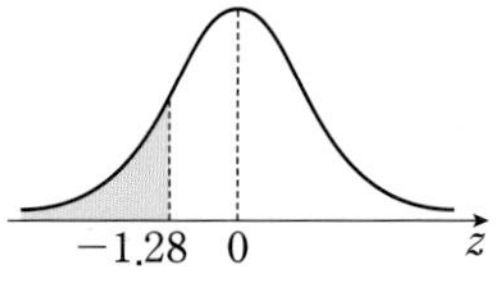

STEP Ⓒ **이항분포를 이용하여 평균과 분산 구하기**

한편 초콜릿 상자 400개 중에서 불량품인 상자의 수를 확률변수 Y라 하면

Y는 이항분포 $B(400, 0.1)$를 따르므로

$E(Y)=400 \times 0.1=40$, $V(X)=400 \times 0.1 \times 0.9=36$

이때 400은 충분히 큰 수이므로 확률변수Y는 정규분포 $N(40, 6^2)$을 따른다.

STEP Ⓓ **$P(Y \le 28)$구하기**

$Z=\frac{Y-40}{6}$으로 놓으면 확률변수 Z는 표준정규분포 $N(0, 1)$을 따른다.

따라서 구하는 확률은

$P(Y \le 28)=P\left(Z \le \frac{28-40}{6}\right)$

$=P(Z \le -2)$

$=0.5-P(0 \le Z \le 2)$

$=0.5-0.48=0.02$

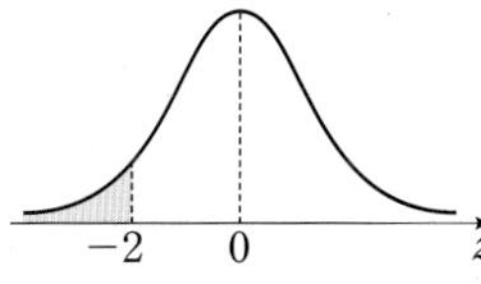

Ⅲ 통계

모평균의 추정

1484

정답 ②

STEP Ⓐ **모표준편차가 주어진 모평균 m의 신뢰도 95%의 신뢰구간 구하기**

표본평균 $\overline{x}=150$, 모표준편차 $\sigma=5$, 표본의 크기 $n=100$이므로
모평균 m에 대한 신뢰도 95%의 신뢰구간은

$150-1.96\times\frac{5}{\sqrt{100}}\le m\le 150+1.96\times\frac{5}{\sqrt{100}}$

$150-1.96\times\frac{1}{2}\le m\le 150+1.96\times\frac{1}{2}$ 

$150-0.98\le m\le 150+0.98$

따라서 $149.02\le m\le 150.98$ (단위 kg)

1485

정답 ⑤

STEP Ⓐ **모표준편차가 주어진 모평균 m의 신뢰도 95%의 신뢰구간 구하기**

표본평균은 $\overline{x}=250$, 모표준편차는 $\sigma=20$, 표본의 크기가 $n=25$이므로
이 비누 1개 무게의 모평균 m에 대한 신뢰도 95%의 신뢰구간은

$250-1.96\times\frac{20}{\sqrt{25}}\le m\le 250+1.96\times\frac{20}{\sqrt{25}}$

$250-1.96\times4\le m\le 250+1.96\times4$

$250-7.84\le m\le 250+7.84$

따라서 $242.16\le m\le 257.84$

1486

정답 ④

STEP Ⓐ **모표준편차가 주어진 모평균 m의 신뢰도 95%의 신뢰구간 구하기**

표본평균 $\overline{x}=42$, 모표준편차 $\sigma=10$, 표본의 크기가 $n=25$이므로
모평균 m에 대한 신뢰도 95%의 신뢰구간은

$42-1.96\times\frac{10}{\sqrt{25}}\le m\le 42+1.96\times\frac{10}{\sqrt{25}}$ 

$42-1.96\times2\le m\le 42+1.96\times2$

$42-3.92\le m\le 42+3.92$ $\quad\therefore 38.08\le m\le 45.92$

STEP Ⓑ **$2\alpha+\beta$의 값 구하기**

따라서 $38+\alpha=38.08$, $38+\beta=45.92$에서 $\alpha=0.08$, $\beta=7.92$이므로
$2\alpha+\beta=0.16+7.92=8.08$

내/신/연/계/ 출제문항 632

모평균이 m, 모표준편차가 5인 정규분포를 따르는 모집단에서 크기가 100인 표본을 임의추출하여 구한 표본평균이 80이고, 이를 이용하여 구한 모평균 m에 대한 신뢰도 95%의 신뢰구간이

$$79+\alpha\le m\le 79+\beta$$

일 때, $2\alpha+\beta$의 값은? (단, Z가 표준정규분포를 따르는 확률변수일 때, $P(|Z|\le1.96)=0.95$로 계산한다.)

① 1.96 ② 2.02 ③ 2.08
④ 2.14 ⑤ 2.2

STEP Ⓐ **모표준편차가 주어진 모평균 m의 신뢰도 95%의 신뢰구간 구하기**

표본평균이 $\overline{x}=80$, 모표준편차가 $\sigma=5$, 표본의 크기가 $n=100$이므로
모평균 m에 대한 신뢰도 95%의 신뢰구간은

$80-1.96\times\frac{5}{\sqrt{100}}\le m\le 80+1.96\times\frac{5}{\sqrt{100}}$

$80-1.96\times\frac{1}{2}\le m\le 80+1.96\times\frac{1}{2}$

$80-0.98\le m\le 80+0.98$

$79.02\le m\le 80.98$

STEP Ⓑ **$2\alpha+\beta$의 값 구하기**

따라서 $79+\alpha=79.02$, $79+\beta=80.98$에서 $\alpha=0.02$, $\beta=1.98$이므로
$2\alpha+\beta=0.04+1.98=2.02$

정답 ②

1487

정답 ⑤

STEP Ⓐ **모표준편차가 주어진 모평균 m의 신뢰도 99%의 신뢰구간 구하기**

표본평균 $\overline{x}=20$, 모표준편차 $\sigma=2$, 표본의 크기가 $n=64$이므로
모평균 m에 대한 신뢰도 99%의 신뢰구간은

$20-2.58\times\frac{2}{\sqrt{64}}\le m\le 20+2.58\times\frac{2}{\sqrt{64}}$ 

$20-2.58\times\frac{1}{4}\le m\le 20+2.58\times\frac{1}{4}$

$20-0.645\le m\le 20+0.645$

따라서 $19.355\le m\le 20.645$

내/신/연/계/ 출제문항 633

모평균이 m, 모표준편차가 8인 정규분포를 따르는 모집단에서 크기가 36인 표본을 임의추출하여 구한 표본평균이 75이었다. 이 결과를 이용하여 모평균 m에 다한 신뢰도 99%의 신뢰구간에 속하는 자연수의 개수는? (단, Z가 표준정규분포를 따르는 확률변수일 때, $P(|Z|\le2.58)=0.99$로 계산한다.)

① 6 ② 7 ③ 8
④ 9 ⑤ 10

STEP Ⓐ **모표준편차가 주어진 모평균 m의 신뢰도 99%의 신뢰구간 구하기**

표준평균 $\overline{x}=75$, 모표준편차 $\sigma=8$, 표본의 크기 $n=36$이므로
모평균 m에 대한 신뢰도 99%의 신뢰구간은

$75-2.58\times\frac{8}{\sqrt{36}}\le m\le 75+2.58\times\frac{8}{\sqrt{36}}$

$75-2.58\times\frac{4}{3}\le m\le 75+2.58\times\frac{4}{3}$

$75-3.44\le m\le 75+3.44$ $\quad\therefore 71.56\le m\le 78.44$

STEP Ⓑ **자연수의 개수 구하기**

따라서 신뢰구간에 속하는 자연수는 72, 73, 74, 75, 76, 77, 78이고
그 개수는 7

정답 ②

1488

정답 ②

STEP Ⓐ **모표준편차가 주어진 모평균 m의 신뢰도 99%의 신뢰구간 구하기**

표본평균 $\overline{x}=25$, 모표준편차 $\sigma=2$, 표본의 크기가 $n=64$이므로
모평균 m에 대한 신뢰도 99%의 신뢰구간은

$25-2.58\times\frac{2}{\sqrt{64}}\le m\le 25+2.58\times\frac{2}{\sqrt{64}}$

$25-2.58\times\frac{1}{4}\le m\le 25+2.58\times\frac{1}{4}$

$25-0.645\le m\le 25+0.645$

$\therefore 24.355\le m\le 25.645$ (단위 cm)

STEP Ⓑ **$\alpha+\beta$의 값 구하기**

따라서 $24+\alpha=24.355$, $24+\beta=25.645$에서 $\alpha=0.355$, $\beta=1.645$이므로
$\alpha+\beta=2$

1489

정답 ②

STEP Ⓐ **표본표준편차가 주어진 모평균 m의 신뢰도 95%의 신뢰구간 구하기**

표본평균 $\overline{x}=32$, 표본의 크기 $n=36$, 표본의 크기 36이 충분히 크므로
모표준편차 대신 표본표준편차가 $\sigma \fallingdotseq s=3$이므로
모평균 m에 대한 신뢰도 95%의 신뢰구간은

$32-1.96\times\dfrac{3}{\sqrt{36}}\le m\le 32+1.96\times\dfrac{3}{\sqrt{36}}$

$32-1.96\times\dfrac{1}{2}\le m\le 32+1.96\times\dfrac{1}{2}$

$32-0.98\le m\le 32+0.98$

따라서 $31.02\le m\le 32.98$

1490

 ③

STEP Ⓐ **표본표준편차가 주어진 모평균 m의 신뢰도 95%의 신뢰구간 구하기**

표본평균 $\overline{x}=245$, 표본의 크기 $n=100$, 표본의 크기 100이 충분히 크므로
모표준편차 대신 표본표준편차가 $\sigma \fallingdotseq s=20$이므로
모평균 m에 대한 신뢰도 95%의 신뢰구간은

$245-1.96\times\dfrac{20}{\sqrt{100}}\le m\le 245+1.96\times\dfrac{20}{\sqrt{100}}$

$245-1.96\times 2\le m\le 245+1.96\times 2$

$245-3.92\le m\le 245+3.92$

$\therefore\ 241.08\le m\le 248.92$

STEP Ⓑ **신뢰구간에 속하는 정수의 개수 구하기**

따라서 신뢰도 95%의 신뢰구간에 속하는 정수는
242, 243, 244, 245, 246, 247, 248이므로 개수는 7

1491

 ③

STEP Ⓐ **표본표준편차가 주어진 모평균 m의 신뢰도 99%의 신뢰구간 구하기**

표본평균 $\overline{x}=68$, 표본의 크기 $n=100$, 표본의 크기 100이 충분히 크므로
모표준편차 대신 표본표준편차가 $\sigma \fallingdotseq s=20$이므로
모평균 m에 대한 신뢰도 99%의 신뢰구간은

$68-3\times\dfrac{20}{\sqrt{100}}\le m\le 68+3\times\dfrac{20}{\sqrt{100}}$

$68-3\times 2\le m\le 68+3\times 2$

$68-6\le m\le 68+6$

$\therefore\ 62\le m\le 74$

따라서 신뢰도 99%의 신뢰구간에 속하는 자연수는 62, 63, $\cdots$, 74이므로
개수는 13

1492

 ③

STEP Ⓐ **표본표준편차가 주어진 모평균 m에 대한 신뢰도 95%의 신뢰구간 구하기**

표본평균 $\overline{x}$, 표본의 크기 $n=100$, 표본의 크기 100이 충분히 크므로
모표준편차 대신 표본표준편차가 $\sigma \fallingdotseq s=500$이므로
모평균 m에 대한 신뢰도 95%의 신뢰구간은

$\overline{x}-1.96\times\dfrac{500}{\sqrt{100}}\le m\le \overline{x}+1.96\times\dfrac{500}{\sqrt{100}}$

$\therefore\ \overline{x}-98\le m\le \overline{x}+98$

따라서 $c=98$

내/신/연/계/ 출제문항 634

어느 농가에서 생산하는 석류의 무게는 평균이 m, 표준편차가 40인 정규분포를 따른다고 한다. 이 농가에서 생산하는 석류 중에서 임의추출한 크기가 64인 표본을 조사하였더니 석류 무게의 표본평균의 값이 $\overline{x}$이었다.
이 결과를 이용하여 이 농가에서 생산하는 석류 무게의 평균 m에 대한 신뢰도 99%의 신뢰구간을 구하면 $\overline{x}-c\le m\le \overline{x}+c$이다. c의 값은?
(단, 무게의 단위는 g이고, Z가 표준정규분포를 따르는 확률변수일 때, $P(0\le Z\le 2.58)=0.495$로 계산한다.)

① 25.8　② 21.5　③ 17.2
④ 12.9　⑤ 8.6

STEP Ⓐ **주어진 조건을 이용하여 신뢰구간 구하기**

표본평균 $\overline{x}$, 표본의 크기 $n=64$, 표본의 크기 64가 충분히 크므로
모표준편차 대신 표본표준편차가 $\sigma \fallingdotseq s=40$이므로
모평균 m에 대한 신뢰도 99%의 신뢰구간은

$\overline{x}-2.58\times\dfrac{40}{\sqrt{64}}\le m\le \overline{x}+2.58\times\dfrac{40}{\sqrt{64}}$

$\overline{x}-2.58\times 5\le m\le \overline{x}+2.58\times 5$

$\therefore\ \overline{x}-12.9\le m\le \overline{x}+12.9$

따라서 $c=12.9$

 ④

1493

 ④

STEP Ⓐ **표본표준편차가 주어진 모평균 m에 대한 신뢰도 99%의 신뢰구간 구하기**

표본평균 $\overline{x}=30$, 표본의 크기 $n=100$, 표본의 크기 100이 충분히 크므로
모표준편차 대신 표본표준편차가 $\sigma \fallingdotseq s=5$이므로
모평균 m에 대한 신뢰도 99%의 신뢰구간은

$30-2.58\times\dfrac{5}{\sqrt{100}}\le m\le 30+2.58\times\dfrac{5}{\sqrt{100}}$

따라서 $2c=2\times 2.58\times\dfrac{5}{\sqrt{100}}=2\times 2.58\times\dfrac{1}{2}=2.58$

1494

 ②

STEP Ⓐ **표본표준편차가 주어진 모평균 m의 신뢰도 95%의 신뢰구간 구하기**

표본평균 $\overline{x}=12$, 표본의 크기 $n=64$, 표본의 크기 64가 충분히 크므로
모표준편차 대신 표본표준편차가 $\sigma \fallingdotseq s=4$이므로
모평균 m에 대한 신뢰도 95%의 신뢰구간은

$12-1.96\times\dfrac{4}{\sqrt{64}}\le m\le 12+1.96\times\dfrac{4}{\sqrt{64}}$

$12-1.96\times\dfrac{1}{2}\le m\le 12+1.96\times\dfrac{1}{2}$

$12-0.98\le m\le 12+0.98$

즉 $11.02\le m\le 12.98$이므로 $a=11.02$, $b=12.98$

STEP Ⓑ **표본표준편차가 주어진 모평균 m의 신뢰도 99%의 신뢰구간 구하기**

모평균 m에 대한 신뢰도 99%인 신뢰구간은

$12-2.58\times\dfrac{4}{\sqrt{64}}\le m\le 12+2.58\times\dfrac{4}{\sqrt{64}}$

$12-2.58\times\dfrac{1}{2}\le m\le 12+2.58\times\dfrac{1}{2}$

$12-1.29\le m\le 12+1.29$

즉 $10.71\le m\le 13.29$이므로 $c=10.71$, $d=13.29$

따라서 $a+d=11.02+13.29=24.31$

내신연계 출제문항 635

어떤 회사의 P건전지의 수명은 정규분포를 따른다고 한다. 이 건전지 100개를 임의추출하여 수명을 조사하였더니 평균이 32시간, 표준편차가 5시간이다. P건전지의 평균수명 m의 신뢰도 95%의 신뢰구간은 $a \le m \le b$이고 P건전지의 평균수명 m의 신뢰도 99%의 신뢰구간은 $c \le m \le d$일 때, $b+c$의 값은? (단, Z가 표준정규분포를 따르는 확률변수일 때, $\mathrm{P}(0 \le Z \le 1.96)=0.475$, $\mathrm{P}(0 \le Z \le 2.58)=0.495$)

① 61.73 ② 63.69 ③ 64.29
④ 65 ⑤ 66.27

STEP Ⓐ 표본표준편차가 주어진 모평균 m의 신뢰도 95%의 신뢰구간 구하기

표본평균 $\overline{x}=32$, 표본의 크기 $n=100$, 표본의 크기 100이 충분히 크므로
모표준편차 대신 표본표준편차가 $\sigma \fallingdotseq s=5$이므로
모평균 m에 대한 신뢰도 95%의 신뢰구간은

$$32-1.96\times\frac{5}{\sqrt{100}} \le m \le 32+1.96\times\frac{5}{\sqrt{100}}$$

$$32-1.96\times\frac{1}{2} \le m \le 32+1.96\times\frac{1}{2}$$

$$32-0.98 \le m \le 32+0.98$$

즉 $31.02 \le m \le 32.98$이므로 $a=31.02$, $b=32.98$

STEP Ⓑ 표본표준편차가 주어진 모평균 m의 신뢰도 99%의 신뢰구간 구하기

모평균 m에 대한 신뢰도 99%인 신뢰구간은

$$32-2.58\times\frac{5}{\sqrt{100}} \le m \le 32+2.58\times\frac{5}{\sqrt{100}}$$

$$32-2.58\times\frac{1}{2} \le m \le 32+2.58\times\frac{1}{2}$$

$$32-1.29 \le m \le 32+1.29$$

즉 $30.71 \le m \le 33.29$이므로 $c=30.71$, $d=33.29$

따라서 $b+c=32.98+30.71=63.69$  ②

1495

정답 ③

STEP Ⓐ 표본표준편차가 주어진 모평균 m의 신뢰도 95%의 신뢰구간 구하기

표본평균 $\overline{x}$, 표본의 크기 $n=49$, 표본의 크기 49가 충분히 크므로
모표준편차 대신 표본표준편차가 $\sigma \fallingdotseq s=25$이므로
모평균 m에 대한 신뢰도 95%의 신뢰구간은

$$\overline{x}-1.96\times\frac{25}{\sqrt{49}} \le m \le \overline{x}+1.96\times\frac{25}{\sqrt{49}}$$

$$\therefore\ \overline{x}-7 \le m \le \overline{x}+7$$

STEP Ⓑ $\overline{x}+a$의 값 구하기

이때 신뢰도 95%의 신뢰구간이 $193 \le m \le a$이므로

$\overline{x}-7=193$ ...... ㉠

$\overline{x}+7=a$ ...... ㉡

㉠에서 $\overline{x}=200$이고 ㉡에서 $a=207$

따라서 $\overline{x}+a=200+207=407$

1496

 ②

STEP Ⓐ 표본표준편차가 주어진 모평균 m의 신뢰도 α%의 신뢰구간 구하기

표본평균 $\overline{x}=200$, 표본의 크기 $n=100$, 표본의 크기 100이 충분히 크므로
모표준편차 대신 표본표준편차가 $\sigma \fallingdotseq s=50$이고

$\mathrm{P}(-k \le Z \le k)=\dfrac{\alpha}{100}$이라 하면
모평균 m의 신뢰도 α%인 신뢰구간은

$$200-k\times\frac{50}{\sqrt{100}} \le m \le 200+k\times\frac{50}{\sqrt{100}}$$

$$\therefore\ 200-5k \le m \le 200+5k$$

이때 신뢰도 α%인 신뢰구간이 $190.6 \le m \le 209.4$이므로

$200-5k=190.6$, $200+5k=209.4$

$5k=9.4$ $\therefore\ k=1.88$

STEP Ⓑ α의 값 구하기

따라서 $\mathrm{P}(-1.88 \le Z \le 1.88)=\dfrac{\alpha}{100}$이므로

$$\alpha=100\mathrm{P}(-1.88 \le Z \le 1.88)=200\mathrm{P}(0 \le Z \le 1.88)=200\times0.47=94$$

1497

 ①

STEP Ⓐ 모평균 m에 대한 신뢰도 95%의 신뢰구간 구하기

표본평균이 $\overline{x}$, 모표준편차 $\sigma=10$, 표본의 크기가 n이므로
모평균 m에 대하여 신뢰도 95%인 신뢰구간은

$$\overline{x}-1.96\times\frac{10}{\sqrt{n}} \le m \le \overline{x}+1.96\times\frac{10}{\sqrt{n}}$$

STEP Ⓑ 신뢰구간을 비교하여 n의 값 구하기

이때 신뢰도 95%의 신뢰구간이 $38.08 \le m \le 45.92$이므로

$\overline{x}-1.96\times\dfrac{10}{\sqrt{n}}=38.08$ ...... ㉠

$\overline{x}+1.96\times\dfrac{10}{\sqrt{n}}=45.92$ ...... ㉡

㉡$-$ ㉠을 하면 $2\times1.96\times\dfrac{10}{\sqrt{n}}=7.84$, $\sqrt{n}=5$

따라서 $n=25$

다른풀이 신뢰구간의 길이를 이용하여 풀이하기

모평균 m에 대하여 신뢰도 95%인 신뢰구간이

$$\overline{x}-1.96\times\frac{10}{\sqrt{n}} \le m \le \overline{x}+1.96\times\frac{10}{\sqrt{n}}$$

이므로 신뢰구간의 길이는

$$l=2\times1.96\times\frac{10}{\sqrt{n}}=45.92-38.08=7.84=4\times1.96$$

따라서 $\sqrt{n}=5$이므로 $n=25$

1498

 ④

STEP Ⓐ 모평균 m에 대한 신뢰도 99%의 신뢰구간 구하기

표본평균 $\overline{x}$, 모표준편차 $\sigma=6$, 표본의 크기가 n이므로
모평균 m에 대한 신뢰도 95%의 신뢰구간은

$$\overline{x}-2.58\times\frac{6}{\sqrt{n}} \le m \le \overline{x}+2.58\times\frac{6}{\sqrt{n}}$$

STEP Ⓑ 주어진 신뢰구간을 이용하여 표본의 크기 n의 값 구하기

이때 신뢰도 99%의 신뢰구간이 $3.42 \le m \le 8.58$이므로

$\overline{x}+2.58\times\dfrac{6}{\sqrt{n}}=8.58$ ...... ㉠

$\overline{x}-2.58\times\dfrac{6}{\sqrt{n}}=3.42$ ...... ㉡

㉠$-$㉡을 하면 $2\times2.58\times\dfrac{6}{\sqrt{n}}=5.16$

$\dfrac{6}{\sqrt{n}}=\dfrac{5.16}{5.16}=1$에서 $\sqrt{n}=6$

따라서 $n=36$

내신연계 출제문항 636

어느 고등학교 학생들의 일 년 독서량은 표준편차가 5권인 정규분포를 따른다고 한다. 이 고등학교 학생 중에서 n명을 임의추출하여 일 년 독서량을 조사하였더니 평균이 10권이었다. 이 고등학교 학생들의 일 년 독서량의 평균 m의 신뢰도 99%의 신뢰구간이

$$8.71 \le m \le 11.29$$

일 때, n의 값은? (단, Z가 표준정규분포를 따르는 확률변수일 때, $\mathrm{P}(0 \le Z \le 2.58)=0.495$로 계산한다.)

① 36 ② 49 ③ 64
④ 81 ⑤ 100

STEP Ⓐ **모평균 m에 대한 신뢰도 99%의 신뢰구간 구하기**

표본평균 $\overline{x}=10$, 모표준편차 $\sigma=5$, 표본의 크기가 n이므로
모평균 m에 대한 신뢰도 99%의 신뢰구간은
$10-2.58\times\dfrac{5}{\sqrt{n}} \le m \le 10+2.58\times\dfrac{5}{\sqrt{n}}$

STEP Ⓑ **주어진 신뢰구간을 이용하여 표본의 크기 n의 값 구하기**

이때 신뢰도 99%의 신뢰구간이 $8.71 \le m \le 11.29$이므로
$10-2.58\times\dfrac{5}{\sqrt{n}}=8.71$
$10+2.58\times\dfrac{5}{\sqrt{n}}=11.29$
따라서 $2.58\times\dfrac{5}{\sqrt{n}}=1.29$이므로 $\sqrt{n}=10$ $\quad\therefore n=100$

다른풀이 신뢰구간의 길이를 이용하여 풀이하기

모평균 m에 대한 신뢰도 99%의 신뢰구간은
$10-2.58\times\dfrac{5}{\sqrt{n}} \le m \le 10+2.58\times\dfrac{5}{\sqrt{n}}$
이므로 신뢰구간의 길이는
$l=2\times2.58\times\dfrac{5}{\sqrt{n}}=11.29-8.71=2.58$
$2\times\dfrac{5}{\sqrt{n}}=1$
따라서 $\sqrt{n}=10$이므로 $n=100$

 ⑤

1499

정답 ②

STEP Ⓐ **모평균 m에 대한 신뢰도 95%의 신뢰구간 구하기**

표본평균 $\overline{x}$, 모표준편차 $\sigma=4$, 표본의 크기가 n이므로
모평균 m에 대한 신뢰도 95%의 신뢰구간은
$\overline{x}-1.96\times\dfrac{4}{\sqrt{n}} \le m \le \overline{x}+1.96\times\dfrac{4}{\sqrt{n}}$

STEP Ⓑ **주어진 신뢰구간을 이용하여 n, $\overline{x}$의 값 구하기**

이때 신뢰도 95%의 신뢰구간이 $44.06 \le m \le 46.02$이므로
$\overline{x}-1.96\times\dfrac{4}{\sqrt{n}}=44.06$ …… ㉠
$\overline{x}+1.96\times\dfrac{4}{\sqrt{n}}=46.02$ …… ㉡
㉡−㉠을 하면 $2\times1.96\times\dfrac{4}{\sqrt{n}}=1.96$
즉 $\sqrt{n}=8$ $\quad\therefore n=64$
㉡+㉠을 하면 $2\overline{x}=90.08$
$\therefore \overline{x}=45.04$ ← $\overline{x}=\dfrac{44.06+46.02}{2}=45.04$
따라서 $n+\overline{x}=64+45.04=109.04$

내신연계 출제문항 637

정규분포 $\mathrm{N}(m,\ 20^2)$을 따르는 모집단에서 크기가 n인 표본을 임의추출하여 조사한 결과 표본평균이 $\overline{x}$이었다.
모평균 m을 95%의 신뢰도로 추정한 신뢰구간이 $100.4 \le m \le 139.6$일 때, $n+\overline{x}$의 값은? (단, Z가 표준정규분포를 따르는 확률변수일 때, $\mathrm{P}(|Z| \le 1.96)=0.95$로 계산한다.)

① 122 ② 124 ③ 128
④ 136 ⑤ 140

STEP Ⓐ **모평균 m에 대한 신뢰도 95%의 신뢰구간 구하기**

표본평균 $\overline{x}$, 모표준편차 $\sigma=20$, 표본의 크기가 n이므로
모평균 m에 대한 신뢰도 95%의 신뢰구간은
$\overline{x}-1.96\times\dfrac{20}{\sqrt{n}} \le m \le \overline{x}+1.96\times\dfrac{20}{\sqrt{n}}$

STEP Ⓑ **주어진 신뢰구간을 이용하여 n, $\overline{x}$의 값 구하기**

이때 신뢰도 95%의 신뢰구간이 $100.4 \le m \le 139.6$이므로
$\overline{x}-1.96\times\dfrac{20}{\sqrt{n}}=100.4$ …… ㉠
$\overline{x}+1.96\times\dfrac{20}{\sqrt{n}}=139.6$ …… ㉡
㉡−㉠을 하면 $2\times1.96\times\dfrac{20}{\sqrt{n}}=39.2$
즉 $\dfrac{20}{\sqrt{n}}=10$에서 $\sqrt{n}=2$, $n=4$
㉡+㉠을 하면 $2\overline{x}=240$
$\therefore \overline{x}=120$ ← $\overline{x}=\dfrac{100.4+139.6}{2}=120$
따라서 $n+\overline{x}=4+120=124$

 ②

1500

 ④

STEP Ⓐ **모평균 m의 신뢰도 95%의 신뢰구간 구하기**

표본평균 $\overline{x}=150$, 표준편차 $\sigma=12$, 표본의 크기가 n이므로
모평균 m에 대한 신뢰도 95%의 신뢰구간은
$150-1.96\times\dfrac{12}{\sqrt{n}} \le m \le 150+1.96\times\dfrac{12}{\sqrt{n}}$

STEP Ⓑ **주어진 신뢰구간을 이용하여 표본의 크기 n의 값 구하기**

이때 신뢰도 95%의 신뢰구간이 $146.08 \le m \le a$이므로
$150-1.96\times\dfrac{12}{\sqrt{n}}=146.08$ …… ㉠
$150+1.96\times\dfrac{12}{\sqrt{n}}=a$ …… ㉡
㉠에서 $1.96\times\dfrac{12}{\sqrt{n}}=3.92$이므로 $\sqrt{n}=6$ $\quad\therefore n=36$
$n=36$을 ㉡에 대입하면 $a=150+1.96\times\dfrac{12}{\sqrt{36}}=150+1.96\times2=153.92$

STEP Ⓒ **$n+a$의 값 구하기**

따라서 $n=36$, $a=153.92$이므로 $n+a=36+153.92=189.92$

크기가 n인 표본의 표본평균은 $\dfrac{146.08+a}{2}=150$이므로
$a=153.92$ ← $\overline{x}=\dfrac{a+b}{2}$
$2\times\mathrm{P}(0 \le Z \le 1.96)=0.95$이므로
$1.96\times\dfrac{12}{\sqrt{n}}=153.92-150=3.92$ ← $b-\overline{x}=\overline{x}-a=k\dfrac{\sigma}{\sqrt{n}}$
즉 $\sqrt{n}=6$, $n=36$
따라서 $n+a=36+153.92=189.92$

내/신/연/계/ 출제문항 638

어느 회사에서 생산하는 음료수의 무게는 표준편차가 5g인 정규분포를 따른다고 한다. 이 회사에서 생산한 음료수 n개를 임의추출하여 무게를 조사하였더니 그 평균이 180g이었다. 이 결과를 이용하여 이 회사에서 생산한 음료수의 무게의 평균 m을 신뢰도 99%로 추정한 신뢰구간이

$$178.71 \le m \le a$$

일 때, $a+n$의 값은? (단, $\mathrm{P}(|Z| \le 2.58)=0.99$)

① 181.29　② 280.29　③ 281.29
④ 282.38　⑤ 283.29

STEP **A** **모평균 m의 신뢰도 99%의 신뢰구간 구하기**

표본평균 $\overline{x}=180$, 모표준편차 $\sigma=5$, 표본의 크기가 n이므로
모평균 m에 대한 신뢰도 99%의 신뢰구간은

$$180-2.58\times\frac{5}{\sqrt{n}} \le m \le 180+2.58\times\frac{5}{\sqrt{n}}$$

STEP **B** **주어진 신뢰구간을 이용하여 표본의 크기 n의 값 구하기**

이때 신뢰도 99%의 신뢰구간이 $178.71 \le m \le a$이므로

$180-2.58\times\frac{5}{\sqrt{n}}=178.71$ …… ㉠

$180+2.58\times\frac{5}{\sqrt{n}}=a$ …… ㉡

㉠에서 $2.58\times\frac{5}{\sqrt{n}}=1.29$이므로

$\sqrt{n}=10$　$\therefore n=100$

$n=100$을 ㉡에 대입하면 $a=180+2.58\times\frac{5}{\sqrt{100}}=181.29$

STEP **C** **$n+a$의 값 구하기**

따라서 $a+n=181.29+100=281.29$

 ③

크기가 n인 표본의 표본평균은 $\frac{178.71+a}{2}=180$이므로

$a=181.29$ ⬅ $\overline{x}=\frac{a+b}{2}$

$2\times\mathrm{P}(0\le Z\le 2.58)=0.99$이므로

$2.58\times\frac{5}{\sqrt{n}}=181.29-180=1.29$ ⬅ $b-\overline{x}=\overline{x}-a=k\frac{\sigma}{\sqrt{n}}$

즉 $\sqrt{n}=10$, $n=100$

따라서 $a+n=181.29+100=281.29$

1501

 ②

STEP **A** **표본평균이 $\overline{x_1}$일 때, 모평균 m의 신뢰도 95%의 신뢰구간을 이용하여 $\overline{x_1}$, a의 값 구하기**

표본평균 $\overline{x_1}$, 모표준편차 $\sigma=5$, 표본의 크기가 $n=25$이므로
모평균 m에 대한 신뢰도 95%의 신뢰구간은

$$\overline{x_1}-1.96\times\frac{5}{\sqrt{25}} \le m \le \overline{x_1}+1.96\times\frac{5}{\sqrt{25}}$$

$\therefore \overline{x_1}-1.96 \le m \le \overline{x_1}+1.96$

이때 신뢰도 95%의 신뢰구간이 $80-a\le m\le 80+a$이므로

$\overline{x_1}-1.96=80-a$ …… ㉠

$\overline{x_1}+1.96=80+a$ …… ㉡

㉠, ㉡을 연립하여 풀면 $\overline{x_1}=80$, $a=1.96$

STEP **B** **표본평균이 $\overline{x_2}$일 때, 모평균 m의 신뢰도 95%의 신뢰구간을 이용하여 $\overline{x_2}$, n의 값 구하기**

표본평균 $\overline{x_2}$, 모표준편차 $\sigma=5$, 표본의 크기가 n이므로
모평균 m에 대한 신뢰도 95%의 신뢰구간은

$$\overline{x_2}-1.96\times\frac{5}{\sqrt{n}} \le m \le \overline{x_2}+1.96\times\frac{5}{\sqrt{n}}$$

이때 신뢰도 95%의 신뢰구간이 $\frac{15}{16}\overline{x_1}-\frac{5}{7}a \le m \le \frac{15}{16}\overline{x_1}+\frac{5}{7}a$

$\overline{x_1}=80$, $a=1.96$에서 $75-\frac{5}{7}\times1.96 \le m \le 75+\frac{5}{7}\times1.96$

이므로

$\overline{x_2}-1.96\times\frac{5}{\sqrt{n}}=75-\frac{5}{7}\times1.96$ …… ㉢

$\overline{x_2}+1.96\times\frac{5}{\sqrt{n}}=75+\frac{5}{7}\times1.96$ …… ㉣

㉢+㉣을 하면 $2\overline{x_2}=2\times75$　$\therefore \overline{x_2}=75$

㉢−㉣을 하면 $2\times1.96\times\frac{5}{\sqrt{n}}=2\times\frac{5}{7}\times1.96$에서 $\sqrt{n}=7$　$\therefore n=49$

따라서 $n+\overline{x_2}=49+75=124$

1502

 ②

STEP **A** **모표준편차가 주어진 모평균 m의 신뢰도 95%의 신뢰구간 구하기**

표본평균 $\overline{x}$, 모표준편차 $\sigma=1.4$, 표본의 크기가 $n=49$이므로
모평균 m에 대한 신뢰도 95%의 신뢰구간은

$$\overline{x}-1.96\times\frac{1.4}{\sqrt{49}} \le m \le \overline{x}+1.96\times\frac{1.4}{\sqrt{49}}$$

즉 $\overline{x}-0.392 \le m \le \overline{x}+0.392$

STEP **B** **신뢰구간이 $a\le m\le 7.992$임을 이용하여 a의 값 구하기**

이때 신뢰도 95%의 신뢰구간 $a\le m\le 7.992$이므로

$a=\overline{x}-0.392$ …… ㉠

$7.992=\overline{x}+0.392$ …… ㉡

㉡에서 $\overline{x}=7.992-0.392=7.6$

따라서 ㉠에서 $a=7.6-0.392=7.208$

다른풀이 신뢰구간의 길이를 이용하여 풀이하기

모평균 m에 대한 신뢰도 95%의 신뢰구간은

$$\overline{x}-1.96\times\frac{\sigma}{\sqrt{n}} \le m \le \overline{x}+1.96\times\frac{\sigma}{\sqrt{n}}$$

이므로 신뢰구간의 길이는

$$\left(\overline{x}+1.96\times\frac{\sigma}{\sqrt{n}}\right)-\left(\overline{x}-1.96\times\frac{\sigma}{\sqrt{n}}\right)=2\times1.96\times\frac{\sigma}{\sqrt{n}}$$

이때 신뢰도 95%의 신뢰구간이 $a\le m\le 7.992$이고
$\sigma=1.4$, $n=49$이므로

$7.992-a=2\times1.96\times\frac{1.4}{\sqrt{49}}=0.784$

$\therefore a=7.992-0.784=7.208$

표본평균의 값을 $\overline{x}$라 하면 신뢰도 95%의 신뢰구간은

$$\overline{x}-1.96\times\frac{1.4}{\sqrt{49}} \le m \le \overline{x}+1.96\times\frac{1.4}{\sqrt{49}}$$

이때 $7.992-a=\left(\overline{x}+1.96\times\frac{1.4}{\sqrt{49}}\right)-\left(\overline{x}-1.96\times\frac{1.4}{\sqrt{49}}\right)$

$=2\times1.96\times\frac{1.4}{\sqrt{49}}=0.784$

따라서 $a=7.992-0.784=7.208$

1503

정답 ①

STEP Ⓐ 모표준편차가 주어진 모평균 m에 대한 신뢰도 95%의 신뢰구간 구하기

표본평균이 $\overline{x}=172.5$, 모표준편차가 σ, 표본의 크기가 $n=64$이므로
모평균 m에 대한 신뢰도 95%의 신뢰구간은

$172.5-1.96\times\frac{\sigma}{\sqrt{64}}\le m\le 172.5+1.96\times\frac{\sigma}{\sqrt{64}}$

$172.5-1.96\times\frac{\sigma}{8}\le m\le 172.5+1.96\times\frac{\sigma}{8}$

$\therefore 172.5-0.245\sigma\le m\le 172.5+0.245\sigma$

STEP Ⓑ 신뢰구간이 $172.01\le m\le b$ 임을 이용하여 b, σ의 값 구하기

신뢰도 95%의 신뢰구간이 $172.01\le m\le b$이므로

$172.5-0.245\sigma=172.01$ …… ㉠

$172.5+0.245\sigma=b$ …… ㉡

㉠에서 $0.245\sigma=172.5-172.01=0.49$

$\therefore \sigma=2$

㉡에서 $b=172.5+0.245\times2=172.99$

따라서 $b+\sigma=172.99+2=174.99$

내신연계 출제문항 639

어느 도시의 직장인들이 하루 동안 도보로 이동한 거리는 평균이 $m$km, 표준편차가 1.5km인 정규분포를 따른다고 한다. 이 도시의 직장인들 중에서 36명을 임의추출하여 조사한 결과 36명이 하루 동안 도보로 이동한 거리의 평균은 $\overline{x}$km이었다. 이 결과를 이용하여 이 도시의 직장인들이 하루 동안 도보로 이동한 거리의 평균 m에 대한 신뢰도 95%의 신뢰구간을 구하면

$a\le m\le 6.49$

이다. a의 값은? (단, Z가 표준정규분포를 따르는 확률변수일 때, $\mathrm{P}(|Z|\le1.96)=0.95$로 계산한다.)

① 5.46 ② 5.51 ③ 5.56
④ 5.61 ⑤ 5.66

STEP Ⓐ 모평균 m의 신뢰도 95%의 신뢰구간 구하기

표본평균 $\overline{x}$, 모표준편차 $\sigma=1.5$, 표본의 크기가 $n=36$이므로
모평균 m에 대한 신뢰도 95%의 신뢰구간은

$\overline{x}-1.96\times\frac{1.5}{\sqrt{36}}\le m\le\overline{x}+1.96\times\frac{1.5}{\sqrt{36}}$

$\overline{x}-1.96\times0.25\le m\le\overline{x}+1.96\times0.25$

$\therefore \overline{x}-0.49\le m\le\overline{x}+0.49$

STEP Ⓑ 주어진 신뢰구간을 이용하여 a의 값 구하기

이때 신뢰도 95%의 신뢰구간이 $a\le m\le 6.49$이므로

$\overline{x}-0.49=a$ …… ㉠

$\overline{x}+0.49=6.49$ …… ㉡

㉡에서 $\overline{x}=6.49-0.49=6$

따라서 ㉠에서 $a=6-0.49=5.51$

정답 ②

1504

정답 ③

STEP Ⓐ 모평균 m의 신뢰도 95%의 신뢰구간 구하기

표본평균 $\overline{x}=12.34$, 모표준편차 σ, 표본의 크기가 $n=16$이므로
모평균 m에 대한 신뢰도 95%의 신뢰구간은

$12.34-1.96\times\frac{\sigma}{\sqrt{16}}\le m\le 12.34+1.96\times\frac{\sigma}{\sqrt{16}}$

$\therefore 12.34-0.49\sigma\le m\le 12.34+0.49\sigma$

STEP Ⓑ 주어진 신뢰구간을 이용하여 a, σ의 값 구하기

이때 신뢰도 95%의 신뢰구간이 $11.36\le m\le a$이므로

$12.34-0.49\sigma=11.36$ …… ㉠

$12.34+0.49\sigma=a$ …… ㉡

㉠에서 $0.49\sigma=0.98$ $\therefore \sigma=2$

㉡에서 $a=12.34+0.49\times2=13.32$ ⇐ $\frac{a+11.36}{2}=12.34$에서 $a=13.32$

따라서 $a+\sigma=13.32+2=15.32$

내신연계 출제문항 640

어느 나라의 18세 남자의 키는 모평균이 $m$cm, 모표준편차가 σcm인 정규분포를 따른다고 한다. 이 나라의 18세 남자 중 64명을 임의추출하여 구한 18세 남자의 키의 표본평균이 172.5cm일 때, 이를 이용하여 구한 모평균 m에 대한 신뢰도 95%의 신뢰구간은

$171.03\le m\le a$

일 때, $a+\sigma$의 값은? (단, Z가 표준정규분포를 따르는 확률변수일 때, $\mathrm{P}(|Z|\le1.96)=0.95$로 계산한다.)

① 178.97 ② 179.97 ③ 180.97
④ 181.97 ⑤ 182.97

STEP Ⓐ 모평균 m에 대한 신뢰도 95%의 신뢰구간 구하기

표본평균이 $\overline{x}=172.5$, 모표준편차가 σ, 표본의 크기가 $n=64$이므로
모평균 m에 대한 신뢰도 95%의 신뢰구간은

$172.5-1.96\times\frac{\sigma}{\sqrt{64}}\le m\le 172.5+1.96\times\frac{\sigma}{\sqrt{64}}$

$172.5-1.96\times\frac{\sigma}{8}\le m\le 172.5+1.96\times\frac{\sigma}{8}$

$\therefore 172.5-0.245\sigma\le m\le 172.5+0.245\sigma$

STEP Ⓑ 주어진 신뢰구간을 이용하여 a, σ의 값 구하기

이때 신뢰도 95%의 신뢰구간이 $171.03\le m\le a$이므로

$172.5-0.245\sigma=171.03$ …… ㉠

$172.5+0.245\sigma=a$ …… ㉡

㉠에서 $0.245\sigma=1.47$ $\therefore \sigma=6$

㉡에서 $a=172.5+0.245\times6=173.97$ ⇐ $\frac{171.03+a}{2}=172.5$에서 $a=173.97$

따라서 $a+\sigma=173.97+6=179.97$

정답 ②

1505

정답 ②

STEP Ⓐ 표본표준편차가 주어진 모평균 m의 신뢰도 95%의 신뢰구간 구하기

표본평균 $\overline{x}=250$, 표본의 크기 $n=100$, 표본의 크기 100이 충분히 크므로
모표준편차 대신 표본표준편차가 $\sigma\fallingdotseq s$이므로
모평균 m의 신뢰도 95%인 신뢰구간은

$250-1.96\times\frac{s}{\sqrt{100}}\le m\le 250+1.96\times\frac{s}{\sqrt{100}}$

$250-1.96\times\frac{s}{10}\le m\le 250+1.96\times\frac{s}{10}$

STEP Ⓑ 신뢰구간을 이용하여 표준편차 s 구하기

이때 신뢰도 95%인 신뢰구간이 $a\le m\le 251.96$이므로

$250-1.96\times\frac{s}{10}=a$ …… ㉠

$250+1.96\times\frac{s}{10}=251.96$ …… ㉡

㉠+㉡을 하면 $500=a+251.96$ $\therefore a=248.04$

㉡에서 $1.96\times\frac{s}{10}=1.96$ $\therefore s=10$

STEP Ⓒ $a+s$의 값 구하기

따라서 $a=248.04$, $s=10$이므로 $a+s=258.04$

1506

정답 ④

STEP Ⓐ **모표준편차가 주어진 모평균 m의 신뢰도 99%의 신뢰구간 구하기**

표본평균 $\bar{x}$, 모표준편차 σ, 표본의 크기가 $n=36$이므로

모평균 m에 대한 신뢰도 99%의 신뢰구간은

$\bar{x}-2.58\times\frac{\sigma}{\sqrt{36}}\le m\le\bar{x}+2.58\times\frac{\sigma}{\sqrt{36}}$

$\bar{x}-2.58\times\frac{\sigma}{6}\le m\le\bar{x}+2.58\times\frac{\sigma}{6}$

$\therefore\ \bar{x}-0.43\times\sigma\le m\le\bar{x}+0.43\times\sigma$

STEP Ⓑ **신뢰구간이 $58.56\le m\le 65.44$임을 이용하여 σ의 값 구하기**

이때 신뢰도 99%의 신뢰구간이 $58.56\le m\le 65.44$이므로

$\bar{x}-0.43\sigma=58.56$ ⋯⋯ ㉠

$\bar{x}+0.43\sigma=65.44$ ⋯⋯ ㉡

㉠+㉡에서 $2\bar{x}=124$ $\therefore\ \bar{x}=62$

㉡−㉠에서 $0.86\sigma=6.88$ $\therefore\ \sigma=8$

따라서 $\bar{x}+\sigma=62+8=70$

다른풀이 신뢰구간의 길이를 이용하여 풀이하기

크기가 36인 표본으로부터 구한 표본평균의 값을 $\bar{x}$라 하면

모평균 m에 대한 신뢰도 99%의 신뢰구간은

$\bar{x}-2.58\times\frac{\sigma}{\sqrt{36}}\le m\le\bar{x}+2.58\times\frac{\sigma}{\sqrt{36}}$

신뢰구간의 길이는 $2\times2.58\times\frac{\sigma}{\sqrt{36}}=65.44-58.56=6.88$

$0.86\times\sigma=6.88$

따라서 $\sigma=8$

내신연계 출제문항 641

표준편차가 σ인 정규분포를 따르는 모집단에서 크기가 400인 표본을 임의추출하여 구한 표본평균이 $\bar{x}$이다.

모평균 m에 대한 신뢰도 99%의 신뢰구간이

$81.42\le m\le 86.58$

일 때, $\bar{x}+\sigma$의 값은? (단, Z가 표준정규분포를 따르는 확률변수일 때, $\mathrm{P}(|Z|\le2.58)=0.99$로 계산한다.)

① 89 ② 94 ③ 99
④ 104 ⑤ 109

STEP Ⓐ **σ, n, $\bar{x}$의 값을 이용하여 신뢰도 99%의 신뢰구간 구하기**

표본평균 $\bar{x}$, 모표준편차 σ, 표본의 크기가 $n=400$이므로

모평균 m에 대한 신뢰도 99%의 신뢰구간은

$\bar{x}-2.58\times\frac{\sigma}{\sqrt{400}}\le m\le\bar{x}+2.58\times\frac{\sigma}{\sqrt{400}}$

$\therefore\ \bar{x}-0.129\sigma\le m\le\bar{x}+0.129\sigma$

STEP Ⓑ **주어진 신뢰구간을 이용하여 σ의 값 구하기**

이때 신뢰도 99%의 신뢰구간이 $81.42\le m\le 86.58$이므로

$\bar{x}-0.129\sigma=81.42$ ⋯⋯ ㉠

$\bar{x}+0.129\sigma=86.58$ ⋯⋯ ㉡

㉠+㉡에서 $2\bar{x}=168$ $\therefore\ \bar{x}=84$

㉡−㉠에서 $0.258\sigma=5.16$ $\therefore\ \sigma=\frac{5.16}{0.258}=20$

따라서 $\bar{x}+\sigma=84+20=104$

정답 ④

1507

정답 ③

STEP Ⓐ **모평균 m에 대한 신뢰도 95%의 신뢰구간 구하기**

표본평균 $\bar{x}$, 모표준편차 σ, 표본의 크기가 $n=49$이므로

모평균 m에 대한 신뢰도 95%의 신뢰구간은

$\bar{x}-1.96\times\frac{\sigma}{\sqrt{49}}\le m\le\bar{x}+1.96\times\frac{\sigma}{\sqrt{49}}$

$\therefore\ \bar{x}-1.96\times\frac{\sigma}{7}\le m\le\bar{x}+1.96\times\frac{\sigma}{7}$

STEP Ⓑ **신뢰도 95%의 신뢰구간을 이용하여 $\bar{x}$, σ 구하기**

이때 신뢰도 95%의 신뢰구간이 $1.73\le m\le 1.87$이므로

$\bar{x}-1.96\times\frac{\sigma}{7}=1.73$ ⋯⋯ ㉠

$\bar{x}+1.96\times\frac{\sigma}{7}=1.87$ ⋯⋯ ㉡

㉠+㉡에서 $2\bar{x}=3.6$이므로 $\bar{x}=1.8$

㉡−㉠에서 $2\times1.96\times\frac{\sigma}{7}=0.14$이므로 $\sigma=0.25$

따라서 $k=\frac{\sigma}{\bar{x}}=\frac{0.25}{1.8}=\frac{5}{36}$이므로 $180k=180\times\frac{5}{36}=25$

1508

STEP Ⓐ **모평균의 신뢰도 95%의 신뢰구간 구하기**

표본평균 $\bar{x}$, 모표준편차 σ, 표본의 크기가 $n=64$이므로

모평균 m에 대한 신뢰도 95%의 신뢰구간은

$\bar{x}-1.96\times\frac{\sigma}{\sqrt{64}}\le m\le\bar{x}+1.96\times\frac{\sigma}{\sqrt{64}}$ ← $\bar{x}-1.96\frac{\sigma}{\sqrt{n}}\le m\le\bar{x}+1.96\frac{\sigma}{\sqrt{n}}$

$\therefore\ \bar{x}-1.96\times\frac{\sigma}{8}\le m\le\bar{x}+1.96\times\frac{\sigma}{8}$

STEP Ⓑ **$b-a=4.9$를 만족하는 상수 σ의 값 구하기**

이때 신뢰도 95%의 신뢰구간이 $a\le m\le b$이고 $b-a=4.9$이므로

$b-a=2\times1.96\times\frac{\sigma}{8}=0.49\sigma$ ← $a=\bar{x}-1.96\times\frac{\sigma}{8}$, $b=\bar{x}+1.96\times\frac{\sigma}{8}$

따라서 $0.49\sigma=4.9$에서 $\sigma=10$

내신연계 출제문항 642

어느 고등학교 학생 전체의 일인당 인터넷 이용 시간은 평균이 m시간, 표준편차가 2시간인 정규분포를 따른다고 한다. 이 고등학교 학생 중 n명을 임의추출하여 구한 일인당 인터넷 이용 시간의 표본평균이 80시간이고, 이를 이용하여 구한 이 고등학교학생 전체의 일인당 인터넷 이용 시간의 모평균 m에 대한 신뢰도 99%의 신뢰구간이 $a\le m\le b$이다.

$b-a=0.86$일 때, n의 값은? (단, $\mathrm{P}(|Z|\le2.58)=0.99$로 계산한다.)

① 121 ② 144 ③ 169
④ 196 ⑤ 225

STEP Ⓐ **모평균 m에 대한 신뢰도 99%의 신뢰구간 구하기**

표본평균 $\bar{x}=80$, 모표준편차 $\sigma=2$, 표본의 크기가 n이므로

모평균 m의 신뢰도 99%인 신뢰구간은

$80-2.58\times\frac{2}{\sqrt{n}}\le m\le 80+2.58\times\frac{2}{\sqrt{n}}$

STEP Ⓑ **$b-a=0.86$을 만족하는 상수 n의 값 구하기**

이때 신뢰도 99%의 신뢰구간이 $a\le m\le b$이고 $b-a=0.86$이므로

$b-a=2\times2.58\times\frac{2}{\sqrt{n}}$ ← $a=80-2.58\times\frac{2}{\sqrt{n}}$, $b=80+2.58\times\frac{2}{\sqrt{n}}$

에서 $2\times2.58\times\frac{2}{\sqrt{n}}=0.86$

따라서 $\sqrt{n}=12$이므로 $n=144$

정답 ②

1509

정답 ④

STEP A 모평균 m에 대한 신뢰도 95%의 신뢰구간 구하기

표본평균 $\bar{x}$, 모표준편차 $\sigma=\frac{1}{1.96}$, 표본의 크기 $n=10$이므로

모평균 m에 대한 신뢰도 95%의 신뢰구간은

$\bar{x}-1.96\times\frac{\sigma}{\sqrt{10}}\le m\le\bar{x}+1.96\times\frac{\sigma}{\sqrt{10}}$ ⬅ $\bar{x}-1.96\frac{\sigma}{\sqrt{n}}\le m\le\bar{x}+1.96\frac{\sigma}{\sqrt{n}}$

$\bar{x}-\frac{1}{\sqrt{10}}\le m\le\bar{x}+\frac{1}{\sqrt{10}}$

이때 신뢰도 95%의 신뢰구간이 $\alpha\le m\le\beta$이므로

$\alpha=\bar{x}-\frac{1}{\sqrt{10}},\ \beta=\bar{x}+\frac{1}{\sqrt{10}}$

STEP B 근과 계수의 관계를 이용하여 k의 값 구하기

이차방정식 $10x^2-100x+k=0$의 두 근이 α, β이므로

근과 계수의 관계에 의해 $\alpha+\beta=10,\ \alpha\beta=\frac{k}{10}$

$\alpha+\beta=\bar{x}-\frac{1}{\sqrt{10}}+\bar{x}+\frac{1}{\sqrt{10}}=2\bar{x}=10\quad\therefore\ \bar{x}=5$

$\alpha\beta=\left(\bar{x}-\frac{1}{\sqrt{10}}\right)\left(\bar{x}+\frac{1}{\sqrt{10}}\right)=\left(5-\frac{1}{\sqrt{10}}\right)\left(5+\frac{1}{\sqrt{10}}\right)=25-\frac{1}{10}=\frac{249}{10}$

따라서 $k=249$

1510

정답 ②

STEP A 모평균 m의 신뢰도 95%인 신뢰구간 구하기

표본평균 $\bar{x}$, 모표준편차 $\sigma=10$, 표본의 크기가 n이므로

모평균 m에 대한 신뢰도 95%의 신뢰구간은

$\bar{x}-1.96\times\frac{10}{\sqrt{n}}\le m\le\bar{x}+1.96\times\frac{10}{\sqrt{n}}$

STEP B 주어진 신뢰구간을 이용하여 $\bar{x}$, n의 값 구하기

이때 신뢰도 95%인 신뢰구간이 $253.04\le m\le 256.96$이므로

$\bar{x}-1.96\times\frac{10}{\sqrt{n}}=253.04$ …… ㉠

$\bar{x}+1.96\times\frac{10}{\sqrt{n}}=256.96$ …… ㉡

㉠+㉡을 하면 $2\bar{x}=510\quad\therefore\ \bar{x}=255$ ⬅ $\bar{x}=\frac{253.04+256.96}{2}=255$

㉡에서 $1.96\times\frac{10}{\sqrt{n}}=256.96-255=1.96$

즉 $\frac{10}{\sqrt{n}}=1$에서 $\sqrt{n}=10\quad\therefore\ n=100$

STEP C 모평균 m의 신뢰도 99%인 신뢰구간 구하기

표본평균 $\bar{x}=255$, 모표준편차 $\sigma=10$, 표본의 크기가 $n=100$이므로

모평균 m의 신뢰도 99%인 신뢰구간은

$255-2.58\times\frac{10}{\sqrt{100}}\le m\le 255+2.58\times\frac{10}{\sqrt{100}}$

따라서 $252.42\le m\le 257.58$

내신연계 출제문항 643

모평균이 m, 모표준편차가 σ인 정규분포를 따르는 모집단에서 크기가 25인 표본을 임의추출하여 얻은 표본평균으로부터 구한 모평균 m에 대한 신뢰도 95%의 신뢰구간이

$48\le m\le 52$

이다. 이 모집단에서 크기가 100인 표본을 임의추출하여 얻은 표본평균이 51일 때, 이를 이용하여 구한 모평균 m에 대한 신뢰도 95%의 신뢰구간은? (단, Z가 표준정규분포를 따르는 확률변수일 때, $\mathrm{P}(|Z|\le 1.96)=0.95$로 계산한다.)

① $50.5\le m\le 51.5$ ② $50\le m\le 52$ ③ $49.5\le m\le 52.5$
④ $49\le m\le 53$ ⑤ $48.5\le m\le 53.5$

STEP A 표본의 크기가 25인 모평균 m의 신뢰도 95%의 신뢰구간 구하기

표본평균 $\bar{x}$, 모표준편차 σ, 표본의 크기가 $n=25$이므로

모평균 m에 대한 신뢰도 95%의 신뢰구간은

$\bar{x}-1.96\times\frac{\sigma}{\sqrt{25}}\le m\le\bar{x}+1.96\times\frac{\sigma}{\sqrt{25}}$

$\bar{x}-1.96\times\frac{\sigma}{5}\le m\le\bar{x}+1.96\times\frac{\sigma}{5}$

이때 신뢰도 95%의 신뢰구간이 $48\le m\le 52$이므로

$\bar{x}-1.96\times\frac{\sigma}{5}=48$ …… ㉠

$\bar{x}+1.96\times\frac{\sigma}{5}=52$ …… ㉡

㉡−㉠을 하면 $2\times1.96\times\frac{\sigma}{\sqrt{25}}=4\quad\therefore\ \sigma=\frac{10}{1.96}$

STEP B 표본의 크기가 100인 모평균 m의 신뢰도 95%의 신뢰구간 구하기

표본평균 $\bar{x}=51$, 모표준편차 σ, 표본의 크기가 $n=100$이므로

모평균 m에 대한 신뢰도 95%의 신뢰구간은

$51-1.96\times\frac{\sigma}{\sqrt{100}}\le m\le 51+1.96\times\frac{\sigma}{\sqrt{100}}$

$51-1.96\times\frac{\sigma}{10}\le m\le 51+1.96\times\frac{\sigma}{10}$

이때 $\sigma=\frac{10}{1.96}$이므로 $51-1\le m\le 51+1$ ⬅ $1.96\times\frac{\sigma}{10}=1.96\times\frac{1}{10}\times\frac{10}{1.96}=1$

따라서 구하는 신뢰구간은 $50\le m\le 52$ 정답 ②

1511

정답 ④

STEP A 모평균 m의 신뢰도 95%의 신뢰구간 구하기

표본평균 $\bar{x}$, 모표준편차 σ, 표본의 크기가 n이므로

모평균 m에 대한 신뢰도 95%의 신뢰구간은

$\bar{x}-1.96\frac{\sigma}{\sqrt{n}}\le m\le\bar{x}+1.96\frac{\sigma}{\sqrt{n}}$

이때 신뢰도 95%의 신뢰구간이 $100.4\le m\le 139.6$이므로

$\bar{x}-1.96\times\frac{\sigma}{\sqrt{n}}=100.4$ …… ㉠

$\bar{x}+1.96\times\frac{\sigma}{\sqrt{n}}=139.6$ …… ㉡

㉠+㉡을 하면 $2\bar{x}=240\quad\therefore\ \bar{x}=120$

$\bar{x}=120$을 ㉡에 대입하면 $1.96\frac{\sigma}{\sqrt{n}}=19.6\quad\therefore\ \frac{\sigma}{\sqrt{n}}=10$

STEP B 모평균 m의 신뢰도 99%의 신뢰구간 구하기

표본평균 $\bar{x}=120$, 모표준편차 σ, 표본의 크기가 n이므로

모평균 m에 대한 신뢰도 99%의 신뢰구간은

$120-2.58\frac{\sigma}{\sqrt{n}}\le m\le 120+2.58\frac{\sigma}{\sqrt{n}}$ ⬅ $\bar{x}-2.58\frac{\sigma}{\sqrt{n}}\le m\le\bar{x}+2.58\frac{\sigma}{\sqrt{n}}$

$120-2.58\times10\le m\le 120+2.58\times10\quad\therefore\ 94.2\le m\le 145.8$

따라서 신뢰도 99%의 신뢰구간에 속하는 자연수는 95, 96, $\cdots$, 145이므로 개수는 51

내/신/연/계/ 출제문항 644

표준편차가 σ인 정규분포를 따르는 모집단에서 크기가 n인 표본을 임의 추출하여 얻은 모평균 m의 신뢰도 99%인 신뢰구간이

$$165.1 \le m \le 190.9$$

이었다. 같은 표본을 이용하여 모평균 m의 신뢰도 95%인 신뢰구간에 속하는 자연수의 개수는?
(단, $\mathrm{P}(0 \le Z \le 1.96)=0.475$, $\mathrm{P}(0 \le Z \le 2.58)=0.495$)

① 18　② 19　③ 20
④ 21　⑤ 22

STEP Ⓐ **모평균 m의 신뢰도 99%의 신뢰구간 구하기**

표본평균 $\overline{x}$, 모표준편차 σ, 표본의 크기가 n이므로
모평균 m의 신뢰도 99%인 신뢰구간은

$\overline{x}-2.58\times\dfrac{\sigma}{\sqrt{n}} \le m \le \overline{x}+2.58\times\dfrac{\sigma}{\sqrt{n}}$

이때 신뢰도 99%의 신뢰구간이 $165.1 \le m \le 190.9$이므로

$\overline{x}-2.58\times\dfrac{\sigma}{\sqrt{n}}=165.1$ …… ㉠

$\overline{x}+2.58\times\dfrac{\sigma}{\sqrt{n}}=190.9$ …… ㉡

㉠+㉡을 하면 $2\overline{x}=356$ $\therefore \overline{x}=178$

$\overline{x}=178$을 ㉡에 대입하면 $\dfrac{\sigma}{\sqrt{n}}=5$

STEP Ⓑ **모평균 m의 신뢰도 95%의 신뢰구간 구하기**

모평균 m의 신뢰도 95%인 신뢰구간은

$\overline{x}-1.96\times\dfrac{\sigma}{\sqrt{n}} \le m \le \overline{x}+1.96\times\dfrac{\sigma}{\sqrt{n}}$

$178-1.96\times5 \le m \le 178+1.96\times5$ $\therefore 168.2 \le m \le 187.8$

따라서 신뢰도 95%인 신뢰구간에 속하는 자연수 m은 169, 170, ⋯, 187 이므로 개수는 19  정답 ②

1512

 정답 ③

STEP Ⓐ **모평균 m에 대한 신뢰도 95%의 신뢰구간 구하기**

표본평균 $\overline{x}=75$, 모표준편차 σ, 표본의 크기가 $n=16$이므로
모평균 m에 대한 신뢰도 95%의 신뢰구간은

$75-1.96\times\dfrac{\sigma}{\sqrt{16}} \le m \le 75+1.96\times\dfrac{\sigma}{\sqrt{16}}$

이때 신뢰도 95%의 신뢰구간이 $a \le m \le b$이므로

$a=75-1.96\times\dfrac{\sigma}{\sqrt{16}}$, $b=75+1.96\times\dfrac{\sigma}{\sqrt{16}}$

STEP Ⓑ **모평균 m에 대한 신뢰도 99%의 신뢰구간 구하기**

표본평균 $\overline{x}=77$, 모표준편차 σ, 표본의 크기가 $n=16$이므로
모평균 m에 대한 신뢰도 99%의 신뢰구간은

$77-2.58\times\dfrac{\sigma}{\sqrt{16}} \le m \le 77+2.58\times\dfrac{\sigma}{\sqrt{16}}$

이때 신뢰도 99%의 신뢰구간이 $c \le m \le d$이므로

$c=77-2.58\times\dfrac{\sigma}{\sqrt{16}}$, $d=77+2.58\times\dfrac{\sigma}{\sqrt{16}}$

STEP Ⓒ **$d-b=3.86$을 만족하는 σ의 값 구하기**

$d-b=3.86$

이때 $b=75+1.96\times\dfrac{\sigma}{\sqrt{16}}$, $d=77+2.58\times\dfrac{\sigma}{\sqrt{16}}$

$d-b=3.86$을 만족하므로

$d-b=\left(77+2.58\times\dfrac{\sigma}{\sqrt{16}}\right)-\left(75+1.96\times\dfrac{\sigma}{\sqrt{16}}\right)=2+0.155\sigma=3.86$

따라서 $0.155\sigma=1.86$이므로 $\sigma=12$

1513

정답 ②

STEP Ⓐ **모평균 m의 신뢰도 99%의 신뢰구간 구하기**

표본평균이 $\overline{x_1}$, 모표준편차가 σ, 표본의 크기가 4이므로
모평균 m에 대한 신뢰도 99%인 신뢰구간은

$\overline{x_1}-3\times\dfrac{\sigma}{\sqrt{4}} \le m \le \overline{x_1}+3\times\dfrac{\sigma}{\sqrt{4}}$

이때 신뢰도 99%의 신뢰구간이 $a \le m \le b$이므로

$b-a=2\times3\times\dfrac{\sigma}{\sqrt{4}}=3\sigma$ …… ㉠

STEP Ⓑ **모평균 m의 신뢰도 95%의 신뢰구간 구하기**

또, 표본평균이 $\overline{x_2}$, 모표준편차가 σ, 표본의 크기가 n이므로
모평균 m에 대한 신뢰도 95%의 신뢰구간은

$\overline{x_2}-2\times\dfrac{\sigma}{\sqrt{n}} \le m \le \overline{x_2}+2\times\dfrac{\sigma}{\sqrt{n}}$

이때 신뢰도 95%의 신뢰구간이 $c \le m \le d$이므로

$d-c=2\times2\times\dfrac{\sigma}{\sqrt{n}}=\dfrac{4\sigma}{\sqrt{n}}$ …… ㉡

㉠, ㉡에서 $b-a=3(d-c)$이므로 $3\sigma=\dfrac{12\sigma}{\sqrt{n}}$

따라서 $n=16$

1514

 정답 ②

STEP Ⓐ **신뢰구간의 성질을 이용하여 진위판단하기**

ㄱ. 표본평균이 $\overline{x_1}=20$, 모표준편차가 $\sigma=2$, 표본의 크기가 $n=4$이므로
모평균 m에 대한 신뢰도 95%인 신뢰구간은

$20-2\times\dfrac{2}{\sqrt{4}} \le m \le 20+2\times\dfrac{2}{\sqrt{4}}$ $\therefore 18 \le m \le 22$

이때 모평균 m에 대한 신뢰도 95%인 신뢰구간이 $a \le m \le b$이므로
$b-a=22-18=4$ [참]

ㄴ. 모평균 m에 대한 신뢰도 99%의 신뢰구간은

$20-3\times\dfrac{2}{\sqrt{4}} \le m \le 20+3\times\dfrac{2}{\sqrt{4}}$ $\therefore 17 \le m \le 23$

이때 모평균 m에 대한 신뢰도 95%인 신뢰구간이 $c \le m \le d$이므로
$d-c=23-17=6$, 즉 $b-a=\dfrac{2}{3}(d-c)$ [참]

ㄷ. 모평균 m이 두 신뢰구간 $a \le m \le b$, $c \le m \le d$의 신뢰도가 각각 95%, 99%이므로 두 신뢰구간에 반드시 모평균 m이 포함된다고 할 수 없다. [거짓]

따라서 옳은 것은 ㄱ, ㄴ이다.

1515

 정답 ③

STEP Ⓐ **크기가 n인 표본의 표본평균의 평균 및 표준편차 구하기**

모집단이 정규분포 $\mathrm{N}(m, \sigma^2)$를 따르고 표본의 크기가 n이므로
표본평균 $\overline{X}$는 정규분포 $\mathrm{N}\left(m, \left(\dfrac{\sigma}{\sqrt{n}}\right)^2\right)$을 따른다.

STEP Ⓑ **$\mathrm{P}(\overline{X} \le m+3)=0.9332$을 만족하는 $\dfrac{\sigma}{\sqrt{n}}$의 값 구하기**

$Z=\dfrac{\overline{X}-m}{\dfrac{\sigma}{\sqrt{n}}}$으로 놓으면 확률변수 Z는 표준정규분포 $\mathrm{N}(0, 1)$을 따르므로

$\mathrm{P}(\overline{X} \le m+3)=\mathrm{P}\left(Z \le \dfrac{m+3-m}{\dfrac{\sigma}{\sqrt{n}}}\right)=\mathrm{P}\left(Z \le \dfrac{3\sqrt{n}}{\sigma}\right)$

$=0.5+\mathrm{P}\left(0 \le Z \le \dfrac{3\sqrt{n}}{\sigma}\right)=0.9332$

$\therefore \ \mathrm{P}\left(0 \le Z \le \dfrac{3\sqrt{n}}{\sigma}\right)=0.4332$

이때 표준정규분포표에서 $\mathrm{P}(0 \le Z \le 1.5)=0.4332$이므로 $\dfrac{3\sqrt{n}}{\sigma}=1.5$

$\therefore \ \dfrac{\sigma}{\sqrt{n}}=\dfrac{3}{1.5}=2$

STEP Ⓒ 신뢰도 95%의 신뢰구간의 길이 구하기

표본평균이 $\overline{x}=36$, 모표준편차가 σ, 표본의 크기가 n이므로

모평균 m에 대한 신뢰도 95%의 신뢰구간은

$36-1.96\times\dfrac{\sigma}{\sqrt{n}} \le m \le 36+1.96\times\dfrac{\sigma}{\sqrt{n}}$

$36-1.96\times 2 \le m \le 36+1.96\times 2$

$32.08 \le m \le 39.92$

따라서 $b-a=7.84$

참고 신뢰구간의 길이

$2\times 1.96\times\dfrac{\sigma}{\sqrt{n}}=2\times 1.96\times 2=7.84$

1516

정답 ③

STEP Ⓐ 모평균 m에 대한 신뢰도 99%의 신뢰구간을 이용하여 c의 값 구하기

표본평균 $\overline{x}$, 모표준편차 σ, 표본의 크기 $n=36$, $\mathrm{P}(|Z|\le 2.58)=0.99$이므로

모평균 m에 대한 신뢰도 99%의 신뢰구간은

$\overline{x}-2.58\times\dfrac{\sigma}{\sqrt{36}} \le m \le \overline{x}+2.58\times\dfrac{\sigma}{\sqrt{36}}$

$\therefore \ \overline{x}-0.43\sigma \le m \le \overline{x}+0.43\sigma$

이때 신뢰도 99%의 신뢰구간 $\overline{x}-c \le m \le \overline{x}+c$이므로

$c=2.58\times\dfrac{\sigma}{\sqrt{36}}=0.43\sigma$

STEP Ⓑ $\mathrm{P}\left(\overline{X} \ge m+\dfrac{1}{2}c\right)$ 구하기

이 과일가게에서 판매하는 복숭아의 무게의 평균을 $\overline{X}$라 하면

모집단이 정규분포 $\mathrm{N}(m,\ \sigma^2)$을 따르고 표본의 크기가 64이므로

표본평균 $\overline{X}$는 정규분포 $\mathrm{N}\left(m,\ \left(\dfrac{\sigma}{8}\right)^2\right)$을 따른다. ⬅ $\mathrm{E}(\overline{X})=m,\ \sigma(\overline{X})=\dfrac{\sigma}{\sqrt{64}}=\dfrac{\sigma}{8}$

이때 $Z=\dfrac{\overline{X}-m}{\dfrac{\sigma}{8}}$으로 놓으면 Z는 표준정규분포 $\mathrm{N}(0,\ 1)$을 따른다.

따라서 구하는 확률은

$\mathrm{P}\left(\overline{X} \ge m+\dfrac{1}{2}c\right)=\mathrm{P}\left(Z \ge \dfrac{m+\dfrac{1}{2}c-m}{\dfrac{\sigma}{8}}\right)$

$=\mathrm{P}\left(Z \ge \dfrac{\dfrac{1}{2}\times 0.43\sigma}{\dfrac{\sigma}{8}}\right)$

$=\mathrm{P}(Z \ge 1.72)$

$=0.5-\mathrm{P}(0 \le Z \le 1.72)$

$=0.5-0.4573=0.0427$

0 1.72 z

내/신/연/계/ 출제문항 645

모표준편차가 σ인 정규분포를 따르는 모집단에서 임의추출한 크기가 n인 표본의 표본평균이 $\overline{x}$이고, 이를 이용하여 구한 모평균 m에 대한 신뢰도 95%의 신뢰구간이

$\overline{x}-c \le m \le \overline{x}+c$

이다. 이 모집단에서 임의 추출한 크기가 400인 표본의 표본평균을 $\overline{X}$라 하면

$\mathrm{P}\left(\overline{X} \le m-\dfrac{1}{2}c\right)=0.0071$

이다. 자연수 n의 값을 오른쪽 표준정규분포표를 이용하여 구한 것은?

z	$\mathrm{P}(0 \le Z \le z)$
1.22	0.3888
1.96	0.4750
2.45	0.4929
2.58	0.4951

① 16 ② 25 ③ 36
④ 47 ⑤ 64

STEP Ⓐ 모평균 m에 대한 신뢰도 95%의 신뢰구간을 이용하여 c의 값 구하기

표본평균 $\overline{x}$, 모표준편차 σ, 표본의 크기 n, $\mathrm{P}(|Z|\le 1.96)=0.95$이므로

모평균 m에 대한 신뢰도 99%의 신뢰구간은

$\overline{x}-1.96\dfrac{\sigma}{\sqrt{n}} \le m \le \overline{x}+1.96\dfrac{\sigma}{\sqrt{n}}$

이때 신뢰도 95%의 신뢰구간 $\overline{x}-c \le m \le \overline{x}+c$이므로

$c=1.96\dfrac{\sigma}{\sqrt{n}}$ ...... ㉠

STEP Ⓑ $\mathrm{P}\left(\overline{X} \le m-\dfrac{1}{2}c\right)=0.0071$을 만족하는 자연수 n의 값 구하기

모집단이 정규분포 $\mathrm{N}(m,\ \sigma^2)$을 따르고 표본의 크기가 400이므로

표본평균 $\overline{X}$는 정규분포 $\mathrm{N}\left(m,\ \left(\dfrac{\sigma}{20}\right)^2\right)$을 따른다. ⬅ $\mathrm{E}(\overline{X})=m,\ \sigma(\overline{X})=\dfrac{\sigma}{\sqrt{400}}=\dfrac{\sigma}{20}$

이때 $Z=\dfrac{\overline{X}-m}{\dfrac{\sigma}{20}}$으로 놓으면 Z는 표준정규분포 $\mathrm{N}(0,\ 1)$을 따르므로

$\mathrm{P}\left(\overline{X} \le m-\dfrac{1}{2}c\right)=0.0071$에서

$\mathrm{P}\left(\overline{X} \le m-\dfrac{1}{2}c\right)=\mathrm{P}\left(Z \le \dfrac{m-\dfrac{1}{2}c-m}{\dfrac{\sigma}{20}}\right)=\mathrm{P}\left(Z \le -\dfrac{10c}{\sigma}\right)$

$=0.5-\mathrm{P}\left(0 \le Z \le \dfrac{10c}{\sigma}\right)=0.0071$

$\therefore \ \mathrm{P}\left(0 \le Z \le \dfrac{10c}{\sigma}\right)=0.4929$

이때 표준정규분포표에서 $\mathrm{P}(0 \le Z \le 2.45)=0.4929$이므로

$\dfrac{10c}{\sigma}=2.45,\ c=0.245\sigma$ ...... ㉡

㉠, ㉡에서 $c=1.96\dfrac{\sigma}{\sqrt{n}}=0.245\sigma$

따라서 $\sqrt{n}=\dfrac{1.96}{0.245}=8$이므로 $n=64$

정답 ⑤

1517

 ③

STEP A 모평균 m에 대한 신뢰도 95%의 신뢰구간을 이용하여 c의 값 구하기

표본평균 $\overline{x}$, 모표준편차 σ, 표본의 크기 $n=16$

모평균 m에 대한 신뢰도 95%의 신뢰구간은

$\overline{x}-1.96\dfrac{\sigma}{\sqrt{16}} \le m \le \overline{x}+1.96\dfrac{\sigma}{\sqrt{16}}$

$\overline{x}-0.49\sigma \le m \le \overline{x}+0.49\sigma$

이때 신뢰도 95%의 신뢰구간 $\overline{x}-c \le m \le \overline{x}+c$이므로 $c=0.49\sigma$

STEP B $\mathrm{P}(X \le m+c)$ 구하기

작년에 운행된 택시 중에서 임의로 택한 1대의 연간 주행거리를 확률변수 X라 하면 X는 정규분포 $\mathrm{N}(m,\ \sigma^2)$을 따른다.

이때 $Z=\dfrac{X-m}{\sigma}$으로 놓으면 확률변수 Z는 표준정규분포 $\mathrm{N}(0,\ 1)$을 따른다.

따라서 구하는 확률은

$\mathrm{P}(X \le m+c)=\mathrm{P}\left(Z \le \dfrac{m+c-m}{\sigma}\right)$

$=\mathrm{P}\left(Z \le \dfrac{c}{\sigma}\right)=\mathrm{P}\left(Z \le \dfrac{0.49\sigma}{\sigma}\right)$

$=\mathrm{P}(Z \le 0.49)$

$=0.5+\mathrm{P}(0 \le Z \le 0.49)$

$=0.5+0.1879=0.6879$

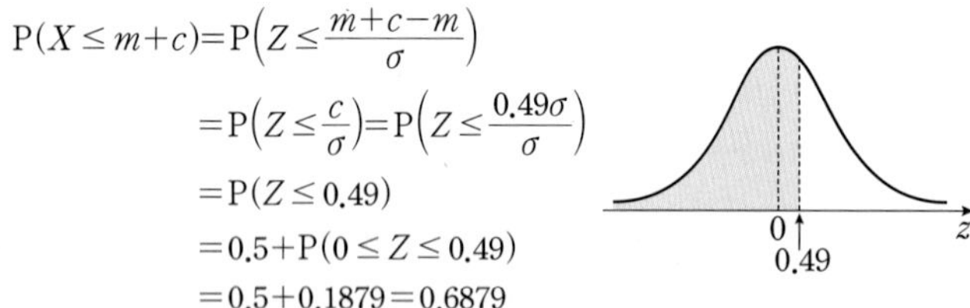

주의 여기서 마지막 확률을 구할 때, 임의로 1대를 선택할 때라고 했기 때문에 $\overline{X}$에 대한 것이 아니라 X에 대한 분포임을 놓치면 안 된다.
X와 $\overline{X}$를 단지 추출이라는 단어의 존재 유무만으로 구별하다 보면 이런 문제에서 실수하게 된다.
X는 개별적인 것, 즉 하나에 대한 것이며 $\overline{X}$는 집단에 대한 것이다.

1518

 ⑤

STEP A 크기가 n인 표본의 표본평균의 평균 및 표준편차 구하기

모집단이 정규분포 $\mathrm{N}(m,\ 2^2)$을 따르므로

표본의 크기가 7인 표본평균 $\overline{X_{\mathrm{A}}}$는 정규분포 $\mathrm{N}\left(m,\ \left(\dfrac{2}{\sqrt{7}}\right)^2\right)$을 따르고

표본의 크기가 10인 표본평균 $\overline{X_{\mathrm{B}}}$는 정규분포 $\mathrm{N}\left(m,\ \left(\dfrac{2}{\sqrt{10}}\right)^2\right)$을 따르고

모집단의 확률변수를 X라 하면 X는 정규분포 $\mathrm{N}(m,\ 2^2)$을 따른다.

STEP B 신뢰구간의 성질을 이용하여 진위판단하기

ㄱ. $\mathrm{V}(\overline{X_{\mathrm{A}}})=\dfrac{4}{7}$, $\mathrm{V}(\overline{X_{\mathrm{B}}})=\dfrac{2}{5}$이므로 $\mathrm{V}(\overline{X_{\mathrm{A}}})>\mathrm{V}(\overline{X_{\mathrm{B}}})$ [참]

ㄴ. $Z_{\mathrm{A}}=\dfrac{\overline{X_{\mathrm{A}}}-m}{\frac{2}{\sqrt{7}}}$으로 놓으면

확률변수 Z는 표준정규분포 $\mathrm{N}(0,\ 1)$을 따르므로

$\mathrm{P}(\overline{X_{\mathrm{A}}} \le m+2)=\mathrm{P}\left(Z \le \dfrac{(m+2)-m}{\frac{2}{\sqrt{7}}}\right)=\mathrm{P}\left(Z \le \dfrac{2}{\frac{2}{\sqrt{7}}}\right)=\mathrm{P}(Z \le \sqrt{7})$,

$Z_{\mathrm{B}}=\dfrac{\overline{X_{\mathrm{B}}}-m}{\frac{2}{\sqrt{10}}}$으로 놓으면

확률변수 Z는 표준정규분포 $\mathrm{N}(0,\ 1)$을 따르므로

$\mathrm{P}(\overline{X_{\mathrm{B}}} \le m+2)=\mathrm{P}\left(Z \le \dfrac{(m+2)-m}{\frac{2}{\sqrt{10}}}\right)=\mathrm{P}\left(Z \le \dfrac{2}{\frac{2}{\sqrt{10}}}\right)=\mathrm{P}(Z \le \sqrt{10})$

이므로

$\mathrm{P}(\overline{X_{\mathrm{A}}} \le m+2)<\mathrm{P}(\overline{X_{\mathrm{B}}} \le m+2)$

[참]

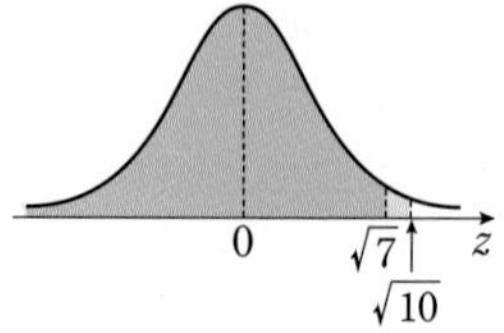

+α $\overline{X_{\mathrm{A}}}$, $\overline{X_{\mathrm{B}}}$의 분포는 오른쪽 그림과 같다.
$\mathrm{P}(\overline{X_{\mathrm{A}}}>m+2)>\mathrm{P}(\overline{X_{\mathrm{B}}}>m+2)$
즉
$\mathrm{P}(\overline{X_{\mathrm{A}}} \le m+2)<\mathrm{P}(\overline{X_{\mathrm{B}}} \le m+2)$

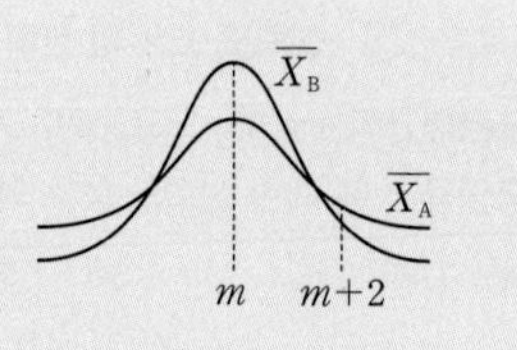

ㄷ. 주어진 $d-c$, $b-a$는 신뢰도 95%로 추정한 모평균의 신뢰구간의 길이이므로 $\mathrm{P}(|Z| \le k)=0.95$를 만족하는 양수 k에 대하여

$b-a=2\times k\times\dfrac{2}{\sqrt{7}}=\dfrac{4k}{\sqrt{7}}$, $d-c=2k\times\dfrac{2}{\sqrt{10}}=\dfrac{4k}{\sqrt{10}}$

이므로 $d-c<b-a$ [참]

따라서 옳은 것은 ㄱ, ㄴ, ㄷ이다.

1519

 ①

STEP A 모평균 m에 대한 신뢰도 99%의 신뢰구간 구하기

표본평균이 $\overline{x}$, 모표준편차가 $\sigma=4$, 표본의 크기가 $n=256$이므로

모평균 m에 대한 신뢰도 99%의 신뢰구간은

$\overline{x}-2.58\times\dfrac{4}{\sqrt{256}} \le m \le \overline{x}+2.58\times\dfrac{4}{\sqrt{256}}$

$\overline{x}-0.645 \le m \le \overline{x}+0.645$

STEP B 신뢰구간의 길이 구하기

따라서 신뢰도 99%의 신뢰구간이 $a \le m \le b$이므로

$b-a=(\overline{x}+0.645)-(\overline{x}-0.645)=1.29$

1520

 ①

STEP A 모평균 m에 대한 신뢰도 95%의 신뢰구간의 길이 구하기

표본평균 $\overline{x}$, 모표준편차 σ, 표본의 크기 $n=49$에서

모평균 m에 대한 신뢰도 95%의 신뢰구간의 길이가 1.12이므로

$2\times1.96\times\dfrac{\sigma}{\sqrt{49}}=1.12$ ⬅ $l=2\times1.96\times\dfrac{\sigma}{\sqrt{n}}$

따라서 $0.56\sigma=1.12$이므로 $\sigma=2$

1521

 ②

STEP A 신뢰도 95%인 신뢰구간의 길이 구하기

표본평균이 $\overline{x}$, 모표준편차가 σ, 표본의 크기가 각각 n_1, n_2이므로

모평균 m에 대한 신뢰도 95%의 신뢰구간의 길이는

$l=2\times1.96\times\dfrac{\sigma}{\sqrt{n_1}}$, 즉 $l=3.92\dfrac{\sigma}{\sqrt{n_1}}$ …… ㉠

$2l=2\times1.96\times\dfrac{\sigma}{\sqrt{n_2}}$, 즉 $l=1.96\dfrac{\sigma}{\sqrt{n_2}}$ …… ㉡

STEP B $\dfrac{n_1}{n_2}$의 값 구하기

㉠, ㉡에서 $3.92\dfrac{\sigma}{\sqrt{n_1}}=1.96\dfrac{\sigma}{\sqrt{n_2}}$이므로 $\dfrac{\sqrt{n_1}}{\sqrt{n_2}}=2$

따라서 $\dfrac{n_1}{n_2}=4$

내신연계 출제문항 646

A고등학교 전체 학생의 키는 표준편차가 5cm인 정규분포를 따른다고 한다. A고등학교 전체 학생 중에서 크기가 각각 n_1, n_2인 표본을 임의추출하여 구한 전체 학생의 키의 평균에 대한 신뢰도 95%인 신뢰구간을 각각 구하였더니 신뢰구간의 길이의 비가 1 : 2이었다. $\frac{n_1}{n_2}$의 값은?
(단, 신뢰구간이 $a \le m \le b$일 때, $b-a$를 신뢰구간의 길이라 한다.)

① 2 ② 4 ③ 9
④ 16 ⑤ 25

STEP Ⓐ 신뢰도 95%인 신뢰구간의 길이 구하기

표본평균이 $\overline{x}$, 모표준편차가 $\sigma=5$, 표본의 크기가 각각 n_1, n_2이므로
모평균 m에 대한 신뢰도 95%의 신뢰구간의 길이가 각각
$2\times1.96\times\frac{5}{\sqrt{n_1}}$, $2\times1.96\times\frac{5}{\sqrt{n_2}}$

STEP Ⓑ $\frac{n_1}{n_2}$의 값 구하기

신뢰구간의 길이의 비가 1 : 2이므로
$2\times1.96\times\frac{5}{\sqrt{n_1}} : 2\times1.96\times\frac{5}{\sqrt{n_2}}=1:2$
$\frac{1}{\sqrt{n_1}} : \frac{1}{\sqrt{n_2}}=1:2$이므로 $\sqrt{n_1}=2\sqrt{n_2}$
따라서 $n_1=4n_2$이므로 $\frac{n_1}{n_2}=4$

②

1522

③

STEP Ⓐ 모평균 m의 신뢰도 95%의 신뢰구간의 길이를 이용하여 σ 구하기

표본평균이 $\overline{x}$, 모표준편차가 σ, 표본의 크기가 $n=16$이므로
모평균 m에 대한 신뢰도 95%의 신뢰구간의 길이는
$2\times1.96\frac{\sigma}{\sqrt{16}}=130.75-125.85=4.9$ ← $l=2\times1.96\times\frac{\sigma}{\sqrt{n}}$
$\therefore \sigma=5$

STEP Ⓑ 모평균 m에 대한 신뢰도 99%인 신뢰구간의 길이 구하기

표본평균이 $\overline{x}$, 모표준편차가 $\sigma=5$, 표본의 크기가 $n=100$이므로
모평균 m에 대한 신뢰도 99%의 신뢰구간의 길이는
$2\times2.58\frac{5}{\sqrt{100}}=2.58$ ← $l=2\times2.58\frac{\sigma}{\sqrt{n}}$

1523

⑤

STEP Ⓐ 신뢰도 95%의 신뢰구간의 길이를 이용하여 $\frac{\sigma}{\sqrt{n}}$의 값 구하기

표본평균 $\overline{x}$, 모표준편차 σ, 표본의 크기 n에서
모평균 m에 대한 신뢰도 95%의 신뢰구간의 길이가 $b-a=11.76$이므로
$2\times1.96\frac{\sigma}{\sqrt{n}}=11.76 \quad \therefore \frac{\sigma}{\sqrt{n}}=3$

STEP Ⓑ 표본평균을 $\overline{X}$의 평균과 표준편차 구하기

모집단이 정규분포 $\mathrm{N}(m, \sigma^2)$를 따르고 표본의 크기가 n이므로
표본평균 $\overline{X}$는 정규분포 $\mathrm{N}\left(m, \left(\frac{\sigma}{\sqrt{n}}\right)^2\right)$, 즉 $\mathrm{N}(m, 3^2)$을 따른다.
← $\mathrm{E}(\overline{X})=m$, $\sigma(\overline{X})=\frac{\sigma}{\sqrt{n}}=3$

STEP Ⓒ $\mathrm{P}(\overline{X}\ge m+5.88)$의 값 구하기

$Z=\frac{\overline{X}-m}{3}$으로 놓으면 확률변수 Z는 표준정규분포 $\mathrm{N}(0, 1)$을 따른다.
따라서 구하는 확률은
$\mathrm{P}(\overline{X}\ge m+5.88)=\mathrm{P}\left(Z\ge\frac{m+5.88-m}{3}\right)$
$=\mathrm{P}(Z\ge1.96)$
$=0.5-\mathrm{P}(0\le Z\le1.96)$
$=0.5-0.4750=0.025$

내신연계 출제문항 647

정규분포 $\mathrm{N}(m, \sigma^2)$을 따르는 모집단에서 크기가 n인 표본을 임의추출하여 그 표본평균을 $\overline{X}$라고 하자. 모평균 m에 대한 신뢰도 95%의 신뢰구간의 길이가 7.84일 때, $\mathrm{P}(\overline{X}\ge m+3.92)$는? (단, $\mathrm{P}(|Z|\le1.96)=0.95$)

① 0.5 ② 0.475 ③ 0.35
④ 0.1 ⑤ 0.025

STEP Ⓐ 신뢰도 95%의 신뢰구간의 길이를 이용하여 $\frac{\sigma}{\sqrt{n}}$의 값 구하기

표본평균 $\overline{x}$, 모표준편차 σ, 표본의 크기 n에서
모평균 m에 대한 신뢰도 95%의 신뢰구간의 길이가 7.84이므로
$2\times1.96\frac{\sigma}{\sqrt{n}}=7.84 \quad \therefore \frac{\sigma}{\sqrt{n}}=2$

STEP Ⓑ 표본평균을 $\overline{X}$의 평균과 표준편차 구하기

모집단이 정규분포 $\mathrm{N}(m, \sigma^2)$를 따르고 표본의 크기가 n이므로
표본평균 $\overline{X}$는 정규분포 $\mathrm{N}\left(m, \left(\frac{\sigma}{\sqrt{n}}\right)^2\right)$, 즉 $\mathrm{N}(m, 2^2)$을 따른다.
← $\mathrm{E}(\overline{X})=m$, $\sigma(\overline{X})=\frac{\sigma}{\sqrt{n}}=2$

STEP Ⓒ $\mathrm{P}(\overline{X}\ge m+3.92)$의 값 구하기

$Z=\frac{\overline{X}-m}{2}$으로 놓으면 확률변수 Z는 표준정규분포 $\mathrm{N}(0, 1)$을 따른다.
따라서 구하는 확률은
$\mathrm{P}(\overline{X}\ge m+3.92)=\mathrm{P}\left(Z\ge\frac{m+3.92-m}{2}\right)$
$=\mathrm{P}(Z\ge1.96)$
$=0.5-\mathrm{P}(0\le Z\le1.96)$
$=0.5-0.475=0.025$

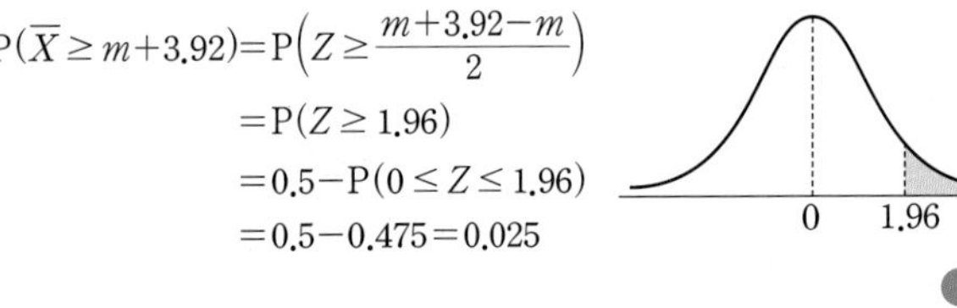

정답 ⑤

1524

⑤

STEP Ⓐ 모평균 m에 대한 신뢰도 99%의 신뢰구간의 길이 구하기

표본평균이 $\overline{x}$, 모표준편차가 $\sigma=3$, 표본의 크기가 n이므로
모평균 m에 대한 신뢰도 99%의 신뢰구간이 $a\le m\le b$일 때,
신뢰구간의 길이는 $b-a=2\times2.58\times\frac{3}{\sqrt{n}}$

STEP Ⓑ $b-a=1.72$를 만족하는 n의 값 구하기

$b-a=1.72$에서 $2\times2.58\times\frac{3}{\sqrt{n}}=1.72$이므로
$\sqrt{n}=\frac{2\times2.58\times3}{1.72}=9$
따라서 $n=81$

1525

 ④

STEP Ⓐ **모평균 m에 대한 신뢰도 95%의 신뢰구간의 길이 구하기**

표본평균이 $\overline{x}$, 모표준편차가 σ, 표본의 크기가 n이므로
모평균 m에 대한 신뢰도 95%의 신뢰구간이 $a \le m \le b$일 때,
신뢰구간의 길이는 $b-a=2\times 1.96\times \frac{\sigma}{\sqrt{n}}$

STEP Ⓑ **$b-a \le 0.28\sigma$을 만족하는 자연수 n의 최솟값 구하기**

$b-a \le 0.28\sigma$에서 $2\times 1.96\times \frac{\sigma}{\sqrt{n}} \le 0.28\sigma$이므로

$\sqrt{n} \ge 14 \quad \therefore n \ge 196$

따라서 자연수 n의 최솟값은 196

내/신/연/계/ 출제문항 648

모평균 m의 신뢰구간이 $\alpha \le m \le \beta$일 때, $\beta-\alpha$를 신뢰구간의 길이라고 한다. 정규분포 $\mathrm{N}(m, \sigma^2)$을 따르는 모집단에서 임의추출한 크기가 n인 표본의 표본평균을 $\overline{X}$라 하자.
모평균 m에 대한 신뢰도 95%의 신뢰구간의 길이가 $\frac{1}{2}\sigma$ 이하일 때, n의 최솟값은? (단, $\mathrm{P}(|Z| \le 1.96)=0.95$)

① 61 ② 62 ③ 63
④ 64 ⑤ 65

STEP Ⓐ **모평균 m에 대한 신뢰도 95%의 신뢰구간의 길이 구하기**

표본평균이 $\overline{x}$, 모표준편차가 σ, 표본의 크기가 n이므로
모평균 m에 대한 신뢰도 95%의 신뢰구간의 길이를 l이라 하면
$l=2\times 1.96\times \frac{\sigma}{\sqrt{n}}$

STEP Ⓑ **$l \le \frac{1}{2}\sigma$을 만족하는 자연수 n의 최솟값 구하기**

모평균 m에 대한 신뢰도 95%의 신뢰구간의 길이가 $\frac{1}{2}\sigma$ 이하이므로

$l \le \frac{1}{2}\sigma$에서 $2\times 1.96\times \frac{\sigma}{\sqrt{n}} \le \frac{1}{2}\sigma$

$\sqrt{n} \ge 2\times 2\times 1.96$, $\sqrt{n} \ge 7.84$
즉 $n \ge 61.4656$
따라서 n의 최솟값은 62

 ②

1526

정답 ②

STEP Ⓐ **모평균 m에 대한 신뢰도 95%의 신뢰구간의 길이 구하기**

모표준편차가 $\sigma=2$, 표본의 크기가 n이므로
모평균 m에 대한 신뢰도 95%의 신뢰구간이 $a \le m \le b$일 때,
신뢰구간의 길이는 $b-a=2\times 1.96\times \frac{2}{\sqrt{n}}$

STEP Ⓑ **$b-a \le 1.96$을 만족하는 자연수 n의 최솟값 구하기**

$b-a \le 1.96$에서 $2\times 1.96\times \frac{2}{\sqrt{n}} \le 1.96$이므로

$\sqrt{n} \ge 4 \quad \therefore n \ge 16$
따라서 자연수 n의 최솟값은 16

내/신/연/계/ 출제문항 649

표준편차가 2인 정규분포를 따르는 모집단에서 신뢰도 95%로 추정한 모평균 m의 신뢰구간이 $a \le m \le b$일 때, $b-a$의 값이 0.98 이하가 되도록 하는 표본의 크기의 최솟값은? (단, $\mathrm{P}(|Z| \le 1.96)=0.95$)

① 25 ② 36 ③ 49
④ 64 ⑤ 81

STEP Ⓐ **신뢰도 95%의 신뢰구간의 길이 구하기**

모표준편차가 $\sigma=2$, 표본의 크기가 n이므로
모평균 m에 대한 신뢰도 95%의 신뢰구간 $a \le m \le b$일 때,
신뢰구간의 길이는 $b-a=2\times 1.96\times \frac{2}{\sqrt{n}}$

STEP Ⓑ **$b-a \le 0.98$이 되도록 하는 자연수 n의 최솟값 구하기**

$b-a \le 0.98$에서 $2\times 1.96\times \frac{2}{\sqrt{n}} \le 0.98$이므로

$\sqrt{n} \ge 8 \quad \therefore n \ge 64$
따라서 구하는 표본의 크기의 최솟값은 64

정답 ④

1527

 ①

STEP Ⓐ **신뢰도 92%의 신뢰구간의 길이 구하기**

모표준편차가 $\sigma=10$, 표본의 크기가 n에서 $2\times \mathrm{P}(0 \le Z \le 1.8)=0.92$이므로
모평균 m에 대한 신뢰도 92%의 신뢰구간이 $a \le m \le b$일 때,
신뢰구간의 길이는 $b-a=2\times 1.8\times \frac{10}{\sqrt{n}}$

STEP Ⓑ **$b-a \le 4$가 되도록 하는 자연수 n의 최솟값 구하기**

$b-a \le 4$에서 $2\times 1.8\times \frac{10}{\sqrt{n}} \le 4$이므로

$\sqrt{n} \ge 9 \quad \therefore n \ge 81$
따라서 자연수 n의 최솟값은 81

내/신/연/계/ 출제문항 650

어느 공장에서 새로 개발한 건전지의 수명은 모표준편차가 25시간인 정규분포를 따른다고 한다. 이 건전지의 평균 수명을 신뢰도 99%로 추정할 때, 그 신뢰구간의 길이가 5시간 이하가 되려면 적어도 몇 개의 건전지를 조사해야 하는지를 구한 것은? (단, $\mathrm{P}(|Z| \le 2.58)=0.99$로 계산한다.)

① 664 ② 665 ③ 666
④ 667 ⑤ 668

STEP Ⓐ **신뢰도 99%의 신뢰구간의 길이 구하기**

모표준편차가 $\sigma=25$, 표본의 크기가 n이므로
모평균 m에 대한 신뢰도 99%의 신뢰구간의 길이는
$2\times 2.58\times \frac{25}{\sqrt{n}}$

STEP Ⓑ **조건을 만족하는 자연수 n의 최솟값 구하기**

모평균 m에 대한 신뢰도 99%의 신뢰구간의 길이가 5시간 이하이므로
$2\times 2.58\times \frac{25}{\sqrt{n}} \le 5$

즉 $\sqrt{n} \ge 25.8$이므로 $n \ge 665.64$
따라서 적어도 666개의 건전지를 조사해야한다.

정답 ③

1528

정답 ②

STEP A **신뢰도 $\alpha\%$의 신뢰구간의 길이가 1이 되는 k의 값 구하기**

모표준편차가 $\sigma=4$, 표본의 크기가 $n=16$에서 $P(|Z|\le k)=\dfrac{\alpha}{100}$

모평균 m에 대한 신뢰도 $\alpha\%$의 신뢰구간의 길이가 $b-a=1$이므로

$b-a=2k\times\dfrac{4}{\sqrt{16}}=2k=1\quad\therefore k=\dfrac{1}{2}$

STEP B **신뢰구간의 길이가 2가 되는 n의 값 구하기**

모표준편차가 $\sigma=4$, 표본의 크기가 n_1에서

$P\left(|Z|\le\dfrac{1}{2}\right)=\dfrac{\alpha}{100}$이므로 ⬅ 같은 신뢰도로 추정하므로

모평균 m에 대한 신뢰도 $\alpha\%$의 신뢰구간의 길이가 $d-c=2$이므로

$d-c=2\times\dfrac{1}{2}\times\dfrac{4}{\sqrt{n_1}}=\dfrac{4}{\sqrt{n_1}}=2$

따라서 $\sqrt{n_1}=2$이므로 $n_1=4$

1529

 ②

STEP A **모평균 m에 대한 신뢰도 95%의 신뢰구간 구하기**

표본평균 $\overline{x}$, 모표준편차 $\sigma=50$, 표본의 크기가 n이므로

모평균 m에 대한 신뢰도 95%의 신뢰구간은

$\overline{x}-1.96\times\dfrac{50}{\sqrt{n}}\le m\le\overline{x}+1.96\times\dfrac{50}{\sqrt{n}}$ ⬅ $P(|Z|\le 1.96)=0.95$

$-1.96\times\dfrac{50}{\sqrt{n}}\le m-\overline{x}\le 1.96\times\dfrac{50}{\sqrt{n}}$

$\therefore |m-\overline{x}|\le 1.96\times\dfrac{50}{\sqrt{n}}$

STEP B **모평균과 표본 평균의 차가 5시간 이하가 되는 n의 최솟값 구하기**

표본평균 $\overline{x}$와 모평균 m의 차가 5시간 이하이어야 하므로

$1.96\times\dfrac{50}{\sqrt{n}}\le 5$이므로 $5\sqrt{n}\ge 50\times 1.96$, $\sqrt{n}\ge 19.6\quad\therefore n\ge 384.16$

따라서 n의 최솟값은 385

1530

 ②

STEP A **모평균 m에 대한 신뢰도 95%의 신뢰구간 구하기**

표본평균 $\overline{x}$, 모표준편차 $\sigma=5$, 표본의 크기가 n이므로

모평균 m에 대한 신뢰도 95%의 신뢰구간은

$\overline{x}-1.96\times\dfrac{5}{\sqrt{n}}\le m\le\overline{x}+1.96\times\dfrac{5}{\sqrt{n}}$ ⬅ $P(|Z|\le 1.96)=0.95$

$-1.96\times\dfrac{5}{\sqrt{n}}\le m-\overline{x}\le 1.96\times\dfrac{5}{\sqrt{n}}$

$\therefore |m-\overline{x}|\le 1.96\times\dfrac{5}{\sqrt{n}}$

STEP B **모평균과 표본평균의 차가 2점 이하가 되는 n의 최솟값 구하기**

이때 모평균 m과 표본평균 $\overline{x}$의 차가 2점 이하이어야 하므로

$1.96\times\dfrac{5}{\sqrt{n}}\le 2$에서 $\sqrt{n}\ge 4.9\quad\therefore n\ge 24.01$

따라서 n의 최솟값은 25

1531

 ①

STEP A **모평균 m에 대한 신뢰도 95%의 신뢰구간 구하기**

표본평균 $\overline{x}$, 모표준편차 $\sigma=80$, 표본의 크기가 n이므로

모평균 m에 대한 신뢰도 95%의 신뢰구간은

$\overline{x}-1.96\times\dfrac{80}{\sqrt{n}}\le m\le\overline{x}+1.96\times\dfrac{80}{\sqrt{n}}$ ⬅ $P(|Z|\le 1.96)=0.95$

$-1.96\times\dfrac{80}{\sqrt{n}}\le m-\overline{x}\le 1.96\times\dfrac{80}{\sqrt{n}}$

$\therefore |m-\overline{x}|\le 1.96\times\dfrac{80}{\sqrt{n}}$

STEP B **모평균과 표본평균의 차가 39.2 이하가 되는 n의 최솟값 구하기**

이때 표본평균 $\overline{x}$와 모평균 m의 차가 39.2m 이하이어야 하므로

$1.96\times\dfrac{80}{\sqrt{n}}\le 39.2$이므로 $\sqrt{n}\ge 4\quad\therefore n\ge 16$

따라서 표본의 크기의 최솟값은 16

내/신/연/계/ 출제문항 651

자동 생산 공정에 의해 생산되는 어느 제품의 무게는 정규분포를 따르고, 모표준편차는 0.25kg이다. 신뢰도가 95%로 제품의 평균을 추정할 때, 모평균과 표본평균의 차가 0.1kg 이하가 되도록 하려면 표본의 크기 n은 최소 얼마로 해야 하는지 구한 것은? (단, $P(|Z|\le 2)=0.95$)

① 15 ② 20 ③ 25
④ 30 ⑤ 35

STEP A **모평균 m에 대한 신뢰도 95%의 신뢰구간 구하기**

표본평균 $\overline{x}$, 모표준편차 $\sigma=0.25$, 표본의 크기가 n이므로

모평균 m에 대한 신뢰도 95%의 신뢰구간은

$\overline{x}-2\times\dfrac{0.25}{\sqrt{n}}\le m\le\overline{x}+2\times\dfrac{0.25}{\sqrt{n}}$ ⬅ $P(|Z|\le 2)=0.95$

$-2\times\dfrac{0.25}{\sqrt{n}}\le m-\overline{x}\le 2\times\dfrac{0.25}{\sqrt{n}}$

$\therefore |\overline{x}-m|\le 2\times\dfrac{0.25}{\sqrt{n}}$

STEP B **모평균과 표본 평균의 차가 0.1kg 이하인 n의 값 구하기**

이때 표본 평균 $\overline{x}$와 모평균 m의 차가 0.1 이하이어야 하므로

$2\times\dfrac{0.25}{\sqrt{n}}\le 0.1$이므로 $\dfrac{0.5}{\sqrt{n}}\le 0.1$, $\sqrt{n}\ge 5\quad\therefore n\ge 25$

따라서 표본의 크기 n의 최솟값은 25

정답 ③

1532

 ④

STEP A **모평균 m에 대한 신뢰도 99%의 신뢰구간 구하기**

표본평균 $\overline{x}$, 모표준편차 $\sigma=0.2$, 표본의 크기가 n이므로

모평균 m에 대한 신뢰도 99%의 신뢰구간은

$\overline{x}-2.58\times\dfrac{0.2}{\sqrt{n}}\le m\le\overline{x}+2.58\times\dfrac{0.2}{\sqrt{n}}$

$-2.58\le\dfrac{0.2}{\sqrt{n}}\le m-\overline{x}\le 2.58\times\dfrac{0.2}{\sqrt{n}}$

$\therefore |m-\overline{x}|\le 2.58\times\dfrac{0.2}{\sqrt{n}}$

STEP B **모평균과 표본평균의 차가 0.0258 이하가 되는 n의 최솟값 구하기**

이때 모평균 m과 표본평균 $\overline{x}$의 차가 0.0258 이하이어야 하므로

$2.58\times\dfrac{0.2}{\sqrt{n}}\le 0.0258$에서 $\sqrt{n}\ge 20\quad\therefore n\ge 400$

따라서 표본의 크기 n의 최솟값은 400

내신연계 출제문항 652

수학능력 시험이 끝나자마자 수험생 중 n명의 답안지를 표본으로 뽑아 가채점을 하였더니 n명의 점수의 표준편차가 10점이었다.
이 n명의 평균점수를 이용하여 신뢰도 99%로 전체 수험생의 평균점수의 신뢰구간을 추정하였더니 모평균과 표본평균의 차가 2점 이하가 되었다고 한다. 이때 n의 최솟값은? (단, $\mathrm{P}(0 \le Z \le 3)=0.495$)

① 169 ② 225 ③ 400
④ 625 ⑤ 900

STEP Ⓐ **모평균 m에 대한 신뢰도 99%의 신뢰구간 구하기**

표본평균 $\bar{x}$, 모표준편차 $\sigma=10$, 표본의 크기가 n이므로
모평균 m에 대한 신뢰도 99%의 신뢰구간은

$\bar{x}-3\times\dfrac{10}{\sqrt{n}} \le m \le \bar{x}+3\times\dfrac{10}{\sqrt{n}}$ ← $\mathrm{P}(|Z|\le 3)=0.99$

$-3\times\dfrac{10}{\sqrt{n}} \le m-\bar{x} \le 3\times\dfrac{10}{\sqrt{n}}$

$\therefore |\bar{x}-m| \le 3\times\dfrac{10}{\sqrt{n}}$

STEP Ⓑ **모평균과 표본 평균의 차가 2점 이하인 n의 값 구하기**

이때 표본 평균 $\bar{x}$와 모평균 m의 차가 2점 이하이어야 하므로

$3\times\dfrac{10}{\sqrt{n}} \le 2$이므로 $\sqrt{n}\ge 15$ $\quad\therefore n \ge 225$

따라서 n의 최솟값은 225

 ②

1533

 ①

STEP Ⓐ **모평균 m에 대한 신뢰도 99%의 신뢰구간 구하기**

표본평균 $\bar{x}$, 모표준편차 σ, 표본의 크기가 n이므로
모평균 m에 대한 신뢰도 99%의 신뢰구간은

$\bar{x}-3\times\dfrac{\sigma}{\sqrt{n}} \le m \le \bar{x}+3\times\dfrac{\sigma}{\sqrt{n}}$ ← $\mathrm{P}(|Z|\le 3)=0.99$

$-3\times\dfrac{\sigma}{\sqrt{n}} \le m-\bar{x} \le 3\times\dfrac{\sigma}{\sqrt{n}}$

$\therefore |\bar{x}-m| \le 3\times\dfrac{\sigma}{\sqrt{n}}$

STEP Ⓑ **모평균과 표본평균의 차가 모표준편차의 $\dfrac{1}{4}$ 이하인 n의 값 구하기**

모평균 m과 표본평균 $\bar{x}$의 차가 $\dfrac{1}{4}\sigma$ 이하이어야 하므로

$3\times\dfrac{\sigma}{\sqrt{n}} \le \dfrac{1}{4}\sigma$에서 $\sqrt{n}\ge 12$ $\quad\therefore n\ge 144$

따라서 n은 자연수이므로 n의 최솟값은 144

1534

 ⑤

STEP Ⓐ **신뢰도 α%로 추정한 신뢰구간 구하기**

모표준편차가 σ, 표본의 크기가 $n=49$이고 $\mathrm{P}(|Z|\le k)=\dfrac{\alpha}{100}$라 하면
모평균 m에 대한 신뢰도 α%의 신뢰구간은

$\bar{x}-k\times\dfrac{\sigma}{\sqrt{49}} \le m \le \bar{x}+k\times\dfrac{\sigma}{\sqrt{49}}$

STEP Ⓑ **주어진 신뢰구간을 이용하여 α 구하기**

주어진 신뢰도 α%의 신뢰구간 $\bar{x}-\dfrac{0.98\sigma}{7} \le m \le \bar{x}+\dfrac{0.98\sigma}{7}$에서

$\bar{x}-0.98\times\dfrac{\sigma}{\sqrt{49}} \le m \le \bar{x}+0.98\times\dfrac{\sigma}{\sqrt{49}}$이므로

$\mathrm{P}(|Z|\le 0.98)=2\mathrm{P}(0\le Z\le 0.98)=2\times 0.34=0.68$

따라서 $\alpha=100\times 0.68=68$

1535

 ③

STEP Ⓐ **신뢰도 α%로 추정한 신뢰구간 구하기**

표본평균 $\bar{x}=42$, 모표준편차 $\sigma=10$, 표본의 크기가 $n=25$이고

$\mathrm{P}(-k\le Z\le k)=\dfrac{\alpha}{100}$라 하면

모평균 m에 대한 신뢰도 α%의 신뢰구간은

$42-k\times\dfrac{10}{\sqrt{25}} \le m \le 42+k\times\dfrac{10}{\sqrt{25}}$

$\therefore 42-k\times 2 \le m \le 42+k\times 2$

STEP Ⓑ **주어진 신뢰구간을 이용하여 α 구하기**

이때 신뢰도 α%의 신뢰구간이 $38.08\le m\le 45.92$이므로

$42-k\times 2=38.08$ …… ㉠

$42+k\times 2=45.92$ …… ㉡

㉠, ㉡에서 $k=1.96$

따라서 $\mathrm{P}(|Z|\le 1.96)=2\times\mathrm{P}(0\le Z\le 1.96)=0.95$이므로 $\alpha=95$

내신연계 출제문항 653

어느 고등학교 2학년 학생 중에서 100명을 임의추출하여 국어 과목 점수를 조사한 결과 평균이 65점이었다. 전체 학생의 국어 과목의 점수는 모표준편차가 10점인 정규분포를 따른다고 한다. 모평균 m에 대한 신뢰도 α%의 신뢰구간이 $63\le m\le 67$ (단위 :점수)일 때, 오른쪽 표준정규분포표를 이용하여 상수 α의 값은?

z	$\mathrm{P}(0\le Z\le z)$
1.0	0.34
1.5	0.43
1.7	0.45
2.0	0.48
2.5	0.49

① 68 ② 86 ③ 90
④ 96 ⑤ 98

STEP Ⓐ **신뢰도 α%로 추정한 신뢰구간 구하기**

표본평균 $\bar{x}=65$, 모표준편차 $\sigma=10$, 표본의 크기가 $n=100$이고

$\mathrm{P}(-k\le Z\le k)=\dfrac{\alpha}{100}$라 하면

모평균 m에 대한 신뢰도 α%의 신뢰구간은

$65-k\times\dfrac{10}{\sqrt{100}} \le m \le 65+k\times\dfrac{10}{\sqrt{100}}$

$\therefore 65-k\le m\le 65+k$

STEP Ⓑ **주어진 신뢰구간을 이용하여 α 구하기**

이때 신뢰도 α%의 신뢰구간이 $63\le m\le 67$이므로

$65-k=63$ …… ㉠

$65+k=67$ …… ㉡

㉠, ㉡에서 $k=2$

따라서 주어진 표준정규분포표에 의하여 $\mathrm{P}(-2\le Z\le 2)=\dfrac{\alpha}{100}$이므로

$\alpha=100\mathrm{P}(-2\le Z\le 2)=200\mathrm{P}(0\le Z\le 2)=200\times 0.48=96$

정답 ④

1536

 ④

STEP Ⓐ **신뢰도 α%로 추정한 신뢰구간의 길이 구하기**

표본평균 $\bar{x}=200$, 표본의 크기가 $n=100$이고 $\mathrm{P}(-k\le Z\le k)=\dfrac{\alpha}{100}$라 하면

표본의 크기 100이 충분히 크므로 모표준편차 대신 표본표준편차가 $\sigma\fallingdotseq s=50$이므로 모평균 m에 대한 신뢰도 α%의 신뢰구간의 길이가 17

$2\times k\times\dfrac{50}{\sqrt{100}}=17$ $\quad\therefore k=1.7$

따라서 주어진 표준정규분포표에 의하여 $\mathrm{P}(-1.7\le Z\le 1.7)=\dfrac{\alpha}{100}$이므로

$\alpha=100\mathrm{P}(-1.7\le Z\le 1.7)=200\mathrm{P}(0\le Z\le 1.7)=200\times 0.455=91$

내/신/연/계/ 출제문항 654

어느 과수원에서 수확한 복숭아의 무게는 모표준편차가 30g인 정규분포를 따른다고 한다. 이 과수원에서 생산한 복숭아 중에서 36개를 임의 추출하여 모평균 m의 신뢰도 $\alpha\%$로 추정한 신뢰구간의 길이가 22일 때, α의 값은?

z	$\mathrm{P}(0 \le Z \le z)$
1.5	0.43
1.7	0.45
2.0	0.48
2.2	0.49

① 68 ② 86 ③ 90
④ 96 ⑤ 98

STEP Ⓐ **신뢰도 $\alpha\%$로 추정한 신뢰구간의 길이 구하기**

모표준편차 $\sigma=30$, 표본의 크기가 $n=36$이고

$\mathrm{P}(|Z| \le k)=\dfrac{\alpha}{100}$라 하면

모평균 m에 대한 신뢰도 $\alpha\%$의 신뢰구간의 길이가 22

$2\times k\times\dfrac{30}{\sqrt{36}}=22 \quad \therefore k=2.2$

따라서 주어진 표준정규분포표에 의하여 $\mathrm{P}(-2.2 \le Z \le 2.2)=\dfrac{\alpha}{100}$이므로

$\alpha=100\mathrm{P}(-2.2 \le Z \le 2.2)=200\mathrm{P}(0 \le Z \le 2.2)=200\times0.49=98$

정답 ⑤

1537

정답 ④

STEP Ⓐ **모평균 m에 대한 신뢰도 79.6%의 신뢰구간의 길이 l 구하기**

표준정규분포표에 의하여

$2\times\mathrm{P}(0 \le Z \le 1.27)=2\times0.398=0.796$이고

모표준편차가 σ, 표본의 크기가 n이므로

모평균 m에 대한 신뢰도 79.6%의 신뢰구간의 길이 l은

$l=2\times1.27\times\dfrac{\sigma}{\sqrt{n}}$ …… ㉠

STEP Ⓑ **신뢰도 $\alpha\%$의 신뢰구간의 길이가 $2l$이 되는 α 구하기**

모표준편차가 σ, 표본의 크기가 n이므로

$\mathrm{P}(-k \le Z \le k)=\dfrac{\alpha}{100}$라 하면

모평균 m에 대한 신뢰도 $\alpha\%$의 신뢰구간의 길이가 $2l$이므로

$2l=2\times k\times\dfrac{\sigma}{\sqrt{n}}$

㉠에서 $2l=2\times2.54\times\dfrac{\sigma}{\sqrt{n}} \quad \therefore k=2.54$

따라서 주어진 표준정규분포표에 의하여

$2\times\mathrm{P}(0 \le Z \le 2.54)=2\times0.4945=0.989$이므로 $\alpha=98.9$

내/신/연/계/ 출제문항 655

표준편차가 5인 정규분포를 따르는 모집단에서 크기가 100인 표본을 임의추출하여 모평균을 추정하려고 한다. 신뢰도 96%로 추정할 때의 신뢰구간의 길이가 l이었다. 같은 표본의 크기로 모평균 m을 신뢰도 $\alpha\%$로 추정한 신뢰구간의 길이가 $\dfrac{l}{2}$일 때, 오른쪽 표준정규분포표를 이용하여 α의 값을 구한 것은?

z	$\mathrm{P}(0 \le Z \le z)$
0.5	0.19
1.0	0.34
1.5	0.43
2.0	0.47
2.5	0.49

① 38 ② 68 ③ 86
④ 96 ⑤ 98

STEP Ⓐ **모평균 m에 대한 신뢰도 96%의 신뢰구간의 길이 l 구하기**

표준정규분포표에 의하여 $2\times\mathrm{P}(0 \le Z \le 2)=2\times0.48=0.96$이고

모표준편차가 $\sigma=5$, 표본의 크기가 $n=100$이므로

모평균 m에 대한 신뢰도 96%의 신뢰구간의 길이 l은

$l=2\times2\times\dfrac{5}{\sqrt{100}}=2$ …… ㉠

STEP Ⓑ **신뢰도 $\alpha\%$의 신뢰구간의 길이가 $\dfrac{l}{2}$이 되는 α 구하기**

모표준편차가 $\sigma=5$, 표본의 크기가 $n=100$이므로

$\mathrm{P}(-k \le Z \le k)=\dfrac{\alpha}{100}$라 하면

모평균 m에 대한 신뢰도 $\alpha\%$의 신뢰구간의 길이가 $\dfrac{l}{2}$이므로

$\dfrac{l}{2}=2\times k\times\dfrac{5}{\sqrt{100}}$

㉠에서 $\dfrac{l}{2}=1 \quad \therefore k=1$

따라서 주어진 표준정규분포표에 의하여

$\dfrac{\alpha}{100}=2\times\mathrm{P}(0 \le Z \le 1)=2\times0.34=0.68 \quad \therefore \alpha=100\times0.68=68$

정답 ②

1538

정답 ①

STEP Ⓐ **신뢰구간의 성질을 이용하여 참, 거짓 판단하기**

정규분포 $\mathrm{N}(m,\ \sigma^2)$을 따르는 모집단에서 크기가 n인 표본을 임의추출하여

신뢰도 $\alpha\%$로 추정한 모평균의 신뢰구간의 길이는

$2k\dfrac{\sigma}{\sqrt{n}}$ $\left(\text{단, } \mathrm{P}(|Z| \le k)=\dfrac{\alpha}{100}\right)$

ㄱ. 표본의 크기가 일정할 때, 신뢰도가 높아지면 신뢰구간의 길이 $2k\dfrac{\sigma}{\sqrt{n}}$는 길어진다. [참]

ㄴ. 신뢰도가 일정할 때, 표본의 크기가 커지면 신뢰구간의 길이 $2k\dfrac{\sigma}{\sqrt{n}}$는 짧아진다. [거짓]

ㄷ. 신뢰구간의 길이는 신뢰도, 표본의 크기에 따라 결정되고 모평균의 크기와는 관계가 없다. [거짓]

따라서 옳은 것은 ㄱ이다.

1539

정답 ⑤

STEP Ⓐ **신뢰구간의 성질을 이용하여 참, 거짓 판단하기**

모집단의 분포가 정규분포 $\mathrm{N}(m,\ \sigma^2)$을 따를 때,

크기가 n인 표본을 임의추출하여 구한 표본평균의 값이 $\overline{x}$일 때,

모평균 m에 대하여 신뢰도 $\alpha\%$인 신뢰구간은

$\overline{x}-k\times\dfrac{\sigma}{\sqrt{n}} \le m \le \overline{x}+k\times\dfrac{\sigma}{\sqrt{n}}$ $\left(\text{단, } \mathrm{P}(|Z| \le k)=\dfrac{\alpha}{100}\right)$

즉 $b-a=2k\dfrac{\sigma}{\sqrt{n}}$

ㄱ. $b-a=2k\dfrac{\sigma}{\sqrt{n}}$에서 n이 일정할 때, 신뢰도를 높게하면 k의 값이 커지므로 $b-a$의 값은 커진다. [참]

ㄴ. $b-a=2k\dfrac{\sigma}{\sqrt{n}}$에서 신뢰도가 일정하면 k의 값이 일정하고 n의 값이 커지면 $b-a$의 값은 작아진다. [참]

ㄷ. $b-a=2k\dfrac{\sigma}{\sqrt{n}}$에서 신뢰도가 일정할 때, 포본의 크기 n을 2배로 늘리면 $b-a$의 값은 $\dfrac{\sqrt{2}}{2}$배가 된다. [참]

따라서 옳은 것은 ㄱ, ㄴ, ㄷ이다.

내/신/연/계/ 출제문항 656

정규분포 $\mathrm{N}(m,\ 10^2)$을 따르는 모집단에서 표본을 임의추출하여 모평균 m을 추정하려고 할 때, 모평균 m의 신뢰구간에 대한 [보기]의 설명 중 옳은 것을 모두 고른 것은?

> ㄱ. 신뢰도를 낮추면서 표본의 크기를 크게 하면 신뢰구간의 길이는 짧아진다.
> ㄴ. 신뢰도가 일정할 때, 표본의 크기가 4배가 되면 신뢰구간의 길이는 2배가 된다.
> ㄷ. 신뢰구간의 길이는 모평균 m의 값과는 관계가 없다.
> ㄹ. 신뢰구간의 길이가 일정할 때, 표본의 크기를 크게 하면 신뢰도는 높아진다.

① ㄱ ② ㄴ, ㄹ ③ ㄱ, ㄴ, ㄷ
④ ㄱ, ㄷ, ㄹ ⑤ ㄱ, ㄴ, ㄷ, ㄹ

STEP Ⓐ 신뢰구간의 성질을 이용하여 참, 거짓 판단하기

정규분포 $\mathrm{N}(m,\ 10^2)$을 따르는 모집단에서 크기가 n인 표본을 임의추출하여 신뢰도 $\alpha\%$로 추정한 모평균 m의 신뢰구간의 길이는

$2k\dfrac{10}{\sqrt{n}}$ $\left(단,\ \mathrm{P}(|Z|\le k)=\dfrac{\alpha}{100}\right)$

ㄱ. 신뢰도를 낮추면 k의 값이 작아지고 표본의 크기를 크게 하면 $\sqrt{n}$의 값이 커지므로 $2k\dfrac{10}{\sqrt{n}}$의 값은 작아진다. [참]

ㄴ. n 대신 $4n$을 대입하면 신뢰구간의 길이는 $2k\dfrac{10}{\sqrt{4n}}=\dfrac{1}{2}\cdot 2k\dfrac{10}{\sqrt{n}}$
즉 표본의 크기가 4배가 되면 신뢰구간의 길이는 $\dfrac{1}{2}$배가 된다. [거짓]

ㄷ. 신뢰구간의 길이 $2k\dfrac{10}{\sqrt{n}}$은 모평균 m의 값과는 관계가 없다. [참]

ㄹ. 신뢰구간의 길이가 일정할 때, 즉 $2k\dfrac{10}{\sqrt{n}}$의 값이 일정하므로
표본의 크기 n의 값이 커지면 k의 값도 커진다.
즉 신뢰도는 높아진다. [참]

따라서 옳은 것은 ㄱ, ㄷ, ㄹ이다.  ④

1540

 ④

STEP Ⓐ 신뢰구간의 성질을 이용하여 참, 거짓 판단하기

① 표본평균 $\overline{X}$의 평균은 모평균과 같다.
$\mathrm{E}(\overline{X})=m$ [참]

② 표본평균 $\overline{X}$의 분산은 표본의 크기 n에 대하여 $\mathrm{V}(\overline{X})=\dfrac{\mathrm{V}(X)}{n}$이므로 n에 반비례한다. [참]

③ 동일한 표본을 사용할 때, 신뢰도 99%인 신뢰구간의 길이는 신뢰도 95%인 신뢰구간의 길이보다 길다.
따라서 신뢰도 99%인 신뢰구간은 신뢰도 95%인 신뢰구간을 포함한다. [참]

④ 신뢰도가 일정할 때, 신뢰구간의 길이 $2k\dfrac{\sigma}{\sqrt{n}}$는 표본의 크기 n이 작을수록 신뢰구간의 길이는 길어진다. [거짓]
(단, k는 신뢰도에 따라 정해지는 상수이고 σ는 모표준편차이다.)

⑤ 신뢰구간의 길이 $2k\dfrac{\sigma}{\sqrt{n}}$는 표본평균의 값과 관계가 없다. [참]

따라서 옳지 않은 것은 ④이다.

1541

 ①

STEP Ⓐ 신뢰구간의 성질을 이용하여 참, 거짓 판단하기

정규분포 $\mathrm{N}(m,\ \sigma^2)$을 따르는 모집단에서 크기가 n인 표본을 임의추출하여 신뢰도 $\alpha\%$로 추정한 모평균의 신뢰구간의 길이는

$2k\dfrac{\sigma}{\sqrt{n}}$ $\left(단,\ \mathrm{P}(|Z|\le k)=\dfrac{\alpha}{100}\right)$

상수 k는 신뢰도를 높이면 커지고 신뢰도를 낮추면 작아진다.

① k의 값이 작아지고 n의 값이 커지면 $2k\times\dfrac{\sigma}{\sqrt{n}}$의 값은 작아진다. [참]

② k의 값이 커지고 n의 값이 커지면 $2k\times\dfrac{\sigma}{\sqrt{n}}$의 값은 작아지지 않을 수 있다. [거짓]

③ 신뢰도가 일정하면 k의 값이 일정하므로 n의 값이 작아지면 $2k\times\dfrac{\sigma}{\sqrt{n}}$의 값이 커진다. [거짓]

④ 신뢰도가 일정할 때, 표본의 크기를 9배로 늘리면 $2k\dfrac{\sigma}{\sqrt{9n}}=\dfrac{1}{3}\times 2k\dfrac{\sigma}{\sqrt{n}}$이므로 신뢰구간의 길이는 $\dfrac{1}{3}$배가 된다. [거짓]

⑤ 표본평균의 실제 관측값 $\overline{x}$은 신뢰구간 길이 $2k\dfrac{\sigma}{\sqrt{n}}$에 영향을 주지 않는다. [거짓]

따라서 옳은 것은 ①뿐이다.

내/신/연/계/ 출제문항 657

정규분포 $\mathrm{N}(m,\ \sigma^2)$를 따르는 모집단에서 표본을 임의추출하여 모평균을 추정할 때, 다음 설명 중 옳은 것은?

① 신뢰도가 일정할 때, 표본의 크기를 4배하면 신뢰구간의 길이는 2배가 된다.
② 신뢰도를 높일 때, 신뢰구간의 길이를 일정하게 하려면 표본의 크기를 작게 하면 된다.
③ 신뢰도를 높이면서 표본의 크기를 크게 하면 신뢰구간의 길이는 길어진다.
④ 신뢰구간의 길이는 모평균 m의 값과 관계가 없다.
⑤ 표본평균이 커지면 신뢰구간의 길이가 길어진다.

STEP Ⓐ 신뢰구간의 성질을 이용하여 참, 거짓 판단하기

정규분포 $\mathrm{N}(m,\ \sigma^2)$를 따르는 모집단에서 크기가 n인 표본을 임의추출하여 신뢰도 $\alpha\%$로 추정한 모평균 m에 대한 신뢰구간의 길이는 $2k\dfrac{\sigma}{\sqrt{n}}$

① 신뢰도가 일정할 때, 표본의 크기를 4배하면 신뢰구간의 길이는 $\dfrac{1}{2}$배가 된다. [거짓]

② 신뢰도 α를 높일 때, 신뢰구간의 길이를 일정하게 하려면 표본의 크기를 크게 하면 된다. [거짓]

③ 신뢰도가 높아질수록 신뢰구간의 길이는 길어지고 표본의 크기를 크게 하면 신뢰구간의 길이는 짧아지므로 신뢰도를 높이면서 표본의 크기를 크게 할 때, 신뢰구간의 길이는 짧아질 수도, 길어질 수도 있으므로 알 수 없다. [거짓]

④ 신뢰구간의 길이는 모평균의 값과 관계없고 신뢰도, 표본의 크기, 모표준편차에 따라 달라진다. [참]

⑤ 표본평균의 값 $\overline{x}$은 신뢰구간 길이 $2k\dfrac{\sigma}{\sqrt{n}}$에 영향을 주지 않는다. [거짓]

따라서 옳은 것은 ④이다.  ④

1542

정답 ③

STEP A 크기가 n인 표본의 표본평균의 평균 및 표준편차 구하기

모집단 A가 정규분포 $N(m_1, \sigma^2)$를 따르므로

표본의 크기가 n_1인 표본평균 $\overline{X_A}$는 정규분포 $N\left(m, \left(\frac{\sigma}{\sqrt{n_1}}\right)^2\right)$을 따르고

모집단 B가 정규분포 $N\left(m_2, \left(\frac{\sigma}{2}\right)^2\right)$를 따르므로

표본의 크기가 n_2인 표본평균 $\overline{X_B}$는 정규분포 $N\left(m, \left(\frac{\sigma}{2\sqrt{n_2}}\right)^2\right)$을 따른다.

STEP B 신뢰구간의 성질을 이용하여 진위판단하기

ㄱ. $E(\overline{X_A})=m_1$, $E(\overline{X_B})=m_2$이므로 $m_1=m_2$이면 $E(\overline{X_A})=E(\overline{X_B})$ [참]

ㄴ. 표본평균 $\overline{X_B}$의 표준편차는 $\frac{\sigma}{2\sqrt{n_2}}$,

즉 $\overline{X_B}$는 정규분포 $N\left(m_2, \left(\frac{\sigma}{2\sqrt{n_2}}\right)^2\right)$을 따른다. [거짓]

ㄷ. m_1에 대한 신뢰도 95%의 신뢰구간의 폭은 $b-a=2\times1.96\times\frac{\sigma}{\sqrt{n_1}}$이고

m_2에 대한 신뢰도 95%의 신뢰구간의 폭은 $d-c=2\times1.96\times\frac{\sigma}{2\sqrt{n_2}}$

이므로 $n_1=4n_2$이면 $b-a=d-c$ [참]

따라서 옳은 것은 ㄱ, ㄷ이다.

내신연계 출제문항 658

정규분포를 따르는 모집단에서 임의추출한 크기가 n_1인 표본의 표본평균을 $\overline{X_1}$, 크기가 n_2인 표본의 표본평균을 $\overline{X_2}$라 하자.
$\overline{X_1}$의 분포를 이용하여 추정한 모평균 m에 대한 신뢰도 95%의 신뢰구간은 $a\le m\le b$이고, $\overline{X_2}$의 분포를 이용하여 추정한 모평균 m에 대한 신뢰도 95%의 신뢰구간은 $c\le m\le d$이다. 다음 [보기]에서 옳은 것만을 있는 대로 고른 것은? (단, Z가 표준정규분포를 따르는 확률변수일 때, $P(0\le Z\le1.96)=0.475$로 계산한다.)

ㄱ. $n_1\ne n_2$이면 $E(\overline{X_1})\ne E(\overline{X_2})$이다.
ㄴ. 모표준편차가 σ이면 $b-a=2\times1.96\frac{\sigma}{\sqrt{n_1}}$이다.
ㄷ. 모표준편차가 σ이고 $n_1>n_2$이면 $b-a>d-c$이다.
ㄹ. $n_1=4n_2$이면 $d-c=2(b-a)$

① ㄴ　② ㄱ, ㄷ　③ ㄴ, ㄹ
④ ㄱ, ㄴ, ㄷ　⑤ ㄱ, ㄴ, ㄷ, ㄹ

STEP A 신뢰구간의 성질을 이용하여 참, 거짓 판단하기

ㄱ. 표본의 크기에 관계없이 표본평균의 평균은 모평균과 같다. [거짓]

ㄴ. 모평균이 m일 때, $\overline{X_1}$은 정규분포 $N\left(m, \frac{\sigma^2}{n_1}\right)$을 따르므로

$\overline{X_1}$의 분포를 이용하여 추정한 모평균 m에 대한 신뢰도 95%의 신뢰구간은

$\overline{X_1}=\overline{x_1}$일 때, $\overline{x_1}-1.96\times\frac{\sigma}{\sqrt{n_1}}\le m\le\overline{x_1}+1.96\times\frac{\sigma}{\sqrt{n_1}}$,

즉 $a\le m\le b$이므로 $b-a=2\times1.96\frac{\sigma}{\sqrt{n_1}}$ [참]

ㄷ. ㄴ에 의하여 $b-a=2\times1.96\times\frac{\sigma}{\sqrt{n_1}}$이고 $d-c=2\times1.96\times\frac{\sigma}{\sqrt{n_2}}$이다.

이때 $n_1>n_2$이면 $\sqrt{n_1}>\sqrt{n_2}$이므로 $b-a<d-c$이다. [거짓]

ㄹ. $n_1=4n_2$이므로

$b-a=2\times1.96\times\frac{\sigma}{\sqrt{n_1}}=2\times1.96\times\frac{\sigma}{\sqrt{4n_2}}=\frac{1}{2}\left(2\times1.96\times\frac{\sigma}{\sqrt{n_2}}\right)$

$\therefore b-a=\frac{1}{2}(d-c)$이므로 $d-c=2(b-a)$ [참]

따라서 옳은 것은 ㄴ, ㄹ이다.

정답 ③

STEP 2 서술형 기출유형

1543

정답 해설참조

1단계	모집단의 확률변수 X가 2, 4, a일 때, 표본의 크기가 2인 표본평균 $\overline{X}$가 갖는 값이 2, 3, 4, 5, b, a임을 이용하여 a, b의 값을 구한다.	◀ 40%

확률변수 X가 갖는 값이 2, 4, a이므로

첫 번째 뽑은 수를 X_1, 두 번째 뽑은 수를 X_2라 할 때, $\overline{X}$는 다음 표와 같다.

X_1 \ X_2	2	4	a
2	2	3	$\frac{2+a}{2}$
4	3	4	$\frac{4+a}{2}$
a	$\frac{2+a}{2}$	$\frac{4+a}{2}$	a

즉 표본평균 $\overline{X}$가 갖는 값은 2, 3, $\frac{2+a}{2}$, 4, $\frac{4+a}{2}$, a이다.

$a>5$이므로 $\frac{2+a}{2}<\frac{4+a}{2}<a$이고

표본평균 $\overline{X}$가 갖는 값이 2, 3, 4, 5, b, a이므로 $\frac{2+a}{2}=5$, $\frac{4+a}{2}=b$

$\therefore a=8, b=6$

2단계	$P(\overline{X}=2)=\frac{1}{16}$임을 이용하여 $P(X=2)$의 값을 구한다.	◀ 20%

$P(\overline{X}=2)=P(X=2)\times P(X=2)=\frac{1}{16}$

$\therefore P(X=2)=\frac{1}{4}$

3단계	$P(\overline{X}=3)=\frac{3}{16}$임을 이용하여 $P(X=4)$의 값을 구한다.	◀ 20%

$P(\overline{X}=3)=2\times P(X=2)\times P(X=4)=\frac{3}{16}$

$2\times\frac{1}{4}\times P(X=4)=\frac{3}{16}$

$\therefore P(X=4)=\frac{3}{8}$

4단계	$ab\times P(X=4)$의 값을 구한다.	◀ 20%

따라서 $ab\times P(X=4)=8\times6\times\frac{3}{8}=18$

1544

정답 해설참조

1단계 a의 값을 구한다. ◀ 20%

확률의 총합은 1이므로 $3a+2a+a=1 \quad \therefore a=\frac{1}{6}$

2단계 $\mathrm{E}(X)$, $\mathrm{V}(X)$를 구한다. ◀ 30%

이므로 확률변수 X의 확률분포는 다음 표와 같다.

X	1	3	5	합계
$\mathrm{P}(X=x)$	$\frac{1}{2}$	$\frac{1}{3}$	$\frac{1}{6}$	1

모집단에서 평균과 분산을 구하면

$\mathrm{E}(X)=1\times\frac{1}{2}+3\times\frac{1}{3}+5\times\frac{1}{6}=\frac{7}{3}$

$\mathrm{V}(X)=1^2\times\frac{1}{2}+3^2\times\frac{1}{3}+5^2\times\frac{1}{6}-\left(\frac{7}{3}\right)^2=\frac{20}{9}$

3단계 $\mathrm{E}(\overline{X})$, $\mathrm{V}(\overline{X})$를 구한다. ◀ 20%

이때 모집단에서 표본의 크기가 4이므로

$\mathrm{E}(\overline{X})=\frac{7}{3}$, $\mathrm{V}(\overline{X})=\frac{\mathrm{V}(X)}{4}=\frac{\frac{20}{9}}{4}=\frac{5}{9}$

4단계 $\mathrm{E}(\overline{X}^2)$의 값을 구한다. ◀ 30%

$\mathrm{E}(\overline{X}^2)=\mathrm{V}(\overline{X})+\{\mathrm{E}(\overline{X})\}^2=\frac{5}{9}+\left(\frac{7}{3}\right)^2=\frac{54}{9}=6$

1545

정답 해설참조

1단계 상자에서 임의로 1개의 공을 꺼낼 때, 공에 적힌 숫자를 확률변수 X라 하고 X의 확률분포를 표로 나타낸다. ◀ 20%

한 개의 공을 꺼낼 때, 공에 적힌 숫자를 확률변수 X라고 하면 X의 확률분포를 표로 나타내면 다음과 같다.

X	1	2	3	합계
$\mathrm{P}(X=x)$	$\frac{1}{6}$	$\frac{2}{6}$	$\frac{3}{6}$	1

2단계 모집단의 확률변수 X에 대하여 평균과 분산을 구한다. ◀ 30%

모집단의 확률변수 X에 대하여

$\mathrm{E}(X)=1\times\frac{1}{6}+2\times\frac{2}{6}+3\times\frac{3}{6}=\frac{7}{3}$

$\mathrm{V}(X)=1^2\times\frac{1}{6}+2^2\times\frac{2}{6}+3^2\times\frac{3}{6}-\left(\frac{7}{3}\right)^2=\frac{5}{9}$

3단계 이 모집단에서 표본의 크기가 n인 표본의 표본평균 $\overline{X}$에 대하여 $\mathrm{E}(\overline{X})$, $\mathrm{V}(\overline{X})$의 값을 구한다. ◀ 20%

이 모집단에서 표본의 크기가 n인 표본의 표본평균 $\overline{X}$에 대하여

$\mathrm{E}(\overline{X})=\mathrm{E}(X)=\frac{7}{3}$, $\mathrm{V}(\overline{X})=\frac{\mathrm{V}(X)}{n}=\frac{5}{9n}$

4단계 $\mathrm{V}(\overline{X})=\frac{5}{36}$를 만족하는 자연수 n의 값을 구한다. ◀ 30%

이때 $\mathrm{V}(\overline{X})=\frac{5}{36}$이므로 $\mathrm{V}(\overline{X})=\frac{5}{9n}=\frac{5}{36}$

따라서 $n=4$

1546

정답 해설참조

1단계 $n=4$일 때, 확률을 구한다. ◀ 40%

핸드볼 공 한 개의 무게를 확률변수 X라고 하면

X는 정규분포 $\mathrm{N}(350,\ 16^2)$을 따른다.

n이 4일 때, 표본평균을 $\overline{X}$라고 하면

$\overline{X}$는 정규분포 $\mathrm{N}\left(350,\ \frac{16^2}{4}\right)$, 즉 $\mathrm{N}(350, 8^2)$을 따른다. ⟵ $\mathrm{N}\left(350,\ \frac{16^2}{4}\right)$

즉 구하는 확률은

$\mathrm{P}(350\le\overline{X}\le354)=\mathrm{P}\left(\frac{350-350}{8}\le Z\le\frac{354-350}{8}\right)$

$=\mathrm{P}(0\le Z\le0.5)=0.1915$

2단계 $n=16$일 때, 확률을 구한다. ◀ 30%

n이 16일 때, 표본평균을 $\overline{X}$라고 하면

$\overline{X}$는 정규분포 $\mathrm{N}\left(350,\ \frac{16^2}{16}\right)$, 즉 $\mathrm{N}(350,\ 4^2)$을 따른다.

즉 구하는 확률은

$\mathrm{P}(350\le\overline{X}\le354)=\mathrm{P}\left(\frac{350-350}{4}\le Z\le\frac{354-350}{4}\right)$

$=\mathrm{P}(0\le Z\le1)=0.3413$

3단계 $n=64$일 때, 확률을 구한다. ◀ 30%

n이 64일 때, 표본평균을 $\overline{X}$라고 하면

$\overline{X}$는 정규분포 $\mathrm{N}\left(350,\ \frac{16^2}{64}\right)$, 즉 $\mathrm{N}(350,\ 2^2)$을 따른다.

즉 구하는 확률은

$\mathrm{P}(350\le\overline{X}\le354)=\mathrm{P}\left(\frac{350-350}{2}\le Z\le\frac{354-350}{2}\right)$

$=\mathrm{P}(0\le Z\le2)=0.4772$

1547

정답 해설참조

1단계 세 확률변수 X, $\overline{X}$, $\overline{Y}$의 정규분포를 각각 구한다. ◀ 40%

X는 $\mathrm{N}(10,\ 1^2)$을 따르므로

$\overline{X}$는 $\mathrm{N}\left(10,\ \left(\frac{1}{2}\right)^2\right)$, $\overline{Y}$는 $\mathrm{N}\left(10,\ \left(\frac{1}{3}\right)^2\right)$을 따른다.

2단계 세 확률변수 X, $\overline{X}$, $\overline{Y}$의 확률밀도함수의 그래프를 다음 그림에서 각각 찾고 그 까닭을 서술하여라. ◀ 60%

$\sigma(X)=1$, $\sigma(\overline{X})=\frac{1}{\sqrt{4}}=\frac{1}{2}$, $\sigma(\overline{Y})=\frac{1}{\sqrt{9}}=\frac{1}{3}$

이므로 $\sigma(Y)<\sigma(\overline{X})<\sigma(X)$이다.

즉 표본의 크기가 클수록 표준편차가 작아지므로 그래프는 높아지면서 뾰족해진다.

확률변수 의 확률밀도함수 그래프 : ㉢

확률변수 의 확률밀도함수 그래프 : ㉡

확률변수 의 확률밀도함수 그래프 : ㉠

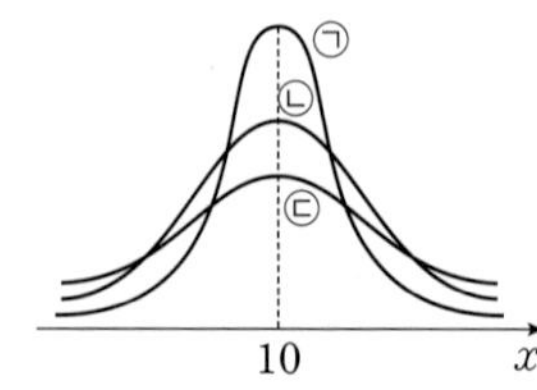

1548

정답 해설참조

1단계 공에 적힌 숫자를 확률변수 X라 하면 X의 확률분포를 표로 나타내어라. ◀ 20%

주머니에서 1개의 공을 임의추출할 때, 공에 적힌 숫자를 확률변수 X라 하면 X의 확률분포는 다음 표와 같다.

X	2	3	4	5	합계
$\mathrm{P}(X=x)$	$\frac{2}{5}$	$\frac{3}{10}$	$\frac{1}{5}$	$\frac{1}{10}$	1

2단계 확률변수 X의 평균과 표준편차를 구한다. ◀ 20%

$\mathrm{E}(X)=2\times\frac{2}{5}+3\times\frac{3}{10}+4\times\frac{1}{5}+5\times\frac{1}{10}=3$

$\mathrm{V}(X)=2^2\times\frac{2}{5}+3^2\times\frac{3}{10}+4^2\times\frac{1}{5}+5^2\times\frac{1}{10}-3^2=1$

$\sigma(X)=\sqrt{\mathrm{V}(X)}=1$

3단계 확률변수 $\overline{X}$의 확률분포를 구한다. ◀ 10%

$n=36$이므로 표본평균 $\overline{X}$는 근사적으로

정규분포 $\mathrm{N}\left(3, \left(\frac{1}{6}\right)^2\right)$을 따른다. ⬅ $\mathrm{E}(\overline{X})=m=3,\ \mathrm{V}(\overline{X})=\frac{1^2}{36}=\left(\frac{1}{6}\right)^2$

4단계 확률변수 Z가 표준정규분포 $\mathrm{N}(0, 1)$을 따를 때, $\mathrm{P}(\overline{X}\ge k)=\mathrm{P}(Z\ge \alpha)$을 만족하는 α의 값을 구한다. ◀ 20%

확률변수 $Z=\dfrac{\overline{X}-3}{\frac{1}{6}}=6(\overline{X}-3)$는 표준정규분포 $\mathrm{N}(0, 1)$을 따르므로

$\mathrm{P}(\overline{X}\ge k)=\mathrm{P}(Z\ge 6(k-3))$

$\therefore\ \alpha=6(k-3)$

5단계 $\mathrm{P}(\overline{X}\ge k)=0.0359$를 만족하는 상수 k를 구한다. ◀ 30%

$\mathrm{P}(\overline{X}\ge k)=0.0359$에서 $\mathrm{P}(Z\ge 6(k-3))=0.0359$

$\mathrm{P}(0\le ZLE6(k-3))=0.5-0.0359=0.4641$

이때 $\mathrm{P}(0\le Z\le 1.8)=0.4641$이므로

$6(k-3)=1.8$

따라서 $k=3.3$

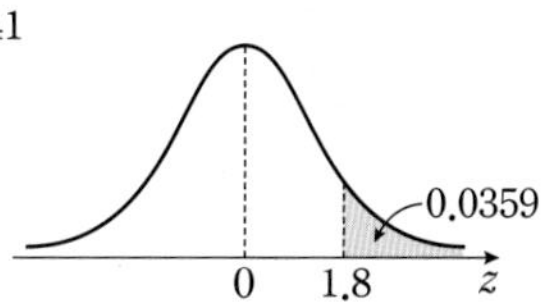

내신연계 출제문항 659

네 개의 숫자 4, 5, 6, 7이 하나씩 적혀 있는 공이 각각 80개, 60개, 40개, 20개가 들어있는 주머니에서 64개의 공을 임의추출할 때, 공에 적힌 수의 평균을 $\overline{X}$라고 하자. 이때

$$\mathrm{P}(\overline{X}\ge k)=0.1587$$

을 만족시키는 상수 k의 값을 구하는 과정을 다음 단계로 서술하여라.

z	$\mathrm{P}(0\le Z\le z)$
1.0	0.3413
1.5	0.4332
2.0	0.4772
2.5	0.4938

[1단계] 공에 적힌 숫자를 확률변수 X라 하면 X의 확률분포를 표로 나타내어라.
[2단계] 확률변수 X의 평균과 표준편차를 구한다.
[3단계] 확률변수 $\overline{X}$의 확률분포를 구한다.
[4단계] 확률변수 Z가 표준정규분포 $\mathrm{N}(0, 1)$을 따를 때, $\mathrm{P}(\overline{X}\ge k)=\mathrm{P}(Z\ge\alpha)$을 만족하는 α의 값을 구한다.
[5단계] $\mathrm{P}(\overline{X}\ge k)=0.1587$을 만족하는 상수 k를 구한다.

1단계 공에 적힌 숫자를 확률변수 X라 하면 X의 확률분포를 표로 나타내어라. ◀ 20%

주머니에서 1개의 공을 임의 추출할 때, 공의 숫자를 X라 하면 X의 확률분포표는 다음과 같다.

X	4	5	6	7	합계
$\mathrm{P}(X=x)$	$\frac{2}{5}$	$\frac{3}{10}$	$\frac{1}{5}$	$\frac{1}{10}$	1

2단계 확률변수 X의 평균과 표준편차를 구한다. ◀ 20%

$\mathrm{E}(X)=4\times\frac{2}{5}+5\times\frac{3}{10}+6\times\frac{1}{5}+7\times\frac{1}{10}=5$

$\mathrm{V}(X)=4^2\times\frac{2}{5}+5^2\times\frac{3}{10}+6^2\times\frac{1}{5}+7^2\times\frac{1}{10}-5^2=1$

3단계 확률변수 $\overline{X}$의 확률분포를 구한다. ◀ 10%

$n=64$이므로 표본평균 $\overline{X}$는 근사적으로

정규분포 $\mathrm{N}\left(5, \left(\frac{1}{8}\right)^2\right)$을 따른다. ⬅ $\mathrm{E}(\overline{X})=m=5,\ \mathrm{V}(\overline{X})=\frac{1^2}{64}=\left(\frac{1}{8}\right)^2$

4단계 확률변수 Z가 표준정규분포 $\mathrm{N}(0, 1)$을 따를 때, $\mathrm{P}(\overline{X}\ge k)=\mathrm{P}(Z\ge\alpha)$을 만족하는 α의 값을 구한다. ◀ 20%

확률변수 $Z=\dfrac{\overline{X}-5}{\frac{1}{8}}=8(\overline{X}-5)$는 표준정규분포 $\mathrm{N}(0, 1)$을 따르므로

$\mathrm{P}(\overline{X}\ge k)=\mathrm{P}(Z\ge 8(k-5))$

$\therefore\ \alpha=8(k-5)$

5단계 $\mathrm{P}(\overline{X}\ge k)=0.1587$을 만족하는 상수 k를 구한다. ◀ 30%

$\mathrm{P}(\overline{X}\ge k)=0.1587$에서 $\mathrm{P}(Z\ge 8(k-5))=0.1587$

$\mathrm{P}(Z\ge 8(k-5))=0.5-\mathrm{P}(0\le Z\le 8(k-5))=0.1587$

$\mathrm{P}(0\le Z\le 8(k-5))=0.3413$

따라서 $8(k-5)=1$ $\quad\therefore\ k=\frac{41}{8}$

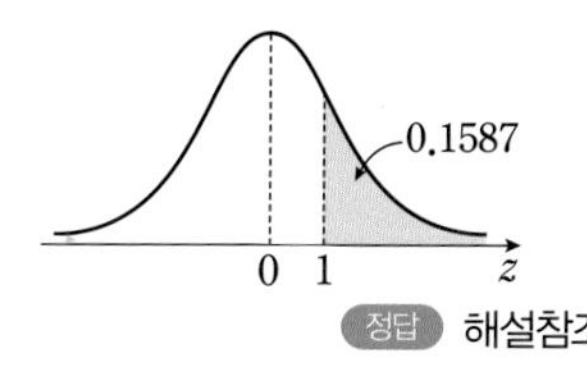

정답 해설참조

1549

정답 해설참조

1단계 $\overline{X}$의 확률분포를 n을 사용하여 나타낸다. ◀ 20%

우유의 용량을 확률변수 X라 하면 $\mathrm{N}(1000, 60^2)$을 따르므로

표본의 크기가 n이므로 표본평균 $\overline{X}$는 정규분포 $\mathrm{N}\left(1000, \left(\frac{60}{\sqrt{n}}\right)^2\right)$을 따른다.

2단계 확률변수 Z가 표준정규분포 $\mathrm{N}(0, 1)$을 따를 때, $\mathrm{P}(970\le\overline{X}\le 1030)=\mathrm{P}(\alpha\le Z\le\beta)$가 되도록 하는 α와 β를 구한다. ◀ 40%

$$\mathrm{P}(970\le\overline{X}\le 1030)=\mathrm{P}\left(\frac{970-1000}{\frac{60}{\sqrt{n}}}\le Z\le\frac{1030-1000}{\frac{60}{\sqrt{n}}}\right)=\mathrm{P}\left(-\frac{\sqrt{n}}{2}\le Z\le\frac{\sqrt{n}}{2}\right)$$

이므로 $\alpha=-\frac{\sqrt{n}}{2},\ \beta=\frac{\sqrt{n}}{2}$

3단계 n의 값을 구한다. ◀ 40%

$\mathrm{P}\left(-\frac{\sqrt{n}}{2}\le Z\le\frac{\sqrt{n}}{2}\right)=2\mathrm{P}\left(0\le Z\le\frac{\sqrt{n}}{2}\right)$

한편 $\mathrm{P}(0\le Z\le 2)=0.4772$에서

$2\mathrm{P}\left(0\le Z\le\frac{\sqrt{n}}{2}\right)=2\times 0.4772=0.9544$

이므로

$2\mathrm{P}\left(0\le Z\le\frac{\sqrt{n}}{2}\right)=2\mathrm{P}(0\le Z\le 2)$

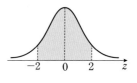

따라서 $\frac{\sqrt{n}}{2}=2$에서 $n=16$

1550

정답 해설참조

1단계 | $\overline{X}$와 모평균 m의 차가 3 이하일 확률을 구한다. ◀ 40%

모집단의 분포가 정규분포 $N(m,\ 12^2)$을 따르므로

표본평균 $\overline{X}$는 정규분포 $N\left(m,\ \frac{12^2}{64}\right)$, 즉 $N\left(m,\ \left(\frac{3}{2}\right)^2\right)$을 따른다.

$$P(|\overline{X}-m|\le 3)=P(-3\le\overline{X}-m\le 3)$$
$$=P\left(\frac{-3}{\frac{3}{2}}\le\frac{\overline{X}-m}{\frac{3}{2}}\le\frac{3}{\frac{3}{2}}\right)$$
$$=P(-2\le Z\le 2)$$
$$=2P(0\le Z\le 2)$$
$$=2\times 0.4772=0.9544$$

2단계 | $P(-k\le\overline{X}-m\le k)=0.90$을 만족시키는 상수 k의 값을 구한다. ◀ 60%

$$P(-k\le\overline{X}-m\le k)$$
$$=P\left(\frac{-k}{\frac{3}{2}}\le\frac{\overline{X}-m}{\frac{3}{2}}\le\frac{k}{\frac{3}{2}}\right)$$
$$=P\left(-\frac{2}{3}k\le Z\le\frac{2}{3}k\right)$$
$$=2P\left(0\le Z\le\frac{2}{3}k\right)=0.90$$

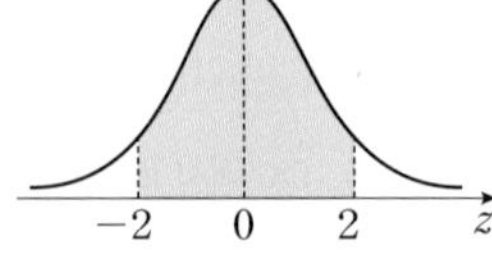

따라서 $P\left(0\le Z\le\frac{2}{3}k\right)=0.45$, $P(0\le Z\le 1.65)=0.45$이므로

$\frac{2}{3}k=1.65$, $k=2.475$

1551

정답 해설참조

1단계 | 임의로 택한 달걀 한 세트에 들어 있는 달걀 4개의 무게의 평균을 $\overline{X}$라 할 때, $\overline{X}$가 따르는 정규분포를 구한다. ◀ 30%

달걀 한 세트의 무게의 평균을 $\overline{X}$라 하면

모집단이 정규분포 $N(50,\ 6^2)$을 따르고 표본의 크기가 9이므로

표본평균 $\overline{X}$는 정규분포 $N(50,\ 3^2)$을 따른다. ← $E(\overline{X})=50$, $\sigma(\overline{X})=\frac{6}{\sqrt{4}}=3$

2단계 | 달걀 한 세트의 무게가 182g 이하일 확률을 구한다. ◀ 50%

$Z=\frac{\overline{X}-50}{3}$으로 놓으면 확률변수 Z는 표준정규분포 $N(0,\ 1)$을 따르므로

달걀 한 세트의 무게가 182g 이하일 확률 ← 불량품으로 판정될 확률은

$$P(4\overline{X}\le 182)=P(\overline{X}\le 45.5)$$
$$=P\left(Z\le\frac{45.5-50}{3}\right)$$
$$=P(Z\le -1.5)$$
$$=0.5-P(0\le Z\le 1.5)$$
$$=0.5-0.4332=0.0668$$

3단계 | 불량품으로 판정되는 달걀 세트의 개수를 구한다. ◀ 20%

따라서 불량품으로 판정될 확률이 0.0668이므로 불량품으로 판정되는 달걀 세트의 개수는 $10000\times 0.0668=668$

1552

정답 해설참조

1단계 | 한 상자에 들어 있는 과자 16개의 평균 무게를 $\overline{X}$라고 하면 표본평균 $\overline{X}$가 따르는 정규분포를 구한다. ◀ 20%

한 상자에 들어 있는 과자 16개의 평균 무게를 $\overline{X}$라고 하면

모집단이 정규분포 $N(20,\ 2^2)$을 따르고 표본의 크기가 16이므로

표본평균 $\overline{X}$는 정규분포 $N\left(20,\ \left(\frac{1}{2}\right)^2\right)$을 따른다. ← $E(\overline{X})=15$, $\sigma(\overline{X})=\frac{2}{\sqrt{16}}=\frac{1}{2}$

2단계 | 16개의 과자를 담은 상자의 무게가 306.88g 이하이거나 333.12g 이상일 확률을 구한다. ◀ 30%

$Z=\frac{\overline{X}-20}{\frac{1}{2}}$으로 놓으면 확률변수 Z는 표준정규분포 $N(0,\ 1)$을 따르므로

16개의 과자를 담은 상자의 무게가 306.88g 이하이거나 333.12g 이상일 확률은

$$P(16\overline{X}\le 306.88 \text{ 또는 } 16\overline{X}\ge 333.12)$$
$$=P(\overline{X}\le 19.18 \text{ 또는 } \overline{X}\ge 20.82)$$
$$=P(\overline{X}\le 19.18)+P(\overline{X}\ge 20.82)$$
$$=P\left(Z\le\frac{19.18-20}{\frac{1}{2}}\right)+P\left(Z\ge\frac{20.82-20}{\frac{1}{2}}\right)$$
$$=P(Z\le -1.64)+P(Z\ge 1.64)$$
$$=2P(Z\ge 1.64)$$
$$=2\{0.5-P(0\le Z\le 1.64)\}$$
$$=2\times(0.5-0.45)=0.1$$

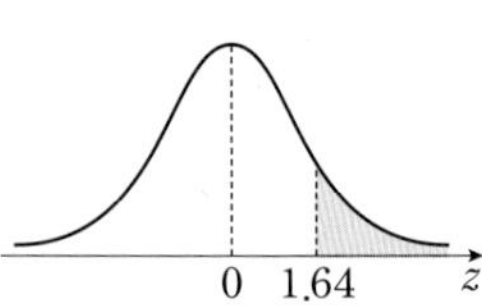

3단계 | 출하한 과자 상자 100개 중에서 반품된 상자의 수를 확률변수 Y라 할 때, Y가 따르는 정규분포를 구한다. ◀ 20%

과자 상자 100개 중에서 반품되는 상자의 수를 확률변수 Y라 하면

Y는 이항분포 $B(100,\ 0.1)$을 따르므로

$E(Y)=100\times 0.1=10$, $V(Y)=100\times 0.1\times 0.9=9$

이때 100은 충분히 큰 수이므로 확률변수 Y는 근사적으로 정규분포 $N(10,\ 3^2)$을 따른다.

4단계 | 출하한 과자 상자 100개 중에서 반품된 상자가 7개 이하일 확률을 구한다. ◀ 30%

$Z=\frac{Y-10}{3}$으로 놓으면 확률변수 Z는 표준정규분포 $N(0,\ 1)$을 따른다.

따라서 구하는 확률은

$$P(Y\le 7)=P\left(Z\le\frac{7-10}{3}\right)$$
$$=P(Z\le -1)$$
$$=0.5-P(0\le Z\le 1)$$
$$=0.5-0.34=0.16$$

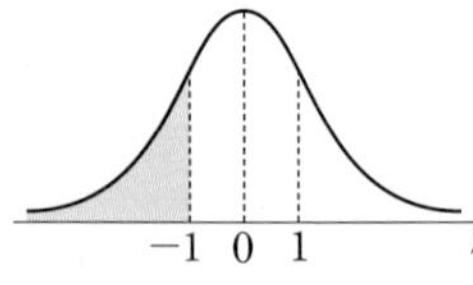

1553

정답 해설참조

1단계	모평균 m의 신뢰도 95%의 신뢰구간 구간에 속하는 자연수를 구한다.	◀ 40%

표본평균 $\overline{x}=30$, 모표준편차 $\sigma=10$, 표본의 크기가 $n=4$이므로
모평균 m에 대한 신뢰도 95%의 신뢰구간은

$30-1.96\times\frac{10}{\sqrt{4}}\le m\le 30+1.96\times\frac{10}{\sqrt{4}}$

$30-9.80\le m\le 30+9.80$

$\therefore 20.20\le m\le 39.80$

이므로 이 구간에 속하는 자연수는 21, 22, 23, $\cdots$, 39이다.

2단계	모평균 m의 신뢰도 99%의 신뢰구간 구간에 속하는 자연수를 구한다.	◀ 40%

표본평균 $\overline{x}=30$, 모표준편차 $\sigma=10$, 표본의 크기가 $n=4$이므로
모평균 m에 대한 신뢰도 99%의 신뢰구간은

$30-2.58\times\frac{10}{\sqrt{4}}\le m\le 30+2.58\times\frac{10}{\sqrt{4}}$

$30-12.90\le m\le 30+12.90$

$\therefore 17.10\le m\le 42.90$

이므로 이 구간에 속하는 자연수는 18, 19, 20, $\cdots$, 42이다.

3단계	1, 2단계에서 구한 자연수의 총합이 각각 a, b이므로 $b-a$의 값을 구한다.	◀ 20%

$a=21+22+\cdots+39$

$b=18+19+20+21+22+\cdots+39+40+41$

$\therefore b-a=18+19+20+40+41+42=180$

1554

정답 해설참조

1단계	모평균 m의 신뢰도 95%인 신뢰구간을 표준편차는 s로 나타낸다.	◀ 30%

표본평균 $\overline{x}=401$, 표본의 크기 $n=36$, 표본의 크기 36이 충분히 크므로
모표준편차 대신 표본표준편차가 $\sigma\fallingdotseq s$이므로
모평균 m의 신뢰도 95%인 신뢰구간은

$401-1.96\times\frac{s}{\sqrt{36}}\le m\le 401+1.96\times\frac{s}{\sqrt{36}}$

$\therefore 401-1.96\times\frac{s}{6}\le m\le 401+1.96\times\frac{s}{6}$

2단계	신뢰도 95%인 신뢰구간이 $397.08\le m\le 404.92$임을 이용하여 표준편차 s를 구한다.	◀ 30%

이때 신뢰도 95%의 신뢰구간이 $397.08\le m\le 404.92$이므로

$401-1.96\times\frac{s}{6}=397.08$ $\cdots\cdots$ ㉠

$401+1.96\times\frac{s}{6}=404.92$ $\cdots\cdots$ ㉡

㉡에서 $1.96\times\frac{s}{6}=3.92$

$\therefore s=12$

3단계	같은 표본을 이용하여 얻은 모평균에 대한 신뢰도 99%의 신뢰구간을 구한다.	◀ 40%

표본평균 $\overline{x}=401$, 표본표준편차 $s=12$, 표본의 크기가 $n=36$이므로
모평균 m의 신뢰도 99%인 신뢰구간은

$401-2.58\times\frac{12}{\sqrt{36}}\le m\le 401+2.58\times\frac{12}{\sqrt{36}}$

$401-2.58\times 2\le m\le 401+2.58\times 2$

따라서 $395.84\le m\le 406.16$

STEP 3 행복한 1등급 문제

1555

정답 ⑤

STEP A 표본평균 $\overline{X}$의 평균과 분산 구하기

표준정규분포곡선에서

$P(|Z|>c)=P(Z>c)+P(Z<-c)$

$=2P(Z>c)=0.06$

이므로 $P(Z>c)=0.03$이고

$P(Z<-c)=0.03$

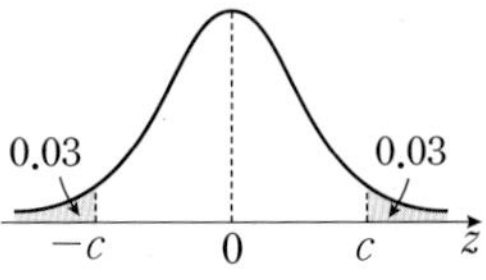

STEP B 표본평균의 성질 이용하여 참, 거짓 판별하기

ㄱ. $P(|Z|>c)=0.06$에서

$P(|Z|\le c)=1-0.06=0.94$

$P(0\le Z\le c)=\frac{1}{2}P(|Z|\le c)=0.47$

또, $P(Z>a)=0.05$이면

$P(0\le Z\le a)=0.45$

즉 $P(0\le Z\le a)<P(0\le Z\le c)$

이므로 $a<c$ [참]

ㄴ. 모집단의 확률변수 X는 정규분포 $N(75,\ 5^2)$을 따르고
모집단의 크기가 25인 표본을 임의추출하였으므로
표본평균 $\overline{X}$는 정규분포 $N\left(75,\ \frac{5^2}{25}\right)$, 즉 $N(75,\ 1^2)$을 따른다.

⬅ $E(\overline{X})=75$, $V(\overline{X})=\frac{5^2}{25}=\left(\frac{5}{\sqrt{25}}\right)^2$

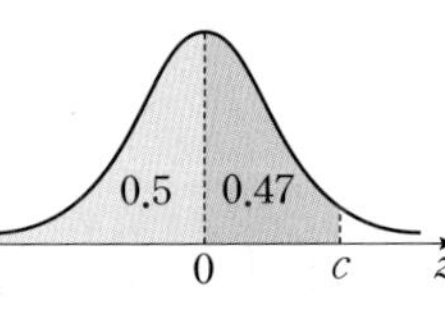

$P(\overline{X}\le c+75)=P\left(Z\le\frac{(c+75)-75}{1}\right)$

$=P(Z\le c)$

$=0.5+P(0\le Z\le c)$

$=0.5+0.47=0.97$ [참]

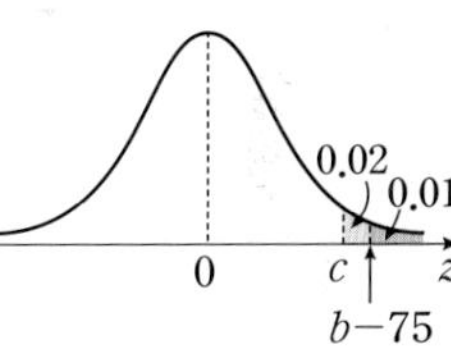

ㄷ. $P(\overline{X}>b)=P\left(Z>\frac{b-75}{1}\right)=0.01$

이므로 $P(0\le Z\le b-75)=0.49$

$P(0\le Z\le c)<P(0\le Z\le b-75)$

이므로 $c<b-75$ [참]

따라서 옳은 것은 ㄱ, ㄴ, ㄷ이다.

0.02
0.01
0
c
z
$b-75$

1556

정답 ⑤

STEP Ⓐ 표본평균 $\overline{X}$의 평균과 분산 구하기

모집단의 분포는 정규분포 $\mathrm{N}(10,\ 2^2)$을 따르므로

크기가 n인 표본의 표본평균 $\overline{X}$는 정규분포 $\mathrm{N}\left(10,\ \left(\frac{2}{\sqrt{n}}\right)^2\right)$을 따른다.

⬅ $\mathrm{E}(\overline{X})=10,\ \mathrm{V}(\overline{X})=\frac{2^2}{n}=\left(\frac{2}{\sqrt{n}}\right)^2$

STEP Ⓑ 표본평균의 성질 이용하여 참, 거짓 판별하기

ㄱ. $\mathrm{V}(\overline{X})=\left(\frac{2}{\sqrt{n}}\right)^2=\frac{4}{n}$ [참]

ㄴ. 표본평균 $\overline{X}$가 평균이 10인 정규분포를 따르고

$\frac{(10-a)+(10+a)}{2}=10$이므로

$a<0$일 때,

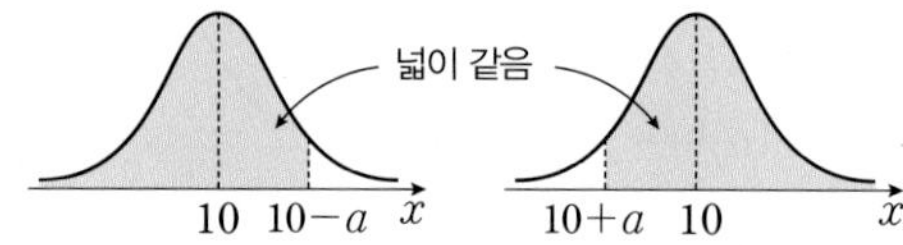

$a>0$일 때,

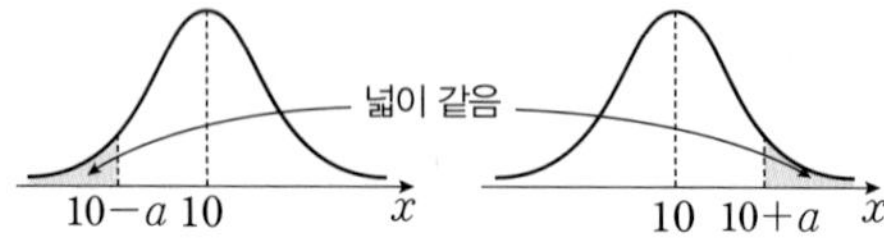

$\mathrm{P}(\overline{X}\le 10-a)=\mathrm{P}(\overline{X}\ge 10+a)$ [참]

ㄷ. $\mathrm{P}(\overline{X}\ge a)=\mathrm{P}\left(Z\ge \frac{a-10}{\frac{2}{\sqrt{n}}}\right)=\mathrm{P}(Z\le b)$

이므로 $\frac{a-10}{\frac{2}{\sqrt{n}}}=-b,\ a-10=-\frac{2}{\sqrt{n}}b$

$\therefore\ a+\frac{2}{\sqrt{n}}b=10$ [참]

따라서 옳은 것은 ㄱ, ㄴ, ㄷ이다.

1557

정답 701

STEP Ⓐ 주어진 조건을 이용하여 표본의 평균 구하기

36명이 하루 동안 도보로 이동한 거리의 총합이 216km이므로

표본의 평균 $\bar{x}=\frac{216}{36}=6$

STEP Ⓑ 주어진 조건을 이용하여 신뢰도 95%의 신뢰구간 구하기

표본평균 $\bar{x}=6$, 모표준편차 σ, 표본의 크기가 $n=36$이므로

모평균 m에 대한 신뢰도 95%의 신뢰구간은

$6-1.96\times\frac{\sigma}{6}\le m\le 6+1.96\times\frac{\sigma}{6}$

STEP Ⓒ 주어진 신뢰구간을 이용하여 $a,\ \sigma$의 값 구하기

이때 신뢰도 95%의 신뢰구간이 $a\le m\le a+0.98$이므로

$6-1.96\times\frac{\sigma}{6}=a$ ...... ㉠

$6+1.96\times\frac{\sigma}{6}=a+0.98$ ...... ㉡

㉠+㉡을 하면 $12=2a+0.98$ $\therefore\ a=5.51$

㉠에서 $6-1.96\times\frac{\sigma}{6}=5.51$ $\therefore\ \sigma=1.5$

따라서 $a+\sigma=7.01$이므로 $100(a+\sigma)=701$

1558

정답 844

STEP Ⓐ 신뢰도 99%의 신뢰구간을 이용하여 $\bar{x},\ \sigma$의 값 구하기

표본평균이 $\bar{x}$, 모표준편차가 σ, 표본의 크기가 64일 때,

모평균 m에 대한 신뢰도 99%의 신뢰구간은

$\bar{x}-2.58\times\frac{\sigma}{\sqrt{64}}\le m\le\bar{x}+2.58\times\frac{\sigma}{\sqrt{64}}$이므로

$\bar{x}-2.58\times\frac{\sigma}{8}=6.71$ ...... ㉠

$\bar{x}+2.58\times\frac{\sigma}{8}=9.29$ ...... ㉡

㉠, ㉡을 변끼리 더하면 $2\bar{x}=16$ $\therefore\ \bar{x}=8$

$\bar{x}=8$을 ㉡에 대입하면 $2.58\times\frac{\sigma}{8}=1.29$ $\therefore\ \sigma=4$

STEP Ⓑ 신뢰도 95%의 신뢰구간 구하기

표본평균이 $\bar{x}+1=9$, 모표준편차가 4, 표본의 크기가 196일 때,

모평균 m에 대한 신뢰도 95%의 신뢰구간은

$9-1.96\times\frac{4}{\sqrt{196}}\le m\le 9+1.96\times\frac{4}{\sqrt{196}}$

$9-1.96\times\frac{4}{14}\le m\le 9+1.96\times\frac{4}{14}$

$\therefore\ 8.44\le m\le 9.56$

따라서 $a=8.44$이므로 $100a=844$

MAPL ; SYNERGY

01 경우의 수 모의평가

01	③	02	③	03	③	04	②	05	⑤
06	④	07	①	08	⑤	09	③	10	④
11	②	12	②	13	④	14	④	15	④
16	⑤	17	⑤	18	②	19	③	20	①

서술형

21	해설참조	22	해설참조
23	해설참조	24	120

01

 ③

STEP A 중복순열과 중복조합의 공식을 이용하여 계산하기

${}_5\Pi_3=5^3=125$

${}_5H_3={}_{5+3-1}C_3={}_7C_3=\frac{7\times6\times5}{3\times2\times1}=35$

${}_5C_3={}_5C_2=\frac{5\times4}{2\times1}=10$

따라서 ${}_5\Pi_3+{}_5H_3+{}_5C_3=125+35+10=170$

02

 ③

STEP A 6개의 의자를 원형으로 배열하는 방법의 수 구하기

6개의 의자를 원형으로 배열하는 방법의 수는 원순열의 수이므로
$p=(6-1)!=5!=120$

STEP B 보라색 의자와 노란색 의자를 마주 보게 배열하는 경우의 수 구하기

보라색 의자가 정해지면 노란색 의자의 자리는 서로 마주보는 자리로 고정되고
나머지 4개의 의자를 원형으로 배열하는 방법의 수는 $q=4!=24$
따라서 $p+q=120+24=144$

03

 ③

STEP A 여학생 3명을 한 사람으로 생각하여 4명이 원탁에 둘러앉는 경우의 수 구하기

여학생 3명을 한 사람으로 생각하여 4명의 학생을 원형으로 나열하는
경우의 수는 $(4-1)!=3!=6$

STEP B 이웃해서 앉은 3명의 여학생끼리 자리를 바꾸는 경우의 수 구하기

이 각각에 대하여 여학생 3명이 서로 자리를 바꾸는 경우의 수는 $3!=6$

STEP C 전체 경우의 수 구하기

따라서 구하는 경우의 수는 $6\times6=36$

04

 ②

STEP A 부모 사이에 자녀 1명이 앉는 원형으로 방법의 수 구하기

부모 사이에 앉는 자녀 1명과 부모를 묶어서 한 사람으로 생각하면
4명이 원형의 식탁에 둘러앉는 방법의 수는 $(4-1)!=3!=6$
이때 부모 사이에 앉는 자녀 1명을 선택하는 방법의 수는 ${}_4C_1=4$
부모가 서로 자리를 바꾸는 방법의 수는 $2!=2$
따라서 구하는 방법의 수는 $6\times4\times2=48$

05

정답 ⑤

STEP A 각각 탁자에 둘러앉는 경우의 수 구하기

6명의 학생을 원형으로 배열하는 원순열의 수는 $(6-1)!=5!$
이때 각각의 탁자에 앉는 서로 다른 경우의 수를 구하면

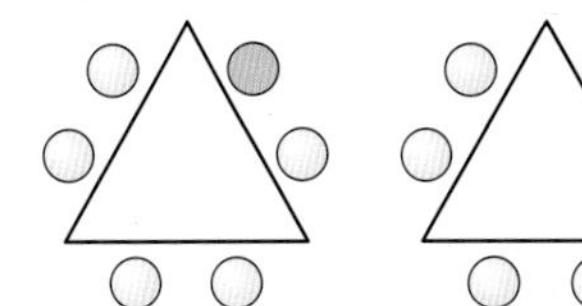

정삼각형에서는 원형으로 배열하는 한 가지 경우에 대하여 서로 다른 경우가
2가지씩 존재하므로 $5!\times2=240$

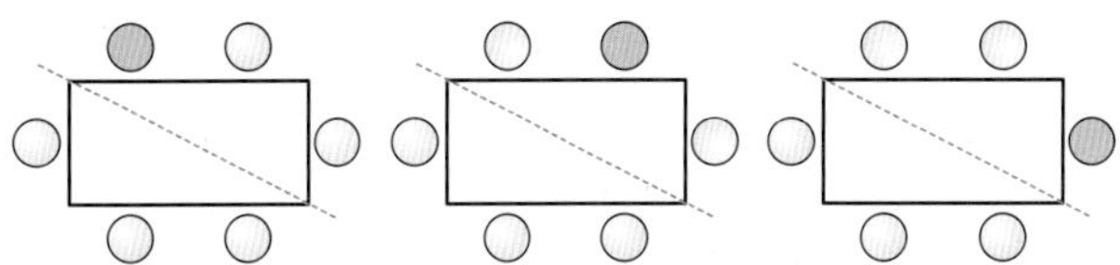

직사각형에서는 원형으로 배열하는 한 가지 경우에 대하여 서로 다른 경우가
3가지씩 존재하므로 $5!\times3=360$

STEP B 각각의 경우의 수의 합 구하기

따라서 $240+360=600$

06

 ④

STEP A 중복순열을 이용하여 경우의 수 구하기

① 서로 다른 세 종류의 우체통에서 5개를 택하는 중복순열의 수와 같으므로
${}_3\Pi_5$
② 서로 다른 3개의 층에서 중복을 허락하여 5개를 택하여 나열하는 경우의 수이므로 ${}_3\Pi_5$
③ 서로 다른 3개의 방에서 중복을 허락하여 5개를 택하여 나열하는 경우의 수이므로 ${}_3\Pi_5$
④ 어떤 다섯 자리의 자연수의 각 자리 숫자의 배열을 거꾸로 나열하여
처음과 같은 자연수가 되려면 만의 자리 숫자와 일의 자리 숫자가 같고
천의 자리 숫자와 십의 자리 숫자가 같으면 된다.
그러므로 숫자 1, 2, 3, 4, 5 중에서 중복을 허락하여 세 개의 숫자를 택해
일렬로 나열하여 세 자리의 자연수를 만드는 경우의 수와 같다.
즉 구하는 경우의 수는 ${}_5\Pi_3=5^3=125$
⑤ 3명의 학생에서 중복을 허락하여 5개를 택하여 나열하는 경우의 수이므로
${}_3\Pi_5$

따라서 나머지 넷과 다른 하나는 ④이다.

07

 ①

STEP A 같은 것이 있는 순열을 이용하여 구하기

양 끝에 파란색 깃발을 일렬로 나열하고
빨간 깃발 3개, 초록 깃발 2개를 일렬로 나열하는 경우의 수와 같다.

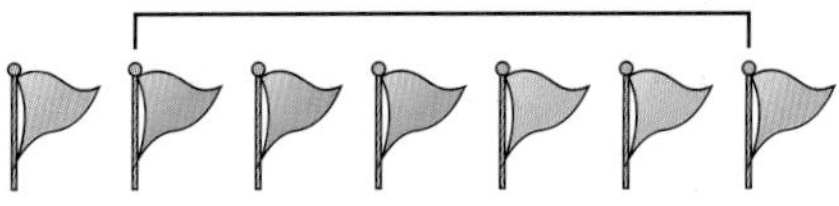

따라서 구하는 신호의 수는 $\frac{5!}{3!2!}=10$

08

정답 ⑤

STEP A 순서가 정해진 문자를 같은 문자로 바꾸기

F, A와 N, E가 순서가 각각 정해져 있으므로 F, A를 모두 X로, N, E를 모두 Y로 생각하여 X, X, Y, Y, R, C의 6개의 문자를 일렬로 나열한 후
첫 번째, 두 번째 X를 각각 F, A로,
첫 번째, 두 번째 Y를 각각 N, E로 바꾸면 된다.

STEP B 같은 것이 있는 순열의 수 구하기

따라서 구하는 경우의 수는 $\frac{6!}{2!2!}=180$

09

 ③

STEP A A지점에서 B지점까지 갈 때, 반드시 지나는 교차점을 찾기

다음 그림과 같이 P지점과 Q지점을 정하면

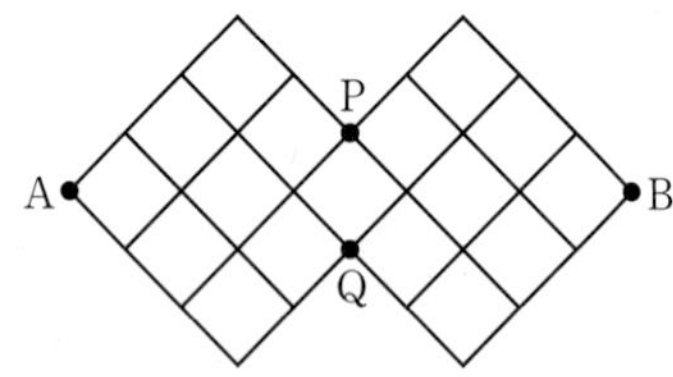

A지점에서 출발하여 B지점까지 최단거리로 가는 경우는 다음 두 가지이다.

(i) A지점에서 P지점을 지나 B지점까지 최단거리로 가는 경우의 수는

$\frac{5!}{2!3!}\times\frac{5!}{3!2!}=10\times10=100$

(ii) A지점에서 Q지점을 지나 B지점까지 최단거리로 가는 경우의 수는

$\frac{5!}{3!2!}\times\frac{5!}{2!3!}=10\times10=100$

STEP B A지점에서 B지점까지 최단거리로 가는 경우의 수 구하기

(i), (ii)에 의하여 구하는 경우의 수는 $100+100=200$

10

 ④

STEP A 중복조합을 이용하여 경우의 수 구하기

조건 (가)에서
서로 다른 공 3개에서 중복을 허용하여 7개를 선택하는 경우의 수이므로
$p={}_3H_7={}_{3+7-1}C_7={}_9C_7={}_9C_2=36$
조건 (나)에서
무기명투표이므로 구분이 되지 않는 10장의 투표용지에 회장 후보 A, B, C를 적는 방법의 수와 같다.
즉, A, B, C 3개 중에서 중복을 허락하여 10개를 택하는 경우의 수와 같으므로 $q={}_3H_{10}={}_{3+10-1}C_{10}={}_{12}C_{10}={}_{12}C_2=66$

> **참고** '기명' 투표일 경우 어떤 학생이 어떤 후보를 선택했는지에 따라 모두 다른 경우가 되므로 중복순열의 수로 계산해야 한다.

조건 (다)에서
$(x+y+z)^6$을 전개하여 생기는 각 항은 모두 6차식이다.
$(x+y+z)^6$의 전개식에서 서로 다른 항의 개수는 3개의 문자 x, y, z 중 6개를 택하는 중복조합의 수와 같으므로 $r={}_3H_6={}_{3+6-1}C_6={}_8C_6={}_8C_2=28$

STEP B $p+q+r$의 값 구하기

따라서 $p=36$, $q=66$, $r=28$이므로 $p+q+r=130$

11

정답 ②

STEP A 서로 다른 3개의 주머니에 4개의 흰 공을 나누어 담는 경우의 수 구하기

서로 다른 3개의 주머니에 4개의 흰 공을 나누어 담는 경우의 수는
서로 다른 3개에서 4개를 택하는 중복조합의 수와 같으므로
${}_3H_4={}_6C_4={}_6C_2=15$

STEP B 서로 다른 3개의 주머니에 5개의 검은 공을 나누어 담는 경우의 수 구하기

서로 다른 3개의 주머니에 5개의 검은 공을 나누어 담는 경우의 수는
서로 다른 3개에서 5개를 택하는 중복조합의 수와 같으므로
${}_3H_5={}_7C_5={}_7C_2=21$

STEP C 곱의 법칙을 이용하여 경우의 수 구하기

따라서 구하는 방법의 수는 $15\times21=315$

12

 ②

STEP A 중복조합을 이용하여 정수해의 개수 구하기

조건 (가)에서
방정식 $x+y+z=8$의 음이 아닌 정수인 해의 개수는
세 문자 x, y, z 중에서 중복을 허락하여 8개를 택하는 중복조합의 수와 같으므로 $p={}_3H_8={}_{3+8-1}C_8={}_{10}C_8={}_{10}C_2=45$
조건 (나)에서
방정식 $x+y+z=8$의 양의 정수해의 개수는
$x=a+1$, $y=b+1$, $z=c+1$ (a, b, c는 음이 아닌 정수)
로 놓으면 $x+y+z=(1+a)+(1+b)+(1+c)=8$
$a+b+c=5$
즉 구하는 양의 정수해의 개수는 방정식 $a+b+c=5$의 음이 아닌 정수해의 개수와 같으므로 $q={}_3H_5={}_{3+5-1}C_5={}_7C_5={}_7C_2=21$
조건 (다)에서
x, y, z는 $x\geq-1$, $y\geq-1$, $z\geq-1$인 정수이므로
$x=a-1$, $y=b-1$, $z=c-1$ (a, b, c는 음이 아닌 정수)
로 놓으면 $x+y+z=(a-1)+(b-1)+(c-1)=8$에서 $a+b+c=11$
즉 구하는 -1 이상의 정수해 개수는 방정식 $a+b+c=11$의 음이 아닌 정수해의 개수와 같으므로 $r={}_3H_{11}={}_{3+11-1}C_{11}={}_{13}C_{11}={}_{13}C_2=78$

STEP B $p+q+r$의 값 구하기

따라서 $p=45$, $q=21$, $r=78$이므로 $p+q+r=144$

13

 ④

STEP A 세 종류의 과일을 각각 1개씩 먼저 나누어 주기

세 종류의 과일을 각각 1개씩을 먼저 사고 세 종류의 과일에서 7개의 과일을 사면 된다.

STEP B 중복조합 이용하여 구하기

사과, 배, 감 3종류의 과일에서 중복을 허락하여 나머지 7개의 과일을 택하는 중복조합의 수이므로 ${}_3H_7={}_{3+7-1}C_7={}_9C_7={}_9C_2=36$

다른풀이 양의 정수해를 이용하여 풀이하기

사과, 배, 감의 개수를 x, y, z라고 하면
구하는 방법의 수는 방정식 $x+y+z=10$에서 x, y, z가 모두 양의 정수인 해의 개수와 같다.
$x=a+1$, $y=b+1$, $z=c+1$ (단, a, b, c는 음이 아닌 정수)
$x+y+z=10$에서 $a+b+c=7$의 음이 아닌 정수해는
${}_3H_7={}_{3+7-1}C_7={}_9C_7={}_9C_2=36$

14

정답 ④

STEP Ⓐ 중복순열을 이용하여 함수의 개수 p의 값 구하기

조건 (가)에서

(i) $f(1)=f(2)=1$인 함수의 개수는 ${}_5\Pi_3=5^3=125$

(ii) $f(1)=f(2)=2$인 함수의 개수는 ${}_5\Pi_3=5^3=125$

(i), (ii)에서 구하는 함수의 개수는 $p=125+125=250$

STEP Ⓑ 중복조합의 수를 이용하여 함수의 개수 q의 값 구하기

조건 (나)에서

정의역의 원소 $1,\ 2,\ 3,\ 4,\ 5$에 대한 함숫값은

$1,\ 2,\ 3,\ 4,\ 5$ 중 하나이고 $f(1)\le f(2)\le f(3)\le f(4)\le f(5)$이어야 한다.

즉 함수의 개수는 $1,\ 2,\ 3,\ 4,\ 5$ 중에서 중복을 허용하여 5개를 택한 다음 큰 것부터 차례대로 $1,\ 2,\ 3,\ 4,\ 5$에 대응시키는 경우의 수와 같다.

즉 서로 다른 5개 중에서 5개를 택하는 중복조합의 수와 같으므로

$q={}_5H_5={}_{5+5-1}C_5={}_9C_5={}_9C_4=126$

따라서 $p=250,\ q=126$이므로 $p+q=376$

15

STEP Ⓐ 다항식의 전개식에서 일반항 구하기

$(a+x)^8$의 전개식에서 일반항은 ${}_8C_r\,a^{8-r}x^r$

STEP Ⓑ x^6의 계수가 112임을 이용하여 상수 a 구하기

x^6항은 $r=6$이므로 x^6의 계수는

${}_8C_6a^2=28a^2$에서 $28a^2=112,\ a^2=4$

즉 $a>0$이므로 $a=2$

STEP Ⓒ x의 계수 구하기

따라서 $(2+x)^8$의 전개식에서 x의 계수는 ${}_8C_1\times2^7=8\times2^7=1024$

16

STEP Ⓐ 다항식의 전개식의 일반항을 구하고 지수법칙을 이용하여 간단히 정리하기

$\left(x^2+\dfrac{2}{x}\right)^6$의 전개식의 일반항은

${}_6C_r(x^2)^{6-r}\left(\dfrac{2}{x}\right)^r={}_6C_r\times2^r\times x^{12-3r}$

STEP Ⓑ 이항정리의 일반항을 이용하여 [보기]의 진위판단하기

ㄱ. x^3의 계수는 $12-3r=3$이므로 $r=3$

즉 x^3의 계수는 ${}_6C_3\times2^3=20\times8=160$ [참]

ㄴ. 서로 다른 항의 개수는 서로 다른 2개에서 중복을 허락하여 6개를 택하는 경우의 수와 같으므로 ${}_2H_6={}_{2+6-1}C_6={}_7C_6={}_7C_1=7$ [참]

ㄷ. 상수항은 $12-3r=0$이므로 $r=4$

즉 상수항은 ${}_6C_4\times2^4=15\times16=240$ [참]

따라서 옳은 것은 ㄱ, ㄴ, ㄷ이다.

17

STEP Ⓐ 전개식에서 x^2의 항이 나오는 경우 구하기

$(1-2x)^4(x+3)$의 전개식에서 x^2의 계수는 다음 두 가지로 나눌 수 있다.

$(1-2x)^4$의 전개식의 일반항은 ${}_4C_r1^{4-r}(-2x)^r={}_4C_r(-2)^rx^r$

(i) $(1-2x)^4$에서 x의 항과 $x+3$에서 x의 항인 경우

x의 계수는 ${}_4C_1\times(-2)=-8$

(ii) $(1-2x)^4$에서 x^2의 항과 $x+3$에서 상수항인 경우

x^2의 계수는 ${}_4C_2\times(-2)^2=24$

STEP Ⓑ x^2의 계수 구하기

(i), (ii)에서 다항식 $(1-2x)^4(x+3)$의 전개식에서 x^2의 계수는

$(-8)\times1+24\times3=64$

18

STEP Ⓐ 이항계수의 성질을 이용하여 [보기]의 참, 거짓 판단하기

① ${}_nC_0+{}_nC_1+{}_nC_2+\cdots+{}_nC_n=2^n$이므로

${}_{10}C_0+{}_{10}C_1+{}_{10}C_2+\cdots+{}_{10}C_{10}=(1+1)^{10}=2^{10}$ [참]

② ${}_nC_0+{}_nC_2+{}_nC_4+\cdots+{}_nC_n=2^{n-1}$($n$은 짝수)에서

${}_{13}C_0+{}_{13}C_2+{}_{13}C_4+\cdots+{}_{13}C_{12}=2^{13-1}=2^{12}$

이므로 ${}_{13}C_2+{}_{13}C_4+\cdots+{}_{13}C_{12}=2^{13-1}=2^{12}-1$ [거짓]

③ $(1+x)^n={}_nC_0+{}_nC_1x+{}_nC_2x^2+\cdots+{}_nC_nx^n$ ……㉠

㉠에 $x=2,\ n=15$를 대입하면

${}_{15}C_0+2{}_{15}C_1+2^2{}_{15}C_2+\cdots+2^{15}{}_{15}C_{15}=(1+2)^{15}=3^{15}$ [참]

④ ${}_{10}C_{10}+{}_{11}C_{10}+{}_{12}C_{10}+\cdots+{}_{20}C_{10}$

$=({}_{11}C_{11}+{}_{11}C_{10})+{}_{12}C_{10}+\cdots+{}_{20}C_{10}$ ⬅ ${}_{10}C_{10}={}_{11}C_{11}$

$=({}_{12}C_{11}+{}_{12}C_{10})+\cdots+{}_{20}C_{10}$ ⬅ ${}_{n-1}C_{r-1}+{}_{n-1}C_r={}_nC_r$

$={}_{13}C_{11}+\cdots+{}_{20}C_{10}$

⋮

$={}_{20}C_{11}+{}_{20}C_{10}$

$={}_{21}C_{11}={}_{21}C_{10}$ [참]

⑤ $({}_{12}C_0)^2+({}_{12}C_1)^2+({}_{12}C_2)^2+\cdots+({}_{12}C_{12})^2$

$={}_{12}C_0\times{}_{12}C_{12}+{}_{12}C_1\times{}_{12}C_{11}+{}_{12}C_2\times{}_{12}C_{10}+\cdots+{}_{12}C_{12}\times{}_{12}C_0$

위의 식은 $(1+x)^{12}(1+x)^{12}$의 전개식에서 x^{12}의 계수와 같다.

즉 $(1+x)^{24}$의 전개식에서 x^{12}의 계수이므로 구하는 값은 ${}_{24}C_{12}$이다. [참]

따라서 옳지 않은 것은 ②이다.

19

STEP Ⓐ 집합의 개수가 홀수인 부분집합의 개수를 조합을 이용하여 구하기

집합 A의 부분집합 중에서 원소의 개수가 k($k=0,\ 1,\ 2,\ \cdots,\ 10$)인 부분집합의 개수는 서로 다른 10개에서 k개를 택하는 조합의 수와 같으므로 ${}_{10}C_k$

STEP Ⓑ 이항계수의 성질을 이용하여 값을 구하기

따라서 원소의 개수가 홀수인 부분집합의 개수는

${}_{10}C_1+{}_{10}C_3+{}_{10}C_5+{}_{10}C_7+{}_{10}C_9=2^9=512$

20

STEP Ⓐ $31^{30}=(1+30)^{30}$으로 변형하여 이항정리를 이용하기

$31^{30}=(1+30)^{30}$이므로 이항정리에 의하여

$(1+30)^{30}={}_{30}C_0+{}_{30}C_1\times30^1+{}_{30}C_2\times30^2+\cdots+{}_{30}C_{30}\times30^{30}$

STEP Ⓑ 전개한 각 항이 900의 배수인지 확인하기

즉 $900=30^2$이고 전개식에서 ${}_{30}C_0$을 제외한 항은

모두 30^2을 인수로 가지고 있어 30^2의 배수이므로 900으로 나누어떨어진다.

⬅ 두 번째 항부터는 모두 900으로 나누어떨어진다.

STEP Ⓒ 31^{30}을 900으로 나눈 나머지 구하기

따라서 구하는 나머지는 ${}_{30}C_0=1$에서 1

서술형 & 주관식

21

정답 해설참조

1단계 A, B가 마주 보고 앉는 경우의 수를 구한다. ◀ 25%

A, B가 마주 보고 앉은 경우의 수는 1이다.
나머지 4명이 자리에 앉는 경우의 수는 남은 4개의 자리에 일렬로 앉는 경우의 수와 같으므로
$4!=24$

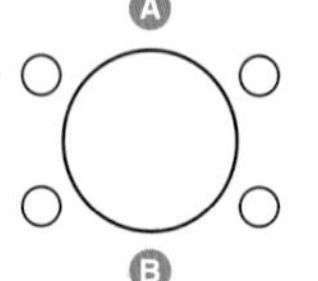

2단계 A, B가 서로 이웃하게 앉는 경우의 수를 구한다. ◀ 25%

A, B를 한 사람으로 생각하면 모두 5명이고
이들이 앉는 원순열의 수는 $(5-1)!=4!=24$
이때 각 경우에 대하여 A와 B가 자리를 바꾸는 경우의 수는 $2!=2$
따라서 구하는 경우의 수는 $24\times2=48$

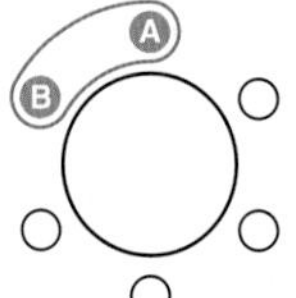

3단계 A, B가 서로 이웃하지 않도록 앉는 경우의 수를 구한다. ◀ 25%

A, B를 제외한 4명이 원형의 식탁에 앉는 경우의 수는 $(4-1)!=3!=6$
4명이 둘러앉은 자리 사이사이의 서로 다른 4개의 자리 중 2개를 택하여 앉는 경우의 수는 ${}_4P_2=12$
따라서 구하는 경우의 수는 $6\times12=72$

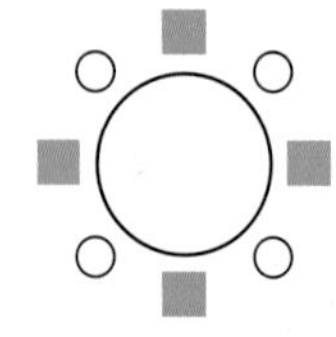

다른풀이 여사건을 이용하여 풀이하기

6명이 원형으로 앉는 경우의 수는 $(6-1)!=5!=120$
이 중 A, B가 서로 이웃하게 앉는 경우의 수는 $(5-1)!\times2=48$
따라서 A, B가 서로 이웃하지 않도록 앉는 경우의 수는 $120-48=72$

4단계 남학생과 여학생이 번갈아 앉는 경우의 수를 구한다. ◀ 25%

남학생 3명이 원형의 식탁에 앉는 경우의 수는 $(3-1)!=2!$
여학생 3명이 남학생들 사이의 3개의 자리에 앉는 경우의 수는 $3!$
따라서 구하는 경우의 수는 $2!\times3!=12$

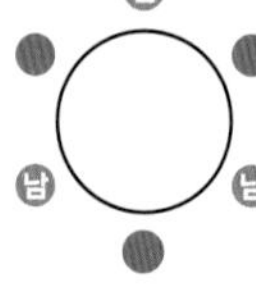

참고 여학생이 먼저 앉고, 이후 여학생들 사이사이에 남학생이 앉는 경우를 구해도 같은 결과가 나온다.

22

정답 해설참조

1단계 맨 뒤에 s가 오도록 배열하는 방법의 수를 구한다. ◀ 50%

하나의 s를 제외한 나머지 7개의 문자를 모두 일렬로 배열하면 된다.
이때 7개의 문자에 b가 2개, a가 2개, l가 2개, e가 1개 있으므로
구하는 방법의 수는 $\frac{7!}{2!2!2!}=630$

2단계 두 문자 s, e가 이웃하는 경우의 수를 구한다. ◀ 50%

두 문자 s, e를 한 문자로 생각하면 7개의 문자에 b가 2개, a가 2개, l이 2개 있으므로 구하는 방법의 수는 $\frac{7!}{2!2!2!}=630$
이때 s, e의 자리를 바꾸는 경우의 수는 $2!$
따라서 구하는 경우의 수는 $630\times2=1260$

23

정답 해설참조

1단계 짝수 번째 자리에 모음이 오게 나열하는 경우의 수를 구한다. ◀ 30%

3개의 짝수 번째 자리에 모음 a, a, e를 일렬로 나열하는 경우의 수는 $\frac{3!}{2!}=3$
4개의 홀수 번째 자리에 b, b, c, d를 일렬로 나열하는 경우의 수는 $\frac{4!}{2!}=12$
따라서 구하는 경우의 수는 $3\times12=36$

2단계 두 문자 a, a가 이웃하지 않는 경우의 수를 구한다. ◀ 20%

a, a, b, b, c, d, e를 일렬로 나열하는 경우의 수는 $\frac{7!}{2!2!}=1260$
a, a를 하나로 보고 6개를 일렬로 나열하는 경우의 수는 $\frac{6!}{2!}=360$
따라서 구하는 경우의 수는 $1260-360=900$

다른풀이 사이사이 배열하여 풀이하기

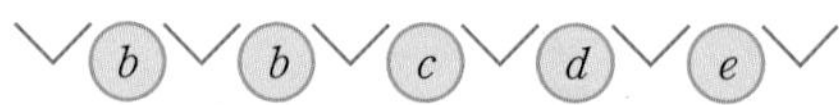

b, b, c, d, e의 5개를 일렬로 나열하고 그 사이사이에 a, a를 나열하는 경우의 수를 구한다.
따라서 구하는 경우의 수는 $\frac{5!}{2!}\times{}_6C_2=60\times15=900$

3단계 세 문자 c, d, e 중 어느 2개의 문자도 서로 이웃하지 않도록 나열하는 경우의 수를 구한다. ◀ 30%

4개의 문자 a, a, b, b를 일렬로 나열하는 경우의 수는 $\frac{4!}{2!2!}=6$
이 각각에 대하여 ∨이 놓여 있는 자리에 세 문자 c, d, e를 나열하는 경우의 수는 ${}_5P_3=5\times4\times3=60$

따라서 구하는 경우의 수는 $6\times60=360$

4단계 같은 문자는 이웃하지 않도록 하는 경우의 수를 구한다. ◀ 20%

7개의 문자를 일렬로 나열하는 순열의 수는
$\frac{7!}{2!2!}=1260$ …… ㉠
같은 문자가 이웃하는 경우는
(ⅰ) 'aa'가 있는 순열의 수는 'aa'를 한 문자로 보았을 때의 경우의 수이므로 $\frac{6!}{2!}=360$
(ⅱ) 'bb'가 있는 순열의 수는 'bb'를 한 문자로 보았을 때의 경우의 수이므로 $\frac{6!}{2!}=360$
(ⅲ) 'aa', 'bb'가 동시에 있는 경우의 수는 $5!=120$
(ⅰ)~(ⅲ)에 의하여 같은 문자가 이웃하는 경우의 수는
$360+360-120=600$ …… ㉡
따라서 ㉠, ㉡에 의하여 구하는 순열의 수는 $1260-600=660$

24

정답 120

STEP A 5가지 색을 모두 사용하지 않아도 되므로 사용되는 색의 가짓수로 경우를 나눠 경우의 수 구하기

정사각형은 나머지 4개의 영역과 모두 인접하고 있으므로
이 4개의 영역에는 정사각형에 칠한 색을 제외한 색을 칠해야 한다.
5가지 색을 모두 사용하지 않아도 되므로 사용되는 색의 가짓수로 경우를 나눠보면 다음과 같다.

(ⅰ) 3가지 색을 사용하여 칠하는 경우
주어진 5가지 색 중 사용할 3가지 색을 택하는 경우의 수는
${}_5C_3={}_5C_2=10$
3가지 색 중 정사각형에 칠할 색을 택하는 경우의 수는 ${}_3C_1=3$
오른쪽 그림과 같이 주어진 조건을 만족시키도록 남은 2가지 색을 칠하는 경우의 수는 1

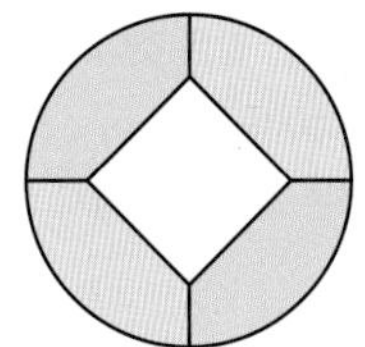

즉 3가지 색을 사용하여 칠하는 경우의 수는 $10\times3\times1=30$

(ⅱ) 4가지 색을 사용하여 칠하는 경우
주어진 5가지 색 중 사용할 4가지 색을 택하는 경우의 수는
${}_5C_4={}_5C_1=5$
4가지 색 중 정사각형에 칠할 색을 택하는 경우의 수는 ${}_4C_1=4$
오른쪽 그림과 같이 주어진 조건을 만족시키도록 남은 3가지 색 중 서로 마주보는 두 영역에 칠할 색을 택하는 경우의 수는 ${}_3C_1=3$

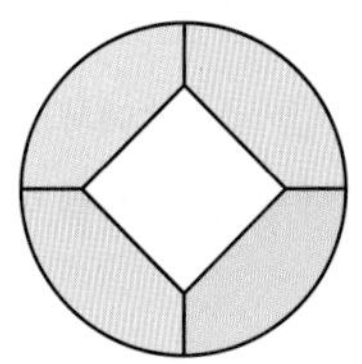

남은 2가지 색을 나머지 2개의 영역에 칠하는 경우의 수는 1
즉 4가지 색을 사용하여 칠하는 경우의 수는 $5\times4\times3\times1=60$

(ⅲ) 5가지 색을 사용하여 칠하는 경우
5가지 색 중 정사각형에 칠할 색을 택하는 경우의 수는
${}_5C_1=5$
남은 4가지 색을 나머지 4개 영역에 칠하는 경우의 수는
$(4-1)!=6$
즉 5가지 색을 사용하여 칠하는 경우의 수는 $5\times6=30$

STEP B 원판을 칠하는 경우의 수 구하기

(ⅰ)~(ⅲ)에서 원판을 칠하는 경우의 수는 $30+60+30=120$

MAPL; SYNERGY

02 경우의 수 모의평가

01	⑤	02	②	03	②	04	①	05	④
06	③	07	⑤	08	①	09	④	10	③
11	②	12	②	13	④	14	⑤	15	②
16	①	17	⑤	18	⑤	19	②	20	③

서술형

21	해설참조	22	해설참조
23	해설참조	24	185

01

정답 ⑤

STEP A 중복조합 계산하기

${}_6H_4={}_nC_5$에서 ${}_{6+4-1}C_4={}_nC_5$, 즉 ${}_9C_4={}_nC_5$
따라서 $n=9$

02

정답 ②

STEP A 여학생 4명이 원형으로 앉는 경우의 수 구하기

남학생 2명을 제외한 여학생 4명이 원형으로 앉는 경우의 수는 $(4-1)!=3!$

STEP B 남학생 2명이 앉는 경우의 수 구하기

여학생 4명 사이사이의 4자리(㉠, ㉡, ㉢, ㉣)에
남학생 2명이 2자리를 택하여 앉는 경우의 수는
${}_4P_2=12$
따라서 구하는 경우의 수는 $3!\times{}_4P_2=72$

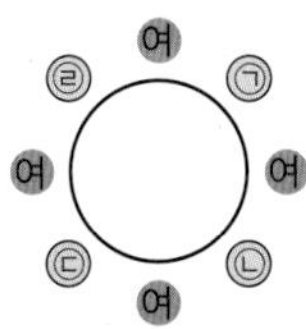

다른풀이 6명이 원탁에 둘러앉는 경우의 수에서 남학생 2명이 이웃하여 앉는 경우의 수를 빼서 풀이하기

6명이 원형의 탁자에 둘러앉는 경우의 수는 $(6-1)!=5!=120$
남학생 2명이 이웃하여 원형의 탁자에 둘러앉는 경우는
남학생 2명을 한 명으로 생각하여 5명이 원형으로 앉는 경우의 수이므로
$(5-1)!=4!=24$
이때 남학생 2명이 서로 자리를 바꾸는 경우의 수는 $2!=2$
따라서 남학생 2명이 서로 이웃하지 않도록 앉는 경우의 수는
$120-24\times2=72$

03

정답 ②

STEP A 안쪽에 있는 3개의 영역을 칠하는 경우의 수 구하기

안쪽에 있는 3개의 영역에 칠할 색 3가지를 택하는 경우의 수는 ${}_6C_3=20$
이 각각에 대하여 택한 3가지 색을 안쪽에 있는 3개의 영역에 칠하는 경우의 수는 회전하여 일치하는 것을 고려하면 $(3-1)!=2!=2$

STEP B 남은 3가지 색에서 나머지 3개의 영역을 칠하는 경우의 수 구하기

이 각각에 대하여 남은 3가지 색을 바깥쪽에 있는 3개의 영역에 칠하는 경우의 수는 $3!=6$

STEP C 곱의 법칙을 이용하여 경우의 수 구하기

따라서 구하는 경우의 수는 $20\times2\times6=240$

04

정답 ①

STEP A 중복순열을 이용하여 p의 값 구하기

조건 (가)에서
4명을 도배, 청소, 보일러 공사의 3가지 활동에 배정하는 중복순열의 경우의 수는 $p={}_3\mathrm{H}_4=3^4=81$

STEP B 중복순열을 이용하여 q의 값 구하기

조건 (나)에서
백의 자리에 올 수 있는 숫자는 0을 제외한 1, 2, 3, 4, 5의 5가지
나머지 두 자리에 숫자를 배열하는 방법의 수는
6개의 숫자 중에서 2개를 택하는 중복순열의 수이므로 ${}_6\Pi_2=6^2=36$
즉 구하는 세 자리의 자연수의 개수는 $q=5\times36=180$

STEP C 중복순열을 이용하여 r의 값 구하기

조건 (다)에서
1, 2, 3, 4에서 중복을 허용하여 만들 수 있는 세 자리 자연수의 개수는
${}_4\Pi_3=4^3=64$
이 중에서 3을 포함하지 않는 세 자리 자연수의 개수는 1, 2, 4의 3개에서 3개를 택하는 중복순열의 수와 같으므로 ${}_3\Pi_3=3^3=27$
즉 숫자 3을 반드시 포함하는 자연수의 개수는 $r=64-27=37$
따라서 $p=81$, $q=180$, $r=37$이므로 $p+q+r=298$

05

정답 ④

STEP A 2000보다 작은 자연수의 개수 구하기

한 자리의 수의 개수는 4
두 자리의 수의 개수는 $4\times{}_5\Pi_1=4\times5=20$
세 자리의 수의 개수는 $4\times{}_5\Pi_2=4\times5^2=100$
네 자리의 수 중에서 천의 자리의 숫자가 1인 수의 개수는 ${}_5\Pi_3=5^3=125$

STEP B 2000은 몇 번째 수인지 구하기

따라서 2000보다 작은 자연수의 개수는 $4+20+100+125=249$이므로
2000은 250번째 수이다.

06

정답 ③

STEP A 조건 (가), (나)를 만족하는 같은 것이 있는 경우의 수 구하기

I를 A로 간주하여 4개의 A를 나열한 뒤 마지막의 A를 I라 하면 된다.
M, L, Y를 놓을 자리를 X라 하고
8개의 문자 A, A, A, A, X, X, X, S를 일렬로 나열하는 경우의 수는
$\dfrac{8!}{4!3!}=280$

STEP B 곱의 법칙을 만족하는 경우의 수 구하기

위의 각각의 경우에 대해 X가 놓인 3개의 자리에 M, L, Y를 이 순서대로 놓거나 이와 반대의 순서대로 놓을 수 있으므로 경우의 수는 2
따라서 구하는 경우의 수는 곱의 법칙에 의하여 $280\times2=560$

07

정답 ⑤

STEP A 조건을 만족하는 경우를 나열하기

10개의 문자는 A가 1개, C가 1개, I가 2개, S가 3개, T가 3개이다.

S (I A C I) S T T T S

조건 (가)에 의하여 10개의 문자 중에서 두 개의 S를 양쪽 끝에 나열하고 남은 8개의 문자를 나열한다.
조건 (나)를 만족시키려면 A와 C를 I라 생각하고 일렬로 나열한 후 나열된 네 개의 I 중에서 가운데 두 개의 I를 A와 C로 바꾸면 된다.

STEP B 같은 것이 있는 경우의 수 구하기

따라서 구하는 경우의 수는 8개의 문자 중에서 4개의 I, 3개의 T가 있는 같은 것이 있는 순열의 수에서 A와 C의 자리를 서로 바꾸는 경우의 수인 2를 곱하면 되므로 $\dfrac{8!}{3!4!}\times2=560$

08

정답 ①

STEP A A지점에서 B지점까지 최단거리로 가는 경우의 수 구하기

문제에서 주어진 그림을 다시 나타내면 다음과 같다.

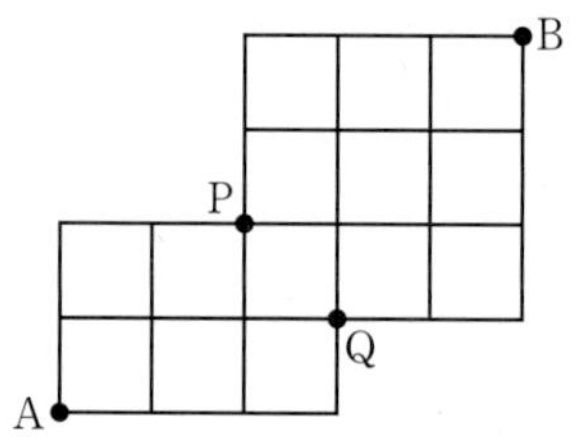

이때 A지점에서 B지점까지 최단거리로 가는 경로는 다음과 같이 두 가지가 있다.
(i) A → P → B로 최단거리로 가는 경우의 수는
$\dfrac{4!}{2!2!}\times\dfrac{5!}{3!2!}=6\times10=60$
(ii) A → Q → B로 최단거리로 가는 경우의 수는
$\dfrac{4!}{3!1!}\times\dfrac{5!}{3!2!}=4\times10=40$
(i), (ii)에서 구하는 경우의 수는 $60+40=100$

09

정답 ④

STEP A 야구공 3개를 학생 2명에게 나누어 주는 경우의 수 구하기

같은 종류의 야구공 3개를 학생 2명에게 남김없이 나누어 주는 경우의 수는 서로 다른 2개에서 3개를 택하는 중복조합의 수와 같으므로
${}_2\mathrm{H}_3={}_{2+3-1}\mathrm{C}_3={}_4\mathrm{C}_3={}_4\mathrm{C}_1=4$

STEP B 축구공 4개를 학생 2명에게 나누어 주는 경우의 수 구하기

같은 종류의 축구공 4개를 학생 2명에게 남김없이 나누어 주는 경우의 수는 서로 다른 2개에서 4개를 택하는 중복조합의 수와 같으므로
${}_2\mathrm{H}_4={}_{2+4-1}\mathrm{C}_4={}_5\mathrm{C}_4={}_5\mathrm{C}_1=5$

STEP C 곱의 법칙을 이용하여 경우의 수 구하기

따라서 구하는 경우의 수는 $4\times5=20$

10

정답 ③

STEP A 중복순열을 이용하여 a, b 구하기

조건 (가)에서 구하는 경우의 수는 서로 다른 3개에서 중복을 허락하여 2개를 뽑아 나열하는 경우의 수와 같으므로 $a={}_3\Pi_2=3^2=9$
조건 (나)에서 각 바구니에 많아야 한 개의 공을 넣어야 하므로 한 상자에 2개의 공을 넣을 수 없다.
구하는 경우의 수는 상자에 공을 넣는 전체 경우의 수에서 한 상자에 2개의 공이 들어가는 경우의 수를 뺀 것과 같으므로
$b={}_3\Pi_2-3=3^2-3=6$

STEP B 중복조합을 이용하여 c 구하기

조건 (다)에서 구하는 경우의 수는 서로 다른 3개에서 중복을 허락하여 2개를 뽑는 경우의 수와 같으므로 $c={}_3H_2={}_4C_2=6$
따라서 $a+b+c=9+6+6=21$

11

정답 ②

STEP A 음이 아닌 정수해의 개수 구하기

방정식 $x+y+z+w=4$를 만족시키는 음이 아닌 정수해의 순서쌍 $(x,\ y,\ z,\ w)$의 개수는 서로 다른 네 문자 x, y, z, w에서 중복을 허락하여 4개를 뽑는 중복조합의 수와 같으므로
$m={}_4H_4={}_{4+4-1}C_4={}_7C_4=35$

STEP B 양의 정수해의 개수 구하기

방정식 $x+y+z=13$에서
$x=a+1$, $y=b+1$, $z=c+1$ (a, b, c는 음이 아닌 정수)
로 놓으면 조건을 만족시키는 모든 순서쌍 $(x,\ y,\ z)$의 개수는
방정식 $a+b+c=10$을 만족시키는 음이 아닌 정수 a, b, c의 모든 순서쌍 $(a,\ b,\ c)$의 개수와 같으므로 구하는 순서쌍의 개수는 서로 다른 3개에서 10개를 택하는 중복조합의 수와 같다.
$n={}_3H_{10}={}_{3+10-1}C_{10}={}_{12}C_{10}={}_{12}C_2=66$

STEP C $n-m$의 값 구하기

따라서 $n-m=66-35=31$

12

정답 ②

STEP A $f(1)$이 가질 경우의 수 구하기

$f(1)$이 가질 수 있는 값의 경우의 수는
조건 (가), (나)에 의해 $f(1)\le 5$를 만족하므로
$f(1)=4$ 또는 $f(1)=5$
즉 $f(1)$이 가질 수 있는 경우의 수는 2이다.

STEP B $f(3)$, $f(4)$가 가질 수 있는 경우의 수 구하기

$f(3)$, $f(4)$가 가질 수 있는 값의 경우의 수는
조건 (나)에 의해 $5\le f(3)\le f(4)\le 7$을 만족해야 하므로 5, 6, 7 중 중복을 허락하여 2개를 선택한 후, $f(3)\le f(4)$를 만족하도록 대응시켜주면 되므로 구하는 경우의 수는
${}_3H_2={}_{3+2-1}C_2={}_4C_2=6$

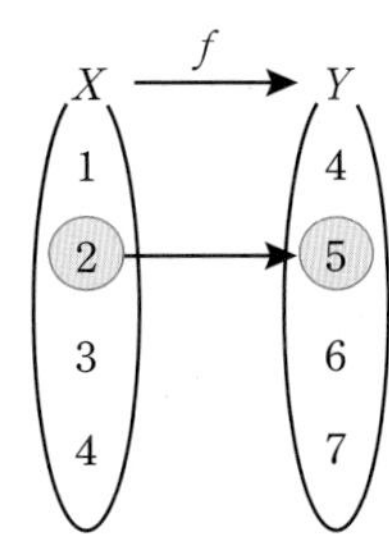

STEP C 곱의 법칙을 이용하여 구하기

(ⅰ), (ⅱ)에서 함수의 개수는 $2\times 6=12$

13

정답 ④

STEP A 조건 (가)를 만족하는 중복조합의 경우의 수

조건 (가)에 의하여 각 사람에게 장미를 1송이씩 나누어 준 후
남은 4송이를 세 사람에게 중복을 허락하여 나누어 주는 경우의 수는
${}_3H_4={}_{3+4-1}C_4={}_6C_4={}_6C_2=15$

STEP B 조건 (나)를 만족하는 중복조합의 경우의 수

조건 (나)를 만족시키도록 국화를 세 사람에게 나누어 주는 경우의 수는
국화 5송이를 세 사람에게 중복을 허락하여 나누어 주는 경우의 수에서
세 사람에게 1송이씩 나누어 준 후 남은 2송이를 세 사람에게 중복을 허락하여 나누어 주는 경우의 수를 뺀 것과 같으므로
${}_3H_5-{}_3H_2={}_{3+5-1}C_5-{}_{3+2-1}C_2={}_7C_5-{}_4C_2={}_7C_2-{}_4C_2=21-6=15$

STEP C 구하는 경우의 수 구하기

따라서 구하는 경우의 수는 $15\times 15=225$

14

정답 ⑤

STEP A 다항식의 전개식에서 일반항 구하기

$(x+a)^6$의 전개식의 일반항은 ${}_6C_r x^{6-r}a^r$

STEP B 상수항과 x^3의 계수의 합이 0임을 이용하여 a 구하기

상수항은 $6-r=0$, 즉 $r=6$일 때이므로 ${}_6C_6a^6=a^6$
x^3항은 $6-r=3$, 즉 $r=3$일 때이므로 x^3의 계수는 ${}_6C_3a^3=20a^3$
$a^6+20a^3=0$에서 $a^3(20+a^3)=0$
$a\ne 0$이므로 $a^3=-20$

STEP C 상수항 구하기

따라서 구하는 상수항은 $a^6=(a^3)^2=(-20)^2=400$

15

정답 ②

STEP A $\left(ax+\dfrac{1}{x}\right)^4$의 전개식에서 상수항이 54일 때, 양수 a 구하기

$\left(ax+\dfrac{1}{x}\right)^4$의 전개식에서 일반항은
${}_4C_r(ax)^{4-r}\left(\dfrac{1}{x}\right)^r={}_4C_r a^{4-r}x^{4-2r}$ (단, $r=0,\ 1,\ 2,\ 3,\ 4$)
상수항은 $4-2r=0$이므로 $r=2$
이때 상수항이 54이므로 ${}_4C_2\cdot a^2=6a^2=54$
즉 $a^2=9$ 이므로 $a=3$ ($\because a>0$)

STEP B $\left(x-\dfrac{b}{y}\right)^5$의 전개식에서 $\dfrac{x^3}{y^2}$의 계수가 250임을 이용하여 양수 b 구하기

$\left(x-\dfrac{b}{y}\right)^5$의 전개식의 일반항은
${}_5C_r x^{5-r}\left(-\dfrac{b}{y}\right)^r={}_5C_r(-b)^r x^{5-r}\left(-\dfrac{1}{y}\right)^r$ (단, $r=0,\ 1,\ 2,\ 3,\ 4,\ 5$)
$\dfrac{x^3}{y^2}$의 항은 $5-r=3$인 경우이므로 $r=2$
이때 $\dfrac{x^3}{y^2}$의 계수가 250이므로 ${}_5C_2(-b)^2=250$에서 $10b^2=250$
즉 $b^2=25$이므로 $b=5$($\because b>0$)
따라서 $a=3$, $b=5$이므로 $a+b=3+5=8$

16

정답 ①

STEP Ⓐ **다항식의 전개식의 일반항을 구하기**

$\left(2x^5+\dfrac{3}{x^2}\right)^n$의 전개식의 일반항은

${}_nC_r(2x^5)^{n-r}\left(\dfrac{3}{x^2}\right)^r={}_nC_r2^{n-r}3^r\cdot x^{5n-7r}$

STEP Ⓑ **0이 아닌 상수항이 나오도록 하는 모든 n의 값의 합 구하기**

상수항이 되려면 $5n-7r=0$

$\therefore n=\dfrac{7}{5}r$

즉 5와 7이 서로소이므로 r은 5의 배수이고 n은 7의 배수이다.

따라서 100 이하의 7의 배수는 7, 14, 21, $\cdots$, 98이고 이들의 합은

$\dfrac{14(7+98)}{2}=735$ ⬅ 등차수열의 합

17

 ⑤

STEP Ⓐ **이항정리의 일반항을 구하여 x^3의 항이 나오는 경우 구하기**

$(x^2+1)^n$의 전개식의 일반항은 ${}_nC_r(x^2)^r1^{n-r}={}_nC_rx^{2r}$

이때 $(x^2+1)^n$의 전개식에는 홀수차인 항이 존재하지 않으므로

$(x+1)^3(x^2+1)^n$의 전개식에서 x^3의 계수는

$(x+1)^3$의 전개식의 x^3의 계수와 $(x^2+1)^n$의 전개식의 상수항을 곱한 값과

$(x+1)^3$의 전개식의 x의 계수와 $(x^2+1)^n$의 전개식의 x^2의 계수를 곱한 값을 더하면 된다.

STEP Ⓑ **x^3의 계수가 28일 때, 자연수 n의 값 구하기**

(i) $(x+1)^3$의 전개식의 x^3의 계수와 $(x^2+1)^n$의 전개식의 상수항을 곱한 경우

${}_3C_3\times{}_nC_0=1$이므로 x^3의 계수는 1이다.

(ii) $(x+1)^3$의 전개식의 x의 계수와 $(x^2+1)^n$의 전개식의 x^2의 계수를 곱한 경우

${}_3C_1\times{}_nC_1=3n$이므로 x^3의 계수는 $3n$

(i), (ii)에서 $(x+1)^3(x^2+1)^n$의 전개식의 x^3의 계수는 $1+3n=28$

$\therefore n=9$

18

 ⑤

STEP Ⓐ **이항계수의 성질을 이용하여 [보기]의 참, 거짓 판단하기**

ㄱ. ${}_3C_3+{}_4C_3+{}_5C_3+{}_6C_3+\cdots+{}_{10}C_3$ ⬅ ${}_3C_3={}_4C_4$

$=({}_4C_4+{}_4C_3)+{}_5C_3+{}_6C_3+\cdots+{}_{10}C_3$ ⬅ ${}_{n-1}C_{r-1}+{}_{n-1}C_r={}_nC_r$

$=({}_5C_4+{}_5C_3)+{}_6C_3+\cdots+{}_{10}C_3$

$={}_6C_4+{}_6C_3+\cdots+{}_{10}C_3$

$\vdots$

$={}_{10}C_4+{}_{10}C_3={}_{11}C_4$ [참]

ㄴ. $(1+x)^n={}_nC_0+{}_nC_1x+{}_nC_2x^2+\cdots+{}_nC_nx^n$ ⋯⋯ ㉠

㉠에서 $n=50$이고

$x=1$일 때, $(1+1)^{50}={}_{50}C_0+{}_{50}C_1+{}_{50}C_2+\cdots+{}_{50}C_{50}$

$x=-1$일 때, $(1-1)^{50}={}_{50}C_0-{}_{50}C_1+{}_{50}C_2-\cdots+{}_{50}C_{50}$

두 식의 양변을 각각 빼서 정리하면

$2^{50}=2({}_{50}C_1+{}_{50}C_3+\cdots+{}_{50}C_{49})$이므로 ${}_{50}C_1+{}_{50}C_3+\cdots+{}_{50}C_{49}=2^{49}$ [참]

ㄷ. $(1+x)^n={}_nC_0+{}_nC_1x+{}_nC_2x^2+\cdots+{}_nC_nx^n$ ⋯⋯ ㉡

㉡에 $x=7$, $n=10$을 대입하면

${}_{10}C_0+7{}_{10}C_1+7^2{}_{10}C_2+\cdots+7^{10}{}_{10}C_{10}=(1+7)^{10}=8^{10}=(2^3)^{10}=2^{30}$ [참]

따라서 옳은 것은 ㄱ, ㄴ, ㄷ이다.

19

정답 ②

STEP Ⓐ **$11^{11}=(1+10)^{11}$으로 변형하여 이항정리를 이용하기**

$11^{11}=(1+10)^{11}$이므로 이항정리에 의하여

$(1+10)^{11}={}_{11}C_0+{}_{11}C_1\cdot10+{}_{11}C_2\cdot10^2+{}_{11}C_3\cdot10^3+\cdots+{}_{11}C_{11}10^{11}$

$=1+11\cdot10+55\cdot10^2+10^3({}_{11}C_3+{}_{11}C_4\cdot10+\cdots+{}_{11}C_{11}\cdot10^8)$

위의 전개식에서 $1, 11\cdot10, 55\cdot10^2$을 제외한 항은 모두 10^3의 배수이므로

백의 자리의 숫자, 십의 자리의 숫자, 일의 자리의 숫자는

$1+11\cdot10+55\cdot10^2$만 계산하여 구한다.

STEP Ⓑ **abc의 값 구하기**

$1+110+5500=5611$이므로

11^{11}의 백의 자리 숫자는 6, 십의 자리의 숫자는 1, 일의 자리의 숫자는 1

따라서 $a=6$, $b=1$, $c=1$이므로 $abc=6$

20

 ③

STEP Ⓐ **조건을 만족하는 식 작성하기**

A가 B에게 전송하는 수의 만의 자리는 1이고

천의 자리, 백의 자리, 십의 자리의 수를 각각 x, y, z라고 하자.

이때 일의 자리의 수가 0인 것은 $1+x+y+z\le10$

즉 $x+y+z\le9$일 때이다.

STEP Ⓑ **파스칼의 삼각형을 이용하여 구하기**

즉 구하는 경우의 수는

$x+y+z=n$ (단, $n=0, 1, 2, \cdots, 9$) ⋯⋯ ㉠

의 음이 아닌 정수해의 개수와 같다.

따라서 ㉠의 음이 아닌 정수해의 개수는 각 n에 대하여 ${}_3H_n$개이므로

구하는 경우의 수는

${}_3H_0+{}_3H_1+{}_3H_2+\cdots+{}_3H_9={}_2C_0+{}_3C_1+{}_4C_2+\cdots+{}_{11}C_9$

$={}_3C_0+{}_3C_1+{}_4C_2+\cdots+{}_{11}C_9$

$={}_4C_1+{}_4C_2+\cdots+{}_{11}C_9$

$={}_5C_2+{}_5C_3+\cdots+{}_{11}C_9\cdots$

$={}_{11}C_8+{}_{11}C_9$

$={}_{12}C_9={}_{12}C_3$

$=220$

다른풀이 파스칼의 삼각형을 이용하여 풀이하기

하키스틱에 의하여

${}_2C_0+{}_3C_1+{}_4C_2+\cdots+{}_{11}C_9={}_{12}C_9={}_{12}C_3=220$

다른풀이 부등식을 방정식으로 치환하여 풀이하기

$x+y+z\le9$를 만족하는 x, y, z가 음이 아닌 정수해의 순서쌍 (x, y, z)와

$x+y+z+k=9$를 만족하는 x, y, z가 음이 아닌 정수해의 순서쌍

(x, y, z, k)는 일대일대응한다.

즉 $x+y+z+k=9$를 만족하는 x, y, z가 음이 아닌 정수해의 개수는

${}_4H_9={}_{12}C_9={}_{12}C_3=220$

서술형 & 주관식

21

정답 해설참조

1단계	원을 6등분하여 도형의 6개의 영역에 서로 다른 8가지 색으로 구분되게 칠하는 경우의 수를 구한다.	◀ 30%

8가지 색 중에서 서로 다른 6가지 색을 택하여 원의 내부 6개의 영역에 원형으로 배열하는 원순열의 수와 같다.

따라서 구하는 경우의 수는 ${}_8C_6\times(6-1)!=28\times120=3360$ ⬅ ${}_8C_6\times\frac{6!}{6}$

2단계	중심이 같은 두 원 사이를 5등분하여 도형의 6개의 영역에 서로 다른 8가지 색으로 구분되게 칠하는 경우의 수를 구한다.	◀ 30%

8가지 색 중에서 서로 다른 6가지 색을 택하는 경우의 수 ${}_8C_6=28$

작은 원에 칠하는 경우의 수는 ${}_6C_1=6$

나머지 서로 다른 5가지 색을 모두 사용하여 합동인 5개의 영역에 칠하는 경우의 수는 서로 다른 5개를 원형으로 배열하는 원순열의 수와 같으므로

$\frac{5!}{5}=(5-1)!=4!=24$

따라서 구하는 경우의 수는 $28\times6\times24=4032$ ⬅ ${}_8C_6\times{}_6C_1\times\frac{5!}{5}$

3단계	원에 내접하는 정사각형을 4등분하여 도형의 8개의 영역에 서로 다른 8가지 색으로 구분되게 칠하는 경우의 수를 구한다.	◀ 40%

8가지 색 중에서 서로 다른 4가지 색을 택하여 정사각형 내부의 4개의 영역에 칠하는 경우의 수는 ${}_8C_4\times(4-1)!$ ⬅ $\frac{{}_8P_4}{4}$

나머지 4가지 색으로 정사각형 외부의 4개의 영역에 칠하는 경우의 수는 $4!$

따라서 구하는 경우의 수는 ${}_8C_4\times3!\times4!=10080$ ⬅ $\frac{{}_8P_4}{4}\times4!=\frac{8!}{4}$

22

정답 해설참조

1단계	양의 정수해의 모든 순서쌍 (a, b, c, d, e)의 개수를 구한다.	◀ 20%

$a=a'+1,\ b=b'+1,\ c=c'+1,\ d=d'+1,\ e=e'+1$

(단, a', b', c', d', e'은 음이 아닌 정수)

로 놓으면 방정식 $a+b+c+d+e=17$의 양의 정수해는

방정식 $a'+b'+c'+d'+e'=12$의 음이 아닌 정수해의 개수와 같으므로

${}_5H_{12}={}_{5+12-1}C_{12}={}_{16}C_{12}={}_{16}C_4=1820$

2단계	a, c, e는 홀수, b, d는 짝수인 모든 순서쌍 (a, b, c, d, e)의 개수를 구한다.	◀ 40%

양의 정수 a, b, c, d, e에 대하여 a, c, e는 홀수이므로

$a=2a'+1,\ c=2c'+1,\ e=2e'+1$로 놓고 b, d는 짝수이므로

$b=2b'+2,\ d=2d'+2$(단, a', b', c', d', e'은 음이 아닌 정수)

로 놓으면

$a+b+c+d+e=(2a'+1)+(2b'+2)+(2c'+1)+(2d'+2)+(2e'+1)=17$

에서 $a'+b'+c'+d'+e'=5$

즉 구하는 순서쌍의 개수는 방정식 $a'+b'+c'+d'+e'=5$의 음이 아닌 정수해의 개수와 같으므로 ${}_5H_5={}_{5+5-1}C_5={}_9C_5={}_9C_4=126$

3단계	$a\geq2,\ b\geq3,\ c\geq4$인 모든 순서쌍 (a, b, c, d, e)의 개수를 구한다.	◀ 40%

a, b, c는 $a\geq2,\ b\geq3,\ c\geq4$인 자연수이므로

$a=a'+2,\ b=b'+3,\ c=c'+4$로 놓고

d, e는 양의 정수이므로 $d=d'+1,\ e=e'+1$

(단, a', b', c', d', e'은 음이 아닌 정수)

로 놓으면

$a+b+c+d+e=(a'+2)+(b'+3)+(c'+4)+(d'+1)+(e'+1)=17$에서

$a'+b'+c'+d'+e'=6$

즉 구하는 순서쌍의 개수는 방정식 $a'+b'+c'+d'+e'=6$의 음이 아닌 정수해의 개수와 같으므로 ${}_5H_6={}_{5+6-1}C_6={}_{10}C_6={}_{10}C_4=210$

23

정답 해설참조

1단계	21^{41}을 $(20+1)^{41}$으로 변형한 후 이항정리를 이용하여 전개한다.	◀ 50%

이항정리를 이용하여 $(1+x)^{41}$을 전개하면

$(1+x)^{41}={}_{41}C_0+{}_{41}C_1x+{}_{41}C_2x^2+\cdots+{}_{41}C_{41}x^{41}$

이 식에 $x=20$을 대입하면

$21^{41}=(1+20)^{41}={}_{41}C_0+{}_{41}C_1\cdot20+{}_{41}C_2\cdot20^2+\cdots+{}_{41}C_{41}20^{41}$

2단계	1단계에서 전개한 각 항이 400의 배수인지 알아본다.	◀ 20%

${}_{41}C_2\cdot20^2+\cdots+{}_{41}C_{41}20^{41}$은 모두 400으로 나누어떨어진다.

즉 ${}_{41}C_0+{}_{41}C_1\cdot20$을 제외하고 모두 400의 배수이다.

3단계	2단계의 결과를 이용하여 21^{41}을 400으로 나누었을 때의 나머지를 구한다.	◀ 30%

21^{41}을 400으로 나눈 나머지는

${}_{41}C_0+{}_{41}C_1\cdot20=1+41\cdot20=821$을 400으로 나눈 나머지와 같다.

따라서 $821=400\times2+21$이므로 구하는 나머지는 21

24

정답 185

STEP Ⓐ 중간지점을 정하여 최단거리의 경우의 수 구하기

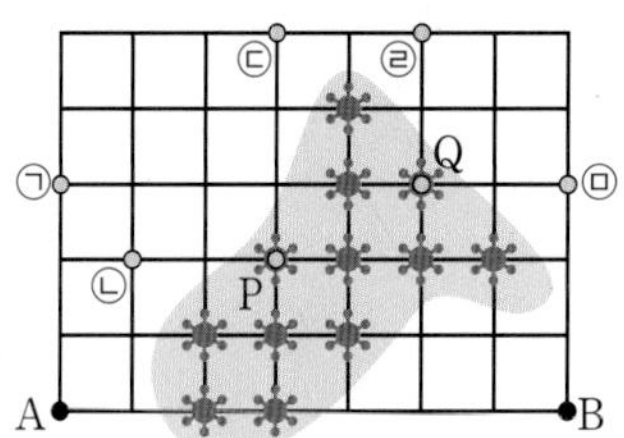

위의 그림과 같이 지나게 되는 5개의 지점을 각각 ㉠, ㉡, ㉢, ㉣, ㉤이라 하자.

(i) ㉠지점을 지나는 경우

A → ㉠ → ㉢ → ㉣ → ㉤ → B이고

㉣ → ㉤일 때, 그림의 Q지점을 지날 수 없으므로 모든 경우에서 1가지 경우를 제외시켜주어야 한다.

즉 구하는 경우의 수는

$1\times\frac{5!}{3!2!}\times1\times\left(\frac{4!}{2!2!}-1\right)\times1=50$

(ii) ㉡지점을 지나는 경우

A → ㉡ → ㉢ → ㉣ → ㉤ → B이고

㉡ → ㉢일 때, 그림의 P지점,

㉣ → ㉤일 때, 그림의 Q지점을 지날 수 없으므로 각각의 경우에서 1가지 경우를 제외시켜 주어야 한다.

즉 구하는 경우의 수는

$\frac{3!}{2!}\times\left(\frac{5!}{2!3!}-1\right)\times1\times\left(\frac{4!}{2!2!}-1\right)\times1=135$

(i), (ii)에서 구하는 경우의 수는 $50+135=185$

다른풀이 직접 일일이 세서 풀이하기

다음과 같이 일일이 세는 방법도 가능하다.

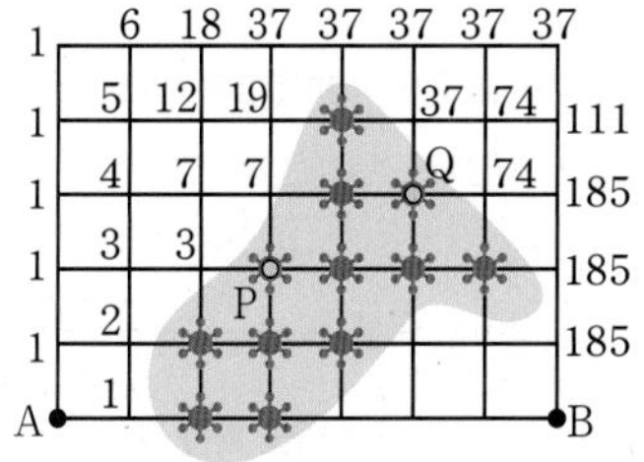

MAPL; SYNERGY

01 확률 모의평가

01	④	02	①	03	⑤	04	②	05	②
06	③	07	①	08	④	09	①	10	③
11	③	12	③	13	③	14	③	15	④
16	②	17	③	18	④	19	②	20	②

서술형

21	해설참조	22	해설참조
23	해설참조	24	5

01

정답 ④

STEP A 모든 경우의 수 구하기

6명의 학생을 일렬로 세우는 경우의 수는 $6!$

STEP B A와 B 사이에 한 사람이 있을 확률 구하기

A와 B 사이에 한 사람만 세우는 경우의 수는 A, B를 제외한 4명의 학생 중 한 명을 뽑아 A와 B 사이에 세우고, 이들 3명을 묶어서 한 명으로 생각하여 나머지 3명과 함께 일렬로 세우는 경우이다.
이때 A와 B가 위치를 바꿀 수 있으므로 구하는 경우의 수는 ${}_4C_1\times4!\times2!$

따라서 구하는 확률은 $\dfrac{{}_4C_1\times4!\times2!}{6!}=\dfrac{4}{15}$

02

정답 ①

STEP A 모든 경우의 수 구하기

네 학생에게 4개의 책을 나누어 주는 경우의 수는 $4!=24$

STEP B 4명 모두 다른 사람의 책을 뽑는 확률 구하기

A, B, C, D가 가져온 책을 각각 a, b, c, d라고 하자.
A가 b를 갖게 되었을 때, 네 학생이 자신의 책을 갖지 않는 경우는 다음 표와 같이 3가지이다.

학생	A	B	C	D
책	b	a	d	c
	b	c	d	a
	b	d	a	c

또, A가 c 또는 d를 갖게 될 때도 각각 3가지의 경우가 생기므로 서로 다른 책을 갖는 방법의 수는 $3\cdot3=9$

따라서 구하는 확률은 $\dfrac{9}{4!}=\dfrac{3}{8}$

03

정답 ⑤

STEP A 장미, 국화 화분을 이웃하여 원형의 화단에 진열하는 확률 구하기

6종류의 화분을 원모양의 화단에 진열하는 경우의 수는 $(6-1)!=5!=120$
이 중에서 장미, 국화 화분을 이웃하게 진열하는 경우의 수는
$(5-1)!\times2!=48$이므로 구하는 확률은 $p=\dfrac{(5-1)!\times2!}{5!}=\dfrac{48}{120}=\dfrac{2}{5}$

STEP B 여학생끼리 이웃하지 않게 앉을 확률 구하기

7명이 원탁에 앉는 경우의 수는 $(7-1)!=6!=720$
남학생 4명이 원탁에 둘러앉은 경우의 수는 $(4-1)!=3!$
남학생 4명 사이사이에 여학생을 앉히는 경우의 수는 ${}_4P_3$이므로
여학생끼리는 서로 이웃하지 않게 앉는 경우의 수는 $3!\times{}_4P_3=144$
구하는 확률은 $q=\dfrac{144}{720}=\dfrac{1}{5}$

STEP C $p+q$의 값 구하기

따라서 $p=\dfrac{2}{5}$, $q=\dfrac{1}{5}$이므로 $p+q=\dfrac{3}{5}$

04

정답 ②

STEP A 모든 경우의 수 구하기

중복을 허락하여 0, 1, 2, 3으로 만들 수 있는 세 자리 사연수의 개수는
$3\times{}_4\Pi_2=3\times4^2=48$

STEP B 짝수일 확률 구하기

짝수이려면 일의 자리 수가 0, 2 중 하나이고 백의 자리의 수로 가능한 숫자는 0을 제외한 3가지, 십의 자리의 수로 가능한 숫자는 4가지이므로 짝수의 개수는 $3\times4\times2=24$

따라서 구하는 확률은 $\dfrac{24}{48}=\dfrac{1}{2}$

05

정답 ②

STEP A 모든 경우의 수 구하기

10개의 공 중에서 6개의 공을 꺼내는 경우의 수는 ${}_{10}C_6={}_{10}C_4=210$

STEP B 꺼낸 공에 적힌 숫자 중 두 번째로 작은 수가 4일 확률 구하기

꺼낸 공에 적힌 숫자 중 두 번째로 작은 수가 4이기 위해서는
가장 작은 수가 3 이하이고 나머지 네 개의 수가 5 이상이어야 하므로
그 경우의 수는 ${}_3C_1\times{}_6C_4={}_3C_1\times{}_6C_2=3\times15=45$

따라서 구하는 확률은 $\dfrac{45}{210}=\dfrac{3}{14}$

06

정답 ③

STEP A 통계적 확률을 이용하여 구하기

흰 공의 개수를 n이라고 하면 10개 중에서 3개 모두 흰 공이 나올 확률은
$\dfrac{1}{6}$이므로 $\dfrac{{}_nC_3}{{}_{10}C_3}=\dfrac{1}{6}$, $\dfrac{n(n-1)(n-2)}{720}=\dfrac{1}{6}$

$n(n-1)(n-2)=120=6\cdot5\cdot4$

$\therefore n=6$

즉 구하는 흰 공의 개수는 $a=6$

STEP B $P(A\cap B)=P(A)P(B|A)$를 이용하여 n의 값 구하기

현수가 당첨 제비를 뽑는 사건을 A,
지영이가 당첨 제비를 뽑는 사건을 B라 하자.
당첨 제비의 수를 n이라 하면

$P(A\cap B)=P(A)P(B|A)=\dfrac{n}{10}\times\dfrac{n-1}{9}=\dfrac{n(n-1)}{90}$

두 사람이 뽑은 제비가 모두 당첨 제비일 확률이 $\dfrac{2}{15}$이므로 $\dfrac{n(n-1)}{90}=\dfrac{2}{15}$

$n^2-n-12=0$, $(n+3)(n-4)=0$

즉 당첨제비의 개수는 n은 자연수이므로 $b=4$

STEP C $a+b$의 값 구하기

따라서 $a=6$, $b=4$이므로 $a+b=10$

07

정답 ①

STEP A x에 대한 이차방정식의 해 구하기

$10x^2-7nx+n^2=0$에서 $(2x-n)(5x-n)=0$이므로
$x=\frac{n}{2}$ 또는 $x=\frac{n}{5}$

STEP B 정수해가 존재하기 위한 각각의 확률 구하기

이때 정수해가 존재하려면 n이 2의 배수 또는 5의 배수이어야 한다.
n이 2의 배수인 사건을 A, 5의 배수인 사건을 B라고 하면
$A\cap B$는 10의 배수인 사건이므로
$\mathrm{P}(A)=\frac{10}{20}=\frac{1}{2}$, $\mathrm{P}(B)=\frac{4}{20}=\frac{1}{5}$, $\mathrm{P}(A\cap B)=\frac{2}{20}=\frac{1}{10}$

STEP C $\mathrm{P}(A\cup B)=\mathrm{P}(A)+\mathrm{P}(B)-\mathrm{P}(A\cap B)$를 이용하여 구하기

따라서 정수해가 존재할 확률은
$\mathrm{P}(A\cup B)=\mathrm{P}(A)+\mathrm{P}(B)-\mathrm{P}(A\cap B)=\frac{1}{2}+\frac{1}{5}-\frac{1}{10}=\frac{3}{5}$

08

정답 ④

STEP A 모든 경우의 수 구하기

9개의 공이 들어있는 주머니에서 임의로 3개의 공을 동시에 꺼내는 경우의 수는 ${}_9\mathrm{C}_3$

STEP B 흰 공의 개수가 검은 공의 개수보다 많을 확률 구하기

(i) 흰 공의 개수가 3, 검은 공의 개수가 0인 사건을 A,
사건 A가 일어나는 경우의 수는 ${}_5\mathrm{C}_3\times{}_4\mathrm{C}_0$이므로
사건 A가 일어날 확률은 $\mathrm{P}(A)=\frac{{}_5\mathrm{C}_3\times{}_4\mathrm{C}_0}{{}_9\mathrm{C}_3}=\frac{5}{42}$

(ii) 흰 공의 개수가 2, 검은 공의 개수가 1인 사건을 B라 하자.
사건 B가 일어나는 경우의 수는 ${}_5\mathrm{C}_2\times{}_4\mathrm{C}_1$이므로
사건 B가 일어날 확률은 $\mathrm{P}(B)=\frac{{}_5\mathrm{C}_2\times{}_4\mathrm{C}_1}{{}_9\mathrm{C}_3}=\frac{10}{21}$

STEP C 서로 배반사건임을 이용하여 구하기

따라서 두 사건 A와 B가 서로 배반사건이므로 구하는 확률은
$\mathrm{P}(A\cup B)=\mathrm{P}(A)+\mathrm{P}(B)=\frac{5}{42}+\frac{10}{21}=\frac{25}{42}$

09

정답 ①

STEP A 모든 경우의 수 구하기

100개의 자연수 중에서 1개의 수를 꺼내는 전체 경우의 수는 100

STEP B 여사건은 2의 배수 또는 3의 배수인 사건 구하기

$12=2^2\times3$이므로 12와 서로소이기 위해서는 2와 3모두와 서로소이어야 한다.
즉 2의 배수도 아니고 3의 배수도 아니어야 하므로
이 사건의 여사건은 2의 배수 또는 3의 배수인 사건이다.
상자에서 임의로 1개의 공을 꺼낼 때, 꺼낸 공에 적혀 있는 수가 2의 배수, 3의 배수일 사건을 각각 A, B라 하고
꺼낸 공에 적혀 있는 수가 6의 배수일 사건을 $A\cap B$라 하면
$\mathrm{P}(A)=\frac{50}{100}$, $\mathrm{P}(B)=\frac{33}{100}$, $\mathrm{P}(A\cap B)=\frac{16}{100}$
즉 2의 배수 또는 3의 배수일 확률은
$\mathrm{P}(A\cup B)=\mathrm{P}(A)+\mathrm{P}(B)-\mathrm{P}(A\cap B)=\frac{50}{100}+\frac{33}{100}-\frac{16}{100}=\frac{67}{100}$

STEP C $\mathrm{P}(A^c\cap B^c)=1-\mathrm{P}(A\cup B)$를 이용하여 구하기

따라서 12와 서로소일 확률은 $\mathrm{P}(A^c\cap B^c)=1-\mathrm{P}(A\cup B)=1-\frac{67}{100}=\frac{33}{100}$

10

정답 ③

STEP A 확률의 덧셈정리를 이용하여 조건부확률 구하기

확률의 덧셈정리에 의하여
$\mathrm{P}(A\cup B)=\mathrm{P}(A)+\mathrm{P}(B)-\mathrm{P}(A\cap B)$이므로
$\mathrm{P}(A\cap B)=\mathrm{P}(A)+\mathrm{P}(B)-\mathrm{P}(A\cup B)=\frac{2}{3}+\frac{1}{3}-\frac{5}{6}=\frac{1}{6}$

$\therefore\ p=\mathrm{P}(B|A)=\frac{\mathrm{P}(A\cap B)}{\mathrm{P}(A)}=\frac{\frac{1}{6}}{\frac{2}{3}}=\frac{1}{4}$

STEP B $\mathrm{P}(A^c\cap B^c)=1-\mathrm{P}(A\cup B)$임을 이용하여 구하기

$A^c\cap B^c=(A\cup B)^c$이므로
$\mathrm{P}(A^c\cap B^c)=1-\mathrm{P}(A\cup B)=\frac{1}{4}\quad\therefore\ \mathrm{P}(A\cup B)=\frac{3}{4}$
이때 두 사건 A, B가 서로 배반이므로 $\mathrm{P}(A\cap B)=0$
확률의 덧셈정리에서
$\mathrm{P}(A\cup B)=\mathrm{P}(A)+\mathrm{P}(B)$이므로 $\frac{3}{4}=\frac{1}{2}+\mathrm{P}(B)$
$\therefore\ q=\mathrm{P}(B)=\frac{3}{4}-\frac{1}{2}=\frac{1}{4}$

STEP C 확률의 덧셈정리와 독립사건을 이용하여 $\mathrm{P}(B)$의 값 구하기

두 사건 A, B가 서로 독립이므로 $\mathrm{P}(A\cap B)=\mathrm{P}(A)\mathrm{P}(B)$
$\mathrm{P}(A\cup B)=\mathrm{P}(A)+\mathrm{P}(B)-\mathrm{P}(A\cap B)$
$=\mathrm{P}(A)+\mathrm{P}(B)-\mathrm{P}(A)\mathrm{P}(B)$
$\frac{1}{3}=\frac{1}{4}+\mathrm{P}(B)-\frac{1}{4}\mathrm{P}(B)$
$\therefore\ r=\mathrm{P}(B)=\frac{1}{9}$
따라서 $p=\frac{1}{4}$, $q=\frac{1}{4}$, $r=\frac{1}{9}$이므로 $p+q+r=\frac{1}{4}+\frac{1}{4}+\frac{1}{9}=\frac{11}{18}$

11

정답 ③

STEP A 주어진 표를 이용하여 $\mathrm{P}(A)$, $\mathrm{P}(A\cap B)$의 값 구하기

인공지능으로 산 사진으로 인식되는 사건을 A,
산 사진을 입력한 사건을 B라 하자.
인공지능 시스템에 의해 산 사진으로 인식된 사진일 때,
이 사진이 산 사진일 확률이므로 $\mathrm{P}(B|A)$
주어진 표에서 $\mathrm{P}(A)=\frac{46}{100}$, $\mathrm{P}(A\cap B)=\frac{42}{100}$

STEP B $\mathrm{P}(B|A)$의 값 구하기

$\mathrm{P}(B|A)=\frac{\mathrm{P}(A\cap B)}{\mathrm{P}(A)}=\frac{\frac{42}{100}}{\frac{46}{100}}=\frac{42}{46}=\frac{21}{23}$
따라서 $p=21$, $q=23$이므로 $p+q=44$

12

정답 ③

STEP A 표에서 $a+b$의 값 구하기

전체 학생 수가 400명이므로 $a+80+150+b=400$

즉 $a+b=170$ …… ㉠

STEP B $\mathrm{P}(A)$, $\mathrm{P}(A\cap B)$의 값 구하기

사생대회에 참가 신청한 학생 중 임의로 뽑은 한 명의 학생이 수채화 부문에 신청한 학생인 사건을 A, 1학년인 사건을 B라 하면

$\mathrm{P}(A)=\dfrac{a+150}{400}$, $\mathrm{P}(A\cap B)=\dfrac{a}{400}$

STEP C $\mathrm{P}(B|A)$의 값이 $\dfrac{2}{7}$임을 이용하여 x의 값 구하기

$$\mathrm{P}(B|A)=\dfrac{\mathrm{P}(A\cap B)}{\mathrm{P}(A)}=\dfrac{\dfrac{a}{400}}{\dfrac{a+150}{400}}=\dfrac{a}{a+150}=\dfrac{2}{7}$$

$7a=2(a+150)$에서 $a=60$

따라서 ㉠에서 $b=170-a=170-60=110$

13

STEP A 확률의 곱셈정리를 이용하여 참, 거짓 판단하기

나래와 현아가 당첨 제비를 뽑는 사건을 각각 A, B라 하자.

ㄱ. 나래가 당첨 제비를 뽑고 현아가 당첨 제비를 뽑는 확률은

$\mathrm{P}(A\cap B)=\mathrm{P}(A)\mathrm{P}(B|A)=\dfrac{1}{5}\times\dfrac{3}{19}=\dfrac{3}{95}$ [참]

ㄴ. 현아가 당첨 제비를 뽑을 확률 $\mathrm{P}(B)$는

(i) 나래가 당첨 제비를 뽑고 현아가 당첨 제비를 뽑는 확률은

$\mathrm{P}(A\cap B)=\mathrm{P}(A)\mathrm{P}(B|A)=\dfrac{1}{5}\times\dfrac{3}{19}=\dfrac{3}{95}$

(ii) 나래가 당첨 제비를 뽑지 않고 현아가 당첨 제비를 뽑는 확률은

$\mathrm{P}(A^c\cap B)=\mathrm{P}(A^c)\mathrm{P}(B|A^c)=\dfrac{4}{5}\times\dfrac{4}{19}=\dfrac{16}{95}$

(i), (ii)가 서로 배반사건이므로

$\mathrm{P}(B)=\mathrm{P}(A\cap B)+\mathrm{P}(A^c\cap B)=\dfrac{3}{95}+\dfrac{16}{95}=\dfrac{19}{95}=\dfrac{1}{5}$ [참]

ㄷ. 나래가 당첨 제비를 뽑을 확률은 $\mathrm{P}(A)=\dfrac{1}{5}$이고

현아가 당첨 제비를 뽑을 확률은 ㄴ에서 $\mathrm{P}(B)=\dfrac{1}{5}$이므로

나래와 현아가 뽑는 순서에 관계없이 당첨 제비를 뽑을 확률은 $\dfrac{1}{5}$로 같다.

[거짓]

따라서 옳은 것은 ㄱ, ㄴ이다.

14

STEP A 확률의 곱셈정리를 이용하여 흰 공을 꺼낼 확률 구하기

주머니 A에서 흰 공을 꺼내는 사건을 A,

주머니 B에서 흰 공을 꺼내는 사건을 B라 하자.

(i) 주머니 A에서 흰 공을 꺼내고, 주머니 B에서 흰 공을 꺼낼 확률은

$\mathrm{P}(A\cap B)=\mathrm{P}(A)\mathrm{P}(B|A)=\dfrac{3}{7}\times\dfrac{5}{7}=\dfrac{15}{49}$

(ii) 주머니 A에서 검은 공을 꺼내고, 주머니 B에서 흰 공을 꺼낼 확률은

$\mathrm{P}(A^c\cap B)=\mathrm{P}(A^c)\mathrm{P}(B|A^c)=\dfrac{4}{7}\times\dfrac{4}{7}=\dfrac{16}{49}$

STEP B 배반사건을 이용하여 확률 구하기

(i), (ii)는 서로 배반사건이므로 구하는 확률은

$\mathrm{P}(B)=\mathrm{P}(A\cap B)+\mathrm{P}(A^c\cap B)=\dfrac{15}{49}+\dfrac{16}{49}=\dfrac{31}{49}$

15

정답 ④

STEP A 확률의 곱셈정리를 이용한 확률 구하기

이 회사의 제품 중에서 임의로 한 개를 택할 때,

두 공장 A, B에서 생산된 제품인 사건을 각각 A, B라 하고

제품이 불량품인 사건을 E라 하면

$\mathrm{P}(A)=0.4$, $\mathrm{P}(B)=0.6$, $\mathrm{P}(E|A)=0.02$, $\mathrm{P}(E|B)=0.03$

(i) A공장에서 생산한 제품 중 불량품일 확률은

$\mathrm{P}(A\cap E)=\mathrm{P}(A)\mathrm{P}(E|A)=0.4\times0.02=0.008$

(ii) B공장에서 생산한 제품 중 불량품일 확률은

$\mathrm{P}(B\cap E)=\mathrm{P}(B)\mathrm{P}(E|B)=0.6\times0.03=0.018$

(i), (ii)가 서로 배반사건이므로 불량품일 확률은

$\mathrm{P}(E)=\mathrm{P}(A\cap E)+\mathrm{P}(B\cap E)=0.008+0.018=0.026$

STEP B $\mathrm{P}(A|E)$ 구하기

따라서 구하는 확률은 $\mathrm{P}(A|E)=\dfrac{\mathrm{P}(A\cap E)}{\mathrm{P}(E)}=\dfrac{0.008}{0.026}=\dfrac{4}{13}$

16

STEP A A, B가 독립일 때, $\mathrm{P}(B|A)=\mathrm{P}(B)$임을 이용하여 a 구하기

조사 대상인 300명 중에서 임의로 선택한 한 명이 남학생인 사건을 A,

개를 선호하는 학생인 사건을 B라 하면

두 사건 A, B가 서로 독립이므로 $\mathrm{P}(B|A)=\mathrm{P}(B)$이어야 한다.

조사 대상인 300명 중에서 개를 선호하는 학생의 수는 $120+a$이므로

$\mathrm{P}(B)=\dfrac{120+a}{300}$

조사 대상인 남학생 명 200중에서 개를 선호하는 학생은 120명이므로

$\mathrm{P}(B|A)=\dfrac{120}{200}=\dfrac{3}{5}$

따라서 $\dfrac{120+a}{300}=\dfrac{3}{5}$에서 $120+a=300\times\dfrac{3}{5}=180$ $\therefore a=60$

다른풀이 $\mathrm{P}(A\cap B)=\mathrm{P}(A)\mathrm{P}(B)$임을 이용하여 풀이하기

조사 대상인 300명 중에서 임의로 선택한 한 명이 남학생인 사건을 A,

개를 선호하는 학생인 사건을 B라 하면

두 사건 A, B가 서로 독립이므로 $\mathrm{P}(A\cap B)=\mathrm{P}(A)\mathrm{P}(B)$이어야 한다.

주어진 표에서

$\mathrm{P}(A)=\dfrac{120+80}{300}=\dfrac{2}{3}$, $\mathrm{P}(B)=\dfrac{120+a}{300}$, $\mathrm{P}(A\cap B)=\dfrac{120}{300}=\dfrac{2}{5}$

따라서 $\dfrac{2}{5}=\dfrac{2}{3}\times\dfrac{120+a}{300}$이므로 $120+a=\dfrac{2}{5}\times\dfrac{3}{2}\times300=180$

$\therefore a=60$

17

정답 ③

STEP Ⓐ **독립의 성질을 이용하여 참, 거짓 판단하기**

① 두 사건 A, B가 서로 독립이므로 $\mathrm{P}(A\cap B)=\mathrm{P}(A)\mathrm{P}(B)$

$$\begin{aligned}\{1-\mathrm{P}(A)\}\{1-\mathrm{P}(B)\}&=1-\mathrm{P}(B)-\mathrm{P}(A)+\mathrm{P}(A)\mathrm{P}(B)\\&=1-\{\mathrm{P}(A)+\mathrm{P}(B)-\mathrm{P}(A\cap B)\}\\&=1-\mathrm{P}(A\cup B)\\&=\mathrm{P}((A\cup B)^C)\ [\text{참}]\end{aligned}$$

② A와 B가 서로 배반사건이면 $\mathrm{P}(A\cap B)=0$이므로

$\mathrm{P}(B|A)=\dfrac{\mathrm{P}(A\cap B)}{\mathrm{P}(A)}=0$, $\mathrm{P}(A|B)=\dfrac{\mathrm{P}(A\cap B)}{\mathrm{P}(B)}=0$ [참]

③ $\mathrm{P}(A^C|B)=\dfrac{\mathrm{P}(A^C\cap B)}{\mathrm{P}(B)}=0$이면 $\mathrm{P}(A^C\cap B)=0$이므로 $B\subset A$

즉 A와 B는 서로 배반사건이 아니다. [거짓]

④ $0<\mathrm{P}(A|B)<\mathrm{P}(B|A)$에서 $0<\dfrac{\mathrm{P}(A\cap B)}{\mathrm{P}(B)}<\dfrac{\mathrm{P}(A\cap B)}{\mathrm{P}(A)}$이므로

$\mathrm{P}(A)<\mathrm{P}(B)$ [참]

⑤ $$\begin{aligned}\mathrm{P}(B|A)+\mathrm{P}(B^C|A)&=\frac{\mathrm{P}(A\cap B)}{\mathrm{P}(A)}+\frac{\mathrm{P}(A\cap B^C)}{\mathrm{P}(A)}\\&=\frac{\mathrm{P}(A\cap B)+\mathrm{P}(A\cap B^C)}{\mathrm{P}(A)}\\&=\frac{\mathrm{P}(A)}{\mathrm{P}(A)}=1\ [\text{참}]\end{aligned}$$

따라서 옳지 않은 것은 ③이다.

18

정답 ④

STEP Ⓐ **이 시험에서 합격할 확률 구하기**

한 문제를 맞힐 확률이 $\dfrac{1}{3}$이고 이 시험에서 합격하려면 10문제에서 9문제를 맞히거나 10문제를 맞히는 확률이다.

(i) 9문제를 맞히고, 1문제는 틀릴 확률은 ${}_{10}\mathrm{C}_9\left(\dfrac{1}{3}\right)^9\left(\dfrac{2}{3}\right)^1=\dfrac{20}{3^{10}}$

(ii) 10문제를 모두 맞힐 확률은 ${}_{10}\mathrm{C}_{10}\left(\dfrac{1}{3}\right)^{10}=\dfrac{1}{3^{10}}$

STEP Ⓑ **배반사건을 이용하여 확률 구하기**

(i), (ii)는 서로 배반사건이므로 구하는 확률은 $\dfrac{20}{3^{10}}+\dfrac{1}{3^{10}}=\dfrac{7}{3^9}$

19

정답 ②

STEP Ⓐ **독립시행을 이용하여 앞면이 2번 나올 확률 구하기**

주사위의 홀수의 눈이 나올 확률은 $\dfrac{1}{2}$, 동전의 앞면이 나올 확률은 $\dfrac{1}{2}$이다.

(i) 주사위의 홀수의 눈이 나오는 경우

동전을 2번 던져 앞면이 2번 나올 확률은 $\dfrac{1}{2}\times{}_2\mathrm{C}_2\left(\dfrac{1}{2}\right)^2\left(\dfrac{1}{2}\right)^0=\dfrac{1}{8}$

(ii) 주사위의 짝수의 눈이 나오는 경우

동전을 4번 던져 앞면이 2번 나올 확률은 $\dfrac{1}{2}\times{}_4\mathrm{C}_2\left(\dfrac{1}{2}\right)^2\left(\dfrac{1}{2}\right)^2=\dfrac{3}{16}$

STEP Ⓑ **동전 앞면이 두 번 나올 확률 구하기**

(i), (ii)가 배반사건이므로 구하는 확률은 $\dfrac{1}{8}+\dfrac{3}{16}=\dfrac{5}{16}$

20

정답 ②

STEP Ⓐ **독립시행의 확률을 이용하여 A팀이 우승할 확률 구하기**

A팀이 B팀을 이길 확률은 $\dfrac{1}{2}$

A팀이 우승하는 경우는 연속으로 3승을 거두거나 2승 1패를 거둔 후 마지막 경기에서 이기는 경우이다.

(i) 6번째에 A팀이 우승하는 경우

A팀이 연속으로 3승을 거둘 확률은

${}_3\mathrm{C}_3\left(\dfrac{1}{2}\right)^3=\dfrac{1}{8}$

(ii) 7번째에 A팀이 우승하는 경우

A팀이 2승 1패를 거둔 후 마지막 경기에서 이길 확률은

${}_3\mathrm{C}_2\left(\dfrac{1}{2}\right)^2\left(\dfrac{1}{2}\right)^1\times\dfrac{1}{2}=\dfrac{3}{16}$

STEP Ⓑ **배반사건을 이용하여 확률 구하기**

(i), (ii)가 서로 배반사건이므로 구하는 확률은 $\dfrac{1}{8}+\dfrac{3}{16}=\dfrac{5}{16}$

서술형 & 주관식

21

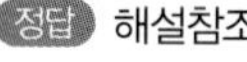
정답 해설참조

1단계	주머니 A, B에서 꺼낸 공 중 흰 공의 개수가 1, 2가 되는 확률을 구한다.	◀ 40%

두 주머니 A, B에서 각각 공을 임의로 2개씩 꺼낼 때, 나온 4개의 공 중 흰 공의 개수가 3이 되려면 주머니 A, B에서 꺼낸 공 중 흰 공의 개수가 1, 2 또는 2, 1이 되어야 한다.

주머니 A에서 꺼낸 2개 공이 흰 공 1개, 검은 공 1개인 사건을 X,

주머니 B에서 꺼낸 2개의 공이 흰 공 2개인 사건을 Y라 하면

두 사건 X, Y는 서로 독립이므로

$\mathrm{P}(X\cap Y)=\mathrm{P}(X)\mathrm{P}(Y)=\dfrac{{}_2\mathrm{C}_1\times{}_4\mathrm{C}_1}{{}_6\mathrm{C}_2}\times\dfrac{{}_3\mathrm{C}_2}{{}_6\mathrm{C}_2}=\dfrac{8}{15}\times\dfrac{3}{15}=\dfrac{8}{75}$

2단계	주머니 A, B에서 꺼낸 공 중 흰 공의 개수가 2, 1이 되는 확률을 구한다.	◀ 40%

주머니 A에서 꺼낸 2개 공이 흰 공 2개인 사건을 Z,

주머니 B에서 꺼낸 2개의 공이 흰 공 1개, 검은 공 1개인 사건을 W라 하면

두 사건 Z, W는 서로 독립이므로

$\mathrm{P}(Z\cap W)=\mathrm{P}(Z)\mathrm{P}(W)=\dfrac{{}_2\mathrm{C}_2}{{}_6\mathrm{C}_2}\times\dfrac{{}_3\mathrm{C}_1\times{}_3\mathrm{C}_1}{{}_6\mathrm{C}_2}=\dfrac{1}{15}\times\dfrac{9}{15}=\dfrac{1}{25}$

3단계	1, 2단계를 이용하여 흰 공의 개수가 3일 확률을 구한다.	◀ 20%

(i), (ii)가 배빈사건이므로 구하는 확률은 $\dfrac{8}{75}+\dfrac{1}{25}=\dfrac{11}{75}$

22

정답 해설참조

1단계 만든 삼각형이 직각삼각형이 될 확률을 구한다. ◀ 40%

8개의 점 중 3개의 점을 택하여 삼각형을 만들 수 있는 모든 경우의 수는
${}_8C_3=56$
정다각형은 원에 내접하므로 정팔각형도 원에 내접한다.

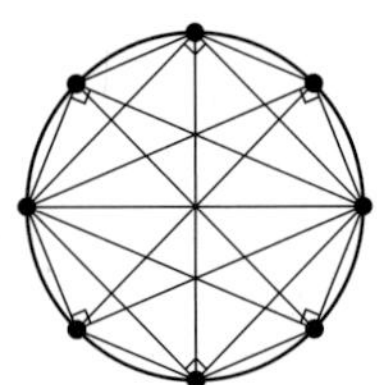

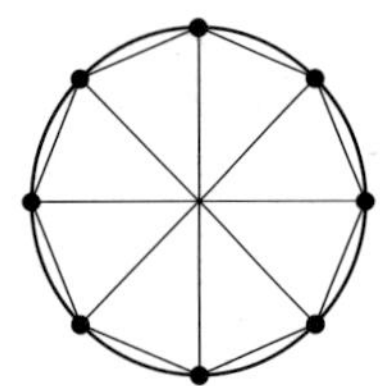

이때 택한 두 점을 연결한 선분이 원의 지름일 때, 만들 수 있는 직각삼각형의 개수는 6이고 택한 두 점을 연결한 선분이 원의 지름인 경우는 4이므로
3개의 점을 택하여 만들 수 있는 직각삼각형의 개수는 $6\times4=24$
따라서 구하는 확률은 $\frac{24}{56}=\frac{3}{7}$

2단계 이 삼각형이 이등변삼각형이 될 확률을 구한다. ◀ 30%

8개의 점 중에서 3개의 점을 택하는 전체 경우의 수는 ${}_8C_3=56$
오른쪽 그림과 같이 원 위의 한 점을 이등변삼각형의 꼭지각에 해당하는 점으로 택할 때 만들어지는 이등변삼각형은 오른쪽 그림과 같이 3개이고, 꼭지각에 해당하는 점으로 가능한 것이 8개이므로 만들 수 있는 이등변삼각형의 개수는 $3\times8=24$

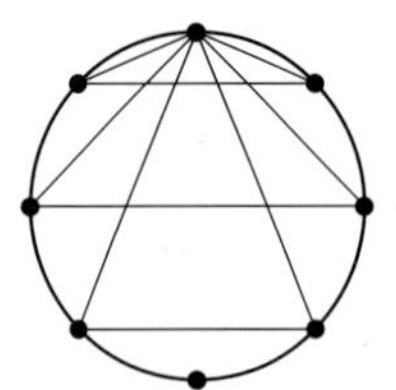

따라서 구하는 확률은 $\frac{24}{56}=\frac{3}{7}$

3단계 만든 삼각형이 예각삼각형 또는 둔각삼각형이 될 확률을 구한다. ◀ 30%

한편 예각삼각형 또는 둔각삼각형이 될 확률은 전체에서 직각삼각형이 될 확률을 뺀 것과 같다.
즉 정팔각형의 외접원에서 지름의 양 끝점과 나머지 한 점을 선택하면 하나의 직각삼각형이 결정되므로 직각삼각형의 개수는 $4\times6=24$
따라서 구하는 확률은 $1-\frac{24}{56}=\frac{4}{7}$

23

정답 해설참조

1단계 이 검사기에 의하여 정상이라고 판단할 확률을 구한다. ◀ 60%

실제로 제품이 정상인 사건을 A,
고장 난 검사기에 의하여 제품이 정상이라 판단되는 사건을 B라 하면
(ⅰ) 정상을 정상이라고 판단할 확률은

$$\mathrm{P}(A\cap B)=\mathrm{P}(A)\times\mathrm{P}(B|A)=\frac{7}{8}\times\frac{3}{5}=\frac{21}{40}$$

(ⅱ) 비정상을 정상이라고 판단할 확률은

$$\mathrm{P}(A^c\cap B)=\mathrm{P}(A^c)\times\mathrm{P}(B|A^c)=\frac{1}{8}\times\frac{2}{5}=\frac{1}{20}$$

(ⅰ), (ⅱ)가 배반사건이므로 정상으로 판정할 확률은
$\mathrm{P}(B)=\mathrm{P}(A\cap B)+\mathrm{P}(A^c\cap B)=\frac{21}{40}+\frac{1}{20}=\frac{23}{40}$

2단계 이 검사기에 의하여 정상이라고 판단할 때, 실제로 정상일 확률을 구한다. ◀ 40%

따라서 구하는 확률은 $\mathrm{P}(A|B)=\frac{\mathrm{P}(A\cap B)}{\mathrm{P}(B)}=\frac{\frac{21}{40}}{\frac{23}{40}}=\frac{21}{23}$

24

정답 5

STEP Ⓐ 모든 경우의 수 구하기

7개의 구슬에서 임의로 2개의 구슬을 동시에 꺼내는 경우의 수는 ${}_7C_2$

STEP Ⓑ $\mathrm{P}(A)$, $\mathrm{P}(A\cap B)$의 값 구하기

주머니에서 임의로 2개의 구슬을 동시에 꺼낼 때,
구슬에 적힌 두 수의 곱이 홀수인 사건을 A,
두 구슬의 색이 서로 다른 사건을 B라 하면
두 수의 곱이 홀수가 되려면 1, 3, 5, 7에서 2개가 선택되어야 하므로

$\mathrm{P}(A)=\frac{{}_4C_2}{{}_7C_2}=\frac{6}{21}=\frac{2}{7}$ …… ㉠

$\mathrm{P}(A\cap B)$는 1 또는 3이 적혀 있는 빨간 구슬에서 한 개,
5 또는 7이 적혀 있는 파란 구슬에서 한 개가 뽑힐 확률이므로

$\mathrm{P}(A\cap B)=\frac{{}_2C_1\times{}_2C_1}{{}_7C_2}=\frac{4}{21}$ …… ㉡

STEP Ⓒ 조건부확률 $\mathrm{P}(B|A)$의 값 구하기

㉠, ㉡에서 구하는 확률은 $\mathrm{P}(B|A)=\frac{\mathrm{P}(A\cap B)}{\mathrm{P}(A)}=\frac{\frac{4}{21}}{\frac{2}{7}}=\frac{2}{3}$

따라서 $p=2$, $q=3$이므로 $p+q=5$

M A P L ; S Y N E R G Y

02 확률 모의평가

01	④	02	④	03	③	04	③	05	③
06	④	07	①	08	①	09	②	10	②
11	④	12	⑤	13	①	14	④	15	①
16	④	17	①	18	⑤	19	④	20	②

서술형

21	해설참조	22	해설참조
23	해설참조	24	해설참조

01

STEP A 각 사건의 여사건 구하기

사건 A와 배반인 사건은 사건 A^C의 부분집합이고
사건 B와 배반인 사건은 사건 B^C의 부분집합이므로
사건 C는 두 사건 A^C, B^C와 모두 배반사건이므로
$A^C \cap B^C$의 부분집합이다.

STEP B $C=A^C \cap B^C$을 만족하는 사건 C의 개수 구하기

$A=\{3, 6, 9\}$, $B=\{2, 3, 5, 7\}$이므로 $A^C \cap B^C=\{1, 4, 8, 10\}$
따라서 사건 C의 개수는 $2^4=16$

02

STEP A 순열을 이용하여 각 조건을 만족하는 확률 구하기

조건 (가)에서 A, B가 이웃하여 않을 확률은 $p_1=\frac{5!\times 2!}{6!}=\frac{1}{3}$
조건 (나)에서 양 끝에 A, B를 세우고 그 사이에 나머지 4명을 일렬로 세우는 경우의 수는 $4!$
이때 A, B가 서로 자리를 바꾸는 경우의 수는 $2!$
따라서 A, B가 양 끝에 서게 되는 경우의 수는 $4!\times 2!$이므로 구하는 확률은
$p_2=\frac{4!\times 2!}{6!}=\frac{1}{15}$
조건 (다)에서 A, B를 제외한 4명의 학생 중 한 명을 뽑아 A와 B 사이에 세우고 이들 3명을 묶어서 한 명으로 생각하여 나머지 3명과 함께 일렬로 세우는 경우이고
이때 A와 B가 위치를 바꿀 수 있으므로 구하는 경우의 수는 ${}_4C_1\times 4!\times 2!$
이므로 확률은 $p_3=\frac{{}_4C_1\times 4!\times 2!}{6!}=\frac{4}{15}$

STEP B $p_1+p_2+p_3$의 값 구하기

따라서 $p_1+p_2+p_3=\frac{1}{3}+\frac{1}{15}+\frac{4}{15}=\frac{10}{15}=\frac{2}{3}$

03

STEP A 모든 경우의 수 구하기

한 개의 주사위를 5번 던져 나오는 경우의 수는 ${}_6\Pi_5=6^5$

STEP B 5개의 수가 서로 다른 4개의 수로만 이뤄질 확률 구하기

이때 a_1, a_2, a_3, a_4, a_5가 서로 다른 4개의 수로 이뤄진 경우는 다음과 같이 구한다.
1, 2, 3, 4, 5, 6에서 서로 다른 4개의 수를 고르는 경우의 수는
${}_6C_4=\frac{6\times 5}{2}=15$
고른 4종류의 수 중 1종류의 숫자는 2개, 나머지 3종류의 숫자는 1개로 정하는 경우의 수는 4
이 5개의 수를 a_1, a_2, a_3, a_4, a_5에 대응시키는 경우의 수는 $\frac{5!}{2!}$이다.
따라서 구하는 확률은 $\frac{15\times 4\times \frac{5!}{2!}}{6^5}=\frac{25}{54}$이므로 $54p=25$

04

STEP A $x_1<x_2$이면 $f(x_1)\le f(x_2)$를 만족시킬 확률 구하기

조건 (가)에서 집합 A에서 집합 B로의 함수 f의 개수는 ${}_6\Pi_3=6^3=216$
$x_1<x_2$이면 $f(x_1)\le f(x_2)$를 만족시키는 함수 f의 개수는
집합 B에서 중복을 허락하여 원소 3개를 뽑으면 되므로
${}_6H_3={}_{6+3-1}C_3={}_8C_3=56$
즉 구하는 확률은 $p=\frac{56}{216}=\frac{7}{27}$

STEP B 선택된 함수가 $f(1)=3$ 또는 $f(3)=7$을 만족시킬 확률 구하기

조건 (나)에서 집합 X에서 집합 Y로의 함수 f에 대하여
$f(1)<f(2)<f(3)$을 만족하는 함수의 개수는 ${}_7C_3=35$
이 함수 중 $f(1)=3$ 또는 $f(3)=7$인 함수의 개수는
${}_4C_2+{}_6C_2-{}_3C_1=6+15-3=18$
즉 구하는 확률은 $q=\frac{18}{35}$

STEP C pq의 값 구하기

따라서 $pq=\frac{7}{27}\times\frac{18}{35}=\frac{2}{15}$

05

STEP A 2개가 모두 당첨될 확률이 $\frac{1}{22}$일 때, a의 값 구하기

12개의 제비 중에서 2개를 뽑는 경우의 수는 ${}_{12}C_2=66$
n개의 당첨 제비 중에서 2개를 뽑는 경우의 수는 ${}_nC_2=\frac{n(n-1)}{2}$
2개가 모두 당첨될 확률은 $\frac{\frac{n(n-1)}{2}}{66}=\frac{1}{22}$
$\frac{n(n-1)}{2}=3$, $n(n-1)=3\times 2$ $\therefore n=3$
$\therefore a=3$

STEP B 적어도 한 개가 당첨제비일 확률이 $\frac{2}{3}$일 때, b의 값 구하기

10개의 제비 중에서 2개를 꺼내는 경우의 수는 ${}_{10}C_2$
2개의 제비를 뽑을 때, 적어도 한 개가 당첨 제비일 사건을 A라 하면
여사건 A^C은 모두 당첨 제비가 아닌 제비를 꺼내는 사건이므로
당첨 제비가 아닌 $(10-n)$개에서 2개를 꺼내는 경우의 수는 ${}_{10-n}C_2$
$\mathrm{P}(A^C)=\frac{{}_{10-n}C_2}{{}_{10}C_2}=\frac{(10-n)(9-n)}{90}$
임의로 2개의 제비를 뽑을 때, 적어도 한 개가 당첨 제비일 확률이 $\frac{2}{3}$이므로
$\mathrm{P}(A)=1-\mathrm{P}(A^C)=1-\frac{(10-n)(9-n)}{90}=\frac{2}{3}$
즉 $\frac{(10-n)(9-n)}{90}=\frac{1}{3}$에서 $(10-n)(9-n)=30$
$n^2-19n+60=0$, $(n-4)(n-15)=0$
$n\le 10$이므로 $n=4$ $\therefore b=4$
따라서 $a+b=3+4=7$

06

정답 ④

STEP Ⓐ **전체 경우의 수 구하기**

1부터 7까지의 자연수가 각각 적힌 7장의 카드에서 임의로 3장을 꺼내는 방법의 수는 ${}_7C_3=35$

STEP Ⓑ **b가 5일 확률 구하기**

이때 a, 5, c에서 $a \le 4$, $c \ge 6$이어야 하므로 ⬅ $a\in\{1, 2, 3, 4\}$이고 $c\in\{6, 7\}$

경우의 수는 ${}_4C_1\times{}_2C_1=8$

따라서 구하는 확률은 $\frac{{}_4C_1\times{}_2C_1}{{}_7C_3}=\frac{8}{35}$이므로 $p+q=35+8=43$

07

STEP Ⓐ **모든 경우의 수 구하기**

7명의 학생을 3명, 4명씩 2개 조로 편성하는 방법의 수는 서로 다른 7개에서 3개를 선택하는 조합의 수와 같으므로 ${}_7C_3\times{}_4C_4=35$

STEP Ⓑ **두 학생 A, B가 같은 조에 편성될 확률 구하기**

두 학생 A, B가 같은 조에 편성되는 경우는 다음 두 가지로 나눌 수 있다.

(ⅰ) 두 학생 A, B가 3명인 조에 편성되는 경우
나머지 학생 5명 중 1명을 선택하여 두 학생 A, B가 포함된 조에 편성하면 되므로 ${}_5C_1=5$
이때 확률은 $\frac{5}{35}=\frac{1}{7}$

(ⅱ) 두 학생 A, B가 4명인 조에 편성되는 경우
나머지 학생 5명 중 2명을 선택하여 두 학생 A, B가 포함된 조에 편성하면 되므로 ${}_5C_2=10$
이때의 확률은 $\frac{10}{35}=\frac{2}{7}$

(ⅰ), (ⅱ)에서 두 사건은 서로 배반사건이므로 구하는 확률은 확률의 덧셈정리에 의하여 $\frac{1}{7}+\frac{2}{7}=\frac{3}{7}$

08

STEP Ⓐ **확률의 곱셈정리를 이용하여 참, 거짓 판단하기**

첫 번째로 제비를 뽑는 학생이 교실 청소를 하는 사건을 A,
두 번째로 제비를 뽑는 학생이 복도 청소를 하는 사건을 B라 하자.

승우 : 첫 번째로 제비를 뽑는 학생이 교실 청소를 하고,
두 번째로 제비를 뽑는 학생이 복도 청소를 할 확률은
$\mathrm{P}(A\cap B)=\mathrm{P}(A)\mathrm{P}(B|A)=\frac{8}{10}\times\frac{2}{9}=\frac{8}{45}$ [참]

강인 : 두 번째로 제비를 뽑는 학생이 복도 청소를 할 확률은
(ⅰ) 첫 번째로 제비를 뽑는 학생이 교실 청소를 하고
두 번째로 제비를 뽑는 학생이 복도 청소를 할 확률은
위의 승우의 말에서 $\frac{8}{45}$
(ⅱ) 첫 번째로 제비를 뽑는 학생이 복도 청소를 하고
두 번째로 제비를 뽑는 학생이 복도 청소를 할 확률은
$\mathrm{P}(A^c\cap B)=\mathrm{P}(A^c)\mathrm{P}(B|A^c)=\frac{2}{10}\times\frac{1}{9}=\frac{1}{45}$
(ⅰ), (ⅱ)는 서로 배반사건이므로 $\frac{8}{45}+\frac{1}{45}=\frac{1}{5}$ [거짓]

흥민 : 첫 번째로 제비를 뽑는 학생이 복도 청소를 할 확률은 $\frac{2}{10}=\frac{1}{5}$이고
두 번째로 제비를 뽑는 학생이 복도 청소를 할 확률은
위의 강인이의 말에서 $\frac{1}{5}$이므로 두 확률은 서로 같다. [거짓]

따라서 옳은 말을 한 사람은 승우이다.

09

정답 ②

STEP Ⓐ **모든 경우의 수 구하기**

세 학생 a, b, c를 포함한 5명의 학생을 각각 4개의 반에 배정하는 경우의 수는
${}_4\Pi_5=4^5$

STEP Ⓑ **세 학생 a, b, c를 모두 서로 다른 반에 배정하는 확률 구하기**

세 학생 a, b, c를 모두 서로 다른 반에 배정하는 경우의 수는
${}_4P_3\times{}_4\Pi_2={}_4P_3\times4^2$

따라서 구하는 확률은 $\frac{{}_4P_3\times4^2}{4^5}=\frac{4\times3\times2}{4\times4\times4}=\frac{3}{8}$

10

STEP Ⓐ **각 사건의 원소 구하기**

표본공간 $\{1, 2, 3, 4, 5, 6\}$이고
$A=\{2, 4, 6\}$, $B=\{3, 6\}$, $C=\{1, 3, 5\}$

STEP Ⓑ **사건의 독립과 종속의 성질 이용하여 참, 거짓 판단하기**

ㄱ. $\mathrm{P}(A)=\frac{1}{2}$, $\mathrm{P}(B)=\frac{1}{3}$, $\mathrm{P}(A\cap B)=\frac{1}{6}$이므로
$\mathrm{P}(A\cap B)=\mathrm{P}(A)\mathrm{P}(B)$
즉 A와 B는 서로 독립이다. [참]

ㄴ. $A\cap C=\varnothing$이므로 A와 C는 서로 배반사건이다. [참]

ㄷ. $\mathrm{P}(A)=\frac{1}{2}$, $\mathrm{P}(C)=\frac{1}{2}$, $\mathrm{P}(A\cap C)=0$이므로
$\mathrm{P}(A\cap C)\neq\mathrm{P}(A)\mathrm{P}(C)$
즉 A와 C는 서로 종속이다. [거짓]

따라서 옳은 것은 ㄱ, ㄴ이다.

11

STEP Ⓐ **$\mathrm{P}(A)$, $\mathrm{P}(A\cap B)$의 값 구하기**

택한 공에 적힌 수가 12의 약수인 사건을 A, 홀수인 사건을 B라 하면
$A=\{1, 2, 3, 4, 6, 12\}$, $B=\{1, 3, 5, 7, 9, 11\}$에서
$A\cap B=\{1, 3\}$이므로 $\mathrm{P}(A)=\frac{6}{12}=\frac{1}{2}$, $\mathrm{P}(A\cap B)=\frac{2}{12}=\frac{1}{6}$

STEP Ⓑ **$\mathrm{P}(B|A)$의 값 구하기**

따라서 구하는 확률은 $\mathrm{P}(B|A)=\frac{\mathrm{P}(A\cap B)}{\mathrm{P}(A)}=\frac{\frac{1}{6}}{\frac{1}{2}}=\frac{1}{3}$

12

정답 ⑤

STEP A 조건부 확률을 이용하여 확률 p_1 구하기

조사에서 무게를 측정한 120개의 과일 중 임의로 선택한 1개의 과일이 사과인 사건을 X, 선택한 1개의 과일의 무게가 500g 이상인 사건을 Y라 하자.

조사에서 무게를 측정한 120개의 과일 중 임의로 선택한 1개의 과일이 사과일 때, 이 사과의 무게가 500g 이상일 확률은

$$p_1=P(Y|X)=\frac{P(X\cap Y)}{P(X)}=\frac{\frac{a}{120}}{\frac{1}{3}}=\frac{a}{40}$$

STEP B 조건부 확률을 이용하여 확률 p_2 구하기

조사에서 무게를 측정한 120개 과일 중 임의로 선택한 1개의 과일의 무게가 500g 미만일 때, 이 과일이 배일 확률은

$$p_2=P(X^C|Y^C)=\frac{P(X^C\cap Y^C)}{P(Y^C)}=\frac{\frac{a}{120}}{\frac{1}{3}}=\frac{a}{40}$$

STEP C $p_1+p_2=\frac{9}{10}$을 이용하여 a, b, c의 값 구하기

(ⅰ), (ⅱ)에 의하여

$p_1+p_2=\frac{a}{40}+\frac{a}{40}=\frac{a}{20}$이고 $p_1+p_2=\frac{9}{10}$이므로

$\frac{a}{20}=\frac{9}{10}$에서 $a=18$

한편 주어진 표에서 $a+b=40$, $a+c=80$이므로 $b=22$, $c=62$

따라서 $b+c=22+62=84$

13

정답 ①

STEP A 주어진 상황을 표로 나타내기

여성 직원의 수를 n이라 하면

B부서에 속해 있는 여성 직원의 수는 $0.6n$이므로

직원 60명을 두 개의 부서 A, B와 남성, 여성으로 나누어 표로 나타내면 다음과 같다.

(단위 : 명)

	A 부서	B 부서	합계
남성	10	$40-0.6n$	$50-0.6n$
여성	10	$0.6n$	n
합계	20	40	60

STEP B $P(A)$, $P(A\cap B)$의 값 구하기

$10+0.6n=n$에서 $n=25$이므로 표를 정리하면 다음과 같다.

(단위 : 명)

	A 부서	B 부서	합계
남성	10	25	35
여성	10	15	25
합계	20	40	60

임의로 선택한 1명의 직원이 B부서에 속해 있는 사건을 A,

여성 직원인 사건을 B라 하면

$$P(A)=\frac{40}{60},\ P(A\cap B)=\frac{15}{60},\ P(B|A)=\frac{P(A\cap B)}{P(A)}=\frac{\frac{15}{60}}{\frac{40}{60}}=\frac{3}{8}$$

따라서 $p=\frac{3}{8}$이므로 $80p=80\times\frac{3}{8}=30$

14

정답 ④

STEP A 검은 공 1개를 꺼낼 확률 구하기

정사면체를 던져서 바닥에 닿는 면에 적혀 있는 수가 2인 사건을 A,

주머니에서 검은 공 1개를 꺼내는 사건을 B라 하자.

(ⅰ) 정사면체를 던져서 바닥에 닿는 면에 적혀 있는 수가 2일 확률은

$P(A)=\frac{1}{4}$

주머니에서 2개의 공을 꺼낼 때 흰 공 1개, 검은 공 1개를 꺼낼 확률은

$P(B|A)=\frac{{}_4C_1\times{}_2C_1}{{}_6C_2}=\frac{4\times2}{15}=\frac{8}{15}$

즉 $P(A\cap B)=P(A)P(B|A)=\frac{1}{4}\times\frac{8}{15}=\frac{2}{15}$

(ⅱ) 정사면체를 던져서 바닥에 닿는 면에 적혀 있는 수가 3일 확률은

$P(A^C)=\frac{3}{4}$

주머니에서 3개의 공을 꺼낼 때 흰 공 2개, 검은 공 1개를 꺼낼 확률은

$P(B|A^C)=\frac{{}_4C_2\times{}_2C_1}{{}_6C_3}=\frac{6\times2}{20}=\frac{3}{5}$

즉 $P(A^C\cap B)=P(A^C)P(B|A^C)=\frac{3}{4}\times\frac{3}{5}=\frac{9}{20}$

STEP B 배반사건인 확률 구하기

(ⅰ), (ⅱ)에 의하여 구하는 확률은

$P(B)=P(A\cap B)+P(A^C\cap B)=\frac{2}{15}+\frac{9}{20}=\frac{7}{12}$

15

정답 ①

STEP A 꺼낸 2개의 공의 색이 서로 다를 확률 구하기

10개의 공 중에서 임의로 동시에 꺼낸 2개의 공의 색이 서로 다를 사건을 A,

꺼낸 2개의 공의 색이 흰색과 빨간색일 사건을 B라 하면

$$P(A)=\frac{{}_2C_1\times{}_3C_1+{}_2C_1\times{}_5C_1+{}_3C_1\times{}_5C_1}{{}_{10}C_2}=\frac{6+10+15}{45}=\frac{31}{45}$$

$$P(A\cap B)=\frac{{}_3C_1\times{}_5C_1}{{}_{10}C_2}=\frac{15}{45}=\frac{1}{3}$$

STEP B 조건부 확률을 이용하여 $p+q$의 값 구하기

즉 구하는 확률은 $P(B|A)=\frac{P(A\cap B)}{P(A)}=\frac{\frac{1}{3}}{\frac{31}{45}}=\frac{15}{31}$

따라서 $p=31$, $q=15$이므로 $p+q=46$

16

정답 ④

STEP A 사건의 독립과 종속의 성질 이용하여 참, 거짓 판단하기

① A, B가 서로 배반사건이면 $\mathrm{P}(A \cap B)=0$

그런데 $\mathrm{P}(A)\mathrm{P}(B) \neq 0$이므로 $\mathrm{P}(A \cap B) \neq \mathrm{P}(A)\mathrm{P}(B)$

즉 A, B가 서로 종속이다. [거짓]

② 반례 주사위를 던지는 시행에서 2의 배수의 눈이 나오는 사건을 A, 3의 배수의 눈이 나오는 사건을 B라 하면

$\mathrm{P}(A \cap B)=\mathrm{P}(A)\mathrm{P}(B)=\frac{1}{6}$이므로

사건 A, B는 서로 독립이지만 서로 배반사건은 아니다. [거짓]

③ A, B가 서로 독립이면 A^c와 B도 서로 독립이므로

$\mathrm{P}(A^c|B)=\frac{\mathrm{P}(A^c \cap B)}{\mathrm{P}(B)}=\frac{\mathrm{P}(A^c)\mathrm{P}(B)}{\mathrm{P}(B)}=\mathrm{P}(A^c)=1-\mathrm{P}(A)$ [거짓]

④ A, B가 서로 독립이므로

$\mathrm{P}(A|B)=\mathrm{P}(A)=\frac{1}{5}$, $\mathrm{P}(B)=1-\mathrm{P}(B^c)=1-\frac{1}{5}=\frac{4}{5}$

$$\begin{aligned}\mathrm{P}(A^c \cap B)=\mathrm{P}(B-A)&=\mathrm{P}(B)-\mathrm{P}(A \cap B)\\&=\mathrm{P}(B)-\mathrm{P}(A)\mathrm{P}(B)\\&=\frac{4}{5}-\frac{1}{5}\times\frac{4}{5}=\frac{16}{25}\end{aligned}$$ [참]

⑤ 두 사건 A, B가 서로 독립이므로 $\mathrm{P}(A \cap B)=\mathrm{P}(A)\mathrm{P}(B)$

$$\begin{aligned}\{1-\mathrm{P}(A)\}\{1-\mathrm{P}(B)\}&=1-\{\mathrm{P}(A)+\mathrm{P}(B)-\mathrm{P}(A \cap B)\}\\&=1-\mathrm{P}(A \cup B)\\&=\mathrm{P}((A \cup B)^c)\end{aligned}$$ [거짓]

따라서 옳은 것은 ④이다.

17

STEP A $\mathrm{P}(A)$, $\mathrm{P}(B)$, $\mathrm{P}(C)$ 구하기

휴대폰을 분실했을 사건을 L, 독서실에 휴대폰을 두고 왔을 사건을 A,
체육관에 휴대폰을 두고 왔을 사건을 B,
매점에 휴대폰을 두고 왔을 사건을 C라 하면
$L=A \cup B \cup C$이고 A, B, C 중 임의의 두 사건은 서로 배반사건이다.
매점에 휴대폰을 두고 오는 사건은 독서실, 체육관에는 휴대폰을 두고 오지 않고 매점에 휴대폰을 두어야 한다.

$\mathrm{P}(A)=\frac{1}{4}$, $\mathrm{P}(B)=\frac{3}{4}\times\frac{1}{4}=\frac{3}{16}$, $\mathrm{P}(C)=\left(\frac{3}{4}\right)^2\times\frac{1}{4}=\frac{9}{64}$

$\therefore$ $\mathrm{P}(L)=\mathrm{P}(A)+\mathrm{P}(B)+\mathrm{P}(C)=\frac{1}{4}+\frac{3}{16}+\frac{9}{64}=\frac{37}{64}$

STEP B 조건부확률 $\mathrm{P}(C|L)$ 구하기

따라서 구하는 확률은 $\mathrm{P}(C|L)=\frac{\mathrm{P}(C \cap L)}{\mathrm{P}(L)}=\frac{\mathrm{P}(C)}{\mathrm{P}(L)}=\frac{\frac{9}{64}}{\frac{37}{64}}=\frac{9}{37}$

18

STEP A 독립시행의 확률 구하기

코로나19의 치료제 렘데시비르의 치유율이 $\frac{5}{6}$라고 한다.

적어도 한 명이 치유될 사건을 A라 하면
그 여사건 A^c은 3명 중 한 명도 치유되지 않는 사건이므로

$\mathrm{P}(A^c)={}_3\mathrm{C}_0\left(\frac{5}{6}\right)^0\left(\frac{1}{6}\right)^3=\frac{1}{216}$

STEP B 여사건의 확률 구하기

따라서 구하는 확률은 $\mathrm{P}(A)=1-\mathrm{P}(A^c)=1-\frac{1}{216}=\frac{215}{216}$

19

정답 ④

STEP A 동전의 앞면이 나온 횟수와 뒷면이 나온 횟수가 같은 경우 구하기

서로 다른 2개의 주사위를 던져 두 눈의 수가 같을 사건을 A, 다를 사건을 B,
동전의 앞면이 나온 횟수와 뒷면이 나온 횟수가 같은 사건을 E라 하면

서로 다른 2개의 주사위를 던져 두 눈의 수가 같을 확률은 $\frac{6}{36}=\frac{1}{6}$이고

두 눈의 수가 다를 확률은 $\frac{30}{36}=\frac{5}{6}$

동전의 앞면이 나온 횟수와 뒷면이 나온 횟수가 같은 확률은

(i) 서로 다른 2개의 주사위를 던져 나온 눈의 수가 같으면
동전을 4번 던지고 앞면과 뒷면이 각각 2번씩 나올 확률은

$\mathrm{P}(A \cap E)=\mathrm{P}(A)\mathrm{P}(E|A)=\frac{1}{6}\times{}_4\mathrm{C}_2\left(\frac{1}{2}\right)^2\left(\frac{1}{2}\right)^2=\frac{1}{6}\times\frac{3}{8}=\frac{1}{16}$

(ii) 서로 다른 2개의 주사위를 던져 나온 눈의 수가 다르면
동전을 2번 던졌을 때, 앞면과 뒷면이 각각 1번씩 나올 확률은

$\mathrm{P}(B \cap E)=\mathrm{P}(B)\mathrm{P}(E|B)=\frac{5}{6}\times{}_2\mathrm{C}_1\left(\frac{1}{2}\right)^2=\frac{5}{6}\times\frac{1}{2}=\frac{5}{12}$

STEP B 배반사건을 이용하여 구하기

(i), (ii)이 배반사건이므로 동전의 앞면이 나온 횟수와 뒷면이 나온 횟수가
같을 확률은 $\mathrm{P}(E)=\mathrm{P}(A \cap E)+\mathrm{P}(B \cap E)=\frac{1}{16}+\frac{5}{12}=\frac{23}{48}$

20

STEP A 짝수가 나오는 횟수를 구하여 독립시행의 확률 구하기

주사위를 한 번 던질 때 짝수의 눈이 나올 확률은 $\frac{1}{2}$이다.

주사위를 6번 던질 때, 짝수가 나오는 횟수를 a,
홀수가 나오는 횟수를 b라 하면

$$\begin{cases}a+b=6 & \cdots\cdots ㉠\\ a+2b=4k\ (k\text{는 자연수}) & \cdots\cdots ㉡\end{cases}$$

이어야 한다.

㉠에서 $a=6-b$를 ㉡에 대입하면 $(6-b)+2b=4k$, $b=4k-6$
b는 $0 \leq b \leq 6$인 정수이므로
$k=2$일 때, $b=2$
$k=3$일 때, $b=6$
즉 위의 연립방정식을 만족시키는 순서쌍 (a, b)는 $(4, 2)$, $(0, 6)$이다.
주사위를 6번 던져 점 A를 출발하여 다시 점 A에 다시 도착하는 확률은 다음과 같다.

(i) $a=4$, $b=2$인 경우
즉 주사위를 6번 던질 때,
짝수의 눈이 4번, 홀수의 눈이 2번 나올 확률은

${}_6\mathrm{C}_4\left(\frac{1}{2}\right)^4\left(\frac{1}{2}\right)^2=\frac{15}{64}$

(ii) $a=0$, $b=6$인 경우
즉 주사위를 6번 던질 때,
짝수의 눈이 0번, 홀수의 눈이 6번 나올 확률은

${}_6\mathrm{C}_0\left(\frac{1}{2}\right)^0\left(\frac{1}{2}\right)^6=\frac{1}{64}$

STEP B 배반사건을 이용하여 확률 구하기

(i), (ii)가 서로 배반사건이므로 구하는 확률은 $\frac{15}{64}+\frac{1}{64}=\frac{16}{64}=\frac{1}{4}$

서술형 & 주관식

21

정답 해설참조

1단계 $P(A\cap B)$을 구한다. ◀ 20%

확률의 곱셈정리에 의하여

$P(A\cap B)=P(B)P(A|B)=\frac{3}{10}\times\frac{2}{3}=\frac{1}{5}$

2단계 $P(B|A)$을 구한다. ◀ 20%

$P(B|A)=\frac{P(A\cap B)}{P(A)}=\frac{\frac{1}{5}}{\frac{1}{2}}=\frac{2}{5}$

3단계 $P(A^c\cap B^c)$을 구한다. ◀ 30%

확률의 덧셈정리에 의하여

$P(A\cup B)=P(A)+P(B)-P(A\cap B)=\frac{1}{2}+\frac{3}{10}-\frac{1}{5}=\frac{3}{5}$

$\therefore P(A^c\cap B^c)=P((A\cup B)^c)=1-P(A\cup B)=1-\frac{3}{5}=\frac{2}{5}$

4단계 $P(A^c|B^c)$을 구한다. ◀ 30%

$P(B^c)=1-P(B)=1-\frac{3}{10}=\frac{7}{10}$이므로

$P(A^c|B^c)=\frac{P(A^c\cap B^c)}{P(B^c)}=\frac{\frac{2}{5}}{\frac{7}{10}}=\frac{4}{7}$

22

정답 해설참조

1단계 한 목격자가 뺑소니 차량을 자가용이라고 증언할 확률을 구한다. ◀ 50%

차량이 자가용일 사건을 A,

목격자가 자가용이라 증언할 사건을 E라 하면

(i) 뺑소니 차량이 자가용 차량일 때, 뺑소니 차량을 자가용 차량으로 증언할 경우

$P(A\cap E)=P(A)P(E|A)=0.8\times0.9=0.72$

(ii) 뺑소니 차량이 영업용 차량일 때, 뺑소니 차량을 자가용 차량으로 증언할 경우

$P(A^c\cap E)=P(A^c)P(E|A^c)=0.2\times0.1=0.02$

(i), (ii)에서 $P(E)=P(A\cap E)+P(A^c\cap E)=0.72+0.02=0.74$

2단계 한 목격자가 뺑소니 차량을 자가용이라고 증언할 때, 뺑소니 차량이 실제로 자가용일 확률을 구한다. ◀ 30%

목격자가 본 뺑소니 차량이 실제로 자가용일 확률은

$P(A|E)=\frac{P(A\cap E)}{P(E)}=\frac{0.72}{0.74}=\frac{72}{74}=\frac{36}{37}$

3단계 $p+q$의 값을 구한다. ◀ 20%

따라서 $p=37$, $q=36$이므로 $p+q=73$

23

정답 해설참조

1단계 상자의 바닥에 놓인 면에 적혀 있는 수가 짝수일 확률을 구한다. ◀ 20%

상자의 바닥에 놓인 면에 적힌 수가 짝수인 사건을 A라 하면

$P(A)=\frac{1}{2}$

2단계 상자의 바닥에 놓인 면에 적혀 있는 수가 짝수이고 앞면이 나오는 동전의 개수가 같을 확률을 구한다. ◀ 50%

상자의 바닥에 놓인 면에 적힌 수와 앞면이 나오는 동전의 개수가 같은 사건을 B라 하면

(i) 상자의 바닥에 놓인 면에 적힌 수가 2이고 앞면이 나오는 동전의 개수가 2인 경우

$\frac{1}{4}\times{}_4C_2\left(\frac{1}{2}\right)^2\left(\frac{1}{2}\right)^2=\frac{6}{64}=\frac{3}{32}$

(ii) 상자의 바닥에 놓인 면에 적힌 수가 4이고 앞면이 나오는 동전의 개수가 4인 경우

$\frac{1}{4}\times{}_4C_4\left(\frac{1}{2}\right)^4=\frac{1}{64}$

(i), (ii)가 서로 배반사건이므로 $P(A\cap B)=\frac{3}{32}+\frac{1}{64}=\frac{7}{64}$

3단계 상자의 바닥에 놓인 면에 적혀 있는 수가 짝수일 때, 상자의 바닥에 놓인 면에 적혀 있는 수와 앞면이 나오는 동전의 개수가 같을 확률을 구한다. ◀ 30%

따라서 $P(A)=\frac{1}{2}$이므로 $P(B|A)=\frac{P(A\cap B)}{P(A)}=\frac{\frac{7}{64}}{\frac{1}{2}}=\frac{7}{32}$

24

정답 10

STEP Ⓐ 모든 경우의 수 구하기

6개의 공이 들어 있는 주머니에서 임의로 2개의 공을 동시에 꺼내는 경우의 수는 ${}_6C_2=15$

STEP Ⓑ $P(A)$, $P(A\cap B)$의 값 구하기

꺼낸 2개의 공에 적힌 숫자의 합이 소수인 사건을 A라 하자.

주머니에서 꺼낸 두 개의 공이 같은 색인 사건을 B라 하면

이때 꺼낸 2개의 공에 적힌 숫자를 a, $b(a<b)$라 하고

순서쌍 (a, b)로 나타내면 사건 A는 다음과 같이 네 가지로 나누어 생각할 수 있다.

(i) $a+b=3$일 때, (①, ②)

(ii) $a+b=5$일 때, (①, ❹), (②, ③)

(iii) $a+b=7$일 때, (①, ❻), (②, ❺), (③, ❹)

(iv) $a+b=11$일 때, (❺, ❻)

(i)~(iv)에서 $P(A)=\frac{7}{15}$ …… ㉠

(i)~(iv)에서 꺼낸 2개의 공의 색이 같은 경우는

(①, ②), (②, ③), (❺, ❻)의 3가지이므로

주머니에서 꺼낸 두 개의 공이 같은 색인 사건을 B라 하면

$P(A\cap B)=\frac{3}{15}$ …… ㉡

STEP Ⓒ $P(B|A)$의 값 구하기

㉠, ㉡에서 구하는 확률은 $P(B|A)=\frac{P(A\cap B)}{P(B)}=\frac{\frac{3}{15}}{\frac{7}{15}}=\frac{3}{7}$

따라서 $p=7$, $q=3$이므로 $p+q=10$

$n(A)=1+2+3+1=7$, $n(A\cap B)=3$이므로

$P(B|A)=\frac{n(A\cap B)}{n(A)}=\frac{3}{7}$

MAPL; SYNERGY

01 통계 모의평가

01 ②	02 ③	03 ⑤	04 ④	05 ②
06 ⑤	07 ①	08 ④	09 ②	10 ⑤
11 ⑤	12 ①	13 ④	14 ③	15 ⑤
16 ②	17 ③	18 ③	19 ②	20 ③

서술형

21 해설참조	22 해설참조
23 해설참조	24 58.5

01

 ②

STEP Ⓐ **확률의 합이 1임을 이용하여 a 구하기**

확률변수 X에 대한 확률의 합은 1이므로

$2a+\frac{1}{2}+\frac{1}{3}-a=1$에서 $a=\frac{1}{6}$

STEP Ⓑ $V\left(\frac{1}{a}X\right)$**의 값 구하기**

X	1	2	3	합계
$P(X=x)$	$\frac{1}{3}$	$\frac{1}{2}$	$\frac{1}{6}$	1

$E(X)=1\times\frac{1}{3}+2\times\frac{1}{2}+3\times\frac{1}{6}=\frac{11}{6}$

$V(X)=1^2\times\frac{1}{3}+2^2\times\frac{1}{2}+3^2\times\frac{1}{6}-\left(\frac{11}{6}\right)^2=\frac{17}{36}$

따라서 $V\left(\frac{1}{a}X\right)=\frac{1}{a^2}V(X)=36\times\frac{17}{36}=17$

02

 ③

STEP Ⓐ $E(aX+b)=aE(X)+b$, $V(aX+b)=a^2V(X)$**임을 이용하여 구하기**

$E(X)=20$이므로

$E(Y)=E(aX+b)=aE(X)+b=20a+b=30$ …… ㉠

또, $\sigma(X)=4$이므로 $V(X)=4^2=16$에서

$V(Y)=V(aX+b)=a^2V(X)=16a^2=16$

그런데 $a>0$이므로 $a=1$

$a=1$을 ㉠에 대입하면 $b=10$

따라서 $a+b=11$

03

정답 ⑤

STEP Ⓐ **확률변수 X의 확률분포를 표로 나타내기**

확률변수 X의 확률분포를 표로 나타내면 다음과 같다.

X	0	1	2	합계
$P(X=x)$	$\frac{1}{12}$	$\frac{4}{12}$	$\frac{7}{12}$	1

STEP Ⓑ $V(X)=E(X^2)-\{E(X)\}^2$**의 값 구하기**

$E(X)=0\times\frac{1}{12}+1\times\frac{4}{12}+2\times\frac{7}{12}=\frac{3}{2}$

$E(X^2)=0^2\times\frac{1}{12}+1^2\times\frac{4}{12}+2^2\times\frac{7}{12}=\frac{8}{3}$

$V(X)=E(X^2)-\{E(X)\}^2=\frac{8}{3}-\left(\frac{3}{2}\right)^2=\frac{5}{12}$

STEP Ⓒ $E(aX+b)=aE(X)+b$, $V(aX+b)=a^2V(X)$**를 이용하기**

$E(2X+1)=2E(X)+1=3+1=4$

$V(-6X+10)=(-6)^2V(X)=36\times\frac{5}{12}=15$

따라서 $E(2X+1)+V(-6X+10)=4+15=19$

04

 ④

STEP Ⓐ **확률변수 X의 확률분포를 표로 나타내기**

확률변수 X가 취할 수 있는 값은 0, 1, 2이고 각각의 확률은 다음과 같다.

$P(X=0)=\frac{{}_3C_2}{{}_5C_2}=\frac{3}{10}$, $P(X=1)=\frac{{}_2C_1\times{}_3C_1}{{}_5C_2}=\frac{6}{10}$

$P(X=2)=\frac{{}_2C_2}{{}_5C_2}=\frac{1}{10}$

이므로 X의 확률분포를 표로 나타내면 다음과 같다

X	0	1	2	합계
$P(X=x)$	$\frac{3}{10}$	$\frac{6}{10}$	$\frac{1}{10}$	1

STEP Ⓑ **확률변수 X의 평균과 분산 $E(X)$, $V(X)$ 구하기**

확률변수 X에 대하여

$E(X)=0\times\frac{3}{10}+1\times\frac{6}{10}+2\times\frac{1}{10}=\frac{4}{5}$

$E(X^2)=0^2\times\frac{3}{10}+1^2\times\frac{6}{10}+2^2\times\frac{1}{10}=1$

$V(X)=E(X^2)-\{E(X)\}^2=1-\left(\frac{4}{5}\right)^2=\frac{9}{25}$

$\therefore\ \sigma(X)=\frac{3}{5}$

STEP Ⓒ $E(5X+3)+\sigma(5X-1)$**의 값 구하기**

$E(5X+3)=5E(X)+3=5\times\frac{4}{5}+3=7$

$\sigma(5X-4)=5\sigma(X)=5\times\frac{3}{5}=3$

따라서 $E(5X+3)+\sigma(5X-1)=7+3=10$

05

정답 ②

STEP A 확률변수 X의 확률분포를 표로 나타내기

정육각형의 8개의 꼭짓점 중에서 임의로 서로 다른 3개의 점을 택하는 전체 경우의 수는 ${}_8\mathrm{C}_3=56$
서로 다른 세 꼭짓점으로 만들 수 있는 넓이가 다른 삼각형은 다음과 같이 세 종류이고 넓이의 제곱을 확률변수 X라 하면
가질 수 있는 값은 $\frac{1}{4}$, $\frac{1}{2}$, $\frac{3}{4}$이고 각각의 확률은 다음과 같다.

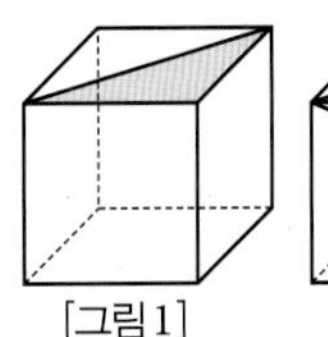
[그림1]

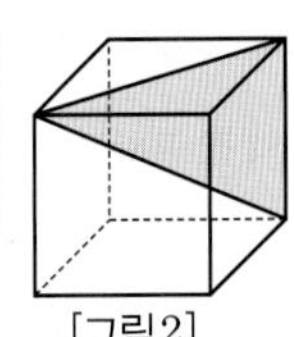
[그림2]

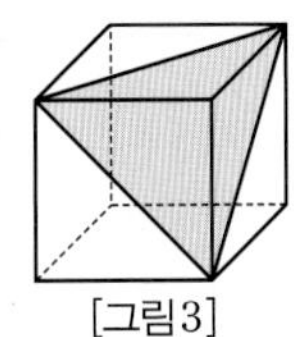
[그림3]

(ⅰ) [그림1]과 같이 $X=\left(\frac{1}{2}\times1\times1\right)^2=\frac{1}{4}$일 때,

$$\mathrm{P}\left(X=\frac{1}{4}\right)=\frac{6\times{}_4\mathrm{C}_3}{{}_8\mathrm{C}_3}=\frac{3}{7}$$

(ⅱ) [그림2]와 같이 $X=\left(\frac{1}{2}\times\sqrt{2}\times1\right)^2=\frac{1}{2}$일 때,

$$\mathrm{P}\left(X=\frac{1}{2}\right)=\frac{6\times2\times2}{{}_8\mathrm{C}_3}=\frac{3}{7}$$ ⬅ $6\times2\times2$는 (면의 개수)×(한 면의 대각선의 개수)×2

(ⅲ) [그림3]과 같이 $X=\left(\frac{\sqrt{3}}{4}\times(\sqrt{2})^2\right)^2=\frac{3}{4}$일 때,

$$\mathrm{P}\left(X=\frac{3}{4}\right)=\frac{8}{{}_8\mathrm{C}_3}=\frac{1}{7}$$

확률변수 X의 확률분포를 표로 나타내면 다음과 같다.

X	$\frac{1}{4}$	$\frac{1}{2}$	$\frac{3}{4}$	합계
$\mathrm{P}(X=x)$	$\frac{3}{7}$	$\frac{3}{7}$	$\frac{1}{7}$	1

STEP B $\mathrm{V}(X)=\mathrm{E}(X^2)-\{\mathrm{E}(X)\}^2$을 이용하여 구하기

$\mathrm{E}(X)=\frac{1}{4}\times\frac{3}{7}+\frac{1}{2}\times\frac{3}{7}+\frac{3}{4}\times\frac{1}{7}=\frac{3}{7}$

$\mathrm{E}(X^2)=\left(\frac{1}{4}\right)^2\times\frac{3}{7}+\left(\frac{1}{2}\right)^2\times\frac{3}{7}+\left(\frac{3}{4}\right)^2\times\frac{1}{7}=\frac{3}{14}$

$\mathrm{V}(X)=\mathrm{E}(X^2)-\{\mathrm{E}(X)\}^2=\frac{3}{14}-\left(\frac{3}{7}\right)^2=\frac{3}{98}$

STEP C $\mathrm{V}(aX+b)=a^2\mathrm{V}(X)$임을 이용하여 구하기

따라서 $\mathrm{V}(7X)=49\mathrm{V}(X)=49\times\frac{3}{98}=\frac{3}{2}$

06

정답 ⑤

STEP A 확률변수 X가 따르는 이항분포 $\mathrm{B}(n,\ p)$ 구하기

한 개의 주사위를 던져 3의 배수의 눈이 나오는 확률이 $\frac{2}{6}=\frac{1}{3}$  ⬅ 3, 6
일 때, 90번의 독립시행에서 이 사건이 일어나는 횟수와 같으므로
확률변수 X는 이항분포 $\mathrm{B}\left(90,\ \frac{1}{3}\right)$을 따른다.

STEP B 이항분포의 평균과 분산 구하기

$\mathrm{E}(X)=90\times\frac{1}{3}=30$, $\mathrm{V}(X)=90\times\frac{1}{3}\times\frac{2}{3}=20$

STEP C $\mathrm{V}(X)=\mathrm{E}(X^2)-\{\mathrm{E}(X)\}^2$임을 이용하여 구하기

이때 $\mathrm{V}(X)=\mathrm{E}(X^2)-\{\mathrm{E}(X)\}^2$이므로
$\mathrm{E}(X^2)=\mathrm{V}(X)+\{\mathrm{E}(X)\}^2=20+30^2=920$

07

정답 ①

STEP A 확률변수 X가 따르는 이항분포 $\mathrm{B}(n,\ p)$ 구하기

각 시행에서 꺼낸 공을 다시 주머니에 넣으므로 각 시행은 독립시행이다.
흰 공 2개와 검은 공 n개가 들어 있는 상자에서 임의로 1개의 공을 꺼낼 때,
흰 공이 나올 확률은 $\frac{2}{n+2}$이다.
따라서 10회의 독립시행 중에서 흰 공이 나온 횟수가 확률변수 X이므로
X는 이항분포 $\mathrm{B}\left(10,\ \frac{2}{n+2}\right)$를 따른다.

STEP B $\mathrm{V}(X)=np(1-p)$임을 이용하여 n의 값 구하기

$\mathrm{V}(X)=10\times\frac{2}{n+2}\times\frac{n}{n+2}=\frac{20}{9}$에서 $(n+2)^2=9n$
$n^2-5n+4=(n-1)(n-4)=0$
따라서 $n\geq2$이므로 $n=4$

08

정답 ④

STEP A 확률밀도함수의 성질을 이용하여 k의 값 구하기

확률밀도함수의 성질에 의하여
$\mathrm{P}(0\leq X\leq1)=1$이므로
오른쪽 그림의 색칠된 삼각형 부분의 넓이가 1이다.

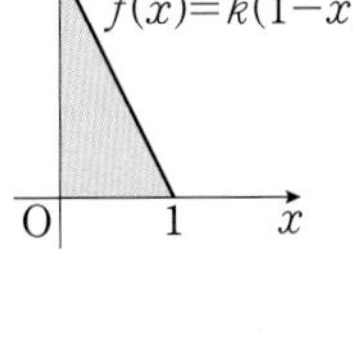

$\mathrm{P}(0\leq X\leq1)=\frac{1}{2}\times1\times k=1$
$\therefore\ k=2$

STEP B $\mathrm{P}\left(0\leq X\leq\frac{1}{2}\right)$ 구하기

$f(x)=2(1-x)$이므로
$\mathrm{P}\left(0\leq X\leq\frac{1}{2}\right)$은 오른쪽 그림에서
색칠한 사다리꼴의 부분의 넓이와 같으므로

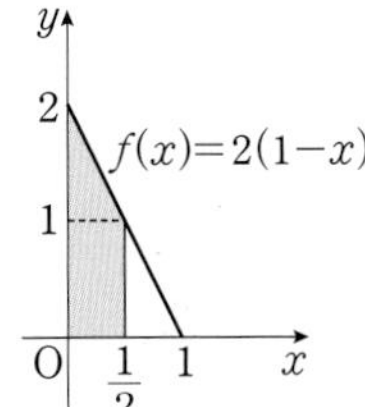

$\mathrm{P}\left(0\leq X\leq\frac{1}{2}\right)=1-\frac{1}{4}=\frac{3}{4}$
따라서 $k\mathrm{P}\left(0\leq X\leq\frac{1}{2}\right)=2\times\frac{3}{4}=\frac{3}{2}$

09

정답 ②

STEP A 정규분포곡선의 성질을 이용하여 m의 값 구하기

정규분포 $\mathrm{N}(m,\ \sigma^2)$을 따르는 확률변수 X의 확률밀도함수의 그래프는 직선 $x=m$에 대하여 대칭이고
$\mathrm{P}(X\leq7)=\mathrm{P}(X\geq11)$이므로
$m=\frac{7+11}{2}=9$

STEP B σ^2의 값 구하기

$\mathrm{V}(3X)=3^2\mathrm{V}(X)=9\sigma^2=2$
$\therefore\ \sigma^2=\frac{2}{9}$
따라서 $m\times\sigma^2=9\times\frac{2}{9}=2$

10

정답 ⑤

STEP A 정규분포곡선의 성질을 이용하여 크기 비교하기

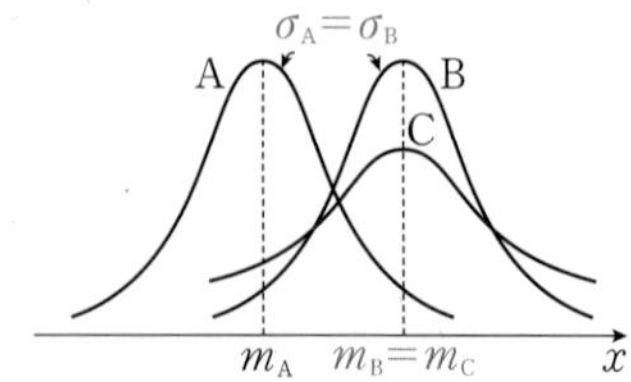

곡선 B, C의 대칭축은 같고 $m_A < m_B$이므로 $m_A < m_B = m_C$

곡선 C의 그래프가 곡선 B보다 높이가 낮고 퍼져있고 곡선 A는 곡선 B를 평행이동 했으므로 $\sigma_A = \sigma_B < \sigma_C$

ㄱ. $m_A < m_C$ [참]

ㄴ. $\sigma_A < \sigma_C$ [참]

ㄷ. $\sigma_A = \sigma_B$ [참]

따라서 옳은 것은 ㄱ, ㄴ, ㄷ이다.

11

 ⑤

STEP A 확률변수 X가 따르는 정규분포 $N(m, \sigma^2)$ 구하기

과자 한 개의 무게를 확률변수 X라 하면

X는 정규분포 $N(30, 2^2)$을 따르므로 $Z=\dfrac{X-30}{2}$로 놓으면

확률변수 Z는 표준정규분포 $N(0, 1)$을 따른다.

STEP B $P(X \geq 27)$의 값 구하기

따라서 구하는 확률은

$P(X \geq 27) = P\left(Z \geq \dfrac{27-30}{2}\right)$

$= P(Z \geq -1.5)$

$= 0.5 + P(0 \leq Z \leq 1.5)$

$= 0.5 + 0.4332 = 0.9332$

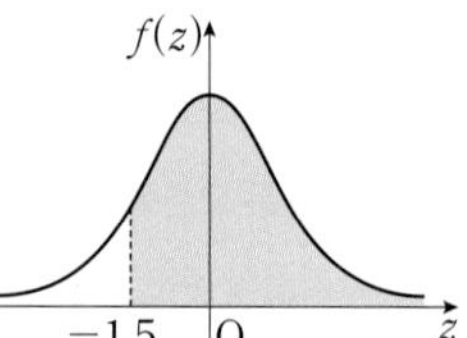

12

 ①

STEP A 확률변수 X가 따르는 정규분포 $N(m, \sigma^2)$ 구하기

지원자들의 입사시험 점수를 확률변수 X라고 하면

확률변수 X는 정규분포 $N(820, 50^2)$을 따르므로 $Z=\dfrac{X-820}{50}$으로 놓으면

확률변수 Z는 표준정규분포 $N(0, 1)$을 따른다.

STEP B $P(X \geq a)=0.1660$을 만족하는 a값 구하기

이때 입사시험에 합격하는 최저 점수를 a점이라 하면

$P(X \geq a) = \dfrac{166}{1000} = 0.1660$이므로

$P(X \geq a)$

$= P\left(Z \geq \dfrac{a-820}{50}\right)$

$= P(Z \geq 0) - P\left(0 \leq Z \leq \dfrac{a-820}{50}\right)$

$= 0.5 - P\left(0 \leq Z \leq \dfrac{a-820}{50}\right)$

$= 0.1660$

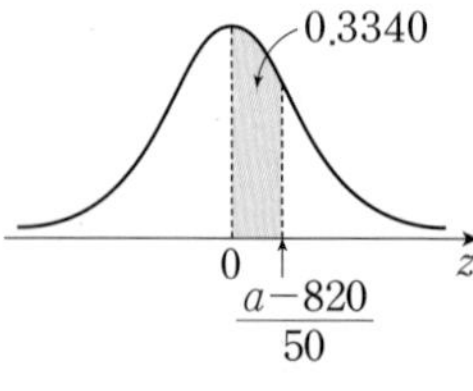

$\therefore P\left(0 \leq Z \leq \dfrac{a-820}{50}\right) = 0.5 - 0.1660 = 0.3340$

이때 $P(0 \leq Z \leq 0.97) = 0.3340$이므로

$\dfrac{a-820}{50} = 0.97$, $a-820 = 48.5$, 즉 $a = 868.5$

따라서 합격자의 최저점수는 868.5점이다.

13

정답 ④

STEP A 이항분포의 평균과 표준편차를 구하여 정규분포로 바꾸기

확률변수 X가 이항분포 $B\left(400, \dfrac{1}{2}\right)$을 따르므로

$E(X) = 400 \times \dfrac{1}{2} = 200$, $V(X) = 400 \times \dfrac{1}{2} \times \dfrac{1}{2} = 100$

이때 400은 충분히 큰 수이므로

확률변수 X는 근사적으로 정규분포 $N(200, 10^2)$을 따르고

$Z=\dfrac{X-200}{10}$으로 놓으면 확률변수 Z는 표준정규분포 $N(0, 1)$을 따른다.

STEP B $P(200 \leq X \leq 215)$의 값 구하기

따라서 $P(200 \leq X \leq 215) = P\left(\dfrac{200-200}{10} \leq Z \leq \dfrac{215-200}{10}\right)$

$= P(0 \leq Z \leq 1.5) = 0.4332$

14

 ③

STEP A 이항분포의 평균과 표준편차를 구하여 정규분포로 바꾸기

학생 400명 중에서 학교 생활에 만족한다고 응답한 학생 수를

확률변수 X라 하면 X는 이항분포 $B\left(400, \dfrac{4}{5}\right)$를 따르므로

$E(X) = 400 \times \dfrac{4}{5} = 320$, $V(X) = 400 \times \dfrac{4}{5} \times \dfrac{1}{5} = 64$

이때 400은 충분히 큰 수이므로

확률변수 X는 근사적으로 정규분포 $N(320, 64)$를 따르고

$Z=\dfrac{X-320}{8}$으로 놓으면 확률변수 Z는 표준정규분포 $N(0, 1)$을 따른다.

STEP B $P(312 \leq X \leq 336)$의 값 구하기

따라서 구하는 확률은

$P(312 \leq X \leq 336)$

$= P\left(\dfrac{312-320}{8} \leq Z \leq \dfrac{336-320}{8}\right)$

$= P(-1 \leq Z \leq 2)$

$= P(0 \leq Z \leq 1) + P(0 \leq Z \leq 2)$

$= 0.3413 + 0.4772 = 0.8185$

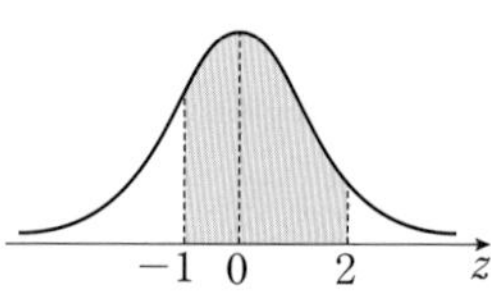

15

 ⑤

STEP A 이항분포의 평균과 표준편차를 구하여 정규분포로 바꾸기

확률변수 X의 확률질량함수가

$P(X=x) = {}_{100}C_x p^x (1-p)^{100-x}$ $(x=0, 1, 2, \cdots, 100)$

이므로 확률변수 X는 이항분포 $B(100, p)$를 따른다.

$E(X) = 100p = 20$에서 $p = \dfrac{1}{5}$

$V(X) = 100 \times \dfrac{1}{5} \times \dfrac{4}{5} = 16$

STEP B [보기]의 참, 거짓 판단하기

ㄱ. 확률변수 X는 이항분포 $B\left(100, \dfrac{1}{5}\right)$을 따른다. [참]

ㄴ. $E(X) = 20$, $V(X) = 16$이고 100은 충분히 큰 수이므로

확률변수 X는 근사적으로 정규분포 $N(20, 4^2)$을 따른다. [참]

ㄷ. $P(24 \leq X \leq 30)$

$= P\left(\dfrac{24-20}{4} \leq Z \leq \dfrac{30-20}{4}\right)$

$= P(1 \leq Z \leq 2.5)$

$= P(0 \leq Z \leq 2.5) - P(0 \leq Z \leq 1)$

$= 0.4938 - 0.3413 = 0.1525$ [참]

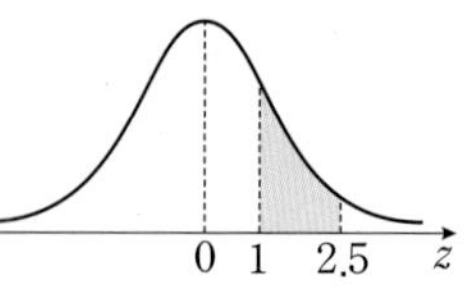

따라서 옳은 것은 ㄱ, ㄴ, ㄷ이다.

16

정답 ②

STEP Ⓐ 확률의 합이 1임을 이용하여 a, b의 관계식 구하기

확률의 총합이 1이므로

$a+b+\frac{5}{8}=1$에서 $a+b=\frac{3}{8}$ ······ ㉠

STEP Ⓑ $\mathrm{E}(X)=\mathrm{E}(\overline{X})$임을 이용하여 a, b의 값 구하기

$\mathrm{E}(\overline{X})=\mathrm{E}(X)=3\times a+5\times b+7\times\frac{5}{8}=6$에서

$3a+5b=\frac{13}{8}$ ······ ㉡

㉠, ㉡을 연립하여 풀면 $a=\frac{1}{8}$, $b=\frac{1}{4}$

STEP Ⓒ 표본평균과 모평균의 관계를 이용하여 표본평균 $\overline{X}$의 분산 구하기

따라서 $\mathrm{V}(X)=3^2\times\frac{1}{8}+5^2\times\frac{1}{4}+7^2\times\frac{5}{8}-6^2=38-36=2$이므로

$\mathrm{V}(\overline{X})=\frac{\mathrm{V}(X)}{3}=\frac{2}{3}$

17

STEP Ⓐ 표본의 크기가 25인 $\overline{X}$의 평균과 표준편차 구하기

모집단이 정규분포 $\mathrm{N}(65,\ 15^2)$을 따르고 크기가 25이므로

표본평균 $\overline{X}$는 정규분포 $\mathrm{N}(65,\ 3^2)$을 따른다. ⬅ $\mathrm{E}(\overline{X})=65$, $\sigma(\overline{X})=\frac{15}{\sqrt{25}}=3$

STEP Ⓑ $\overline{X}$를 표준화하여 $\mathrm{P}(\overline{X}\ge 68)$의 값 구하기

이때 $Z=\frac{\overline{X}-65}{3}$로 놓으면 Z는 표준정규분포 $\mathrm{N}(0,\ 1)$을 따른다.

따라서 $\mathrm{P}(\overline{X}\ge 68)=\mathrm{P}\left(Z\ge\frac{68-65}{3}\right)$

$=\mathrm{P}(Z\ge 1)$

$=0.5-\mathrm{P}(0\le Z\le 1)$

$=0.5-0.3413=0.1587$

18

STEP Ⓐ 표본의 크기가 n인 표본의 표본평균의 평균과 표준편차 구하기

모집단이 정규분포 $\mathrm{N}(m,\ 3^2)$ 을 따르고 표본의 크기가 n이므로

표본평균 $\overline{X}$는 정규분포 $\mathrm{N}\left(m,\ \left(\frac{3}{\sqrt{n}}\right)^2\right)$을 따른다. ⬅ $\mathrm{E}(\overline{X})=m$, $\sigma(\overline{X})=\frac{3}{\sqrt{n}}$

이때 $Z=\frac{\overline{X}-m}{\frac{3}{\sqrt{n}}}$으로 놓으면 Z는 표준정규분포 $\mathrm{N}(0,\ 1)$을 따른다.

STEP Ⓑ $\mathrm{P}(m-0.5\le\overline{X}\le m+0.5)=0.8664$를 만족하는 n의 값 구하기

이때 $Z=\frac{\overline{X}-m}{\frac{3}{\sqrt{n}}}$으로 놓으면 확률변수 Z는 표준정규분포 $\mathrm{N}(0,\ 1)$을 따르므로

$\mathrm{P}(m-0.5\le\overline{X}\le m+0.5)=0.8664$에서

$\mathrm{P}(m-0.5\le\overline{X}\le m+0.5)=\mathrm{P}\left(\frac{(m-0.5)-m}{\frac{3}{\sqrt{n}}}\le Z\le\frac{(m+0.5)-m}{\frac{3}{\sqrt{n}}}\right)$

$=\mathrm{P}\left(-\frac{\sqrt{n}}{6}\le Z\le\frac{\sqrt{n}}{6}\right)$

$=2\mathrm{P}\left(0\le Z\le\frac{\sqrt{n}}{6}\right)$

$=0.8664$

$\therefore \mathrm{P}\left(0\le Z\le\frac{\sqrt{n}}{6}\right)=0.4332$

이때 표준정규분포표에서 $\mathrm{P}(0\le Z\le 1.5)=0.4332$이므로 $\frac{\sqrt{n}}{6}=1.5$

따라서 $n=81$

19

STEP Ⓐ 모평균 m에 대한 신뢰도 95%의 신뢰구간 구하기

표본평균 $\overline{x}$, 모표준편차 $\sigma=2$, 표본의 크기가 n이므로

모평균 m에 대한 신뢰도 95%의 신뢰구간은

$\overline{x}-1.96\frac{2}{\sqrt{n}}\le m\le\overline{x}+1.96\frac{2}{\sqrt{n}}$

STEP Ⓑ 주어진 신뢰구간을 이용하여 n, $\overline{x}$의 값 구하기

이때 신뢰도 95%의 신뢰구간이 $9.608\le m\le 10.392$이므로

$\overline{x}-1.96\frac{2}{\sqrt{n}}=9.608$ ······ ㉠

$\overline{x}+1.96\frac{2}{\sqrt{n}}=10.392$ ······ ㉡

㉠+㉡을 하면 $2\overline{x}=20$ $\therefore \overline{x}=10$

㉠에서 $10-1.96\frac{2}{\sqrt{n}}=9.608$, $1.96\frac{2}{\sqrt{n}}=0.392$

$\sqrt{n}=10$ $\therefore n=100$

따라서 $n+\overline{x}=100+10=110$

20

STEP Ⓐ 신뢰도 95%의 신뢰구간의 길이 구하기

모표준편차가 $\sigma=0.6$, 표본의 크기가 n이므로

모평균 m에 대한 신뢰도 95%의 신뢰구간이 $a\le m\le b$일 때,

신뢰구간의 길이는 $b-a=2\times1.96\times\frac{0.6}{\sqrt{n}}$

STEP Ⓑ $b-a\le 0.196$을 만족하는 자연수 n의 최솟값 구하기

$b-a\le 0.196$에서 $2\times1.96\times\frac{0.6}{\sqrt{n}}\le 0.196$이므로 $\sqrt{n}\ge 12$

$\therefore n\ge 144$

따라서 자연수 n의 최솟값은 144

서술형 & 주관식

21

정답 해설참조

1단계 X의 확률질량함수를 구한다. ◀ 30%

확률변수 X가 갖는 값은 0, 1, 2, 3이다.
7명의 학생 중에서 3명의 대표를 뽑는 경우의 수는 ${}_7C_3$이고
뽑힌 3명의 대표 중에서 여학생이 x명인 경우의 수는 ${}_4C_x \times {}_3C_{3-x}$이므로
X의 확률질량함수는

$$P(X=x)=\frac{{}_4C_x \times {}_3C_{3-x}}{{}_7C_3}\ (x=0,\ 1,\ 2,\ 3)$$

2단계 X의 확률분포를 표로 나타낸다. ◀ 20%

X의 각 값을 가질 확률은

$$P(X=0)=\frac{{}_4C_0 \times {}_3C_3}{{}_7C_3}=\frac{1}{35},\ P(X=1)=\frac{{}_4C_1 \times {}_3C_2}{{}_7C_3}=\frac{12}{35}$$

$$P(X=2)=\frac{{}_4C_2 \times {}_3C_1}{{}_7C_3}=\frac{18}{35},\ P(X=3)=\frac{{}_4C_3 \times {}_3C_0}{{}_7C_3}=\frac{4}{35}$$

이고 X의 확률분포를 표로 나타내면 다음과 같다.

X	0	1	2	3	합계
$P(X=x)$	$\frac{1}{35}$	$\frac{12}{35}$	$\frac{18}{35}$	$\frac{4}{35}$	1

3단계 여학생이 적어도 2명 뽑힐 확률을 구한다. ◀ 20%

여학생이 적어도 2명 뽑힐 확률은 $X \ge 2$일 확률이므로

$$P(X \ge 2)=P(X=2)+P(X=3)=\frac{18}{35}+\frac{4}{35}=\frac{22}{35}$$

4단계 X의 기댓값과 분산을 구한다. ◀ 20%

X의 기댓값과 X^2의 기댓값은

$$E(X)=0\times\frac{1}{35}+1\times\frac{12}{35}+2\times\frac{18}{35}+3\times\frac{4}{35}=\frac{60}{35}=\frac{12}{7}$$

$$E(X^2)=0^2\times\frac{1}{35}+1^2\times\frac{12}{35}+2^2\times\frac{18}{35}+3^2\times\frac{4}{35}=\frac{120}{35}=\frac{24}{7}$$

X의 분산은

$$V(X)=E(X^2)-\{E(X)\}^2=\frac{24}{7}-\left(\frac{12}{7}\right)^2=\frac{24}{49}$$

5단계 $V(7X-1)$을 구한다. ◀ 10%

$$V(7X-1)=49V(X)=49\times\frac{24}{49}=24$$

22

정답 해설참조

1단계 $\frac{P(X=1)}{P(X=0)}$의 값을 구한다. ◀ 30%

확률변수 X는 이항분포 $B\left(20,\ \frac{1}{6}\right)$을 따르므로
확률변수 X의 확률질량함수는

$$P(X=x)={}_{20}C_x\left(\frac{1}{6}\right)^x\left(\frac{5}{6}\right)^{20-x}\ (x=0,\ 1,\ 2,\ \cdots,\ 20)\text{이다.}$$

$$P(X=0)={}_{20}C_0\left(\frac{5}{6}\right)^{20}=\left(\frac{5}{6}\right)^{20}$$

$$P(X=1)={}_{20}C_1\left(\frac{1}{6}\right)^x\left(\frac{5}{6}\right)^{19}=\frac{10}{3}\times\left(\frac{5}{6}\right)^{19}$$

$$\frac{P(X=1)}{P(X=0)}=\frac{\frac{10}{3}\times\left(\frac{5}{6}\right)^{19}}{\left(\frac{5}{6}\right)^{20}}=4$$

2단계 $V(-3X+1)$의 값을 구한다. ◀ 20%

$V(X)=20\times\frac{1}{6}\times\frac{5}{6}=\frac{25}{9}$이므로

$$V(-3X+1)=(-3)^2V(X)=9\times\frac{25}{9}=25$$

3단계 X^2의 평균 $E(X^2)$을 구한다. ◀ 20%

$E(X)=20\times\frac{1}{6}=\frac{10}{3},\ V(X)=\frac{25}{9}$이므로

$$E(X^2)=V(X)+\{E(X)\}^2=\frac{25}{9}+\left(\frac{10}{3}\right)^2=\frac{125}{9}$$

4단계 $E((3-X)^2)$의 값을 구한다. ◀ 30%

$$\begin{aligned}E((3-X)^2)&=E(X^2-6X+9)\\&=E(X^2)-6E(X)+9\\&=\frac{125}{9}-6\times\frac{10}{3}+9\\&=\frac{125}{9}-11=\frac{26}{9}\end{aligned}$$

23

정답 해설참조

1단계 임의로 택한 이온음료 한 세트에 들어 있는 음료 4병의 무게의 평균을 $\overline{X}$라 할 때, $\overline{X}$가 따르는 정규분포를 구한다. ◀ 30%

이 회사에서 생산하는 이온음료 한 세트에 들어 있는 4병의 무게의 평균을 $\overline{X}$라 하면
모집단이 정규분포 $N(500,\ 20^2)$을 따르고 표본의 크기가 4이므로
표본평균 $\overline{X}$는 정규분포 $N(500,\ 10^2)$을 따른다. ← $E(\overline{X})=500,\ \sigma(\overline{X})=\frac{20}{\sqrt{4}}=10$

2단계 이온음료 한 세트의 무게가 1920g 이하일 확률을 구한다. ◀ 50%

$Z=\frac{\overline{X}-500}{10}$으로 놓으면 확률변수 Z는 표준정규분포 $N(0,\ 1)$을 따르므로
이온음료 한 세트의 무게가 1920g 이하일 확률은

$$\begin{aligned}P(4\overline{X}\le 1920)&=P(\overline{X}\le 480)\\&=P\left(Z\le\frac{480-500}{10}\right)\\&=P(Z\le -2)\\&=0.5-P(0\le Z\le 2)\\&=0.5-0.4772\\&=0.0228\end{aligned}$$

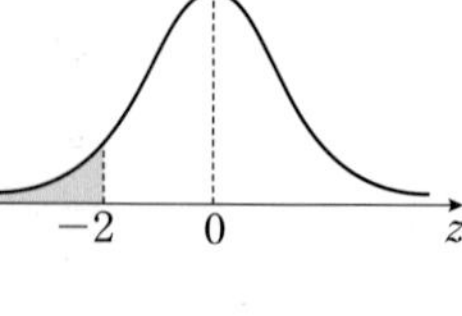

3단계 불량품으로 판정되는 이온음료 세트의 개수를 구한다. ◀ 20%

따라서 불량품으로 판정될 확률이 0.0228이므로 불량품으로 판정되는 상자의 개수는 $10000\times 0.0228=228$

24

정답 58.5

STEP A **표본평균 $\overline{X}$의 정규분포 구하기**

표본평균 $\overline{X}$의 평균과 표준편차는 각각

$E(\overline{X})=50$, $\sigma(\overline{X})=\dfrac{8}{\sqrt{16}}=2$

표본평균 $\overline{X}$는 정규분포 $N(50,\ \boxed{2}^2)$을 따르므로

확률변수 $Z=\dfrac{\overline{X}-50}{2}$은 표준정규분포 $N(0,\ 1)$을 따른다.

STEP B **표본평균 $\overline{Y}$의 정규분포 구하기**

표본평균 $\overline{Y}$의 평균과 표준편차는 각각

$E(\overline{Y})=75$, $\sigma(\overline{Y})=\dfrac{\sigma}{\sqrt{25}}=\dfrac{\sigma}{5}$

표본평균 $\overline{Y}$는 정규분포 $N\left(75,\ \left(\dfrac{\sigma}{\boxed{5}}\right)^2\right)$을 따르므로

확률변수 $Z=\dfrac{\overline{Y}-75}{\frac{\sigma}{5}}$는 표준정규분포 $N(0,\ 1)$을 따른다.

STEP C **$P(\overline{X}\le 53)+P(\overline{Y}\le 69)=1$을 만족하는 σ의 값 구하기**

$P(\overline{X}\le 53)=P\left(Z\le\dfrac{53-50}{2}\right)=P(Z\le 1.5)$

$=0.5+P(0\le Z\le\boxed{1.5})$

$P(\overline{Y}\le 69)=P\left(Z\le\dfrac{69-75}{\frac{\sigma}{5}}\right)=P\left(Z\le-\dfrac{30}{\sigma}\right)$

$=0.5-P\left(0\le Z\le\dfrac{\boxed{30}}{\sigma}\right)$

이때 $P(\overline{X}\le 53)+P(\overline{Y}\le 69)=1$이므로

$0.5+P(0\le Z\le 1.5)+0.5-P\left(0\le Z\le\dfrac{30}{\sigma}\right)=1$

$P(0\le Z\le\boxed{1.5})=P\left(0\le Z\le\dfrac{\boxed{30}}{\sigma}\right)$

따라서 $\dfrac{30}{\sigma}=1.5$이므로 $\sigma=\boxed{20}$이다.

즉 $a=2$, $b=5$, $c=1.5$, $d=30$, $e=20$이므로 $a+b+c+d+e=58.5$

M A P L ; S Y N E R G Y

02 통계 모의평가

01	⑤	02	①	03	⑤	04	④	05	③
06	④	07	⑤	08	④	09	①	10	④
11	④	12	④	13	⑤	14	④	15	③
16	②	17	③	18	④	19	⑤	20	②

서술형

21	해설참조	22	해설참조
23	해설참조	24	73

01

STEP A **확률변수 X가 가질 수 있는 모든 값의 확률 구하기**

확률변수 X가 가질 수 있는 값은 $0,\ 1,\ 2,\ 3$이므로

$P(X=0)=\dfrac{{}_5C_0\times{}_3C_3}{{}_8C_3}=\dfrac{1}{56}$, $P(X=1)=\dfrac{{}_5C_1\times{}_3C_2}{{}_8C_3}=\dfrac{15}{56}$

$P(X=2)=\dfrac{{}_5C_2\times{}_3C_1}{{}_8C_3}=\dfrac{15}{28}$, $P(X=3)=\dfrac{{}_5C_3\times{}_3C_0}{{}_8C_3}=\dfrac{5}{28}$

확률변수 X의 확률분포를 표로 나타내면 다음과 같다.

X	0	1	2	3	합계
$P(X=x)$	$\dfrac{1}{56}$	$\dfrac{15}{56}$	$\dfrac{15}{28}$	$\dfrac{5}{28}$	1

STEP B **$P(X\ge 1)=1-P(X=0)$임을 이용하여 구하기**

이때 검은 공을 적어도 한 개 이상 꺼낼 확률은

$P(X\ge 1)=1-P(X<1)=1-P(X=0)=1-\dfrac{1}{56}=\dfrac{55}{56}$

02

STEP A **확률의 합이 1임을 이용하여 a, b의 관계식 구하기**

확률의 총합은 1이므로

$\dfrac{1}{5}+a+\dfrac{3}{10}+b=1$에서 $a+b=\dfrac{1}{2}$ ...... ㉠

STEP B **$E(X)=\dfrac{7}{5}$임을 이용하여 a, b의 관계식 구하기**

$E(X)=0\times\dfrac{1}{5}+1\times a+2\times\dfrac{3}{10}+3\times b=\dfrac{7}{5}$에서

$a+3b=\dfrac{4}{5}$ ...... ㉡

STEP C **$V(X)$의 값 구하기**

㉠, ㉡을 연립하여 풀면 $a=\dfrac{7}{20}$, $b=\dfrac{3}{20}$

따라서 $V(X)=0^2\times\dfrac{1}{5}+1^2\times\dfrac{7}{20}+2^2\times\dfrac{3}{10}+3^2\times\dfrac{3}{20}-\left(\dfrac{7}{5}\right)^2=\dfrac{47}{50}$

03

정답 ⑤

STEP Ⓐ **확률변수 X의 확률분포를 표로 나타내기**

확률변수 X의 확률분포를 표로 나타내면 다음과 같다.

X	1	2	a	5	합계
$\mathrm{P}(X=x)$	$\frac{2}{5}$	$\frac{1}{5}$	$\frac{1}{5}$	$\frac{1}{5}$	1

STEP Ⓑ $\mathrm{E}(aX+b)=a\mathrm{E}(X)+b$**를 이용하여** a**의 값 구하기**

확률변수 X에 대하여

$\mathrm{E}(X)=1\times\frac{2}{5}+2\times\frac{1}{5}+a\times\frac{1}{5}+5\times\frac{1}{5}=\frac{9+a}{5}$

$\mathrm{E}(5X+1)=14$이므로

$5\mathrm{E}(X)+1=14$, $\mathrm{E}(X)=\frac{13}{5}$, $\frac{9+a}{5}=\frac{13}{5}$

$10+a=14 \quad \therefore a=4$

STEP Ⓒ $\mathrm{V}(aX+b)=a^2\mathrm{V}(X)$**임을 이용하여 구하기**

$\mathrm{V}(X)=1^2\times\frac{2}{5}+2^2\times\frac{1}{5}+4^2\times\frac{1}{5}+5^2\times\frac{1}{5}-\left(\frac{13}{5}\right)^2=\frac{66}{25}$

$\therefore \sigma(X)=\sqrt{\frac{66}{25}}=\frac{\sqrt{66}}{5}$

따라서 $\sigma(5X+2)=5\sigma(X)=5\times\frac{\sqrt{66}}{5}=\sqrt{66}$

04

STEP Ⓐ **확률변수 X의 확률분포를 표로 나타내기**

7이 적혀 있는 공이 나오기까지 꺼내야 하는 공의 개수가 확률변수 X이므로 X는 1, 2, 3, $\cdots$, 9이고 각각의 확률은 다음과 같다.

$\mathrm{P}(X=1)=\frac{1}{9}$

$\mathrm{P}(X=2)=\frac{8}{9}\times\frac{1}{8}=\frac{1}{9}$

$\mathrm{P}(X=3)=\frac{8}{9}\times\frac{7}{8}\times\frac{1}{7}=\frac{1}{9}$

$\vdots$

$\mathrm{P}(X=9)=\frac{8}{9}\times\frac{7}{8}\times\frac{6}{7}\times\cdots\times\frac{1}{2}\times1=\frac{1}{9}$

이므로 X의 확률분포를 표로 나타내면 다음과 같다.

X	1	2	$\cdots$	9	합계
$\mathrm{P}(X=x)$	$\frac{1}{9}$	$\frac{1}{9}$	$\cdots$	$\frac{1}{9}$	1

STEP Ⓑ $\mathrm{E}(X)$**의 값 구하기**

따라서 확률변수 X의 평균은

$\mathrm{E}(X)=1\times\frac{1}{9}+2\times\frac{1}{9}+\cdots+9\times\frac{1}{9}=45\times\frac{1}{9}=5$

05

정답 ③

STEP Ⓐ **확률변수 X의 확률분포를 표로 나타내기**

확률변수 X가 갖는 값은 -3, -2, -1, 0이고 각 값을 가질 확률은

$\mathrm{P}(X=-3)=\frac{1}{10}$, $\mathrm{P}(X=-2)=\frac{2}{10}$, $\mathrm{P}(X=-1)=\frac{3}{10}$, $\mathrm{P}(X=0)=\frac{4}{10}$

확률변수 X의 확률분포를 표로 나타내면 다음과 같다.

X	-3	-2	-1	0	합계
$\mathrm{P}(X=x)$	$\frac{1}{10}$	$\frac{2}{10}$	$\frac{3}{10}$	$\frac{4}{10}$	1

STEP Ⓑ $\mathrm{V}(X)=\mathrm{E}(X^2)-\{\mathrm{E}(X)\}^2$**의 값 구하기**

X의 평균은

$\mathrm{E}(X)=(-3)\times\frac{1}{10}+(-2)\times\frac{2}{10}+(-1)\times\frac{3}{10}+0\times\frac{4}{10}=\frac{-3-4-3}{10}=-1$

X의 분산은

$\mathrm{V}(X)=(-3)^2\times\frac{1}{10}+(-2)^2\times\frac{2}{10}+(-1)^2\times\frac{3}{10}+0^2\times\frac{4}{10}-(-1)^2$

$=2-1=1$

STEP Ⓒ $\mathrm{E}(aX+b)=a\mathrm{E}(X)+b$, $\mathrm{V}(aX+b)=a^2\mathrm{V}(X)$**를 이용하기**

$\mathrm{E}(Y)=\mathrm{E}(aX+b)=a\mathrm{E}(X)+b=-a+b=0$이므로 $b=a$

$\mathrm{V}(Y)=\mathrm{V}(aX+b)=a^2\mathrm{V}(X)=a^2=5$

따라서 $a^2+b^2=2a^2=2\times5=10$

06

STEP Ⓐ $\mathrm{P}(X=r)={}_n\mathrm{C}_r p^r(1-p)^{n-r}$**임을 이용하여** p**값 구하기**

확률변수 X가 이항분포 $\mathrm{B}(10,\ p)$를 따르므로

$\mathrm{P}(X=x)={}_{10}\mathrm{C}_x p^x(1-p)^{10-x}$이므로

$\mathrm{P}(X=4)=\frac{1}{3}\mathrm{P}(X=5)$에서 ${}_{10}\mathrm{C}_4 p^4(1-p)^6=\frac{1}{3}\times{}_{10}\mathrm{C}_5 p^5(1-p)^5$

$1-p=\frac{2}{5}p \quad \therefore p=\frac{5}{7}$

STEP Ⓑ $\mathrm{E}(aX+b)=a\mathrm{E}(X)+b$**임을 이용하여 구하기**

따라서 $\mathrm{B}\left(10,\ \frac{5}{7}\right)$이므로 $\mathrm{E}(7X)=7\mathrm{E}(X)=7\times10\times\frac{5}{7}=50$

07

STEP Ⓐ **확률변수 X가 따르는 이항분포** $\mathrm{B}(n,\ p)$ **구하기**

직선 $y=2ax$가 곡선 $y=x^2+2x+3$과 서로 다른 두 점에서 만나려면 이차방정식 $x^2+2x+3=2ax$, 즉 $x^2+2(1-a)x+3=0$이 서로 다른 두 실근을 가져야 한다.

$x^2+2(1-a)x+3=0$의 판별식을 D라 하면

$\frac{D}{4}=(a-1)^2-3>0$이고 $(a-1)^2>3$에서 주사위의 눈의 수 a는

3, 4, 5, 6이므로 확률은 $\frac{4}{6}=\frac{2}{3}$이므로

확률변수 X는 이항분포 $\mathrm{B}\left(300,\ \frac{2}{3}\right)$를 따른다.

STEP Ⓑ $\mathrm{V}(3X-2)$**의 값 구하기**

$\mathrm{V}(X)=300\times\frac{2}{3}\times\frac{1}{3}=\frac{200}{3}$

따라서 $\mathrm{V}(3X-2)=9\mathrm{V}(X)=9\times\frac{200}{3}=600$

08

정답 ④

STEP Ⓐ **확률변수 X를 $Z=\dfrac{X-m}{\sigma}$으로 표준화 하여 확률 구하기**

확률변수 X는 정규분포 $\mathrm{N}(2m,\ m^2)$을 따르므로

$Z=\dfrac{X-2m}{m}$은 표준정규분포 $\mathrm{N}(0,\ 1)$을 따른다.

$Z=\dfrac{X-2m}{m}$으로 놓으면 확률변수 Z은 표준정규분포 $\mathrm{N}(0,\ 1)$을 따르므로

$\mathrm{P}(m\le X\le 16)=\mathrm{P}\left(\dfrac{m-2m}{m}\le Z\le \dfrac{16-2m}{m}\right)$

$=\mathrm{P}\left(-1\le Z\le \dfrac{16-2m}{m}\right)$

이때 $\mathrm{P}(-2\le Z\le 1)=\mathrm{P}(-1\le Z\le 2)$

따라서 $\dfrac{16-2m}{m}=2$이므로 $m=4$

09

정답 ①

STEP Ⓐ **정규분포 곡선의 성질을 이용하여 평균 m 구하기**

확률변수 X는 정규분포 $\mathrm{N}(m,\ 2^2)$을 따르고

$\mathrm{P}(X\le m-4)=\mathrm{P}(X\ge 2m-4)$이므로

$\dfrac{(m-4)+(2m-4)}{2}=m$

$\therefore\ m=8$

STEP Ⓑ **$\mathrm{P}(4\le X\le 6)$의 값 구하기**

따라서 확률변수 $Z=\dfrac{X-8}{2}$은 표준정규분포 $\mathrm{N}(0,\ 1)$을 따르므로

$\mathrm{P}(4\le X\le 6)$

$=\mathrm{P}\left(\dfrac{4-8}{2}\le Z\le \dfrac{6-8}{2}\right)$

$=\mathrm{P}(-2\le Z\le -1)$

$=\mathrm{P}(1\le Z\le 2)$

$=\mathrm{P}(0\le Z\le 2)-\mathrm{P}(0\le Z\le 1)$

$=0.4772-0.3413=0.1359$

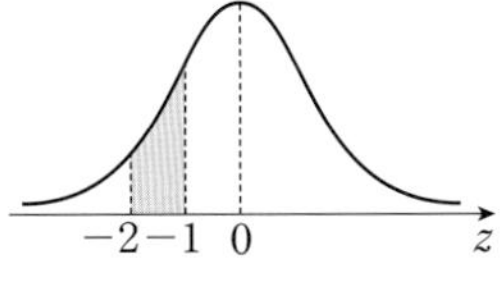

10

정답 ④

STEP Ⓐ **확률변수 X가 따르는 정규분포 $\mathrm{N}(m,\ \sigma^2)$ 구하기**

식빵 한 개의 무게를 확률변수 X라 하면

확률변수 X는 정규분포 $\mathrm{N}(500,\ 10^2)$을 따르므로

$Z=\dfrac{X-500}{10}$으로 놓으면 확률변수 Z는 표준정규분포 $\mathrm{N}(0,\ 1)$을 따른다.

STEP Ⓑ **$\mathrm{P}(X\le a)=0.0668$를 이용하여 a값 구하기**

이때 $\mathrm{P}(X\le a)=0.0668$이므로

$\mathrm{P}(X\le a)=\mathrm{P}\left(Z\le \dfrac{a-500}{10}\right)=0.0668$

$\mathrm{P}(Z\ge 1.5)=0.5-\mathrm{P}(0\le Z\le 1.5)$

$=0.5-0.4332$

$=0.0668$

따라서 $\dfrac{a-500}{10}=-1.5$이므로 $a=485$

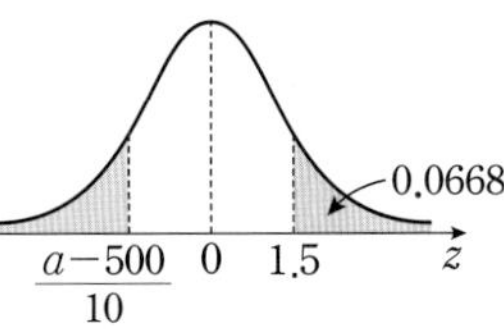

11

정답 ④

STEP Ⓐ **$\mathrm{P}(X\le 44)$를 표준화 하기**

확률변수 X가 정규분포 $\mathrm{N}(50,\ 4^2)$을 따르므로

확률변수 $Z=\dfrac{X-50}{4}$은 표준정규분포 $\mathrm{N}(0,\ 1)$을 따른다.

$\mathrm{P}(X\le 44)=\mathrm{P}\left(\dfrac{X-50}{4}\le \dfrac{44-50}{4}\right)$

$=\mathrm{P}\left(Z\le -\dfrac{3}{2}\right)$

$=\mathrm{P}\left(Z\ge \dfrac{3}{2}\right)$

STEP Ⓑ **$\mathrm{P}(\overline{X}\ge a)$를 표준화 하기**

한편 크기가 64인 표본의 표본평균 $\overline{X}$는

정규분포 $\mathrm{N}\left(50,\ \left(\dfrac{4}{\sqrt{64}}\right)^2\right)$, 즉 $\mathrm{N}\left(50,\ \left(\dfrac{1}{2}\right)^2\right)$을 따르므로

확률변수 $Z=\dfrac{\overline{X}-50}{\frac{1}{2}}$은 표준정규분포 $\mathrm{N}(0,\ 1)$을 따른다.

$\mathrm{P}(\overline{X}\ge a)=\mathrm{P}\left(\dfrac{\overline{X}-50}{\frac{1}{2}}\ge \dfrac{a-50}{\frac{1}{2}}\right)=\mathrm{P}(Z\ge 2(a-50))$

이때 $\mathrm{P}(X\le 44)=\mathrm{P}(\overline{X}\ge a)$에서 $\mathrm{P}\left(Z\ge \dfrac{3}{2}\right)=\mathrm{P}(Z\ge 2(a-50))$이므로

$2(a-50)=\dfrac{3}{2}$

따라서 $a=50+\dfrac{3}{4}=\dfrac{203}{4}$이므로 $4a=203$

12

정답 ④

STEP Ⓐ **확률질량함수 $\mathrm{P}(X=x)={}_n\mathrm{C}_x p^x(1-p)^{n-x}$이 이항분포 $\mathrm{B}(n,\ p)$를 따름을 이해하기**

확률질량함수 ${}_{400}\mathrm{C}_k\left(\dfrac{4}{5}\right)^k\left(\dfrac{1}{5}\right)^{400-k}$ $(k=0,\ 1,\ 2,\ 3,\ \cdots,\ 400)$은 이항분포

$\mathrm{B}\left(400,\ \dfrac{4}{5}\right)$를 따르는 확률변수 X에 대한 확률 $\mathrm{P}(X=x)$을 뜻하므로

$\displaystyle\sum_{k=308}^{400}{}_{400}\mathrm{C}_k\left(\dfrac{4}{5}\right)^k\left(\dfrac{1}{5}\right)^{400-k}=\sum_{k=308}^{400}\mathrm{P}(X=k)$

$=\mathrm{P}(X=308)+\mathrm{P}(X=309)+\cdots+\mathrm{P}(X=400)$

$=\mathrm{P}(X\ge 308)$

STEP Ⓑ **이항분포의 평균과 표준편차를 구하여 정규분포로 바꾸기**

확률변수 X는 이항분포 $\mathrm{B}\left(400,\ \dfrac{4}{5}\right)$를 따른다.

$m=400\times\dfrac{4}{5}=320,\ \sigma=\sqrt{400\times\dfrac{4}{5}\times\dfrac{1}{5}}=\sqrt{64}=8$

이때 400은 충분히 큰 수이므로

확률변수 X는 근사적으로 정규분포 $\mathrm{N}(320,\ 8^2)$을 따르므로

$Z=\dfrac{X-320}{8}$으로 놓으면 확률변수 Z은 표준정규분포 $\mathrm{N}(0,\ 1)$을 따른다.

STEP Ⓒ **$\mathrm{P}(X\ge 308)$의 값 구하기**

$Z=\dfrac{X-320}{8}$으로 놓으면 확률변수 Z은 표준정규분포 $\mathrm{N}(0,\ 1)$을 따른다.

따라서 구하는 확률은

$\mathrm{P}(X\ge 308)=\mathrm{P}\left(Z\ge \dfrac{308-320}{8}\right)$

$=\mathrm{P}(Z\ge -1.5)$

$=0.5+0.4332=0.9332$

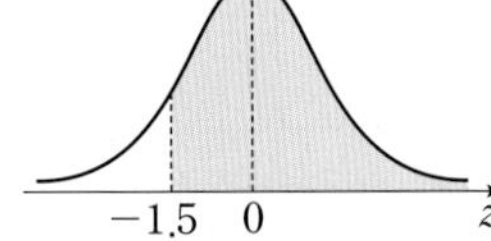

13

 ⑤

STEP Ⓐ 이항분포의 평균과 표준편차를 구하여 정규분포로 바꾸기

어떤 고객이 C회사의 제품을 선택할 확률은 $\frac{25}{100}=\frac{1}{4}$이고

C회사의 제품을 선호하는 고객의 수를 확률변수 X라 하면

X는 이항분포 $\mathrm{B}\left(192, \frac{1}{4}\right)$을 따르므로 X의 평균 m과 표준편차 σ는

$m=192\times\frac{1}{4}=48$, $\sigma=\sqrt{192\times\frac{1}{4}\times\frac{3}{4}}=\sqrt{36}=6$

이때 192는 충분히 큰 수이므로

확률변수 X는 근사적으로 정규분포 $\mathrm{N}(48, 6^2)$을 따르고

$Z=\frac{X-48}{6}$으로 놓으면 확률변수 Z는 표준정규분포 $\mathrm{N}(0, 1)$을 따른다.

STEP Ⓑ $\mathrm{P}(X\geq 42)$의 값 구하기

따라서 구하는 확률은 $\mathrm{P}(X\geq 42)=\mathrm{P}\left(Z\geq\frac{42-48}{6}\right)$

$=\mathrm{P}(Z\geq -1)$

$=0.5+\mathrm{P}(0\leq Z\leq 1)$

$=0.5+0.3413=0.8413$

14

 ④

STEP Ⓐ 이항분포의 평균과 표준편차를 구하여 정규분포로 바꾸기

이산확률변수 X의 확률질량함수가

$\mathrm{P}(X=x)={}_n\mathrm{C}_x\left(\frac{1}{4}\right)^{n-x}\left(\frac{3}{4}\right)^x\ (x=0, 1, 2, \cdots, n)$

이므로 확률변수 X는 이항분포 $\mathrm{B}\left(n, \frac{3}{4}\right)$을 따른다.

확률변수 X의 분산 $\mathrm{V}(X)=n\times\frac{3}{4}\times\frac{1}{4}=36$이므로 $n=192$이고

$\mathrm{E}(X)=192\times\frac{3}{4}=144$, $\mathrm{V}(X)=36$, 즉 $\sigma=6$

STEP Ⓑ [보기]의 참, 거짓의 판단하기

ㄱ. 확률변수 X는 이항분포 $\mathrm{B}\left(192, \frac{3}{4}\right)$을 따른다. [거짓]

ㄴ. 이때 $n=192$는 충분히 큰 수이므로
확률변수 X는 근사적으로 정규분포 $\mathrm{N}(144, 6^2)$을 따른다. [참]

ㄷ. $Z=\frac{X-144}{6}$라 하면 확률변수 Z는 표준정규분포 $\mathrm{N}(0, 1)$을 따르므로

$\mathrm{P}(138\leq X\leq 150)=\mathrm{P}\left(\frac{138-144}{6}\leq Z\leq\frac{150-144}{6}\right)$

$=\mathrm{P}(-1\leq Z\leq 1)$

$=2\mathrm{P}(0\leq Z\leq 1)$

$=2\times 0.3413=0.6826$ [참]

따라서 옳은 것은 ㄴ, ㄷ이다.

15

 ③

STEP Ⓐ 확률변수 X의 평균과 분산 구하기

주머니에서 한 개의 공을 꺼낼 때, 공에 적힌 수를 확률변수 X라 하고
X의 확률분포를 표로 나타내면 다음과 같다.

X	1	2	3	4	5	합계
$\mathrm{P}(X=x)$	$\frac{1}{5}$	$\frac{1}{5}$	$\frac{1}{5}$	$\frac{1}{5}$	$\frac{1}{5}$	1

모집단의 확률변수 X에 대하여

$\mathrm{E}(X)=1\times\frac{1}{5}+2\times\frac{1}{5}+3\times\frac{1}{5}+4\times\frac{1}{5}+5\times\frac{1}{5}=3$

$\mathrm{V}(X)=1^2\times\frac{1}{5}+2^2\times\frac{1}{5}+3^2\times\frac{1}{5}+4^2\times\frac{1}{5}+5^2\times\frac{1}{5}-3^2=2$

STEP Ⓑ 표본의 크기가 2인 표본평균 $\overline{X}$의 평균, 분산 구하기

이 모집단에서 표본의 크기가 2인 표본의 표본평균 $\overline{X}$에 대하여

$\mathrm{E}(\overline{X})=3$, $\mathrm{V}(\overline{X})=\frac{2}{2}=1$

STEP Ⓒ $\mathrm{E}(2\overline{X}-3)+\sigma(2\overline{X}-3)$의 값 구하기

$\mathrm{E}(2\overline{X}-3)=2\mathrm{E}(\overline{X})-3=2\times 3-3=3$

$\sigma(2\overline{X}-3)=2\sigma(\overline{X})=2\times 1=2$

이므로 $\mathrm{E}(2\overline{X}-3)+\sigma(2\overline{X}-3)=5$

16

 ②

STEP Ⓐ 표본의 크기가 64인 $\overline{X}$의 평균과 표준편차 구하기

임의추출한 64개의 전구의 수명의 표본평균을 $\overline{X}$라 하면

모집단이 정규분포 $\mathrm{N}(800, 40^2)$을 따르고 표본의 크기가 64이므로

표본평균 $\overline{X}$는 정규분포 $\mathrm{N}(800, 5^2)$을 따른다. ⬅ $\mathrm{E}(\overline{X})=800$, $\sigma(\overline{X})=\frac{40}{\sqrt{64}}=5$

STEP Ⓑ $\mathrm{P}(\overline{X}\leq 790)$의 값 구하기

$Z=\frac{\overline{X}-800}{5}$으로 놓으면 확률변수 Z는 표준정규분포 $\mathrm{N}(0, 1)$을 따른다.

따라서 구하는 확률은

$\mathrm{P}(\overline{X}\leq 790)=\mathrm{P}\left(Z\leq\frac{790-800}{5}\right)$

$=\mathrm{P}(Z\leq -2)=\mathrm{P}(Z\geq 2)$

$=0.5-\mathrm{P}(0\leq Z\leq 2)$

$=0.5-0.4772=0.0228$

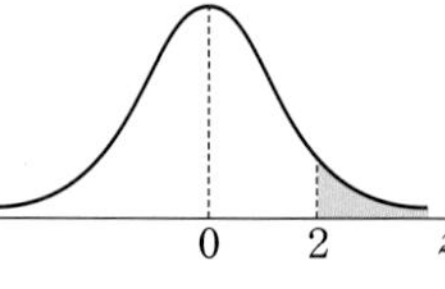

17

 ③

STEP Ⓐ 표본의 크기가 36인 표본의 표본평균의 평균과 표준편차 구하기

모집단이 정규분포 $\mathrm{N}(m, 3.6^2)$을 따르고 표본의 크기가 36이므로

표본평균 $\overline{X}$는 정규분포 $\mathrm{N}(m, 0.6^2)$을 따른다. ⬅ $\mathrm{E}(\overline{X})=m$, $\sigma(\overline{X})=\frac{3.6}{\sqrt{36}}=0.6$

STEP Ⓑ $\mathrm{P}(\overline{X}\geq 50)=0.0228$을 만족하는 m의 값 구하기

이때 $Z=\frac{\overline{X}-m}{0.6}$으로 놓으면 확률변수 Z는 표준정규분포 $\mathrm{N}(0, 1)$을 따르므로

주어진 확률 $\mathrm{P}(\overline{X}\geq 50)=0.0228$에서

$\mathrm{P}(\overline{X}\geq 50)=\mathrm{P}\left(Z\geq\frac{50-m}{0.6}\right)$

$=0.5-\mathrm{P}\left(0\leq Z\leq\frac{50-m}{0.6}\right)$

$=0.0228$

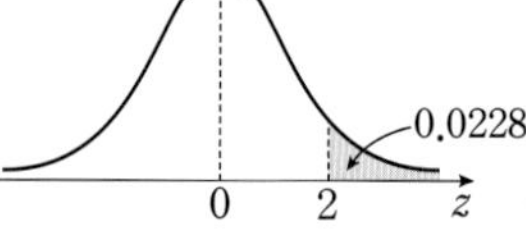

즉 $\mathrm{P}\left(0\leq Z\leq\frac{50-m}{0.6}\right)=0.4772$

이때 표준정규분포표에서 $\mathrm{P}(0\leq Z\leq 2)=0.4772$이므로 $\frac{50-m}{0.6}=2$

따라서 $m=48.8$

18

정답 ④

STEP Ⓐ 모평균 m에 대한 신뢰도 95%의 신뢰구간 구하기

표본평균이 $\overline{x}=20$, 모표준편차가 σ, 표본의 크기가 n이므로
모평균 m에 대한 신뢰도 95%의 신뢰구간은
$20-1.96\times\frac{5}{\sqrt{n}}\le m\le 20+1.96\times\frac{5}{\sqrt{n}}$

STEP Ⓑ 주어진 신뢰구간을 이용하여 n, a의 값 구하기

이때 신뢰도 95%의 신뢰구간이 $19.02\le m\le a$이므로
$20-1.96\times\frac{5}{\sqrt{n}}=19.02$ …… ㉠
$20+1.96\times\frac{5}{\sqrt{n}}=a$ …… ㉡
㉠에서 $1.96\times\frac{5}{\sqrt{n}}=0.98$이므로 $\frac{5}{\sqrt{n}}=\frac{1}{2}$
$\sqrt{n}=10$ $\therefore n=100$
㉡에서 $a=20+1.96\times\frac{5}{\sqrt{n}}$
$=20+1.96\times\frac{5}{\sqrt{100}}$
$=20+1.96\times\frac{1}{2}$
$=20+0.98=20.98$
따라서 $n+a=120.98$

크기가 n인 표본의 표본평균은 $\frac{19.02+a}{2}=20$이므로
$a=20.98$ ⬅ $\overline{x}=\frac{a+b}{2}$
$2\times P(0\le Z\le 1.96)=0.95$이므로
$1.96\times\frac{5}{\sqrt{n}}=20.98-20=0.98$ ⬅ $b-\overline{x}=\overline{x}-a=k\frac{\sigma}{\sqrt{n}}$
즉 $\sqrt{n}=10$, $n=100$
따라서 $n+a=120.98$

19

정답 ⑤

STEP Ⓐ 신뢰도 98%로 추정한 신뢰구간의 길이 구하기

표준정규분포표에 의하여
$2\times P(0\le Z\le 2.5)=2\times 0.49=0.98$이고
모표준편차가 σ, 표본의 크기가 n이므로
모평균 m에 대한 신뢰도 98%의 신뢰구간의 길이 l은
$l=2\times 2.5\times\frac{\sigma}{\sqrt{n}}=5\times\frac{\sigma}{\sqrt{n}}$ …… ㉠

STEP Ⓑ 신뢰도 α%로 추정한 신뢰구간의 길이가 $\frac{2}{5}l$이 되는 α 구하기

모표준편차가 σ, 표본의 크기가 n이므로
$P(-k\le Z\le k)=\frac{\alpha}{100}$라 하면
모평균 m에 대한 신뢰도 α%의 신뢰구간의 길이가 $\frac{2}{5}l$이므로
$\frac{2}{5}l=2\times k\times\frac{\sigma}{\sqrt{n}}$
㉠에서 $\frac{2}{5}l=\frac{2}{5}\times 5\times\frac{\sigma}{\sqrt{n}}=2\times\frac{\sigma}{\sqrt{n}}$
$\therefore k=1$
따라서 주어진 표준정규분포표에 의하여
$\frac{\alpha}{100}=2P(0\le Z\le 1)=2\times 0.34=0.68$ $\therefore \alpha=100\times 0.68=68$

20

정답 ②

STEP Ⓐ 신뢰구간의 성질을 이용하여 진위판단하기

정규분포 $N(m, \sigma^2)$을 따르는 모집단에서 크기가 n인 표본을 임의추출하여
얻은 표본평균의 값을 $\overline{x}$라고 하면
신뢰도 α%로 추정한 모평균 m의 신뢰구간은
$\overline{x}-k\frac{\sigma}{\sqrt{n}}\le m\le\overline{x}+k\frac{\sigma}{\sqrt{n}}$ $\left(단, P(|Z|\le k)=\frac{\alpha}{100}\right)$
신뢰구간이 $a\le m\le b$이므로 $b-a=2k\frac{\sigma}{\sqrt{n}}$ …… ㉠

① ㉠에서 표본의 크기 n의 값이 일정할 때,
신뢰도를 높이면 k의 값이 커지므로 $b-a$의 값이 커진다.
즉 신뢰구간의 길이는 길어진다. [참]
② ㉠에서 신뢰도가 일정할 때, 즉 k의 값이 일정할 때,
신뢰구간의 길이 $b-a$의 값은 $\sqrt{n}$에 반비례하므로 표본의 크기 n의 값이
커지면 $b-a$의 값이 작아진다.
즉 신뢰구간의 길이는 짧아진다. [거짓]
③ 표본의 크기가 같을 때, 신뢰도가 높아지면 k의 값이 커지므로
신뢰구간의 길이가 길어진다. [참]
④ ㉠에서 신뢰구간의 길이가 일정할 때, 즉 $b-a$의 값이 일정할 때,
표본의 크기 n의 값이 커지면 k의 값도 커진다.
즉 신뢰도는 높아진다. [참]
⑤ 신뢰구간의 길이는 모표준편차, 신뢰도, 표본의 크기에 따라 달라지므로
신뢰구간의 길이는 모평균 m,표본평균 $\overline{x}$와는 상관없다.[참]

따라서 옳지 않은 것은 ②이다.

서술형 & 주관식

21

정답 해설참조

1단계 평균과 분산을 이용하여 n, p의 값을 구한다. ◀ 40%

$E(X)=1$, $E(X^2)=\frac{9}{5}$
$E(X)=np=1$ …… ㉠
$E(X^2)=V(X)+\{E(X)\}^2=np(1-p)+1^2=\frac{9}{5}$ …… ㉡
㉠을 ㉡에 대입하면 $1-p+1=\frac{9}{5}$에서 $p=\frac{1}{5}$
$p=\frac{1}{5}$을 ㉠에 대입하면 $\frac{1}{5}n=1$ $\therefore n=5$
즉 $n=5$, $p=\frac{1}{5}$

2단계 확률변수 X의 확률질량함수를 구한다. ◀ 30%

확률변수 X가 이항분포 $B\left(5, \frac{1}{5}\right)$를 따르므로
확률변수 X의 확률질량함수는
$P(X=x)={}_5C_x\left(\frac{1}{5}\right)^x\left(\frac{4}{5}\right)^{5-x}$ $(x=0, 1, 2, 3, 4, 5)$

3단계 $\frac{P(X=3)}{P(X=1)}$의 값을 구한다. ◀ 30%

$$\frac{P(X=3)}{P(X=1)}=\frac{{}_5C_3\left(\frac{1}{5}\right)^3\left(\frac{4}{5}\right)^2}{{}_5C_1\left(\frac{1}{5}\right)^1\left(\frac{4}{5}\right)^4}=\frac{2\left(\frac{1}{5}\right)^2}{\left(\frac{4}{5}\right)^2}=\frac{1}{8}$$

22

정답 해설참조

1단계	사과 한 개의 무게를 확률변수 X라 할 때, 임의로 선택한 사과 한 개의 제품이 1등급 상품일 확률을 구한다.	◀ 30%

확률변수 X는 정규분포 $N(400, 50^2)$을 따르므로

$Z=\frac{X-400}{50}$으로 놓으면 Z는 표준정규분포 $N(0, 1)$을 따른다.

1등급 상품이 될 확률은

$P(X\geq 442)=P\left(Z\geq \frac{442-400}{50}\right)$

$=P(Z\geq 0.84)$

$=0.5-P(0\leq Z\leq 0.84)$

$=0.5-0.3=0.2$

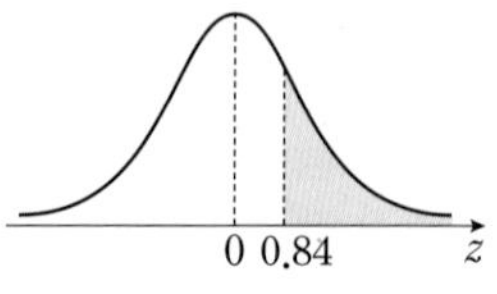

2단계	이 과수원에서 수확한 사과 100개 중에서 1등급 상품의 개수를 확률변수 Y라 할 때, Y가 근사적으로 따르는 정규분포를 구한다.	◀ 30%

사과 100개 중 1등급 상품일 확률이 0.2이므로

확률변수 Y는 이항분포 $B(100, 0.2)$를 따른다.

$m=100\times 0.2=20$, $\sigma=\sqrt{100\times 0.2\times 0.8}=\sqrt{16}=4$

이때 100이 충분히 큰 수이므로 Y는 근사적으로 정규분포 $N(20, 4^2)$을 따른다.

3단계	1등급 상품이 24개 이상일 확률을 구한다.	◀ 40%

$Z=\frac{Y-20}{4}$으로 놓으면 Z는 표준정규분포 $N(0, 1)$을 따른다.

따라서 1등급 상품이 24개 이상일 확률은

$P(Y\geq 24)=P\left(Z\geq \frac{24-20}{4}\right)$

$=P(Z\geq 1)$

$=0.5-P(0\leq Z\leq 1)$

$=0.5-0.34=0.16$

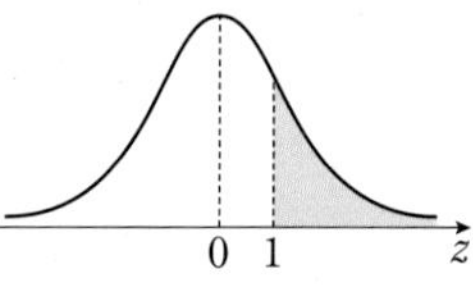

23

정답 해설참조

1단계	공에 적힌 숫자를 확률변수 X라 하면 X의 확률분포를 표로 나타내어라.	◀ 20%

주머니에서 1개의 공을 임의추출할 때, 공에 적힌 숫자를 확률변수 X라 하면 X의 확률분포는 다음 표와 같다.

X	4	5	6	7	합계
$P(X=x)$	$\frac{2}{5}$	$\frac{3}{10}$	$\frac{1}{5}$	$\frac{1}{10}$	1

2단계	확률변수 X의 평균과 표준편차를 구한다.	◀ 20%

$E(X)=4\times\frac{2}{5}+5\times\frac{3}{10}+6\times\frac{1}{5}+7\times\frac{1}{10}=5$

$V(X)=4^2\times\frac{2}{5}+5^2\times\frac{3}{10}+6^2\times\frac{1}{5}+7^2\times\frac{1}{10}-5^2=1$

$\sigma(X)=\sqrt{V(X)}=1$

3단계	확률변수 $\overline{X}$의 확률분포를 구한다.	◀ 10%

$n=100$이므로 표본평균 $\overline{X}$는 근사적으로 정규분포 $N\left(5, \left(\frac{1}{10}\right)^2\right)$을 따른다.

← $E(\overline{X})=5$, $V(\overline{X})=\frac{1^2}{100}=\left(\frac{1}{10}\right)^2$

4단계	확률변수 Z가 표준정규분포 $N(0, 1)$을 따를 때, $P(\overline{X}\geq k)=P(Z\geq \alpha)$를 만족하는 α의 값을 구한다.	◀ 20%

확률변수 $Z=\frac{\overline{X}-5}{\frac{1}{10}}$는 표준정규분포 $N(0, 1)$을 따르므로

$P(\overline{X}\geq k)=P\left(Z\geq \frac{\overline{X}-5}{\frac{1}{10}}\right)=P(Z\geq 10(k-5))$

$\therefore \alpha=10(k-5)$

5단계	$P(\overline{X}\geq k)=0.0228$을 만족하는 상수 k를 구한다.	◀ 30%

$P(\overline{X}\geq k)=0.0228$에서 $P(Z\geq 10(k-5))=0.0228$

$P(0\leq Z\leq 10(k-5))=0.5-0.0228$

$=0.4772$

이때 $P(0\leq Z\leq 2)=0.4772$이므로

$10(k-5)=2$

따라서 $k=\frac{26}{5}$

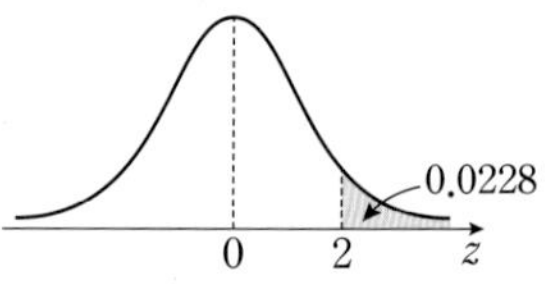

24

정답 73

STEP Ⓐ **확률분포를 표로 나타내기**

4개의 막대를 일렬로 세우는 경우의 수는 $4!=24$

(ⅰ) $X=1$인 경우

맨 앞에 가장 높은 막대를 세우고, 그 뒤에 나머지 3개의 막대를 임의로 세우면 되므로 $P(X=1)=\frac{3!}{4!}=\boxed{\frac{1}{4}}$

(ⅱ) $X=4$인 경우

앞에서부터 높이가 낮은 순서대로 세우면 되므로

$P(X=4)=\frac{1}{4!}=\frac{1}{24}$

(ⅲ) $X=2$인 경우

[유형1] 가장 높은 막대를 맨 뒤에 세우는 경우
두 번째로 높은 막대를 맨 앞에 세우고 그 뒤에 나머지 2개의 막대를 임의로 세우면 되므로 경우의 수는 2이다.

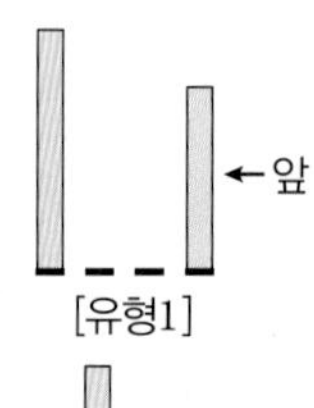

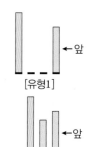

[유형1]

[유형2] 가장 높은 막대를 뒤에서 2번째에 세우는 경우
나머지 3개의 막대 중 맨 뒤에 세울 나무 막대 1개를 고르는 경우의 수는 ${}_3C_1$이고, 나머지 2개의 막대는 앞에서부터 높은 순서대로 세워야 하므로 모든 경우의 수는 ${}_3C_1=3$

←앞
[유형2]

[유형3] 가장 높은 막대를 뒤에서 3번째에 세우는 경우
나머지 3개의 막대 중 맨 앞에 세울 나무 막대 1개를 고르는 경우의 수는 ${}_3C_1$이고, 나머지 2개의 막대를 가장 높은 막대 뒤에 임의로 세우는 경우의 수는 2이므로 모든 경우의 수는 ${}_3C_1\times 2=6$

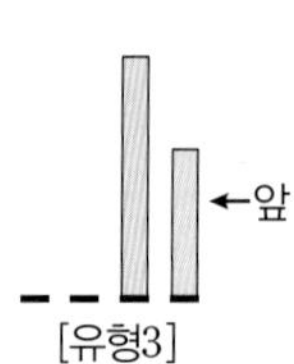

[유형3]

$\therefore P(X=2)=\frac{2+3+6}{4!}=\boxed{\frac{11}{24}}$

(ⅳ) $X=3$인 경우

$P(X=3)=1-\{P(X=1)+P(X=2)+P(X=4)\}$

$=1-\left(\frac{1}{4}+\frac{11}{24}+\frac{1}{24}\right)=\boxed{\frac{1}{4}}$

(ⅰ)~(ⅳ)에서 확률변수 X의 확률분포는 다음 표와 같다.

X	1	2	3	4	합계
$P(X=x)$	$\boxed{\frac{1}{4}}$	$\boxed{\frac{11}{24}}$	$\boxed{\frac{1}{4}}$	$\frac{1}{24}$	1

STEP Ⓑ **기댓값 구하기**

$E(X)=1\times\frac{1}{4}+2\times\frac{11}{24}+3\times\frac{1}{4}+4\times\frac{1}{24}$

$=\frac{6+22+18+4}{24}=\frac{50}{24}=\boxed{\frac{25}{12}}$

STEP Ⓒ **$24(a+b+c+d)$의 값 구하기**

따라서 $a=\frac{1}{4}$, $b=\frac{11}{24}$, $c=\frac{1}{4}$, $d=\frac{25}{12}$이므로

$24(a+b+c+d)=24\left(\frac{1}{4}+\frac{11}{24}+\frac{1}{4}+\frac{25}{12}\right)=73$

MAPL; SYNERGY

01 중간고사 모의평가

01	⑤	02	⑤	03	④	04	①	05	⑤
06	⑤	07	③	08	④	09	①	10	②
11	⑤	12	①	13	①	14	②	15	⑤
16	⑤	17	②	18	④	19	④	20	③

서술형

21	해설참조	22	해설참조
23	251	24	$\frac{103}{84}$

01

정답 ⑤

STEP A 여자 4명이 원형의 탁자에 둘러앉는 경우의 수 구하기

먼저 여자 4명이 원 모양의 탁자에 둘러앉는 경우의 수는
$(4-1)!=3!=6$

STEP B 여자 사이의 4곳에 남자가 앉는 경우의 수를 구하기

이때 여자 사이의 4곳 중에서 3곳을 택하여 남자가 앉으면 남자 3명 중 어느 둘도 이웃하지 않으므로 남자가 앉는 경우의 수는
${}_4P_3=4\times3\times2=24$

STEP C 남자 3명 중 어느 둘도 이웃하지 않도록 앉는 경우의 수 구하기

따라서 구하는 경우의 수는 $6\times24=144$

다른 표현 같은 문제

남자 3명과 여자 4명이 원형의 탁자에 둘러앉을 때,
남학생 사이에 적어도 한 명의 여학생이 앉는 경우의 수를 구하여라.

02

정답 ⑤

STEP A 여러 가지 경우의 수에서 참, 거짓 판단하기

① 여학생 3명을 한 사람으로 생각하여 4명의 학생이 원탁에 둘러앉는 경우의 수는 $\frac{4!}{4}=(4-1)!=3!$
이때 여학생 3명이 서로 자리를 바꾸는 경우의 수는 $3!$
이므로 구하는 경우의 수는 $3!\times3!$이다.

② 8개의 숫자 중 홀수와 짝수가 각각 4개씩 있으므로
홀수는 홀수 번째에, 짝수는 짝수 번째에 배열하면 된다.
8개의 숫자 중 홀수는 1, 1, 3, 5이므로 이를 홀수 번째에 나열하는 경우의 수는 $\frac{4!}{2!}$
나머지 짝수 2, 2, 2, 4를 짝수 번째에 나열하는 경우의 수는 $\frac{4!}{3!}$
이므로 구하는 경우의 수는 $\frac{4!}{2!}\times\frac{4!}{3!}$이다.

③ 집합 Y의 서로 5개의 원소에서 중복을 허락하여 3개를 택하여 나열하는 경우의 수이므로 ${}_5\Pi_3$이다.

④ 네 종류의 볼펜 중에서 8개의 볼펜을 사는 경우의 수는 서로 다른 4개에서 8개를 택하는 중복조합의 수인 ${}_4H_8$이다

⑤ 서로 다른 3개의 상자에서 중복을 허락하여 5개를 택하여 나열하는 경우의 수이므로 ${}_3\Pi_5$이다.

따라서 옳지 않은 것은 ⑤이다.

03

정답 ④

STEP A a가 짝수, 홀수일 때, 경우의 수 구하기

(i) a가 짝수인 2, 4일 때,
$f(a)$가 짝수이어야 $a+f(a)$가 짝수이다.
즉 2, 4, 6을 중복을 허락하여 2번 택해 일렬로 나열하는 중복순열의 수이므로 ${}_3\Pi_2=3^2=9$

(ii) a가 홀수인 1, 3, 5일 때,
$f(a)$가 홀수이어야 $a+f(a)$가 짝수이다.
즉 1, 3, 5, 7을 중복을 허락하여 3번 택해 일렬로 나열하는 중복순열의 수이므로 ${}_4\Pi_3=4^3=64$

STEP B 곱의 법칙에 의하여 함수의 개수 구하기

(i), (ii)에서 곱의 법칙에 의하여 조건을 만족시키는 함수 f의 개수는
$9\times64=576$

04

정답 ①

STEP A 같은 것이 있는 순열의 수를 이용하여 구하기

7개의 문자 O, T, T, T, A, W, A를 나열하는 경우의 수는
$\frac{7!}{2!3!}=420$

STEP B A가 이웃하여 나열하는 경우의 수 구하기

A, A를 묶어서 하나로 보고 나열하는 경우의 수는 $\frac{6!}{3!}=120$

STEP C A가 서로 이웃하지 않도록 나열하는 경우의 수 구하기

따라서 구하는 경우의 수는 $420-120=300$

다른풀이 사이사이 배열하여 풀이하기

T, T, T, O, W의 5개를 일렬로 나열하고 그 사이사이에 A, A를 나열하는 경우의 수를 구한다.
따라서 구하는 경우의 수는 $\frac{5!}{3!}\times{}_6C_2=20\times15=300$

05

정답 ⑤

STEP A 순서가 정해진 문자들은 같은 문자로 생각하여 나열하기

6, 8과 소수가 순서가 정해져 있으므로
6, 8을 모두 X, 소수인 2, 3, 5, 7을 모두 Y로 생각하면
X, X, Y, Y, Y, Y, 1, 4의 8개를 일렬로 나열한 후
첫 번째, 두 번째 X를 각각 6, 8로, 첫 번째, 두 번째, 세 번째, 네 번째 Y를
2, 3, 5, 7로 바꾸면 된다.

STEP B 같은 것이 있는 순열의 수 구하기

따라서 구하는 방법의 수는 $\frac{8!}{2!4!}=840$

06

정답 ⑤

STEP A 중간지점을 정하기

문제에서 주어진 그림을 다시 나타내면 그림과 같다.

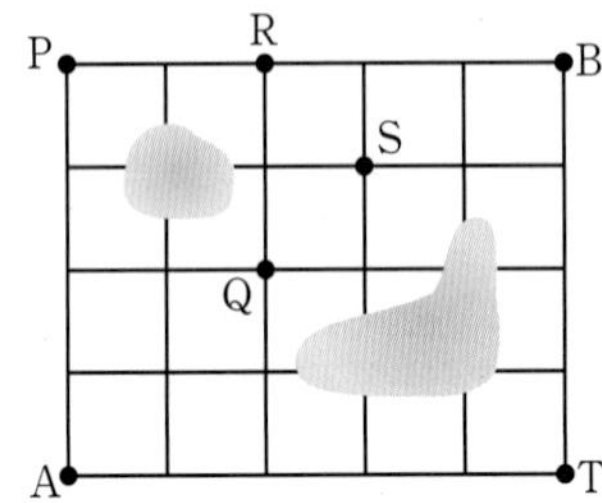

이때 색칠된 곳은 지날 수 없으므로 A지점에서 B지점까지 최단거리로 가는 경우는 다음 네 가지이다.

STEP B 최단거리의 경우의 수 구하기

(ⅰ) $A \to P \to B$로 최단거리로 가는 경우의 수는 $1 \times 1 = 1$

(ⅱ) $A \to Q \to R \to B$로 최단거리로 가는 경우의 수는 $\frac{4!}{2!2!} \times 1 \times 1 = 6$

(ⅲ) $A \to Q \to S \to B$로 최단거리로 가는 경우의 수는 $\frac{4!}{2!2!} \times 2! \times \frac{3!}{2!} = 36$

(ⅳ) $A \to T \to B$로 최단거리로 가는 경우의 수는 $1 \times 1 = 1$

(ⅰ)~(ⅳ)에서 구하는 경우의 수는 $1+6+36+1=44$

07

STEP A 중복조합의 공식을 이용하여 p의 값 구하기

서로 다른 세 가지 공 중에서 중복을 허용하여 7개를 선택하는 중복조합이므로

$p = {}_3H_7 = {}_{3+7-1}C_7 = {}_9C_7 = {}_9C_2 = 36$

STEP B 중복조합을 이용하여 q의 값 구하기

10개의 공에서 각 색깔의 공 1개씩을 먼저 뽑고 3종류의 빨간 공, 노란 공, 파란 공에서 4개를 꺼내는 경우의 수를 구한다.

빨간 공, 노란 공, 파란 공에서 중복을 허락하여 나머지 4개의 공을 택하는 중복조합의 수이므로 $q = {}_3H_4 = {}_{3+4-1}C_4 = {}_6C_4 = {}_6C_2 = 15$

따라서 $p+q = 36+15 = 51$

다른풀이 양의 정수해를 이용하여 풀이하기

주머니에서 꺼낸 빨간 공, 노란 공, 파란 공의 개수를 각각 x, y, z라고 하면 구하는 방법의 수는 방정식 $x+y+z=7$에서 x, y, z가 모두 양의 정수인 해의 개수와 같다.

$x=a+1$, $y=b+1$, $z=c+1$ (단, a, b, c는 음이 아닌 정수)

$x+y+z=7$에서 $a+b+c=4$의 음이 아닌 정수해는

${}_3H_4 = {}_{3+4-1}C_4 = {}_6C_4 = {}_6C_2 = 15$

08

정답 ④

STEP A 짝수인 양의 정수해를 음이 아닌 정수해의 식으로 바꾸기

x, y, z는 모두 짝수인 양의 정수이므로

$x=2a+2$, $y=2b+2$, $z=2c+2$ (단, a, b, c는 음이 아닌 정수)

로 놓으면

$x+y+z=(2a+2)+(2b+2)+(2c+2)=16$

$\therefore a+b+c=5$ …… ㉠

STEP B 음이 아닌 정수해의 개수 구하기

방정식 ㉠을 만족시키는 음이 아닌 정수 a, b, c의 순서쌍 (a, b, c)의 개수는 세 문자 a, b, c 중에서 5개를 택하는 중복조합의 수와 같으므로

${}_3H_5 = {}_{3+5-1}C_5 = {}_7C_5 = {}_7C_2 = 21$

09

STEP A 두 조건 (가), (나)를 만족하는 함수의 개수 구하기

$f(x)=x$를 만족시키는 x는 $f(1)=1$인 경우와 $f(3)=3$인 경우가 있다.

(ⅰ) $f(1)=1$, $f(3) \neq 3$인 경우

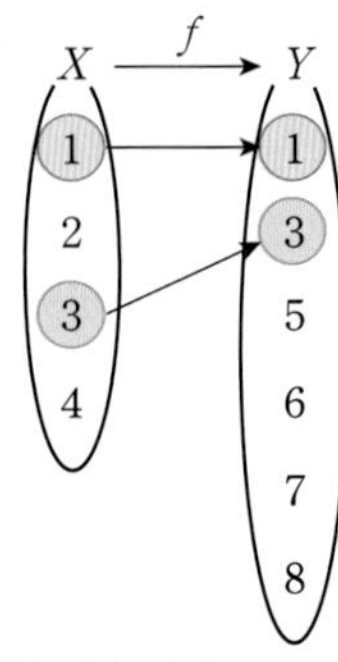

$f(1)=1$인 함수 f의 개수에서 $f(1)=1$, $f(3)=3$인 함수 f의 개수를 빼면 된다.

조건 (나)에 의하여 $f(1)=1$인 경우에 $f(2)$, $f(3)$, $f(4)$의 값은 Y의 원소 1, 3, 5, 6, 7, 8 중에서 중복을 허용하여 3개를 택하여 크기순으로 대응시키면 되므로 ${}_6H_3 = {}_{6+3-1}C_3 = {}_8C_3 = 56$

$f(1)=1$, $f(3)=3$인 경우에 $f(2)$의 값이 될 수 있는 Y의 원소는 1, 3의 2가지이고 $f(4)$의 값이 될 수 있는 Y의 원소는 3, 5, 6, 7, 8의 5가지이다.

즉 $f(1)=1$, $f(3) \neq 3$인 경우의 함수 f의 개수는 $56-2 \times 5 = 46$

(ⅱ) $f(1) \neq 1$, $f(3)=3$인 경우

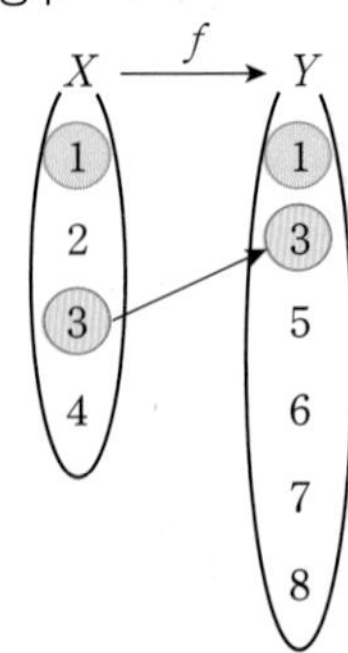

$f(1)=3$, $f(2)=3$이고 $f(4)$의 값이 될 수 있는 Y의 원소는 3, 5, 6, 7, 8의 5가지이다.

즉 $f(1) \neq 1$, $f(3)=3$인 경우의 함수 f의 개수는 5이다.

STEP B 구하는 함수의 개수 구하기

(ⅰ), (ⅱ)에서 구하는 함수 f의 개수는 $46+5=51$

10

정답 ②

STEP A 조건 (가)를 만족하는 자연수 n의 값 구하기

조건 (가)에서 $(1+x)^n$의 전개식에서 일반항은 ${}_nC_rx^r$

x^2의 계수가 36이므로 ${}_nC_2=36$

$\frac{n(n-1)}{2}=36$

$n^2-n-72=0$, $(n-9)(n+8)=0$

즉 $n=9$이므로 $p=9$

STEP B 조건 (나)를 만족하는 x^3의 계수 q 구하기

조건 (나)에서 $(x+a)^5$의 전개식에서 일반항은 ${}_5C_rx^{5-r}a^r={}_5C_ra^rx^{5-r}$

x^2항은 $5-r=2$, 즉 $r=3$일 때이므로 x^2의 계수는 ${}_5C_3a^3=80$

$10a^3=80 \quad \therefore a=2$

x^3항은 $5-r=3$, 즉 $r=2$일 때이므로

x^3의 계수는 $q={}_5C_2a^2=10\times4=40$

따라서 $p+q=9+40=49$

11

STEP A 다항식의 전개식의 일반항을 구하고 지수법칙을 이용하여 간단히 정리하기

$\left(3x-\frac{2}{x}\right)^6$의 전개식의 일반항은

${}_6C_r(3x)^{6-r}\left(-\frac{2}{x}\right)^r={}_6C_r3^{6-r}(-2)^rx^{6-2r}$

STEP B 이항정리의 일반항을 이용하여 [보기]의 진위판단하기

ㄱ. x^4의 계수는 $6-2r=4$이므로 $r=1$
즉 x^4의 계수는 ${}_6C_1\cdot3^5\cdot(-2)=-2916$ [참]

ㄴ. $\frac{1}{x^4}$의 계수는 $6-2r=-4$이므로 $r=5$
즉 $\frac{1}{x^4}$의 계수는 ${}_6C_53^{6-5}(-2)^5=6\cdot3\cdot(-2)^5=-576$ [거짓]

ㄷ. 서로 다른 항의 개수는 서로 다른 2개에서 중복을 허락하여 6개를 택하는 경우의 수와 같으므로 ${}_2H_6={}_{2+6-1}C_6={}_7C_6={}_7C_1=7$ [참]

ㄹ. 상수항은 $6-2r=0$이므로 $r=3$
즉 상수항은 ${}_6C_3\cdot3^{6-3}\cdot(-2)^3=20\cdot27\cdot(-8)=-4320$ [참]

따라서 옳은 것은 ㄱ, ㄷ, ㄹ이다.

12

STEP A 전개식의 일반항 구하기

$(1+x^2)^3=1+3x^2+3x^4+x^6$

$(1+x^3)^n$의 각 항은 ${}_nC_rx^{3r}$ $(r=1, 2, \cdots, n-1)$ 또는 1 또는 x^{3n}

STEP B $(1+x^2)^3(1+x^3)^n$의 전개식에서 x^6의 계수 구하기

두 식을 곱하여 얻을 수 있는 x^6항은

$1\times{}_nC_2x^6+x^6\times1=\left\{\frac{n(n-1)}{2}+1\right\}x^6$ ← (상수항)×(x^6항) 또는 (x^6항)×(상수항)

STEP C x^6의 계수가 16임을 이용하여 자연수 n 구하기

x^6의 계수가 16이므로 $\frac{n(n-1)}{2}+1=16$

$n(n-1)=30=6\times5$

따라서 $n=6$ ($\because$ n은 자연수)

13

정답 ①

STEP A $(1+x)^n$의 전개식에서 x^2의 계수 구하기

$(1+x)^n$의 전개식의 일반항은 ${}_nC_rx^r$

$(1+x)+(1+x)^2+(1+x)^3+\cdots+(1+x)^{10}$의 전개식에서

x^2의 계수는

${}_2C_2+{}_3C_2+{}_4C_2+{}_5C_2+{}_6C_2+{}_7C_2+{}_8C_2+{}_9C_2+{}_{10}C_2$

STEP B 파스칼의 삼각형의 성질을 이용하여 구하기

${}_2C_2+{}_3C_2+{}_4C_2+{}_5C_2+{}_6C_2+{}_7C_2+{}_8C_2+{}_9C_2+{}_{10}C_2$

$={}_3C_3+{}_3C_2+{}_4C_2+{}_5C_2+{}_6C_2+{}_7C_2+{}_8C_2+{}_9C_2+{}_{10}C_2$

$={}_4C_3+{}_4C_2+{}_5C_2+{}_6C_2+{}_7C_2+{}_8C_2+{}_9C_2+{}_{10}C_2$

$\vdots$

$={}_{10}C_3+{}_{10}C_2$

$={}_{11}C_3=165$

다른풀이 등비수열의 합 공식을 이용하여 풀이하기

$(1+x)+(1+x)^2+(1+x)^3+\cdots+(1+x)^{10}$

$=\frac{(1+x)\{(1+x)^{10}-1\}}{(1+x)-1}$

$=\frac{(1+x)\{(1+x)^{10}-1\}}{x}$

$=\frac{(1+x)^{11}-(1+x)}{x}$

에서 x^2항은 분자가 x^3일 때이다.

따라서 x^2의 계수는 ${}_{11}C_3=165$

14

STEP A 여사건의 확률을 이용하여 $P(A\cap B)$ 구하기

조건 (가)에서

$P(A^C\cup B^C)=1-P(A\cap B)=\frac{5}{6}$이므로 $P(A\cap B)=1-\frac{5}{6}=\frac{1}{6}$

$P(A\cup B)=P(A)+P(B)-P(A\cap B)=\frac{1}{3}+\frac{1}{4}-\frac{1}{6}=\frac{5}{12}$

$\therefore p=\frac{5}{12}$

STEP B $P(B)=P(A\cup B)-P(A\cap B^C)$임을 이용하여 구하기

조건 (나)에서

$P(A^C\cap B^C)=\frac{1}{3}$에서 $P((A\cup B)^C)=\frac{1}{3}$

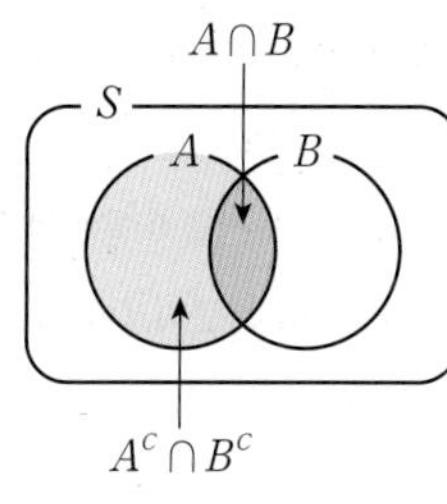

$P(A\cup B)=1-P((A\cup B)^C)$

$=1-\frac{1}{3}=\frac{2}{3}$

$P(B)=P(A\cup B)-P(A\cap B^C)$

$=\frac{2}{3}-\frac{1}{4}=\frac{5}{12}$

$\therefore q=\frac{5}{12}$

따라서 $p+q=\frac{5}{12}+\frac{5}{12}=\frac{10}{12}=\frac{5}{6}$

15

정답 ⑤

STEP Ⓐ D와 M 사이에 2개의 문자가 들어갈 확률 구하기

조건 (가)에서 D, E, N, M, A, R, K의 7개의 문자를 일렬로 나열하는 전체 경우의 수는 $7!$

D와 M 사이에 2개의 문자를 나열하는 경우의 수는 ${}_{5}\mathrm{P}_{2}$

각각의 경우에 'D, □, □, M'과 나머지 3개의 문자를 나열하는 경우의 수는 $4!$

D와 M이 서로 자리를 바꾸는 경우의 수는 $2!$이므로

D와 M 사이에 2개의 문자가 들어가는 경우의 수는 ${}_{5}\mathrm{P}_{2}\times 4!\times 2!$

따라서 구하는 확률은 $p=\dfrac{{}_{5}\mathrm{P}_{2}\times 4!\times 2!}{7!}=\dfrac{4}{21}$

STEP Ⓑ 두 번째 사람이 자신과 이웃한 두 사람보다 생일이 빠를 확률 구하기

조건 (나)에서 네 사람을 생일이 빠른 순서대로 a, b, c, d라고 하자.

이들을 일렬로 세우는 방법의 수는 $4!=24$

(ⅰ) 두 번째에 a가 오는 경우는 $\square a\square\square$이므로
a의 양 옆에는 b, c, d가 오더라도 성립하므로 $3!=6$

(ⅱ) 두 번째에 b가 오는 경우는 $\square b\square a$이므로
b의 양 옆에는 c, d가 오면 되므로 $2!=2$

(ⅰ), (ⅱ)에서 구하는 확률은 $q=\dfrac{6+2}{24}=\dfrac{1}{3}$

따라서 $p+q=\dfrac{4}{21}+\dfrac{1}{3}=\dfrac{11}{21}$

16

STEP Ⓐ 모든 경우의 수 구하기

12개의 꼭짓점 중에서 서로 다른 2개의 점을 선택하는 경우의 수는 ${}_{12}\mathrm{C}_{2}=66$

STEP Ⓑ 선분의 길이가 유리수인 확률 구하기

선분의 길이가 무리수인 사건을 A라 하면

선분의 길이가 유리수인 사건은 A^{C}이므로

(ⅰ) 두 점을 연결한 선분의 길이가 1이 되는 경우의 수는 $3\times 3+2\times 4=17$
이때의 확률은 $\dfrac{17}{66}$

(ⅱ) 두 점을 연결한 선분의 길이가 2가 되는 경우의 수는 $2\times 3+1\times 4=10$
이때의 확률은 $\dfrac{10}{66}$

(ⅲ) 두 점을 연결한 선분의 길이가 3이 되는 경우의 수는 $1\times 3=3$
이때의 확률은 $\dfrac{3}{66}$

STEP Ⓒ 여사건을 이용하여 확률 구하기

(ⅰ)~(ⅲ)에서 선분의 길이가 유리수인 확률은

$\mathrm{P}(A^{C})=\dfrac{17}{66}+\dfrac{10}{66}+\dfrac{3}{66}=\dfrac{30}{66}=\dfrac{5}{11}$

따라서 구하는 확률은 $\mathrm{P}(A)=1-\mathrm{P}(A^{C})=1-\dfrac{5}{11}=\dfrac{6}{11}$

17

STEP Ⓐ 모든 경우의 수 구하기

순서쌍 (a, b, c)의 개수는 $8\times 8\times 8=512$

STEP Ⓑ 사건 A의 여사건 A^{C}에 대하여 $\mathrm{P}(A)=1-\mathrm{P}(A^{C})$임을 이용하여 구하기

조건 (가)를 만족시키는 순서쌍 (a, b, c)의 개수는 8개의 공에서 3개를 택하는 조합의 수와 같으므로 ${}_{8}\mathrm{C}_{3}=56$

이때 a, b, c가 모두 홀수인 경우만 $a\times b\times c$가 홀수이므로

$a<b<c$이고 $a\times b\times c$가 홀수인 순서쌍 (a, b, c)의 개수는 ${}_{4}\mathrm{C}_{3}=4$

즉 조건 (가)와 조건 (나)를 만족시키는 순서쌍 (a, b, c)의 개수는 $56-4=52$

STEP Ⓒ 확률 구하기

즉 구하는 확률은 $\dfrac{52}{512}=\dfrac{13}{128}$

따라서 $p=128$, $q=13$이므로 $p+q=128+13=141$

18

STEP Ⓐ 전체 경우의 수 구하기

서로 다른 8개의 점에서 3개를 택하는 경우의 수는 ${}_{8}\mathrm{C}_{3}=56$

STEP Ⓑ 직각삼각형이 되는 경우의 수를 이용하여 확률 구하기

세 점을 뽑았을 때, 직각삼각형이 되는 경우는

(ⅰ) 지름의 양 끝점 A, B를 뽑고
점 O를 제외한 5개의 점 중에 1개의 점을 뽑는 경우의 수는 ${}_{5}\mathrm{C}_{1}=5$

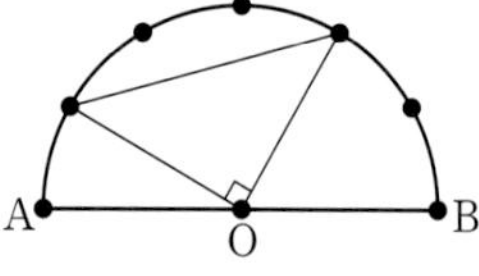

(ⅱ) 점 O를 뽑고 오른쪽 그림과 같이 직각삼각형이 되도록 나머지 2개의 점을 택하는 경우의 수는 4

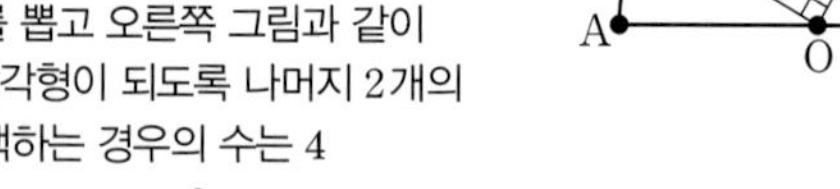

따라서 구하는 확률은 $\dfrac{9}{56}$

19

STEP Ⓐ 주어진 조건을 이용하여 각 사건의 확률 구하기

2의 배수인 사건을 A, 3의 배수인 사건을 B라 하면

2와 3의 공배수인 6의 배수는 5개이므로

$\mathrm{P}(A)=\dfrac{15}{30}$, $\mathrm{P}(B)=\dfrac{10}{30}$, $\mathrm{P}(A\cap B)=\dfrac{5}{30}$

STEP Ⓑ $\mathrm{P}(A\cup B)=\mathrm{P}(A)+\mathrm{P}(B)-\mathrm{P}(A\cap B)$를 이용하여 구하기

따라서 2의 배수이거나 3의 배수인 확률은

$\mathrm{P}(A\cup B)=\mathrm{P}(A)+\mathrm{P}(B)-\mathrm{P}(A\cap B)=\dfrac{15}{30}+\dfrac{10}{30}-\dfrac{5}{30}=\dfrac{20}{30}=\dfrac{2}{3}$

20

STEP Ⓐ 모든 경우의 수 구하기

10개의 공 중에서 3개를 꺼내는 경우의 수는 ${}_{10}\mathrm{C}_{3}$

STEP Ⓑ 사건 A의 여사건 A^{C}의 확률 $\mathrm{P}(A^{C})$ 구하기

10개의 공 중에서 파란공이 n개라 하자.

3개의 공을 동시에 꺼낼 때, 노란 공을 적어도 한 개 꺼내는 사건을 A라 하면

그 여사건 A^{C}은 3개의 공이 모두 파란 공일 사건이므로

$\mathrm{P}(A^{C})=\dfrac{{}_{n}\mathrm{C}_{3}}{{}_{10}\mathrm{C}_{3}}=\dfrac{n(n-1)(n-2)}{720}$

STEP Ⓒ $\mathrm{P}(A)=1-\mathrm{P}(A^{C})$임을 이용하여 파란 공의 개수 구하기

노란 공을 적어도 한 개 꺼낼 확률이 $\dfrac{5}{6}$이므로

$\mathrm{P}(A)=1-\mathrm{P}(A^{C})=1-\dfrac{n(n-1)(n-2)}{720}=\dfrac{5}{6}$

즉 $\dfrac{n(n-1)(n-2)}{720}=\dfrac{1}{6}$에서 $n(n-1)(n-2)=120=6\times 5\times 4$

따라서 $n=6$이므로 주머니 속에 들어있는 파란 공의 개수는 6

서술형 & 주관식

21

정답 해설참조

1단계 홀수 번째 자리에 모음이 오게 나열하는 경우의 수를 구한다. ◀ 20%

4개의 홀수 번째 자리에 모음 A, A, I, I를 일렬로 나열하는 경우의 수는

$\frac{4!}{2!2!}=6$

3개의 짝수 번째 자리에 N, M, D를 일렬로 나열하는 경우의 수는 $3!=6$

따라서 구하는 경우의 수는 $6\times6=36$

2단계 A, A가 이웃하게 배열되는 경우의 수를 구한다. ◀ 20%

A, A를 한 문자 X로 생각하여 X, N, M, I, I, D의 6개의 문자를 일렬로 나열하는 경우의 수는 $\frac{6!}{2!}=360$

A, A 자리를 바꾸는 경우의 수는 1

따라서 구하는 경우의 수는 $360\times1=360$

3단계 두 문자 I, I가 서로 이웃하지 않도록 나열하는 경우의 수를 구한다. ◀ 20%

N, A, M, I, D, I, A를 일렬로 나열하는 경우의 수는 $\frac{7!}{2!2!}=1260$

I, I를 하나로 보고 6개를 일렬로 나열하는 경우의 수는 $\frac{6!}{2!}=360$

따라서 구하는 경우의 수는 $1260-360=900$

다른풀이 사이사이 배열하여 풀이하기

N, A, M, D, A의 5개를 일렬로 나열하고 그 사이사이에 I, I를 나열하는 경우의 수를 구한다.

따라서 구하는 경우의 수는 $\frac{5!}{2!}\times{}_6C_2=60\times15=900$

4단계 세 문자 N, M, D 중 어느 2개의 문자도 서로 이웃하지 않도록 나열하는 경우의 수를 구한다. ◀ 20%

4개의 문자 A, A, I, I를 일렬로 나열하는 경우의 수는 $\frac{4!}{2!2!}=6$

이 각각에 대하여 ∨이 놓여 있는 자리에 세 문자 N, M, D를 나열하는 경우의 수는 ${}_5P_3=5\times4\times3=60$

따라서 구하는 경우의 수는 $6\times60=360$

5단계 같은 문자는 이웃하지 않도록 하는 경우의 수를 구한다. ◀ 20%

7개의 문자를 일렬로 나열하는 순열의 수는

$\frac{7!}{2!2!}=1260$ …… ㉠

같은 문자가 이웃하는 경우는

(ⅰ) 'A, A'가 있는 순열의 수는 'A, A'를 한 문자로 보았을 때의 경우의 수이므로 $\frac{6!}{2!}=360$

(ⅱ) 'I, I'가 있는 순열의 수는 'I, I'를 한 문자로 보았을 때의 경우의 수이므로 $\frac{6!}{2!}=360$

(ⅲ) 'A, A', 'I, I'가 동시에 있는 경우의 수는 $5!=120$

(ⅰ)~(ⅲ)에 의하여 같은 문자가 이웃하는 경우의 수는

$360+360-120=600$ …… ㉡

따라서 ㉠, ㉡에 의하여 구하는 순열의 수는 $1260-600=660$

22

정답 해설참조

1단계 방정식 $a+b+c=12$를 만족시키는 음이 아닌 정수 a, b, c의 순서쌍 (a, b, c)의 개수를 구한다. ◀ 40%

a, b, c 중 적어도 하나가 홀수인 순서쌍의 개수는

방정식 $a+b+c=12$를 만족시키는 음이 아닌 정수 a, b, c의 모든 순서쌍의 개수에서 a, b, c가 모두 짝수 또는 0인 순서쌍의 개수를 뺀 것과 같다.

방정식 $a+b+c=12$를 만족시키는 음이 아닌 정수 a, b, c의 순서쌍의 개수는

${}_3H_{12}={}_{14}C_{12}={}_{14}C_2=91$

2단계 방정식 $a+b+c=12$를 만족시키는 짝수인 정수 a, b, c의 순서쌍 (a, b, c)의 개수를 구한다. (단, 0은 짝수로 본다.) ◀ 40%

a, b, c가 모두 짝수 또는 0이므로

$a=2a'$, $b=2b'$, $c=2c'$으로 놓으면

$a+b+c=2a'+2b'+2c'=12$에서 $a'+b'+c'=6$

즉 방정식 $a+b+c=12$를 만족시키는 짝수 또는 0인 a, b, c의 순서쌍의 개수는 방정식 $a'+b'+c'=6$을 만족시키는 음이 아닌 정수 a', b', c'의 순서쌍의 개수와 같으므로 ${}_3H_6={}_8C_6={}_8C_2=28$

3단계 적어도 하나가 홀수인 순서쌍의 개수를 구한다. ◀ 20%

따라서 적어도 하나가 홀수인 순서쌍의 개수는 $91-28=63$

다른풀이 (짝수, 홀수, 홀수)인 경우를 이용하여 풀이하기

$a+b+c=12$이므로 세 수를 더하여 짝수가 되는 순서쌍은 (짝수, 짝수, 짝수), (짝수, 홀수, 홀수)밖에 없다.

즉 적어도 하나가 홀수인 경우는 (짝수, 홀수, 홀수)밖에 없다.

a, b, c 중 짝수를 결정하는 경우의 수는 3가지

이 중 a가 짝수인 경우

$a=2a'$, $b=2b'+1$, $c=2c'+1$ (단, a', b', c'는 음 아닌 정수)

$a+b+c=12$에 대입하면 $2a'+2b'+1+2c'+1=12$

$\therefore a'+b'+c'=5$

방정식 $a'+b'+c'=6$을 만족시키는 음이 아닌 정수 a', b', c'의 순서쌍의 개수는 ${}_3H_5={}_7C_5={}_7C_2=21$

따라서 구하는 경우의 수는 $3\times21=63$

23

정답 251

STEP A 모든 경우의 수 구하기

한 개의 주사위를 3번 던져 나오는 모든 경우의 수는 $6^3=216$

STEP B $a \le b < c$인 경우의 수 구하기

a, b, c는 1 이상 6 이하의 자연수이고 $a \le b < c$이므로
$1 \le a \le b < c \le 6$이고 $a \le b < c$인 경우의 수는
$a < b < c$인 경우의 수에서 $a=b<c$인 경우의 수를 더하여 구한다.

(i) $1 \le a < b < c \le 6$인 경우
부등식 $1 \le a < b < c \le 6$을 만족시키는 자연수 a, b, c의 순서쌍 (a, b, c)의 개수는 서로 다른 6개에서 3개를 택하는 조합의 수와 같으므로 ${}_6C_3=20$

(ii) $1 \le a = b < c \le 6$인 경우
부등식 $1 \le a=b < c \le 6$을 만족시키는 자연수 a, b, c의 순서쌍 (a, b, c)의 개수는 서로 다른 6개에서 2개를 택하는 조합의 수와 같으므로 ${}_6C_2=15$

(i), (ii)에서 $a \le b < c$인 경우의 수는 $20+15=35$

STEP C 구하는 확률 구하기

따라서 구하는 확률은 $\frac{35}{216}$이므로 $p=216$, $q=35$ $\therefore p+q=216+35=251$

다른풀이 중복조합을 이용하여 풀이하기

STEP A 모든 경우의 수 구하기

한 개의 주사위를 3번 던져 나오는 모든 경우의 수는 $6^3=216$

STEP B $a \le b < c$인 경우의 수 구하기

a, b, c는 1 이상 6 이하의 자연수이고 $a \le b < c$이므로
$1 \le a \le b < c \le 6$ …… ㉠
이때 $b < c$에서 $b \le c-1$이므로 $c-1=c'$이라 하면
c'은 0 이상 5 이하의 정수이고 부등식 ㉠을 만족시키는 1 이상 6 이하의 자연수 a, b, c의 순서쌍 (a, b, c)의 개수는 $1 \le a \le b \le c-1 \le 5$,
즉 $1 \le a \le b \le c' \le 5$를 만족시키는 자연수 a, b, c'의 순서쌍 (a, b, c')의 개수와 같다.
이것은 서로 다른 5개에서 중복을 허락하여 3개를 택하는 중복조합의 수와 같으므로 ${}_5H_3={}_{5+3-1}C_3={}_7C_3=35$

STEP C 구하는 확률 구하기

따라서 구하는 확률은 $\frac{35}{216}$이므로 $p=216$, $q=35$ $\therefore p+q=216+35=251$

다른풀이 중복조합을 이용하여 풀이하기

STEP A 모든 경우의 수 구하기

한 개의 주사위를 3번 던져 나오는 모든 경우의 수는 $6^3=216$

STEP B $a \le b < c$인 경우의 수 구하기

a, b, c는 1 이상 6 이하의 자연수이고 $a \le b < c$이므로
$1 \le a \le b < c \le 6$ …… ㉠
이때 $a \le b$에서 $a < b+1$이므로
$a < b+1 < c+1$이고 $b+1=b'$, $c+1=c'$이라 하면
b', c'은 2 이상 7 이하의 자연수이므로
부등식 ㉠을 만족시키는 1 이상 6 이하의 자연수 a, b, c의 순서쌍 (a, b, c)의 개수는 $1 \le a < b' < c' \le 7$을 만족시키는 자연수 a, b', c'의 순서쌍 (a, b', c')의 개수와 같다.
이것은 서로 다른 7개에서 3개를 택하는 조합의 수와 같으므로 ${}_7C_3=35$

STEP C 구하는 확률 구하기

따라서 구하는 확률은 $\frac{35}{216}$이므로 $p=216$, $q=35$ $\therefore p+q=216+35=251$

24

정답 $\frac{103}{84}$

STEP A 모든 경우의 수 구하기

지갑 안의 지폐 9장에서 3장을 꺼내는 경우의 수는 ${}_9C_3$

STEP B 사건 A의 여사건 A^C에 대하여 $P(A)=1-P(A^C)$임을 이용하여 구하기

3장의 지폐를 꺼냈을 때, 꺼낸 돈의 합이 2만 원 미만인 사건을 A라 하면
그 여사건 A^C는 꺼낸 돈의 합이 2만 원 이상인 사건이다.

(i) 꺼낸 지폐가 만 원짜리 2장과 다른 지폐 한 장일 확률은
$\frac{{}_2C_2 \times {}_7C_1}{{}_9C_3}=\boxed{\frac{7}{84}}$

(ii) 꺼낸 지폐가 만 원짜리 한 장과 오천 원짜리 2장일 확률은
$\frac{{}_2C_1 \times {}_4C_2}{{}_9C_3}=\boxed{\frac{12}{84}}$

(i), (ii)에서 $P(A^C)=\frac{7}{84}+\frac{12}{84}=\boxed{\frac{19}{84}}$이므로 구하는 확률은

$P(A)=1-P(A^C)=1-\frac{19}{84}=\boxed{\frac{65}{84}}$

따라서 $a=\frac{7}{84}$, $b=\frac{12}{84}$, $c=\frac{19}{84}$, $d=\frac{65}{84}$이므로

$a+b+c+d=\frac{7+12+19+65}{84}=\frac{103}{84}$

MAPL; SYNERGY

02 중간고사 모의평가

01 ⑤	02 ③	03 ①	04 ④	05 ④
06 ④	07 ②	08 ④	09 ④	10 ④
11 ④	12 ②	13 ③	14 ③	15 ④
16 ③	17 ④	18 ⑤	19 ①	20 ⑤

서술형

21 해설참조	22 해설참조
23 해설참조	24 13

01

 ⑤

STEP Ⓐ 가운데 작은 원에 색을 칠하는 경우의 수 구하기

서로 다른 7가지 색중 하나를 사용하여 가운데 작은 원에 색을 칠하는 경우의 수는 ${}_7C_1=7$

STEP Ⓑ 원순열을 이용하여 경우의 수 구하기

나머지 6가지 색을 6등분한 칸에 칠하는 방법의 수는 6개를 원형으로 배열하는 원순열의 수와 같으므로 $(6-1)!=120$

따라서 구하는 방법의 수는 $7\times(6-1)!=7\times5!=840$

02

 ③

STEP Ⓐ 중복순열을 이용하여 p의 값 구하기

조건 (가)에서

다섯 개의 문자 중에서 중복을 허락하여 세 개를 뽑아 나열하는 경우의 수는 서로 다른 5개에서 3개를 뽑아 나열하는 중복순열이므로

${}_5\Pi_3=5^3=125$

STEP Ⓑ 중복순열을 이용하여 q의 값 구하기

조건 (나)에서

천의 자리에 올 수 있는 숫자는 1, 2로 2가지

나머지 세 자리에 숫자를 배열하는 방법의 수는

3개의 숫자 중에서 3개를 택하는 중복순열의 수이므로

${}_3\Pi_3=27$

즉 구하는 네 자리의 자연수의 개수는 $2\times27=54$

STEP Ⓒ 중복순열을 이용하여 r의 값 구하기

조건 (다)에서

6개의 숫자 1, 2, 3, 4, 5, 6을 중복 사용하여 만들 수 있는 세 자리의 자연수의 개수는 ${}_6\Pi_3=6^3$

5를 제외한 5개의 숫자 1, 2, 3, 4, 6을 중복 사용하여 만들 수 있는 세 자리의 자연수의 개수는 ${}_5\Pi_3=5^3$

즉 숫자 5가 포함되는 세 자리의 자연수의 개수는

$6^3-5^3=216-125=91$

따라서 $p=125$, $q=54$, $r=91$이므로 $p+q+r=270$

03

 ①

STEP Ⓐ 같은 것이 있는 순열의 수를 이용하여 구하기

7개의 문자 A, A, B, B, B, C, D를 나열하는 경우의 수는

$\dfrac{7!}{2!3!}=420$

STEP Ⓑ A가 이웃하여 나열하는 경우의 수 구하기

A, A를 묶어서 하나로 보고 나열하는 경우의 수는

$\dfrac{6!}{3!}=120$

STEP Ⓒ A가 서로 이웃하지 않도록 나열하는 경우의 수 구하기

따라서 구하는 경우의 수는 $420-120=300$

다른풀이 사이사이 배열하여 풀이하기

B, B, B, C, D의 5개를 일렬로 나열하고 그 사이사이에 A, A를 나열하는 경우의 수를 구한다.

따라서 구하는 경우의 수는 $\dfrac{5!}{3!}\times{}_6C_2=20\times15=300$

04

 ④

STEP Ⓐ 업무 C를 기준으로 같은 것이 있는 순열을 이용하여 구하기

7개의 업무를 A, B, C, 1, 2, 3, 4라 하자.

(ⅰ) C를 가장 먼저 처리하는 경우

A, B를 모두 X, X라고 생각하고 X, X, 1, 2, 3, 4를 나열하는

경우의 수는 $\dfrac{6!}{2!}=360$

이때 나열된 X, X에 앞쪽에 A, 뒤쪽에 B를 배열하면 된다.

(ⅱ) C를 가장 나중에 처리하는 경우

A, B를 모두 X, X라고 생각하고 X, X, 1, 2, 3, 4를 나열하는

경우의 수는 $\dfrac{6!}{2!}=360$

이때 나열된 X, X에 앞쪽에 A, 뒤쪽에 B를 배열하면 된다.

STEP Ⓑ 구하는 경우의 수 구하기

(ⅰ), (ⅱ)에서 구하는 경우의 수는 $360+360=720$

05

정답 ④

STEP A 여러 가지 경우의 수에서 참, 거짓 판단하기

① 3학년 학생 3명이 모두 이웃하여 앉아야 하므로 3명을 한 묶음으로 간주하여 4명이 원형으로 원탁에 둘러앉는 경우의 수는 $(4-1)!$

이 각각에 대하여 3학년 학생 3명이 서로 자리를 바꾸는 경우의 수는 $3!$

즉 구하는 경우의 수는 $(4-1)! \times 3!$

② 치역의 모든 원소의 곱이 짝수이려면 치역은 적어도 하나의 짝수인 원소를 가져야 한다.

즉 X에서 Y로의 함수에서 치역의 원소가 홀수뿐인 함수를 제외시키면 되므로 구하는 함수의 개수는 ${}_4\Pi_6 - {}_2\Pi_6$

③ 6개의 문자를 다음과 같이 일렬로 나열할 때, C는 ㉠, ㉢, ㉤ 중 하나에 배열해야 하므로 경우의 수는 3

㉠	㉡	㉢	㉣	㉤	㉥

나머지 자리에 A, N, A, D, A를 배열하는 경우의 수는 $\dfrac{5!}{3!}$

즉 구하는 경우의 수는 $3 \times \dfrac{5!}{3!}$

④ 서로 다른 3개의 나라에서 5개를 택하는 중복순열의 수와 같으므로 ${}_3\Pi_5$이다.

⑤ 3명의 학생이 받는 연필의 개수를 각각 a, b, c라 하자.

모든 학생이 적어도 한 자루의 연필을 받도록 나누어 주는 경우의 수는 방정식 $a+b+c=9$ (a, b, c는 자연수)를 만족시키는 모든 순서쌍 (a, b, c)의 개수와 같다.

이때 $a=a'+1,\ b=b'+1,\ c=c'+1$ (a', b', c'은 음이 아닌 정수)라 하면 모든 순서쌍 (a, b, c)의 개수는 방정식 $(a'+1)+(b'+1)+(c'+1)=9$

즉 $a'+b'+c'=6$을 만족시키는 음이 아닌 정수 a', b', c'의 모든 순서쌍 (a', b', c')의 개수와 같다.

즉 서로 다른 3개에서 중복을 허락하여 6개를 택하는 중복조합의 수와 같으므로 ${}_3H_6$이다.

따라서 옳지 않은 것은 ④이다.

06

정답 ④

STEP A A지점에서 P지점을 지나 B지점까지 최단거리로 가는 경우의 수 구하기

P지점은 반드시 지나고 Q지점은 지나지 않아야 하므로 구하는 경우의 수는 A → P → B인 경우의 수에서 A → P → Q → B인 경우의 수를 뺀 것과 같다.

A → P → B에서 A → P인 최단 경로의 수는 → → ↑ ↑ ↑를 일렬로 나열하는 경우의 수와 같으므로 $\dfrac{5!}{2!3!}=10$

P → B인 최단 경로의 수는 → → → ↑ ↑를 일렬로 나열하는 경우의 수와 같으므로 $\dfrac{5!}{3!2!}=10$

즉 A → P → B인 최단 경로의 수는 $10 \times 10 = 100$

STEP B A지점에서 P지점을 지나 Q지점을 거쳐 B지점까지 최단거리로 가는 경우의 수 구하기

A → P → Q → B에서 A → P인 최단경로의 수는 10

P → Q인 최단 경로의 수는 → → ↑를 일렬로 나열하는 경우의 수와 같으므로 $\dfrac{3!}{2!}=3$

Q → B인 최단경로의 수는 → ↑를 일렬로 나열하는 경우의 수와 같으므로 $2!=2$

즉 A → P → Q → B인 최단경로의 수는 $10 \times 3 \times 2 = 60$

STEP C 구하는 최단거리 구하기

(ⅰ), (ⅱ)에서 구하는 경우의 수는 $100-60=40$

07

정답 ②

STEP A 중복조합의 수 구하기

조건 (가)에서

서로 다른 과일 4개에서 중복을 허용하여 8개를 선택하는 중복조합이므로

$p={}_4H_8={}_{4+8-1}C_8={}_{11}C_8={}_{11}C_3=165$

STEP B 세 종류의 공을 각각 1개씩 먼저 꺼내고 중복조합의 수 구하기

조건 (나)에서

8개의 공에서 각 색깔의 공 1개씩을 먼저 뽑고

3종류의 빨간 공, 노란 공, 파란 공에서 4개를 꺼내는 경우의 수를 구한다.

빨간 공, 노란 공, 파란 공에서 중복을 허락하여 나머지 4개의 공을 택하는 중복조합의 수이므로 $q={}_3H_4={}_{3+4-1}C_4={}_6C_4={}_6C_2=15$

다른풀이 양의 정수해를 이용하여 풀이하기

주머니에서 꺼낸 빨간 공, 노란 공, 파란 공의 개수를 각각 x, y, z라고 하면 구하는 방법의 수는 방정식 $x+y+z=7$에서 x, y, z가 모두 양의 정수인 해의 개수와 같다.

$x=a+1,\ y=b+1,\ z=c+1$ (단, a, b, c는 음이 아닌 정수)

$x+y+z=7$에서 $a+b+c=4$의 음이 아닌 정수해는

${}_3H_4={}_{3+4-1}C_4={}_6C_4={}_6C_2=15$

STEP C 4의 개수에 따른 경우의 수 구하기

조건 (다)에서

숫자 1, 2, 3의 개수를 각각 a, b, c라 하면

(ⅰ) 숫자 4가 택해지지 않은 경우

구하는 경우의 수는 $a+b+c=5$를 만족시키는 음이 아닌 정수의 순서쌍 (a, b, c)의 개수이므로 ${}_3H_5={}_7C_5={}_7C_2=21$

(ⅱ) 숫자 4가 한 개 택해지는 경우

구하는 경우의 수는 $a+b+c=4$를 만족시키는 음이 아닌 정수의 순서쌍 (a, b, c)의 개수이므로 ${}_3H_4={}_6C_4={}_6C_2=15$

(ⅰ), (ⅱ)에서 구하는 경우의 수는 $r=21+15=36$

따라서 $p+q+r=165+15+36=216$

08

정답 ④

STEP A 홀수인 양의 정수해를 음이 아닌 정수해의 식으로 바꾸기

양의 정수 x, y, z가 홀수이므로

$x=2a+1,\ y=2b+1,\ z=2c+1$ (단, a, b, c는 음이 아닌 정수)

로 놓으면

$x+y+z=(2a+1)+(2b+1)+(2c+1)=15$

$\therefore a+b+c=6$ …… ㉠

STEP B 음이 아닌 정수해의 개수 구하기

방정식 ㉠을 만족시키는 음이 아닌 정수 a, b, c의 순서쌍 (a, b, c)의 개수는 세 문자 a, b, c 중에서 6개를 택하는 중복조합의 수와 같으므로

${}_3H_6={}_{3+6-1}C_6={}_8C_6={}_8C_2=28$

09

정답 ④

STEP A $f(3)=4,\ f(3)=5,\ f(3)=6$**임을 이용하여 함수의 개수 구하기**

조건 (가)에서 $f(3)\le 6$이므로 $f(3)$의 값이 될 수 있는 수는 4, 5, 6이다.

(i) $f(3)=4$일 때,

$f(2)=4$이고 집합 Y의 원소 4, 5, 6, 7, 8, 9의 6개에서 중복을 허락하여 $f(4)$, $f(5)$의 값 2개를 택하는 경우의 수와 같으므로 함수의 개수는

$1\times{}_6\mathrm{H}_2={}_7\mathrm{C}_2=21$

(ii) $f(3)=5$일 때,

$f(2)=4$ 또는 $f(2)=5$이고 집합 Y의 원소 5, 6, 7, 8, 9의 5개에서 중복을 허락하여 $f(4)$, $f(5)$의 값 2개를 택하는 경우의 수와 같으므로 함수의 개수는 $2\times{}_5\mathrm{H}_2=2\times{}_6\mathrm{C}_2=2\times15=30$

(iii) $f(3)=6$일 때,

$f(2)=4$ 또는 $f(2)=5$ 또는 $f(2)=6$이고 집합 Y의 원소 6, 7, 8, 9의 4개에서 중복을 허락하여 $f(4)$, $f(5)$의 값 2개를 택하는 경우의 수와 같으므로 함수의 개수는 $3\times{}_4\mathrm{H}_2=3\times{}_5\mathrm{C}_2=3\times10=30$

STEP B **구하는 함수의 개수 구하기**

(i)~(iii)에서 구하는 함수의 개수는 $21+30+30=81$

10

정답 ④

STEP A **다항식의 전개식에서 일반항을 이용하여 p의 값 구하기**

조건 (가)에서 다항식 $(x+a)^7$의 전개식의 일반항은 ${}_7\mathrm{C}_r x^{7-r}a^r$

x^4의 항은 $7-r=4$, 즉 $r=3$이므로 x^4의 계수는 ${}_7\mathrm{C}_3a^3=280$

$35a^3=280,\ a^3=8$

즉 a는 실수이므로 $p=a=2$

STEP B **다항식의 전개식에서 일반항을 이용하여 q의 값 구하기**

조건 (나)에서 다항식 $(x+k)^8$의 전개식의 일반항은 ${}_8\mathrm{C}_r x^{8-r}k^r$

x^7항은 $r=1$일 때이므로

x^7의 계수가 24이므로 ${}_8\mathrm{C}_1k=8k,\ 8k=24\quad\therefore k=3$

즉 x^6항은 $r=2$일 때이므로 구하는 x^6의 계수는 $q={}_8\mathrm{C}_2\times3^2=28\times9=252$

따라서 $p+q=2+252=254$

11

STEP A **다항식의 전개식의 일반항을 구하고 지수법칙을 이용하여 간단히 정리하기**

$\left(-x+\dfrac{2}{x^2}\right)^5$의 전개식의 일반항은

${}_5\mathrm{C}_r(-x)^{5-r}\left(\dfrac{2}{x^2}\right)^r={}_5\mathrm{C}_r2^r(-1)^{5-r}x^{5-3r}$

STEP B **이항정리의 일반항을 이용하여 [보기]의 참, 거짓 판단하기**

ㄱ. x^2의 계수는 $5-3r=2$이므로 $r=1$

즉 x^2의 계수는 ${}_5\mathrm{C}_1\times2\times(-1)^4=10$ [참]

ㄴ. $\dfrac{1}{x}$의 계수는 $5-3r=-1$이므로 $r=2$

즉 $\dfrac{1}{x}$의 계수는 ${}_5\mathrm{C}_2\times2^2\times(-1)^3=-40$ [참]

ㄷ. 서로 다른 항의 계수는 서로 다른 2개에서 중복을 허락하여 5개를 택하는 경우의 수와 같으므로 ${}_2\mathrm{H}_5={}_{2+5-1}\mathrm{C}_5={}_6\mathrm{C}_5={}_6\mathrm{C}_1=6$ [참]

ㄹ. 상수항은 $5-3r=0$을 만족시키는 음이 아닌 정수 r이 존재하지 않으므로 상수항은 0이다. [거짓]

따라서 옳은 것은 ㄱ, ㄴ, ㄷ이다.

12

정답 ②

STEP A $(2x+a)^6$**의 전개식에서 일반항 구하기**

$(x+1)(2x+a)^6=x(2x+a)^6+(2x+a)^6$이므로

$(2x+a)^6$의 전개식에서 x^5의 계수를 p, x^6의 계수를 q라 하면

다항식 $(x+1)(2x+a)^6$의 전개식에서 x^6의 계수는 $p+q$이다.

$(2x+a)^6$의 전개식에서 일반항은 ${}_6\mathrm{C}_r(2x)^ra^{6-r}={}_6\mathrm{C}_r2^ra^{6-r}x^r$

STEP B x^6**의 계수가 160임을 이용하여 a의 값 구하기**

p는 $r=5$일 때이므로

$p={}_6\mathrm{C}_5\times2^5\times a^{6-5}=6\times32\times a=192a$

q는 $r=6$일 때이므로

$q={}_6\mathrm{C}_6\times2^6\times a^{6-6}=1\times64\times1=64$

$p+q=160$이므로 $192a+64=160,\ 192a=96$

따라서 $a=\dfrac{1}{2}$

13

STEP A **이항정리의 성질을 이용하여 구하기**

${}_{19}\mathrm{C}_1+{}_{19}\mathrm{C}_3+{}_{19}\mathrm{C}_5+\cdots+{}_{19}\mathrm{C}_{19}=2^{18}$

${}_{10}\mathrm{C}_0+{}_{10}\mathrm{C}_1+{}_{10}\mathrm{C}_2+\cdots+{}_{10}\mathrm{C}_{10}=2^{10}$이므로

$$\frac{{}_{19}\mathrm{C}_1+{}_{19}\mathrm{C}_3+{}_{19}\mathrm{C}_5+\cdots+{}_{19}\mathrm{C}_{19}}{{}_{10}\mathrm{C}_0+{}_{10}\mathrm{C}_1+{}_{10}\mathrm{C}_2+\cdots+{}_{10}\mathrm{C}_{10}}=\frac{2^{18}}{2^{10}}=2^8$$

14

STEP A ${}_n\mathrm{C}_0+{}_n\mathrm{C}_1+\cdots+{}_n\mathrm{C}_n=(1+1)^n=2^n$**임을 이용하기**

${}_n\mathrm{C}_0+{}_n\mathrm{C}_1+{}_n\mathrm{C}_2+\cdots+{}_n\mathrm{C}_n=2^n$에서

$${}_n\mathrm{C}_1+{}_n\mathrm{C}_2+{}_n\mathrm{C}_3+\cdots+{}_n\mathrm{C}_n=({}_n\mathrm{C}_0+{}_n\mathrm{C}_1+{}_n\mathrm{C}_2+\cdots+{}_n\mathrm{C}_n)-{}_n\mathrm{C}_0=2^n-1$$

STEP B 2^n-1**이 7의 배수가 되는 자연수를 1부터 차례로 n에 대입하여 7의 배수를 찾기**

자연수를 1부터 차례로 n에 대입하여 7의 배수를 찾아보면 다음과 같다.

$n=1$일 때, $2^1-1=1$이므로 7로 나눈 나머지가 1이다.

$n=2$일 때, $2^2-1=3$이므로 7로 나눈 나머지가 3이다.

$n=3$일 때, $2^3-1=7$이므로 7로 나눈 나머지가 0이다.

$n=4$일 때, $2^4-1=15$이므로 7로 나눈 나머지가 1이다.

$n=5$일 때, $2^5-1=31$이므로 7로 나눈 나머지가 3이다.

$n=6$일 때, $2^6-1=63$이므로 7로 나눈 나머지가 0이다.

⋮

$n=9$일 때, $2^9-1=511$이므로 7로 나눈 나머지가 0이다.

⋮

따라서 50 이하의 자연수 중 2^n-1이 7의 배수가 되는 자연수 n은 3의 배수이므로 16개이다.

15

정답 ④

STEP A 각 경우의 확률 구하기

① 9장의 카드 중에서 3장의 카드를 뽑는 경우의 수는 ${}_9C_3=84$
3장 모두 홀수가 적힌 카드가 나오는 경우의 수는 ${}_5C_3=10$
즉 구하는 확률은 $\frac{10}{84}=\frac{5}{42}$ [참]

② A, B, C, D, E의 5명 중 2명을 뽑는 방법의 수는 ${}_5C_2=10$
A는 포함되는 방법의 수는 B, C, D, E의 4명 중에서 1명을 뽑는 경우의 수와 같으므로 ${}_4C_1=4$
즉 구하는 확률은 $\frac{4}{10}=\frac{2}{5}$ [참]

③ 네 종류의 과일에서 중복을 허락하여 5개를 택하는 전체 경우의 수는 ${}_4H_5={}_8C_3$
이때 사과 2개를 사고 사과를 제외한 세 종류의 과일에서 중복을 허락하여 3개를 택하는 경우의 수는 ${}_3H_3={}_5C_3$
즉 구하는 확률은 $\frac{{}_5C_3}{{}_8C_5}=\frac{5}{28}$ [참]

④ 4명의 학생이 일렬로 서는 경우의 수는 $4!=24$
이때 네 자리 중에 C와 D를 같은 문자로 보고 나열하는 경우의 수는
$\frac{4!}{2!}=12$
즉 구하는 확률은 $\frac{12}{24}=\frac{1}{2}$ [거짓]

> 참고 네 자리 중에 C와 D가 앉을 두 자리를 선택하는 경우의 수는 ${}_4C_2$
> 이 각각에 대하여 남은 두 자리에 나머지 학생이 앉는 방법의 수는 2!이므로 C가 항상 D의 오른쪽에 서는 경우의 수는 ${}_4C_2\times2!=12$
> 즉 구하는 확률은 $\frac{12}{24}=\frac{1}{2}$

⑤ 흰 공 2개, 빨간 공 4개가 들어있는 주머니에서 2개를 꺼내는 경우의 수는 ${}_6C_2=15$
2개 모두 흰 공을 꺼내는 경우의 수는 ${}_2C_2=1$
즉 구하는 확률은 $\frac{1}{15}$ [참]

따라서 옳지 않은 것은 ④이다.

16

 ③

STEP A 모든 경우의 수 구하기

7명이 자리를 정하는 경우의 수는 7!

STEP B 특정한 원소가 이웃하게 있는 경우의 수를 이용하여 확률 구하기

A, B가 첫 번째 칸에 앉는 경우의 수는 $2\times5!$
A, B가 두 번째 칸에 앉는 경우의 수는 $2\times2\times5!$
A, B가 세 번째 칸에 앉는 경우의 수는 $2\times5!$
따라서 구하는 확률은 $\frac{2\times5!+4\times5!+2\times5!}{7!}=\frac{4}{21}$

17

 ④

STEP A 모든 경우의 수 구하기

6명의 학생이 원형 탁자에 앉는 경우의 수는 6!이고 회전하였을 때, 같은 것이 6가지씩 있으므로 경우의 수는 $\frac{6!}{6}=5!=120$

STEP B A, B가 이웃하여 앉는 확률 구하기

A, B가 이웃하여 앉는 경우의 수는 A, B를 한 묶음으로 생각하여 일렬로 세운 다음 A, B가 서로 자리를 바꾸면 되므로 $5!\times2!$이고 회전하였을 때, 같은 것이 5가지씩 있으므로 경우의 수는 $\frac{5!\times2!}{5}=48$

따라서 구하는 확률은 $\frac{48}{120}=\frac{2}{5}$

18

 ⑤

STEP A 모든 경우의 수 구하기

11개의 공 중에서 3개를 뽑는 전체 경우의 수는 ${}_{11}C_3$

STEP B 사건 A의 여사건 A^c에 대하여 $\mathrm{P}(A)=1-\mathrm{P}(A^c)$임을 이용하여 구하기

검은 공과 흰 공이 적어도 한 개씩 포함되는 사건을 A라 하면
그 여사건 A^c은 검은 공만 뽑거나 흰 공을 뽑는 사건이다.
$\mathrm{P}(A^c)=\frac{{}_5C_3+{}_6C_3}{{}_{11}C_3}=\frac{10+20}{165}=\frac{2}{11}$
따라서 구하는 확률은 $\mathrm{P}(A)=1-\mathrm{P}(A^c)=1-\frac{2}{11}=\frac{9}{11}$

19

 ①

STEP A 모든 경우의 수 구하기

9개의 동전에서 3개의 동전을 꺼내는 경우의 수는 ${}_9C_3=84$

STEP B 사건 A의 여사건 A^c에 대하여 $\mathrm{P}(A)=1-\mathrm{P}(A^c)$임을 이용하여 구하기

꺼낸 3개의 동전 금액의 합이 250원 이상일 사건을 A라 하면
그 여사건 A^c는 꺼낸 모든 동전 금액의 합이 250원 미만인 사건이므로
50원짜리 동전 3개를 꺼낸 경우 또는 50원짜리 동전이 2개와 100원짜리 동전 1개를 꺼내는 경우이므로 그 경우의 수는 ${}_3C_3+{}_3C_2\times{}_3C_1=1+9=10$
$\mathrm{P}(A^c)=\frac{10}{84}=\frac{5}{42}$
즉 구하는 확률은 $\mathrm{P}(A)=1-\mathrm{P}(A^c)=1-\frac{5}{42}=\frac{37}{42}$
따라서 $p=42$, $q=37$이므로 $p+q=79$

> 참고 **50원짜리 동전이 1개인 경우**
> 다른 두 개의 동전이 100원짜리이어야 하는데 금액의 합이 250원이므로 조건에 맞지 않는다.
> **50원짜리 동전이 0개인 경우**
> 100원짜리 동전만 3개이어야 하는데 금액의 합이 300원이므로 조건에 맞지 않는다.

20

 ⑤

STEP A 각 사건의 확률을 이용하여 $\mathrm{P}(A\cup B)$ 구하기

$6=2\times3$이므로 6과 서로소이기 위해서는 2와 3 모두에 서로소이어야 한다.
이때 2의 배수도 아니고 3의 배수도 아니어야 하므로
이 사건의 여사건은 2의 배수 또는 3의 배수인 사건이다.
1부터 100까지의 자연수 중에서 그 수가 2의 배수인 사건을 A,
3의 배수인 사건을 B라고 하자.
이때 임의로 택한 수가 6의 배수인 사건은 $A\cap B$라 하면
$\mathrm{P}(A)=\frac{50}{100}$, $\mathrm{P}(B)=\frac{33}{100}$, $\mathrm{P}(A\cap B)=\frac{16}{100}$
즉 2의 배수 또는 3의 배수인 확률은
$\mathrm{P}(A\cup B)=\mathrm{P}(A)+\mathrm{P}(B)-\mathrm{P}(A\cap B)=\frac{50}{100}+\frac{33}{100}-\frac{16}{100}=\frac{67}{100}$

STEP B $\mathrm{P}(A^c\cap B^c)=1-\mathrm{P}(A\cup B)$임을 이용하여 확률 구하기

따라서 구하는 확률은 $\mathrm{P}(A^c\cap B^c)=1-\mathrm{P}(A\cup B)=1-\frac{67}{100}=\frac{33}{100}$

서술형 & 주관식

21

정답 해설참조

1단계	X에서 Y로의 함수의 개수를 구한다.	◀ 25%

집합 Y의 원소 4개에서 3개를 택하는 중복순열의 수와 같다.
즉 ${}_4\Pi_3=4^3=64$

2단계	집합 X의 두 원소 x_1, x_2에 대하여 $x_1 \neq x_2$이면 $f(x_1)\neq f(x_2)$인 함수의 개수를 구한다.	◀ 25%

집합 Y의 원소 4개에서 서로 다른 원소 3개를 택하는 순열의 수와 같다.
즉 ${}_4P_3=4\times3\times2=24$

3단계	$f(a)<f(b)<f(c)$를 만족하는 함수의 개수를 구한다.	◀ 25%

집합 Y의 원소 4개에서 서로 다른 3개를 택하는 조합의 수와 같다.
즉 ${}_4C_3={}_4C_1=4$

4단계	$f(a)\le f(b)\le f(c)$를 만족하는 함수의 개수를 구한다.	◀ 25%

집합 Y의 원소 4개에서 3개를 택하는 중복조합의 수와 같다.
즉 ${}_4H_3={}_{4+3-1}C_3={}_6C_3=20$

22

정답 해설참조

1단계	$\left(x^2-\dfrac{2}{x^3}\right)^n$의 전개식의 일반항을 r을 사용하여 구한다.	◀ 30%

$\left(x^2-\dfrac{2}{x^3}\right)^n$의 전개식의 일반항은
${}_nC_r(x^2)^{n-r}\left(-\dfrac{2}{x^3}\right)^r={}_nC_r(-2)^r x^{2n-5r}$

2단계	상수항이 존재하도록 자연수 n을 r에 대한 식으로 나타낸다.	◀ 20%

상수항이 존재하려면 $2n-5r=0$이므로 $n=\dfrac{5}{2}r$

3단계	m의 값을 구한다.	◀ 20%

이때 2와 5는 서로소이므로 r은 2의 배수이고
$r=2$일 때, n은 최솟값을 갖는다. ⬅ n은 5의 배수이고 r는 2의 배수이다.
즉 n의 최솟값은 $m=5$

4단계	k의 값을 구한다.	◀ 20%

그때의 상수항은 $k={}_5C_2\times(-2)^2=10\times4=40$

5단계	$m+k$의 값을 구한다.	◀ 10%

$m+k=5+40=45$

23

정답 해설참조

1단계	동아리 회원 10명 중에서 대표 2명을 뽑는 경우의 수를 구한다.	◀ 20%

동아리 회원 10명 중에서 대표 2명을 뽑는 경우의 수는 ${}_{10}C_2=45$

2단계	배반사건의 확률을 이용하여 A반의 학생 수를 구한다.	◀ 30%

A반과 B반의 학생 수를 각각 m, $10-m$이라 하자.
같은 반 학생이 뽑힐 사건
(ⅰ) A반에서 대표 2명을 뽑는 사건을 A라 하면 확률은
$\mathrm{P}(A)=\dfrac{{}_mC_2}{45}=\dfrac{m(m-1)}{90}$
(ⅱ) B반에서 대표 2명을 뽑는 사건을 A라 하면 확률은
$\mathrm{P}(B)=\dfrac{{}_{10-m}C_2}{45}=\dfrac{(10-m)(9-m)}{90}$
(ⅰ), (ⅱ)는 배반사건이므로 구하는 확률은
$\mathrm{P}(A\cup B)=\mathrm{P}(A)+\mathrm{P}(B)=\dfrac{m(m-1)}{90}+\dfrac{(10-m)(9-m)}{90}$
$=\dfrac{2m^2-20m+90}{90}$
이때 같은 반 학생이 뽑힐 확률이 $\dfrac{8}{15}$이므로 $\dfrac{2m^2-20m+90}{90}=\dfrac{8}{15}$에서
$m^2-10m+21=0$, $(m-3)(m-7)=0$
$\therefore m=3$ 또는 $m=7$

3단계	여사건의 확률을 이용하여 A반의 학생 수를 구한다.	◀ 30%

대표 2명을 뽑을 때, 같은 반 학생이 뽑힐 사건을 A라 하면
그 여사건 A^C는 A반에서 1명, B반에서 1명을 뽑힐 사건이므로
A반과 B반의 학생 수를 각각 m, $10-m$이라 하자.
이때 2명의 대표를 각각 A반과 B반에서 뽑는 경우의 수는
${}_mC_1\times{}_{10-m}C_1=m(10-m)$
이므로 2명의 대표를 각각 A반과 B반에서 뽑을 확률은
$\mathrm{P}(A^C)=\dfrac{m(10-m)}{45}$
이때 같은 반 학생이 뽑힐 확률이 $\dfrac{8}{15}$이므로
$\mathrm{P}(A)=1-\mathrm{P}(A^C)=1-\dfrac{m(10-m)}{45}=\dfrac{8}{15}$
$\dfrac{m(10-m)}{45}=\dfrac{7}{15}$에서 $m^2-10m+21=0$, $(m-3)(m-7)=0$
$\therefore m=3$ 또는 $m=7$

4단계	A반과 B반의 학생 수의 차를 구한다.	◀ 20%

두 반의 학생 수는 각각 7, 3이므로 A반과 B반의 학생 수의 차는 4

24

정답 13

STEP Ⓐ 모든 경우의 수 구하기

주머니에서 공을 1개씩 모두 꺼내어 나열하는 경우의 수는 $5!=120$

STEP Ⓑ 같은 것이 있는 경우의 수를 이용하여 확률 구하기

1이 적힌 공은 2가 적힌 공보다 왼쪽에 놓이고
3이 적힌 공은 2가 적힌 공보다 오른쪽에 놓이며,
A가 적힌 공은 B가 적힌 공보다 왼쪽에 놓이는 사건은 숫자가 적힌 3개의 공과 문자가 적힌 2개의 공을 각각 같은 종류의 공이라 가정하고 일렬로 나열하는 사건과 같다.
즉 이 사건의 경우의 수는 1, 1, 1, A, A를 일렬로 나열하는 같은 것이 있는 순열의 수와 같으므로 $\dfrac{5!}{3!2!}=10$
따라서 구하는 확률은 $\dfrac{10}{120}=\dfrac{1}{12}$이므로 $p+q=12+1=13$

MAPL; SYNERGY

01 기말고사 모의평가

01 ①	02 ③	03 ①	04 ④	05 ④
06 ②	07 ①	08 ①	09 ③	10 ⑤
11 ②	12 ④	13 ②	14 ③	15 ②
16 ⑤	17 ①	18 ⑤	19 ①	20 ④

서술형

21 해설참조	22 해설참조
23 해설참조	24 해설참조

01

정답 ①

STEP A $\mathrm{P}(A)$, $\mathrm{P}(A\cap B)$의 값 구하기

짝수의 눈이 나오는 사건을 A, 3의 배수의 눈이 나오는 사건을 B라 하면

$\mathrm{P}(A)=\dfrac{3}{6}$, $\mathrm{P}(A\cap B)=\dfrac{1}{6}$

STEP B $\mathrm{P}(B|A)$의 값 구하기

따라서 구하는 확률 $\mathrm{P}(B|A)=\dfrac{\mathrm{P}(A\cap B)}{\mathrm{P}(A)}=\dfrac{\frac{1}{6}}{\frac{3}{6}}=\dfrac{1}{3}$

02

정답 ③

STEP A 확률의 곱셈정리를 이용하여 차단된 우편일 확률 구하기

광고성 우편일 사건을 A, 정상 우편일 사건을 B,
임의로 뽑은 한 통의 우편이 차단된 우편일 사건을 E라 하면
구하는 확률은 $\mathrm{P}(A|E)$이다.

(ⅰ) 광고성 우편이 차단된 우편일 확률은

$\mathrm{P}(A\cap E)=\mathrm{P}(A)\mathrm{P}(E|A)=\dfrac{1}{2}\times\dfrac{94}{100}=\dfrac{47}{100}$

(ⅱ) 정상 우편이 차단된 우편일 확률은

$\mathrm{P}(B\cap E)=\mathrm{P}(B)\mathrm{P}(E|B)=\dfrac{1}{2}\times\dfrac{3}{100}=\dfrac{3}{200}$

(ⅰ), (ⅱ)이 서로 배반사건이므로 차단된 우편일 확률은

$\mathrm{P}(E)=\mathrm{P}(A\cap E)+\mathrm{P}(B\cap E)=\dfrac{47}{100}+\dfrac{3}{200}=\dfrac{97}{200}$

STEP B 조건부확률 구하기

따라서 구하는 확률은 $\mathrm{P}(A|E)=\dfrac{\mathrm{P}(A\cap E)}{\mathrm{P}(E)}=\dfrac{\frac{47}{100}}{\frac{97}{200}}=\dfrac{94}{97}$

다른풀이 표를 이용하여 조건부확률 구하기

광고성 우편 100통과 정상 우편 100통을 검사하면 다음 표와 같다.

	차단된 우편	차단하지 않은 우편	합계
광고성 우편	94	6	100
정상 우편	3	97	100
계	97	103	200

임의로 뽑은 한 통의 우편이 차단된 우편이었을 때,

이 우편이 광고성 우편일 확률은$\mathrm{P}(A|E)=\dfrac{n(A\cap E)}{n(E)}=\dfrac{94}{97}$

03

정답 ①

STEP A 주어진 상황을 표로 나타내기

이 학교의 여학생의 수를 a라 하고 주어진 상황을 표로 나타내면 다음과 같다.

	남학생	여학생	합계
온라인 수업	90	70	160
대면 수업	$270-a$	$a-70$	200
계	$360-a$	a	360

STEP B $\mathrm{P}(A)$, $\mathrm{P}(A\cap B)$의 값 구하기

대면수업을 선택할 사건을 A, 남학생일 사건을 B라 하면

$\mathrm{P}(A)=\dfrac{200}{360}$, $\mathrm{P}(A\cap B)=\dfrac{270-a}{300}$

STEP C $\mathrm{P}(B|A)$의 값이 $\dfrac{3}{4}$임을 이용하여 a의 값 구하기

$\mathrm{P}(B|A)=\dfrac{\mathrm{P}(A\cap B)}{\mathrm{P}(A)}=\dfrac{\frac{270-a}{360}}{\frac{200}{360}}=\dfrac{270-a}{200}$

$\dfrac{270-a}{200}=\dfrac{3}{4}\quad\therefore a=120$

따라서 여학생의 수는 120

참고 대면수업을 선택한 학생은 200명이고 이 중에서 남학생은 $(270-a)$명이므로 $\dfrac{270-a}{200}=\dfrac{3}{4}\quad\therefore a=120$

04

정답 ④

STEP A 사건의 독립과 종속의 성질 이용하여 참, 거짓 판단하기

ㄱ. **반례** 주사위를 던지는 시행에서 2의 배수의 눈이 나오는 사건을 A,
3의 배수의 눈이 나오는 사건을 B라 하면
$\mathrm{P}(A\cap B)=\mathrm{P}(A)\mathrm{P}(B)=\dfrac{1}{6}$이므로 사건 A, B는 서로 독립이지만
서로 배반사건은 아니다. [거짓]

ㄴ. 두 사건 A, B가 서로 독립이므로 $\mathrm{P}(A|B^c)=\mathrm{P}(A)$
$\therefore \mathrm{P}(A\cap B^c)=\mathrm{P}(B^c)\mathrm{P}(A|B^c)=\mathrm{P}(B^c)\mathrm{P}(A)$
즉 A와 B^c도 서로 독립이다. [참]

ㄷ. 두 사건 A, B가 서로 독립이므로 A와 B^c도 서로 독립이다
$\mathrm{P}(A\cap B^c)=\mathrm{P}(A)\mathrm{P}(B^c)=\mathrm{P}(A)\{1-\mathrm{P}(B)\}$ [참]

ㄹ. $\mathrm{P}(A^c|B)=\dfrac{\mathrm{P}(A^c\cap B)}{\mathrm{P}(B)}=\dfrac{\mathrm{P}(B)-\mathrm{P}(A\cap B)}{\mathrm{P}(B)}$
$=1-\dfrac{\mathrm{P}(A\cap B)}{\mathrm{P}(B)}$
$=1-\mathrm{P}(A|B)$ [참]

따라서 옳은 것은 ㄴ, ㄷ, ㄹ이다.

05

정답 ④

STEP A 꺼낸 3개의 공에 적혀 있는 수의 곱이 홀수일 확률 구하기

처음 꺼낸 공이 1이 적혀 있는 사건을 A, 주머니에서 다시 꺼낸 3개의 공에 적혀 있는 수의 곱이 홀수인 사건을 B라 하자.

(ⅰ) 처음 꺼낸 공이 1이 적혀 있는 공일 확률은 $\mathrm{P}(A)=\frac{4}{7}$

1이 적혀 있는 공을 1개 추가하여 주머니에 넣으면 주머니에는 1이 적혀있는 공 5개와 2가 적혀 있는 공 3개가 들어있게 된다.
이때 꺼낸 3개의 공에 적혀 있는 수의 곱이 홀수이려면 1이 적혀 있는 공 3개를 동시에 꺼내야 하므로 이 확률은

$\mathrm{P}(B|A)=\frac{{}_5\mathrm{C}_3}{{}_8\mathrm{C}_3}=\frac{10}{56}=\frac{5}{28}$

$\mathrm{P}(A\cap B)=\mathrm{P}(A)\mathrm{P}(B|A)=\frac{4}{7}\times\frac{5}{28}=\frac{5}{49}$

(ⅱ) 처음 꺼낸 공이 2가 적혀 있는 공일 확률은 $\mathrm{P}(A^C)=\frac{3}{7}$

2가 적혀 있는 공을 2개 추가하여 주머니에 넣으면 주머니에는 1이 적혀 있는 공 4개와 2가 적혀 있는 공 5개가 들어있게 된다.
이때 꺼낸 3개의 공에 적혀 있는 수의 곱이 홀수이려면 1이 적혀 있는 공 3개를 동시에 꺼내야 하므로 이 확률은

$\mathrm{P}(B|A^C)=\frac{{}_4\mathrm{C}_3}{{}_9\mathrm{C}_3}=\frac{4}{84}=\frac{1}{21}$

$\mathrm{P}(A^C\cap B)=\mathrm{P}(A^C)\mathrm{P}(B|A^C)=\frac{3}{7}\times\frac{1}{21}=\frac{1}{49}$

STEP B 배반사건을 이용하여 구하기

(ⅰ), (ⅱ)에서 구하는 확률은

$\mathrm{P}(B)=\mathrm{P}(A\cap B)+\mathrm{P}(A^C\cap B)=\frac{5}{49}+\frac{1}{49}=\frac{6}{49}$

06

 ②

STEP A 한 가지 사건의 독립시행의 확률 구하기

임의로 선택한 학생이 자전거를 타고 등교하는 학생일 확률은 $\frac{1}{4}$이므로

자전거를 타지 않고 등교하는 학생일 확률은 $\frac{3}{4}$

(ⅰ) 자전거를 타고 등교하는 학생이 2명일 확률은 ${}_3\mathrm{C}_2\left(\frac{1}{4}\right)^2\left(\frac{3}{4}\right)=\frac{9}{64}$

(ⅱ) 자전거를 타고 등교하는 학생이 3명일 확률은 ${}_3\mathrm{C}_3\left(\frac{1}{4}\right)^3=\frac{1}{64}$

(ⅰ), (ⅱ)에서 자전거를 타고 등교하는 학생이 2명 이상일 확률은

$\frac{9}{64}+\frac{1}{64}=\frac{10}{64}=\frac{5}{32}$

07

 ①

STEP A 독립시행을 이용하여 앞면이 나오는 동전의 개수가 같은 확률 구하기

상자의 바닥에 놓인 면에 적힌 수가 짝수이고, 상자의 바닥에 놓인 면에 적힌 수와 앞면이 나오는 동전의 개수가 같은 경우는

(ⅰ) 상자의 바닥에 놓인 면에 적힌 수가 2인 경우
동전을 던져 앞면이 나오는 동전의 개수가 2인 확률은

$\frac{1}{4}\times{}_4\mathrm{C}_2\left(\frac{1}{2}\right)^2\left(\frac{1}{2}\right)^2=\frac{6}{64}=\frac{3}{32}$

(ⅱ) 상자의 바닥에 놓인 면에 적힌 수가 4이고,
동전을 던져 앞면이 나오는 동전의 개수가 4인 확률은

$\frac{1}{4}\times{}_4\mathrm{C}_4\left(\frac{1}{2}\right)^4=\frac{1}{64}$

STEP B 배반사건의 확률 구하기

(ⅰ), (ⅱ)가 서로 배반사건이므로 구하는 확률은 $\frac{3}{32}+\frac{1}{64}=\frac{7}{64}$

08

정답 ①

STEP A 확률의 합이 1, $\mathrm{E}(X)=2$임을 이용하여 a, b의 값 구하기

$\frac{1}{8}+a+\frac{1}{8}+\frac{1}{8}+b=1$이므로 $a+b=\frac{5}{8}$ ······ ㉠

$\mathrm{E}(X)=0\times\frac{1}{8}+1\times a+2\times\frac{1}{8}+3\times\frac{1}{8}+4\times b$

$=a+4b+\frac{5}{8}=2$

이므로 $a+4b=\frac{11}{8}$ ······ ㉡

㉠, ㉡을 연립하여 풀면 $a=\frac{3}{8}$, $b=\frac{1}{4}$

STEP B $\mathrm{V}(aX+b)=a^2\mathrm{V}(X)$를 이용하여 구하기

$\mathrm{E}(X^2)=0^2\times\frac{1}{8}+1^2\times\frac{3}{8}+2^2\times\frac{1}{8}+3^2\times\frac{1}{8}+4^2\times\frac{1}{4}=6$

$\mathrm{V}(X)=\mathrm{E}(X^2)-\{\mathrm{E}(X)\}^2=6-2^2=2$

따라서 $\mathrm{V}(2X+3)=4\mathrm{V}(X)=8$

> **참고** $\mathrm{V}(X)$를 다음과 같이 구할 수 있다.
> $\mathrm{V}(X)=(0-2)^2\times\frac{1}{8}+(1-2)^2\times\frac{3}{8}+(2-2)^2\times\frac{1}{8}$
> $+(3-2)^2\times\frac{1}{8}+(4-2)^2\times\frac{1}{4}$
> $=2$

09

 ③

STEP A 변수 X의 확률분포를 표로 나타내기

확률변수 X는 주사위를 던져 나오는 눈의 수를 4로 나누었을 때의 나머지이므로 X의 값은 0, 1, 2, 3이다.

X의 값에 따른 확률은

$\mathrm{P}(X=0)=\frac{1}{6}$, $\mathrm{P}(X=1)=\frac{1}{3}$, $\mathrm{P}(X=2)=\frac{1}{3}$, $\mathrm{P}(X=3)=\frac{1}{6}$

이를 표로 나타내면 다음과 같다.

X	0	1	2	3	계
$\mathrm{P}(X=x)$	$\frac{1}{6}$	$\frac{1}{3}$	$\frac{1}{3}$	$\frac{1}{6}$	1

STEP B X의 평균 $\mathrm{E}(X)$ 구하기

따라서 $\mathrm{E}(X)=0\times\frac{1}{6}+1\times\frac{2}{6}+2\times\frac{2}{6}+3\times\frac{1}{6}=\frac{2+4+3}{6}=\frac{9}{6}=\frac{3}{2}$

10

 ⑤

STEP A 이항분포의 평균과 분산 이해하기

확률변수 X가 이항분포 $\mathrm{B}\left(36, \frac{2}{3}\right)$를 따르므로

$\mathrm{E}(X)=36\times\frac{2}{3}=24$, $\mathrm{V}(X)=36\times\frac{2}{3}\times\frac{1}{3}=8$

STEP B $\mathrm{E}(aX+b)=a\mathrm{E}(X)+b$, $\mathrm{V}(aX+b)=a^2\mathrm{V}(X)$를 이용하여 구하기

$\mathrm{E}(2X-a)=2\mathrm{E}(X)-a=48-a$

$\mathrm{V}(2X-a)=4\mathrm{V}(X)=32$이므로 $48-a=32$

따라서 $a=16$

11

정답 ②

STEP Ⓐ **확률변수 X가 따르는 이항분포 $\mathrm{B}(n,\ p)$ 구하기**

확률변수 X는 한 번의 시행에서 흰 공이 나오는 확률은 $\dfrac{n}{n+8}$이고
20번의 독립시행에서 이 사건이 일어나는 횟수와 같으므로
확률변수 X는 이항분포 $\mathrm{B}\left(20,\ \dfrac{n}{n+8}\right)$을 따른다.

STEP Ⓑ **$\mathrm{E}(X)=12$임을 이용하여 n값 구하기**

이때 $\mathrm{E}(X)=12$에서 $20\times\dfrac{n}{n+8}=12$에서 $20n=12(n+8)$

$8n=12\times8$

따라서 $n=12$

12

정답 ④

STEP Ⓐ **확률밀도함수의 성질 이용하여 k의 값 구하기**

$\mathrm{P}(-10\le X\le 10)=1$이므로
다음 그림의 색칠된 사다리꼴 부분의 넓이가 1이다.

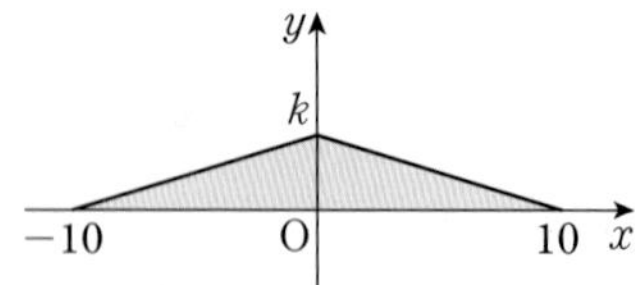

$\dfrac{1}{2}\times20\times k=1 \quad \therefore\ k=\dfrac{1}{10}$

STEP Ⓑ **구간 $[-5,\ 5]$에서 $f(x)$의 그래프와 x축 사이의 넓이 구하기**

$$f(x)=\begin{cases}\dfrac{1}{100}x+\dfrac{1}{10} & (-10\le x\le 0)\\ -\dfrac{1}{100}x+\dfrac{1}{10} & (0\le x\le 10)\end{cases}$$

따라서 $\mathrm{P}(|X|\le 5)$는 다음 그림의 색칠한 부분의 넓이이므로

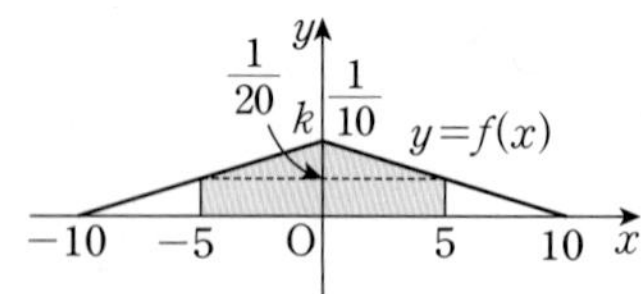

$\mathrm{P}(|X|\le5)=1-2\times\left(\dfrac{1}{2}\times5\times\dfrac{1}{20}\right)=1-\dfrac{1}{4}=\dfrac{3}{4}$

다른풀이 닮음을 이용하여 구하기

다음 그림에서 $\triangle\mathrm{ACD}\backsim\triangle\mathrm{AOB}$이고 닮음비가 1 : 2이므로
$\triangle\mathrm{ACD}$와 $\triangle\mathrm{AOB}$의 넓이의 비가 1 : 4이다.

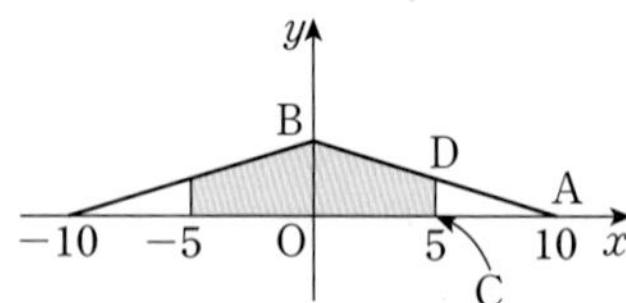

즉 $\triangle\mathrm{AOB}$의 넓이가 $\dfrac{1}{2}$이므로 $\triangle\mathrm{ACD}$의 넓이는 $\dfrac{1}{8}$

따라서 구하는 확률은 $2\times\left(\dfrac{1}{2}-\dfrac{1}{8}\right)=\dfrac{3}{4}$

13

정답 ②

STEP Ⓐ **확률변수 X가 따르는 정규분포 $\mathrm{N}(m,\ \sigma^2)$ 구하기**

토마토 줄기의 길이를 X라 하면
확률변수X는 정규분포 $\mathrm{N}(30,\ 2^2)$을 따르므로 $Z=\dfrac{X-30}{2}$로 놓으면
확률변수 Z는 표준정규분포 $\mathrm{N}(0,\ 1)$을 따른다.

STEP Ⓑ **$\mathrm{P}(27\le X\le 32)$의 값 구하기**

따라서 구하는 확률은

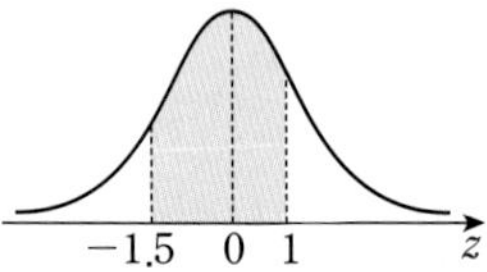

$\mathrm{P}(27\le X\le 32)$
$=\mathrm{P}\left(\dfrac{27-30}{2}\le Z\le\dfrac{32-30}{2}\right)$
$=\mathrm{P}(-1.5\le Z\le 1)$
$=\mathrm{P}(-1.5\le Z\le 0)+\mathrm{P}(0\le Z\le 1)$
$=\mathrm{P}(0\le Z\le 1.5)+\mathrm{P}(0\le Z\le 1)$
$=0.4332+0.3413=0.7745$

14

정답 ③

STEP Ⓐ **확률변수 X가 따르는 정규분포 $\mathrm{N}(m,\ \sigma^2)$ 구하기**

지원자들의 입사시험의 점수를 확률변수 X라 하면
확률변수 X는 정규분포 $\mathrm{N}(620,\ 50^2)$을 따르므로 $Z=\dfrac{X-620}{50}$으로 놓으면
확률변수 Z는 표준정규분포 $\mathrm{N}(0,\ 1)$을 따른다.

STEP Ⓑ **$\mathrm{P}(X\ge a)=0.0125$를 만족하는 a값 구하기**

입사시험에 합격하는 최저 점수를 a점이라 하면
$\mathrm{P}(X\ge a)=\dfrac{375}{30000}=0.0125$이므로

$\mathrm{P}(X\ge a)$
$=\mathrm{P}\left(Z\ge\dfrac{a-620}{50}\right)$
$=\mathrm{P}(Z\ge 0)-\mathrm{P}\left(0\le Z\le\dfrac{a-620}{50}\right)$
$=0.5-\mathrm{P}\left(0\le Z\le\dfrac{a-620}{50}\right)=0.0125$
$\therefore\ \mathrm{P}\left(0\le Z\le\dfrac{a-620}{50}\right)=0.5-0.0125=0.4875$

이때 $\mathrm{P}(0\le Z\le 2.24)=0.4875$이므로 $\dfrac{a-620}{50}=2.24,\ a-620=112$

즉 $a=732$

따라서 합격자의 최저점수는 732점이다.

15

정답 ②

STEP Ⓐ **확률변수 X가 따르는 이항분포 $\mathrm{B}(n,\ p)$ 구하기**

두 개의 주사위를 동시에 한 번 던져서 나온 눈의 수를 순서쌍으로 나타낼 때,
나온 눈의 수의 합이 4의 배수인 경우는 다음과 같다.
(1, 3), (2, 2), (2, 6), (3, 1), (3, 5), (4, 4), (5, 3), (6, 2), (6, 6)
두 개의 주사위를 동시에 한 번 던져서 나온 눈의 수의 합이 4의 배수일 확률은
$\dfrac{9}{36}=\dfrac{1}{4}$이므로 확률변수 X는 이항분포 $\mathrm{B}\left(160,\ \dfrac{1}{4}\right)$을 따른다.

STEP Ⓑ **이항분포의 평균과 분산 구하기**

$\mathrm{E}(X)=160\times\dfrac{1}{4}=40,\ \mathrm{V}(X)=160\times\dfrac{1}{4}\times\dfrac{3}{4}=30$

STEP Ⓒ **$\mathrm{E}(X^2)=\mathrm{V}(X)+\{\mathrm{E}(X)\}^2$의 값 구하기**

따라서 $\mathrm{V}(X)=\mathrm{E}(X^2)-\{\mathrm{E}(X)\}^2$이므로
$\mathrm{E}(X^2)=\mathrm{V}(X)+\{\mathrm{E}(X)\}^2=30+40^2=1630$

16

정답 ⑤

STEP A 확률변수 X가 따르는 이항분포 $\mathrm{B}(n,\ p)$ 구하기

후보 A를 지지하지 않는 유권자의 수를 확률변수 X라 하면

이항분포 $\mathrm{B}\left(100,\ \frac{4}{5}\right)$를 따르므로

$m=100\times\frac{4}{5}=80,\ \sigma=\sqrt{100\times\frac{4}{5}\times\frac{1}{5}}=\sqrt{16}=4$

STEP B 이항분포를 정규분포로 바꾸기

이때 100은 충분히 큰 수이므로

확률변수 X는 근사적으로 정규분포 $\mathrm{N}(80,\ 4^2)$을 따르고

$Z=\frac{X-80}{4}$으로 놓으면 확률변수 Z는 표준정규분포 $\mathrm{N}(0,\ 1)$을 따른다.

STEP C $\mathrm{P}(X\geq 70)$의 값 구하기

따라서 구하는 확률은

$$\begin{aligned}\mathrm{P}(X\geq 70)&=\mathrm{P}\left(Z\geq\frac{70-80}{4}\right)\\&=\mathrm{P}(Z\geq -2.5)\\&=\mathrm{P}(-2.5\leq Z\leq 0)+\mathrm{P}(Z\geq 0)\\&=\mathrm{P}(0\leq Z\leq 2.5)+\mathrm{P}(Z\geq 0)\\&=0.4938+0.5=0.9938\end{aligned}$$

17

정답 ①

STEP A 확률의 합이 1임을 이용하여 $a,\ b$의 관계식 구하기

$\mathrm{P}(X=1)+\mathrm{P}(X=2)+\mathrm{P}(X=3)=1$이므로

$\frac{1}{5}+a+b=1$에서 $a+b=\frac{4}{5}$ ...... ㉠

STEP B $\mathrm{E}(X)=\mathrm{E}(\overline{X})$임을 이용하여 $a,\ b$의 값 구하기

$\mathrm{E}(X)=1\times\frac{1}{5}+2\times a+3\times b=2$이므로

$2a+3b=\frac{9}{5}$ ...... ㉡

㉠, ㉡을 연립하여 풀면 $a=\frac{3}{5},\ b=\frac{1}{5}$

STEP C 표본평균과 모평균의 관계를 이용하여 표본평균 $\overline{X}$의 분산 구하기

$\mathrm{V}(X)=1^2\times\frac{1}{5}+2^2\times\frac{3}{5}+3^2\times\frac{1}{5}-2^2=\frac{2}{5}$

따라서 표본의 크기가 4이므로 $\mathrm{V}(\overline{X})=\frac{\mathrm{V}(X)}{4}=\frac{\frac{2}{5}}{4}=\frac{1}{10}$

18

정답 ⑤

STEP A 표본의 크기가 36인 $\overline{X}$의 평균과 표준편차 구하기

36명이 등교할 때 걸리는 시간의 평균을 $\overline{X}$라 하면

모집단이 정규분포 $\mathrm{N}(20,\ 5^2)$를 따르고 표본의 크기가 36이므로

표본평균 $\overline{X}$는 정규분포 $\mathrm{N}\left(20,\ \left(\frac{5}{6}\right)^2\right)$을 따른다.

STEP B $\overline{X}$를 표준화하여 $\mathrm{P}(\overline{X}\geq 18)$의 값 구하기

$Z=\frac{\overline{X}-20}{\frac{5}{6}}$으로 놓으면 확률변수 Z는 표준정규분포 $\mathrm{N}(0,\ 1)$을 따른다.

따라서 구하는 확률은

$$\begin{aligned}\mathrm{P}(\overline{X}\geq 18)&=\mathrm{P}\left(Z\geq\frac{18-20}{\frac{5}{6}}\right)\\&=\mathrm{P}(Z\geq -2.4)\\&=0.5+\mathrm{P}(0\leq Z\leq 2.4)\\&=0.5+0.4918=0.9918\end{aligned}$$

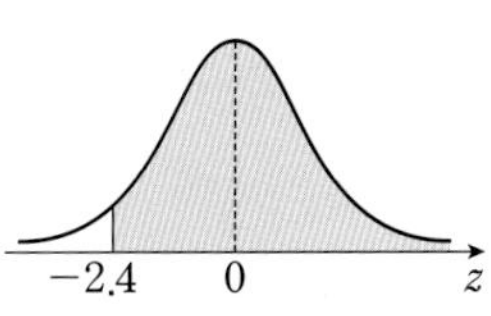

19

정답 ①

STEP A 표본의 크기가 16인 표본의 표본평균의 평균과 표준편차 구하기

스마트폰의 길이를 확률변수 X라고 하면

모집단이 정규분포 $\mathrm{N}(m,\ 2^2)$ 을 따르고 표본의 크기가 16이므로

표본평균 $\overline{X}$는 정규분포 $\mathrm{N}\left(m,\ \left(\frac{1}{2}\right)^2\right)$을 따른다. ← $\mathrm{E}(\overline{X})=m,\ \sigma(\overline{X})=\frac{2}{\sqrt{16}}=\frac{1}{2}$

STEP B $\mathrm{P}(\overline{X}\leq 18.92)=0.975$를 만족하는 m의 값 구하기

이때 $Z=\frac{\overline{X}-m}{\frac{1}{2}}$으로 놓으면 확률변수 Z는 표준정규분포 $\mathrm{N}(0,\ 1)$을 따르므로

$\mathrm{P}(\overline{X}\leq 18.92)=0.975$에서

$$\begin{aligned}\mathrm{P}(\overline{X}\leq 18.92)&=\mathrm{P}\left(Z\leq\frac{18.92-m}{\frac{1}{2}}\right)\\&=\mathrm{P}(Z\leq 37.84-2m)\\&=0.975\end{aligned}$$

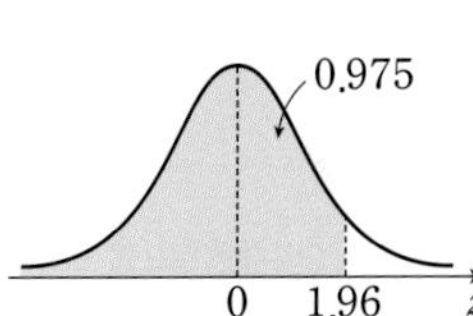

이므로

$0.5+\mathrm{P}(0\leq Z\leq 37.84-2m)=0.975$

$\therefore\ \mathrm{P}(0\leq Z\leq 37.84-2m)=0.475$

이때 표준정규분포표에서 $\mathrm{P}(0\leq Z\leq 1.96)=0.475$이므로

$37.84-2m=1.96$

따라서 $m=17.94$

20

정답 ④

STEP A 표본표준편차가 주어진 모평균 m에 대한 신뢰도 99%의 신뢰구간 구하기

표본평균 $\overline{x}=61$, 표본의 크기 $n=64$, 표본의 크기 64이 충분히 크므로

모표준편차 대신 표본표준편차가 $\sigma\fallingdotseq s=8$이므로

모평균 m에 대한 신뢰도 99%의 신뢰구간은

$61-2.58\frac{8}{\sqrt{64}}\leq m\leq 61+2.58\frac{8}{\sqrt{64}}$

$61-2.58\times 1\leq m\leq 61+2.58\times 1$

따라서 $58.42\leq m\leq 63.58$

서술형 & 주관식

21

정답 해설참조

1단계	확률변수 X가 이항분포 $B\left(1200, \frac{3}{4}\right)$을 따를 때, $P(900 \le X \le 915)$의 값을 구한다.	◀ 50%

확률변수 X가 이항분포 $B\left(1200, \frac{3}{4}\right)$을 따르므로

$E(X)=1200\times\frac{3}{4}=900$, $V(X)=1200\times\frac{3}{4}\times\frac{1}{4}=225=15^2$

이때 시행 횟수 1200은 충분히 큰 수이므로

X는 근사적으로 정규분포 $N(900, 15^2)$을 따른다.

따라서 확률변수 $Z=\frac{X-900}{15}$은 표준정규분포 $N(0, 1)$을 따르므로

구하는 확률은 $P=(900\le X\le 915)=P\left(\frac{900-900}{15}\le\frac{X-900}{15}\le\frac{915-900}{15}\right)$

$=P(0\le Z\le 1)=0.3413$

2단계	$\sum_{k=48}^{57} {}_{192}C_k\left(\frac{1}{4}\right)^k\left(\frac{3}{4}\right)^{192-k}$의 값을 구한다.	◀ 50%

함수 $P(X=k)={}_{192}C_k\left(\frac{1}{4}\right)^k\left(\frac{3}{4}\right)^{192-k}$ $(k=0, 1, 2, \cdots, 192)$는

이항분포 $B\left(192, \frac{1}{4}\right)$을 따르는 확률변수 X의 확률질량함수이다.

즉 $\sum_{k=48}^{57} {}_{192}C_k\left(\frac{1}{4}\right)^k\left(\frac{3}{4}\right)^{192-k}$의 값은 확률 $P(48\le X\le 57)$의 값과 같다.

이때 $E(X)=192\times\frac{1}{4}=48$, $V(X)=192\times\frac{1}{4}\times\frac{3}{4}=36$이고

시행횟수 192는 충분히 큰 수이므로

확률변수 X는 근사적으로 정규분포 $N(48, 6^2)$을 따르고

확률변수 $Z=\frac{X-48}{6}$은 표준정규분포를 따른다.

따라서 $P=(48\le X\le 57)=P\left(\frac{48-48}{6}\le Z\le\frac{57-48}{6}\right)$

$=P(0\le Z\le 1.5)=0.4332$

22

정답 해설참조

1단계	X의 확률분포를 표로 나타낸다.	◀ 30%

선발되는 여학생의 수는 확률변수 X이므로 X가 갖는 값은 0, 1, 2, 3이고

그 각각의 확률은 다음과 같다.

$P(X=0)=\frac{{}_3C_0\times{}_6C_3}{{}_9C_3}=\frac{5}{21}$, $P(X=1)=\frac{{}_3C_1\times{}_6C_2}{{}_9C_3}=\frac{15}{28}$

$P(X=2)=\frac{{}_3C_2\times{}_6C_1}{{}_9C_3}=\frac{3}{14}$, $P(X=3)=\frac{{}_3C_3\times{}_6C_0}{{}_9C_3}=\frac{1}{84}$

이므로 X의 확률분포를 표로 나타내면 다음과 같다.

X	0	1	2	3	계
$P(X=x)$	$\frac{1}{21}$	$\frac{15}{28}$	$\frac{3}{14}$	$\frac{1}{84}$	1

2단계	여학생이 1명 이하로 선발될 확률을 구한다.	◀ 20%

여학생이 1명 이하로 선발될 확률은 $P(X\le 1)$이므로

$P(X\le 1)=P(X=0)+P(X=1)=\frac{5}{21}+\frac{15}{28}=\frac{65}{84}$

3단계	X의 기댓값과 분산을 구한다.	◀ 30%

X의 기댓값과 X^2의 기댓값은

$E(X)=0\times\frac{5}{21}+1\times\frac{15}{28}+2\times\frac{3}{14}+3\times\frac{1}{84}=\frac{84}{84}=1$

$E(X^2)=0\times\frac{5}{21}+1^2\times\frac{15}{28}+2^2\times\frac{3}{14}+3^2\times\frac{1}{84}=\frac{126}{84}=\frac{3}{2}$

X의 분산은

$V(X)=E(X^2)-\{E(X)\}^2=\frac{3}{2}-1^2=\frac{1}{2}$

4단계	$E(2X+3)+V(2X+3)$을 구한다.	◀ 20%

$E(2X+3)=2E(X)+3=2\times1+3=5$

$V(2X+3)=2^2V(X)=4\times\frac{1}{2}=2$

따라서 $E(2X+3)+V(2X+3)=5+2=7$

23

정답 해설참조

1단계	표본평균을 $\overline{x}$라 하면 모평균 m에 대한신뢰도 95%의 신뢰구간을 구한다.	◀ 30%

표본평균 $\overline{x}$, 모표준편차 σ, 표본의 크기가 n이므로

모평균 m에 대한 신뢰도 95%의 신뢰구간은

$\overline{x}-1.96\times\frac{\sigma}{\sqrt{n}}\le m\le\overline{x}+1.96\times\frac{\sigma}{\sqrt{n}}$

2단계	신뢰도 95%의 신뢰구간이 $100.4\le m\le 139.6$임을 이용하여 표본평균 $\overline{x}$와 $\frac{\sigma}{\sqrt{n}}$의 값을 구한다.	◀ 30%

신뢰도 95%의 신뢰구간이 $100.4\le m\le 139.6$이므로

$\overline{x}-1.96\times\frac{\sigma}{\sqrt{n}}=100.4$ …… ㉠

$\overline{x}+1.96\times\frac{\sigma}{\sqrt{n}}=139.6$ …… ㉡

㉠+㉡을 하면 $2\overline{x}=240$ $\therefore \overline{x}=120$

$\overline{x}=120$을 ㉡에 대입하면 $1.96\frac{\sigma}{\sqrt{n}}=19.6$ $\therefore \frac{\sigma}{\sqrt{n}}=10$

3단계	모평균 m에 대한 신뢰도 99%의 신뢰구간을 구한다.	◀ 40%

모평균 m의 신뢰도 99%인 신뢰구간은

$\overline{x}-2.58\times\frac{\sigma}{\sqrt{n}}\le m\le\overline{x}+2.58\times\frac{\sigma}{\sqrt{n}}$이므로

$120-2.58\times10\le m\le 120+2.58\times10$

따라서 $94.2\le m\le 145.8$

24

정답 해설참조

STEP A 이항분포를 따르는 확률변수 X의 평균과 분산 구하기

한 번의 시행에서 한 주사위의 눈이 4보다 큰 눈이 나올 확률은 $\boxed{\frac{1}{3}}$이다.

주사위를 450회 던져서 4보다 큰 눈이 나오는 횟수를 확률변수 X라 하면

X는 이항분포 $B\left(\boxed{450}, \boxed{\frac{1}{3}}\right)$을 따른다.

따라서 평균 m과 표준편차 σ는

$m=450\times\frac{1}{3}=150$, $\sigma=\sqrt{450\times\frac{1}{3}\times\frac{2}{3}}=10$

STEP B 표준정규분포표를 이용하여 확률 구하기

이때 n이 충분히 크므로 X는 근사적으로 정규분포 $N(\boxed{150}, \boxed{10^2})$을 따른다.

따라서 구하는 확률은

$P(135\le X\le 165)$

$=P\left(\frac{135-150}{10}\le Z\le\frac{165-150}{10}\right)$

$=P(\boxed{-1.5}\le Z\le\boxed{1.5})$

$=2P(0\le Z\le\boxed{1.5})$

$=2\times0.4332=\boxed{0.8664}$

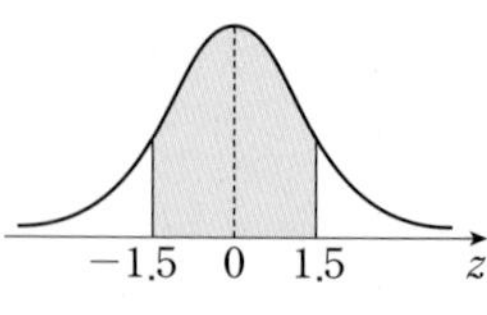

MAPL ; SYNERGY

02 기말고사 모의평가

01	④	02	①	03	④	04	⑤	05	③
06	③	07	③	08	①	09	②	10	④
11	④	12	③	13	⑤	14	⑤	15	②
16	③	17	②	18	②	19	②	20	①

서술형

21	해설참조	22	해설참조
23	해설참조	24	137

01

 ④

STEP Ⓐ **확률의 곱셈정리를 이용하여 $\mathrm{P}(A|B^C)$ 구하기**

조건 (가)에서 확률의 곱셈정리에 의하여

$\mathrm{P}(A\cap B)=\mathrm{P}(A)\mathrm{P}(B|A)=\frac{1}{2}\times\frac{1}{3}=\frac{1}{6}$

$\mathrm{P}(A\cap B^C)=\mathrm{P}(A)-\mathrm{P}(A\cap B)=\frac{1}{2}-\frac{1}{6}=\frac{1}{3}$

$\therefore\ p_1=\mathrm{P}(A|B^C)=\frac{\mathrm{P}(A\cap B^C)}{\mathrm{P}(B^C)}=\frac{\frac{1}{3}}{\frac{2}{3}}=\frac{1}{2}$

STEP Ⓑ **$\mathrm{P}(A\cap B^C)=\mathrm{P}(A)-\mathrm{P}(A\cap B)$를 이용하여 구하기**

두 사건 A, B가 서로 독립이므로 $\mathrm{P}(A|B)=\mathrm{P}(A)=\frac{5}{8}$

$\mathrm{P}(A\cup B)=\mathrm{P}(A)+\mathrm{P}(B)-\mathrm{P}(A\cap B)=\mathrm{P}(A)+\mathrm{P}(B)-\mathrm{P}(A)\mathrm{P}(B)$

$\frac{3}{4}=\frac{5}{8}+\mathrm{P}(B)-\frac{5}{8}\times\mathrm{P}(B)$, $\frac{3}{8}\mathrm{P}(B)=\frac{1}{8}$, $\mathrm{P}(B)=\frac{1}{3}$

$\therefore\ p_2=\mathrm{P}(A^C\cap B)=\mathrm{P}(A^C)\mathrm{P}(B)=\{1-\mathrm{P}(A)\}\mathrm{P}(B)=\frac{3}{8}\times\frac{1}{3}=\frac{1}{8}$

따라서 $p_1=\frac{1}{2}$, $p_2=\frac{1}{8}$이므로 $p_1+p_2=\frac{1}{2}+\frac{1}{8}=\frac{5}{8}$

02

 ①

STEP Ⓐ **$\mathrm{P}(A)$, $\mathrm{P}(A\cap B)$의 값 구하기**

임의로 뽑은 한 명이 여학생일 사건을 A,

경영학부를 선호하는 사건을 B라 하면

$\mathrm{P}(A)=\frac{15+x}{45+x}$, $\mathrm{P}(A\cap B)=\frac{x}{45+x}$

STEP Ⓑ **$\mathrm{P}(B|A)$의 값이 $\frac{1}{6}$임을 이용하여 x의 값 구하기**

$\mathrm{P}(B|A)=\frac{\mathrm{P}(A\cap B)}{\mathrm{P}(A)}=\frac{\frac{x}{45+x}}{\frac{15+x}{45+x}}=\frac{x}{15+x}=\frac{1}{6}$ ← $\mathrm{P}(B|A)=\frac{n(A\cap B)}{n(A)}$

따라서 $6x=15+x$ $\therefore\ x=3$

03

 ④

STEP Ⓐ **확률의 곱셈정리를 이용하여 확률 구하기**

주머니 A를 선택하는 사건을 A, 주머니 B를 선택하는 사건을 B,

꺼낸 2개의 구슬이 모두 검은색일 사건을 E라 하면

(ⅰ) 주머니 A를 선택하고 꺼낸 2개의 구슬이 모두 검은색일 확률은

$$\mathrm{P}(A\cap E)=\mathrm{P}(A)\mathrm{P}(E|A)=\frac{1}{2}\times\frac{{}_3\mathrm{C}_2}{{}_3\mathrm{C}_2}=\frac{1}{2}\times 1=\frac{1}{2}$$

(ⅱ) 주머니 B를 선택하고 꺼낸 2개의 구슬이 모두 검은색일 확률은

$$\mathrm{P}(B\cap E)=\mathrm{P}(B)\mathrm{P}(E|B)=\frac{1}{2}\times\frac{{}_2\mathrm{C}_2}{{}_4\mathrm{C}_2}=\frac{1}{2}\times\frac{1}{6}=\frac{1}{12}$$

(ⅰ), (ⅱ)에서 2개의 구슬이 모두 검은 색일 확률은

$\mathrm{P}(E)=\mathrm{P}(A\cap E)+\mathrm{P}(B\cap E)=\frac{1}{2}+\frac{1}{12}=\frac{7}{12}$

STEP Ⓑ **조건부확률 구하기**

따라서 구하는 확률은 $\mathrm{P}(B|E)=\frac{\mathrm{P}(B\cap E)}{\mathrm{P}(E)}=\frac{\frac{1}{12}}{\frac{7}{12}}=\frac{1}{7}$

04

 ⑤

STEP Ⓐ **나래와 도연이가 같은 의자에 서로 이웃하여 앉는 확률 구하기**

나래와 도연이가 같은 의자에 서로 이웃하여 앉는 사건을 X,

나래와 도연이가 3인용 의자에 앉는 사건을 Y라 하면

구하는 확률은 $\mathrm{P}(Y|X)$이다.

6명이 6개의 자리에 앉는 경우의 수는 $6!$이다.

(ⅰ) 나래와 도연이가 3인용 의자에 서로 이웃하여 앉는 경우는
3인용 의자에서 이웃하는 자리를 정하는 경우의 수는 2,
나래와 도연의 순서를 정하는 경우의 수는 $2!$
나머지 4명이 나머지 4개의 자리에 앉는 경우의 수는 $4!$이므로
$2\times2!\times4!$

(ⅱ) 나래와 도연이가 2인용 의자에 서로 이웃하여 앉는 경우
구하는 경우의 수는 $2!\times4!$

(ⅰ),(ⅱ)에서 나래와 도연이가 같은 의자에 서로 이웃하여 앉는 확률은

$\mathrm{P}(X)=\frac{2\times2!\times4!+2!\times4!}{6!}=\frac{1}{5}$

또한, 나래와 도연이가 3인용 의자에 이웃하여 앉는 확률은

$\mathrm{P}(X\cap Y)=\frac{2\times2!\times4!}{6!}=\frac{2}{15}$

STEP Ⓑ **조건부 확률 구하기**

따라서 구하는 확률은 $\mathrm{P}(Y|X)=\frac{\mathrm{P}(X\cap Y)}{\mathrm{P}(X)}=\frac{\frac{2}{15}}{\frac{1}{5}}=\frac{2}{3}$

05

 ③

STEP Ⓐ **배반사건과 독립사건을 이용하여 참, 거짓 판단하기**

ㄱ. $A_3=\{3, 6, 9\}$, $A_4=\{4, 8\}$에서 $A_3\cap A_4=\varnothing$이므로
A_3과 A_4는 서로 배반사건이다. [참]

ㄴ. $A_2=\{2, 4, 6, 8, 10\}$에서 $A_2\cap A_4=\{4, 8\}$이므로

$$\mathrm{P}(A_4|A_2)=\frac{\mathrm{P}(A_2\cap A_4)}{\mathrm{P}(A_2)}=\frac{n(A_2\cap A_4)}{n(A_2)}=\frac{2}{5}\ \text{[거짓]}$$

ㄷ. $A_5=\{5, 10\}$에서 $A_2\cap A_5=\{10\}$이므로

$$\mathrm{P}(A_2\cap A_5)=\frac{1}{10},\ \mathrm{P}(A_2)\mathrm{P}(A_5)=\frac{5}{10}\times\frac{2}{10}=\frac{1}{10}$$

즉 $\mathrm{P}(A_2\cap A_5)=\mathrm{P}(A_2)\mathrm{P}(A_5)$이므로 A_2와 A_5는 서로 독립이다. [참]

따라서 옳은 것은 ㄱ, ㄷ이다.

06

정답 ③

STEP A 독립시행의 확률을 이용하여 A팀이 우승할 확률 구하기

두 팀이 이길 확률은 서로 같으므로 A팀이 이길 확률은 $\frac{1}{3}$

A팀이 2승 1패로 앞서 가고 있을 때,
A팀이 우승할 경우는 앞으로 2승할 경우이므로 다음과 같다.

(ⅰ) 5번째에 A팀이 우승할 확률
A팀이 4번째, 5번째 모두 이길 확률이므로 ${}_2C_2\left(\frac{1}{3}\right)^2=\frac{1}{9}$

(ⅱ) 6번째에 A팀이 우승할 확률
A팀이 4번째, 5번째 중에서 한 번 이기고 6번째도 이길 확률이므로
${}_2C_1\left(\frac{1}{3}\right)\left(\frac{2}{3}\right)\times\frac{1}{3}=\frac{4}{27}$

(ⅲ) 7번째에 A팀이 우승할 확률
A팀이 4번째, 5번째, 6번째 중에서 한 번 이기고 7번째도 이길 확률이므로 ${}_3C_1\left(\frac{1}{3}\right)\left(\frac{2}{3}\right)^2\times\frac{1}{3}=\frac{4}{27}$

STEP B 배반사건을 이용하여 확률 구하기

(ⅰ)~(ⅲ)는 서로 배반사건이므로 구하는 확률은 $\frac{1}{9}+\frac{4}{27}+\frac{4}{27}=\frac{11}{27}$

07

정답 ③

STEP A 동전의 앞면과 뒷면이 나오는 횟수 각각 구하기

동전을 5번 던질 때, 앞면이 x번, 뒷면이 y번 나온다고 하면
$x+y=5$ …… ㉠
이때 점 P와 원점 사이의 거리가 3인 경우는 $|x-y|=3$이므로
$x-y=3$ 또는 $x-y=-3$ …… ㉡
㉠, ㉡을 연립하면 $x=4,\ y=1$ 또는 $x=1,\ y=4$

STEP B 독립시행의 확률 구하기

따라서 구하는 확률은 ${}_5C_4\left(\frac{1}{2}\right)^4\left(\frac{1}{2}\right)^1+{}_5C_1\left(\frac{1}{2}\right)^1\left(\frac{1}{2}\right)^4=\frac{5}{16}$

08

정답 ①

STEP A 확률의 합이 1임을 이용하여 a, b의 관계식 구하기

확률의 합이 1이므로 $a+\frac{1}{8}+b+\frac{1}{2}=1$

$\therefore a+b=\frac{3}{8}$ …… ㉠

STEP B $E(X)=5$임을 이용하여 a, b의 값 구하기

$E(X)=5$이므로 $1\times a+2\times\frac{1}{8}+4\times b+8\times\frac{1}{2}=5$

$\therefore a+4b=\frac{3}{4}$ …… ㉡

㉠과 ㉡을 연립하면 $a=\frac{1}{4},\ b=\frac{1}{8}$

STEP C $V(X)=E(X^2)-\{E(X)\}^2$임을 이용하여 구하기

$V(X)=E(X^2)-\{E(X)\}^2$
$=1^2\times\frac{1}{4}+2^2\times\frac{1}{8}+4^2\times\frac{1}{8}+8^2\times\frac{1}{2}-5^2=\frac{39}{4}$

09

정답 ②

STEP A 확률변수 X의 확률분포 구하기

열릴때까지 시도한 횟수를 확률변수 X라 하면
1, 3, 5를 배열하는 경우의 수는 $3!=6$이므로
확률변수 X가 가질 수 있는 값은 1, 2, 3, 4, 5, 6이고 그 값을 가질 확률은

$P(X=1)=\frac{1}{6}$

$P(X=2)=\frac{5}{6}\times\frac{1}{5}=\frac{1}{6}$

$P(X=3)=\frac{5}{6}\times\frac{4}{5}\times\frac{1}{4}=\frac{1}{6}$

$P(X=4)=\frac{5}{6}\times\frac{4}{5}\times\frac{3}{4}\times\frac{1}{3}=\frac{1}{6}$

$P(X=5)=\frac{5}{6}\times\frac{4}{5}\times\frac{3}{4}\times\frac{2}{3}\times\frac{1}{2}=\frac{1}{6}$

$P(X=6)=\frac{5}{6}\times\frac{4}{5}\times\frac{3}{4}\times\frac{2}{3}\times\frac{1}{2}\times1=\frac{1}{6}$

이므로 X의 확률분포를 표로 나타내면 다음과 같다.

X	1	2	3	4	5	6	계
$P(X=x)$	$\frac{1}{6}$	$\frac{1}{6}$	$\frac{1}{6}$	$\frac{1}{6}$	$\frac{1}{6}$	$\frac{1}{6}$	1

STEP B 확률변수 X의 평균 구하기

따라서 확률변수 X의 기댓값은
$E(X)=1\times\frac{1}{6}+2\times\frac{1}{6}+3\times\frac{1}{6}+4\times\frac{1}{6}+5\times\frac{1}{6}+6\times\frac{1}{6}=\frac{7}{2}=3.5$

10

정답 ④

STEP A 확률변수 X의 확률분포를 표로 나타내기

정육각형의 8개의 꼭짓점 중에서 임의로 서로 다른 3개의 점을 택하는 전체 경우의 수는 ${}_8C_3=56$
서로 다른 세 꼭짓점으로 만들 수 있는 넓이가 다른 삼각형은 다음과 같이 세 종류이고 넓이를 확률변수 X라 할 때, 삼각형의 종류는 다음과 같다.

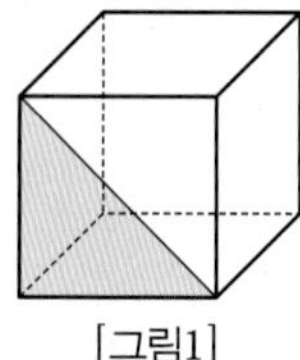
[그림1]

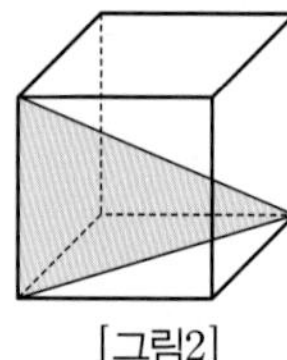
[그림2]

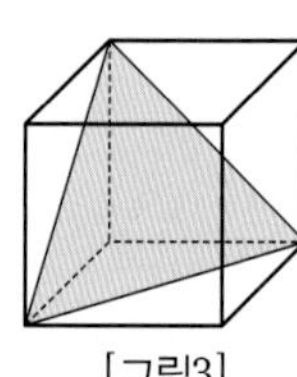
[그림3]

(ⅰ) [그림1]과 같이 $X=\frac{1}{2}\times2\times2=2$일 때,
$P(X=2)=\frac{6\times{}_4C_3}{{}_8C_3}=\frac{3}{7}$

(ⅱ) [그림2]와 같이 $X=\frac{1}{2}\times2\times2\sqrt{2}=2\sqrt{2}$일 때,
$P(X=2\sqrt{2})=\frac{6\times2\times2}{{}_8C_3}=\frac{3}{7}$
← $6\times2\times2$는 (면의 개수)×(한 면의 대각선의 개수)×2

(ⅲ) [그림3]이 $X=\frac{\sqrt{3}}{4}\times(2\sqrt{2})^2=2\sqrt{3}$일 때,
$P(X=2\sqrt{3})=\frac{4\times2}{{}_8C_3}=\frac{1}{7}$

(ⅰ)~(ⅲ)에서 확률변수 X의 확률분포를 표로 나타내면 다음과 같다.

X	2	$2\sqrt{2}$	$2\sqrt{3}$	계
$P(X=x)$	$\frac{3}{7}$	$\frac{3}{7}$	$\frac{1}{7}$	1

STEP B $E(7X^2)$의 값 구하기

$E(X^2)=2^2\times\frac{3}{7}+(2\sqrt{2})^2\times\frac{3}{7}+(2\sqrt{3})^2\times\frac{1}{7}=\frac{48}{7}$

따라서 $E(7X^2)=7E(X^2)=7\times\frac{48}{7}=48$

11

정답 ④

STEP Ⓐ $V(5X+2)=25V(X)$를 이용하여 n의 값 구하기

확률변수 X가 이항분포 $B\left(n, \frac{1}{3}\right)$을 따르므로

$V(X)=n\times\frac{1}{3}\times\frac{2}{3}=\frac{2n}{9}$

$V(5X+2)=100$에서 $25V(X)=100$

즉 $V(X)=4$이므로 $\frac{2n}{9}=4$ $\quad\therefore n=18$

STEP Ⓑ $E(4X+1)$의 값 구하기

확률변수 X가 이항분포 $B\left(18, \frac{1}{3}\right)$을 따르므로 $E(X)=18\times\frac{1}{3}=6$

따라서 $E(4X+1)=4E(X)+1=4\times18\times\frac{1}{3}+1=25$

12

③

STEP Ⓐ 이항분포의 확률질량함수를 이용하여 이항분포의 평균, 분산 구하기

이항분포 $B\left(16, \frac{1}{4}\right)$을 따르는 확률변수를 X라 하면

X의 확률질량함수는 $P(X=x)={}_{16}C_x\left(\frac{1}{4}\right)^x\left(\frac{3}{4}\right)^{16-x}$ $(x=0, 1, 2, \cdots, 16)$이다.

$a=\sum_{x=0}^{16}{}_{16}C_x\left(\frac{1}{4}\right)^x\left(\frac{3}{4}\right)^{16-x}$는 확률변수 X의 확률의 총합이다.

$\therefore a=\left(\frac{1}{4}+\frac{3}{4}\right)^{16}=1$

$b=\sum_{x=0}^{16}x\,{}_{16}C_x\left(\frac{1}{4}\right)^x\left(\frac{3}{4}\right)^{16-x}$는 확률변수 X의 평균이다.

$\therefore b=E(X)=16\times\frac{1}{4}=4$

$c=\sum_{x=0}^{16}x^2\,{}_{16}C_x\left(\frac{1}{4}\right)^x\left(\frac{3}{4}\right)^{16-x}$는 확률변수 X^2의 평균이다.

이때 $V(X)=16\times\frac{1}{4}\times\frac{3}{4}=3$이므로 $V(X)=E(X^2)-\{E(X)\}^2$에서

$E(X^2)=V(X)+\{E(X)\}^2=3+4^2=19$ $\quad\therefore c=19$

STEP Ⓑ $a+b+c$의 값 구하기

따라서 $a+b+c=1+4+19=24$

13

⑤

STEP Ⓐ 확률밀도함수의 성질 이용하여 k의 값 구하기

$P(0\le X\le 8)=1$이므로

오른쪽 그림의 색칠된 부분의 넓이가 1이다.

$\frac{1}{2}\times8\times k=1$ $\quad\therefore k=\frac{1}{4}$

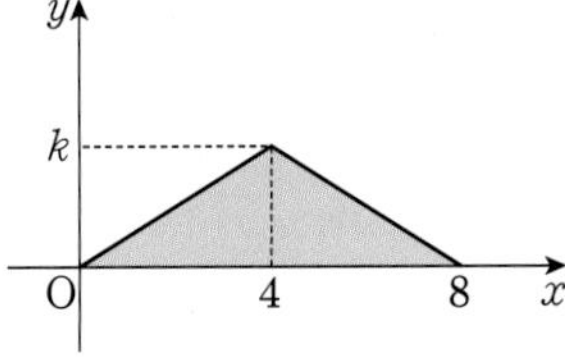

STEP Ⓑ $P(2<X<4)$의 값 구하기

$$f(x)=\begin{cases}\frac{1}{16}x & (0\le x<4)\\ -\frac{1}{16}(x-8) & (4\le x\le 8)\end{cases}$$

이므로

$P(|X-3|<1)=P(-1<X-3<1)$

$=P(2<X<4)$

$P(2<X<4)$은 오른쪽 그림에서 색칠한 사다리꼴의 넓이와 같으므로

$P(2<X<4)=\frac{1}{2}\times4\times\frac{1}{4}-\frac{1}{2}\times2\times\frac{1}{8}=\frac{1}{2}-\frac{1}{8}=\frac{3}{8}$

STEP Ⓒ $k+P(|X-3|<1)$의 값 구하기

따라서 $k+P(|X-3|<1)=\frac{1}{4}+\frac{3}{8}=\frac{5}{8}$

14

⑤

STEP Ⓐ 확률변수 X가 따르는 정규분포 $N(m, \sigma^2)$ 구하기

한 병원의 의사와 진찰을 보는 시간을 확률변수 X라 하면

확률변수 X는 정규분포 $N(30, 5^2)$을 따르므로

$Z=\frac{X-30}{5}$로 놓으면 확률변수 Z는 표준정규분포 $N(0, 1)$을 따른다.

STEP Ⓑ $P(X\ge 20)$의 값 구하기

따라서 구하는 확률은

$P(X\ge20)=P\left(Z\ge\frac{20-30}{5}\right)$

$=P(Z\ge-2)$

$=0.5+P(0\le Z\le2)$

$=0.5+0.4772=0.9772$

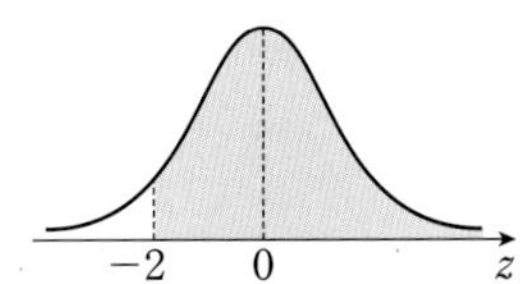

15

②

STEP Ⓐ $f(100-x)=f(100+x)$를 만족하는 m의 값 구하기

정규분포 $N(m, \sigma^2)$을 따르는 확률변수 X의 확률밀도함수의 그래프는 직선 $x=m$에 대하여 대칭이다.

이때 $f(100-x)=f(100+x)$이므로 $f(x)$는 $x=100$에 대하여 대칭이다.

$\therefore m=100$

STEP Ⓑ $P(m\le X\le m+8)=0.4772$를 만족하는 σ의 값 구하기

$Z=\frac{X-m}{\sigma}$으로 놓으면 Z는 표준정규분포 $N(0, 1)$을 따르므로

$P(m\le X\le m+8)=0.4772$에서

$P\left(0\le Z\le\frac{8}{\sigma}\right)=0.4772$

이때 $P(0\le Z\le2)=0.4772$이므로 $\frac{8}{\sigma}=2$

$\therefore \sigma=4$

STEP Ⓒ $P(94\le X\le110)$의 값 구하기

따라서 $P(94\le X\le110)=P\left(\frac{94-100}{4}\le Z\le\frac{110-100}{4}\right)$

$=P(-1.5\le Z\le2.5)$

$=P(-1.5\le Z\le0)+P(0\le Z\le2.5)$

$=P(0\le Z\le1.5)+P(0\le Z\le2.5)$

$=0.4332+0.4938=0.9270$

16

정답 ③

STEP A 두 동물 A, B의 특정 부위의 길이를 각각 확률변수 X, Y로 놓고 각각의 확률 구하기

동물 A의 특정 부위의 길이를 확률변수 X라 하면
X는 정규분포 $N(10,\ 0.4^2)$을 따르므로
동물 A의 화석을 동물 A의 화석으로 판단할 확률은
$P(X<d)=P\left(Z<\frac{d-10}{0.4}\right)$ …… ㉠
동물 B의 특정 부위의 길이를 확률변수 Y라 하면
Y는 정규분포 $N(12,\ 0.6^2)$을 따르므로
동물 B의 화석을 동물 B의 화석으로 판단할 확률은
$P(Y\geq d)=P\left(Z\geq\frac{d-12}{0.6}\right)$ …… ㉡

STEP B 두 확률이 서로 같음을 이용하여 d의 값 구하기

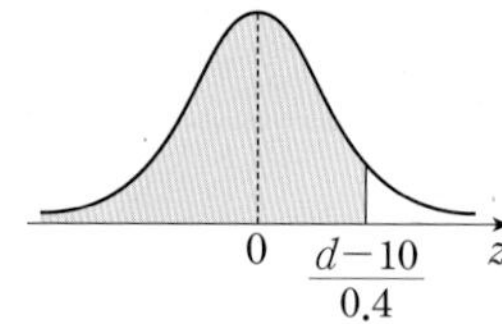

=

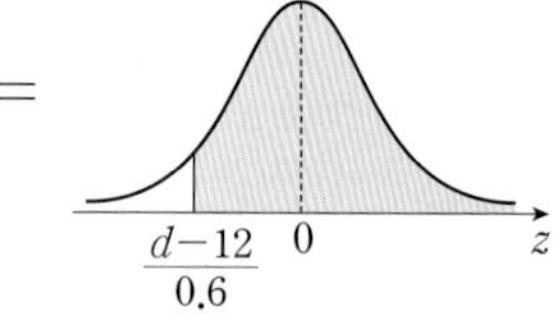

㉠과 ㉡의 두 값이 같아야 하므로 표준정규분포 곡선은 y축에 대해 대칭이므로
$\frac{d-10}{0.4}+\frac{d-12}{0.6}=0$, $0.6d-6=-0.4d+4.8$
따라서 $d=10.8$

17

정답 ②

STEP A 조건 (가)에서 확률변수 X는 이항분포 $B(1200,\ p)$를 이용하여 평균에서 p 구하기

조건 (가)에서 확률변수 X의 확률질량함수가
$P(X=x)={}_{1200}C_x p^x(1-p)^{1200-x}\ (x=0,\ 1,\ 2,\ \cdots,\ 1200)$
이므로 확률변수 X는 이항분포 $B(1200,\ p)$를 따른다.
$E(X)=1200p$
조건 (나)에서 $E(X)=300$이므로 $1200p=300$
$\therefore\ p=\frac{1}{4}$

STEP B 이항분포를 정규분포로 바꾸기

확률변수 X는 이항분포 $B\left(1200,\ \frac{1}{4}\right)$을 따르므로
$V(X)=300\times\frac{3}{4}=225=15^2$
이때 1200은 충분히 큰 수이므로
확률변수 X는 근사적으로 정규분포 $N(300,\ 15^2)$을 따르고
$Z=\frac{X-300}{15}$으로 놓으면 확률변수 Z는 표준정규분포 $N(0,\ 1)$을 따른다.

STEP C $P(X\geq 330)$의 값 구하기

따라서 구하는 확률은
$P(X\geq 330)=P\left(Z\geq\frac{330-300}{15}\right)$
$=P(Z\geq 2)$
$=0.5-P(0\leq Z\leq 2)$
$=0.5-0.4772$
$=0.0228$

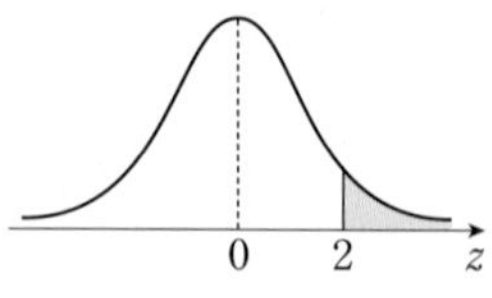

18

정답 ②

STEP A 표본평균 $\overline{X}$가 따르는 정규분포 구하기

모집단이 정규분포 $N(16,\ 8^2)$을 따르고 표본의 크기가 16이므로
표본평균 $\overline{X}$는 정규분포 $N\left(16,\ \frac{8^2}{16}\right)$, 즉, $N(16,\ 2^2)$을 따른다.

STEP B $P(17\leq\overline{X}\leq 19)$ 구하기

$Z=\frac{\overline{X}-16}{2}$으로 놓으면 확률변수 Z는 표준정규분포 $N(0,\ 1)$을 따른다.
따라서 구하는 확률은
$P(17\leq\overline{X}\leq 19)$
$=P\left(\frac{17-16}{2}\leq Z\leq\frac{19-16}{2}\right)$
$=P(0.5\leq Z\leq 1.5)$
$=P(0\leq Z\leq 1.5)-P(0\leq Z\leq 0.5)$
$=0.4332-0.1915=0.2417$

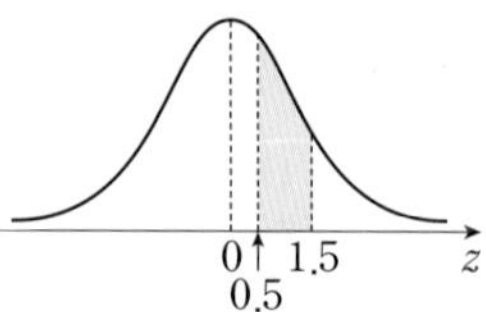

19

정답 ②

STEP A 표본의 크기가 4인 $\overline{X}$의 평균과 표준편차 구하기

제품의 무게를 확률변수 X라 하면 정규분포 $N(11,\ 2^2)$을 따른다.
A가 뽑은 크기 4인 표본의 평균을 $\overline{X}$의 정규분포 $N(11,\ 1)$
B가 뽑은 크기 4인 표본의 평균을 $\overline{Y}$의 정규분포 $N(11,\ 1)$

STEP B $P(10\leq\overline{X}\leq 14)$의 값 구하기

$P(10\leq\overline{X}\leq 14)=P(10\leq\overline{Y}\leq 14)=P\left(\frac{10-11}{1}\leq Z\leq\frac{14-11}{1}\right)$
$=P(-1\leq Z\leq 3)=P(-1\leq Z\leq 0)+P(0\leq Z\leq 3)$
$=0.3413+0.4987=0.84$

STEP C 두 사건은 서로 독립임을 이용하여 확률 구하기

이때 A, B 두 사람이 각각 독립적인 표본을 임의추출 하였으므로
두 사람이 뽑은 표본의 표본평균이 10 이상 14 이하일 확률은
모두 0.84로 같고 두 사건은 서로 독립이다.
따라서 두 표본평균이 모두 10 이상 14 이하일 확률은 $0.84\times 0.84=0.7056$

20

정답 ①

STEP A 표본의 크기가 16인 모평균 m의 신뢰도 95%의 신뢰구간 구하기

표본평균 $\overline{x}$, 모표준편차 σ, 표본의 크기가 $n=16$이므로
모평균 m에 대한 신뢰도 95%의 신뢰구간은
$\overline{x}-1.96\times\frac{\sigma}{\sqrt{16}}\leq m\leq\overline{x}+1.96\times\frac{\sigma}{\sqrt{16}}$
$\overline{x}-1.96\times\frac{\sigma}{4}\leq m\leq\overline{x}+1.96\times\frac{\sigma}{4}$
이때 신뢰도 95%의 신뢰구간이 $70.08\leq m\leq 77.92$이므로
$\overline{x}-1.96\times\frac{\sigma}{4}=70.08$ …… ㉠
$\overline{x}+1.96\times\frac{\sigma}{4}=77.92$ …… ㉡
㉡−㉠을 하면 $2\times 1.96\times\frac{\sigma}{4}=7.84$ $\therefore\ \sigma=8$

STEP B 표본의 크기가 64인 모평균 m의 신뢰도 95%의 신뢰구간 구하기

표본평균 $\overline{x}=124$, 모표준편차 $\sigma=8$, 표본의 크기가 $n=64$이므로
모평균 m에 대한 신뢰도 95%의 신뢰구간은
$124-1.96\times\frac{\sigma}{\sqrt{64}}\leq m\leq 124+1.96\times\frac{\sigma}{\sqrt{64}}$
이때 $\sigma=8$이므로 $124-1.96\leq m\leq 124+1.96$
따라서 구하는 신뢰구간은 $122.04\leq m\leq 125.96$

서술형 & 주관식

21

정답 해설참조

1단계	단백질의 양의 평균을 $\overline{X}$라 할 때, 확률변수 $\overline{X}$가 따르는 정규분포를 구한다.	◀ 40%

이 학교의 학생이 하루에 섭취하는 단백질의 양을 확률변수 $X(\mathrm{g})$이라 하면 X는 정규분포 $\mathrm{N}(60,\ 5^2)$을 따른다.
이때 이 학교의 학생 중 임의추출한 n명이 하루에 섭취하는 단백질의 양의 평균을 $\overline{X}(\mathrm{g})$이라 하면
확률변수 $\overline{X}$는 정규분포 $\mathrm{N}\left(60,\ \left(\frac{5}{\sqrt{n}}\right)^2\right)$을 따른다.

2단계	$\mathrm{P}(\overline{X} \le 65)=0.9772$를 만족하는 자연수 n의 값을 구한다.	◀ 60%

확률변수 $Z=\frac{\overline{X}-60}{\frac{5}{\sqrt{n}}}$으로 놓으면 확률변수 Z는 표준정규분포 $\mathrm{N}(0,\ 1)$을 따르므로

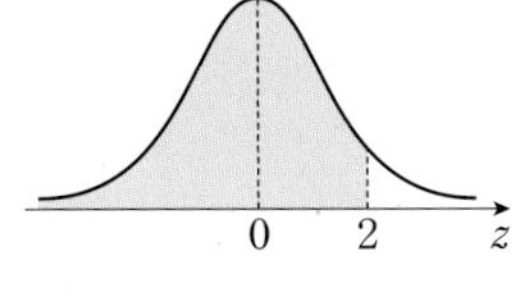

$\mathrm{P}(\overline{X} \le 65)=\mathrm{P}\left(Z \le \frac{65-60}{\frac{5}{\sqrt{n}}}\right)$
$=\mathrm{P}(Z \le \sqrt{n})$
$=0.9772$

이때 $\mathrm{P}(Z \le 2)=0.5+\mathrm{P}(0 \le Z \le 2)=0.5+0.4772=0.9772$이므로 $\sqrt{n}=2$
따라서 $n=4$

22

정답 해설참조

1단계	X의 확률분포를 표로 나타낸다.	◀ 40%

오전에 3팀이 공연하는데 A고등학교의 동아리가 2팀이므로
반드시 1팀 이상의 B고등학교 동아리가 오전에 공연하게 된다.
즉 확률변수 X가 취하는 값은 1, 2, 3이고 각각의 확률은 다음과 같다.

$\mathrm{P}(X=1)=\frac{{}_4\mathrm{C}_1 \times {}_2\mathrm{C}_2}{{}_6\mathrm{C}_3}=\frac{4}{20}=\frac{1}{5}$

$\mathrm{P}(X=2)=\frac{{}_4\mathrm{C}_2 \times {}_2\mathrm{C}_1}{{}_6\mathrm{C}_3}=\frac{12}{20}=\frac{3}{5}$

$\mathrm{P}(X=3)=\frac{{}_4\mathrm{C}_3 \times {}_2\mathrm{C}_0}{{}_6\mathrm{C}_3}=\frac{4}{20}=\frac{1}{5}$

따라서 X의 확률분포를 표로 나타내면 다음과 같다.

X	1	2	3	계
$\mathrm{P}(X=x)$	$\frac{1}{5}$	$\frac{3}{5}$	$\frac{1}{5}$	1

2단계	오전에 공연하는 B고등학교 동아리가 2팀 이하일 확률을 구한다.	◀ 20%

오전에 B고등학교의 동아리가 2팀 이하로 공연할 확률은
$\mathrm{P}(X \le 2)$이므로 $\mathrm{P}(X \le 2)=\mathrm{P}(X=1)+\mathrm{P}(X=2)=\frac{1}{5}+\frac{3}{5}=\frac{4}{5}$

3단계	$\mathrm{E}(X)$, $\mathrm{V}(X)$의 값을 구한다.	◀ 20%

$\mathrm{E}(X)=1 \times \frac{1}{5}+2 \times \frac{3}{5}+3 \times \frac{1}{5}=\frac{10}{5}=2$

$\mathrm{V}(X)=1^2 \times \frac{1}{5}+2^2 \times \frac{3}{5}+3^2 \times \frac{1}{5}-2^2=\frac{2}{5}$

4단계	$\mathrm{E}(5X+2)+\mathrm{V}(5X+2)$의 값을 구한다.	◀ 20%

$\mathrm{E}(5X+2)=5\mathrm{E}(X)+2=5 \times 2+2=12$

$\mathrm{V}(5X+2)=5^2\mathrm{V}(X)=25 \times \frac{2}{5}=10$

따라서 $\mathrm{E}(5X+2)+\mathrm{V}(5X+2)=12+10=22$

23

정답 해설참조

1단계	귤 한 개의 무게를 확률변수 X라 하고 귤 한 개를 택할 때, 특등 귤일 확률을 구한다.	◀ 40%

확률변수 X는 정규분포 $\mathrm{N}(65,\ 5^2)$을 따르므로 $Z=\frac{X-65}{5}$으로 놓으면
Z는 표준정규분포 $\mathrm{N}(0,\ 1)$을 따른다.
귤 한 개의 무게가 75g 이상일 확률은

$\mathrm{P}(X \ge 75)=\mathrm{P}\left(Z \ge \frac{75-65}{5}\right)$
$=\mathrm{P}(Z \ge 2)$
$=0.5-\mathrm{P}(0 \le Z \le 2)$
$=0.5-0.48=0.02$

2단계	2500개의 귤 중에서 특등 귤의 개수를 확률변수 Y라 할 때, Y가 근사적으로 따르는 정규분포를 구한다.	◀ 30%

특등 귤의 확률은 0.02이므로 확률변수 Y는 이항분포 $\mathrm{B}(2500,\ 0.02)$를 따른다.
$\mathrm{E}(Y)=2500 \times 0.02=50$, $\sigma(Y)=\sqrt{2500 \times 0.02 \times 0.98}=\sqrt{49}=7$
이때 2500은 충분히 큰 수이므로
Y는 근사적으로 정규분포 $\mathrm{N}(50,\ 7^2)$을 따른다.

3단계	특등 귤이 57개 이상일 확률을 구한다.	◀ 30%

$Z=\frac{Y-50}{7}$으로 놓으면 Z는 표준정규분포 $\mathrm{N}(0,\ 1)$을 따른다.
따라서 특등 귤이 57개 이상일 확률은

$\mathrm{P}(Y \ge 57)=\mathrm{P}\left(Z \ge \frac{57-50}{7}\right)$
$=\mathrm{P}(Z \ge 1)$
$=0.5-\mathrm{P}(0 \le Z \le 1)$
$=0.5-0.34=0.16$

24

정답 137

STEP A $a-b=3$**인 경우를 나누어 각각의 확률 구하기**

한 개의 주사위를 한 번 던져서 홀수의 눈이 나올 확률은 $\frac{3}{6}=\frac{1}{2}$

한 개의 동전을 한 번 던져서 앞면의 나오는 확률은 $\frac{1}{2}$

이때 한 개의 주사위를 5번, 동전을 4번 던지므로 $0 \le a \le 5$, $0 \le b \le 4$인 정수 a, b에 대하여 $a-b=3$을 만족시키는 순서쌍 $(a,\ b)$는
$(5,\ 2)$, $(4,\ 1)$, $(3,\ 0)$의 세 가지 경우이다.

STEP B 독립시행의 확률 구하기

(ⅰ) $a=5$이고 $b=2$인 경우
주사위를 5번 던질 때, 홀수의 눈이 5번 나오고
동전을 4번 던질 때, 앞면이 2번 나와야 하므로 확률은
$${}_5\mathrm{C}_5\left(\frac{1}{2}\right)^5\left(\frac{1}{2}\right)^0 \times {}_4\mathrm{C}_2\left(\frac{1}{2}\right)^2\left(\frac{1}{2}\right)^2=\frac{1}{2^5} \times \frac{3}{2^3}=\frac{3}{2^8}$$

(ⅱ) $a=4$이고 $b=1$인 경우
주사위를 5번 던질 때, 홀수의 눈이 4번 나오고
동전을 4번 던질 때, 앞면이 1번 나와야 하므로 확률은
$${}_5\mathrm{C}_4\left(\frac{1}{2}\right)^4\left(\frac{1}{2}\right)^1 \times {}_4\mathrm{C}_1\left(\frac{1}{2}\right)^1\left(\frac{1}{2}\right)^3=\frac{5}{2^5} \times \frac{1}{2^2}=\frac{5}{2^7}$$

(ⅲ) $a=3$이고 $b=0$인 경우
주사위를 5번 던질 때, 홀수의 눈이 3번 나오고
동전을 4번 던질 때, 앞면이 0번 나와야 하므로 확률은
$${}_5\mathrm{C}_3\left(\frac{1}{2}\right)^3\left(\frac{1}{2}\right)^2 \times {}_4\mathrm{C}_0\left(\frac{1}{2}\right)^0\left(\frac{1}{2}\right)^4=\frac{5}{2^4} \times \frac{1}{2^4}=\frac{5}{2^8}$$

STEP C 배반사건을 이용하여 확률 구하기

따라서 구하는 확률은 $\frac{3}{2^8}+\frac{5}{2^7}+\frac{5}{2^8}=\frac{18}{2^8}=\frac{9}{2^7}=\frac{9}{128}$이므로
$p+q=128+9=137$

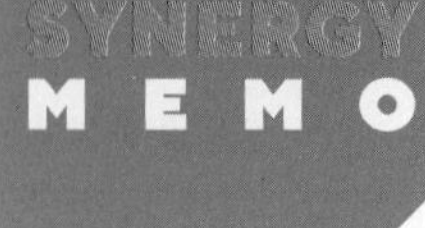